1 MONTH OF
FREE
READING

at
www.ForgottenBooks.com

By purchasing this book you are eligible for one month membership to ForgottenBooks.com, giving you unlimited access to our entire collection of over 1,000,000 titles via our web site and mobile apps.

To claim your free month visit:

ISBN 978-0-428-27646-1
PIBN 10352209

Skizze der Entwickelung und des Stande

des

Kartenwesens

des aufserdeutschen Europa.

Von

W. Stavenhagen,
Königlichem Hauptmann a. D.

GOTHA: JUSTUS PERTHES.

1904.

Preis 16 M

astronomischen Geographie, Meteorologie, Nautik, Geologie, Anthropologie, Ethnographie, Staaten-kunde und Statistik beziehen, erbeten. Ganz besonders sind verläßliche Notizen oder briefliche Berichte aus den *außereuropäischen* Ländern, wenn auch noch so kurz, nicht nur von Geographen von Fach, sondern auch von offiziellen Personen, Konsuln, Kaufleuten, Marine-Offizieren und Missionaren, durch welche uns bereits so wertvolle und mannigfaltige Be-richte zugegangen sind, stets willkommen.

Reisejournale zur Einsicht und Benutzung, sowie die bloßen *unberechneten Elemente astrono-mischer, hypsometrischer und anderer Beobachtungen* und *Nachrichten über momentane Ereignisse* (z. B. Erdbeben, Orkane), sowie über *politische Territorialveränderungen* etc. werden stets dankbar ent-gegengenommen. Ferner ist die Mitteilung *gedruckter*, aber seltener oder schwer zugänglicher *Karten*, sowie *außereuropäischer*, geographische Berichte enthaltender *Zeitungen* oder anderer mehr ephemerer *Flugschriften* sehr erwünscht. — Für den Inhalt der Artikel sind die Autoren ver-antwortlich.

Die Beiträge sollen womöglich in deutscher Sprache geschrieben sein, doch steht auch die Abfassung in einer andern Kultursprache ihrer Benutzung nicht im Wege.

Originalbeiträge werden pro Druckbogen für die Monatshefte mit *68 Mark*, für die Er-gänzungshefte dementsprechend mit *51 Mark*, Übersetzungen oder Auszüge mit der *Hälfte dieses Betrages*, Litteraturberichte mit *10 Pf.* pro Zeile in Kolonel-Schrift, jede für die „Mitteilungen" geeignete **Originalkarte** gleich einem Druckbogen mit *68 Mark*, **Kartenmaterial** und **Kom-pilationen** mit der *Hälfte dieses Betrages* honoriert. In außergewöhnlichen Fällen behält sich die Redaktion die Bestimmung des Honorars für Originalkarten vor.

An *Verlagsbuchhandlungen* und *Autoren* richten wir die Bitte um Mitteilung ihrer Verlags-artikel bzw. Werke, Karten oder Separatabdrücke von Aufsätzen mit Ausschluß derjenigen lediglich schulgeographischen Inhalts behufs Aufnahme in den Litteratur- oder Monatsbericht, wobei wir jedoch im vorhinein bemerken, daß über Lieferungswerke erst nach Abschluß der-selben referiert werden kann.

FÜR DIE REDAKTION: Prof. Dr. A. Supan.   JUSTUS PERTHES' GEOGRAPHISCHE ANSTALT.

Dr. A. PETERMANNS

MITTEILUNGEN

AUS

JUSTUS PERTHES GEOGRAPHISCHER ANSTALT.

HERAUSGEGEBEN

VON

Prof. Dr. A. SUPAN.

Ergänzungsband XXXI (Heft 145–148).

Inhalt:

Nr. 145. Ernst Ludwig Voß, Beiträge zur Klimatologie der südlichen Staaten von Brasilien.

Nr. 146. Alexander Supan, Die Bevölkerung der Erde. XII.

Nr. 147. Prof. Dr. Theobald Fischer, Der Ölbaum.

Nr. 148. W. Stavenhagen, Skizze der Entwickelung und des Standes des Kartenwesens des außerdeutschen Europa.

GOTHA: JUSTUS PERTHES.

1904.

Skizze

der Entwickelung und des Standes

des

Kartenwesens

des aufserdeutschen Europa.

Von

W. Stavenhagen,
Königlichem Hauptmann a. D.

Motto: „Gehe durch die Welt
Und sprich mit jedem."
Firdusi.

(ERGÄNZUNGSHEFT No. 148 ZU „PETERMANNS MITTEILUNGEN".)

GOTHA: JUSTUS PERTHES.
1904.

Vorwort.

Das vorliegende Werk, das ich hiermit der Öffentlichkeit, vor allem dem geographischen und militärischen Publikum übergebe, behandelt skizzenhaft ein ungeheures Gebiet, sowohl nach Umfang wie nach Inhalt.

Mein Ziel war, einen gemeinverständlichen Überblick über die Hauptetappen des Entwickelungsganges wie über den heutigen Stand des Kartenwesens aller Staaten der Erde — zunächst Europas, mit Ausnahme des Deutschen Reiches, das eine gesonderte Behandlung erfahren wird — zu geben.

Es sollen vorzugsweise die Landkarten erörtert werden, indessen wird auch das Seekartenwesen, soweit es in den Zusammenhang gehört oder in einzelnen Reichen eine besonders hohe Ausbildung dauernd oder zeitweise erfahren hat, berührt werden, soviel es Raumrücksichten zulassen.

Namentlich eingehend ist über die offizielle Kartographie und hier wieder die topographische Spezialkarte, also die amtliche Karte größten Maßstabes, berichtet worden. Enthält sie doch alle Fortschritte des Vermessungswesens wie der Darstellungs- und Vervielfältigungskunst, bringt die Ergebnisse der neuesten und besten Aufnahmen, ordnet sie und gibt sie übersichtlich und künstlerisch schön wieder, so daß möglichst naturwahre Bilder entstehen. Damit ist sie das geeignetste Mittel zur Prüfung und zum Vergleich des gegenwärtigen Standes der Geodäsie und Kartographie, so daß A. Petermann einst sogar so weit ging, zu sagen: „Die topographische Aufnahmekarte ist das Höchste, was die Erdkunde hat."

Auf der topographischen Spezialkarte beruhen ja auch alle übrigen Kartenwerke eines Landes, sowohl die eigentlichen geographischen bis zur Atlaskarte hinauf, wie die besonderen physikalischen, geologischen, ethnologischen, magnetischen, statistischen, industriellen, historischen, Reise- usw. Karten, in denen heute auch die übrigen Wissenschaften, die physische Geographie voran, ihre Resultate graphisch niederlegen, oder die die Zeit des Weltverkehrs vom Kartographen fordert, und die erst in ihrer Gesamtheit das höchste Ziel erreichen lassen, ein genaues Abbild der Erdoberfläche zu geben. Die wichtigsten und am meisten charakteristischen Arbeiten dieser Art sind daher ebenfalls, seien sie amtlichen oder privaten Ursprunges, mit in die Betrachtung gezogen worden, soweit es der Rahmen des Werks zuließ und dadurch nicht eine ohnehin nicht ganz vermeidliche ermüdende Aufzählung entstand.

Wer einen vollständigen Kartenkatalog sucht, der hier keineswegs beabsichtigt werden konnte, muß natürlich zu anderen Arbeiten, darunter für die neuere Zeit namentlich den Katalogen der einzelnen Landesaufnahmen und Privatinstitute, greifen.

Hier ist dem Werden der hervorragendsten Kartenwerke vom Altertum bis heute und ihrer Beurteilung, namentlich auch hinsichtlich ihres praktischen Werts, der erste Platz eingeräumt worden. Es sind daher auch selbstverständlich die Grundlagen jeder

Karte, der allgemeine Stand des jeweiligen Vermessungswesens überhaupt, dann die astronomischen und geodätischen Operationen, die Gradmessungsarbeiten, die Aufnahmemethoden, Meßverfahren und die Instrumente tunlichst berücksichtigt worden und auch Angaben über die Projektionsweisen, die zu erzielende oder erreichte Genauigkeit, die Reproduktionstechnik sowie über die Organisation und Tätigkeit der ausführenden Behörden gemacht worden. Endlich ist die für Europa wichtigste Literatur, wie auch die auf die einzelnen Länder in den betreffenden Entwickelungsperioden bezügliche in besonderer Zusammenstellung bei diesen Staaten erwähnt worden.

Die Behandlung des Stoffes geschah staatenweise, so daß jedes Land ein geschlossenes Ganzes bildet, und hier wieder chronologisch, im Rahmen der allgemeinen Entwickelungsgeschichte, sei es der politischen oder der kartographischen. Bei jeder Karte ist möglichst Titel, Maßstab, Blattzahl, Bearbeiter und Herausgeber, Art der Herstellung und der Geländedarstellung, Anfang und Beendigung der Arbeit, bei den wichtigsten auch Näheres über Inhalt, Wert, gegeben worden. Dabei konnten in der Regel nur im Handel erschienene, aber nicht geheime oder Manuskriptkarten, berücksichtigt werden.

Von der an sich ja wünschenswerten Beigabe von Kartenproben und Indexmaps mußte abgesehen werden.

Obwohl von einem Soldaten verfaßt, ist diese Arbeit nicht etwa eine einseitig militärische oder auf irgendein bestimmtes System oder eine Theorie eingeschworene, wie sich von selbst schon verbietet, wenn man der Eigenart jedes Landes gerecht werden will.

„Ce que nous connaissons est peu de chose, mais ce que nous ignorons est immense!"

Mit diesen Worten von Laplace übergebe ich diesen Versuch dem wohlgesinnten Urteil der fachverständigen Geographenwelt, die ihre Jünger ja in weitesten Kreisen der Gelehrten wie der Militärs glücklicherweise besitzt, und in denen ich diese Schrift, die beileibe kein Bibliothekswerk werden soll, verbreitet sehen möchte.

Für jeden sachlichen Hinweis, für eine wahrhaft produktive Kritik, werde ich dankbar sein. Scripsi, ut potui, non sicut volui.

Berlin NW 6, im Juni 1904.

W. Stavenhagen.

Inhaltsverzeichnis.

	Seite
Vorwort	V—VI
Literatur für alle Länder Europas	VIII—XII
Einleitung	XIII—XXVIII
I. Europa als Ganzes	1— 18
2. Mitteleuropa	18— 79
I. Österreich-Ungarn	18— 48
II. Schweiz	48— 79
3. Westeuropa	79—182
I. Großbritannien und Irland	79— 99
II. Niederlande	99—110
III. Belgien	111—119
IV. Luxemburg	119—121
V. Frankreich	121—182
4. Osteuropa	182—219
Rußland	182—219
5. Nordeuropa	219—245
I. Norwegen	222—227
II. Schweden	227—237
III. Dänemark	237—245
6. Südeuropa	246—368
A. Die Pyrenäische Halbinsel	
I. Spanien	247—260
II. Portugal	260—266
B. Die Apenninische Halbinsel	
Italien	267—311
C. Die Balkanhalbinsel	
I. Gesamtdarstellungen	313—318
II. Griechenland	318—334
III. Bulgarien (mit Ostrumelien)	334—340
IV. Serbien	340—346
V. Montenegro	346—353
VI. Rumänien	353—361
VII. Europäische Türkei	361—366
VIII. Bosnien und Herzegowina	366—368
Personenregister	369—375
Nachträge und Berichtigungen	375—376

Literatur für alle Länder Europas[1].

A. Allgemeines.

1. Caspar Gottschling: Versuch einer Historie der Landcharten. Halle 1711.
2. Joh. Gottfr. Gregorii: Cüriouse Gedanken von den vornehmsten und akkuratesten alten und neuen Landcharten. Frankfurt und Leipzig 1713.
3. R. D. Hauber: Versuch einer umständlichen Historie der Landkarten. Ulm 1724.
4. Joh. Hübner: Museum Geographicum, d. h. Verzeichnis der besten Landcharten. Hamburg 1746.
5. Joh. Georg Hager: Geographischer Büchersaal. 3 Bde. Chemnitz 1764—68.
6. Anton Friedr. Büsching: Wesentliche Nachrichten von neuen Landcharten, geogr. und statist. und hist. Büchern und Sachen. Berlin 1778—87.
7. Frhr v. Zach: Allgemeine geographische Ephemeriden. 1798.
8. F. G. Woltersdorf: Repertorium der Land- und Seekarten. 1. Teil. Wien 1813.
9. S. Schropp & Cie: Catalogue des Cartes et Ouvrages géographiques. Berlin 1817.
10. H. Berghaus: Kritischer Wegweiser im Gebiet der Landkartenkunde nebst anderen Nachrichten zur Beförderung der mathematischen und physikalischen Geographie und Hydrographie. Zwanglose Hefte. Sim. Schropp & Cie, Berlin. 7 Bände 1829—35.
11. C. W. v. Oesfeld: Der Kartenfreund oder Anzeige und Beurteilung erschienener Land- und Seekarten und Grundrisse. Berlin 1841.
12. Preußischer Generalstab: Beurteilende Übersicht derjenigen durch den Druck vervielfältigten Karten, Situations- und Festungspläne von Europa, welche für deutsche Militärs von praktischem Interesse sind. 1. Teil. Berlin 1849. (2. Teil nicht erschienen.)
13. E. v. Sydow: Der kartographische Standpunkt Europas mit besonderer Rücksicht auf den Fortschritt der topographischen Spezialarbeiten in den Jahren 1856—71. Gotha, Petermannsche Mitteilungen. Auch als Abdruck in 6 Heften.
14. E. v. Sydow: Übersicht der wichtigsten Karten Europas, I. Teil. Berlin 1864. (II. Teil ist nicht erschienen.)
15. E. v. Sydow: Übersicht der neueren topographischen Spezialkarten der europäischen Länder. Geogr. Jahrbuch, I. u. IV. Bd., Gotha, Perthes, 1866 und 1872. In Tabellenform.
16. A. Toth: Geschichte, Theorie und gegenwärtiger Stand der Topographie und Kartographie. Pesth 1869. Ungarisch.
17. Inventaris der verzameling Kaarten berustande in het Rijks-Archief. Godeelte 1. 2. 's Gravenhage 1867—71. 2 Bände.
18. Preußischer Generalstab: Registrande der geographisch-statistischen Abteilung. Berlin 1868—83. 13 Bände.
19. Vivien de St. Martin: Histoire de la géographie. Paris 1873.
20. C. B. Comstock: Notes on European Surveys. Washington 1876.
21. P. Nissen: Oversigt over de vigtigste topografiske og kartografiske arbejden i Europa medsaerligt hensyn til nordiske riger. Kristiania 1879. Nachtrag 1881.
22. J. Bornecque: La cartographie militaire à l'exposition universelle de Paris. 1880.
23. G. M. Wheeler: Report open the third international geographical Congress and Exhibition at Venise, Italy. 1881.
24. Alfred Grandidier: Rapport sur les cartes et les appareils de géographie et de cosmographie, sur les cartes géologiques et sur les ouvrages de météorologie et de statistique. (Exposition universelle internationale de 1878 à Paris.) Paris 1882.
25. Th. Riedels Buchhandlung: Kartographisches Auskunftsbuch. Zusammenstellung der Übersichtsblätter amtlicher Kartenwerke. München 1888. Nebst Verzeichnis von Reisekarten.
26. C. v. Haradauer: Dermaliger Standpunkt der offiziellen Kartographie in den europäischen Staaten mit besonderer Berücksichtigung der topographischen Karten. Mitt. der K. K. Geogr. Gesellschaft in Wien 1887 und 1888.
27. J. G. Bartholomew: The mapping of the World. (Scottish Magazine.) Edinburgh 1890.
28. Dr. W. Wolkenhauer: Leitfaden zur Geschichte der Kartographie in tabellarischer Darstellung. Breslau, Ferdinand Hirt, 1895.
29. R. Mayer: Die Entwickelung der Seekarten bis zur Gegenwart. Wien 1897.

---

[1] Die Literatur für die einzelnen Staaten siehe dort im Text.

30. W. Stavenhagen: Geschichtliche Entwickelung des Kartenwesens der meisten europäischen Staaten, mit vorzugsweiser Berücksichtigung der offiziellen topographischen Spezialkarten. Skizzen, in zahlreichen geographischen und militärischen Zeitschriften. Berlin 1896—1903.

31. Haardt v. Harthenthurn: Die militärisch wichtigsten Kartenwerke der europäischen Staaten. Mitt. des K. K. Militärgeograph. Instituts, Wien 1899.

32. E. de Margerie et L. Raveneau: La cartographie à l'exposition universelle de 1900. (Annales de Géogr.) Paris 1900.

33. J. Zaffauk: Signaturen in- und ausländischer Pläne und Kartenwerke. Wien 1880, 2. Aufl. mit 48 Tafeln 1889. E. Hölzel.

34. Kataloge der verschiedenen Landesaufnahmen, geographischen Institute und Kartenverleger, und

35. Geographisches Jahrbuch, darin besonders die Berichte von M. Heinrich über die offizielle Kartographie, Bd. XII u. XIV.

B. Astronomie.

1. Gemma Frisius: Usus annuli astronomici 1534.

2. J. Bode: Astronomisches Jahrbuch 1774.

3. De la Lande: Abrégé d'astronomie. Paris 1774. 3. Ausg. als „Traité" 1792.

4. Bohnenberger: Anleitung zur geographischen Ortsbestimmung, vorzüglich mittels des Spiegelsextanten. Göttingen 1795.

5. C. F. Gauß: Theorie der Bewegung der Himmelskörper. Lateinisch 1809. Deutsch von Haase.

6. Laplace: Exposition du système du monde. Paris 1818.

7. A. Frhr v. Zach: Correspondance astronomique. Seit 1818.

8. H. C. Schumacher: Astronomische Nachrichten. Kiel. Seit 1821.

9. J. J. Littrow: Theoretische und praktische Astronomie 1821—27.

10. Kgl. preuß. Ak. d. Wissenschaften: Briefwechsel zwischen Gauß und Schumacher. 1880.

11. Dr. F. Brünnow: Lehrbuch der sphärischen Astronomie. Mit einem Vorwort von Encke. Berlin 1862. 4. Aufl. 1881.

12. Sim. Newcomb: Populäre Astronomie. Deutsche, vermehrte Ausgabe durch Rud. Engelmann. Leipzig 1881.

13. Dr. W. Jordan: Grundzüge der astronomischen Zeit- und Ortsbestimmung. Berlin 1885.

14. R. Wolf: Geschichte der Astronomie. München 1877.

15. Derselbe: Handbuch der Astronomie, ihrer Geschichte und Literatur. 2 Bände. Zürich 1890—93.

16. A. Sawitsch: Abriß der praktischen Astronomie. 1845. Deutsch von Peter 1879.

C. Geodäsie (Mathematik und Projektion) und Gradmessung.

1. Gemma Frisius: Libellus de locorum scribendorum ratione et de eorum distantiis inveniendis. Antwerpiae 1533.

2. W. Schickhart: Kurze Anweisung wie künstliche Landtafeln aus rechtem Grund zu machen und die bisher begangene Irrthumb zu verbessern. Tübingen 1629.

3. Bouguer: La figure de la terre. Paris 1749.

4. J. L. Hogrebe: Praktische Anleitung zur topographischen Vermessung eines ganzen Landes 1773.

5. L. Euler: Arbeiten über Kartenprojektion 1777.

6. Lagrange: Sur la construction des cartes géographiques (Mém. de l'Ac. de Berlin) 1781.

7. Tobias Meyer: Volle und gründliche Anweisung zur Verzeichnung der Land-, See- und Himmelskarten. Erlangen 1794.

8. Whewells: Geschichte der induktiven Wissenschaften. Deutsch von Littrow. 1840—41.

9. C. F. Gauß: Untersuchungen über Gegenstände der höheren Geodäie. Göttingen 1844 u. 1847.

10. Derselbe: Méthode des moindres carrés. Paris 1849.

11. J. J. Baeyer: Über die Größe und Figur der Erde. Eine Denkschrift zur Begründung einer mitteleuropäischen Gradmessung. Berlin 1861.

12. Derselbe: Zur Entstehungsgeschichte der europäischen Gradmessung. Berlin 1862.

13. J. J. Baeyer und Bessel: Die Rechnungsverfahren bei der europäischen Gradmessung.

14. J. J. Baeyer: Astronomische Bestimmungen für die europäische Gradmessung aus den Jahren 1857—66. Leipzig 1873.

15. J. C. Schmidt: Lehrbuch der mathematischen und physikalischen Geographie. Göttingen 1829.

16. A. Steinhauser: Grundzüge der mathematischen Geographie und Landkartenprojektion. Wien 1857. 3. Aufl. 1887.

17. Dr. F. R. Helmert: Die mathematischen und physikalischen Theorien der höheren Geodäsie. 2 Teile. Leipzig 1880 u. 1884. B. G. Teubner.

18. Entwurf für die astronomischen Arbeiten der europäischen Längengradmessung unter dem 52.° n. Br. vom Jahre 1863.

19. Protokoll der am 24, 25. und 26. April 1862 in Berlin abgehaltenen vorläufigen Beratungen über das Projekt einer europäischen Gradmessung. Berlin. Manuskript.

20. Verhandlungen der ersten allgemeinen Konferenz der Bevollmächtigten zur mitteleuropäischen Gradmessung vom 15. bis 22. Oktober 1864.

21. Procès-verbal des séances de la commission permanente de l'association géodésique internationale pour la mesure des degrés de méridiens et parallèles dans l'Europe centrale.

22. Protokolle der Sitzungen der genannten Kommission der mitteleuropäischen Gradmessung Leipzig (1865), Neuenburg (1866), Wien (1867), Florenz (1869), Wien (1871 und 1873), Dresden (1874), Paris (1875), Brüssel (1876), Stuttgart (1877), Hamburg (1878), Genf (1879), München (1880), Haag (1882).

23. Protokolle der Verhandlungen der allgemeinen Konferenz der mitteleuropäischen Gradmessung Berlin (1867), Wien (1871), Dresden (1874), München (1882), Paris (1883), Berlin (1886).

24. Dr. A. Hirsch: Verhandlungen der permanenten Kommission der internationalen Erdmessung Nizza (1887), Salzburg (1888), Freiburg (1890), Florenz (1891), Genf (1893), Innsbruck (1894), Lausanne (1896).

25. Bericht über die Tätigkeit des Zentralbureaus der internationalen Erdmessung in den Jahren 1899, 1900, 1901, 1902.

26. Generalbericht der Verhandlungen der allgemeinen Konferenz von 1868—73.

27. Berichte der Verhandlungen der allgemeinen Konferenz seit 1874.

28. Dr. M. Sadebeck: Register der Protokolle, Verhandlungen und Generalberichte für die europäische Gradmessung von 1861—80. Berlin 1883.

29. Derselbe: Entwickelungsgang der Gradmessungsarbeiten. Berlin 1867.

30. A. Germain: Traité des projections des cartes géographiques. Paris 1866.

31. Dépôt de la Guerre de Belgique: Grandeur et forme de la terre, déterminées par les mesures d'arc. Bruxelles 1870.

32. J. B. Listing: Über unsere jetzige Kenntnis der Gestalt und Größe der Erde. Göttingen 1872.

33. H. Bruns: Die Figur der Erde 1878.

34. J. B. Messerschmitt: Die Gestalt der Erde in der modernen Geodäsie. Die Bedeutung der Präzisionsnivellements. Uster-Zürich 1899.

35. De Lapparent: Sur la symétrie tétraédrique du globe terrestre. (Comptes rendus de l'Ac. de Sc. Paris 1900.)

36. v. Bauernfeind: Elemente der Vermessungskunde. 1. Aufl. München 1856. 7. Aufl. 1890.

37. Dr. W. Jordan: Handbuch der Vermessungskunde. Stuttgart 1878, 4. bzw. 5. Aufl., 1895—98.

38. J. B. Messerschmitt: Über den Verlauf des Geoids auf den Kontinenten und auf den Ozeanen. (Annalen der Hygrographie und maritim. Meteorol. 1900.)

39. Dr. O. Schreiber: Die konforme Doppelprojektion der trigonometrischen Abteilung der K. Pr. L.-A. Formeln und Tafeln. Berlin 1897.

40. A. Tissot: Mémoire sur la représentation des surfaces et les projections des cartes géographiques. Paris 1881. Deutsche Bearbeitung von E. Hammer: „Die Netzentwürfe geographischer Karten". Stuttgart 1887.

41. H. Struve: Landkarten, ihre Darstellung und ihre Fehlergrenzen. Berlin 1887.

42. E. Hammer: Über die geographisch wichtigsten Kartenprojektionen, insbesondere die zenitalen Entwürfe. 1889.

43. Dr. Carl Zöpprits und Bludau: Leitfaden der Kartenentwurfslehre. Leipzig, 2. Aufl., 1899.

44. Dr. Siegmund Günther: Handbuch der mathematischen Geographie. Stuttgart 1890.

45. H. Wagner: Lehrbuch der Geographie. Hannover 1890—96. Neue Aufl. 1903.

46. Derselbe: Geographisches Jahrbuch, Bd. I. (1866) bis XXV.

47. Baur: Lehrbuch der niederen Geodäsie. Berlin 1895.

48. A. Vital: Kartenentwurfslehre. Leipzig und Wien, F. Dentike, 1903.

49. Th. Albrecht: Resultate des internationalen Breitendienstes. Berlin, Reimer, 1903.

50. Fr. Hartner: Hand- und Lehrbuch der niederen Geodäsie. 9. Aufl. von E. Doležal, Wien 1904.

D. Topographie.

1. v. Plehwe: Leitfaden für den Unterricht im militärischen Aufnehmen. Berlin 1841.

2. v. Chauvin: Die Darstellung der Berge in Karten und Plänen. Berlin 1852.

3. F. Chauvin: Das Bergzeichnen rationell entwickelt. Berlin 1854.

4. Bardin: La Topographie enseignée par des plans-reliefs et des dessins, avec texte explicatif. Paris 1855.

5. v. Böhn: Die Terrainlehre, Terraindarstellung &c. Potsdam 1873.

6. v. Sonklar: Allgemeine Orographie. Wien 1873.

7. V. v. Streffleur: Allgemeine Terrainlehre. Wien 1878.

8. Kossman: Die Terrainlehre, Terraindarstellung und das militärische Aufnehmen. Potsdam 1880.

9. O. Rothplets: Die Terrainkunde. Zürich 1885.

10. W. Stavenhagen: Grundriß der Feldkunde. Berlin, Mittler, 2. Aufl., 1899.

11. Dr. C. M. Schols: Landmeten en waterpassen. 6. Aufl. von Hemert und Nobel. Mit Atlas. Breda 1899.

12. S. Finsterwalder: Die Terrainaufnahme mittels Photogrammetrie. München 1891.

13. C. Koppe: Photogrammetrie. Braunschweig 1896.

14. E. Doležal: Die Anwendung der Photographie in der praktischen Meßkunst. Halle 1896.

15. v. Hübl: Die photographische Terrainaufnahme. Wien 1900.

16. Paganini: Fotogrammetria. Milano 1901.

17. Pulfrich: Über die Konstruktion von Höhenkurven und Plänen auf Grund stereophotogrammetrischer Messungen mit Hilfe des Stereokomparators. Hannover 1903.

18. Derselbe: Über eine neue Art der Herstellung der topographischen Karte und einen hierfür bestimmten Stereoplanigraphen. Hannover 1903.

19. Laussedat: Recherches sur les instruments, les méthodes et le dessin topographiques. Paris, Gauttier-Villars, 1903. 2 Bände.

20. Conder Hull: Practical Naut. Surveying. 2. Aufl. London 1898.

21. Wharton: Hydrographical Surveying. 2. Aufl. London 1898.

22. Die gen. Werke von Bauernfeind und Jordan.

23. Zentral-Direktorium der Vermessungen im preuß. Staat: Anwendung gleichmäßiger Signaturen für topographische und geometrische Karten. 1888. 4. Aufl. 1895. Berlin, R v. Decker.

24. Bjelkow: Lehrbuch für das topographische Zeichnen. Russisch. Moskau 1889.

E. Geschichte der Kartographie.

I. Im Altertum und Mittelalter.

1. O. Peschel: Geschichte der Erdkunde. München 1865. 2. Aufl. durch S. Ruge 1877.

2. William Vincent: Ancient maps of the world. Mit 2 Karten. London 1800.

3. Conrad Mannert: Dissertation sur la carte géographique de Peutinger 1810. Traduit sur les yeux de l'auteur par M. Barbier.

4. Derselbe: Geographie der Griechen und Römer. 2 Teile. Berlin 1795.

5. Malte-Brun: Histoire de la géographie. Paris 1810.

6. Uekert: Geographie der Griechen und Römer. 1816.

7. Herm. Reingamem: Geschichte der Erd- und Länderabbildung der Alten, besonders der Griechen und Römer. Teil I: Einleitung und die Zeit bis Herodot. Rest nicht erschienen. Jena 1839.

8. Karl Müllenhoff: Über die Weltkarte und Chorographie des Kaisers Augustus. Kiel 1856.

9. Dionysius Grün: Die Peutingersche Tafel. Mitteilungen der K. K. Geogr. Gesellschaft. Wien 1874.

10. F. Philippi: Zur Rekonstruktion der Weltkarte des Agrippa. Marburg 1880.

11. A. Forbiger: Handbuch der alten Geographie. 3 Bände 1842—48. 2. Aufl. 1877.

12. Vivien de St. Martin: Histoire de la Géographie. Paris 1873. Mit Atlas von 12 Tafeln.

13. Bunbury: History of ancient geographs. 2 ed. London 1883. 2 Bände.

14. Luigi Hughes: Storia della geografia antica. Torino 1884.

15. Hugo Berger: Geschichte der wissenschaflichen Erdkunde der Griechen. 4 Abt. Leipzig 1887—93. Neue Aufl. 1903.

16. Max Schmidt: Zur Geschichte der geographischen Literatur der Griechen und Römer. Berlin 1887.

17. G. Marinelli: Die Erdkunde bei den Kirchenvätern. Deutsch von L. Neumann. Leipzig 1883.

18. R. Andree: Die Anfänge der Kartographie. Globus.

19. E. Cortambert: Introduction aux monuments de la Géographie. Paris 1879. (Zu „Jomards Monuments".)

20. K. Miller: Die ältesten Weltkarten (Mappae mundi). Stuttgart, J. Roth, 1895—98. Mit Atlas.

21. Vicomte de Santarem: Essai sur l'histoire de la cosmographie et la carte pendant le moyen-âge (et sur les progrès de la géographie après les grandes découvertes du XVe siècle). 3 Bde. Paris 1849—52.

22. J. W. Melrinoli: The Christian Topography of Cosmos. London 1897.

23. J. A. Schneller: Über einige ältere handschriftliche Seekarten. München 1843.

24. H. Wagner: Das Rätsel der Kompaßkarten im Lichte der Gesamtentwickelung der Seekarten. Vortrag auf dem XI. Deutschen Geographentage. 1895. Berlin 1896.

25. H. Wagner: Die Kopien der Weltkarten des Museum Borgia (XV. Jahrhunderts). Göttingen 1892.

26. Th. Fischer: Sammlung mittelalterlicher Welt- und Seekarten italienischen Ursprungs aus italienischen Bibliotheken und Archiven. Venedig 1886. F. Ongania. (Text zu „Raccolti di mappamundi e carte nautiche etc." von 1883.)

27. Fortia d'Urbain: Recueil des itinéraires anciens. Paris 1845.

28. J. Lelewel: Géographie du moyen-âge. 1852. 4 Bände mit 18 Tafeln.

29. A. Breusing: Leitfaden durch das Wiegenalter der Kartographie. Frankfurt a. M. 1883.

30. A. Cossu: Il concetto di geografia presso Strabone. Riv. Geogr. Ital., Roma 1899.

31. A. Forbiger: Strabos Erdbeschreibung. Übersetzung. Stuttgart 1856—62. 2. Aufl., Berlin 1899.

2. Die Renaissance und Reform der Kartographie.

1. Sebastian Münster: Typi cosmographici et declaratio et usus. 12 Seiten. 1 sehr seltene Karte. Edidit Grynaeus. Editiones Basiliae 1533 und 1537.

2. Joachim Rhäticus: Chorographie. 1550.

3. Alfons Heyer: Drei Mercatorkarten in der Breslauer Stadtbibliothek. Zeitschr. für wiss. Geographie.

4. A. Breusing: Gerhard Kremer, genannt Mercator. Der deutsche Geograph. Ein Vortrag. 1869. 2. verm. Aufl. Duisburg 1878.

5. Derselbe: Gerhard Mercator. (Allg. Deutsche Biographie, Bd. XVIII.)

6. H. Wagner: Leitfaden durch den Entwickelungsgang der Seekarten, vom 13. bis 18. Jahrhundert oder bis zur allgemeinen Einführung der Mercatorprojektion und der Breitenminute als Seemeile. Bremen 1895.

7. K. Kretschmer: Die Entdeckung Amerikas in ihrer Bedeutung für die Geschichte des Weltbildes. Mit einem Atlas. Berlin 1892.

8. A. v. Humboldt: Kritische Untersuchungen über die historische Entwickelung der geographischen Karten von der Neuen Welt und die Fortschritte der nautischen Astronomie im 15. und 16. Jahrhundert. Berlin 1852.

9. E. Geleich: Die Instrumente und die wissenschaftlichen Hilfsmittel der Nautik zur Zeit der großen Länderentdeckung. Hamburg 1892.

10. Justin Winsor: A Biography of Ptolemaeus' Geography (1462—1867), Cambridge 1884.

11. Victor Hantzsch: Sebastian Münster. Leipzig 1898.

12. A. E. v. Nordenskiöld: Facsimile-Atlas to the early history of cartography. Stockholm 1889. Text.

13. Derselbe: Periplus. Stockholm 1897. Utkast till sjökortens och sjöböckernas äldsta historia.

14. L. Gallois: Les géographes allemands de la Renaissance. 1897.

3. Zeit des Überganges.

1. S. Ruge: Zeitalter der Entdeckungen von 1594 bis Mitte des 18. Jahrhunderts.

2. Philipp Clüver: Introductio in universam geographiam tam veterem quam novam. Leiden 1624.

3. Georges Fournier: Hydrographie. Paris 1643. 2 édit., 1667.

4. Bernhard Varenius: Geographia universalis. 1650.

4. Zeitalter der Triangulationen.

Robert de Vaugondy: Essai sur l'histoire de la géographie ou sur son orgine, ses progrès et son état actuel. Paris 1755.

5. Moderne Kartographie.

1. Jubiläumsschrift der Geographischen Anstalt von Justus Perthes. 1885.
2. v. Morozowics: Die Königlich Preußische Landesaufnahme. Berlin 1879. Mittler.
3. J. Partsch: Die geographische Arbeit des 19. Jahrhunderts. Rektoratsrede. Breslau 1899. W. G. Korn.
4. W. Stavenhagen: Die geschichtliche Entwicklung des preußischen Militärkartenwesens Leipzig, B. G. Teubner. 1900.
5. Frhr v. Richthofen: Die Triebkräfte und Richtungen der Erdkunde im 19. Jahrhundert. (Zeitschr. der Gesellschaft für Erdkunde, Heft 9.) 1903.
6. A. Supans Literaturberichte in Peterm. Mitt. Gotha, Perthes.
7. Zeitschriften wie Peterm. Mitt., Année cartographique, Annales de Géographie, Geogr. Zeitschrift, Globus, Zeitschrift der Geographischen Gesellschaften Europas, Berichte der Internationalen Geographischen Kongresse, Bibliotheca Geographica (O. Baschin) &c.

6. Allgemeines.

1. Konrad Kretschmer: Historische Geographie von Mittel-Europa. München 1804.
2. K. v. Spruner und Th. Mencke: Handatlas für die Geschichte des Mittelalters und der neueren Zeit. 3. Aufl. Gotha, Perthes 1880. 90 Karten, 376 Nebenkarten.
3. v. Spruner-Bretschneider: Historischer Wandatlas. 10 Karten in je 9 Blatt 1 : 4 Mill. Zur Geschichte Europas im Mittelalter bis auf die neueste Zeit. 5. Aufl. 1903.
4. H. Kiepert und C. Wolf: Historischer Schulatlas zur alten, mittleren und neueren Geschichte in 36 Karten. 5. Aufl. 1890.
5. G. Droysen: Allg. Histor. Handatlas in 76 Karten mit erl. Text. Ausgeführt unter Leitung von R. Andree.

F. Verschiedenes.

1. C. Vogel: Die Herstellung und Zuverlässigkeit moderner Landkarten. 1881. („Aus allen Weltteilen".)
2. Derselbe: Wie sind die kartographischen Publikationen auf dem Laufenden zu erhalten, und worin besteht die Korrektur einer Karte? (Peterm. Mitt. 39. 1893)
3. A. Penck: Die Herstellung einer einheitlichen Weltkarte im Maßstabe 1 : 1 Mill. C. R. Congrès Intern. Géogr. Berne 1892.
4. E. Reclus: Projet de construction d'un globe terrestre à l'échelle du centmillième. B. S. normande de géogr. Rouen 1895.
5. A. v. Tillo: Sur la nécessité d'une Association Carthographique internationale. St. Pétersbourg 1895.
6. G. Goyau et E. Reclus: D'un atlas à l'échelle uniforme 1897.
7. Egli: Nomina geographica. 1. Aufl. 1872. 2. Aufl. 1892.
8. W. Köppen: Die Schreibweise geographischer Namen. 1893.
9. E. Sueß: Das Antlitz der Erde. Wien 1885 und 1888.

Einleitung.

Zur Einführung und zum vollen Verständnis der Auffassung, in der ich den nachfolgenden Überblick des Entwickelungsganges des außerdeutschen Kartenwesens Europas dargestellt habe, will ich hier die mich leitenden Gesichtspunkte darlegen über Wesen und Aufgaben der Kartographie, sowie daran einige Folgerungen und Lehren schließen, die sich aus der Gesamtbetrachtung, nach Ausscheidung des rein Historischen, als für die Gegenwart und Zukunft wichtige Grundsätze mir zu ergeben scheinen.

Die monumentale und wissenschaftliche Kartographie, mit der wir uns hier beschäftigen, ist zunächst darstellende Kunst, also Praxis, zugleich aber auch mathematische und technische Wissenschaft, d. h. Theorie. Beide stehen in Wechselwirkung, indem bald die eine, bald die andere voraneilt, wenn auch das Können ursprünglicher als das Wissen ist. Erst die Verknüpfung beider entspricht den höchsten Anforderungen, beiden Gesichtspunkten wurde daher hier Rechnung getragen. Als Kunst aufgefaßt, müssen deren Aufgaben, den im Laufe der Geschichte zu ihrer Ausführung angewandten Mitteln und erreichten Erfolgen sowie den eigentlichen Marksteinen und Urhebern des langen Entwickelungsweges, den Künstlern, ihrer Art zu schaffen, wie sie aus ihren Werken, den Karten, hervorgeht, und ihren Organisationen Beachtung geschenkt werden. Als Wissenschaft dargestellt, ist des Zusammenhanges der Kartographie mit den verwandten Wissenszweigen, ihrer Ziele und Erforschungsweisen, dann der jeweilig in der Theorie herrschenden und maßgebenden Auffassungen von der Beschaffenheit und Verwendung der Mittel und deren Betrachtung wie theoretischen Würdigung im Laufe der Geschichte, wie sie hauptsächlich in der Literatur niedergelegt ist, zu gedenken. Da wird sich nicht selten ein Unterschied feststellen lassen zwischen den Leistungen und dem wissenschaftlich Geforderten, und zugleich wird eine Scheidung zwischen dem Veralteten, weil durch die Forschung und Technik Überholten, und dem gegenwärtig sich noch Behauptenden eintreten müssen und auch möglich sein. Streng genommen müßte also mit unserer Arbeit eine Geschichte der kartographischen Literatur, ihrer Quellen &c. verbunden werden. Das hat sich bei diesem skizzenhaften Überblick, der etwa zwei Jahrtausende umfaßt, schon aus Raumgründen nicht durchführen lassen und war auch nicht beabsichtigt, weil einem selbständigen Gebiet zufallend. Es konnte bei der gewaltigen Fülle des Stoffes nur, wie auch in der Darstellung des eigentlichen Entwickelungsganges der geodätischen und kartographischen Ergebnisse, der Schwerpunkt auf das Wichtigste, vor allem natürlich die Karte selbst, gelegt werden, wobei aber stets ein Ausblick auf die Gesamtbestrebungen innerhalb eines bestimmten Kreises des geistigen Lebens, besonders die wichtigsten kartographischen Literaturerzeugnisse, und auf die allgemeine Geschichte des betreffenden Landes gegeben wurde, in deren Rahmen sich auch die kartographische vollzog. Ist ja doch die Kartographie nicht bloß eine naturwissenschaftliche, sondern auch eine historische Disziplin.

Aus unserer geschichtlichen Skizze werden wir die unverwüstliche Lebenskraft mancher aus uralter Zeit stammender Ideen und Triebkräfte erkennen, werden wir hoffentlich Gerechtigkeit gegen frühere Leistungen und Bescheidenheit in der Beurteilung zeitgenössischer lernen und so eine Vertiefung der fachmännischen Bildung erhalten, aus der dann neue Grundsätze und Aufgaben für die Zukunft erblühen. Das wenigstens anzuregen strebte ich an. Wir werden auch die Wahrheit des Goetheschen Wortes erkennen: „Die Geschichte der Wissenschaften ist eine große Fuge, in der die Stimmen der Völker nach und nach und abwechselnd zum Vorschein kommen." Wir werden sehen, wie eine Nation die andere ablöst und jede ihre besonderen Verdienste hat und Bausteine zu der immer vollkommeneren Ausbildung der uralten geographischen Karte liefert, von den die Grundlage uns schenkenden Griechen bis auf unsere Tage, wobei eine, bis zum Ende des 18. Jahrhunderts etwa reichende, sehr langsame Entwickelung auffallen wird. Die Ursache war die Abhängigkeit der darstellenden und wissenschaftlichen Kartographie von der den Stoff liefernden Geographie und der die Grundsätze der richtigen Ausführung gebenden Geodäsie, so daß noch zu Zeiten, wo die Maler- und Kunstschulen bereits Meisterwerke zustande brachten, die Kunst der Herstellung geographischer Bilder kaum diesen Namen verdiente, ihre mangelhaften, kindlichen und ärmlichen Erzeugnisse vielfach auch von geringem wissenschaftlichem Wert waren, natürlich von unserem heutigen Standpunkte aus gesehen. Denn die Lücken in den beiden grundlegenden Hauptwissenschaften spiegelten sich in der von ihnen beeinflußten Kartenkunst wieder, obwohl diese, rein technisch, natürlich Nutzen zog von den Fortschritten des Holzschnitts und Kupferstichs und in den Ländern daher am meisten blühte, wo auch die hohe Kunst in schönster Entwickelung stand. Ein Dürer z. B. übte unzweifelhaft auch auf die Ausführung der kartographischen Erzeugnisse einen belebenden Einfluß aus, und die Prachtwerke ganzer Geographen- und Verlegergeschlechter bekunden gleichzeitig die Einwirkung der zeitgenössischen Kunst. Aber gerade bei diesen Arbeiten hinderten das große in ihnen steckende Anlagekapital, das Zurückstehen des Staates und der doch immerhin beschränkte Abnehmerkreis der damaligen Zeit unter anderem eine wirkliche Ausnutzung aller Fortschritte und eine organische Entwickelung, so daß sich unter aller Pracht und Schönheit wissenschaftlich oft geringwertige Machwerke verbargen, Nachstiche alter Drucke, Ausnutzung vorhandener kostbarer Platten &c., welche in der Anlage den neuen Forderungen nicht mehr entsprachen. Die Kartographie ist eben wie kaum eine andere Kunst an die Hilfsmittel reicher Staaten gebunden und zugleich darauf angewiesen, das Gemeingut ganzer Nationen zu werden. Nur dann kann sie innere Lebenskraft haben und den gewaltigen Fortschritten der übrigen Wissenschaften folgen oder ihnen — voraneilen! Ursprünglich Privatarbeit, liegt heute ihr Schicksal doch in der Entwickelung der offiziellen Kartographie, so wenig verkannt werden kann, daß nur die Ideen einzelner, nie des selbst unproduktiven Staats, die Kunst und Wissenschaft zu fördern vermögen. Der Stand der amtlichen großen Landesaufnahmen ist trotz hervorragendster Leistungen einzelner großer kapitalkräftiger Privatfirmen doch heute das ausschlaggebende Element. Ihn also gilt es zunächst zu heben und zu fördern, und daran mitzuarbeiten ist nicht nur das Recht, sondern auch die Pflicht jedes sachverständigen Staatsbürgers, zunächst freilich der Geographen und Kartographen, die Hand in Hand arbeiten müssen. Da aber gibt es noch ungeheuere Arbeit.

In ältester griechischer Zeit bedeutete Geographie die Kunst, Abbildungen von der Erdoberfläche zu entwerfen. Erst allmählich ging der Name auch auf die Beschreibung durch das Wort über. Mommsen hält die Kunst des Messens für älter als die der Lautschrift und sagt von ihr: „Sie unterwirft dem Menschen die Welt", und von beiden Künsten: „Sie geben dem Menschen, was die Natur ihm versagte, Allmacht und Ewigkeit." Auch kann man mit Petermann wohl sagen, daß der Endzweck aller geographischen Forschung in erster Linie die Karte ist. Ja ich glaube, daß die Länderkunde vielmehr bildlich als durch das Wort gefördert worden ist. Auch heute werden die neuesten Ergebnisse der Forschungen zunächst graphisch niedergelegt, und Wagner hat recht, wenn er die Grundaufgabe der Geographie eine messende nennt. Ohne einen Satz zu schreiben, kann man doch das Ergebnis langjähriger wissenschaftlicher Studien in einer Karte niederlegen, während die beste geographische Schilderung oft hilflos ohne das Erdbild ist.

So bildet also die Karte in der Tat das nächste Z i e l und zugleich die B a s i s der Geographie, das Auge der Jünger dieser edelen Wissenschaft, und steht dem geographischen Lehrbuch an Wichtigkeit v o r a n. Sie ermöglicht dem Benutzer zu jeder Zeit eine Gegend weit größeren Umfanges, als in der Natur ihm möglich wäre, dabei nach Lage und Größe richtiger, weil nicht perspektivisch verkürzt, zu überschauen, ohne in ihr anwesend sein zu müssen. Sie ist ein handliches, daher auch außerordentlich kriegsmäßiges geographisches Werk mit einer Reihe von physischen, politischen, militärischen, geologischen, industriellen und statistischen Tatsachen, dabei viel lesbarer, klarer, belehrender und bequemer als ein Buch für den, der sie mit Verständnis zu studieren vermag. Ein Blick genügt, alle geographischen und wirtschaftlichen Tatsachen sowie qualitativen und quantitativen Unterschiede in räumlicher Anschaulichkeit und besser als in jeder Tabelle zu erfassen, selbst für den Laien ist sie anschaulicher und dadurch wird sie volkstümlicher als ein noch so populäres wissenschaftliches Buch. Sie wird zur besten Darstellung, wie Ratzel treffend sagt, der so wichtigen geographischen Lage, und aus dem Vergleich guter Karten erschließt sich die Morphologie der Erdoberfläche. Die Fortschritte der Kartographie haben ihre Quellen in dem allgemeinen Emporblühen der Wissenschaften, und besonders mit dem Emporkommen der Geographie und Geodäsie als selbständigen Wissenschaften hat sich auch die wissenschaftliche Kartographie in großartigster Weise entwickelt, technisch zugleich unterstützt von der gewaltigen Entwickelung der Reproduktionsverfahren. Immer neue Aufgaben treten an sie heran, wobei sie aber schließlich nicht vergessen sollte, daß es in erster Linie die N a t u r d e r E r d o b e r f l ä c h e an sich ist, die sie darzustellen hat, und daß sie nicht mehr geographisch ist, wenn sie auch andere Dinge in ihren Kreis zieht, wie die Statistik, Nationalökonomie &c. Wohl aber darf und muß sie diese wie auch die Geschichtskunde, die Ethnologie, Paläographie, Epigraphik, Diplomatik, Numismatik, Sphragistik &c., die ihr oft den vorgearbeiteten Stoff liefern, als Hilfswissenschaften in ihre Dienste ziehen. Dagegen hat sie alle Ergebnisse der G e o g n o s i e und G e o l o g i e zu verwerten: sind doch die Bodenformen nur richtig zu verstehen und daher auch darzustellen als das Erzeugnis hauptsächlich tellurischer Kräfte. Auch muß sie den vielseitigen Anforderungen der physischen Geographie entsprechen. Vor allem hängt die Kartographie von dem Gange der E n t d e c k u n g s g e s c h i c h t e und dem S t a n d e d e r V e r m e s s u n g s t e c h n i k, sowohl der Erdmessung[1]) wie besonders der Topographie, ab, denen daher in unserer Skizze hohe Beachtung geschenkt wurde. Diese Abhängigkeit ebenso wie ihre Vielseitigkeit hat dazu geführt, daß man ihr oft die wissenschaftliche Selbständigkeit, auf die sie freilich auch erst in neuerer Zeit sich Anspruch erworben, bestritten hat. Aber in solcher Lage befinden sich viele Wissenschaften, nicht zuletzt die aus den Grenz- und Nachbargebieten Material saugende und sammelnde Geographie,

---

[1]) Als der unsterbliche Begründer der heutigen Erdmessung, General Johann Jakob Baeyer, zuerst über den Stand der Gradmessungen im Geogr. Jahrbuch, 1. Band 1866, berichtete, konnte er von 11 Breitengradmessungen, die zusammen 85° 7′ (gegen 1280 geogr. Meilen) ausmachten, und von der in Arbeit begriffenen großen, 69 Grade etwa enthaltenden Längengradmessung unter dem 52. Parallel melden und hinzufügen, daß die von ihm ins Leben gerufene mitteleuropäische Gradmessung den 175. Teil der ganzen Erde, den 5. etwa Europas umfassen würde. Heute finden wir in E u r o p a den großen französisch-englischen und den gewaltigen russisch-skandinavischen Meridiangradbogen, ferner einen meridionalen Streifen von Dänemark durch Deutschland, Österreich und Italien bis Afrika und an Parallelgradmessungen die auf dem 45.° (Bordeaux—Schwarzes Meer), dem 47½.° im südlichen Rußland (19°), und dem 52. Breitengrad (69°) vollendet; in N o r d a m e r i k a einen 40 Längengrade umfassenden Bogen und größere Gebiete von 12 Breiten- und 17 Längengraden bzw. 10 Breiten- und 16 Längengraden gemessen. In A s i e n ist der ostindische Bogen von Kap Komorin bis zum Himalaya sowie verschiedene Parallelbogen von über 10° Länge, in A f r i k a eine Gradmessung von 7 Breiten- und 13 Längengraden fertiggestellt.

die lange nur als Hilfsdisziplin der Geschichte galt, während gerade umgekehrt die historische Erdkunde nur ein angewandter Zweig der Geographie ist, die Erdkunde, wie Peschel sagt, nicht nur eine physikalische, sondern auch eine historische Wissenschaft ist. Eine Theorie und Kunst zugleich, die so fördernd in das Leben des einzelnen wie der Nationen greift und ihren Bedürfnissen entgegenkommt, so umfangreiche Kenntnisse voraussetzt und durchaus eigene Verfahrungsweisen und Ausdrucksmittel verlangt, Anforderungen an ihre Ausüber stellt, wie sie nur selten in einer Person vereinigt sind — wie es die monumentale Kartographie tut —, hat, meine ich, eine volle wissenschaftliche wie künstlerische Selbständigkeit, stellt sich mit Recht für ihre Probleme in den Mittelpunkt und zieht oft viel bedeutsamere Disziplinen als Hilfszweige heran. Freilich ist die sinnliche Anschauung in der Karte eine weniger naturgetreue als bei der körperlichen Nachbildung der Erde durch Reliefs. Aber die Karte ist doch der verbreitetste und daher der wichtigste Ersatz der Wirklichkeit, auch die Grundlage des Reliefs, das man daher mit in die Kartographie hineinziehen und so ihre Selbständigkeit noch erhöhen darf.

Betrachten wir nun ein wenig näher Zweck und Einteilung der Karten und die an sie heute zu stellenden Anforderungen, um daraus einen Maßstab für die in unserer Darstellung des europäischen Kartenwesens beliebte Auffassung und Beurteilung moderner Arbeiten und einige Grundsätze für die Zukunft zu gewinnen!

Der eigentliche und wichtigste Zweck jeder Karte ist die möglichst klare und übersichtliche, einfache und deutliche, lesbare und handliche, schöne und geschmackvolle, dabei zutreffende, d. h. ausreichend genaue und vollständige, zweckmäßige, naturähnliche, anschauliche und charakteristische Abbildung des Zustandes des Erdantlitzes oder seiner kleineren oder größeren Teile zur Zeit der Aufnahme nach horizontaler und vertikaler Lage, in starker Maßverjüngung und bei möglichst geringer Verzerrung auf die Ebene. Sowohl in wissenschaftlicher als in künstlerischer Hinsicht handelt es sich um die höchste, mit den vollkommensten Mitteln erzielte kartographische Leistung von möglichst einheitlichem Charakter. Die Lösung der Aufgabe ist eine sehr schwierige.

Je nach den besonderen Bedürfnissen, denen eine Karte zu genügen hat, und die außerordentlich verschieden sein können, sowie dem daraus, dem Umfang der darzustellenden Räumlichkeit und aus der Geländebeschaffenheit sich ergebenden Inhalt werden verschiedene Zwischenstufen der Verjüngung für die Darstellung erforderlich werden. Daher ist der Maßstab[1]) einer Karte für deren Anordnung und Inhalt von durchschlagendem Einflusse und bildet den wichtigsten Einteilungsgrund[2]) der verschiedenen Kartenarten. Je mehr Gebiet zu übersehen sein muß, je mehr die großen Züge des Kartenbildes vor den Einzelheiten hervortreten sollen, um so kleiner kann der Maßstab sein, während umgekehrt da, wo es auf geometrisch genaue Wiedergabe auch minder wichtiger Kleinigkeiten des Geländes ankommt und der darzustellende Raum nur von beschränkter Ausdehnung ist, der große Maßstab geboten ist. Von dem Maßstab hängen Übersicht, Deutlichkeit, Lesbarkeit und Handlichkeit der Karte ab, ohne daß er natürlich ein für allemal die Leistungsfähigkeit und die zu wählende Bezeichnung einer Karte ent-

---

[1]) Er bezieht sich stets auf Längen und Richtungen der Karte, die man in ihr treu wiederzugeben sucht, nicht auf Flächen. Seine Bezeichnung geschieht meist in Bruchform (Verjüngungsverhältnis), und zwar im Metermaß, das abgerundete Verjüngungsziffern gestattet und bei dem man aus der Abmessung einer beliebigen Zahl von Kilometern sofort das Maß der Verkleinerung durch einfache Division ermitteln kann. Bei den Engländern und Russen erfolgt indessen die Bezeichnung durch die Angabe der Linieneinheiten (Meilen, Werst, Saschen), die durch 1 Zoll dargestellt werden, so daß besonders bei den britischen Karten wenig abgerundete Verjüngungszahlen entstehen. Zuweilen findet sich auch die Bezeichnung auf einen Erdgrad oder den Erdradius bezogen. Die Zeichnung des Maßstabes erfolgt meist als einfacher oder linearer. Bei Gradnetzkarten kann man auch ohne Wegelängenmaßstab die Reduktion durch den wirklich längentreu abgebildeten Meridian und die Projektion bestimmen. Wo der Maßstab fehlt, bleibt natürlich nur die vergleichende Schätzung bekannter Kartenlängen mit wirklichen Entfernungen.

[2]) Andere Klassifizierungen geschehen nach dem Hauptinhalt (Land- und Seekarten), dem besonderen Zweck (soviele Zweige der Geographie, soviele besondere Bestimmungen giebt es), nach der technischen Ausführung und dem Vervielfältigungsverfahren &c.

scheidet. Diese hängt vielmehr vor allem von der Natur der dargestellten Gegend, vielfach auch vom Sprachgebrauch ab, weshalb stets das Verjüngungsverhältnis anzugeben bleibt.

Man kann aber im allgemeinen zwei Hauptgruppen von Landkarten unterscheiden, nämlich geographische (generelle) oder Karten starker Verjüngung, die von den eigentlichen Kartographen ausgeführt werden und bis zur Abbildung ganzer Staaten, ja der Erde selbst, gehen. Sie entstehen als Stubenarbeit unter Benutzung des auf wissenschaftlichen Reisen durch Geographen &c. gesammelten Materials und vor allem durch eine dem beabsichtigten Zweck und Maßstab entsprechende Verkleinerung und Neubearbeitung der zweiten Gruppe, nämlich der topographischen (ortsbeschreibenden) oder Spezialkarten, die die kartenmäßige Reduktion der Originalaufnahme des Mappeurs darstellen und auch von Topographen in verhältnismäßig größerem Maßstabe ausgeführt sein können.

I. Die geographischen Karten sind also eigentlich keine Originalquellen, sondern Reduktionen von Karten größeren Maßstabes. Sie können wieder in mehrere Klassen geteilt werden, ohne daß sich für jede Gegend gleiche Grenzen dafür angeben lassen können. Was für Afrika schon Spezialkarte ist, wäre für Deutschland höchstens Übersichtskarte, und Europa in 1 : 2 Mill. ist gegenüber seiner Abbildung in 1 : 15 Mill. eine Spezialkarte. Kann der Maßstab nicht genau dem darzustellenden Gebiet angepaßt werden, so ist es eher zulässig, ihn zu groß als zu klein zu wählen. Der besondere technische Zweck oder wissenschaftliche Gesichtspunkte entscheiden ebenfalls.

A. Im kleinsten Maßstabe sind die in erster Linie der Länderkunde dienenden Atlas- und Generalkarten entworfen, welche meist der Privatkartographie angehören und von über 500000 bis zur mehrmillionenfachen Verkleinerung reichen. Als Generalkarten in etwa 1 : 500000 bis 1,5 Mill. gewähren sie die Übersicht eines kleineren Staats oder einzelner Landesteile oder Provinzen [1]) eines großen Reiches oder eines Kriegsschauplatzes zur Beurteilung der Anlage eines Krieges — in all diesen genannten Fällen auf möglichst wenig Blättern. Hierbei richtet sich natürlich der Maßstab nach der Natur des Landes, so daß in den verschiedenen Ländern sich große Unterschiede ergeben. Bei Kriegskarten wird man außerdem für den Gebrauch die Verjüngung lieber zu klein als zu groß wählen, wenn auch Lieferungsschnelligkeit, Blattzahl und Transportfähigkeit auf möglichst kleine Maßstäbe hinweisen, so daß oft ein Kompromiß zu schließen ist. Auch wird man, ohne die Handlichkeit zu beschränken, doch möglichst große Blätter für Operationskarten wählen. Bei sehr großen Staaten oder der Zusammenstellung mehrerer kleinerer oder eines ganzen Gebiets, wie z. B. Mitteleuropa, wird man natürlich zu Maßstäben von 1 : 750000 bis 1,5 Mill. auf vielen Blättern gezwungen sein, und wenn es sich um ganze Erdteile handelt, so würde ein Maßstab von z. B. 1 : 500000 der Karte schon den Charakter einer Spezialkarte geben, die Generalkarte würde also erheblich größere Verjüngung erfordern. Daher können ganz bestimmte Grenzlinien natürlich nicht gezogen werden, der einzelne Fall entscheidet. Im allgemeinen aber geben die Generalkarten ein klares großzügiges Bild nur der Gebirge und Flußsysteme, sowie der Hauptstraßen, um daraus z. B. die Schwierigkeiten der Kriegführung beurteilen und Feldzugspläne aufstellen zu können, oder veranschaulichen die politischen Verhältnisse für Lehr- und Unterrichtszwecke, sowohl als Hand- wie besonders als Wandkarten, wobei noch die Forderung der Deutlichkeit des Erfassens der Gegenstände aus der Ferne hervortritt. Jedenfalls findet bei allen nicht nur eine große Verallgemeinerung, sondern auch eine erhebliche Stoffausscheidung statt, und es kann nur von annähernder Ähnlichkeit der Grundrisse gesprochen werden.

.[1]) Nur bei sehr großem Format gelingt es, eine preußische Provinz in etwa 1 : 750000 auf 1 Blatt darzustellen. Meist muß der Maßstab kleiner als 1 Million sein, und daher sind besonders wichtige Gegenden als Nebenkarten in größerem Maßstabe zu zeichnen.

Die Entwurfsart ist meist die der konformen Kegelprojektion in der Lambert-Wittstein-schen Auffassung.

Bei noch mehr zunehmender Verkleinerung, wie sie die Atlas- oder Land-karten schlechtweg meist aufweisen, also über 1:1 Mill. bis zur größt vorkommen-den (von 60, ja 100 Mill. der natürlichen Länge), ist nach höchster Vereinfachung zu streben, ohne der Karte das Eigentümliche und Charakteristische zu nehmen und die Richtigkeit und Ähnlichkeit noch meßbarer Räume sowie die gute Harmonie zu beeinträch-tigen. Immerhin wird die Karte mehr eine Bildersprache sein, die aus konventionellen Zeichen besteht und im Interesse der Deutlichkeit, wie sie dem Maßstabe entspricht, nur das geographisch Wichtigste in großen Zügen und je nach der Natur des dargestellten Gebiets enthält. Hier richtig kartenmäßig zusammenzufassen und zu vereinfachen, das Wesentliche von dem Wegzulassenden dem Reduktionsmaße entsprechend zu scheiden und doch ein be-zeichnendes Bild zu liefern, ist unendlich schwer und erfordert ebensowohl den wissenschaft-lichen Geographen wie den künstlerischen Kartographen, der sich in seine Aufgabe vertieft. In diesem Sinne sind die Atlaskarten freilich Originalarbeiten ersten Ranges. Dazutritt die Forderung, daß alle Länder nach Maßgabe des Bedürfnisses vertreten sein sollen und die Maßstäbe für einen richtigen Vergleich gewählt werden müssen, was praktisch schwierig ist. Es müssen wenige, dabei kommensurable Verjüngungsverhältnisse und bei Ländern gleicher Größenklasse auch gleiche Maßstäbe gewählt werden. So hat z. B. der neueste „Stieler" von seinen 100 Karten 14 Maßstäbe und darunter für die 28 „Spezialkarten" europäischer Staaten 1:1,5 Mill. für die 20 Karten großräumiger Länder wie Rußland und die Union 1:3,7 Mill., für die 25 Karten außereuropäischer Länder 1:7,5 Mill. und für ganz Europa 1:15 Mill. Auch muß die Projektion möglichst gleichförmig sein, wozu neben der Kegel- vorzugsweise die azimutale, besonders flächentreue wie die Lambertsche, sich eignen[1]). Auch muß ein einheitliches und bequemes Format und gleichmäßige Namen-schreibweise sowie bei aller Vollständigkeit doch zweckmäßige Auswahl angewendet werden, dabei soll trotz des guten Papiers und der sorgfältigen Ausführung der Preis ein wohl-feiler sein — gewiß recht schwierige, sich vielfach widersprechende Anforderungen, denen ganz zu genügen, bisher überhaupt noch nicht vollkommen gelungen ist. Be-sonders schwierig ist auch die je nach dem Zweck und Inhalt der Karte zu treffende Namensauswahl und die richtige Stellung einer gleichförmigen, zweckmäßig großen und und schönen Kartenschrift: weder Überfülle der Namen, die das Kartenbild erstickt und ihm den Zweck der räumlichen Orientierung raubt, noch, wo es die Deutlichkeit gestattet, zu wenig Namen, und dabei der Schreibweise derjenigen in maßgebenden geographisch-geologischen und statistischen Werken entsprechend. Allein in Europa kommen bei den verschiedenen Völkern sowohl das durch zahlreiche diakritische Zeichen noch dazu sehr ver-änderte lateinische Alphabet, ferner die Frakturschrift, dann das kyrillische, griechische, ara-bische, mongolische und das hebräische Alphabet vor — welche Schwierigkeiten entstehen für die Rechtschreibung und geeignete Übertragung der Namen, von den oft vorhandenen Un-stimmigkeiten zwischen amtlichen und örtlichen Schreibweisen ganz zu schweigen. Und schließlich die nach zweckmäßigen Grundsätzen durchgeführte Eintragung reichlicher Höhen-zahlen, welche erst die Geländezeichnung vollständig machen und nach Petermanns wahrem Wort ihr eine feste Grundlage und Kontrolle verleihen, wie sie eine Karte im ganzen durch Netz- und Gradlinien erhält.

Die Atlaskarten können sich zu Planigloben (Karten der Erdhalbkugel) erweitern, die z. B. die Verteilung von Land und Wasser, die Gliederung der Erdteile, die großen Weltverkehrslinien &c. geben und die ein perspektivisches Projektionsnetz erhalten. Am

---

[1]) Es braucht dabei durchaus nicht darauf Bedacht genommen zu werden, daß die einzelnen Kartenblätter eines Landes sich zusammensetzen lassen, wodurch oft recht störende Zerschneidungen nötig werden würden. Viel-mehr bildet jedes Atlasblatt ein geschlossenes, einheitliches Ganzes.

besten, weil am praktischsten und am leichtesten zu handhaben, wird man die stereo-graphische Entwickelungsart mit ihren drei Hauptformen, als äquivalenter, horizontaler und polarer Projektion, dazu wählen. Endlich kann die Darstellung der ganzen Erdoberfläche — **Weltkarte** — auf 1 Blatt vorkommen, für welche dann die Mercatorprojektion, jedoch höchstens bis 85° Breite, die beste Möglichkeit der Länderabbildung bietet. Im ganzen geht übrigens heute das Streben dahin, in Atlanten die Zahl der Erdübersichten zu beschränken [1]. Auch scheidet man immer mehr physikalische, statistische und andere Karten aus den allgemeinen Handatlanten aus und stellt sie zu besonderen Atlaswerken zusammen. So gibt es physikalische, geographisch-statistische, historische, Kolonial-, Eisen-bahn- und Verkehrs-, Welthandels- und Industrie- &c. Atlanten in Hand- und Taschenformat, Atlanten der einzelnen großen Staaten, besonderer Meere, wie des Atlantischen, des Stillen Ozeans, eigene Seeatlasse &c., bei denen dann auch Behörden als Herausgeber tätig sind (Ministerien, Seewarten &c.).

    B. Die Übersichts- und chorographischen Karten werden sowohl vom Staat wie von einzelnen Verlegern hergestellt. Österreich-Ungarn ist wohl das Land Europas, wo diese Karten schon mit Rücksicht auf die weniger leistungsfähige graphische Privatindustrie meist offiziellen Ursprungs sind und dabei auf neueren Aufnahmen beruhen und weit über die Grenzen der Monarchie reichen, darunter eine farbige Karte. Obwohl sich feste Grenzen gegen die Karten unter A nicht ziehen lassen, so kann man diese Klasse doch als im allgemeinen von 1:200000 bis 1:500000 reichend ansehen. Sie sieht auch noch von topographischen Einzelheiten ab, wenn sie auch schon mehr Detail als die Generalkarten enthält, wodurch leicht die Gefahr der Überfüllung entsteht. Diese Karten geben die großen Züge der Erdoberfläche noch mathematisch richtig wieder, ihre Bodengestaltung und Bedeckung (namentlich Vegetationsgruppen), enthalten alle künstlich gebauten Land- und Wasserstraßen, ferner die Ansiedelungen (Sammel- und wichtigere Einzelwohnplätze) noch in Kartenzeichen und stellen auf dem Raum oft eines Blattes z. B. Teile eines Kriegsschauplatzes dar. Dann dienen sie zur Anlage und Beurtei-lung von Operationen eines einzelnen Feldzuges, also größerer Heeresgruppen, und müssen von der Chorographie eines Landes soviel enthalten, um die Marschlinien der einzelnen Korps für einen gewissen größeren Zeitraum verfolgen zu können, die Fluß- und Wege-gemeinschaften genau angeben und bei den Gebirgen nicht nur die Fahrstraßen, sondern auch die Pässe für die vielbenutzten Saumpfade und andere Einzelheiten darstellen, so daß dadurch die Gründe für eine Operation ersichtlich werden. Auch allgemein wissen-schaftlichen, sowie den Touristen- und Reisezwecken dienen diese Karten, zu denen auch die reinen Eisenbahn-, Straßen- und Postkarten oft gehören. Bezüglich der Projektion wählt man heute, bei den offiziellen, gleichzeitig Kriegskarten darstellenden immer mehr die polyedrische und konstruiert sie als Gradabteilungskarten, bei denen Gradnetz und Blatt-einteilung zusammenfallen. Letztere läßt man bei den verschiedenen Kartenwerken in einem einfachen Verhältnis stehen. Das Blattformat nimmt man tunlichst groß und hält auf einen möglichst einfachen Zeichenschlüssel. In der Feldausrüstung wird die Operations-karte tunlichst allen Offizieren zum allgemeinen Gebrauch überlassen, bei der Infanterie und Artillerie wenigstens bis zum Kompanie- und Batteriechef hinab. Was das für die Kartenversorgung der Massenheere bedeutet, erhellt am besten aus einem Beispiel. Nach v. Steeb würden für den russischen Kriegsschauplatz 56 Blätter der österreichischen Generalkarte 1:200000 nötig sein, was für ein Armeekorps aus 3 Divisionen 500 Exemplare zu je 56 Blatt und je 1,5 kg Gewicht oder 28000 Generalkartenblätter im Gesamtgewicht

---

[1] Von den bekanntesten Atlaswerken sind der Stieler (100 Karten) und der Vivien de St. Martin (90 Karten) einander am ähnlichsten. Sie enthalten für die allgemeine Erdkunde 4 bzw. 3, für Mitteleuropa 13 bzw. 16, für das übrige Europa 35 bzw. 26 und für die anderen Erdteile 48 bzw. 50 Karten. Davon weichen die anderen Atlanten, z. B. Andree (93) und Sohr-Berghaus (85) bzw. Debes (52) und Kiepert (45 Karten) wesentlich ab.

von 750 kg erfordern würde, oder, da jedes Blatt 4 Drucke braucht, rund 115000 Drucke, die in 460 Schnellpressen-Arbeitsstunden geliefert werden können. Wieviel Zentner bedürfen die heutigen Millionenheere! Was den Maßstab anlangt, so haben die deutsche topographische Übersichtskarte und die Reymannsche von Mitteleuropa ebenfalls 1:200000, dann folgt die Schweizer Übersichtskarte 1:250000. In 1:300000 ist die österreichische Marschroutenkarte der Monarchie und die alte, nicht mehr evident gehaltene Generalkarte von Zentraleuropa sowie die deutsche Liebenowsche Karte von Mitteleuropa entworfen. Dann folgen, um nur die wichtigsten und bekanntesten Kartenwerke (meist) offiziellen Ursprungs zu erwähnen, die Carte de France 1:320000, die Karte Südnorwegens 1:400000, die russische 1:420000, weiter in 1:500000 die französische Carte de France, die Höhenkarte von Schweden, die Carta corografica del regno d'Italia und die deutsche Vogelsche Karte des Deutschen Reiches. Die beiden Carte d'Italia 1:800000 und 1:1 Mill. sowie die russische Kriegsstraßenkarte 1:1050000 überschreiten zwar schon unsre Maßstabsgrenze, doch können sie auch noch in diesen Zusammenhang gerechnet werden.

II. Die topographischen (Spezial-) Karten, stets in zahlreichen Blättern und in sehr wechselnden Maßstäben, im höher kultivierten Westeuropa etwa von 1:40000, im eigentlichen Mitteleuropa von 1:75000, in dem unkultivierten und weiträumigen Osteuropa von 1:84000 ab, ja in Nordschweden in 1:200000, in der Union 1:250000 (1-Gradfeldkarte) und im Indian-Atlas gar 1:253440. Im allgemeinen wird man in Europa nur mit weniger als 1:150000 auskommen, heute ist sogar das Streben, besonders im Westen, recht große Maßstäbe, etwa 1:50000, zu wählen (Bayern, Frankreich), ja in manchen Ländern bilden die Originalaufnahmen die Karte oder den topographischen Atlas des Landes (Württemberg 1:25000, Schweiz 1:25000 und 1:50000, britische Grafschaftskarten 1:10560 in gewisser Weise, da 1:63360 als „General Map" gilt &c). Diese Karten sind mathematische Verkleinerungen der Originalaufnahmen unter gleichzeitiger teils mechanisch, teils geistig ausgeführter Vereinfachung und Ausscheidung des Stoffes, durch Auswahl des Wesentlichen und durch Beachtung der örtlichen Eigentümlichkeiten. Um ein lebenswahres und naturgetreues Bild zu erhalten, sollten Aufnehmer und Kartograph dieselbe Person sein. Hierher gehören in erster Linie die eigentlichen militärischen Gebrauchs-, meist (obwohl nicht immer zutreffend) Generalstabskarten genannt, die noch, ohne weitschweifig zu sein, die Einzelheiten der dargestellten Orte als Orientierungsbehelf grundrißähnlich erkennen lassen und — obwohl sie eine rasche und gute Übersicht auch über größere Räume gewähren, doch das militärisch wichtige Gelände und alle Gegenstände so klar und deutlich berücksichtigen, daß sie für die Abfassung und Ausführung besonders von Marsch- und Gefechtsdispositionen ausreichen und von den Stäben, etwa bis zu den Bataillonskommandeuren, bei der Kavallerie bis den Schwadronschefs hinab, in mindestens 1 Exemplar vorhanden sein müssen. Auch bei diesen eigentlichen Kriegskarten wird sich der Maßstab nach der Eigentümlichkeit des Kriegschauplatzes richten, es kann daher keine einheitliche Kriegskarte geben. Wie wichtig aber besonders im militärischen Interesse ein zweckmäßiger Maßstab ist, erhelle aus einigen Zahlen. Von der österreichischen Spezialkarte 1:75000 würden nach v. Steeb für den russischen Kriegschauplatz rund 450 Blätter im Gewicht von 9,6 kg nötig sein, ein Korps würde davon mindestens 500 Exemplare zu 224000 Blatt = rund 5000 kg brauchen, wozu 245000 Drucke oder 815 Schnellpressen-Arbeitsstunden nötig wären. Freilich könnte man nicht gleich alle diese Blätter mitnehmen, sondern müßte bei Operationsstillständen für ihren Nachschub sorgen. Immerhin ist es von Wert, diese Zahlen und Gewichte tunlichst durch Wahl eines so kleinen Maßstabes einzuschränken, als es ohne Beeinträchtigung des vorteilhaften Gebrauchs der Karte möglich ist. Länder, die 1:80000 (Frankreich), 1:100000 (Deutschland, Italien, Portugal, Südschweden, Norwegen, Dänemark), 1:125000 ($\frac{1}{2}$-Gradfeldkarte der Union) oder gar 1:126000 (Rußland) für ihre Kriegskarten haben, sind in dieser Hinsicht im

Vorteil vor Österreich-Ungarn (1 : 75000), Großbritannien und Irland (1 : 63360), der Union (¼-Gradfeldkarte 1 : 62500), Spanien, den Niederlanden, Algier und Tunis (1 : 50000) oder gar Belgien (1 : 40000). Allerdings ist in Betracht zu ziehen, daß die Größe der wahrscheinlichen Kriegsschauplätze für die genannten Staaten äußerst verschieden sein wird, so daß dadurch ein gewisser Ausgleich trotz der großen Maßstabsverschiedenheit erzielt werden kann und die Kartenversorgung (Herstellung und Transport) der Armee nicht schwieriger wird. Mit diesen militärischen Anforderungen an die originale Spezial-karte harmonieren freilich die bürgerlichen und Kulturinteressen nicht immer, obwohl diese Karte ein Urquell für das praktische Leben eines Volkes sein sollte. Das Interesse der Landesverteidigung, welches die amtliche Kartographie meist in die Hände der General-stäbe legt, ließe sich aber wohl damit vereinigen. Ein Ausgleich muß gefunden werden!

Die Mehrzahl der topographischen Karten hat eine von dem Gradnetz unabhängige Blatteinteilung, doch strebt man heute immer mehr die Gradabteilungskarte an, bei der die Einteilung durch die Meridiane und Parallelkreise selbst erfolgt, die des großen Maß-stabes wegen als gerade Linien erscheinen[1]). Die Entwurfsart ist recht verschieden, doch wählt man bei neueren Kartenwerken meist die sog. preußische oder polyedrische, eine Doppelprojektion, welche schon 1790 bei der Jägerschen Karte von Deutschland, dann in Österreich von Lichtenstern angewendet wurde, aber erst in Preußen zur allgemeinen An-wendung kam. Bei ihr bildet jedes Kartenblatt für sich eine selbständige Einheit, und die Randlinien für die Gradabteilungen sind so gewählt, daß einige wenige benachbarte Blätter praktisch genügend, wenn auch nicht mathematisch genau, zusammengelegt werden können. Im übrigen bildet natürlich jede in ein einheitliches Gradnetz eingetragene Karte ein Ge-samtwerk, zu dem es vereinigt werden kann und aus dem das einzelne Blatt nur einen rechteckigen Ausschnitt darstellt.

Da diese topographischen Spezialkarten das beste Bild der Oberflächengestaltung eines Landes geben und die verschiedenartigsten Bedürfnisse berücksichtigen, so dienen sie als Handkarten allerlei wissenschaftlichen Zwecken und dem praktischen Leben und werden dadurch zur Grundlage einer allseitig durchdringenden Landeskunde, wie sie auch für alle übrigen, besonders die geographischen Karten eines Landes den Ausgang bilden. Nament-lich für geologische Aufnahmen werden sie sich eignen[2]), besonders je größer der Maßstab und je genauer die Karte aufgenommen ist. Eine Verschmelzung der hypsometrischen und der orographischen Darstellungsweise unter Berücksichtigung der erst eine charakte-ristische Auffassung der Bodenformen ermöglichenden geologischen und geognostischen Ver-hältnisse wird die anschaulichste und naturwahrste Wiedergabe der Physiognomie der Landschaft und ihrer Geländegestalt ermöglichen. Freilich weicht heute die Schraffierung, die am besten mit Niveaulinien zu verbinden ist, immer mehr der Höhenkurvenzeichnung in Verbindung mit der im flachen Gelände versagenden, im hügeligen schwierig aus-zuführenden Schummerung, die nur im Mittel- und Hochgebirge ansprechende und charak-teristische Bilder liefert. Auch geht man vielfach von der ausschließlich senkrechten oder schrägen zur kombinierten Beleuchtung über, am häufigsten freilich in den Übersichts-karten und in romanischen Ländern. Auch die Schwarzkarte, obwohl sie wegen ihres einfachen Druckes den namentlich militärisch wichtigen Vorteil großer Auflagen in kürzester

---

[1]) Ein Blatt der deutschen Generalstabskarte faßt z. B. ⅛ eines Gradtrapezes, und etwa 20000 solcher Blätter 1 : 100000 wären nötig, um ganz Europa darzustellen. Daraus ergibt sich schon die Notwendigkeit von Übersichts- und Generalkarten. Dem Gradnetz wird ein bestimmtes Erdphäroid zugrunde gelegt, wobei die ver-schiedenen Staaten die mannigfachsten Abplattungswerte (Walbeck, Schmidt, Bessel, Airy &c.) benutzen, was freilich praktisch, für die Karte, ohne Belang ist, besonders für Länder unter Breiten mit dem mittleren Wert der Meridiangradlänge. Dennoch wäre die meist fehlende Angabe der Elemente, auf denen die Konstruktion des Netzes beruht, für die Beurteilung des Grades der Genauigkeit wichtig.

[2]) Schon Goethe bevorzugte militärische Karten für geognostische Zwecke: „Da weder Soldat noch Geognost fragt, wem Fluß, Land und Gebirge gehöre, sondern jener, inwiefern es ihm zu seinen Operationen vorteilhaft, und dieser, wie es ihm seine Erfahrungen ergänzend und nochmals belegend sein möchte." (Tagebücher.)

Zeit ermöglicht, weicht immer mehr der leichter lesbaren Farbenkarte, bei der auch Gerippe- und Geländekarte voneinander getrennt benutzt werden können. Nur bei vor Jahren begonnenen und namentlich in Kupferstich ausgeführten Spezialkarten wird am Schwarzdruck festgehalten, oft werden aber auch, wenigstens in kleineren Staaten, farbige Ausgaben noch nachträglich veranstaltet. Allerdings sollte man sich bei Kriegskarten vor zu vielen Farben hüten und besonders Gerippe und Gelände stets schwarz, von einer Platte, drucken. Farbig würden vor allem die Gewässer und Waldungen, letztere in einer der Geländezeichnung entsprechend modulierten und sie daher nicht beeinträchtigenden Farbe dargestellt werden. Das Papier sollte nicht nur von der besten Beschaffenheit sein, sondern auch das Aufspannen auf Leinwand, das nicht nur die Kosten, sondern auch Umfang und Gewicht der Kriegskarten unzulässig erhöht, entbehrlich machen. Um Massenherstellung zu ermöglichen, wird der Druck auf Flachdruckrotationspressen (etwa 500 Drucke in der Stunde) immer üblicher, während für Kupferstichkarten Kupferdruckschnellpressen aufkommen, die etwa 300 Exemplare in der Stunde drucken und die Bedienung von nur drei Personen erfordern.

C. Endlich findet man, eigentlich fälschlich, den Namen „Karte" für Darstellungen kleiner Teile der Erdoberfläche in sehr großem Maßstabe (1 : 25000 bis zu etwa 1 : 500) herab, bei denen die Kugelgestalt der Erde außer Betracht bleibt (weshalb sie auch oft e b e n e — im Gegensatz zu den s p h ä r i s c h e n Karten A und B — genannt werden) und die ein unmittelbares Abgreifen der Maße gestatten.

Diese P l ä n e , Erzeugnisse der niederen Meßkunst, Ergebnisse von auf eine Kleintriangulation gestützten geometrischen Aufnahmen, liefern mathematisch ähnliche Bilder und bilden das vielseitige, wenn auch nicht immer anschauliche, sehr inhaltsreiche Ur- und Grundmaterial für die kartographische Darstellung eines Staates. Es sind für topographische Zwecke und dann sich über das ganze Staatsgebiet erstreckende M e ß t i s c h b l ä t t e r , für Grundeigentums- und Steuer- sowie die verschiedenartigsten staatswirtschaftlichen Aufnahmen die sogenannten ö k o n o m i s c h e n oder V e r m e s s u n g s p l ä n e , nämlich Kataster- oder Flurkarten, weiter die Forst-, Bergwerks-, Meliorations-, Eisenbahn- und Strompläne, Stadt- und Festungspläne, in Maßstäben bis 1 : 5000, höchstens 1 : 10000. Für den militärischen Feldgebrauch sind alle diese sogenannten „Karten" zu umfangreich und unhandlich, umfassen auch zu geringe Räume, weshalb sie nur in besonderen Fällen, wo es auf Kenntnis genauer Einzelheiten ankommt, z. B. im Festungskriege, benutzt werden. Umso höher ist ihr Wert als Grundlage der topographischen Spezialkarten und für rein technische, geologische, industrielle &c. Zwecke.

Die Größe der Meßtischblätter hängt von den in den einzelnen Staaten vielfach verschiedenen Verjüngungsverhältnissen (von etwa 1 : 10000 bis 1 : 50000, in der Regel 1 : 25000) ab. Jedes derselben wird als ebene Fläche für die Projektion behandelt und bildet ein selbständiges Ganzes. Die Aufnahme ist graphisch, das Porträt der Erdoberfläche entsteht im Gelände selbst und wird daher sehr ähnlich. Die Mehrzahl der Gegenstände erscheint noch im richtigen Grundriß, einzelne Gebäude und Straßenbreiten indessen größer. Es gibt dabei einen geometrisch-konstruktiven und einen trigonometrischen und zeichnenden Teil. Dieser, namentlich aber die Darstellung des Geländes, ist der schwierigere und erfordert Blick, höheres Verständnis, künstlerische Durchbildung, viele Übung und abwägende geistige Arbeit. In wenigen Ländern, besonders wo der Aufnahmemaßstab ein größerer ist, wird das Meßtischverfahren durch das numerische ersetzt, welches im Felde nur Zahlenwerte und allenfalls Handrisse durch die erforderlichen Längen- und Winkelmessungen sowie Nivellements ermittelt, den Plan aber nachträglich, nach den Ergebnissen der Außenaufnahme, rein mechanisch im Zimmer entstehen läßt. Dieses außerordentlich genaue und jederzeit, solange die erzielten Rechnungsergebnisse vorhanden sind, zu wiederholende Verfahren, ist für große Maßstäbe, reichlich vorhandene Zeit und Arbeitskraft und,

wo es sich nicht um charakteristische Wiedergabe der Bodenformen handelt, das voll-
kommenste, zumal es eine Urkunde liefert, die stets ihre Richtigkeit behält. Es eignet
sich namentlich zur Aufnahme einzelner Teile der Erdoberfläche, Gemarkungen, Fluren &c.,
also für Kataster- und rein technische Zwecke. Diese Flurkarten dienen den Meßtischaufnahmen teilweise als Grundlage und richten ihr Hauptaugenmerk auf die geometrisch
richtige Wiedergabe des einzelnen Gegenstandes im Grundriß, die Angabe aller horizontalen Abmessungen der Gebäude und Bodenkulturen, zuweilen auch unter Beifügung von Höhen. Sie eignen sich aber kaum zur Erzeugung von durch Anschauung
im Felde zu gewinnenden topographischen Spezialkarten. Ob es freilich praktisch und
ökonomisch ist, die Landes- von der technischen Aufnahme zu trennen und so doppelte
Arbeit zu verrichten, ist eine andere Frage. Mindestens sollte man nur eine sehr
genaue topographische Spezialkarte in jedem Staat besitzen, die den höchsten Anforderungen der Vermessungskunst und allen Bedürfnissen im wesentlichen genügt, und es
dann jedem Zweige der Staatsverwaltung überlassen, auch der Armee, sich für seine Sonderzwecke das Erforderliche daraus zu entnehmen bzw. es zu ergänzen und zu vervollständigen. In Großbritannien ist dieser Grundsatz ziemlich durchgeführt. Haben auch
kriegerische Unternehmungen vorzugsweise dazu beigetragen, die topographische Spezialkarte
auf ihre jetzige Höhe zu bringen, so stehen doch heute die Friedensaufgaben im Vordergrunde, und da fast alle Länder Europas ihre Karten vollendet haben, so sollten sie jetzt
daran gehen, nach solchen neuen Gesichtspunkten ihre Landesaufnahmen zu organisieren
und durchzuführen. Zentralisierung der hervorragendsten Kräfte in einem großen Landes-
vermessungs-Institut heißt die Parole! Nach einheitlichem wissenschaftlichem Plan und
mit den besten Hilfsmitteln der Zeit muß die Anstalt wie eine Mutter den Bedürfnissen
ihrer verschiedenen Kinder gerecht werden und ihren Erzeugnissen weiteste Verbreitung
im ganzen Volke geben, damit dieses die Natur und Kräfte des Vaterlandes kennen lernt.

Die bisher betrachtete Kartographie kann man auch die „monumentale" nennen,
weil sie das wertvollste wissenschaftliche Grundmaterial und die vollendetste Technik besitzt.
Daneben geht noch eine Art „ephemer" Kartographie einher, die nicht auf streng
wissenschaftlichen Grundsätzen beruht und sich zur Vervielfältigung billiger photomecha-
nischer Verfahren (Photolithographie, lithographische Federzeichnung, Autographie &c.)
bedient. Sie ist mehr zu Skizzen, Reisebüchern, Umgebungskarten &c. bestimmt.

Bei allen Karten sollte angegeben sein: der Maßstab (graphisch und in möglichst
abgerundeter Verjüngungszahl), Projektion, Gradnetz (Flächenwert der Gradfelder), ihre
astronomische und geodätische Grundlage und ihr Genauigkeitsgrad, der Name des Be-
arbeiters, des Stechers sowie der Ausgabestelle, das Herstellungs-, Erscheinungs- und Be-
richtigungsjahr, auch reichliche Höhenangaben und die Nullfläche, auf welche sich diese beziehen. Bei mehrblättrigen Karten ist ein Übersichtskärtchen ihrer Zusammensetzung zweckmäßig. Bei Atlaskarten ist die Angabe einiger Linien gleicher Verzerrung und für jede von
diesen der in ihren Punkten herrschenden Verzerrungen sowie in einigen Punkten dieser Linien
der zwei die meistverzerrten Winkel einschließenden Richtungen sowie der zwei Hauptrichtungen wichtig. Dagegen empfiehlt sich ihres Schwankens wegen nicht, in topographische und geographische Karten die Bevölkerungsziffern einzutragen, es sei denn für
ganz besondere Fälle.

Ein ganz besonders wichtiger Gesichtspunkt ist die stete Evidenthaltung der
Karten, aber auch eine sehr schwer zu erfüllende Forderung. Da Karten Augenblicks-
bilder sind, die oft schon während ihrer zeitraubenden Herstellung dem raschen Kultur-
fortschritt, namentlich in großen Städten und industriellen Gegenden, nicht mehr folgen
können, so veralten sie schnell. Dies gilt besonders für das Gerippe, weniger für die
Bodenformen, wenn auch sie, namentlich durch Elementarereignisse (z. B. Vulkane) sich
wandeln. Soweit es Zweck und Maßstab der Karte wie Zeit und Mittel irgend gestatten,

muß daher jeder Aufnahme unmittelbar die Berichtigung folgen, da von der Richtigkeit der gute Ruf eines Kartenwerkes abhängt. Indessen kann die Revisionsarbeit sich nicht auf alle Geländegegenstände gleichmäßig erstrecken, da sie sich einmal nach Zeit und Raum verschieden stark verändern, sodann es dazu an den nötigen Kräften fehlen würde. Es bedarf deshalb einer Klassifikation und im Interesse der schnellen Richtigstellung des Wichtigsten muß zuweilen die Vollständigkeit und selbst die Genauigkeit des Ganzen leiden. Anderseits darf auch die Leistung im Gelände nicht größer werden, als es möglich ist, ihr im Zimmer mit der Berichtigung zu folgen, sonst wäre es zwecklose Kraftverschwendung.

Endlich muß der Preis der Karten nicht nur im Interesse der Verbreitung, sondern auch wegen des Verwerfens der alten bei Neuauflagen tunlichst niedrig gehalten werden. Hierin weichen die verschiedenen Staaten und Verleger außerordentlich voneinander ab. Die billigsten Militärkarten, wenigstens für den Dienstgebrauch, hat wohl Österreich-Ungarn, wo kaum die Herstellungskosten gedeckt werden, die teuersten Frankreich[1]).

Was die Beurteilung eines so großartigen und gründlichen wissenschaftlichen Werkes, wie es eine gute Karte ist, anlangt, so erfordert sie große Vorsicht und ist selbst einem fachmännischen Kenner nur dann möglich, wenn er über alle Vorbedingungen der Entstehung und Ausführung unterrichtet ist.

Namentlich ein Kunstwerk wie die topographische Spezialkarte ist ein Kollektivwerk und meist ein Kompromiß der verschiedenartigsten politischen, wirtschaftlichen, wissenschaftlichen und militärischen Anforderungen und wird nie ganz befriedigen können.

Bei allen Karten sind neben Anschaulichkeit, Naturähnlichkeit und möglichster Einfachheit der Darstellungsmittel und Methoden Klarheit, Lesbarkeit, Vollständigkeit und vor allem Richtigkeit und Genauigkeit notwendiges Erfordernis. Was die Klarheit und Lesbarkeit der Karten anlangt, so sind sie nur durch vollständige Stoffbeherrschung und kunstgerechte Anordnung des zweckmäßig gesichteten Materials zu erreichen. Die richtige Stoffauswahl, wie das Mittelhalten zwischen dem Zuviel und Zuwenig je nach Grad und Maßstab wird bei der jährlich wachsenden Fülle des Urmaterials, besonders in Europa, immer schwieriger. Die Vollständigkeit ohne Überladung und Beeinträchtigung von Klarheit zu erreichen, bedarf es großen technischen Geschickes, das dann manches noch bringen kann, was sonst der Maßstab nicht mehr gestatten würde.

Von allen an eine Karte zu stellenden Anforderungen stehen aber die der Richtigkeit und Genauigkeit obenan. Sie müssen sich sowohl auf den Lage- wie auf den Höhenplan beziehen, namentlich für allgemein staatliche Zwecke, besonders der Technik und Geologie, weniger für rein militärische Karten, die nicht sowohl mathematisch richtige, als charakteristische Bilder von ausreichender Genauigkeit erfordern und mehr den augenblicklichen, wenn auch vorübergehenden, als den dauernden Zustand eines Geländes ins Auge fassen. Da aber eine Landesaufnahme allen, nicht nur den militärischen Bedürfnissen zu genügen hat, so werden hier nur die Anforderungen an eine Karte der allgemeinen Landesvermessung zu betrachten sein, die alle übrigen in sich schließen.

Die Genauigkeit jeder Messung hängt von den Hilfsmitteln der Beobachtung (Sinnen, Meßwerkzeugen und Methoden) ab, das Ergebnis wird also nie fehlerfrei sein, muß aber für jede Vermessungsstufe der Geodäsie ausreichend sein. Hier ist nun auf der Erde noch eine überaus große Verschiedenheit festzustellen. Der größte Teil unseres Planeten — rund 85% — ist heute noch topographisch unbekannt, so daß wir nur auf Erkundungen, Vermutungen und die Phantasie der Kartenzeichner angewiesen sind.

---

[1]) Solche Preisunterschiede sollten übrigens im Interesse einer guten Landeskunde endlich fallen gelassen werden. Sie passen ebensowenig in das Zeitalter des Verkehrs wie die einstige, ja noch immer nicht ganz beseitigte Geheimhaltung der Karten. Die Unkenntnis des eigenen Landes ist der größte Feind, nicht die Kenntnis unserer Karten beim Gegner.

Denn ein Teil ist noch gar nicht vermessen. Kannten wir doch vor nicht viel mehr als 400 Jahren überhaupt nur Europa, Nordafrika und Vorderasien. Das Dasein von Ost- und Südasien war nur wenigen Forschern bekannt, von Amerika und der südlichen Halb- kugel wußte man nichts. Und auch nach dem Entdeckungszeitalter stand die Erforschung lange still. Im Anfang des 18. Jahrhunderts begnügte man sich selbst in Europa noch mit Phantasiedarstellungen, Gemälden oder Stichen mit perspektivischen Ansichten von Gegenden. Weit später wurden örtlich beschränkte Versuche von Aufnahmen großen Maßstabes gemacht, die aber noch sehr unvollkommen ausfielen. Erst Cassini gab den Karten eine bis dahin unbekannte Genauigkeit, die sich aber nur auf den Grundriß bezog, der sich auf ein geodätisches Netz bereits stützen konnte, während die Bodenformen ganz konventionell und ohne Höhenzahlen dargestellt wurden. Eigentliche topographische Auf- nahmen im heutigen Sinne mit einer geometrischen Darstellung auch des Geländes finden sich erst im Beginn des 19. Jahrhunderts in Europa und auch da nicht gleichmäßig in allen Staaten und in derselben Güte, Aufnahmetechnik und Darstellungsweise, was ja auch bei den verschiedenen Ländern schon ihres ungleichen Charakters wegen nicht möglich war. Vor allem aber waren es wirtschaftliche und militärische Ursachen, die so lange hemmend wirkten. Es fehlten die Antriebe, um so genaue Karten erforderlich zu machen, wie sie die heutigen Generalstäbe herstellen, von solchen, die den Anforderungen unserer Geologen und Ziviltechniker entsprechen, ganz zu schweigen. Weder gab es große Verkehrsunter- nehmungen noch Operationen von Heeresmassen wie heute. So hatten die topographischen Karten zunächst nur mehr örtlichen Bedürfnissen zu entsprechen.

Von den 15,4 % unserer Erde, die heute (nach Bartholomew) vermessen sind, ent- fallen nun auf Europa 90,1, auf Nordamerika 25,3, Asien 13,7 und Afrika 2,4 Anteile. Der ganze Rest der Erde ist noch topographisch jungfräulich, und über $4\frac{1}{2}$ Mill. qkm, also ein Raum, wie das europäische Rußland und ein Teil Südamerikas, ist noch von keinem gebildeten Reisenden betreten oder höchstens nur in wenigen Linien durchquert worden, so in Mittelasien, im Innern Afrikas und Teilen von West- und Südamerika. Und in den Polargegenden, besonders in der Antarktis, einem Gebiet an Größe wie der ganze Erdteil Südamerika, ist noch nicht einmal die erste Grundaufgabe der Geographie, die Verteilung von Land und Wasser, gelöst.

Aber auch in den vermessenen 15,4 % unserer Erde, wie verschieden ist da der Genauigkeitsgrad! Nur von einem sehr kleinen Teil West- und Mitteleuropas sowie einigen Gegenden der Union und den Kolonialländern (Russisch-Asien, Britisch-Indien, Insulinde, Teilen Australiens), sowie Südamerikas, dann von Japan besitzen wir Aufnahmen, die sich auf wirkliche astronomische und geodätische Grundlagen (Basismessungen, Triangulationen, Nivellements und Mappierungen) stützen, sowie topographische Karten größeren Maßstabes, und selbst in den bestvermessenen Ländern, wozu auch einige deutsche, wie Baden, Braun- schweig, Württemberg gehören, genügt nur höchst selten die Genauigkeit, um geologischen, geschweige technischen Anforderungen voll zu entsprechen.

Betrachten wir kurz die heute erzielten größten Genauigkeiten! Die in der höheren Geodäsie erreichten haben eine Unsicherheit (mittleren Fehler) bei den Basis- messungen[1] von etwa $\frac{1}{1000000}$ der Längen, bei den Triangulationen 1. O. $\frac{1}{100000}$, d. h. auf 100 km Länge 1 m Fehler (erreicht oft mindestens $\frac{1}{1000000}$), 2. O. $\frac{1}{50000}$, d. h. auf 50 km 1 m, 3. O. $\frac{1}{25000}$, d. h. auf 25 km 1 m (erreicht oft $\frac{1}{50000}$) als zulässig ergeben.

---

[1] In Europa gibt es heute an 100 Grundlinien von 1—20 km Länge und möglichst gleichmäßiger Verteilung über das Dreiecksnetz. Die ältesten, wie die französische, bayerische und die 2 russischen von Tenner, sind nur einmal gemessen und daher weniger genau, so z. B. beträgt bei der ältesten französischen der Total- fehler $\frac{1}{40000}$. Die 4 Grundformen der Apparate Borda, Bessel, Struve und Brunner (bzw. Repsold) unter- scheiden sich durch die Art der Intervallbestimmung (Schieber, Keile, Fühlhebel und Mikrometerschrauben). Die Länge der älteren Meßstangen betrug 2 Toisen, bei den neueren 4—5 m. Wenn die europäischen Netze im Anschluß nicht vollständig übereinstimmen, so liegt das nicht an den Basen, sondern an den Winkelmessungen.

Bei den Winkeln fand sich bei der 1. O. (bei durchschnittlich 40 km Zielweite und 24 facher Einstellung des Ziels mit dem 27 cm-Kreis) in Preußen 0,25″, bei der 2. O. (mit 8 km Zielweite und 12 facher Einstellung des 21 cm-Kreises) 1″, bei der 3. O. (mit 3,5 km und 6 facher Einstellung des 13 cm-Theodoliten) 2,5″ Unsicherheit in der Richtungsmessung. Das ergibt einen mittleren Punktfehler von 6—7 cm. Diese Schärfe gilt aber nur so lange, als eine bestimmte Konfiguration in sich ausgeglichen wird, während beim Anschluß von Neumessungen an ältere die Winkelverbesserungen sogar in der 1. O. noch mehrere Sekunden betragen [1]). Immerhin sind dadurch Berggipfel auf Entfernungen von 1 m genau zu bestimmen, und ist auch dadurch die größte Genauigkeit in die astronomischen Beobachtungen gebracht, die, wenn sie unabhängig gemacht würden, nur Genauigkeiten von $\frac{1}{10}$ Bogensekunde ergeben würden, was einer mittleren Unsicherheit von 2 Längen- und 3 Breitenminuten entspräche. In den Höhen ist durch die Präzisionsnivellements ein reiner Messungsfehler von 1 mm auf 1 km [2]), bei Signalnivellements von 3—4 mm erreicht worden. (Für die meisten Fälle des technischen und wirtschaftlichen Bedürfnisses bezeichnen übrigens Fehler von $\frac{1}{1000}$ der Länge, 22 mm der Höhe, 1 Sekunde der Horizontalwinkel, 0,79 qm der Fläche eine hohe Genauigkeit.)

Bei Meßtischaufnahmen sind viel größere Unsicherheiten ohne praktische Bedeutung. So sind z. B. Unterschiede von 10 m in wagerechter Richtung (bei 1 : 25000 erst 0,4 mm), 2 m in der Höhe (bei Ablesungen von Höhenwinkeln bis zu 1 Minute, Horizontalwinkeln bis zu 1,5 Minuten) für Schichtlinien noch zulässig, während eine Genauigkeit von ± 30″ bei sehr sorgfältiger Messung eines Vertikalwinkels zu erzielen ist. 1899 ergab eine Vergleichsmessung zwischen der neuen braunschweigischen Landesaufnahme in 1 : 10000 einen mittleren Höhenfehler vom $m_h = \pm [0,3 + 3 \, n]$ Metern und der preußischen in 1 : 25000 von $m_h = \pm [0,4 + 6 \, n]$ Metern, bzw. größte Fehler von $M_h = \pm [1,0 + 10,0 \, n]$ Metern und $M_h = \pm [1,3 + 20,0 \, n]$ Metern. (Hierbei ist n der Abstand der Niveaulinien in mm.) Freilich der auf die beiden Aufnahmen verwendete Zeitaufwand verhält sich auch wie 12 : 5 (nach Koppe), weshalb es doch sehr zu überlegen ist, schon aus wirtschaftlichen Gründen, ob man solche Aufnahmemaßstäbe und Genauigkeiten auch durchaus braucht und verwerten kann. Was bei kleineren Ländern noch möglich erscheint, wird sich bei großen oft schon aus Mangel an Geldmitteln und Zeit verbieten, zumal die Karten dann vor Erscheinen schon veralten würden. So ist z. B. der auf die gleiche Fläche verteilte Geldaufwand für Preußen mit seinen 348350 qkm, die in 1 : 25000 vermessen werden, zu Braunschweig mit seinen 2750 qkm Fläche wie 5300 : 12000 Mark! Und dabei ist zu beachten, daß in flachem Gelände die mittleren Fehler beider Maßstäbe sich nur wenig voneinander unterscheiden, so bei 1 : 100 Neigung z. B. ± 0,5 (Preußen) und ± 0,3 (in Braunschweig) betragen. Nur in den steilsten Geländegebieten wächst die Genauigkeit der Höhendarstellung um das Doppelte, dafür muß man dann aber auch 4 mal soviel Höhepunkte messen! In Württemberg mißt man 400 Punkte auf 1 qkm (bei 1 : 2500), in Bayern hat ein Steuerblatt 1 : 5000 ca 200—500 Punkte, in Preußen (1 : 25000) ist keine andere Vorschrift vorhanden, als so wenig wie möglich Punkte zu messen, wobei keiner ausgelassen werden darf, der nötig ist (die Triangulation 1.—3. O. liefert 10 Punkte auf 1 Q.-Ml.), in Österreich-Ungarn sind auf 65 qkm je nach dem Gelände in der Ebene bis 600, im Hochgebirge bis 1200, im Hügelland bis 1500 Punkte zu bestimmen &c. In diesen wenigen bestvermessenen Ländern Europas ist man aber von einem Messen bis zur völligen Genauigkeit innerhalb der Zeichnungsgrenze noch weit entfernt, was besonders

---

[1]) So erhöht sich der tatsächliche Punktfehler im Netz um das 1½ fache, so daß der durchschnittliche mittlere Punktfehler im Dreieckanetz etwa 10 cm beträgt und das relative Genauigkeitsverhältnis für 1 Seite der 1.—3. O. bzw. 1 : 400000, 1 : 80000 und 1 : 35000 beträgt.

[2]) In dem neuen österreichischen Präzisionsnivellement in Bosnien ergab sich aus den Polygonschlußfehlern ein mittlerer Fehler mit ± 1,76 mm für 1 km und aus dem Unterschied der einzelnen Teilstrecken mit 1,16 mm, d. h. das Nivellement ist fast frei von systematischen Fehlern.

hinsichtlich der Höhenverhältnisse gilt. Ein Höhenkataster, ähnlich wie jetzt bezüglich des Lageplans die Flurkataster, wird anzustreben sein neben gewisser Einheitlichkeit der Grundsätze der Kartenausführung in Projektion, Maßstäben, Kartenzeichen &c., analog wie solche nach anderer Richtung die Internationale Erdmessung aufstellt. Heute sind wir, obwohl die Landesaufnahmen in den meisten Staaten Europas zu einem gewissen Abschluß gelangt sind, noch weit von diesen Idealen entfernt, ja es möchte schwer sein, selbst nur in 1:200000, geschweige im größeren Maßstabe, eine Höhenkurvenkarte von Europa zu zeichnen, weil das Urmaterial noch zu lücken- und mangelhaft ist. In Rußland fehlen z. B. noch 10 Mill. qkm.

Viel größer ist das Gebiet der Erde aber, wo zwar einzelne Triangulationen bestehen, sonst aber nur ein dichtes Netz von astronomischen Ortsbestimmungen und Routenaufnahmen vorhanden ist, wo namentlich die Bestimmung der geographischen Längen noch große Fehlerquellen aufweist, der Stand also wie in Europa zu Mitte des 18. Jahrhunderts ist.

Dann folgen Länder ohne jede Dreieckslegung, die nur einzelne Ortsbestimmungen und Itinerare besitzen, sonst nur in großen Zügen durch Krokis bekannt sind, so daß sich leicht Verschiebungen von 20 km und mehr ergeben dürften, oder gar solche, von denen nur, und selbst das noch nicht genau, die Küsten und einige Flüsse durch See- und Flußkarten festgelegt sind, endlich solche Gebiete — und das ist der größte Teil der Erde —, die topographisch noch gänzlich unerforscht sind und die sich sogar noch in Europa stellenweise, so auf der Balkan- und der Iberischen Halbinsel, sowie in großen Teilen Rußlands finden. Bei all diesen Ländern dürfte die Höhenkunde und Kenntnis der Bodenformen wohl zunächst durch Wege- und Eisenbahnnivellements gefördert werden, wie dies z. B. gelegentlich der großartigen Bahnbauten im Westen der Union, dann in Britisch-Nordamerika, in Australien und einzelnen Teilen Asiens (sibirische Bahn) und Afrikas schon der Fall gewesen ist. Auch die Arbeit der Missionare und der wissenschaftlichen Reisenden, weniger dagegen die diplomatische und Handelstätigkeit, verspricht weitere Aufschlüsse. Dazu müssen dann vor allem genaue Küstenvermessungen zur Festlegung der Umrisse treten.

So erkennen wir, daß sich der kartographische Standpunkt unserer Erdoberfläche eigentlich noch — ohne die gemachten Fortschritte im geringsten zu verkennen — im Anfangsstadium befindet, wenn wir die strengen Anforderungen an Genauigkeit stellen, welche der heutigen Entwickelung der Wissenschaft entsprechen. Nur der kleinste Kontinent Europa hat überhaupt erschöpfende Aufnahmen aufzuweisen, die augenblicklich meist zu einem gewissen Abschluß gelangt, aber doch nur als Vorstudien für von neuem zu beginnende Vermessungen zu betrachten sind, um den vollkommensten Grad der Anschaulichkeit und Genauigkeit einer topographischen Karte allmählich zu gewinnen. Ganz wird dieses Ziel freilich nie erreicht werden, immer werden schon aus praktischen Gründen noch Wünsche bleiben, immer wieder werden neue Generationen die Arbeit aufnehmen müssen, weil die Wissenschaft in unaufhörlichem, heute noch nicht zu übersehendem Fortschritte begriffen ist. Der Wert aller Karten ist eben ein durchaus relativer, und dazu kommt noch, daß die Karte nicht nur jedes Landes, sondern auch jedes Verfassers stets ein eigenartiges Gepräge in Darstellungsweise wie auch Genauigkeitsgrad tragen wird.

Kennen wir von den Landflächen vieler Kontinente nicht viel mehr als die Umrisse und auch diese noch nicht genau oder wie z. B. bei den Regionen um die Pole noch überhaupt nicht, so ist die Unbekanntschaft mit den Ozeanen, ihren Umrissen, Strömungen und der Gestalt des Meeresbodens eine noch viel größere, so daß im ganzen die kartographische Kenntnis der Erdoberfläche, welche doch die Grundlage der Geographie bildet, eine verhältnismäßig geringe ist. Und das trotz der Jahrhunderte währenden Arbeit und unserer herrlichen Atlanten, welche sich so bei näherer Betrachtung zum großen Teil als schöne Phantasiegemälde erweisen, trotzdem die weißen Stellen, die Terrae in-

d*

cognitae, immer mehr — aber eigentlich nur scheinbar — abgenommen haben. In Wahrheit, mit den geschärften Augen der Gegenwart besehen, nicht bloß des wissenschaftlichen Kartographen, sondern auch des Geographen, sind diese unbekannten Stellen nicht kleiner geworden, indem wir heute ganz andere Anforderungen an den Ausdruck des Kartenbildes stellen. Leben wir doch z. B. erst im Beginn einer neuen Periode der Hochgebirgsmappierung, wie sie die immer verbreitetere Benutzung der Photographie und der allgemeinere Gebrauch von Aufnahmekarten großen Maßstabes erzeugt bzw. diese zur Folge hat. Und aus mancher Wüste wird ein reich gegliedertes Berg- oder Hügelland, von Flußläufen und Karawanenstraßen durchzogen, mit Oasen, Ortschaften, Brunnen belebt!

Wenn wir nun bedenken, wie zeitraubend, schwierig und kostspielig die Herstellung guter und genauer Kartenwerke ist, wie eigentlich nur die großen Organisationen und finanziellen Mittel eines Staates durchgreifende Fortschritte bringen können, nur selten Privatleute Bedeutendes zu leisten vermögen, wie einst Humboldt in den Anden, Leopold v. Buch auf den Kanaren, v. Waltershausen am Ätna, d'Abbadie in Abessinien, Forbes und Reilly am Mont Blanc, in neuerer Zeit Sven Hedin in Asien, v. Erlanger in Nordostafrika, Philippson in Griechenland &c., bzw. die großen kartographischen Privatinstitute — so erhellt ohne weiteres, wie langsam die kartographische Kenntnis unserer Erde auch künftig, trotz des gesteigerten Weltverkehrs, noch fortschreiten wird. Zumal die Regierungen ja meist sich nur um die eigenen Länder kümmern und auch da genug zu tun finden. Um einige Daten zu geben, so hat die Herstellung der Cassinischen Karte die Zeit von 1744—93, d. h. 49 Jahre erfordert, die der Carte de France 1 : 80000 von 1818—78, d. h. 60 Jahre. Die österreichische Spezialkarte 1 : 75000 mit 718 Blatt brauchte dagegen schon nur 17 Jahre, wobei allerdings Heliogravüre statt des mühsamen Kupferstichs verwendet wurde. Jedes Blatt der Karte des Deutschen Reiches (675 Blatt) durchläuft von der ersten Erkundung bis zur Veröffentlichung 10 Jahre. Auch die bloße kartographische Bearbeitung von Aufnahmematerialien selbst wenig bekannter und scheinbar nicht viel Arbeit bietender Länder ist zeitraubend, so gibt Petermann 3 Jahre für ein solches Gebiet Innerafrikas an. Auch der Stich der Karten ist mit viel Zeitaufwand verbunden, z. B. ist Blatt Amsterdam der niederländischen Karte 1 : 500000 in 2½ Jahren, die 4blättrige Vogelsche Karte des Deutschen Reiches 1 : 1500000 in 6 Jahren in Kupfer gestochen worden. Und gewaltig sind die Kosten der Landesaufnahmen und ihrer Kartierung. Die französische Carte de France erforderte im ganzen 12 Mill. Francs (ohne Gehälter der Offiziere), d. h. 53333 Francs für 1 Blatt. Das Jahresbudget der deutschen Landesaufnahme beträgt 1250000 Mark. Im Großherzogtum Baden kostet 1 qkm 700 Mark aufzunehmen (1 : 25000), in Frankreich erfordern 1000 ha in 1 : 10000 rund 500 Francs, in 1 : 20000 rund 335 Francs, während man die neue Carte de France 1 : 50000 von 830 Blatt mit Aufwand von rund 17 Mill. Francs aufzunehmen hofft. Die Aufnahme der Westküste Schottlands, also einer bloßen Linie, hat einst 2 Mill. Taler gekostet, die Vermessung der türkisch-persischen Grenze von 1849—52 den vier Mächten 1½ Mill. Taler. Die bloßen Stichkosten der Schedaschen Karte von Österreich 1 : 576000 erforderten 5- bis 7000 Gulden für jedes Blatt, das dann zu nur 1 Gulden 60 Kreuzer verkauft wurde. Jedes Blatt Double Elephant der englischen Seekarten kostet im Stich 52 Pfd. Sterl.

Es bedarf also eines innigen Zusammenarbeitens aller geographischen wie technisch-wissenschaftlichen Kräfte, staatlicher wie privater, einer planmäßigen Organisation und Vereinigung großer finanzieller Mittel auf der ganzen Erde, ähnlich wie es heute die internationale Erdmessung schon für die Bestimmung der wahren Größe und Gestalt der Erde tut, um auch die Kartographie aus dem jetzigen Anfangsstadium zur Höhe der auf Grund heute zu stellender Ansprüche zu fordernden Entwickelung zu bringen. Wo ist aber der Baeyer der Kartographie?

1. Europa als Ganzes und gröfsere Teile des Kontinents.

Die Entwickelungsgeschichte der Kartographie Europas im allgemeinen und seiner größeren Teile fällt im wesentlichen zusammen mit der seiner 24 selbständigen Staaten, die aber nur nur mit ihrem Kernland in diesem Erdteile liegen, während ihre Kolonialbesitzungen anderen Kontinenten angehören, sowie der 3 Gebiete Faröer, Malta und Gibraltar, die mit solchen Kolonien viel gemein haben. Doch ist nachstehendes zu ergänzen und übersichtlich zusammenzufassen.

I. Altertum.

Die Phöniker haben bereits die atlantischen Küsten gekannt und ihre Schiffahrtsorte daselbst darzustellen versucht. In Homerischer Zeit reichten die Kenntnisse der Griechen kaum über die Ländergebiete des östlichen Mittelmeeres. Die kleinasiatischen Ionier erweiterten durch ihre das ganze Mittelmeergebiet umfassende Kolonisierung den griechischen Horizont, und ihre Logographen glaubten infolge der ihnen von Ägyptern, Phönikern und Persern überkommenen Nachrichten von einer ozeanischen Begrenzung im Norden an die Inselgestalt Europas. Die frühe Entwickelung der Meßkunst und der Geometrie förderte dann Karten in diesem Sinne, wie die älteste des Anaximander von Milet (610—546 v. Chr.), eines Schülers des Thales, und des Milesiers Hekatäus (550—480 v. Chr.), beide also aus dem 6. Jahrhundert. Die Erdkarte Herodots von Halikarnassos (484—424 v. Chr.) zeigt bereits deutlich die drei Weltteile Europa, Libya (Africa) und Asia, jedoch im Gegensatz zu den Ioniern ist hier Europa, das schon ein ziemlich zutreffendes Umrißbild in seinen mittelländischen Teilen aufweist, keine Insel mehr, sondern hängt im Osten mit Asien zusammen (450 v. Chr.). Fördernd wirkten dann besonders die Entdeckungsreise des Pytheas von Massilia nach Britannien und den Shetlandinseln (dem ultima Thule) sowie die Alexanderzüge auf die Gestaltung des Erdbildes ein, wie das dann auch in der Erdkarte des Schülers des Aristoteles, Dikäarch (um 300 v. Chr.) aus Messina, mit einem Hauptmeridian (Syene—Alexandria—Bosporus—Borysthenes) und einem Hauptparallel (Gades—Athen—Tauroskette, d. h. Hauptachse des Mittelmeeres), die sich in der Insel Rhodos sneiden, zum Ausdruck kam (einfache Plankarte von ovaler Form). Es bedurfte dann freilich wieder eines Zeitraums von 450 Jahren[1]), nämlich bis zu Ptolemäus (150 v. Chr.), um von der Zeichnung zweier Normalrichtungslinien bis zur Konstruktion eines Gradnetzes aus Meridianen und·Breitenkreisen in Abständen, die der Kreisteilung entnommen waren, fortzuschreiten und zugleich die mathematische Grundlage des antiken Kartenbildes abzuschließen (trapezmaschige Projektion). In diese Periode fällt das Erdbild des den Erdumfang schon nahezu richtig berechnenden Eratosthenes (um 200), der Erdglobus des Krates (um 150) mit seinen vier halb-

---

[1]) In diese Zeit fällt die Erfindung der Plattkarte (Plankarte mit oblongem Gradnetz, echte Zylinderprojektion mit längentreuen parallelen Meridianen) durch Marinus v. Tyrus (um 100).

kreisförmigen Erdinseln, die durch einen meridionalen und äquatorialen Gürtel geschieden waren, die so wichtige (Wege-)Vermessung des Römischen Reiches durch M. V. Agrippa (30—12), deren Ergebnis eine auch Europa wesentlich beeinflussende Kartierung war, von der uns in der Peutingerschen Tafel (12 Blatt von je 0,34 : 0,60 m, also zusammen 6,82 m Länge) eine späte Nachbildung erhalten ist.[1]) Die wesentlich praktischen Zielen nachstrebenden Römer, denen der geographische Wissensdrang der Griechen fehlte, haben durch ihre Eroberungskriege in Gallien, Britannien, den Donauländern und Germanien und die Arbeiten ihrer Geometer die Kartographie Europas wesentlich gefördert und dem „eigentlichen" engen Europa der Griechen erst das westliche Festland hinzugefügt. Freilich reichte das römische Europa nur bis an die Donau und den Rhein, und Germanien war den Römern doch mehr oder minder unbekannt.   Und der ganze Inhalt der Karte war eigentlich nichts weiter als gezeichnete Statistik des Gerippes, der Küsten, Flüsse, Wege und Ortschaften aus geschätzten oder gemessenen Abständen. Die Orographie ist über die bescheidensten Anfänge nicht hinausgekommen, Gebirge wurden nur symbolisch durch Linien angedeutet und die Berghöhen maßlos überschätzt. So hielt man lange die Alpen 50 Millien = 10 geographische Meilen hoch, und auch des Dikäarch trigonometrische Höhenmessung, die die größten Erhebungen der Erde zu 10—15 Stadien (3000 m etwa) ermittelte, hat wenig Wandel in dieser Hinsicht geschaffen. Viel besser waren dagegen die horizontale Gliederung des Landes und Meeres sowie die Flußsysteme erfaßt, und die Ptolemäuskarte von Europa, wie sie aus seinen Ortsbestimmungen hervorging und nach seiner Anleitung auf 10 Blatt später entworfen wurde, gibt schon ein sehr ansprechendes Bild des Erdteils. Die drei südlichen Halbinseln sowie Gallien haben schon ihre typische Form, weniger glücklich ist es um Albion und Hibernia (Großbritannien und Irland) und vor allem Skandinavien bestellt, das durch die kleine Insel Scandia, im übrigen aber das Mare Suevicum ersetzt ist. Erst in der christlichen Ära, etwa vom 6. Jahrhundert ab, tritt dann Germanien hervor.

II. Mittelalter.

In der frühen Zeit desselben hält der von der Mitte des 2. Jahrhunderts n. Chr. eingetretene Verfall der Kartographie an, worunter natürlich auch das Bild Europas leidet. Die Griechen waren meist nicht mehr verständlich, populäre Kompilatoren schöpften verständnislos aus römischen Nachahmern der griechischen Autoren, besonders des Ptolemäus, und wurden dann wieder selbst die Quellen der Überarbeitung, und endlich trübten irrige biblische Vorstellungen auch diese Erdbilder, so ·daß schließlich reine Phantasien entstanden. Unter Theoderich dem Großen soll Boethius eine — nicht erhaltene — Übersetzung des Ptolemäus gemacht haben. Zur Zeit Karls des Großen am Ende des 8. Jahrhunderts trat indessen doch Germanien immer deutlicher hervor[2]), und die Umschiffung des von den Römern noch nicht gekannten Skandinaviens durch die normannischen (dänische oder norwegische) Schiffer, besonders Others, von dem uns König Alfred von England einen Bericht geliefert hat, sowie der Besuch eines Teils der wendischen Ostseeküsten durch den Dänen Wulfstan förderten die nordische Länderkenntnis Europas sehr. Die Halbinselnatur Skandinaviens wurde namentlich erkannt. Europas Bild war freilich gemeinsam mit den beiden anderen bekannten Erdteilen in den engen Rahmen der Radkarte eingepreßt und lag in einem Quadranten der westlichen Erdhälfte, durch das Mare Magnum von Afrika, durch den Tanais und Nilus von dem die östliche Hälfte

---

[1]) Sie ist Wegekarte, die Straßen sind dünne gerade Linien, mit ihren Namen und den Entfernungsangaben der Ortschaften versehen, die ebenso wie die Lagerplätze durch Häuser angegeben wurden. Das Flußnetz in dicken krummen Linien, das Gelände durch Maulwurfshügel.

[2]) Einhard berichtet von einer Erdkarte auf 3 Silbertafeln sowie von Karten der verschiedenen Provinzen seines Reiches, die Karl d. Gr. anfertigen ließ und zu denen Dicuil eine Beschreibung gemacht hat. Sie sind uns aber nicht erhalten geblieben.

bildenden Asien geschieden und wie diese vom kreisförmigen Oceanus umspült. Viel taten
für die Länderkunde Europas auch die christlichen Missionsapostel, die von Britannien und
Gallien her nach Deutschland und Skandinavien zogen, von St. Goar (495—575) bis zu
Adam v. Bremen († 1076), der namentlich über Dänemark und das südliche Schweden
gut orientiert ist. Rußland freilich trat erst nach dem Jahre 1000 aus dem Dunkel her-
vor, und um die Kenntnis der Ostseeküsten machten sich der vom Bischof Albert gegründete
Schwertritterorden und die Hansa seit dem 12. bzw. 13. Jahrhundert verdient. Diese
Zeit vom 5. bis 13. Jahrhundert ist zugleich die der Kolonisierung Europas; damals entstanden die meisten seiner Orte, und auch die ersten statistischen Aufnahmen der
Hilfsquellen der verschiedenen Reiche, die zu Katastervermessungen, wie 1080—83 in
Großbritannien, 1231 in Dänemark, führten. Vielfach müssen wir uns auch das Kartenbild
aus den Mönchs- und Ortschroniken des Mittelalters rekonstruieren, namentlich von dem
östlichen Europa. Weniger phantastisch waren zwar die Bilder des übrigen Kontinents
auf den zahlreichen Weltkarten, alle aber entbehrten einer exakten Grundlage, wie sie dagegen in den Küstenkarten des Mittelmeeres und von Teilen der atlantischen Gestade
Europas, besonders seit Anfang des 14. Jahrhunderts in Italien (siehe dort), immer häufiger
wurden. Sie unterscheiden sich von den Plankarten mit Zentralrose dadurch, daß das
System der zeichnerischen Hilfslinien noch durch einen Kranz von Strichrosen vermehrt
ist, die sich ringförmig um die Zentralrose lagern. Sie haben Meilenmaßstab, und zwar
für das Mittelmeer in alten griechischen Meilen, für die Atlantis, in größeren römischen
Miglien oder Seemeilen, was unter anderem auf die uralte Grundlage der Mittelmeer-
karten deutet, bei denen alte Karten und Segelanweisungen einzelner Becken und
Küstenteile nach Auftauchen des Kompasses berichtigt und zu größeren Karten zusammengesetzt worden sind, während die Karten der atlantischen Gestade wohl erst zur
Zeit des Kompasses nach den damit bei der Schiffahrt gemachten Beobachtungen hergestellt worden sind. Der Maßstab schwankt, wie aus dem Format (bis höchstens
40:40 cm) zu errechnen ist, zwischen 1:4 und 1:7 Millionen, für größere Übersichtsblätter des ganzen Mittelmeeres meist 1:6 Millionen.

III. Neuzeit.

1. Von der Renaissance bis zur Reform der Kartographie.

Die Wiedererweckung des Ptolemäus nach 1300 Jahren zur Zeit der großen Bewegung
auf geistigem Gebiet führte zwar zur Einführung des Gradnetzes, seiner trapezmaschigen
unechten Zylinderprojektion und zur Wiederherstellung seiner Karten, ohne daß jedoch
ein wesentliches Hinausgehen über die Griechen stattfand, wenn auch die Ausführung und
Einzeichnung der Beobachtungen und Messungen durch verbesserte Instrumente und Methoden genauer und vollkommener wurde, besonders in Deutschland, wo Kopernikus und
Keppler[1]) die Astronomie umgestalteten und deutsche Mathematiker wie Stöffler
(1518) und Johannes Werner (1520) die antiken Projektionsmethoden zu verlassen wagten
(herzförmige Entwurfsart) und das stereographische Gradnetz einführten. Stöffler wies
auch zuerst die Ungenauigkeiten der Ortsbestimmungen des Ptolemäus für Germanien nach,
Turmaier genannt Apianus gab die erste Spezialkarte von „Obern- und Niederbaiern"
1523 heraus. Ihr folgten die Vermessung Hollands durch Deventer (1536), Tschudis
Schweizerkarte (1538), die Karte des Olaus Magnus für den skandinavischen Norden (1539),
Mercators Karte von Flandern (1540), die 26 neuen Karten Sebastian Münsters (1544)
und die erste russische Karte Sigismund v. Herbersteins (1549). Um 1500 etwa traten
die graduierten Seekarten (mit Breitenmaßstab), später die Plattkarten auf.

---

[1]) Kepplers „Tabulae Rudolphinae", Ulm 1627. Seit Keppler verwendete man zuerst Sonnenfinsternisse
zur Bestimmung der astronomischen Länge. Später traten Mondfinsternisse an ihre Stelle.

2. Die Zeit der Reform.

War bis dahin Deutschland, dessen Karten, besonders seit den „Tafeln zur Länge und Breite" des Peter Apianus (1524), am genauesten dargestellt worden (es sei nur an die Karten Brandenburgs von Camerarius, Preußens von Henneberger, Bayerns von Cellarius, Schlesiens von Helvig erinnert), der Vorort der Kartographie, so brachten Mercator und sein Freund Ortelius deren Sitz nach den Niederlanden. Ihre Arbeiten bezeichnen den Höhepunkt des ganzen Zeitalters. Es entstanden in dieser Periode G. Mercators „Europae descriptio" (Duisburg 1554), das klassische Muster für die kritische Bearbeitung des besten kartographischen Materials der Zeit, auf einem Blatt; dann 1585 seine „Galliae et Germaniae Tabulae geographicae" (Duisburg 1585), die später den ersten Teil seines 1595 erschienenen „Atlas sive cosmographiae meditationes de fabrica mundi et fabricata figura" bildeten, der auf einem Blatt Europa, dann Spezialkarten von Island, den britischen Inseln, Skandinavien und Rußland enthielt. In Abraham Ortelius' „Theatrum orbis terrarum" von 1570 (Antwerpen), das 53 Kupferstichkarten, in der Ausgabe von 1595 schon 119 Karten enthält, ist Europa reich bedacht in einer Sammlung der besten zeitgenössischen Karten, von denen uns manche nur durch ihn erhalten geblieben sind. Auf ihn stützt sich des Philipp Galläus „Theatrum orbis terrarum" von 1585 (Antwerpen), einer der ersten sog. Atlantes minores [1]).

In diesem Zeitalter der Spezialkarten, die auf wirklichen Vermessungen beruhten und deren Inhalt dann auch zu Generalkarten verwertet wurde, erfolgte ein völliger Bruch mit der Antike. Die Aufnahmen einzelner Länder wurden durch die Fürsten, hauptsächlich zu militärischen Zwecken, veranlaßt, was vielfach die strenge Geheimhaltung der Karten und Aufnahmen zur Folge hatte. Bayern nahm Apian auf, dessen Landtafeln das topographische Meisterwerk des 16. Jahrhunderts bilden, Lothringen Mercator, die kursächsischen Lande Matthias Oeder. Andererseits förderten solche militärische Mappierungen und der Zwang, Schlachtfelder, Städte, Befestigungen in großem Maßstabe aufzunehmen, die topographische und kartographische Kunst in vielfältiger Weise, so sehr auch noch die Phantasie der Kartenzeichner eine Rolle spielte. Ein wirkliches Verständnis für das Gelände, ohne welches die Landkarte ein dürres Gerippe bildet, fehlte freilich noch fast gänzlich.

3. Übergangszeit.

In der durch Willebrord Snellius 1617 eingeleiteten Periode der Gradmessungen durch Triangulation, die zuerst Wilh. Schickhart in Deutschland und Norwood in England nachahmten, sind eine Reihe großer Atlaswerke hervorzuheben, die ein immer vollkommeneres Bild unseres Erdteils lieferten, ohne wesentlich Neues zu bringen. So Joh. Janson: „Nieuwe Atlas" (Amsterdam 1638), Willem Janszoon Blaeu: „Novus Atlas" (1638), Nic. Janson: „Cartes générales" (1645), Joh. Blaeu: „Atlas magnus" (1650), Nic. de Fer: „Neue Kontinentalkarten" (1700), Fr. de Witts Atlanten (1700), die zahlreichen Atlanten von Joh. Bapt. Homann in Nürnberg, darunter der älteste von 1702, sowie der erste Schulatlas überhaupt von 1710 (in 18 Karten), ferner Matthias Seutter: „Atlas novus" (Wien 1730), Hermann Moll: „Atlas of the World" (London 1733), Bourguignon d'Anville: „Atlas général" (1737—80) und die Atlanten von Robert de Vaugondy (1747).

In diese Zeit fallen ferner die militärischen Bedürfnissen entsprungenen ersten topographischen Operationen großen Maßstabes, welche auf Befehl der Regierungen und Provinzialverwaltungen zur Herstellung genauerer Landesdarstellungen unternommen

---

[1]) Noch immer, bis ins 18. Jahrhundert, behauptet sich dabei die namentlich von Ortelius und später von Homann mit Vorliebe verwendete unechte Zylinderprojektion mit nichtparallelen Meridianen des Ptolemäus.

werden.[1]) Das erste Beispiel von dokumentarischem Wert verdanken wir Karl IX. in Schweden, nach dessen Befreiung von dänischem Joche. Er erteilte Andreas Bureus den Befehl, eine Landkarte der nordischen Reiche herzustellen (1600), die sechsundzwanzig Jahre später, 1626, vorlag, nachdem bereits 1611 eine Karte von Lappland erschienen war. W. Schickhart führte 1624—35 seine besonders durch Anwendung des trigonometrischen Netzes und der Mensula praetoriana bahnbrechende Landesaufnahme Württembergs aus.[2]) 1667 ließ Leopold I. eine topographische Karte des Erzherzogtums Österreich aufnehmen. In Frankreich gab Louis XV. dem Ingenieur du Roi, Roussel, den Befehl, eine „Carte générale des Monts Pyrénées" zu fertigen, die 1730 in 1 : 330000 fertig gestellt war und das älteste Dokument des Dépôt de la Guerre ist. In Italien entstand auf Anordnung des regierenden Herzogs von Savoyen die schöne Karte Piemonts vom Ingenieur Borgonia (1683), an welches erste militärtopographische Werk sich später die Schmettauschen Arbeiten über Sizilien schlossen. So haben also schon 100 Jahre vor Cassini Rücksichten der Landesverteidigung die Konstruktion wirklicher topographischer Karten herbeigeführt, wobei es freilich mit Höhenangaben und Geländedarstellung[3]) noch übel bestellt ist. Auch herrschte große Willkür in den Projektionen, manchmal fehlte jede, und selten ist das Gradnetz vollständig.

4. Periode der Triangulationen und der geodätischen Aufnahmen.
In dieser Periode der Erdbogenmessungen der Franzosen, der Verbesserung der astronomischen Ortsbestimmungen und deren Verwertung für die genauere Bestimmung der Länderumrisse und der Kartographie überhaupt, in der der Spiegeloktant und Spiegelsextant erfunden, der Chronometer vervollkommnet, das Fernrohr zu Winkelbeobachtungen benutzt, den Höhenmessungen, zunächst mittels Barometers (Verbesserung des Quecksilberbarometers sowie bessere Formeln — Ramond und Laplace — statt der von Jean de Luc), höherer Wert beigelegt und die Terraindarstellung durch Schraffen (Lehmann) und für Tiefenkarten die Isohypsenmethode zur Anwendung gebracht wurden, war Frankreich der Sitz der Geodäsie. César François Cassini de Thurys „Carte de France" (1 : 86400) war das erste musterhafte Ergebnis einer großen und genauen Landesvermessung im modernen Sinne. Delisle, der auch eine fälschlich dem Mercator zugeschriebene Kegelprojektion einführte, gab dem Mittelmeer auf seiner Karte die richtige Gestalt, d'Anville verwertete kritisch das beste alte und neue Material für seine kartographischen Arbeiten. Buache und Buffon versuchten, „la charpente de la terre", d. h. die Richtungslinien der Gebirge, in ein bestimmtes System zu bringen, und englische und deutsche Geologen bestimmten die Formationen und Gesteine der Erdrinde, was für die Erkenntnis der Oberflächenformen und deren charakteristische Darstellung in der Karte von größter Bedeutung ist.
Eine Reihe wichtiger Atlaswerke verdanken dieser Periode ihr Entstehen. Es seien genannt: Leonhard Euler: „Atlas geographicus" in 41 tabulis 1753; Tobias Mayer: „Germaniae Mappa critica" 1750; Fr. Anton Schrämbl: „Allgemeiner deutscher Atlas aller Länder der Erde" in 138 Blatt, Wien 1786—94; Fr. Joh. Jos. v. Reilly: „Großer deutscher Atlas der ganzen bekannten Erde" in 28 Karten, Wien 1794—96; C. G. Reichard (der Mitbegründer von Stielers Atlas): „Atlas des ganzen Erdkreises" 1803; Menselle et Chanclaire: „Atlas universel de Géographie physique et politique, ancienne et moderne", Paris 1806; Karl Ritter: „Sechs Karten von Europa" mit erklärendem Text, der erste Versuch physikalischer Darstellung; Adolf

---

[1]) Joh. Prätorius aus Altdorf bei Nürnberg hatte Ende des 16. Jahrhunderts seine „Mensula" (Meßtisch) erfunden, das beste topographische Instrument.
[2]) 1629 gab er eine „kurze Anweisung" heraus, wie „künstliche Landtafeln aus rechtem Grunde zu machen seien".
[3]) Riccioli nahm z. B. im Kaukasus noch Höhen von 10 geographischen Meilen an, Snellius berechnete des Ätna auf mehr als 25000 Fuß Höhe.

Stieler: „Handatlas über alle Teile der Welt und des Weltgebäudes", 1817—31, in
50 Blättern (bis 1823), mit 25 Ergänzungsblättern (bis 1831, Gotha, Perthes), der
Urahn der jetzigen 9. Auflage (seit 1901 im Erscheinen), des weltberühmten Werkes, das
allein schon, in seinen sämtlichen Ausgaben eine Geschichte des Kartenwesens der modernen
Zeit darstellt[1]); Aaron Arrowsmith: „General Atlas" 1817; Stieler: „Kleiner
Schulatlas über alle Teile der Erde" in 20 Karten, Gotha, Perthes 1820; J. E. Wörl: „Atlas
von Zentral-Europa", 60 Blatt 1:500000, Freiburg i. Br. 1830—38; Olsen u. Bred-
storff: „Esquisse orographique de l'Europe 1:654000", 1824, corrigée et considérable-
ment augmentée par O. N. Olsen 1830, mit Commentar von Olsen, Kopenhagen 1833,
die auf Grund der Sammlung und Sichtung des gesamten damaligen hypsometrischen Materials
von ganz Europa (ausgenommen des östlichen Rußlands) zusammengestellte erste hypsometrische Karte, die der Pariser Geographischen Gesellschaft ihre Anregung verdankt.
Eine der besten und zuverlässigsten Karten von Zentraleuropa mit einem vollständigen
Flußnetz, deutlicher, wenn auch ungleichwertiger Geländedarstellung und der staatlichen
und provinziellen Einteilung war die Adolf Stielers von Zentraleuropa 1:800000 auf
25 Blatt (1829—36, berichtigte Auflage 1848), auf deren Grundlage 1847 dann Diez,
v. Stülpnagel und Bär eine besonders für den Reisegebrauch eingerichtete Reduktion
in 1:1500000 auf 4 Blatt fertigten (beide bei Perthes in Gotha erschienen). 1844 veröffentlichte Scheda eine Karte von Gesamteuropa in 1:2592000, die 1859—61 dann
in Farbendruck erschien und trefflich gelungen war. Bemerkenswert waren ferner die
Plattsche Karte von Mitteleuropa 1:600000, auf guten Materialien beruhend, aber
infolge mangelhafter Lithographie nicht immer sehr deutlich (Magdeburg 1847) und
des Preußischen Generalstabes Gebirgs-, Gewässer- und Straßenkarte von Zentraleuropa in 1:500000 auf 30 Blatt (Berlin 1849), die Fortsetzung einer älteren Karte,
die aber recht ungleichwertig in der Orographie und im Stich gewesen war, die neueren
Teile waren dagegen befriedigend; dann H. Berghaus' epochemachender „Physikalischer Atlas" in 93 Karten, 1838—48, Gotha, Perthes (2. Aufl. 1852, 3. Aufl. 1893),
auf A. v. Humboldts Veranlassung erschienen; E. v. Sydows[2]) „Wandatlas über alle
Teile der Erde" 1838—47, darunter die Wandkarte Europas von 1839 in 9 großen
Sektionen, wie alle übrigen durch ein Begleitwort des Verfassers erläutert, welches meister-
haft, in wahrhaft wissenschaftlicher Weise, die großen Grundzüge einer Betrachtung des
Weltteils enthielt. Zum ersten Male war das seither Gemeingut gewordene Prinzip in
Anwendung gebracht, die Hauptstufen des vertikalen Aufbaus durch verschiedene Farbentöne darzustellen und so ein wirklich geographisches und künstlerisches Bild zu liefern.
Alles Hydrographische war blau, alle Tiefländer waren hellgrün, die Hochflächen weiß dargestellt. Die warmen braunen Töne der Erhebungen waren auch in ihren dunkelsten Teilen
noch so durchscheinend, daß das schwarz gehaltene Gerippe und Gradnetz, sowie die sehr
sparsam gehaltene Schrift deutlich lesbar waren. Die Naturwahrheit der Bilder, ihre metho-
dische Behandlung, die Benutzung der besten Quellen wurden vorbildlich, und so hat dieses
Werk eine neue Entwickelung, namentlich der Schulwandkarten, angebahnt. 1842 erschien
in 1., 1847 schon in 2. Auflage sein „Methodischer Handatlas für das wissenschaftliche Studium der Erdkunde" in 34 Karten. Diese vorzügliche, 1853 in 4. Auflage
erschienene, dann nicht fortgesetzte Arbeit ist v. Sydows Meisterwerk, nach Inhalt und

---

[1]) „Bequemes Format, möglichste Genauigkeit, Deutlichkeit und Vollständigkeit, dabei doch zweckmäßige Auswahl, Gleichförmigkeit der Projektion und des Maßstabes, schönes Papier, guten Druck, sorgfältige Illumination,
wohlfeilen Preis" strebte Stieler an.
[2]) Emil v. Sydow (1812—73) gehört zu den Schülern Karl Ritters und A. v Humboldts, stammte aus
alter Offiziersfamilie, war ein begeisterter Soldat, aber nicht minder ein echter Mann der Wissenschaft, ein hervorragender Kartograph und Militärgeograph, ein tüchtiger Schriftsteller, guter Pädagoge, dem nach Moltkes Nachruf
„der Ruf einer wissenschaftlichen Autorität für immer gesichert bleibt". Er war zuletzt Chef der geogr.-statistischen
Abteilung des Preuß. Generalstabes.

Form ein klassisches Werk der deutschen Kartographie, das auf den bewährten Grundsätzen seiner Wandkarten beruht und einerseits ein lebendiges Erfassen des Erdbaus durch Studium der Geologie, andererseits einen feinen Sinn für plastische Formen und das Detail dank der gediegenen topographischen Vorbildung des Verfassers verrät und dabei das Bedeutende und Charakteristische stets in den Vordergrund stellt, so daß eine harmonische Wirkung, keine Überladung des Kartenbildes erzielt wird.[1]) Epochemachend wurde auch sein „Schulatlas in 36 Karten", Gotha, Perthes 1847. — K. Sohr: „Vollständiger Handatlas der neueren Erdbeschreibung über alle Teile der Erde in 80 Blättern", C. Flemming, Glogau 1845. Die 5. Auflage hat der hochverdiente Kartograph Professor H. Berghaus verbessert und vermehrt, die 8. Auflage ist als „Sohr-Berghaus' Handatlas über alle Teile der Erde" in 100 Blatt (mit 36 Nebenkarten) veröffentlicht, die neueste (9.), von H. Bludau fortgesetzte ist im Erscheinen (84 Blatt oder 168 Kartenseiten mit über 150 Karten). 1845 kam Justus Perthes' Taschenatlas, zuerst von v. Stülpnagel und Bär bearbeitet, seit 1884 von H. Habenicht umgestaltet und in zahlreichen Auflagen, stets das Neueste und Beste bringend und viel nachgeahmt, wieder aufgelegt (24 kolorierte Karten in Kupferstich, auch in italienischer und spanischer Ausgabe). Ferner ist hier der „Historischgeographische Handatlas" von Karl v. Spruner, Gotha, Perthes 1837—52, den in 3. Auflage (1862—79) Th. Menke bearbeitete (90 kolorierte Blätter in Kupferstich; mit Einschluß des Atlas antiquus. 121 Bl.), zu gedenken, ebenso Papens unvollendet gebliebener Höhenschichtenkarte von Zentraleuropa (nur 9 Blatt erschienen) und der Versuche, geologische Karten des Kontinents herzustellen, so von Boué (1827) A. Dumont (1857, 1:4 Mill.), Hennequin (1857, 1:8 Mill.), H. Habenicht (1876, 1:15 Mill.) — für ganz Europa — und v. Dechen (1839, 1:2,5 Mill.) für einen größeren Teil (Deutschland, Frankreich, England und angrenzende Gebiete).

Ehe wir diese Periode verlassen, seien noch einige für die Kartographie wichtige wissenschaftliche und literarischen Arbeiten sowie technische Erfindungen erwähnt. Auf dem so wichtigen Gebiet der Projektionslehre ist es zunächst die Entwurfsart von Rigobert Bonne (1752), deren später so ausgebreitete Benutzung von ihrer Verwendung bei der zweiten großen topographischen Karte Frankreichs (1:80000) durch das Dépôt de la Guerre herrührt, obwohl sie bei Geographen längst im Gebrauch war. Sogar für die bayrischen topographische Karten (1:50000), dann aber besonders für die meisten geographischen Hand- und Atlaskarten wurde diese damals für die beste gehaltene Abbildungsweise[2]), wohl hauptsächlich auch wegen ihrer Einfachheit und ihrer für Karten allerdings sehr wichtigen Flächentreue verwendet, bis die Mathematiker, welche den Schwerpunkt auf „Konformität (Winkeltreue) legten, ihr zuerst entgegentraten. Später taten es auch Geographen und Kartographen, und seit Tissot wird sie mehr und mehr gemieden. Eine neue Periode der Projektionslehre bedeuten Joh. Heinrich Lamberts erste allgemeine Untersuchungen über Kartenproktionen in seinen 1772 erschienenen „Beyträgen zum Gebrauche der Mathematik und deren Anwendung" (in 3 Teilen), in denen er zuerst die Forderungen der Flächen- und Winkeltreue erörterte. Wichtig sind weiter die 1777 erschienenen L. Eulerschen Arbeiten über Kartenprojektion, dann Joseph Louis de Lagrange: „Sur la construction des cartes géographiques" 1779, in welcher Schrift er, auf Lambert gestützt, die Aufgabe der konformen Abbildung beliebiger Rotationsflächen auf eine Ebene allgemein löst, um dann diese Lösung auf einen besonderen Fall anzuwenden. Die von ihm für diese allgemeine wie besondere Lösung aufgestellten Formeln führten Lagrange zu Schlußfolgerungen hinsichtlich der Konstruktion geographischer Karten. Karl Brandon Mollweide stellte 1805 dann seine flächen-

---

[1]) Eine von ihm begonnene Höhenschichtenkarte Mitteleuropas blieb leider unvollendet.
[2]) Diese sog. Projection du dépôt de la guerre, auch als „modifizierte Flamsteedsche" bezeichnete unechte Kegelprojektion verdrängte namentlich auch die trapezmaschige unechte Zylinderprojektion des Ptolemäus.

treue unecht zylinderische Entwurfsart (elliptische Meridiane) auf, die sich für gewisse geo-
physikalische Karten der ganzen Erde wohl eignet und auch von Berghaus für seinen
Physikalischen Atlas verwendet wurde. 1857 empfahl sie Jacques Babinet als „homo-
lographische" Projektion und wandte sie in seinem Atlas an. Freilich ist die Erdkarte in
dieser Entwurfsart, die viel überschätzt wurde, nur in zwei Punkten winkeltreu, doch
kann sie für gewisse geographische Zwecke recht gute Dienste leisten. Sehr wichtig
wurde die von Cassini zuerst bei seiner großen (der ersten) topographischen Karte von
Frankreich angewendete „Cassini-Soldnersche" Projektion (so seit 1809 genannt,
nachdem sich Soldner um diese den Bayerischen Katasterblättern zugrunde gelegte Entwurfsart durch theoretische Begründung besondere Verdienste erworben hatte). Es ist ein
zylindrischer Entwurf mit längentreuen Hauptkreisen, wobei der Grundkreis ein Meridian
ist (transversale quadratische Plattkarte). 1822 erschien das berühmte Gaußsche Werk
über Projektion, in dem er die Differentialgleichung aufstellt, auf welche die Aufgabe der
konformen Abbildung für beliebige Flächen führt, und seine allgemeinen Formeln auf eine
Reihe einfacher Beispiele anwendet, alles in rein mathematischer und Lagranges Darlegungen mehrfach überholender Weise. Seine konforme Kegelprojektion wird auch nach
Lambert genannt, in England auch nach Herschel. Nach ihm ist auch eine transversale
Mercatorprojektion, die zuerst Lambert benutzt hat, genannt. 1852 wurde in Heidelberg
die neuerdings (1883) wieder durch E. Debes besonders gewürdigte Nellsche modifizierte
Globularprojektion veröffentlicht, die sich besonders durch Einfachheit der Netzlinien auszeichnet. Auch H. C. Albers' äquivalente Kegelprojektion von 1805 ist erwähnenswert. Von weiterem Interesse sind dann die Fortschritte in der Geländedarstellung, die mit Du Carla rein theoretischer Isohypsenkarte einer imaginären Insel
(1777) und des Franzosen J. L. Dupain-Triel erster Isohypsenkarte eines Landes
(10metrige Niveaulinien für Frankreich) von 1791 einsetzen, ihre Fortsetzung in J. G. Leh-
manns „Darstellung einer neuen Theorie der Bergzeichnung" von 1799 (senkrechte Beleuchtung) und in Müfflings abgeänderter Lehmannscher Methode von 1821 (die freilich
von Chr. Bechstatt herrührt und zuerst durch Eckhardt eingeführt wurde), in
L. Puissants[1] „Principes du figuré du terrain", Paris 1827 (Vereinigung von gleich-
abständigen Höhenkurven mit Bergstrichen), in der hypsometrischen Karte Olsens und
Bredstorffs von 1830, in der Anwendung von Farbentönen durch Horsell (Karte von
Skandinavien 1835) und v. Sydow (Wandatlas 1838) finden, während für Seekarten zuerst
1829 die Nordamerikaner, 1853 dann H. Kieperts Karte des Bosporus die praktische Anwendung von Niveaulinien bzw. stufenweisen Tönen für die Meeresschichten
machen (nachdem 1737 Phil. Buache in einer Isobathenkarte des Canal de la Manche rein
theoretisch die Vorzüge solcher Darstellungsweise gezeigt hatte). Damit kam auch die
absolute Höhe, der nächst der Planimetrie wichtigste Teil jeder Erdkarte, zu ihrem Recht,
und die Beachtung, die sich nunmehr die dritte Dimension der Erdoberfläche in der
kartographischen Darstellung erfreute, zeigt sich auch in den seit Micheli du Crests
Alpenpanorama von 1755 zahlreich hergestellten Panoramen und Reliefs, namentlich in
der Schweiz, wo auch Pfyffer seine erste Reliefkarte der Zentralschweiz fertigte (1766—85).
An technischen Errungenschaften zur Vervielfältigung der Karten sei der Erfindung des Stahlstichs durch den Engländer Heath (1820), der der Lithographie durch
den Deutschen Aloys Sennefelder (1825), und der Einführung der Galvanoplastik für
Erzeugung druckfähiger Kopierplatten (1842) gedacht. Von allergrößter Bedeutung aber
wurden die Anforderungen, die die physische Geographie fortan an die Kartographen stellte und die dadurch die Landkarte zur graphischen Veranschaulichung der
verschiedenartigsten Verhältnisse, seien es z. B. geologische, seien es klimatologische, erd-

---

[1] Der auch die Projektionen theoretisch förderte.

magnetische oder statistische, benutzte. Humboldts Isothermenkarte von 1817, durch welche die graphische Methode zunächst in die Meteorologie eingeführt wurde, und noch mehr der von ihm geförderte physikalische Atlas von H. Berghaus[1]) (1838) gaben nun den Anstoß dazu, nachdem freilich schon 1632 der Italiener Borri magnetische Linien, Kircher 1665 Meeresströmungen, Halley 1701 Isogonen, Zimmermann 1780 die Tierverbreitung in Erdkarten darzustellen versucht hatten. Und von nicht minder großem, weil praktischem Wert wurde die rege Beteiligung des Staates an der Kartographie, nachdem Frankreich das erste große Beispiel einer modernen Landesaufnahme gegeben hatte. In Österreich beginnt 1764 die Josefinische Vermessung, von Daun beantragt, der sich die Arbeiten in den österreichischen Niederlanden durch Ferraris (1777) und 1806 die zweite oder Franciseische anschließen; England unternimmt 1783 seine vorzügliche Triangulierung durch Roy, war rastlos in der Festlegung der Küstenlinien der Erde zur Erwerbung und Erhaltung seiner Seeherrschaft und machte die ersten größeren geologischen Aufnahmen, zunächst zu praktischen Zwecken, um Mineralschätze zu gewinnen; Krayenhoff trianguliert und vermißt die Niederlande und Belgien, ihnen folgen die anderen Staaten wie Preußen, Rußland &c.

5. Die moderne Kartographie.

Sie beruht auf wesentlich anderen Grundlagen, als sie in der vorigen Periode, selbst noch zu Anfang des 19. Jahrhunderts, maßgebend waren. So groß auch schon der Fortschritt in der mathematischen Geographie gewesen war und die Sicherheit der Ausführung, gesteigert durch Berechnung von Tabellen für astronomische Ortsbestimmung, durch Ersinnen neuer Projektionsmethoden, durch die Feststellung der ellipsoidischen Gestalt der Erde, durch die Verbesserung der Instrumente &c., — von einer eigentlichen wissenschaftlichen Erforschung der Erdoberfläche, ihrer Gestalt und namentlich ihrer Plastik konnte, von vereinzelten Ausnahmen abgesehen, noch keine Rede sein. Eine kosmische und Geophysik im eigentlichen Sinne des Worts, eine Anwendung der Physik und Mathematik bei der naturwissenschaftlichen Beobachtung und der Messung und Analyse der Erdoberfläche, zur Bestimmung der wahren Größe und Gestalt des Erdkörpers, zur intensivsten Landaufnahme und zur Erzielung höchster Genauigkeit der geometrischen Übertragung der Linien und Punkte der gekrümmten Erdrinde auf die Kartenebene gab es noch nicht. Verbesserte Methoden und Instrumente, also hauptsächlich Fortschritte auf dem Gebiet der Rechnung und Technik, machten jetzt die Darstellung der räumlichen Verhältnisse soviel genauer, aber auch leichter, wenn auch noch gar manches, namentlich hinsichtlich der Höhenermittelung der Unebenheiten der Erdoberfläche zu geschehen hat, um strengsten geodätischen Ansprüchen innerhalb der Zeichnungsgenauigkeit zu genügen. Wohl war das Grundprinzip der Bestimmung der Erdgröße durch Eratosthenes bereits richtig erkannt, aber die Entdeckung der Abplattung hat die Aufgabe vollständig geändert. Waren auch die astronomische Ortsbestimmung und die trigonometrische Dreiecksmessung schon in früheren Zeiten angewendet, so sind doch erst die verfeinertsten Methoden der neuesten Periode imstande, das Material zu liefern, aus dem die Abweichungen des Geoids von der Kugel und die noch zarteren Unterschiede von einem Normalsphäroid (Ellipsoid) zu ermitteln sind. Erst jetzt sind theoretisch alle Hilfsmittel vorhanden, um die mathematische Figur der Erde zu berechnen. Nicht nur werden Polhöhen, Längen und Azimute, sowie Zenitdistanzen weit schärfer bestimmt, sind die Triangulationen sowohl in den Basismessungen (jetzt auf 1 : 200000 der Länge) wie in den (symmetrischen) Winkelbeobachtungen weit genauer (mittlerer Fehler $\pm 0''$ 369 bis $\pm 1''$ 16)[2]),

---

[1]) Geb. 1797, † 1884. Außerordentlich groß ist die Zahl der von ihm verfaßten Karten und Bücher. Aus seiner geographischen Schule sind Petermann, Henry Lange und Hermann Berghaus hervorgegangen.

[2]) General Ferrero ermittelte aus 6848 Hauptdreiecken aller europäischer Staaten $\pm 1''$ 16. Die Preußische Triangulation hat das unerreichte Resultat 0'' 369.

sondern neu hinzugekommen sind zur Lösung des Problems die Schweremessungen, wobei
die Vereinfachung der Pendelbeobachtungen die Untersuchung erleichtert hat, sowie die
geometrischen Präzisionsnivellements (an Stelle des trigonometrischen, d. h. der Messung
von Zenitdistanzen). Durch das Zusammenwirken aller dieser Hilfsmittel ist eine hypo-
thesenfreie Lösung des Problems, Gestalt und Größe der Erde zu bestimmen, möglich
geworden, zugleich folgten aus den Ergebnissen der Pendelbeobachtungen auch un-
geahnte Beziehungen zwischen der Erdmessung und dem inneren Bau der Erdrinde. Alle
diese hochwissenschaftlichen, die Kartographie ungemein fördernden Arbeiten sind
eigentlich erst möglich geworden durch gemeinsame internationale Arbeit. Hierzu hat
aber die wichtigste Anregung gegeben die Denkschrift des preußischen Generals J. J. B a y e r
(1794—1885) vom Jahre 1861: „Über die Größe und Figur der Erde", welche 1864 zur
Begründung einer erst mitteleuropäischen, dann europäischen Grad-, heute internationalen
Erdmessung geführt hat, der jetzt die wichtigsten Staaten der Erde angehören, und in deren
permanenten Kommission ständige Vertreter aller Nationen in gemeinsamer wissenschaftlicher
Arbeit über die feinsten und höchsten Probleme der Geodäsie und deren Nutzbarmachung für
die praktische Vermessungskunst und Kartographie tätig sind.[1]   Dazu kommen in diesem
Zeitraum außerordentliche Verbesserungen der P r o j e k t i o n s m e t h o d e n , wobei der merkwürdige Umstand allerdings zutage getreten ist, daß man wieder neuere, allgemein benutzte
Entwurfsarten aufgibt und zu älteren, die noch nicht so verbreitet sind (Lambert, Mollweide z. B.) zurückkehrt, weil erstgenannte, auf zu große Erdräume ausgedehnt, stärker
verzerrte Bilder liefern als die anderen. Unter den in dieser Zeit aufgetauchten Projektionen
seien z. B. genannt: H e n r y J a m e s ' perspektivische externe Projektion von 1857, die
ungefähr $2/3$ der Kugeloberfläche bei 1,5 m Augendistanz darzustellen gestattet, A i r y s
vermittelnder azimutaler Entwurf (Balance of errors 1861), G. J ä g e r s Polar-Sternprojektion (mit 8 Flügeln) von 1865, A r n d s Halb-Sternprojektion mit 6 Flügeln von 1870,
die S t e i n h a u s e r auf 4 Flügel beschränkt hat, H. B e r g h a u s ' Polar-Sternprojektion
mit 5 Spitzen von 1879, A u g u s t s epizykloidische Projektion für eine konforme Erdab-
bildung von 1874, dann die Ausbildung der für topographische Kartenwerke epochemachenden,
glücklicherweise die Bonnesche verdrängenden preußischen Polyederprojektion (eine konforme Doppelprojektion, das „Ei des Kolumbus"), besonders durch S c h r e i b e r , und die
nicht minder bedeutungsvolle Schrift des Franzosen Nicolas-Auguste T i s s o t : „Mémoire
sur la représentation des surfaces et les projections des cartes géographiques" (Paris
1881), welche besonders die Fehlergrenzen in der Kartenprojektion bezüglich der Winkel-,
Längen- und Flächenverzerrung untersucht und zeigt, wie für Länder von bestimmter
Gestalt und Größe alle Verzerrungen auf ein Minimum herabgedrückt werden können.
Dieses Werk[2]), seit Lambert das bedeutendste, leitet eine neue Periode der theoretischen
und praktischen Kartographie ein. Freilich scheitern manche der feinsten theoretischen
Ermittelungen in der Praxis an dem unvermeidlichen und unberechenbaren Eingange des
Papiers, ganz ähnlich, wie andere Feinheiten der Theorie der Meßkunst wenig praktische
Bedeutung erlangen können, weil der Kartenmaßstab und die zeichnerischen Hilfsmittel die
Darstellung eben nicht mehr gestatten, oder weil der Zeitaufwand in keinem Verhältnis
mehr zum praktischen Nutzen steht. Das vergessen oft die Kritiker, besonders topo-
graphischer Kartenwerke.
    Endlich kommen in der modernen Kartographie die großen Veränderungen in der
T e c h n o l o g i e zur Reduktion und Vervielfältigung der Karten sowie der Methoden der
Geländedarstellung hinzu. Die seit 1856 in Anwendung stehende P h o t o g r a p h i e als
Reproduktions- wie neuerdings auch als Meßverfahren erlaubt immer mehr, sich von der

---

[1] Hierher gehört auch die Begründung geodätischer Institute in den einzelnen Staaten, z. B. in Preußen
1868 durch Bayer.
[2] Von E. H a m m e r ins Deutsche übersetzt und durch einige Zusätze erweitert 1887.

Hand-Meß- und -Zeichenarbeit wie von dem Pantographen freizumachen, und ist nebenbei ein wichtiges Ergänzungs-, stellenweise sogar Ersatzmittel der Meßtischarbeit, besonders im Hochgebirge, geworden. Die vielfältigsten photomechanischen Verfahren zur Kartenerzeugung sind seither ausgebildet, worüber die Schriften der Österreicher Hödlmoser, Karl Schikofsky, Baron Hübl besonders gut unterrichten. Besonders wichtig waren 1859 die Einführung der Photozinkographie durch das englische Ordnance Survey und 1869 die der Heliogravüre durch Emanuel Mariot vom Wiener Militärgeographischen Institut an Stelle des Kupferstichs. Aber auch die 1876 geschehene Einführung der Chromolithographie wird von immer größerer Bedeutung, namentlich auch für die Höhendarstellung durch verschiedene Farben. Die Farbenkarte gestattet Berichtigungen des Kartenbildes und daher das so unendlich wichtige Evidenthalten viel besser als eine Schwarzdruckarbeit. Ihr gehört daher auch die Zukunft, ohne daß man dabei zu „farbenfreudig" zu werden braucht. Was die Phototopographie anlangt, so seien die Fortschritte erwähnt, die diese Kunst den Laussedat, Paganini, Finsterwalder, Koppe, Pulfrich u. a. verdankt. Endlich hat der hohe Stand der Optik und der Feinmechanik die Verwendung der präzisesten Meßinstrumente ermöglicht und die Maschinentechnik die vollkommensten lithographischen und typographischen Schnellpressen [1]) für Schwarz- wie Farbendruck gebaut, wobei seit einiger Zeit die Stein- und Zinkplatte durch die viel dünnere, dabei schärfere und widerstandsfähigere Drucke liefernde Aluminiumplatte ersetzt wird, deren Aufbewahrung übersichtlicher und raumersparender erfolgen kann. Keins der mechanischen Verfahren sowohl in der Meß- wie in der Vervielfältigungskunst vermag freilich an künstlerischem Gehalt die Handarbeit zu ersetzen.

Eine große Ausdehnung hat auch die reliefartige Kurvenkarte und die Ausbildung der Schulkarte genommen, wobei freilich die eigentliche Heimatkarte in vielen Ländern, wie z. B. in Deutschland, noch in den Kinderschuhen steckt.

Wenden wir uns nun noch kurz den wichtigsten geographischen und topographischen Kartenwerken über Europa in der Jetztzeit zu.

A. Offizielle Arbeiten.

I. Preußischer Generalstab.

Topographische Spezialkarte von Mitteleuropa 1:200000 (Reymannsche) auf 796 Blatt. Seit 1806 wo nur auf 342 Blatt für Deutschland geplant. Schwarzdruck, Gewässer: Handkolorit, ebenso Grenzen. Die älteren Blätter in Lithographie, die späteren, und zwar der größere Teil, in Kupferstich oder unter Umdruck in Heliogravüre.

Kegelprojektion. Umfaßt Schweiz, Ostfrankreich, Belgien, Holland, Deutschland, Böhmen, Polen, Mähren, Österreich und Oberitalien. Gelände in Schraffen. Höhenzahlen auf den älteren Sektionen in Duodezimalfuß, auf den neueren in Metern. Die weder eine ausreichende General- noch eine hinreichend genaue Spezialkarte darstellende, auch infolge anderer Projektion sich der Gradabteilungskarte des Deutschen Reiches nicht anpassende, ihrer Zeit überaus verdienstliche und auch heute noch sehr wertvolle Karte wird seit 1899 durch eine topographische Übersichtskarte 1:200000 für das Deutsche Reich (Geländedarstellung in Schichtlinien) ersetzt, die später auf Mitteleuropa ausgedehnt werden soll, und der aber erst neuere Blätter erscheinen sollen. So lange bleibt die von D. G. Reymann, preußischem Hauptmann und Plankammerinspektor, als Privatarbeit, unter Benutzung offiziellen Materials, begonnene, vom 143. Blatt ab von H. Berghaus, später von C. W. v. Oesfeld übernommene und bis 1844 auf 150 Sektionen gebrachte Karte die einzige, Teile von Europa enthaltende Karte des Preußischen Generalstabs und wird sorgfältig kurrent gehalten. Er hat sie 1874 von Carl Flemming in Glogau gekauft, der sie vom 1844—74 auf 405 Blatt erweitert hatte, von denen 1874 326, hauptsächlich durch Handtke, fertig gestellt waren.

II. K. u. K. Militärgeographisches Institut. (Siehe Österreich-Ungarn.)

1. Generalkarte von Mitteleuropa 1:576000 in 47 Blatt von Scheda. Seit 1869. Kupferstich. Reicht von Kopenhagen bis nach Rom und von Liverpool bis nach Odessa. Gelände in Schraffen. Höhenzahlen in Wiener Klaftern. Seit 1888 aus dem Handel gezogen und ersetzt durch

2. Generalkarte von Zentraleuropa 1:300000 in 207 Blatt (48 : 42 cm). Vergrößerung und Berichtigung nach den neuesten Materialien der Schedaschen Karte, die sie technisch nicht erreicht. Seit 1878.

---

[1]) Durch die Schnellpresse ist vor allem eine Massenherstellung und Verbilligung bei ausreichender Güte der Arbeit herbeigeführt worden.

Heliogravüre in zwei Ausgaben: Schwarzdruck mit Verwaltungsgrenzen und Dreifarbendruck. Gelände in braunen Schraffen, auf den Blättern der Balkanhalbinsel in brauner Schummerung. Nicht kurrent gehalten. Ersetzt durch

3. Generalkarte von Zentraleuropa 1:200000 in 280 Blatt (37,3:59,5 cm). Reicht von Belfort bis Odessa bzw. zur Balkanhalbinsel, von Stettin bis Konstanz, umfaßt also außer Österreich-Ungarn den größten Teil des östlichen Frankreichs, der Schweiz, Nord- und Mittelitaliens, des Deutschen Reiches, Südwestrußlands und der Balkanhalbinsel. Seit 1888. Es fehlen noch 74 Blatt. Gelände in braunen Bergstrichen, in den südöstlichen Blättern in brauner Schummerung, Wasserlinien blau, Wälder grün. Gradkarte. Heliogravüre. Gute technische Ausführung, viele Einzelheiten, ohne daß Übersicht leidet.

4. Übersichtskarte von Mitteleuropa 1:750000 in 45 Blatt (34:40 cm), je 1 Blatt enthält 12 der vorigen. Bonnesche Projektion. Heliogravüre. Braun schraffierte Gelände·, blaue Gewässer- und rote Straßenzeichnung. Ein Teil der Karte auch in hypsometrischer Ausgabe. Im allgemeinen von gutem Eindruck, doch ist durch schnelle Herstellung die Anführung ungleichwertig. Unterscheidung zwischen Dorf und Stadt fehlt, sowie die Benennung vieler bedeutender Orte. Seit 1886. Wird ersetzt durch

5 Übersichtskarte von Mitteleuropa 1:750000 in 45 Blatt (34:40 cm) in Gradkartenprojektion nach Albers. 1 Blatt enthält 12 der Karte Nr. 3. Gelände auf einer Ausgabe in Isohypsen, in einer durch Schummerung, und zwar mit grünem Waldaufdruck. Seit 1902. Heliogravüre. Schrift in Buchdruck, nur Berge geschrieben.

III. Service hydrographique de l'armée (Paris). (Siehe Frankreich.)

1. Carte de l'Europe centrale 1:320000 auf 52 Blatt, davon 5, 6, 7, 13, 14, 20, 21, 27, 28, 33, 34, 39—52, d. i. der ganze östliche und südliche Teil der Karte, nie im Handel gewesen. Sie umfaßt Belgien, Holland, Deutschland, Österreich-Ungarn, Westrußland, Oberitalien und die Schweiz. Gelände in Schummerung. ohne Höhenzahlen. Dreifarbige Lithographie. Nicht mehr auf dem laufenden gehalten. Seit 1868 bzw. 1877.

2. Carte militaire des principaux États de l'Europe 1:2400000 in 4 Blatt und 6 suppléments. Seit 1832, berichtigt 1886 hinsichtlich der Grenzen und Eisenbahnen. Kupferstich. Umfaßt die Länder zwischen Nordafrika und dem Kaukasus bis zum Schwarzen Meere.

3. Carte des chemins de fer de l'Europe centrale 1:1200000 in 3 Blatt. Heliogravüre auf Kupfer.

IV. Russischer Hauptstab (St. Petersburg).

Strategische Karte von Mitteleuropa 1:1680000 in 12 Blatt. Chromolithographie. Ist eine Erweiterung der Schubertschen Kriegsstraßenkarte von 1829. Wird ersetzt durch eine Karte 1:1050000 in Kupferstich.

V. Italienischer Generalstab. (Siehe Italien.)

Carta di Europa centrale. Carta corografica del Regno e regioni adiacenti 1:500000. Photolithographie.

VI. Commission internationale.

Carte géologique internationale de l'Europe 1:500000 in 49 Blatt (48,3:54,6 cm). Unter Leitung von M. M. Beyrich und (†) Hauchecorne. Topographische Grundlage von H. Kiepert. Seit 1894. Im Erscheinen. Stützt sich auf die neuesten geologischen Aufnahmen aller Staaten. 50 geologische Ausscheidungen in der Farbenskala. Chromolithographie des Berliner Lith. Instituts. Vertrieb Reimer, Berlin.

B. Privatkartographie.

I. Atlanten.

1. H. Kiepert: Großer Handatlas in 45 Karten. Berlin, Reimer. 1860. 3. Aufl. 1895.

2. Scheda-Steinhauser: Handatlas der neuesten Geographie in 27 Blatt, davon 24 zur Länderkunde. Wien, Artaria & Co. Seit 1868. 1879 vollendet.

3. R. Andree: Handatlas in 140 Kartenseiten. Leipzig 1880. 4. Aufl. 1899.

4. Philipps: Imperial Atlas of the World in 80 Tafeln. London 1890.

5. F. Schrader, F. Prudent und E. Anthoine: Atlas de Géographie moderne in 64 Tafeln. Paris, Hachette et Cie. Seit 1890.

6. Vivien de St. Martin und F. Schrader: Atlas universel de géographie. 90 cartes. Paris, Hachette et Cie. Im Erscheinen.

7. E. Debes: Neuer Atlas über alle Teile der Erde. 59 Haupt- und 120 Nebenkarten. Leipzig, H. Wagner und E. Debes. 1894. 2. Aufl. mit 61 Haupt- und 124 Nebenkarten 1899.

8. P. Vidal-Lablache: Atlas général. In 137 Karten und 248 Kartons. Paris, A. Collin et Cie. 1894.

9. Philips: Systematical Atlas in 52 Tafeln mit 280 Karten. London 1894.

10. W. Koch: Eisenbahn- und Verkehrsatlas von Europa. 11 Abteilungen mit farbigen Karten (27,5:40,5 cm) in verschiedenen Maßstäben, davon jede Abteilung mit einem alphabetischen Stations- und Ortsverzeichnis versehen. Auch als Wandkarte zusammensetzbar (175:152 cm). Von sehr reichem Inhalt. Näheres bei den einzelnen Ländern. Lith. Institut C. Opitz, Leipzig-Neustadt, A. Solbrig. Seit 1891 im Erscheinen.

11. Stielers Handatlas in 100 Karten, Kupferstich. Gotha, Perthes. Im Erscheinen. Das 1817 zum ersten Male aufgelegte Werk tritt mit dieser 9. Auflage in sein bestes Mannesalter. Europa ist in 1:15 Mill., die Spezialkarten der europäischen Staaten sind nach C. Vogels epochemachendem Vorgange in 1:1500000, die der außereuropäischen ⅕ so groß (1:7500000). Die meisten Karten in Kegel- oder in Bonnescher Projektion (von Afrika abgesehen, das in Lambertscher Azimutalentwurfsart). Schöne, plastische, naturtreue Bilder in Kupfer-

stich. Gelände gut generalisiert, in braunem Schraffendruck mit graubläulichem Schattenton, der den Ausdruck hebt und charakteristisch macht, ohne daß die Deutlichkeit der Schrift leidet. Sumpf- und Sandgegenden &c. farbig, was die Übersicht und Plastik erhöht. Gebiete des ewigen Schnees kräftig dunkelblau, mit deutlicher Unterscheidung von Firnen und Gletschern. Nomenklatur in amtlicher Schreibart der betreffenden Länder unter Beifügung etwaiger deutscher Namen in Klammern. Fast die Hälfte aller Blätter ist neu hergestellt, der übrige Teil umgestochen.[1])

II. General- und Spezialkarten.

1. **Scheda:** Generalkarte von Europa 1 : 2 592000 in 25 Blatt auf Stein in 4fachem Farbendruck. Wien 1845—47. 1859—61 gänzlich umgearbeitet. (Über seine Karte 1 : 576000 siehe unter A II.)

2. **A. Steinhauser:** Hypsometrische Wandkarte von Mitteleuropa 1 : 1 500000 in 6 Blatt. Gelände in 15 Schichtenstufen nach Hauslab (von weiß durch gelb und orange bis olivengrün) und zwar 33, 100, 150, 200, 300, 400, 500, 700, 1000 m und dann alle 500 m. Wien, Artaria et Cie. 1877. Hierzu ist auch eine Handkarte vorhanden.

3. **Derselbe:** Hypsometrische Karte von Mittel- und Südeuropa 1 : 12 Mill.

4. **Derselbe:** Karte von Südosteuropa 1 : 2 000000. Wien, Artaria et Cie. 1887. Reiches Gerippe, braun schraffiertes Gelände, viele Höhenangaben. Isobathen von 50, 100, 200, 500, 1000, 2000, 2500 und 3000 m mit feinen schwarzen Linien. Schrift, mit Ausnahme der griechischen Namen, slawisch. Enthält die Balkanhalbinsel, Bessarabien, Rußland (bis Balta), Kandia, Teile Italiens und Siziliens sowie Österreich-Ungarns. Landes- und Verwaltungsgrenzen 1. O. farbig, die betreffenden Hauptorte farbig unterstrichen. 3 Kategorien von Straßen, 8 Klassen von Orten.

5. **A. Iljin:** Westeuropa (ohne Rußland und Skandinavien) 1 : 1 500000. Höhenschichtenkarte.

6. **H. Kiepert:** Generalkarte von Europa 1 : 4 Mill. in 9 Blatt (46 : 55,5 cm). Kolorirte Lithographie. 4. Aufl. 1894, rev. von R. Kiepert. Berlin, Reimer.

7. **W. Liebenow:** Spezialkarte von Mitteleuropa 1 : 300000 in 164 Blatt (37 : 28 cm). Seit 1869. Ursprünglich Hannover, jetzt Wiesbaden, R. Ravenstein. Farbendruck und koloriert. Reicht südwärts bis zum Kamme der Alpen. Gibt zwar topographische Orientierung, aber seine Geländedarstellung in braunen Schraffen mit senkrechter Beleuchtung versagt im Hochgebirge. Auch ist die Auswahl der wenig zahlreichen Höhenangaben keine gute. Nach amtlichen Quellen.

8. **Derselbe:** Karte von Zentraleuropa zur Übersicht der Eisenbahnen, einschließlich der projektierten Linien, der Gewässer und hauptsächlichsten Straßen. Nach amtlichen Quellen bearbeitet. 1 : 1 250000. 6 Blatt (132 : 158,5 cm). Farbendruck, koloriert. Berlin, Lith. Institut. 31. Aufl. 1899.

9. **W. Liebenow und Ravenstein:** Radfahrerkarte von Mitteleuropa in 1 : 300000 auf 164 Blatt. Beruht auf der vorigen.

10. **H. Wagner:** 28 Übersichtskarten für die wichtigsten topographischen Karten Europas (und einiger anderer Länder). Geogr. Jahrbuch. Gotha, Perthes. 1899.

----

2. Mitteleuropa.
I. Österreich-Ungarn.

Das mannichfaltig gestaltete, überwiegend gebirgige, aber auch von großen Tiefebenen erfüllte Habsburgische Reich mit seinen zahlreichen kriegerischen Unternehmungen und dem lebhaften Durchgangsverkehr zwischen Morgen- und Abendland hat früh zur kartographischen Bearbeitung Anlaß gegeben. Freilich kann von einer amtlichen, namentlich militärischen Kartographie, die uns später wie in kaum einem zweiten Lande eine solche Fülle von zum großen Teil trefflichen und auf der Höhe der Reproduktionstechnik stehenden General- und Spezialkarten geschenkt hat, erst seit noch nicht 150 Jahren die Rede sein. Alle vorangegangenen Arbeiten waren meist privater Natur, jedenfalls lag sowohl die Landesvermessung, soweit von solcher überhaupt die Rede sein konnte, wie die Herstellung darauf gegründeter Karten in den Händen der verschiedensten Fachleute.

Aus römischer Zeit, wo Augustus Eroberungskriege in den Donauländern machte und eine Unterwerfung Rhätiens und Noricums durch Drusus und Tiberius 15 v. Chr. stattfand, besitzen wir über Österreich-Ungarn nur schwaches Licht verbreitende Itinerarien. Vor allem ist da die späte Nachbildung des kartographischen Hauptdenkmals des Altertums, der die Ergebnisse der römischen Reichsvermessung unter Agrippa—Augustus 30—12 v. Chr. festhaltenden, nach ihrem Besitzer aus dem 16. Jahrhundert, dem Humanisten Konrad Peutinger, sog. Peutingerschen Tafeln zu erwähnen, die sich jetzt

----

[1]) Mit dem Atlas sind innig verknüpft die Namen: A. Stieler (1775—1836), F. v. Stülpnagel (1781 bis 1865), A. Petermann (1822—78), Hermann Berghaus (1828—90) und C. Vogel (1828—97).

in der Wiener Hofbibliothek befinden. Auch die das Altertum abschließende berühmte Geographie des Ptolemäus verbreitet sich über die Donaugebiete (150 n. Chr.), ebenso die auf sie gegründeten später entstandenen Karten.

Nach den wüsten Zeiten der Völkerwanderung, deren Hauptschauplatz auch das heutige Österreich-Ungarn war, schuf Karl der Große durch Gründung der östlichen Mark ein staatlich organisiertes Gebiet, in dem auch Vermessungen, ohne daß wir darüber näheres wissen, zur Ausführung gelangt sein werden. Auf den dem Mittelalter eigentümlichen zahlreichen Weltkarten, Mappae mundi und Imagines mundi, christlichen und arabischen Ursprungs ist natürlich auch unser Land vertreten.

Im 14. Jahrhundert finden sich schon ganz leidliche Karten, so über Böhmen und Ungarn, obwohl damals der Schwerpunkt der Kartographie in anderen Ländern lag, vor allem in Italien.

Beim Neuerwachen der geographischen Studien im 15. Jahrhundert, namentlich aber seit der Regierung Kaiser Maximilians (1493—1519) war der Wiener Hof der Sitz aller Wissenschaften und Künste in Deutschland, das daher mächtigen Einfluß auch auf die Kartographie damals geübt hat. Es seien hier nur einige wichtige Ereignisse herausgegriffen. In Ulm wurde 1482 bei Leonhard Holl die erste deutsche Ausgabe des Ptolemäus gedruckt, die auch fünf neue Karten in einer von dem Benediktinermönch Nicolaus Donis gemachten verbesserten Übersetzung sowie die ersten von Johannes Schnitzler gefertigten Holzschnittkarten enthielt. Mit Martin Behaims, eines lange im Dienste König Johanns von Portugal gestandenen Nürnberger Kaufmanns und Geographen, „Erdapfel" von 1492 war für immer der das Weltbild einengende Kreis verbannt und die graduierte Karte des Ptolemäus eingeführt. Hartmann Schedels „Liber chronicarum" von 1493, das seine Darstellung mit Erschaffung der Welt beginnt und den Stand des geographischen Wissens der damaligen Zeit wiedergibt, ziert eine im berühmten Verlagshause der Koberger in Nürnberg gefertigte Weltkarte (48 : 30 cm) und eine wahrscheinlich von Dürers Lehrer, Michael Wolgemut, geschnittene „Holzschnittkarte von Deutschland" in großem Format (58 : 49 cm). Ebenfalls in Nürnberg, wo besonders die graphischen Künste blühten, ist bei Georg Glockendon ein kolorierter Holzschnitt gedruckt, nämlich die heute sehr seltene „Karte der Landstraßen durch das heilige römische Reich" mit damals noch wenig angewendeten Wegebezeichnungen, jetzt in der Hauslabschen Sammlung in Wien (1501). Der österreichische Professor Johannes Stab, der in dem Nürnberger Johannes Werner einen gelehrigen Schüler finden sollte, lehrte zuerst, die ganze Kugelfläche der Erde in herzförmiger Gestalt (unechte konische Entwurfsart) in die Ebene zu projizieren. Es genüge dann, die Namen von Martin Waldseemüller, dem bahnbrechenden Kartographen, von Johannes Stöffler, dem Lehrer Melanchthons und Sebastian Münsters, der die Ungenauigkeit der astronomischen Angaben des Ptolemäus über Germanien berichtigte, des Globuskünstlers Johann Schöners, der bedeutenden Kartographen Peter Apian und Johannes Aventinus sowie des ausgezeichneten Willibald Pirckheymer zu nennen, um nur besonders markante Erscheinungen zu erwähnen und zugleich den Übergang in das kommende Jahrhundert zu bezeichnen.

Im 16. Jahrhundert, dem Zeitalter zwischen der Wiedererweckung des Ptolemäus und der Reform der Kartographie durch Mercator, in dem schon einzelne Staaten, wie z. B. Bayern und Lothringen, als Staatsgeheimnis gehütete Landesaufnahmen ausführen ließen, findet sich der erste Versuch, das österreichische Land, und zwar ob der Enns, aufzunehmen, den 1542 Hirschvogel macht, freilich in sehr unvollkommener Weise. Das gleiche gilt auch von Wolfgang Laz' (Latzius) erstem Atlas der deutsch-österreichischen Erblande („Typi chorographici Austriae" von 1561) in 11 Blatt, Holzschnitten von Michael Zimmermann. Wegen Fehlens jeder ernsteren mathematischen Grundlage verdienen diese sich auf Reiselinien und geschätzte Entfernungen sowie wenige Breitebestimmungen stützen-

den Arbeiten, in denen nur selten und dann schematisch der Lauf der Gebirge angedeutet ist und die Phantasie der Zeichner noch eine große Rolle spielt, kaum den
Namen von Landkarten, was auch die Stände, welche sie veranlaßt hatten, empfanden.
Sie forderten den berühmten Keppler zur Verbesserung auf, der sich aber in sehr ver-
wunderlicher Weise äußerte. Um die Mitte des Jahrhunderts kamen aber doch schon
Spezialkarten auf, die auf wirklichen Vermessungen beruhten, da die Geodäsie inzwischen
den Kinderschuhen entwachsen war. Hatte doch 1550 Joachim Rhaeticus (1514—1574)
in seiner „Chorographie" die erste Anleitung gegeben, ein Land mittels Meßschnur und
Bussole „in Grund zu legen". [1]) Namentlich in Ungarn, wo fortifikatorische Anlagen beabsichtigt waren und Gefechte geliefert wurden, fanden geometrische Aufnahmen statt.
Vom Herzogtum Schlesien gab 1561 Martin Helwig die erste bessere in Holzschnitt
ausgeführte „Land-Charte" heraus[2]). Sie ist zwar hinsichtlich des Geländes von geringerem
Wert, weist aber gute Ortsbestimmungen und gelungene Darstellungen der Flußläufe auf.
Auch des belgischen Geographen Abraham Ortelius „Theatrum orbis terrarum" von
1570 berücksichtigt die besten zeitgenössischen Karten über Österreich-Ungarn, wie das
Land auch in einem der verbreitetsten Bücher der Zeit, der „Cosmographia universalis,
d. i. Beschreibung aller Länder" des Sebastian Münster[3]) von 1544, das bis 1628 in
40 Auflagen erschien und eine Art Weltgeschichtschreibung in räumlicher Anordnung
war, berücksichtigt war. Unter den 26 neuen Karten dieses zum Ausgangspunkte des gesamten deutschen Kartenwesens gewordenen Werkes befindet sich z. B. auch Schlesien,
freilich noch in bedeutender Verzeichnung. Eine Zeichnung „Germaniens" auf topographischer
Grundlage herzustellen, wurde dem Sebastian Münster aus Staatsgründen verwehrt.

Im 17. Jahrhundert, dem Beginn des Zeitalters der durch Willebrord Snellius 1617
eingeführten trigonometrischen Entfernungsmessung durch Triangulierung in die Gradmessung, verfeinerten sich die Aufnahmen zusehends. In diese Zeit dürfen eigentlich die
Anfänge der österreichischen Militärkartographie verlegt werden. Privatmänner, namentlich aus den Niederlanden und Italien herbeigerufene Militäringenieure, die von den
Ständen und der Regierung namhaft unterstützt wurden, brachten, allerdings immer noch
schwache, mathematische Elemente in die Karten, während die kriegerische Tätigkeit, die
Bedürfnisse der Landesverteidigung die ersten topographischen Operationen großen Maßstabes und das Bedürfnis nach genauer Darstellung herbeiführten. Auch trugen die
Kriege mit zur Förderung der Vervielfältigung und Verbreitung der bis dahin streng geheim
gehaltenen Karten bei. Nicht nur Schlacht- und Festungspläne, sondern auch topographische
und chorographische Arbeiten entstanden so, wenn sie auch möglichst lange Staatsgeheimnis
blieben. Kaiser Leopold I (1658—1705) ließ eine topographische Aufnahme des Erzherzogtums Österreich 1667 machen, und zwar durch Georg Mathias Vischer, Pfarrer zu
Leonstein[4]), die 1669 als „Archiducatus Austriae superioris descriptio 1 : 144000" in
12 in Kupfer gestochenen Blättern veröffentlicht wurde und über ein Jahrhundert in Ansehen stand. Die Erde ist als mit dem sie längs des Äquators berührenden Kreiszylinder
identifiziert, weshalb das Gradnetz Quadrate zeigt. Von demselben Verfasser rührt
auch eine auf Kosten der Stände dieses Landes 1672 erschienene „Karte von Österreich
unter der Enns" in 16 Blättern. Vischer hat auch im Auftrage der Stände die
Steiermark aufgenommen und durch Andreas Trost 1678 die Karte unter dem Titel
„Styriae Ducatus fertilissimi nova geographica Descriptio" in 12 kleine Kupferplatten

---

[1]) Prof. Dr. F. Hippler hat diese Arbeit 1876 in der Zeitschrift für Mathematik und Physik (Bd. 21)
veröffentlicht.

[2]) A. Heyer: Kartographische Darstellungen Schlesiens bis 1720. Zeitschrift für Geschichte und Alter-
tümer Schlesiens (Bd. XXII). Reproduktion der Karte 1889 zu Breslau.

[3]) Näheres L. Gallois: Les Géographes Allemands de la Renaissance.

[4]) Josef Feil hat 1857 in den „Mitteilungen des Altertumsvereins in Wien" sein Leben und Wirken
dargelegt.

stechen lassen. Im Gradnetz trägt er der Kugelgestalt der Erde Rechnung, indem das Gradnetz Rechtecke zeigt, bei denen die Meridian- zur Parallelseite sich wie 3 : 2 verhält. Der regsame Nürnberger Kartograph und Verleger Joh. Baptist Homann[1]), der Wiederbeleber der darstellenden Kunst in Deutschland, in dessen Offizin die größten deutschen Geographen damaliger Zeit wirkten, hat die Vischerschen Arbeiten gründlich nachgestochen und in seinen verschiedenen Atlanten mit Anfangsmeridian, Publikationsjahr und Autorenangabe wieder veröffentlicht. Auch der prachtvolle Atlas des Jan Blaeu, die Atlanten des Joh. Jansson und der Jud. Hondiusschen Erben enthalten diese Vischerschen Karten. Freilich fanden sich wegen der schwachen Triangulierung noch große Verzerrungen, und die Bergzeichnung war noch eine maniert perspektivische und geschmacklose, so daß keine naturwahren Bilder geliefert wurden, wenn auch der Verfasser mit aller seinem Zeitalter eigenen Genauigkeit die Entfernungen aller Orte aufgenommen hat. Die Zeichnung blieb barbarisch. Wertvoll ist ferner Melchior Küsells Kabinettsstück, freilich nur in archivalischer Hinsicht, seine in grotesker Manier teils in lateinischer Sprache, teils in deutscher beschriebene und mit zahlreichen Sprüchen, Vignetten &c. gezierte 12blättrige Karte: „Archiducatus Austriae superioris geographica Descriptio" in 1 : 150000 von 1669 (1772 und 1808 in verbesserter Auflage erschienen). Selten geworden ist die von Hoffmann und Herrmundt in Kupfer gestochene, 1697 in 16 Blatt 1 : 160000 erschienene Karte: „Archiducatus Austriae inter geogr. emend. accuratissima descriptio", die Berge und Städte halb im Aufriß zeigt und von der Enns bis Preßburg reicht. 1699 erschien die sog. Viscontische Kriegskarte von Siebenbürgen. Von Höhenmessungen ist aber in allen diesen Karten keine Rede, das Gelände erschien in einer Art Kavalierperspektive, die Situation ist geometrisch geordnet, irgendwelches regelrechte Gradnetz und Rücksicht auf Erdkrümmung sind nicht vorhanden, daher der wissenschaftliche Wert aller Arbeiten noch gering ist, wie das bei dem damaligen Stand der Instrumente auch nicht zu verwundern ist. Immerhin zeigen die Vischerschen Karten schon Projektionen.

In diesem Zeitalter ist einiger Männer zu gedenken, die große Verdienste um die Kartographie anderer Länder haben, nämlich des Krakauer Kanonikus Mattheus v. Miechow, dessen Arbeit „Über die beiden Sarmatien" neues Licht über die Geographie Rußlands verbreitete, dann des Kärtner Freiherrn Siegmund v. Herberstein 1549 zu Wien erschienenes epochemachendes Werk: „Rerum Moscovitarum Commentarii", das die erste grundlegende Karte des großen osteuropäischen Staates lieferte, und endlich des Paters Martin Martini, des einzigen wirklichen Geographen des 17. Jahrhunderts, „Novus Atlas Sinensis" (Wien 1655), der, während eines 10jährigen Aufenthalts in China geschaffen, zuerst eine eingehende und umfassende Darstellung dieses merkwürdigen Landes auf Grund der besten chinesischen Quellen und eigener Reisen in den meisten Provinzen gab, die bis auf des Franzosen d'Anville Werk das herrschende blieb. Kritisch und bahnbrechend erörtert er den Ursprung des Namens China, gibt eine exakte Landesbeschreibung, die Ausdehnung der Provinzen in Graden, eine Entfernungstabelle der wichtigsten Orte &c.

Im 18. Jahrhundert wurde die topographische Tätigkeit immer reger. Von Privatleuten, die teils aus Liebhaberei, teils aus Interesse für ihr Heimatland wirkten, ging die Arbeit fast ausschließlich auf die Offiziere über. Kaiser Joseph I. (1705—11) wünschte eine Vermessung seiner Erblande und fand in dem 1673 zu Nürnberg geborenen, zu Wien 1721 als Ingenieur-Hauptmann gestorbenen Joh. Christ. Müller, dem hervorragendsten Kartographen Österreichs in der ersten Hälfte des 18. Jahrhunderts, die geeignete Kraft. Müller lieferte ihm schon 1712 eine 1708 begonnene General- und sechs Kreiskarten des Markgrafentums Mähren in 1 : 645000 bzw. 1 : 186000. Sein bedeutendstes

---

[1]) Dr. Chr. Sandler: Joh. Bapt. Homann. Ein Beitrag zur Geschichte der Kartographie. (Zeitschrift der Gesellschaft für Erdkunde, Berlin 1886, Bd. XXI.)

Werk ist aber die auf Befehl Kaiser Karls IV. (1711—40) und auf Ansuchen der Landstände 1714 unternommene, 1720 vollendete „Mappa chorographica novissima et completissima totius Regni Bohemiae 1:137000, in duodecim circulos divisae cum comitatu Glacensi et districtu Egerano". Die in Augsburg erschienenen, von Michael Kauffer deutlich und kraftvoll gestochenen 25 Blatt beruhen auf Aufnahmen und haben Längen- und Breitengrade, viel Einzelheiten, klare Schrift; sie geben das Gelände in Hügelmanier wieder. Diese Karte blieb lange die Grundlage für alle späteren, da die älteren Versuche, z. B. eines Griginger, Ägidius Sadler, Moriz Vogt, ungenügend waren. Freilich, eine astronomische Orientierung und eigentliche trigonometrische Messungen fehlten ihr, ja 1799 war noch kein Ort in Böhmen mit Ausnahme von Karlsbad, wo Zach 1789 zuerst die Länge und Breite bestimmt hat, und Prag, das 1793 seine vollständig berichtigte Lage erhielt, astronomisch festgelegt. Der tätige und geschickte Kanonikus David erwarb sich aber in der Folge große Verdienste um die Ortsbestimmungen Böhmens, und 1799 konnte schon Güssefeld aus handschriftlichen Quellen eine Karte entwerfen, die die Polhöhen von 40 Orten enthielt und auf die Sternwarten von Prag und Seeburg bezogen war. 1718, zur Zeit des Friedens von Passarowitz, ließ Müller zu Nürnberg in 4 großen Blättern eine Karte von Ungarn veröffentlichen. Seine Aufnahme Mährens wurde nach seinem Tode von dem Ingenieur-Leutnant Johann Wolfgang Wieland und später von dem Ingenieur-Leutnant v. Schubarth fortgesetzt und auf Schlesien ausgedehnt. 1732 waren die Aufnahmen in letztgenannter Provinz vollendet, 1736 starb Wieland. Aber erst 1742 erschien im Homannschen Verlage die Karte „Marchionnatus Moraviae" 1:239000 in 6 Blatt und 1752, und zwar recht fehlerhaft, der „Atlas Silesiae". Aus dieser Zeit stammt auch eine Topographie Ungarns, die in dem 1750 begonnenen beberühmten „Atlas von Österreich-Ungarn" von Moll, und zwar in seinem 28. bis 31. Bande, enthalten ist. Der Atlas besteht aus 4 Teilen, die in 25 Abschnitte gegliedert sind. Der 1. Teil (mit 119 Karten) zeigt die Karte von Ungarn des Abraham Ortelius zu Antwerpen von 1590 als älteste. Dann die Pfaffsche Karte von 1701. Er erwähnt rühmlichst den Atlas des Grafen Mursigli von 31 Blatt aus dem Anfange des 18. Jahrhunderts. Dann die Donkertsche hydrographische Karte von der Donau von 1647, das „Theatrum belli" in 12 Blatt von Vischer (1685), die Landtafel von Ungarn, eine der ältesten, der Kosmographie des Sebastian Münster entlehnte Karte, die „Tabula Sarmatiae" von 1518 und die merkwürdige Arbeit des Türken Abubecker. Der 2. Teil enthält 482 Blatt, meist Spezialkarten einzelner Bezirke und Grafschaften, welche von Kreckwitz, Birkenstein, Blaeu, Mikowini, Müller u. a. verfaßt sind. Im 3. Teil finden sich 207 Blatt, hauptsächlich Kriegskarten, Schlacht- und Stadtpläne, darunter allein 12 von Sigeth. Ferner das „Theatrum belli" für die Kriegsjahre 1716—17, 1737—39 von Müller und später von Homann veröffentlicht. Endlich sollte der leider nicht mehr vorhandene 4. Teil Siebenbürgen, Moldau, Walachei, Bessarabien und Bulgarien enthalten. Immerhin weisen die drei ersten Teile 808 Karten von über 2000 Blatt auf. Den rühmlichsten Abschluß dieser voramtlichen Periode, die nicht eigentlich rein militärischen Zwecken gewidmet war, bildet die höchst merkwürdige und groteske „Tiroler Bauernkarte" in 1:103000 (1″ = ⅓ deutsche Meile) in 23 gestochenen Blättern (16″ breit, 21″ hoch), die auf der ersten Vermessung und Darstellung Tirols, Vorarlbergs und des Breisgaus durch die von Professor Weinhard in Innsbruck geleiteten Bauernsöhne Peter Anich (1723—66) und seinen Schüler Blasius Hueber von 1760—74 beruht. Sie ist die Grundlage aller späteren Karten Tirols geworden und reicht von Füssen und Kufstein bis an den Gardasee und seitwärts von Glurns bis Linz. Das mit Genehmigung der Kaiserin Maria Theresia (1740—80) von den Landesbehörden hervorgerufene und unterstützte Werk, von dem 1774 die ersten Blätter erschienen [1]) und das 1783 im

---

[1]) „Tyrolis sub felici regimine Mariae Theresiae aug. chorographice delineata" von P. Anich u. B. Hueber. 3 Blatt, Wien 1774.

Stich vollendet war, vereinigt in genialer Weise mathematische Genauigkeit mit landschaftlicher Darstellungskunst und zeichnet sich durch die geschickte Auswahl des Wesentlichen und die Leichtigkeit der Orientierung vor allen gleichzeitigen (z. B. der 1762 erschienenen ungenügenden Karte Spergs) und selbst manchen neueren Hochgebirgskarten aus. Der Charakter der in Vogelansicht von der Seite wie perspektivisch dargestellten Berge ähnelt dem der Alpenkarte (Dauphiné) des Franzosen Bourcet (1754). Die Einzelheiten der Karte sind erschöpfend, die Schrift ist deutlich, aber roh, die Hydrographie überschreitet vielfach den Maßstab. Während der Revolutionskriege zog die Regierung wegen des Auslandes die Kupfer ein und verhinderte die Veröffentlichung, so daß sich selten gewordene Exemplare bis zu 800 Francs verkauften. Napoleon I. hat sich über den Wert der Karte sehr anerkennend geäußert. Das Dépôt de la guerre, das ein Exemplar von ihr besaß, ließ 1799 während des Feldzuges eine Verkleinerung in 1 : 140308 ($^5/_8$ de ligne pour 100 toises) in 6 Blatt herstellen und veröffentlichte sie 1801. Später wurde diese Reduktion berichtigt und um drei halbe, Vorarlberg darstellende Blätter vermehrt auf Grund der Mémoires de Dupnits et de La Luzerne[1]. Die Tiroler Karte beweist, wie wichtig es ist, daß Kartenaufnahme und -darstellung möglichst in derselben Hand liegen. Denn wieviel Unmittelbarkeit und Richtigkeit der Charakteristik gehen auf dem langen Wege, den heute ein Kartenwerk durch die verschiedensten Stadien seiner Entwickelung und die mannichfaltigsten Persönlichkeiten zurücklegen muß, verloren!

In Italien hatte die österreichische Regierung 1773 auf Cassinis Anregungen, seine französische Triangulierung durch dieses Land fortzusetzen, den Mailänder Astronomen Oriani mit einer Basismessung beauftragt, welche zum Ausgang einer trigonometrischen Netzlegung in der Lombardei und zur Bestimmung der Länge eines Meridiangrades dienen sollte. Diese Arbeiten waren 1788 beendet. Darauf gestützt, begann die Zeichnung und der Stich der „Spezialkarte der Lombardei" in 1 : 86400, dem Maßstabe der Cassinischen Karte. Als 7 Blätter fertig waren, unterbrach Napoleon I. in Mailand ein „Deposito della Guerra" nach dem Muster des französischen Dépôt und ein von diesem abhängiges Militärtopographenkorps, dem Offiziere des Geniekorps der italienischen Armee, darunter Hauptmann Campana, zugeteilt wurden, errichtet. Seine nächste Bestimmung war die „Detailaufnahme der cisalpinischen Republik", auf Grund welcher dann das Deposito, dem dazu Kupferstecher zugewiesen wurden, die schon genannte Spezialkarte fortsetzte. Es sollte ferner militärische Positionen und strategische Linien beschreiben und in Kriegszeiten dem Generalstab in allen topographischen Arbeiten behilflich sein. Die Spezialkarte wurde später unter österreichischer Herrschaft vollendet, worüber das Nähere in der Darstellung der Franciscaischen Periode gesagt werden wird.

Die Josephinische Periode. Der Sohn der großen Maria Theresia, die selbst dem Landesvermessungswesen erhöhte Aufmerksamkeit geschenkt hatte, der Reformator des österreichischen Kriegswesens überhaupt, Kaiser Joseph II. (1765—90), darf auch der Begründer der österreichischen Militärkartographie genannt werden. Nach Beendigung des Siebenjährigen Krieges, der den Mangel an guten Karten fühlbar gemacht hatte, veranlaßte er zunächst eine Sammlung aller Positionen, Schlachtfelder, Lager &c., sowie zur Sicherung seiner Grenzen eine militär-ökonomische flüchtige (à la vue-) Aufnahme der Grenzen (Niederlande, Moldau und Walachei) durch seine Offiziere. Dienten bisher nur die gewöhnlichen und höchst einfachen Landkarten, die sich kaum von den anderen Reisekarten unterschieden, den Heeresbewegungen, so entstanden jetzt Karten für ausgesprochen kriegerische Zwecke, welche auf bürgerliche Bedürfnisse keine Rücksicht nahmen. Auf

---

[1] „Carte du Tyrol vérifiée et corrigée sur les mémoires de Dupnits et La Luzerne d'après celle d'Anich et Hueber." Dépôt de la guerre. 9 Blatt, 1 : 140000. Paris 1808.

Veranlassung des Feldmarschalls Daun ging ferner die Landesvermessung, welche (wie auch die Herstellung der darauf gegründeten Karten) Fachmännern verschiedenen Standes bisher anvertraut war, 1762 auf die Armeeverwaltung über. Der Generalstab, dessen Chef damals Oberst Graf v. Fabri war, wurde mit der Durchführung der Aufnahmen beauftragt,. während die kartographische Bearbeitung derselben auch jetzt noch der Privattätigkeit überlassen blieb. Freilich waren es eigentlich nur Krokis in 1 : 28800 (10 Zoll auf 1 Meile), die in ein weitmaschiges trigonometrisches Netz eingetragen wurden und der Einheitlichkeit, der planmäßigen Grundlage und des Zusammenhanges entbehrten, die entstanden, mehr Erläuterungen der damals üblichen, nur im Manuskript vorhandenen langathmigen Landesbeschreibungen. Sie blieben daher auch geheim („reservat“), befanden sich nur in Händen weniger Personen des Hauptquartiers und wurden bloß gezeichnet, nicht aber durch den Druck vervielfältigt. Die mathematische Grundlage dieser Erzeugnisse stand auf recht schwachen Füßen. Dazu überwog das rein geographische und topographische Element in ihnen alle militärischen Gesichtspunkte ebenso wie dies in der damaligen Kriegführung der Fall war. Bis ins kleinste gehende Geländezeichnungen, Eintragung von Schlüssel- und beherrschenden Punkten, die angeblich über das Schicksal einer Schlacht oder eines Feldzuges entschieden, überwucherten das Wegenetz, erschwerten die Übersicht. Was Bewegung und Wirksamkeit der Waffen begünstigt, was ihnen Deckung gewährt, war nicht hervorgehoben. Dazu fehlte das Bedürfnis in einer Kriegsmethode, welche jede Selbständigkeit der einzelnen Heeresabteilungen, geschweige der einzelnen Waffen und des einzelnen Mannes, aufhob. Es bedurfte längerer Zeit, namentlich der Erfolge Napoleons, um die alten taktischen Anschauungen über den Haufen zu werfen und damit auch eine einheitliche Militärkartographie zu begründen. Immerhin rührt, wie auch in anderen Ländern Europas, der Anfang der topographischen Landesaufnahmen, die das kartographische Quellenmaterial für unsere Karten und Atlanten schaffen, aus dieser Zeit des 18. Jahrhunderts. Die militärischen Aufnahmen, ebenso die ökonomischen, wurden in der Zeit von 23 Jahren, 1764—87, vollendet. Noch Kaiserin Maria Theresia hatte an die politische Hofstelle ein Handschreiben ergehen lassen, das die mit ihrer Ungnade bedrohte, welche das Unternehmen nicht auf alle Weise förderten. Es wurden die sog. Mappierungsvorschriften entworfen und schon 1768 bei den geodätischen Arbeiten in Böhmen, Mähren und Schlesien danach verfahren. In Böhmen diente natürlich die Müllersche Karte als Grundlage. Oberstleutnant Motzel bearbeitete Marmaros, Oberstleutnant Elmpt sehr kostspielig und fehlerhaft das Banat, Major Brady der Ältere und später Major Wegler das Baner Grenzland und Major Neu Niederösterreich. Die jährlichen Kosten dieser Arbeiten wurden auf 12000 Gulden extraordinär veranschlagt. Auch wurde das Banat bei diesem Anlaß zuerst katastriert, und zwar in 1 : 7200 (100 Klafter = 1 Wiener Zoll) und hieraus die Militärkarte entwickelt. Doch entsprach der Erfolg weder den Erwartungen noch den Kosten. Besser waren die 1774 beendeten Vermessungen in Siebenbürgen unter Major Geney, und die Regierung zog daraus den Vorteil, das sich dort die Grundsteuer sehr vermehrte. [In den österreichischen Niederlanden wurde gleichzeitig (1770—74) die geradezu klassische, auf den Cassinischen Grundsätzen beruhende Militärkarte des Generalmajors Grafen Ferrari durch Angehörige der k. k. Artillerie ausgeführt (siehe „Niederlande“).] Im Breisgau arbeitete Hauptmann Tasch, indessen verunglückte diese Aufnahme und mußte durch den tyroler Feldmesser Huber berichtigt werden. Den Provinzialdistrikt zwischen dem Warasdiner und Karlstädter Generalat nahm dann Major Brady auf, die Warasdiner Grenze Ingenieur-Oberleutnant Jäger. An diese südlichen Provinzen schlossen sich dann die nördlichen, so seit 1773 die neuerworbenen Teile Polens durch Oberstleutnant Seeger, allerdings auf der unbefriedigenden Grundlage des P. Liesganig, der kurz vorher die von Maria Theresia angeordnete Gradmessung in Österreich-Ungarn geleitet hatte (wobei er in Ungarn unter 45°57′ den

3*

Grad zu 56881 Toisen, in Österreich unter 48°13' den Grad zu 57086 Toisen bestimmt hatte)[1]). Bei seiner Triangulierung in Galizien war er ebenfalls unglücklich, und zwar in der Wahl seiner Dreiecke, gewesen. Oberstleutnant Neu beendete dann die Arbeiten in Galizien, da die Aufnahmen durch Zivilpersonen dem Staat sechs- bis siebenmal teurer zu stehen gekommen waren, als sie das Militär lieferte. Recht Gutes leistete auch Major Mieg 1777 in der Bukowina. Oberstleutnant Geney bearbeitete 1782 die slawonisch-kroatischen Provinzen, 1785 in großer Eile, daher auch fehlerhaft, die innerösterreichischen. Trefflich war wieder Oberstleutnant Weglers 1785—86 bewirkte ökonomische Aufnahme der Broder und Peterwardeiner Regimentsbezirke, sehr Ungleiches leistete dagegen General Elmpt 1785 in Ungarn. Liesganig gab 1797 eine Karte „Regna Galiciae et Lodomeriae 1 : 288000 Josephi II. et M. Theresiae Aug. iussu methodo astronomico Trigonometrica nec non Bucowina geometrice dimensa" in 9 Blatt heraus. Auch ließen J. Wussin und A. v. Wenzely eine 4blättrige „Generalkarte von Ungarn, Slawonien und Siebenbürgen, 1 : 152000, nebst angrenzenden Ländern" 1790 erscheinen. Von J. Schütz wurde eine „Mappa von dem Land ob der Enns 1 : 78000, so auf Allerhöchsten Befehl Sr. Römisch Kaiserl. Apostol. Majestät Josephs II. in dem Jahre 1781 reduziert" in 12 Blatt zu Wien 1787 veröffentlicht. Endlich sei aus dieser Periode noch Melch. Küsells und A. Schanz': „Archiducatus Austriae superioris geographica descriptio" in 4 Blatt erwähnt, die 1762 zuerst, dann 1808 in neuer Auflage zu Linz erschien.

Von ausländischen Arbeiten sind einige wertvolle Werke zu verzeichnen. 1750 erschien zu Amsterdam in 4 Blatt: „Théâtre de la guerre en Hongrie, Transilvanie &c. 1 : 1 300000, dressé sur les mémoires les plus récents et des plus habiles ingénieurs par Sanson". Ferner von Le Rouge 1757 zu Paris: „Carte chorographique de la Bohème 1 : 266800, divisée en 12 cercles avec le comté de Glatz et le territoire d'Egre", in 9 Blatt als handliche Reduktion nach Müller sauber gestochen, mit guter Schrift, sowie etwas später (ohne Jahreszahl) „Carte chorographique de la grande principauté de Transilvanie 1 : 264000" auf 2 Blatt, in deutlichem, sauberem Stich, freilich einförmiger Gebirgsdarstellung und ungewisser Projektion. 1778 erschien als Kriegskarte, mit eingetragenen Positionen und Märschen der Preußen, Österreicher und Sachsen die auf à la vue-Aufnahmen beruhende: „Carte chorographique et militaire de la partie de la Saxe et de la Bohème 1 : 35000" auf 20 Blatt von Hennert. Jaillot ließ 1782 zu Paris auf 1 Blatt: „La Partie du cercle d'Autriche où sont les duchés de Styrie, de Carinthie, de Carniole, &c. 1 : 80000" erscheinen, 1784 dann: „L'Archiduché d'Autriche (partie septentrionale du cercle d'Autriche" 1 : 540000" auf 1 Blatt. Wertvoll war auch Roberts von der mährischen Grenze bis an die Raab bis zum Wolfgangsee bis zur Donau bei Hainburg reichende Übersicht: „L' archiduché d'Autriche 1 : 500000" (ohne Jahreszahl) und sein, freilich viele Fehler, namentlich in den Namen zeigendes „Le royaume de Bohème, le duché de Silésie 1 : 920000" auf 1 Blatt. Äußerst interessant, namentlich auch kriegsgeschichtlich, sind dann die Arbeiten des preußischen Grafen v. Schmettau, so seine nach Süden orientierte „Topographische und militärische Karte desjenigen Teils von Böhmen, welcher zwischen Hohenelbe, Pleß und der schlesischen Grenze gelegen ist" in 1 : 50000 auf 4 Blatt, im Geschmack der Zeit, die nach Kontrolle der für richtig befundenen Müllerschen Hauptpunkte das Gelände zum Teil auf Grund eigener Aufnahmen (mit und ohne Instrumente) geben, wertvolle kriegsgeschichtliche Einzeichnungen enthalten, sowie seine 1793 und 1794 erschienene „Topographische Karte eines Teils von Böhmen 1 : 50000" in 2 Blatt deutlich gestochen, Gelände in veralteter Darstellung.

Unter den literarischen Arbeiten sei nur Georg Vegas: „Thesaurus logarithmorum completus", Leipzig 1794, hervorgehoben.

---

[1]) In seiner Schrift „Dimensio graduum meridiani viennensis et hungarici" ist näheres enthalten. (Wien 1770.)

Das 19. Jahrhundert gliedert sich in die beiden Perioden der Kaiser Franz und Ferdinand (1792—1848) und Franz Joseph I. (seit 1848), welche letztere in das 20. Jahrhundert überleitet.

A. Die Franciscelsche Periode.

Diese hebt in der amtlichen Kartographie mit dem Jahre 1806 an und endet eigentlich erst 1869. In Frankreich hatte inzwischen die „Carte géométrique de la France 1 : 86400, das Werk César François Cassini de Thurys (1714—84) und seiner Nachfolger, das erste, allen anderen Ländern als Vorbild dienende Muster einer großen, einheitlichen und genauen Landesvermessung, die auf einer sorgfältigen Bestimmung der Erdgestalt durch zwei voraufgegangene große Gradmessungen in Peru und Lappland beruhte, gegeben und damit zugleich alle nötigen Grundlagen in wissenschaftlicher Hinsicht, besonders für mathematische Richtigkeit und Genauigkeit. Ein 1792 in Österreich-Ungarn unternommener Versuch, das alte Josephinische Grundmaterial zur Herstellung einer einheitlichen Karte des Landes zu verwenden, war naturgemäß gescheitert. Der Generalquartiermeisterstab unternahm daher nach den die Aufnahme hindernden Revolutionskriegen auf Befehl Kaiser Franz' II. vom Jahre 1806, den ein Antrag des Erzherzogs Karl erwirkt hatte, eine gänzlich neue Aufnahme der Monarchie nach einem einheitlichen Plan. Es wurden in Anlehnung an Positionsbestimmungen verschiedener Sternwarten und Längenermittelungen durch Pulversignale Basismessungen ausgeführt, so 1806 bei Linz (Klein-München) und Wiener-Neustadt, 1808 bei Budapest (im Meridian selbst), 1810 bei Radautz &c., und trotz häufiger kriegerischer Unternehmungen (z. B. 1812—15) entwickelte sich unter Führung von Männern wie Benedicti, Mayer v. Heldenfeld, Rousseau, Lach, Fallon, Pasquich u. a. eine rührige Tätigkeit. Die nach einer Instruktion des Feldzeugmeisters Frhrn. v. Augustin 1807—42 ausgeführte Triangulierung dehnte sich rasch über den ganzen Staat, ja über seine Grenzen hinaus, aus. Das Dreiecksnetz wurde indessen nicht einheitlich ausgeglichen, weshalb es mit vielfachen Mängeln in den Seitenlängen und in der Orientierung behaftet blieb. Die Mappierung schloß sich 1807(—1866) nach Kräften an und konnte seit 1816 auch das damals entstehende Katastermaterial (1 : 2880, Cassinische Projektion), eine vorzügliche, aber bei ihrer geringen Ausdehnung lückenhafte Hilfe, benutzen. Aus den Katasterblättern wurden die Aufnahmeblätter pantographisch verkleinert und im Gelände verglichen und ergänzt, nachdem sie mit dem geodätischen Netz in Einklang gebracht waren. Die Oberleitung bei diesen topographischen Aufnahmen hatte das dem Generalquartiermeisterstab angegliederte topographische Bureau, welches außer Mappeuren und Kartenzeichnern auch einige Kupferstecher des Zivilstandes enthielt, so daß es nunmehr auch den früher von der Privatindustrie besorgten Stich und Druck der Karten ausführen konnte. Als dann um die Jahrhundertwende die Lithographie bekannt geworden war, wurde dieses Bureau zu einer topographisch-lithographischen Anstalt des Generalstabes erweitert. Die Mappierung wurde in den verschiedenen Kronländern durch Abteilungen aus acht bis neun Generalstabsoffizieren ausgeführt. Die Arbeiten erfolgten in der Zeit vom 1. Mai bis Ende November, im Süden länger, im Hochgebirge kürzer. Das Gelände wurde schon im Felde durch Lehmannsche Schraffen (Böschungen über 50° erst völlig schwarz) in à la vue gezeichnete Kurvenformlinien eingetragen. Jährlich hatte jeder Mappeur bei vorhandenem Kataster 12 Q.-Mln, bei nicht vorhandenem 4 bis 6 Q.-Mln zu schaffen. Im Winter wurden die Brouillons ausgezeichnet und auf das Originalblatt mit der Triangulation der Sektion übertragen. Die Kosten einer Quadratmeile betrugen bei Aufnahme auf Grund des Katasters (ausschließlich des letztgenannten) 120 fl., bei solchen ohne Kataster 250 fl., so daß also im Mittel die Quadratmeile 163 fl. kostete, da $^2/_3$ des Kaiserreichs auf Grund des Katasters aufgenommen wurden. Eine „Evidenzabteilung" hielt die Aufnahmen auf dem laufenden. Sie erstreckten sich auf Ober- und Niederösterreich, Salzburg, Tirol, Steiermark, Kärnten,

I. R. Instituto geografico militare umgewandelt und auf Befehl Kaiser Franz' I. vom 5. Januar 1818 neu organisiert und dem Wiener Generalquartiermeisterstabe unterstellt worden. Es vollendete in Mailand bis 1839 ·die topographische Karte von Lombardo-Venezien, Parma, Modena und Lucca sowie die Küstenaufnahmen in der Adria (siehe „Italien") und wurde dann durch Kaiser Ferdinand I (1835—48), wie schon erwähnt, nach Wien verlegt und ein Teil des neuen Militärgeographischen Instituts. In dieser Zeit war dann nach Campana von 1841—53 der Feldmarschall-Leutnant Skribanek, unter dem das Institut auch die Londoner Weltausstellung beschickte, dann von 1858—72 der sehr verdienstvolle Feldmarschall-Leutnant Fligely Direktor des Instituts, unter dessen Leitung das Institut sich an den Weltausstellungen in London 1862 und Paris 1867 höchst ehrenvoll beteiligte, der die Triangulierung und Mappierung der Walachei veranlaßte und die Kartenherstellung dann in moderne Bahnen lenkte, worüber in der nächsten Periode zu berichten sein wird. Wie man auch über die amtlichen militärischen Kartenwerke dieser Periode urteilen möge, an welche sich die Namen der berühmtesten österreichischen Heerführer knüpfen, die außerordentliche, rastlose Energie bei den durch so viele kriegerische Unternehmungen, durch Mangel an Mitteln und fehlerhafte Organisation gestörten Aufnahmen und die ihrer Zeit vorauseilende hohe technische Vollendung der meisten Blätter muß rückhaltlos anerkannt werden. Schon damals gründete das Institut seinen Weltruf. Die Arbeiten der übrigen Behörden werden besser in der folgenden Periode besprochen.

. Auch die Privatindustrie war bestrebt, manches zu leisten; doch entsprachen ihre Erzeugnisse — Scheda ausgenommen — wenig dem militärischen Vorbilde. Von älteren Werken sei zunächst Görögs „Magyar Atlas", auch „Atlas Hungaricus seu regnorum Hungariae, Croatiae et Slavoniae comitatum privilegiatorum districtum et confiniorum generales et particulares mappae geographicae" in verschiedenen Maßstäben 1 : 250000 bis 1 : 800000 auf 60 Blatt von 1802 erwähnt. Er enthält auch eine Übersichtskarte 1 : 3 200000, Titel und Zeichenerklärung und gibt die besten Spezialkarten der damaligen Zeit von Ungarn, wenn auch leider nicht in einheitlicher Verjüngung. Das Gelände ist in Schwungstrichen dargestellt, die Hydrographie ist klar, die Schrift gut lesbar. In Wien erschien 1803 in 4 Blatt 1 : 70000 eine „Mappa novissima regnorum Hungariae, Croatiae, Slavoniae nec non magni principatus Transsylvaniae". Dann gab J. de Lipsky 1806 in 12 Blatt 1 : 480000 eine „Mappa generalis regni Hungariae partiumque adnexarum Croatiae, Slavoniae et Confiniorum militarium magni item principatus Transsylvaniae" zu Pest heraus, in sehr sauberer Ausführung, mit reichen Einzelheiten, feiner, aber deutlicher Schrift, leider aber mangelhafter und unklarer Gebirgsdarstellung. Trotzdem wurde dieses Werk die Grundlage aller späteren Karten[1]. 3 Blatt enthalten die politische Einteilung und statistische Notizen tabellarisch. Von der Mappa ließ er noch 1810 eine hübsche „Tabula generalis" 1 : 1400000 auf 1 Blatt erscheinen, das eine klare Übersicht Ungarns enthält. v. Bock und Polach gab 1806 in 4 Blatt eine „Mappa mineralogico-hydraulico-commercialis Totius regni Bohemiae cum comitatu Glacensi et districtu Egrano" heraus. Von besseren Werken seien dann erwähnt: H. Benedictis Karte von Westgalizien 1 : 172800 in 12 Blatt (Wien 1808) und von Übersichtskarten vor allem die gewissermaßen den Übergang zur amtlichen Kartographie vermittelnde Fallonsche von 1822, welche „auf Befehl des k. k. Feldmarschalls und Hofkriegsrats-Präsidenten Herrn Fürsten zu Schwarzenberg" den „österreichischen Kaiserstaat und beträchtliche Teile der angrenzenden Länder" auf 9 Blatt 1 : 864000 wiedergibt. Sie war auf Grund der Originalaufnahmen entworfen und gezeichnet, das Gelände in Schraffen, sowie in Kupferstich und farbigem Druck vervielfältigt. Obwohl jetzt veraltet, wird sie doch bezüglich der Eisenbahnen auf dem laufenden erhalten. Hervorzuheben ist ferner die nach M. Frhrn.

---

[1] 1848 gab E. Zuccheri eine Reduktion heraus auf 2 Blatt als „Carte générale des postes du Royaume de Hongrie y compris la Transilvanie, l'Esclavonie, la Croatie avec une partie des provinces de Galicie, Moravie" &c.

von Lichtensterns Entwurf geschaffene: „Allgemeine Charte des Kaisertums Österreich nebst einem großen Teile Deutschlands, der Schweiz, Italiens, der Türkei, Rußlands und Preußens" in 1 : 925000 auf 9 Blatt, welche J. W. Streit und M. Hartl 1815 in farbigem Kupferstich erscheinen ließen. Sie gibt eine „Übersicht der politischen, wirtschaftlichen und militärischen Lage der Monarchie" gegen die angrenzenden Länder, ist mit Einzelheiten überladen und leidet an einer veralteten Geländedarstellung (Gebirge in Treppenform), war aber dennoch viel im Gebrauch und nicht ohne Wert. Von H. Kregbich gab es eine 1827 zu Prag auf 14 Blatt 1 : 240000 verfaßte Karte der verschiedenen Kreise Böhmens, von L. v. Schedius und S. Blaschnek eine „Karte des Königreichs Ungarns, der Königreiche Kroatien, Slawonien, Dalmatien, des Großfürstentums Siebenbürgen, des Küstenlandes und der Militärgrenze" in 9 Blatt 1 : 469472, Hauptmann Kummerer v. Kummersdorf ließ 1855 eine „administrative Karte von Galizien" 1 : 115200 in 60 Blatt, Ritter v. Kummersberg 1851 eine Karte des Königreichs Böhmen 1 : 288000 zu Prag erscheinen. Das wichtigste private Kartenwerk der ganzen Periode, überhaupt ein Meisterwerk, ist die vorzügliche „Übersichtskarte von Zentraleuropa" 1 : 576000 (1" = 8000 Klafter = 20000× = 2 ö. Post-Mln) von Josef Ritter v. Scheda[1]). Diese Karte ist eine Zusammenfassung der Originalaufnahmen, mit denen sie auch einen kommensurablen Maßstab besitzt. Die 1856—78 entstandenen 47 Kartenblätter (44 : 50 cm) sind in Bonnescher Projektion dargestellt, besitzen in den vollen Längen- und Breitengraden ausgezogene, im übrigen von 3 zu 3 Minuten am Rande markierte Meridiane und Parallelkreise und umfassen in zusammenhängender, nicht nach Landesgrenzen zerrissener Darstellung nicht nur Österreich-Ungarn, sondern auch nach den besten Quellen die für dasselbe in Betracht kommenden Kriegsschauplätze bis Angers und Paris, London und Kopenhagen, Kijew und Bukarest, Rom und Basel. Die Blätter sind nach den Hauptorten benannt und auf einem derselben (XIX) befinden sich statistische Angaben. Heute hat dieses 1872 durch Parlamentsbeschluß vom Reichskriegsministerium angekaufte Werk zwar nur noch geschichtliche Bedeutung, seinerzeit aber konnte es als eine ausgezeichnet orientierende Karte in genialer künstlerischer Darstellung gelten. Besonders ragte es durch eine ganz neue Auffassung des Terrainbildes — Gelände in Schraffen mit Höhenzahlen — und hervorragende Benutzung des Kupferstichs hervor. Nur dem Maßstab ist inhaltlich mehr zugemutet worden, als der vorhandene Raum kartographisch vertragen konnte. Er war verfehlt. Darunter mußte die Übersichtlichkeit trotz der vorzüglichen technischen Ausführung doch leiden, und an diesem verfehlten Verjüngungsverhältnis dürfte das vortreffliche Werk wohl hauptsächlich, nicht lange nach seiner Vollendung, zugrunde gegangen sein, obwohl es mittels Heliogravüre und Umdruck vom Institut auf 1 : 300000 (in 207 Blättern vergrößert) eine Zeitlang noch fortleben sollte. Dennoch hat die Schedasche Karte wichtige Dienste geleistet, vor allem Österreich-Ungarn selbst, dem sie im Kriege 1866, wenn auch nicht als schöner Originalkupferstich, sondern als schlechter lithographischer Abklatsch, die mangelnde moderne amtliche Operationskarte[2]) ersetzen mußte und dem sie später als Reduktion die erste strategische Karte lieferte. Scheda hat 1850—60 auch noch eine „geognostische Karte des Kaiserstaats in 1 : 3 250000" erscheinen lassen, die auch einen großen Teil Deutsch-

---

[1]) Scheda ist 1815 in Padua geboren und starb 1888 als Generalmajor in Mauer bei Wien. Bei Errichtung des Instituts erhielt er die Leitung der lithographischen Abteilung und brachte die Lithographie auf eine bis dahin unerreichte Höhe, so daß sie mit dem Kupferstich wetteifern konnte. Ebenso hat er zuerst den Farbendruck in der Lithographie bei Karten angewendet. Besonders verdient hat er sich auch durch die wissenschaftliche Geländedarstellung, dann seinen „Zeichenschlüssel" und seine Musterblätter für Terrainzeichnung sowie seine zahlreichen topographischen Modelle gemacht. Seine Kartenwerke sind wiederholt prämiert worden.

[2]) Vom Institut gab es 1866 eine „Generalkarte Böhmens 1 : 288000" in 4 Blatt (Wien 1865) und eine „Operationskarte des nördlichen Kriegsschauplatzes in Mähren 1 : 288000", ebenfalls auf 4 Blatt.

lands und Italiens umfaßt.[1]). C. Koristka endlich gab eine „Generalkarte von Böhmens
1 : 432000 im Jahre 1862 heraus.[2])

Unter den ausländischen Arbeiten über den Kaiserstaat und seine Teile aus diesem
Zeitraum sei zunächst G. Valle: Carta dell' Istria 1 : 175000 genannt, die 1805 auf
1 Blatt in Venedig erschien und in klarer Darstellung mit vielen Einzelheiten die ganze
Halbinsel von Triest ab umfaßt. Dann Gaetan Palmas 1812 zu Triest veröffentlichte
vierblättrige „Carte des provinces Illyriennes comprenant la Bosnie, l'Hercegovine, le
Monténégro 1 : 660000", die trotz vieler Einzelheiten nachlässig ausgeführt ist. Das französische Dépôt de la guerre hat für den Kaiser Napoleon unter Gouvion - Saint-Cyr als
Kriegsminister eine Manuskriptkarte „Allemagne 1 : 100000" verfaßt, die später als Karte
Mitteleuropas veröffentlicht werden sollte und große Teile Österreich-Ungarns bis Wien mit
umfaßte. Dieser 1806 projektierten Karte lag zum größten Teil österreichisches Material
zugrunde, das General Delmas nach der Schlacht von Biberach (bei Ulm) erbeutet hatte
(21 Blatt), sowie solches einer Karte Oberösterreichs, das General Grenier bei Linz in
Beschlag genommen hatte. Später wurden die Karten Österreich-Ungarn durch seinen
Gesandten Graf Bombelles wieder zurückerstattet. An deutschen Arbeiten sei Stieler
und Diewalds in Nürnberg 1820 auf 1 Blatt erschienene „Karte von Tyrol und Vorarlberg" 1 : 440000 genannt, die, auf guter astronomischer Grundlage beruhend, deutlich und
klar gezeichnet und dabei sehr wohlfeil ist. Dann die ausgezeichneten Arbeiten des
Stielerschen Atlas in immer wachsender Vervollkommnung (1817 1. Aufl., 1888 8. Aufl.,
mit 1 Übersichtsblatt 1 : 3 700000 und 4 Blatt 1 : 1 500000), dann Reymanns „Topographische Spezialkarte von Mitteleuropa 1 : 200000", die es von 1806—1844 auf
150 Blatt brachte, um dann von Flemming bis 1874 auf 405 und später vom Preuß.
Generalstabe auf 796 Sektionen erweitert zu werden. Sie enthält einen Teil Österreich-
Ungarns.

Was die Literatur anlangt, so ist zunächst E. G. Woltersdorfs „Repertorium der Land- und Seekarten" 1. Teil, Wien 1815, zu nennen, der die Titel der „allgemeinen Atlasse zur alten Erdbeschreibung" mit
kurzen Bemerkungen und Angaben des Inhalts sowie ein Verzeichnis der „allgemeinen systematischen Sammlungen
zur neueren Erdkunde" und der „Wörterbücher mit Karten" gibt. Dann ist Joh. Jos. Littrow: „Chorographie
oder Anleitung, alle Arten von Land-, See- und Himmelskarten zu verfertigen", Wien 1833, mit 5 Tafeln zu nennen,
weil sie eine auf den Arbeiten von Gauß und Lagrange aufgebaute erste Gesamtdarstellung der Kartenentwurfslehre
gibt, und seine „Theoretische und praktische Astronomie" 1821—27; weiter Joseph Frhr. v. Lichtenstein:
„Vorschriften zu dem praktischen Verfahren bei der trigonometrischen Aufnahme eines großen Landes nebst kurzer
Geschichte der österreichischen Mappierung", Dresden 1821. Ferner ist besonders die Pflege der kartographischen
Statistik durch den Ministerialsekretär V. v. Streffleur hervorzuheben, der auch eine bemerkenswerte „Allgemeine Terrainlehre" 1876 verfaßt hat. Dann Schedas „Leitfaden zum Gebrauch der Situationszeichenschule",
Anton Steinhausers wichtige Schriften, wie die „Allgemeinen Bemerkungen über topographische Karten" von
1844, seine „Grundzüge der mathematischen Geographie und der Landkartenprojektion" von 1856 (2. Aufl. 1870,
3. Aufl. 1887). Der Arbeiten Hauslabs über Terrainlehre ist schon gedacht. Seine berühmte Kartensammlung
hat den Entwickelungsgang der Kartenprojektionslehre in geradezu mustergültiger Weise vor Augen gestellt. Wichtige Arbeiten sind auch E. Fényes: „Statistische Geographie und historische Beschreibung Ungarns", Pest 1856,
und Janos Hunfalvys „Physische Beschreibung des Königreichs Ungarn und der der ungarischen Krone zugehörigen Provinzen" in 3 Bänden (ungarisch), Pest 1862—65. Im Jahre 1856 wurde die Kaiserlich Königliche Geographische Gesellschaft in Wien begründet, deren „Mitteilungen" seit 1857 erscheinen und
viel wertvolles kartographisches Material in Wort und Darstellung enthalten.

---

[1]) Auch eine „Übersichtskarte von Europa 1 : 2 592000" in 25 Blatt, auf Stein in 4fachem Farbendruck,
veröffentlichte Scheda, ebenso eine „Generalkarte der europäischen Türkei 1 : 864000" auf 18 Blatt.

[2]) Auf die Pläne kann hier nicht näher eingegangen werden. Doch seien einige angeführt. Zunächst der sehr
saubere 1 : 130000 von Wien auf Blatt 9 der „allgemeinen Charte" von Streit und Hartl. Dann der 1821
bei Artaria erschienene „Neueste Plan der Haupt- und Residenzstadt Wien" 1 : 1000. Dann Riviers 1836
veröffentlichter zweiblättriger „Grundriß der Haupt- und Residenzstadt Wien und deren Vorstädte" 1 : 10000 (mit
einem Heft Erläuterungen). 1866 kam ein Plan: „Wien und nordöstliche Umgebung 1 : 28000 mit eingetragenen
Befestigungen" auf 1 Blatt heraus, ebenso veröffentlichte 1869—72 das Institut einen Plan der „Gegend um Wien,
Baden, Wiener-Neustadt und Mürzzuschlag" 1 : 13200 auf 11 Blatt und in derselben Zeit „Umgebung von Wien"
1 : 14400 auf 15 Blatt. Von anderen Städten sei der bei Marco Berra in Prag erschienene „Grundriß der
k. k. Hauptstadt Prag im Königreich Böhmen" von 1820 (?), Enders' 1835 veröffentlichter „Grundriß von Prag"
1 : 14000, genannt. Der Generalquartiermeisterstab ließ 1832 „Teplits mit Umgebung" 1 : 28800, erscheinen,
1866 „Plan des Schlachtfeldes von Königgrätz" 1 : 25000. Das Institut gab 1869—72 die „Umgebung von Graz"
1 : 14000 in 14 Blatt heraus &c.

B. Die Periode Kaiser Franz Josephs I. (seit 1848 bzw. 1869).

Mit ihr hebt in jeder Hinsicht eine neue Geschichte des österreichisch-ungarischen Kartenwesens an, wenn auch die Ausgänge der vorherigen Periode noch in die ersten Regierungsjahre des neuen Monarchen fallen. Zunächst ist die Konzentrierung und Förderung des Zusammenwirkens aller für die Kartographie im weitesten Sinne arbeitenden technischen Kräfte, nicht nur der militärischen, charakteristisch. Zur Erkenntnis der wahren Natur des großen Landes und zur Förderung und Beurteilung aller seiner kulturellen Unternehmungen wurde eine wissenschaftliche Landeskunde geschaffen. Die Ernennung einer Geographischen Kommission unter Vorsitz des Feldzeugmeisters Baron Heß hatte das planmäßige Zusammenarbeiten aller mit der Herausgabe von Karten beschäftigten Behörden und hervorragenden Privatpersonen zum Ziele, um (ähnlich wie später das Preußische Zentraldirektorium der Vermessungen, in dem auch alle Ministerien &c. unter dem Vorsitz des Chefs des Generalstabes der Armee vertreten sind) eine allseitig durchdringende Landeserforschung und Schöpfung einer topographischen Landeskarte zu ermöglichen. Da mit der Vervollkommnung des Kriegswesens auch die rein militärischen Anforderungen an die geometrische Genauigkeit und Zuverlässigkeit der Karten, wie sie besonders der Reichskriegsminister Feldzeugmeister Frhr. v. Kuhn stellte, erhöhte geworden waren, so kam dies den Bedürfnissen der Zivilbehörden und der Wissenschaft zugute. Andererseits führten deren Wünsche, namentlich zu geognostischen Untersuchungen und für Zwecke des Eisenbahnbaus eine bessere topographische Grundlage zu haben, mit zu einer gänzlichen Umgestaltung des offiziellen Kartenwesens, etwa um die Zeit, als der spätere Feldmarschall-Leutnant v. Fligely Direktor des Militärgeographischen Instituts war (1853—72). So hoch entwickelt die damalige Reproduktionstechnik (Kupferstich und Lithographie bzw. Kreidezeichnung) in qualitativer Hinsicht waren, so sehr veraltet waren die Kartenwerke, und so wenig konnten auch quantitiv die erst in einem Drittel vollendete Spezialkarte 1 : 144000 wie die für die ganze Monarchie vorhandene Generalkarte 1 : 288000 den vielseitigen Ansprüchen genügen. Gerade damals wurden gute geologische Karten nötig, nachdem bereits im November 1849 die k. k. Geologische Reichsanstalt, etwas später die seit 1870 selbständige ungarische Reichsanstalt und ein Komitee zur wissenschaftlichen Durchforschung Böhmens gegründet waren. Diese Institute gaben ihre Originalkarten meist ebenfalls in 1 : 28800, 1 : 144000 und 1 : 288000 heraus. Auch hatte die österreichische Geologische Reichsanstalt nach eigenen Aufnahmen seit 1867 eine von F. Ritter v. Hauer bearbeitete „Geologische Übersichtskarte 1 : 576000" erscheinen lassen, welche höheren Ansprüchen an Genauigkeit, als es die vorhandenen militärischen Karten taten, bereits genügte. Dazu kam ferner die 1867 eintretende Vollendung der Katastervermessung, welche in neuerer Zeit recht Tüchtiges geleistet hatte, wenn sie auch für viele Landesteile ganz veraltet war und auf unausgeglichenen Dreiecksnetzen beruhte. Vor allem aber war es Österreichs Anschluß 1851 an die von dem preußischen Generalleutnant Dr. Baeyer ins Leben gerufene mitteleuropäische, später europäische Grad-, heute internationale Erdmessung, welche beste geodätische Grundlagen, namentlich absolut sichere Höhenbestimmungen, veranlaßte. Die Monarchie war bei den Vorbesprechungen durch den Direktor der Wiener Sternwarte, Dr. v. Littrow, später den Direktor der Krakauer Warte, Dr. Karlinski, und im folgenden Jahre durch den Professor Dr. Herr aus Wien und den Oberstleutnant J. Ritter v. Ganahl vertreten. Der verdiente Direktor des Militärgeographischen Instituts Feldmarschall-Leutnant v. Fligely wurde der erste Vizepräsident der Europäischen Gradmessung. Österreich-Ungarns Haupttriangulation bestand damals aus 3 Meridian- und 3 Transversal- oder Parallelketten und zwar: a) der Kette im Meridian von Krakau über Ofen bis Czworkowo—Bredo bei Esseg in Slawonien; b) der Kette im Meridian von Wien über die Basis von Pettau bis zu den astronomischen Stationen Kloster Iranich in Kroatien und Spalato in Dalmatien; c) der Kette im Meridian von Prag über Kremsmünster—Klagenfurt bis zur astronomischen Station in Fiume. Ferner die Parallelketten von Ofen über die Basis von Wiener-Neustadt und Hall in Tirol bis Bregenz, von Czworkowo—Bredo über die Pettauer Basis und Prag, von der sächsischen Grenze über die Grundlinien bei Josefstadt in Richtung auf Lemberg nach der Grundlinie von Tarnogrod. Von 1862 ab (bis 1899) begann dann die neue Triangulation 1. O. mit Anschluß an die Nachbarstaaten.

Auf solchen Grundlagen und unter derartigen Verhältnissen ordnete ein Befehl K a i s e r F r a n z J o s e p h s I. eine vollständige (3.) N e u a u f n a h m e d e r M o n a r c h i e zum Zwecke einer neuen Spezialkarte 1869 an, nachdem eine Kommission der beteiligten Ministerien festgestellt hatte, daß eine bloße „Reambulierung" der Militäraufnahme-Sektionen n i c h t imstande sei, die Ungenauigkeiten und Unvollständigkeiten der bisherigen topographischen Spezialkarte zu beseitigen. Eine „provisorische Instruktion für die Militär-Landesaufnahme" vom 28. März 1869 enthielt die ersten Gesichtspunkte, auf Grund deren eine von 1870—72 tagende Spezialkommission, in der außer dem Generalstabe und dem Militärgeographischen Institut auch das Handels- und Ackerbauministerium sowie das Eisenbahnund Telegraphenwesen vertreten waren, die Methode und Form der neu zu schaffenden Kartenwerke, namentlich der Spezialkarte, feststellte. Damit die Kartographie aber auch mit der Aufnahme Schritt halten konnte, wurde das bisherige Reproduktionsverfahren durch die von E. Mariot eingeführte H e l i o g r a v ü r e ersetzt, die das Institut vor allem dank seinem ausgezeichneten Mitgliede, dem späteren Vorstande der technischen Gruppe, Ottomar Volkmer[1]), zur höchsten Vollendung brachte. Unter Fligely eingeleitet, entstand dann unter seinen Nachfolgern in der Direktion Generalmajor v. Dobner (1872—76) und Feldmarschall-Leutnant Guran (1876—79), ein großer Teil der Spezialkarte, die Feldmarschall-Leutnant Frhr. v. Wanka (1879—89) vollendete und auf das Okkupationsgebiet erweiterte. Einen großen Teil der mühevollen Triangulierungen hat Oberstleutnant Gustav Klöckner geleitet. Diese Periode gliedert sich in mehrere Epochen.

I. Die Epoche der Spezialkarte in 1:75000, der sog. „Generalstabskarte".

Die Spezialkarte soll von den Aufnahmeblättern alles das enthalten, was der Truppenführer für den Entwurf genauerer Anordnungen wissen muß. Sie soll aber auch für alle topographischen und geologischen Fachstudien, ebenso für den Gebrauch durch den Touristen geeignet sein. Da 1:144000 den Forderungen der Neuzeit nicht entspricht, und weil die Karte nahezu eine Kopie des Originalaufnahmematerials werden sollte, um die ausgebreitetste Verwendung für die vielseitigsten Anforderungen zu sichern, so wurde — im Gegensatz übrigens zu dem Vorschlage des Reichskriegsministeriums, das wie in Deutschland und Italien 1:100000 dafür wünschte — der Maßstab auf rund Doppelte der Verhältnisse der früheren Karte festgesetzt, nämlich 1:75000 (1 cm = 750 m = 1000×). Die bisherige Kartenentwurfsart wurde zugunsten des Gradkartensystems und der schon seit 1821 in Preußen im Gebrauch befindlichen P o l y e d e r p r o j e k t i o n, aufgegeben. Die Rahmenlinien der Einzelblätter umfassen den sphäroidischen Raum von 30 Minuten geographischer Länge und 15 Minuten geographischer Breite, der ohne bedeutende Fehler durch ein ebenes Trapez-Gradkartenblatt mit Seitenlängen von derselben Größe ersetzt wurde. Hieraus entstand eine Zahl von 715, später mit Bosnien und Herzegowina von 750 Kartenblättern[2]), welche auf das 133 qm messende Segment einer Kugel von 700 m Durchmesser aufgespannt werden könnten und zwischen den (von Ferro bzw. Paris 20° östlich davon gezählten) Meridianen 27° 0' und 44° 30' und den Parallelkreisen 42° 0' und 51° 15' liegen. Es ergibt sich somit, daß das Kartenwerk n i c h t wie die alte Fran-

---

[1]) V o l k m e r starb 1901 als Direktor der Hof- und Staatsdruckerei. Er hat auch die Übertragung von Karten auf Zinkplatten und die Herstellung von Zinkhochdruckplatten wesentlich vervollkommnet.
[2]) Heute durch Hinzufügung von Serbien, Rumänien und Montenegro auf 900 Blatt gebracht.

cisceische Karte nach Kronländern abgegrenzt ist, sondern daß alle Gradabteilungsblätter innerhalb der Monarchie zusammenhängen und sich fast genau auch an die des Deutschen Reichs in 1 : 100000 anschließen [1]). Die Besselschen Erddimensionen ($\frac{1}{299,15}$ Abplattung und 3362748 Klafter Erdhalbmesser = 10000 855,76 m Meridianquadrant) sind zugrunde gelegt. Jedes trapezförmige Blatt ist 37,08 cm hoch und je nach der Länge 46,79 cm (nördliche Zone) oder 55,23 cm (südliche Blätter) breit, entsprechend 973 bzw. 1148 qkm Fläche der Karte. Die Blätter sind nicht numeriert, sondern römische bzw. arabische Ziffern bezeichnen die Kolonnen und Zonen des Übersichtsblattes. Sie sind durch zwei von ihrem Mittelpunkt geführte rechtwinklige Schnitte in vier Aufnahmesektionen von der Bezeichnung wie das Spezialkartenblatt und dem Zusatz der Himmelsrichtung (NW, NO, SW, SO) und von im Mittel $4\frac{4}{5}$ Q.-Mln Größe geteilt, so daß sie fünfzehn Katasterblättern [3]) entsprechen.

Emsig wurden die geodätischen Vorarbeiten betrieben. Basismessungen mit dem österreichischen Apparat erfolgten, so 1869 bei Skutari, 1870 bei Sinj, 1871 zu Kleinmünchen bei Linz (Neumessung), 1875 bei Kranichfeld, 1878/79 bei Dubica, 1882 bei Sarajevo, 1884 bei Budapest (Neumessung), 1886 bei Kronstadt, so daß im ganzen mit früheren 18 Grundlinien zuletzt vorhanden waren. Ferner wurde das gesamte trigonometrische Dreiecksnetz neu gemessen. Die schon 1862 begonnene Neutriangulation Böhmens wurde bis über die ganze Monarchie ausgedehnt, im engen Anschluß an die Nachbarstaaten und den modernen Anforderungen entsprechend. Das 1899 vollendete Netz 1. O. besteht nun aus 117 Dreiecken von 30 km durchschnittlicher, 125 km größter Seitenlänge, das in 54 zusammenhängende Gruppen geteilt und für die Zwecke der Erdmessung nach der Methode der kleinsten Quadrate ausgeglichen wurde [3]). Durch einen zweiten empirischen Ausgleich des bereits ausgeglichenen Netzes wurden auch die in der Gradmessung nicht geforderten Netzbedingungen erfüllt, so daß von allen Punkten geographische und Polar-Koordinaten mit größter Schärfe und vollständiger Übereinstimmung berechnet werden konnten. Die Triangulation ist nur mit sehr kleinen Dreiecks-Fehlern behaftet, etwa die Hälfte derselben beträgt kaum eine Sekunde. Als Koordinatenausgangsort dient Punkt Hermannskogel bei Wien, dessen geographische Lage durch genaue Messungen festgelegt wurde. Zur Orientierung des ganzen Netzes wurde das auf diesem Punkt gemessene Azimut der Richtung nach dem Hundsheimer Berge bei Hainburg benutzt. An das 1. O. — das 1862—98 ausgeführt ist — wurden die zahlreichen Netze 2. und 3. O. von 1—3 km Seitenlänge der Dreiecke angeschlossen.[4]) Alle trigonometrischen Punkte der ersten Zeit wurden aus der Cassinischen in die Gradkarten-Projektion umgerechnet. Seit 1873 erfolgte ferner der Anschluß an das internationale Präzisionsnivellement. Dasselbe wurde 1898 in ganz Österreich-Ungarn (mit Ausnahme Dalmatiens und des Okkupationsgebiets) vollendet und dann von 1896—1900 berechnet und veröffentlicht[5]). Die Gesamtlänge des veröffentlichten Nivellementsnetzes — das sich meist längs den Eisenbahnen und der Straßen zieht — beträgt 18210 km mit 12391 Fixpunkten von im Durchschnitt 1,5 km Abstand. Der mittlere Kilometer-Fehler beträgt 4—6 mm. Die Höhenangaben beziehen sich auf das Mittelwasser der Adria bei Triest. Augenblicklich wird das Präzisionsnivellement im Okkupationsgebiet fortgesetzt. Für Zwecke der Gradmessung wurden 1864—92 Pol-

---

[1]) Mit einem kleinen Unterschiede, der wahrscheinlich aus der für die Berechnung der geographischen Länge und Breite angenommenen Lage der Wiener Sternwarte entstanden ist.

[2]) Vier derselben entsprechen einer Mappeursektion, 32 solcher Sektionen einer Gradabteilung.

[3]) Die Ergebnisse dieser Ausgleichung sind veröffentlicht in fortlaufenden Bänden unter dem Titel: „Die astronomisch-geodätischen Arbeiten des k. u. k. Mil.-Geogr. Institute".

[4]) „Die Ergebnisse der Triangulierungen" erscheinen seit 1901 in fortlaufenden Bänden.

[5]) Auszugsweise in: „Die Ergebnisse des Nivellements", vollständig in den erwähnten „astronomisch-geodätischen Arbeiten" veröffentlicht.

höhen- und Azimut-Bestimmungen auf 86 Punkten ausgeführt und auf den Parallelen der Längenunterschied mittels Telegraphen bestimmt.

Was nun die eigentliche Mappierung anlangt, so wurden seit 1869 zehn Mappierungsabteilungen in Tätigkeit gesetzt, die förmlich fieberhaft und mit größter Energie arbeiteten. Das Arbeitspensum eines Topographen für sechs Sommermonate von im Mittel 4⅛ Quadratmeilen ist aber eine mit Rücksicht auf die nötige Genauigkeit und Vollständigkeit kaum erfüllbare Forderung, die lediglich durch die im militärischen Interesse gebotene Eile erklärbar bleibt. Ursprünglich wurde sogar verlangt, daß die ganze Monarchie in 10 Jahren bewältigt werden sollte, und dazu wollte man die alten 1:28800 Meßtischblätter in 1:25000 reduzieren und vervollständigen. Aber die Änderungen wurden so zahlreich, daß man seit 1872, als Generalmajor Dobner das Institut übernahm, doch zur Neuaufnahme in 1:25000 unter Zuhilfenahme der Katasterblätter sich entschließen mußte. Für Ungarn, wo noch keine Katasterblätter vorhanden waren, benutzte man die alten Meßtischaufnahmen von 1863—66. In Bosnien begannen 1880 die Katasteraufnahmen, an die sich dann die Eintragung des Geländes für die dort beabsichtigte Karte 1:150000 schloß. Den Mappeuren gelang die staunenswerte Leistung, in 18 Jahren die Monarchie und das Okkupationsgebiet zu vollenden, weit mehr, als in den 60 Jahren der Franciscëischen Periode geleistet worden. Freilich war diese Eile der Mappierung der wunde Punkt des ganzen Unternehmens, denn sie konnte nicht ohne Einfluß auf die Güte des Grundmaterials bleiben. Die Instruktion verlangte die Aufnahme nur des militärisch Wichtigen — ein schwer zu begrenzender, überdies vielfach der Willkür unterliegender Begriff, da unter Umständen jeder Geländegegenstand militärisch wichtig sein kann —, statt dem Mappeur aufzugeben, das einseitig ökonomische Katastermaterial durch alle Angaben, die für die mannigfaltigsten Zwecke der Kartographie von Bedeutung sein können, zu vervollständigen, d. h. alles aufzunehmen, was in dem Maßstab noch ohne Überladung der Sektion Platz finden kann. Dies wäre um so nötiger gewesen, als keine andere Behörde sich sonst mit der Geländeaufnahme befaßte, vielmehr alle Berufe auf der von den Militärtopographen geschaffenen Darstellung der Erdoberfläche weiterarbeiten sollten. Es durften daher nur allgemeine Rücksichten bei der Aufnahme genommen werden, und jeder Behörde hätte später bei der Kartenzeichnung die Auswahl des für sie Wichtigen und die etwaige Vervollständigung nach ihren Bedürfnissen überlassen bleiben sollen. Die Nichtbeachtung dieses Grundsatzes war daher auch der Keim für die Notwendigkeit einer baldigen Neuaufnahme, so trefflich auch das Material lediglich für eine Kriegskarte sein mochte.

Mit das Wichtigste war die 1872 erfolgte Bildung einer topographischen Zeichenschule, damit auch die Kartographie mit der Aufnahme Schritt halten konnte. Die bisherige Methode der Vervielfältigung, der Kupferstich, wurde trotz seiner künstlerisch vollendeten Ergebnisse aufgegeben. An seine Stelle trat die Photographie[1]), und zwar die im Militärgeographischen Institut zu erstaunlicher Vollendung gebrachte Heliogravüre, die die Erzeugung vertiefter Kupferdruckplatten nach scharf gezeichneten Originalen ermöglicht. Es war dies die erste Anwendung für ein großes Kartenwerk. Die Zeichner machen fortan die Kupferstecher entbehrlich, wenn man vom Nachzieleren der heliographischen Platten absieht. Sehr geschickte Hände waren nötig, mit der Feder den scharfen, sauberen Stich zu erzielen, den der Stichel des Stechers auf der Kupferplatte hervorbringt. Es gelang aber vortrefflich. Im Durchschnitt arbeitete ein Zeichner ein Jahr an einem Blatt. Der Vorteil des Verfahrens zeigte sich vor allem darin, daß, da alle übrigen technischen Arbeiten nicht viel mehr als einen Monat erforderten, jedes Blatt auch alsbald veröffentlicht werden konnte. Freilich wäre dies nie erreicht worden, wenn es sich um mehr als

---

[1]) Schon 1859 hatte man im Institut die Photographie zur Kopie der aus 112 Sektionen bestehenden, 1856—57 bewirkten Aufnahme des Fürstentums der Walachei mit Erfolg und großer Zeitersparnis (⅔/₄ im Vergleich zur Handzeichnung) angewendet.

um eine gewissenhafte, aber doch mechanische Reduktion, also um ein künstlerisches und wahrhaft kartenmäßiges Zusammenfassen der Originalaufnahmen gehandelt hätte: dies war ja aber nach den Direktiven, welche „nahezu eine Kopie des Originalaufnahmematerials verlangten", nicht der Fall.

Erwähnung finde endlich, daß in dieser Zeit, dank dem Institutsdirektor Feldmarschall-Leutnant Freiherrn v. Wanka (1879—89), mit der Veröffentlichung der jährlichen „Mitteilungen des Instituts" begonnen wurde (1. Band 1881). Dieselben behandeln im ersten oder offiziellen Teil die Leistungen der Anstalt im Berichtsjahre, im zweiten, nicht-offiziellen Teile aber bringen sie sehr wertvolle wissenschaftliche Aufsätze über Geodäsie, Topographie, Kartenwesen, Reproduktionstechnik aus der Feder von Mitgliedern der Anstalt. Eine solche Publikation müssen wir leider im Deutschen Reiche (wie auch z. B. in Italien) noch entbehren, so wünschenswert, ja notwendig sie wäre.

Wenden wir uns nun zu den so entstandenen Kartenwerken!

1. Die Aufnahmeblätter sollen Dokumente sein, die die Grundlage aller kartographischen Arbeiten bilden und für Einzelstudien militärischer, wissenschaftlicher, technischer, landwirtschaftlicher Art dienen. Diesen Anforderungen konnten sie freilich schon bei der Eile der Mappierung und der Größe des Arbeitspensums (bis zu 400 qkm, oft ohne Katastergrundlage) sowie der Betonung vor allem des militärisch Wichtigen nicht entsprechen. Sie erfolgten — abgesehen von den noch im alten Verhältnis 1 : 28800 ausgeführten ersten Blättern von Siebenbürgen — seit 1873 im neuen Metermaß, und zwar in dem in Preußen längst üblichen Maßstabe 1 : 25000 (einfaches Militär- oder Mappierungsmaß, 1 cm == 250 m). Nur die Wiener und Brucker Gegend wurde im Militärdoppelmaßstabe von 1 : 12500 (1 cm == 125 m), die Umgebung von Plevlje, des Limgebiets und eines kleinen Teils des nordwestlichen Bosnien sind in 1 : 50000 vermessen. Die Aufnahme dauerte von 1869—87. Das Gelände ist in roten, auch im Eis- und Felsgelände meist (von sehr steilen Stellen abgesehen) durchgehenden Schichtlinien von je nach Maßstab, Böschung und Gestaltung 5, 10, 20 und 50 m Abstand dargestellt, auf den meisten Blättern außerdem in kräftigen schwarzen Schraffen. Felsen und Schotter sind sehr charakteristisch je nach ihren Formen (kompakt, zerrissen, kantig, verwittert &c.) in dem Böschungsgrade entsprechend getöntem Braun, Schneefelder und Gletscher blau mit grauer Schummerung ausgedrückt. Dagegen ist die schwierige Wiedergabe von Karstflächen, Wannen, Dolinen &c. meist nicht gelungen. Ursprünglich wurden nur 20—25 Höhenpunkte, erst seit 1887 für das Flachland 150 auf 1 qm, im niedrigen Gebirge 80—100, im hohen Mittel- und Hochgebirge 200—300 Höhenpunkte, endlich im sehr durchschnittenen Hügel- und Bergland 300—400 bestimmt, was unzulänglich erscheint[1]. Die Genauigkeit reicht bei den gewöhnlichen Höhenzahlen bis auf 5 m. Indessen ergeben sich bei schwer ersteigbaren Gipfeln und da, wo es sich nur um einmal gemessene Punkte handelt, durch Zusammenzählen für die relativen Höhen natürlich größere Ungenauigkeiten, ebenso an den Grenzen gegen die Punkte der Nachbarstaaten manchmal auch bedeutende Fehler[2]. Die Fahrwege und Baulichkeiten sind rot, die Wälder grau, die Wiesen hellgrün, die Gärten dunkelgrün, Weinberge rosa wiedergegeben. Die schwarze Schrift, welche nur die für die Spezialkarte bestimmten Namen berücksichtigt (die übrigen werden auf einer Oleate eingetragen), ist sehr groß und deutlich, die Wege sind sehr breit — eben der Verkleinerung halber für die Karte. Von den nicht wie in Deutschland, der Schweiz und Italien durch den Stich vervielfältigten, sondern leider im Archiv verbleibenden Originalen werden

---

[1] In Preußen werden 22 Höhenpunkte auf einem Meßtischblatt von 2½ Q.-Mln Größe — der Sommerleistung eines Topographen — durch die trigonometrische Abteilung bestimmt, während dem Topographen die Anzahl der Punkte freigestellt ist. In Württemberg kommen 200 Punkte auf 1 qkm.

[2] Die Kote des Hallstättersees weicht z. B. um 14 m gegen das Präzisionsnivellement ab. Es finden sich in einzelnen Gebieten mittlere Fehler von ± 30 bis 40 m!

bei größeren Bestellungen p h o t o l i t h o g r a p h i s c h e K o p i e n, in besonders begründeten Fällen Platinkopien abgegeben, die natürlich der Wirkung, namentlich bei schraffierten Blättern, Eintrag tun und die Vorzüge der farbigen Meßtischblätter nicht einmal ahnen lassen. Einige Sektionen (mit Befestigungen wie in den Dolomiten Südtirols) werden überhaupt nur mit Genehmigung des Reichskriegsministeriums und auch nur an staatliche Behörden und Militärpersonen abgegeben. Dagegen sind im Handel U m g e b u n g s k a r t e n ver- schiedener Orte zu haben. Hierher gehört vor allem der sehr schöne Plan von W i e n 1 : 12500 auf 12 Blatt, eine Chromolithographie in 10 Farben. Ein Teil des Gerippes und die Schrift sind schwarz, die übrige Situation ist farbig, das Gelände ist in 5 m-Höhen- linien und in braunen Lehmannschen Bergstrichen dargestellt, ähnlich auf 48 Blatt auch die nächsten Umgebungen der Kaiserstadt mit dem Wiener Walde. Ferner sind plan- artige Karten 1 : 25000 für die nicht im Handel in Kopien abgegebenen, in 1 : 12500 aus- geführten Originalaufnahmen von den U m g e b u n g e n W i e n s auf 6 großen und 16 kleineren Blättern (nächste Kalkberge, Wiener Wald, nordöstliche Ausläufer der Alpen) und B r u c k s a. d. Leitha auf 20 Blatt vorhanden. Auch die Umgebung von B u d a p e s t ist auf 4 Blatt 1 : 25000 in Farbendruck erschienen, eine photolithographische Wiedergabe der Originalaufnahme.

2. Im Sommer 1889, also nach 16 Jahren, lagen sämtliche 750[1]), später auf 900 gebrachte Blatt der S p e z i a l k a r t e vor. Sie ist eine Schwarzkarte, enthält alles, was der Truppenführer für den Entwurf ins einzelne gehender Anordnungen wissen muß. Sie eignet sich aber auch für geologische und topographische Fachstudien, touristische Zwecke &c. Mit Weglassung von Einzelheiten liegt eine vollständige, fast mechanische Wiedergabe der Feldarbeit vor. Ortschaften sind bis zum einzelstehenden Haus herab dargestellt, ebenso alle Wegeverbindungen zwischen denselben, einschließlich der Feld- und Wirtschaftswege. Alle Kulturen sind wiedergegeben, ebenso die Uferverhältnisse der Gewässer, ihre Übergänge sind eingehend berücksichtigt. Das Gelände ist in Lehmannschen Schraffen, durch 100 m-, und wo erforderlich, 50 m-Schichtlinien sowie durch Höhenzahlen in Meter- angabe (etwa 50—400 für jedes Blatt) zum klaren Ausdruck gelangt, wobei im Laufe der Ausführung die Bergstrichskala gewechselt hat, indem seit 1878 feiner schraffiert wurde und schließlich zwei Hauptskalen für sehr gebirgiges und minder bergiges Gelände angenommen wurden. Hierdurch ist der unendlichen Verschiedenheit des Geländes Rech- nung getragen und z. B. erst eine Darstellung Dalmatiens ermöglicht worden. In den Auslandsblättern, wo kein ausreichendes Grundmaterial vorlag, ist die Bodendarstellung durch rotbraune Höhenkurven mit grauer Schummerung erfolgt. Lediglich auf Gletschern und im Felsengebiet setzen die Isohypsen aus. Deren Einführung in Alpen- wie Spezial- karten ist österreichisches Verdienst. Die Umgrenzung des Felsengebirges als eines ungangbaren Gebiets wie die Angabe der Felswände, der Schluchten ist besonders mili- tärisch wichtig. Weniger zu rühmen ist die Schrift, weil sie oft übertrieben groß und fett ist und der topographischen Bedeutung der Geländegegenstände nicht immer entspricht. Dadurch wird die Lesbarkeit der stummen Karte beeinträchtigt. Es ist freilich zuzugeben, daß gerade in Österreich-Ungarn die Namengebung bei den verschiedenartigen topo- graphischen Verhältnissen und in Anbetracht auch der vielen Sprachgebiete bezüglich Wahl und Größe der Schriftart und ihrer Stellung in der Karte außerordentliche Schwierigkeiten bietet und große Anforderungen an den Takt und Geschmack stellt, um nicht den Gesamt- eindruck des Kartenbildes zu stören. Alle diese Umstände, der überreiche, nicht immer kartenmäßige Inhalt, welcher an Überfüllung des dauernden Grundrisses mit veränderlichen Einzelheiten leidet, beeinträchtigen ebenso wie die nicht immer vorhandene Schärfe der

---

[1]) 1873 erschienen die ersten Blätter, am 28. November 1888 feierten Verehrer die Fertigstellung der letzten. Durchschnittlich waren jährlich 50, alle 8 Tage 1 Blatt fertig gestellt. Da jedes Blatt 4 Aufnahme- sektionen enthält, so kommen auf alle 2 Tage eine solche Sektion von rund 40 cm Blattfläche.

Ausführung die Lesbarkeit des Kartenwerkes und machten bald, schon 1885, also als die Aufnahme noch nicht vollendet war, eine „Reambulierung" nötig, auf die später zurückzukommen sein wird. Andererseits lag in der Schnelligkeit der Ausführung, wie sie vor allem durch Anwendung der Heliogravüre statt des Kupferstiches ermöglicht wurde, ebenso in der gewissenhaften „Evidenthaltung" ein großer Vorzug dieser Spezialkarte, die dem Ideal fast entsprach, ein größeres Gebiet so wiederzugeben, wie es zur Zeit ihres Erscheinens aussah. Durch den großen Absatz der Karte — jährlich über 300000 Blatt — konnte sie stets bis in die unmittelbarste Gegenwart fortgeführt werden. Für die Auslandsblätter wird ein geschummertes Original auf Papier angefertigt, wobei ein Anilinblaudruck, auf dem auch die Schichten mit den Felsen gezeichnet werden, dem Zeichner das sonst nötige Durchpausen erspart. Die Vervielfältigung geschieht photolithographisch auf Stein oder Aluminium, für die Schummerung wird durch Autotypie ein Rasternegativ hergestellt und dies dann photolithographisch übertragen.

3. Zusammenstellungen der Spezialkarte zu Umgebungskarten für den Gebrauch in der Garnison oder im Manöver. Es gibt solche von Agram, Bruck a. d. Leitha, Budapest, Graz, Hermannstadt, Innsbruck, Kaschau, Krakau, Lemberg, Prag, Przemyśl, Serajevo, Triest, Wien sowie von den Zentralkarpathen in Farben- oder in Schwarzdruck und gleichem Maßstabe. Wald und andere Kulturen, Straßen, Flüsse sind in der Regel durch Aufdruck koloriert. Auch dient die Spezialkarte einer hypsometrischen Karte 1 : 100000 sowohl der Zentralkarpathen wie des Salzkammerguts und der angrenzenden Gebiete (zwischen Salzach und Enns) in Farbendruck als Grundlage.

4. Generalkarte von Zentraleuropa 1 : 300000 (1 cm = 3000 m = 4000×). Diese alle für die Monarchie in Betracht kommenden Haupt- und Nebenkriegsschauplätze einheitlich umfassende Operations- und Marschrouten- (strategische) Karte ist durch photographische Vergrößerung in 1 : 288000 und nach Vervollständigung durch neuestes Material heliographisch in 1 : 300000 der schönen, leider im Maßstabe verfehlten Schedaschen Karte 1 : 576000 entstanden. Sie umfaßt 207 Blatt (davon 79 auf Österreich-Ungarn, die übrigen auf die angrenzenden Länder Europas einschließlich der Türkei und Nordgriechenlands bezüglich) von 48 : 72 cm Größe und ist in nur 4 Jahren, von 1873—76, veröffentlicht worden. Die Karte, deren Mittelpunkt östlich von Wien liegt, reicht im Westen bis Poitiers, im Norden bis Kopenhagen, im Osten und Süden bis Odessa bzw. Konstantinopel. Durch die Vergrößerung hatte das Werk aber die Schedasche Klarheit und Übersichtlichkeit verloren, die dort vorhandenen Fehler aber sind bedeutend gesteigert worden. Die auf Hanfpapier vervielfältigte, nur wenig Raum einnehmende Karte ist später in drei Farben auf Stein gedruckt, nachdem ursprünglich nur Schwarzdrucke (Gelände mehr hellgrau) hergestellt waren. Grundriß, Schrift und Höhenzahlen sind schwarz, das Gelände ist in braunen Schraffen geschickt dargestellt, ebenso sind die Waldbegrenzung und Flächenfüllung sowie die Gestelle braun ausgeführt, auf neueren Blättern sind jedoch die Wälder durchsichtig grün, was deutlicher wirkt. Außerdem sind nur noch Heide- und Marschland dargestellt. Sehr verdienstlich war die Erweiterung der Generalkarte auf die Balkanhalbinsel, von der 1877 schon 33 Blatt vorlagen, davon 20 mit schraffiertem, die übrigen mit braun geschummertem Gelände. Dieser Teil gestaltete sich zur besten aller damals vorhandenen Karten der europäischen Türkei, zu deren Herstellung freilich auch kein anderes Institut der Welt solches reichhaltiges Quellenmaterial besaß. Natürlich konnte dadurch der Mangel einer zuverlässigen geodätischen Grundlage nicht ersetzt werden, viele Angaben beruhten auch nur auf Erkundungen, besonders in den Grenzgebieten, durch österreichische Offiziere mit zugleich ausgeführten astronomischen Bestimmungen einiger Hauptpunkte. Darunter hat namentlich die vielfach unwahre Geländedarstellung gelitten, so elegant sie geschehen ist. In vielen Teilen, so für Thessalien und Epirus, ist sie Kopie einer Kopie, nämlich der auf der Kiepertschen „Carte de l'Épire et de la Thessalie" auf-

gebauten Karte des russischen Generals Artamonow 1 : 420000, was die Fehler häufen mußte. Trotzdem gewährte die Karte den großen Vorzug, zum ersten Male eine leidlich richtige Übersicht der Topographie der Balkanhalbinsel zu bieten, und die Anwendung west-europäischer Schriftcharaktere, soviel Irrtümer dabei auch namentlich bei der Übersetzung russischer Namen untergelaufen sind, machte ihren Gebrauch äußerst bequem. Sie ist in Heliogravüre in Kupfer hergestellt und durch Umdruck auf Stein vervielfältigt worden. Obwohl unermüdlich verbessert, war sie doch, wie überhaupt das ganze mühevolle Werk der Generalkarte, dem Untergang geweiht und wurde durch die noch zu erwähnende Karte 1 : 200000 ersetzt, während der mit Anfang der achtziger Jahre besonders eingehend berichtigte Abschnitt, der das Königreich Griechenland betrifft, 1884 in griechischer, 1885 in deutscher Ausgabe als selbständige Generalkarte 1 : 300000 auf 11 Blatt und 2 Halbblatt sowie einer „statistischen und politischen Übersicht" erschienen ist, worüber näheres unter „Griechenland" (Balkanhalbinsel) gesagt werden wird.

    5. Militärmarschroutenkarte der österreichisch-ungarischen Monarchie, Bosniens und der Herzegowina 1 : 300000. Sie ist 1877—78 auf Grund der Generalkarte entstanden, in Heliogravüre hergestellt und enthält auf 57 Blatt lediglich die Verkehrslinien, alle militärisch wichtigen Plätze und die Etappenorte für die Truppenbewegungen. Außer den Hauptamtssitzen der Behörden gibt sie Hauptmarsch-, Neben- oder Zwischenmarschstationen, abseits der Marschroute gelegene wichtige Orte, Eisenbahn- und Dampfschiffs- sowie Poststationen (mit und ohne Personenbeförderung), Telegraphenämter und Semaphore abseits der Bahnen, Briefposten (in Dalmatien), Überführen für Personen und Wagen, Dampf- und Pferdebahnen, Straßen und Fahrwege mit Entfernungen in Kilometern, Saum- und Fußpfade mit solchen in Gehstunden, Entfernungsangaben bei gebrochener Marschroute, Bezeichnung der Notwendigkeit von Vorspann, dann die Schneeverwehungen, Erdrutschungen, Stürmen ausgesetzten oder in nasser Jahreszeit schwer zu befahrenden Strecken. Zur Karte, die stets evident gehalten wird, gehört ein besonderes Ortsnamenregister.

    6. Übersichtskarte von Mitteleuropa 1 : 750000 (1 cm == 7,5 km == 1000×) in 45 Blatt, welche 1882—86 hergestellt worden ist. Sie gibt, wie der Name sagt, nur eine allgemeine Übersicht über die Oro- und Hydrographie, der Wege- und Ortsverhältnisse und ist in der Projektion der Karte 1 : 300000 (Bonneschen), die ihr überhaupt als Grundlage gedient hat, gezeichnet. Sie erstreckt sich auch auf die ganze Balkanhalbinsel (14 Blatt), umfaßt jedoch nur den nördlichen Teil Griechenlands (Thessalien). Die unabhängig vom Gradnetz eingeteilten rechteckigen Blätter (33 : 39 cm) sind mittels Heliogravüre, das Flußnetz ist in Steingravüre ausgeführt und das Ganze in Vierfarbendruck vervielfältigt. Eisenbahnen wie das untergeordnete Wegenetz, Ortszeichen und Schrift sind schwarz, die mindestens 2,5 m breiten Wege rot, die Kunststraßen in zartrosa Doppellinien dargestellt, alle Grenzen farbig, das Gefließnetz wie die Sümpfe und Reisfelder (samt Schrift) blau, das Gelände ist in rotbraunen Lehmannschen Schraffen mit zahlreichen Höhenangaben, die Isobathen von 5 und 10 m sind blau ausgedrückt. Überaus zahlreich sind die Abkürzungen der in 8 Sprachen geschehenen Beschreibung. Obwohl die technische Ausführung zweifellos weit höher als die der Generalkarte steht, die Reduktion auch viele derselben anhaftende Mängel zurücktreten läßt, macht die Karte doch einen etwas bunten, wenn auch freundlichen Eindruck und ist hinsichtlich der Beschreibung etwas zu sparsam. Die Geländedarstellung ist oft unruhig und nicht recht ausdrucksvoll. In ihrem rötlichbraunen Tone verschwimmen vielfach die blaßroten Doppellinien der Straßen. Das Papier ist wenig haltbar. Die gute Übersicht gewährende und im ganzen doch leicht lesbare Karte ist nicht bloß für militärische Studien, sondern auch für allgemeine Zwecke, für Reisen und im Geschäftszimmer wohlgeeignet. Zu ihr gehört ein Ortstableau 1 : 750000.

7. „Hypsometrische Übersichtskarte der Österreichisch-Ungarischen Monarchie“ 1:750000 in 12 Blatt. Sie vermeidet die Mängel der vorigen, von der sie nur einen Teil darstellt. Die Kunststraßen sind durch kräftig leuchtende rote Linien, das Gelände aber auf Grund der Meßtischaufnahmen in Hauslabschen Höhenzonen mit Farbflächen dargestellt. Die Talflächen von unter und über 150 m Seehöhe erhielten verschiedenes, nach der Tiefe immer dunkler werdendes Grün. Die Höhenstufe von 0 bis 150 m ist weiß, die Höhen von 150—300 m, 500 m, 700 m und weiter in Abstufungen von je 300 m sind in nach oben immer dunkleren braunen Tönen gleichmäßig gedeckt. Die Höhenlagen von 2300—2900 m sind in zwei Rosatönen ausgeführt, alle darüber hinausragenden Hochgebirgsteile sind weiß gelassen. Reichliche Höhenangaben ergänzen diese hypsometrische Darstellung. Das Gerippe ist von den Schwarz- und Blaudruckplatten der Übersichtskarte von Mitteleuropa abgedruckt. Die Isohypsenkarte macht einen klaren, schönen, übersichtlichen Eindruck und ist sowohl eine gute Operations- wie eine zweckmäßige Eisenbahn- und Reisekarte.

8. „Oro-hydrographisches Tableau der Karpathen 1:750000 auf 6 Blatt.“ Es enthält nur die Geländeschraffuren und Wasserlinien der mitteleuropäischen Übersichtskarte und zur Orientierung einige Bergnamen in Schwarzdruck. Dadurch wirkt die Karte recht plastisch, obwohl die Geländedarstellung nicht großzügig genug erscheint.

Von Arbeiten anderer Behörden seien erwähnt: Das k. u. k. Technische und administrative Militärkomitee ließ durch Hauptmann Julius Albach eine Umgebungskarte Wiens 1:25000 in 30 Blatt in Farbendruck herausgeben, eine hervorragende Arbeit. Das Gelände ist in Niveaulinien von 10 m Schichthöhe, in brauner Schummerung (senkrechtes Licht) dargestellt, die Straßen rot, die Wälder grün, das übrige Gerippe und die Schrift schwarz. Die Geologische Reichsanstalt hat eine geologische Karte 1:75000 in den geologischen Farben, dann einen geologischen Atlas von Galizien 1:75000 veröffentlicht, auf die in der letzten Epoche zurückgekommen werden wird.

In den Schluß dieser Epoche fällt, zugleich den hoffnungsreichen Übergang zur nächstfolgenden bildend, die Neuvermessung des 1878 im Sinne des Berliner Vertrages von Österreich-Ungarn besetzten Gebiets von Bosnien und der Herzegowina[1]). Schon im Frühjahr 1879 begann im Anschluß an das Dreiecksnetz der Monarchie im nördlichen Bosnien die Triangulierung. Nachdem im folgenden Jahre die ersten Ergebnisse berechnet vorlagen, wurde sofort mit den topographischen Aufnahmen 1:50000 für eine Militärkarte begonnen. Aber diese Arbeiten wurden bald eingestellt und 1879—83 die Durchführung der astronomisch-geodätischen Vorarbeiten energisch gefördert, weil es vor allem auf eine rasche Katastralvermessung zur Regelung der verworrenen Besitzverhältnisse für die Landesverwaltung ankam. Bei Sarajevo wurde eine 4061,34 m lange Basis gemessen, und 2509 Punkte wurden trigonometrisch bestimmt. Nun konnte 1880 schon mit der Katasteraufnahme unter Leitung des späteren Generals J. Rośkiewicz begonnen werden. Im Anschluß an das Gradkartensystem der Monarchie wurde im doppelten Militärmaßstabe 1:12500 mit dem Meßtisch operiert. Kulturen und 3379987 Besitzparzellen wurden im Umfange von 51955 qkm in 1:6250, geschlossene Ortschaften in 1:3125, Sarajevo in 1:1562,5 durch à la vue-Aufnahmen festgelegt. Neben dieser Vermessung wurde eine flüchtige Geländeaufnahme in 1:25000 als Grundlage für eine oro- und hydrographische Generalkarte von Bosnien und der Herzegowina im Maßstabe 1:150000 der Natur durchgeführt. Diese Übersichtskarte mit vollkommen genauem geometrischem Detail ist als „provisorischer Behelf“ 1884—85 in 19 Blatt

---

[1]) Es lagen nur die Generalkarte 1:300000 des Instituts und die Karte 1:400000 des Obersten Rośkiewicz als leidliche Orientierungsmittel vor, doch genügten diese selbst bei den militärischen Operationen schon nicht, geschweige für die politische Verwaltung.

vom Institut veröffentlicht worden. Das im Gradkartensystem entworfene Werk gibt alle Ortschaften und Weiler in Rot, Gebirgszüge in schwarzen, etwas weit gehaltenen Schraffen mit Meterangabe, Gewässer blau, Wälder grün, Wege schwarz, politische Grenzen rot in ihrer geographischen Lage an und läßt nicht nur den militärischen Charakter ausschließlich walten, sondern dient sehr wesentlich volkswirtschaftlichen und politischen Interessen, da die Karte neben der Sektionseinteilung auch in allen genannten Einzelheiten, besonders in der Eintragung der Grenzen und des Waldes, sehr reichhaltig ist und eine sehr verdienstvolle Klarheit in die schwierige Namengebung und Beschreibung bringt. Auf ihrer Grundlage konnte dann zunächst im gleichen Maßstabe eine „Gemeinde-Grenzkarte (politische Einteilung)" aus 19 Blatt hergestellt werden.

Unter den Privatarbeiten mögen Anton Steinhausers „Atlas zum geographischen Unterricht in den österreichisch-deutschen Schulen in 48 Blatt" (1864—68), sein mit Scheda zusammen herausgegebener „Handatlas in 14 Blatt zur mathematischen und physikalischen Geographie" (1874), seine „Schulwandkarte der Alpen" in 9 Blatt 1 : 500000, dann die „Hypsometrische Übersichts- und Gruppenkarte der Alpen" und weiter das bedeutendste Werk: „Hypsometrische Wandkarte von Mitteleuropa 1 : 1 500000", von der eine ebensolche der europäischen Türkei ein Teil ist, genannt sein, auch hat Steinhauser v. Schedas „Generalkarte der Balkanhalbinsel 1:864000" in neuer und verbesserter Bearbeitung 1880 (letzte Ausgabe 1891) herausgegeben, in der der ganz neu chromolithographisch ausgeführte Plan von Konstantinopel 1 : 28800 eine Zierde des ganzen Werkes (nach Vogels Urteil) ist. Endlich veröffentlichte Steinhauser 1887 eine „Karte von Südosteuropa 1 : 2 Mill." auf Grund besten Materials, mit reicher Situation und braun schraffiertem Gelände sowie vielen Höhenangaben (neueste Auflage 1903 von Karl Peucker besorgt); dann Streffleurs (gemeinsam mit Steinhauser) 1865—1873 herausgegebene „Hypsometrische Übersichtskarte der österreichisch-ungarischen Länder" in Hauslabschen Höhenzonen. Vincenz v. Haardt ließ 1882 eine „Wandkarte der Alpen1 : 600000" bei Ed. Hölzel in Wien erscheinen, nachdem er bereits 1878 seiner Schrift über die Okkupation eine „Handkarte von Bosnien und der Herzegowina &c." in 1 : 1200000 beigefügt hatte, die sich allerdings auf die große Karte des Instituts gründet. Von F. Ritter v. Hochstetter erschienen mehrere geologische Karten der Türkei in 1 : 420000 und 1:1 Mill. (1870 und 1872). C. F. Bauer veröffentlichte 1877: „La Monarchia Austro-ungarica 1 : 800000 auf 9 Blatt in Wien, ebenso erschien bei Artaria eine Karte Österreich-Ungarns 1 : 1296000; J. Albach gab einen „Plan des Brucker Lager 1:28000", Wien 1877 heraus.

Von ausländischen Arbeiten seien Berghaus und Gönczys „Wandkarte der Länder der ungarischen Krone" in 9 Blatt 1 : 625000, die 1866 in Gotha bei Perthes erschien, dann W. Liebenows einblättrige „Verkehrskarte von Österreich-Ungarn 1 : 1250000", Berlin 1876, genannt.

Von literarischen Arbeiten nenne ich: E. Mayer: „Die Entwickelung der Seekarten bis zur Gegenwart", Wien 1877; J. Zaffauks zahlreiche Arbeiten, und zwar: „Ebene und angewandte Terrainlehre", Znaim 1869; „Plan- und Kartenlesen samt Terrainlehre", 1870, 3. Aufl, Wien 1888; „Népszerii utasitás a terrajz-és térké polrasa és tereptan", Budapest 1878; „Militärkartographie" (Offiz. Bericht über die Weltausstellung), Wien 1873; „Zeichenschlüssel zum Lesen der russischen Karten" (russisch, deutsch, ungarisch), Wien 1877; „Signaturen in- und ausländischer Plan- und Kartenwerke", Wien 1880; „Graphische Darstellung des Terrains in Plänen und Karten", mit einer Zeichenschule, 3. Aufl., Wien 1888; „Gemeinfaßliche Anleitung zum Krokieren des Terrains mit und ohne Instrumente", 3. Aufl., Wien 1881; R. Schworella: „Kritischer Leitfaden der Kartographie", 3. Aufl., 1885; H. Hartl: „Die Höhenmessungen des Mappeurs", 2 Teile, 1884, 2. Aufl. Wien 1886; „Die Aufnahme von Tirol durch Peter Anich und Blasius Hueber", 1885; „Die Projektionen der wichtigsten vom k. k. Generalquartiermeisterstabe und vom k. k. Mil.-Geogr. Institut herausgegebenen Kartenwerke", 1886; „Materialien zur Geschichte der astronomisch-trigonometrischen Vermessung der Ö.-U. Monarchie", 1887 u 88; O. Volkmer: „Die Technik der Reproduktion von Militärkarten und Plänen nebst ihrer Vervielfältigung", Wien 1885; E. Geleich: „Zur Geschichte der Arealbestimmung eines Landes", 1886; F. v. Haradauer: „Die PZM. Ritter v. Hauslabsche Kartensammlung", 1886; Lehrl: „Das Präzisions-Nivellement in der Ö.-U. Monarchie", 1884; v. Kalmár: „Bericht über die internationale geographische Ausstellung in Venedig", 1881; „Die bei der astronomisch-geodätischen Landesvermessung in Österreich-Ungarn seit deren Beginn im Jahre 1762 verwendeten Instrumente", 1884; Bossi:

„Die Evidenthaltung der Kartenwerke", 1884. Auch gibt E. Sedlacek 1875 zu Wien eine: „Bequeme und höchst einfache Methode, Höhenunterschiede zugänglicher Punkte mit Hilfe eines sehr einfachen Apparats zu messen".

II. Die Epoche der Reambulierung bzw. der teilweisen Neuaufnahme seit 1884.

Die außerordentliche Eile der Mappierung in der vorhergehenden Epoche, die einseitige Betonung des rein militärischen Bedürfnisses einerseits und die immer mehr steigenden Anforderungen an die Vielseitigkeit und Güte des Grundmaterials, aus dem Stoff für jede kartographische Arbeit geschöpft werden muß, sowie die Vervollkommnung des Vermessungswesens überhaupt machten noch vor Beendigung der ersten Aufnahme eine Reambulierung, d. h. Nachprüfung und Verbesserung derselben sowohl hinsichtlich ihrer Fehler als bezüglich der inzwischen eingetretenen, aber nicht zur Kenntnis gelangten Veränderungen der Situation, notwendig.

Die astronomischen und geodätischen Grundlagen waren namentlich durch die Arbeiten der internationalen Gradmessungskommission sowie durch die Ausführung des Präzisionsnivellements und die Neuaufnahmen der Nachbarstaaten erheblich verbessert worden. Die horizontale Lage der Punkte 1. O. ist auf einige Dezimeter genau, ist also für die topographische Aufnahme absolut richtig, was übrigens auch für die Fixpunkte 2. und 3. O. hinsichtlich der Mappierung gilt. Dasselbe ist auch für die Höhenfixpunkte des Präzisionsnivellements zutreffend, welche durch Triangulierungen niederer Ordnung auf die trigonometrischen Fixpunkte übertragen werden, so daß diese auf etwa $0{,}1$—$0{,}5$ m genau sind. Die Fortschritte in der Katasteraufnahme (1:2880, bzw. 1:12500, 1:6250 und 1:3125 im Okkupationsgebiet), deren Punkte infolge der bedeutenden, alle Mängel beseitigenden Reduktion in die Aufnahmsblätter 1:25000 als absolut richtig angenommen werden können, ebenso der Forstmappen, Eisenbahntracen-Pläne und das gute kartographische Material mancher Alpen- und Touristenvereine waren ebenfalls sehr willkommene Hilfsmittel. Dazu trat für die naturgetreue Darstellung des Hochgebirges die Anwendung der zu hoher Vervollkommnung ausgebildete Photogrammetrie, deren wesentlicher Vorteil in dem Umstande liegt, daß der Mappeur stets unter dem Eindrucke der photographischen Bilder steht, die Geländegestaltung ununterbrochen vor Augen hat und ihre Einzelformen in Ruhe studieren kann. Auch ist durch die vorhandenen Bilder eine genaue Kontrolle der Arbeit jederzeit möglich. Doch beschränkt sich die Photogrammetrie[1]) nur auf die steilen und scharf markierten Formen — schwer oder gar nicht zugängliche Felswände von den Graten bis zu den Schuttbalden — und kann daher nur als Ergänzung der Mappierung angesehen werden, die nur im Verein mit den übrigen Aufnahmeverfahren ein Ganzes liefert. Es sind Unterschiede bis zu 5 m zulässig.

An der Aufnahmemethode wurde freilich wenig geändert. Sie war nach der „Instruktion für die Militärlandesaufnahme, die Militärmappierung und die Reambulierung" vom Jahr 1887 geregelt und stellte als Zweck der Landesvermessung hin „die richtige und vollständige Darstellung der Oberflächengestaltung der Monarchie als Grundlage einer genauen Landeskenntnis, besonders aber in militärischer Beziehung; doch fallen ihr auch allgemeine, wissenschaftliche und technische Zwecke zu". Das Katasternetz wurde auch ferner nach den trigonometrischen Punkten geprüft und meist durch à la vue-Aufnahme vervollständigt. Diese soll auf einer Kombination von Detailliertischständen und Auf-der-Hand-Arbeiten, d. i. mittels des auf der Hand getragenen Detaillierbrettchens ohne Aufstellung des Stativs, dann auf Vorwärtseinschneiden und Springständen beruhen. Für die Höhenmessungen wurde ein genauer Apparat eingeführt. Was verbesserungsfähig ist,

---

1) Sie wurde 1896 offiziell eingeführt. Es werden ein „Photogrammeter für Polygon-Aufnahme", der die Landschaftsbilder herstellt, und ein kleiner Theodolit (Ablesung ganze Minuten) zur Bestimmung der Lage und Höhe der Standpunkte bei der Feldarbeit als Instrumente verwendet, die das gleiche Stativ benutzen. Zum Transport dienen 4 Handlanger.

wurde so ausgebessert. Wo aber vollkommene Ungenauigkeit hervortritt, wurde neu aufgenommen. Freilich dem Mappeur fiel auch jetzt wieder ein zu großes Gebiet zu, und wenn auch seine Instrumente besser waren, so konnte die Genauigkeit der Aufnahme deshalb doch nicht viel gewinnen. Die Grundlage blieb eben die alte, die Blätter wurden nur mit mehr Einzelheiten angefüllt. Die Eintragung der Verbesserungen geschah ursprünglich in wegwischbare Blaudrucke, die auf photolithographischem Wege von den Originalaufnahmen hergestellt wurden, seit 1891 aber auf Braundrucken, von denen die ausgeführten Korrekturen dann auf eine Oleate der Ursektion übertragen wurden. Das Institut machte dann einen photolithographischen Schwarzdruck mit den betreffenden Auslassungen, und im Winter wurden von den Mappeuren darauf die Lücken ausschraffiert. Waren sehr viele Korrekturen, so wurde der Braundruck vollständig vom Mappeur bearbeitet, das Bleibende ließ er stehen, und dann wurde eine photographische Kopie genommen. So wurde erheblich an Zeichenarbeit gespart. Sehr günstig auf die rasche Inangriffnahme und energische Durchführung der Reambulierung wirkte auch die unmittelbare Unterstellung des Militärgeographischen Instituts in dienstlicher, personeller, wissenschaftlicher und technischer Hinsicht unter den Chef des 1883 neu organisierten Generalstabes sowie eine Neugliederung des Instituts, die seitdem indessen kleine Veränderungen erfahren hat, weshalb sie erst in der folgenden Epoche betrachtet werden soll.

Der verdiente Feldmarschall-Leutnant Frhr. v. Wanka begann noch die Reambulierung und Neubearbeitung des Kartenwerkes, sein Nachfolger Feldmarschall-Leutnant Ritter v. Arbter (1889—95) setzte sie fort und Feldmarschall-Leutnant Ritter v. Steeb (1895 bis 1901) beendete sie.

Die Reambulierung — welche etwa das Doppelte der Uraufnahme leistet — begann in Tirol und Siebenbürgen. Auf ihrer Grundlage erfolgte, zunächst von Tirol, eine N e u a u s g a b e d e r S p e z i a l k a r t e. Fortan werden die Originalaufnahmen 1 : 25000 photographisch in 1 : 75000 verkleinert. Nach dieser Verjüngung werden für die Gerippzeichnung Entwurfsblätter verfaßt und diese sodann durch Pausen auf das Zeichenpapier übertragen, auf welchen vorher der Rahmen konstruiert worden ist. Die Steinzeichnung erfolgt in tiefschwarzer Tusche und beginnt mit der Beschreibung und dem Gerippe, aber ohne Kulturen. Nun wird die Zeichnung heliograviert [1]) und diese Platte für etwa späteren Bedarf aufbewahrt. Nach Ergänzung der Originalzeichnung durch 100 m-Schichtenlinien wird eine photolithographische Druckplatte hergestellt, so daß von jedem Blatte der Spezialkarte Schrift- und Gerippausgaben mit und ohne Schichtenlinien zu haben sind. Von der Schraffierung eines Spezialkartenblattes wird ein Entwurf in Bleischummerung, und zwar auf einer lichten Photographie des Originalblattes 1 : 75000, ausgeführt. In diesem Blatt muß der allgemeine Charakter der Bodengestaltung in seinen Hauptformen zu erkennen sein. Nun erst wird die Bergstrichzeichnung vorgenommen und von diesem fertigen Blatt eine heliographische Druckplatte erzeugt. Diese erfordert eine eingehende Überarbeitung und Ergänzung, besonders der zarten Schraffen, worauf der Stich der Wasserschraffuren, der Gradierung, der Waldes- und der Weingärten-Zeichen erfolgt. Von jeder neuen heliographischen Platte wird vor der Druckbenutzung eine galvanische Hochplatte abgeformt, um auf gleichem Wege jederzeit tadellose Tiefplatten erhalten zu können. Die Beschreibung der Wohnstätten geschieht derart, daß die Schriftgröße im Verhältnis zur Einwohnerzahl steht. Viele überflüssige Namen, besonders von Kulturen, sind fortgelassen, ebenso wie manche orographische Bezeichnungen und eine Übereinstimmung der Spezial- mit der Generalkarte angestrebt. Auch erfolgt eine Ergänzung des ausländischen Teils der Spezial-

---

[1]) Die photomechanischen Reproduktionen des Instituts werden seit über 30 Jahren fast nur von Originalen auf Papier gefertigt. Die Lithographie und der Kupferstich kommen fast nur für ergänzende Arbeiten, für die Retusche und Evidenthaltung der Druckplatten ebenso für Ausführung zarter Linien, wie solche in der Gewässer- und Signaturendarstellung z. B. vorkommen, zur Anwendung. Erst neuerdings versucht man wieder den Kupferstich.

karte, so in Serbien, Montenegro, in Rumänien, im Limgebiet, und eine Neuzeichnung der längs der böhmischen Grenze nach Deutschland übergreifenden, gänzlich veralteten Teile. Für diese Auslandsblätter, soweit sie kein entsprechendes Grundmaterial besitzen, wird ein geschummertes Original auf Papier angefertigt, wobei ein Anilin-Blaudruck dem Zeichner das sonst nötige Pausen erspart. Die Wiedergabe geschieht photolithographisch, wobei die geschummerten Töne durch ein Rasterverfahren autotypisch wiedergegeben werden. Die Felsen werden gleichfalls auf Blaudrucken gezeichnet und dann photolithographiert. In der Regel erscheint die Spezialkarte ohne Farbenaufdruck, der nur für daraus hergestellte Touristen- und Umgebungskarten größerer Städte angewendet wird, indem man in den durch Zusammendruck einzelner Blätter entstandenen Garnison- und Manöverkarten den Wald, zuweilen auch andere Kulturen und die Straßen und Flüsse koloriert. Der Druck erfolgt auf Schnellpressen, für die von den vertieften Druckformen Umdrucke auf Stein oder neuerdings auf dünnen Aluminiumplatten hergestellt werden. Für die Militärkarten kommt ausschließlich Hanfpapier zur Anwendung. Auf besonderes Verlangen werden von der Spezialkarte auch Kupferdrucke auf Original-Japanpapier angefertigt.

Gleichzeitig mit dieser Reambulierung ging die Neuaufnahme des Okkupationsgebietes vor sich, bei der maßgebend war, „daß die Feldarbeit unmittelbar photographiereife Bilder zu geben habe". Sie wurde 1883 in 1:25000 auf Grundlage der Katasteraufnahme des Obersten J. Rośkiewicz 1:12500 (siehe S. 35) begonnen. Die Mappeure hatten dabei in dem an Wegen und Hilfsquellen armen Lande mit den größten Schwierigkeiten und Entbehrungen zu kämpfen, so daß eine sehr große Zahl erkrankte und durch andere ersetzt werden mußte. Trotzdem waren schon 1888 beide Länder topographisch aufgenommen, und da gleichzeitig mit der Mappierung auch die Ausführung der Spezialkarte begann, so lag diese 1889 in 60 Blatt vollendet vor, eine glänzende Leistung. „In 10 Jahren, von 1878—99, sind diese früher so wenig bekannten Provinzen, und zwar auch wieder infolge kriegerischer Ereignisse, kartographisch aufgeschlossen worden, und es bestehen heute von denselben Aufnahmen, wie sie im gegenwärtigen Augenblicke noch kein zweites Land der Balkanhalbinsel besitzt", sagte mit Recht Oberst H. Hartl in den Mitteilungen des k. u. k. Mil.-Geogr. Instituts (1891). Das Kartenbild von Bosnien und der Herzegowina war nun ein ganz anderes geworden. Besonderer Wert war in den wasserarmen Gegenden, namentlich der Hercegovina, auf die Eintragung der Quellen und Zisternen sowie auch der Höhlen mittels besonderer Kartenzeichen und ihre eingehende Schilderung in der zugehörigen topographischen Beschreibung gelegt worden. Durch das Entstehen dieser Spezialkarte wurde dann noch eine Reihe von anderen Kartenwerken, sei es des Instituts, sei es anderer Behörden, hervorgerufen. So die Umgebungskarten des erstgenannten, meist für rein militärische Zwecke bestimmt, in den Maßstäben von 1:12500 bis 1:75000, auch eine „Karte der Straßenzüge" 1:500000 zum Dienstgebrauch. Dann auf Anregung des Finanzministeriums 1887 eine „Übersichtskarte des Okkupationsgebietes" 1:750000 und eine „Übersichtskarte der Kommunikationen vor und nach der Okkupation" 1:750000 (mit den Römerstraßen) &c.

Die wichtigste kartographische Arbeit dieser Epoche bestand aber in der Schöpfung der auf Anregung des Frhrn. v. Wanka 1886 vom Parlament beschlossenen „Generalkarte von Mitteleuropa 1:200000 (1 cm = 2000 m)", welche bestimmt ist, die Karte 1:300000 zu ersetzen und ein Mittelglied zwischen der Spezialkarte und der allgemeinen Übersichtskarte 1:750000 zu sein. Sie soll nach der Instruktion eine „Kriegskarte sein, welche rasche und deutliche Übersicht großer Räume gestattet, aber auch die militärisch wichtigen Terrain-Unebenheiten und -Gegenstände so darstellt, daß sie für Verfassung und Ausführung von Gefechts- und Marschdispositionen vollkommen ausreicht. Sie stellt hierfür nur das Wichtige dar, soll leicht lesbar, unzweideutig, übersichtlich sein und das Detail innerhalb der Bedingung voller Deutlichkeit nach den verschiedenen

Terraingattungen verschieden behandeln." Diesen Definitionen einer Kriegskarte kann man nur zustimmen. So finden wir denn in dem 1887 begonnenen, zunächst auf 280 Blatt (davon 90 auf die Monarchie, 190 auf das Ausland, nämlich fast die ganze Balkanhalbinsel, Südwestrußland, den größten Teil des Deutschen Reichs und der Schweiz, Nord- und Mittelitalien ˇsowie.Ostfrankreich, entfallen) berechneten Werk alle jene Einzelheiten, die für die Truppenführung unbedingt notwendig sind und eine richtige Beurteilung der Raum-, Unterkunfts- und Entfernungsverhältnisse neben der allgemeinen, leichten und verläßlichen Orientierung gestatten. Aber auch für allgemein geographische und geologische Zwecke, für Anlage und Beurteilung allgemeiner, namentlich verkehrstechnischer Entwürfe, für sonstige praktische Zwecke und als Studienbehelf ist die Karte wohl geeignet. Sie ist eine in Heliogravüre und 4- bis 5fachem Farbendruck völlig unabhängig von der General-karte 1:300000 ausgeführte „Gradkarte", indem jedes Kartenblatt die sphäroidische Ober-fläche eines Breiten- und Längengrades umfaßt, also ein verhältnismäßig schmales, sehr hohes, fast rechteckiges Trapez. Die Blattbreiten wachsen unbedeutend nach Süden. In der Gegend von Wien ist jedes Blatt 37,31 cm breit, 59,89 cm hoch und stellt so 8295 qkm Fläche vor. Die ganzen Meridian- und Parallelkreise schneiden sich in der Mitte jedes Kartenblatts, das also 8 Blatt der Spezialkarte 1:75000 umfaßt.

Diese Anordnung ermöglicht den so wichtigen und gleichzeitigen Gebrauch beider Kartenwerke und die Erweiterung der Karte nach jeder Richtung hin, ohne ihre Um-gebungen zu ändern. Ursprünglich reichte das Werk, dessen erstes Blatt 1889 erschien, westlich bis zum 24,5° (Belfort), östlich bis 48,5° (Odessa) nördlich bis 53,5° (Stettin) und südlich bis 40,5° (Konstanz). Ein Übersichtsblatt enthül' die Erläuterungen. Schon 1887 war aber eine Erweiterung auf die Balkanhalbinsel gepl..nt, die schließlich die euro-päische Türkei ganz, von Griechenland bedeutende Teile (südlich bis zur Linie Préveza bis Lamia) umfaßte und bis Ende 1902 auf 54 Blatt gediehen war, von denen die ersten vier, im Jahre 1891 begonnen, 1894 veröffentlicht wurden. Mehrere dieser Blätter sind in-zwischen sogar in verbesserter Auflage erschienen. Zur gänzlichen Fertigstellung der Arbeit sollen noch 27 Blatt hinzutreten. Nicht nur die österreichischen Aufnahmen von 1871—75 auf der Balkanhalbinsel (astronomische Ortsbestimmungen, topographische Routenaufnahmen), sondern auch die neuesten Landesvermessungen der betreffenden Länder, namentlich Rumäniens (1:50000 in 485 Blatt, davon 281 bis Ende 1902 erschienen), ferner über Griechenland die Arbeiten Hartls, die französische Carte de la Grèce, die Arbeiten Philippsons &c. sind bzw. werden verwertet. Der Grundriß (ausschließlich der Gewässer), Schrift und Höhenzahlen sind schwarz, das Gefließnetz ist blau, ebenso die Meeresbecken, Seen, Teiche, Sümpfe und Wasserbecken. Die Wälder sind grün mit verschiedenen, die Geländezeichnung berücksichtigenden Tönen angelegt. Die Ortschaften über 2000 Ein-wohner sind tunlichst in Grundrisse, oder durch Häusergruppen dargestellt, außerdem durch Schriftgattung und -größe klassifiziert. Das Gelände ist in braunen, stellenweise an den Felspartien verstärkten Bergstrichen dargestellt, und zwar in recht charakteristischer Weise, wenn es auch in schwarzer Schraffur vielleicht noch plastischer wirken würde. Nur wo, wie auf den südöstlichen Blättern (Balkanhalbinsel), zuverlässiges Aufnahmematerial noch fehlt, ist die Bodengestaltung durch braune Schummerung und 100metrige Schichten-linien, die Felszeichnung in Strichen zum Ausdruck gebracht. Die Höhenzahlen in Metern beziehen sich auf das Mittelwasser der Adria. Der Karteninhalt enthält nur das Wesent-liche der Spezialkarte. Das Wegenetz einschließlich der Eisenbahnen tritt gut hervor, das Gefließnetz hebt sich klar von dem übrigen Gerippe ab. Am wenigsten gelungen ist die Schrift. Bei der Herstellung der Karte wird die Gerippzeichnung je nach dem Grund-material entweder durch Einzeichnen in ein Quadratnetz oder mit Benutzung photographischer Reduktionen entworfen und unmittelbar ins reine gezeichnet, und zwar alles in schwarzer Tusche; nur das Wassernetz in Rotbraun. Die Geländezeichnung geschieht nach einer

Bleischummerung auf einem Entwurfsblatt, einem Gerippeblaudruck mit 100 m-Schichten in schwarzer Tusche. Die Anfertigung der heliographischen Platten erfolgt für Gerippe und für Gelände, und dann ergänzt sie der Kupferstecher. Das Wassernetz wird auf Stein graviert. Für den Druck der Auflage werden die Gelände- und Gerippplatte und die Steingravierung durch Umdruck auf Aluminium oder Stein übertragen. Der Aufdruck des Waldes geschieht in modulierter, den Böschungen des Geländes angepaßter Rastertonierung durch blaugrüne Farbe. Endlich werden Ergänzungsblätter für Fels- und Gletscherpartien hergestellt. Für die Umgebungen von Wien, Bruck a. d. Leitha, Budapest sowie für Kriegsspiel- und andere Zwecke sind Sonderausgaben in je einem Blatt zu haben. Es ist zu bedauern, daß das schöne Werk nicht im künstlerisch wertvollsten Verfahren, nämlich durch manuellen Kupferstich, hergestellt werden konnte. Ein Verzeichnis der Kartenzeichen (etwa 100) und ein Vokabular von 8 Idiomen, die in Österreich-Ungarn gesprochen werden, ergänzt die Arbeit in wichtiger Weise.

Nach Beendigung dieser Arbeiten waren die dringendsten kartographischen Bedürfnisse der Armee gedeckt. Es konnte nunmehr an eine Hebung der Qualität der Kartenwerke gegangen werden. Die wichtigste Anregung dazu hatte die Schrift des verdienten Obersten Bancalari: „Studien über die österreichisch-ungarische Militärkartographie" (Wien 1894, R. Lechner) gegeben, der möglichste Präzision forderte, dabei bewies, daß die bisherige Rambulierung ohne Schwierigkeiten in eine Neuaufnahme verwandelt werden konnte. Diese von dem Reichskriegsministerium gebilligte Ansicht führte zu einer durchgreifenden Verbesserung der Leistungen, wie sie sich der neue (1.) Kommandant des Instituts, Feldmarschall-Leutnant Ritter v. Steeb, zur Aufgabe stellte. Das Aufnahmeverfahren sowie die Reproduktionstechnik wurden erheblich vervollkommnet, die technischen Einrichtungen vermehrt und das Institut 1898 auch neu organisiert. Es gliederte sich fortan in das Kommando und fünf, wieder in Abteilungen zerfallende Gruppen. Die geodätische Gruppe liefert die Grundlage für die Landesaufnahme und die Kartographie, d. h. die erforderlichen Fixpunkte der Lage und Höhe nach, die Kartenprojektion, die Abmessungen der Blattrahmen &c. Sie wird in die astronomische (mit Sternwarte), die trigonometrische und die Nivellements-Abteilung gegliedert, denen für ihre entsprechenden Feldarbeiten Arbeitspartien zugeteilt werden. Die Mappierungsgruppe führt die topographischen Arbeiten und die Kartenrevision aus. Ihre Konstruktionsabteilung hat alle Vorbereitungen für die Feldarbeit und die Revision der eingehenden Meßtischaufnahmen, die im Sommer vom 1. Mai bis Anfang November ausgeführt werden, und zwar durch 5 unter einem Leiter stehende Mappierungsabteilungen aus 5—9 Offizieren, welche in den sieben Wintermonaten und durch eine zweimonatige Mappierungsübung in einer eigenen Mappeurschule dazu vorgebildet wurden. Der Gruppe ist eine mechanische Werkstätte für Neuaufnahme angegliedert.

III. Neuaufnahme.

Seit 1896 hat nun die vierte Neuaufnahme der Monarchie, und zwar in 1:25000, begonnen, die ein Jahrhundert erfordern wird. Sie soll so genau und so vollständig sein, als der Maßstab es überhaupt zuläßt. Die Aufnahmeblätter bilden dann nicht nur ein vorzügliches Grundmaterial für Militärkarten, sondern sind auch für mannichfache zivile Zwecke sehr verwendbar, trotzdem das militärische Interesse stets gewahrt werden muß. Nur das darf ausgelassen werden — sofern es unvermeidlich ist —, was für den Soldaten geringere Bedeutung hat. Der Forderung nach Genauigkeit ist aber nicht durch kleinliche Pedanterie zu entsprechen. Es wird in Anbetracht des Verjüngungsverhältnisses sehr häufig unmöglich sein, eine geometrisch richtige Darstellung zu liefern. Das Weglassen des Nebensächlichen macht die Zeichnung klar, das Hervorheben des Charakteristischen ausdrucksvoll — beides muß mit vollem Verständnis geschehen. Da die Ver-

wandlung des sphärischen Vierecks, das einem Spezialkartenblatt entspricht, in ein ebenes
Trapez in 1 : 25000 schon merkliche Verzerrungen verursacht, so wird seit 1901 nur noch
der 16. Teil eines Spezialkartenblatts (von einer halben Längen- und einer Viertelbreiten-
Minute-Abmessung) oder auch Sektionsviertel durch ein ebenes Trapez dargestellt, so daß
sich der Unterschied zwischen der Natur und dem nur „Aufnahmsblatt" genannten ebenen
Trapez (65 qkm) nicht mehr fühlbar macht [1]). Die Bezeichnung dieser „Aufnahmeeinheiten"
ist nun aber eine doppelte, nämlich wie früher, und dann eine einfache Numerierung
von 1—16 innerhalb jedes Gradkartenblatts. Die Blätter einer Zone haben dieselben Abmessungen, die einer Kolonne verändern sie in ähnlicher Weise wie die Spezialkarten-
blätter, so daß der größte Unterschied zwischen den Blättern der nördlichsten und denen
der südlichsten Zone 1629 m oder rund 65 mm in 1 : 25000 für die westöstliche Ausdehnung beträgt. Seit 1900 werden diese Blätter nicht mehr wie früher zu Sektionen
vereinigt, sondern in ihrer ursprünglichen Form aufbewahrt. Die Aufnahme erfolgt auf den auf-
gespannten Blättern mit Benutzung des reduzierten Katasters (1 : 2880, im Okkupationsgebiet
1 : 12500 bzw. 1 : 6250 oder 1 : 3125) mit dem t a c h y m e t r i s c h e Meßverfahren. Das
Pantographieren (Hängepantograph) wird auf dem bereits ausgespannten Papier ausgeführt.
Seit 1901 dienen die neuen Koordinaten der Fixpunkte als Grundlage, jedes Blatt erhält von
der geodätischen Gruppe 15—20 Punkte im Anschluß an das neue Dreiecksnetz der
Landesvermessung, deren Höhen, von den Fixpunkten des Präzisionsnivellements abgeleitet,
auf 0,1—0,5 m richtig bestimmt sind. Bei den Feldarbeiten werden je nach dem Gelände
in der Ebene und im Flachlande 300—600, im Mittel- und Hochgebirge 800—1200, im
sehr detaillierten Hügel- und Bergland 1200—1500, d. h. viermal soviel als in früheren
Aufnahmen, gemessen [2]) und davon mindestens $1/4$ kontrolliert, so daß tatsächlich fünfmal
soviel mehrfach gemessene Punkte vorkommen als früher. In der Regel werden davon
im Flachlande und in der Ebene 150—200, im Mittel- und Hochgebirge 200—250 und im
Hügel- und Berglande 250—300 Höhenkoten eingetragen, zunächst natürlich die Punkte
des Präzisionsnivellements und des trigonometrischen Netzes, dann alle mehrfach kontrollierten Punkte. In den meisten Fällen wird eine Höhenmessung des Mappeurs nicht über
1 m vom Mittelwerte mehrerer Bestimmungen abweichen. Bei der Entfernungsmessung
ersetzt die optische Messung in allen wichtigeren Fällen das Schrittmaß, das Meßband
oder gar das Schätzen. Die vorkommenden Fehler betragen beim optischen Distanzmessen
unter gewöhnlichen Verhältnissen etwa bis 3 m bei 600 m, bis 10 m bei Entfernungen bis
zu 1000 m. Die Reinzeichnung findet viertelsektionsweise auf einer photomechanischen
Wiedergabe der Feldarbeit, der Graphitkopie, statt. Die Feldarbeit enthält das Gerippe
bereits ausgezogen. Auf der Graphitkopie wird mit der Beschreibung begonnen. Nur die
Namen, welche der Bevölkerung geläufig sind, werden beachtet und in gemischtsprachigen
Gegenden auch die von den verschiedenen Nationalitäten gebrauchten. Auch werden geographisch allgemein bekannte Namen aufgenommen, soweit sie in der Spezialkarte erscheinen
sollen. Die Schreibweise wird bei Behörden und der Bevölkerung erfragt und Widersprüche höheren Orts geklärt. Im übrigen gilt für die Auszeichnung des Blatts der
Z e i c h e n s c h l ü s s e l. Feld- und Reinzeichnung werden auf Leinwand aufgespannt, darauf
koloriert und dann dem Archive zur Aufbewahrung übergeben. Von den farbigen Aufnahmeblättern werden für die weitere Verwendung photographische, in Farben ausgeführte
Platinkopien angefertigt und nach Bedarf zu Sektionen zusammengestellt. Um dem Kartographen die Benutzung des Aufnahmeblatts zu erleichtern, werden für jedes Sektionsviertel 1—4 photographische Landschaftsbilder gemacht. Im schwierigen Karst- und Hochgebirgsgelände leistet ein Mappeur jährlich durchschnittlich 1,5 Sektionsviertel = 100 qkm

---

[1]) Ein Mappeur hat jetzt 100—130 qkm, also bis zu 2 solche Aufnahmeblätter jährlich zu leisten.

[2]) Es entfallen also auf 1 qkm (16 qem in 1 : 25000) bzw. 4—9, 12—15 und 15—22 Höhenpunkte.

nach diesem Aufnahmeverfahren. In den Felsen- und Gletscherregionen der Hochgebirge gelangt die Photogrammetrie[1]) zur Anwendung, deren Feldarbeit vor der Mappierung ausgeführt wird, und die nur ausnahmsweise mehr als 3 m unsichere Höhen liefert. Der mittlere Fehler in der Lagebestimmung eines Punktes beträgt etwa ± 7 m. Die Skizzierung der Konstruktionsergebnisse erfolgt am Aufnahmeblatt. Im folgenden Sommer prüft und ergänzt der Topograph diesen Entwurf.

Die Zeichnung der Aufnahmeblätter ist kräftig, gut leserlich und klar. Vervielfältigungen geschehen leider nur auf Bestellung und erfolgen von photolithographisch hergestellten Aluminiumplatten, nachdem vorher die die Aufnahmesektion bildenden 4 Blatt zu einem vereinigt sind. Die vorrätig gehaltenen Druckplatten können nach Bedarf richtiggestellt werden. Von jeder Sektion der Neuaufnahme wird ferner künftig eine Ausgabe mit Hervorhebung der Schichtenlinien und Höhenkoten gefertigt werden.

Um dem Veralten der Karten vorzubeugen und etwaige Mängel derselben durch Vergleiche mit der Natur zu beheben, erfolgt die Kartenrevision. Diese hat zwischen den tatsächlichen Verhältnissen und der Darstellung der Karte zu vermitteln, damit die zeitraubenden und kostspieligen Änderungen in der Kupferplatte auf das tunlich Geringste, namentlich hinsichtlich der Geländezeichnung, beschränkt werden. Bei der Situation und der Schrift müssen aber alle wesentlichen Mängel berichtigt werden. Als Grundlage dieser — im Gegensatz zur Mappierung nicht Vollkommenstes, sondern nur eben noch Brauchbares anstrebenden — Kartenrevision dient gewöhnlich eine auf 1:50000 vergrößerte Braunkopie der Spezialkarte 1:75000, die in Größe eines Viertelblatts dieser Karte dem Mappeur zur Vergleichung mit der Natur übergeben wird. Die Stellen, wo so bedeutende Veränderungen vorgefunden werden, daß der Gebrauch der Karte beeinflußt wird, deckt er mit Kobaltblau und bewirkt die Neuzeichnung mit Tusche. Das Verstärken besonders markanter Geländeteile erfolgt in Zinnober. Diese Feldarbeit wird dann auf 1:75000 verkleinert, das blau Gedeckte bleibt weiß, die Neuzeichnung erscheint schwarz. Nach dieser Photographie und schriftlichen Notizen, Profilen &c. berichtigt der Kupferstecher die Platten. Ein Mappeur kann jährlich 12—14 Sektionsviertel, also fast ein Spezialkartenblatt von 1000 qkm, revidieren.

Was nun die neue Spezialkarte anlangt, so wird ihr Inhalt wesentlich entlastet hinsichtlich der Beschreibung, denn die Schrift verdeckt die Zeichnung, das Wichtigste einer Karte. Daher werden jetzt höchstens 1000 Ortsnamen auf 1 Blatt (1000 qkm) kommen (gegen früher bis 1215) und überflüssige Signaturen und Gemeindegrenzen fortgelassen werden. Dafür wird die Zahl der gemessenen Höhenpunkte 4- bis 5mal so groß als früher sein, und zwar 9600 im Flachlande, 24000 im Berglande, 19200 im Mittel- und Hochgebirge betragen bei einem Fehler von höchstens ± 0,5 m. Die Gebirgsdarstellung wird großzügiger, plastischer, der Zusammenhang der Erhebungen kommt besser zum Ausdruck, Kamm- und Tallinien heben sich sofort klar hervor. Für die Zeichnung der Karte werden die Originalaufnahmen photographisch in 1:75000 verkleinert. Dann werden für die Gerippzeichnung Entwurfsblätter in kartenmäßiger Vereinfachung hergestellt und diese durch Pausen auf das Zeichenpapier übertragen, auf dem vorher der Rahmen konstruiert war. Die Reinzeichnung geschieht in tiefschwarzer Tusche und beginnt mit der Beschreibung, der die Situation, aber ohne Zeichnung des Anbaues, sich anschließt. Darauf wird zunächst eine heliographische Kopie genommen, die aufbewahrt bleibt, worauf dann das Original durch Eintragung der 100 m-Niveaulinien vervollständigt wird. Dann wird eine photolithographische Druckplatte hergestellt, so daß also von jedem nach 1895 erschienenen Blatt der Spezialkarte Schrift- und Gerippausgaben mit und ohne Höhenkurven vorhanden sind. Nun wird ein Entwurf des Geländes in Bleischummerung auf einer hellen

---

[1]) 1895/96 zuerst in der Hohen Tatra, seit 1896 im Küstenlande erprobt. Leider durch Witterungseinflüsse beeinträchtigt!

Photographie der Originalsektion 1:75000 gefertigt, in dem der allgemeine Charakter, die Hauptformen erkennbar sein müssen. Erst dann beginnt nach dieser Vorlage die kräftig modellierte Schraffur der Originalzeichnung, und von dem fertigen Blatte wird dann eine heliographische Druckplatte hergestellt. Diese muß dann sorgfältig retusohiert und namentlich in den zarten Bergstrichen ergänzt und ausgebessert werden, was besonders für farbigen Druck wichtig ist. Dann besorgt der Kupferstecher die Gravüre der feinen Zeichen für Weingärten, Wasser, Wald &c. Um jederzeit tadellose Tiefplatten, die bekanntlich kostspieliger als Flach- und Hochdruckplatten sind und die schönsten Bilder liefern, zu erhalten, wird von jeder neuen heliographischen Platte vor ihrer Druckbenutzung eine galvanische Hochplatte abgeformt, von der auf gleichem Wege erstgenannte entnommen werden. (Bezüglich der Auslandsblätter siehe vorige Epoche S. 39.) In der Regel erscheint die Spezialkarte ohne Farbenaufdruck, nur für Garnison- und Manöverkarten sowie touristische Zwecke &c. geschieht oft ein Farbenaufdruck des Waldes bzw. auch anderer Kulturen, Straßen und Flüsse.

Die Generalkarte 1:300000 wird nicht mehr evident gehalten. Die General-karte 1:200000 erfuhr die schon erwähnte bedeutende Erweiterung in südöstlicher Richtung, wobei das Gelände durch Schummerung und 100m-Schichtenlinien, die Felszeichnung in Strichen dargestellt wird.

Das jüngste Erzeugnis des Instituts ist die noch unter v. Steeb vorbereitete, aber in ihren ersten Blättern erst 1902 unter seinem Nachfolger Oberst Frank (seit 1901) er-schienene „Übersichtskarte von Europa 1:750000" in Gradkartenprojektion nach Albers. Die Blatteinteilung geschieht nach den Grundsätzen der Spezial- und General-karte, so daß ein Blatt der neuen Karte 96 Blatt der 1:75000 und 12 Blatt der Karte 1:200000 umfaßt. Die nördliche und südliche Begrenzung der Blätter sind Kreisbogen, die Zeichnung wird jedoch nach allen Seiten über die Blattgrenzen fortgesetzt und rechteckig abgeschlossen. Die Blätter greifen daher übereinander, wodurch ihre Vereinigung zu größeren Übersichten wesentlich erleichtert wird. Es werden zwei Ausgaben erscheinen: entweder als hypsometrische mit farbigen Schichtentönen oder als Geländekarte mit Schummerung, 500metrigen Höhenkurven und grünem Waldauf-druck. Bei der Isohypsenausgabe sind die Höhenschichten von 0—150 m weiß, von da aufwärts in Höhen von 300, 500, 700, 1000, 1300, 1600, 1900, 2300 und 2600 m in immer dunkler werdenden braunen Tönen dargestellt, während die Talsohlen unter 150 m lichtgrün, über 150 m dunkelgrün wiedergegeben werden. Zahlreiche Höhenangaben. Die Gewässer und ihre Schrift sind blau, die Fahrstraßen rot, das übrige Straßennetz, einschließlich der stärker ausgezogenen Eisenbahnen, schwarz gezeichnet. Das Meer ist blau horizontal schraffiert, an der Küste bis zu 10 m enger. Der Gesamteindruck der Karte ist sowohl hinsichtlich des Bodenreliefs wie der Farbenwahl ein guter. Wer aber mehr Einzelheiten im Gelände sucht, muß zur geschummerten Ausgabe greifen. 10 Blatt der neuen Karte entfallen auf die Balkanhalbinsel. Der Entwurf und die Reinzeichnung wird in 1:600000 ausgeführt, und zwar durch Auszeichnen des Gerippes in Schwarz, mit Ausnahme der in Rot und Braun dargestellten Straßen und Flüsse. Die Bergnamen werden geschrieben, alle übrige Schrift in Buchdruck auf dünnem Papier an der betreffenden Stelle aufgeklebt. Von der fertigen Zeichnung wird eine in 1:750000 verkleinerte helio-graphische Platte erzeugt, von der ein Abdruck als Pause für die Gravüre des Rot- und Blausteins dient. Zum Druck der schwarzen Situation wird eine zweite Platte ohne Straßen- und Wasserlinien benutzt. Es wird nur von Umdrucksteinen gedruckt. Die Druck-formen für die Schummerung werden auf photolithographischem Wege gefertigt. Außer dem Schichtenstein werden für die hypsometrische Karte noch durch Kombination von Raster- und Volltönen drei Drucksteine mit neun Tonabstufungen vom hellsten bis zum dunkelsten Braun erzeugt.

Da das Institut außer den für die Armee zu liefernden Karten auch noch für andere staatliche Zwecke, öffentliche Schulen, industrielle Unternehmungen und, soweit es dienstlich möglich, für Privatpersonen arbeitet, und zwar des In- wie des Auslandes, so veröffentlicht es noch zahlreiche Karten anderer Natur, wie kleine Übersichtskarten der Monarchie, des nahen Orients, Hand-, Schul- und Wandkarten einzelner Kronländer, Umgebungskarten in Farben, Kriegspielpläne, kriegsgeschichtliche Karten, Zeichenschlüssel und andere Studienwerke, die aufzuführen hier zuweit führen würde.

Alle Ergänzungen und Veränderungen werden auf „Evidenzexemplaren" sogleich nach ihrem Bekanntwerden im Institut ausgeführt und vor dem Druck einer neuen Auflage auf den Platten und Steinen, so daß nur auf dem laufenden befindliche Kartenblätter, die das Datum der letzten Nachträge tragen, zur Ausgabe gelangen, eine höchst lobenswerte Einrichtung.

Die Vervielfältigungsverfahren charakterisieren sich seit über 50 Jahren durch weitgehende Benutzung der photomechanischen, welche die fast ausschließlich auf Papier gezeichneten Originale wiedergeben. Für alle bleibenden, kurrent zu haltenden Kartenwerke wird die Heliogravüre, für Kartenblätter mehr vorläufigen Charakters die Photolithographie auf Stein, Zink und Aluminium angewendet, ebenso für alle Reproduktionen von Geländeschummerung die manuellen Verfahren auf Metall und Stein — Kupferstich und Lithographie werden hauptsächlich für ergänzende Arbeiten, Retusche und Evidenthaltung der Druckplatten &c. angewendet, neuerdings aber soll der künstlerische Kupferstich auch wieder für neue Kartenwerke zu Ehren kommen.

Der Kartendruck geschieht durch lithographische Hand- und Schnellpressen für Schwarz- und Farbendruck, und zwar gegenwärtig meist von Aluminiumplatten, die schärfere und widerstandsfähigere Umdrucke ergeben, unzerbrechlich sind, leichter zu handhaben und raumsparender als Steine. Für Militärkarten kommt gewöhnlich Hanfpapier in Anwendung, das in bezug auf Reißlänge und Widerstand beim Zerknittern zu den besten gehört. Leider trocknet auf ihm die Druckfarbe nur langsam, so daß sie sich auf Neudrucken leicht verwischt, zumal mit stoffreicher, fester Farbe und hoher Spannung gedruckt wird, um recht ausdrucksvolle Bilder zu erhalten. Neuerdings wird ein Trockenpulver zur Abstellung des Verwischens angewendet. Bei Seekarten, Revisionsexemplaren kommt ausschließlich der Kupferdruck in Anwendung. Auch werden von der Spezialkarte auf Wunsch Drucke auf Originaljapanpapier gefertigt. Für sonstige Karten ist die Regel das trocken geleimte weiße Lithographiepapier. Jährlich werden etwa 1 Million Kartenblätter gedruckt.

Der Vertrieb der Karten geschieht auf Grund eines Preisverzeichnisses durch die Hofbuchhandlungen von R. Lechner in Wien und Karl Grill in Budapest. Das Archiv umfaßt in der Kartenabteilung etwa 3200 Nummern mit 75000 Blatt, in der Bibliothek 2800 Nummern mit 12000 Bänden.

Neuerdings werden noch von Feldmarschall-Leutnant v. Steeb angeregte Versuche mit Herstellung einer in Kupferstich auszuführenden Kriegskarte 1 : 150000 (als Ersatz der Spezialkarte 1 : 75000) gemacht. Ferner hat die geodätische Gruppe die Ausgleichung des Dreiecksnetzes für die Gradmessung vollendet und in Tirol, das 1881—84 nur sehr mangelhaft trianguliert worden ist, ein neues Netz 1. O. von etwa 20000 qkm Umfang gelegt und an Italien angeschlossen, wobei Hauptmann J. Gregor fast einzig dastehende Arbeitsleistungen aufzuweisen hatte. In Krain und im Küstenlande wird eine Triangulation 2. O. ausgeführt, ebenso in Bosnien und im Spezialblatt Toblach sowie Cortina d'Ampezzo zur Verdichtung des bereits vorhandenen Netzes sowie für die photogrammetrische Aufnahme eine Triangulierung 3. O. ausgeführt, die sich dann — für Mappierungszwecke — auch auf andere Spezialblätter ausdehnen wird. Die topographische

Aufnahme findet jetzt in Krain und Kärnthen statt. Die Kartenrevision erstreckt sich auf Ungarn und Galizien.

Von anderen Behörden sei vor allem die k. u. k. Geologische Reichsanstalt genannt, welche in zwanglosen Lieferungen bei R. Lechner in Wien eine „Geologische Karte der im Reichsrat vertretenen Königreiche und Länder der österreichisch-ungarischen Monarchie, auf Grund der Spezialkarte des k. k. Militärgeographischen Instituts neu bearbeitet und als Kartenwerk von 341 Blattnummern" mit Erläuterungen seit 1898 als „Jubiläums-ausgabe" erscheinen läßt. Es ist ein Farbendruck, der 1. Lieferung liegt ein Titelblatt in Heliogravüre, ein Orientierungsplan und zwei farbige Blatt Erklärungen bei. Die Karte enthält 108 verschiedene Ausscheidungen im Farbenschema und außerdem petrographische Unterscheidungen mit Hilfe von Einzeichnungen. Die Farbenwahl ist eine sehr glückliche. Die Erläuterungen, in besonders gefällig ausgestatteten Heften, sind von v. Tausch, E. Tietze, Teller, Paul, J. Dreger u. a. Später sollen noch in 1 : 25000 aufgenommene Profile hinzukommen. Auf Grund der Aufnahmen der Reichsanstalt hat Fr. Ritter v. Hauer seine bei Hölder verlegte, inzwischen in 5. Aufl. (Wien 1896) von E. Tietze neubearbeitete „Kleine geologische Karte von Österreich-Ungarn mit Bosnien und der Herzegowina" in 1 : 2016000 als Farbendruck erscheinen lassen. Auch die Ungarische Reichsanstalt hat eine „Geologische Karte von Ungarn" in 1 : 1 Mill. veröffent-licht (1896).

Die k. Ungarische Staatsdruckerei hat einen „A Magyar Állam közigoz gatázi térképe. A magyar. kir. állam nyomda kiadása 1 : 360000, 1900" zu Budapest bei L. Toldi auf 12 zusammensetzbaren Blättern von je 67 : 57 cm veröffentlicht. Es ist eine Verwaltungskarte, die in übersichtlicher Weise das Gebiet der Stephanskrone mit seinen Komitats- und Bezirksgrenzen sowie den Grenzen der selbständig verwalteten Städte in Karminrot, der Gemeinden in schwarzer Punktierung enthält, leider aber nur wenig über die Landesgrenze hinausreicht. Das Gelände ist in grauer Schummerung ziemlich aus-druckslos wiedergegeben, die Schrift ist nicht sehr lesbar, besonders die Ortsnamen sind undeutlich (Kursiv). Die Eisenbahnen sind schwarz, die Wege — in 3 Klassen — braun, die Gewässer blau dargestellt. 3 Nebenkärtchen geben Übersichten über die politische Einteilung des Landes, seine Verwaltungs- und Gerichtssitze und Steuerämter.

Von Arbeiten der Privatkartographie seien angeführt: Julius Albach: „Spezial-karte für Südwest-Österreich 1 : 200000" mit Signaturen der amtlichen Spezialkarte im allgemeinen. Das Bodenrelief ist in Schichten (Höhenstufen durch 500, 100 und 50 m teilbar), mit brauner Schummerung und zahlreichen Höhenzahlen wiedergegeben. J. Schlacher: „Neue Generalkarte von Mitteleuropa 1 : 1200000", ein Farbendruck, das Gelände braun geschummert, viele Höhenangaben. G. Freytag u. Berndt in Wien haben eine „Reisekarte von Dalmatien, Bosnien und der Herzegowina 1 : 900000" in Licht-druck erscheinen lassen, welche die Küstenlinien und Flußläufe blau, die Bahnen rot und das Gelände künstlerisch schön in schräger Beleuchtung und plastisch, wie eine Mond-photographie wirkend, darstellt. Derselbe sehr verdiente Verlag hat 1899 eine „Neue Verkehrskarte von Österreich-Ungarn und der Balkanhalbinsel 1 : 1500000" in 67 : 89 cm Blattgröße als Farbendruck herausgegeben, dann zahlreiche Radfahrerkarten 1 : 300000 in großer und kleiner Ausgabe (Blattgröße 53 : 66,5 bzw. 20,5 : 25 cm) und als Farbendruck. Weiter Touristenkarten, so vom Semmering 1 : 25000 in Schichten von 10 m, die markierten Wege in natürlichen Farben &c. Der altbekannte Verlag Artaria hat ebenfalls Touristen-karten, so von den österreichischen Alpen 1 : 130000, mit Distanzen und Tourentabellen sowie Text versehen, die stets kurrent gehalten und mit den neuesten Angaben über Schutz-hütten, Stationen &c. versehen werden, herausgegeben. Auch ist seine „Eisenbahn- und Post-Kommunikationskarte von Österreich-Ungarn 1 : 1700000", mit Spezialkärtchen, ein Farben-druck (62 : 96 cm), die schon in 4. Auflage erschienen ist, bemerkenswert; zu ihr gehört ein nach offiziellen Quellen zusammengestelltes Eisenbahnstationsverzeichnis. In diesem Verlage erscheinen auch General- und Spezialkarten der österreichischen und ungarischen Länder, so die von K. Peucker revidierten A. Steinhauserschen Karten der Markgrafschaft Mähren und des Herzogtums Schlesien 1:432000 und die Spezialkarte des Erzherzogtums ob der Enns und des Herzogtums Salzburg 1:430000, beide Ausgaben in Farbendruck von 1899. Ebenda veröffentlichte K. Peucker 1903 auch seine „Karte von Makedonien, Alt-Serbien und Albanien" 1:864000, die auch ganz Montenegro, Teile von Südserbien, Bulgarien, Ostrumelien und Nordgriechenland umfaßt und eine Neubearbeitung der Scheda-Steinhauserschen Karte ist. Das Gelände ist in leichter brauner Schummerung mit zahlreichen Höhenangaben dargestellt, der Karteninhalt fast zu reich. Im Verlage von Karl Prochaska zu Teschen, der schon manches praktische Werk hat erscheinen lassen, ist u. a. die „Neue Eisenbahnkarte von Österreich-Ungarn 1:1500000, mit 2 Nebenkarten: „Nordböhmen und die Bahnen Osteuropas", ein Farbendruck (73,5 : 106,5 cm), herausgegeben, die seit 1870 jährlich, oft in mehreren Auflagen, veröffentlicht wird. Sehr rührig ist auch der A. Hartlebensche Verlag in Wien, in dem neuerdings (1899) z. B. Joh. Petkovšeks „Geologische Übersichtskarte von Niederösterreich, auf Grundlage der Ritter v. Hauerschen Karte gezeichnet" 1:375000 (53 : 57,5 cm), Farbendruck, herausgegeben wurde. Bei R. Lechner werden nicht nur die amtlichen Karten des Instituts &c. vertrieben, sondern auch zahlreiche anderer Autoren, Privater wie Gesellschaften, so des österreichischen Touring-Club, der seine Touren-(Vereins-)Karte für Radfahrer 1:300000 dort erscheinen läßt, der Alpinen Gesellschaft, die dort Distanz- und Wegmarkierungskarten herausgibt &c. Recht bemerkenswert sind auch die vom Deutschen und österreichischen Alpenverein bei J. Lindauer in München verlegten Kartenwerke in 1:25000 und 1:50000, denen die amtlichen Originalaufnahmen zugrunde liegen. Eine hübsche und sehr billige Karte ist auch Hugo Petters „Karte der Alpen vom Bodensee bis Wien und von München bis Verona 1:850000", zu Innsbruck 1899 bei A. Edlinger erschienen und in Lithographie und Farbendruck ausgeführt. In Budapest bei Eggenberger ist eine „Administrativ- und Verkehrskarte von Ungarn 1:900000" (ungarisch) 1899 veröffentlicht worden, in Prag J. E. Wagners tschechisch abgefaßte „Eisenbahn- und Straßenkarte des Königreichs Böhmen, mit Angabe aller Städte, Städtchen und Industrieorte 1:525000" (55 : 70 cm), ein Farbendruck mit 24 Seiten Text. Albrecht Penck und Ed. Richter haben einen „Atlas der österreichischen Alpenseen" in Lieferungen, mit Unterstützung des österr. Kultusministeriums herausgeben. Endlich E. Letoschek und V. v. Haardt: „Österreichisch-Ungarische Monarchie" in 4 Teilen, 6farbige Karten, Wien 1897, E. Hölzel; Chavanne: „Physikalisch-statistischer Handatlas der Österreichisch-Ungarischen Monarchie" in 35 Blatt mit 19 Karten 1:500000 und 16 in 1:150000, Wien 1885; A. Scobel „Andrees neuer allgemeiner und österreichisch-ungarischer Handatlas", 126 Haupt- und 131 Nebenkarten auf 189 Kartenseiten nebst alphabetischem Namensverzeichnis. Ein neuer Atlas über alle Länder der Erde mit besonderer Berücksichtigung von Österreich-Ungarn. Verlag Moriz Perles. Wien I, 1903.

Unter den ausländischen Arbeiten ragen die deutschen hervor. So z. B. E. v. Sydows und H. Habenichts Methodischer Wandatlas: Orohydrographische Schulwandkarte Nr. 9: Österreich-Ungarn 1:750000 in 12 Blatt (49 : 55,5), ein bei Perthes in Gotha erschienener Farbendruck. Dann der vorzügliche Stielersche Handatlas desselben Verlags und die österreichische Ausgabe seines bewährten „Taschen-Atlas". Ferner die Karte 1:2750000 (mit Nebenkarte von Wien 1:250000) im Atlas von H. Wagner-E. Debes (2. Aufl. 1899) &c.

Von neueren französischen seien R. Hausermanns „Carte de l'Autriche" 1:300000 und „Carte de l'empire austro-hongrois" 1:500000, beide im „Atlas universel" bei Fayard Frères 1897 erschienen, genannt neben den schönen Arbeiten in den großen Atlanten von **Vivien de St. Martin, Schrader, Vidal-Lablache** &c.

An literarischen Arbeiten seien zunächst einige offizielle hervorgehoben: K. u. K. Reichskriegs-ministerium: „Mitteilungen des k. k. Militärgeographischen Instituts", 1881—1902; Triangulierungs-Kalkul.-Abteilung: „Die astronomisch-geodätischen Arbeiten des k. u. k. Militärgeographischen Instituts", Bd. 1—4; k. u. k. Militärgeographisches Institut: „Die astronomisch-geodätischen Arbeiten", Bd. 5—9 (Beobachtungen des Dreiecksnetzes in Böhmen, Astronomische Arbeiten, Präzisionsnivellements, Trigonometrische Arbeiten); Dasselbe: „Die Ergebnisse der Triangulation", 1. Bd., Wien 1902; Dasselbe: „Instruktion für die militärische Landesaufnahme", Teil I, 1899, Teil II, 2. Aufl. 1903; Österreichische Gradmessungs-kommission: „Verhandlungen der Kommission, Sitzungsprotokolle", Wien 1889—99; k. k. Gradmessungs-bureau: „Astronomische Arbeiten des Bureaus", Wien 1889—1903; Private, aber auf offizielle Quellen ge-stützte Arbeiten: Dr. Wilh. Tinter: „Astronomische Arbeiten der österreichischen Gradmessungskommission", Wien 1891—95; Netuschill: „Die astronomischen Gradmessungsarbeiten des k. u. k. Militärgeographischen Instituts", 1890 u. 91; v. Sterneck: „Bestimmung des Einflusses lokaler Massenattraktionen auf die Resultate astronomischer Ortsbestimmungen", 1889; Derselbe: „Die Polhöhe und ihre Schwankungen, beobachtet auf der Sternwarte des k. u. k. Militärgeographischen Instituts zu Wien", 1894; Derselbe: „Das neue Dreiecksnetz 1. O. der Ö.-U. Monarchie", 1900; Derselbe: „Trigonometrische Bestimmung der Lage und Höhe einiger Punkte der kgl. Hauptstadt Prag", 1888; Derselbe: „Einfluß der Schwerestörungen auf die Ergebnisse des Nivellements", 1889 und 90; Derselbe: „Der neue Pendelapparat des k. u. k. Milit.-geogr. Instituts", 1888; Derselbe: „Bestimmung der Intensität der Schwerkraft in Böhmen", 1889; Derselbe: „Die Schwerkraft in den Alpen und Bestimmung ihres Werts für Wien", 1892; Hartl: „Die Landesvermessung in Griechenland", 1891, 92, 93; Derselbe: „Studien über flächentreue Kegelprojektionen", 1896; v. Rummer: „Die Photogrammetrie im Dienste der Militärmappierung", 1897; Derselbe: „Die Höhenmessungen bei der Militärmappierung", 1898; v. Steeb: „Die neueren Arbeiten der Mappierungsgruppe", 1889; Derselbe: „Die Ausgleichung mehrfach gemessener Höhen bei der Militärmappierung", 1890; Derselbe: „Die geographischen Namen in den Militärkarten", 1898; Der-selbe: „Die Kriegskarten", 1901; v. Hübl: „Das photogrammetrische Höhenmessen", 1899; Derselbe: „Die photogrammetrische Terrainaufnahme", 1900; Derselbe: „Beiträge zur Technik der Kartenerzeugung", 1898—1901; v. Haardt: „Begleitworte zu den Blättern der Generalkarte 1:200000, welche die Balkanhalbinsel betreffen", 1898; Derselbe: „Die militärisch wichtigsten Kartenwerke der europäischen Staaten", 1899; Derselbe: „Notizen über die Organisation der militärtopographischen Arbeiten in den europäischen Staaten", 1900; Der-selbe: „Die Kartographie der Balkanhalbinsel im XIX. Jahrhundert", 1903; Piehler: „Die Tätigkeit der Photo-graphie-Abteilung des k. u. k. Milit.-geogr. Instituts", 1891; Hödlmoser: „Über Terrraindarstellung in Karten", 1898; Derselbe: „Die Verwertung der Kartenwerke des k. u. k. Militärgeographischen Instituts für nicht mili-tärische Zwecke", 1890; Burian: „Kombinierter Umdruck einer Farbenkarte", 1901. An anderen Arbeiten privater Natur: C. O. Carusso: „Notice sur les cartes topographiques de l'état-major général d'Autriche-Hongrie", Genève 1887; Ed. Doležal: „Die Anwendung der Photographie in der praktischen Meßkunst", Halle 1896; Heinrich Steiner: „Lehrbuch der Photogrammetrie", Prag 1901.

II. Schweiz.

Die kleine Schweiz, dieser Felsen in der europäischen Brandung, steht heute mit an der Spitze der europäischen Kartographie. Wie in den verschiedensten Richtungen hat sie sich auch auf diesem Gebiet durchaus eigenartig entwickelt und eine Reihe selbständiger Schöpfungen von hoher Bedeutung zu verzeichnen. Es entspricht dies den in der Natur ihres Landes und Volkes liegenden, vielfach von denen des übrigen Europas abweichenden Verhältnissen. In der Schweiz haben weder die politischen und wirtschaftlichen Zustände noch gar kriegerische Ereignisse zur Kartenherstellung geführt. Die Bevölkerung war Eigentümerin des Bodens, sei es als alte Allmende (Markgenossenschaft), sei es als Einzelgrund-besitzer, nicht aber der Staat. Daher war eine Vermessung von Grund und Boden nicht so dringlich, und infolgedessen fehlen noch heute Katasteraufnahmen. In den früheren Zeiten fehlte das Bedürfnis nach einer Karte wegen des jahrhundertelangen Sonderlebens der einzelnen Gebiete, und nach Zusammenschluß der Kantone zur Eidgenossenschaft war der Staat als solcher kein kriegführender, sondern ein neutraler, so daß der in anderen Ländern, besonders den umgebenden Großstaaten, stets mächtige Antrieb zur Herstellung eines der Landesverteidigung dienenden Erdgemäldes des ganzen Reiches hier fortfiel. So hat sich das Kartenwesen nur ganz allmählich und wesentlich im Frieden entwickelt. Allgemein bürgerliche Interessen wie wissenschaftliche Regungen führten erst zur Ver-messung. Gefördert wurden diese Bestrebungen freilich auch unbedingt durch die er-wachende Reiselust. Als die Schweiz ein begehrtes Reiseziel wurde, als Konrad Geßner

in begeisterter Sprache die Wunder der Alpenwelt pries und an Jacobus Avienus schrieb:
„Sapientiae studiosi pergent, terrestris hujus paradisi spectacula corporeis animique oculis
contemplari", da brach sich immer mehr die Erkenntnis Bahn, daß der erste Zweck des
Reisens, die Erwerbung einer guten Orts- und Landeskunde, wenn nicht bedingt, so doch
mächtig gefördert wird durch das Dasein und den Gebrauch einer guten Karte. Und auch
dann blieb die Kartenarbeit zunächst ausschließlich in den Händen von Privaten und später
der einzelnen Kantone, erst das 19. Jahrhundert mußte herankommen, ehe eine erste
offizielle topographische Karte des ganzen Landes geschaffen wurde. Aber auch hier ging
die Anregung zur staatlichen Vermessung durch den Bund von Gelehrten und Natur-
forschern, vor allem Geologen, aus. Wurde dann auch die Karte von der Militärbehörde
geschaffen, so wirkten doch auf sie die Bedürfnisse des Friedens vor allem ein, wo der
Bürger lebt, kann auch der Krieger kämpfen. Militärs wie Zivilingenieure arbeiteten gemeinschaftlich an dem Werk, ja die Vermessung selbst hat mehr bürgerlichen Charakter
und wird durch Ziviltopographen ausgeführt, wenn sie auch teilweise militärischen Rang
und Stellung haben. Reine, mathematisch und naturwissenschaftlich ausgebildete Fachleute
auf dem Vermessungsgebiet, die in steter Fühlung mit allen Fortschritten ihrer Kunst
sind und eine freie, gesunde Entwickelung herbeiführen können, nicht vorübergehend tätige
Offiziere schaffen das schwierige, monumentale Werk einer Landeskarte moderner Art.
Wenig Länder bieten aber auch einen größeren Anreiz zur kartographischen Darstellung
als die Schweiz mit ihrer großartigen Alpenwelt, der Vielseitigkeit ihrer stets eigenartigen
Natur und ihren kühnen Eisenbahn- und Ingenieurbauten. Hier mußten wundervolle
Panoramen, Reliefs und die neue Reliefkartenmanier entstehen, hier die malerisch wirkende
schräge Beleuchtung zur höchsten Vollendung gebracht werden. Die hohe Entwickelung
der Volksschule führte ferner zur Einführung der Kurvenkarte bereits in den Schulen,
so daß schon das Kind im Plan- und Kartenlesen geübt wird, was dann dem Bürger und
schließlich, da beide Begriffe sich hier vermischen, dem Soldaten zugute kommt. Die
Schweiz besitzt aber auch längst gute Heimatkarten, die die Liebe zur und das Verständnis der eigenen Scholle, kurz das Nationalbewußtsein und das Interesse für die Landeskunde mächtig fördern und schlechte Machwerke nicht aufkommen lassen. So regt das
kleine Land wie ein Sauerteig die übrigen Kulturstaaten zu vielseitigen Fortschritten
an und gibt ihnen reichlich zurück, was es von ihnen, z. B. auf dem Gebiete der Gradmessung und der höheren Geodäsie, empfangen hat. Auch auf kartographischem Gebiet
kann man sagen: Gäbe es keine Schweiz, so müßte man sie schaffen!

Betrachten wir nun die einzelnen Entwickelungsperioden von der ältesten Zeit bis
zu unseren Tagen!

I. In der römisch-helvetischen Periode (bis 407 n. Chr.) geschah 58 v. Chr.
die Unterwerfung des Landes durch Cäsar, die zugleich die Einführung römischer Sitten
und Kultur zur Folge hatte. Teils Historiker, teils Geographen, ja auch Dichter[1]) berichten
uns über Helvetien. Neben Cicero sind es vor allem Cäsar, Tacitus, Livius, Vellejus, Paterculus, Sueton, Diodorus Siculus (unter Augustus) und die Geographen Strabo („Γεωγραφικά",
1. Jahrhundert n. Chr.), Plinius der Ältere („Historia naturalis" 23—79), Pomponius
Mela („De chorographia", 1. Jahrhundert n. Chr.), welche über die Landeskunde berichten.
In die nächste Epoche (68—282 n. Chr.), die vom Ende des julischen Kaiserreiches
bis zum Ausgang des Kaisers Probus (3. Jahrhundert), des letzten Herrschers, der die
Germanen am Rhein nachdrücklich bekämpft hat, reicht, fällt die Blüte römischer Kultur
in der Schweiz. Die Reichsgrenze lag ja damals weit nördlich von ihr. In dieser Zeit
schrieb der Geograph Claudius Ptolemäus um 130 seine auch die Schweiz berücksichtigende „Γεωγραφική ὑφήγησις", dann ist das „Itinerar Antonini" (in jetziger Fassung

---

[1]) Unter ihnen Horaz, Virgil, Tibull, Lucan, Martial, Silius Italicus.

W. Stavenhagen, Kartenwesen des außerdeutschen Europa.

seit 364) sowie die „Tabula Peutingeriana", eine um 230 in Rom entstandene Landtafel, von der uns heute nur eine Nachbildung aus dem Jahre 1265 erhalten ist,
als auch auf unser Land sich erstreckend, erwähnenswert[1]).   In der letzten Epoche
(284—407) wird die Schweiz der Schauplatz germanischer Einfälle und 407 im Norden
durch die Alemannen, 443 durch von Aëtius im Westen angesiedelte Burgunder besetzt.
Aus dieser Zeit, eigentlich über sie schon etwas hinausreichend den Jahren nach (411—413),
ist der geographisch und kartographisch interessierende offizielle Staatskalender zu erwähnen: „Notitia dignatum et administrationum omnium tam civilium quam militarium, in
partibus orientis et occidentis"[2]).

    Die II. Periode reicht von der Einwanderung germanischer Stämme
bis zur Entstehung der Eidgenossenschaft (407 bzw. 450—1273). In diesem
fast 1000jährigen Zeitraum hat die Schweiz einen Teil der großen Staaten gebildet, die
an Stelle des Römischen Reiches traten, ehe die Eidgenossenschaft als selbständiger Staats-
körper entstand.   Alle Werke der Wissenschaft und Kunst bilden daher nur Glieder der
diesen Reichen angehörenden Arbeiten.   Eine selbständige Kartographie ist daher auch
nicht vorhanden.   Man muß die Darstellungen der Merowingerzeit (450—687, Schlacht
von Terty), der Karolingerepoche (687—911) und der deutschen Kaiserzeit (911—1273)
verfolgen, was an anderer Stelle geschehen wird[3]).   In dieser mittelalterlichen Zeit nahm
ja die Länderkunde einen bedeutenden, wenn euch noch nicht einmal die drei Erdteile der
Alten Welt ganz umfassenden Umfang an, und nach der Schweiz ziehende. Glaubensboten
und Missionare waren nicht zuletzt Träger neuer Entdeckungen.   So kam aus Britannien
Fridolin 610 nach dem Bodensee, sein Schüler Gallus 613 nach der Schweiz (St. Gallen),
kurz auch hier war die Ausbreitung des Christentums die Ursache neuer Kenntnis Helvetiens.   Dagegen wurde die eigentlich wissenschaftliche Erforschung des Landes wie
überall wenig gefördert, der Einfluß der Alten, nur entstellt und gefälscht durch biblische
Vorstellungen, blieb herrschend.   Die mittelalterlichen Radkarten gaben natürlich auch, freilich oft seltsame Darstellungen Helvetiens, und irgendeinen Einfluß auf die Seekartographie
konnte naturgemäß die vom Meere abgeschnittene Schweiz nicht ausüben.   Jahrhunderte
führte sie in ihrer durch Naturhindernisse vergrößerten Abgeschlossenheit ein Sonder-
leben.

    III. Die nächste, das 13. und 14. Jahrhundert umfassende Periode
(1273—1400), in der die Eidgenossenschaft entsteht und sich ausbildet, konnte auch keinen
Wandel bringen.   Man empfand gar nicht das Bedürfnis nach einer Karte, zumal sich
Messungen wie der Darstellung ja auch kaum überwindliche Schwierigkeiten in den Weg
gelegt hätten, wie sie das unzugängliche, noch soeben betrachtete Hochgebirge, die Unkenntnis der Meßkunst in den nie betretenen fremden Ländern, das Fehlen eigener Malerschulen &c. hinlänglich erklären.   Jedes Gebiet des Landes lebte eben für sich, alles löste
sich in örtliche Interessen auf, und auch in der geschichtlichen Literatur kam man über
die Stadtchroniken kaum hinaus.   Der Freiheitskampf gegen das Haus Habsburg nahm
überdies alle Zeit und Kraft in Anspruch.

    So erkennen wir, daß in der älteren Zeit von einer heimatlichen Schweizer
Kartographie nicht die Rede sein kann; eine alte und mittlere Periode, die sich z. B.
in dem benachbarten Kulturlande Italien so klar unterscheiden läßt, fällt ganz aus.   Was
bis dahin über Helvetien bekannt geworden, ist fremden Kartographen und Geographen

---

[1]) Auf diese Epoche bezieht sich die „Archäologische Karte der Ostschweiz" von Dr. Ferdinand Keller,
1874.

    [2]) Wohl das Beste über diese Periode geben Mommsen: „Die Schweiz in römischer Zeit" (Band IX
der Antiquarischen Gesellschaft, 1856) und Th. Burckhardt-Biedermann: „Helvetien unter den Römern",
1887.

    [3]) Da der Osten der Schweiz schon seit 843 zu Deutschland gehörte, der Westen seit Konrad II. im Jahre
1032 (nach dem Tode des letzten Königs von Burgund) in Personalunion mit dem Deutschen Reiche verbunden
wurde, so wird es vorzugsweise die deutsche Kartographie sein, die hier in Betracht käme.

zu verdanken. Das sollte sich in dem nun folgenden Zeitalter der Entdeckungen, wenn auch ebenfalls nur allmählich, ändern.

IV. Das 15. Jahrhundert (1400—1520), das Heldenzeitalter und die Glanzepoche der Schweizer Eidgenossenschaft, die Periode zwischen der Wiedererweckung des Ptolemäus und der Reform des Mercator, blieb nicht ohne Einfluß wie auf die Wissenschaft überhaupt, so auch auf die Kartographie der Schweiz. Wir finden zunächst den ersten Versuch einer topographischen Erdbeschreibung der Schweiz, die Albrecht v. Bonstetten in bewußter Anlehnung an die Schilderung Basels macht, die Äneas Sylvius 1436 dem Kardinal St. Angeli gegeben hat[1]). Es ist das 1479 bzw. 1480 dem König Ludwig XI. von Frankreich sowie dem Dogen Mocenigo gewidmete Werk: „Superioris Germaniae Confoederationis descriptio", das aus eigener Anschauung berichtet. Dann ist einer Karte des Bodensees mit Umgebung zu gedenken, die Kampfszenen vom Schwabenkriege enthält, von dem Kölner Meister $\frac{PP}{W}$ in Kupfer gestochen ist und sich in einer der damals zuerst auftauchenden illustrierten Schweizer Chroniken befindet. Vor allem aber ist der erste Versuch hervorzuheben, den der Züricher Arzt und Mathematiker Konrad Türst macht, das ganze Schweizerland in einer Landtafel darzustellen, die er als Beilage zu seinem dem Herzoge Lodovico Maria Sforza von Mailand und dem Deutschen Kaiser Maximilian I. 1495 und 1497 gewidmeten Schrift: „De situ Confoederationis descriptio" veröffentlichte. Auch eine deutsche Übersetzung machte der Verfasser und richtete sie an den Alt-Stadtschultheißen Rudolf v. Erlach[2]). Die Landtafel ist nach Graden und Minuten abgeteilt und enthält trotz ihrer vielfach sehr verkehrten Umstellung doch wichtige Angaben, namentlich zahlreiche und ganz gut erkennbare und richtig individualisierte Ortsbilder. Besonders wertvoll ist auch die Bezeichnung der Bergpässe des Großen St Bernhard, Simplon, Furca, St. Gotthard durch eingetragene Ansiedelungen. Die Karte umfaßt allerdings nur das Gebiet der zehn Orte, schließt also Basel aus, während sie andererseits über die Grenzen der Schweiz hinausgeht. Für den Umschwung der Zeit ist es übrigens bezeichnend, daß der Verfasser nicht geistlichen Standes ist, und daß sich diese Darstellung aus dem engen Rahmen einer Ortskarte herausbewegt und über das ganze Land erstreckt. Wohl eine Nachahmung derselben ist die „Tabula Heremi Helvetiorum", welche sich in der wichtigen Straßburger Ptolemäusausgabe von 1513 befindet, die bekanntlich in ihrem zweiten Teil ein Supplementum von 20 neuen Karten bringt, die von Martin Waldseemüller herrühren — der erste moderne Atlas nach Nordenskiöld. R. Hotz hat über diese „Tabula" näheres mitgeteilt.

V. Dem 16. Jahrhundert (1520—1618), in dem die Wissenschaften wieder erwachen, dem Zeitalter eines Mercator, Ortelius, Apian, Gastaldi, verdankt die Schweiz ihre älteste, schon 1528 vollendete, aber erst 1538 von Sebastian Münster veröffentlichte Karte in 4 Blatt 1:400000. Sie rührt von dem berühmten Glarner Historiker Ägidius Tschudi[3]) (1505—1572) her, der sich als begeisterter Wanderer für die topographischen Verhältnisse seines Vaterlandes lebhaft interessierte, und gehört zu seiner Erstlingsschrift: „Uralt warhafftig Alpisch Rhetia", einer topographisch-historischen Schilderung des alten Rhätiens. 1536 sandte der Verfasser sie seinem Freunde Glarean, in der Absicht, sie

[1]) Auch das Tagebuch des venetianischen Gesandten beim Konzil, Andrea Gattaro von Padua, über Basel von 1433—35, gehört in gewisser Weise hierher.

[2]) Sowohl die Wiener Orginalhandschrift des lateinischen wie die im Besitz von H. Wunderly von Muralt in Zürich befindliche der deutschen Übersetzung enthält diese Landtafel. Von ihr haben G. v. Wyß, H. Wartmann, G. Meyer v. Knonau in den Quellen zur Schweizer Geschichte Band VI, 1884, eine Nachbildung veröffentlicht.

[3]) Er war ein Schüler Zwinglis und Glareans, studierte in Paris, machte zahlreiche Gebirgsreisen, trat 1536 in französische Kriegsdienste, wurde 1559 vom Kaiser Ferdinand geadelt. Er war ein Gegner der Reformation (Tschudikrieg), von umfassender Gelehrsamkeit und gewaltigem Forscherfleiß.

drucken zu lassen. Das auch in lateinischer Übertragung „de prisca et vera alpina Rhaetia"
erschienene Werk, das 1560 eine zweite Auflage erlebte, wurde der Ausgangspunkt ausgedehnter Forschungen über das römische Altertum. Die Karte zeigt eine bessere Kenntnis
der (in Tannenzapfenmanier dargestellten) Gebirge und der Täler des Wallis, Tessin und
Bünden als selbst die Karten der ersten Zeit des 19. Jahrhunderts. Die Orientierung ist
noch wie damals überhaupt, namentlich bei den Erdbildern der Araber und der italienischen
Kompaßkarten, üblich, nach Süden, als der astronomisch vornehmeren Gegend [1]). Erst die
Zeit der Globenanfertigung brachte auch in dieser Beziehung eine Änderung, besonders
als Henricus Glareanus (1488—1463) aus Freiburg in seinem „de Geographia
Liber unus (Basileae 1527)" die erste Anleitung zur Zeichnung der Kugelstreifen, mit denen
ein Globus überzogen wird, gegeben und damit dieser Kunst die Wege geebnet. Von
ihm rührt auch eine „Helvetiae descriptio" mit kurzer geographischer Beschreibung (Basel
1515). Auf Tschudis Arbeiten stützt sich hinsichtlich der Schweiz dann der Baseler Professor und Kosmograph Sebastian Münster (ein geborener Ingelheimer), welcher 1550
in seiner „Cosmographia universalis, Beschreibung aller Länder, Herrschaften und für-
nembsten Stellen des ganzen Erdbodens" durch seine allgemeinen und speziellen Karten,
Stadtansichten aus der Vogelschau, Abbildungen naturhistorischer Gegenstände und seinen
geschichtlich-geographischen (anthropogeographischen) Text ein für das gesamte Kartenwesen überhaupt epochemachendes Werk schuf. Freilich konnte er, obwohl er manche
Gebiete der Schweiz, wie das Haupttal des Wallis sowie den Gotthard, in eigener Anschauung kennen gelernt, ihr nur einen bescheidenen Raum in seinem aus 26 Karten bestehenden Werk gönnen. Die Zeichnung ist auch noch recht kindlich. Das Land ist mit
dreieckigen Bergen bedeckt, zwischen denen Waldgebüsche stehen und Ströme sich hin-
durchwinden. Auf den Alpen stehen Gemsen und Bären so groß wie ganze Dörfer und
Städte. Allein manches ist doch ganz richtig aufgefaßt, so z. B. die Lage und das
Größenverhältnis des Thuner zum Brienzer See. Von dieser Cosmographia, in der u. a.
auch eine Karte des Elsaß 1:320000 von 1534 des Schweizers P. Gasser enthalten ist,
erschienen 1550 die erste lateinische, 1552 eine französische und 1558 eine italienische
Ausgabe. Das Werk, eine Weltgeschichtsbeschreibung in räumlicher Anordnung, gleicht
freilich mehr einem Reisehandbuch als einer Länderkunde, denn es enthält in buntem
Wechsel Geschichte und Geographie und Merkwürdigkeiten aller Art, die mit einer
„Cosmographia" im höheren Sinne, wie ihn Mercator und vor allem Clüver verstand, nichts
zu tun haben. Zu gedenken haben wir ferner noch der sogenannten Schwyzer Chronik
von 1546 des biederen Stammheimer Pfarrers Johannes Stumpf (1500—1566), weil
diese bei Christoph Froschower gedruckte „Gemeiner löblicher Eidgenossenschaft Stetten,
Lande und Völkerchronik würdiger Thaaten-Beschreibung" (nach „Gauen" und „Landen")
eine Übersichtskarte und die ersten acht Spezialkarten der Schweiz enthält,
die sich freilich ebenfalls auf Tschudis Werk gründen. Sie wurde 1587 und 1606 neu
aufgelegt und blieb bis ins 18. Jahrhundert das Hauptwerk über Schweizer Landeskunde.
1554 ließ ihr Verfasser als „Schwyzer Chronik" einen Auszug aus ihr erscheinen.

    VI. Das 17. Jahrhundert (1618—1720), in dem sich viel steifes französisches Wesen
à la Louis XIV. auch in der Schweiz geltend macht, bringt zunächst ein Meisterwerk von
großer Zuverlässigkeit bis in alle Einzelheiten hinein, die „Züricher Kantonkarte" 1:31380
des Mathematikers und Glasmalers Hans Konrad Gyger von 1657[2]), dann des ausgezeichneten Züricher Naturforschers Professor Joh. Jacob Scheuchzer (1672—1733)
„Nova Helvetiae Tabula geographica" von 1712 in 4 Blatt 1:375000, die Huber und

---

[1]) Ein Exemplar ist in der Baseler Universitätsbibliothek vorhanden. Eine photolithographische Kopie ist bei
Hofer & Burger in Zürich erschienen.

[2]) Faksimileausgabe von Hofer & Burger in Zürich. Nach Gygers Landtafel gab 1685 der Schweizer Joh.
Meyer eine „neue Beschreibung der Landschaft Zürich" heraus. Gygers Karte befindet sich heute im Regierungs-
gebäude zu Zürich.

Schaloh gestochen haben und die in Amsterdam bei Peter Schenk gedruckt wurde. Diese sich schon auf Vermessungen (z. B. barometrische für die Höhen) stützende Frucht von neuen Alpenreisen des in glühender Begeisterung für seine Wissenschaft lebenden Mannes, der „an dergleichen wilden und einsamen Orten größere Belustigung und mehr Eifer zur Aufmerkung spürte, als zu den Füßen des großen Aristoteles, Epikur und Cartesius", blieb ein halbes Jahrhundert hindurch weitaus die gesuchteste Darstellung. 1723 wurde sie dem noch heute lesenswerten grundgelehrten vierbändigen Werke dieses zweiten Geßner: „Itinera alpines" beigelegt, 1765 erschien sie in neuer Auflage[1]). Auch des großen Städtezeichners und Kunstverlegers Matthäus Merian des Älteren (1593—1650) im Jahre 1642 erschienene große „Topographia Helvetiae, Rhaetiae et Valesiae" sei genannt, mit einem großen Plan von Basel 1615, den die dortige Antiquarische Gesellschaft 1895 in Faksimile herausgab.

VII. Das 18. Jahrhundert (1720—1809) war wie auf allen wissenschaftlichen und literarischen Gebieten so auch kartographisch von großer Bedeutung für die Schweiz. Es bringt uns die ersten Versuche, wissenschaftliche Methode in die Aufnahmen und die Darstellung des Schweizer Landes, besonders des Hochgebirges, hineinzubringen, und zwar durch französischen Einfluß. War es ja auch Frankreich, das durch seine Gradmessungen und die Cassinische Karte überhaupt erst die mathematische Grundlage und das Vorbild für eine Landesvermessung geliefert hat. Jacques Cassini regte J. Ph. Loys de Cheseaux an, in der Nähe des Genfer Sees eine Basis zur Bestimmung der Höhe des Montblanc zu messen. Gerade für die Höhenfestlegung fehlte es in der Schweiz an sicheren Grundlagen, weil es keine unmittelbaren Anschlußnivellements gab. Auch soll Casini, ebenso sein Sohn, den Genfer Jacques Barthélemy Micheli du Crest (1690—1766), eine Autorität besonders im Festungsbau, der wegen Landesverrats (er sollte zur Herstellung einer Landkarte den Plan von Genf ausgeliefert haben) 1749—66 Staatsgefangener in Aarau war, während dieser Zeit (1753) angeregt haben, den Entwurf für eine Landesaufnahme aufzustellen. Du Crest schlug vor, auf dem großen Moos bei Aarberg eine Grundlinie zu messen und durch ein mit Hilfe französischer Ingenieure gebildetes topographisches Bureau die Schweiz trigonometrisch und topographisch zu vermessen. Leider scheiterte der Plan an der Kurzsichtigkeit der Behörden. Auch hat du Crest während seiner Haft 1755 das erste Gebirgspanorama der Schweiz geliefert in seinem „Prospect géométrique des montagnes neigées dites gletscher depuis le château d'Aarbourg". Mit diesem von T. C. Lotter gestochenen Projektionen auf vertikaler Zeichenfläche sowie den in drei Dimensionen ausgeführten Abbildungen der Alpenwelt hat er sich um die plastische Darstellung des Landes hochverdient gemacht und mit Bourrit, J. E. Müller, G. Studer Vater u. a. die Kunst des Panoramenzeichnens aufgebracht, die ebenso wie des Generals F. L. Pfyffer aus Luzern „Relief der Zentralschweiz" (1766—85) dem Ch. Exchaquer &c. folgten, den Sinn für richtige Geländeauffassung mächtig geweckt. Sehr fördernd in dieser Hinsicht war auch die erste Anwendung der Isohypsen 1771 durch den Genfer du Carla (1738—1816), indem er durch Zeichnung einer imaginären Insel in Niveaulinien den Wert dieser Darstellungsweise der Bodengestaltung erwiesen hatte. Leider gelangte dieses in geometrischer Hinsicht so vorzügliche System nur sehr vereinzelt zur Anwendung, da die französische Schule der Bergstrichzeichnung unter Annahme schrägen Lichts allmächtig war und auch viel plastischere Bilder erzielte.

Erwähnt sei des kartographisch fruchtbaren, aber nicht sehr gründlichen Pfarrers Gabriel Walser 1753 erschienene Karte der Kantone Luzern, Uri, Schwyz und Unterwalden, der dann 1769 sein „Atlas novus Reipublicae Helvetiae XX mappis compositus, sumptibus Hommanianis Heridibus Norimbergae" folgte, welcher Scheuchzers Werk verdrängte. Er kann sich aber in keiner Weise messen mit dem 1786—1802 entstandenen

---

[1]) Er war auch der Erste, der eine Gebirgsfaltung beschrieb und zeichnete und zwar am Urnersee.

„Atlas Suisse" in 16 Kupferblättern 1 : 115200, welchen Joh. Rudolf Meyer aus Aarau zum Teil auf Grund eigner Panoramen und einem vorzüglichen Wachs-Relief mit Hilfe der Ingenieure J. H. Weiß aus Straßburg und J. E. Müller aus Engelberg hergestellt hat. Denn er ist das erste wissenschaftliche, d. h. auf Grund von Triangulationen und genauen Messungen sowie Erkundungen sich aufbauende Schweizer Kartenwerk und bis zum Erscheinen des Dufour-Atlas das beste topographische, obwohl einige Karten bloße Nachbildungen schon vorhandener waren. Trotz mancher Fehler im Geripp, übertriebener Anwendung der schrägen (seitlichen) Beleuchtung und der Armut in den topographischen Einzelheiten wurde es bahnbrechend, die Hauptquelle aller in- und ausländischen Kartenwerke. Denn es stellt in der Tat zum erstenmal das Hochgebirge mit einiger Naturähnlichkeit dar und einige Gegenden ziemlich genau im Grundriß, gibt eine Menge wichtiger topographischer Aufschlüsse, wenn auch die Ostschweiz recht schwach war. Auch der Weg, den Meyer vorschlug, war zwar etwas umständlich, aber für die damalige Zeit, wo man nur Seitenansichten zu zeichnen verstand, der richtige. Man mußte durch Triangulation die Lage der Berggipfel und anderer Orte bestimmen und danach die Einzelreliefs zu einem Gesamtrelief zusammenfügen, von dem man in wirklicher Horizontalprojektion dann, wieder unter Stützung durch trigonometrische Punktbestimmungen, zur Herstellung einer Karte mit richtig gelegenen Bergkämmen, Hängen und Talsohlen gelangen konnte. Es war also der Übergang von Naturanschauung zum Kartenbilde. Heute ist der Gedanke nicht mehr zeitgemäß, nachdem wir gelernt haben, die Oberansicht unmittelbar zu entwerfen und vielmehr umgekehrt aus guten Karten das Gelände in die Plastik zu übertragen. Dem Meyerschen Umweg haften ja auch die Mängel zweier Abbildungsweisen an. Alsdann gelang es Johann Georg Tralles, die Standesregierung von Bern für eine wissenschaftliche Landesaufnahme zu gewinnen. Sein Kärtchen von 1790 gab zum erstenmal die richtige Lage des Thuner und Brienzer Sees wieder. Auch maß er gemeinsam mit seinen Schülern F. R. Haßler und J. F. Trechsel 1790 auf dem großen Moos eine Basis von 40188,84 Pariser Fuß (1797 auf 40188,842 festgestellt). Zu einer Triangulation kam es aber infolge Ausbruchs der Revolution nicht. Doch machte er Tralles 1800 dem Minister Stapfer noch den Vorschlag zur Schaffung eines eidgenössischen Vermessungsbureaus. Auch hat er tüchtige Kartographen, besonders Jean Frédéric Osterwald aus Neuenburg, herangezogen. Gleichzeitig mit der Trallesschen Basismessung fand eine solche auf dem Sihlfeld von der Züricher mathematisch-militärischen Gesellschaft statt. Die Messung geschah in zwei Teilstücken, und erfolgte in Richtung von der Nordosteck der Fraumünster Zehntscheuer in Kreuel auf die Spitze des Kirchturmes von Weiningen, und zwar, nachdem die Enden durch eingelassene Kapseln versichert waren, mit 20füßigen dreikantigen Stangen aus Tannenholz, deren eines Ende flach, das andere abgerundet war. Die verwendete Toise war eine Kopie einer Nachbildung der Toise von Liesganig auf der Wiener Sternwarte. Die Temperatureinflüsse wurden nicht in Rechnung gezogen. Das erste Teilstück wurde 1794 hin und zurück gemessen, das zweite — da das Ackerfeld, über das die Messung ging, inzwischen benutzt wurde — ebenso erst 1797. Das Mittel aus beiden Operationen war 10431,622 Pariser Fuß (1738,6086 Toisen). An diese allerdings wenig Vertrauen erweckende Grundlinie wurde ein Dreiecksnetz gelegt von großen Seitenlängen und an die Arbeiten Bohnenbergers in Tübingen und Ritters und Ammanns in Villingen angeschlossen. Zur Winkelmessung, bei der jeder Horizontalwinkel 10mal, jeder Höhenwinkel 4mal bestimmt wurde, diente ein 7½zölliger Caryscher Kreis, der zu einem Bordaschen Multiplikatonskreis mit zweitem Fernrohr umgearbeitet war. Die 130 Winkel wurden auf den Horizont und dann weiter auf das Zentrum reduziert und der sphärische Exzeß nach Delambre berechnet. Das von Zürich bis Schloß Weinfelden und Rorschach reichende, 18 Stationen umfassende Netz wurde durch Sonnenbeobachtungen an der Kronenpforte in Zürich durch Feer orientiert. 1809 war die Arbeit beendet. Nach den Stürmen der französischen Revolution nahm das wissenschaftlich-geistige Leben in der Schweiz einen hohen Aufschwung. Dieser Umstand, noch mehr aber der Einfluß der Napoleonischen Kriege auf die Kartographie, hatten die größte Bedeutung für das Schweizer Kartenwesen.

Der französische Kaiser hatte seinen Ingenieurgeographen den Auftrag gegeben, in allen an Frankreich grenzenden Ländern, die durch seine Armeen besetzt waren, bessere Karten auf richtiger Grundlage herzustellen.

Der französische Oberst M. Henry führte, gemeinsam mit den Ingenieuren J. H. Weiß, Chabrier, Delcros und Pellagot, denen sich andere anschlossen, eine Triangulation der Schweiz aus, wobei er sich auf ausgezeichnete örtliche Dokumente stützen konnte. Dieses Netz diente zur Verknüpfung der umliegenden Gebiete und war daher besonders wichtig. Henry maß mit dem Bordaschen Apparat bei Ensisheim in der Nähe Colmars eine über 19 km lange Basis mit äußerster Genauigkeit. Der Turm des Münsters zu Straßburg diente als Observatorium für Bestimmung der Breite und des Azimuts. Die Operationen setzten sich teils zusammenhängend, teils mit Unterbrechungen in den Schweizer Jura fort (1803—14), doch weiter als bis zur Ausführung einer Triangulation 2. O. gediehen diese Arbeiten nicht. Auch begann 1802 Nouet die Triangulation des Departements Mont Blanc und Lac Léman, wobei die Längen und Breiten von Chambéry, Genève, Bonneville, Sallanche &c. mit dem Cercle répétiteur und einem astronomischen Pendel bestimmt wurden. Der Ausgang dieses an das französische, schweizer, schwäbische und piemontesische Netz angeschlossenen Dreiecksnetzes war die Seite Tour de Montélier bis Tour de Chaudien (bei Lyon) der Cassinischen Triangulation. Henry und Delcros machten in Genf und Bern astronomische Ortsbestimmungen, die später von General G. H. Dufour benutzt wurden, wie diese französischen Messungen überhaupt für die gleichzeitigen und nachfolgenden Arbeiten schweizer Geodäten von einiger Bedeutung waren.

Zunächst wurde die Weiterentwickelung der Kartographie freilich nur in privater Weise oder von einzelnen Kantonen gepflegt.

VIII. Das 19. Jahrhundert brachte der Schweiz neben Verfassung und Staatsform auch ihre offizielle Kartographie, die sie vorübergehend an die Spitze von Europa stellte. In dieser Periode sind nun vier Epochen zu unterscheiden, von denen die letzte ins 20. Jahrhundert überleitet.

I. Die kantonale und die eidgenössische Kartographie vor Dufour (Anfang des Jahrhunderts bis 1832).

Schon 1806 konnte J. F. Osterwald d'Ivernois seine „Carte de la principauté de Neuchâtel" 1 : 96000 veröffentlichen auf Grund eines von ihm über das ganze Fürstentum gelegten Dreiecksnetzes mit einer bei Sugy bestimmten Basis. Joh. Friedrich Trechsel führte von 1809—23, ohne sie zu vollenden, eine trigonometrische Aufnahme des Kantons Bern gemeinsam mit J. J. Frey, R. Diezinger, N. F. Lütthardt und G. Wagner aus, die man leider später zum größten Teil nicht mehr benutzen konnte, weil die Signale verloren gegangen waren. Im Kanton Basel machte 1813—27 Professor Huber im Anschluß an die von Henry bestimmte Seite Wiesenberg — südöstlicher Münsterturm Basel eine Triangulation und A. J. Buchwalder 1815—19 eine Aufnahme, die einer 1820—22 von Michel in Paris schön gestochenen „Carte de l'ancien évêché de Bâle réuni aux Cantons de Berne, Bâle et Neuchâtel" 1 : 96000 auf 1 Blatt (68 : 61 cm), in der das Gelände in Lehmannschen Schraffen dargestellt ist, zugrunde gelegt ist. Ganz privat waren einige Vermessungen Joh. Georg Röschs im Rheintal von Chur bis Luziensteig, von L. Merz im Kanton Appenzell und von J. A. Berchtold bei Sitten. Immer mehr aber erkannte man, daß eine wissenschaftliche Landesaufnahme die Kräfte der einzelnen wie der Kantone überschritt, namentlich nachdem der damalige Oberquartiermeister Oberst Finsler, der infolge einer im Nordosten der Schweiz 1809 nötig gewordenen Grenzbesetzung unter Leitung von Feer trigonometrische Messungen und eingehende topographische Erkundungen hatte ausführen lassen, sich in einem 1810 an die eidgenössische Tagsatzung erstatteten Bericht in diesem Sinne und über den Mangel an guten Karten überhaupt ausgesprochen hatte. Daher wurden ihm 1600 Francs für trigonometrische Arbeiten zur Verfügung gestellt, doch hinderten Kriegswirren und ungünstige Witterung den ernsten Fortgang der Messungen bis 1817. Dann wurde über die Nord- und Nordostschweiz — mit Ausschluß des südlichen Teils von St. Gallen und des Kantons Graubünden — eine Haupttriangulation gelegt und sorgfältig berechnet, an die sich, allerdings nur in Appenzell a. Rh., im Rheintal und in Teilen von St. Gallen und Thurgau, ein Netz 2. O. und in Appenzell und einigen St. Gallischen Gemeinden eine topographische Aufnahme schloß. Auf Grund eines Berichts Finslers von 1817 darüber erhielt er von neuem 1600 Francs zur Fortsetzung der Arbeiten und den Auftrag der Tagsatzung, den fertigen Teil der trigonometrischen Karte stechen zu lassen. Auf einen Bericht von 1819 über die Fortsetzung der Triangulation 1. u. 2. O. und der topographischen Arbeiten werden ihm 3200 Francs bewilligt. Finsler faßt den Plan, sein Netz bis in die Westschweiz auszudehnen, so daß es über 17 Kantone enthält. und mit den Messungen Trechsels, Hubers und Osterwalds sich verknüpft. Der schwerste Teil, der Alpenübergang, lag freilich dann noch vor. 1822 beschloß die Tagsatzung, das Werk als eidgenössisches zu erklären und die Landesaufnahme unter die Oberaufsicht der eidgenössischen Militäraufsichtsbehörde, als wesentlichen Teil der Tätigkeit des Oberquartiermeisters, zu stellen. Diese hochwichtige Entscheidung ist Finslers Verdienst. 1825 bestimmte die Tagsatzung, daß die Eidgenossenschaft alle mit der Bearbeitung der Militärkarten verbundenen, jährlich zu bewilligenden Kosten übernimmt, und daß eine 1822 ihr vorgelegte Musterzeichnung des Stabshauptmanns Heinrich Pestalozzi aus Zürich, der sich auch sonst besondere Verdienste bei den Triangulationen namentlich der Waadt, erworben, als maßgebend für die Darstellungsweise gelten sollte. Auch stellte Pestalozzi 1826 — also nachdem man bereits 17 Jahre trianguliert, 8 Jahre topographiert hatte — endlich eine Instruktion für die arbeitenden Ingenieure auf. In den Jahren 1827—33 wurde dann — gemeinsam mit dem österreichischen Generalstab — der Alpenübergang, d. h. die Triangulation des Hochgebirges und der jenseits liegenden Kantone zum Anschluß an das lombardische Dreiecksnetz durch Jacob Sulzberger, der freilich höchst liederlich arbeitete, und vor allem A. J. Buchwalder, allerdings ohne einen endgültigen Erfolg, versucht. So hatte man 1832 nach 23jähriger trigonometrischer Arbeit eigentlich nichts Erhebliches erreicht. Weder über die Basis im Sihlfeld noch über die auf dem großen Moos und die Vergleichung beider besaß man sichere Angaben. Eine Übereinstimmung der eidgenössischen mit den kantonalen und regionalen Triangulationen, war nicht erzielt. Das Hochgebirge war nicht überwunden und trotzdem hatte man, aus Zweckmäßigkeitsgründen, sich doch an eine topographische Aufnahme gewagt. Der erste Kanton, der während dieser Zeit an eine Mappierung seines Gebiets dachte, war der Thurgau, und zwar nach Vorschlägen Sulzbergers in 1 : 21600 für eine Karte 1 : 43200, was nach Begutachtung durch die Militäraufsichtsbehörde genehmigt wurde. Dann wurde auch der Kanton Appenzell bis 1829 durch Oberstleutnant Merz bis nach St. Gallen hinein in 1 : 21600 topographiert. Vom Kanton Solothurn war 1828—32 eine Karte 1 : 60000 in 4 Blatt von Urs. Jos. Walker aufgenommen. Aber wenig war mit allem gewonnen, man hätte noch lange auf eine gute Karte der Schweiz warten können. Vor allem entbehrten die Geologen eine solche, wie z war es auch ein solcher Gelehrter, Professor Bernhard Studer (1797—1887), der am 28. Juni 1828 in einem Vortrage der 1815 gegründeten Bernischen Naturforschenden Versammlung als den Hauptgrund der langsamen Fortschritte der Schweizer Geognosie den Mangel guter Landeskarten bezeichnete. Er schlug die Aufnahme einer guten Situationskarte vor, die Gesellschaft trat seiner Ansicht bei, sandte seinen Vortrag in extenso dem Zentralkanton der Schweizerischen Naturforschenden Versammlung ein, wo Trechsel Studer unterstützte und eine Kommission aus Studer, Horner, Merian, Necker, de Saussure, Charpentier und Lardy beauftragt wird, ein Programm und einen öffentlichen „Appel au zèle scientifique tendant à obtenir des souscripteurs pour la confection d'une carte topographique détaillée des Alpes de la Suisse" zu verfassen. Dies geschieht 1829 mit dem Vorschlage der eignen Herstellung einer Karte 1 : 100000. Solch' Vorgehen, zugleich aber auch Unstimmigkeiten im Schweizer Dreiecksnetze, veranlaßte nun die Bundesbehörden, die Sache energisch in die Hand zu nehmen. Finsler, der inzwischen im Oberquartiermeisteramt L. Wurstemberger Platz gemacht hatte, regte den Zusammentritt einer gemischten Kommission aus Militärs und Gelehrten bei letzterem an, die dann auch am 4. Juni 1832 unter Wurstembergers Vorsitz ihre erste Sitzung abhielt, die einer der **wichtigsten Wendepunkte in der Geschichte der Schweizer Vermessung** bildet, weil sie die Grundlagen für die Ausführung einer offiziellen topographischen Karte der Schweiz aufstellte. Schon damals wurde der Meridian und Parallel von Bern zur Orientierung des Netzes bestimmt, weil diese Sternwarte günstig konstruiert und ziemlich in der Mitte der Schweiz gelegen ist. Auch wurden bereits die nachher unter Dufour in Anwendung gekommenen Maßstäbe 1 : 25000 und 1 : 50000 für die Aufnahmen im Flachland und Hochgebirge, 1 : 100000 für den Stich bestimmt. Endlich galt als ziemlich ausgemacht, daß die Karte (wie die französische) nach der modifizierten Flamsteedschen Entwurfsart herzustellen sei. Für die Arbeiten stand vorläufig ein 1830 von der Tagsatzung bewilligter Kredit von 4475 Francs 8 Batzen $\frac{1}{4}$ Rappen zur Verfügung, der bis 1850 zu einer Gesamtleistung von 41600 Francs jährlich steigen sollte.

Wurstemberger trat noch im Laufe des Jahres 1832 zurück, und an seine Stelle wurde am 20. September 1832 der Mann zu seinem Nachfolger erwählt, dem die Ausführung des großen Werks beschieden sein sollte und der wie wenige dazu befähigt war, **Wilhelm Heinrich Dufour** aus Genf (1787—1875)[1]), damals Genie-Oberst.

Ehe wir uns der Dufour-Epoche zuwenden, sei einiger anderer kartographischer sowie einiger literarischer Arbeiten gedacht, die ihr voraufgingen. Da sei besonders der **Reisekarten** gedacht und unter diesen H. Kellers zuerst 1813, dann 1830 in vergrößerter Ausgabe in 1 : 450000 auf 1 Blatt mit 14 Plänen und 3 Seiten Erläuterungen hervorgehoben, die — ähnlich wie früher des Preußen, später Züricher Ehrenbürgers J. G. Ebel durch gediegene und geistvolle Stoffbehandlung berühmte „Anleitung, die Schweiz zu bereisen" von 1793 als Reiseführer wie als Wandkarte ein wahres Monopol behauptete und bis 1870 noch viele Auflagen erlebte, um dann durch die Bollmannsche und andere Karten verdrängt zu werden. Die Kellersche Karte ist von vorzüglicher Klarheit und Übersichtlichkeit und dadurch ein Muster für ähnliche Unternehmungen, wenn auch das orographische Bild zu wünschen übrig läßt. Recht Gutes leistete der zu Freiburg i. Br. erschienen Wörlsche Atlas (von Südwest-Deutschland), der Schweiz (und Tirol) 1 : 200000, dem 1830—38 des gleichen Verfassers Atlas von Zentraleuropa 1 : 500000 folgte, dessen 60 Blatt auch die Schweiz umfassen. Ebenso ist Adolf Stielers epochemachender Handatlas von 1817 diesem Lande mit gewidmet und der große französische „Atlas uni-

---

[1]) Geboren am 17. September 1787 zu Konstanz, verdankte er seine militärwissenschaftliche Bildung Frankreich. Nach kurzem medizinischen Studium in Genf, seit 1807 auf der École polytechnique zu Paris, seit 1809 auf der Applikationsschule für Ingenieure in Metz, wurde er Unterleutnant im französischen Geniekorps, leitete als Hauptmann die Befestigungsarbeiten in Korfu und Lyon, erwarb sich hervorragende mathematische und kartographische Kenntnisse und wurde am 24. März 1817 als Hauptmann in den eidgenössischen Generalstab aufgenommen. War auch der Einfluß der französischen kartographischen Schule ein großer auf ihn, so hat er sich doch bei seiner Dufourkarte von jedem Vorurteil freizuhalten gewußt und ist eigene Bahnen gegangen. Er war ein vorwärtsschauender, maßvoller und humaner Mann, von hervorragender Intelligenz und Energie und großer Festigkeit des Charakters, ein verdienter Bürger, siegreicher Feldherr, kurz eine vornehme Erscheinung und vorbildliche Gestalt, nicht nur in der Schweizer Geschichte. Am 31. Dezember 1864 erschien sein „Schlußbericht über die topographische Karte der Schweiz", Mai 1865 trat er zurück, 1875 starb er. Zu seinen Freunden und Bewunderern gehörte auch sein Schüler Napoleon III.

W. Stavenhagen, Kartenwesen des außerdeutschen Europa.

versel de Géographie physique, ancienne et moderne" von Mentelle et Chanclaire (Paris 1806, 104 Karten).

Von Plänen seien David Breitingers „Plan der Stadt Zürich" 1814 und Heinrich Kellers „Grundriß" dieser Stadt von 1824 besonders genannt.

In dieser Zeit wurden auch die technischen Hilfsmittel für eine Landesaufnahme geschaffen. Die Basismeßapparate waren durch den Keil und die Benützung des Mikroskops zur Herstellung eines optischen Kontakts vervollkommnet worden, gute Theodoliten vorhanden, wenn auch ihre Beschaffung noch sehr kostspielig war, Gauß hatte 1821 das Heliotrop erfunden, für topographische Aufnahmen gab es gute Bussolen à éclimètre, Stadia, Meßketten &c. Zur Kartenherstellung und Vervielfältigung konnte, da der 1820 erfundene Stahlstich Heaths nicht in Betracht kam, die 1825 von Senefelder eingeführte Lithographie und gar der lithographische Farbendruck noch zu wenig entwickelt waren, nur der altbewährte, künstlerisch schöne Kupferstich benutzt werden.

Unter den literarischen Arbeiten seien zunächst die „Tagsatzungs-Protokolle und Kommissionsberichte", sowie die „Eidgenössischen Abschiede" besonders von 1810, 1817, dann die schon erwähnten Berichte Finslers, die als Beilagen dazu erschienen sind, genannt. Ferner die „Verhandlungen der Schweizerischen Naturforschendes Gesellschaft" von 1828. Über die Zeit haben dann später R. Wolf in seiner „Geschichte der Vermessung in der Schweiz" und in seinen „Beiträgen zur Geschichte des Kartenwesens" von 1873, auch Eschmann in seinen „Ergebnissen der trigonometrischen Vermessungen in der Schweiz", Zürich 1840, berichtet. Dann ist von besonderem Interesse Dufours „Instruction sur le dessin des Reconnaissances à l'usage des officiers de l'École Fédérale", Genève et Paris, Barbegat & Delarue, 5 Planches, 1828. Im § 3 dieses Werkes setzt Verfasser das System der Bergstriche als Linien stärksten Falles auf Grundlage der Horizontalkurven auseinander und gibt eine Menge von Vorschriften hinsichtlich der Darstellung von Felsen, Wäldern, Wegen, Häusern, Wasserläufen sowie der Schrift in einer die Grundsätze des „Mémorial topographique et militaire rédigé au dépôt de la guerre" und Puissants „Traité de topographie, d'arpentage et de nivellement," sowie der übrigen französischen geodätischen Ansichten auf die Schweizer Verhältnisse geschickt angepaßten Weise.

2. Die eidgenössische und kantonale Kartographie während der Dufourzeit (1832 bis 1864).

Der neue Oberquartiermeister erhielt, obwohl am 30. September hierzu ernannt, doch erst am 3. November 1832 von der Militäraufsichtsbehörde die Mitteilung, daß zu seinen Pflichten auch die Leitung der trigonometrischen Vermessungen in der Schweiz gehört, zu welchem Zwecke ihm ein sorgfältiger Bericht Wurstembergers über den Stand der Arbeit und die Beschlüsse der 1. Kommissionssitzung nebst Inventar der Karten und Pläne zur Verfügung gestellt wird. Dufour suchte nun vor allem, sich über den Stand zu unterrichten und die notwendigen Mitarbeiter zu gewinnen, zu denen bald Pestalozzi, Buchwalder, Saussure, Delarageaz, Eschmann, Finsler, Horner, Trechsel u. a. gehören sollten. Am 12. und 13. März 1833 fand die 2. Sitzung der Kommission für Landesaufnahme unter Dufours Vorsitz in Bern statt. Pestalozzi stellt in seinem Bericht darüber fest, daß das Dreiecksnetz 1. O. in den meisten Dreiecken geschlossen sei, aber doch noch einige schwierige Stationen in Appenzell und in Bünden zu erledigen seien. Auch die Triangulation 2. O. konnte für die Kantone Basel, Appenzell, Thurgau, Waadt, Neuenburg und Genf als beendigt erklärt werden. Das Dreiecksnetz sollte dann im Sommer von Buchwalder und Eschmann in Appenzell gegen Vorarlberg und in Bünden gegen das Veltlin vorgeschoben werden, unter möglichster Abkürzung des Ganges, jedoch ohne Beeinträchtigung der Genauigkeit. Mit der Basismessung sollte sofort nach Fertigstellung der Apparate im Herbst 1833 bei Zürich (Sihlfeld), dann 1834 bei Aarberg begonnen werden. Bezüglich Projektion und Kartenmittelpunkt blieb es bei den alten Beschlüssen. Buchwalder und Pestalozzi erhielten den Auftrag, Instruktionen und Musterzeichnungen für die arbeitenden Ingenieure aufzustellen. Finsler, bei dem alles Material zusammenlaufen sollte, hatte nachzurechnen, zu kontrollieren und zu ordnen. Endlich sollte aus anderen Ländern Vergleichungsmaterial beschafft werden.

Die Tagsatzung bewilligte 8000 Francs für 1834 und aus dem Legat Heinr. Boissiers 3000, darunter 2200 Francs für einen Theodoliten. Dufour gibt dann brieflich Buchwalder Direktiven für seine „Instruktionen", engagiert J. Eschmann[1]), einen jungen Astronomen von Wädensweil, der bald die Seele der praktischen Arbeiten werden sollte, und ging, nachdem 1833 nichts Erhebliches geleistet war, 1834 sehr energisch an die Basismessungen im Sihlfeld und auf dem großen Moos bei Aarberg als Grundlage des trigonometrischen Netzes. Die Messungen geschahen mit dem Örischen Apparat (4 Meßlatten von je 3 Toisen[2]) = 18 Pariser Fuß Länge, aus eisernen Röhren bestehend, die mittels Schlaufröhren durch Lötung zusammengesetzt waren). Die Enden jeder Latte bestanden aus einem Kugelsegment bzw. einem flachen Querschnitt, und wurde der Zwischenraum zwischen 2 Latten beim Messen durch Einsenken eines stählernen Meßkeils mit Duodezimaleinteilung bestimmt. Die Latten lagen in Böcken, trugen Thermometer und wurden bei unebenem Boden mittelst eines Instruments von T-Form mit Libelle erhöht oder gesenkt. Dufour prüfte noch 1833 eingehend mit Horner den Apparat in bezug auf Länge, Biegung und Ausdehnung der Meßstäbe unter Anwendung der Repsoldschen Toise und der zwei von Ori nach ihr gefertigten Kopien. Zunächst wurde unter Eschmanns Leitung vom 12. bis 25. April die Sihlfelder Basis unter Beihilfe von J. R. Wolf, J. Wild und zeitweise auch Buchwalder gemessen und zu 10345,37849 Pariser Fuß = 1724,22975 Toisen, bei 10° R und auf die mittlere Höhe der Standlinie bezogen, bestimmt, d. h. für die alte mit Holzstäben ermittelte Grundlinie Feers jetzt ein Fehler von 3,4161 Fuß = 0,569 Toisen festgestellt. Eine spätere Korrektion, Reduktion auf den Meereshorizont und die Temperatur von 13° R ergab als endgültige Länge 10344,362 Pariser Fuß = 3360,256 m. Vom 22. September bis 10. November 1834 fand dann die Festlegung der Basis bei Aarberg auf dem großen Moos durch dieselben Persönlichkeiten in musterhafter Weise statt und ergab bei 10° R und im Niveau von 18 Fuß über dem Murtensee das vorläufige Resultat von 40189,5041 Fuß (gegen 40188,44 Fuß der Trallesschen Basis von 1791 bzw. 97). Bei Reduktion auf den Meereshorizont und 13° R wurde sie dann zu 40185,208 Pariser Fuß = 6697,534 Toisen = 13053,7 m endgültig festgelegt, und ein Vergleich dieser schweizer mit der französischen Basis bei Ensisheim, den das französische Dépôt de la guerre vornahm, ergab eine vollständige Übereinstimmung beider Basen — also ein vorzügliches Resultat![3])

Am 11. Juli 1836 fand dann in Bern die 3. Sitzung der Kommission für die Landesaufnahme statt, in der endgültig die Grundlagen für die Dufourkarte bestimmt wurden, nachdem 1834 in Bünden und Luzern Triangulationen stattgefunden hatten durch Buchwalder und in Wallis die gute private Triangulation des Kanonikus Jos. Anton Berchtold (mit einer kleinen Basis bei Sitten von 2096 m) für die Eidgenossenschaft geliefert worden war.

Die Kommission[4]) bestimmte, daß die Projektion der Karte die modifizierte Flamsteedsche für die Punkte des Hauptnetzes sein solle. Dazu habe man sich der rechtwinkligen Koordinaten oder wirklichen Entfernungen bedienen. Daneben müßten die Koordinaten der Projektion oder die reduzierten Distanzen berechnet werden und dadurch eine Korrektion der wirklichen Abstände mittels der Interpolationsmethode herbeigeführt werden. Hinsichtlich des Gradnetzes soll zur Konstruktion die Zentesimaleinteilung der Meridiane und Parallelen benutzt, dann aber in der Karte selbst nur die Linien der Sexagesimaleinteilung gezogen werden. Jedes Blatt erhielt (ohne Papierrand) 48 cm Höhe

[1]) Geb. 1808, erwarb sich durch barometrische Beobachtungen auf dem Rigikulm (gemeinsam mit Horner) einen Namen, studierte 1827—32 in Paris und Wien, wurde 1833 Dozent für Astronomie in Zürich, trat dann zur Vermessung und starb schon 1852.
[2]) Ori hatte nach einer von Repsold in Hamburg gefertigten Kopie der im Besitze des Königs von Dänemark befindlichen Fortinschen Toise de Péron zwei Toisen angefertigt. Die Repsoldsche Kopie hatte der Astronom Schumacher kontrolliert.
[3]) Eschmann: „Rapport sur les bases d'Aarberg et celle de Zürich corrigées par de nouvelles expériences".
[4]) Unter Dufours Vorsitz: Finsler, Horner (an dessen Stelle aber Eschmann trat), Trechsel, Buchwalder und Pestalozzi.

auf 70 cm Länge, was bei 1 : 100000, dem Maßstab der Karte, einen rechteckigen Geländeabschnitt von 48000 : 70000 m darstellt. Da die ganze Karte 25 solcher Blätter enthalten sollte, so bildet sie ein Rechteck von 3,5 m Länge und 2,4 m Höhe. Die Papiergröße jedes Blattes beträgt dagegen 88 : 66 cm (da der Rand 0,09 m beträgt). Jedes dieser 25 Blätter enthält, soweit es Schweizer Gebiet umfaßt, die Reduktion von 16 Sektionen zu je 1 Aufnahmeblatt in 1 : 50000 von je 24 : 35 cm = 210 qkm = 9,1146 Quadratstunden (1 Schweizer Stunde = 4800 m) Fläche. Für die Aufnahmeblätter 1 : 25000 wurde jede Sektion in 4 Blatt von ebenfalls 24 : 35 cm Größe = 52,5 qkm = 2,2786 Quadratstunden zerlegt. Die Blätter sollen als Maßstäbe solche mit Schweizer Ruten zu 10 Fuß und Schweizer Stunden zu 16000 Fuß = 4800 m und geographische Meilen tragen. Die Höhe der verschiedenen Punkte über dem Meere soll in Metern oder Dritteln von Toisen, und zwar mit Fortlassung der Brüche, also in ganzen Zahlen ausgedrückt werden, wobei die durch französische Ingenieure trigonometrisch festgelegte Höhe des Chasseral (1609,57 m) schließlich von Dufour und Eschmann als Ausgangspunkt für die absoluten oder Meereshöhen angenommen wurde, nachdem sich das mittlere Niveau des Genfer Sees (eine der Pierres à Niton) in seiner Bestimmung leider noch zu unsicher ergeben hatte. Hinsichtlich der geographischen Koordinaten wurde das Azimut Bern—Chasseral nach Trechsel (54° 48' 25,6"), die Breite des Observatoriums von Bern nach Henry und Trechsel (46° 57' 7,6") und dessen Länge nach General Pelet (5° 6' 10,8") als Grundlage angenommen und die Berechnung durch Eschmann nach den Formeln Puissants in seinem „Traité de Géodesie" (2. Aufl. 1827) vorgenommen. Dabei wurde die von Delambre auch für die Carte de France angenommene Abplattung $\frac{1}{308,64}$ auf Anordnung der Kommission (gegen Eschmann, der nach Schmidts Ermittelungen $\frac{1}{302,02}$ wünschte) zugrunde gelegt. Eschmann berechnete dann die trigonometrischen Hauptpunkte unter Beachtung des sphärischen Exzesses, sowie der nach Flamsteeds Methode projizierten Koordinaten nach der geographischen Länge, Breite und Azimut. Aus den Dreieckspunkten erfolgte die Koordinatenberechnung.

Was nun die schweizerische Haupttriangulation anlangt, so wurde Johannes Eschmann, der Schüler Littrows in Wien, der Hauptleiter. Seine Arbeiten geschahen 1835—37. Er begann 1835 im Norden, vollzog in tapferer, hochanerkennenswerter Leistung den schwierigen Alpenübergang, wobei ihm vom österreichischen Generalstabe der Hauptmann Marcini durch Campana zur Verfügung gestellt wurde, und kann am 2. November 1835 sein Tagebuch für 1835 bereits einsenden. So war die Verbindung mit der Lombardei hergestellt, und bis 1837 wurde von ihm auch die Haupttriangulation der ganzen Zentralschweiz vollendet. Die Triangulation in Wallis wurde von dem dazu endgültig beauftragten Kanonikus Berchtold 1836 bis nach Leuk hinaufgeschoben und 1837 vollendet und die Verbindung mit Eschmann hergestellt. In der Waadt hat Delaragaez unter Saussures Leitung das Dreiecksnetz vollendet. Hauptmann Lüthardt von Bern führte anschließend die Triangulation 2. und 3. O. im Kanton Freiburg mit Anschluß an Bern und Wallis aus. Die Aufnahme im Thurgau war fertig. Dufour stellte alle Messungen auf einem Blatt: „Triangulation primordiale de la Suisse" 1 : 1300000 im Januar 1838 zusammen, aus dem sich auch der Anschluß ans Ausland, die lombardische, französische und provisorisch die österreichische und die sich auf die französische stützende badische Triangulation ergab, mit guten Ergebnissen. Anders stellte es sich mit den Höhenanschlüssen, da ergab sich ein Unterschied von 6 m zwischen den schweizer und den österreichischen Messungen, der die Folge von Fehlern im österreichischen Nivellement war, zumal schweizer und französische Ingenieure übereinstimmten. Eschmann hat auf Dufours Veranlassung 1840 sein hochwichtiges Werk „Ergebnisse der trigonometrischen Vermessungen der Schweiz" erscheinen lassen (Zürich, Orell Füßli & Cie). Dasselbe besteht aus einer geschichtlichen Übersicht (16 Seiten) und 237 Seiten Text mit Inhalts-

verzeichnis sowie einer lithographierten „Übersichtskarte der bis 1840 ausgeführten trigono-
metrischen Vermessungen in der Schweiz" (48,5 : 61 cm) mit der oben erwähnten fertigen
Primordial- und der bis 1840 daran geschlossenen sekundären Triangulation, an deren
Vollendung freilich noch sehr viel fehlte (fast die ganze Zentralschweiz, dann die Kantone
Luzern, Zürich, Schaffhausen, St. Gallen, Graubünden und Tessin). Das Netz 1. O. gliedert
Eschmann in 5 abgesonderte, verschiedenen Zeiträumen und Beobachtern angehörende Ketten
mit 110 Dreiecken. Die Triangulation 2. O. ist zum Teil auf Veranlassung der
Spezialaufnahmen einzelner Kantone, zum Teil von der Eidgenossenschaft ausgeführt worden
und umfaßt (mit der 8. O.) 442 Dreiecke. Zu den Beobachtungen der Dreieckswinkel
1. O. wurden 7", 8", 10" und 12" Theodoliten verschiedenster Herkunft (Schenk, Reichenbach, Gambey, Starke) verwendet. Die Reduktion auf das Zentrum geschah nach der
Puissantschen Formel. Weiter gibt Eschmann näheres über die geographischen Ortsbestimmungen der Dreieckspunkte 1. O., ein alphabetisches Verzeichnis der geographischen
Örter sämtlicher Punkte, die astronomischen Beobachtungen von Bern und über die Höhenbestimmung, wobei für 20 Schweizer Seen die Höhe des Mittelwasserstandes angegeben wird.
Mit dieser besten Ergänzung der Dufourkarte von bleibendem Wert hat sich Eschmann
um Wissenschaft und Vaterland hochverdient gemacht, wenn die Arbeit natürlich auch
nicht abgeschlossen war. Er wollte sie später vervollständigen, erhielt 1845 auch die
Genehmigung dazu vom Kriegsrat, aber zur Ausführung kam es leider nicht mehr.

In den Jahren 1835—38 geschahen nun die topographischen Aufnahmen.
Die Schweizerische Naturforschende Gesellschaft, welche 1828 beschlossen hatte, selbst
eine Landesaufnahme zu unternehmen, und dazu eine topographische Kommission gewählt
hatte, beschloß 1835, diese Arbeit der seit 8 Jahren und mit reicheren Hilfsmitteln daran
arbeitenden Militäraufsichtsbehörde vertrauensvoll zu überlassen und für die Aufnahme
des Hochgebirges an Stelle der Gebirgskantone, welche dazu nicht imstande waren,
einen namhaften Zuschuß zu gewähren. Studer sollte sich mit Dufour in Verbindung
setzen, der mit Freuden darauf einging. „Nur mit Hilfe aller und durch eine einheitliche und starke Leitung können wir das Ziel (nämlich einer guten topographischen Karte
der Alpen) erreichen", schrieb er an Studer am 22. November 1835. Die eidgenössische
Tagsatzung ermächtigte die Militäraufsichtsbehörde zur Annahme des Anerbietens unterm
13. August 1836. Es wurde ein Vertrag zwischen beiden Teilen abgeschlossen, indessen
beschränkte sich der Zuschuß der Gesellschaft auf 3000 Francs, wofür ihr später 30 ganze
Exemplare des Atlas überlassen wurden. Es begannen nun seit 1835 die Einzelvermessungen
in den Kantonen, wobei Waadt und Genf 2000 bzw. 2800 Francs beisteuerten. Von einzelnen Kantonen lagen, wie schon erwähnt, Karten in mehr oder minder guter Ausführung
vor, die Dufour benutzte; so von Neuchâtel (Osterwald), Bistum Basel (Buchwalder) und
Solothurn (Walker), oder es waren geeignete Originalaufnahmen vorhanden. Für die
meisten dieser Arbeiten war aber noch eine besondere Höhenaufnahme nötig. In den
übrigen Landesteilen wurden eigne Vermessungen gemacht, die teils die Kantone
selbst, allerdings mit Unterstützung des Bundes, ausführten (mit Ausnahme von Genf,
das alles auf eigne Kosten herstellen ließ), teils — wie in den zu armen Gebirgs-
kantonen — ausschließlich die Eidgenossenschaft besorgte und bezahlte. Die Aufnahme im Thurgau geschah 1830—38 durch J. Sulzberger. Es erschien eine von
J. J. Goll, seinem Gehilfen, in 1:80000 gezeichnete, von Bressanini gestochene Karte
in Lehmannschen Schraffen 1839 in Zürich bei Füßli & Cie. Auch eine Handkarte
in Originalzeichnung von Sulzberger und eine Zeichnung Bressaninis 1:154000 dieses
Kantons ist vorhanden.

Im Aargau bewirkte der preußische Hauptmann a. D. Ernst Heinrich Michaelis
1837—43 die Aufnahme in 1:25000, reduzierte selbst seine 18 Meßtischblätter und
lieferte eine inhaltreiche, klare und gut leserliche Karte des Kantons mit schöner Schrift

in 1:50000, die 1845—48 zu Paris durch Delsol und Hacq gestochen und in Zürich
bei R. Foppert gedruckt wurde. Zu ihr gehört eine „Übersicht der 11 Bezirke des Frei-
staates, welche in 50 Wahlkreise abgeteilt sind" 1:500000, ein Zeichenschlüssel,
10 Sammelprofile und eine „historische Notiz über Triangulation und Projektion der
Karte". 1843 gab er noch in 1:125000 eine „Nivellementskarte des Kantons" mit
alphabetischer Übersicht der wichtigsten Tal- und Flußgefälle heraus. Die Aufnahme
von Basel (Stadt und Land) machte von 1836—45 Inspektor F. Baader auf Veranlassung Dufours. Dabei wurden die Katasterblätter in 1:25000 verkleinert. 1838 (37)
erschien von ihm ein Buch: „Kanton Basel, Stadtteil 1:25000" auf 1 Blatt (42:60 cm),
in Lithographie von N. Hosch in Basel, 1857 und 1858 ergänzt. Auch gibt es eine
Netzpause 1:40000 der Originalzeichnung des gesamten Kantons von ihm und eine
1841—45 hergestellte Originalzeichnung des Kantons 1:25000. Das beste Kartenwerk
ist aber die Karte vom Kanton Basel 1:50000, entworfen von Andreas Kündig,
in 2 Blatt (je 68:40 cm), im Verlag von C. Detloff erschienen. Sie enthält das Gelände
in Schraffen. Der Kanton Waadt wurde unter Leitung einer topographischen Kommission aus Hyppolite Saussure, Geniehauptmann W. Traisse und Generalkommissär Sterchi
durch den Ingenieur H. Picard und später Eynard und Jacquiery von 1835—48 aufgenommen. Er erhielt 13000 Francs Beihilfe vom Bunde. Die Aufnahme fand in den
Blättern XI, XII, XVI und XVII der Dufourkarte Verwertung. In St. Gallen führte
Eschmann seit 1841 in 1:25000 die mit 15000 Francs von der Eidgenossenschaft unterstützten Aufnahmen durch und vollendete seine Blätter 1846 unter Mitarbeit von Eberle,
Fornaro und Hennet als Zeichner nach den Weisungen Dufours. In Genf wurden die
Originalaufnahmen kopiert und trotz Widerspruchs Eschmanns auf Anordnung des Großen
Rats von St. Gallen der Kosten wegen lithographiert, und zwar in vollendeter, natur-
wahrer Weise durch J. M. Ziegler in Winterthur. In die 1847 erschienene, von P. Steiner,
R. Leuzinger und J. Randegger sowie Ziegler selbst gestochene Karte des Kantons
1:25000 auf 16 Blatt (63:63 cm) wurde auch Appenzell mit eingeschlossen, das
nach langwierigen Arbeiten seit 1820 von J. L. Maerz bis 1846 aufgenommen war.
Der Karte liegt der Meridian des Säntis zugrunde. Sie zeigt das Gelände in 10metrigen
Niveaulinien und Lehmannschen Schraffen, und ihr sind mehrere Profile, statistische Angaben und Erläuterungen beigefügt.

In Freiburg, dem vom Bunde 13000 Francs bewilligt wurden, geschah die Aufnahme durch den in Aarberg wohnenden frühern russischen Generalstabsoffizier Alexander
Stryenski. Sie wurde von 1842—51 von ihm und Henri L'Hardy, als Gehilfen, in
1:25000 mit 10 m-Niveaulinien ausgeführt, und darauf erschien 1855 die „Carte topographique du canton du Fribourg 1:50000" in 4 Blatt 1:50000, die bei Th. Delsol in
Paris gestochen waren, Schrift von J. M. Hacq et Carré. Schaffhausen erhielt
7000 Francs Beisteuer vom Bunde und ließ die Aufnahme des Kantons durch den frühern
Artillerieoffizier Ingenieur Konrad Auer von Unterhallau und J. Müller aus Tayingen
ausführen, wobei es einen ärgerlichen Handel gab, weil Auer seine Blätter, bevor er sie
an Dufour sandte, badischen Generalstabsoffizieren überlassen hatte. Die Aufnahme des
Kantons Zürich geschah hinsichtlich der noch vorzunehmenden Triangulation seit 1843
durch Eschmann als Chef und J. H. Dengler als Gehilfen, der sie mit Wild beendete,
bezüglich der Topographie ebenfalls seit 1843 durch Johannes Wild als Leiter, unterstützt von Wetli, Bürkli, Hartung, Keller, Wimmersberger, Guyer und Pestalozzi. 1851
war alles beendet, 1852 begann der Stich, 1865 erschien die „Karte des Kantons Zürich
1:25000", auf Stein graviert im topographischen Bureau zu Zürich, gezeichnet von
H. Enderli, gestochen von J. Graf und J. Brack. Sie besteht aus 32 Blättern in Vierfarbendruck und nimmt 2,5:2,26 m Größe ein. Sie ist das erste größere moderne Kartenwerk der Schweiz in Horizontalkurven im Maßstab der Aufnahme, ein Vorläufer" des

Siegfried-Atlas, läßt bezüglich Klarheit und Feinheit nichts zu wünschen und erntete hohes Lob von Dufour. Vorzüglich wertvoll sind auch die Isobathen des Züricher Sees auf Grund von 1210 durch Wild mit dem Zuppingerschen Sondierapparat bestimmten Tiefenpunkten konstruiert. Sie hat rund 164000 Francs dem Kanton gekostet, davon trug 17000 der Bund. Die Aufnahme im Kanton Bern, alter Kantonsteil, geht auf 1809, wie erwähnt, zurück. 1815 begann die sekundäre Triangulation, die Mappierung kam aber über den Amtsbezirk Bern hinaus. Die von Finsler 1834 betriebenen Aufnahmen rückten wenig vor. 1844 beschloß der Große Rat die Aufnahme einer topographischen Karte, aber erst 1853 wurde zwischen Bund und Kanton ein Vertrag abgeschlossen, worin erstgenannter 44000 Francs zur Fertigstellung derselben (Blatt VIII, XII, XIII der Dufourkarte [1])) bewilligte, und zwar sollte nach Anleitung des Direktors der Schweizerkarte der Teil nördlich des Thuner Sees in 1 : 25000, das übrige Gebiet in 1 : 50000 aufgenommen werden. 1854 wurde eine „Kommission zur Kartierung des Kantons Bern" gebildet, in der auch Professor B. Studer sich befand. Oberingenieur J. H. Dengler wurde Chef des topographischen Bureaus, dem R. Stengel beigegeben wurde. 1854 begannen die sekundären Triangulierungen mit einem Reichenbachschen, später auch einem Ertelschen Theodoliten. Leider wurden die trigonometrischen Punkte nur unterirdisch versichert, so daß sie schon nach einigen Jahren nicht mehr aufgefunden werden konnten und neu bestimmt werden mußten. An den Aufnahmen waren hervorragend tüchtig Stengel, Lutz, Jacky beteiligt, weniger lobenswert Anselmier und namentlich Schnyder von Sursee. Es wurden 604 Signale gestellt, 494 Versicherungen gemacht, 9100 Horizontal-, 5909 Höhenwinkel gemessen, 3608 Dreiecke gelegt, 1446 Punkte berechnet und 150,60 Quadratstunden in 1 : 6250, 1 : 25000 und 1 : 50000 aufgenommen. Die Kosten der Kartierung des alten Kantons betrugen 145000 Francs. Eine eigne Karte wurde nicht gestochen.

Der Kanton Luzern erhielt 14000 Francs Subvention und begann infolge kriegerischer Verhältnisse etc. erst 1854 unter Leitung einer Kommission die durch Ernst Rudolf Mohr ausgeführte Aufnahme, zunächst Beendigung der Eschmannschen Triangulation 2. O. und dann die 3. O., im ganzen 424 Dreiecke, woran sich die Mappierung 1 : 25000 schloß. Der Pole A. Stryienski, H. Siegfried von Zofingen und besonders H. Altorfer waren noch Mitarbeiter. 1861 war alles vollendet, 1864—67 erschien in 1 : 25000 auf 10 Blatt (53 : 77 cm) die „Topographische Karte des Kantons Luzern nach den unter Oberleitung des Herrn General Dufour gemachten Originalaufnahmen". Sie war in Horizontalkurven von 10 m-Schichthöhe hergestellt, außerdem erschien noch eine 2. Ausgabe, der zum erstenmal Schummerung des Geländes beigefügt war. Eine Tabelle über den Flächeninhalt des Kantons und 8 Gebirgsprofile ergänzten die von H. Müllhaupt & Sohn in Genf gestochene, von H. Kögel daselbst und J. Manz in Bern gedruckte Karte, deren Gesamtkosten 68959 Francs betrugen. Die von Dufour für Glarus und Tessin beabsichtigten Kantonsaufnahmen zerschlugen sich zunächst. Genf endlich machte seine Aufnahmen selbst. Osterwald führte dort seit 1836 die Triangulation 2. und 3. O. aus, 1837 begann in 1 : 12500 die topographische Vermessung (siehe folgendes).

Wenden wir uns nun zu den eidgenössischen Aufnahmen dieses Zeitraumes, so begannen sie im Juli 1837 durch den dafür engagierten Buchwalder im Kanton Wallis in 1 : 50000. Es dienten dazu ein bei Kern in Aarau bestellter Theodolit und 3 Winkelbussolen, die durch Vermittelung des Generals Pelet in Paris bei Oberhäuser gefertigt waren. Immer mehr kam Dufour die Überzeugung, daß diese schwierigen und kostspieligen Arbeiten der Landesaufnahme selbständig zu organisieren seien, zumal es notwendig war, das aus den Kantonen einlaufende ungleichwertige Material für den Stich

---

[1]) Blatt VI und VII hatte der Bund ganz übernommen.

einheitlich zu bearbeiten. Dies führte 1838 zur Gründung eines eidgenössischen topographischen Bureaus unter Dufours Leitung in Genf, nachdem er Angriffe gegen sein Werk, besonders wegen des zu langsamen Fortschreitens, die von einzelnen Kantonen, auch von Osterwald, Michaelis, Buchwalder erhoben waren, durch seinen Bericht vom 15. Juni 1837 an die Tagsatzung abgewehrt und bewiesen hatte, daß das im Verhältnis zu den (stets ungenügend bewilligten) Mitteln und zum Personal Mögliche geleistet worden sei. Das Bureau bestand außer Dufour zunächst aus 3 Ingenieuren (Wolfsberger als Chef) und 1 Zeichner (J. J. Goll).

„Nun beginnt das neue Regime! Mein Bureau soll eine Stätte gegenseitiger Ausbildung für Topographen werden!" äußerte Dufour. Auch die Tagsatzung gewinnt erhöhtes Vertrauen und bewilligt anstandslos den jeweilen verlangten Kredit. Um für die Aufnahme und Vervielfältigung der Karte Instruktionen aufstellen zu können, wendet sich Dufour an das französische Dépôt de la guerre mit der Bitte um Bekanntgabe der dortigen Verfahren. Die Neuaufnahmen erfolgten in 1:25000 und für das Hochgebirge in 1:50000 und sollten erstgenannte sowie ein Teil (Waadt) der letztgenannten als Spezialkarten durchgeführt und gleichzeitig auch in gleichem Maßstabe als Kantonkarten veröffentlicht werden, während die Aufnahmen 1:50000 zum größern Teil nicht mit solcher Genauigkeit und so ins einzelne gehend gemacht werden, sondern im allgemeinen nur das geben sollten, was dem Maßstabe 1:100000 entspricht. Doch wurden auch diese Gebirgsaufnahmen[1]) meist recht genau ausgeführt, so daß sie später, allerdings nach Vervollständigung, auch als solche herausgegeben werden konnten. Dufour verfaßte für beide Maßstäbe eine Aufnahmeinstruktion. Bei 1:25000 soll da, wo ein Kataster vorhanden ist, dieses reduziert, sonst eine Triangulation 3. O. ausgeführt werden. Ebenso war ein genaues Nivellement als Grundlage für die Geländedarstellung in braunen Horizontalkurven von 10 m-Schichthöhe vorgeschrieben, wobei nur ganze Meter eingetragen werden sollen. Nur in steilen Partien und im Hochgebirge sollten 20metrige Höhenkurven angewendet werden. Als Instrumente dienten Meßtisch und entfernungsmessende Kippregel, weiter ein Parallellineal und ein Rechenschieber von Wolfsberger. Der Topograph stationierte sich auf den Dreieckspunkten oder schnitt sich rückwärts an günstigen Punkten ein und bestimmte weiteres durch Rayonnieren mittels Entfernungsmessers. In Wäldern &c. fand Zugsbildung statt. Im Hochgebirge kam ein leichterer Meßtisch zur Anwendung, die Kippregel hatte keine Distanzfäden, alle Objekte wurden durch Einschneiden oder durch Bildung eines Zuges bestimmt. Es war eine graphische Triangulation, die 400—500 Punkte auf das Blatt lieferte. Ein eigens hergestelltes Höhendiagramm, das 5fache Tangente gab, gestattete das Abgreifen von Höhenunterschieden mit dem Zirkel, und dann wurden die absoluten Höhen direkt auf einer Skala bestimmt mit mittlerem Fehler von 1 m bei Winkeln unter 7° und bis 6 km Entfernung. Die Haupthöhen wurden trigonometrisch berechnet. Die Zeichnung wurde im Felde nur in Blei gemacht, das Gelände in seinen Hauptformen durch braune Höhenkurven von 30 m Schichthöhe später zum Ausdruck gebracht, wobei die Grenzen der Gletscher und die mittleren und Endmoränen gut dargestellt wurden. Wolfsberger erwarb sich dabei große Verdienste durch sachgemäße Anleitung. Die so erhaltenen Aufnahmen 1:25000 und 1:50000 wurden mittels Quadratnetz und anfangs auch Pantographen in 1:100000 verkleinert. Wolfsberger, Bétemps, Stryienski führten für den Stich dann Modellzeichnungen in 1:50000 aus, um die Geländedarstellung darin zum Ausdruck zu bringen. Die Modellzeichnungen 1:100000 für den Stich wurden nur anfangs in Schraffen, später, als die Stecher mehr Übung hatten, nur in 40 m-Niveaulinien ausgeführt, und die Stecher machten dann die Bergstriche gleich auf der Platte. Wegen des Äußern (Titel, Erklärungen, Schrift) der Karte stellte die eidgenössische Militärkommission noch einige Grundsätze auf. Besonders die topographische Aufnahme des Kantons Genf seit

1837 durch Dufour diente der Heranbildung eines geschulten Personals. Wolfsberger, Jules Anselmier aus Belley und Adolphe M. F. Bétemps waren seine Mitarbeiter. Die Geländeaufnahmen fanden hier zuerst — auf Grund des reduzierten Katasters — in 1 : 12500 statt und wurden dann in 1 : 25000 verkleinert. Später kamen noch Mayer, A. Stryienski und J. A. Müller als Ingenieure, J. J. Goll als Zeichner hinzu.

Den Stich der „Carte topographique du Canton Genève 1 : 25000" in 4 Blatt (je 50 : 65 cm) besorgte Rinaldo Bressanini, ein welschtiroler Flüchtling. Die Kupferplatten waren von Aumont et Hehran, planeurs en cuivre, aus Paris bezogen, auch für alle späteren Arbeiten (bzw. von ihren Nachfolgern Godard). 1839 erschien dieses kleine Meisterwerk. Nun ging es an Blatt XVII der eigentlichen Karte (Wallis), um den Verpflichtungen gegen die Schweizer Naturforschende Gesellschaft nachzukommen. Dieses Blatt erschien denn, nachdem die Aufnahmen dafür (und für Blatt XVI) 1841 vollendet waren, Frühjahr 1845 als erstes der 25 Blätter, das letzte Blatt (XIII) 1863. „Blatt XVII sollte das wahre Muster unsrer (Dufours) Methode sein und zeigen, was wir können." Gleich nach ihm, im selben Jahr, erschien Blatt XVI. Sie wurden von R. Foppert in Zürich gedruckt. Außer J. J. Goll als Zeichner der Karte traten im Laufe der Zeit als solche noch J. G. Steinmann und William Rey, als Stecher neben und nach Bressanini Heinrich Müllhaupt von Schünberg, J. H. Bachofen, Wadmüller, Stempelmann, J. J. Goll und die Pariser Ramboz und Ch. Dyonnet hinzu, während die Genfer Firmen Schmid, ihre Nachfolger in der Firma Pilet & Ceregnard und endlich H. Kögel als Drucker Foppert folgten. Das Papier lieferte für die ersten 2 Blätter Thurneysan, dann Guex. Den Vertrieb der Karte und ihr Depot erhielt Hohl in Zürich, dann dessen Nachfolger in der Firma Bär & Siegfried. Die wichtigsten Mitarbeiter des topographischen Bureaus waren Wolfsberger, Bétemps, L'Hardy, Stryienski, Anselmier, Denzler, Stengel, Mohr, Glanzmann, H. Siegfried, Coaz, J. A. Müller, B. Müller, A. Kündig und vorübergehend Ladame, Henri, Huber, Bachofen. Im Rapport von 1862 konnte gemeldet werden, daß alle 25 Platten, mit Ausnahme von Blatt XIII, graviert seien, im Rapport vom 10. Januar 1865, daß der Atlas fertig sei. Als solcher war, wie wir eben in unsrer Darstellung gesehen, die Karte ursprünglich gedacht, nicht aber sollten alle ihre Blätter zu einer zusammenhängenden Karte zusammengestellt werden. Trotzdem ist das Meisterwerk Schweizer Kartographie, dessen Herstellung ein Vierteljahrhundert erforderte, wie aus einem Guß geraten, dank Dufour und seinen ausgezeichneten Mitarbeitern. Diese zu finden und heranzubilden, in ihrer Eigenart möglichst frei walten zu lassen, ohne der Einheitlichkeit des Ganzen zu schaden, ihre Anregungen zu verwerten, jeden an die passende Stelle zu setzen, ist das hohe Verdienst Dufours, der nach dem Sonderbundkriege sein Amt als Oberquartiermeister niedergelegt hatte und sich als „Directeur" nur noch seiner geliebten Karte" (mit dem bescheidenen Jahresgehalt von 400 Francs!) widmete. Namentlich schwierig war auch die Heranbildung einer Schule von Kupferstechern. „Bei uns rückt der Stich sehr langsam. Andere Staatsanstalten haben besondere Stecher für den Trait, für die Schrift, für die Gewässer und für das Terrain", schreibt er, als er nur über Bressanini verfügte, und immer drängt er, die Mittel für die rasche Förderung des Stiches zu erhöhen, zumal durch schnelle Veröffentlichung die gehabten Auslagen rascher vergütet werden. Aber auch andere große Schwierigkeiten wußte der energische Mann zu besiegen. So die scharfe Gegnerschaft, die gleich den beiden ersterschienenen Blättern XVI und XVII von zwei Seiten, sogar anonym, wurde. Man wollte ihm das Werk aus den Händen winden. Zu ihnen gesellte sich der alte Mitarbeiter, der Genieoberst A. J. Buchwalder, der schon ältere persönliche Zerwürfnisse mit Dufour gehabt hatte und sich durch ihn in seinen Interessen geschädigt sah. Die Kritiken erregten großes Aufsehen, die Tagsatzung von 1846 überwies sie dem eidgenössischen Kriegsrat zur

Beantwortung, und Dufour ging energisch an ihre Abwehr, reichte aber zugleich, um der Tagsatzung freie Hand zu lassen, seine Entlassung ein, zumal auch der Präsident des Kriegsrats, Oberst Maillardoz, ihm Vorwürfe wegen nicht genügender Angabe der Grenzen machte. In seinem Rapport vom 1. September 1846 verteidigt er sich sehr geschickt, an vielen Stellen, besonders hinsichtlich der von ihm gewählten schiefen Beleuchtung, sehr gut begründet, ohne die zutreffenden Aussetzungen zu bestreiten, die er abzustellen verspricht. Hervorragend geschickt aber ist seine Abwehr wegen der unterlassenen Eintragung der Grenzen in Seen und Flüssen, die er in einem besondern Rapport macht. Die Tagsatzung vom 8. Juli 1847 erklärt denn auch mit allen Stimmen die gegen die Blätter XVI und XVII erhobenen Rügen für unbegründet und bezeichnet die Arbeit als im allgemeinen wohlgelungen und Dufour zur Ehre gereichend und wählt ihn wieder zum Oberquartiermeister. Dieser Sieg des verdienten Mannes hatte aber nicht ein Ausruhen auf seinen Lorbeeren zur Folge, sondern die Kritiken haben ihn zu immer größerer Vervollkommnung der Karte angespornt und dadurch — unabsichtlich — ihr Gutes gehabt. Die weiteren Blätter boten kaum noch zu Ausstellungen Anlaß. Es gab damals manche ausgezeichnete topographische Kartenwerke, viele, welche in räumlicher Beziehung weit ausgedehnter als das schweizerische von verhältnismäßig geringer Fläche sind, aber es gab zu der Zeit keine Karte, die eine genaue Aufnahme mit meisterhafter Zeichnung und künstlerisch schönem, geschmackvollem Stich in so hohem Grade vereinigte wie diese. Darin war sie die vorzüglichste der Welt und ist auch heute noch in dieser Richtung unübertroffen! Sie ist eine geniale Vereinigung geodätischer und künstlerischer Darstellung, eine wahre Soldaten- und Bürgerkarte, da sie von jedem Menschen, der überhaupt Feingedrucktes lesen kann, ohne jede Vorkenntnis und Beigabe eines Zeichenschlüssels verstanden werden kann. Es ist ein Naturgemälde, wie es weder Panoramen noch Reliefs ersetzen können, das jedermann, ehe er eine Gegend betritt, ein leicht einprägbares, charakteristisches Abbild von ihr verschafft und infolge seiner Großzügigkeit und Übersichtlichkeit gute und leichte Orientierung ermöglicht. Reich an Einzelheiten und doch harmonisch und wirkungsvoll im ganzen, fein und zierlich durchgeführt — jede kleinste Kleinigkeit, jedes Haus, jeden Steg, die zarteste und doch deutlich leserliche und in den geschmackvollsten und angemessensten Größenverhältnissen hergestellte Schrift läßt der meisterhafte Kupferstich noch erkennen — und doch voll Kraft und Ausdruck die imposante Alpennatur mit ihren Felsen, Gletschern und Firnen anschaulich wiedergebend, so daß die gewaltigen Bergmassen wie in der Natur förmlich aus dem Bilde heraustreten, so zeigt sich uns diese Karte. Durch solche Eigenschaften wurde sie ein gemeinverständliches, populäres, gerade für die Schweiz besonders geeignetes Werk, mag man auch theoretisch über den Wert der angewandten schiefen Beleuchtung denken, wie man wolle. Man glaubt, wie der berühmte Geologe v. Charpentier über Blatt XVII sehr richtig einst an L'Hardy schrieb, nicht eine Karte, sondern die Gegend selbst, von einem Luftballon aus betrachtet, vor sich zu haben. Es ist eine prächtige, berückend schöne, gut orientierende Darstellung: unter den schwierigsten Umständen, mit geringen Mitteln geschaffen! Sie hat der Schweiz, der Eidgenossenschaft wie den Kantonen, im ganzen 1589244,54 Francs gekostet. Die Nettoeinnahmen für den Verkauf von 1850—65 betrugen 129689,27 Francs, die Zahl der bis Mai 1865 gedruckten Blätter 57952. Am 31. Dezember 1864 gab Dufour seinen „Schlußbericht über die topographische Karte der Schweiz", der auf 12 Seiten (auch französisch gedruckt) in großen Zügen die Entwickelung des Werkes zeigt, dann eine Auskunft über das bisher Geleistete enthält und endlich die noch auszuführenden Arbeiten bezeichnet. Als solche waren genannt zunächst die Aufnahme (nach dem System der Horizontalkurven) derjenigen Gebiete, für welche andere Karten verwendet sind, wie in Aargau, Solothurn, Thurgau, Neuenburg und dem bisherigen Bistum Basel. Dann die Beendigung der Generalkarte. Dufour hatte nämlich frühzeitig daran gedacht, eine solche in 4 Blättern 1:250000 herauszugeben, und der Bundesrat hatte ihre Herstellung grundsätzlich geneh. migt am 14. Dezember 1853. 4000 Francs waren für 1855 angewiesen. Goll besorgte den Stich, der bis 1. Juli 1866 beendet sein sollte (Zeit 6 Jahre 3 Monate). 1858 waren bereits von allen 4 Blättern, mit Ausnahme der noch nicht aufgenommenen Teile, die Schrift und der Trait und von Blatt II sogar ein Teil des Geländes auf von der Darmstädter Firma Felsing gelieferten Stahlplatten vollendet. Leider starb Goll, dem 30000 Francs für den Stich bewilligt waren, schon 1860 vor seiner Vollendung. Erst 1875 sollte die Karte fertiggestellt werden, und zwar ganz auf Kupferplatten graviert durch H. Müllhaupt. Weiter wünschte Dufour in seinem Schlußbericht die Bearbeitung einer neuen „geometrischen Beschreibung der Schweiz", dann die Fort- setzung und Erneuerung der Verstählung der Platten (die Kupferplatten nutzten sich wegen der vielen Abzüge zu stark ab, weshalb schon 1852 von Dufour deren gal- vanische Reproduktion ins Auge gefaßt, seit 1860 deren Verstählung, die dann die Gebrüder Karl & Nikolaus Benzinger und Schöninger bis 1863 vollendet hatten). Endlich sollte ein Atelier für die Abzüge und die photographische Reproduktion er- richtet werden.

Dufour hatte sein Lebenswerk vollendet, bereitete noch die Übersiedelung des topo- graphischen Bureaus von Genf nach Bern vor und drängte, daß ein neuer Chef an seiner Stelle ernannt wurde, was dann in der Person des zum Oberstleutnant beförderten Majors Hermann Siegfried aus Zofingen geschah, der am 18. Mai 1865 den Befehl erhielt, das Bureau in Genf zu übernehmen und nach Bern zu überführen. Ehe wir aber von Dufour, dem Meister der genialen kartographischen Auffassung, dem verdienten Lehrer und Er- zieher eines festen topographischen Personals, das er zum Denken und zur Freiheit des Handelns in seinem umfassenden Geiste herangebildet hat und das ihn in trefflichster Weise unterstützte, scheiden, sei noch seines Anteils an der mitteleuropäischen Gradmessung kurz gedacht. Schon 1861 sandte die Schweiz ihn mit den Direktoren der Sternwarte von Zürich, Neuchâtel, Genf und Bern, nämlich Dr. Wolf, W. Hirsch, Dr. Plantamour und Denzler als Kommission zur Begründung des großen Werkes Baeyers. Auf seine Veranlassung geschah es dann, indem er die Ungleichwertigkeit der Schweizer Haupttriangulation, die von verschiedensten Beobachtern mit verschiedenartigen Instru- menten ausgeführt, nicht aus einem Guß war, offen zugab, daß eine Neuberechnung der Dreiecke 1. O. und durch ein neues Netz der Anschluß an Italien eingeleitet wurden, die nicht bloß wie bisher den topographischen Aufnahmen, sondern den strengsten wissen- schaftlichen Anforderungen genügte. So wirkte Wilhelm Heinrich Dufour auch segens- reich für die Zukunft! Der Bundesrat dankte ihm am 30. Januar 1865 durch ein An- erkennungsschreiben. „Cette oeuvre vous honore! Elle porte le cachet de votre esprit et de votre caractère et l'on se plaira dans les temps futurs à lui associer votre nom vénéré" und „La Patrie sait apprécier, Monsieur le Général, la valeur des services que vous lui avez rendus; elle en conservera le souvenir" hieß es darin. Auch genehmigte der Bundesrat, die höchste Spitze der Schweiz (Monte Rosagruppe) „Dufourspitze" zu nennen. 1866 überreichte Bundesrat Challet-Venel und Oberstleutnant Siegfried im Namen des Militärdepartements einen silbernen Tafelaufsatz. Die Berliner Gesellschaft für Erd- kunde ernannte Dufour bereits 1858 zu ihrem Ehrenmitgliede. Auf allen Weltausstellungen von 1855—91 wurde die Dufourkarte mit den höchsten Auszeichnungen bedacht, und die wissenschaftliche Kritik erster Fachleute (v. Sydow, Petermann) war einstimmig ihres Lobes.

Eng verbunden mit der Dufourkarte ist die Geschichte der geologischen Karte der Schweiz, die ja 1829 schon von der Naturforschenden Gesellschaft geplant war und so recht eigentlich den Anstoß zum topographischen Atlas mit gegeben hat. 1860, als

sich dieser der Fertigstellung näherte, wurde die Frage in Gemeinschaft mit Dufour, der
die Kosten auf rund 350000 Francs berechnete, energisch in die Hand genommen. Seit
1862 leistete der Bund jährlich 5000, seit 1867 8000, 1868 12000 und seit 1882
15000 Francs. Am 6. August 1888 wurde zum erstenmal in Solothurn die vollendete
Karte ausgestellt. Sie ist das Werk der seit 1859 bestehenden geologischen Kommission
und sucht an Großartigkeit ihresgleichen. Wie die Duforkarte besteht sie aus 25 Blatt
1:100000 und ist in der Anstalt Winterthur (J. Schlumpf) gedruckt.

Dann ist der ersten „Postkarte der Schweizerischen Eidgenossenschaft 1:300000
in 4 Blatt" zu gedenken, die, unter Aufsicht Dufours nach den damals vorhandenen
Materialien seines Atlasses und den besten Karten von seinen Ingenieuren J. R. Stengel
und E. R. Mohr gezeichnet, 1850 bei J. Wurster & Cie in Winterthur erschien.

Unter den Privatkartographen ragt namentlich Jacob Melchior Z i e g l e r in Winter-
thur (1801—83) hervor, dessen schon erwähnter Stich der St. Galler und Appenzeller
Kantonskarte förmlich Schule in der Schweizer Kartographie gemacht hat, was allerdings
Becker, der sie eher das End- als das Anfangsglied einer Entwickelung nennt, bestreitet.
Ziegler, dieser besonders durch Pestalozzis Bestrebungen, die Lehre durch die Anschauung
zu unterstützen, und durch seinen kartographischen Lehrer Dufour beeinflußte Mann, der
Begründer der berühmten Winterthurer Anstalt (1842), hatte sich durch jahrelange Studien
eine genaue Kenntnis jener Gebiete erworben und wurde durch hervorragende Geologen
wie Arnold Escher v. der Linth, ferner Leopold v. Buch, durch Gelehrte und Geographen
wie A. v. Humboldt, Karl Ritter u. a. unterstützt. Durch mehrere Schriften gibt er über
die Geschichte dieser Karte und die dabei befolgten Gesichtspunkte interessanten Aufschluß. Seiner späteren Arbeiten wird in der folgenden Epoche zu gedenken sein. Hier
muß aber seine „G e n e r a l k a r t e d e r S c h w e i z" 1:380000 in 4 Blatt mit Erläuterungen und Höhenregistern vom Jahre 1852 erwähnt werden, der besten ihrer Zeit. Diese
hypsometrische Karte beruht auf erstklassigem topographischen Material und zeichnet sich
durch charaktervolle, ja kühne Gebirgsdarstellung und geniale Beherrschung des Stoffes
aus und ist so recht zum praktischen Gebrauche geeignet. Sie bildet auch die Grund-
lage zu der meisterhaften g e o l o g i s c h e n Ü b e r s i c h t s k a r t e d e r S c h w e i z 1:380000
von B. Studer und Escher v. der Linth, die 1853 bei Wurster & Cie in Winterthur er-
schien und von der 1855 noch eine Verkleinerung in 1:760000 in demselben Verlage
herauskam. J. F. O s t e r w a l d fertigte eine „Carte topographique et routière de la Suisse
et des contrées limitrophes" 1:400000 auf 1 Blatt, aber nur in wenigen Exemplaren,
die auch erst nach seinem Tode in Paris 1851 erschienen und von Delsol und Hacq
kunstvoll gestochen sind. Sie ist unübersichtlich und überladen. Ausgezeichnet, weil die
Gebirgsdarstellung schon sehr gelungen und der Stich technisch vollendet, ist auch die
1856 erschienene „P o s t -, E i s e n b a h n - u n d D a m p f s c h i f f k a r t e d e r S c h w e i z"
auf 1 Blatt mit 5 Stadtplänen. Zum ersten Male ist das gesamte Alpenland in einheit-
heitlichem Maßstabe zur Darstellung gelangt in dem hervorragenden „A t l a s d e r A l p e n-
l ä n d e r" 1:450000 von J. G. Mayr, der bei Justus Perthes 1858 erschien und von
dessen 9 Blatt die beiden ersten der Schweiz angehören. Sie zeichnen sich durch gute
Gruppierung des reichen Stoffes und durch plastische und harmonische Ausführung aus.
Endlich sei noch der 1846 bei Lithograph H. Weiß & Cie in Zug erschienenen „Topographischen Karte des eidgenössischen Staates Zug 1:25000" in 4 Blatt von dem bei
der Landesaufnahme beschäftigten Jules A n s e l m i e r gedacht, und von der H. Weiß
später eine Reduktion in 1:50000 erscheinen ließ in Vierfarbendruck, mit 4 Durch-
schnittsprofilen (Druck von J. J. Hofer in Zürich), was Dufour als eine grobe Indiskretion
ansah. Siegfried urteilte über Anselmiers Arbeiten, daß seine Aufnahmeblätter zu den
s c h l e c h t e s t e n gehörten, und daß von ihnen einzig und allein der Mißkredit rühre, der
auf einigen Teilen der eidgenössischen Aufnahmen laste. Deshalb hat ihn Siegfried auch

nicht beschäftigt. Ein 1873 auf Bestellung des Département du Rhône-et-Saône von ihm begonnenes Relief vollendete sein Sohn 1895.

Von Velten erschien seit 1830 in Karlsruhe eine Karte der Schweiz 1 : 530000 auf 1 Blatt, in Wien seit 1850 eine „General- und Reisekarte von der Schweiz und Tirol mit Vorarlberg nebst einem beträchtlichen Teil der angrenzenden Länder" in 4 Blatt 1 : 500000.

In dieser Zeit wurde auch zu Genf 1858 die „Société de Géographie" als erste der Schweiz begründet.

Von Osterwald wurde 1847 ein „Tableau des hauteurs de divers points de la principauté de Neuchâtel dans les années 1888—95" in Neuenburg 1847 herausgegeben. Ziegler veröffentlichte 1853: „Sammlung absoluter Höhen der Schweiz" (mit 1 Karte) und 1862: „Über topographische Karten im großen Maßstabe", mit 4 Karten, Zürich.

3. Die Zeit des Siegfriedatlas (1865—1879).

Hermann Siegfried[1]), einer der erfolgreichsten Mitarbeiter Dufours seit 1851, hat — außer einer Aufnahme des Luziensteiges mit Umgebung in Horizontalkurven von 5 m Schichthöhe in 1 : 10000 und einer ähnlichen der Befestigungen von St. Maurice — im ganzen 2499,5 qkm, d. h. etwas mehr als die Kantone St. Gallen und Appenzell zusammengenommen, zum größten Teil im Hochgebirge vermessen. Seine Arbeiten der späteren Jahre gehören zu den besten Originalaufnahmen des eidgenössischen topographischen Bureaus, dessen Chef er nun auf Dufours Empfehlung mit Recht geworden war. Denn er besaß auch den richtigen Blick, die nötige Befähigung und Energie für die neuen großen Aufgaben, die noch Dufour zum Teil bezeichnet hatte. Er wußte auch, welch wertvolles Material in den Originalaufnahmen vorhanden war, wie mangelhaft dagegen ein Teil der benützten älteren Aufnahmen war, die daher der Neuvermessung bedurften. Auf allen diesen Grundlagen wollte er dann einen „topographischen Atlas der Schweiz" als Spezialkarte des Landes, daher in den Maßstäben 1 : 25000 und 1 : 50000 der Uraufnahme, herausgeben, zumal der große Erfolg der Dufourkarte die Einzelkantone in dem Ganzen nicht dienlicher Weise zur Herausgabe einer Reihe mehrblättriger Buntdruckkarten und kleinerer Übersichtskarten auf Grund der Meßtischblätter angeregt hatte. Der Bundesrat stimmte Siegfried, der kräftig vom Schweizer Alpenklub unterstützt wurde, zu, und zwei am 11. Dezember 1868 erlassene Bundesgesetze über die Fortsetzung der topographischen Arbeiten in 1 : 25000 in den Kantonen Neuenburg, Basel-Landschaft, Basel-Stadt, Solothurn, Aargau, Thurgau, Appenzell Außer- und Inner-Rhoden und in einem Teile des Kantons Bern, sowie die durch die Eidgenossenschaft, und die Veröffentlichung sämtlicher Originalaufnahmen nach einheitlichem Plane durch den Bund entschieden die Herausgabe dieses neuen Atlas. Er sollte in Lieferungen von je 12 Blatt zu 24 : 35 cm Größe erscheinen. Die Kosten der Aufnahme sollten vom Bunde und den Kantonen zu gleichen Teilen getragen werden, weshalb der neue Chef mit letzteren Verträge abschloß. Siegfried bearbeitete dann eine im Mai 1868 erschienene neue Instruktion dafür, die im wesentlichen (wie die Dufours zu 1 : 50000) noch heute gilt. Die neue Triangulation, der drei mit dem Ibañezschen Apparate[2]) je drei- bzw. zweimal gemessen Basen bei

---

[1]) H. S. (1819—79), ursprünglich zum Lehrer ausgebildet, studierte an der Akademie Genf Naturwissenschaften, später besonders Mathematik. 1844 kam er zu Dufour, nahm 1851 das sehr schwierige Blatt Basodino und einen Teil des Blatts Lerntino auf. Nur eins seiner Blätter (Reiden bei Luzern) ist im Flachlande in 1 : 25000 vermessen. Seine Aufnahmen zeichnen sich vor allem durch geometrische Genauigkeit, weniger durch Eleganz der Darstellung aus. 1863 studierte er die Organisation des französischen Dépôt de la guerre. Am 30. Dez. 1865 wurde er endgültig zum Chef des Generalstabes ernannt, als welcher er in militärischer Hinsicht nicht minder große Verdienste hat wie in topographischer. Er hat den Generalstab erst eigentlich entwickelt und ist Schöpfer seiner Eisenbahnabteilung. Bedeutendes leistete er auch auf dem Gebiete der Landesverteidigung und der Artillerie. Seit 1867 war er Oberst. Auch literarisch tätig.

[2]) Porrosches Prinzip der Bestimmung des Zwischenraums zweier Meßlatten mittels Mikroskopen. Im übrigen siehe „Spanien".

Aarlberg (2400 m, mittlerer Fehler ± 0,67 mm), Weinfelden (2540 m, ± 1,27 mm) und
Bellinzona (3200 m, ± 0,89 mm) als Stütze und Ausgang dienten, sowie das 1867—83 unter
Leitung von A. Hirsch und E. Plantamour ausgeführte Präzisionsnivellement der geodätischen Kommission (4476 km, davon 3860 km meist doppelt gemessen, seit 1878 auch von
2782 km Messungen im entgegengesetzten Sinne mit einem wahrscheinlichen Kilometerfehler
von ± 1,9 mm) wurden natürlich dabei berücksichtigt[1]). Daß die ganze Schweiz umfassende
und an die Nachbarstaaten anschließende neuberechnete eidgenössische Netz 1. und 2. O.
und die Triangulation 3. O. der Kantone bilden die Grundlage der topographischen Einzelvermessungen, welche im Alpengebiet 1:50000, in dem außerhalb des Hochgebirges liegenden Teil 1:25000 ausgeführt wurden. Sämtliche ältere Aufnahmen werden revidiert,
ergänzt, umgearbeitet oder neu erstellt. 1872 erschien eine Instruktion Siegfrieds für die
Revision der Aufnahmeblätter. Die Zeichnung der Aufnahmeblätter ist eine kaum ab-
geänderte Kopie der Originalaufnahme, erfolgt also in wissenschaftlich korrektester Weise.
Das Werk umfaßt mit See- und Grenzblättern 591 Blatt, davon entfallen 115 auf das
Hochgebirge und sind, weil da weniger Veränderungen vorkommen, in Chromolithographie
ausgeführt, der Rest auf die übrige Schweiz, und sind diese Blätter 1:25000 von Meistern
wie Müllhaupt und Leuzinger in Kupfer gestochen, so daß Änderungen und Nachträge
leichter möglich sind. Es fehlen nur noch wenige Blatt, 26 Sektionen sind schon in
2. Auflage erschienen, 13 weitere dazu in Vorbereitung. Die Einteilung des Atlas schließt
sich eng an die Karte 1:100000 an, indem ein Blatt derselben 16 Atlasblätter 1:50000
und 64 Blätter 1:25000 ergibt. Die Blätter beider Maßstäbe haben gleiches Format und
Größe, die 24 cm Höhe entsprechen im Gelände 12000 bzw. 6000 m von Norden nach
Süden und die 35 cm Breite 17500 bzw. 8750 m von Westen nach Osten, der Flächeninhalt beträgt 210 qkm (9,1146 Quadratstunden) bzw. 52,5 qkm (2,2786 Quadratstunden) im
Verjüngungsverhältnis von 1:50000 bzw. 1:25000. Es findet eine zweifache Numerierung
der Blätter statt, um sowohl ihren Platz in der Dufourkarte wie im Atlas zu bezeichnen.
Die Lage der Netzpunkte ist nach der modifizierten Flamsteedschen Projektion berechnet,
auf den Blättern 1:25000 sind die Grade von 10:10 Sekunden, auf den anderen von
30:30 Sekunden am Blattrande bezeichnet. Die Längengrade sind vom Pariser Meridian
gezählt. Dazu tritt eine Blatteinteilung nach rechtwinkligen Koordinaten, bezogen auf
Meridian und Perpendikel der Berner Sternwarte und berechnet nach den projizierten
geographischen Koordinaten. Ihr Abstand vom Meridian bzw. Perpendikel wird an den
vier Randlinien der Zeichnung angegeben, und die Blattfläche ist in Quadrate von 6 cm
Seite geteilt, entsprechend einer Länge von 1500 m im größeren und 3000 m im kleineren
Maßstabe. Die rechtwinkligen Koordinaten sind nach den projizierten geographischen
berechnet. Für das Gerippe, die Gewässer und die Bodendarstellung sind drei verschiedene
Farben gewählt. Der Grundriß ist im Wegenetz, den Ortschaften, den Grenzen, Wäldern und Felspartien, sowie in der Schrift und den Höhenzahlen schwarz und gewährt
ein sehr reichhaltiges Bild. Es werden Eisenbahnen, Kunststraßen von größter und unter-
haltene Kunststraßen von geringerer Breite unterschieden, ferner fahrbare Straßen, die
einer Kunstanlage und der Unterhaltung entbehren, nicht fahrbare Saum- und Reitwege
und endlich für Pferde nicht brauchbare Fußwege. Die Grenzen erscheinen von der
Landes- bis zur Gemeindegrenze hinab, sorgfältig ist auch die Angabe der Bodenkulturen,
besonders der Wälder und Rebberge, wenn auch die Bezeichnung der Wiesen und bei den
Ortschaften der kleineren Gärten vermißt wird. Recht gelungen ist die Art und Stellung
der in Größe und Lage (stehend oder liegend) im allgemeinen nach der Wichtigkeit des

---

[1]) Die Ausgangsfläche ist der Hauptfixpunkt auf Pierre du Niton im Genfer See, der zu 376,86 m (ursprünglich provisorisch zu 374,07 m) über dem Mittelmeere (im Hafen von Marseille) bestimmt wurde. Da das eidgen.
Bureau aber fortführt, die alte Vergleichungsebene seines trigonometrischen Nivellements beizubehalten, so sind die
in den Heften des „Nivellement de précision" enthaltenen Höhen zu 376,86 m zu addieren, wenn die Höhen der
Fixpunkte auf die Ebene des topographischen Atlas zu beziehen.

Gegenstandes wechselnden Schrift. Die zahlreichen Höhenzahlen geben die Höhe des Punktes, bei dem sie stehen, in Metern über dem Meere, die Signalpunkte der Triangulation sind durch ein Dreieck, die als trigonometrische Punkte dienenden Kirchtürme durch einen kleinen Kreis mit Punkt, die Höhen des direkten Präzisionsnivellements durch einen Punkt mit Kreuzstrichen und eine in Dezimalen ausgedrückte Zahl bezeichnet. Die Gewässer, Sumpfstellen und der nasse Boden sind blau gedruckt. Das Bodenrelief ist in der Regel durch lichtbraune Niveaulinien dargestellt, die in 1 : 50000 30 m, in 1 : 25000 10 m Schichthöhe haben. Je die zehnte Kurve ist punktiert und an geeigneter Stelle mit ihrer braunen Höhenzahl bezeichnet. Um noch kleinere Geländebewegungen zum Ausdruck zu bringen, finden sich auch punktierte 5metrige Zwischenkurven. Durch dieses System werden die Oberflächenformen klar und eingehend erläutert, die blau gehaltenen Gletscher und Firne treten scharf hervor, die steileren Felsen sind unter Anwendung schräger Beleuchtung malerisch und geologisch verschiedenartig durch schwarze Schraffen charakterisiert, die kleineren Böschungen, die Erdrisse und Einschnitte, welche nicht durch Kurven ausdrückbar waren, sind durch braune Schraffen bezeichnet. Die Seen haben Tiefenlinien. Eine weitere künstlerische Ausgestaltung der Bodenformen durch Anbringung von Relieftönen wird wohl in einiger Zeit eintreten. So ist das Werk eine ebenso schöne wie mathematisch richtige und technisch gelungene Leistung geworden und hat mit Recht zu Ehren seines Urhebers den Namen „Siegfriedatlas" erhalten, mit dem die neuere Hochgebirgskartographie der Schweiz begründet wurde. Seine ersten Blätter erschienen 1871. Als Siegfried starb, war 1/3 des Atlas veröffentlicht, 3/5 für die Publikation vorbereitet.

Siegfried vollendete dann die das Hochgebirge in geradezu bestrickender Weise nach den Grundsätzen der Dufourkarte wiedergebende Generalkarte 1 : 250000, eine vielblättrige Schwarzdruckkarte in Kupferstich, welche der Übersicht, besonders operativen Zwecken dient, und deren Gerippe dauernd kurrent gehalten wird. Die neuesten Ausgaben der einzelnen Blätter sind von 1896, 1900 und 1901. Von dieser allgemeinen Kriegskarte erhält jeder Offizier bei seiner Ernennung ein Exemplar.

1878 erschien dann die sogenannte Operationskarte, nämlich die „Übersichtskarte der Schweiz mit ihren Grenzgebieten" 1 : 1 Million auf einem Blatt (70 : 48 cm) in sechsfarbiger Lithographie. Sie reicht im Westen bis Auxerre, im Osten bis Venedig, im Norden bis Ludwigsburg (bei Stuttgart), im Süden bis Modena und gibt Eisenbahnen rot, Landesgrenzen grün, Gewässer blau, das übrige Gerippe und die Schrift schwarz, endlich das Gelände in braunen Schraffen (bei schräger Beleuchtung) wieder und ist wohl geeignet für ihren hauptsächlich strategischen Zweck. R. Leuzinger hat sie zuerst bearbeitet. Zwischen diese Karte und die Generalkarte fügte Oberst Siegfried noch ein Bindeglied in der als allgemeine Grundlage für allerlei wissenschaftliche und wirtschaftliche Zwecke bestimmten, erst nach seinem Tode 1881 erschienenen „Gesamtkarte der Schweiz 1 : 500000" auf 1 Blatt. Sie ist freilich heute keine offizielle Karte mehr. Sie enthält das Gelände in braunen Schraffen unter Annahme schrägen Lichteinfalls; auch gibt es eine hydrographische Ausgabe, welche die Bodenformen in Schichtenlinien von 100 m ausdrückt.

So war die Siegfriedperiode ebenfalls reich an Arbeit, die er größtenteils noch selber leiten konnte. Sie bezeichnet gegenüber der vorigen Ära Dufour eine neue, nämlich die individualisierende Richtung der topographischen Darstellung. Das innere Wesen der Geländeformen, ihr geologischer Aufbau wird in der Zeichnung der Karte zum Ausdruck gebracht. Die geometrische Darstellung des Geländes durch Niveaukurven, die die Höhe eines jeden Punktes des ganzen Landes über der Meeresfläche und damit auch den Höhenunterschied aller Punkte des Landes unter sich gibt und jeden Punkt der Erdoberfläche durch seine drei Koordinaten bestimmt, ist die wissenschaftlichste. Alle geometrischen

Verhältnisse des dargestellten Körpers können aus der Karte entnommen werden. Freilich, für die Anschauung lieferte sie kein so plastisches Bild wie die Schraffenkarte, falls sie nicht durch einen Reliefton in schräger Beleuchtung belebt wird. Sie ist aber in der Zeit des Verkehrswesens und der Technik der oft bloß fürs Auge wirkenden Bergstrichmethode vorzuziehen, und bei ihr ist Genauigkeit sehr wohl mit Schönheit und Eleganz der Zeichnung zu vereinigen. Daher ist sie mindestens für spezielle Fälle das allgemein gültige System. Unter Oberst Siegfried sind 23856 Blätter der Generalkarte, 151052 Blätter der mit zahlreichen Nachträgen versehenen Dufourkarte, außerdem 164633 Spezialkarten aller Art (Kantons- und Militärkarten, Manöver- und Umgebungskarten &c.) gedruckt worden. Er erniedrigte den Preis der Dufourkarte, um sie weitesten Kreisen zugänglich zu machen, 1867 von 115 auf 50 Francs, 1879 auf 40 Francs. Er führte auch 1878 die Triangulation des eidgenössischen Forstgebiets aus und förderte die Bestrebungen des verdienstvollen Schweizer Alpenklubs. Schließlich bildete er ein vortreffliches Personal für Landesaufnahme und Photographie aus.

Der Privatkartographie dieser Periode gehören die vorzüglichen Arbeiten R. Leuzingers an, so seine jährlich erscheinende „Nouvelle carte de la Suisse 1 : 400000", seine „Physikalische Karte der Schweiz 1 : 800000" 1878, die „Übersichtskarte der Schweiz mit ihren Grenzgebieten 1 : 100000", Bern 1879, seine hervorragende „Orohydrographische Karte 1 : 500000", seine „Niveaukurvenkarte (100m-Schichten)" gleichen Maßstabes &c. Leuzinger [1]) stellt die Entwickelung der modernen Kartographie etwa seit der Mitte des 19. Jahrhunderts in seinen Arbeiten dar, die zu einer Zeit, wo die topographischen Karten anfingen, wirklich genaue Darstellungen zu liefern, begannen. Seine Karten werden zu den vollkommensten der Welt gerechnet.

Der Schweizer Alpenklub ließ 1864 und 1865 die „Karten des Tödi- und Triglavgebiets", sodann der „Silvretta- und Modelsegebiete" und 8 Blatt über Süd-Wallis 1 : 50000 in Art der Originalaufnahmen erscheinen, Arbeiten, die Siegfrieds Bestrebungen, einen topographischen Atlas zu veröffentlichen, mächtig unterstützten. Nicht minder bedeutungsvoll ist das Wirken J. Randeggers, der von 1863—69 Chef der von Ziegler gegründeten topographischen Anstalt Wurster, Randegger & Cie in Winterthur war.

Bei Orell Füßli & Cie in Zürich kam 1879 eine interessante „Generalkarte der Gotthardbahn 1 : 100000" nebst Längenprofilen nach dem Projekt von 1878 heraus.

Von ausländischen Arbeiten sind die ausgezeichneten Karten des Perthesschen Verlages in Gotha, wie sie namentlich im „Stieler", dann in dem eigenartigen „allgemeinen Missionsatlas" von R. Grundemann &c. vorhanden sind, zu nennen. Dann Viollet le Duc 1875 veröffentlichte 4 Blatt des „Massif du Mont Blanc 1 : 40000" in 10 Farben.

Unter den literarischen Arbeiten seien Siegfrieds Schriften zunächst genannt, nämlich 1869: „Die Grenzen der Schweiz" (Brugg), dann 1879 das klassische Werk: „Geographische und kosmographische Karten und Apparate von der Internationalen Weltausstellung in Paris" (Zürich), zugleich auch seine letzte Arbeit; dann R. Wolf: „Geschichte der Vermessungen in der Schweiz" 1879 und die 1873 erschienenen „Beiträge zur Geschichte des Kartenwesens". Wichtig sind weiter die „Mitteilungen der Naturforschenden Gesellschaft". In dieser Periode wurden die Geographische Gesellschaft in Bern 1873, die Ostschweizerische Geographisch-kommerzielle Gesellschaft von St. Gallen 1878 gegründet.

A. Hirsch und E. Plantamour, die verdienten Schweizer Mitglieder der Internationalen Erdmessungskommission (besonders Hirsch, der Direktor der Neuenburger Sternwarte, war jahrelang ein hervorragender, unermüdlicher Schriftführer derselben), die auch die telegraphischen Längenbestimmungen gemacht haben, veröffentlichten: „Nivellement de précision de la Suisse" seit 1865; dann Hirsch: „Das Schweizer Dreiecknetz" und Plantamour mit M. Löw: „Détermination télégraphique de la différence de longitude entre les observatoires de Genève et de Strasbourg, exécutée en 1876" (1879). Von Maurice Bandot ist ebenfalls ein „Nivellement de la Suisse" in Paris 1874 erschienen.

---

[1]) Rudolf Leuzinger (1826—96) ist ein Zögling Zieglers, in dessen Anstalt in Winterthur er eintrat. Nach kurzem Aufenthalt bei Erhard in Paris kehrte er nach der Schweiz zurück und trat 1861 in das Eidgenössische Topographische Bureau ein zur Mitwirkung an den dortigen Arbeiten, später besonders des Siegfriedatlas, der hauptsächlich durch ihn seine musterhafte technische Ausführung erhalten hat. Er war besonders gewandt in der naturgetreuen und zugleich künstlerischen Wiedergabe des Hochgebirges.

4. Die Zeit von Siegfrieds Tod bis heute.

Bald nach dem Tode des Obersten Siegfried wurde das topographische Bureau vorübergehend unter die Leitung des Waffenchefs des Genies gestellt. Die Arbeiten am Atlas wurden fortgesetzt, dann eine Reihe von Reproduktionen und lithographischen Überdrucken aus den Originalkartenwerken hergestellt sowohl für bürgerliche Zwecke aller Art als von Gebieten besonderer Wichtigkeit wie Grenzzonen, die auf mehrere Blätter fallen. Es seien angeführt:

a) aus der Generalkarte und der Dufourkarte:

1. Die „offizielle Eisenbahnkarte der Schweiz" 1:250000 in 4 Blatt (70:48 cm) und in zwei Farben gedruckt. Sie ist ein lithographischer Überdruck aus der Generalkarte mit Angaben der Eisenbahnen und erscheint jährlich im Mai, letzte Ausgabe also 1903.

2. Lithographische Überdrücke von zwei oder mehreren Blättern der topographischen Karte in 1 Blatt 1:100000 (48,5:35,5 cm bzw. 50:74 cm), schwarz. Es sind erschienen Aarau, Bellinzona, Bern, Bière, Brugg, Zentralschweiz, Chur, Colombier, Frauenfeld, St. Gallen und Appenzell, St. Gallen—Herisau, St. Gotthard, St. Maurice, Martiguy, Süd-Tessin, Thun, Walenstadt, Yverdon, Zürich, Zürich—Luzern—Altdorf—Glarus.

b) aus dem topographischen (Siegfried-)Atlas:

In 1:25000 und 1:50000 wurden in drei Farben die Blätter: Aarau, Albulagebiet, Bern, Berner Oberland, Canton de Genève, Jungfraumassiv, Oberengadin &c. in Größen von 70:48, 72,5:51, 85:115 cm zusammengestellt, auch von einzelnen Gebieten Ausgaben mit Reliefton veranstaltet (Reliefkarten).

Weiter sind Seekarten hergestellt worden, und zwar 1891 die „Tiefenkarte des Genfer Sees" 1:50000 auf 1 Blatt (66:168 cm) in einer Farbe, eine photolithographische Verkleinerung des Originalsondierungsplans 1:25000, sowie 1893 eine Tiefenkarte des Bodensees 1:50000 in 2 Blatt, zusammen 51:140 cm, ebenfalls eine photolithographische Reduktion der Originalsondierungspläne 1:25000. Endlich, last not least, die von der Vollzugskommission im Auftrage der 5 Uferstaaten Baden, Bayern, Österreich, der Schweiz und Württembergs herausgegebene, vom Eidgenössischen Typographischen Bureau in Bern 1895 gefertigte: „Bodenseekarte 1:5000 (1 cm == 500 m), auf die wir ein wenig näher eingehen wollen. Die in der Topographischen Anstalt der Gebrüder Kummerly in Bern gestochene und gedruckte Karte wurden nach den Beschlüssen der Internationalen Kommission der 5 Bodensee-Uferstaaten ausgeführt, wobei für die Geländeaufnahme des Ufergebietes die neuesten Originalmeßtischblätter der Generalstäbe der betreffenden Staaten benutzt wurden. Die Tiefenmessungen des oberen Bodensees, des Untersees (schweizerischer Teil) und die Triangulation sind durch Organe des Eidgenössischen Topographischen Bureaus, die des Überlinger und Zeller Sees durch Beauftragte der Großherzoglich Badischen Oberdirektion des Wasser- und Straßenbaues vorgenommen worden, und zwar geschahen die Tiefenmessungen 1880, 1883, 1885, 1888, 1889 und 1890. Als Ausgangspunkt des Koordinatennetzes diente das astronomisch bestimmte trigonometrische Signal der europäischen Gradmessung „Pfänder bei Bregenz" mit der geographischen Länge 7° 26′ 18,5′ (Pariser Meridian) und der Breite 47° 30′ 28,7″. Als Horizont für die Höhenlage der Kurvenbildes dient das Berliner N. N. Hiervon ist der Konstanzer Pegel mit 391,766 m + N. N. abgeleitet. Das Ufergelände ist in absoluten Höhenzahlen und braunen Höhenkurven dargestellt, die ebenso wie die blauen Tiefenkurven des Seebeckens 10 m Schichthöhe haben. Die Isobathen beziehen sich auf das zu 395 m über N. N. angenommene Mittelwasser des Bodensees, dessen eingetragener Tiefwasserstand von 1876 = +397,3 m (Obersee) liegt. Die Anzahl der Lotungen des Obersees beläuft sich auf 9479, des Untersees auf 1668, zusammen also auf 11147. Die größte Tiefe des Bodensees beträgt im Obersee 251,8, im Untersee 46,4 m, seine Fläche bei M.-W. 538,46 qkm, bei H.-W. 577,35 qkm einschließlich des Rheins von Konstanz bis Stein. Die Gewässer sind blau dargestellt. Außerdem ist der Karte ein Seeprofil Ludwigshafen—Bregenz und Stein—Gottlieben beigefügt, dessen Längen in 1:50000, dessen Tiefen in 1:12500 dargestellt sind.

Das Bureau hat ferner Kriegspielkarten in 1:5000 und 1:10000 als photozinkographische bzw. photolithographische Reduktionen und Bearbeitungen nach dem Siegfriedatlas veröffentlicht. Erschienen sind 1888: Neuenegg und Umgebung 1:5000 in 16 schwarzen Blättern (30:30 cm), 1893: Liestal—Olten 1:10000 in 6 dreifarbigen Blättern (60:87 cm), sowie Liquerolles—Echalens 1:10000 in 6 ebensolchen Blättern und 1897: Thun 1:10000 in 2 dreifarbigen Blättern (104:75 cm).

Dann sind für besondere Zwecke der Landesverteidigung Fortifikations- und Schießkarten 1:10000 und 1:20000 und Stadtpläne 1:10000 bearbeitet, die (mit Ausnahme der Pläne von Basel und Bern) nicht veröffentlicht werden.

Außer diesen Karten für den eignen Bedarf hat das Topographische Bureau nun für andere Behörden wichtige Arbeiten ausgeführt. Unter diesen seien hervorgehoben: Für das Schweizer Eisenbahndepartement: die „Offizielle Eisenbahnkarte der Schweiz 1:500000" auf einem dreifarbigen Blatt in 70:48 cm Größe, das jährlich im April erscheint. Dann die dem Eidgenössischen Oberforstinspektorat gehörige „Waldkarte der Schweiz 1:250000" in 4 Blatt, ein 1896 erschienener grüner Überdruck der „Generalkarte". Hierzu sei bemerkt, daß durch Bundesbeschluß vom 20. Dezember 1878 die Berichtigung, Vervollständigung und Versicherung der Dreieckspunkte 1., 2. und 3. O. der Triangulation innerhalb des eidgenössischen Forstgebiets durch das eidgenössische Stabsbureau, dessen Chef Oberst Siegfried 1879 eine dann von seinem Nachfolger Oberst J. J. Lochmann 1888 neu bearbeitete und ergänzte Instruktion dafür erlassen hat, auf Bundeskosten (jährlich 15000 Francs) stattgefunden hat, und an die durch Bundesbeschluß vom 29. Oktober 1880 dann die von den Kantonen durch patentierte Geometer nach einer Instruktion der Abteilung Forstwesen (Droz) des Schweizerischen Handels- und Landwirtschaftsdepartements vom 14. Juni 1882 ausgeführte und bezahlte Triangulation 4. O. geschlossen hat, deren Prüfung auf Bundeskosten das eidgenössische Stabsbureau ebenfalls bewirkt hat. Endlich eine der wichtigsten Karten, die auf Veranlassung des schweizerischen Departements des Innern hergestellte „Schulwandkarte der Schweiz" in 4 Blatt 1:200000, welche den Bestrebungen zur Hebung des Schweizer Schulunterrichts ihre Entstehung verdankt und unentgeltlich an alle Schweizer Schulen, die den Unterricht in der Landeskunde als ordentliches Lehrfach betreiben, abgegeben wird. 1895 war eine größere Kommission unter Vorsitz des Bundesrats Schenk vom Departement des Innern zusammenberufen worden, aus deren Mitte dann ein engerer Ausschuß gewählt wurde, aus dem Cheftopographen J. Held vom eidgenössichen Stabsbureau, dem bekannten Kartographen Oberst F. Becker vom Generalstabe, sowie den beiden Pädagogen Seminardirektor Dr. Wettstein in Küsnacht und Professor Rosier in Genf bestehend, welcher die leitenden Gesichtspunkte für diese Schulkarte aufstellte. Oberst Becker, dessen hervorragende Reliefkarte 1:50000 des Kantons Glarus von 1888 (in blaugrünen, nach oben heller abgestuften Tönen) ihn besonders berufen erscheinen ließ, von dem auch die Schulhandkarte des Kantons Luzern stammt, führte unter anderem die ersten zeichnerischen Studien aus, und obwohl dann die künstlerischen Entwürfe des lithographischen Instituts von Hermann Kümmerly zur Annahme gelangten[1]), ist der Beckersche Einfluß unverkennbar. Die auf Staatskosten mit einem Aufwande von 167000 Francs hergestellte Karte ist innerhalb des Randes 120 cm hoch

---

[1]) Dieses Institut hatte bei der Preisbewerbung den 2., Imfeld den 1., Becker den 3. Preis erhalten.

und 185 cm breit und hat 222 qcm Fläche, von denen 103,5 auf das Schweizer, der Rest auf ausländisches Gebiet entfallen. Sie reicht von Westen nach Osten noch 10 km weiter als die Dufourkarte und bildet ein volles Rechteck, so daß Gebiete, besonders im NW und SO dargestellt sind, die sich auf keiner andern Schweizer Karte finden. Das Gerippe gibt die Wege schwarz, die Ortschaften rot und schwarz, die Grenzen rot, die Gewässer blau wieder. Die Karte enthält etwa 1730 Namen. Das Gelände ist in braunen 100 m-Niveaulinien, zu denen in der Ebene nötigenfalls noch 50 m·Kurven treten, mit violetter Abtönung unter Anwendung einer von NW unter 45° einfallenden schrägen Beleuchtung dargestellt. Die Gipfel sind bläulich, die Gletscher weiß, also in ihren natürlichen Farben wiedergegeben. Die Talböden und Tiefebenen sind bis 500 m Höhe graublau, über 500 m grünlich, in noch größerer Höhe allmählich in Gelb und Orange übergehend dargestellt, also in der Reihenfolge des Spektrums. Da Rot näher erscheint, so macht es einen höheren Eindruck als Blau. Neben den Farben sind aber leichtere violette Schattentöne verwendet. Das überaus plastische Bodenrelief, das selbst in den beschatteten Tälern infolge der Zartheit der Abtönung klar lesbare Flächen behält, macht die Karte für jedes Kind anschaulich und wirkungsvoll. 1126 Höhenzahlen (von + 190 m am Comersee bis + 4810 m am Montblanc) ergänzen es. Der Mehrfarbendruck des von Kümmerly gemalten Tonbildes erfordert ein 14maliges Passieren jedes Blatts unter der Presse auf ebensoviel Steinen, wobei das von der Firma angewendete Verfahren eine Korrekturfähigkeit der letzteren ermöglicht. Die Auflage von 10000 Exemplaren ist ohne Retusche abzuziehen. Dieses hervorragend gelungene Werk dürfte einen bedeutenden Einfluß auf den geographischen Unterricht, besonders die Heimatkunde, üben. Es erscheint im Verlage des Topographischen Bureaus bei K. J. Wyss, in Deutschland befindet sich ein Depot bei K. F. Köhler in Leipzig (unaufgezogen 16 Mark).

Neuerdings ist das Topographische Bureau als selbständige Verwaltungsabteilung unmittelbar dem Waffendepartement unterstellt. Unter seinem Chef, Major Held, gliedert es sich in die geodätische Abteilung (10 Ingenieure), die topographische (10 Ingenieure, 7 Zeichner), die Reproduktionsabteilung (11 Kupferstecher, 3 Lithographen, 1 Photographen) und die Kartenverwaltung (1 Verwalter, 3 Gehilfen). Der Kupferdruck und die lithographischen Arbeiten werden von Privatfirmen besorgt.

Neben Vollendung der Siegfriedkarte hat es sich als neue Aufgaben gestellt: zunächst die Ausdehnung der Aufnahmen 1:25000 auch auf das Hochgebirge und den Ersatz älterer, ungenügender Aufnahmen. Die Genauigkeit bei den Höhenbestimmungen ist heute gesteigert. Die Höhe jedes trigonometrischen Punktes ist aus den Höhen von wenigstens 3 anderen Punkten abgeleitet, und dabei werden die Höhenunterschiede in der Regel mit Seiten unter 10 km und Höhenwinkeln unter 5° gemessen. Auch ist jeder Punkt ein- oder mehrfach an das Präzisionsnivellement angeschlossen[1]). Bei den Höhenbestimmungen der Topographen soll der größte Unterschied unter 3—5 Messungen, die von verschiedenen Signalen hergenommen werden, 5 m nicht übersteigen. Höhenmessungen über 10° werden vermieden, man hält sich in der Regel sogar unter 5°, wobei der Unterschied zwischen 2 Messungen von verschiedenen Signalen unter 2 m bleiben wird. Man bestimmt möglichst viel Punkte nivellitisch, um dadurch die Unsicherheit der Interpolation der Niveaukurven möglichst zu vermeiden. Bei der Darstellung der Talwege und Rückenlinien soll der Fehler in der Zeichnung der Niveaulinien die angenommene Schichthöhe von 10 m nicht übersteigen, d. h. eine Schicht soll nicht um den Betrag ihrer Projektion verschoben sein. Wird der Meßtisch auf einer trigonometrischen Station (Signal) aufgestellt, so soll der mittlere Fehler von 10 Visuren nach deutlichen Gegenständen 0,5 mm

---

[1]) Die Messung der Horizontalwinkel beim Triangulieren erfolgt nach Repetitionsbeobachtungen, wobei nmal jeder Winkel repetiert wird. Bei Punkten 2. O. wird 24malige, bei 3. O. 8—16malige Repetition angewendet.

in der Projektion nicht übersteigen. Fehler von 1,2 mm sind unzulässig. Bei der Aufnahme wird eine vom Großen ins Kleine fortgesetzte graphische Triangulation mit Messen
der Höhenwinkel [1]) angewendet. Nachdem so eine genügende Zahl (1500—2200) Punkte
des Geländes in bezug auf Lage und Höhe zu den trigonometrischen Punkten bzw. den aufzunehmenden Punkten des Präzisionsnivellements bestimmt ist, wird auf dem Felde selbst
in Blei die richtige und klare Darstellung des Kartenbildes nach den „Normalien für die
Originalaufnahmen" gemacht. Landes-, Kantons-, Bezirks- und Gemeindegrenzen werden
eingemessen, jedoch nur bei den beiden erstgenannten alle Marksteine. Wegeregister und
Erkundungsberichte vervollständigen die Aufnahme. Jedes für zwei Aufnahmesektionen
eingerichtete, daher 48 : 35 cm große Meßtischblatt ist mit dem fein ausgezogenen Ko-
ordinatennetz nach dem allgemeinen Netzplan und den durch feinen Nadelstich und
schwarzer Umfahrung aufgetragenen trigonometrischen Punkten versehen.

   Eine weitere Aufgabe ist die Herstellung einer neuen, einheitlichen Kurven-
karte der Schweiz in 1 : 50000, und zwar in 2 Ausgaben, als reine Kurvenkarte
und als Reliefkarte, unter Berücksichtigung des besten Materials, auch des Auslandes.
Eine 1891 tagende Kommission aus Vertretern des Topographischen Bureaus und des
Schweizer Ingenieur- und Architektenvereins ist zu diesem Beschluß gekommen, und als
erste Versuche wurden vom Topographischen Bureau Karten 1 : 50000 vom Berner
Oberlande, Ober-Engadin, Alpengebiet &c. in der mit zuerst von Leuzinger angegebenen
„Schweizer Manier" ausgeführt. Sie enthalten eine nach der „schiefen Beleuchtung" ausgeführte Reliefabtönung in Gelbbraun des im übrigen in rotbraunen Schichtenlinien von
30 m dargestellten Geländes. Gletscher und Gewässer sind blau, ebene Flächen in einem
gelblichen Mittelton gehalten. Ein Totalton wird gegen oben auf der Lichtseite schwächer,
auf der Schattenseite stärker, so daß sich ein starker Beleuchtungskontrast, besonders bei
den höchsten Stellen, sowie ein sehr plastischer Gesamteindruck ergibt. Diese Karte soll
die eigentliche Kriegsspezial- oder Generalstabskarte der Armee werden und wird neuerdings energisch gefördert. Endlich ist die Herstellung einer Generalkarte 1 : 500000 als
Grundlage für allgemein wissenschaftliche, militärische und wirtschaftliche Zwecke und
eines großen Reliefs der Schweiz 1 : 25000 geplant, in dem alle Ergebnisse der topographischen Landeskunde in vollendeter Weise zum Ausdruck kommen sollen. Auch sei
der immer regeren Benutzung der Photogrammetrie für Hochgebirgsaufnahmen gedacht, nachdem Ingenieur Rosenmunds Vergleiche der photogrammetrischen mit Meßtischaufnahmen günstige Ergebnisse geliefert haben, und auch die Aufstellung der Projekte
für die Jungfraubahn eigentlich nur durch Zuhilfenahme dieses Verfahrens ermöglicht
wurde.

   Geradezu Hervorragendes leistet auch die Privatkartographie, namentlich die ein-
heimische: Aufnahmen und Darstellungen zahlreicher Gelehrten wetteifern mit den von
Gesellschaften veranstalteten, wie des Schweizer Alpenklubs, des Deutsch-Österreichischen
Alpenvereins, der Radfahrervereine, der Naturforschenden Gesellschaft usw.; und erst-
klassige Institute wie die Topographische Anstalt in Winterthur, Kümmerly in Bern,
Orell Füßli usw., sowie Verleger wie J. Meier in Zürich, Schmid & Francke in Bern,
Eggimann & Cie in Genf u. a. bieten ihre beste Kraft auf, die Schweiz mit an der Spitze
der Privatkartographie marschieren zu lassen. Dazu kommt dann die ausländische Kartographie, welche stets ein dankbares Feld in der Darstellung der malerischen Schweiz
gefunden hat. Ich kann aus der Fülle nur einiges herausgreifen. Besonders charakteristisch sind die „Reliefkarten", welche geometrisch richtige Darstellung mit plastischer
Zeichnung vereinigen und dadurch zu echten Volkskarten werden. Wohl die Anregung

---

[1]) Die Höhenunterschiede beim Topographieren werden von mindestens zwei, im Hochgebirge von drei trigonometrischen Punkten abgeleitet und mit Logarithmen unter Berücksichtigung der Erdkrümmung und Refraktion
berechnet. Detailpunkte werden mit Rechenschieber ermittelt.

zu dieser allerdings recht farbenfreudigen Bewegung gab Professor E. Becker mit seiner
Karte des Kantons Glarus 1 : 50000 von 1888, an der Randegger und Leuzinger mitgearbeitet haben und die eine sehr wirkungsvolle Darstellung des Geländes durch Niveaulinien mit farbiger Schummerung unter Annahme schrägen Lichts gibt. Für rein wissenschaftliche und technische Zwecke wohl weniger geeignet, wie auch der Haupturheber der
ganzen Bewegung der Rückkehr zur Einfarbigkeit als der höchsten Darstellungsstufe auf-
fordert, „wobei es dem Künstler möglich sein muß, eben mit einem Ton die Farben-
abstufungen wiederzugeben, wie im Kupferstiche des Meisters die Farbentöne des Original-
farbenbildes sich widerspiegeln", wird die farbenbunte Reliefmanier mit Recht für Reise-,
Touristenkarten und bis zu einem gewissen Grade auch für Schulkarten geeignete Verwendung finden. Wunderbar schöne Reliefkarten hat K. Imfeld geliefert. Es sei hier
an ein gemeinsam mit A. Barbey und L. Kurz gefertigtes Meisterstück: „Karte der
Montblanc-Kette 1 : 50000" in 9 Farbentönen erinnert, in bezug auf Klarheit und indivi-
duelle Charakteristik der Berge und Täler, besonders aber der Felsen, wohl unübertroffen
und R. Leuzingers klassischen Griffel verratend. Von Imfeld stammt auch die 1898 bei
J. Meier in Zürich erschienene, vom Verein zur Förderung des Fremdenverkehrs am
Vierwaldstätter See und Umgegend herausgegebene prachtvolle „Reliefkarte der Zentralschweiz" 1 : 100000 in Farbendruck (2. Aufl. 1898). Unter den Schulkarten in
Relieftön sei hier die in Winterthur 1897 erschienene „Schulkarte von Basel-
Land 1 : 75000" genannt, welche ein schönes Bild des Schwarzwaldes, der Rheinterrassen,
des Jura (mit Waldangabe &c.) liefert, dann die „Schulwandkarte von Zürich
1 : 50000" in Isohypsen mit Relieftön und schiefer Beleuchtung, ebenda 1897 herausgekommen,
bei der der Wald fehlt, die aber etwa 70 Bezeichnungen für industrielle Anstalten mit
mehr als 30 Arbeitern enthält und Orte wie Eisenbahnen rot wiedergibt. Eine der
neuesten Schulkarten der (ganzen) Schweiz ist die von H. Kümmerly 1 : 600000,
Ausgabe E. Diese in Farbendruck ausgeführte sehr billige Reliefkarte (0,8 Francs) ist bei
Kümmerly & Frey und A. Franke in Bern 1902 erschienen und lehnt sich an die offizielle
Schulkarte an, gibt jedoch die Verkehrslinien nicht schwarz wie diese, sondern rot, die
Grenzen nicht rot, sondern grün wieder. Hermann Walter hat dazu ein Begleitwort
geschrieben. Auch J. S. Gersters Schulkarte des Kantons Aargau 1 : 150000, ein
in 3. Auflage 1899 bei Emil Wirz in Aargau erschienener Farbendruck (41,5 : 43 cm), sei
hier genannt. Sehr ansprechend ist die 1896 vom Schweizer Alpenklub veröffentlichte
„Carte des Alpes fribourgeoises" in braunen Schraffen mit blauen Gewässern.
Ausgezeichnet anschaulich sind ferner des Baseler Professors Schmidt: „Geologische
Wandtafeln", die in lichtbeständigen Wasserfarben mit der Hand koloriert den
Gebirgsbau der Schweizer Alpen, des Schweizer Jura &c. darstellen. Groß ist natürlich die Zahl der Reise- und Touristenkarten. Dazu gehören Kellers Reisekarte 1 : 440000, J. Randeggers 1 : 600000, E. Wagners Reise- und Touristen-
karte der Kantone Schwyz, Zug und Umgebung 1 : 100000, sowie seine nach Dufour
hergestellte Reisekarte des Kantons Wallis 1 : 300000, sämtlich auf Grund besten
Materials hergestellte und immer wieder aufgelegte Farbendrucke. Auch die vom Männer-
Radfahrverein Zürich bei Orell Füßli herausgegebene „Spezialkarte der Schweiz
in 9 Blatt 1 : 200000" gehört hierher. Obwohl sie die Bedürfnisse des Radfahrers
besonders berücksichtigt, ist sie doch auch für Touristen aller Art, für Militärs, auch für
Schulen geeignet, da sie die Entfernungen in Hunderten von Metern eingetragen enthält
und die Steigungen graphisch wiedergibt. Auch Gebrüder Kümmerly haben solche
Distanzkarten erscheinen lassen, so 1896 eine solche des Berner Oberlandes
1 : 200000 in Marschstunden mit roten Linien (1 Stunde = 4,8 km, bei > 15 %
Böschung = 400 m Steigung, in bewachsenem und wegelosem Gebiet 300 m Steigung),
wie zahlreiche Ausgaben auch von der bei Schmid & Francke in Bern veröffentlichten

„Distanzkarte der Schweiz in Marschstunden 1:500000" (51:73 cm) vor-
liegen, ein Farbendruck, der die Längen in Kilometern und die Gefällverhältnisse in Prozenten
auf Profilen der wichtigsten Reiserouten enthält. Vorzüglich ist auch R. Leuzingers
„Reise-Reliefkarte der Schweiz 1:530000", ein 50,5 : 71,5 cm großer Farbendruck desselben Verlegers. Von andern Kartenwerken, die die gesamte Schweiz umfassen, seien
die Zieglerschen, und zwar seine hypsometrischen 1:200000 und 1:380000, dann
seine im J. Meierschen Verlag in Zürich 1898 neuaufgelegte Wandkarte der Schweiz
1:200000 in 8 Blatt (62,5 : 47 cm), seine Hand- und Reisekarte 1:125000 genannt. Bei
Georg & Sohn in Genf ist die nach der Generalkarte der Schweiz in 4 Blatt erschienene
„Carte routière du Touring-Club Suisse" zu nennen, die in 4 Farben von
Kümmerly, Frey und Ch. Bertold hergestellt ist und die kilometrischen Entfernungen
enthält. Im Eggimannschen Verlag in Genf sind die beiden Atlaswerke E. Wagners,
nämlich sein „Taschenatlas der Schweiz", der in 26 Schraffenkarten die Kantone
in 6 Maßstäben von 1:200000 bis 1:600000 mit schematischem Relief wiedergibt
(2. Aufl. 1898), und sein „Atlas de la Suisse" in 20 Blättern, die E. Piffard erläutert
hat. Interesse bietet auch der „Historische Atlas der Schweiz" von Louis
Poirier-Delay und F. Müllhaupt, aus 16 Karten in Farbendruck (5 Farben) mit erklärendem Text zum Gebrauch in Lehranstalten, in Bern bei Henri Boneff erschienen. Dahin
gehört auch die „Schulwandkarte zur Geschichte der Schweiz", von
W. Oechsli und A. Baldamus. Sie gibt in 6- Blatt 1:180000, die 1897 zu Leipzig
erschienen, die Eidgenossenschaft vor 1798 und enthält auf 4 Nebenkarten ihre terri-
torialen Verhältnisse von 1315, 1798—1801, 1803—13 und die Verfassungszustände seit
der Reformation. Endlich der eigenartige „Volks-Atlas der Schweiz" in 28 Vogelschau-
blättern von G. Maggini, ein bei Orell Füßli im Erscheinen begriffener Farbendruck.
Hervorragendes wird auch in der Herstellung topographischer Reliefs geleistet, welche
den Geländeaufriß von allen Seiten (im Gegensatz zur Karte) geben und die einzige Dar-
stellungsmöglichkeit sehr steiler Erdoberflächenformen bieten. Hier darf A. Heim
als Begründer gelten, unter dessen Leitung auch das wunderbar schöne Relief des
Säntis 1:5000 von Karl Meili 1898—1903 entstanden ist. Auch Imfeld und Becker
sowie Simon sind geoplastische Künstler. Meist sind die Reliefs geologisch koloriert.
Von ausländischen Arbeiten sind die vorzüglichen Darstellungen der Schweiz in
der Übersichtskarte des Österreich-Ungarischen Militärgeographischen Instituts 1:750000
(Gelände schraffiert, Farbendruck), der Generalkarte von Zentraleuropa 1:300000 (Farbendruck), welche sie ganz umfassen, sowie der Generalkarte von Mitteleuropa (Farbendruck,
braunschraffiertes Gelände), welche sie teilweise enthält. Von deutschen Arbeiten seien
nur die meisterhaften Blätter 25 und 26 der berühmten Vogelschen Karte 1:500000
des Deutschen Reiches genannt, mit der Nordhälfte der Schweiz, die Mayrschen Karten
der Alpenländer 1:450000, L. Ravensteins vorzügliche Alpenkarte 1:250000, deren
2 Blatt (71,5 : 64 cm) über die Schweiz von Solothurn über Rapperswyl, Ortler bis zum
Lago maggiore reichen und bei prächtigem Gesamteindruck der Bodenplastik in den Einzelheiten etwas zu stark verallgemeinert sind. Auch C. Riemers „Die Schweiz" 1:600000",
ein Farbendruck des Weimarer Geographischen Instituts, und F. Handtkes und
A. Herrichs „Generalkarte der Schweiz 1:600000", Farbendruck von C. Flemming,
mögen erwähnt sein. Unter den französischen Arbeiten ragen die Colins im „Atlas
universel", von Vivien de St. Martin, vor allen hervor. Dann sind Hausermann: „Carte
de la Suisse politique" 1:1500000 (Atlas universel), Paris, Fayard Frères 1897, sowie
die Arbeiten des Service géographique de l'armée zu nennen: „Carte topographique des Alpes 1:200000" auf 12 Blatt und 1 Übersichtsskizze und die Spezialkarten: „Massif du Mont Blanc 1:40000" und „Vallée de Sallanches à Chamonix 1:80000",
eine Chromolithographie.

Von literarischen Arbeiten seien zunächst die Veröffentlichungen des Eidgenössischen Topographischen Bureaus erwähnt: „Bundesgesetze betr. das Eidgen. Top. Bureau und Instruktionen desselben", 1888; „Die Fixpunkte des schweiz. Präzisions-Nivellements" (seit 1894 im Erscheinen); „Provisorische Höhenverzeichnisse der Nivellementslinien", 1897; „Die Resultate der Triangulation der Schweiz" (seit 1896 im Erscheinen); „Die schweizerische Landesvermessung 1832—64 (Geschichte der Dufourkarte)", 1896; „Untersuchungen über die Anwendung des photogrammetrischen Verfahrens für topographische Aufnahmen", 1896; „Anleitung für die Ausführung der geodätischen Arbeiten der schweizerischen Landesvermessung, von M. Rosenmund, Ingenieur", 1898. Der fast jährlich erscheinende „Katalog der Publikationen des Eidgen. Top Bureaus mit Preisverzeichnis und Übersichtsblättern" (zuletzt 1902, Nr. 9); dann der „Spezialbericht über den Bau des Simplontunnels". Die Geodätische Kommission hat: „Das Schweizer Dreiecksnetz" (9 Bände, 1881—1901) erscheinen lassen. L. Held veröffentlichte: „Die Schweizer Landestopographie unter Leitung des Obersten H. Siegfried" (Jahrbuch des Schweizer Alpenklubs 1880) und „Biographie von Leuzinger" (ebenda 1895/96). Senn-Barbieux: „Das Buch vom General Dufour", St. Gallen 1888. Lagons: „Le Général Dufour", Genf 1884. F. Becker: „Über die Schweizer. Top. Anstalt in Winterthur", dann „Beispiele der modernen Kartographie an der Wandkarte des Kantons Zürich und einer Karte der italienischen Seen" (Schweiz. Zeitschrift f. Art. und Genie 1896), endlich „La nouvelle cartographie". Auch schrieb er unter anderem (mit A. Heim, J. Früh, C. de Claparède, H. Golling) über ein Relief der Schweiz 1 : 100000 oder 1 : 50000. J. H. Graf veröffentlichte 1892 in Bern: „Landesvermessung und Karte der Schweiz, ihrer Landesstriche und Kantone". Von Egli (1825—96), dem Begründer der Geographischen Namenkunde, seien seine „Nomina Geographica" erwähnt, 2. Aufl. 1893. Endlich Raoul Gautier, „Le Service chronométrique de l'observatoire de Genève", 1894.

3. Westeuropa.
I. Grofsbritannien und Irland.

Die Britischen Inseln spielen in der Geschichte der Kartographie eine wichtige und wie in vielen anderen Beziehungen eine eigenartige Rolle. Hier finden wir das älteste Katasterwesen, hier sind die geologischen Aufnahmen zuerst am großartigsten und vielseitigsten ausgebildet worden, die britische Seekarte beherrscht noch heute die Welt, das große Kolonialreich stellte der Geodäsie gewaltige und schwierige Aufgaben, verhältnismäßig spät beginnen dagegen offizielle topographische Vermessungen, die charakteristischerweise nicht dem Kriegs-, sondern dem Ackerbauministerium heute übertragen sind, weil die bürgerlichen und wissenschaftlichen Gesichtspunkte in Anbetracht der kleinen Heeresmacht und der Unwahrscheinlichkeit eines Landkrieges bei ihrer Ausführung überwiegen, während sich das militärische Element bei der größten Seemacht der Welt auf das Meer konzentriert hat.

A. Altertum.
1. Älteste, vorrömische Periode.

Die älteste Kunde seines Daseins verdankt Britannien dem Streben anderer Völker nach dem Welthandel, durch den es selbst später so groß werden sollte. Über ein Jahrtausend vor Christi wurden die Inseln im Norden Galliens ihres Zinnreichtums wegen von den Phöniziern (Tyrern) aufgesucht, die es in langsamer Küstenfahrt erreichten, anderen Wettbewerbern aber durch Beherrschung der Straße von Gades verschlossen. Dann geriet das nordische Eiland wieder in Vergessenheit, bis es die karthagische Inselmacht gewissermaßen von neuem entdeckte und dadurch sich auch den Weg zur Beherrschung des westlichen Mittelmeeres und des Ozeans bahnte, nachdem sie sich schon im silberreichen Südspanien festgesetzt hatte. Hamilkar war, soweit festzustellen ist, der erste, der im Anfang des 5. Jahrhunderts mit karthagischen Schiffen landete [1]). Dann folgten die Griechen, welche das nordische Land seit Herodot (425—408) als Κασσιτερίδες (Zinninseln) bezeichneten. Pytheas aus Massilia (330 v. Chr.), der große Nordmeerfahrer, umsegelte Britannien, lernte bereits Irland kennen und drang bis zur Ultima Thule des bekannten Erdkreises, den heutigen Shetlandinseln, vor [2]). Im großen und ganzen blieb aber das Gebiet jenseits der Säulen des Herkules den Griechen lange fremd. Den Namen Britannien erwähnt erst Aristoteles mit der Angabe, daß es aus den beiden Inseln Albion und Terne bestehe (de

---

[1]) Vielleicht stammt aus dieser Zeit ein von Avienus später übersetzter „Periplus" eines unbekannten Verfassers.

[2]) Sein Tagebuch ist uns durch Strabo erhalten worden.

mundo, Kapitel 3). Später wurde britisches Schiffsbauholz bezogen und diente z. B. den großen Kriegsschiffen des Archimedes († 212) als Masten. Damit wurden dann die britischen Gestade auch Gegenstand wissenschaftlicher Forschung, und Polybios (210—127 v. Chr.) soll ein — verloren gegangenes — ganzes Werk über das Land geschrieben haben.

2. Römische Periode.

Den Römern fehlte bekanntlich der rein wissenschaftliche Trieb, das Streben nach dem Unbekannten, sofern nicht praktische Vorteile damit verbunden waren. Nach Strabo war es Publius Crassus zuerst, der die Kassiteriden besuchte und den Einwohnern eine Verbesserung des Zinnbergbaus gelehrt hat. Cäsar hatte, eher er 55 v. Chr. landete, keine rechte Kenntnis des Landes erlangen können und vermochte auch bei seiner zweiten Expedition 54 v. Chr. mit aus diesem Grunde seine Herrschaft nicht dauernd zu behaupten. Dies gelang erst Kaiser Claudius, der im südlichen Teil Fuß faßte und damit den Römern das Land öffnete, bis sie ihre Herrschaft immer weiter nördlich zu einer Verschanzungslinie ausdehnten, die, wie das Itinerarium Antonini lehrt, noch nördlich des Piktenwalls lag. Der glückliche Feldzug Agrippas (78—84 n. Chr.) vollendete die Unterwerfung Englands und des südlichen Schottlands bis an den Tavafluß, und ein genau vermessenes Netz römischer Heerstraßen war eine der ersten Kulturfolgen. Unter Augustus und Tiberius war man — wie die wichtigste Quelle, des Geographen Strabo Darstellung im 4. Buche seiner γεωγραφικα und seine Erwähnung der Weltkarte des Agrippa lehrt — leidlich über Britannien unterrichtet, wenn auch das Bild noch vielfach dunkel und die Lage der Insel noch die hergebracht irrige war, sogar noch zu Tacitus' und Ptolemäus' Zeit (87—150 n. Chr.), trotz der Ortsbestimmungen des letzteren. Viele seiner Einzelheiten, die ihm hauptsächlich die Expedition des Hadrian verschafft hatte, würde man vergeblich irgendwo suchen. Sogar die Gestalt und gegenseitige Lage der Inseln ist noch undeutlich, und Irland liegt ganz im Norden von England und Schottland. Hibernia (Irland) ist überhaupt von römischen Waffen nie angegriffen worden und während des ganzen Altertums nicht in den Weltverkehr eingetreten. Von dieser Insula sacra, wie sie auf dem von Avienus übersetzten, schon genannten Periplus wohl irrtümlich, weil nicht mit ihrem eigentlichen Namen, genannt wurde, erfahren wir überhaupt erst durch Ptolemäus etwas Näheres, nachdem die hier wohnenden Scoti von den Pikten zu Hilfe gegen die römische Eroberung Englands gerufen worden waren. Auch Aulus Plautius, der 43 n. Chr. nach Britannien mit einem Heere übergesetzt war, das ihm zuerst nicht folgen wollte, weil es es „über die Grenzen der bekannten Welt" hinausführte, ebenso Agricola, der 47—75 n. Chr. das eigentliche Britannien bezwungen und Schottland mit seiner Flotte umsegelt sowie die Orkaden unterworfen hatte, hat Irland nicht erobert. Dagegen war das eigentliche Britannien in sicherem römischen Besitz, wurde seit 197 n. Chr. in Britannia superior (Wales und die Gebirgslandschaften nördlich von Derby) und inferior eingeteilt und zu Diokletians Zeiten in 4 Provinzen, und die Itinerarien des 4. Jahrhunderts lassen die großen Wege der römischen Verwaltung gut hervortreten, während die aus dem 5. Jahrhundert stammenden Notizen genaue Belehrung über zahlreiche Örtlichkeiten und die administrativen Maßregeln geben [1].

B. Mittelalter.
1. Sächsische Periode.

Mit der Aufgabe des Landes durch die Römer 420 n. Chr. und der in Folge des zentrifugalen Charakters der Flußniederungen erleichterten Eroberung der Insel durch die

---

[1] Auf Grund dieser Elemente und des Ptolemäus hat Thomas Wright ein ausgezeichnetes Tableau des römischen Britanniens zusammengestellt. Ebenso ist zu nennen Walkenaer: „Analyse d'une carte des îles Britanniques, la lecture des cartes histor. anc." (Nouv. Ann. des Voy.) 1886.

die Ströme, namentlich die Themse und den Humber aufwärts dringenden Angeln und Sachsen seit 449 beginnt eine neue Periode, in der nach der bis Ende des 6. Jahrhunderts vollzogenen Einwanderung es zur Vereinigung aller angelsächsischen Staaten zum König- reich England unter Egbert (800—836) kommt. Sie währt bis zur Alleinherrschaft durch die Dänen (1016—42) und der Rückkehr sowie dem Untergang der angelsächsischen Dynastie (1042—66) durch die Normannen. In dieser Zeit des Verfalls der Geographie und Kartographie waren es zuerst die angelsächsischen Klöster, welche eine Wieder- geburt anbahnten, besonders durch die Wissenschaftsreform des Beda Venerabilis[1]. Der irische Astronom Dicuil faßte 825 n. Chr. das geographische Wissen seiner Zeit zu- sammen, gibt dabei auch Wichtiges über Britannien und über die Vermessung des römischen Reiches unter Agrippa, wobei er sich freilich auf schlechte, spätrömische Schriftsteller stützt.

2. Englisch-normannische Periode.

Sie hebt mit der das Schicksal der sächsischen Monarchie entscheidenden Schlacht von Hastings 1066 nach der Landung Wilhelms des Eroberers an. Nachdem die Um- gestaltung des Allodial- in einen romanischen Feudalstaat vollendet war, erwachte das Be- dürfnis einer Festellung des Eigentums der vorzugsweise Ackerbau und Viehzucht treibenden Groß- und Kleingrundbesitzer, ihres unbeweglichen Vermögens wie Äcker, Wiesen, Wälder, Baulichkeiten &c., dann aber auch ihrer Diener, Mägde, Tiere, Einkünfte, Abgaben &c. So entstand die erste zusammenhängende amtliche Landes-, und zwar eine großartige Katasteraufnahme zur Schaffung des ältesten Reichsgrundbuchs, des berühmten „Domesday-Book" oder „Liber de Wintonia". Das Original dieses zum Buch des englischen Adels gewordenen Werks befindet sich in der Westminsterabtei. 1783 ist davon eine wörtliche Ausgabe veröffentlicht worden. 1838 hat M. Henri Ellis darüber eine Arbeit: „General introduction to the Domesday-Book" in 2 Bänden ver- öffentlicht. 1860 ließ die englische Regierung unter Mitwirkung des Master of the Rolls eine von Oberst Sir Henry James R. E. director of the Ordnance Survey geleitete photo- zinkographische Kopie herstellen, die 1863 vollendet wurde. Über die zu dieser großen Aufnahme entstandene Literatur hat Mr. Freeman im Anhange zum 5. Bande der „Norman Conquest" berichtet. Das Domesday-Book hielt die in England seit Alfred dem Großen (871—901) eingeführte Grafschaftseinteilung und die Gliederung der County in Hundert- und Zehntschaften, die sich mit einigen Ausnahmen bis heute erhalten hat, fest. Auch in Wales, das im 13. Jahrhundert an England kam, wurde unter Eduard I. (1272—1307) die Grafschaftsverfassung eingeführt. Außerdem bestand die vom Erzbischof Theodor ein- gerichtete Einteilung des Landes in Kirchspiele (parishes).

Der Begründer der Geographie des späteren Mittelalters ist neben dem deutschen Grafen Albertus Magnus der gelehrte englische Franziskanermönch und „doctor mirabilis" Roger Baco (1214—1292). Er glänzt besonders dadurch, daß er die verständnisvolle Kenntnis des Altertums und der Araber mit neuer Kunde zu vereinigen verstand. Er hat aus arabischen Quellen die Ausdehnung und allgemeine Gestalt der Küsten der Erde kompiliert und in seinem Werke: Opus majus (1733 von Jebb in London herausgegeben) die Notwendigkeit einer Reform der Wissenschaften auf Grund der Natur und der Sprache betont. Baco stellte bereits, entgegen den damaligen Anschauungen, das Kaspische Meer als ganz von Land umschlossen dar und machte zuerst den Versuch einer Weltkarte, welcher der Gedanke der Einzeichnung der Orte nach Länge und Breite zugrunde liegt, die leider nicht auf uns gekommen ist. Doch war die Zeit für seine Auffassung noch nicht reif.

---

[1] Seine „Historia ecclesiastica gentis Anglorum" ist 1722 in Cambridge in der editio Smith neu aufgelegt worden.

Aus der Zeit von 1275—1320 stammt dann die auf Pergament gezeichnete Weltkarte des Richard von Haldingham[1]) aus der Kathedrale zu Hereford, das wichtigste uns erhaltene Kartendenkmal des 13. Jahrhunderts, sowohl durch seine Größe
(165 : 134 cm), wie durch die Schönheit der Ausführung und die erhebliche Zahl der
darauf (vornehmlich in lateinischer Schrift) eingetragenen Namen. Es ist eine wirkliche
„illustrierte Romanze", der Typus der orthodox christlich mittelalterlichen Mappa mundi,
die die Bibel und das klassische Altertum, besonders in der Form des Orosius (im letzten
Grunde natürlich die Karte des Agrippa), und heidnische und christliche Sagen und
Legenden als Quelle hat. Es ist eine Radkarte mit ringförmigem Ozean, in deren Mitte
Jerusalem liegt, während sich genau im Osten auf einer Insel das Paradies befindet. Das
Kaspische Meer ist eine Bucht des nördlichen Ozeans. In Südosten sind in roter Farbe
das Rote Meer und der Persische Meerbusen als tiefeingreifende Meerbecken dargestellt.
Von letztgenanntem Meere bis zur Mündungsstelle des Kaspischen bildet die Küste von
Asien ein kleines und flaches Segment des großen Kreises, der das bewohnte Land um-
schließt. Im Innern des Festlandes sind Baktra und Samarkand die östlichsten Punkte.
Der Ganges mündet in den östlichen Ozean. Weiter jenseits ist nichts bekannt, weder
das große Mongolenreich noch die Ergebnisse der Reisen von Plan Carpin und Rubuck
sind beachtet, noch finden sich Einzelheiten der Küstenlinien. Neue Kunde erhalten wir
nur über Nordwesteuropa und namentlich über England; auch erscheinen zum erstenmal
die St. Brandans-Inseln. Jede wissenschaftliche Methode fehlt, der Kompaß hat noch keinen
Einfluß geübt, wohl aber die Bestiarien und Herbarien des Zeitalters, also in jeder Hinsicht
veraltete Grundsätze. Es fand einfach eine Unterbringung von neuen Einzelheiten in das
in seiner Gestalt gegebene und vorgeschriebene alte Gesamtbild statt, während man die
Teile studieren und berichtigen und zu einem Ganzen zusammenfügen mußte. 1360 erschien die Weltkarte des Benediktiners des Klosters St. Werberg in der Grafschaft
Chester, Ranulfus Hyggedens, in der sich bereits die Anwendung des Kompasses
fühlbar macht. Immer mehr entstand eine wirklich praktische Kartographie an Stelle der
„romantischen", zunächst freilich im Mittelmeere und bei den Italienern. Doch haben die
englischen Klöster viel und früh davon Nutzen gezogen.

Im 14. Jahrhundert bildet dann die Eintragung der Nachrichten des Marco Polo
eine weitere Entwickelung des Weltbildes nach Osten.

C. Neuzeit.

1. Von der Renaissance der Kartographie bis zu ihrer Reform einschl.

Um die Wende des 15. Jahrhunderts gelang es, fast 1300 Jahre nach Ptolemäus, sein Gradnetz und seine Karte wiederherzustellen und dadurch, sowie durch Entdeckung der Neuen Welt und die Erfindung des Buch- und Plattendruckes den Anstoß zu
neuem Fortschritt zu geben. Sebastian Cabots Weltkarte (zwischen seiner 1530 erfolgten Rückkehr von Südamerika und seinem Todesjahr 1557, wahrscheinlich 1544) zeigt
eine fortgeschrittene Darstellung des südöstlichen Asiens bereits.

Von größter Bedeutung für die englische Kartographie wurde das 16. Jahrhundert.
Zur Zeit der so große Fortschritte bringenden Reform des Mercator entstand auch die
erste neuere Landkarte Englands, nämlich Humphrey Lhuyds aus Denbygh
„Angliae regni tabula et chorographiae Cambriae", 1569, die noch ohne Gradnetz ist, aber
ziemlich gut die Umrisse des Landes und der Flüsse wiedergibt. Sie fand in Ortelius'

---

[1]) Schon Santarem widmete ihr eine ausführliche Darlegung, Jomard gab sie auf 6 Blatt in seinen Monuments wieder, Rev. W. L. Bevan und H. Phillppot schrieben 1874 eine Monographie darüber. Von Rev. Havergal
ist sie 1869 zu London in Originalgröße veröffentlicht worden, 1885 entstand unter H. Kieperts Leitung eine
Autographie von W. Droysen, und endlich ließ R. D. Benedict „The Hereford Map etc." im Bullet. Americ. geogr.
N. York 1892 erscheinen.

und Mercators Atlas[1]) Aufnahme, und zwar zeigt der 2. Teil des erst nach dem Tode des Reformators veröffentlichten „Atlas sive cosmographiae meditationes de fabrica mundi et fabricata figura" von 1595 Spezialkarten der Britischen Inseln. Auf diese sind namentlich auch die Karten Christoph Saxtons in seinem 1575 veröffentlichten „British Atlas" in 36 Blatt von Einfluß gewesen, zumal sie teilweise auf eignen Vermessungen in verschiedenen Landesteilen beruhten und recht genau die Küsten und die Hydrographie des Landes wiedergeben. Philipp Lea hat sie später in 12 Blatt verkleinert. 1599 war es der scharfsinnige Edward Wright, Lehrer am Cajus College zu Cambridge, der die zuerst in der Weltkarte von 1569 angewendete, gerade für die englischen Seekarten so wichtige Mercatorprojektion erst praktisch brauchbar machte, indem er in seiner Schrift: „Certain errors in navigation detected and corrected" ein Näherungsverfahren angab, nach dem man die Abstände der Parallelkreise vom Äquator bestimmen konnte. Bereits 1594 hatte er in seinem Werke „The art of Navigation" zur Konstruktion der Mercatorentwurfsart eine Tafel der vergrößerten Breiten in Äquatorialminuten von Grad zu Grad angegeben. Man kann ihn mit Breusing den Entdecker der von Mercator erfundenen Projektion nennen, indem er dessen graphisches Verfahren durch die Rechnung ersetzte und eigentlich zuerst den Bau der Mercatorkarte begriffen und auch für weniger scharfe Augen klar gestellt hat. Auch ein anderer Engländer, Henry Bond, hat sich um diese Entwurfsart verdient gemacht, indem er 1645 in seinem Anhange zu „Norwoods Epitome of Navigation" das streng mathematische Gesetz, wie sich die Vergrößerung der Meridiane vollzieht, angegeben hat, wofür Halley dann mittelst der stereographischen Projektion den Beweis geliefert hat.[2]) Richard Hakluyt war es, der eine der ersten, wahrscheinlich von Wright ausgeführten Weltkarten in Mercatorprojektion in seinen „Principal Navigations" 1599 veröffentlichte, eine der schönsten des Jahrhunderts. Sie hat ein ausgezogenes Gradnetz, einen Kranz von 32strahligen Strichrosen um die in den Äquator gelegte Mittelrose, aber keinen Meilenmaßstab. In der Globenkunst wurde Mercators Nachfolger der Engländer Emery Mollieux, der Freund Hakluyts und John Davis', 1592. Den Karten Englands von Lluyd und Saxton schlossen sich 1610 der von Jodocus Hondius herausgegebene „Atlas (Theatrum) of Great Britain" von John Spead und 1623 die Karte „Britannia" von Cambden an. Am Ende des 16. Jahrhunderts war es auch, daß die mächtige Vergrößerung des engen Inselreichs nach Abschluß der französischen Kriege begann, wobei dem gesteigerten Menschenbedarf die erste dauernde Vereinigung mit Schottland und Irland zu Hilfe kam. Durch Schottland wurde England rückenfrei und gewann die Kraft, dem ganzen Kontinent gegenüberzustehen. Die Vergrößerung des Mutterlandes ermöglichte seine Weltherrschaftspläne, es wurde als Nachfolgerin Portugals Kolonialmacht, und diese Erweiterung des Horizonts kam auch seinen geistigen, nicht blos den wirtschaftspolitischen und Handelsinteressen zugute. Damit erhielt auch die Kartographie neue Aufgaben. Irland besaß eine im Auftrage des Vizekönigs Lord Staffort von 1634—1654 ausgeführte Katastervermessung des größten Teils des Landes für seine „Terriers".

2. Periode des Überganges.

In dem durch Willebrord Snellius' Einführung der trigonometrischen Entfernungsmessung durch aneinander gereihte Dreiecke in die Gradmessung glücklich eingeleiteten 17. Jahrhundert finden wir auch in England schon geodätische Arbeiten, freilich durch Private. Hier ist besonders die 1635 durch Richard Norwood (mutmaßlich erst Seemann, dann Lehrer der Mathematik und der Nautik) ausgeführte Gradmessung zu er-

---

[1]) In der Breslauer Stadtbibliothek befindet sich sogar aus dem Jahre 1564 eine Mercatorkarte der Britischen Inseln in 15 Blatt, von der 1891 ein Faksimile-Lichtdruck hergestellt wurde.

[2]) S. Breusing: „Das Verebnen der Kugeloberfläche", 1893, und d'Avezac: „Coup d'oeil historique sur la projection".

wähnen. Es ist eine längs der Wege zwischen London und York ausgeführte Kettenmessung, wobei er mit einer Bussole die Abweichungen seiner Ketten gegen den Meridian und auch die Neigungen gegen den Horizont bestimmte. Er hatte bereits 1633 zu London mit einem Quadranten von 5' Radius die Höhe der Sonne gemessen und fand dafür 62° 1', während er 1635 an demselben Jahrestage zu York nur 59° 33' erhielt, woraus er (ohne Rücksicht auf Deklination, Refraktion und Parallaxe) schloß, daß York um 2° 28' nördlich von London lag. Nach entsprechender Reduktion fand er für die Entfernung 9149 Ketten zu je 99 englischen Fuß. Hieraus ergab sich die Länge eines Grades gleich 9149 × 99 × 2$\frac{7}{11}$ = 367196 englische Fuß oder 57300 Toisen. In seiner Schrift: „The seamans practice", die 1636 zu London erschien und 1668 die 8. Auflage erlebte, ist seine Messung näher beschrieben. Nachdem Picard in Frankreich 1671 seine 2. Gradmessung ausgeführt hatte, wurde das Ergebnis seiner Gradgröße für Isaac Newton (1642—1726), als dieser 1682 beiläufig erfuhr, daß sie größer als bei der 1. Messung von 1666 ausgefallen war, der Anlaß, die damals von ihm abgebrochenen Untersuchungen über die allgemeine Schwere 1686 wieder aufzunehmen. Er mutmaßte, daß dieser neue Wert die Rechnungsverschiedenheit seiner ersten Entdeckung erklären und heben würde. Und als dies wirklich eintrat, da wagte er sein allgemeines Gravitationsgesetz. Durch dieses wurde die Lösung der Frage nach der Erdgestalt angebahnt. Sein Werk: „Principia philosophiae naturalis" enthält die Grundlage seiner Attraktionstheorie, deren erster Erfolg nicht groß war. Newton ist auch der eigentliche Erfinder des Spiegeloktanten (1699 mit 2 Spiegeln), der später nach dem Astronomen John Hadley benannt werden sollte, weil dieser das Instrument am 13. Mai 1731 der Königlichen Gesellschaft zu London als einen Winkelmesser bei „schwankender Basis" eingereicht hatte.[1]) Ursprünglich war der Oktant (90°) nur zur Messung von Sonnenhöhen auf Schiffen bestimmt. Sein Vorteil bestand darin, daß er, ohne wie beim Kreuzstab gleichzeitig nach zwei Richtungen sehen zu müssen, den Beobachter befähigte, nur die Meeresgrenze mit dem Auge zu fassen und zugleich durch Drehung eines Spiegels den Rand des reflektierten Sonnenbildes den Seehorizont berühren ließ. So konnte jeder Seemann auf schwankendem Bord Sonnenhöhen messen. Doch vergingen noch 30 Jahre, ehe der Spiegeloktant zu Ehren kam.[2]) Als der Oktant zum Sextanten (120°) ausgedehnt war, konnte er nicht nur zu Breiten-, sondern auch zu Längenbestimmungen benutzt werden. Das war wichtig, denn auf See konnte man mit Zeitsignalen nicht viel anfangen, und deshalb hatte schon 1714 das Britische Parlament einen Preis von 20000 Pfund für ein Instrument ausgeschrieben, das der Schiffahrt ein Verfahren lieferte, die Länge innerhalb der Fehlergrenze von ½° sicher zu bestimmen. Der Sextant gab eine Sicherheit bis zu einer Bogenminute. Der Jakobsstab und Davisquadrant wurde von ihm aus der Marine gänzlich verdrängt. Von erheblichem, allerdings mehr theoretischem als praktischem Interesse wurde das große Gesamtwerk des Sir Robert Dudley über alle Zweige der Nautik „Arcano del Mare" von 1630, 2. Aufl. Florenz 1661 in 2 Bänden, besonders der 2. Teil, der einen umfangreichen Seeatlas für alle Meere der Erde enthält, in dem die Karten in Mercatorprojektion mit ausgezogenem Gradnetz, aber ohne Kompaßrosen dargestellt sind.

Im 18. Jahrhundert (erste Hälfte) wurde dagegen von großer Bedeutung für die praktische Navigation Edmund Halleys (1656—1724) Ergebnis seiner physikalischen Entdeckungsreise, die erste Isogonenkarte, d. h. der Linien gleicher Deklination der Magnetnadel. Auf ihr wurde zum erstenmal in für die Folge bahnbrechender Weise eine Methode der kartographischen Darstellung der Ergebnisse der erdmagnetischen Forschung zur Anwendung gebracht. Es ist bemerkenswert, daß fast alle wichtigen Gesetze der

---

[1]) Newton hatte 1700 eine Zeichnung an Halley gesandt, der indessen die Bedeutung des Instruments nicht erkannte. Hadley nannte Newton nicht, als er seinen Oktanten der Royal Society vorlegte.
[2]) Godin machte 1735—41 bei den Gradmessungen in Peru von ihm Gebrauch.

magnetischen Erdkräfte in England gefunden worden sind. Auch gab Halley eine Karte der Luftströmungen heraus und wurde mit diesen Leistungen der Begründer der neueren physikalischen Geographie, freilich nicht auf der breiten Basis des Varenius, was erst Humboldt vergönnt war, aber doch in gerade für praktische Forderungen des Seefahrers vortrefflich geeigneter Art. Hadley stellte 1735 das erste Windgesetz für die Passate auf. 1728 erschien dann zu London ein „Atlas Maritimus et commercialis, or a general View of the World so far as relates to Trade and Navigation. With a Sett of Sea-Charts, some laid down after Mercator, but the greater Part according to a New Globular Projection, adapted for measuring Distances (as near as possible) by Scale and Compass." Dieser von Edmund Halley eingeleitete Atlas ist deshalb wichtig, weil die Plattkarten durch eine Art von Globular- bzw. konischer Projektion ersetzt wurden, also durch solche mit gebogenen Breitenparallelen und konvergierenden Meridianen. Zahlreiche Rosen loxodromischer Kurse mit gebogenen Rhumblines sind eingetragen für die Entfernungsmessung. Die vorkommenden Meilenmaßstäbe sind in english Leagues (20 = 1°). Endlich sei noch ein „Atlas of the world" von Hermann Moll (1733 zu London) erwähnt, der in England etwa dieselbe Rolle als Kartenverleger damals spielte, wie Homann in Deutschland, Sanson in Frankreich. Von ihm rührt auch eine gegen 1720 erschienene „Sea Chart of all the Sea Ports of Europe", eine zweiblättrige, gleichgradige Plattkart ein 1 : 7,5 Mill., allerdings stark verzeichnet.

Von ausländischen Arbeiten über England müssen die von J. Baptist Homann in Nürnberg, so seine „Magna Britannia complectus Angliae, Scotiae et Hiberniae regna" auf 1 Blatt in farbigem Kupferstich, mit allerdings recht veralteter Geländedarstellung, hervorgehoben werden. Auch ein Plan von Gibraltar nebst dem Meerbusen von Algesiras 1 : 38000 auf 1 Kupferstichblatt erschien bei ihm.

Die Periode der Triangulation und geodätischen Aufnahmen.

In der zweiten Hälfte des 18. Jahrhunderts treten die Briten immer mehr in den Vordergrund, und im letzten Viertel verlegten die Leistungen eines Joseph Des Barres, James Rennel, Arrowsmith (1750—1823) auf dem Gebiet der Kartographie die Heimat der darstellenden Künstler von Paris nach London. Als die Längenbestimmung der Mondabstände aufkam [1]) (an Stelle der Bestimmung durch die Verfinsterung der Jupitermonde), ging die Herrschaft der französischen Kartenzeichner zu Ende. Cook, mit dessen Reisen im Jahre 1780 die zweite Periode der maritimen Entdeckungsfahrten ihren Abschluß fand, brachte schon von seiner ersten Fahrt ganz vortreffliche Küstenkarten mit heim, und seitdem entstand gleichzeitig mit den Entdeckungen auch das mathematische Bild der neuen Länder, wenn auch noch das Verständnis für das Gelände und Gebirge fehlte. So sammelte sich damals in London der größte Urkundenschatz für die Kartographie an.

In diese Zeit fällt nun auch der Beginn einer planmäßigen offiziellen Landesvermessung. Wie so häufig, legten kriegerische Ereignisse dazu den Grund. 1746 wurde ein Aufstand im schottischen Hochlande durch die Schlacht von Culloden (1746) unterdrückt. Hierbei machte sich der Mangel guter topographischer Karten so fühlbar, daß bereits im nächsten Jahre mit der Triangulierung Schottlands durch Genieoffiziere begonnen wurde, die zu recht guten, aber nicht veröffentlichten kartographischen Ergebnissen führte. Der Siebenjährige Krieg unterbrach einstweilen die Aufnahmen, und auch zu der dann beschlossenen planmäßigen Landesvermessung von Großbritannien kam es noch nicht, weil wieder der amerikanische Krieg störend dazwischentrat.

Nun kam die Anregung von Frankreich. Der Erfolg seiner Triangulation in Frankreich hatte Cassini de Thury den Gedanken nahegelegt, seine Arbeiten auf ganz Europa

[1]) Der erste Nautical Almanac mit vorausberechneten Mondorten wurde 1767 zu London veröffentlicht. Samuel Wallis machte in diesem Jahre in der Südsee die erste Längenbestimmung nach Mondabständen.

auszudehnen. Er wollte dies persönlich besorgen, sofern die einzelnen Länder es nicht selbst ausführen wollten. Auf das in London dem König Georg III. (1760—1820) durch den französischen Gesandten 1783 überreichte Mémoire Cassinis einer trigonometrischen Verbindung der Observatorien Paris und Greenwich entschied sich England, durch eine Dreieckskette London mit Dover und der französischen Küste zu verbinden. Der englische General R o y erhielt den Befehl, unter Zuweisung der nötigen Genieoffiziere und Soldaten, die Arbeit auszuführen. Sie begann im Sommer 1784 mit der Messung einer Hauptbasis in der Ebene von Hounslowheat, südöstlich von London, nachdem Ramsden die nötigen Instrumente hergestellt hatte. Es wurden erst hölzerne Meßstangen, später wegen deren Ungenauigkeit Glasröhren versucht. Nach Vollendung der sehr genauen Messung mußte man drei Jahre die Arbeiten einstellen, bis die Winkelmeßinstrumente vollendet waren. Darauf erbat England von Frankreich den Beistand durch Kommissare und Ingenieure, und da inzwischen Cassini gestorben war, wurde sein Sohn, der Graf Cassini und seine beiden Kollegen von der Akademie, Méobain und Legendre dazu bestimmt. Sie stellten, auf den Pariser Meridian gestützt, eine neue Kette bis zur Küste bei Calais her, wo sie durch Signale sich mit den englischen Beobachtern verständigten. Diese hatten 1787 eine zweite Grundlinie bei Romney-Marsh am Meeresufer mittels einer Stahlkette bestimmt, die in einem Holzfutter lag und durch Gewichte angespannt war. Durch 24 Dreiecke wurden dann beide Basen verbunden, und man fand nur 4$\frac{1}{2}$ Zoll Unterschied zwischen der direkten Messung und der Rechnung für die Kontrollbasis. Eine zweite Dreieckskette wurde von Romney-Marsh längs der Küste nach Dover gelegt, wo zwei Hauptpunkte, Dover und Fairlight-Down, ausgesucht waren, um mit den drei französischen Küstenpunkten Calais, Cap Blanc-Nez und Montalembers verbunden zu werden. Diese 5 Punkte ergaben 4 Dreiecke, deren Winkel bestimmt wurden. Endlich wurden 6 weitere Dreiecke bis Dunkerque festgelegt, um den Anschluß an ein Dreieck des Pariser Meridians zu gewinnen, der so durch ein zusammenhängendes Netz von 42 Dreiecken mit dem von Greenwich verbunden war. Dieses bis zur alten Dünkircher Basis verlängert, ergab deren Länge bis auf 1 Fuß mit der früheren Messung übereinstimmend. Die Engländer brauchten indisches Feuer, beide Teile Reflektorlampen als Signale. In England wurde der sorgfältigst geteilte Ramsdensche, in Frankreich der Bordasche Kreis angewendet, von denen der erstgenannte ohne Repetition, aber von dreifachem Durchmesser des französischen Repetitionskreises war und einen größten Winkelfehler für die Summe der 3 Dreieckswinkel von 2″ 8 gegen 4″ des Bordaschen ergab.

1788 begannen dann in Südengland à la vue-Aufnahmen, seit 1791 aber die eigentliche trigonometrische Vermessung von ganz E n g l a n d u n d W a l e s, die Oberst Colby fortsetzte und Oberst (später Sir) Henry James und Clarke 1858 in England zum Abschluß brachten. In S c h o t t l a n d fingen die ersten Triangulationen erst 1809 an, Dreiecke 2. O. wurden erst 1841 eingefügt, 1850 waren die Arbeiten vollendet. In I r l a n d begann die Triangulierung 1824, und war gegen 1840 vollendet. Man hatte zu diesem Zwecke aus Kräftemangel die Arbeiten in England, wo man schon bis zu den südlichen Grenzen von Yorkshire und Lancashire gelangt war, 1823 unterbrechen müssen, ebenso in Schottland, wo ohnehin 1810—12 eine Pause eingetreten war. Denn in Irland sollte schleunigst mit einer Katasteraufnahme begonnen und dieser daher eine geodätische Grundlage gegeben werden. 1838 wurden dann die Triangulierungen in Schottland, 1840 auch in England wieder aufgenommen. Die Ergebnisse der Messungen, die Nachweise des Ganges der Arbeit, der Reduktion, des Stiches &c., sowie der persönlichen und finanziellen Kräfte sind in dem zu London auf Veranlassung des House of commons erschienenen großen Werke: „Ordnance trigonometrical survey of Great Britain and Ireland by Captain Alexander Ross Clarke under the direction of Colonel Henry James, superintendent of Ordnance survey" niedergelegt. Künstlerische Beilagen (Übersichtsblätter, Stichproben &c.)

erläutern den Text. Die Ausgleichung, zu der die Triangulation in 21 Teilnetze mit zusammen 202 Punkten zerlegt wurde, geschah nach Richtungen. Der Netzausgleichung ging eine angenäherte Stationsausgleichung voran. An diese schloß sich eine genäherte Gewichtsbestimmung an. Die Anzahl aller Richtungen beträgt 1544, so daß auf jedes Netz durchschnittlich also 74 Richtungen entfallen. Als mittleren Fehler berechnet Ferrero $\pm$ 1,79″. Ferner wurden von 1791—1849 sechs Grundlinien von je höchstens 41640,887, mindestens 24511,6 englischen Fuß Länge (im Mittel 9,6 km) und rund 67 km Gesamtausdehnung gemessen, die 100 bis 600 km voneinander entfernt liegen. Davon ist die Basis Salisbury—Plain zweimal, die übrigen Linien sind nur einmal gemessen. Die ersten vier Messungen wurden mit der Stahlkette, die beiden letzten, 1827 und 1849 bewirkten, mit Colbyschen Kompensationsstangen ausgeführt. Über die weiteren Fortschritte dieser Messungen sowie überhaupt über alle Aufnahmemethoden hat 1891 der damalige Chef des Ordnance Survey, C. Wilton, im Scott. Geogr. Mag. ausführlich berichtet. Heute wird die Triangulation 1. O. nur noch revidiert, die 2. und 3. O. — welche viele Mängel aufwies, über die auch White und Crooke sich geäußert haben — ganz neu ausgeführt, wobei die neuesten Methoden und Erfahrungen berücksichtigt werden. Nach der Haupttriangulation beträgt die Erdabplattung $\frac{1}{294}$, nach den Pendelbeobachtungen $\frac{1}{285}$, und Airy fand $\frac{1}{299,325}$, wie er in seiner „Determination of the longitude of Valencia" angibt. Dieser Airysche Wert ist der Karte zugrunde gelegt, so daß der Meridianquadrant 10 000 994 m, der mittlere Meridiangrad zu 111,1221 km bestimmt wurde (1 m = 3,2808746 engl. Fuß, 1 Toise = 6,39454375 engl. Fuß). In dem zitierten Werk finden sich an 300 Positions- und Höhenangaben der Hauptstationen, Höhen, größenteils trigonometrisch, eine große Zahl auch direkt nivelliert. Dabei wurde der Ben Nevis als höchster Punkt der Insel festgestellt (4406 engl. Fuß). Sämtliche Höhen sind auf den mittleren Meereshorizont von Liverpool (auf Grund von Flutbeobachtungen des Majors Colby rings um Irland, wo sich das mittlere Niveau als das gleichförmigste ergeben hatte) bezogen. Das Mittelwasser der englischen Meere liegt etwa $\frac{1}{2}$ Fuß höher.

Auch an der großen europäischen Längengradmessung unter dem 52. Parallel beteiligte sich England. Die Hauptlinie dieser Messung, die die Verbindung mit England sucht, führt von Leipzig über Bonn und Nieuport nach Greenwich. Der englisch-französische Anteil zwischen Nieuport und Valentia in Irland war 1863 vollendet. Airy bestimmte Greenwich bis Valentia, eine internationale Kommission Nieuport bis Greenwich. Überall fanden galvanische Zeitübertragungen und galvanische Zeitsignale auf direkten Linien ohne Anwendung von Relais statt. Näheres über die Arbeiten berichtet das von Colonel James 1863 veröffentlichte Werk: „Extension of the triangulation of the Ordnance Survey and Belgium with the measurement of an Arc of Parallel in latitude 52° N from Valentia in Ireland to Mount Kemmel in Belgium"; London.

Endlich ist des Anschlusses des englischen an das französische Dreiecksnetz zu gedenken. Die für ihre Zeit sehr bemerkenswerten und schon näher erwähnten Arbeiten vom Jahre 1784 und 1787 reichten nicht aus, da die Beobachter fast nie direkte Maße nehmen konnten, sondern in jedem Anschlußdreieck ein Winkel nicht gemessen, nur berechnet war. 1825 wurde daher auf Englands Vorschlag durch eine gemischte Kommission aus mehreren englischen Ingenieuroffizieren unter Leitung des Kapitäns Ketter und der Franzosen Arago und Mathieu die Strecke zwischen dem nördlichsten Ende des Meridian von Dunkerque und der englischen Küste Fairlight bis Dover — die Ketter mit Greenwich verband — mit besseren Instrumenten und Methoden neu bestimmt. Leider gingen die Ergebnisse verloren. Die von den französischen Astronomen an Ketter gesandten Beobachtungsregister waren, da der genannte Kapitän kurz darauf starb, nicht mehr aufzufinden. 1860 nahm England die Sache wieder auf, zumal Gauß' Heliostat inzwischen

die Möglichkeit gewährt hatte, auf große Entfernungen gut sichtbare Signale zu geben.
England bestimmte den Oberstleutnant Cameron, den Hauptmann Clarke und den Leutnant Trench der Royal-Engeneers, Frankreich den Obersten Levret und die Hauptleute
Beaux und Perrier zu den Arbeiten, die nach einer vorläufigen Erkundung und Auswahl
der zu bestimmenden Punkte im August 1861 mit den Beobachtungen begannen. Die
englischen Kommissare verfügten unter anderm über 3 große vorzügliche Theodoliten, die
in beweglichen Observatorien aufgestellt und auf Spezialwagen fortgeschafft wurden. Die
Franzosen hatten 4 Heliostaten, 1 Bussole, 2 Repetitionskreise (System Gambey), 3 Erd-
fernrohre, aber in minderwertigem, abgenutztem Zustande. Die äußerste Beobachtungs-
weite betrug 50 km; einzelne Dreiecksseiten waren aber viel länger, z. B. St. Inglevert
bis Fairlight 76 km, und nur unter besonders günstigen Umständen und großen Zeit-
verlusten waren ihre Signale sichtbar. 8 Dreiecke wurden bestimmt, ein 9. als Kontrolle.
Auf einer Gesamtlänge von 776194 m betrug der Unterschied der englischen und der
französischen Messung 3,74 m oder 1 m für 207500 m. Hierauf konnte die Länge und
Breite von Greenwich (+ 2° 20′ 14″ von Paris, —17° 39′ 46″ von Ferro) bestimmt
werden, von der Basis von Melun ausgehend und der Breite des Observatoriums.

Diese Triangulationen &c. dienten einer einheitlichen Karte Großbritanniens und Irlands als Grundlage, deren Schaffung endgültig im Jahre 1797 durch die
britische Regierung beschlossen worden ist. Sie sollte in 1 : 63360 (1 Zoll = 1 engl.
Meile) ausgeführt und auf genaue topographische Aufnahmen großen Maßstabs
gestützt werden, über deren Verjüngungsverhältnis leider bis 1863 in einer die Arbeiten
höchst störenden Weise gestritten wurde. Diese sogenannte „Battle of scale“ (Maßstabs-
schlacht) hatte nicht nur ein ewiges Schwanken in den Bestimmungen zur Folge, sondern
auch eine Reihe von höchst interessanten offiziellen und privaten Gutachten, auch ausländischen, so des bekannten französischen Zivilingenieurs Vignoles, der namentlich im
Interesse des mächtig sich entwickelnden Eisenbahnbaues für einen recht großen Maßstab
sich aussprach. Der ursprünglich von der Regierung (nach Verlassen des ungeeigneten
von 1 : 63360, in dem seit 1791 England und Wales topographiert worden waren) angenommene von 1 : 10560 (6 Zoll auf die Meile), welcher zuerst für die Aufnahmen in
Irland 1825—40 in Anwendung gekommen war und sich dort praktisch bewährt hatte,
erschien der Mehrheit der Gutachter noch zu klein, sie schwankte zwischen 1 : 5280
und 1 : 2376. Das Parlament fand aber selbst 1 : 10560 zu teuer, in dem seit 1840 auch
die südlichen Grafschaften Schottlands (Edinburgh, Fife, Haddington, Kinross, Kirkond-
bright und Wigton) sowie Yorkshire und Lancashire und der ganze nördliche Teil in England aufgenommen waren, und schrieb 1851 den 1-Zollmaßstab (1 : 63360) vor. Doch
1852 kam 1 : 10560 wieder zur Geltung, und 1853 beschloß die Regierung auf die Anregung des internationalen statistischen Kongresses zu Brüssel und nach weiteren Gutachten 1 : 10560 für unkultivierte, 1 : 2500 für kultivierte Gebiete, 1 : 500 für Städte
von mehr als 4000 Einwohnern als Aufnahmemaßstab anzunehmen. Doch schon 1857
verlangte das Parlament aus Kostenrücksichten für Schottland 1 : 10560 auch für wohl-
angebaute Gegenden. 1858 wurde eine neue Kommission von Sachverständigen eingesetzt,
und deren Beratungen führten 1863 zu dem endgültigen Beschluß der Regierung, daß
zur Herstellung der in zwei Ausgaben (mit und ohne Höhenkurven) auszuführenden topographischen Karte des Königreichs in 1 : 63360 die (1837 durch Ingenieuroberst Dawson
angeregten) Katasterpläne 1 : 2500 (25347 Zoll auf die Meile)[1]) den Meßtischblättern in
1 : 10560 als Grundlage dienen sollten. Die engere Netzlegung und Detailaufnahme ist
eine überaus genaue, die bei dem großen Maßstabe Einzelheiten enthalten kann, wie die
keines andern Landes. Dazu ist das Personal vorzüglich geschult, die Instrumente sind

---

[1]) Nur ein Teil Englands und Schottlands sowie ganz Irland (mit Ausnahme der in 1 : 2500 aufgenommenen
Grafschaft Dublin) ist für das Kataster in kultivierten Gegenden in 1 : 10560 ausgeführt.

ausgezeichnet, und die ganze noch zu erwähnende Organisation ermöglicht die vielseitigste Revision und Kontrolle der Aufnahmen. Über das Meßverfahren verbreiteten sich die 1875 zu London von James veröffentlichte Schrift: „Methods and Processes adopted for the production of the Maps of the Ordnance Survey", weiter Middletons Schrift: „Surveying and surv. Instruments", London 1894, und Farquhasons Aufsatz „Twelve years' work of the Ordnance Survey" (1887—99) am besten. Die Aufnahmen werden in zwei Ausgaben als Grafschaftskarten (county plans) veröffentlicht, und zwar ohne Gelände und in Niveaulinien von 28' = 7,6 m Schichthöhe. Sie sind für Schottland und Irland ganz, für England mit wenigen Ausnahmen vollendet. Die irischen Blätter haben nur Höhenkurven. Es sind etwa 13000 Blatt für das vereinigte Königreich. Die Wiedergabe erfolgte anfangs in Kupferstich (1700 Blatt z. B. für England), seit Einführung der Photozinkographie (1859) durch dieses Verfahren, das im übrigen auch zur Reproduktion wertvoller Nationalmanuskripte Anwendung findet. Die Aufnahmeblätter werden für die Herstellung der Karte anfangs pantographisch, später photographisch reduziert und berichtigt. Auch werden von ihnen Pausen hergestellt und in ihnen das Gelände in 1:63360 kartenmäßig verkleinert und vereinfacht. Aus diesen in Terra Sienna ausgeführten Bergstrichzeichnungen geschieht dann die Übertragung auf Kupfer in einer Skala von 8 Gradationen. Leider ist die Zahl der Höhenangaben unzureichend. Einige Blätter des schottischen Hochgebirges haben kaum 5—6 auf 1 qdcm. Dieser Mangel macht sich auf den Niveaukurvenblättern der topographischen Karte besonders geltend. Von den Städten, die mehr als 4000 Einwohner haben, werden Pläne 1:500 hergestellt, nur London und seine Umgebung ist in 1:1056 (5 Fuß oder 60 Zoll auf die Meile) 1885 vermessen worden, dem bis 1855 überhaupt gültigen Maßstabe.

Was die Katasteraufnahme anlangt, so liefert sie die Map of parishes (Kirchspiel- oder Gemeindepläne), und zwar in 1:2500 von den gut angebauten Gegenden Englands und Schottlands, also mit Weglassung der Berg- und Moorbezirke von Yorkshire, Lancashire, der Insel Lewis und 6 Grafschaften von Südschottland, die bereits in 1:10560 ausgeführt waren, bzw. ausgeführt werden sollten. Für Lancashire und Yorkshire ist erst später wieder 1:2500 bestimmt worden, das auch der Aufnahmemaßstab für die Grafschaft Dublin des sonst in 1:10560 vermessenen Irlands ist. Seit 1894 werden die Blätter neu berichtigt. Ihre Wiedergabe geschah erst in Zinkographie, später in Photozinkographie. Die Aufnahme wurde Anfang der neunziger Jahre vollendet.

Ehe wir uns den so entstandenen offiziellen Kartenwerken im einzelnen zuwenden, sei noch kurz der Organisation der gesamten Landesaufnahme gedacht. Sie umfaßt unter der Bezeichnung „Ordnance Survey" heute die Zentralstelle in Southampton (den Dienst in Großbritannien) und den ihr unterstellten Dienst in Irland (Publication Division) und hat fast sämtliche Aufnahmen des vereinigten Königreichs (bis 1845 auch die geologischen), also auch die des Katasters, der Fortifikationen, Grenzen &c. zu bewirken, mit Ausnahme der der Seekarten. Für die Kolonien entsendet der Ordnance Survey eigne Expeditionen, indessen besteht für Vorderindien ein eigner Dienst.

Im Beginn war die Leitung und Organisation eine rein militärische, was sich sowohl bezüglich der musterhaften Ordnung als auch wegen der geringeren Kosten empfahl. Der Ordnance Survey stand bis 1855 unter dem Board of ordnance. Als dieses Komitee in diesem Jahre aufgelöst wurde, wurde er unmittelbar dem War Office (Kriegsministerium) unterstellt. Seit der Survey act vom 12. Mai 1870 ging die Leitung auf den Office of Works (Ministerium der öffentlichen Arbeiten) über, ohne daß hierdurch an der Organisation etwas geändert wurde. Damals wurden nur die Kosten der Karten für militärische Zwecke, namentlich der 1-Zollkarte, aber auch die der Katasteraufnahmen, in das Budget des Kriegsministeriums übernommen. Es bestanden vier Abteilungen unter einem Gesamtchef, nämlich 1. für Administration, Korrespondenz und Rechnungslegung; 2. für

Prüfung der Originalpläne, Reduktion und Zeichnung der Karten für den Stich, Photozinkographie und Druck sowie Elektrotypie; 3. für trigonometrische Arbeiten; 4. für Gravüre der allgemeinen topographischen Karten auf Kupfer, Plattendruck in Schwarz und Farben, nach einem besondern Verfahren. Außerdem war ein besonderes Grenzenamt in London mit 10 Unterämtern in den verschiedenen Teilen Englands, dann je eins in Schottland (Edinburgh) und Irland (Dublin) vorhanden. Auch wurde das Nivellement und die Geländeskizzierung für die Karte 1 : 63360 durch selbständige Ämter bewirkt. Den Vertrieb übernahmen bis 1866 eigne Agenten, dann Verleger, darauf seit 1872 ein Mappendepot und Agenten, schließlich seit 1885 Stanford allein zu mäßigen Preisen. Das Personal des Ordnance Survey bestand aus Offizieren des Königlichen Ingenieurkorps, aus eingereihten Sappeurs und Mineurs, Professionisten und technischen Zivilarbeitern. Auch inaktive Offiziere wurden verwendet.

Durch Gesetz von 1889 ist nun der Ordnance Survey auf eine Abteilung des Ackerbauministeriums (Office of agriculture) übergegangen. Die Leitung hat ein Generaldirektor als Chef (augenblicklich Oberst Johnston). Ihm sind 2 Offiziere (als Stellvertreter und Adjutant) und 28 Beamte zugeteilt. Das für den Landesvermessungsdienst in Großbritannien und Irland gegliederte Personal ist im ganzen 2620 Köpfe stark und besteht aus 400 Ingenieuroffizieren — die von alters her die staatlichen Aufnahmen bewirken — und 2220 Zivilbeamten.

Der Dienst für Großbritannien setzt sich aus 6 Abteilungen des eigentlichen Ordnance Survey in Southampton, der Nivellementsabteilung zu Clifton (Bristol) und 8 Feldtopographenabteilungen in Bedford, Derby, Edinburgh, Carlisle, Red Hill, Redland (Bristol), York und Chester zusammen.

Die trigonometrische Abteilung unter dem Chef der Magazinsabteilung umfaßt 1 Oberbeamten, 9 Beobachter, 25 Assistenten und 7 Rechner.

Die Nivellementsabteilung zu Clifton steht unter einem Geniehauptmann mit 79 Nivelleuren, Kalkulatoren, Schichtenzeichnern &c. und bewirkt das Nivellement und die Aufnahme der Schichten für die topographische Karte. Durch das Einmessen der Höhenlinien können die neueren topographischen Blätter den Flußkarten als unmittelbare Grundlage dienen.

Die 8 Feldtopographenabteilungen, von denen jede 1 Geniehauptmann als Dirigenten, 80—120 Topographen, Revisoren, Rechner und Zeichner stark ist, bewirken die Mappirung.

Die Stichabteilung besorgt die Darstellung und den Stich der Karten, sowie den Kupferdruck. Der Kupferstich ist noch immer das gebräuchlichste Verfahren und wird in bemerkenswerter Reinheit und Schärfe ausgeführt. Auch bewahrt sie alle die Aufnahmen betreffenden Urkunden auf. Sie zählt unter 1 Ingenieurhauptmann 123 Personen — 7 Ober-, 4 Unterbeamte, 6 Geländezeichner, 63 Kupferstecher, 5 Revisoren, 12 Assistenten und 28 Kupferdrucker.

Die Veröffentlichungsabteilung — unter 1 Obersten als Leiter, dem etwa 600 Personen (1 Ingenieurhauptmann, 11 Ober-, 22 Unterbeamte, 73 Revisoren, 18 Rechner, 68 Zeichner für Zink, 60 Photographen, 40 Stein- und Zinkdrucker, 68 Pressenarbeiter, 68 Korrektoren, 5 Buchdrucker, 118 Handlanger, 7 Buchbinder, 40 Koloristen) unterstellt sind. Ihr liegt die Durchsicht und Berichtigung der Feldaufnahmen, ihre Reinzeichnung für die Verkleinerung durch Zinkographie oder Photozinkographie (nach dem Jamesschen Verfahren) und das Kolorieren sowie Berechnen der Flächen, endlich der Farbendruck ob.

Die Kartenabteilung bewirkt die Aufbewahrung und den Verkauf der Kartenwerke und steht unter 1 Ingenieurhauptmann mit 1 Ober- und 33 Unterbeamten und Aufsehern als Personal.

Die **Revisionsabteilung** führt die Revision und Evidenthaltung der Karten unter Leitung eines Ingenieurhauptmanns aus.

Die **Magazinsabteilung**, unter dem Chef der trigonometrischen, bewahrt die Kriegskarten auf, verwaltet die Instrumente und die Maschinen, beaufsichtigt die Werkstätten und die Elektrotypie. Unter den 80 Köpfen ihres Personals befindet sich 1 Ingenieurhauptmann, 4 Oberbeamte, dann Aufseher, Werkmeister, Optiker und Elektrotypisten.

Der **Dienst in Irland** wird für die Triangulierung von der trigonometrischen, für die Kartendurchsicht von der Revisionsabteilung des Ordnance Survey in Southampton wahrgenommen. Dagegen besteht eine eigene „Publication Division" (jetzt unter Major Haynes) in Dublin, die unter ihrem 171 Köpfe starken Personal 1 Geniehauptmann als Vertreter des Chefs, 6 Oberbeamte, 21 Revisoren, 16 Rechner, 24 Kupferstecher, 36 Zeichner, 10 Zinkzeichner, 13 Drucker, 23 Gehilfen, 20 Aufseher enthält. Außerdem sind eine **Nivellementsabteilung** in Dublin, aus 1 Ingenieuroffizier, 63 Nivelleuren &c. bestehend, und 3 **Feldtopographenabteilungen** in Dublin, Cork und Ennis unter je 1 Ingenieurhauptmann vorhanden, die etwa 160—180 Topographen, Revisoren, Zeichner &c. stark sind.

Wenden wir uns nun kurz den wichtigsten **Kartenwerken** des Ordnance Survey zu, über deren Fortschritte der jährliche „Report" desselben seit 1878, sowie neuerdings auch die „Proceedings of the Royal Geographical Society of London" berichten[1]).

1. Die **General Map** (Ordnance Map) 1 : 63360 (1 inch scale, d. h. 1 Zoll auf die englische Meile zu 5280 feet zu 12 inches)[2]). Ihr liegt ein Abplattungswert $\frac{1}{299,333}$ zugrunde, wie ihn Airy in seiner „Determination of longitude of Valentia" gibt (1 mittlerer Meridiangrad = 111,1221 km, der Quadrant = 10 000994 m). Die Entwurfsart ist für England die der transversalen quadratischen Plattkarte (zylindrische Projektion mit längentreuen Hauptkreisen, wobei der Grundkreis ein Meridian ist), für Schottland die sogenannte Bonnesche Projektion (unecht konisch, mit Parallelkreisen als konzentrischen Kreise, Meridianen als stetigen Kurven), also die für die Cassinische bzw. die Carte de France 1 : 80000 gewählten Projektionen, woraus auf den auch anderwärts nachweisbaren französischen Einfluß wohl geschlossen werden kann. Bei der verhältnismäßigen Schmalheit Schottlands kommen nur die Vorteile der Bonneschen Darstellung, nämlich die einfache Konstruktion, die genaue Proportionalität der Netzvierecke der Karte mit den entsprechenden der Natur und der gemeinschaftliche Meilenmaßstab vor allem, zum Ausdruck, nicht die Mängel. Die 1797 beschlossene Karte besteht für **England** aus zwei Serien. Die ältere Aufnahme (old series), von der 1801 das erste Blatt unter Oberst Mudge erschien und die 1862 vollendet wurde, war auf 110 Blatt berechnet, von der jedoch nur 90 vorliegen und von denen nur die Nr. 91—110 in dem größeren Aufnahmemaß 1 : 10560, die übrigen noch in 1 : 63360 topographisch vermessen wurden. Die Mehrzahl der Sektionen hat das unhandliche Format 36 : 24 inches (88 : 58 cm), nur ein Teil 28 : 12 Zoll; sie sind von Süden nach Norden fortlaufend numeriert. Die innere Blattfläche der größeren beträgt 61 : 40 cm. Die Karte zeichnet sich durch Genauigkeit und Schärfe des Gerippes, reichhaltige topographische Einzelheiten und gute Schrift, sowie sehr klaren Kupferdruck aus. Dagegen entbehrte die in Schraffen (senkrechtes Licht) ausgeführte Geländedarstellung, namentlich im Anfange, des Charakteristischen und ist wenig systematisch. Sie gibt die Bodenformen nur in großen Zügen und ermangelt der Höhenangaben in ausreichendem Maße, so daß ein klares Bild der Einzelheiten nicht zu gewinnen ist. v. Sydow stellte diese one inch - Karte unbedenklich in die **erste** Reihe aller damaligen Generalstabsaufnahmen, wünschte aber auch die Aufgabe der geflammten Bergstriche, senkrechte Stellung der-

---

[1]) Die Bezeichnung der Karten geschieht durch Angabe der Zahl von Linieneinheiten (meist Zollen), welche die Einheit der Meile in der Verjüngung enthält. Nur nebenbei wird auch ihre natürliche Verjüngung benannt.

[2]) 3,2808746 Feet = 1 m ; 6,39454378 Feet = 1 Toise.

selben und deutliche Eintragung von Höhenkurven. Die französische Militärkommission
von 1867, welche die Arbeiten des Ordnance Survey bei der Pariser Weltausstellung
prüfte, nannte sie: „Une oeuvre sans précédent et qui devrait servir de modèle à toutes
les nations civilisées." Die old series werden nur noch bezüglich der Eisenbahnen auf
dem laufenden erhalten, seit 1872 erscheint eine neue Veröffentlichung (new series) in
360 Blatt für England. Sie beruht zunächst durchweg auf dem größeren Aufnahmemaße
und genauer Schichtenvermessung. Die vom Gradnetz unabhängige Blatteinteilung ergibt
ein handlicheres Format, nämlich 18 : 12 Zoll Blattgröße (45,5 : 30 cm Stichfläche). Blatt
36, 45, 46, 56 und 57, die Insel Man betreffend, sind zu einem einzigen vereint. Sie
wird in zwei Ausgaben hergestellt. Die eine, in schwarzen bzw. braunen Bergstrichen
(with hill hachures) und Höhenzahlen, ist sehr wirkungsvoll in Kupferstich ausgeführt,
doch entbehren die Bodenformen, weil die Schraffen zu zart sind, häufig des kraftvollen
Ausdrucks, wenn auch ein erheblicher Fortschritt gegen die old series zu verzeichnen ist.
Auch genügt die Zahl der Höhen noch nicht. Der Geländestich wird voraussichtlich 1904
vollendet sein, zuerst waren die nördlichen Blätter fertig. Die andre fertige Ausgabe ist
in Höhenschichtlinien (outline) von 50 und 100 engl. Fuß (15,2 bis 30,5 m Abstand) leider
nicht kräftig genug, sondern in punktierten Kurven erschienen, die sich oft schwer von
dem Wegenetz unterscheiden lassen. Geben sie auch kein Geländebild, so reichen sie
doch für technische Zwecke aus. Das Gradnetz beider Ausgaben bezieht sich auf den
Meridian von Greenwich. Das Erscheinen der Katasteraufnahmen hat den Fortschritt der
im übrigen auf den Grafschaftskarten beruhenden new series sehr beschleunigt. Die 6-Zoll-
karte wird photographisch reduziert, dann in Lichtblau abgedruckt, und in die verkleinerte
Nachbildung werden die für die 1-Zollkarte nötigen Einzelheiten mit schwarzer Tusche
eingetragen. Ist der Stich des Gerippes fertig, so wird von der Platte eine Kupfermatrize
und von dieser wieder auf elektrischem Wege eine Duplikatkupferplatte erzeugt. In die
Duplikatplatte geschieht dann die Eintragung der Niveaulinien, worauf diese zum Druck
der im Gerippe ohne Bergstriche erscheinenden Blätter verwendet wird. Auf die Originalplatte dagegen wird die schon beim Aufnahmeverfahren erwähnte braune Bergstrichzeichnung des Mappeurs, in 1 : 63360, teils durch Stich, teils durch Ätzung übertragen.

Für die in England schon vor 1840 in intensivster Weise betriebenen erdmagnetischen Messungen gibt es endlich eine weder Längen- noch Breitenangabe besitzende
Ausgabe, in der die magnetischen Variationen eingetragen sind, mit braunen Bergstrichen,
blauen Gewässern, roten Umrißlinien und Straßen in Terra Sienna. In Schottland
ist die auf der anfangs (1840) in 1 : 10560, später (1855) für den Rest der Grafschaften
im Norden (mit Ausnahme der unkultivierten Distrikte in 1 : 10560) in 1 : 2500 ausgeführten Aufnahme beruhende Ordnance map nach gleichen Gesichtspunkten und in
denselben beiden Ausgaben hergestellt. Sie zählt 131 Blatt, jedoch von 24 : 18 Zoll,
und ein Bleiblatt (57 A) und erschien 1862—94, wobei jedoch zu bemerken ist, daß die
Karte 1882 vollendet war, von 1882—94 nur das Gelände nach den neuen Grundsätzen
der englischen Karte ausgeführt wurde. Eine bunte Ausgabe fehlt. In Irland konnte
man sich für die aus 205 Blatt (18 : 12 Zoll) bestehende General Map von Hause aus
auf die Grafschaftskarten stützen (1 : 10560). Sie erscheint in zwei Ausgaben: die eine,
1883 fertig gestellt, zeigt nur das Gerippe, die zweite das Gelände in Schraffen und
mit Höhenangaben und ist seit 1895 fertig. Eine Niveaulinienkarte war nicht möglich,
da die Schichtenaufnahme bisher nur in einem Teile des Landes vollendet ist, auch die
alte Aufnahme seit 1866 revidiert werden mußte, da sie sich für das Landinnere, die
westlichen und südlichen Grafschaften nicht hinreichend zuverlässig erwiesen hatte. Für
die Höhen dient der mittlere Wasserspiegel am Dubliner Leuchtturm Poolberg als Ausgangsfläche. Die übrige Ausführung der Karte ist wie die der englischen. Für die Ausgabe ohne Gelände wird von den Kupferplatten mit Schraffen eine Matrize auf galvano-

plastischem Wege hergestellt, um daraus die Kupfer für den chalkographischen Druck zu erzeugen. Es gibt auch eine Farbendruckausgabe mit braunen Bergstrichen, Straßen in Sienna, blauen Gewässern und grünen Wäldern, und eine andre, in der die Grafschaften, Landgüter, sowie die Marktflecken rot eingetragen sind. Endlich bestehen für alle Länder des Königreichs „Combined maps of areas round certain large towns or other areas" in 1 : 63360, so z. B. Map of the Lake District of Cumberland and Westmoreland in 9 Blatt, Map of the New Forest District &c., in verschiedener Größe, mit Höhenkurven und Umrissen in Schwarz und braunem Straßennetz.

Im ganzen ist die Ausführung der britischen „Generalstabs-", d. h. Kriegskarte in 696 Blatt, die aber zugleich den bürgerlichen Interessen in genügender Weise entspricht, sowohl was die Sorgfalt der Darstellung des Gerippes als die Genauigkeit der Wiedergabe der Bodengestaltung anlangt, eine gute. Die Bergstriche, obwohl auf einzelnen Blättern etwas fein, in den steileren Teilen des Hochlandes etwas zu dunkel geraten, geben doch in charakteristischer Weise die Struktur des Geländes wieder und liefern ein wirkungsvolles Bild, namentlich des Hochgebirges. Leider ist aber der Geschäftsgang für die Berichtigung und die Nachträge der Generalstabskarte, von der demnächst auch eine Ausgabe mit eingetragenen Katastergrenzen (civil parishes) erscheinen soll, ein überaus langsamer. Einzelne Blätter zeigen ein „Revised", das an 30 Jahre zurückliegt.

2. Map of English Counties 1 : 10560 (6 inch county maps), 13418 Blatt. Die ersten Grafschaftskarten[1]) hatte Irland, wo sie 1825—46 erschienen und einer beabsichtigten allgemeinen Grundabschätzung ihr Entstehen verdankten. Reiche Privatleute und unternehmende Verleger förderten die Karten, irgendein festes kartographisches Prinzip war aber nicht erkennbar, die Ausführung war eine sehr ungleiche und verschiedenartige, und jede Geländezeichnung fehlte. 1866 mußte daher eine amtliche Revision nach den Anforderungen des Schätzungsdepartements stattfinden, die Jahre währte. Es sind 1907 Blatt (36 : 24 Zoll), die kein Gradnetz und nur das Gerippe enthalten, bei den neueren Blättern aber Höhenkurven erhalten sollten, je nach dem Vorschreiten der bisher nur für die Grafschaft Dublin vollendeten Katasteraufnahme.

In Schottland dienten dazu erst die Aufnahmen 1 : 10560; dann wurden die seit 1855 in 1 : 2500 ausgeführten Katasterblätter in 1 : 10560 verkleinert, und zwar auf photographischem Wege, und mittels Pausen auf die Kupferplatten übertragen. Es sind 2063 Blatt (36 : 24 bzw. 18 : 12), d. h. ganz Schottland ist beendet.

Die Grafschaftskarten Englands (9448 Blatt) wurden von Hause aus durch Reduktion der Katasterblätter (von denen 16 einer Sektion 1 : 2500 entsprechen) hergestellt und erschienen ebenso wie die schottischen in zwei Ausgaben, nämlich ohne Gelände oder mit Niveaukurven von 25 Fuß = 7,26 m Schichthöhe. Das Gerippe der Karten von Großbritannien zeigt eine sehr sorgfältige Darstellung des Wegenetzes und unterscheidet außerdem die verschiedenen Arten Weideland, Wiesen, Gehölze, Gärten, Ackerboden und sehr eingehend nach dem Alter ihrer Herkunft, besonders durch die Schrift, die alten und neuen Bauwerke aller Art (gotische, druidische, normännische, angelsächsische &c.). Auch die Grenzen der Städte und Gemeinden, dann die Telegraphen und zahlreiche Einzelheiten, wie Brunnen, Brücken &c., sind angegeben. Von der schwarzen Ausgabe werden auch Blätter mit blau kolorierten Gewässern hergestellt. Ursprünglich wurden die Sechszollkarten sehr sauber in Kupfer gestochen (z. B. an 1700 Blätter von England). Da aber die Arbeit sehr langsam fortschritt, infolgedessen auch zahlreiche Berichtigungen noch während des Stichs erforderte, entschloß man sich zur heliozinko- oder photozinkographischen Verkleinerung der Katasterblätter nach einem von Generalmajor Coke angegebenen Verfahren. In die hellblauen Kopien des Katasterblatts werden mit chinesischer Tusche

---

[1]) Die City of London bildet mit ihren zugehörigen Gebieten von Kent, Middlesex, Essex und Surrey eine eigne administrative county of London.

alle Ergänzungen einschließlich der Schrift eingetragen und diese Blätter dann auf
1 : 10560 reduziert. In Irland wandte man bei den revidierten Blättern Lithographie statt
des früheren Kupferstichs an. Die ständig auf dem laufenden gehaltenen Grafschaftskarten sind die gute Basis der General map. Ihre Entwurfsart ist die der transversalen
quadratischen Plattkarte (Cassini-Soldner).

3. **Map of Parishes** 1 : 2500 (25,344 inches auf 1 statute mile). Diese sehr
genauen Kirchspiel-, Gemeinde- oder Katasterkarten[1]) wurden in England für die gut
angebauten Gegenden der zuerst in 1 : 63860 vermessenen Landesteile südlich der Grafschaften Yorkshire und Lancashire ausgeführt. 1890 war diese sich auf etwa 51500 Blatt
bemessende Aufnahme vollendet. In Schottland wurden seit 1855 die kultivierten Bezirke, etwa 12687 engl. Q.-Mln, in 1 : 2500 auf 12316 Blatt aufgenommen, der Rest des
Landes, 18215 Q.-Mln, war schon in 1 : 10560 vermessen. In Irland, wo gerade eine
Katasteraufnahme wegen der Schätzung und des Verkaufs von über 70000 kleineren Pacht-
gütern, die in mehr als 100000 Parzellen geteilt sind, wichtig wäre, besteht nur für die
Grafschaft Dublin eine 25 inch-map. Die Katasterpläne haben kein Gradnetz, das Gerippe
ist schwarz, die Straßen sind braun, die Häuser rot, die Gewässer blau auf den 38 : 25¼
Zoll großen Blättern angegeben, doch besteht auch eine ältere schwarze Ausgabe. Für
diese erfolgte bis 1889 die Wiedergabe in Zinkographie, wozu die Manuskriptpläne mit
lithographischer Tinte auf Übertragpapier gezeichnet und dann auf die Zinkplatten aufgelegt wurden, worauf für die Veröffentlichung Kopien abgezogen werden. Gegenwärtig
wird Photozinkographie angewendet, und seit 1894 geschieht die Evidenthaltung der
Blätter.

4. **Map of Cities and Towns.** In England wurden bis 1855 große Städte
(im ganzen 60) in 1 : 1056 (5 Fuß auf die Meile) aufgenommen, mit Ausnahme einiger
vom Gesundheitsamt in besonderen Maßstäben hergestellter Stadtpläne. Es sind meist
solche über 50000 Einwohner, die „County boroughs" heißen. Seit 1863 werden alle
Städte mit mehr als 4000 Einwohnern in 1 : 500 (10 feet) vermessen, ausgenommen
London und seine Vororte, das 1885 in 1 : 1056 aufgenommen wurde und in Blättern von
36 : 24 Zoll in einer Kupfer-, später photozinkographischen Ausgabe veröffentlicht wurde.
Auch gibt es von der Hauptstadt Pläne von 1 Fuß und von 6 Zoll auf die statute mile,
sowie mit vollständigem Detail in 1 : 2500 und 1 : 1056. Die Blätter 1 : 500 haben die
Größe der Gemeindekarten (38 : 25¼ Zoll) und werden neuerdings auch farbig (Häuser rot,
Straßen braun, Gewässer blau) veröffentlicht. Von 19 Städten sind noch Aufnahmen
1 : 528 vorhanden. Für Schottland gibt es die gleichen Vorschriften. Es sind 44 Pläne
in 1 : 500, 1 Plan 1 : 528 und 15 Pläne in 1 : 1056 erschienen. In Irland gelten dieselben Bestimmungen, doch gab es vor 1855 außer den meist üblichen Aufnahmen in
1 : 1056 auch solche 1 : 3168 und 1 : 5280.

5. **Map of England and Scotia** 1 : 253440 (¼ inch to 1 statute mile). Diese
in der Planimetrie sehr genaue geographische Karte, welche England auf 24, Schottland
auf 16 Blatt (je 22¼ : 15 Zoll) umfaßt und auch auf Irland ausgedehnt werden soll, ist in
Kupfer gestochen, jedoch sonderbarerweise ohne Gelände. Es gibt auch eine Ausgabe in
lithographischem Buntdruck, die die Bodengestalt skizzenhaft in brauner Schummerung
enthält. Die Gewässer sind blau, die Wälder grün, die Straßen (5 Wegeklassen) in Terra
Sienna dargestellt.

6. **Map of Great Britain and Ireland** 1 : 633600 (¹/₁₀ inch to 1 mile) ist in
Herstellung begriffen.

7. **Index maps**, und zwar zur 1 inch scale map in 10 miles to 1 inch (18 : 13
Zoll); zur 6 inch scale map, parishes coloured, England and Wales (18 : 12), Scotland

---

[1]) Die vortrefflichen bayerischen Katasteraufnahmen, von denen 1857 England auf diplomatischem Wege nach
Anregung der R. Geographical Society von 1841 Kenntnis nahm, blieben nicht ohne Einfluß.

(24 : 18); zur ¹⁄₂₅₀₀ scale map, parishes coloured, England and Wales (18 : 12), Scotland (24 : 18).

8. Miscellaneous Map für die verschiedensten Behörden (Auswärtiges Amt, Admiralität, Direktion der geologischen Aufnahmen, Kriegsministerium), sowie für Städte, Private, gelehrte Gesellschaften &c. Besonders reichhaltig sind natürlich die verschiedenen Spezialkarten für das Office of War.

Die Arbeiten anderer Behörden.

Unter ihnen gehen die des British Hydrographic Departement der englischen Admiralität durch Alter und Weltruf allen übrigen voran. Hydrographische Aufnahmen fanden seit dem Mittelalter statt [1]). Das jetzige Office ist 1795 unter Earl Spencer durch order in council errichtet und besteht aus einem Ersten Hydrographen, einem Assistenten und einem Draught's man (Entwerfer und Zeichner) nebst dem Unterpersonal. Erster Hydrograph war Mr. Alexander Dal Eympa von der East India Company. Alle Veröffentlichungen geschehen auf Befehl des Lords commissioner of the Admiralty. Die über 4000 Blatt der Seekarten des Hydrographischen Amts sind ein Quellenmaterial für die meisten Küstenländer der Erde geworden und waren in manchen Staaten lange die einzig brauchbaren oder überhaupt vorhandenen Karten. Der „Admiralty Catalogue of charts, plans and railing directions" (London) verzeichnet sie. Sie werden von Seeoffizieren aufgenommen unter Benutzung der Arbeiten fremder Nationen (Frankreich, Spanien, Deutschland, Amerika besonders). 1900 wurden 102 neue Platten von Karten und Plänen gestochen, 30 Platten erzeugt, 18 neue Pläne gezeichnet und 224 Platten korrigiert, weiter 4520 Korrekturen durch Stecher ausgeführt und 35800 kleine Handberichtigungen durch den Draught's man gemacht. Recht Bedeutendes leistet das Office auch in der Tiefseeforschung, welche die Konfiguration des Seebildes dauernd verbessert. Ebenso unterstützt es die magnetischen Arbeiten. Aus seiner Vermessungsschule sind erste Männer der Wissenschaft hervorgegangen, wie Beaufort, Beecher, Belcher, Edw. Forbes, Fitroy, Grewes, Hooker, Ross, Sabine u. a., sowie große Polarforscher und Reisende.

Die Admiralitätskarten weisen in den Maßstäben bedeutende Zahlenverschiedenheiten auf, die sich nur selten auf ein einfaches Verhältnis reduzieren lassen. Es sind etwa 150 verschiedene Verjüngungsverhältnisse, von denen vielfach die kleineren 10fach kleiner sind als die größten. Die nautic mile = 1855 m (Bessel) = 6086,382 feet = 73036,58 inches liegt zugrunde. Sie sind in Kupfer gestochen. Das Format ist meist Double Elephant (= Großadlerformat). Zunächst wurden Karten der britischen Küsten, später der Ostsee, des Mittelmeeres, des Schwarzen Meeres, dann der Ozeane, des Arktischen Meeres &c. gefertigt. Der „Channel pilot" wurde auf dem laufenden erhalten (1900 die 9. Auflage) und zahlreiche Schriften, wie die Sailing-Directions (Segelanweisungen), die Kataloge der Leuchtfeuer &c. verfaßt.

Die englischen Admiralitätskarten sind durch Zweckmäßigkeit, Klarheit, Schönheit, Geschmack und billigen Preis nicht nur unübertroffen, sondern überragen die Karten des Ordnance Survey beträchtlich. Bei dem steten Blick aufs Meer vernachlässigte der Brite die terrestrischen Karten, besonders aber die Darstellung des Geländes.

Hervorragendes leistet dann der Geological Survey. Großbritannien ist hier allen Ländern vorangeschritten. Schon 1832 wurden geologische Vermessungen staatlich organisiert, nachdem bis dahin nur private „Mineralkarten", welche die einzelnen Felsarten, nicht

---

[1]) In den 50er Jahren waren oft 20—30 Schiffe mit 1400—1900 Offizieren unterwegs, und die Aufnahmen verschlangen jährlich (ohne Kosten für den Bau der Vermessungsfahrzeuge) bis zu 210000 Pfd. Sterling. Besonders bemerkenswert waren die Aufnahmen 1817—24 im Mittelmeere unter Admiral W. H. Smyth. Schon 1811 war eine zweiblättrige Mercatorkarte „The Mediterranean Archipelago and Black Seas 1 : 4 Mill.", ohne Meilenmaßstab, von diesem Meere durch das Office veröffentlicht worden, die aber nicht genügte. Besonders Kleinasiens Küsten waren stark verzeichnet.

die Gebirgsformationen, unterschieden, seit über einem Jahrhundert vorhanden waren. Die
Aufnahmen wurden dem Ordnance Survey übertragen, wo sie indessen nur bis 1845 verblieben, um dann einen besonderen Zweig des Departements der öffentlichen Arbeiten,
später des Handelsdepartements und seit 1853 des Ministeriums für Kunst und Wissenschaft zu bilden. In London befindet sich die Zentralstelle unter einem Generaldirektor, zu der zwei einigermaßen unabhängige, von Direktoren geleitete Unterämter
in Edinburgh und Dublin gehören, die unter Oberaufsicht des Londoner Hauptamts stehen,
bei dem sich auch das Sekretariat, die Rechnungskanzlei und die Kartendepots befinden.
Jedem der drei Direktoren in den drei Königreichen steht mindestens ein Unterdirektor
oder Distriktsvermesser, sowie eine Anzahl Geologen zur Seite, die sich in Feldmesser und
Gehilfen teilen. Die Zahl der geognostischen Karten verschiedensten Maßstabes ist so
groß wie in keinem Lande. Die Aufnahmen gründen sich auf die topographischen Karten
des Ordnance Survey im 1 Zoll-, 6 Zoll- und $1/_{2500}$-Maßstabe und wurden 1832 in England, 1845 in Irland, 1854 in Schottland begonnen. Von den beiden erstgenannten Ländern ist die Geological Map 1 : 63360 vollendet, von Schottland fehlt noch über die Hälfte.
Die 6 inch - Karte wird nur für die wichtigen mineralogischen Bezirke, besonders im Norden
Englands, hergestellt· und nötigenfalls durch Pläne größeren Maßstabes, z. B. 1 : 480 für
die Kohlenrevier-Aufnahmen, zur Erläuterung von Einzelheiten der Formationen, sowie
durch Profile ergänzt. Die geologischen Angaben werden durch das Ordnance Survey - Amt
gestochen und nach den Vorschriften der internationalen geologischen Karte Europas mit
Handkolorit versehen. Über die einzelnen Blätter, sowie über ganze Bezirke sind erklä-
rende Schriften und selbständige Memoirs vorhanden, auch gibt es Kartenkataloge. Zu
diesen amtlichen treten dann die noch zu erwähnenden privaten Arbeiten, so z. B. von
Geikie, Jordan &c., die sich auf dieser Grundlage aufbauen.

    Das General Post Office hat eine „Map of England and Wales divided into coun-
ties, Parliamentary divisions and dioceses showing the principal roads, railways, rivers
and canals and the seats of the nobility and gentry with the distance of each town"
herausgegeben, auf Grundlage der Ordnance Map, in 9 Blatt mit Schraffen, farbigem
Kupferdruck (seit 1871). Weiter „Circulating Maps" for England and Wales und for
Scotland and Ireland, je auf 1 Blatt in farbigem Steindruck (1. Aufl 1889 bzw. 1890).

    Das Railway Clearing House läßt eine offizielle „Railway Map of England and
Wales" auf 4 Blatt 1 : 475200 (1 inch to 7,5 stat. mile) in farbigem Steindruck (letzte Auf-
lage 1901) erscheinen, welche lediglich die verschiedenen Eisenbahnen des englischen
Netzes in verschiedenen Farben, ohne andere Wege oder das Gelände, enthält.

    Auch die erdmagnetischen Vermessungen sind bei dem seefahrenden englischen
Volke, das am frühesten den Antrieb erhalten, die Rätsel der Magnetnadel zu lösen, und
daher auch die wichtigsten Gesetze der erdmagnetischen Kräfte entdeckt hat, frühzeitig ausgeführt worden, und zuerst gab England der Welt magnetische Karten. Nachdem
schon vor 1840 solche Aufnahmen stattgefunden hatten, wurden sie dann in den 50er
und mit verstärkter Energie in den 80er Jahren des vorigen Jahrhunderts aufgenommen,
und heute gibt es etwa 600 erdmagnetische Stationen. Endlich sei der auf Kosten von
Mr. Laurence Pullar unternommenen systematischen Untersuchung und Aufnahme
sämtlicher Seen des Königreichs unter Oberleitung des Ozeanographen Sir John Murray
gedacht (Lake Survey).

    Wenden wir uns nun, chronologisch, noch kurz der Privatkartographie zu!
W. & A. K. Johnston & (seit 1825) und J. Bartholomew & Cie, beide in Edinburgh, sind Welt-
geschäfte, gehören zu den größten Karten- und Atlantenverlegern der Erde. Es hat aber
lange gewährt, ehe sich der staatliche Karteneinfluß auf die Privatarbeiten geltend machte,
was vielleicht für die Eigenart der Arbeit von Vorteil war, weniger für die Güte. Berühmt ist zunächst Joseph W. Desbarres Standardwerk: „The Atlantic Neptune", in

5 Teilen mit 120 Karten, aus dem Jahre 1780. Dann kamen die ausgezeichneten Werke von A a r o n A r r o w s m i t h. Zunächst 1790 seine „Chart of the World in Mercators Projection, exhibiting all news discoveries at the present time", in 8 Blatt 1 : 22 500000 (im Äquator), mit ausgezogenem Gradnetz, nur an einigen Stellen mit einfachen 22strahligen Strichrosen. Eine Skala für wachsende Breiten ist noch in Sea-leagues (20 auf 1°) ausgeführt. Vor den Admiralitätskarten waren diese beiden Seekartenwerke von grundlegender Bedeutung. 1807 ließ Arrowsmith in 4 farbigen Blatt eine „Map of Scotland" 1 : 250000, nach den besten amtlichen Materialien, die er von den Parliamentary Commissioners for making roads and building bridges erhalten hatte, erscheinen, der 1811 eine solche von Ireland folgte. Das Gelände ist in Schraffen dargestellt, Steindruck. 1817 veröffentlichte er seinen „Generalatlas". 1852 kam seine „Official Map of Railways in England and Scotland" in 2 Blatt in farbigem Kupferstich heraus. Weiter sind zu erwähnen aus älterer Zeit: J o h n C a r y „New Map of the British Isles" in 6 Kupfern, Gelände in Schraffen (London 1825), dann W. F a d e n s „Topographical map of the country twenty miles round London" auf einem farbigen Steindruckblatt, Bergstriche (London 1825), dann J. L i n g u a r d: „Laurie's Travelling map of England and Scotland with the distances affixed between town and town, like wise all the railways and stations" auf einem Blatt (London 1844), weiter J. W y l d s „Railway map of England, Wales and Scotland, drawn from the Triangulation of the ordnance survey", und dieselbe Karte von Ireland, je auf 1 farbigen Kupferblatt, mit Schraffen (London 1845), endlich die Karten von F. M a c k e n z i e: „Map of England and Wales, showing the railways, canals and inland navigation", in 8 Blatt farbigen Steindrucks (London 1852), und S t a n f o r d: „Railway and road map of England and Wales" (seit 1858) auf 1 Blatt farbigen Steindrucks mit Schraffen. Von neueren Arbeiten mögen vor allem J. B a r t h o l o m e w s „Reduced ordnance Survey of England and Wales bzw. of Scotland" in 1 : 126720 (1 inch to 2 miles), in 37 bzw. 29 farbigen Steindruckblättern mit hypsometrischer Geländedarstellung (farbige Höhenschichten in 7facher Abstufung), hervorgehoben werden, die im Erscheinen begriffen, aber fast vollendet ist. Besondere Aufmerksamkeit ist der verwickelten schottischen Namenschreibung gewidmet. Auch seine „New reduced ordnance survey of England and Wales" (seit 1897), dann „The Royal Atlas of England and Wales" in 20 Parts, davon der erste 1899 erschienen ist, seien anerkennend genannt. Sein Rivale W. & K. J o h n s t o n hat unter anderm eine „Modern Map of England and Wales" 1 : 443520 (7 miles for 1 inch), dann eine „Three Miles to the Inch" Map of England und Scotland (1 : 190080) in 25 bzw. 16 Blatt veröffentlicht. Weiter seien S t a n f o r d: England and Wales 1 : 633600 (10 miles to 1 inch), ein 4 farbiges Steindruckblatt mit Schraffen, London 1896, ferner B a c o n s Excelsior Map of Wales, Monmouthshire and the Wye, 1 Blatt (30 : 40 Zoll), London bei Bacon, 1899, T o m b l e s o n s „Panoramic Map of the Tames and Medway, with Distances from London Bridge" (London 1899) und die „Diagram" Series of Coloured Hand Maps von B. B. D i c k i n s o n genannt, die 1899 bei George Philip & Son in London, sowohl von den „British Isles", wie von jedem einzelnen Königreich, als von „Wales" für sich und dem „London District" erschienen sind. Sehr bemerkenswert ist dann A. G e i k i e s „Geological Map of England and Wales" 1 : 633600 (1 inch to 10 miles), die 1898 bei Bartholomew in Edinburgh veröffentlicht wurde, und seine bei Johnston 1896 herausgekommene „Geological Map of the British Isles" 1 : 890000, die später von Johnston zur Wandkarte für den U n t e r r i c h t erweitert wurde und als solche zu den besten über die Britischen Inseln gehört. Trotz 26 Farben ist die Wahl des Kolorits und die Ausführung eine so glückliche, daß das Bild stets klar bleibt. Auch J a m e s B. J o r d a n s „Geological Map of London and suburbs", die W. Whitacker aufgenommen hat und bei E. Stanford 1898 in London erschienen ist, sei erwähnt. Sie hat eine horizontal scale 1 : 63360 und eine vertical 1 : 12000 (1 Zoll für 1000 Fuß). Von anderen Karten englischen Ursprungs

verdient Lionel B. Wells „Map of Canals and Navigable Rivers of England and Wales"
1 : 420000 (1 inch to 6,7 stat. miles), die 1898 bei George Falkner & Sons in London
and Manchester erschien, sowie Gall and Iglis „Cycling and Touring map 60 miles
east of London (½ inch to 1 mile)" und die bei Bartholomew erschienene „Cyclist's
Road Map of Glasgow District" 1 : 126720 vom Jahre 1899 Erwähnung. Von Bartholomew gibt es ferner einen hübschen „The Tourists Pocket Atlas of England and Wales"
(London, J. Walter) und einen sehr guten „The Citizens Atlas of the World" (London,
George Newmes, 1898). Er ist handlich und reichhaltig und besitzt eine kleine Weltkarte mit Angabe des Standes der Erforschung und der Kartierung der Erde.

        Auch die ausländischen Arbeiten über die britischen Eilande verdienen höchste
Beachtung. So aus dem Jahre 1814 P. Lapies „Carte des Isles Britanniques ou Roy-
aume-uni de la Grande-Bretagne et d'Irlande" in 6 Blatt 1 : 950000 (Paris). Dann des
Deutschen A. Petermann: „Map of the British Isles, elucidating the distribution of the
population, based on the census of 1841". In 1 : 1 600000 auf 1 Blatt, Gelände geschummert, Kupferstich, London 1849. Ferner desselben August Petermann, Geographen
der Königin, meisterhafte Blätter für den Stielerschen Atlas von 1862, nämlich die Übersichtskarte der Britischen Inseln und der Nordsee 1 : 3700000 (mit Nebenkarten der
Insel Wight 1 : 750000 sowie Londons mit Umgegend 1 : 150000), und die drei Blatt
1 : 1500000 von Großbritannien (nördliches und südliches Blatt, dazu London 1 : 500000)
und Irland 1 : 1500000 (mit 2 Nebenkarten, darunter Dublin 1 : 150000). Sie beruhen
auf den besten damals vorhandenen Quellen, berücksichtigen alle vorhandenen Höhenmessungen, so daß die Geländeformen wirkungsvoll zum Ausdruck gebracht sind und die
Karte, welche auch zum erstenmal die Aufnahmen der englischen Admiralität an der
schottischen Westküste (1838—62) vollständig benutzte, von grundlegender Bedeutung
wurde. Freilich begann damals erst das Erscheinen der Blätter des Ordnance Survey,
nur für Irland konnten die Grafschaftskarten (1825—46) noch verwertet werden. Diese
Aufnahme und zahlreiches anderes bestes Quellenmaterial haben aber der im Erscheinen
begriffenen vorzüglichen Karte von Großbritannien und Irland nebst dem Übersichtsblatt
Britische Inseln der neuesten Ausgabe des Stieler als Grundlage gedient, die Otto Koffmahn in den Petermannschen Maßstäben bearbeitet und von denen das erste Blatt (Nr. 37
des Atlas) Großbritannien, nördlicher Teil, bereits veröffentlicht wurde. Sie gibt vor allem
ein von Grund aus verändertes Geländebild, das zum erstenmal, wie der Verfasser
treffend sagt, „unmittelbar aus den besten vorhandenen Aufnahmekarten herausgearbeitet
ist". Sehr sorgfältig sind, ganz besonders die englischen Seekarten dabei benutzend, auch
die Küsten bearbeitet, sie enthalten alle für den Verkehr wichtigen Angaben (Sandbänke,
Watten, Riffe, Leuchttürme, Leuchtschiffe, Küstenwachten 1. bis 8. Grades) und in etwas
sehr feiner, aber wegen der nötigen Lesbarkeit der vielen Namen leider gebotener Punktierung die Tiefenlinien 6, 20, 50, 100 und 200 m. Die Orte sind in sechsfacher Abstufung (nach der Einwohnerzahl von 1901) angegeben, wobei gleich wie hinsichtlich der
Namensauswahl historisch denkwürdige und landschaftlich beachtenswerte Punkte und Gegenden ebenso berücksichtigt wurden, wie die für den Land- und Seeverkehr bedeutungsvollen
Örtlichkeiten, so daß der Soldat und Seemann wie der Mann der Wissenschaft, der Ge-
schäfts- wie der Vergnügungsreisende seine Erwartungen erfüllt sehen wird. Leider war
es durch die Anlage des ganzen Atlas geboten, den alten Rahmen und bei der Fülle des
Materials den etwas zu klein gewordenen Maßstab beizubehalten. Nur bei Irland konnte eine
Verschiebung nach dem Ostrand des Blattes stattfinden, so daß nicht nur erwünschter
Platz für Nebenkarten gewonnen wurde, sondern auch noch die gegenüberliegenden Gebiete
Englands und Wales sowie von Schottland möglichst berücksichtigt werden konnten. Bei
der hohen Bedeutung des Britischen Reichs für die Welt und die Wissenschaft ist diese
beste Privatarbeit, die augenblicklich darüber vorhanden und Deutschland zu verdanken

ist, ein wirkliches Verdienst. Von weiteren deutschen Werken mögen außer den guten Karten der bekannten Atlanten von Sohr-Berghaus, Wagner-Debes, Andree &c. die Farbendrucke von C. Flemmings Anstalt: A. Herrichs Generalkarte 1:5 Mill. (1895) und des Weimarschen Geographischen Instituts, nämlich die Britischen Inseln in 1:1800000 (1 Blatt 62,5:51,5 cm) und England 1:500000 (auf 1 Blatt derselben Größe) von 1899, sowie zwei Schulwandkarten, und zwar K. Bambergs: Die Britischen Inseln 1:800000 in 9 Blatt (47,5:39 cm), mit roten politischen Grenzen, 6. Aufl. 1899, und Ed. Gaeblers in gleichem Maßstabe auf 4 Blatt (79:58,5 cm), bei Georg Lang in Leipzig, beides Farbendrucke, genannt sein, ohne damit alle Arbeiten berühren zu können. Von französischen Werken seien die der bekannten Atlanten von Vivien de St. Martin, dann F. Schrader, F. Prudent und E. Anthoine, weiter R. Hausermanns Karten im Fayard-schen Atlas universel (Übersichtskarte 1:5 Mill., Karten von England und Schottland je 1:3 Mill., Irland 1:830000) von 1897 und Vidal Lablaches und Dupuys „Carte murales des Iles Britanniques (physique, politique et économique)", bei Colin in Paris erschienen, erwähnt. Eine neue holländische Wandkarte ist die in der bei S. L. van Loy in Amsterdam erschienenen Sammlung von R. Noordhoff vorhandene über England (met steen-kolenkaartje) auf 1 Blatt (94:73 cm). Unter den amtlichen Arbeiten ausländischer Regierungen seien die des Service géographique in Paris: Cartes de France 1:320000, 1:500000 und 1:600000 hervorgehoben, welche Südengland mit umfassen.

Endlich sei die wichtigste Literatur über die Kartographie des Landes hervorgehoben, soweit sie nicht schon Erwähnung gefunden hat. Von amtlichen Werken bzw. von Verfassern in offizieller Stellung: War Office: „Report of the Progress of the Ordnance Survey and Topographical Depot". Dann „Ordnance trigonometrical Survey of Great Britain and Ireland. Account of the observations and calculations of the principal triangulation of the figure dimensions and mean specific gravity of the earth as derived therefrom", London 1858 (2 Bände). Henry James: „Extension of the triangulation of the ordnance survey into France and Belgium with the measurement of an arc parallel in latitude 52° N.", London 1862. A. R. Clarke: „Determination of the positions of Feaghman and Hawerford west longitude stations on the great European arc of parallel", London 1867. Ordnance survey: „Account of the methods and progresses adopted for the production of the maps of the ordnance survey of united Kingdom", London, 1. Aufl. 1875, 2. Aufl. 1902. Wilh. Mudge and Isaac Dalby: „An account of the operations carried on for accomplishing a trigonometrical survey of England and Wales". C. L. H. Max. Jurisch: „Tables containing the natural sines and cosines to sevendecimal figures of all angles between 0° and 90° to everyten seconds, with proportional parts for single seconds", Cape Town 1884. „The catalogue of stars of the British association for the advancement of science", London 1845. Von weiteren Privatarbeiten mögen W. Hughes: „A Treatise on the constructions of maps", London 1843, 3. Aufl. 1864, dann J. D. Carusso: Étude sur l'ordnance survey, Genève 1881; Farquharson: „Twelve years' work of the Ordnance Survey" (1887—99); William Ellis: „Magnetic Results at Greenwich and Kew, discussed and compared 1889 to 1896"; A. Petermann: „Die hydrographischen Arbeiten der britischen Admiralität im Jahre 1853" (Peterm. Mitt.); T. V. Holmes: „Geological Survey. Memoirs of the Geological Survey. England and Wales" (im Erscheinen) und „Geological Survey of the United Kingdom" (Aufsatz in „Nature", London 1899) erwähnt sein. Bright: „Submarine Survey" (Engineering Nr. 1724, 1899).

Schließlich sei der sehr wichtigen Arbeiten von James, Clarke und Airy über Projektionen gedacht. Die H. Jamessche perspektivische externe Projektion (1857) gestattet, (bei 1,5 Augendistanz) zwei Drittel der Erdoberfläche abzubilden. Clarke hat allgemein untersucht, wie man bei perspektivischer Abbildung einer Kalotte den Augpunkt zu wählen hat, damit der Gesamtfehler einen kleinsten Wert erhält. Er findet z. B. für die Jamessche Entwurfsart 1,368 Augdistanz. Airy gab in seiner 1861 erschienenen Arbeit: „Projection by balance of errors" (Philos. Mag. 22. Bd.) einen vermittelnden azimutalen Entwurf an, der gleichseitig starke Winkel-und Flächenverzerrung vermeidet, wobei ein kleiner Fehler später durch A. R. Clarke auf James' Veranlassung beseitigt wurde. Er gibt auch sehr korrekte Tafeln für die Flächenverzerrung und den Quotienten der Winkelverzerrung.

II. Niederlande.

Als das in fast zweitausendjähriger Arbeit dem Meere abgerungene Gebiet, das später die Niederlande hieß und von jeher in seinen Interessen von dem südlichen Belgien wesentlich geschieden war, zum erstenmal in der Geschichte erscheint, zeigt es bereits den Charakter eines Grenzlandes, den es alle Jahrhunderte hindurch bewahrt hat. Vor der römischen Eroberung standen sich schon der Vortrab der Germanen und die Nachhut der

Kelten hier gegenüber, doch haben die erstgenannten nicht vor Ausgang des 1. Jahrhunderts vor Christo den Grenzsaum des Landes (Rhein) erreicht. Schon damals war Festlegung der Grenzen des im wesentlichen von Friesen bewohnten Gebietes ein wichtiges Erfordernis, wobei es ohne Messungen nicht abgegangen sein kann. Erst Cäsars Eroberung von 57 v. Chr. schuf aber hier ein festes staatliches Gebilde zwischen Belgien und Germanen. Und schon damals werden die Gromatiker zu tun gehabt haben, nicht nur Heeresstraßen zu vermessen, sondern auch in den Kampf zwischen festem und flüssigem Element, der so recht das Charakteristikum der niederländischen Geschichte ist, durch ihre Tätigkeit einzugreifen. Die Veränderlichkeit der Eigentumsgrenzen in dem, beständigen An- und Abspülungen des Meeres und der Gewässer ausgesetzten niedrig gelegenen Lande, die notwendigen Flußkorrekturen, Uferschutzbauten, Deich- und Dammanlagen dieser größten Wasserbaumeister der Welt forderten zu unaufhörlichen Vermessungen aller überaus verwickelten hydrographischen Verhältnisse und zu steter Berichtigung und Neuaufnahme namentlich der Wasserkarten auf. Zu solchen rein praktischen Gründen traten im Laufe der Zeit natürlich auch wissenschaftliche, und so bildete sich frühzeitig die Kunst aus, spezielle Vermessungspläne von Land- und Küstenstrecken anzufertigen, die aber natürlich bei dem damaligen Stande des gegenseitigen Zusammenhanges entbehrten, nur eine reiche Stoffsammlung wurden, die freilich bei der eigenartigen Landesnatur und deren Veränderlichkeit rasch veraltete. Die weitere Geschichte der niederländischen Kartographie umfaßt die zweier Staaten, denn auch das heutige Belgien hat ein Recht auf sie und hat erst seit etwa einem Jahrhundert diesen Namen an Stelle von Südniederland angenommen. Vor Ende des 16. Jahrhunderts (1588) kann von einer Trennung in Nord- und Südniederland nicht die Rede sein, wenn auch der Süden sich früher entwickelt hat und für den Norden die Pflanzschule der Kultur, der Ausgangspunkt der sozialen und kirchlichen und hin und wieder auch der staatlichen Entwickelung geworden ist. Die Verwandtschaft der beiden Völker bleibt aber auch heute noch bestehen. Bis Anfang des 17. Jahrhunderts bezieht sich daher das hier Berichtete auch auf Belgien mit.

A. Älteste Zeit.

Von der ältesten Zeit bis zur Gegenwart sind der Hauptstamm der Niederlande die Friesen, über die uns Plinius und Tacitus wie Ptolemäus und Dio Cassius berichten. Sie bewahrten stets ihre Unabhängigkeit, so in der der römischen Periode folgenden Zeit der Völkerwanderung, dann auch mehr oder minder gegen die Franken, denen die Niederlande darauf gehörten. 887 wurden sie mit dem Fränkischen Reich zugleich dem Deutschen unter Karl dem Dicken einverleibt. Sie hatten eigene Grafen, deren Geschlecht in Holland 1299 erlosch. Die reiche Erbschaft fiel zunächst an Hennegau. Im 13. Jahrhundert wirkte besonders der sich immer stärker entwickelnde städtische Geist kulturfördernd ein. Im 14. Jahrhundert bildeten sich kleine, einander bekämpfende Feudalstaaten, und vollzog sich zugleich, wenn auch ohne Nationalbewußtsein, eine soziale Revolution, in der das flämische Element den Sieg davontrug. Damals wurde zu Haarlem schon durch den Schöffen Lorenz mit beweglichen Lettern gedruckt. Das 15. Jahrhundert brachte dann seit 1433 bzw. 1473 unter dem Zepter Burgunds eine Vereinigung von Nord- und Südniederland. Aus dieser ganzen ältesten Periode ist seit der Römerzeit kartographisch nichts Erwähnenswertes zu verzeichnen.

B. 15. bis 17. Jahrhundert.

Der sich hieran schließende Geschichtsabschnitt hebt an mit der Besitznahme der Niederlande durch das Haus Habsburg infolge Heirat Maria von Burgund, Erbtochter Karls des Kühnen, mit Erzherzog Max (1477) und reicht bis zum Ende des 17. Jahrhunderts. In ihn fallen die größten politischen wie kriegerischen Ereignisse, dann die wichtige reformatorische Bewegung auf religiösem Gebiet und eine beispiellose Blüte in Handel, Gewerbe, Kunst und Wissenschaft, nicht zuletzt auf dem Gebiete der Kartographie, nachdem gewisse darstellende Zweige der Zeichen- und Kupferstichkunst sich hoch entwickelt hatten. Bei der Teilung des Reiches unter Karl V. (1815—48) kamen die Niederlande als Burgundischer Kreis zum Deutschen Reich und an den spanischen Zweig der Habsburger. Berühmte Statthalter, große Kriege, wie der Befreiungskampf gegen die spanische Herrschaft, währenddessen sich 1579 die nördliche protestantische Hälfte selbständig als 7 aus Provinzen gebildete Generalstaaten machte und sich ein Nationalgefühl bildete, das 1648 die völlige Unabhängigkeit und die Errichtung einer bald eine tonangebende Weltmacht darstellenden Republik zur Folge hatte, dann der Dreißigjährige Krieg, weiter bürgerliche Unruhen und Gärungen, schließlich die endgültige Abtretung Belgiens an Österreich 1715 füllen äußerlich diese Periode aus. Sie ist die Zeit der höchsten Macht zu Lande und zur See, die Zeit der Entdeckungen, der Entwickelung der Naturwissenschaften, des Blühens der Erdkunde, des Herrschens des Humanismus und der großen Maler- und Künstlerschulen. Ihren Epochen wollen wir nun in kartographischer Hinsicht näher treten!

Das 16. Jahrhundert zeigt eine nationale Bewegung, die auch eine leidenschaftliche Regsamkeit auf allen Gebieten und ein Einschlagen neuer Kulturwege zur Folge hatte. Damals bahnte sich nicht nur die Befreiung vom spanischen Joche, sondern auch die führende Stellung in der Kartographie an, die dann, unterstützt durch die großen Malerschulen, nach der geistigen Verödung Deutschlands durch den Dreißigjährigen Krieg zur Ablösung der Deutschen durch die Niederländer führen sollte und das ganze 17. Jahrhundert hindurch andauerte. Der große Humanist Erasmus von Rotterdam (1466—1536) hatte 1533 seine erste kritische Ausgabe des Ptolemäus in griechischer Sprache erscheinen lassen, Jacob van Deventer 1536 Holland vermessen. Um die Mitte dieses Jahrhunderts trat dann eine entscheidende Wendung ein, indem an Stelle der auf Reiselinien und Schätzung der Entfernungen sowie auf wenige Orts- (Breiten- und Längen-) Bestimmungen sich stützenden Generalkarten, wirkliche, auf ernsten Aufnahmen beruhende Spezialkarten entstanden. Diesen Bruch mit der klassischen Topographie führt vor allem Gerhard Mercator herbei, ein Mann deutscher Abkunft, aber durch einen Zufall zu Rupelmonde (an der Schelde) in Ost-Flandern 1512 geboren und um die Kartographie, besonders auch der Niederlande, sehr verdient. Nachdem zuerst 1538 Pieter Beke eine Karte von Flandern herausgegeben, ließ Mercator 1540 eine große topographische Karte dieses Landes in 9 Blatt 1:166000 erscheinen[1]), und zwar auf Verlangen der Antwerpener Stadtverwaltung. Dieses Werk, dem bereits 1538 eine kleine „Exactissima Flandriae descriptio" vorausgegangen war, ist Kaiser Karl V. gewidmet und enthält die Beschreibung in flämischer und lateinischer Sprache. Mercators Wirken hier zu schildern, ist nicht beabsichtigt[2]). Für unsern europäischen Weltteil sind seine geographischen Gemälde bis zur Einführung der Gradmessungen der neueren Zeit unübertroffen geblieben. Namentlich gibt er die Hauptgebirge Europas in richtiger Lage wieder. Und die seinen Namen tragende winkeltreue zylindrische Projektion, welche den Vorteil der Platt- und der Kompaßkarten vereinigt, ohne deren Fehler aufzuweisen, ist noch heute nicht nur für ganze Erdräume, sondern auch für Seekarten die übliche, weil sie den Vorteil besitzt, daß bei ihr die alle Meridiane unter demselben Winkel schneidende sogen. loxodromische Linie eine gerade wird, wie dies der Gebrauch der Seekarten bei der Navigation er-

---

[1]) Das einzige Exemplar, das noch vorhanden ist, befindet sich im Museum Plantin-Moretus zu Antwerpen, eine photographische Wiedergabe der Karte mit erklärendem Text ist 1882 von Dr. J. van Raemdonck zu Antwerpen veröffentlicht worden.

[2]) Näheres: J. van Raemdonck: „Gérard Mercator, sa vie et ses oeuvres," St. Nicolas 1869; A. Breusing: „Gerhard Kremer, genannt Mercator, der deutsche Geograph", 2. Ausg., Duisburg 1878; Wanvermans: Mercator et sa famille; A. F. van Beurden: „Mercator en Ortelius".

fordert. Mercator gibt seiner berühmten Weltkarte von 1569 („Nova et aucta orbis terrae descriptio &c.") eine kurze Anleitung zur Lösung der Aufgabe der loxodromischen Trigonometrie als Legende mit [1]). Schon 1546 hatte er dem Kardinal Granvella von seiner Neuerung brieflich berichtet. Er hat auch zuerst erkannt, daß sich seine Projektion nicht für Polargegenden (über 60° Breite) eignet, weshalb er seiner Weltkarte ein kleineres, die Polarkalotte in azimutaler Abbildung darstellendes Kärtchen beifügt. Mercator war es auch, der auf ausnahmsloses Graduieren der Karten gedrungen hat und sehr energisch für die Kursiv- an Stelle der Frakturschrift auf Karten besonders eingetreten ist. Mit ihm, dem Manne der Wissenschaft und Verbesserer der Methode der Kartenzeichnung, wirkte sein berühmter Zeitgenosse, der mehr praktische A b r a h a m O r t e l i u s, über den unter „Belgien" das Nähere ausgeführt werden wird. Dann sei des Kartographen G é r a r d d e J o d e aus Nymwegen (1515—91) gedacht, der 1578 ein „Speculum orbis terrarum" in 38 Karten zu Antwerpen erscheinen ließ, dann des Lucas Jansz Waghenaer (Aurigarius) „Zeespiegel" von 1585, der eine wertvolle Sammlung von 22 Küstenkarten enthält, die zuerst in lateinischer Sprache („Speculum navigationis"), später in den verschiedensten lebenden Sprachen bearbeitet worden und zu einem typischen Werke geworden ist, so daß man fortan einen Seeatlas einen Wagener (Waggoner, Charretier) nannte. Der „Spieghel der Zeevaerdt" besteht aus einer „Generale Paschaerte von Europa" 1:9 Mill. und 21 Küstenkarten 1:3,5 Mill., von Friesland bis Südengland, je 33:50 cm. In der Übersichtskarte — einer gleichgradigen Paßkarte für die Breite von 37° (15° L. = 4° Br.) mit voller Gradeinteilung der Kartenränder in Äquatorgraden, einem Netz von Strichrosen und einem Maßstabe in altitalienischen Miglien (50 = 5 duijtsche Mylen) — ist die Hauptachse des Mittelmeeres schief. Es ist bezeichnend, daß gerade in den Niederlanden dieses standard work erschien, da sie bald in dem Kampfe mit Spanien in den Besitz des Welthandels gelangen und die erste See- und Handelsmacht Europas bis zum Auftreten Englands (unter Cromwell) als Nebenbuhler werden sollten. Schon lange hatten niederländische Seeleute die Küsten Amerikas befahren. Die älteste geordnete Fahrt geschah freilich unter spanischer und portugiesischer Flagge 1570—80 nach Brasilien. Aber nachdem sich in der Union von Utrecht die sieben Provinzen Holland, Seeland, Utrecht, Geldern, Gröningen, Friesland und Oberijssel unter dem Königlichen Statthalter Wilhelm von Oranien vereinigt hatten, wuchs ihre Macht, und 1594 eröffneten sie einen direkten Handelsverkehr nach Brasilien, der auch die Veranlassung zum gewinnbringenden Handel mit Westafrika und zu den Niederlassungen der Niederländer an der Guineaküste wurde. Als dann die im Kampfe mit den Elementen immer mehr gekräftigten Holländer ihre vorläufige Unabhängigkeit von Spanien 1609 errungen hatten, erfolgte 1621 die Gründung der Westindischen Kompanie, die unter anderm der Anlaß zur Eroberung Brasiliens wurde, nachdem schon 1602 die Errichtung der Ostindischen Kompanie voraufgegangen war. Die Niederlande kamen nun allmählich in den Besitz der mächtigsten spanischen und portugiesischen Kolonien und errangen 1648 auch ihre volle Selbständigkeit von Spanien. Schon 1606 gelang es den Holländern, im Südosten Asiens die Festlandküste des australischen Kontinents zu erreichen. Der größte Entdecker des 17. Jahrhunderts ist der Niederländer Abel Tasman, der 1642 auf Befehl des Generalstatthalters von Indien, van Diemen, mit 2 Segeln von Batavia nach Mauritius abging, um das neue Festland zu umsegeln und einen bequemen Handelsweg von Indien nach Chile zu finden. Auf einer zweiten Reise 1643 zerstörte er endgültig die Sage von einem bis über den Wendekreis reichenden Südpolarkontinent, und wenn er auch nur die Umsegelung halb vollendete, und erst 1769 James Cook ganze Arbeit machte, so stand doch seither das Dasein eines selbständigen fünften Kontinents Neuholland oder Australien

---

[1]) Ein Faksimile-Lichtdruck des Exemplars der Breslauer Stadtbibliothek in 18 Blatt 1:20 Mill. (im Äquator), zusammen 205:152 cm, mit 16strahligen Strichrosen, ohne Meilenmaßstab, ist 1891 von der Gesellschaft für Erdkunde zu Berlin herausgegeben worden.

fest. Durch die Feststellung der großen Wasserflächen im Süden dieses Erdteils wurde auch der Glaube von einem Überwiegen des festen Landes oder wenigstens eines Gleichgewichts zwischen fester und flüssiger Erdoberfläche, wie es Kolumbus bzw. Mercator noch angenommen, beseitigt. Die See gewann die Oberhand und damit wurde dem ohnehin durch die Seereisen geförderten Seekartenwesen nun größere Aufmerksamkeit geschenkt. Vermochte man auch noch nicht größere Meerestiefen zu messen, so wurden doch zahlreiche Lotungen gemacht und das Eintreffen von Flutwellen von allen Seefahrern beobachtet, so daß die Hafenzeiten in den Segelanweisungen und Küstenhandbüchern angegeben werden konnten, auch wurden Meeres- und Luftströmungen eingehend verfolgt und beschrieben. Die Vorstellung von der Verteilung und der Ausdehnung der Kontinente wurde immer richtiger, besonders in Asien. Während die ostwestliche Ausdehnung dieses Erdteils noch von Ortelius zu 260°, von Mercator zu 177° angenommen war, ging sie bei Vischer auf 110° zurück, war also nur um 5° noch zu groß. Aber schon Mercators Weltkarte von 1569, das wichtigste kartographische Denkmal des 16. Jahrhunderts und die wissenschaftliche Grundlage der neueren Geographie, gibt der Ostküste Asiens eine ganz andere Gestalt, wie sie nur auf Grund chinesischer Seekarten gewonnen werden konnte. Selbst von Japan, das durch eine Inselkette Lequio major mit Formosa als Lequio minor verbunden erscheint, sind einige Ortschaften angegeben. In Amerika, das als selbständiger vierter Kontinent erkannt war und bereits den Stretto von Anian, die noch nicht entdeckte spätere Beringstraße auf den Karten des 16. Jahrhunderts zeigt, waren die Längenangaben im nördlichen Teil freilich noch zu Vischers Zeit höchst unzutreffend (96° statt 71—72°), in Südamerika finden wir sie nur um 1° zu klein (45° 30′). Auch wurde damals (1616) die schon durch de Hoces (1526) und Francis Drake (1578) gesichtete Südspitze dieses Kontinents dauernd bekannt. Am mißlichsten aber waren die afrikanischen Längen, die Mercator und Ortelius, ja selbst Vischer noch auf 81—82° statt auf 69° angaben.

Stand so infolge dieser Entdeckungen bis auf Australien das Weltbild fest und war die räumliche Erdkenntnis sehr erweitert worden, so nahm auch die wissenschaftliche Geographie einen hohen Aufschwung, und die Kartographie erlebte ein goldenes Zeitalter, besonders in der Zeit der Waffenruhe von 1609—25 unter Friedrichs Heinrichs Statthalterschaft, aber auch später. Zumal die Kupferstechkunst lieferte Meisterwerke. Ich erwähne zunächst das „Theatrum orbis terrarum", das der Haarlemer Kupferstecher Philipp Galaeus 1585 zu Antwerpen erscheinen ließ. Dann das „Speculum orbis terrae" von 1593 des Kartographen Cornelius de Jode (1568—1600). Sehr wichtig für die Entwicklung sind auch die ruhmwürdigen Kartenhändler, welche die Erweiterung der (seit Rumold Mercator 1595 „Atlas" genannten) Sammlung von Mercatorkarten besorgten. Schon nach Rumolds Tode, 1600, konnten die Vormünder seiner Kinder 1602 von den sämtlichen Karten eine erste und einzige vollständige Ausgabe zu Duisburg erscheinen lassen. Dann erwarb 1604 der Buchhändler Judócus Hondius (1563—1611) die sämtlichen Kupferplatten und veranstaltete, gemeinsam mit seinem Sohne und Fortsetzer Hendrik von 1606—40 ununterbrochen erweiterte, wenn auch nicht verbesserte Ausgaben von Mercators Atlanten, die neben denen des Petrus Plancius und dem schon genannten „Zeespiegel" des Jansz Waghenaer etwa die Bedeutung unserer heutigen Stieler, Debes-Wagner, Sohr-Berghaus und Kiepert gewannen. Hierdurch wurden damals die Niederlande zum Mittelpunkt der Kartenherstellung in Europa. Des Judócus Schwiegersohn und der Erbe seines Schwagers Hendrik, Joh. Jansson, der 1638 bereits einen zweibändigen „Nieuwe Atlas" veröffentlicht hatte, konnte diesen 1653 schon auf 6 Bände und 451 Karten vermehrt herausgeben. In Willem Janszons Seeatlas von 1608 ist noch eine beträchtliche Zahl von Karten ohne Gradnetz nach den Kompaßrosen gezeichnet, andre sind mit Kompaßrosen und Breitengraden versehen, noch andre in zylindrischer Darstellungsart, aber ohne wachsende Breitenabstände, nur ein Teil in Mercator-Projektion. Es dauerte aber noch eine Zeit, ehe diese neue Entwurfsart sich Bahn brach, zumal Mercator nicht angegeben hatte, wie die Abstände vom Äquator zu bestimmen waren. Erst dem Engländer Wright war es 1599 beschieden, das bisher übliche graphische durch ein rechnerisches Verfahren zu ersetzen, und so die Konstruktion von Mercatorkarten mit Hilfe von Tabellen zu erleichtern [1]). Aus Janszons Besitz gingen die Mercatorplatten in den der Nachkommen seines Gegners auf dem Markt, des Buchdruckers und Kartographen Willem Janszoon Blaeu, über, in dessen Druckerei sie später (1672) bei einem Brande leider meist zugrunde gehen sollten. Willem Jansz Blaeu (1571—1638), der auch ein vorzüglicher Astronom war, dessen Messungen großen Wert hatten, hat zahlreiche und schöne Erd- und Himmelsgloben herausgegeben, worüber er auch ein „Onderwijs van de hemelsche en aerdsche globen" 1634 schrieb, sowie gute Landkarten verfertigt, wie seinen „Novus Atlas, d. i. Weltbeschreibung mit schönen Landtafeln" in 6 Bänden, 1638. Der erste Atlas (1631) führte noch den Titel: „Appendix Theatri Ortelii et Atlantis Mercatoris". Blaeu wurde 1633 zum Kaartenmaker der Niederländischen Republik ernannt, der die Journale der Steuerleute zu prüfen und die Seekarten zu verbessern hatte und 1623 auch einen „Seespiegel" von 108 Küstenkarten herausgab, in dem die große Achse des Mittelmeeres auf 48° eingeschränkt war. Willems Sohn, Jansz Blaeu, veröffentlichte 1650 einen prächtigen „Atlas magnus" in 11 Bänden zu Amsterdam, der bereits 372 Karten zählte, 1662 die 2. Auflage, 1663 eine französische, 1659—72 eine spanische Ausgabe erlebte. Aber auch rein theoretisch wurde die Geographie und Kartographie gefördert, besonders nach Errichtung der berühmten Universität Leiden (1575), der die der Hochschulen zu Franeker (1585), Groningen (1614), Utrecht (1636) und Harderwijk (1648) folgten. So erschienen, von Elzevier gedruckt, die sogenannten „Republiken", statistisch-geographische Beschreibungen von Europa und einem Teil von Asien, wie sie schwerlich damals ein andres Volk besaß. Der ausgezeichnete Geograph Johann de Laat, der auch eine descriptio Americae gegeben, war der regste Mitarbeiter an dieser Sammlung. Dann sei des Leidener Professors Paulus Merula „Cosmographia generalis et particularis" von 1605 und vor allem des Philipp Clüver (Cluverus), eines geborenen Deutschen, 1624 zu Leiden veröffentlichte „Introductio in universam geographiam tam veterem quam novam", die ein Jahrhunderte vorherrschendes systematisches Lehrbuch war und die historische Erdkunde nach Professor Partsch (Geogr. Abh. von Penck V, 1891) begründete. Er scheidet zwischen alter und neuer Geographie. Vor allem aber ist es die bewußte Betonung, daß die Länderbeschreibung an die Erscheinungen des Menschen anzuknüpfen habe. Sein später mit Karten von Bunos, Delisle &c. bereichertes Werk war ein Jahrhundert der Ausgangspunkt methodischer Erörterung und erlebte von 1624 bis 1729 an 39 (?) Ausgaben, wurde auch ins Deutsche und Französische übersetzt. Ebenfalls hervorragend und von ungleich höherem wissenschaftlichen Range, als die ähnlichen zusammenfassenden Handbücher von Sebastian Franck und Sebastian Münster in Deutschland, war die „Geographia universalis" des noch jugendlichen Bernhard Varenius (1622—50) [2]), eines gebornen Deutschen. Er gilt mit Recht als der Begründer der physikalischen Erdkunde, stellt die allgemeine der speziellen Geographie entgegen, ergründet die Ursachen der Erscheinungen, gibt die Grundzüge einer Hydrographie und Meteorologie, wobei er auch der Meinung von der Unergründlichkeit der Ozeane entgegentritt und beweist, daß sie überall Boden haben. Sein klares methodisches Werk enthält auch Kartenentwurfsarbeiten. Von Interesse ist auch die damalige Uneinigkeit über den ersten Meridian. Mercator legte ihn durch die Azoreninsel Corvo, Hondius durch die kapverdische Insel Santiago, zu Abel Tasmans und Vischers Zeiten kam die Lage

---

[1]) 1645 gab Henry Bond in einem Anhange zu Norwoods „Epitome of Navigation" das mathematische Gesetz bekannt, für das später Halley den Beweis erbrachte.
[2]) S. Breusing: Lebensnachrichten über B. Varenius. Pet. Mitt. 1880.

durch den Pik von Teneriffa heran, erst seit Louis XIII. einigte man sich 1634 auf Ferro.

Von hervorragender praktischer wie wissenschaftlicher Bedeutung aber wurde die Einführung der trigonometrischen Entfernungsmessung mittels aufeinander gelegter Dreiecke in die G r a d m e s s u n g durch den Leidener Professor W i l l e b r o r d S n e l l i u s (1591—1626), die freilich erst der Franzose Picard mit vollem Erfolge zur Anwendung bringen sollte. Bis Snellius — der übrigens gemeinsam mit Simon Stevin auch das bekannte Gesetz der Strahlenbrechung erfunden hat — hatte man den Gradbogen direkt gemessen. Er dagegen maß nur eine Dreiecksseite und bestimmte die übrigen Punkte durch Rechnung. Diesem Verfahren verdanken die Niederlande ihre e r s t e T r i a n g u l a t i o n von 1615. Snellius ermittelte den Meridianbogen zwischen Alkmar (52° 40¼′) und Bergen op Zoom (51° 29′ N. Br.) zu 28500 rheinischen Ruten = 55100 Toisen, indem er bei Leiden eine nur 326 rheinische Ruten 4″ lange (631 Toisen) Ausgangsbasis mittels hölzerner Latten maß, die er durch eine ganz kurze Grundlinie von 87 rheinischen Ruten 5″ (168 Toisen = 328 m) kontrollierte. Die Winkel der Triangulation bestimmte er mittels eines nur in 2 Bogenminuten eingeteilten kupfernen Quadranten von 2½ Fuß Halbmesser (ohne Fernrohr), die astronomischen Ermittelungen geschahen mit einem ebensolchen, aber von 5½ Fuß. Dadurch kamen Fehler in die Messung, nicht nur waren die Basen zu kurz, einige Winkel zu spitz, sondern vor allem auch die Polhöhe von Alkmar wurde ungenau[1]). Dennoch ist Snellius' Messung, die für den Grad 107,370 km ergab, nur um rund 2000 Toisen = ²/₅₇ zu kurz. Er veröffentlichte ihr Ergebnis in der Schrift: „Eratosthenes Batavus seu de terrae ambitus vera quantitate suscitatus", Lugd. Bat. 1617. Als Picards Messung von 1669 den Meridiangrad zu 57060 Toisen feststellte, wurde des Holländers Messung in Acht getan. Aber sein Landsmann Musschenbroek, der bei seiner Messung von 1719 den Bogen zu 29514 Ruthen 2′ 3″ = 57033 Toisen 0′ 8″, d. i. 111,190 km den Grad gefunden hatte („Dissertationes physicae et geometricae", Lugd. Bat. 1719), unternahm 1756 eine Ehrenrettung der Arbeit Snellius' in seinem zu Wien erschienenen Werk über die Größe der Erde, indem er nachwies, daß Snellius sich noch selbst von der Ungenauigkeit seiner ersten Ergebnisse überzeugt habe und nur ein plötzlicher Tod ihn an der Veröffentlichung seiner neuen Beobachtungen verhindert habe, die er aber noch selbst 1626 in ein jetzt zu Brüssel befindliches Exemplar des Eratosthenes Batavus eingetragen habe. Nach diesen ergäbe sich eine Annäherung an Picards Messung bis auf 27 Toisen. Außer der fehlerhaften Bestimmung der Alkmarer Polhöhe war auch an dem ersten mangelhaften Ergebnis schuld, daß die Dreiecke nicht auf den Horizont und das ganze Netz auf den Meeresspiegel reduziert war. Ferner hat etwas vor der Mitte des 17. Jahrhunderts auch der bekannte Geograph Blaeu einen holländischen Erdbogen mit großer Schärfe gemessen, ohne aber das Ergebnis zu veröffentlichen. Die Snelliussche Methode soll übrigens von Professor G e m m a F r i s i u s stammen und schon 1600 in den Niederlanden im Gebrauch gewesen sein. Sehr lag dagegen die H ö h e n m e s s u n g im argen. So berechnete Snellius die Höhe des Ätna zu mehr als 25000 rheinl. Fuß.

Wenn wir uns nun dem Schlusse dieser glorreichen Periode nähern, so möchte ich vor der Zeit ihres kartographischen Verfalls, der nach Nicolaus Vischers elegant gestochenen Arbeiten eintrat, noch kurz der Atlanten F r e d e r i c s d e W i t t von 1700—07 gedenken, von denen der Atlas major 185 Karten aufweist, und zweier Seekartenwerke, nämlich P i e t e r G o o s t' Amsterdam: „De nieuwe groote Zee-Spiegel, inhoudende de Zeekarten van de Nordsche, Oostersche en Westersche Schipvaert met en Instructie ofte onderwijs in de Konst der Zeevaert" in 2 Teilen, mit 57 Plattkarten, von 1664, und G e r a r d v a n K e u l e n : „De groote nieuwe vermeerdende Zee-Atlas of te Water-Waereld, ver-

---

[1]) Eine Sekunde Fehler ergibt hier schon auf der Erdoberfläche 16 Toisen Unterschied!

toonende in zig alle de Zee-Kusten des Nordryks" in 5 Teilen zu 2 Bänden, mit 163 Karten, von denen 10 in Mercator-Projektion, eine mit Maßstab in wachsenden Breiten ist (1706 bis 1712).

C. 18. Jahrhundert.

Den Zeitraum von 1715—95 charakterisiert ein beständiges Schwanken zwischen monarchischem und republikanischem Prinzip, wodurch viele innere Kämpfe und Unruhen hervorgerufen wurden, die auch der Entwicklung der Kartographie abträglich waren. 1715 wurde Belgien überdies für immer an Österreich abgetreten. Ein kartographisches Ereignis ist die Zeichnung des Flußbettes der Merwede in Isobathen durch den holländischen Ingenieur Mic. Samuel Cruquius 1728, veröffentlicht 1733, das freilich zunächst ohne praktische Folgen blieb. Der Schwerpunkt der darstellenden Geographie lag jetzt in Frankreich. Der Ausbruch der französischen Revolution fand die Niederlande tief gespalten in eine oranisch-aristokratische und eine patriotische oder demokratische Volkspartei, was den Verlust der Unabhängigkeit in dem Kriege mit der französischen Republik 1792—95 mit veranlaßt hat. Es folgt nun von 1795—1806 eine Übergangszeit in französischer Abhängigkeit als „Bataafsche Republiek", die für die Kartographie von höchster Bedeutung werden sollte. 1798 erhielt der in dienstlichen Beziehungen zum Waterstaat stehende kenntnisreiche und durch seine fortifikatorischen Arbeiten rühmlich bekannte Oberstleutnant Krayenhoff von einer Kommission, die der Gesetzgebende Körper mit einer Einteilung des Landes in Departements, Arrondissements und Gemeinden betraut hatte, den Auftrag, alles Spezialmaterial zu einer Übersichtskarte der Batavischen Republik zusammenzustellen. Der Versuch mißlang aus Mangel an Positionen und Entfernungen, kurz einer astronomisch-geodätischen Grundlage. Daher entschloß sich Krayenhoff sofort zu einer Triangulation. Er maß dazu 1800 auf dem Eise des Zuydersees eine 1500 rheinische Ruten lange Basis zwischen Monnickendam und der Insel Marken und triangulierte mit einem guten Sextanten in Nordholland, bestimmte den Abstand des westlichen Turmes von Amsterdam vom mittleren zu Haarlem auf 4457,9 Ruten mit solcher Genauigkeit, daß er nach späteren Ermittelungen nur um 4' abwich, und schloß an diese neue Grundlinie eine weitere Dreiecksmessung von 1799 Punkten, so daß er 1800 einen zweiten Versuch zur Zusammenstellung der Spezialaufnahmen für eine Generalkarte in 9 Blatt machen konnte. Auf Rat des berühmten Professors der Mathematik J. H. van Swinden, der seiner Arbeit sonst vollen Beifall schenkte, entschloß sich Krayenhoff, im Anschluß an die Seite Dünkirchen—Mont Cassel, der nördlichsten Dreiecke des französischen Netzes von Delambre, eine vollständig neue Triangulation von Dünkirchen durch ganz Holland bis nach Jever im Westen vom Jadebusen zu machen. Dieses 1802, 1803, 1805, 1807 und 1811, also mit Unterbrechungen ausgeführte Netz umfaßte im letztgenannten Jahre bereits 163 Dreiecke 1. Ordnung (davon 21 auf Belgien entfallen) und bildet nicht nur ein Bindeglied zwischen den dänischen und französischen Arbeiten, sondern bei seiner vorzüglichen Genauigkeit (die eine Kontrollmessung des französischen Dépôt de la guerre 1853 feststellte)[1] eine ausgezeichnete Grundlage für alle späteren holländischen (und anschließende deutschen) Arbeiten[2]. Der größte Unterschied in der Entfernung zweier Winkelpunkte betrug nur 3 m (zwischen Leeuwarden und Schloß Bellum). Nach scharfer Prüfung des ihr vorgelegten Berichts Krayenhoffs erklärte schon 1813 die Klasse der physikalischen und mathematischen Wissenschaften des französischen Instituts: „Ainsi nous pensons que Mr. Général Krayenhoff a droit aux éloges de la classe et à la reconnaissance des savants" (unterzeichnet von Beautemps-Baupré, Biot, Arago und Delambre). Krayenhoffs 1814 vollendete Aufnahme begründete

---

[1] Es wurde eine kleine Basis mit größter Genauigkeit südlich von Ostende gemessen, danach die Seiten Dixmunde—Bruges, Ostende—Dixmunde und Ostende—Bruges berechnet. Es fand sich beim Vergleich gegen Krayenhoff nur der kleine Unterschied von 1,06 m, 0,88 m und 1,44 m.

[2] Gauß schloß z. B. seine Küstentriangulation Hamburg—Jever von 1824/5 an.

die wissenschaftliche Kartographie der Niederlande [1]). Auf ihrer Grundlage erschien dann 1829 in 9 Blatt zunächst die „Chorotopographische Kaart der Nordelyke Provincien van het Koningryk der Nederlanden 1:115200", die sehr klar und reich an Einzelheiten ist.

Im Jahre 1806 trat dann das Ende der glorreichen Republik ein, sie wurde ein Königreich Holland unter Louis Napoléon und nach dessen Abdankung von 1810—13 mit Frankreich vereinigt als ein „von einem französischen Flusse angeschwemmtes Land". 1813 folgte dann die Revolution und nach dem Wiener Vertrage von 1814 die Errichtung eines mit den ehemals österreichischen Niederlanden wieder vereinigten Königreichs unter dem Sohne des letzten Erbstatthalters Wilhelm von Oranien. Wichtige Kolonien in Ceylon und am Kap gingen freilich verloren. Dieser politische Zustand währte bis 1830, wo die Lostrennung Belgiens erfolgte.

In diesen Zeitraum fällt nun die Entstehung des heutigen amtlichen Instituts für die Landesaufnahme, der jetzigen „Topographischen Inrichting" und der Beschluß zur Herstellung einer Generalstabskarte. 1815 wurde nämlich ein „Topographisch Bureau" errichtet und mit dem Archiev van Orlog verbunden, das bei schwachem Personal nur die militärtopographischen Aufnahmen ausführen konnte. Nachdem eine dazu 1822 ernannte Kommission dann 1:50000 als Maßstab der herzustellenden topographischen Karte festgestellt hatte, veröffentlichte das inzwischen vom Kriegsarchiv getrennte Bureau die ersten Kartenblätter, einfache Lithographien. Dann ruhte infolge politischer Ereignisse die Arbeit.

D. Das heutige Königreich der Niederlande.

Der erste Anstoß zu einer topographischen Karte 1:50000 ist erst wieder in den militärischen Aufnahmen zu sehen, welche die Ereignisse des Jahres 1830 bei der an der Südgrenze des Königreichs vereinigten Armee hervorriefen. Generalstabsoberst Stepven interessierte dann 1834 durch Vorlage einer Detailaufnahme der Umgebung des Hauptquartiers zu Tilburg den Prinzen von Oranien für die Ausführung einer zusammenhängenden Landesaufnahme. Unter Leitung des Obersten Ruloff begann ohne Staatsbeihilfe 1836 eine Triangulation 2. Ordnung, zugleich auch die topographische Aufnahme der Provinz Brabant und eines Teils von Limburg 1:25000, die bereits 1839 nach Demobilmachung der Armee dem Könige vorgelegt werden konnte. Der Herrscher befahl 1841 die Fortsetzung der Arbeiten, deren Triangulation 1855 vollendet war. Sie stützt sich auf eine 5971,740 m lange Basis am Haarlemer Moor. 1843 war das Unternehmen schon so weit vorgeschritten, daß der auf 1:50000 verkleinerte Stich der Aufnahmen unter Leitung des Generals Baron Forstner de Dambourg im Topographischen Institut beginnen und nach seiner Ernennung zum Kriegsminister 1852 unter Leitung des Oberstleutnants Goffrin weitergeführt werden konnte. 1850 erschienen die ersten lithographisch vervielfältigten Blätter, 1863 war die Karte vollendet, von der 1873 eine billige Ausgabe erschienen. Der Stich einzelner Blätter erforderte bis 2½ Jahre. Das „Topographische Bureau" war seit 1848 ganz selbständig vom Kriegsministerium und erhielt 1868 die Bezeichnung „Topographische Inrichting". Sein Sitz ist im Haag, seine Aufgabe die amtliche Kartographie der europäischen Niederlande. Die Leitung war bis 1878 rein militärisch, seitdem steht ein Zivildirektor an der Spitze, gegenwärtig der weitbekannte Professor Dr. Eckstein [2]). Ihm ist für die militärischen Arbeiten ein Generalstabsoffizier (Major oder Hauptmann) als Unterdirektor beigegeben, außerdem ein Hauptmann als Korrektor. Das übrige Institutspersonal beträgt etwa 90 Köpfe. Die Meßtischblätter werden von den Offizieren der Vermessungsbrigaden

[1] „Précis historique des opérations géodésiques et astronomique, faites en Hollande pour servir de base à la topographie de cet État, exécutées par le Lt. Gén. Bar. Krayenhoff 1827.
[2]) Seine größten Verdienste liegen wohl auf dem Gebiete der Kartenvervielfältigung. Von ihm rühren die Chromolithographie und die Typo-Autographie (beide 1876) her, sowie eine vervollkommnete Lichtgravüre.

14*

toonende in zig alle de Zee-Kusten des Nordryks" in 5 Teilen zu 2 Bänden, mit 163 Karte
von denen 10 in Mercator-Projektion, eine mit Maßsstab in wachsenden Breiten ist (17(
bis 1712).

C. 18. Jahrhundert.

Den Zeitraum von 1715—95 charakterisiert ein beständiges Schwanken zwisch
monarchischem und republikanischem Prinzip, wodurch viele innere Kämpfe und Unruh
hervorgerufen wurden, die auch der Entwicklung der Kartographie abträglich waren. 17
wurde Belgien überdies für immer an Österreich abgetreten. Ein kartographisches F
eignis ist die Zeichnung des Flußbettes der Merwede in Isobathen durch den holländisch
Ingenieur Mic. Samuel Cruquius 1728, veröffentlicht 1733, das freilich zunächst ohne pr
tische Folgen blieb. Der Schwerpunkt der darstellenden Geographie lag jetzt in Frankrei
Der Ausbruch der französischen Revolution fand die Niederlande tief gespalten in eine orani
aristokratische und eine patriotische oder demokratische Volkspartei, was den Verlust c
Unabhängigkeit in dem Kriege mit der französischen Republik 1792—95 mit veranl
hat. Es folgt nun von 1795—1806 eine Übergangszeit in französischer Abhängigkeit
„Bataafsche Republiek", die für die Kartographie von höchster Bedeutung werd
sollte. 1798 erhielt der in dienstlichen Beziehungen zum Waterstaat stehende kenntr
reiche und durch seine fortifikatorischen Arbeiten rühmlich bekannte Oberstleutnant Kraye
hoff von einer Kommission, die der Gesetzgebende Körper mit einer Einteilung des Lan
in Departements, Arrondissements und Gemeinden betraut hatte, den Auftrag, alles Spez
material zu einer Übersichtkarte der Batavischen Republik zusammenzustellen. Der V
such mißlang aus Mangel an Positionen und Entfernungen, kurz einer astronomisch-g
dätischen Grundlage. Daher entschloß sich Krayenhoff sofort zu einer Triangulati
Er maß dazu 1800 auf dem Eise des Zuydersees eine 1500 rheinische Ruten lange B
zwischen Monnickendam und der Insel Marken und triangulierte mit einem guten Sexta
in Nordholland, bestimmte den Abstand des westlichen Turmes von Amsterdam vom m
leren zu Haarlem auf 4457,9 Ruten mit solcher Genauigkeit, daß er nach späteren
mittelungen nur um 4′ abwich, und schloß an diese neue Grundlinie eine weitere Dreie
messung von 1799 Punkten, so daß er 1800 einen zweiten Versuch zur Zusammenstell
der Spezialaufnahmen für eine Generalkarte in 9 Blatt machen konnte. Auf Rat
berühmten Professors der Mathematik J. H. van Swinden, der seiner Arbeit sonst vo
Beifall schenkte, entschloß sich Krayenhoff, im Anschluß an die Seite Dünkirchen—M
Cassel, der nördlichsten Dreiecke des französischen Netzes von Delambre, eine vollstän
neue Triangulation von Dünkirchen durch ganz Holland bis nach Jever im Westen
Jadebusen zu machen. Dieses 1802, 1803, 1805, 1807 und 1811, also mit Un
brechungen ausgeführte Netz umfaßte im letztgenannten Jahre bereits 163 Dreiecke 1. (
nung (davon 21 auf Belgien entfallen) und bildet nicht nur ein Bindeglied zwischen
dänischen und französischen Arbeiten, sondern bei seiner vorzüglichen Genauigkeit
eine Kontrollmessung des französischen Dépôt de la guerre 1853 festatellte)[1] eine
gezeichnete Grundlage für alle späteren holländischen (und anschließende deutsche) Arbeit
Der größte Unterschied in der Entfernung zweier Winkelpunkte betrug nur 3 m (zwis
Leeuwarden und Schloß Bellum). Nach scharfer Prüfung des ihr vorgelegten Beri
Krayenhoffs erklärte schon 1813 die Klasse der physikalischen und mathematischen Wis
schaften des französischen Instituts: „Ainsi nous pensons que Mr. Général Krayenhoff a (
aux éloges de la classe et à la reconnaissance des savants" (unterzeichnet von Beaute:
Baupré, Biot, Arago und Delambre). Krayenhoffs 1814 vollendete Aufnahme begrün

---

[1] Es wurde eine kleine Basis mit größter Genauigkeit südlich von Ostende gemessen, danach die :
Dixmunde—Bruges, Ostende—Dixmunde und Ostende—Bruges berechnet. Es fand sich beim Vergleich
Krayenhoff nur der kleine Unterschied von 1,06 m, 0,38 m und 1,44 m.

[2] Gauß schloß z. B. seine Küstentriangulation Hamburg—Jever von 1824|5 an.

die wissenschaft... Kartographie der Niederland... ... ...
1829 in ... ... „Chorotographie ... ...
Provincie... ... ... Koningryk der Ne... ... ...
und reich ... ...

Im Jahr... ... ... das Ende der ... ...
Königreich ... ... Napoléon und ... ...
Frankreich ... ... „von einem ... ...
1813 ... ... Invasion und nach dem ... ...
eines mit ... ... österreichischen Niederlanden ... ...
unter dem ... ... Erbstatthalters Wilhelm ... ...
Ceylon ... ... teilweise verloren. ... ...
wo die ... ... einigte.

In dies... ... ... fällt ... die Entstehung ... ...
Landesaufnahme ... ... „Topographisches ... ...
stellung ... ... 1815 wurde ... ...
errichtet und ... ... von Orlog verbunden, der ... ...
militärtopographische ... ... ausführen konnte. ... ...
Kommission ... ... als Maßstab der ... ...
gestellt hatte, ... inzwischen vom Kriegs... ... ...
Kartenblätter ... ... Lithographien. Dann ... ...
Arbeit.

I. Das ... Königreich der ... ...

Der ... ... topographischen Karte ... ...
militärischen Aufnahme... ... ... welche die Ereignisse ... ...
Südgrenze des Königreiches vereinigten Armee hervorriefen. ... ...
interessierte ... ... unter ... Vorlage einer Detailaufnahme ... ...
quartiers zu Tilburg ... Prinz von Oranien für die Ausführung einer ... ...
den Landesaufnahme. ... Leitung des Obersten Ruloff begann ... ...
eine Triangulation ... ... zugleich nach die topographis... ... Aufnahme ... ...
Brabant und eines Teils von ... 1:25000, die bereits ... ...
der Armee dem König... ... ... werden konnte. Der Herrscher ... ... Fortsetzung der Arbeit... ... ... Triangulation 1855 vollendet war. Sie stützt sich auf eine
5971,740 m lange Basis ... ... Moor. 1843 war das Unternehmen schon so weit vorgeschritten, daß der ... ... vermehrte Stich der Aufnahmen unter Leitung des Generals
Baron Forstner de Dambenoy ... Topographischen Institut beginnen und nach seiner Ernennung zum Kriegsminister ... 1855 unter Leitung des Oberstleutnants Goffrin weitergeführt
werden konnte. 185... ... ... die ersten lithographisch vervielfältigten Blätter, 1863 war
die Karte vollendet, ... 1875 eine billige Ausgabe erschien. Der Stich einzelner Blätter
erforderte bis 2½ Jahre ... „Topographische Bureau" war seit 1848 ganz selbständig
vom Kriegsministerium ... ... die Bezeichnung „Topographische Inrichting". Sein Sitz ist in Haag ... Aufgabe die amtliche Kartographie der europäischen
Niederlande. Die Leitung war ... 1875 ... militärisch, seitdem steht ein Zivildirektor
an der Spitze, gegenwärtig der ... Professor Dr. Eckstein [2]). Ihm ist für die
militärischen Arbeiten ein ... ... Major oder Hauptmann) als Unterdirektor
beigegeben, außerdem ein Hauptmann als ... Das übrige Institutspersonal beträgt
etwa 90 Köpfe. Die Mehrzahl ... ... von den Offizieren der Vermessungs...

[1] ... historique des ... ...
topograph... ... ...
[2] ... seinen Verdiensten ... ...
... Lithographie und die Typo... ... ...

schaffung schwierig, was für Kriegskarten doch wichtig ist. Für den öffentlichen Verkehr ist eine Ausgabe ohne Befestigungen bestimmt. Dieses neue Kartenwerk wird durch ein eigentümliches Umdruckverfahren (Brennätzung des Wiener Militärgeographischen Instituts) äußerst vollkommen, dabei nunmehr in ganzen Blättern und sehr billig vervielfältigt, so daß die gerade in Holland bei den raschen Veränderungen des Gerippes so überaus wichtige Evidenthaltung der Karten dadurch erleichtert wird. Bodenformen in Schichtlinien, Schwarzdruck. Stets berichtigt.

4. Chromotopographische Kaart van het Koningrijk der Nederlanden 1:50000 in 62 Blatt (50:80 cm), davon etwa 50 erschienen sind. Es ist eine farbige Ausgabe der vorigen (Nr. 3), die seit 1885 erscheint und die Gewässer blau, die Straßen und Ortschaften rot, die Gärten und das Buschwerk grün, die politischen Grenzen gelb, die Schrift schwarz enthält. Der Druck geschieht nach dem Ecksteinschen Verfahren, indem auf einen schwarzen Papierabdruck der Karte alle Farben aufgetragen und dann auf einen Stein umgedruckt werden, von dem hierauf die Kartenauflage vervielfältigt wird. Dadurch werden nicht nur im Freien widerstandsfähige Abdrücke, sondern auch, trotz der zahlreichen Farben, große Schnelligkeit der Herstellung und Leichtigkeit der Kurrenthaltung erzielt. Denn nach jeder Auflage wird der Stein abgeschliffen und kann dann mit einem inzwischen korrigierten Kartenbild neu versehen werden.

5. Waterstaats Kaart van Nederland 1:50000 auf 250 Blatt (25:40 cm). Der Zweck dieser überaus wichtigen Karte ist vor allem ein volkswirtschaftlicher. Sie gibt eine gute, klare, wenn auch etwas bunte Übersicht aller natürlichen und künstlichen Wasserverhältnisse, besonders auch der dazu erforderlichen Bauten und Entwässerungsanlagen auf Grund der Generalstabskarte und sehr zahlreicher Peilungen und Sondierungen sowie besonderer Aufnahmen in 1:10000, später 1:8000. Da Hollands Verteidigungskraft auf seinem hydrographischen Netz beruht, ist dieses Kartenwerk auch militärisch sehr bedeutsam. Das Gelände ist in 10 Höhenstufen wiedergegeben, und zwar für die Flächen 0—100 m in verschieden starken grünen (bis 10 m) und braungelben (10—100 m) Tönen, über 100 m ist alles unkoloriert, so zwar, daß die tiefsten Flächen am dunkelsten gehalten sind. Dazu treten violette Bergstriche und zahlreiche Höhenzahlen in Metern. Flächen unter dem Meeresniveau sind blau, und zwar mit wachsenden Tiefen immer dunkler, koloriert, alles in äußerst sorgfältiger und wohlgefälliger Ausführung. Auch die Höhe des Grundwassers ist verschiedenfarbig bezeichnet. Die 1864 beschlossene, 1892 vollendete Karte ist eine polychrome Lithographie nach Dr. C. A. Ecksteins Rasterverfahren und von Beamten des Waterstaats (der obersten Behörde für Wasser- und Wegebauten) ausgeführt.

6. Topographische Atlas van het Koningrijk der Nederlanden 1:200000 auf 21 Blatt, ein Kupferstich mit schraffiertem Gelände. Bei dieser in modifizierter Flamsteedscher oder richtiger Bonnescher Projektion ausgeführten Karte, deren Koordinaten sich auf den Meridian des „Westertoren" in Amsterdam und den 51° 30' Parallel n. Br. beziehen, ist für die angrenzenden Länder die Carte topographique de la Belgique und die Papensche Karte von Hannover benutzt worden. Sie liegt in drei Ausgaben vor: ein Schwarzdruck, seit 1868—71, zu dem der Unterdruck der geologischen Karte benutzt wurde und der 1900 vollendet wurde; ein Mehrfarbenumdruck des vorigen, in Lithographie (nach Eckstein), seit 1886, 2. Aufl. 1900; ein Graudruck als Schetskaart (Skizzenkarte).

7. Geologische Kaart van Nederland 1:200000 auf 23 Blatt. Diese heute ziemlich veraltete, aber klare, verständliche und technisch gut ausgeführte Karte (mit Begleittext) ist nach dem Entwurfe des Geologen W. C. H. Staring vom Jahre 1852 durch das Topographische Bureau 1868 vollendet worden und 1889 in unveränderter 2. Auflage erschienen. Die Grundlage der die geologischen Bildungen charakteristisch und in schönem Kolorit wiedergebenden Karte bildet eine Verkleinerung der Generalstabskarte 1:50000. -

III. Belgien.

Die ältere Kartographie der südlichen Niederlande bis zum Jahre der Unabhängigkeitserklärung dieses Staates (1831) ist naturgemäß innig mit der österreichischen, französischen und holländischen verknüpft, da Belgien nacheinander diesen Ländern angehört hat. Daher muß ich, um Wiederholungen zu vermeiden, auf das bei ihnen Gesagte Bezug nehmen und kann nur einige besonders wichtige Ereignisse hier streifen.

Cäsar machte das Land zur Provincia Gallia Belgica, die jedoch erheblich größer war als das heutige Belgien. Nach Verfall der römischen Herrschaft kamen die Franken, und als unter Karl dem Dicken 887 das Fränkische Reich wieder vereinigt wurde, gehörten fortan die Niederlande ungeteilt dem Deutschen Reiche an. Die Geschichte Belgiens bis zum Beginn des 15. Jahrhunderts ist eigenartig. Trotz der scheinbaren Zusammenhanglosigkeit der einzelnen Territorien besaßen sie doch eine gemeinsame Kultur schon in den ersten Zeiten des Mittelalters, die aber von Deutschland und Frankreich stark beeinflußt wurde. So weist wie ihre Kultur überhaupt auch die Kartographie eine Mischung romanischer und germanischer Elemente auf, die ihr eine besondere Eigenart und Anteilnahme sichern. Die Gebiete im Mündungslande von Maas, Schelde und Rhein, welche als Brabant, Flandern, Holland &c. von den Kaisern besonderen Herzögen und Grafen verliehen wurden, vereinigte dann im 15. Jahrhundert das Haus Burgund, bis sie durch Heirat an den spanischen Zweig des Hauses Habsburg übergingen und damit als Burgundischer Kreis an das Deutsche Reich zurückfielen. In dieser Zeit der Renaissance, nach der Wiedererweckung des Ptolemäus, war es der Antwerpener Gemma Frisius, der in seinem 1533 erschienenen „Libellus de locorum describendorum ratione" eine Anweisung herausgab, Landkarten zu entwerfen. Auch empfahl er 1530 für Längenbestimmungen auf dem Lande in seiner Schrift „De principiis astronomiae et cosmographiae" die unmittelbare Vergleichung der Ortszeiten mittels tragbarer Uhren. Zur Bestimmung der Ortszeiten erfand er einen „Astronomischen Ring". Weiter sei aus dieser älteren Zeit ein Name erwähnt, der einen Markstein in der Geschichte des Kartenwesens überhaupt bildet: Abraham Ortelius (1526—98). Dieser scharfsinnige und praktische „afsetter van Karten" hat in seinen Kartenwerken zuerst die alte Geographie von der neueren gesondert behandelt und nur wirklich Erkundetes gegeben. Bisher waren auch geographische Karten ein großer Luxus gewesen. Sein 1570 zu Antwerpen veröffentlichtes „Theatrum orbis terrarum" ist die erste, von Ptolemäus unabhängige große Zusammenstellung von (53) Land-, und zwar Spezialkarten[1] nebst kurzem sorgfältigem Text zu jedem Blatt, die wegen ihrer handlichen Form und bei dem nicht hohen Preise vielen zugänglich wurde. Dieser unter Mitarbeit von Chr. Sgroot und J. Suchon verfaßte, von Fr. Hogenberg nach besten Originalen der Zeit und mit Angabe ihrer Verfasser sauber in Kupfer gestochene Atlas wurde von Aegidius Coppens van Diest gedruckt und erlebte eine große Zahl von Auflagen mit lateinischem, später mit deutschem (zuerst 1572), dann mit niederländischem, französischem, spanischem und englischem Text. Mercator, der beste Beurteiler, spendete dem Werke großes Lob. Die letzte, kurz vor Ortelius' Tode 1598 herausgekommene lateinische Ausgabe — die 25. überhaupt (abgeschlossen 1595) — enthält bereits 119 Karten, darunter auch manche noch nicht veröffentlichte. Sie ist zugleich ein Katalog aller bis zu jener Zeit erschienenen Bilder der einzelnen Länder der Erde nebst Angabe von 150 Kartographen, damit eine der wichtigsten Quellen der Kartographie des 16. Jahrhunderts[2]. Noch folgerichtiger kam des Ortelius Gedanke eines Spezialatlasses

---

[1] Landspezialkarten waren etwas Neues, während es Kartenwerke der kleineren Seeräume schon in den „Portulanen" gab.

[2] P. A. Tiele: Het Kartboek van Abraham Ortelius. (Bibliogr. Adversaria. Bd. III.) Haag 1879.

der alten Geographie zum Ausdruck in den gemeinsam mit seinem großen Landsmanne Mercator 1578 und 1579 veröffentlichten beiden Kartenwerken: „Cartae ad mentem Ptolemaei restitutae". Auch seine „Epistolae" (editio J. H. Hessels von 1887) enthalten eine reiche Fundgrube der Geschichte des damaligen Kartenwesens und beweisen den großen Einfluß seines Theatrum auf die gebildete Welt sowie seinen Verkehr mit den besten Gelehrten aller Länder. Sie schickten ihm Kritiken und Verbesserungen seiner Karten; wir werden durch ihre Briefe mitten in das geistige Leben der Zeit versetzt und erhalten auch von manchen vergessenen kartographischen Arbeiten Kunde. Nach dem Befreiungskampfe der Niederlande unter Philipp II. wird ihre Unabhängigkeit 1609 vorläufig, 1648 im Westfälischen Frieden endgültig von Spanien anerkannt, und nun scheiden sich die beiden politisch und religiös so verschiedenen Teile. Der südliche, das heutige Belgien, blieb spanisch und katholisch und kam 1714 an Österreich. In diese Zeit der Herrschaft des Hauses Habsburg reichen nun auch die ersten wirklichen Aufnahmen zurück. Wenn wir von der unter „Niederlande" zu betrachtenden 1. Triangulation des holländischen Mathematikers Snellius absehen, die auch Teile Belgiens umfaßte[1]), war es zuerst die Triangulation des berühmten Cassini de Thury 1746—48, der in den Kriegen Louis XIV. der französischen Armee folgte und mit seinen Ingenieurgeographen, gestützt auf die Seite Dunkerque—Kassel des französischen Netzes, das Land mit trigonometrischen Fixpunkten bedeckte, eine Dreieckskette 1. O., die weit nach Norden reichte und in die er dann viele Dreiecke 2. u. 3. O. einreihte. Das Cassinische Netz enthielt manche Lücken und Fehler, besonders zwischen Bruxelles, Louvain, Firlemont, Gemblon und Nivelles. Seine Ergebnisse sind in Cassinis Schrift: „Description des conquêtes de Louis XV. depuis 1745—48", sowie in der „Relation d'un voyage en Allemagne" veröffentlicht. An diese Triangulation schloß 1770 Graf Joseph Ferraris[2]), der spätere Feldmarschall, seine Aufnahmen und vollendete in nur 7 Jahren im engen Anschluß an die Cassinische „Carte géométrique de France" und nach ihrem Vorbilde die erste große Karte Belgiens: „Nouvelle Carte chorographique des Pays-Bas Autrichiens 1:86400 (une ligne pour 100 toises)". „On s'est attaché particulièrement à faire paroître d'une manière très-distincte tous les objets dont le détail devait contribuer à la rendre intéressante" heißt es zutreffend in der beigegebenen „explication". Es sind 25 Kupfer von hoher topographisher Vollendung, indessen erscheint bei der raschen Arbeit die Genauigkeit der geodätischen Grundlage zweifelhaft. Jedes der 25 Blatt ist 25000 toises oder 12½ lieues hoch. Während 15 feuilles 40000 toises oder 20 lieues Länge haben (wie bei der Cassinischen Karte), sind die übrigen 10 Blatt verschieden lang, und zwar 5 Blatt 27380 toises oder $13\frac{69}{100}$ lieues und 5 Blatt 20000 toises oder 10 lieues, so daß die dargestellten Flächen 250 bzw. 171¼ bzw. 125 lieues carrés betragen. Jedes Blatt hat zwei Maßstäbe, einen von 5000 verges oder 5 lieues (de Brabant) und einen von 10000 toises de France oder 5 lieues (des environs de Paris). Die Konstruktion der 1771—77 hergestellten Karte ist nach den astronomischen Tafeln von Cassini und seinen Dreieckskarten erfolgt, unter Berücksichtigung der Verlängerung dieser Triangulation durch Ferraris. Alle Angaben beziehen sich auf den Meridian von Paris, indessen entbehrt das von L. A. Dupuis gut gestochene, noch heute hohen Wert besitzende und das Cassinische an Schönheit weit übertreffende Kartenwerk der Eintragung von Meridianen und Parallelen[3]).

---

[1]) Die Königliche Bibliothek Brüssel besitzt ein Exemplar des „Eratosthenes batavus" von Snellius, in das er alle Verbesserungen seiner ersten Gradmessung eingetragen hat.

[2]) Ferraris ist ein Franzose von Geburt (Lunéville 1726). Er wurde österreichischer Offizier und widmete sich leidenschaftlich mathematischen Studien. Er war lange Artilleriedirektor in den Niederlanden und starb 1814 als Feldmarschall und Präsident des Hofkriegsrats in Wien.

[3]) Die Platten dieser Karte waren zum Schutze vor den Franzosen in einem Keller in Brüssel verborgen worden. Nach der Schlacht von Fleurus 1794 wurden sie dort aufgefunden und durch décret dem Dépôt de la guerre in Paris überwiesen. Dort wurden die Kupfer retuschiert und neue Abstige hergestellt, die der Armee besonders 1814 wichtige Dienste erwiesen haben. Die Generale der Verbündeten suchten Exemplare zu erlangen

Während der französischen Revolution fiel Belgien von Österreich ab. Es gehörte fortan zur Batavischen Republik, und 1798 trug der gesetzgebende Körper einer besondern Kommission auf, das Land in Departements, Arrondissements und Gemeinden zu teilen [1]). Da es hierzu an einer großen Generalkarte gebrach, so sollte der damalige Oberstleutnant Krayenhoff eine solche zusammenstellen. Die Folge war die unter „Niederlande" näher behandelte, 1802 begonnene Triangulation, die sich an das französische Netz anschloß und von deren 168 Dreiecken 1. O. 21 auf Belgien entfielen. Auch fand gleichzeitig mit Krayenhoffs Arbeiten eine vierte Triangulation Belgiens statt, indem von dem Dreiecksnetz, das 1800—4 der Oberst Tranchot des französischen Ingenieurgeographen-Korps, ein früherer Mitarbeiter Delambres, in den vier vereinigten Departements des linken Rheinufers legte, 8 Dreiecke auf belgisches Gebiet entfielen. Das auf die Seite Antwerpen—Herenthals der Krayenhoffschen Triangulation, sowie auf eine bei Ensisheim in der Nähe von Kolmar gemessene Grundlinie gestützte und durch Azimut- und Breitenbestimmungen auf dem Aachener Lusberge orientierte Netz war sehr genau, wie eine 1852 ausgeführte Kontrollmessung von einer Basis nördlich des Lagers von Beverloo aus ergab. (Die Seite Montaigu—Peer zeigte nur 2,19 m Unterschied.) Für die 1. O. benutzte Tranchot Repetitionskreise von 0,32 m Durchmesser. Endlich ist einer fünften Triangulation Belgiens zu gedenken, nämlich der 1814—30 durch den niederländischen Geniekapitän Ersey ausgeführten, welche die Elemente für 54 Dreiecke bot und sich westlich an Krayenhoffs Arbeiten, östlich an die preußischen, d. h. im wesentlichen an das Tranchotsche Netz [2]) gut anschloß, im Süden dagegen nicht unerhebliche Unterschiede gegen die französische Triangulation bot.

Im Frieden zu Campo Formio trat Österreich Belgien an Frankreich ab, mit dem es bis 1814 vereinigt blieb, um dann im Wiener Kongreß mit Holland zusammen zum Königreich der vereinigten Niederlande erhoben zu werden. Aus dieser Zeit, nämlich 1815, rühren topographische Aufnahmen holländischer Offiziere, die — neben der Karte von Ferraris — den Kartenwerken des Privatinstitutes Van der Maelen in Brüssel als Grundlage dienten und noch heute geschätzt sind. Es entstand so die „Carte topographique de la Belgique par P. Gérard et Van der Maelen" 1:80000 in 25 Blatt, 1846—55, des Inspecteur du cadastre P. Gérard und des Verlegers Ph. van der Maelen, die an Preußen und Frankreich anschließt, leider aber der Höhenkurven entbehrt. Ebenso ist das hypsometrische Element in des gleichen rührigen Verlegers „Grande carte topographique de la Belgique" 1:250000 (1854) vernachlässigt, da sie hinsichtlich desselben im wesentlichen auch nur das Ergebnis von à la vue-Aufnahmen sein konnte. Vollkommener waren die später zu erwähnenden Provinzkarten desselben Verlages, weil sie sich auf das inzwischen vollendete Nivellement und die neue Triangulation teilweise stützen konnten.

Am 26. Januar 1831 schuf das unabhängige Belgien in Brüssel ein „Dépôt de la guerre" als 5. Abteilung des Kriegsministeriums. Bis 1839 waren seine wenigen Beamten mit dem Entwurf einer Etappenkarte 1:20000, mit Reinzeichnung von Fortifikationsplänen, Anfertigung von Vorschlägen und vorbereitenden Berechnungen beschäftigt. 1840 erfolgte dann eine Trennung in eine geodätische und eine topographische Sektion, die eine lebhaftere Aufnahme der kartographischen Arbeiten ermöglichte. Zunächst wurde eine Zusammenstellung alles vorhandenen Materials für eine Karte des Landes in 1:80000

und bezahlten bis 600 Francs dafür. 1816 übergab die französische Regierung der Gräfin Ziehy-Ferraris, der Tochter und Erbin des Autors, die Platten, und diese verkaufte sie für etwa 65000 Francs an die niederländische Regierung. — Näheres über die Karte: E. Hennequin, „Étude historique sur l'exécution de la carte de Ferraris et l'évolution de la cartographie en Belgique". Bull. soc. roy. Belge 1891, und Gachard, „Notice historique sur la réduction de la carte de Ferraris". Bruxelles 1843, Mémoires de l'Académie.

[1]) Später erhielten sie wieder die alten Landschaftsnamen. Heute sind es 9 Provinzen mit 41 Arrondissements und 2604 Kommunen.

[2]) Tranchots Arbeiten in Preußen hatten die Karte von Rheinland und Westfalen 1:86400 zur Folge.

gemacht. Von der ursprünglich beabsichtigten Benutzung der Erzeyschen Triangulation
sowie der Annahme einer Abplattung von $\frac{1}{308}$ ging man aber ab und entschloß sich zur
Ausführung einer eigenen trigonometrischen Vermessung sowie zur Annahme einer Abplattung von $\frac{1}{308,64}$, wie sie Puissant aus den endgültigen Werten von Delambre abgeleitet
hat (mittlerer Meridiangrad 111,1192 km, Meridianquadrant 10 000 724 m). Der 56. Parallel
(nach 100gradiger Teilung des Quadranten) wurde als mittlerer festgesetzt, um die Verzerrung möglichst gering zu gestalten. Nachdem 1843 das Personal[1]) vermehrt war,
begann eine Triangulation 2. und 3. O. durch Kapitän Renoy und 2 Offiziere, die jedoch
zu eilig gemacht wurde und nicht in allen Teilen gleichwertig war. Als der französische General Pelet den Wunsch nach einer Aufnahme des Schlachtfeldes von
Ramillies aussprach, wurde 1844, weil es hier noch an einer Triangulation fehlte, eine
solche durch Kapitän Jacques Diedenhoven ausgeführt, die sich so weit ausdehnte, daß
1845—46 gleich auch zur Vermessung des Schlachtfeldes von Neerwinden geschritten
werden konnte. Diesem mit dem Gambeyschen Theodoliten (29 cm) bestimmten Dreiecksnetze lag eine doppelt gemessene und bis auf 0,07 m genaue Basis von 4598,51 m Länge auf
der Straße Firlemont—Charleroi zugrunde. Man dehnte, als 1847 das Kriegsministerium
auch die Aufnahme des Lagers von Beverloo in 1:20000[2]) in einer Fläche von 140000 ha
Größe befahl, dann das Netz durch 6 Dreiecke 1. O., 18 2. O. und 153 solcher 3. O.
mit 68 Punkten aus. Nachdem schon 1846 eine außerordentliche Übereinstimmung der
Dreieckseite Sittard — Erkelenz mit einer unabhängig davon vorgenommenen Ermittelung
des preußischen Generals Bayer von seiner holsteinschen Basis aus festgestellt war (nur
1 cm Unterschied), entwickelten sich die freundlichsten und für die spätere belgische
Triangulation wertvollsten Beziehungen zwischen dem belgischen Leiter, General Neren-
burger, und diesem hervorragenden Geodäten. Belgische Offiziere studierten 1847 die
Messungen an der Bonner Basis (2134 m) und erhielten die Erlaubnis, den dabei gebrauchten
Besselschen Apparat zu einer Versuchsmessung im eigenen Lande zu verwenden. Nachdem
dieselbe 1848 (auf dem Plateau von Linthorst bei Brüssel) stattgefunden und befriedigende
Ergebnisse erzielt hatte, wurde 1851 eine endgültige Grundlinie bei Lommel (in der
Campiner Straße von Baelen nach Hechtel) gemessen, dies 1852 noch zweimal wiederholt
und die Länge zu 2300,57213 m (1180,364 Toisen) mit einem mittleren Fehler von
± 0,6034 Pariser Linien festgestellt. Dann geschah 1853 die Festlegung einer zweiten
Basis bei Ostende von 1276,93 Toisen (2488,323649 m) mit mittlerem Fehler von ± 0,4806
Pariser Linien durch denselben Apparat, der dann der preußischen Regierung zurückgegeben wurde. Von nun an stand die belgische Triangulation ganz auf eigenen Füßen.
1855 wurde die Basis von Linthorst mit dem Brüsseler Observatorium (4° 22′ 10″ ö. von
Greenwich, +50° 51′ 11″ n. Br.) verbunden, 1856 triangulierte man durch Flandern
und erreichte völlig befriedigende Anschlüsse an die Basen von Lommel und Ostende,
sowie an das französische Netz. Dann triangulierte man von der Lommeler Grundlinie nach
Süden im Meridian von Sedan. Die Leitung der Arbeiten hatte Major Diedenhoven, die
Berechnung und die astronomischen Beobachtungen Herr Houzeau. In späterer Zeit hat
Oberst Adam, Chef des Topographischen Bureaus, die trigonometrischen Messungen von
acht aneinanderschließenden Gruppen ausgeglichen und eine Übereinstimmung bis auf
$\frac{1}{732000}$ bzw. $\frac{1}{639000}$ gefunden. General Simons vollendete die Triangulation. Er war auch
der Abgesandte Belgiens, als sich dieses 1866 an die mitteleuropäische Gradmessung anschloß.
1870 wurde die Arbeit durch den Krieg unterbrochen. Auf jede Gemeinde entfielen
anfangs 1, später 3 trigonometrische Punkte, so daß, da zwei Gemeinden eine Meßtisch-
platte bilden, mindestens 2, später 6 Punkte auf eine solche Planchette entfallen. Eine
trigonometrische Bestimmung der Höhenpunkte unterblieb, da ein sehr genaues Detail-

---

[1]) 1 Generalstabsoberst als Direktor, 1 Major, 5 Kapitäns, 10 Leutnants vom Generalstabe, 12 Beamte.
[2]) Die bezügliche Karte 1:20000 erschien in 30 Blatt 1848—53.

vellement durch das Ministère des travaux publics 1840—78 ausgeführt worden ist ·ich daran ein topographisches Nivellement mit dem Niveaukreis von Lenoir geschlossen Die Kosten der Triangulation betrugen jährlich rund 4500 Francs, im ganzen .·000 Francs[1]). Das Nivellement begann 1840 in der Umgegend von Brüssel und wurde bis 1856 in unregelmäßiger Weise auf die Schlachtfelder von Ramillies und Neerwinden sowie das Lager von Beverloo und die Umgegend von Antwerpen ausgedehnt. Von 1857 ab schritten die Nivellierungen regelmäßig fort. Sie umfaßten 25 Polygone mit 6500 Punkten und 12500 km doppelt und in entgegengesetzten Richtungen nivellierten Linien. Es wurde aus der Mitte mit gleichen abgeschrittenen Entfernungen von 60 bis 100 Schritt nivelliert. Auch fand eine Ausgleichung des Netzes in 5 großen Abteilungen statt, und für die einzelnen Provinzen wurden die Höhen über dem Meere in alphabetischer Ordnung angegeben[2]). Seit 1887 ist ein eigentliches Präzisionsnivellement eingeleitet, das sich auf das mittlere Niveau der Ebbe (bei gewöhnlicher Flut) stützt, das durch den Teilstrich 1,6465 m des Lotpegels der Ostender Schleuße geht (3,782 m über Mittelwasser). Es ist diese Niveaufläche also mit dem deutschen Normal-Null fast identisch, d. h. sie liegt —2,1355 m unter dem Mittelwasser von Ostende. Dies Nivellement umfaßt bis jetzt 5230 Punkte 1. O., 3268 solche 2. O. mit 1,5 km mittlerer Entfernung von einander. Als Instrumente dienen solche von Berthé Camy in Paris mit 36 mm-Objektiv, 36 cm Brennweite, 25facher Vergrößerung. Erwünscht wäre ein Anschluß an Frankreich an mindestens zwei Stellen.

Die ersten topographischen Aufnahmen erfolgten in der Zeit von 1844—54, jedoch erst seit 1849 planmäßig durch Generalstabsoffiziere und Leutnants bzw. Unterleutnants der Infanterie, die in Vermessungsbrigaden eingeteilt waren. Sie stützen sich auf das noch unter der holländischen Regierung aufgenommene Kataster[3]) 1 : 2500, dessen Pläne hinsichtlich der Situation in 1 : 20000 für die in diesem Maßstabe erfolgenden Meßtischaufnahmen (levés originaux) verkleinert werden, und zwar seit 1847 durch eine eigne Sektion. Die natürlich an Ort und Stelle sorgfältig ergänzten und berichtigten Reduktionen gestatteten, vom April bis Oktober etwa 8000 ha aufzunehmen (1¼ deutsche QMeile). Während der Zeit Oktober bis April fanden dann die Reinzeichnungen in Brüssel statt, und zwar ermöglichte ein eigentümliches Kopierverfahren, in Verbindung mit dem Plantographen von den Originalen noch 4 Nachbildungen zu erzielen, so daß also 5 Dokumente von jeder Gemeinde im Depot aufbewahrt werden. Seit 1866 werden diese Blätter photolithographisch in demselben Maßstabe vervielfältigt und schwarz gedruckt. Bis 1854 lagen sämtliche 2532 Gemeinden vor. Jede planchette enthält das Gelände durch 2- bis 3000 Höhenkoten, Niveaulinien in 6 m Abstand und Bergstriche. Bis 1867 waren die topographischen Aufnahmen vollendet. Sie haben jährlich 10000 Francs, im ganzen etwa 500000 Francs erfordert.

1878 fand eine Neuordnung des Dépôt de la guerre statt. Es erhielt den Namen „Institut cartographique militaire" und wurde der „5. direction du ministère de la guerre" unterstellt. An seiner Spitze steht ein Generaldirektor (meist ein inaktiver Generalmajor oder Oberst). Es gliedert sich in die Direktion und 7 Sektionen. An Personal umfaßt es 1 General, 2 Stabsoffiziere, 4 Hauptleute, 10 Leutnants, 22 Militär-, 60 Zivilbeamte, 7 Unteroffiziere und 13 Gemeine. Der Direktion ist das Archiv zugeteilt. Die 1. Sektion bewirkt die Geodäsie und die Nivellementsarbeiten, die 2. die topographischen Feldarbeiten,

---

[1]) Der 1. Teil, welcher die Basismessungen und astronomischen Beobachtungen enthält, ist 1867 unter dem Titel: „Triangulation du royaume de Belgique, exécutée par MM. les officiers de la section géodésique du Dépôt de la guerre, 1re partie, livres II et III: Mesure des bases et observations astronomiques" zu Brüssel erschienen.

[2]) „Nivellement général du royaume de Belgique publié par l'Institut cartographique militaire", enthält: A. Nivellement de base Ixelles—Bruxelles von 1879 und B. La récapitulation des points de repère par provinces et communes, 1879.

[3]) „Plans cadastraux des communes de la Belgique" par Popp.

aufgenommen und dann im Institut reduziert. Die Kurrenthaltung der Karten ist durch
die steten Veränderungen der Meeresküsten und Ufergelände sehr erschwert[1]). Jährlich
stehen an 70000 Mark für Europa zur Verfügung. Die Anstalt hat drei Schnellpressen und
zwölf Handpressen. 1875—85 erfolgte durch F. J. Stamkart ein Präzisionsnivellement
von 4630 km Umfang (doppelt und in entgegengesetzter Richtung mit Instrumenten von Gebr.
Caminada in Amsterdam gemessen), das 668 Fixpunkte 1. und 2. O. von durchschnittlich
3,2 km Entfernung enthält. Ausgangsfläche ist der 0,144 m über dem Nordsee-Mittelwasser
liegende Amsterdamer Pegel-Nullpunkt. Übersichtskarte im „Gedenkboek" (s. Literatur).

Für die Herstellung von Seekarten ist zunächst im Haag eine dem Marineministe-
rium unterstellte Afdeeling Hydrographie vorhanden (1830). Sie unternahm in den
Jahren 1833—55 in einem Teil der europäischen Niederlande eine Triangulation für die
Herstellung von Flußkarten. Von ihr sind eine Reihe von Arbeiten erschienen, so die
Karten vom Zeegatt van Texel 1 : 30000, vom Zeegatt van den Hoek van Holland 1 : 75000,
von der Noordzee 1 : 195000, dann Isohypsenkarten von den hohen Gründen &c.

Geologische Aufnahmen rührten zuerst von dem niederländischen Geologen
W. C. H. Staring her, die seit 1858 zu einer „Geologischen Kaart van Nederland, uit-
gevoerd door het Topographische Bureau (Department van Oorlog), uitgeven of Last van
Zijne Majesteit den Koning" führte. Dieses 1868 vollendete Werk gibt auf 28 Blatt eine
charakteristische Unterscheidung zwischen jungen und jüngsten Bildungen, sowie eine sehr
vollständige geographische Situation und zeigt ein vorzügliches Kolorit. (S. auch S. 110.)

Von Privatarbeiten sei aus diesem Zeitraum ein „Atlas, enthaltend 33 hydro-
graphisch-topographische Karten von dem größten Teile des schiffbaren Rheins", 1 : 100000
auf ebensoviel Blatt, erwähnt, den Wiebeking 1832 zu München herausgab. „Hoogte-
kaart van Nederland" 1 : 600000, 1870. „Kaart der Rivieren en Kanalen in
Nederland met Aanduiting der Scheepkaartsbewegung" 1 : 600000, 1883.
„Polderkaart van de landen tusschen Maasen Ij" door W. H. Hoekwater
1 : 50000, 4 Blatt (2 m : 1,75 m), 1901.

1899 erschien ein „Atlas van Nederland" von J. J. ten Have, 's Gravenhage,
Joh. Ijkem, ferner eine „Spoor- en tramwegkaart van Nederland" 1 : 400000
von C. R. T. Krayenhoff, 's Gravenhage bei J. Smulders & Co, mit einem alphabetischen
plaats-namen-register und ein „Goedkope en practische atlas van Nederland,
met aanwijzing van alle spoor-, tram-, straat- en grintwegen" von F. Bruins, zu Groningen
bei P. Noordhoff, endlich die 14. Auflage des vorzüglichen „Schoolatlas der geheele
aarde" von J. P. Boos, 1899.

Zahlreich sind natürlich auch die ausländischen Arbeiten, so in den Atlanten von
Stieler, Wagner-Debes, Sohr-Berghaus, Sydow-Habenicht, den französischen Werken von
Vivien de St. Martin, Vidal de la Blache, Hausermann &c. Eine bequeme kolorierte Handkarte ist die bei George Philipp & Son 1899 in London erschienene von B. B. Dickinson
and A. W. Andrew: „The Netherland" (The „Diagram" Series).

Literarische Arbeiten. Von wichtigen Veröffentlichungen seien angeführt: De Meetkunstige beschrij-
ving van het Koningrijk der Nederlande, 's Gravenhague 1861. Dr. J. A. C. Oudemans: „Die Triangulation von
Java", 1. bis 3. Abt. 1875—1900, und desselben Verfassers „Détermination à Utrecht de l'asimut d'Amersfoort",
La Haye 1881. F. Kaiser en L. Cohen Stuart: „De eischen der medewerbing aan de oontworpen gradmeting
in Midden Europa voor het Koningrijk der Nederlande", 1864. F. J. Stamkart: „Nota over de middel-
bare hoogte der Zee met betrekking tot het Amsterdamsche peil", Amsterdam 1863. „Annales de l'école polytechnique de Delft", 1885—92. P. A. van Buren: „De reproductie aan de Topographische Inrichting te
's Gravenhage" (Tijdschrift van het K. Ned. Aardr. Gen. 1887). C. A. Eckstein: „De productie en de pro-
cédés der Topographische Inrichting", Verslag der bijeenkomst op 24. Januarii 1889, Haag 1889. Derselbe:
„Oversicht der cartographie in Nederland durende de laalste vijftig jaren", 1897. Dr. Ch. M. Schols: „De
driehoeksmeting van Nederland", 1897 (Gedenkboek van het Koninglijk Institutt van Ingenieurs), und „Landmeten en waterpassen", 6. Aufl. von Hemert und Nobel, Breda 1899 (mit Atlas). Rijksdriehoeksmeting:

---

[1]) Haben doch allein im 19. Jahrhundert die Niederlande um eine nutzbare Fläche von der Größe des Fürstentums Waldeck zugenommen!

!en-
ders
und
.nche
/iesen-
Plastik
Niveau-
ersicht-
Kurven
x" durch
: 320000
es envi-
Bruxelles,
Bruxelles
„nvirons"
Lager von
Farbendruck.
.que" geleitete
.llendet.
.bographischem
.ssertem photo-
.che Schule von
.ldet hatte. Der

.acht. Es ist vor
.e la Belgique"
.adémie Royale des
.ach ihr haben Le-
.liquant les terrains
.nnien" auf 1 Blatt

.arte des „Nivellement

. Jusseret: „Atlas
. Maelen Provinzkarten
., in den 50er Jahren
.ut: „Nouvelle Carte de
.aux &c." 1 : 300000, auf
.schienen auch der „Atlas
.späteren Arbeiten seien
.inistrative de la Belgique"
.en aller Gemeinden, Haupt-
.iedenen „Cartes industrielles"
.omins de fer, routes et voies
.uflage 1895), eine Karte „L.
. Du Fief: „Atlas de Belgique «
.gique appliqué à la petite gé.
. J. Van In & Cie). Endlich «1
.olithographie von Collewa..
.rten &c. sind erschienen, ...

denen erwähnt seien z. B.: „Carte itinéraire kilométrique des chemins de fer belges indiquant la distance et la durée de tous les parcours en Belgique et vers les principales villes d'Europe par les trains le plus rapides", auf 1 Blatt, farbig (73 : 55 cm), Brüssel 1899, J. Lebègue & Cie, ferner „Carte des chemins de fer de la Belgique" 1 : 370000, auf 1 Blatt (59,5 : 70 cm), S. L. 1899, ferner Alfred Castaigne: „Carte vélocipédique de la Belgique 1 : 320000, dressée avec le concours du Touring-Club de Belgique", avec tracés en différentes couleurs, 1 Blatt (87,2 : 68,8 cm). Brüssel, A. Castaigne, 1899, sowie die große farbige „Carte de Belgique 1 : 160000, appropriée à l'usage des cyclistes et élaborée avec le concours de la Ligue vélocipédique belge", in 6 Blatt, und endlich die bei Alf. Castaigne erschienenen „Itinéraires vélocipédiques, publiés par le Touring-Club de Belgique", dressées par Eugène Carniaux, Nr. 1—108ᵇ auf 6 Seiten, 2. Aufl., 1899. Schließlich möge von einheimischen belgischen Arbeiten noch der Wandkarten gedacht sein, so z. B. J. Roland: „Cartes murales de géographie en couleurs", welche auf je 1 Blatt (100 : 130 cm) die verschiedenen Provinzen enthalten. Sie sind bei Ad. Wesmael-Charlier in Namur erschienen, ebenso desselben Verfassers „Cartes murales d'histoire en couleurs", welche das alte Belgien, das feudale Belgien &c. auf je 1 Blatt (100 : 130 cm) darstellen. Auch G. F. Alexis-M. „Carte historique scolaire de la Belgique" 1 : 250000, auf 1 Blatt (118 : 89 cm), in der „Procure des Frères" zu Alost 1898 erschienen, gehört hierher.

Von ausländischen Arbeiten ist zunächst die auf Grund der durch den französischen General Colon 1800—4 durch den Obersten Tranchot ausgeführten Triangulation 1. und 2. O. und 1802—14 in 1 : 20000 ausgeführten topographischen Aufnahmen vom Dépôt de la guerre hergestellte „Carte topographique des pays entre la France, les Pays-Bas et le Rhin" 1 : 100000, in 15 Blatt, hervorzuheben, die 1822—48 gestochen ist und Belgien mit umfaßt. Das sehr gut in senkrechter Beleuchtung dargestellte Gebirgsland enthält zuerst Höhenkoten. Die Ausführung gleicht den besten Blättern der französischen Carte de France in 1 : 80000. Dann die Blätter der topographischen Spezialkarte von Mitteleuropa 1 : 200000 (Reymann) des Preußischen Generalstabes, ferner der W. Liebenowschen Spezialkarte von Mitteleuropa 1 : 300000 und des Stielerschen Atlas.

Die kartographische Literatur ist besonders in geschichtlicher Hinsicht genügend reichhaltig. Aus älterer Zeit sei auf die „Description de tout le Pays-Bas" von L. Guicciardini hingewiesen, die 1567 zu Anvers erschien, sowie Merians „Topographia circuli Burgundici, d. i. Beschreibung der 17 niederländischen Provinzen", Frankfurt 1654. Im 19. Jahrhundert hat zunächst Van der Maelens „Dictionnaire des provinces de la Belgique" in 9 Bänden, das seit 1833 erschienen, Wert. Ebenso Tarlier et A. Wauters: „La Belgique ancienne et moderne", Bruxelles 1865. Eine bedeutende Arbeit ist Joachim Lelewels (1786—1861) „Géographie du moyen âge", Brüssel 1850—57. Sie gibt in 4 Bänden mit 18 Tafeln und Karten und einem Atlas von 50 Karten eine reiche Materialiensammlung der wenig behandelten Zeit der Araber und Lateiner bis über die Zeit der Reform der Kartographie im 16. Jahrhundert, nebst einer eingehenden: „Table chronologique". Weiter ist Henrionets „Notice sur les travaux topographiques exécutés au dépôt de la guerre de Belgique", Brüssel 1876, zu nennen. Dann die Schrift des Generals Hennequin: „volution cartographique et Étude historique sur l'exécution de la Carte de Ferraris" (Bull. soc. r. belge de géogr. 1891). Weiter: H. Wauwermans „Essai de l'histoire de l'école cartographique Anversoise du XVIᵉ siècle", 1894—95, die zwar etwas weit ausholt, aber viel Interessantes bietet, besonders auch über Gemma Frisius, Gérard de Jode, Mercator, Ortelius, Hondius. Auch Ch. Ruelens: „Les monuments de la géographie des bibliothèques de Belgique. Cartes de l'Europe 1480 bis 1485", 4 Karten in 4 Blatt mit erklärendem Text, Brüssel 1887, möge erwähnt sein. Interesse bietet auch „Van der Beke, Carte de Flandre de 1538, avec texte explicatif", par F. van Ortrog, Gand 1897. Bezüglich der eigentlichen Vermessungsliteratur ist zunächst Liagre: „Calcul des probabilités et théorie des erreurs avec des applications aux sciences d'observation en général et à la géodésie en particulier" zu nennen. Dann von offiziellen Schriften: „Compte rendu des opérations de la commission instituée par le ministre de la guerre pour étalonner les règles qui ont été employées en 1850—53 par les officiers d'état-major de la section géodésique du dépôt de la guerre, à la mesure des bases géodésiques", Bruxelles 1855. Ferner: „Triangulation du royaume de Belgique" in 6 Bänden (1867—86), enthält die Basismessungen, astronomischen Beobachtungen, Berechnung der geographischen Koordinaten, Konstruktion der Karte und Triangulation 1. Ordnung. Dann „Notice sur les travaux géodésiques du dépôt de la guerre de Belgique", Brüssel 1876. Endlich „Nivellement général de Belgique", Ixelles-Bruxelles 1879 (vom Militärkartographischen Institut verfaßt). Den einzigen Lehrstuhl des Landes für Geographie an der Brüsseler (Universität) ziert J. Elisée Reclus, dessen Werke „La terre" (1867—68) und vor allem die „Nouvelle géographie universelle" (19 Bände, 1875—94) hinlänglich jedem Geographen bekannt sind. In kartographischer Hinsicht ist von ihm namentlich hervorzuheben, daß er 350 Jahre nach Mercator auf den Gedanken zurückgegriffen hat, die Landkarten auf einer Kugelfläche wiederzugeben. Das Gradnetz der Plandarstellung genügte nicht, die Verzerrungen zu verbessern, die sich durch den Gebrauch von Papierkarten bilden. Daher wendet Reclus für seine sphärischen Karten aller Art (Wandkarten, Reliefs, Globen) Metallblech mit sehr schönem Aufdruck an. Am zweckmäßigsten möchte sein Verfahren für Sternkarten sein. Europa hat er in 10 sphärischen Blättern 1 : 500000 (von 47 cm Seite), die Erde in 36 Karten 1 : 10 Mill. dargestellt.

IV. Luxemburg.

Das einen selbständigen neutralen Staat unter der Regierung seines Großherzogs Adolf bildende kleine Land (2587 qkm, d. h. etwa so groß wie das Herzogtum Meiningen) war bis 1890 durch Personalunion mit den Niederlanden verbunden, nachdem es bis zur Auflösung des Deutschen Bundes 1866 nominell diesem angehört hatte. Eine eigene, selbständige Kartographie hat sich in dem kleinen Gebiet nicht entwickeln können, es wurde stets von den Ländern beeinflußt, denen es in seiner wechselvollen Geschichte angehört hat, am meisten wohl von Belgien und Holland. Im 10. Jahrhundert machten sich die Grafen der Ardennen von den lotharingischen Herzögen frei und Graf Siegfried erwarb 973 das Schloß Lucelinburg, aus der die Stadt entstanden ist, die dem heutigen Großherzogtum den Namen gegeben hat. Von nun an nennen sich er und seine Nachfolger Grafen v. Lützelburg, welche Dynastie zu großer Macht gelangte, aber 1437 unter Kaiser Sigismund ausstarb. 1443 wurde das Herzogtum mit Burgund vereinigt und teilte später das Schicksal der spanisch-österreichischen Niederlande, 1659 wird ein Teil an Frankreich abgetreten. Seit dem Wiener Frieden 1815 war Luxemburg ein Glied des Deutschen Bundes, ohne ihm innerlich anzugehören; es blieb holländisch. Nachdem es sich 1830 an dem belgischen Aufstande beteiligt hatte, mußte es 1839 den bei weitem größeren Teil an Belgien abtreten, wofür ein Stück von Limburg dem Namen nach für deutsches Bundesgebiet erklärt wurde, ohne daß dies eine praktische Folge gehabt hätte. Der kleinere Teil des Landes im Umfange des heutigen Großherzogtums blieb beim Deutschen Bunde, nach dessen Auflösung es von den Garantiemächten 1867 für neutral erklärt und mit den Niederlanden uniert wurde. Das reichlich orographisch gegliederte und viele landschaftliche Reize besitzende Land ist aber leider kartographisch vernachlässigt.

Den heutigen Karten liegt eine Katasteraufnahme des Chefs des Bureaus Liesch aus den sechziger Jahren zugrunde, die unter Benutzung der belgisch-niederländischen bzw. der Tranchotschen Triangulierungen aus dem Anfange des 19. Jahrhunderts ausgeführt worden ist. 1881 hat Belgien eine Basis bei Luxemburg mit dem Besselschen Apparat gemessen und mit dem neueren belgischen Netz in Verbindung gebracht.

Die offiziellen Karten Luxemburgs haben wegen Mangels der Geländedarstellung und von Höhenzahlen nur einen beschränkten Wert, zumal die Bodenformen [1]) reichlich gegliedert sind.

Es gehören hierher:

1. „Carte du Grand-Duché de Luxembourg 1:40000“ in 9 Blatt. Ein Steindruck ohne Gelände und Höhenangaben aus dem Jahre 1862.

2. „Carte du Grande-Duché de Luxembourg 1:90000“ in 4 Blatt. Lithographie aus dem Jahre 1861.

3. „Plan de la ville de Luxembourg 1:2500“ auf 1 Blatt, Steindruck von 1864.

---

[1]) Die Höhen gehen im südlichen Luxemburg nicht über 300 m, die Täler senken sich bis unter 200 m, an der Mosel fällt das Land bis zu 140 m herab.

Seit 1850 wurden von der Gesellschaft für Naturwissenschaften des Großherzogtums geologische Untersuchungen angestellt, deren Ergebnis eine bei Erhard in Paris in 8 Blatt 1874 hergestellte **geologische Karte 1 : 40000** (mit Text) war. Dann traf die Regierung eine Übereinkunft mit dem Deutschen Reiche, nach der die geologischen Aufnahmen des südlichen Teils von Luxemburg auf Grund der französischen Carte de France 1 : 80000 von der Kommission für die geologische Landesaufnahme Elsaß-Lothringens auszuführen ist. Das Ergebnis war eine „**Geologische Übersichtskarte der südlichen Hälfte des Großherzogtums Luxemburg 1 : 80000**" des Dr. van Werveke, die 1890 bei Simon Schropp in Berlin erschienen ist.

Von anderen in- und ausländischen, auf Luxemburg bezüglichen Arbeiten seien genannt:

„**Nouvelle carte des postes du Royaume des Pays-Bas et du Grand-Duché de Luxembourg 1 : 750000**" auf 1 Blatt von van Baarsel, 1823, Haag.

Dann Math. Erasmys: „**Carte hydrographique, archéologique et routière du Grand-Duché de Luxembourg 1 : 40000**" auf 9 Blatt, 1860 bei Behrens in Luxemburg erschienen. Ihr fehlt eine Graduierung und Geländedarstellung. Dafür bietet sie eine sehr reichhaltige Situation. Die archäologische Zeichenerklärung weist 42 Unterschiede für Bauwerke, Schlachtorte, Altertumsfunde &c. auf. 1 Heft Text.

Die Karten des **Preußischen Generalstabes** und zwar die Blätter der (Reymannschen) **Topographischen Spezialkarte von Mitteleuropa 1 : 200000**, der **Karte des Deutschen Reichs 1 : 100000** und die noch nicht erschienenen Blätter in der **Topographischen Übersichtskarte des Deutschen Reichs 1 : 200000**.

Die Arbeiten des französischen **Dépôt de la Guerre** bzw. **Service géographique de l'armée**:

„**Carte des Départements réunis 1 : 100000**", Kupferstich aus den Jahren 1822—48, auf Grund der Tranchotschen Aufnahmen, in 15 Blatt.

„**Carte de France 1 : 320000**" in 33 Blatt (1852—86), dann die „**Carte de France 1 : 500000**" in 15 Blatt (seit 1871), ferner die „**Carte de France 1 : 600000**" in 6 Blatt (seit 1872), endlich die „**Carte de France 1 : 864000**" in 6 Blatt (seit 1825, 1886 neu revidiert).

W. **Liebenow**: Spezialkarte von Mitteleuropa 1 : 300000 (seit 1869, neueste Auflage 1900), dann

J. **Hernan**: Carte du Grand-Duché de Luxembourg d'après divers documents officiels. 1 : 300000. Paris 1897.

Stielers Handatlas: (Niederlande, Belgien und) Luxemburg 1 : 1110000, bearbeitet von C. Scherrer. Neueste Auflage 1903. Kupferstich.

Andree: Allgemeiner Handatlas: Großherzogtum Luxemburg 1 : 750000 (auf der Karte von Rheinland und Westfalen) 4. Aufl. 1899 (herausgegeben von A. Scobel).

Sohr-Berghaus: Handatlas über alle Teile der Erde. 9. Auflage im Erscheinen (herausgegeben von A. Bludau). C. Flemming, Glogau.

Aus älterer Zeit gehören die nachstehenden, teilweise unter Belgien und Holland bzw. Frankreich näher erläuterten Kartenwerke hierher, die Luxemburg mit bzw. allein enthalten:

1. J. **Homann**: Ducatus Luxemburgi, 1 Blatt farbiger Kupferstich in veralteter Geländedarstellung, Nürnberg, ohne Jahreszahl.

2. **Ferraris**: Carte chorographique des Pays-Bas Autrichiens &c. in 25 Blatt 1 : 86400 aus dem Jahre 1777, die auf der Cassinischen Gradmessung beruht und die Fortsetzung seiner Carte de France bildet.

3. **Capitaine et Chanlaire**: Carte chorographique de la Belgique en 69 feuilles 1 : 86400, dressée d'après celle de Ferraris, von gleichem Umfange wie Nr. 1. Paris 1796.

4. **Van der Maelen**: Carte administrative et industrielle de la Hollande en 4 feuilles 1 : 215000, gravée sur pierre. Bruxelles 1833. Ein Übersichtsblatt ohne besonderen Wert.

5. **Van der Maelen**: Nouvelle carte de Hollande d'après Krayenhoff et les meilleures cartes connues, 24 Blatt 1 : 115000, Gelände sehr undeutlich und unnatürlich. Bruxelles.

6. **Desterberg**: Nouvel atlas du royaume des Pays-Bas et des possessions d'outre mer, divisé en arrondissements et cantons judiciaires, 14 Blatt 1 : 200000. Établ. géogr. La Haye 1840—42. Mangelhafte Gelände-

darstellung, unsauberer Stich, durch Einteilung in Provinzkarten erschwert im Gebrauch, doch seinerzeit eine der besten Karten. Statistisches Tableau beigegeben.

7. Mühlbach und Cederstolpe: Historischer Plan der Bundesfestung Luxemburg 1 : 8750, 1 Blatt, 1844/45.

V. Frankreich.

Die Kenntnis der Entwickelung und des Standes der französischen Geodäsie, Topographie und Kartographie ist besonders wichtig, weil sie in der Neuzeit schon auf einer Höhe stand, als andere Staaten noch weit zurück waren, und weil für unser heutiges Kartenwesen wesentlich Frankreich das Vorbild geliefert hat. Nachdem bis dahin die kartographischen Arbeiten vorwiegend privater Natur gewesen waren, gab die französische Nation das erste Beispiel einer S t a a t s kartographie großen Stils, wie es freilich nur ein so zentralisiertes und reiches Land damals tun konnte. Es geschah dies sowohl zu militärischen wie zu Verwaltungs-, namentlich Katasterzwecken, wobei schließlich die militärischen überwogen. Die erste G e n e r a l s t a b s karte im heutigen Sinne ist eine französische. Die Vervollkommnung der astronomischen Ortsbestimmung, der Triangulation wie der barometrischen Höhenmessung, nicht zuletzt durch Franzosen, erleichterte dies natürlich ebenso wie die die Verbesserung der Meßinstrumente im 18. Jahrhundert und die verhältnismäßig hochentwickelte französische Technik der Kartenherstellung und -Vervielfältigung. Unvergänglich sind namentlich Frankreichs Verdienste um die G r a d m e s s u n g, die eine 2000jährige Periode der direkten Messung (von 250 v. Chr. bis 1750 n. Chr.) abgeschlossen haben. Bei der Peruanischen Messung von 1750 wurde für die Seiten 1. O. bereits eine Genauigkeit von $\frac{1}{50000}$ (gegen $\frac{1}{100000}$ zu Baeyers Zeiten und heute schätzungsweise mindestens $\frac{1}{200000}$) erreicht.

A. Altertum.

In ä l t e s t e r Zeit tritt Frankreich freilich hinter anderen Ländern, namentlich Italien, zurück. Die früheste Kenntnis Galliens wurde den Kulturvölkern durch die M a s s i l i o t e n vermittelt, deren Stadt um 600 v. Chr. unfern der Rhonemündung von Phokäern gegründet war. Sowohl quer durch das Keltenland wie längs seiner Küsten von Spanien ab bis Britannien wurden Handelsbeziehungen gepflegt und dadurch die Gestalt Galliens, gestützt auf griechische Quellen, wie Eratosthenes, allmählich in Erfahrung gebracht. Leider ist von ihren Beschreibungen, besonders ihrer berühmtesten Reisenden Euthymenes und Pytheas, nur das Wenige erhalten, was sehr späte römische und griechische Schriftsteller davon überliefert haben. Die wenigen Zeilen des Periplus des Skylax sind ohne Wert. Als dann im 2. Jahrhundert v. Chr. die R ö m e r kamen, richteten sie einen Verwaltungsbezirk „Gallia braccata", später „Provincia Narbonnensis" genannt, ein und legten Straßen für Kriegs- und Handelszwecke an, die sie vermaßen. Nachdem Cäsar das Land bis an den Rhein in Besitz genommen hatte, wurde es durch Augustus organisiert, erhielt Post- und Straßeneinrichtungen, von denen wie von den Städten genaue Verzeichnisse (namentlich dann im 5. Jahrhundert) aufgenommen wurden, bekam eine nationale Meilenzählung (leugae = 1500 römische passus) und wurde vermessen und kartiert.

Von den kartographischen Arbeiten aus dieser ältesten Zeit, die Gallien berücksichtigen, ist außer den unbedeutenden Periplen des Skylax und des Marcian von Heraklea nur die Tabula Peutingeriana von 230 in einer jetzt vorliegenden Nachbildung aus dem 13. Jahrhundert, die von Gades bis zum östlichen Ozean die den Römern bekannte Welt freilich in arger Verzerrung enthält, zu erwähnen, ferner aus dem 4. Jahrhundert das Itinerarium Antonini und eine von Bordeaux bis Jerusalem reichende, die Alpen mit darstellende Wegekarte. Unter den geographischen Werken über Gallien ragt natürlich die dieses mit betreffende „γεωγραφικά" des geistreichen Vaters der historischen Erdkunde, Strabo, des antiken Karl Ritter, hervor, der im 4. Buche eine ausgezeichnete Beschreibung in physikalischer und politischer Hinsicht mit Benutzung alles vorhandenen Materials und eigener Untersuchungen gibt. Ein Jahrhundert später, unter Hadrian und Marc Aurel, lieferte dann die „γεωγραφικὴ ὑφήγησις" des großen Astronomen Claudius Ptolemäus aus Alexandrien (87—150 n. Chr.), der die Kartographie auf ganz neue Grundlagen stellte und dessen Beobachtungen den nach ihnen entworfenen Erdbildern in meridionaler Richtung nur noch geringe Verzerrungen verliehen, auch für Galliens Gebirge, Flüsse, Städte &c. unschätzbare astronomische Ortsbestimmungen [1]), wenn ihnen auch manche Fehler anhaften, namentlich hinsichtlich der Längen. Das meiste verdankt die älteste geographische Geschichte Frankreichs den Schriften der Römer. Cicero verbreitet sich über Gallia Narbonnensis und die angrenzenden Gebiete auf Grund der Nachrichten von Landeskindern, und Cäsars Kommentarien über den Gallischen Krieg (54—53 v. Chr.) beweisen, wie genau er das Land vor seinem Eroberungsfeldzuge schon kannte, so daß sein Werk die unerschöpfliche Quelle darüber geworden ist. Freilich sind seine geographischen Angaben, besonders der Entfernungen, oft ungenau und sich widersprechend. Namentlich sind seine Ortelagen, die Punkte, wo die wichtigsten seiner Taten stattgefunden haben, wie Alesia, Uxellodunum, Bratuspantium &c. viel umstritten. Von weiteren antiken Schriftstellern haben topographische Einzelheiten geliefert der unzuverlässige Livius, der ältere Plinius (23—79 n. Chr.), der sich auf die nicht mehr vorhandenen Schriften des Geographen Varro (116—27 v. Chr.) stützt, sowie der flott, aber oberflächlich schreibende Pomponius Mela (40 n. Chr.), dessen Chorographie ähnlich einem Periplus das Meer als Einteilungsprinzip des Stoffes wählt und das Küstenland in den Vordergrund stellt, endlich Dio Cassius, Amianus Marcellinus und Festus Avienus, der die Mittelmeerküsten beschreibt. In allen diesen Arbeiten sind aber große Lücken und sehr viel Irrtümer und Fehler enthalten.

B. Mittelalter.

Im Anfange des merowingischen Zeitalters ist es die bedeutende „Histoire ecclésiastique des France" des heiligen Gregor von Tours († 595 n. Chr.), welche uns das beste und vollständigste Bild der Topographie Frankreichs in damaliger Zeit liefert, das derart genau war, daß Jahrhunderte später Auguste Longnon auf Grund dieses Werkes eine Art merowingischer Geographie schreiben konnte („Géographie de la Gaule au VIe siècle"). In dem langen Zeitraum von Gregor bis zum Beginn der Renaissance fehlt es an wirklichen Geographen und Kartographen fast ganz, es gibt eigentlich nur Chronikenschreiber und Kompilatoren, besonders in den Klöstern und Abteien (in Sens, Auxerre, Auchin &c.), aus deren Schriften man freilich sich ein Bild des Landes in den jedesmaligen Epochen zurecht konstruieren könnte.

C. Neuzeit.

Die Geschichte der französischen Kartographie in dieser wichtigsten Entwickelungszeit soll in vier großen Perioden abgehandelt werden, nämlich einer ältesten, dann der Cassinischen, weiter der Periode der Carte d'état-major und endlich der der neuesten Zeit.

1. Älteste Periode.

In diesem Zeitalter begegnen wir Frankreichs Namen in der Kartographie wie Geodäsie noch seltener. Freilich ist es charakteristisch, daß gerade das erste Ereignis von

---

[1]) Er gibt alles, Länge und Breite, in Graden und Zwölftel-Graden an, wobei er den bereits von Marinus von Tyrus, seinem unmittelbaren Vorläufer, gewählten Nullmeridian der insulae fortunatae (Kanaren?) ebenfalls annimmt. Für die Längen soll er indessen nur eine Sternbedeckung gekannt haben, alles übrige ist aus der Erdgestalt berechneter Abstand zweier Punkte.

wissenschaftlicher Bedeutung sich um eines der wichtigsten Probleme der mathematischen Geographie handelt, nämlich um die Gradmessung, d. h. die Längenermittelung der geodätischen Linie, um aus dem Vergleich zwischen der gemessenen Erdbogenlänge und ihrer Winkelgröße als Kreisbogen, die sich durch die astronomische Lagenbestimmung seiner Endpunkte ergibt, die Gestalt und Größe der Erde festzustellen. Diese schon die alten griechischen Philosophen beschäftigende grundlegende Aufgabe der Geodäsie sollte ja später eine wahre Ruhmesleistung französischer Gelehrten werden. Nur reiche Nationen, die außerdem ein Gefühl für Rang und Größe und wissenschaftliches Pflichtbewußtsein haben, können freilich auch den Aufwand solcher Arbeiten aus eignen Mitteln bestreiten, und das alles war bei Frankreich der Fall. Ehe andere Völker daran denken konnten, ist es an die Lösung dieses Problems erfolgreich geschritten, die anderen Staaten haben dann nur noch zu einer Verschärfung des Ausdrucks für die Abplattung beigetragen.

Aber wie der Staat niemals der Urheber einer großen Idee ist, sondern nur durch zweckmäßige Organisation und Zurverfügungstellung der Mittel für die Ausführung sorgen kann, so wurde auch in Frankreich die erste Gradmessung, die dritte in Europa überhaupt und seit Eratosthenes die genaueste direkte Längenmessung, durch einen Privatmann ausgeführt, den französischen Arzt Jean Fernel (1497—1558)[1]. Sie geschah 1525, zur Zeit Franz' I. (1515—47), durch einfache Längenmessung der Entfernung zwischen Paris und Amiens mittels eines die Zwischenräume von Meßstangen vollständig beseitigenden, daher die Fehler dieser Messungsmethode vermeidenden Wagenrades ("Meßrades") und durch Bestimmung des Breitengrades mit Hilfe eines Quadranten. Die Verdienste dieser Messung sind vielfach umstritten worden, man liebt sie heute meist zu verkleinern, Berthaut widmet ihr wenige Zeilen „en ne mentionnant que pour mémoire l'évaluation du docteur Fernel", Wolf ist in seinem Handbuche der Astronomie (1892) von seiner einst auf Lalande gestützten günstigen Beurteilung zurückgekommen, Peschel-Ruge ist nicht minder absprechend[2]. Ich stelle die Fernelsche Messung sehr hoch wegen der hohen Bedeutung des — wohl schon von den Arabern (?) — angewandten Prinzips, das eine unleugbare Überlegenheit über alle anderen bekannten besaß, und stütze mich dabei auf die hohe Autorität des preußischen Geodäten Generals Baeyer (Geogr. Jahrbuch 3. Band, 1870), auf Jordan (Vermessungskunde III), sowie den berühmten Steinheil, der aus der Fernelschen Messungsweise die Anregung zur Erfindung seines für die europäische Gradmessung konstruierten gußstählernen Meßrades schöpfte und sehr viel von diesem Prinzip hielt. Trotz des rohen Verfahrens war es ein geniales und ein gesundes, richtiges, mögen ihm Fehler in der Ausführung nachgewiesen werden, so viele es wollen. Jordan, wohl auf Lalande gestützt, der (1787) den sehr genauen Wert von 57077 Toisen für den Meridiangrad nach Fernel ermittelt hatte, berechnet den Fehler zu nur $+ 0.1\%$, indem er den Kugelquadranten zu 10010800 m (1 Toise = 1,949 m) feststellt, was eine außerordentliche Übereinstimmung mit Bessel (10000855,76 m), Listing (10000218 m), endlich mit Helmerts für das Referenzellipsoid auf Grund der feinsten Meß- und Rechnungsverfahren ermitteltem Ergebnis von 10002041 m ergibt. Baeyer sagt, daß die Messung nur um 13 Toisen größer war, als die neuesten Bestimmungen die Gradlänge ergeben und der Fehler in Teilen der Länge $\frac{1}{4500}$ beträgt. „Dies Resultat ist 8- bis 9mal genauer, als die beste Kettenmessung es geben könnte." Morgans Darlegungen von 1841, die Lalandes Eintreten für Fernel erschüttern sollen, dürften Baeyer wohl nicht unbekannt geblieben sein, trotzdem hat er sich nicht zu ihnen bekehrt, wie das Wolf leider getan.

---

[1] Fernel berichtet darüber in seiner „Cosmotheoria seu de forma mundi et de corporibus libros duos complexa".

[2] Auch der berühmte Geograph H. Wagner hat sich den Gelehrten zugesellt, die in der Fernelschen Messung kein sehr wichtiges Ereignis von wissenschaftlicher Bedeutung sehen. (Siehe seine nach Schluß des Manuskriptes dieser Abhandlung veröffentlichten „Bemerkungen" in Heft 9 und 10 der Mitt. der K. K. Geogr. Gesellschaft in Wien von 1903 zu meinem früher (1902) dort erschienenen Aufsatz über „Frankreichs Kartenwesen".)

Fernels Quadrant bestand aus einem gleichschenkligen rechtwinkligen Dreieck von 8′ Kathetenlänge und einem um den Scheitel des rechten Winkels drehbaren Lineal mit Diopter. Fernel bestimmte mit ihm die Polhöhe von Paris, ging dann nach Norden, bis sie um 1° zugenommen hatte, und fuhr dann unter Zählung der Radumdrehungen (17024 zu je 20 Pariser Fuß)[1]) nach Paris zurück. Es waren also 56746½ alte Toisen, wofür, da 1668 die Toise um 5′′′ gekürzt wurde, etwa 57077 Toisen gerechnet werden können. Nachdem dann durch Willebrord Snellius' Triangulationsverfahren von 1615, das nur die direkte Messung einer Dreieckseite verlangte (siehe „Niederlande"), eine neue Epoche der Erdmessung eingeleitet war, ist es — wenn wir von Norwoods Nachabmung in England 1636 (siehe „Großbritannien")[2]) absehen — Frankreich wieder gewesen, welchem das hohe Verdienst zufällt, durch Operationen im eignen Lande wie in fernen Gebieten das Snelliussche Verfahren glänzend ausgebildet und verbessert zu haben, und das dann lange Zeit dauernd die Führung in der Geodäsie behauptete, bis es am Schlusse des 18. Jahrhunderts durch andre Völker, zunächst die Engländer, abgelöst wurde. Unter Ludwig XIV. verrichtete es seine erste große Tat einer wirklich wissenschaftlichen Gradmessung mit staatlicher Förderung, und sie ist unauflöslich mit den Namen Colbert, Cassini und Picard verknüpft. Jean Baptiste Colbert, der Generalkontrolleur der Finanzen und Generaldirektor der Künste und Wissenschaften, hatte großes Verständnis auch für geographische und kartographische Angelegenheiten.

Kaum hatte er in die von ihm 1666 geschaffene Académie des Sciences die hervorragenden Astronomen Auront und Picard aufgenommen, als diese es für eine ihrer ersten Pflichten ansahen, die schwierige Frage der Erdmessung anzuschneiden. Der rühmlichst bekannte Geodät Abbé Jean Picard (1620—82), ein Schüler Gassendis, unternahm unter den günstigsten Bedingungen und mit den besten Mitteln der Zeit 1666 die Messung eines Meridianbogens von 32 lieues zwischen Village Sourdon (bei Amiens) im Norden und der Ferme Malvoisine (bei Champcueil in der Nähe von Ferté-Alais) südlich von Paris. Er wählte sich auf einer geraden und ebenen Straße zwischen Villejuif (Mühle) und Juvisy (Pavillon) eine Ausgangsgrundlinie, deren Länge er durch doppelte Linienmessung (hin und zurück, bei 2 Fuß Unterschied) auf 5663 Toisen (11037 m) ermittelte. Er bediente sich dazu vier hölzerner, je zwei Toisen langer Maßstäbe, die mit einer eisernen Toise, der Kopie der Toise de Châtelet, verglichen wurde, die 1668 in einer Treppenstufe des Châtelet in Paris eingelassen und später zu Ehren der peruanischen Gradmessung Toise du Pérou genannt wurde. Er verband diese Maßstäbe durch Schrauben zu zwei, je vier Toisen langen Meßlatten und legte sie längs einer ausgespannten Schnur. Daß dabei ab und zu Verschiebungen der einfach auf den Boden gestreckten leichten Stangen vorgekommen sein werden, ist wahrscheinlich. Mit dieser Basis verband er nach dem Verfahren von Snellius durch 13 Dreiecke, deren Spitzen meist Türme bildeten, die Endpunkte seines Gradbogens und kontrollierte die Messung durch eine 3902 Toisen lange Verifikationsbasis (Mühle von Méry bis zum Tal Saint-Martin du Pas bei Montdidier, auf der alten Chaussee von Brunehaut), die er an die Dreieckskette durch 3 Dreiecke anschloß. Auch verlängerte er erstgenannte durch einige Dreiecke bis zum Kirchturme Notre Dame d'Amiens, dem nördlichsten Punkt. Die astronomischen Beobachtungen wurden 1670 gemacht. Zur Winkelbestimmung der Dreiecke diente ein eiserner Quadrant von 38″ Halbmesser, der bereits Fernrohr und das 1640 von Gascogne erfundene Fadenkreuz hatte (quart de cercle astronomique), und dessen kupferner Limbus durch Transversalen in Minuten geteilt war, die durch Mikrometer und Nonien abgelesen wurden. Das Instru-

---

[1]) Morgan behauptet, daß Fernels Maßrad 20 geometrische Fuß enthalten habe, von denen jeder ¼ kleiner als ein Pariser Fuß war.

[2]) Die von den Italienern Riccioli und Grimaldi 1645 ausgeführte Messung beruht noch auf einer Kepplerschen Methode.

ment ruhte in einem eigenartigen Stativ. Alle Dreieckswinkel waren groß und die Messung sorgfältig, trotzdem kamen Fehler von einigen Sekunden in der Summe der drei Winkel eines Dreiecks vor, da man weder einen richtigen Signalgebrauch noch die Zentrierung der Instrumente verstand. Zudem waren die Winkel der Kontrollbasis nicht genügend beobachtet worden. Zur astronomischen Bestimmung wurde ein ähnlicher Quadrant, aber von größerem Halbmesser und mit einer Ablesung von Drittel-Minuten, verwendet. Die unter Anwendung der von Snellius noch nicht gekannten sphärischen Trigonometrie und von Logarithmen erfolgte Berechnung, welche Picard unmittelbar nach ihrer Vollendung in seiner Schrift „La mesure de la terre" 1671 veröffentlichte, ergab für den Abstand Notre Dame d'Amiens—Pavillon Malvoisine 78907 Toisen, woraus eine Entfernung zwischen den Parallelen der beiden astronomischen Stationen von 78850 Toisen und die Länge des Bogengrades im Meridian (bei dem durch Zeitbestimmungen ermittelten Breitenunterschied von 1° 22′ 55″) zu 57060 Toisen folgte. Bessel hat später den Bogen zu 1° 21′ 57″ und den Grad zu 57057 Toisen ermittelt. Picard berechnete daraus den Erdumfang zu 20542600 Toisen, den Erddurchmesser zu 6538594 Toisen. Diese Arbeit Picards ist für alle Zeiten denkwürdig. Nicht nur gab sie eine Anleitung zur Ausführung einer genauen Landesvermessung, wobei Picard für eine solche ein zusammenhängendes trigonometrisches Netz von richtiger astronomischer Orientierung und Bezeichnung auf einen festen Meridian und seinen Perpendikel plante (ähnlich, wie das übrigens schon 1624—25 praktisch der Deutsche Schickhart in Württemberg ausgeführt und 1629 beschrieben hatte), sondern seine Operationen bestätigten auch die geomorphische Theorie Newtons und regten zum Studium der Erdgestalt, namentlich Newton selbst[1]), in einer Weise an, die zur erweiterten Kenntnis der wahren Erdfigur führen mußte[2]). Daß unsre Erde nicht, wie seit dem 5. Jahrhundert, besonders aber seit Eratosthenes (230 v. Chr.) angenommen wurde, eine Kugel sei, sondern infolge der Gesetze der Schwere ein abgeplattetes Sphäroid, genauer Ellipsoid — das war die von der französischen Akademie noch bestrittene Behauptung des großen Isaac Newton (er wollte in seiner Abhandlung: „Philosophiae natur. principia mathematica", eine bestimmte Abplattung 1:231), die erst ein hundertjähriger Kampf zu seinen Gunsten entscheiden sollte, zumal die Franzosen zunächst recht zu behalten schienen. Da der Picardsche Bogen zu klein war, sollte nach Ansicht der Akademie der ganz Frankreich durchschneidende Meridian des Pariser Observatoriums gemessen werden. Diesen Gedanken angeregt zu haben, ist nun das Verdienst des damaligen Direktors der neugegründeten Sternwarte, Giulio Domenico Cassini (geboren 1625 zu Perinaldo, gestorben 1712 erblindet im Pariser Observatorium). Daß der erst 44jährige, an der Universität zu Bologna wirkende Geodät und Astronom in diese Stellung berufen wurde, ist Picard zu verdanken. Seit jener Zeit beginnt die mathematische Erdkunde und vereinigt sich aller kartographische Glanz auf Frankreich, um dort fast 100 Jahre, bis der Schwerpunkt der Meß- und darstellenden Kunst auf die Briten überging, zu weilen. Der liebenswürdige und gewandte Domenico, der sich freilich undankbar gegen Picard erwies und ihn verdrängte, wurde der Stammvater jener für Frankreichs Kartographie so überaus bedeutungsvollen Astronomenfamilie, die mehrere Menschenalter in ständiger Gemeinschaft mit der Akademie der Wissenschaften und dem später entstandenen Bureau des longitudes am Pariser Observatorium wirkte und Frankreich seine berühmte Karte gab. 1683 begannen die neuen Gradmessungsarbeiten. Lahire erweiterte Picards Messung nach Norden, Domenico Cassini setzte sie nach Süden bis Roussillon fort. Colberts Tod unterbrach die Arbeit, die 1700 Domenicos Sohn und Gehilfe Jacques (geboren 1677 zu Paris, gestorben 1756 zu Thury) bis Canigou verlängerte, um in den Jahren bis 1718 gemeinsam

---

[1]) Den Kugelradius von Picard mit 6372 km führte Newton in seine Formeln für die Wirkung der Schwerkraft ein und fand so sein berühmtes Gravitationsgesetz bestätigt.
[2]) Siehe auch Lahire: „Traité du nivellement par M. Picard." Paris 1684.

denen erwähnt seien z. B.: „Carte itinéraire kilométrique des chemins de fer belges indiquant la distance et la durée de tous les parcours en Belgique et vers les principales
villes d'Europe par les trains le plus rapides", auf 1 Blatt, farbig (73:55 cm), Brüssel
1899, J. Lebègue & Cie, ferner „Carte des chemins de fer de la Belgique" 1:370000, auf
1 Blatt (59,5:70 cm), 8. L. 1899, ferner Alfred Castaigne: „Carte vélocipédique de
la Belgique 1:320000, dressée avec le concours du Touring-Club de Belgique", avec
tracés en différentes couleurs, 1 Blatt (87,2:68,8 cm). Brüssel, A. Castaigne, 1899, sowie
die große farbige „Carte de Belgique 1:160000, appropriée à l'usage des cyclistes et élaborée avec le concours de la Ligue vélocipédique belge", in 6 Blatt, und endlich die bei
Alf. Castaigne erschienenen „Itinéraires vélocipédiques, publiés par le Touring-Club de
Belgique", dressées par Eugène Carniaux, Nr. 1—108[b] auf 6 Seiten, 2. Aufl., 1899.
Schließlich möge von einheimischen belgischen Arbeiten noch der Wandkarten gedacht
sein, so z. B. J. Roland: „Cartes murales de géographie en couleurs", welche auf je
1 Blatt (100:130 cm) die verschiedenen Provinzen enthalten. Sie sind bei Ad. Wesmael-
Charlier in Namur erschienen, ebenso desselben Verfassers „Cartes murales d'histoire en
couleurs", welche das alte Belgien, das feudale Belgien &c. auf je 1 Blatt (100:130 cm)
darstellen. Auch G. F. Alexis-M. „Carte historique scolaire de la Belgique" 1:250000,
auf 1 Blatt (118:89 cm), in der „Procure des Frères" zu Alost 1898 erschienen, gehört
hierher.

Von ausländischen Arbeiten ist zunächst die auf Grund der durch den französischen
General Colon 1800—4 durch den Obersten Tranchot ausgeführten Triangulation 1. und 2. O.
und 1802—14 in 1:20000 ausgeführten topographischen Aufnahmen vom Dépôt de la guerre
hergestellte „Carte topographique des pays entre la France, les Pays-Bas et le Rhin"
1:100000, in 15 Blatt, hervorzuheben, die 1822—48 gestochen ist und Belgien mit umfaßt. Das sehr gut in senkrechter Beleuchtung dargestellte Gebirgsland enthält zuerst
Höhenkoten. Die Ausführung gleicht den besten Blättern der französischen Carte de
France in 1:80000. Dann die Blätter der topographischen Spezialkarte von Mitteleuropa
1:200000 (Reymann) des Preußischen Generalstabes, ferner der W. Liebenowschen Spezialkarte von Mitteleuropa 1:300000 und des Stielerschen Atlas.

Die kartographische Literatur ist besonders in geschichtlicher Hinsicht genügend reichhaltig. Aus älterer
Zeit sei auf die „Description de tout le Pays-Bas" von L. Guicciardini hingewiesen, die 1567 zu Anvers erschien, sowie Merians „Topographia circuli Burgundici, d. i. Beschreibung der 17 niederländischen Provinzen",
Frankfurt 1654. Im 19. Jahrhundert hat zunächst Van der Maelens „Dictionnaire des provinces de la
Belgique" in 9 Bänden, das seit 1833 erschienen, Wert. Ebenso Tarlier et A. Wauters: „La Belgique ancienne et moderne", Bruxelles 1865. Eine bedeutende Arbeit ist Joachim Lelewels (1786—1861) „Géographie du moyen âge", Brüssel 1850—57. Sie gibt in 4 Bänden mit 18 Tafeln und Karten und einem Atlas
von 50 Karten eine reiche Materialiensammlung der wenig behandelten Zeit der Araber und Lateiner bis über die
Zeit der Reform der Kartographie im 16. Jahrhundert, nebst einer eingehenden: „Table chronologique". Weiter
ist Henrionets „Notice sur les travaux topographiques exécutés au dépôt de la guerre de Belgique", Brüssel
1876, zu nennen. Dann die Schrift des Generals Hennequin: „volution cartographique et Étude historique
sur l'exécution de la Carte de Ferraria" (Bull. soc. r. belge de géogr. 1891). Weiter: H. Wauwermans
„Essai de l'histoire de l'école cartographique Anversoise du XVIe siècle", 1894—95, die zwar etwas weit ausholt,
aber viel Interessantes bietet, besonders auch über Gemma Frisius, Gérard de Jode, Mercator, Ortelius, Hondius.
Auch Ch. Ruelens: „Les monuments de la géographie des bibliothèques de Belgique. Cartes de l'Europe 1480 bis
1485", 4 Karten in 4 Blatt mit erklärendem Text, Brüssel 1887, möge erwähnt sein. Interesse bietet auch
„Van der Beke, Carte de Flandre de 1538, avec texte explicatif", par F. van Ortrog, Gand 1897. Bezüglich
der eigentlichen Vermessungsliteratur ist zunächst Liagre: „Calcul des probabilités et théorie des erreurs avec
des applications aux sciences d'observation en général et à la géodésie en particulier" zu nennen.
Dann von offiziellen Schriften: „Compte rendu des opérations de la commission instituée par le ministre de la guerre pour étalonner les règles qui ont été employées en 1850—53 par les officiers d'état-major de
la section géodésique du dépôt de la guerre, à la mesure des bases géodésiques", Bruxelles 1855. Ferner:
„Triangulation du royaume de Belgique" in 6 Bänden (1867—86), enthält die Basismessungen, astronomischen Beobachtungen, Berechnung der geographischen Koordinaten, Konstruktion der Karte und Triangulation
1. Ordnung. Dann „Notice sur les travaux géodésiques au dépôt de la guerre de Belgique", Bruxelles 1876.
Endlich „Nivellement général de Belgique", Ixelles-Bruxelles 1879 (vom Militärkartographischen Institut
verfaßt). Den einzigen Lehrstuhl des Landes für Geographie zu Brüssel (Universität) ziert J. Elisée Reclus,
dessen Werke „La terre" (1867—68) und vor allem die „Nouvelle géographie universelle" (19 Bände, 1875—94)
hinlänglich jedem Geographen bekannt sind. In kartographischer Hinsicht ist von ihm namentlich hervorzuheben,
daß er 350 Jahre nach Mercator auf den Gedanken zurückgegriffen hat, die Landkarten auf einer Kugelfläche
wiederzugeben. Das Gradnetz der Plandarstellung genügte nicht, die Verzerrungen zu verbessern, die sich durch

den Gebrauch von Papierkarten bilden. Daher wendet Reclus für seine sphärischen Karten aller Art (Wandkarten, Reliefs, Globen) Metallblech mit sehr schönem Aufdruck an. Am zweckmäßigsten möchte sein Verfahren für Sternkarten sein. Europa hat er in 10 sphärischen Blättern 1 : 500000 (von 47 cm Seite), die Erde in 36 Karten 1 : 10 Mill. dargestellt.

IV. Luxemburg.

Das einen selbständigen neutralen Staat unter der Regierung seines Großherzogs Adolf bildende kleine Land (2587 qkm, d. h. etwa so groß wie das Herzogtum Meiningen) war bis 1890 durch Personalunion mit den Niederlanden verbunden, nachdem es bis zur Auflösung des Deutschen Bundes 1866 nominell diesem angehört hatte. Eine eigene, selbständige Kartographie hat sich in dem kleinen Gebiet nicht entwickeln können, es wurde stets von den Ländern beeinflußt, denen es in seiner wechselvollen Geschichte angehört hat, am meisten wohl von Belgien und Holland. Im 10. Jahrhundert machten sich die Grafen der Ardennen von den lotharingischen Herzögen frei und Graf Siegfried erwarb 973 das Schloß Lucelinburg, aus der die Stadt entstanden ist, die dem heutigen Großherzogtum den Namen gegeben hat. Von nun an nennen sich er und seine Nachfolger Grafen v. Lützelburg, welche Dynastie zu großer Macht gelangte, aber 1437 unter Kaiser Sigismund ausstarb. 1443 wurde das Herzogtum mit Burgund vereinigt und teilte später das Schicksal der spanisch-österreichischen Niederlande, 1659 wird ein Teil an Frankreich abgetreten. Seit dem Wiener Frieden 1815 war Luxemburg ein Glied des Deutschen Bundes, ohne ihm innerlich anzugehören; es blieb holländisch. Nachdem es sich 1830 an dem belgischen Aufstande beteiligt hatte, mußte es 1839 den bei weitem größeren Teil an Belgien abtreten, wofür ein Stück von Limburg dem Namen nach für deutsches Bundesgebiet erklärt wurde, ohne daß dies eine praktische Folge gehabt hätte. Der kleinere Teil des Landes im Umfange des heutigen Großherzogtums blieb beim Deutschen Bunde, nach dessen Auflösung es von den Garantiemächten 1867 für neutral erklärt und mit den Niederlanden uniert wurde. Das reichlich orographisch gegliederte und viele landschaftliche Reize besitzende Land ist aber leider kartographisch vernachlässigt.

Den heutigen Karten liegt eine Katasteraufnahme des Chefs des Bureaus Liesch aus den sechziger Jahren zugrunde, die unter Benutzung der belgisch-niederländischen bzw. der Tranchotschen Triangulierungen aus dem Anfange des 19. Jahrhunderts ausgeführt worden ist. 1881 hat Belgien eine Basis bei Luxemburg mit dem Besselschen Apparat gemessen und mit dem neueren belgischen Netz in Verbindung gebracht.

Die offiziellen Karten Luxemburgs haben wegen Mangels der Geländedarstellung und von Höhenzahlen nur einen beschränkten Wert, zumal die Bodenformen[1]) reichlich gegliedert sind.

Es gehören hierher:

1. „Carte du Grand-Duché de Luxembourg 1:40000" in 9 Blatt. Ein Steindruck ohne Gelände und Höhenangaben aus dem Jahre 1862.

2. „Carte du Grande-Duché de Luxembourg 1:90000" in 4 Blatt. Lithographie aus dem Jahre 1861.

3. „Plan de la ville de Luxembourg 1:2500" auf 1 Blatt, Steindruck von 1864.

---

[1]) Die Höhen gehen im südlichen Luxemburg nicht über 500 m, die Täler senken sich bis unter 200 m, an der Mosel fällt das Land bis zu 140 m herab.

nioht übertroffenes schuf. Wenn auch erst Alexander v. Humboldt eine wirklich ver-
gleiohende Hypsometrie aus den sich häufenden Höhenbestimmungen schuf, so bleibt Frankreichs Verdienst um die Isohypsen doch ein recht großes. Philippe Buaches (1700—73)[1]
1733 entstandene, 1737 der französischen Akademie mit einem Längenschnitt vorgelegte
und 1752 (zugleich mit des Holländers Cruquius Einführung von Flußsondierungen) veröffentlichte erste Isobathenkarte des Kanals La Manche bleibt ein bedeutungsvolles Dokument, auch wenn ihr Urheber vielleicht die Bedeutung der Niveaulinien für die Kartographie noch nicht geahnt hat. War es doch auch ein französischer Genieoffizier, Millet
de Mureau, der auf seinen Festungsplänen zu jedem nivellierten Punkte eine Höhenzahl
setzte und in einer 1749 erschienenen Abhandlung die Darstellung des Geländes durch
Horizontalen forderte. Gab doch 1782 der Géographe du Roi Dupain Triel (1722—1805)
auf Ducarlas Anregung die Theorie der Isohypsen und ließ 1791 eine Karte: „La France
considérée dans les différentes hauteurs de ses plaines", in dieser Ausführung, d. h. mit
Niveaulinien von 10 Toisen Abstand nebst Höhenschichten — den ersten eines ganzen
Landes — erscheinen. Auf Lavoisiers Antrag erhielt er 1792 dafür 1000 Francs als
Nationaldank, doch kam die Höhenschichtenkarte[2] erst nach den Napoleonischen Kriegen
zur weiteren Ausbildung und Anwendung[3]. Denkwürdig bleibt auch die erste Messung
des Pierre Teyde auf Teneriffa durch den Franziskaner Feuillée 1724, der auch den Abstand des Pariser Meridians von Ferro bestimmt hat. Ferner die Zusammenstellung der
besten astronomischen Ortsbestimmungen der Zeit durch Picard in seiner
„Connaissance des temps", durch welche sich die Franzosen zuerst von den damals auf
diesem Gebiete herrschenden Holländern freimachten. Picard und Lahire haben 1679—81
die wichtigsten Punkte Frankreichs bis auf eine Bogenminute ihrer Länge genau mittels der
(seit Galilei dafür benutzten) Jupitermonde bestimmt. Endlich sei noch auf die theoretisch wichtige Bereicherung der Kartenentwurfsarten durch die freilich seltene und
mühsame externe Projektion von Lahire (1701) und Antoine Parent hingewiesen.

Was nun die ältesten Karten Frankreichs anlangt, so soll es im 15. Jahrhundert
eine solche italienischen Ursprungs gegeben haben. Die erste bekannte Karte von Frankreich findet sich in der 1478 (?) gedruckten Florentiner Ausgabe des Ptolemäus von Francesco
Berlinghieri[4]. Sie ist in Kupfer gestochen und enthält so gute Einzelheiten, daß
sie wohl auf eigene Beobachtungen sich stützt, wie schon damals (ebenso auch in Italien)
Spezialaufnahmen und -karten vorhanden gewesen sein müssen, ohne daß sie bisher bekannt
geworden sind. Der nächst älteste bekannte Versuch einer Karte Frankreichs ist in der
seltenen ersten deutschen Ptolemäus-Ausgabe von 1482 enthalten, die bei Leonhard
Holl in Ulm gedruckt ist. Sie hat 5 neue (zu den 27 alten) Karten in einer gegen
1460 von dem Benediktinermönch Nicolaus Donis aus dem Kloster Reichenbach bei
Regensburg verbesserten Übersetzung aus dem Griechischen, die zugleich auch die ersten
von Johann Schnitzer in Holz geschnittenen Karten zum Ptolemäus sind. Die ursprünglichen Karten waren im Mittelalter verloren gegangen, und Donis hat sie rekonstruiert.
Da finden wir eine ziemlich rohe Skizze Frankreichs, allerdings schon gegen die Angaben
des Ptolemäus verbessert. Dann folgt 1513 die Karte Martin Waldseemüllers in der
so wichtigen Straßburger Ausgabe des Ptolemäus, welche, trotzdem man noch die Vorlage des Dominus Nicolaus erkennt, vielfach verbessert ist. Für die Küste des Mittelmeeres ging Waldseemüller auf Berlinghieri (1478?) zurück. Als vierte Karte ist dann

---

[1] Er schrieb 1752 auch einen „Essai de géographie physique".
[2] Die erste hypsometrische Karte Europas veröffentlichten die Dänen Olsen und Bredstoff 1830.
[3] Dupain-Triel gab auch 1784 eine „Carte minéralogique de France, dressée sur les observations de Gues-
tard" und 1791 eine „Carte générale de la navigation intérieure de la France" heraus.
[4] In Nordenskiölds Faksimile-Atlas S. 13 wiedergegeben. Die zu dieser italienischen Übersetzung
gehörigen Karten (darunter auch tabulae novae von Italien, Spanien und Palästina) hält Guglielmo Libri für die
ältesten Kupferkarten.

in der Ptolemäus-Ausgabe von 1522 eine rohe Nachahmung der Arbeit Waldsee-müllers zu nennen. Dann ist die Darstellung des ersten bedeutenden französischen Karto-graphen Orontius Finaeus (Oronce Finé)[1] zu nennen, deren Originalausgabe schon 1536 erschienen sein muß, aber nicht wiedergefunden ist. Die Universitätsbibliothek zu Basel besitzt ein Exemplar in 4 Blättern von 1538. Diese Karte beruht auf einem Netz von Längen und Breiten, und bleibt das wichtigste Denkmal damaliger französischer Karto-graphie. Oronce Finés „Weltkarte" enthält übrigens zuerst die später so häufige Bezeich-nung „terra australis". Auch in einer zu Lyon bei Trechsel erschienenen Ptolemäus-Ausgabe ist Frankreich, jedoch wenig glücklich, dargestellt. Größer ist schon bezüglich der allgemeinen Gestalt der Fortschritt in der Karte des Sebastian Münster in seiner 1544 zuerst in Basel erschienenen „Cosmographia", welche 1552 eine französische Ausgabe erlebte, und noch erheblicher in auf Grund von 12 Ortsbestimmungen gezeich-neten und in den Längen auf Brest bezogenen Karte Jolivets von 1560. Deshalb hat Abraham Ortelius sie auch als beste Darstellung für sein „Theatrum orbis terrarum" 1570 benutzt. Von andern Kartenwerken französischer Herkunft sei Pierre Desceliers 1547—59 geschaffene Weltkarte König Heinrichs II. genannt, die trotz ihres glänzenden Gewandes von geringem wissenschaftlichem Wert ist. Nur in der Darstellung des süd-östlichen Asien sowie des indischen Archipels weist sie erhebliche Fortschritte auf[2]. Auch von Guillaume Postel (1510—1581), der auf seiner 1581 zu Paris erschie-nenen „Pola aptata nova carta universi" die zuerst 1569 von Gerhard Mercator in nor-maler Lage benutzte azimutale Projektion mit längentreuen Mittelabstandskreisen anwandte (weshalb später diese Entwurfsart fälschlich nach ihm benannt wurde)[3], stammt eine Carte de France von 1570. Dem König Heinrich IV. (1589—1610) wurde 1594 ein nationaler Atlas von Frankreich „Le Théâtre français" von Bouguereau (Tours) gewidmet, von dem sich ein vollständiges Exemplar in der Pariser Nationalbibliothek erhalten hat[4]. Auch stammt aus diesem Jahre die Karte des ersten Kartographen von Limousin, Jean Fayen. Dagegen besitzen wir keinerlei Schlachtenkarten aus der Zeit des Königlichen Feldherrn. Auch die beschreibenden Pläne der militärischen Ereignisse, welche unter seinem Nachfolger Louis XIII. (1610—43) entstanden, und unter denen namentlich Callots Ansichten der Belagerung von La Rochelle und der Insel Ré hervorzuheben sind, bieten nichts weiter als aus der Vogelperspektive dargestellte Schlachtszenen[5].

Zur Zeit Louis' XIV. (1643—1715) begleitete der Maréchal de camp Beaulieu die Armeen und stellte ihre Schlachten und Belagerungen in Gemälden dar, die das Gelände in demi-perspective wiedergaben und durch geistvolle Kartuschen verziert waren. Dazu schrieb er „Erläuterungen". Sebastien Leclerc und Châtillon fertigten „Ansichten" à la Callot. Die Ingenieurgeographen wurden damals verschiedenen Regimentern, denen sie zugeteilt blieben, entnommen. Es ist eins der wenigen Verdienste des großen Marschalls Vauban um die französische Kartographie, daß er ihnen eine feste Organisation als „Ser-vice spécial d'Ingénieurs des Campes et Armées" gab. Dagegen fehlte eine seiner würdige militärische Karte ganz. Wohl aber sorgte er für genauere topographische Aufnahmen der Festungen und Schlachtfelder. Sie erstreckten sich aber nur auf den engsten Bereich des Platzes und waren mit der Feder und dem Pinsel sorgfältig und sehr schön aus-geführte Pläne, sowohl von seiner Hand wie von der seiner Schüler Grandval, Vosgin, Villeneuve, dann auch solche von Andréossi, Richer u. a. Alle diese Entwürfe sind von

[1] L. Gallois: La carte d'Oronce Finé. (Bullet. de géogr. hist. et descript. 1891.)
[2] Faksimiledruck in Jomards „Monuments".
[3] Sie findet sich noch heute, z. B. in dem Debesschen Handatlas verwertet.
[4] Drapeyron in Rev. Géogr. 1894.
[5] Die älteste bekannte französische Weltkarte ist die heute in der Dresdener Königl. Bibliothek befind-liche des Nicolas Desliens von Dieppe (1541), auf der sich auch das Ergebnis der Entdeckungsfahrten des ersten französischen Reisenden, Jacques Cartier 1534, befindet.

ungewöhnlicher Klarheit und Genauigkeit, so daß sie den höchsten Beifall Colberts und Louvois errangen. Auch ließ Vauban von einem Teile der Festungen, zuerst von Lille, große Reliefdarstellungen fertigen[1]). Peisnier sammelte Lagerpläne der Armee des Marschalls Luxembourg, Beauvain gab die Feldzüge Condés, Turennes und Catinats mit solchen Plänen heraus. Die einzige militärische Karte, die den Rhein darstellt, lieferte Sengre, der Ingenieur des großen Condé. Doch ist es mehr ein Kroki. Sehr interessant ist auch eine Karte der Cevennen von 1703 mit dem Titel: „Les montagnes des Cévennes, où se retirent les fanatiques du Languedoc, et les plaines des environs, où ils font leurs courses, avec les grands chemins royaux faits par l'ordre du roi pour rendre ces montagnes praticables sous les soins de M. de Basville, intendant du Languedoc." Allen diesen Karten fehlten aber noch astronomische Bestimmungen zur Festlegung der Längen und Breiten, weshalb Frankreich außergewöhnlich verzerrt war, besonders in der Richtung von O nach W. So findet sich z. B. bei Jolivet ein Irrtum in den Breiten von 0° 45′ und in den Längen von 1° 25′ bei 1° 38′ bzw. 3° 49′ Maximalfehlern. Im wesentlichen hatten Itinerare, namentlich der das Land durchziehenden Römerstraßen, als Grundlage gedient, und dabei hatte man sich in der wahren Länge der römischen Meile bedeutend geirrt[2]). Die eigentliche Topographie ging unter einem Wuste schlechter Materialien unter und litt unter gänzlich falscher Geländedarstellung. Seit 1645 beginnen auch die großen, bei Hubert Jaillot in Paris bzw. Amsterdam oft verlegten Sansonschen Atlanten von Frankreich zu erscheinen. Indessen stützten sich die — trotz äußerer Pracht und schönen Kupferstichs unzulänglichen — Karten des berühmten Königlichen Geographen Nicolas Sanson d'Abbeville (1600—1667) und seiner Söhne (Nicolas, Adrien, Guillaume) hauptsächlich auf Ptolemäus oder bildeten die Holländer nach und enthielten noch große Längenirrtümer — im Gegensatz zu der Genauigkeit eines Mercator, und obwohl die Kenntnisse der Zeit Besseres gestatteten. So ist die Verzerrung in der Generalkarte „Gallia antiqua" von Nicolas Sanson auch wieder in der 1679 erschienenen „Carte de France" des Adrien Sanson zu finden, und der Atlas von 1693 wiederholt noch die Mißgestalt Frankreichs in Ortelius' Theatrum, wo zwischen Brest—Paris der Längenabstand 8° 31′ (statt 6° 50′) beträgt. Auch Domenico Cassinis 1685 erschienene „Mappa critica Galliae" verkürzt Frankreich sowohl von Norden nach Süden (um ³/₄ Breitengrade) als von Westen nach Osten (gar um 2 Längengrade). Louis XIV. durfte deshalb nicht mit Unrecht einst scherzend sagen, die Herren der Akademie raubten ihm einen Teil seiner Staaten[5]). Dennoch ist Cassinis 1680 entworfenes Weltbild der erste Versuch, neue Ortsbestimmungen zu benutzen. Als aber Picards „Connaissance des temps" erschienen war, wurden die Verhältnisse besser. Schon Nicolas de Fers neue Karten des Festlandes von 1700, noch mehr aber die Arbeiten des bedeutenden Geographen Guillaume de l'Isle (1675—1726), der an 100 Karten veröffentlicht hat, bewiesen das. Er hat zuerst ausgiebig die neuen Ortsbestimmungen benutzt, wobei er sich auf die Beobachtungen von de Chazelle, Feuillée[4]) und Duhalde vorzugsweise stützte

---

[1]) Heute zum Teil im Hôtel des Invalides, zum Teil im Berliner Zeughause.

[2]) Abbé Fréret hat dies 1739 in einem „Mémoire sur la comparaison des mesures itinéraires romaines avec celles qui ont été prises géométriquement par MM. Cassini dans une partie de France" nachgewiesen. (Tome XIV du Recueil de l'Académie des Inscriptions.)

[3]) Das Gegenstück findet sich heute in Sibirien, das nach den neuesten Aufnahmen 100000 qkm größer ist als früher. Übrigens hält H. Wagner in seinen vorerwähnten „Bemerkungen" diese „Mappa critica" oder zum mindesten den Titel für apokryph und neigt der Ansicht zu, daß die Sache in Verbindung steht mit der „Carte de France, corrigée par ordre du Roy sur les Observations de Mrs de l'Académie des Sciences", die dem Tome VII P. J. der Mémoires de l'Académie roy. des sciences (depuis 1666 jusqu'à 1699), Paris 1729, beigefügt ist, wo allerdings leider nichts Näheres über ihre Herkunft und die Zeit der Abfassung gesagt wird. Diese Karte stellt nun aber eine, wenn auch „kritische", Berichtigung dar, weshalb es mir nicht wahrscheinlich ist, daß sich die Äußerung Louis' XIV. von der Verkürzung seiner Staaten auf sie bezogen hat, sie also mit der Mappa critica identisch ist.

[4]) Das Verdienst des französischen Franziskanermönches Louis Feuillée um genaue Ortsbestimmungen ist besonders groß. Auf seinen vielen Reisen von 1700—1724 in der Levante, Süd- und Mittelamerika und

und ein ungewöhnliches Wissen, vielleicht aber einen noch größern Mut bewies, die seit 150 Jahren im Umlauf befindlichen Erdgemälde durch neue und ungewohnte zu ersetzen. Schon seine Weltkarte von 1700, dann seine 1724 erschienene Karte von Europa zeigen ein naturähnliches Bild des Mittelmeeres und damit des Kontinents, indem die alte Ausdehnung nach Ptolemäus von 62 Längengraden, die allerdings inzwischen auf etwa 56 gebracht waren, auf die wahre von 42 solchen eingeschränkt war. Auch seine Karte von Frankreich von 1709, seine „Mappemonde à l'usage du Roy" (1757), seine Karten von Afrika, Asien und sein wahrscheinlich zwischen 1745 und 1750 erschienener „Atlas géographique", von dem 1789 Jean Nicolas Buache eine Ausgabe besorgte, sind ausgezeichnet durch größere Naturtreue als die meisten Karten der damaligen Zeit[1]). Von noch größerer Bedeutung wegen ihrer Klarheit, guten Kritik, Richtigkeit der Umrisse und sorgfältigen Einzelheiten waren dann die 1717—80 entstandenen, mit seltener Feinheit und Geschick ausgeführten Kartenwerke des kritischen und gelehrten, entschieden bedeutendsten Geographen der Zeit Jean Baptiste Bourguignon d'Anville (1697 bis 1782). Seiner „Carte de France par provinces" (1719) fehlt freilich, wie allen zeitgenössischen Arbeiten, eine gute topographische Grundlage, so sehr auch die allgemeinen Umrisse Frankreichs zutreffend dargestellt waren. Die nach dem Frieden von Ryswick 1697 an die Intendanten des Königreiches gerichtete Ermahnung, die vorhandenen Provinzkarten zu verbessern und zu ergänzen, sowie alle Fehler zu melden, „enfin que le tout fût remis entre les mains de Sieur Sanson, géographe ordinaire de Sa Majesté", konnte keine erhebliche praktische Folgen haben trotz der 42 Foliobände von darauf eingelaufenen Berichten. Die noch jetzt in der Pariser Nationalbibliothek schlummernden 20 Bände sind ein Wissen ohne Wert. Für die Topographie fehlte es eben an jeder Methode und Detail, in einem Wust schlechter Materialien ging damals die französische Geländedarstellung unter, oder es gab nur Krokis und „schöne Ansichten". Epochemachend war zunächst d'Anvilles „Nouvel Atlas de la Chine, de la Tartarie Chinoise" von 1735, der Duhaldes wichtigem, die ganze damalige Kenntnis über China zusammenfassenden Werke: „Description géographique, historique, chronologique, politique et physique de l'Empire de la Chine et de la Tartarie Chinoise" (4 Bde, Paris 1735) beigefügt war. Denn er benutzte die Karten der Jesuiten und deren Ortsbestimmungen und hatte durch Änderung der Methode in Projektion und Zeichnung ein Meisterwerk geschaffen, das sämtliche Provinzen des chinesischen Reiches, Tibet, die Mongolei und die Mandschurei zur Anschauung brachte und die bisher herrschenden Karten Martinis verdrängte. Auf Jahre hinaus, fast bis zu Richthofens Atlas, beherrschten die Karten d'Anvilles die Darstellung Chinas, alles andere war nur (mit geringen Ausnahmen) Nachbildung seiner Arbeit, trotz ihrer zahlreichen, aber in der Zeit begründeten Mängel. D'Anville brachte unaufhörlich Verbesserungen an den in seiner Hand befindlichen Originalen an, namentlich auch durch Benutzung der neueren Ortsbestimmungen Gaubils u. a. sowie aller erhältlichen Itinerare. Es entstanden 1751—53 darauf seine Carte d'Asie, auch fertigte er eine große Karte von Afrika (1749) und einen Atlas antiquus major (1768). Alle diese Arbeiten vereinigte dann sein Atlas général (1780). Treffend charakterisiert Vivien de St. Martin ihn und de l'Isle mit den Worten: „de l'Isle avait seulement touché aux traits d'ensemble et aux contours extérieurs; d'Anville allait embrasser tous les détails dans leur diversité infinie". Von weiteren französischen Arbeiten dieser Zeit möchte ich ferner noch Guillaumes Bruders, Joseph Nicolas de l'Isles (1658—1768), von der Petersburger Akademie 1745 veröffentlichten Atlas von Rußland in 20 Blatt (davon die Detailkarten in 1:1428000),

---

nach den Kanarischen Inseln ermittelte er Längen mittels der Verfinsterung der Jupitermonde, die nur um ½° falsch waren, und Polhöhen auf 2—3 Minuten genau.
[1]) H. Wagner erwähnt noch eine zweite Ausgabe der „Karte von Europa, à l'usage du Roi", auch von 1724, die im wesentlichen sich nur durch Abänderungen des östlichen Europa von den früheren unterscheidet.

17*

bei dem auch Euler, Heinsius und Lomonossow mitgewirkt haben, sowie Robert de Vaugondys Atlanten (1747) erwähnen.

Unter den militärischen Karten dieser Zeit sei die von Roussel und Blottière auf Befehl des Regenten gefertigte, 1730 vollendete „Carte générale des Monts Pyrénées 1 : 330000" hervorzuheben. Sie umfaßt das Grenzgebiet zwischen Frankreich und Spanien und die angrenzenden Länder auf 10—15 lieues Breite innerhalb Frankreichs und in Spanien sogar bis zum Ebro, und ist so orientiert, daß Spanien oben, das Mittelmeer links, der Ozean rechts liegt. Jede geographische Position fehlt, dagegen sind auf dem weißen Raume Orientierungslinien gezogen. Die Geländedarstellung in Kavalierperspektive ist gänzlich mißglückt und veraltet, und die Karte, zu der 1718 die topographischen Arbeiten in 1 : 36000 und 1 : 108000 auf französischer Seite begannen, während vorhandenes spanisches Material für Spanien benutzt wurde, ist ohne Wert, nur eine geschichtliche Merkwürdigkeit. Alle Wege sind durch zwei Linien ohne weitere Klassifizierung dargestellt, am gelungensten ist noch die Wiedergabe größerer Städte und von Festungsanlagen. Etwas vollkommener ist die unter Leitung des General Bourcet von 1749—54 aufgenommene „Carte géométrique du Haut-Dauphiné et du Comté de Nice" in 9 Blatt 1 : 86400, welche zwar das in Bergstrichen dargestellte Gelände auch in Kavalierperspektive wiedergibt, aber doch nicht so verzerrt und entstellt, so ohne jeden Zusammenhang wie die Roussel-Blottièresche Arbeit. Die Alpen machen sogar einen naturwahreren Eindruck als auf der späteren Cassinischen Karte. Dazu ist die Ausführung der Zeichnung klar und bestimmt, die Schrift selbst elegant, so daß dies Werk einen Fortschritt bedeutet und typisch für die Leistungen der letzten Zeit der einstigen Ingénieurs des Camps et Armées genannt werden kann, die seit 1726 diesen Namen führten und sich durch ihre topographischen Arbeiten am Rhein, in Westfalen, Hessen, Hannover sowie auf den Schlachtfeldern des Siebenjährigen Krieges, wo sie den Generalstäben zugeteilt waren, auszeichnen sollten. Erst 1744, während der italienischen Kriege, erhielten sie aber eine festere Organisation, die Uniform der Ingénieurs ordinaires du Roi unter dem Namen „Ingénieurs géographes". Ihre Chefs hatten den Rang der Stabsoffiziere. Es möchte hier die Gelegenheit sein, auf die Gründung des „Dépôt de la guerre" etwas einzugehen, von dem die Ingenieurgeographen anfangs unabhängig waren. Dieses für die französische Staatskartographie später so bedeutungsvolle Institut verdankt dem nach Colberts Tode allmächtigen Kriegsminister Louvois seine Entstehung. Es wurde 1688 zunächst zu dem Zwecke errichtet, eine Sammelstelle für Kriegspläne und Denkschriften aller Zeiten und aller auf die Kriegsgeschichte bezüglichen Arbeiten zu sein. Gegen Ende der Regierung Louis' XIV. wurde dieses ohne jede Beziehung zur Kartenherstellung noch stehende Kriegsarchiv vom Hôtel Louvois nach dem Hôtel des Invalides in Paris verlegt. Es entfaltete eine rege militärliterarische Tätigkeit, indem es unter Leitung des zweiten Direktors, General Vault (1760—90), in 125 Bänden die Geschichte der Kriege von 1677 bis 1763 darstellte[1]). Erster Direktor im Invalidenhotel war der Marschall de Maillebois (1734—60). Neben diesem Archiv bestand ein „Dépôt des cartes et plans du Ministère de la Guerre", und für alle Karten und Denkschriften des Geniekorps und der Landesverteidigung ein „Dépôt des Fortifications". Beide wurden 1744 vereinigt und die Ingenieurgeographen, ohne ihm unterstellt zu sein, in Beziehung zu dem neuen Dépôt gebracht. Vielmehr hatten die vom König zu den Armeen gesandten Ingenieurgeographen ihre Arbeiten direkt dem Kriegsministerium unter gleichzeitiger Berichterstattung an den Armeebefehlshaber einzureichen. Es war meist das Tableau der verschiedenen Versammlungslager und Stellungen der Armee, sowie gegebenenfalls ein Plan des Schlachtfeldes und der angelegten Befestigungen, Laufgräben, sowie oft

---

[1]) Bereits 1720 war die berühmte Kartensammlung 3900 Foliobände stark!

auch eroberter Städte. Auch nahmen sie vor 1748 eine Karte des Teils der Niederlande auf, in dem der König selbst sein Heer befehligte. Nach dem Frieden von Aachen wurden die beiden Dépôts von neuem getrennt, und der Chef der Ingenieurgeographen, Berthier, erhielt die Leitung des Dépôt des cartes et plans in Versailles. 1761 wurde das bisher in Paris befindliche Dépôt de la Guerre (Kriegsarchiv) wieder mit ihm vereinigt und dazu ebenfalls nach Versailles in die Neubauten des Kriegsministeriums verlegt. Nun wurde das Korps der Ingenieurgeographen dem Dépôt unterstellt und erhielt 1769 am 1. April eine neue Organisation. Das Dépôt des Fortifications wurde dagegen seit 1748 wieder dem Geniekorps zugewiesen.

Die Ingenieurgeographen wurden, wie wir sehen werden, Cassini zur Ausführung seiner Triangulation zur Verfügung gestellt.

Von allen bisherigen Arbeiten gilt, daß sie nur die Planimetrie, das Gerippe, geometrisch richtig wiedergaben und wiedergeben konnten. Das Gelände war meist Phantasiegebilde, selbst in d'Anvilles chinesischen Wasserscheidegebirgen. Es waren entweder Reihen kleiner Maulwurfshügel, als ob sie das Auge von der vorliegenden Ebene aus betrachtet, oder — etwa vom ersten Viertel des 18. Jahrhunderts ab — kavalierperspektivische Darstellungen, die zugleich die Rauheiten der Erdoberfläche durch Raupengestalt mit dachförmigen Abhängen auszudrücken versuchten. Das konnte nicht anders sein, da die damaligen Instrumente, Graphometer, Mekometer usw., keine wirklichen Höhenmessungen gestatteten. So haben wir Planbilder ohne Rücksicht auf Erdkrümmung und ohne regelrechtes Gradnetz zur Bestimmung der einzelnen Punkte. Zwei in einem Punkte, möglichst in der Mitte des Blattes sich rechtwinklig kreuzende Achsen bildeten die Grundlage, auf die alle übrigen Punkte des Netzes bezogen wurden, mochte die Karte so groß oder so klein sein, wie sie wollte. Doch bald kam die Himmelswissenschaft der Kartographie mit ihren zur Lösung feine Instrumente erfordernden Problemen zu Hilfe, die Ergebnisse der Gradmessungen gestatteten dann eine Berücksichtigung der sphärischen Erdgestalt und damit die Herstellung einer topographischen Karte, wie sie in der nun folgenden 2. oder Cassinischen Periode Frankreichs zur Tat wurde. Die Franzosen gaben mit ihr zugleich das erste Vorbild einer wirklich wissenschaftlichen Landesaufnahme großen Stils, deren Anregung Louis XV. zu verdanken ist, und machten Paris zum Mittelpunkt der messenden und darstellenden Erdkunde überhaupt, von der reiche Befruchtung über ganz Europa ausging.

So ist diese Cassinische Periode, der wir uns nun zuwenden, von außerordentlicher Bedeutung für die Entwickelung der Kartographie überhaupt geworden.

2. oder Cassinische Periode.

Es war 1746, als César François Cassini de Thury (1714—84), auf Louis' XV. (1715—74) Befehl als Astronom und Geodät zu den in Flandern operierenden Armeen geschickt wurde, um einmal die letzte Seite des Dreiecks Dunkerque der noch in Ausführung begriffenen französischen Triangulation an die nächste des einst von Snellius bei seiner Gradmessung ausgeführten holländischen Netzes anzuschließen und dann durch eine trigonometrische Punktfestlegung die vielen zusammenhanglosen Aufnahmen des so wichtigen flandrischen Kriegsschauplatzes miteinander zu verknüpfen[1]). Während die Ingenieurgeographen mit Einzelaufnahmen beschäftigt waren, triangulierte für sie Cassini. Als der König am 7. Juli 1747 eine Parade über seine bei Roncoux und Lawfeld siegreich gewesenen Truppen abnahm und dann auf den von Cassini ihm gefertigten Plänen das Gelände und die Verteilung seiner Armee so vortrefflich dargestellt fand, daß er keinerlei Fragen zu stellen nötig hatte, sagte er zu ihm: „Je veux que la carte de mon

---

[1]) Näheres: Cassini, Description des conquêtes Louis XV., depuis 1745 jusqu'en 1748. D'Argenson hatte Cassini dem König vorgeschlagen.

royaume soit levée de même, je vous en charge, prévenez M. de Machault!" — den damaligen Contrôleur général. Das war die Geburtsstunde der Cassinischen Karte, deren
erste Idee also Louis XV., einem Liebhaber der geographischen Wissenschaften und
Schüler Guillaume de l'Isle gehört. Denn alle bisherigen Vermessungen hatten nur einen
rein wissenschaftlichen Zweck gehabt, wenn sie nun auch freilich zur Grundlage dieser
großgedachten und epochemachenden kartographischen Arbeit wurden.

8 Jahre hatten unter Leitung von Cassini, La Caille und Maraldi die allgemeinen
Triangulationsarbeiten in Frankreich schon gedauert, als sie 1740 hinsichtlich des Pariser
Meridians und seiner 1739—40 nach den Gradmessungsarbeiten in Lappland unternommenen Berichtigung vollendet wurden. Während dieser Berichtigung war der Breitenunterschied zwischen Paris und Bourges bestimmt, dort eine neue 7491½ Toisen lange Basis
ermittelt, um als Ausgang einer Netzlegung von da bis Rodez, wo wiederum eine 4426 Toisen
lange Grundlinie gelegt wurde, und von dort bis Perpignan zu dienen, so daß die neue
Triangulation zwischen zwei Basen und zwei astronomischen Stationen lag[1]). Hierbei
fand man die zweifelhafte Genauigkeit der Picardschen Grundlinie, die, wie schon erwähnt,
neu gemessen wurde, und bestimmte durch Pulversignale einen Längengrad (7' 33¼"),
um ihn mit Breitengraden zu vergleichen und gute Übereinstimmung der bezüglichen
Beobachtungen zu finden. Daran schloß sich die Triangulation der Strecke Paris—Dunkerque. Hier wurde bei Amiens eine 5242 Toisen 4 Pieds lange Basis gemessen (Viller-
bretonnaux—Mühle westl. von Harbonnières). Auch die Perpignaner alte, teilweise vom Meer
fortgeschwemmte Basis würde durch eine neue von 7929 Toisen Ausdehnung (Toreilles—
Saint-Cyprien) ersetzt, endlich auf der Ebene der Crau auf der alten Aurelianischen
Straße die längste von allen Grundlinien, nämlich 9353 Toises 4 Pieds, zwischen Salon und
Lieutenance (Strecke Arles—Aix) vermessen. Die Basisapparate wiesen, da sie meist von
Metall waren, einen erheblichen Fortschritt gegen die früheren auf. Thermometer dienten
zur Längenkorrektur. Die Messung erfolgte längs ausgespannter Seile von 50 Toisen
Länge, und stets blieben zwei von den vier Meßlatten am Boden liegen, um die alte Richtung
festzuhalten. Die Operateure (Cassini, Lacaille, Saunac, Le Gros) mußten die Latten selbst
legen, alle 200- und alle 1000-Toisen wurden bezeichnet, und die Endpunkte der Grundlinien erhielten Steinpyramiden. Die Quadranten gestatteten, Winkel bis zu 101° zu
messen und hatten Mikrometerablesung. 3 Umdrehungen und 42 cm einer solchen der
Mikrometerschraube entsprachen 10 Minuten der Teilung des Quadranten. Eine Reduktion
der Winkel auf den Horizont fand nur auf der Strecke südlich Bourges statt.

1740 unternahm nun Cassini de Thury eine Berichtigung der zweiten großen Grundlage
der Triangulation: des senkrecht zum Pariser Meridian stehenden, durch die dortige Sternwarte gehenden größten Kreises, der 1733—34 von Jacques Cassini festgelegten „Perpen-
diculaire". Die neue Kette ging von Brest bis Straßburg und bestand aus 82 Dreiecken,
deren Winkel sämtlich beobachtet wurden. Auf den schwierigen Strecken Toul—Straßburg und Nonancourt—Falaise wurde noch eine zweite Kontrolltriangulation eingeschoben.
Vervollkommnete Instrumente gestatteten Winkelbestimmungen bis auf 10 Sekunden.
1744 veröffentlichte Cassini eine Übersichtskarte der Hauptdreiecke auf einem
Kupferblatt. Frankreich war durch 7 Parallelketten und 4 Meridianketten von Dreiecken 1. O. in Abständen von 60000 Toisen untereinander so geteilt, daß also 4 große
Vierecke entstanden. 19 Grundlinien stützten diese Ketten an ihren Enden. Die sekundäre Triangulation führten unterstellte Ingenieure aus, die freilich zuweilen der Geschicklichkeit und der nötigen Gewissenhaftigkeit entbehrten[2]). Die besten Ingenieure waren

---

[1]) Cassini de Thury: La Méridienne vérifiée.
[2]) Während dieser Arbeiten verlängerte Cassini seine Triangulation auch über die Grenzen hinaus — in
dieser Hinsicht ein Vorläufer der Ideen Struves — und zwar in den Jahren 1740—48, wo er in Flandern
operierte. Später, 1761 und 1762, verlängerte er die Pariser Perpendikuläre bis Wien, worüber er in zwei Reise-

Outhier, Saunac, La Grive, Le Roy, Le Gros, Grante und Beauchamp, sämtlich Ingénieurs du Roi.

Auf dieser geodätisch richtigen Grundlage wurde nun die **erste geometrische und topographische Karte** eines europäischen Staats aufgebaut. Sie sollte gleichzeitig die Entfernung aller Orte von dem Pariser Meridian und dem darauf senkrecht stehenden, durch die Pariser Sternwarte gehenden größten Kreise (der bei einem Ellipsoid zwar eine Kurve doppelter Krümmung ist, die aber bei geringer ostwestlicher Ausdehnung als Kreis aufgefaßt werden kann) geben. Die Cassinische Projektion ist eine modifizierte zylindrische, bei der das Sphäroid von dem umhüllenden Zylinder im mittleren (Null-) Meridian des darzustellenden Landes berührt wird, so daß dieser also die Leitlinie bildet. Diesen Zylinder denkt man sich dann durch Ebenen geschnitten, die dem Mittelmeridian parallel laufen. Der Zylinder und die Schnittebenen haben mithin gegen die gleichnamigen Flächen der gewöhnlichen Zylinderprojektionen (die im Äquator meist berühren), eine senkrechte Stellung. Wickelt man den Zylinder ab, so stellen dessen Elemente größte Kreise vor, die durch sie und den Erdmittelpunkt bestimmt sind, während die Schnitte der dem Hauptmeridian parallel laufenden kleinen Kreise, die den gleichen Pol wie er haben, die Meridiane des Netzes bezeichnen. So ergibt sich also ein System zusammengesetzter rechtwinkliger Koordinaten, deren Anfangspunkt die Pariser Sternwarte, deren senkrechte (X-)Achse der durch sie gehende Nullmeridian, deren (Y-)Achse die geradlinige Senkrechte dazu war. Alle Punkte der Karte bestimmte Cassini durch die Abstände von diesen Achsen, und zwar den von jedem Punkt auf den Meridian gefällten größten Kreisbogen und die kürzeste Entfernung des Fußpunktes vom Koordinatenanfangspunkt. Diese beiden Abstände (die auf den Ecken jedes Blattes angegeben sind) trug er unmittelbar auf das Blatt als ebene geradlinige Koordinaten auf, so daß ebene Rechtecke entstehen, was, da sich Frankreich weniger stark in ostwestlicher Richtung als in meridionaler von Norden nach Süden ausdehnt, für die Praxis, die Kartenzeichnung und Einzelvermessung, unschädlich ist. Die Kartenverzerrung in nordsüdlicher Richtung in dieser Plattkartenprojektion eines Sphäroids ist für Orte in der Nähe des Nullmeridians sehr gering, dagegen für die nach Osten oder Westen entfernteren erheblicher. Sie beträgt z. B. in der Entfernung Paris—Brest bereits etwa 400 Toisen. Auf einem Kartenblatt von 40 km Höhe von Norden nach Süden aber erreicht die Verzerrung höchstens 47 m, d. h. etwas mehr als 0,5 mm im Maßstabe der Karte (0,01%). Bei dem Abstande bis Brest wäre der Betrag natürlich schon hervortretend. In ostwestlicher Richtung ist die Verzerrung dagegen ganz unerheblich, da sich die Parallelbögen hier in der wirklichen Länge abwickeln. Der Vorteil dieser Entwurfsart ist die leichte Eintragung der Eckpunkte eines großen Dreiecksnetzes und die bequeme Berechnung der eingetragenen Punkte durch Kordinatenformeln [1]).

Die geographischen Längen und Breiten ließ Cassini ganz unbeachtet und versah daher seine Blätter auch nicht mit einem Gradnetz, das sich aber nachträglich leicht anlegen läßt, wenn man die im gleichen Meridian oder Parallelkreise gelegenen Punkte durch

---

berichten der Akademie 1765 und 1775 das Nähere mitgeteilt hat. Methoden, Verfahren und Instrumente waren die gleichen wie in Frankreich.

[1]) Die Projektion wird auch nach dem bayerischen Astronomen Soldner genannt, weil er sich durch Berechnung von Tabellen, nach denen man die ebenen rechtwinkligen Koordinaten (geographische) in sphärische rechtwinklige verwandeln kann, um die Projektion verdient gemacht hat. Auch hat er sie seit 1810 in der Katastervermessung von Bayern angewendet, wie sie auch 1850 bei der Badens gebraucht wurde. Durch widrige Umstände ist das Soldnersche System erst 1875 durch Druck veröffentlicht worden, ging aber durch amtliche Mitteilung viel früher an Gelehrte in Württemberg, Baden und Hessen &c. über und hat daher auch den früheren Generalstabskarten von Württemberg (Bohnenberger 1818—40) und Österreich-Ungarn zugrunde gelegen. Für Landesvermessungen mit modernen Polygonzügen eignet es sich nicht.

[1]) Cassini hat dafür Tabellen veröffentlicht, auch eine die Erde als Kugel voraussetzende Tafel der Längen und Breiten der Hauptstädte Frankreichs, die später von Dionis du Séjour nach der wahren Erdform umgerechnet wurde (1778).

Kurven verbindet[2]). Im ganzen enthält sein Werk über 6000 durch Messungen aus 600 Beobachtungsorten bestimmte Punkte sowie mehr als 40000 Dreiecke, worüber eine besondere „Carte qui comprend tous les lieux de la France qui ont été déterminés par les opérations géometriques par Mr. Cassini de Thury de l'Académie des sciences" in 1 : 846000 (1728 Toisen = 1 Dez.-Zoll) auf 18 schwarzen Kupferblättern (jedes 21½ : 6¼") nebst einem blattweise veröffentlichten alphabetischen Register über die Abstände aller Orte von dem Meridian und dem Perpendikel von Paris erschien (300 für 1 Blatt).

Der Maßstab der Karte wurde auf 1 : 86400 (une ligne pour 100 toises = 194,9 m) festgesetzt, ihre Ausdehnung von Osten nach Westen auf 40000 Toisen Breite, von Norden nach Süden auf 25000 Toisen. Jedes ganze Blatt erhielt 902 : 564 mm Abmessung, einer Fläche von 1921 lieues carrées im 25. Grade oder von 38 myriamètres ungefähr entsprechend. Es ergaben sich zuerst 160 ganze und 21 halbe Blätter, zu denen noch die Dreieckskarte und zwei auf sie gegründete Tableaux d'assemblage traten, im ganzen also 184 Blatt[1]). Die Pariser Sternwarte war in der Mitte eines Blattes als Koordinatenausgangspunkt angegeben. Alle Blätter der Carte géometrique zusammengelegt bilden also ein Quadrat von rund 12 m Seitenlänge. Die einzelnen Sektionen sind ziemlich unhandlich. Ihr Preis ist heute 5, für das halbe Blatt 2,5 Francs, während das ganze Werk jetzt 800 (statt früher 1000 Francs) kostet. Cassini hatte einen Voranschlag für 180 Blatt aufgestellt, der unter der Annahme von jährlich 10 Blatt zu je 2 Ingenieuren 40000 livres für ein Blatt und daher 720000 livres für das ganze Werk, als von der Regierung zu bewilligen, ausrechnete. M. de Machault, an den ihn der König gewiesen, fand diesen Betrag von jährlich 40000 livres nicht zu hoch, ja wollte ihn zur Beschleunigung der Arbeit erhöhen. Im Besitz der ersten Mittel ging Cassini energisch ans Werk. 1750 begannen die ersten topographischen Arbeiten. Cassini standen anfangs als directeurs adjoints Camus und Montigny und nach des Erstgenannten Tode 1768 Perronet (inspecteur général des ponts et chaussées), seit 1782 für Montigny Sarron zur Seite. Dem im Observatorium geschaffenen Bureau spécial de la carte stand seit Noblesse, seit 1765 der ehemalige Ingenieur an der Karte, Capitaine, zur Seite. Cassini wählte sich auch das übrige Personal an Ingenieuren, Zeichnern und Kupferstechern. Die Vermessungen geschahen nach einer „Instruction pour les ingénieurs" Cassinis, der leider als reiner Geodät und Astronom wie die meisten seiner Mitarbeiter von der eigentlichen topographischen Kunst weniger verstand. Fernrohrgraphometer, quarts de cercle, planchettes circulaires, boussoles à viseurs, niveaux d'air &c. dienten als Instrumente. Das Stationieren geschah nach der Pothenotschen Theorie (problème dit de la carte), wofür Cassini einige gebräuchliche Lösungen und einen kleinen Apparat empfahl. Die Entfernungen wurden geschätzt nach Schritten. Es entstanden mehr Krokis mit eingetragenen Maßen im Gelände als regelrechte Aufnahmen, für die der Kartenmaßstab galt. Die Topographen führten zwei Register, eins für die Nomenklatur und die Winkelbeobachtungen, eins zur eigentlichen Konstruktion der „minutes", welches Angaben über deren Einreihung in die Haupttriangulation sowie die Abstände von den Koordinatenachsen enthielt. Es entstanden sehr ungleichwertige Leistungen. Der beste Topograph war der Ingenieur Séguin. Die Aufnahmeblätter &c. gingen ins Bureau de la Carte im Observatorium, wo dann der Stich veranlaßt wurde. Die ersten Blätter betrafen Paris und Umgegend, demnächst Beauvais, und erschienen 1756. Sie waren in Kupfer gestochen in sehr guter Ausführung, aber zu fein, so daß bald Retuschen nötig wurden. Leider hörten aber kurz vor Ausbruch des (Siebenjährigen) Krieges die Mittel des Staates auf, der Contrôleur général des finances, de Séchelles, Machaults Nachfolger, befahl die Einstellung der Arbeit, ohne Cassinis Vorstellungen Folge zu geben. Mit Zustimmung des Königs, der ihm selbst eine Liste ge-

---

[1]) Hierzu kamen später noch 25 Blatt der Ferrarisschen Karte der Niederlande im gleichen Maßstabe.

eigneter Teilnehmer gab, gründete Cassini am 10. August 1756 eine Aktiengesellschaft von 50 Personen, an deren Spitze die Marquise de Pompadour stand, zu denen die Minister, dann der Prince de Soubise, die Herzöge von Bouillon und Luxembourg, der Marschall de Noailles u. a. gehörten. Jeder Teilnehmer verpflichtete sich, bis zur Vollendung des auf eigne Rechnung fortzuführenden und sich durch den Kartenverkauf bezahlt machenden Werkes jährlich 1600 livres in halbjährigen Raten zu geben. Der König schenkte alles vorhandene Kartenmaterial, Instrumente &c. Jährlich sollten 10 bis 12 Blatt zum Ladenpreise von 4 livres das Stück erscheinen, das ganze Werk in 2500 Exemplaren abgezogen werden. Von der jährlichen Einnahme von 100- bis 120000 livres sollte ein Unterstützungs- und Belohnungsfonds für die 34 Ingenieure gebildet, werden. Die jährlichen Ausgaben wurden auf 80000 livres, davon 56000 für das Personal, geschätzt.

Die Akademie der Wissenschaften billigte das Projekt. Die Karte sollte unter ihrem Schutz erscheinen. Camus, Montigny, Buffon, La Condamine und Montalembert boten sich an, in die Leitung der Gesellschaft zu treten. Mit den Ständen der verschiedenen Provinzen wurden Verträge abgeschlossen, und endlich ging eine öffentliche Subskriptionsliste herum, die jedem Unterzeichner das ganze Werk für 500 livres bei vorheriger oder 562 livres bei 5facher Ratenzahlung bis zum Erscheinen des 120. Blattes zusicherte. General Borda war Schatzmeister. Die Veröffentlichung geschah nicht nach der Nummer der Blätter. Zuerst kam ein Streifen im Mittelmeridian gelegener Gegenden, dann eine Reihe von Blättern in den beiden angrenzenden Streifen. 1760, zehn Jahre nach Beginn der Aufnahme, waren 50 Blatt vollendet, etwa die Hälfte des ursprünglich Projektierten, aber doch ein gutes Ergebnis in Anbetracht der entstandenen Schwierigkeiten jeder Art. In den folgenden zehn Jahren erschienen wieder 45 Blatt, dann bis 1780 ebensoviel. Von 1780—89, wo die Einzelaufnahme beendet war, kamen noch Limousin, die Pyrenäen, die Gegend von Nizza heraus. 1793 waren die letzten Blätter der Bretagne im Stich, die aber erst 1815 (mit einzelnen der Guyenne) erscheinen sollten. César François Cassini sollte die Vollendung seines Lebenswerkes nicht sehen, er starb 1784, und sein Sohn Jacques Dominique setzte die Arbeit fort. Am 13. Oktober 1789 war er imstande, der Nationalversammlung 181 Blatt zu überreichen, damit auf Grund der Karte eine neue Einteilung des Landes in Departements vorgenommen werden konnte. Bis 1793 (September) behielt er die Leitung der Arbeit, die Gesellschaft das Eigentum. In diesem Jahre ging die Karte durch Dekret des Nationalkonvents vom 21. September gegen den Willen ihrer Besitzer an das 1793 neuorganisierte und größere Bedeutung erlangt habende Dépôt de la Guerre über, nachdem ein Bericht seines Direktors, des Ingenieurgeographen und Mitglieds des Konvents Generals Calon, dies als notwendig gefordert hatte, um die Armee rechtzeitig mit gutem Kartenmaterial versehen zu können. „Par cet acte", schrieb der General, „la Convention arracha à l'avidité d'une compagnie de spéculateurs un ouvrage national, fruit de quarante années de travaux exécutés par les ingénieurs, et qui devait d'autant plus être à la disposition du Gouvernement, que sa perte ou son abandon compromettait ses ressources et accroissait celles de l'ennemi." Cassini, statt eine Nationalbelohnung zu erhalten, wanderte am 14. Februar 1794 ins Gefängnis, das er in demselben Jahre verließ, um nach Thury zurückzukehren, wo er 1845 als letzter seines ruhmvollen Geschlechts starb. Charles Capitaines Sohn, Louis Capitaine, der ihm 1778 in der Leitung des Bureau de la carte gefolgt war und schließlich in seiner Eigenschaft als erster Ingenieur die Seele des Werkes gewesen, dem er 30 Jahre seines Lebens gewidmet hatte, erlangte nach einer Unzahl von Petitionen und Reklamationen vom öffentlichen Wohlfahrtsausschusse endlich die Zusage einer Entschädigung von 9060 livres für jede Aktie, lediglich für das überlassene Material, die aber nie gezahlt wurde. Erst Bonaparte befahl die Zahlung, nachdem ein Décret vom 24. frimaire an VI die Entschädigung auf 166 livres ermäßigt hatte für die Aktie, und von den 50 Teilhabern lebten damals noch vier, die den Betrag erhielten! Als dann 1818 Graf Cassini im Namen der société de la carte von neuem Entschädigung oder Rückgabe der Kupferplatten verlangte, trat auf Befehl der Regierung (unter Vorsitz des Mr. de Broglie) eine Kommission im Kriegsministerium zusammen, bei der die Staatsinteressen der Colonel Jacotin, Chef der topographischen Sektion des Dépôt, die der Gesellschaft der Ingenieurgeograph Belleyme, Chef des topographischen Bureau des Archives vertrat und bei der der gegenwärtige, nicht der frühere Zustand der Platten zugrunde gelegt wurde. Trotz des Protestes von Cassini hiergegen, ging die Schätzung Jacotins durch, jede Aktie erhielt 3000 Francs Entschädigung, die 17 Aktien der Erben Louis Capitaines also 51000 Francs. So wurde das Kriegsministerium „rechtlicher" Eigentümer, die Originalaufnahmen von 1469 Blatt oder auch schlechten Skizzen wurden in den Archives des cartes seitdem bewahrt.

Betrachten wir nun kurz die „Carte générale de France, dite de l'Académie!" Zu ihrer Herstellung lag kein eigentliches Bedürfnis vor, da weder der wirtschaftliche Zustand des Landes noch die militärischen Operationen, welche nur kleine Armeen damals betrafen, so detaillierte Kartenwerke erforderten. Lediglich des Königs Wille, bei Cassini ein wissenschaftliches Interesse und die Aussicht, sein Dreiecksnetz auf ganz Frankreich ausdehnen zu können, endlich bei den Aktionären eine Art wissenschaftlicher Neugier waren es nach dem zutreffenden Urteil des General de la Noë, welche zur Ausführung drängten. Der Interessenkreis war ein kleiner, erst sehr spät erkannte das Publikum die Nützlichkeit der Arbeit.

Was den Maßstab der Cassinischen Karte anlangt, so ist er für eine Spezialkarte zu klein, für eine Übersichtskarte zu groß. Was die Planimetrie[1]) betrifft, so sind zunächst alle Wege ohne Unterschied durch zwei parallele Linien dargestellt, mit Unterscheidung der gepflasterten, der chaussierten und der nicht unterhaltenen durch kleine Zeichen, sowie mit Angabe der Bäume durch Punkte. Aber das Wegenetz ist lückenhaft ausgeführt, Feld- oder gewöhnliche Verbindungswege fehlen ganz. Die großen Städte sind im Grundriß ziemlich richtig wiedergegeben, ebenso die Marktflecken. Alle anderen Örtlichkeiten sind in alter Weise durch Gruppen von Häuschen und, wo vorhanden, durch perspektivisch gezeichnete Kirchtürme, ohne daß eine Klassifikation zwischen ihnen vorgenommen wäre, wiedergegeben. Ein kleiner Kreis gibt den Punkt an, von dem aus die Abstände von Paris zu berechnen sind. Einzelne Gebäude sind durch schwarze Rechtecke oder weiße Dreiecke oder gar nicht wiedergegeben. Die Gehölze sind in Kavalierperspektive gezeichnet, ebenso einzelne Bäume und Weinberge, und dabei ist großer Wert auf die ausführliche Darstellung herrschaftlicher Parks gelegt, wohl den vornehmen Subskribenten zuliebe. Auch die Hydrographie ist sehr eingehend. Meeresküsten sind verschieden behandelt, auf den ältesten Blättern mit einem Gürtel von perspektivisch gezeichneten Wogen begleitet sowie mit Schiffen im Meere, auf den letzten, wie denen der Bretagne, durch horizontale Schraffen. Sehr groß sind die Mängel der Karte hinsichtlich der Höhenverhältnisse, und die Anwendung der schrägen Beleuchtung ist für diesen Maßstab wenig geeignet. Bezüglich des Reliefs steht das Werk den zeitgenössischen Spezial- und Lokalkarten entschieden nach. Die Berge sind ohne System mit Schwungstrichen und ziemlich ausdruckslos dargestellt. Die Schraffen gehen von den Kämmen bis zu den Talsohlen und lassen weder Steilheit noch Höhenunterschied charakteristisch erkennen. Es sind ganz besonders die Hochgebirge, wie z. B. das Massif du Pelvoux, wo die Kunst der Ingenieure gänzlich versagte. Der Stich ist ungleich selbst in demselben Blatt, und die vorgeschriebenen Zeichen sind nicht immer angewendet oder schlecht ausgeführt, die Gehölze verschieden dargestellt, auch in der Stärke des Tones. Am hervorragendsten ist das erste Blatt, Paris, das die

[1]) Nach dem letzten Zustand der Kupferplatten. Die ältesten Tableaux d'assemblage wichen, besonders hinsichtlich der Wegezeichen, ab.

geschicktesten Künstler wie Séguin in der Zeichnung, Brunet im Stich, Bourgoin in der Schrift hergestellt haben. Gutes hat auch Aldring als Stecher geleistet. Schon das nächste Blatt Beauvais fällt sehr ab. Die Schrift ist im allgemeinen gut lesbar und von zweckmäßiger Größe und Abstufung. Im inneren Rande befindet sich der alte Maßstab, dem daneben ein Kilometermaßstab beigefügt wurde[1]). Hätte also für den Maßstab, namentlich wenn auch die Kunst des Topographen weiter gewesen wäre, mehr geleistet werden können[2]), so bleibt die Cassinische Karte, schon in Anbetracht der großen Schwierigkeiten, die sich ihrer Ausführung entgegenstellten, aber auch von ihnen abgesehen, ein kartographisches Monument ersten Ranges. Nicht nur war sie das erste moderne topographische Werk ihrer Art, nicht nur gab es nichts Ähnliches, sondern sie wurde auch das Vorbild und der Ausgangspunkt für alle modernen gleichartigen Arbeiten im Lande und hat mehr als ein Jahrhundert Frankreich die größten Dienste geleistet. Heute ist sie freilich nur noch von historischem Wert.

Durch die große Menge von Abzügen, die im Laufe der Zeit, besonders unter dem Konsulat und Kaiserreich, das Dépôt de la guerre ausführen ließ, sowie die zahlreichen Ergänzungen und Korrekturen, besonders auf fast allen Platten für das Gebirge, aber seit 1803 (—12) auch für die Unterscheidung der Wege, wurden die Platten bald abgenutzt, so daß die späteren Abdrücke (besonders in den Wäldern) höchst undeutlich wurden, zumal der ursprüngliche Stich der Bergstriche und schwachen Linien sehr fein war und häufige Retuschen erforderte. Schon hieraus erklärt sich, aber auch aus sonstigen Mängeln, namentlich ihrer Unhandlichkeit, die Reihe bald folgender neuer Bearbeitungen, Verkleinerungen und Konkurrenzwerke. Dazu kam auch die Benutzung neuer Aufnahmen, die der Staat, unabhängig von der Cassinischen Karte, durch seine Ingénieurs géographes militaires bzw. Officiers du génie ausführen ließ und die zum großen Teil den Cassinischen Blättern überlegen waren, wenn sie auch im Zustande der Originalaufnahmen (1 : 14400 = une ligne pour 100 pieds) geblieben sind. Es seien hier die 1749—80 ausgeführten Aufnahmen von Jacquet, Lajarre, Roussel, Bourcet, Darçon &c. erwähnt.

Schon zu der Zeit, als er noch die Ausführung der Karte Cassinis leitete, gab sein erster Ingenieur Louis Capitaine, eine „Carte de France" 1 : 345600 (1 ligne pour 400 toises), also in viermal kleinerem Maßstabe in 21 schwarzen Kupferstichblättern heraus, die zuerst Frankreichs Einteilung in Departements, Arrondissements, Cantons und alle Märien enthielt und 1790 von Cassini der konstituierenden Versammlung vorgelegt wurde. Da die Originalkarte noch nicht fertig war, so ist diese Karte nichts weniger als vollständig, steht ihr auch an Schönheit des Stichs erheblich nach. Sie wurde darauf von Belleyme berichtigt und erweitert und ging 1815 auf das Dépôt über für den Preis von 11000 Francs. Dieses dehnte sie bis jenseits des Rheins und der Alpen aus und veröffentlichte sie 1822. Sie hat bis 1840 zahlreiche Vervollkommnungen erlebt, wurde auf Teile von Holland, Süddeutschland, der Schweiz und Italiens ausgedehnt, bis sie durch eine analoge Karte 1 : 320000 (auf Grundlage der Karte 1 : 80000) ersetzt wurde. Sechs Stecher: Orgiazzi, Daudeleux, Hennequin, Beaupré, Kardt und Chocarne waren ständig an der auf 24 Blatt gebrachten Karte tätig, die ein Quadrat von 3 m Seite bildet und in Cassinischer Projektion entworfen ist. Sie hat ein Gradnetz von 30 zu 30 Minuten. Obwohl die Kartenzeichen die Cassinischen sind, werden doch die Wege nach ihrer Wichtigkeit in Straßen 1., 2. und 3. Klasse, sowie projektierte und Feldwege unterschieden. Neue Zeichen sind für die Verwaltungsgrenzen sowie die Haupt-

---

1) Jedes Blatt ist durch 2 die Mitte seiner Seiten verbindende sich kreuzende gerade Linien in 4 Viertel geteilt, und an den 4 Winkeln des Rahmens liest man die Abstände von dem Meridian bzw. der Perpendikuläre vom Pariser Observatorium in Toisen.

2) M. Collet sagt: „Quelque belle que soit cette oeuvre, elle n'est pas irréprochable et ce n'est qu'au prix de grandes inexactitudes qu'on peut dans la représentation d'un pays comme la France faire abstraction de la courbure de la terre".

18*

orte der Departements, Arrondissements und Kantone gewählt. Groß ist der Fortschritt
in der Gebirgsdarstellung in schräger Beleuchtung. Wenn auch noch jede Höhenkote,
regelrechte Niveaulinie von gleichem Schichtenabstand und Bergstrichskala fehlt, so stützen
sich doch die in den Linien steilsten Falls gezeichneten und in ihrer Länge unterbrochenen
Schraffen auf Kurvenelemente und geben die Geländeformen besser wieder als bis dahin
irgendeine andere Karte. Dagegen tritt die verschiedene Höhe der Alpen gegen die Gebirge der Auvergne und Limousins nicht hervor, was dem Eindruck des heute nur noch
geschichtliche Bedeutung besitzenden tüchtigen Werkes schadet. Auch die Capitainesche
Karte hat vielen geographischen und chorographischen Arbeiten als Grundlage gedient,
darunter der in einer späteren Periode näher zu erwähnenden von Achin (1825), die für
den Service du Génie militaire bestimmt war, in 1:864000.

Gleichzeitig mit der Cassinischen Karte entstanden noch andere Werke über
Teile Frankreichs, von denen einige besonders bemerkenswerte genannt seien, darunter
solche, die den Übergang zu den Karten vom Anfange des 19. Jahrhunderts (Napoleo-
nische Zeit) bilden. Da ist zunächst die „Carte géométrique des environs de
Rambouillet et Saint-Hubert" 1:43200, von 1764, die de la Haye nach einer
Aufnahme der Ingenieurgeographen meisterhaft gestochen hat, zu erwähnen. Sie läßt Cassini
weit hinter sich. Dann die auch kulturgeschichtlich, namentlich hinsichtlich der damaligen
Topographie von Paris sehr interessante „Carte topographique des environs de
Versailles", die in Kupfer gestochene sogenannte Carte des Chasses du Roi in
1:28800, auf 12 Blatt in Schwarz, mit 1 Titel- und 1 Tableaublatt, welche 1764—73
unter Leitung von Oberst Berthier Vater aufgenommen und gezeichnet wurde, das Meisterwerk des Dépôt de la Guerre, von Boudet, Daudon, Tardieu, Hérault, de la Haye und
Macquer gestochen. Zu ihrer 1814 und 1815 geplanten Erweiterung um 23 Blatt durch
10 Ingenieurgeographen kam es der Kosten wegen nicht. Brué aber gab 1823 eine Carte
topographique des environs de Paris d'après la carte des Chasses heraus, die ein Meisterwerk der Kupferstechkunst ist. Sie gibt nicht nur das Original sehr sorgfältig wieder
— wie dieses das Gelände in sehr fein graduierten Bergstrichen mit senkrechter Beleuchtung —, sondern hebt auch noch die Straßen besonders gut hervor und hat eine sehr
schöne Schrift. Leider aber sind die Berge ohne System, und der Stich ist etwas zu fein.
Dann ist Villarets „Carte géométrique du diocèse de Cambrai", 1:86400, zu nennen,
die Guillaume de la Haye, einer der vorzüglichsten Stecher der Zeit, graviert hat. Ferner
„La carte de la Guyenne" 1:43200, von Belleyme, Ingénieur-Géographe, in 36 ganzen
und 18 halben Blatt, die mehrere Jahre vor der Revolution begonnen, durch sie 1793
unterbrochen und erst 1804 wiederaufgenommen, aber nie vollendet wurde. Sie ist im
Stile Cassinis und zeigt Kavalierperspektive; man hat der Einheitlichkeit halber diese Darstellungsweise beibehalten[1]). Dann Bazins „Carte chorographique de la Champagne et
de la Brie" 1:284659, in Kupfer 1790 sehr gut gestochen, mit alter Territorial- und
neuer Departementseinteilung, der Art Cassinis und Capitaines, das Gelände in Bergstrichen gut aufgefaßt.

Aus der Cassinischen Periode stammt ferner die 1770—90 als Grundlage einer genauen
Katasteraufnahme von dem Ingenieurgeographen Tranchot ausgeführte Triangulation
der Insel Korsika, die 1768 an Frankreich abgetreten war. Die Gesamtleitung aller
Arbeiten war durch Choiseul den Ingenieuren Testevuide und Bédigis anvertraut worden,
denen 30 Katastergeometer zur Verfügung standen. Nachdem sich die Bestimmung einer
Meridianlinie in der größten Ausdehnung der Insel, wobei bereits 21827 Toisen gemessen waren, infolge des steilen Gebirgscharakters im Süden untunlich erwiesen hatte,
wurde 1775 südlich von Bastia eine 6900 Toisen lange Basis in der Ebene von Mariana

---

[1]) 1834 waren 54 Platten vorhanden, 43 vollendete, 6 in Ausführung begriffene und 5 noch ganz zu
stechende, von denen seitdem nur 1 Blatt vollendet wurde.

festgelegt, die dem Dreiecksnetz Tranchots und Le Rays als Ausgang für eine Querkette im Parallel von Aleria diente. Darauf wurde in der Ebene von Aleria eine zweite 4050 Toisen lange Grundlinie bestimmt als Stütze einer zweiten, die erstere kontrollierenden Kette. Dann wurde das Netz erweitert, und 1783 enthielt es bereits 91 Haupt- und 386 Nebendreiecke. 79 Punkte wurden durch geodätisches Nivellement, allerdings wenig genau, bestimmt. 1789 und 1790 erfolgte der Anschluß an Sardinien durch 28, dann an die Inseln und die Küste von Toskana durch 46 Dreiecke, die sich von Livorno bis Kap Argentale ausdehnten. Die Akademie der Wissenschaften prüfte und billigte, unter Beteiligung Cassinis und Méchains, Tranchots Arbeit. 1824 wurde, auf diese Arbeiten gegründet, die später zu erwähnende Carte topographique de l'Ile de Corse 1 : 100000 hergestellt. Dann sei kurz auf die Verbindung des Pariser Observatoriums mit dem von Greenwich 1787 hingewiesen, die auf Anregung Cassini de Thurys nach seinem Tode durch seinen Sohn Comte de Cassini mit Méchain und Legendre, von englischer Seite durch General Roy stattfand und auch in geodätischer Hinsicht recht interessant war, zumal sie zu einem Vergleich englischer und französischer Methoden und Instrumente (Ramsden, Borda) Anlaß bietet.

Eins der wichtigsten, die Entstehung der Carte de France später unbeabsichtigt sehr beeinflussenden Ereignisse aber war die **Meridianmessung von Delambre und Méchain**. 1790 hatte Talleyrand von der französischen Akademie in der Nationalversammlung den Antrag gestellt, eine unveränderliche Grundlage für Maß und Gewicht aufzustellen. Der genehmigte Vorschlag führte am 22. August zur Ernennung einer Kommission aus Borda, Lagrange, Laplace, Monge und Condorcet durch die Akademie zu diesem Zwecke. Diese schlug ein Dezimalsystem vor — es sollte der 10millionste Teil des Meridianquadranten als Einheit gewählt und dazu ein möglichst großer Erdbogen, nämlich von Dünkirchen bis Barcelona, das sind $9\frac{1}{2}$° (davon 6 nördlich des mittleren Parallels von 45°) gemessen werden. Außer der Bestimmung des Breitenunterschieds beider Orte und allen für nötig erachteten astronomischen Beobachtungen sollten auch alle alten Grundlinien, die der Konstruktion der Karte Cassinis gedient hatten, nachgemessen und das Dreiecksnetz bis Barcelona verlängert werden. Endlich sollten mit einem einfachen Pendel von $1/_{10\,000000}$ Länge des Meridianquadranten auf dem 45. Parallel Versuche gemacht werden, um später auch auf diese Art jenes Maß stets wiederzufinden. Durch Dekret vom 21. März 1791 wurden diese Vorschläge der Akademie genehmigt und sofort an die Herstellung der Instrumente gegangen. Lenoir führte nicht nur 4 Bordasche Cercles répétiteurs aus, die sich bei dem Anschluß an Greenwich sehr bewährt hatten, sondern auch dessen sehr sinnreichen Basisapparat[1]), dessen sich Méchain und Delambre, die 1792 mit der Gradmessung beauftragt waren, bedienten. Der Bordasche Apparat besteht aus 4 aus Platin ausgeführten Maßstäben, die von 4 verschiedenfarbigen Holzfüßen getragen werden. Jeder der 2 Toisen langen Stäbe hat eine Kupferlamelle, deren eines Ende festliegt. Da beide Metalle von der Wärme in verschiedener Weise ausgedehnt werden, so konnte der Stand des andern freien Endes der Kupferlamelle an einer auf dem Platinstabe eingravierten Teilung unter dem Mikroskop bis zu einer Sicherheit von $1/_{100000}$ Toisen abgelesen werden, so daß man wie an einem Metallthermometer jeden Augenblick die Temperatur des Maßstabes und damit seine wahre Länge erhielt. Das Alignement der die Richtung der Basis angebenden Pikettstäbe wurde mit dem Cercle répétiteur bestimmt. Jeder Pikettstab hatte einen Spiegel, in dem sich das Alignement von 2 eisernen Spitzen der Maßstäbe projizierte. Als Signale benutzte Delambre, der die nördliche Strecke über-

---

[1]) Auf jedem der aus Platin ausgeführten vier etwa 2 Toisen langen Maßstäbe war eine um 6" kürzere Kupferlamelle so angebracht, daß sich ihr eines freie Ende ungehindert ausdehnen konnte. Eine auf dem Platinstabe eingestochene Teilung gestattete diese Ausdehnung durch die Wärme wie an einem Metallthermometer unter dem Mikroskop bis auf $\frac{1}{100000}$ Toisen genau abzulesen. So erhielt man in jeden Augenblick die wahre Länge des Maßstabes.

nommen hatte, dreieckige Pyramiden, Méchain, der im Süden arbeitete, die stabförmigen Spitzen seiner konischen Zelte. Die Messungen beider Gelehrten hatten trotz großer Vorsichtsmaßregeln und infolge vieler zu überwindenden Schwierigkeiten nicht vollkommene Ergebnisse. Méchain, der seine Messungen noch bis zu den Balearischen Inseln ausdehnen wollte, erlag schon 1803 in Spanien den Strapazen. Nach zweijähriger Unterbrechung vollendeten dann Biot und Arago bis 1806 die Arbeiten, indem sie dieselben bis Ivisa — Insel Formentera — durch 16 Dreiecke verlängerten, davon noch die 5 ersten von Méchain herrührten. So ergab sich ein Meridianbogen von 12° 22′ 13″ bei 705257 Toisen Gesamtlänge, aus der man ziemlich genau die Abplattung der Erde wie auch das neue Maß, das Meter, festsetzen konnte (veröffentlicht in Delambres „Base du système métrique) [1]. Das am 24. April 1799 eingeführte „mètre vrai et définitif" wurde zu 443296 alten Pariser Linien, der Meridianquadrant zu 10000000 m, die Abplattung zu 1 : 335 ermittelt. Hierbei irrte man sich aber insofern, als die Länge des Meridianquadranten 10000855,76 m (± 498,23 m) beträgt, wie neuere Messungen Bessels ergeben haben. Die Abplattung beträgt demnach 1 : 299,1528 (± 4,667 m).

Wenden wir uns nun zu den Arbeiten der Übergangszeit zwischen der 2. und der 3. Periode, die im wesentlichen die Napoleonische Zeit und die Tätigkeit des Dépôt de la Guerre, sowie der Ingenieurgeographen umfassen.

Nachdem das Dépôt nach Versailles 1761 übergesiedelt war, dauerte zunächst seine kriegsgeschichtliche Arbeit noch fort. Unter seinem Direktor, dem General Matthieu Dumas (1790—93), wurde es 1791 wieder nach Paris verlegt und durch ein seine Befugnisse erheblich erweiterndes Dekret Louis' XVI. (1774—89) vom 25. April 1792 ihm eine erhöhte Bedeutung beigelegt. Die Neuordnung bestimmte, daß es einmal Sammelstelle aller historischen auf Feldzüge bezüglichen Dokumente sein sollte, ferner der Ergebnisse von Erkundungen, der Entscheidungen der Regierung über die Operationen der Armeen &c. Dann sollte es ein Archiv für alle von Genieoffizieren oder Ingenieurgeographen aufgenommenen Grenz- und Küstenkarten, Zeichnungen von Armeelagern, fremdländischen Karten über alle Teile Europas und alle Denkschriften und Pläne des Generalstabes sein, und alle Behörden sollten ihm ihre nicht mehr gebrauchten militärischen Dokumente zur Aufbewahrung einsenden. Für topographische und kartographische Arbeiten fehlte es ihm aber fast ganz an Personal, zumal die durch Königliche Ordonnance vom 20. Februar 1777 neuorganisierten nunmehrigen „Ingénieurs géographes militaires" durch Dekret der Nationalversammlung vom 17. August 1791 aufgehoben worden waren [2]. Viele von ihnen gingen ins Ausland, um Beschäftigung zu finden. 1793 erhielt General Calon die Leitung. Seiner energischen Hand gelang es, freilich mit großer Schwierigkeit, binnen 6 Monaten 3 Brigaden von Ingenieurgeographen, jede zu 12 Personen, zu bilden und eine Schule für den Nachwuchs einzurichten, die Cassinische Karte für den Staat zu erwerben [3], das Dépôt des cartes et plans de la Marine anzugliedern und ein später öfter aufgehobenes, aber immer wieder eingerichtetes Atelier de gravure zu schaffen. Freilich wurde ihm das Marinedepot 1795 schon wieder genommen, und in den politischen Wirren erlebte das Dépôt mancherlei Änderungen, die seine glücklich eingeleitete Tätigkeit empfindlich beeinträchtigten, so daß namentlich eigentliche topographische Arbeiten völlig ruhten, zumal das Korps der Ingenieurgeographen, die seit 1797 als Artistes géographes der Geniedirektion unterstanden, ihm wieder genommen war. Auch schieden, als das Dépôt dem Kriegsministerium unterstellt wurde, Astronomen und Geographen wie Laplace,

---

[1] Louis Puissant (1769—1843) hat 1841 in dieser von Bessel mit benutzten Gradmessung Delambres einen Fehler von 68 Toisen nachgewiesen und danach den Wert der Abplattung geändert.

[2] Schon 1776 waren die erst 1769 neuorganisierten Ingenieurgeographen als Spezialkorps unterdrückt, aber 1777 wieder formiert worden.

[3] Für ihre Vollendung teilte der Wohlfahrtsausschuß 12 Stecher, 5 Beamte zu und bewilligte 15000 Francs Vorschuß monatlich.

Méchain, Delambre aus ihm aus und bildeten das Bureau des longitudes, andere gingen
zum Kataster. Auch die Cassinische Karte wurde vorübergehend abgenommen, 1798 aber
unter General Ernouf, Calons Nachfolger, dem Dépôt zurückgegeben. Das Direktorium
erkannte aber wieder die Bedeutung des Dépôt und organisierte es am 1. Juni 1799
(13. prairial an VII) von neuem, wies auch die jetzt ingénieurs artistes oder topographes
dessinateurs genannten Ingenieurgeographen, welche den Armeen zugeteilt waren, an, ihre
Aufnahmen &c. unmittelbar dem Dépôt einzureichen. General Meunier war damals
Direktor. Unter seinem Nachfolger, General Clarke, der das beim ersten Consul befindliche Bureau topographique particulier mit leitete, entwickelte sich das Dépôt von 1800 bis
1803 immer mehr. Kaum ein Feldherr hat den Wert guter Karten für die Kriegführung
so zu schätzen gewußt, wie Bonaparte (Napoléon I.). „En fait de cartes, il n'en faut que
de bonnes ou bien il faudrait mettre une couleur sur les parties douteuses ou mauvaises,
qui indiquât qu'il ne faut pas s'y fier", sagt er einmal in seiner Correspondance. Er hat
auf diesem Gebiete große Verdienste, nicht bloß um sein eignes Land, sondern auch um
die Staaten, in denen er Krieg führte, wie Deutschland, Italien, Österreich-Ungarn. Einer
seiner beiden Sekretäre, die ihn auf seinen Feldzügen begleiteten, hatte das Topographische
Bureau unter sich. Ingenieurgeographen eilten den Truppen voraus, erkundeten Straßen,
Gefechtsfelder und waren dann eifrig und unermüdlich mit der Kartenaufnahme beschäftigt.
Das Dépôt wurde erweitert, dagegen, um die Ausgaben zu verringern, mußten sich die
Offiziere ihre Karten, Pläne, Druckschriften &c. auf eigne Kosten beschaffen, weshalb der
Preis derselben auf die Hälfte ermäßigt wurde. Das Dépôt lieh den Generalstäben der
verschiedenen Armeen gratis alle Karten und Aufnahmeinstrumente, für die der Chef du
service topographique jeder derselben verantwortlich war und die am Ende des Krieges
an das Dépôt zurückgeliefert werden mußten. 1801 wurde General Clarke durch General
Andréossi abgelöst, der in seinem Geiste weiterarbeitete. Er richtete die Bibliothek ein
und gründete vor allem das „Mémorial du Dépôt de la Guerre", das zu einer
reichen Sammlung der bedeutendsten militärischen wie geographischen und kartographischen
Dokumente, besonders auch aus der Zeit der Napoleonischen Kriege, wurde und in dem
über die Tätigkeit des Dépôts berichtet wird. Andréossi beschleunigte alle damals erforder-
lichen trigonometrischen, topographischen und kartographischen Arbeiten zu Kriegs- und
Friedenszwecken und bereitete die bemerkenswerte Wirksamkeit seines Nachfolgers (in den
Jahren 1803—12), des Generals Sanson, geschickt vor. Schon 1798 fanden während der
Expedition in Ägypten trigonometrische Vermessungen durch Jacotin und Nouet statt.
1800 begann in Schwaben die flüchtige Triangulation für eine Karte durch den Major
Epailly auf Veranlassung und Kosten Moreaus, unter Leitung seines aide de camp, des
Ingenieurgeographen Guilleminot. Daran schlossen sich 1801 und 1802 die topographischen Aufnahmen. In Bayern begannen auf Moreaus Befehl für eine Karte 1:100000
die Ingenieurgeographen unter Bonne 1801 ihre Arbeit, in dem Gebiet zwischen Frankreich, den Niederlanden und dem Rhein (Départements réunis) ebenfalls seit 1801
unter Tranchot, nachdem dieser die Aufnahmen in Korsika vollendet hatte, &c. Als
General Sanson das Dépôt übernahm, ließ er eine Kommission durch den Kriegsminister
bilden, die unter Sansons Vorsitz das Membre de l'Institut Lacroix, sowie die Ingenieurgeographen Oberst Henry, Major Epailly und Hauptmann Plessis zu Mitgliedern hatte
und sich mit der Wahl einer geeigneten Projektion an Stelle der Cassinischen beschäftigen sollte. Man sprach sich für Annahme der modifizierten Flamsteedschen aus, die
bereits 1752 von dem Vater des Obersten Bonne, dem Chevalier Rigobert Bonne, ingénieur
hydrographe de la Marine, angewendet worden war [1]. Es ist eine flächentreue unechte

---

[1] Die Bezeichnung nach Bonne ist eigentlich unrichtig. Sie ist eine schon im XVI. Jahrhundert von Geographen benützte Abbildung auf den Berührungskegel im Mittelpunkt des darzustellenden Kegels. Auch Mercator hat sie angewendet, wenn es auch irrtümlich ist, daß er sie erfunden hat. Wird $\varphi = 0$, d. h. findet die

Kegelprojektion mit längentreuen Parallelkreisen. Während bei der ursprünglichen Flamsteedschen Entwurfsart die letztgenannten gerade Linien sind (wie der Hauptmeridian), zeichnet sie Bonne als konzentrische Kreise mit gemeinsamem Mittelpunkt auf dem geradlinigen Nullmeridian. Auf jedem der konstruierten Parallelkreise werden von dem mittleren Meridian aus die wahren Größen der geographischen Längengrade abgetragen und die einem Meridian angehörenden Punkte durch eine stetige Kurve (höherer Ordnung), welche dann seine Projektion darstellt, verbunden. Zwar sind diese Meridiane keine Kugelelemente, aber das entstehende einheitliche System rechtwinklig sphärischer (kongruenter) Koordinaten bietet den Vorteil, daß die Flächeninhalte der Netzvierecke auf der Karte den gleichnamigen auf der Erdkugel genau proportional sind. Die Abweichungen der Winkel der Vierecke von 90° sind so klein, daß sie bei nicht übermäßiger Ausdehnung der Karte übersehen werden können und die Entfernung zweier Punkte ohne erheblichen Unterschied nach einem gemeinschaftlichen Meilenmaßstab bestimmt werden kann, was sehr angenehm ist. Freilich, wenn es sich um das Erdsphäroid handelt, so ist das Tracé der Projektion nicht so einfach wie auf einer Kugel. Die Gradlängen auf dem Nullmeridian sind dann ungleich und nehmen nach dem Äquator je nach der Abplattung gesetzmäßig ab. Auch die geographischen Längengrade werden von letztgenannter beeinflußt. Ebenso ist die Tangente, die den gemeinsamen Mittelpunkt der Parallelkreise und den Halbmesser des mittleren Parallels (45°) bestimmt, gleichfalls eine Funktion der elliptischen Form des Hauptmeridians (zwischen dem mittleren Parallel und der verlängerten Erdachse). So muß also alles nach der Meridianellipse berechnet und danach die Punktkoordinaten bestimmt werden. Der Ingenieurgeograph Hauptmann Plessis führte diese Berechnung aus und stellte die Angaben, in Metern, zu einer Tabelle zusammen unter Annahme von 1 : 335 als Abplattung, wie sie sich aus Delambres und Méchains Messungen ergeben hatte. Puissant korrigierte letztere dann auf 1 : 308, und so ist die Projection du Dépôt de la Guerre die alte Bonnesche, aber angewendet auf ein Umdrehungsellipsoid mit dieser Abplattung.

Weiter wurde unter Sansons Vorsitz eine Kommission 1802 gebildet, zu der Oberst Vallongue, Major Muriel, Hauptmann Clerc, die Ingenieurgeographen Hervet, Bacler d'Albe, Epailly, Jacotin, Bartholomé, Barbier Dubocage, Hennequin, M. Prony vom Institut und Leiter der École des Ponts et Chaussées, M. Lesage von derselben Schule, Hassenfratz, inspecteur général des Mines, M. Leroy, ingénieur du Dépôt général de la Marine et des Colonies, M. Chanlaire, chef de division à l'Administration des Forêts u. a. gehörten, und die sich mit der Vervollkommnung der Topographie, besonders der Vereinfachung und Vereinheitlichung der Kartenzeichen in den Arbeiten der verschiedenen öffentlichen Dienstzweige beschäftigen sollte. Bis dahin hatte jede Karte ihre eignen Signaturen, ihr Maßstab war nicht dezimal, sondern nach den alten, jetzt nach angenommenem Metersystem doppelt unbequemen Maßen (Toisen, Fußen, Linien) gewählt &c. Es wurde durch den Sekretär des Comité, Major Allent, nach den Beschlüssen der Kommission eine Denkschrift über die Maßstäbe verfaßt, die sämtlich vom doppelten bis zu 1 : 20 Millonen dezimal sein sollten und unter denen 1 : 10000 bis 1 : 100000 für topographische, 1 : 100000 bis 1 : 500000 für chorographische, darüber für geographische Karten gelten sollten, während für Fortifikations- und ähnliche Pläne 1 : 100 bis 1 : 5000 vorgeschrieben wurden, was theoretisch zweckmäßig, praktisch aber nicht immer ausführbar war. So mußte namentlich für Katasterpläne das nicht vorgesehene Verhältnis 1 : 2500 gewählt werden, wie man später die Carte de France in 1 : 80000 konstruierte. Auch über Nivellementsarbeiten sprach sich die Kommission, und zwar dahin aus, daß alle Karten und Pläne Höhenzahlen enthalten und diese, wie das schon bei denen der Mineningenieure der Fall sei, sich auf

---

Berührung im Äquator statt, so geht sie in die sog. Sanson-Flamsteedsche Entwurfsart, eine unecht zylindrische, oft, aber unglücklich, auch Sinusoidal-Projektion genannte, über.

das allgemeine Meeresniveau beziehen sollten. In Allents Denkschrift war gesagt, daß das Relief auf neueren Karten außer durch Schraffen auch durch Niveaulinien auszudrücken sei, wie sie schon die Genieoffiziere anwendeten. Ursprünglich bei diesen auf kleine Flächen in großem Maßstabe beschränkt, dehnte sich die Anwendung bald auf wirkliche topographische Aufnahmen aus, und Major vom Genie Haxo gebrauchte zuerst 1801 für Rocca d'Anfo Niveaulinien für eine Fläche von 15 ha in 1:500. Aber erst Geniehauptmann Clerc wandte sie 1809—11 in einer Aufnahme 1:1000 des Golfes von Spezzia an. Hatten so die Franzosen mit ihren Isohypsen das zwar schmucklose, aber scharf bestimmte Gerippe gegeben, so lieferte 1799 der deutsche Major Johann George Lehmann mit seiner Bergstrichtheorie, die auf Annahme senkrechter Beleuchtung beruhte, die Grundlage zur Erleichterung des schnellen Erfassens der Form der Geländedarstellung. In der Kommission von 1802 gab es aber auch Anhänger des schrägen Lichts, die hier siegten und zur Anwendung dieser Theorie beim Dépôt de la Guerre, der École polytechnique und der École de Saint-Cyr führten. Das Genie- und Artilleriekorps wie seine Schule hielten dagegen an der zenitalen Beleuchtung fest, die im Dépôt auch energisch von Oberst Bonne vertreten wurde, ebenso von mehreren Ingenieurgeographen. Lange tobte noch der Streit, immer mehr wandte man sich aber der senkrechten Beleuchtung zu, die endlich 1826 siegte, nachdem schon 1816 auf des berühmten Laplace Anregung alle Pläne in größerem Maßstabe als 1:10000 in Niveaulinien dargestellt wurden. Weiter traf die Kommission Anordnung über Kartenzeichen für topographische und chorographische Karten, über Farbentöne und Schrift. Endlich wurden auch später bei der neuen Carte de France teilweise beachtete Vorschriften über Blatteinteilung, Blattgröße und Numerierung der Blätter gegeben. 1803 wurden auch noch von Bacler d'Albe abgefaßte Vorschriften über den Stich und Druck hinzugefügt. In demselben Jahre erschien auch eine neue Instruktion über die bei der Geodäsie und Topographie, besonders in Friedenszeiten, von den Ingenieurgeographen zu beachtenden Methoden[1]), sowie über ihren Dienst überhaupt, die General Vallongue unterzeichnet hatte. Das Dekret vom 30. Januar 1809 organisierte ein „Corps impérial des Ingénieurs géographes". Auch wurde in diesem Jahre eine École d'application des ingénieurs géographes beim Dépôt eingerichtet, die sich aus Abiturienten der École polytechnique ergänzte. Endlich ergänzte das Reglement von 1811 des Kriegsministers, Duc de Feltre, alle bisherigen Vorschriften und bestimmte z. B., daß bei den Vermessungen in Sektionen sich gliedernde Brigaden von Ingenieurgeographen gebildet werden und diese im Felde zu den Generalstäben gehören und unmittelbar dem Général en chef unterstellt sein sollten. In dieser Verfassung blieb das Dépôt und das Korps der Ingenieurgeographen bis zum Fall des Kaiserreichs. Als 1812 General Sanson in Rußland gefangen wurde, vertrat ihn bis 1814 Oberst Muriel, dann wurde Bacler d'Albe Direktor.

Von in dieser Übergangszeit, besonders unter dem Konsulat und ersten Kaiserreich, entstandenen Kartenwerken des Dépôts beziehen sich die meisten auf die Kriegsschauplätze. Den in fast allen Ländern Mitteleuropas vorgenommenen Triangulationen der Ingenieurgeographen folgten ihre Erkundungen und topographischen Aufnahmen und deren Verarbeitung im Dépôt zu Karten verschiedenen Maßstabes und Schlachtfelderplänen. Da ist eine „Carte des routes d'étapes de France 1:1888000" auf 4 Blatt des Dépôts von 1801 zu erwähnen, die nördlich bis Memel, südlich bis Rom, westlich bis Plymouth, östlich bis Brzesc reicht und die Etappen in zwei Klassen, die Entfernungen in gewöhnlichen lieues und durch besondere kleine Zeichen die Magazine angibt. Der Maßstab ist etwas zu klein. Dann Bacler d'Albes „Carte générale du théâtre de la guerre en Italie et dans les Alpes" 1:259000, 1798—1801 in 30 Blatt, in

---

[1]) Als topographische Instrumente dienten Meßtisch, alidade à lunette et à pinnules, boussole graduée, déclinatoire, Meßkette und Reißzeug.

. Kupfer gestochen, nach Art der Cassinischen Karte, mit sehr klarer und ihr überlegener Darstellung des Gebirges (Näheres s. „Italien"). Ihr im Maßstabe nahekommend, aber bereits die Vorschriften der Kommission von 1802 berücksichtigend, ist die „Carte topographique des Alpes" 1:200000 von Hauptmann Raymond, Ingenieurgeograph, auf 12 Blatt, von Michel in Kupfer sehr schön gestochen, welche Piemont, Savoyen, die Grafschaft Nizza, das Valais, das Herzogtum Genua, das Mailänder Gebiet und angrenzende Staaten umfaßt. Das Gebirge ist in kurzen Schraffen, die sich auf Elemente von Formlinien in Kurvenform stützen, unter Anwendung schrägen Lichts, dargestellt. Die Karte ist erst 1820 veröffentlicht. Ferner wollte das Dépôt für den Kaiser eine Karte von ganz Europa 1:100000 als Militär- und Operationskarte herstellen, deren Blätter den Pariser Meridian und den 45. Parallel als Achsensystem haben sollten. Die schon fertig gestellten 425 Blatt, welche eine Fläche von 80000 lieues carrées zwischen dem Rhein und der Dwina, Tirol und der Ostsee umfaßten, gingen in dem russischen Feldzuge verloren. Die nachstehenden Karten gleichen Maßstabes sollten aber mit dazu gehören, nämlich „La carte de la Bavière" in 17 Blatt, 1801 begonnen, 1807 unterbrochen, blieb unvollendet. Die Ausführung dieser schönen, sehr geschickt in Kupfer gestochenen Karte befolgt die Vorschriften der Kommission von 1802. Das Gelände ist in Schraffen und senkrechter Beleuchtung. Dann die „Carte de la Souabe et d'une portion des pays limitrophes" in 18 Blatt, in ähnlicher Ausführung wie die bayerische, nur im Gelände, das auch in schrägem Licht beleuchtet erscheint, nicht so gelungen. 1818—21 wurde sie veröffentlicht. Besonders sorgfältig ist der Schwarzwald ausgeführt, im übrigen benutzte man schon vorhandenes Material, so z. B. in Tirol österreichisches, dann auch Arbeiten Bonnes, Henrys und Darçons für die angrenzenden Länder südlich der Donau. Für diese Karte ist zuerst die Projektion des Dépôts angewendet worden. Die 56 Meßtischblätter 1:50000 stellten jedes eine Fläche von rund 1924 lieues carrées dar und wurden seit 1806 reduziert. Die genannten Karten sollten mit andern Gebieten eine „Carte de l'Allemagne" in 144 Blättern bilden, die wieder einen Teil der Karte Mitteleuropas ausmachen sollte. Napoleon gab 1806, nach Schaffung des Rheinbundes, den Befehl dazu. Sie ist nie vollendet worden, einige Blätter blieben Unika, nur für den Kaiser selbst bestimmt. Dann die „Carte topographique de l'île de Corse", 4 Blatt und 4 halbe Blatt 1:100000 in Kupfer, 1824 veröffentlicht auf Grund der Tranchotschen Triangulationen, sowie der Katasteraufnahmen, ein vorzügliches Werk, namentlich auch hinsichtlich der in schräger Beleuchtung erfolgten Gebirgsdarstellung. Es ist wohl die gelungenste Arbeit der Ingenieurgeographen, dazu die letzte nach den Grundsätzen der Kommission von 1802. Leider fehlen ihr, wie allen damaligen Karten, die Höhenangaben. Aus der Napoleonischen Zeit hinsichtlich der Aufnahmen noch stammend, im übrigen schon gleichzeitig mit der neuen Carte de France ausgeführt ist die dort zu erwähnende „Carte des Départements réunis" 1:100000 in 15 Blatt (1822—48).

Die Schlachtfelderpläne des ersten Kaiserreichs, die im Dépôt gestochen wurden, sind in den verschiedensten Maßstäben von 1:10000 bis 1:100000, im allgemeinen freilich in den größeren, ausgeführt und besonders hinsichtlich des Geländes vorzüglich. So der Plan des Schlachtfeldes von Friedland 1:15000 auf 1 Blatt, der des Gefechts von Znaim 1:25000 (1 Blatt) und vor allem die ausgezeichnete Terrainstudie des Schlachtfeldes von Dresden 1:80000 in 4 Blatt. Die meisten dieser Arbeiten wurden aber erst unter Louis Philippe veröffentlicht.

Von andern privaten Kartenwerken dieser Zeit seien Chanlaires „Atlas national départemental" 1:264000 genannt, der jedes der 83 Departements, freilich mit mangelhafter Nomenklatur, auf einem Blatt darstellt (1803—10). Dann Piquets Atlas in 14 Karten 1:8333333, der für die Kenntnis der Revolutionszeit wichtig ist und die Grundlage zu Lapies 1815 veröffentlichter „Carte générale du royaume de

France" bildet. Unter den ausgezeichneten Arbeiten Brués sei seiner sehr brauchbaren **Kriegskarte 1:2460000** auf 1 Blatt gedacht, die 1816 in Kupferdruck mit kolorierten Grenzen, den Hauptgebirgen und in guter Schrift erschien. Auch zwei Übersichtsblätter 1:3 Mill. desselben Meisters und namentlich seine schön und kraftvoll gestochene „**Carte physique et routière de la France 1:8740000**" ist hervorzuheben, weil sie nach besten Quellen alle Straßen in 4 Klassen mit den Postentfernungen, sowie eine Nebenkarte mit Korsika enthält. A. Donnet, Bacler d'Albes Schüler, gab 1817 eine Verkleinerung der Cassinischen Karte als „**Carte topographique, minéralogique et statistique réduite de la France**" auf 28 Blatt 1:388800 heraus, die viele Berichtigungen enthält, auch das Gelände, namentlich im Hochgebirge, viel natürlicher und gefälliger darstellt, die Straßen in 5 Klassen enthält, viel Detail gibt, eine schöne Schrift zeigt und die richtige Marsch- und Operationskarte ist.

Ein sauberes Übersichtskärtchen endlich, von großem geschichtlichen und statistischen Wert, leider zu fein ausgeführt, ist des dessinateur du Comité du Génie et géomètre arpenteur Achin „**Carte du Royaume de France**" 1:4100000 auf 1 Blatt (1819). Er hat auch die „**Carte de France pour le service du Génie militaire**" 1:864000 ausgeführt, die 1825 erschienen ist und besonders auf Capitaine sich stützt, aber auch die Arbeiten von Ingenieurgeographen und Genieoffizieren benutzt. Über sie wird in der folgenden Periode weiteres mitgeteilt werden.

Wenn wir auf die **Übergangszeit** nach Vollendung der Cassinischen Karten (im wesentlichen 1789) bis 1817 zurückblicken, so ist sie trotz der vielen Kriege eine ungemein fruchtbare und mehr als die Cassinische Periode die Lehr- und Vorbereitungszeit für die Ingenieurgeographen gewesen, welche die neue Carte de France schaffen sollten. In dieser Zeit ist überhaupt erst eine eigentliche **Wissenschaft der Geodäsie**, namentlich infolge des Entstehens vollkommnerer Instrumente, eine **Topographie und Geländelehre** und eine Meisterschaft in der **Zeichnung und im Stich**, also der kartographischen Wiedergabe, entstanden, nicht zuletzt dank der Verdienste der Kommission von 1802.

Ehe wir uns nun der 3. Hauptperiode, der der „Carte au 80000e dite de l'État-major" zuwenden, wollen wir noch einiger wichtiger, sie mit vorbereitender **literarischer** Arbeiten gedenken. Die französische Akademie gab 1665—1790 in 107 Bänden der „Histoire et mémoire de l'Académie des Sciences de Paris" heraus, der 1796—1815 eine Fortsetzung in 14 Bänden in den „Mémoires de l'Institut national des sciences et des arts" entstand. Der Arbeiten der Picard, Cassini, Delambre, des Dépôts &c. ist schon gedacht. **Robert de Vaugondy** veröffentlichte 1755 seinen „Essai sur l'histoire de la Géographie ou sur ses progrès et son état actuel". Der große Mathematiker **Joseph Louis de Lagrange** löst in seiner berühmten Abhandlung: „Sur la construction des cartes géographiques", 1779 (Mem. der Berliner Akademie), die Aufgabe der winkeltreuen Abbildung beliebiger Rotationsflächen auf eine Ebene, zunächst allgemein, dann für den besondern Fall. Weiter ist **Legendre** (1752—1833) rühmend hervorzuheben, zunächst mit seinem 1787 gefundenen Satze für die Berechnung sphärischer Dreiecke, dann mit seiner 1806 erschienenen Schrift: „Nouvelles méthodes pour la détermination des comètes", worin er unabhängig von Gauß (der 1795 das Prinzip gefunden hat) und drei Jahre vor dessen Veröffentlichung 1755 seinen „Essai sur l'histoire de la ... empirisch entdeckte und so benannte „Methode der kleinsten Quadrate" anwendet, die zur Ausgleichung von Meß- und Beobachtungsfehlern beim Vermessen grundlegend geworden ist. Über Kartenprojektion ist aus dieser Zeit Oberst M. **Henrys** „Mémoire sur la projection des cartes géographiques", adoptée au dépôt de la guerre" von 1810, L. **Puissants** in demselben Jahre erschienene „Théorie des projections des cartes" und der Abschnitt über Projektionslehre in **Malte-Bruns** „Précis de la géographie universelle" von 1810—29 zu erwähnen, zu dem **Lapie**[1]) einen Atlas von 75 Karten herausgab.

3. Die Periode der Carte au 80000e.

Schon der Nationalkonvent hatte erkannt, daß die amtliche Kartographie so innig mit der Landesverteidigung verknüpft ist, daß die Herstellung solcher Karten der Heeresleitung zu übertragen ist, während der Akademie nur noch die Lösung rein wissenschaftlicher Fragen überlassen bleibt. Gleichzeitig aber hatte sich das Ungenügende der im wesentlichen 1789 vollendeten Cassinischen Karte, deren letzte Veröffentlichung freilich

---

[1]) Über **Lapie** fruchtbare sonstige Tätigkeit siehe „Balkanhalbinsel". Diese wichtigste Arbeit des hochverdienten Mannes lag freilich im eignen Vaterlande, wo er als langjähriges Mitglied des Dépôt de la guerre und schließlich Chef de la section topographique sehr rege an der Carte de France beteiligt war.

auf Napoleons Befehl absichtlich verzögert wurde, weil er die Kenntnis des französischen Kriegstheaters seinen Gegnern vorenthalten wollte, und erst 1815 erfolgte, immer mehr herausgestellt. Eine eigentliche Wissenschaft der Geodäsie war ja zu Cassinis Zeiten noch nicht vorhanden gewesen, noch weniger eine auf eingehender Analyse und Erforschung des Geländes beruhende, eine genaues Abbild der Erdoberfläche liefernde Kunst der Topographie. Es fehlte an vollkommenen Meßinstrumenten und Aufnahmemethoden, sowie genauen Vorschriften für die Zeichnung und den Stich der Karte.

Alle diese Erfordernisse für eine gute topographische Spezialkarte wurden nun in der fast dreißigjährigen Zeit zwischen 1789 und dem Beginn der Restauration geschaffen, zum großen Teil durch die Arbeit der französischen Ingenieurgeographen und des Dépôt de la Guerre. Obwohl diese Epoche durch große Kriege gestört wurde und an praktischen kartographischen Arbeiten nur eine Erweiterung der Cassinischen Karte auf die eroberten Nachbarstaaten durch die den Armeen folgenden Ingenieurgeographen brachte, war sie für die Wissenschaft und Kunst der Kartographie ungemein fruchtbar. Ein nicht minder großes Verdienst aber hatte der Entschluß des Kaisers Napoleon[1]), die auf Befehl Louis' XV. gefertigte Cassinische Karte durch eine von Grund aus neue und mit den besten Hilfsmitteln durch das Korps der Ingenieurgeographen zu schaffende Karte Frankreichs zu ersetzen. Bereits am 6. Februar 1808 erteilte der Kaiser dem Obersten im Korps der Ingenieurgeographen, Chevalier Bonne, den Befehl zur Einreichung einer ein eingehendes Programm für eine Neuaufnahme darstellenden Denkschrift. Aber so vortrefflich auch die schon unter seiner Regierung gelegte Grundlage für solche Riesenarbeit war, die kriegerischen Ereignisse, die bei dem Verteidigungskriege auf französischem Boden immer lebhafter das Bedürfnis einer guten Karte hervortreten ließen, verzögerten die Ausführung bis zur Regierung Louis' XVIII.

Inzwischen wurde die Cassinische Karte nach Möglichkeit verbessert, wenn auch ihre ungenügende Grundlage nicht beseitigt werden konnte. 1814 machte der damalige Direktor des Dépôt de la guerre, Bacler d'Albe, einen vergeblichen Versuch, das Bonnesche Projekt auszuführen, der Krieg hinderte es. Sein Nachfolger, Generalleutnant d'Equevilly, richtete die Aufmerksamkeit der Regierung von neuem auf diese große Aufgabe. 1816 reichten Oberst Brossier und Major Denaix dem Direktor des Dépôt ein „Projet" ein, das vor allem die Mitwirkung des Cadastre und die Vereinigung aller topographischen und kartographischen Dienstzweige des Landes unter eine einheitliche Leitung zwecks Ausführung einer den vielseitigsten Bedürfnissen entsprechenden Carte de France forderte. Da war es die berühmte Rede des Verfassers der Mécanique céleste, Laplace, vom 27. März 1817 in der Chambre des Pairs gelegentlich der Beratung des Staatshaushalts, welche im Einverständnis mit dem General d'Equevilly und auf Vorschlag des Kriegsministers eine Ordonnanz Louis' XVIII. vom 11. Juni 1817 zur Folge hatte, die die Bildung einer Commission royale de la Carte de France aus 14 Mitgliedern herbeiführte, in der Vertreter der Ministerien des Innern, des Krieges, der Marine und der Finanzen waren, und die mit der Prüfung des Entwurfs für eine „nouvelle carte topographique générale de la France, appropriée à tous les services publics, et combinée avec l'opération du cadastre général" sowie der Mittel ihrer Ausführung betraut wurde. Präsident war M. le comte de Laplace. Delambre vom Institut royal war Stellvertreter und Oberst Puissant vom Kriegsministerium bzw. dem Korps der Ingénieurs géographes militaires Sekretär[2]). Eine zweite Kommission, unter dem Vorsitz des Sous-directeur du

---

[1]) Unter Napoleons Regierung nahm Frankreich mit den Lagrange, Laplace, Monge, Carnot, Lancret, Méchain, Delambre, Lalande, Meunier den ersten Platz in den exakten Wissenschaften der Welt ein. Schon auf der ägyptischen Expedition wurde die erste praktische Anwendung der Ortsbestimmung nach Zeit durch sehr genaue Uhren gemacht, wofür sich Bonaparte aufs höchste interessierte.

[2]) 1822 wurde der in diesem Jahre † Delambre durch Puissant ersetzt. Ebenso wurden in dem General Lachasse de Vérigny und dem Oberst Muriel zwei Mitglieder des bisher unvertretenen Corps d'État-major ernannt.

Dépôt, Colonel ingénieur géographe Brossier, nur aus Mitgliedern des Dépôt de la Guerre bestehend, hatte das Studium der Einzelheiten und die Verwirklichung der Beschlüsse der Commission royale. Als alles klar war, ging die Leitung der Carte de France auf das neugebildete, von der Königlichen Kommission vollständig unabhängige Comité du Dépôt de la Guerre über, das oft wesentlich anderer Meinung als diese war, dessen Vorschläge aber fast immer vom Kriegsministerium angenommen wurden. Als Laplace 1826 starb, hörte die Commission royale überhaupt auf. Von ihren Vorschlägen wurden im wesentlichen nur die über die Triangulation 1. O., namentlich die Teilung des Landes in große Vierecke durch Meridian- und Parallel-Dreiecksketten, die an den neuen Pariser Meridian angeschlossen waren, verwirklicht. Im übrigen haben namentlich auch ökonomische Gründe die Verwirklichung ihres Programms gehindert, und eine Mitwirkung des Katasters war wegen dessen Rückständigkeit schon im Interesse des rascheren Fortschreitens der Arbeit so gut wie ausgeschlossen. So erhielt die Karte eine wesentlich andere Grundlage. Ihre Herstellung wurde gänzlich dem Kriegsministerium bzw. dem Dépôt de la Guerre übertragen, das ein viel weniger umfassendes, billigeres und schneller fertig zu stellendes Werk beabsichtigten. Freilich in der Folge zeigte sich die geplante Aufnahmezeit als zu knapp, zumal es an Personal dafür und an der nötigen Übung desselben im Nivellement à l'éclimètre fehlte, so daß die Dauer und natürlich auch die Kosten der Arbeit sich über alles Erwarten verlängerten. Mit dem geringen Erfolge der Königlichen Kommission hing natürlich auch das wenig praktische Ergebnisse erzielende Wirken der ihre Anordnungen ausführenden Commission spéciale du Dépôt de la Guerre zusammen, wenn auch ihre Studien eine sehr nützliche Grundlage für die Tätigkeit des am 20. Oktober 1817 begründeten Comité du Dépôt de la Guerre wurden. Das Dépôt stand damals unter dem Direktor der Artillerie und des Genies, General Evain, und sein neues Comité übernahm 1818 die Arbeiten für die Carte de France. Es bestand unter Vorsitz des Generalinspekteurs d'Equevilly aus dem General Brossier, den Obersten Jacotin, Bonne, Henry, Parigot, de Lachasse de Vérigny und dem Major Puissant als Sekretär. Es war indessen eine rein begutachtende Behörde. Die Ausführung der Karte fiel den Offizieren des Corps royal des Ingénieurs géographes unter Leitung des Generals Brossier zu, der seine Vorschläge unmittelbar dem General Evain machte, bzw. dem Comité als dessen Vizepräsidenten vorlegte. Diese nicht sehr praktische, weil zu umständliche Handhabung des Dienstes änderte schon 1818 eine neue Vorschrift dahingehend, daß dem General d'Ecquevilly die Leitung der Karte zufiel. Das Comité stellte zwei Entwürfe auf, in beiden war der Vorschlag des Generals Brossier, die Karte in 1:80000 — statt, wie die Commission royale wollte, in 1:100000 [1]) — auszuführen, dem auch der Kriegsminister zugestimmt hatte, zugrunde gelegt; im ersten war die Aufnahme in 1:10000 und 1:20000, im späteren in 1:20000 und 1:40000 angenommen. Eine Königliche Ordonnanz vom 25. Februar 1824 entschied endgültig, daß der Maßstab der Karte 1:80000, der der Aufnahme nicht mehr wie bis dahin 1:10000, sondern 1:40000 sein sollte und 1:20000 nur für solche Gebietsteile angewendet werden dürfte, welche eine genauere Kenntnis der Örtlichkeiten erforderte. Auch solle die Karte lediglich nach militärischen und administrativen Gesichtspunkten verfaßt werden. Das Kataster kam nicht mehr in Betracht, die Mitwirkung der Commission royale nur für die Geodäsie und die Prüfung der Arbeiten der Karte.

Was den Maßstab 1:80000, an dem man namentlich tadelte, daß er nicht dezimal sei, anlangt, so bot er vor allem den Vorteil, daß er sich (bei Zulassung von dreimal mehr Einzelheiten infolge der vervollkommneten Darstellungsweise) dem der Cassinischen Karte von 1:86400, deren Blätter ja nur sehr allmählich ersetzt werden konnten (noch

---

[1]) Die Commission spéciale hatte dafür 1:50000 später vorgeschlagen.

1875 mußte man sich einiger derselben bedienen), möglichst näherte, daß er sich in guter Übereinstimmung mit 'den Aufnahmemaßstäben 1 : 20000 ($^1/_4$ der Dimensionen, $^1/_{16}$ der Fläche) und 1 : 40000 ($^1/_2$ der Abmessungen, $^1/_4$ der Fläche) befand und so die Reduktion erleichterte, und endlich daß er die Möglichkeit bot, mehr Details zu liefern als 1 : 100000, bzw. bei gleichen Einzelheiten lesbarer zu sein. In 100000 hätte die Geländedarstellung fortfallen müssen. Als Entwurfsart wurde, wie schon Henry in seinem Mémoire von 1810[1]) und später Puissant in seinem für die Commission royale 1817 gemachten „Rapport sur le mode d'exécution d'une nouvelle carte Topographique de la France" &c., den Laplace dem Kriegsminister, Duc de Feltre, übersandte, vorgeschlagen, die 1752 zuerst von dem Franzosen Rigobert Bonne angewandte flächentreue unechte Kegelprojektion mit längentreuen Parallelkreisen (als einer Variante der Flamsteedschen oder besser eines Grenzfalls derselben) bestimmt, die seitdem auch Projection de la Carte de France ou du Dépôt de la guerre heißt[2]). Es ist eine Abbildung auf den Berührungskegel im Mittelpunkt des darzustellenden Gebietes, die freilich nicht Ähnlichkeit in den kleinsten Teilen besitzt. Aber die in der Natur dieser Entwurfsweise begründeten Verzerrungen üben beim praktischen Gebrauch für Länder kleiner Längenunterschiede wie Frankreich keinen merkbaren Einfluß aus. Auch ist, was für geographische Karten besonders wichtig ist, die Flächentreue hervorzuheben, sowie die Möglichkeit, die Entfernung zweier Punkte ohne großen Unterschied nach einem gemeinsamen Meilenmaßstab zu bestimmen, und die Einfachheit der Konstruktion. Die Grade des Parallelkreises werden vom geradlinigen Mittelmeridian beiderseits in ihrer wahren Größe auf jedem Parallel aufgetragen, so daß ein Bild mit Meridiankurven höherer Ordnung und kreisförmigen Parallelkreisen entsteht, ein einheitliches System rechtwinklig sphärischer (kongruenter) Koordinaten. Die ein Rechteck von 13,6 : 12,6 m bildende Karte hat eine vom Gradnetz unabhängige Blatt - einteilung. Das Achsensystem wird vom Meridian von Paris und dem 50. Parallel (Schnittpunkt Aurillac) gebildet. Paris befindet sich auf einem einzigen der 273 Blätter von je 50 cm Höhe und 80 cm Breite, was also 40 : 64 km oder einer Fläche von 256000 ha entspricht, nicht aber wird es, wie die Commission royale erst wollte, durch die Blattteilung zerschnitten. Der Nullmeridian teilt dieses Blatt und die übrigen auf ihm gelegenen in der Mitte, der Länge nach, der 50. Parallel die auf ihm befindlichen Blätter in eine Nord- und eine Südhälfte, so daß alle Blattmittelpunkte der Karte den Schnitt der durch dieselben gehenden Meridiane mit dem 50. und den andern Parallelen, die durch die Mitte der auf dem Pariser Meridian gelegenen Blätter gehen, darstellen, und die Bezeichnungen dieser Meridiane und Parallelen vom Ausgangspunkt (Null) nach Norden und Süden, Osten und Westen bilden zugleich die der Blätter, von denen jedes also zwei auf seinen Mittelpunkt bezügliche Ziffern enthält, die an den Rand, möglichst nahe der Achse, geschrieben sind. Als Abplattungswert wurde auf Vorschlag von Laplace (1820) 1 : 308,64 angenommen (gibt 111,1111 km mittleren Meridiangrad nach den von Delambre in „Base du système métrique" aufgestellten Werten).

Im Jahre 1818 begannen die Aufnahmen. Die Triangulation[3]) 1. O. bestand nach Laplaces Vorschlag aus Meridian- und Parallelketten, die Frankreich in große Vierecke von etwa 200 km Seite teilten, in deren Innern man ein Netz 1. O., aber mit etwas geringerer

---

[1]) Es gibt das Resultat der Commission qui fut réunie le 5 pluviose an XI par ordre du Ministre de la guerre, wobei es von ihr heißt: „parce qu'elle a paru être la plus propre aux divers besoins des services publics."

[2]) Diese „Flamsteed modifiée"-Projektion — die irrtümlich dem Mercator zugeschrieben worden ist — war längst bei den Geographen im Gebrauch, wurde aber nun immer häufiger angewendet. So 1845 bei dem Karten der österreichischen Provinzen, ferner bei der Dufourkarte 1 : 100000, der niederländischen 1 : 50000, bei dem bayerischen und dem älteren badischen Topographischen Atlas, für geographische Handkarten, z. B. auch bei der Vogelschen des Deutschen Reichs, und den meisten Atlasblättern, so namentlich auch den Stieler. Seit Tissots Kritik ist sie seltener geworden, besonders die Mathematiker sind ihr entgegengetreten. Die Bezeichnung als modifizierte oder verbesserte Flamsteedsche Projektion ist jedenfalls keine glückliche.

[3]) Näheres Band VI, VII und IX des „Mémorial".

Genauigkeit, als Stütze für die Triangulierung 2. und 3. O. legte. Um bald mit der Mappierung beginnen zu können, wurden die Netze 1. bis 3. O. gleichzeitig ausgeführt, und zwar begannen 1818 26 Offiziere. Vorhanden war die große Meridiankette von Dunkerque bis Barcelona (gemessen von Delambre und Méchain) mit ihrer Verlängerung bis zur Insel Formentera (durch Biot und Arago 1806)[1], im ganzen etwa 188 Dreiecke, darunter das große Desierto de la Palmas—Iviza—Mongo. Sie mußte jedoch auf der Strecke Fontainebleau—Bourges später durch Delcros (1826/7) neu bestimmt werden, da sich bei ihrer Benutzung, eine Unstimmigkeit von 1,62 m in der Basislänge von Bordeaux zwischen der Messung herausgestellt hatte. Neu zu ermitteln war zunächst die große Perpendikuläre von Brest bis Straßburg, die durch das Pariser Observatorium geht. Ihren westlichen Teil Paris—Brest erhielt Oberst Bonne. Er schloß an eine Dreiecksseite des Meridiannetzes von Dunkerque an. In sechs Kampagnen wurde 1823 die Triangulation beendet und dann die Basis von Plonescat zu 10526,91 m Länge mit dem Bordaschen Apparat gemessen sowie aus der Kette berechnet, die von der Grundlinie von Melun ausging. Man fand überraschend genau dasselbe Ergebnis, wohl nur zufällig. Die Winkelbestimmungen geschahen wie bei allen Triangulationen 1. O. mit dem Bordaschen Kreise. Den östlichen Abschnitt des Perpendikels triangulierte Oberst Henry, gestützt auf eine Seite der Pariser Meridiankette und endigend an der Ensisheimer Basis bei Kolmar, die Henry selbst 1804 gemessen hatte. Es waren 25 Dreiecke, deren Messung 1821 vollendet war, und die für die Seite Donon—Straßburg, welche auch dem Schweizer Netz angehörte, nur 0,71 m Unterschied ergab. Mit diesen Triangulierungen wurden ein trigonometrisches Nivellement und astronomische Beobachtungen verknüpft, bzw. an sie angeschlossen, die Henry und später, nach dessen Tode, kontrollierend und erweiternd Bonne ausführten. Die Ergebnisse, namentlich auf der Strecke Paris—Brest, waren für die Karte hinreichend, in rein wissenschaftlicher Hinsicht dagegen, für die Kenntnis der Erdgestalt wenig befriedigend. Der Abplattungswert 1 : 309 stellte sich als zu klein dar und die Übereinstimmung zwischen den geodätischen und astronomischen Bestimmungen war nicht ausreichend vorhanden. Weiter wurde 1811 auf Befehl des Kriegsministers die Triangulation des mittleren (50.) Parallels, der durch Libourne, Aurillac und Briançon geht, begonnen. Laplace hatte zur Aufklärung, ob die Erde ein regelmäßig geschichtetes Rotationsellipsoid sei, bei dem die einzelnen Grade eines Parallels gleich lang und die Intensität der Schwere in den verschiedensten Punkten gleich groß sei, Parallelkreismessungen gewünscht. Er schlug dafür den 45. Parallel vor, da dieser durch den Mont Blanc geht, den er für den unveränderlichsten und für geographische Längenmessungen geeignetsten Punkt Europas hielt. Biot und Matthieu hatten bei ihren Schweremessungen auf dem Parallel große Abweichungen gefunden. Jetzt wurde nun der dem 45. nahe gelegene 50. Parallel gewählt, um neben dieser Aufgabe der Bestimmung der Erdgestalt den Meridian von Dunkerque an die seit 1802 durch die Ingenieurgeographen in der Schweiz, Savoyen und Italien, sowie in Istrien ausgeführten Triangulationen anzuschließen und die topographischen Aufnahmen dieser Gebiete mit der Cassinischen Karte zu verknüpfen; auch wurden damit die Adria und der Atlantik trigonometrisch verbunden und die geographische Lage des Mont Blanc und der in der Nähe des 45. Parallels gelegenen Örtlichkeiten festgelegt. Oberst Brousseaud wurde mit dieser Aufgabe für den westlichen, den französischen und savoyischen Teil des Bogens betraut, während die schon 1802 begonnenen Arbeiten in Italien, die die ganze Alpenkette bis Fiume umfaßten, Oberst Brossier leitete. In der Schweiz triangulierte Henry und schloß sein Netz über Genf und die Alpengipfel an das französische an. Er hatte eine Basis im Elsaß gemessen und bis nach Genf trianguliert, Brousseaud bis an die Grenzen von Frankreich und Savoyen, Brossier, gestützt auf die Tessiner Basis,

[1] Vgl. Arago et Biot: „Recueil d'observation", 1821, und „Opérations géodesiques et astronomiques, exécutées en Piémont et en Savoie", 1825—28.

von Rivoli bis Fiume — als die politischen Ereignisse der Jahre 1813/14 die Arbeiten
unterbrachen und zwei Lücken ließen: zwischen dem Atlantik und dem Meridian von
Dunkerque und zwischen den Alpen und Turin. Erst 1818 wurden die Arbeiten auf
der westlichen Seite von Brousseaud fortgesetzt und 1819 am Ozean beendet, worauf
astronomische Beobachtungen von ihm gemacht wurden. Der östliche Teil wurde von
Offizieren des sardischen und österreichischen Generalstabes unter Zuziehung der Astronomen Carlini und Plana 1823 auf Grund eines der Turiner Akademie von Laplace über-
sandten Mémoires des mit dem Teil der Alpen bis Turin besonders vertrauten Brousseaud
beendet. Die Gesamtentwickelung des gemessenen Bogens von der Tour de Cordouan vom
Ozean bis Fiume umfaßte 106 Dreiecke 1. O., von denen 90 auf französische Messungen
der Ingenieurgeographen entfielen, davon 50 auf Frankreich für seine neue Karte, der Rest
auf den Teil zwischen Fiume und der Superga bei Turin, den bereits 1808/9 unter
Brossier die Ingenieurgeographen Coraboeuf, Béraud, Moinet und Lascerot bestimmt hatten.
Die astronomischen Längenbeobachtungen führte eine gemischte Kommission: Brousseaud und
Nicollet von französischer und Carlini und Plana von austro-sardischer Seite, von 1822—27
mittels Feuersignalen aus. Sie ergaben von Marennes bis Padua 12° 59′ 33,720″, von
Padua bis Fiume 15° 32′ 26,760″ (1210547,563 m) Bogenlänge, woran sich Breiten- und
Azimutbestimmungen schlossen. Der Vergleich der geodätischen mit den astronomischen
Ergebnissen zur Bestimmung der Erdgestalt ergab auch hier, daß der Abplattungswert
hinsichtlich Frankreichs etwas zu klein war. Gleichzeitig fanden sich aber auch Widersprüche,
die nur aus örtlichen Ablenkungen zu erklären waren, von denen Puissant sagt: „Aussi
seront-elles toujours un obstacle à la recherche de la véritable figure
de la Terre, sans cependant cesser d'intéresser le géologue". Bei diesen Bestimmungen
des mittleren Parallels wurde 1826 und 1827 eine Verifikationsbasis westlich von Bordeaux in den Landes durch Brousseaud mit dem Bordaschen Apparat zu 14119,08 m ermittelt, die eine gute Übereinstimmung mit einer 1827 durch Coraboeuf 120 km südlich
bei Gourbera und der 1824 von der austro-sardischen Kommission bei Mailand gemessenen
Tessiner Grundlinie ergab. Die Basis von Bordeaux wurde durch 40 Dreiecke 1827 an
die Triangulation des mittleren Meridians angeschlossen, auf dem, von der Spitze der
Tour de Cordouan (68,445 m über Mittelwasser) ausgehend, dann ein sehr sorgfältiges geodätisches Nivellement ausgeführt wurde. Sein Ergebnis war, daß das Mittelmeer und der
Ozean in gleicher Niveaufläche liegen. Zu diesen Fundamentalketten trat die Bestimmung
der Meridianketten von Bayeux (bis Cilourne) im Westen durch die Hauptleute
Delahaye und Delcros 1818—24, von Sedan (bis Marseille) im Osten von 1820—24
durch die Hauptleute Delcros und Clément, woran sich 1825 und 1826 eine sehr gute
Basisbestimmung bei Aix und Verknüpfung mit der Kette durch Delcros schloß (8066,65 m),
weiter von Straßburg, die schon seit 1804 (mit der Ensisheimer Basis) von Henry
bestimmt war und jetzt nur kontrolliert, besonders auch mit der Basis von Melun des östlichen Teils der Perpendikuläre Brest—Straßburg verglichen wurde. Weiter wurden festgelegt
die Parallelketten von Amiens (1849 durch Delahaye, beendet 1821 durch Coraboeuf), Bourges (1818—24 durch Coraboeuf), Rodez (1822—25 durch die Hauptleute
Foulard und Durand) und Chaîne des Pyrénées[1]) (1825—27 durch Oberst Coraboeuf
und Leutnant Peytier geleitet, hatte die von Delambre bei Perpignan gemessene Basis als
Ausgang und eine neue 1827 bei Gourbera zu 12220,031 m gemessene als Kontrolle).
1831 waren alle diese Ketten 1. O. beendet und Frankreich durch sie in große Vierecke
durch 4 Meridian- und 6 Parallelketten zerlegt, wie es die Commission royale gewünscht
hatte. Um das Ganze zu vervollständigen, ließ das Dépôt de la Guerre nun noch
eine Schlußkette 1. O. längs der Mittelmeerküste durch den Major Delcros mit

---

[1]) Schon 1786—95 hatte eine Kommission spanischer und französischer Ingenieure zu Grenzberichtigungs-
zwecken von Biarritz und der Bidassoa bis zum Mont Perdu trianguliert, als die Revolution störend dazwischentrat.

besten Ergebnissen ausführen, die die Basen von Perpignan und Aix verknüpfte und die Dreiecksseite Pic de Bugarach bis Mont de Tauch von beiden aus mit nur 86 cm Unterschied bestimmte.

Erwähnt unter den bisherigen Arbeiten sei auch noch die Bestimmung der Höhe des Mont Blanc, welche ebenso wie die des Lac du Genève Coraboeuf 1827—29 aufnahm[1]) und 4810,89 m für den Gipfel ergab. Carlini und Plana hatten 1821—23 4801,86 m gefunden, wobei sie von zu niedrigen Höhen des Colombier und Granier ausgingen. Wurden diese berichtigt, so ergab sich 4811,59 m.

Gleichzeitig mit den Arbeiten der Ingenieurgeographen führten die Ingénieurs hydrographes der Marine längs der Küste des Ozeans unter Leitung ihres Chefs M. Beautemps-Beaupré eine im Norden bei Brest an den Pariser Parallel, in der Mitte bei Noirmoutier an den von Bourges, im Süden, bei Cordouan, an den mittleren Parallel angeknüpfte Küstentriangulation für ihre Navigationszwecke aus.

Während die große Haupttriangulation in Arbeit war, ging gleichzeitig die Legung eines Füllungsnetzes 1. O. zwischen den Hauptketten von 1818—45 vor sich, das der Netzlegung 2. und 3. O. als Grundlage diente. 1818—20 geschah sie in der Umgebung von Paris durch die Hauptleute Lecesne und Lebon-Laignelot und in dem Viereck Paris—Bourges—Cholet—Mortain unter den Hauptleuten Béraud und Sion, mit Ergänzungen 1821—22 durch Béraud. Von 1821—22 breitete sich diese Zwischentriangulation auf ganz Nordfrankreich aus (Hauptleute Lecesne, Delcros, Bentabole, Béraud). Erst 1826 wurden diese Arbeiten dann wiederaufgenommen und bis 1845 vollendet, wobei das Viereck „des Landes" den Abschluß bildete. 1831 war der wichtigste Teil der Triangulation 1. O. Frankreichs, nämlich die Hauptketten und das Netz 1. O. im Norden Frankreichs vom Meridian von Bayeux bis an die Nord- und Ostgrenze und den Parallel von Bourges (abgesehen vom Viereck Melun—Vassy—Dijon—Bourges) sowie im Raum zwischen dem Meridian von Sedan und den Grenzen am Jura und den Alpen durch die Ingenieurgeographen vollendet, und zwar in einer Weise, die unvergleichlich genauer war, als die von Cassini, und welche, wenn sie auch, namentlich vom heutigen Standpunkt aus, geodätisch manches zu wünschen übrigließ, doch den Anforderungen für die Carte de France vollauf genügte. Mit ihren meist angewendeten Repetitionskreisen von Gambey hatte sie alle Dreiecke in 3 Serien, mit wenigstens 20 Repetitionen jedes (nur zuweilen 6), bestimmt und weit besser festgelegt, als es die der Meridiankette von Dunkerque durch Delambre und Méchain waren. Die längste Dreiecksseite betrug 160903 m oder 1° 27' Bogenlänge. Die Berechnung der sphärischen Dreiecke geschah nach dem für einzelne Dreiecke (nicht aber für Ketten, für die man sich heute der Additamentenmethode bedient) noch gültigen Legendreschen Satze. Die 7 Grundlinien waren 8067 bis 19044 m lang. Nun wurde 1831 das Korps der Ingenieurgeographen mit dem des État-major vereinigt, wenn auch die Organisation des jetzt unter Baron Pelet stehenden Dépôt de la Guerre, das seit 1830 dem Kriegsministerium unterstellt war, während der folgenden Jahre die alte blieb. Seit 1832 hieß das Dépôt „Direction générale" und wurde von 1835—44 wieder selbständig mit der Bezeichnung „Dépôt de la Guerre", bzw. „Dépôt général de la Guerre". Eine Ordonnanz vom 4. November 1844 gab dem Dépôt eine besondere Organisation aus einem Sekretariat und 5 Sektionen. Bis 1875 hat dann das Dépôt noch die mannigfachsten Veränderungen erfahren, so schon 1845, dann 1850, 1870/71, 1871, wo das Dépôt als 2. Bureau des dem Kabinett des Kriegsministers unterstellten Generalstabes eingegliedert wurde, 1874, wo der Generalstab unabhängig vom Kriegsministerium wurde und die 5 Sektionen des Dépôt die 5 Bureaus des Generalstabes der Armee würden,

---

[1]) Saussure hatte 1787 als rechnerisches Ergebnis seiner barometrischen Beobachtungen 4808,82 m gefunden. 1802—4 war die Höhe nach dem nur barometrisch ermittelten Niveau des Genfer Sees bestimmt worden und unter Benutzung einer von Cassini um 82 m falsch ermittelten Dreiecksseite Montellier—Chandieu.

von denen schließlich wieder das 5. Bureau (Géodésie, topographie, archives des cartes et comptabilité) sich erweitert hat und später zur Direction du Service géographique de l'Armée wurde, von der die Archive und die Bibliothek als Sondersektion abgetrennt wurden. In der ganzen Zeit von 1831—80 gehörten aber die Offiziere des Dépôt zum Corps d'État-major, aber auch nach der Verschmelzung sind alle geodätischen Arbeiten 1. O. und sogar die meisten 2. O. immer den ehemaligen Ingenieurgeographen anvertraut geblieben, nur der Rest der Arbeiten 2. und 3. O. sind durch Offiziere des État-major ausgeführt worden.

Die Triangulationen 2. und 3. O. wurden kartenblattweise in dem Maße bewirkt, als es die Bedürfnisse der Topographie erforderten, und zwar auf Grundlage der 1. O. mit Theodoliten Gambey von 0,22 m Durchmesser, die 20 Sekunden direkte und 10 Sekunden schätzungsweise Ablesung ermöglichten. Dieselben gestatteten ein rascheres Arbeiten als mit dem Repetitionskreis, was auch nötig war, da in einer Arbeitsperiode 30—50 Stationen auf 2560 qkm Fläche mit etwa 1000 Winkeln und 800 Zenitdistanzen zu bewältigen waren, sowie die Berechnung von etwa 500 Dreiecken 2. und 3. O. und die Bestimmung der geographischen Koordinaten von 160—200 Punkten. Jährlich mußte ein Offizier die Fläche eines Blattes der Karte 1:80000 triangulieren mit wenigstens 160 Punkten oder im Mittel 1 Punkt auf eine lieue carrée von 4000 m. Die ersten Dreiecke wurden 1810—14 für die Umgebung von Paris und die Blätter Paris, Meaux, Melun und Provins gelegt, als man noch nicht an die neue Karte, sondern nur an die Ausdehnung der Carte des Chasses dachte. Später wurde diese Arbeit wiederholt, 1827 vollendet, 1831 revidiert. Zu diesem Zeitpunkt der Verschmelzung des Korps der Ingenieurtopographen mit dem Generalstabe war die Netzlegung 2. und 3. O. in ganz Nordfrankreich vollendet, ebenso in den Vogesen und im Jura bis an den Genfer See. Erst 1854 war die gesamte Triangulation Frankreichs vollendet, und die Offiziere des Corps d'État-major hatten außer in Algier und 1854 im Krimkriege bei der Orientarmee bis zur Annexion Savoyens und Nizzas keine Gelegenheit mehr zu geodätischen Arbeiten.

Als dann nach dem Feldzuge 1859 in Italien es notwendig wurde, die Karte auf die neuerworbenen Gebiete Savoyen und Nizza auszudehnen, so geschah dies teils durch Vervollständigung der Grenzblätter, teils durch Einschub neuer Blätter in die nicht geänderte Nummerfolge der schon vorhandenen der Carte de France unter Bezeichnung durch bis und ter. Bezüglich Nizzas besaß man als Triangulation 1. O. schon den Ausläufer des Parallels von Rodez mit der Seite Coyer—Cheiron und begnügte sich, von dieser ausgehend, die italienische Netzlegung 1. O. auf dem Alpenkamm im mittleren Parallel anzunehmen und nur nachzurechnen. In Savoyen gab es noch kein vollständiges Dreiecksnetz 1. O., wohl aber einzelne Punkte, an die man von 1861—63 eine Triangulation 2. und 3. O. schloß.

Endlich die Arbeiten auf der Insel Korsika! Schon 1827 hatte Kapitän Durand 22 Dreiecke gelegt, die ihre Grundlinien in Seiten des französischen Netzes, ihre Spitzen in Berggipfeln (Cinto, Paglia Orba &c.) auf der Insel hatten. Die Basen dieser ungeheueren Dreiecke waren 86 und 79 km lang, die Seiten erreichten zwischen dem Festland und der Insel 266454 m. Diese Dreiecke dienten anderen als Stütze, deren Spitzen in Frankreich lagen und die als gemeinsame Basis die Seite Cinto—Paglia Orba hatten und aus der die Seite in Korsika auf annähernd 6818 m berechnet wurde. Daraus bestimmte Durand die Höhen der beiden Gipfel und kam bei den Koordinaten der Paglia Orba auf annähernd dasselbe Ergebnis wie einst Tranchot 1862. Als das Dépôt eine neue Karte von Korsika herausgeben wollte, deren Blätter sich an die der Carte de France anschließen sollten, handelte es sich namentlich um ein geometrisches Nivellement zur Höhenbestimmung des Geländes. Unter Benutzung der Tranchotschen Dreiecksseite Turghio—Cargese als Basis verband man eine Seite der Meridiankette von Dunkerque durch 109 Dreiecke mit ihr und erhielt nur 1,07 m Unterschied, ein für die Topographie sehr befriedigendes Ergebnis. Korsika selbst wurde mit einem Netz 1. O. von 65 Dreiecken bedeckt, der gemessene Meridianbogen auf der Insel hatte 1° 37′ 22,7″ (nur 1″ Unterschied gegen Tranchot). Die Netzlegung 3. O. umfaßte die Bestimmung von 407 bemerkenswerten Punkten. 1863 wurden diese Arbeiten begonnen und vollendet.

Über die im Frühjahr 1870 begonnene, durch den Krieg gestörte Neumessung des Pariser Meridians siehe „Neueste Periode".

Von einem Präzisionsnivellement oder dgl. ist also bei Ausführung der Carte de France noch keine Rede gewesen und konnte es auch nicht sein, da überall noch die trigonometrische Höhenmessung als Grundlage des Höhennetzes für topographische Zwecke galt und nur für einige technische Aufgaben nivelliert wurde. Um so bemerkenswerter bleibt es, daß von 1861—64 von Bourdalouë[1] im Auftrage des Ministre des Travaux publics das erste große zusammenhängende Liniennetz feiner Nivellements für einen ganzen Staat ausführte, das natürlich auch der Carte de France zugute kam. Es wurden 15000 km, und zwar doppelt und im entgegengesetzten Sinne, nivelliert. Waren vor 1860 für die verschiedenen Nivellements und Höhenangaben mehrere, oft willkürliche Höhennullpunkte maßgebend und für 19 km nur ein Nivellementspunkt vorhanden gewesen, so daß das Gelände meist krokiert werden mußte, so wurde jetzt für alle Vermessungsarbeiten Frankreichs als Ausgangsfläche das Mittelwasser des Meeres bei Marseille, der sogenannte Bourdalouë-Nullpunkt (Strich 0,40 m am Meerespegel von St. Jean), bestimmt, und über 10000 Höhenmarken 1. und 2. O. von nur 0,7 km mittlerer Entfernung bedeckten das Land, so daß fortan jeder Aufnehmer rasch und bequem Anschluß finden konnte. Erst 20—30 Jahre später kamen die übrigen Staaten Europas[2] mit ähnlichen Anordnungen und schufen sich als Vergleichshorizont das Mittelwasser eines Punktes ihrer Küsten. 1863 wurde bereits das französische Netz berichtigt, 15 Jahre später ging man, wie wir hören werden, unter Mitwirkung des Kriegsministeriums und des Ministeriums des Innern bereits an die Schaffung eines neuen, umfassenderen und verbesserten. Das Bourdalouë-Netz wurde mit Belgien an 2 Orten, mit Deutschland an 4, Italien an 3, Spanien an 1, an die Schweiz mit 2 Stellen angeschlossen. Als Nivellierinstrumente hatten solche von Barthélemy in Paris (36 mm Objektiv, 36 mm Brennweite, 25fache Vergrößerung) gedient, mit denen aus der Mitte und mit gleichen Zielweiten — bis 70 m — bei einspielender Libelle gearbeitet wurde. Der zufällige wahrscheinliche Fehler beträgt von ± 1,1 bis ± 0,7 mm für die 1. O., zwischen 1—5 mm für die 2. O.[3].

Was nun die topographische Aufnahme anlangt, die von 1818—66, d. h. in 49 Jahren oft unter den schwierigsten Verhältnissen, darunter in einsamen Hochalpen, bei Schnee und Eis, inmitten der Gefahren der Gebirgswelt, bei Monate währendem Zeltleben, ausgeführt werden mußten, so sind sie natürlich bei der Länge der Zeit ungleichwertig und nicht ohne manche größere Mängel geblieben, die bei den Revisionen beseitigt werden. Aber das große Ganze verdient Anerkennung. Stand man doch im Anfange vor einer ganz neuen und schwierigen Aufgabe. Für sehr viele Gemeinden fehlte das Kataster (mappes) gänzlich oder war unzulänglich, so daß das Gerippe ganz neu aufgenommen werden mußte.

In den Gebieten, deren Katasterpläne verwertet werden konnten, obwohl sie unvollkommen waren, schwächte der sehr kleine Maßstab dieser Pläne die Bedeutung der Fehler

---

[1] Er hatte schon früher bei französischen Bahnbauten feine Nivellements ausgeführt. 1847 kam dann sein großes Nivellement des Isthmus von Sues dazu, daß die Legende von einem großen Niveauunterschiede zwischen Rotem und Mittelmeere endgültig beseitigte.

[2] Heute verfügt Europa über mehr als 120 Pegel zur Bestimmung der Mittelwasserhöhe, wenn auch der Stand des Mittelwassers nicht überall genau genug bekannt ist.

[3] Breton: „Traité de nivellement", 2. édit. 1872, und „Procès-verbaux de la commission centrale du nivellement général de la France".

ab, die ohnehin durch die Notwendigkeit der Einpassung der Katasteraufnahme in eine genaue und ziemlich dichte Netzlegung 2. und 3. O. begrenzt wurde. Die Aufschlüsse des Katasters wurden später immer reichhaltiger, wenn sie auch nie so vollständig wurden, wie eine gemeinsame Arbeit von Kataster und Topographie sie zur Folge gehabt hätte. 1835 z. B. waren von 86 Departements erst 10 katastriert. Es gab: Plans de masses, d. h. Pausen 1:5000 der 1804—10 aufgenommenen Originalaufnahmen, die etwa 10000 über alle Departements verstreute Gemeinden mit dem Wegenetz, den allgemeinen Umrissen der verschiedenen Kulturen, den detaillierten Dörfern und sogar den mit dem Pinsel skizzierten Gebirgen enthielten; Tableaux d'assemblage in Maßstäben von 1:1500 bis 1:20000, die 1810—21 von Parzellen gemacht waren, ohne jede nähere Einzelheit des Gerippes, mit den Grenzen der Gemeinden und den wichtigsten Ansiedelungen, lediglich leihweise zwecks Zusammenstellung der einzelnen Katasterpläne überlassen; Parcelaires du Dépôt 1:10000, die Eigentum des Depots wurden, seit 1821, allmählich auf dessen Wunsch immer eingehender dargestellt, seit 1832 für etwa 10000 communes vorliegend.

Die Reduktionen der Kataster- oder Flurkarten wurden häufig fehlerhaft gemacht, die Namenschreibung ließ viel, namentlich wenn es sich um Patois handelte, an Richtigkeit zu wünschen übrig. Von den 278 Blatt der Karte beruhen 3 Blatt auf Aufnahmen in 1:10000, 12 Blatt auf solchen in 1:20000, 258 Blatt endlich auf Originalen in 1:40000 (mit Teilen in 1:10000). Alle Minutes wurden übrigens auf 1:40000 reduziert, um ein einheitliches Werk dieses Maßstabs zu haben. Die ersten 192 Blätter von 1818—23 waren in 1:10000 und bezogen sich auf Paris, Melun und Beauvais. Die Aufnahmen fanden unter Oberst Jacotins, des Chefs der topographischen Abteilung, Oberleitung zuerst mit nur 8 Offizieren unter Führung des Majors Maissiat, 1819 durch 31 unter Befehl des Hauptmanns Lapie, dann 1820 durch 24, seit 1821 in 2 Gruppen von je 13 Köpfen unter Leitung der Majors Lapie und Lebon-Laignelot statt. 1824 ersetzte Oberst Jacotin den chef d'escadron Puissant, der es seit 1819 war, als inspecteur des travaux, wobei er gleichzeitig die Leitung der section topographique beibehielt (bis 1828). Die Planimetrie dieser Blätter ist genau und reich an Einzelheiten. Das Gelände ist in Niveaulinien mit Bergstrichen, jedoch ohne Skala und ohne Rücksicht auf eine der damals sich so lebhaft bekämpfenden Beleuchtungstheorien, mit der Feder nach der loi du quart dargestellt. Die Kurven sind aber mehr Form- als Höhenlinien. Zuweilen sind Steilabhänge durch Schummerung in chinesischer Tusche verstärkt. Im ganzen herrscht aber gar kein allgemeines System, sondern eine den Umständen Rechnung tragende Eigenart des betreffenden Topographen vor. Von 1824—40 wurde in 1:20000 und 1:40000 aufgenommen, und zwar von 1826—33 12 Blatt der Karte ausschließlich in 1:20000, im übrigen in 1:40000, mit teilweiser Ausführung (besonders wo das Kataster fehlte) in 1:20000, und zwar ist so der ganze Norden und Osten Frankreichs vermessen. Ein großer Teil der Blätter 1:20000, namentlich die 1828—31 für Elsaß-Lothringen gefertigten, hat keine Bergstriche, sondern nur Horizontalen. Erst von 1832 ab ging man endgültig zur Schraffendarstellung über. Wo aber Bergstriche sich finden, ist ihre Darstellung korrekter und einheitlicher als auf den Blättern 1:10000, auch genügte der Maßstab 1:20000 (mit Ausnahme der großen Städte, namentlich von Paris) für Aufnahme aller wichtigen Einzelheiten. Die Mappes der 258 in 1:40000 aufgenommenen Kartenblätter,

---

[1]) Die ersten Anfänge des französischen Grundsteuerwesens sind in den Gesetzen vom 23. August und 23. September 1791 zu finden. 7 Jahre später (1798) erschien vom Dépôt du cadastre ein „Tableau général de la superficie et de la population de toutes les parties de la République Française, répandues sur la surface du globe". Die Katasteraufnahmen wurden durch die Revolution unterbrochen und erst 1802 wiederaufgenommen. 1807 wurde verfügt, daß sie statt in 1:5000 und 1:10000 in 1:2500 erfolgen sollten. Die Kosten der Vermessung wurden auf 250 Millionen Francs veranschlagt. 1816 erbat sich Frankreich Auskunft über die damals mustergültige Bayerische Parzellenvermessung und ahmte sie auf Rat von Laplace nach. 1850 war die Aufnahme Frankreichs, 1858 die Korsikas beendet. Seit 1890 ist eine Neumessung durch Lallemand im Gange. Das Dépôt de la Guerre hat sich oft über mangelhaftes Entgegenkommen der Katasterbehörden zu beklagen gehabt.

zu denen dann noch die nachträglichen Reduktionen in diesem Maßtabe der in 1 : 10000 und 1 : 20000 vermessenen 15 Blatt treten, sind ganz in mit der Feder gezeichneten Bergstrichen dargestellt, zu ihnen kommen aber Pausen mit Niveaulinien. Diese Minutes enthalten natürlich viel weniger Einzelheiten, aber doch mehr, als für die Reduktion in 1 : 80000 nötig sind, und genügen für alle ersten Studien im Gelände und für vorläufige Entwürfe. Da seit 1860 die Photographie im Dépôt de la Guerre eingeführt wurde, so ist durch Ordre vom 30. März 1859 die Anwendung von Farbentönen auf den Minutes untersagt und die Beifügung einer besonderen Pause mit den in den konventionellen Farben dargestellten Kulturen vorgeschrieben worden. Die Aufnahme in 1 : 40000 hatte natürlich auch eine Verringerung der trigonometrischen Punkte 2. und 3. O. möglich gemacht. Ferner war 1826 eine neue „Commission de topographie" aus Mitgliedern der Departements des Krieges, des Innern, der Marine und der auswärtigen Angelegenheiten (Grenzen) geschaffen worden, welche sich namentlich mit einer einheitlichen Geländedarstellung befassen sollte. Sie stellte 1828 vom Kriegsminister genehmigte Vorschriften für Pläne und Karten, sowie Kartensignaturen auf, die für alle Behörden, welche sich mit Topographie und Kartographie beschäftigten, maßgebend wurden. Indessen wurde vom Dépôt de la Guerre für seine Arbeiten der damit nicht im Einklang stehende Diapason des teintes des Obersten Bonne angenommen.

In dieser in der Praxis bald etwas geänderten, bis 1853, wo sie durch die des Majors Hossard ersetzt wurde, gültigen Bergstrichskala war endgültig die senkrechte Beleuchtung angewendet worden, während die Kommissionsbeschlüsse für den Maßstab unter 1 : 100000 einer Entscheidung über die Anwendung schräger oder zenitaler Beleuchtung aus dem Wege gingen und die Lichtwirkung nicht ausgedrückt wünschten. Da der Bonnesche Diapason die leichten Abhänge nicht genügend zum Ausdruck brachte, so half die Hossardsche Skala, die der Ebene wie dem Gebirge gerecht wurde, dem etwa in der Lehmannschen Weise ab. Doch ist auch sie nicht, ebensowenig wie die früheren, streng zur Anwendung gelangt, sondern dem Geschmack der Darsteller und dem Einzelfall stets Rechnung getragen worden. Dadurch ist trotz der Verschiedenheit der im Laufe der Jahre angewendeten Systeme doch eine gewisse Homogenität in der Geländedarstellung erreicht worden.

Das Fortschreiten der topographischen Aufnahmen war an die Tätigkeit eines eignen „Service du dessin" geknüpft, welches ihnen die Reduktionen[1]) der von den verschiedenen Verwaltungen eingelieferten, in den mannigfachsten Maßstäben und Ausführungen gemachten Dokumente lieferte. Dadurch geriet die Mappierung in große Abhängigkeit auch von den anderen Behörden, die oft, namentlich das Katasteramt, zu spät das Material sandten, so daß es manchmal nicht mehr berücksichtigt werden konnte.

Für die Ausführung der Aufnahme wurden im Laufe der Zeit verschiedene Instruktionen aufgestellt, deren ausführlichste die vom 15. März 1851 war, die für die letzten Aufnahmen in Savoyen, den Seealpen (Nizza) und schließlich (1866) in Korsika besondere Ergänzungen erhielt. Daraus ist der Geist, in dem die Arbeit erfolgte, die befolgten Methoden, der Grad der Genauigkeit, der Inhalt und Zweck, somit auch die an dieselbe zu stellenden Anforderungen zu entnehmen. Bezüglich der Planimetrie erhellt daraus die Benutzung eines recht mittelmäßigen, auf keiner Triangulation beruhenden Katastermaterials, bezüglich der Bodendarstellung eine krokirartige Ausführung, die durch Schätzung und Abschreiten, sowie Anwendung der Bussole gewonnen war und in die berichtigte Gerippezeichnung eingepaßt werden mußte. Also von einer Genauigkeit, namentlich wie sie die Commission royale angestrebt hatte, ist keine Rede. Dennoch verschwindet ein großer Teil der Fehler bei der Reduktion in 1 : 80000, die zwar nicht geometrisch, aber prak-

---

[1]) Sie wurden anfangs durch das rohe Quadrierverfahren, später pantographisch hergestellt, wobei seit 1844 die Konstruktion Gavard Anwendung fand. Später trat meist die Photographie in Benutzung.

tisch hinreichend genau ist für eine Militärkarte, dank vor allem der guten geodätischen Grundlage. So sind die Minutes unvergleichlich genauer und eingehender als die der Cassinischen Karte hinsichtlich des Gerippes, während die Geländedarstellung in dieser Weise, und sowohl für die Karte wie die Minutes, in diesen Maßstäben überhaupt keinen Vorgang hatte. Bis 1887 sind 1887 feuilles-minutes entstanden, darunter 983 in 1:40000 (einschl. der Reduktionen), sowie 90 Umgebungspläne der Städte in 1:20000, der Rest in 1:10000 (192) und 1:20000 (128 volle, 494 Teile von Minutes).

Im Anfange mußten sich die Offiziere die Instrumente selbst beschaffen, so daß sehr verschiedene Modelle vorkamen. Es wurde verlangt: 1 planchette à rouleaux, 1 alidade à lunette, 1 déclinatoire, 1 boussole à éclimètre, 1 chaîne de 10 ou 20 mètres avec ses piquets oder 1 stadia. 1822 konstruierte Kapitän Lostende eine stadia in Verbindung mit einer boussole à éclimètre (Theodolit mit Horizontal- und Vertikalkreis, Fernrohr mit Fadenkreuz), die allmählich obligatorisch wurden. Seit 1830 wurden die boussoles à éclimètre Rochette und Georges Oberhaeuser vom Dépôt beschafft und den Offizieren gestellt, zu denen 1849 noch einige boussoles Imbault kamen. Für die Höhenberechnungen verfaßte beim Beginn der Aufnahme Major Maissiat eine Tabelle, die auf einer Laplaceschen Formel beruhte und später durch genauere Tafeln des Hauptmanns Montalant ersetzt wurde. Sie wird noch heute benutzt, enthält außer den zenitalen auch die nadiralen Distanzen sowie die Winkel zum Horizont und eine Gebrauchsanweisung.

Was nun die eigentlichen kartographischen Arbeiten anlangt, so wurden die von den Offizieren fertig gestellten kolorierten und beschriebenen minutes ebenso wie die Pausen für die Höhenkurven und die schon vor der Aufnahme gefertigten, nun vervollständigten und berichtigten Reduktionen der Flurkarten, in die das Gelände eingetragen wurde, dem Service du dessin übergeben. Dabei mußte jede feuille-minute am Rande der Zeichnung auf der linken Seite mit einer Legende, sowie darunter stehenden Meter- und Toisenmaßstäben versehen sein.

Die Zeichner machten nun die Reduktion in 1:80000, und zwar für ein quart de feuille des Stechers, dem bei 1:40000 also eine feuille-minute entsprach, nachdem vorher die Projektion und die trigonometrischen Punkte auf dem quart de feuille aufgetragen waren. Die Verkleinerung des Gerippes (le trait) geschah auf Pauspapier und erforderte, einschließlich der farbigen Kulturen, etwa 6 Monate für die 4 quarts de feuille eines Kartenblatts. Nachdem der Stecher diese Zeichnung gestochen, wurde vom Zeichner in etwa 4 Monaten auf einem Abzuge die Schrift für das ganze Blatt ausgeführt, unter Zuhilfenahme des Dictionnaire des postes et des statistiques départementales. Auf einem besonderen Abzuge wurde dann auf einem quart de feuille des Gerippes das Gelände durch die geschicktesten Zeichner eingetragen, und zwar in 20metrigen Höhenkurven, die aus den Pausen der Topographen reduziert waren, und mit Schraffen nach den Bergstrichen der minutes und dem diapason für 1:80000. Dies erforderte für die 4 quarts de feuille etwa 20 Monate, im Hochgebirgsgelände beträchtlich mehr, so daß auch die Kosten gegen den Voranschlag erheblich wuchsen. So kostete das Blatt Digne allein 7897 Francs für die Gebirgszeichnung. Um die Kosten einzuschränken, wurden später (seit 1858) die Bergstriche durch Schummerung mit dem Pinsel ersetzt. Schließlich gab es 5 verschiedene Systeme der Gebirgsdarstellung auf den Reduktionen, wobei das 5., 1868—71 für Nizza und Korsika angenommene, wieder Bergstriche verlangte, dazu aber photographische Reduktionen, in denen das Gelände geschummert war. Bei allen 5 Systemen wurde aber stets eine Pause mit Höhenkurven in 1:80000 für den Stecher beigefügt.

Der Stich ist noch nach der Schule von 1802, wie sie die Karten von Bayern, Schwaben und der Départements réunis zeigen, ausgeführt, mit den durch die verschiedenen Kartensignaturen und die Vorschriften der Commission de topographie für das Relief bedingten Änderungen. Zunächst wurde durch zwei ausschließlich darin tätige Zeichner ein verkehrtes Bild der Projektion und der trigonometrischen Punkte entworfen. Der Stich selbst geschah dann in vier Abteilungen, nämlich für das Gerippe, die Schrift, das Bodenrelief und die Wasserschraffur getrennt. Das Gerippe erforderte fast 6 Monate, die Schrift 5—6 Monate, der sehr kostspielige, von den geschicktesten Kräften ausgeführte Geländestich 2—4 Jahre (einschließlich der Ausführung der Kulturen), und die Wasserschraffur, erst mit der Hand ausgeführt, wurde seit 1851 beschleunigt durch Anwendung von Maschinenarbeit.

Der Stich begann 1821, da bis dahin erst der Maßstab der Karte festgestellt war, nachdem 1820 die ersten Reduktionen gemacht waren. Zuerst kamen die Blätter Paris und Melun, 1822 das Blatt Beauvais an die Reihe. 1831 erschienen auf Befehl des Generals Pelet, der eben Direktor des Dépôt geworden, die ersten Blätter im Handel, 1833 begann die Lieferungsausgabe der Carte de France, also 15 Jahre nach Beginn der ganzen Arbeit (12 Blatt).

Die so ausgeführte Sticharbeit, welche seit 1839 eine „Commission des travaux graphiques" überwachte, die aus Pelet, Lapie und Coraboeuf unter anderen bestand und eine Verschmelzung einer älteren Commission de gravure und einer Commission chargée de la réception des travaux des officiers war, war 1880, d. h. 60 Jahre nach dem Stich des ersten Gerippes des Blatts Paris, vollendet.

Jedes Blatt der Carte de France trägt in der Mitte des oberen Papierrandes als Hauptbezeichnung den Namen seiner wichtigsten Örtlichkeit. Es hat eine Gradeinteilung in 10 Zentesimalminuten. In jedem der vier Winkelpunkte der Meridiane und Parallelen ist in Metern durch zwei Ziffern sein Abstand von dem Pariser Meridian und dem Parallel von Aurillac angegeben, ebenso die geographische Länge (von Paris) und Breite in Graden, Sekunden und Zehntelsekunden. Eine dreifache Randlinie umgibt das Kartenbild. Die äußere, ½ cm vom Papierrande entfernt, dient zur Zierde. Außerhalb jeder Seite desselben steht parallel mit ihr in Klammern der Name der angrenzenden Sektion. Nach innen folgt eine Umrandung in Form eines ringsumlaufenden Doppelmaßstabes, der eine Minuteneinteilung nach dem Zentesimal- und dem Sexagesimalsystem hat und alle 10 Minuten numeriert ist. Nun folgt der eigentliche innere Bildrand. Im oberen rechten Winkel desselben befindet sich in einem Rechtecke, dessen Seiten Angaben über die Lage des Blatts zu den Projektionsachsen haben, die Nummer der Sektion in der von der Commission royale festgesetzten Reihenfolge der Blätter. In der oberen linken Ecke sind zwei Rechtecke angebracht. Das eine stellt ein kleines, neunteiliges tableau d'assemblage dar, welches die gegenseitige Lage und die Nummern des Blatts (in der Mitte) zu seinen 8 Nachbarsektionen darstellt. Das andre, erst seit 1852 zugefügte, gibt graphisch und mit Buchstaben an, welche Größenteile die daneben mit Namen und Dienstgrad verzeichneten Offiziere und zu welchen Zeitpunkten bearbeitet haben. In der Mitte der unteren Randseite endlich befindet sich ein doppelter Maßstab mit Kilometer- und Meterangabe, unter dem bei älteren Blättern auch je ein Maßstab mit Wegstunden (lieues terrestres) und Seemeilen (lieues marines), sowie einer mit Toiseneinteilung angebracht ist. In der linken unteren Ecke des inneren Randes findet man das Jahr des Stichs, den Zeitpunkt der Veröffentlichung und Berichtigung, sowie die Ausgabestelle, im rechten unteren Winkel den Namen des Stechers.

In diesem Rahmen nun ist in Schwarz in durchwegs sehr übersichtlicher, lesbarer Darstellung, die auch in den Einzelheiten ein hinreichend vollständiges, klares, dabei einheitliches Bild liefert, die Situation in sorgfältiger Ausführung eingetragen. Das Gelände gibt die Bergstrichzeichnung im allgemeinen in gelungener Form und mit zahlreichen Höhenangaben in Metern wieder, wenn auch das Hochgebirge, namentlich das bewaldete, manchmal an Klarheit und Charakteristik zu wünschen übrigläßt und die Schrift in den dunklen

Schraffenpartien schwer zu entziffern ist, besonders natürlich in der lithographierten und zinkographischen Ausgabe. Der Kupferstich ist künstlerisch schön. Darf also die Carte de France als ein großartig gedachtes, die Cassinische weit in jeder Hinsicht übertreffendes, den Forderungen der Zeit ihrer Entstehung vorzüglich gerecht werdendes Werk bezeichnet werden, so ist sie doch weit entfernt, viel mehr als eine rein militärische Karte zu sein. Modernen Ansprüchen wird aber nur durch eine alle Bedürfnisse des öffentlichen und wissenschaftlichen Lebens entsprechende Landeskarte genügt, die nur eine Karte großen Maßstabes und ein Zusammenwirken aller kartographischen Kräfte eines Staates zu erzielen vermag.

Was die Kosten des nationalen Werkes anlangt, an dem etwa 500 Personen 5500 Arbeitsjahre gearbeitet haben, so belaufen sie sich auf rund 12 Millionen Francs, d. h. im Mittel 53333 Francs für das Blatt (ohne Material und Geodäsie 42000). Darin sind aber die Gehälter und Reisekosten der Offiziere nicht mit einbegriffen. Der Stich erforderte allein 2807369 Francs, d. h. 10000 Francs im Mittel für jedes Blatt (gegen 2500 Francs der ersten Veranschlagung). Das teuerste Blatt (wenn von den verhältnismäßig oft ebenso teuern unvollständigen, nur Teile des Meeres oder der Grenze enthaltenden abgesehen wird) ist Gap, es kostete 38210 Francs für Zeichnung, Reduktion und Stich. Der höchste Preis für den Quadratdezimeter beträgt etwa 1000 Francs.

Für rein kartographische Arbeiten sind rund 4 Mill. Francs ausgegeben worden, d. h. etwa 17800 Francs für das Blatt (abzüglich der leeren Räume von 900 quarts de feuille).

Die Geodäsie kostete 1820000 Francs, die Topographie 2750000, zusammen die Aufnahme mit Zurechnung der Reisekosten 5 Mill. Francs.

Für trigonometrische Signale, Instrumente, Material, Leitung der Arbeiten, Druck der Versuchsblätter &c. wurden 3 Mill. Francs erforderlich.

Was die Größe der Auflage anlangt, so hatte man, ehe die neueren Verstählungs- und elektrotypischen &c. Verfahren bekannt waren, als von jeder Platte zu leisten und auch für die Armee-, Verwaltungs- und Bedürfnisse des Publikums ausreichend, 5000 Abzüge angenommen, davon 3000 für den ersten Druck, 2000 nach einer Retusche der Platten. Dabei war auf einen Erlös von 18330000 Francs (6 Francs das Blatt mal 5000 mal 611 Blätter) für eine Carte 1 : 50000 gerechnet, so daß 10 Millionen Reingewinn blieben. Die Aussichten auf einen derartigen Erlös schwanden aber immer mehr, schon 1829 berechnete man ihn, wenn das Blatt, 1 : 80000 nunmehr, 12 Francs kostete, auf 500000 Francs. Erst als 1838 der Kupferstich entlastet wurde durch die vom General Pelet eingeführten tirages en report, d. h. autographierte Abzüge, konnte der Preis, der für das Kupferstichblatt 9 Francs betrug (seit 1832) so herabgesetzt werden, daß eine weite Verbreitung der Karte und damit ein besserer Erlös eintrat, zumal nun eine Ausgabe auf Stein der einzelnen Departementskarten in 300 Exemplaren, jede Karte ein großes viereckiges Blatt aus mehreren (6) Sektionen der Carte de France bildend und nur 8 bis 9 Francs den Behörden kostend, veranstaltet wurde. 1850 waren von über einem Drittel der ganzen Karte solche Steindrucke vorhanden, wodurch die Kupferplatten, deren Retusche bereits 1832 bei einzelnen zu hohen Preisen (etwa 10000 Francs die Platte) begonnen hatte, auch mehr geschont wurden. Was über 300 Exemplare von den Departementskarten gedruckt war, wurde zu 15 Francs das Stück öffentlich vertrieben. Während der Belagerung von Paris wurden solche Departementskarten, von denen 1850 schon 30 vorhanden waren, auf dünnem Papier gedruckt, mit dem Luftballon in die Provinzen geschafft. Mehr als 50 Departementskarten sind nicht erschienen, obwohl sie beliebt waren und viel zur Verbreitung des offiziellen Kartenwerkes beigetragen haben. Aber die Karten zusammenstoßender Departements paßten nicht aneinander, und das Werk war auch mit seiner Unhandlichkeit, den statistischen Tabellen, Kartenzeichen, Stadtplänen &c. für den häufigen Gebrauch zu unbequem. Seit 1873 verschwanden sie offiziell, seit 1881 in Wirklichkeit ganz, nachdem schon 1872 für militärische Zwecke, auf Grund der Kriegserfahrungen, Steindrucke ganzer Blätter, die sich leicht und beliebig aneinander passen ließen, zu 1 Francs erschienen waren, und auch im Preise für die Kupferblätter infolge Einführung der Galvanoplastik und der Verstählung der Platten eine Herabsetzung von 7 auf 4 Francs, für Offiziere auf 2 Francs eingetreten war. Denn nun konnten stärkere Auflagen veranstaltet werden. Während früher von der Kupferausgabe etwa 15000 Blatt abgesetzt wurden, stieg von 1872—75 die Zahl der verkauften Steindruckblätter auf 179000, und die jährlichen Einnahmen wuchsen von 40000 Francs 1870 auf 180000 Francs 1880, trotz des niedrigeren Verkaufspreises.

Da die Steine zu unhandlich und schwer waren (225 kg etwa), trotz ihrer Dicke oft beim Druck zerbrachen, ihre Unterbringung zu viel Platz erforderte, vor allem aber weil sie die Korrekturen und Ergänzungen schwierig machten, wurden sie auf Vorschlag des Direktors, Oberst Bugnot, nach eingehenden Versuchen durch Befehl des Kriegsministers vom 31. Dezember 1879 durch eine zinkographische Ausgabe[1]) in Viertelblättern (25:40 cm) ersetzt. Eine ganze Zinkplatte wog 4 kg und kostete statt 200 nur 20 Francs. Viertelblätter erleichterten den Künstlern die Arbeit, und das Verhältnis des Preises für Kupfer- und Zinkgravüre war im Durchschnitt wie 3:1. Also wirtschaftlich war das Verfahren sehr, auch die Herstellung sehr rasch, wenn es auch der künstlerischen Vorzüge des Kupferstiches entbehren mußte. Nur für Niveaukurven- und Farbenkarten leistete es auch Ebenbürtiges. Das Dépôt machte sich nun von der Privatdruckerei Lemercier und der Firma Erhard unabhängig und lieferte in eigner Druckerei seit 1884 monatlich 162000 Blatt mit einer jährlichen Ersparnis von 6000 Francs. 1894 konnten jährlich mit den 6 mechanischen Pressen Alauzet 800000 Zinkabzüge geleistet werden (Viertelblätter).

Was die Kupferplatten anlangt, so werden seit Einführung der Galvanoplastik 1854 durch Oberst Blondel alle Platten in dem damals errichteten Atelier d'électrotypie verdoppelt. Eine große Platte wiegt 12—16 kg und ihre Herstellung dauert 22—25 Tage. Die Widerstandsfähigkeit ist freilich nicht so groß wie bei den gehämmerten Mutterplatten. 1860 wurde daher auf Oberst Levrets Vorschlag durch General Blondel die Verstählung eingeführt, welche nach dem Patent Jacquin zuerst durch diesen, dann im Dépôt erfolgte, wodurch 1500 Abzüge von einer Platte zu nehmen möglich ward. Seit 1865 werden die planches-mères nicht mehr zum Abdruck benutzt, sondern nur noch verstählte galvanoplastische Nachbildungen, auf denen auch alle Nachträge und Berichtigungen nur noch ausgeführt werden, während die Mutter- oder Originalplatten unberührt bleiben.

Da die Korrekturen auf den 50:80 cm großen Kupferplatten sehr umständlich und schwierig waren und infolge der Zinkausgabe diese Arbeit erst recht in Rückstand geriet und wiederum die Zinkausgabe die häufigen Revisionen und Berichtigungen nicht vertrug, alle Feinheiten schwanden, die schwarze Farbe sich zerquetschte, Halbtöne gar nicht zur Geltung kamen, so war es ein großes Verdienst des Generals Derrécagaix, daß er den ancien type ganz aufgab und eine édition type 1889 schuf. Es besteht dieser neue Typ in der Herstellung galvanischer Nachbildungen nach dem amerikanischen Verfahren, die dann berichtigt werden nach den Angaben, welche auf 2 Abzügen der Originalplatte gemacht wurden. Dazu werden die Galvanos an den fortzunehmenden Stellen vollständig ausgeschabt und neu gestochen mit allen Verbesserungen der Rechtschreibung, des Wegenetzes, der Befestigungswerke &c. Um diese Sticharbeit zu erleichtern, wird der type 1889 ebenfalls in quarts de feuille veröffentlicht, deren kleine und dünne Platten viel leichter

---

[1]) Schon Senefelder hatte 1818 den Ersatz des Steines durch Zinkplatten vorgeschlagen, 1829 hatte Bregnot ein Patent darauf für geographische Karten genommen. Sein Nachfolger Koeppelin vervollkommnete das Verfahren und nannte es Zinkographie.

sind (3 kg statt 14—16 der ganzen Platte), daher besser zu handhaben, schneller zu stechen, so daß gleichzeitig 4 Stecher an einem ganzen Blatt tätig sein können. Diese Kupferausgabe konnte bequem auf dem laufenden gehalten werden, die Abzüge behielten die Feinheit der von der Mutterplatte entnommenen, die Platten konnten später wieder die Grundlage neuer galvanischer Nachbildungen geben &c. Auch eine Zinkausgabe type 1889 schuf Derrécagaix, die der édition zincographique bedeutend überlegen ist, weil die Abzüge nun gleich von der ersten Zinkplatte genommen werden konnten, statt, wie bei der alten Ausgabe, die von einem report de report gemacht werden mußte, um die erste Zinkplatte, das einzige Original, das man hatte, nicht beim Druck zu zerstören. Diese Zinkausgabe ist, wie Freycinet, der damalige Kriegsminister, an Derrécagaix in seinem Glückwunschschreiben sagte: „notre édition de guerre, de manoeuvres et de travail courant".

Eine ungemein wichtige und erst nach vielen Versuchen gelungene Arbeit ist die der Revision der Karte, d. h. ihre Berichtigung und Kurrenthaltung. Schon 1840, als die topographische Aufnahme von mehr als 100 Blättern vollendet war, von denen die eine Hälfte schon veröffentlicht, die andere mehr oder minder im Stich fortgeschritten war, machte sich die Notwendigkeit der Eintragung der neu geschaffenen chemins vicinaux geltend. Später kamen die zahlreichen Eisenbahnbauten, von denen von 1830—70 allein 18000 km entstanden, hinzu, dann die Flüsse, Grenzen, kurz, vor allem die Situationsveränderungen, welche berücksichtigt werden mußten. Von 1841—72, der ersten Periode, wurden die Berichtigungen nicht im Gelände, sondern nach Mitteilungen bewirkt, welche durch Beamte der Präfekturen, an welche zu dem Zwecke Abzüge gesandt wurden, gemacht worden waren. Diese seit 1860 etwas systematischer betriebenen Revisionen durch ingénieurs en chef des ponts et chaussées des départements und die vom Finanzministerium mitgeteilten Wälderkarten waren so ungenügend, daß z. B. in den Karten von Elsaß-Lothringen, als sie 1875 von deutschen Offizieren revidiert wurden, Rückständigkeiten von über 50 Jahren sich vorfanden, obwohl sie den Revisionsvermerk des französischen Generalstabes von 1867 trugen. Einzig die Eisenbahnen waren nachgetragen. In der zweiten Periode von 1872—89 geschahen die Verbesserungen im Gelände durch Generalstabsoffiziere, zugleich auch, hinsichtlich der Wege, durch Genieoffiziere. Es wurden dazu 1875 bureaux topographiques bei jedem Armeekorps geschaffen, die von den ingénieurs en chef des ponts et chaussées, den conservateurs des forêts, den agents voyers usw. durch Vermittelung der administrations départementales das nötige Material und die erforderliche Orientierung über die Neuanlagen und Veränderungen im Wegenetze erhielten. Trotz guter Organisation waren einmal die geforderten statistischen Angaben so umfangreich, daß die Offiziere die beste Zeit damit verloren, andersseits war die vom Dépôt gewünschte rein topographische Revision nicht im militärischen Interesse der höheren Armeeführer, denen es bei dem Kriegsfall auf unter ihrer unmittelbaren Leitung ausgeführte Erkundungen von Stellungen, Marsch- und Aufmarschzonen, örtliche Studien aller Art viel mehr ankam. 1873—75 wurden nur 38 Platten im Nordosten und Osten Frankreichs berichtigt, so daß 24 Jahre für die Vollendung des ganzen Landes erforderlich gewesen wären. Um die Arbeit zu beschleunigen, wurden mehr Mittel bewilligt; 1876 gelang es, in 29 Departements an 30 Platten zu revidieren, so daß das östliche Grenzgebiet vollendet wurde. Von 1877—84 wurde mehr auf Ergänzung als auf eigentliche Berichtigung gesehen. Seit 1879 wurden auch größere Generalstabsreisen lediglich zu topographisch-statistischen Zwecken, und zwar an den Grenzen ausgeführt, wozu jedem Offizier, $4/8$ eines Blatts in 50 Tagen zu erkunden, der Auftrag erteilt wurde. Dennoch blieb die Revision eine mittelmäßige Leistung, weil sie nur nebenher bewirkt wurde, so daß 1882 der Kriegsminister Billot einen ernsten Tadel aussprach. Seit 1884 beginnt eine neue Phase, nachdem 1883 zum erstenmal ganz

Frankreich revidiert war. Es wurde bestimmt, daß jedes Jahr $^1/_5$ des Landes, armeekorps-
weise, also $^1/_5$ der betreffenden région, revidiert werden sollte, so daß alle 5 Jahre die
Revision von ganz Frankreich vollendet sein sollte, was aber auf dem Papier blieb, zumal
nur 14 Tage Zeit den Revisoren zur Verfügung gestellt werden konnte. Der Truppendienst
verträgt sich eben nicht mit solchen anders gearteten Aufgaben; 160 Offiziere, die jährlich
verwandt werden mußten, waren dafür nicht entbehrlich. So beginnt mit 1889 eine dritte
Periode, in der die Revisionen durch den 1888 neu begründeten Service géographique de l'armée (an Stelle des Dépôt de la guerre) ausgeführt wurden. Ein Stabsoffizier desselben leitete
und besichtigte jährlich im Gelände die 4 Monate während Arbeit der Revisoren, meist Hauptleute, die sich bei den Aufnahmen an der Carte d'Algérie ausgezeichnet hatten und für
3 Jahre ausschließlich zu diesem Zwecke zum Service kommandiert wurden und nach
einer Instruktion des Service arbeiteten. Sie erhielten 2 photographische Kopien der
nicht berichtigten Karte, in deren eine sie nach den besten Materialien alle Veränderungen
vorher eintragen und dann im Gelände vergleichen und berichtigen sollten. Das andere
Exemplar diente als Reinzeichnung. Zum erstenmal wurden Instrumente verwandt. Die Berichtigungen sollten in 1:40000 und auf die zinkographische Ausgabe in 1:80000 eingetragen werden. So ausgezeichnet auch die Instruktion war, das Pensum war zu groß, es
blieben nur 14 Tage für jedes $^1/_8$ (rund 320 qkm). Trotzdem wurden von den 38 Revisoren,
die, in 6 Gruppen von Dunkerque bis Marseille verteilt, arbeiteten, den früheren Arbeiten
weit Überlegenes geleistet. 1890 wurden die Eintragungen nur in die minutes 1:40000
gemacht, die Reduktion blieb den Zeichnern des Service. In 1:80000 wurden aber die
einzelenen Angaben der Beamten der verschiedenen Verwaltungszweige eingetragen.
Dazu kam ein eingehender Bericht über die trigonometrischen Signale 1. O., die gefundenen Schwierigkeiten, Vorschläge usw. Es wurden 43 ganze Blätter von 38 Offizieren
berichtigt. Nun setzte General Derrécagaix unter Vorsitz des Sous-directeur Oberst La Noë
eine Kommission ein, die Verbesserungsvorschläge machen sollte, auf deren Grundlage der
Berichtigungsdienst neu organisiert werden sollte. Zwar blieb 1891 noch manches beim
alten, aber die zu revidierenden Gebiete wurden verkleinert, nur 23 Blatt wurden von
30 Offizieren geprüft, die in 4 Gruppen arbeiteten, so daß $^6/_8$ auf 4 Monate für jeden
Offizier entfielen, und die Arbeit wurde auch gleich im Gelände durch einen Inspekteur
im Beisein des Chef du groupe revidiert. 1891 tagte eine neue Kommission, die wieder
einzelnes abänderte, so das Pensum auf $^5/_8$ einschränkte, d. h. $^1/_8$ für 24 Tage gab
(statt für 20). Von Jahr zu Jahr wurden kleine Verbesserungen gemacht. Die letzte
Instruktion von 1896 bestimmt, daß grundsätzlich nur das Gerippe zu revidieren sei,
nur in Fällen großer Fehler auch das Gelände. Gewässer sollten in Blau, alle übrigen
Zusätze in Rot gemacht werden. Alle Streichungen in Veroneser Grün, das gut deckt
und bei Lampenlicht leserlich bleibt. Dann kam noch eine eingehende Vorschrift für die
technische Ausführung und den Erkundungsbericht. Als Instrument ist ein als Stock zu
gebrauchender Dreifuß für die Planchetten, ein Kompaß, eine Nivellier-Alidade und ein
doppelter Dezimetermeßstab vorgeschrieben. Mit 32 Offizieren sollen jährlich etwa 17
bis 18 Blätter geleistet werden, so daß 1902 die Revision beendet war. Der Zeichner
braucht dann 1 Jahr für die Korrektur in 1:80000, der Stecher 2 Jahre, so daß erst
3 Jahre nach Beendigung einer Revision die Karte berichtigt erscheinen kann (1905),
und dann doch nicht ganz evident ist. Dieser Fehler haftet aber allen in Bergstrichen
ausgeführten Schwarzkarten an. Das System dieser Karten ist daher heute nicht mehr
auf der Höhe, auch aus diesem Grunde. Im ganzen wurden von 1873—1905 4640000 Francs
einschl. der Wiederherstellung verbrauchter Platten für die Berichtigung der Carte de France
verausgabt bzw. veranschlagt, für die Revision allein 4150000, d. h. jährlich 125000 Francs
für Topographie, Zeichnung und Stich.

Auch nach 1905 werden die Berichtigungen natürlich fortzusetzen sein.

Wenden wir uns nun den übrigen Kartenwerken zu, die auf Grund der Carte de France entstanden sind (Cartes dérivées du 80000°):

a. Schwarzkarten.

1. **Carte de France 1 : 320000** in 33 Blatt von gleicher Größe wie die der Generalstabskarte (50 : 80 cm). Diese auf Anregung des Generals Pelet 1838 ins Leben gerufene geographisch-chorographische Karte ist die eigentlich strategische. Sie ersetzt die Karte Capitaines, deren Maßstab sie sich annähert, und umfaßt die benachbarten Kriegstheater mit, und zwar im Osten bis zum Rhein (von der Quelle bis zur Mündung), im Norden Südengland, im Südosten das westliche Italien. Die 1852—82 in den Blättern Frankreichs, 1886 mit dem Blatt Korsika veröffentlichte, in Kupfer gestochene Arbeit ist eine pantographische Verkleinerung der Generalstabskarte, die nach ihrer Einteilung 16 Blatt der Carte au 80000° enthält und ganz ähnliche signes conventionnels aufweist. Sie gibt alle Gemeinden des Staates mit Ausschluß einzelner Gebäude und abgelegener Teile wieder, und zwar die wichtigen Städte grau schraffiert, die übrigen Ortschaften in Kreisform (cercles de position). Die großen Wälder, Gehölze und Sümpfe, die routes nationales (royales), départementales und de grande communication, sowie einige chemins d'ordre inférieur (einzelne Linien), alle Eisenbahnen, Kanäle, Ströme und Flüsse, sowie zur Geländecharakterisierung nötigen Gewässer, alle Verwaltungsgrenzen mit Ausschluß der der Gemeinden sind berücksichtigt worden. Die 3,6 : 3,5 m Gesamtumfang besitzende Karte ist überaus einheitlich und klar, gut lesbar und handlich (1 m Breite, 1,5 m Höhe für den Teil östlich des Pariser Meridians). Selten sind mehr als 4 Blatt für eine größere Operationsstudie nötig. Die Orographie der späteren Blätter, ebenso das Gefließnetz und die Waldungen sind gut charakterisiert und generalisiert. Aber das Gerippe ist nicht genügend ins einzelne gehend, es fehlen die fahrbaren Wege, die für die Strategie von Wichtigkeit sind. Die Revision würde zu kostspielig werden, sie würde mindestens 87000 Francs erfordern und dann jährlich für das Blatt zur Evidenthaltung 540 Francs. Dazu kann man sich nicht verstehen, ersetzt vielmehr die Karte allmählich durch die Farbenkarte 1 : 200000, obwohl vom Standpunkt der Kriegsversorgung der Armeen eine Schwarzkarte günstiger ist. Denn sie erlaubt, an einem Tage etwa 10000 Blatt zu liefern, während eine farbige von 8 Platten nur den achten Teil herzustellen gestattet. Zu der Karte, deren das Gelände nicht enthaltende Auslandssektionen nicht mehr im Handel sind, gehört ein Tableau d'assemblage. Die Herstellungskosten betrugen rund 425400 Francs, oder 12890 Francs im Mittel für jedes Blatt. Da aber nur 15 Blatt voll in Gelände und Gerippe dargestellt sind, so erhöht sich der Betrag auf 28360 Francs für das Blatt. Die teuersten Blätter sind Lyon (37200 Francs) und Avignon (44800 Francs). Im Vertriebe kostet jedes Kupferblatt 2 Francs, seit den neuerdings zinkographisch ausgeführten Sektionen 0,50 Francs. Die ersten Probestiche begannen 1842, von den bis 1851 gestochenen 13 Blatt wurde viel verworfen, erst 1852 erschienen die ersten 7 Blatt in endgültiger Fassung.

2. **Carte de France 1 : 600000** in 6 Blatt. Diese chorographische Karte umfaßt heute Frankreich (außer dem nur in Schrift und Gerippe vorhandenen Korsika) sowie die angrenzenden Länder (Belgien, Luxemburg, Rheinprovinz, Südholland) und ist durch allmähliche Erweiterung einer 1837 im Dépôt ausgeführten Karte 1 : 600000 auf 1 Blatt in 0,63 : 0,91 m (heute Nr. 2) auf Anordnung des Obersten Saget seit 1872 entstanden. Die ursprüngliche Karte enthält das nordöstliche Grenzgebiet von Paris bis an den Zuydersee, von Rouen bis Frankfurt, und war in Bonnescher Projektion mit dem Meridian von Givet, als Nullmeridian, entworfen. 1894 wurden die nach dem procédé Georges durch Galvanoplastik von den in 1/9 Blattgröße in Kupfer gestochenen Originalen entnommenen Karten in ganzen Blättern veröffentlicht. Neuerdings erscheinen auch Blätter in Zinkographie zu je 1 Franc. Das Terrain ist in Bergstrichen unter Annahme schrägen

Lichteinfalls künstlerisch schön von de Simonin gestochen, wenn man von dem bald zu erneuernden alten Blatt 2 absieht. Die Signaturen der sehr einheitlichen und vorzüglich ausgeführten Übersichtskarte sind ähnlich denen der Karte 1 : 320000. Sie ist bisher noch nicht jährlich berichtigt, mit Ausnahme der Eisenbahnen und einiger besonders wichtiger Einzelheiten. Die Herstellungskosten betrugen 116800 Francs, jedes Blatt kostet 23000 Francs.

Nachdem man schon lange das für viele Fälle Unzureichende von Schwarzkarten kleinen Maßstabes mit vielen Einzelheiten erkannt hatte, gab eine von Maréchal de Castellane gebilligte „Notice sur la Carte de France" des Direktors des Dépôt, Obersten Blondel, den ersten Anstoß zur farbigen Ausführung zwecks Erhöhung der Lesbarkeit. Nach verschiedenen Versuchen — so des Obersten Levret, der mit Farben arbeitete —, die aber mißlangen, nahm 1869 und 1870 Oberst Borson die Frage wieder energisch auf, und nach einer gelungenen Probe des M. Girard, Stechers des Dépôt, mit einem mehrfarbigen Plan von Algier 1 : 20000, ging man zu farbigen Proben der Karte 1 : 80000 über, als der Krieg ausbrach und bis 1872 die Frage verzögerte. Dann trat man ihr wieder lebhaft näher, und es entstanden seit 1872:

b. Farbenkarten.

1. **Carte des Alpes 1 : 80000** in 72 Blatt, von denen aber 14, meist darunter solche, die kein französisches Gebiet enthalten, nicht erschienen sind. Die 58 veröffentlichten rechteckigen Blatt sind ein Auszug der quarts de feuille der Generalstabskarte und umfassen die Grenzgebirge von Albertville und Aosta im Norden bis ans Mittelmeer im Süden, von Toulon im Südosten bis Turin im Osten. Die lithographierte Karte enthält die Schrift und das Gerippe (mit Ausnahme der blauen Gewässer) in Schwarz, das Gelände in graubraunen, auf Schneefeldern und Gletschern blauen 20metrigen Höhenlinien (die 80 m-Kurven verstärkt), die Wälder graugrün, die Höhenangaben sind sehr reichlich. Die jenseits der Grenze mit Zuhilfenahme italienischen Materials hergestellte Karte ist sehr leserlich, namentlich hinsichtlich des Gerippes. Tableau d'assemblage. 1878.

2. **Carte des Alpes 1 : 320000** in 10 Blatt, umfaßt die Grenzzone vom Genfer See im Norden und Turin im Osten, bis zum Mittelmeer im Süden und Arles, Privas und Mâçon im Westen. Die Ausführung ist die der vorigen, indessen erscheint das Gelände in 40metrigen Niveaulinien, die aber zu eng und besonders bei steilen Abhängen zu schwer lesbar sind, so daß eine Schichthöhe von 80 m, selbst wenn manche charakteristische Einzelheiten der Bodengestaltung preisgegeben werden müssen, vorzuziehen wäre. Gleichzeitige Schummerung könnte den Übelstand beheben[1]).

3. **Carte de France 1 : 200000** in 82 Blatt von je 40 : 64 om (davon eins bis) ist auf Veranlassung des Kriegsministers, Generals Farre, seit 1880 entstanden und von Ende Dezember 1884—88 mit Ausnahme des erst 1895 veröffentlichten Blatts Korsika erschienen. Jedes der etwas unhandlich großen Blätter umfaßt 4 Blatt der Karte 1 : 80000, von der diese Operationskarte eine photographische Reduktion ist, unter Benutzung der minutes 1 : 40000 für das Gelände. Es ist in braunen Niveaulinien dargestellt und zwar seit 1896 in 40m-Kurven, mit verstärkten 200 m-Linien und in flachem Gelände punktierten Zwischenkurven von 20 m. Vorher sind die Blätter zuerst mit punktierten 200 m-Höhenkurven, später für mittlere Neigungsflächen mit 40 m-Schichtlinien dargestellt worden, so daß heute alle drei Ausdrucksweisen des Geländes vorkommen, bei denen aber sämtlich Grauschummerung für die geneigten Flächen angewendet ist. Für die ebenen Gebiete ist dabei senkrechte, für gebirgige Gegenden schräge Beleuchtung angenommen, die sich gut der natürlichen Lage der großen Ketten der Vogesen, des Jura, der Alpen, Pyrenäen und der nur in Schum-

---

[1]) Darstellungen der Schwarzkarten 1 : 80000 und 1 : 320000 mit roten Straßen und bei der erstgenannten mit roten Ziffern der Bevölkerung der Ortschaften, die entstanden, als die Revision noch nicht genügend war (um 1875), haben sich nicht behauptet.

merung dargestellten Korsischen Gebirge anpaßt. Die Herstellung ist in 8farbiger Photozinkographie erfolgt, und zwar sind die Gewässer blau, die Straßen aller Art und die
Ortschaften rot, die Wälder (neuerdings ohne Signaturen) dunkelgrün wiedergegeben. Die
Eisenbahnen sind in einer starken schwarzen Linie dargestellt, ebenso sind die Schrift und
die reichlichen Höhenzahlen schwarz. In den Seen werden die Tiefenverhältnisse durch
blaue Isobathen und blaue Zahlen angedeutet. Die wichtigsten Grenzen sind ebenfalls
schwarz ausgedrückt. Die Blatteinteilung der Karte ist unabhängig vom Gradnetz (mit
20 Minutenangabe). Diese bei genügenden Einzelheiten gute Übersicht gewährende, recht
lesbare Karte wird mit Leichtigkeit auf dem laufenden erhalten. Indessen erfordert ihre
Herstellung der 8 Farben wegen viel Zeit, was im Kriegsfall von Bedeutung ist. Die
Zeichnung eines Blatts dauerte 200 Tage. Die Gesamtherstellungskosten belaufen sich auf
361200 Francs, davon 164376 für Zeichen- und 196824 für Sticharbeiten auf Zink und
Lithographie der Kreideschummerung. Das teuerste Blatt, Grenoble, hat 8796 Francs, davon
4900 für den Stich, gekostet. Das Verfahren ist also erheblich billiger gegen den Kupferstich,
und Zeichen- wie Sticharbeiten kosten beinahe gleich viel. Der mittlere Preis eines Blatts
1 : 200000 beläuft sich auf 4400 Francs (gegen 13000 eines Kupferblatts 1 : 320000).

4. Carte de France 1 : 500000 in 15 Blatt, davon 3 nach der Breite, 5 nach
der Höhe der 2 : 2,5 m großen Karte, jedes Blatt wieder in 4 Viertelblätter geteilt. Das
Werk umfaßt den Raum zwischen der Insel Ouessant und dem Meridian von Frankfurt
in west-östlicher Richtung und Haag und der Ebromündung von Norden nach Süden.
Die Karte ist auf Veranlassung des Präsidenten des Comité des Fortifications, Generals Cha-
baud-la-Tour, durch den Oberstleutnant Prudent als Ersatz der 1825 von Achin im Service
du Génie ausgeführten Verkleinerung der Cassinischen Karte in 1 : 864000, die gänzlich
unzureichend geworden war, für den Dienst des Genie seit 1871 entworfen und begonnen,
seit 1886 im Service géographique durch ihren Urheber fortgesetzt und schließlich vollendet worden. Das erste Blatt erschien am 15. Dezember 1873, das letzte 1893.

Den Stich auf Stein und die Übertragung auf Kupfer besorgte vertragsmäßig die
Firma Erhard, den Druck nach ihrem Steindruckverfahren das Haus Lemercier. Die Karte
ist eine photographische Verkleinerung der Karte 1 : 320000, bzw. für das Ausland (Belgien,
die Niederlande, Südengland, die Schweiz, Teile von Deutschland, Italien und Spanien)
des besten dortigen Materials. Die Photographien wurden nach Berichtigung und Ergänzung, ebenso die besonderen Kurvenblätter, wobei die Kurven zuweilen nach reinen Berg-
strichkarten erst konstruiert werden mußten, dem Stecher für den Stich des Gerippes
(ohne Schrift), bzw. des Geländes, übergeben. Die Schrift wurde auf Abzügen von den
Situationsblättern ausgeführt. Diese sehr wichtige und als geographisches Werk meisterhafte Operationskarte erscheint in 3 Ausgaben: In der vollständigen ist das Gelände in
100metrigen braunen Niveaulinien ausgeführt, welche, ohne zu nahe zu sein, für die Gebirge
genügend Ausdrucksfähigkeit besitzen und für alle hypsometrischen Studien genügen,
die aber für flachere Gegenden nicht ausreichen, weshalb der Karte braune Schraffen beigefügt wurden (schräges Licht). Die Gewässer sind blau, die Wälder grün, das übrige
Gerippe und die Schrift schwarz dargestellt. Das Meer ist in Nähe der Küsten durch
blaue 10 m - Kurven wiedergegeben und mit blauer Beschreibung versehen. Es werden
ein- und zweigeleisige Bahnen, Staats-, Departements- und Arrondissementsgrenzen unterschieden. Von Ortschaften haben nur die eine Beschreibung erhalten, die wenigstens
1000 Einwohner besitzen, an dem Kreuzungspunkt wichtiger Straßen oder auf etwa 1 km von
einer National- oder Staatsstraße, einem Kanal oder schiffbaren Wasserlauf entfernt liegen
oder eine Eisenbahnstation, ein wichtiges industrielles Etablissement darstellen oder sonst
ein besonderes industrielles, geschichtliches oder militärisches Interesse bieten. Sehr zahlreich und mannigfaltig sind die Kartenzeichen und Schriftcharaktere, was ich in gewisser
Hinsicht (Lesbarkeit) für einen Nachteil halte. Außer dieser vollständigen Ausgabe gibt

es eine Wegekarte, in der die Bodengestaltung durch braune Niveaulinien von 100 m Schichthöhe, aber ohne Bergstriche, das Wegenetz und die Wälder (in Grün) angegeben sind, endlich eine orohydrographische Ausgabe mit farbigen Gewässern und Gehölzen, aber ohne Ortschaften, das Gelände in Höhenkurven und Bergstrichen. So gelungen nun auch die Ausführung vom topographisch-geographischen Standpunkte ist, so sehr läßt sie vom kartographischen leider zu wünschen. Die Karte war schon in der Herstellung auf Stein begriffen, als 1874 der Kupferdruck und die chemische Gravüre eingeführt wurden. Diese Kupferübertragung vom Stein ist bei Farbenkarten ein sehr heikles Verfahren und hier nicht genügend sorgfältig und geschickt geschehen. Man mußte von den Kupferplatten wieder auf Zink übertragen, um die Mängel auszugleichen, was aber nicht vollständig gelingen konnte.

5. Carte de France au 1:320000ᵉ prolongée. Von dieser 1883 begonnenen Ausdehnung der Karte auf das Ausland, wie sie die Erfahrungen des Krieges 1870/71, die auch 1878 zur Einrichtung einer Section de cartographie étrangère im Dépôt geführt haben, notwendig machte, ist eine doppelte Ausgabe auf Beschluß einer 1890 vom General Derrécagaix zwecks Vollendung der zuerst mißlungenen Karte einberufenen Kommission ausgeführt worden. Die erste enthält in ganzen Blättern (auf einer Platte) einen Teil französischen Gebiets in Kupferstich (Avignon und ein neues Blatt „Metz") oder nach dem Erhardschen Verfahren (Dunkerque, Lille, Mézières, Dijon, Lyon). Die zweite Ausgabe betrifft den Rest der Karte in Viertelblättern (und auf zwei Platten). Die Blätter Anvers, Mulhouse, Grand St. Bernard, Nice nach dem Erhardschen Verfahren, die Blätter Mainz und Straßburg auf Zink, das Gebirge heliographiert, die Blätter Dresden, Bamberg, München auf Stein gestochen und auf Zink übertragen, endlich das Blatt Kassel unmittelbar in Zink gestochen. Beide Typen umfassen also zusammen 17 vollständig fertige Blätter. Es fehlen noch die 4 Blätter Innsbruck, Trient, Florenz und Rom, die aber erst nach Vollendung der wichtigeren 200000-Karte hergestellt werden sollen, zumal es an Mitteln für die Revision fehlt.

Nachdem schon 1859 die Photographie eingeführt worden war, der nacheinander die Photolithographie und Photozinkographie (seit 1873) gefolgt waren, wurde seit 1883 auch die Kupfer- und Zinkheliogravüre versucht, und von den nach diesem Verfahren hergestellten Karten sind zu nennen:

6. Carte de France au 600000ᵉ prolongée in Viertelblättern. Sie ist durch Befehl des Kriegsministers, Generals Miribel, von 1890 an unter General Derrécagaix entstanden und stellt eine Vergrößerung des Raumes der 600000-Karte nach Osten dar, die zuerst bis in die Höhe von Warschau beabsichtigt war. Bald erkannte man aber, daß die Projektion und der Mittelmeridian von Givet nur eine Verlängerung bis Berlin bzw. Florenz erlaubte. Sie ist hauptsächlich auf Grund der Übersichtskarte von Mitteleuropa 1:750000 des Wiener Militärgeographischen Instituts entworfen. Alle Orte über 2000 Einwohner sind angegeben, weiter die Straßen in drei Abstufungen: zu jeder Zeit fahrbare wichtige Straßen, ebensolche, aber von geringerer Wichtigkeit, und die Hauptwege, besonders im Gebirge, die nur zu guter Jahreszeit fahrbar sind, dann die Eisenbahnen, die Grenzen und die Schrift — alles schwarz, die Gewässer blau, das Gelände in grauer Kreideschummerung (schräges Licht). Die zahlreichen Höhenangaben sind auf französische Koten reduziert. Die Heliogravüre auf Zink ist nach einer Zeichnung in 1:500000, die dann photographisch verkleinert wurde, gemacht. Die Gebirge sind mit lithographischer Kreide auf Wiener Papier gezeichnet und dann auf Zink übertragen. Jedes volle Blatt kostet nur 6800 Francs an Ausführung (gegen 23000 Francs der neuen Kupferblätter 1:600000). Die eine reiche Nomenklatur aufweisende Übersichtskarte ist gut lesbar.

7. Carte de France au 50000ᵉ. Sie ist eine heliographische Vergrößerung der Karte 1:80000 (neuer Typ von 1889) auf Zink, kein eigentlich neu entworfenes Karten-

werk und dient neben dienstlichen Interessen, namentlich der Erleichterung der Revision der Generalstabskarte im Gelände, auch dem öffentlichen Gebrauch. Hierzu macht sie die durch die Größe des Maßstabes und die Anwendung von Farben erhöhte Lesbarkeit besonders geeignet. Sie ist im wesentlichen nach denselben Grundsätzen wie die Carte au 600000ᵉ prolongée hergestellt, wenn auch mit einigen Abweichungen im einzelnen. Während die Revision mit der monochromen Karte 1 : 80000 erst im 3. Jahre nach ihrer Ausführung zur Veröffentlichung gelangen kann, ist hier eine große Beschleunigung möglich, indem jede Farbenplatte für sich berichtigt werden kann, ohne daß der übrige Teil des Blatts davon berührt wird, so daß also mehrere Stecher gleichzeitig arbeiten können. Auch können wegen des größeren Maßstabes mehr Einzelheiten der Revision aufgenommen werden, als in 1 : 80000. Diese Karte 1 : 50000 bildet auch gewissermaßen die Vorarbeit und den Übergang zur neuen Generalstabskarte Frankreichs, von der später (4. Periode) die Rede sein wird. Außer dieser in langsamer Veröffentlichung begriffenen Fünffarbenkarte 1 : 50000, von der auch eine schwarze Ausgabe, beide in Viertelblättern (60 : 64 cm), vorhanden ist und bei der das Gelände in Schraffen (senkrechtes Licht) und Kreideschummerung (schräge Beleuchtung) dargestellt ist, gibt es noch eine aus dem Handel zurückgezogene.

8. Carte de France 1 : 50000 en courbes, rédigée d'après les minutes, von der 75 Blatt in Farben (entsprechend 22 der Karte 1 : 80000) vollendet wurden, und die sich auf die Ostgrenze und Elsaß-Lothringen beziehen. 11 Blatt davon sind nicht vollständig. Diese photozinkographisch in Fünffarbendruck ausgeführte Karte, die sich ursprünglich auf ganz Frankreich erstrecken sollte, ist der wieder aufgegebene erste Versuch eines Ersatzes der Carte 1 : 80000, der auf Befehl des Generals Farre 1881 unternommen, 1883 unter dem neuen Kriegsminister, General Campenon, eingestellt wurde. Campenon war nicht Anhänger der Karte, auch galt es, mit den beschränkten Mitteln und Kräften zunächst die schon unternommene Carte au 200000ᵉ zu fördern. Auch entbehrte die sehr farbenfreudige Ausführung der Harmonie und Klarheit. Die Versuche führten zur Unterdrückung der roten (als Komplementär- zur grünen) Farbe, ferner zur Beseitigung der starken Hauptniveaulinien unter den 10 m-Höhenkurven und zur Annahme einer graublauen lithographischen Kreideschummerung in 6 Tönen nach dem Grundsatz der senkrechten Beleuchtung, wobei man aber den südöstlichen Gebirgsabhängen einen leichten schrägen Lichteffekt verlieh. Damals wurde auch, auf Vorschlag des Obersten Perrier, die 1875 eingegangene, einst vom General Pelet ins Leben gerufene Commission des travaux graphiques im Jahre 1882 als Commission des travaux géographiques unter Vorsitz des Generalstabschefs als Präsidenten und des Sous-directeur du Dépôt de la Guerre, derzeit der Oberst Perrier, als Stellvertreters erneuert, welche alle geodätischen, topographischen und kartographischen Arbeiten zu leiten hatte.

An anderen Frankreich betreffenden Kartenwerken des Service bzw. Dépôt de la Guerre aus dieser Periode seien genannt:

1. Carte de France 1 : 864000 in 6 Blatt. Sie ist 1825 von Achin, Geometer und Zeichner des Comité du Génie, für das Dépôt des Fortifications im ¹/₁₀-Maßstabe der Cassinischen und mit Benutzung der Capitaineschen Karte unter Hinzufügung von ergänzenden Arbeiten von Genieoffizieren, namentlich den unter Leitung des Generals Darçon ausgeführten, als ein damals vollständig modernes Werk entworfen worden, und zwar auf 4 Blatt. Von 1861—67 hat sie Constant erneuert und berichtigt. Erst 1887, als der Service die Karte übernahm, erhielt sie die Einteilung in 6 Blatt. Die frühere Kavalierperspektive ist darin aufgegeben, das Gelände aber nur in großen Zügen in Bergstrichen dargestellt, zahlreiche Höhenzahlen (über dem Meere) sind eingetragen worden, die Örtlichkeiten durch Kreise nach ihrer Größe klassifiziert, bei den Städten ist die Abstufung nach der Bevölkerungsziffer erfolgt, die Straßen sind in nationale und departementale eingeteilt

und die Eisenbahnen eingezeichnet; das Wegenetz wird ständig berichtigt. Sie gibt auch die Verteilung der festen Plätze. Obwohl im Prinzip durch 1 : 500000 ersetzt, bleibt sie doch als Übersichtskarte erhalten.

2. Carte des chemins de fer de la France 1 : 800000 in 4 Blatt, eine 1888 erschienene zweifarbige Zinkographie, die am Rande die Eisenbahnen der Umgegend von Paris, Lyon, Algier, Tunis und Korsika in Übersichtsblättern enthält, und von der 1891 eine Reduktion in 1 : 1 250000 in 2 Blatt erschienen ist.

3. Carte des étapes de France 1 : 800000, in 4 farbigen Blatt, Zinkographie, 1890. Die Gebiete der 6. und 20. Region (Grenzgebiet) sind auf einem Sonderblatt 1 : 320000 erschienen.

4. Carte de France 1 : 1250000, in 2 Blatt, Kupferstich, die Farben in Lithographie, mit den régions de corps d'armée et subdivisions de régions.

5. Cartes cantonales de la France 1 : 1250000 und 1 : 1600000, davon erstgenannte in Kupferstich, 1817 in 2 Blatt verfaßt und 1888 revidiert, letztangeführte 1876 auf 1 Blatt gestochene Zinkographie.

6. Carte du nivellement général de la France (ohne Korsika) 1 : 800000, in 6 Blatt. Sie erstreckt sich östlich bis Mainz, und ist eine vierfarbige Lithographie, in der die Gewässer blau, die Straßen und Ortschaften rot, die Wälder grün, das Gelände in braunen Niveaulinien (von 100 m Schichthöhe in flachem und 200 m in steilem Gebiet, die 400 m - Kurven verstärkt), die Schrift schwarz wiedergegeben ist. Im unteren linken Teile der Karte ist eine hypsometrische Übersicht der Umgegend von Paris in 1 : 200000 (zwischen Écouen, Poissy, Palaiseau und Lagny) angebracht. Die Erläuterung der Karte ist sehr eingehend. Die Grundlage des 1878 erschienenen Werkes bildet die Carte de France.

7. Triangulation géodésique de la France 1 : 1600000, eine Generalkarte auf einem Kupferstichblatt mit dem Netz 1. und 2. O.

8. Environs de garnison au 80000ᵉ in Kupferstich, Auszüge der Generalstabskarte, davon jedes Blatt etwa 30 km von Norden nach Süden und 44 km von Osten nach Westen umfaßt und in dessen Mitte die betreffende Stadt liegt. Seit 1872 sind etwa 20 Blatt erschienen, deren Ursprung dem Oberst Saget zu verdanken ist, die aber nicht fortgesetzt wurden. Es war ein Versuch der Revision der Generalstabskarte, der durch Offiziere der betreffenden Garnisonen gemacht war und nach dem das Dépôt die Karten ausführte.

9. Environs de garnison au 20000ᵉ in 25 Blatt, 5farbige Autographien, von 1877—84 gemacht, dann eingestellt, worauf 1889 die Steine und Zinkplatten auf Befehl Derrécagaix' vernichtet worden sind. Es sind Blätter von 1 m Seite etwa, mit braunen 5 m - Höhenkurven, Gewässer in Blau, Wälder grün, Bauten rot, das übrige Gerippe und die Schrift schwarz.

9 Environs de Paris au 80000ᵉ auf 1 Blatt (0,66 : 0,44) von 1874 und in 4 kleinen Blatt (0,40 : 0,31) 1892. Die erstgenannte 4farbige Ausgabe auf Stein, die 1876 vollendet wurde, enthielt nur ein sehr klares Gerippe. Die Karte von 1892 ist in sieben Farben gedruckt und von sehr eleganter Ausführung. Außer den vier Farben des Grundrisses, wie auf der Ausgabe 1874, sind noch braune 10 m - Höhenkurven mit Kreideschummerung (senkrechtes Licht) und ein blaues Gefließnetz hinzugetreten — das Ganze gibt eins der besten Bilder, die in neuerer Zeit vom Service ausgeführt wurden.

10. Environs de Paris au 20000ᵉ in 36 Blatt, auf der noch zu erwähnenden Carte du Département de la Seine 1 : 40000 beruhend. Zinkographie, Sechsfarbendruck, mit braun geschummerten 5 m - Niveaulinien, 1879—81 ausgeführt, 1882 und 1887 revidiert.

11. **Carte du Département de la Seine au 1 : 40000°** in 9 Blatt, schwarzer Kupferstich mit Bergstrichen (senkrechtes Licht), auf Antrag des Seinepräfekten, Comte Rambuteau, vom Jahre 1834 und auf Kosten des Departements in den Jahren 1836—39 durch Reduktion der ersten Minutes 1 : 10000 hergestellt, 1887, 1893, 1894 und 1895 revidiert. Paris liegt im Mittelpunkt, die Umgebung reicht bis 20 km in nord-südlicher und 25 km in ost-westlicher Richtung. Das Evidenthalten der Umgebung der Hauptstadt ist fast unmöglich infolge der raschen Veränderungen, selbst bei einer zinkographischen Ausgabe. Das Mittelblatt Paris ist 1871—76 ganz neu gemacht worden.

12. **Plans directeurs et environs des places fortes** 1 : 10000 (planchettes) und im Hochgebirge 1 : 20000 (cartes réduites), welche die Umgebung bis auf 20 km von den Werken enthalten, seit 1871, sind nicht mehr im Handel, vielfach veraltet, aber wahrscheinlich evident und werden heute fortgesetzt. Sie geben das Gelände in 5m-Höhenkurven wieder.

13. **Champ de tir Bourg-Lastic** 1 : 10000 auf 1 farbigem Blatt, Zink-Heliogravüre.

14. **Camp de Châlons-sur-Marne** 1 : 20000 in 2 Blatt schwarzen Steindrucks, Gelände in Schraffen. 1865 entstanden, 1882 revidiert.

15. **Dasselbe** in 1 : 40000 auf 1 Blatt in schwarzer Zinkographie, Gelände in Niveaulinien. 1869 von Genieoffizieren aufgenommen, 1882 revidiert.

Wenden wir uns nun zu den Arbeiten anderer Behörden. Lange Zeit war für sie nur die Generalstabskarte 1 : 80000 vorhanden. Aber sie genügte niemals vollständig. Daher haben sich die verschiedenen Verwaltungen schließlich, da das Projekt der Commission royale von 1817 zur Herstellung einer den Bedürfnissen aller Dienstzweige genügenden Karte in absehbarer Zeit sich nicht verwirklichen konnte, auf Grund der Generalstabskarte eigene Kartenwerke geschaffen.

So entstanden vom:

Ministère de l'Intérieur:

für den Service vicinal die „Carte de la France" 1 : 100000 in 587 Blatt zu je 38 : 28 cm (47 Lieferungen). Diese große, übersichtliche und gut lesbare Karte ist eine der am meisten gebrauchten. Sie ist eine Gradkarte (15′ Breite zu 30′ Länge) in Polyederprojektion und als Wege- und Verwaltungskarte für den inneren Dienst ausgeführt. Sie gibt die Wege (in Rot) nach einer administrativen Einteilung, nicht wie die Generalstabskarte nach dem Zustande ihrer Fahrbarkeit &c. Sie unterscheidet ein- und zweigeleisige Bahnen und enthält die Post- und Telegraphenbureaus. Die Bevölkerungsangaben sind in roten Ziffern, die Gewässer und Höhenzahlen sind blau, die Wälder grün, das Gelände ist in leichter grauer Schummerung (schräges Licht) ganz skizzenhaft, ohne jede größere und selbst für militärische Zwecke ausreichende Genauigkeit dargestellt, was auch der Maßstab nicht vertrüge. Im übrigen umfaßt die Karte, ein auf Stein gestochener und nach dem Erhardschen Verfahren galvanoplastisch auf Kupfer übertragener Fünffarbendruck, dasselbe Gebiet wie die Carte d'état-major au 80000°. Sie ist aber natürlich billiger und kann besser auf dem laufenden erhalten werden (letzte Revisionen 1897—99). Die Gradund die Blatteinteilung sind unabhängig voneinander. Sie wird bei Erhard frères gedruckt und bei Hachette et Cie verlegt.

Ministère des Travaux publics:

„Carte de France au 200000°" in 4 Blatt, seit 1885 heraus. Sie enthält in sehr klarer Darstellungsweise eine Reihe wichtiger Angaben für diese Verwaltung, die freilich zum Teil den Soldaten weniger interessieren, während die Geländedarstellung wenig gelungen und für militärische Zwecke geradezu unbrauchbar ist. Auf der Karte sind

Kunstbauten von Straßen, Eisenbahnen und Kanälen, Leuchttürme, Fabrikanlagen der verschiedensten Art, Bergwerke, Kohlenschächte, Mineralquellen, Regenmesser, meteorologische Angaben &c. zu finden, die strategische Studien mehr erschweren als unterstützen würden, dem Sonderzwecke aber trefflich genügen. Ferner eine sehr wichtige

„Carte géologique de la France au 80000e" in 273 Blatt seit 1875, deren Ausführung einer der École des Mines zugeteilten Commission géologique untersteht. Von dieser auf die Generalstabskarte gestützten Karte, zu deren Blättern hervorragende Fachmänner wie Barrois, Gosselet &c. den Text schrieben, gibt es seit 1889 auch eine Reduktion 1 : 1 Mill. Druck von Erhard frères als Chromolithographie.

Ministère des Colonies:

„Atlas colonial" der französischen Besitztümer in Afrika und Asien, die einzelnen Karten in Maßstäben von 1 Mill. bis 3 Mill., dazu ein Übersichtsblatt und Spezialkarten in 1 : 250000 bis 1 : 500000. Von dieser freilich auf sehr verschiedenwertigem Material beruhenden, bei Colin verlegten Arbeit ist 1899 die 1. Lieferung erschienen, 1901 lagen bereits 7 Lieferungen vor. Heute ist das Werk vollendet und besteht aus 27 Karten in 8 Farben und 50 Kartons. Paul Pelet ist der Verfasser.

Ministère de l'Agriculture:

„Atlas forestier de la France" 1 : 320000 (par départements), seit 1889 für die Administration des forêts heraus. Verfasser: E. Cuny. 1875 erschien in seinem Auftrage: „La France agricole" in 46 Karten mit Text, von Henzé.

Ministère du Commerce:

Verschiedene Cartes spéciales, wie die courriers postaux et des télégraphes &c.

Schließlich sei noch ein Blick auf die ausgezeichnete in- und ausländische Privatkartographie bzw. auf Arbeiten ausländischer Behörden geworfen. Aus etwas älterer und aus neuester Zeit seien genannt:

A. Cailloux: Carte minière de la France 1 : 1250000. Paris 1880.

Dufrénoy et Elie de Beaumont: Carte géologique et minéralogique de la France 1 : 500000 in sechs farbigen Blättern, mit Übersichtskarten 1 : 2 Mill. und 2 Bänden Text. Ein klassisches Werk. 1840.

Levasseur: Atlas physique, politique, économique in 13 Blatt mit 120 Kartons. Paris 1876.

Pigeonneau und Drivet: Carte hypsométrique et routière de la France 1 : 800000 in 9 Blatt mit farbigen Höhenschichten von 100:100 m. Sehr ansprechend ausgeführt. Paris, Belin, 1877.

Malte-Brun: Nouvelle carte physique et géographique de la France 1 : 2 Mill. 1880, und Nouvelle carte militaire de la France. Paris 1880.

A. Vuillemin: Atlas de Géographie de la France. Paris 1880.

Derselbe: Carte politique et administrative de la France et de ses principales colonies. Paris 1880.

Derselbe: Carte des bassins et des grands fleuves de la France. 1886.

A. Thuillier: Carte des chemins de fer français 1 : 260000. Paris 1884, und 1 : 1 Mill. in 6 Blatt, 1894.

Vasseur: Carte de France 1 : 500000 in 18 Blatt. Paris 1886.

Vivien de St. Martin: Carte de France 1 : 250000 in 4 Blatt. Paris 1884.

Carez et Vasseur: Carte géologique de la France 1 : 500000 in 48 Blatt, die heute am meisten benutzte. Paris, impr. Becquet, 1885—89.

V. Turquan: Répartition géographique de la population en France, communes par communes 1 : 600000. Paris 1888.

Saunois de Chevert: Carte économique de la France au point de vue des principales productions naturelles. Paris 1889.

Jacquot et Lévy: Carte géologique de la France 1 : 1 Mill. Paris 1889.

Meyère et Hansen: France et pays voisins à l'usage des écoles, des ingénieurs et des commerçants 1 : 1 Mill., 4 Blatt. Paris 1889.

Maxime Mabyre: Carte de la France 1 : 1 Mill. in 8 Farben. Mit sämtlichen Verkehrsmitteln.

L. Bonnefont: Carte physique de la France 1 : 1 200000, dressée par J. Forest, gravée par A. Demersseman. Paris, impr. Monrooq; édit. Maison Forest. 1899.

Carte vélocipédique et touriste de France 1 : 400000, dressée avec le concours du Touring-Club de France. Impr. et grav. Erhard; H. Barrère éditeur. Paris 1899.

Cartes Niox (Cartes militaires avec illustrations). No 4: France (les départements, les corps d'armée) 1 : 250000. Lithographie par Lécard. Paris, impr. Dufrénoy; C. Delagrave éditeur. 1899.

Plan vélo de la France: Nord 1 : 250000, Sud 1 : 333000, dressé d'après la carte de l'état-major, avec le concours des membres du T. C. F. U. V. F. et des clubs régionaux. Gravé par Guilmin. Paris, libr. Néal édit. 1899.

Gruson: Carte du département du Nord, dressée par ordre du Conseil général 1 : 200000. Lille, 1898.

Carte de la répartition de l'emplacement des troupes 1 : 950000, seit 1902. Paris, Le Soudier. Jährlich.

Unter den französischen Atlanten steht obenan der seit 1875 von Vivien de St. Martin begonnene, später von Fr. Schrader fortgesetzte, aber leider noch immer nicht vollendete „Atlas universel de géographie" in 90 Karten in schönem Kupferstich und wirkungsvoller Darstellung des Geländes, bei Hachette et Cie erschienen, wo bereits 1890 der „Atlas de géographie moderne" in 64 lithographierten Tafeln, mit Text, von F. Schrader, F. Prudent und E. Anthoine veröffentlicht wurde, von dem Spamers Großer Handatlas von 1896 eine deutsche Ausgabe ist. Dann der „Atlas général" von P. Vidal de la Blache, der aus 137 Karten, 248 Kartons und einem Index von über 40000 Namen besteht und 1894 bei A. Collin et Cie herauskam. Ferner A. Joanne: „Atlas départemental" in 95 Blatt, seit 1869, der aber weniger über die physischen als über die politischen Verhältnisse unterrichtet, und Lognon: „Atlas historique de la France depuis César jusqu'à nos jours" von 1884. Endlich möge noch des von Levasseur et Kleinhans in 1 : 1000000 (mit 4facher Überhöhung) gefertigten Reliefs gedacht sein.

Von ausländischen Arbeiten seien an amtlichen zunächst hervorgehoben:

Preußischer Generalstab:

Höhenschichtenkarte des Seine-Departements. 1 Blatt 1 : 30000. Berlin 1870.

Straßenkarte von Mittel-Frankreich 1 : 502000. 1 Blatt. Berlin 1870.

Übersicht der Kriegstelegraphenleitungen des deutsch-französischen Krieges 1870/71. 1 Blatt. Hauptquartier Versailles 26. Oktober 1870.

Topographische Karte der Umgegend von Verdun 1 : 25000. Berlin 1876.

Desgl. der Umgegend von Toul in 4 Blatt. Berlin 1876.

(Reymanns) Topographische Karte von Mitteleuropa 1 : 200000. Grenzen farbig, sonst schwarz. Teils Kupferstich, teils Lithographie. Enthält Frankreich teilweise (etwa bis zu einer Linie Cherbourg—Bordeaux).

Ebenso ist in der Karte des Deutschen Reichs 1 : 100000 und in der Topographischen Übersichtskarte 1 : 200000 ein kleiner Teil des Grenzgebiets zu finden.

Österreichisches Militärgeographisches Institut:

Karten 1:200000, 1:300000 und 1:750000 enthalten Frankreich teilweise, erstgenannte jedoch nur ein kleines Gebiet um Nizza.

Spanisches Deposito de la Guerra:

Mapa de Francia 1:1 Mill. Madrid 1881.

Unter den privaten Kartenwerken steht obenan:

C. Vogels Karte von Frankreich 1:1500000 in 4 farbigen Blatt, mit dem Karton der Umgebung von Paris 1:150000, ein Meisterwerk, zuerst 1874—77 in Schwarzdruck erschienen. Wird stets berichtigt, so daß es außerordentlich zuverlässig ist, zumal es sich hauptsächlich auf Originalmaterial stützt. Heute im Braundruck; berichtigt von H. Kehnert. Ein großartig gedachtes und ebenso ausgeführtes Werk.

Leuzinger: Physische und geographische Karte von Frankreich 1:2 Mill. in farbigen Höhenschichten, von 0, 125, 250 und weiter von je 250 m, in sehr gelungener Ausführung. Bern 1880.

O'Grady: Übersichtskarte vom nordöstlichen Frankreich nebst Grenzländern 1:1 Mill.

W. Liebenows Spezialkarte von Mitteleuropa 1:300000, enthält auf etwa 15 Blatt Frankreich. Seit 1869 mehrfach neuaufgelegt.

Dechen: Geognostische Übersichtskarte von Frankreich 1:2500000. Berlin(?) 1869.

C. Gräf: Frankreich 1:2 Mill., 1 Blatt 57,5:64 cm, Farbendruck. Weimar 1899. Geogr. Institut. 31. Auflage.

Zentralausschuß des Vogesenklubs: Karte der Vogesen 1:50000. Enthält teilweise Frankreich. Blätter (36:44,5 cm) als Farbendruck bei J. H. Ed. Heitz in Straßburg, im Erscheinen seit 1895(?).

G. B. Grundy: Murrays Handy Classical Maps: Gallia 1:2500000 or 39,7 stat. miles to 1 inch. With Index. London, John Murray, 1899.

Endlich die Karten in den großen Atlanten von Stieler (s. o. Vogel), Wagner-Debes, Andree, Bartholemew, Collins, Philip, Marks &c., sowie in den Reisebüchern von Baedeker, Meyer, Murray &c.

Wenden wir uns nunmehr noch den wichtigsten literarischen Arbeiten in Kürze zu! Von amtlichen Arbeiten des Dépôt de la Guerre bzw. des Service Géographique seien erwähnt: Zunächst das von dem General Andréossi 1802 gegründete „Mémorial du Dépôt de la Guerre", in dem eine Reihe wichtiger, auf die Geschichte der Carte de France &c. bezüglicher Arbeiten enthalten ist, z. B. des Colonel Vallongue „Notice historique sur le Dépôt de la Guerre"; Soulavie, capitaine ingénieur-géographe: „Notice sur la topographie" und desselben: „État de la topographie en Europe" (1802); Colonel Peytier: „Notes sur les opérations géodésiques"; Colonel Perrier: „Nouvelle méridienne de France" und desselben Verfassers (gemeinsam mit Ibañes) „Jonction géodésique de l'Algérie avec l'Espagne" und besonders die Abhandlungen in den drei Tomes VI, VII und IX über die Triangulation Frankreichs. Der letzte, XV. Band, erschien 1894. Dann des Colonel Berthaut im Auftrage des Service verfaßte sehr wichtige, hervorragende Arbeit: „La Carte de France 1750—1898. Etude historique" in 2 Bänden, in der Imprimerie des Service gedruckt, 1899 erschienen, und desselben Offiziers „Les ingénieurs-géographes militaires 1624—1831" in 2 Bänden, 1901(?). Von anderen Arbeiten, die zum Teil auch im offiziellen Auftrage erschienen sind, seien genannt: L. Puissant: „Rapport sur le mode d'exécution d'une nouvelle carte topographique de la France, appropriée à tous les services publics et combinée avec les opérations du cadastre" von 1817; dann desselben Verfassers „Principes du figuré du terrain" von 1827, in denen er für eine Verbindung von Isohypsen mit Schraffen eintritt; weiter sein „Traité de topographie, d'arpentage et du nivellement" von 1820 und sein „Traité de géodésie ou exposition des méthodes astronomiques et trigonométriques, appliquées soit à la mesure de la terre, soit à la confection des canevas des cartes et des plans", 3. Aufl. 1819 (2 Bände). Auch seine „Nouvelle description géométrique de la France ou précis des opérations et résultats numériques qui servent de fondement à la nouvelle carte du Royaume", Paris 1832, 1840 u. 1853. Dann Bégat: „Exposé des opérations géodésiques relatives aux travaux hydrographiques exécutés sur les côtes méridionales de France", Paris 1844. Bourdalous: „Nivellement général de la France", Bourges 1864. Maurice Baudot: „Le nivellement général de la France et le nivellement de précision de la Suisse", Paris 1874.

Rein privater Natur sind: P. A. Clerc: „Cours sur la pratique des levées topographiques à l'usage des élèves de l'école royale de l'artillerie et du génie", Paris 1830, 2 Teile. F. F. Français: „Cours de géodésie à l'usage des élèves de l'école royale de l'artillerie et du génie", Metz 1828, 2 Teile. Dann A. Laussedats verschiedene Schriften über Photogrammetrie, so besonders seine „Historique de l'application de la photographie au lever des plans". 1835, in letzter (5.) Ausgabe 1899, erschien L. B. Francoeurs „Géodésie ou traité de la figure de la terre", 1855 Bardins „La Topographie enseignée par des plans-reliefs et des dessins avec texte explicatif" mit einem Atlas von 40 Tafeln und 7 Reliefs. Weiter erwähnenswert ist: Perrot: „Nouveau manuel complet pour la construction et le dessin des cartes géographiques" von 1847. M. d'Avezac: „Coup d'oeil historique sur la projection des cartes de géographie" von 1863, zu dem A. Germains „Traité des projections des cartes géographiques" gewissermaßen die wissenschaftliche Grundlage lieferte, und E. Colignon: „Recherches sur la représentation plane de la surface du globe terrestre" von 1865. Colonel Goulier: „Coup d'œil sur la topographie" 1868 und desselben Verfassers „Études sur les levées topométriques" von 1892; Commandant Rouby: „La cartographie au dépôt de la Guerre" 1876. Nicolaus Tissots berühmtes „Mémoire sur la représentation des surfaces et les projections des cartes géographiques", Paris 1881 (teilweise 1878—80 in den „Nouvelles annales de mathématique" erschienen), das in einer neuen Art der Analyse die bei den Abbildungen der Erdoberfläche entstehenden Verzerrungen erörtert sowie die wichtige Frage, bei welcher flächentreuen Projektion eines gegebenen Gebietes die größte auf der Karte vorkommende Winkelverzerrung möglichst klein sei, und welches überhaupt für ein gegebenes Land die Karten mit kleinster Verzerrung sind (ausgleichende Projektion). Er lenkt unter Verwerfung der Bonneschen Projektion die Aufmerksamkeit der praktischen Kartographen auf eine rationelle Projektion[1]. Dadurch wird die Kartographie in neue Bahnen gelenkt. Von weiteren Arbeiten seien Le Bon: „Les Levées photographiques et la photographie en voyage" 1889, Fraipont: „L'art de prendre un croquis" 1891, Bassot: „La Géodésie française" 1891, Bertrand: „Traité de topographie" 1892, Crouzet: „Éléments de topographie" 1891, Mossard: „Topographie et Géodésie" (Cours de St. Cyr) 1882, Durand-Claye: „Opérations sur le terrain" 1889, Pelletan: „Traité de topographie" 1893, Dallet: „Manuel pratique de Géodésie" 1897, erwähnt. Von außergewöhnlicher Bedeutung für das Studium der Geographie wurden Edm. François Jomard: „Monuments de la géographie ou recueil d'anciennes cartes européennes et orientales, publiés en fac-similé de la grandeur des originaux" in 8 Abschnitten, 1842—62, zu denen nach seinem Tode noch eine von Cortambert geschriebene „Introduction" 1879 trat. Unter dem Schutz der portugiesischen Regierung erschien von 1842—53 der große Atlas des Vicomte de Santarem, der 76 zum größten Teil noch nicht veröffentlichte Welt-, Portulan-, hydrographische und historische Karten des 16. und 17. Jahrhunderts in Imperialformat enthält, nebst einem Commentaire: „Essai sur l'histoire de la cosmographie et de la cartographie pendant le moyen-âge et sur les progrès de la géographie après les grandes découvertes du XVe siècle". Endlich L. Gallois: „Les Géographes allemands de la Renaissance" 1890 (mit 6 Tafeln).

An hervorragenden, auch für den Kartographen wichtigen geographischen Werken seien endlich genannt: Élisée Reclus: „Géographie universelle" in 19 Bänden, Vivien de St. Martin: „Nouveau dictionnaire de géographie universelle" in 8 Bänden (1879—97) mit Suppléments, endlich Joanne: „Dictionnaire géographique et administratif de la France", im Erscheinen (6 Bände sind bisher veröffentlicht).

4. Die neueste Periode.

Die neueste Entwickelungszeit der französischen Kartographie, in welche die Schaffung eines Planes für eine neue Landeskarte und der Beginn ihrer Ausführung fällt, knüpft an die Neubestimmung des Meridians von Frankreich an. Obwohl die Fehler der Messung von Méchain und Delambre ohne Einfluß auf die Genauigkeit des Kartenbildes sind, beeinträchtigen sie doch den Wert der Triangulation 1. O., welche mit den inzwischen erzielten Fortschritten der geodätischen Wissenschaft nicht mehr im Einklang stand. Hier war Abhülfe nötig, damit Frankreich in den internationalen Bestrebungen zur Bestimmung der Erdgestalt nicht zurückblieb. Die Neubestimmung war aber auch notwendig, um das große Projekt einer Verbindung Spaniens mit Algier durchzuführen. Dadurch wurde eine ununterbrochene Dreieckskette von den Shetlandinseln im Norden Schottlands durch Großbritannien, über den Kanal, durch Frankreich, Spanien, Mittelmeer und Nordafrika, d. h. ein Erdbogen von 28½° Amplitude oder ein Drittel der Entfernung vom Pol zum Äquator festgelegt. Endlich aber war damit der Ausgang gegeben für eine neue und möglichst genaue Katastermessung, denn diese erforderte ein Netz von Punkten 4. und sogar 5. O., die von Stationen 3. O. aus bestimmt werden müssen. Da diese aber in ihrer richtigen Lage wieder von der Triangulation 1. und 2. O. abhängen, bei der früher kein Winkel direkt beobachtet war, so wurde zur genauen Festlegung der 3. O. eine Revision der Haupttriangulation erforderlich, zu der aber die Meridianneubestimmung die Grundlage und die erste Anregung bildete.

Im Frühjahr 1870 hatten bereits durch Hauptmann Perrier[2] und seine Mitarbeiter, die Hauptleute Penel und Bassot, die Operationen begonnen, zunächst im Pariser Meridian von Süden aus bis nach Montredon vorgehend, als der Krieg 1870 diese Arbeiten unterbrach. Im Herbst 1871 konnten sie dann wiederaufgenommen werden, schritten aber aus Personal-

---

[1] In Deutschland ist durch Zöppritz' und Hammers Tätigkeit diese wichtige Arbeit besonders bekannt geworden.

[2] François Perrier war ein hochverdienter Geodät, der 1861 die trigonometrische Verbindung der Küsten Englands und Frankreichs, 1865 die Vermessung Korsikas, 1864—69 die Arbeiten in Algier unter Laussedat und sich dabei die größten Erfahrungen erworben hatte. Er führte auch die Reiterations- statt der Repetitionsmethode beim Dépôt ein. Seit 1873 war er Mitglied der internationalen Gradmessung, später wurde er Leiter der geographischen Abteilung des Kriegsministeriums. 1888 starb er in Montpellier.

und Geldmangel nur langsam vorwärts, zumal gleichzeitig die Triangulation in Algier ausgeführt werden mußte. So wurde der mittlere Parallel erst 1874 erreicht. Bei den
Beobachtungen wandte man zuerst Heliotropen, seit 1875 den auch nächtliche Arbeit ge-
stattenden optischen Collimateur an. Die Längenunterschiede wurden telegraphisch bestimmt, auch zur Verbindung mit auswärtigen Observatorien, so 1874—77 zwischen dem
Puy de Dôme und Neufchâtel, 1881—86 zwischen Paris und Mailand, Leyden, Madrid,
1888 zwischen Paris und Greenwich[1]). Auch die Breiten und Azimute der Observatorien
wurden bestimmt. 1888 wurde die neue Triangulation des Meridians durch Oberstleutnant Bassot und Major Defforges sowie die Hauptleute Lubanski und Barisien vollendet
und an das belgische und englische Netz angeschlossen (26 bzw. 27 Dreiecke), wobei
Unterschiede von 0,25 bzw. 0,22 m für die Basen Kemmel—Kassel und Harlettes—Kassel
festgestellt wurden. 1889 wurde eine Kontrollbasis im äußersten Norden bei Kassel bestimmt, auf der route nationale Nr. 16, von 7,5 km Länge. 1890 wurde eine bereits 1883
erkundete Grundlinie in der Nähe der alten Picardschen zwischen Juvisy und Villejuif
auf der route nationale Nr. 7 zu 7226 m festgelegt. Bei der zweimaligen Messung mit
dem Brunnerschen Apparat wurden anfangs 20 Strecken in 1 Stunde, zuletzt bis
35 Strecken geleistet und die erste Bestimmung in 24 Tagen, die Rückmessung in 19 Tagen
durch Bassot und Defforges bewirkt. 1891 wurde die Basis bei Perpignan neu gemessen
mit 25 Strecken Geschwindigkeit in der Minute. 1896 war die Triangulation beendet.
Das Gesamtergebnis war, daß die Basen von Paris und Melun um 1 cm übereinstimmten,
die Messung der Grundlinie von Perpignan eine um 29 cm höhere Länge ergab als die
alte Delambresche, daß ferner die Basis von Perpignan um 5 cm kürzer gemessen wurde,
als sie rechnungsmäßig betragen mußte, wenn man von Paris ausging, was nur $\frac{1}{300000}$ Unterschied bei 6 Breitengraden Abstand ausmachte. Obwohl es sich nur um eine provisorische
Messung handelte, ergibt sich schon jetzt, daß der Hauptfehler des alten französischen
Netzes in den Ketten liegt, die in den Basen von Bordeaux und Gourbera ihre Stütze
haben. Man muß also eine neue Messung des mittleren Parallels und vielleicht auch des
Parallels von Rodez vornehmen.

Die Verbindung zwischen Algier und Spanien geschah 1879 auf 4 Stationen, und
zwar in Algier unter Leitung des Obersten Perrier (mit den Hauptleuten Derrien und
Defforges im M'Sabita) und des Majors Bassot (mit den Kapitänen Sever und Koszutski
in Filhaoussen).

In Spanien waren Oberst Barraquer (in Mulhacen) und Major Lopez (in Tetica)
tätig. Daran schloß sich die astronomische Verbindung durch optische Verständigung.
Schließlich wurde Algier mit der französischen Triangulation durch ein Viereck verknüpft,
dessen Diagonalen 270 km lang waren.

1888 wurde dann die Verbindung zwischen dem französischen und dem italienischen
Netz ausgeführt.

1893 und 1894 wurden die neuen geodätischen Operationen Frankreichs durch Neu-
legung eines Teils des früher vom sardischen Generalstab ausgeführten Netzes in der
ehemaligen Grafschaft Nizza beendet.

Eine weitere Grundlage war die Vervollkommnung und Vervollständigung des 1861—64
durch Bourdaloue ausgeführten Nivellementsnetzes von 15000 km Umfang. Sie
wurde 1878 durch eine unter Freycinets (des damaligen Ministers der öffentlichen Arbeiten)
Vorsitz tagende Zentralkommission beschlossen, in der Vertreter der Ministerien des Innern
und des Kriegs saßen, von letztgenanntem Oberst Goulier und die Majore Perrier und

---

[1]) Bei dieser Beobachtung erhielten die Engländer 9m20,85s für den Unterschied der mittleren Zeiten, die
beiden Franzosen Bassot und Defforges 9m21,04s. Auch eine Messung von 1892 ergab eine Differenz, so daß
heute noch nicht dieser Fundamentallängenunterschied beider Meridiane feststeht, sondern ein Widerspruch von
0,2s = 3″, auf 50° Breite der WO-Strecke 60 m betragend, besteht.

des cartes géographiques" gewissermaßen die wissenschaftliche Grundlage lieferte, und E. Colignon: .
sur la représentation plane de la surface du globe terrestre" von 1865. Colonel Goulier: „Coup d'.
topographie" 1868 und desselben Verfassers „Études sur les levées topométriques" von 1892; Commandan.
„La cartographie au dépôt de la Guerre" 1876. Nicolaus Tissots berühmtes „Mémoire sur la rep
des surfaces et les projections des cartes géographiques", Paris 1881 (teilweise 1878—80 in den „Not
nales de mathématique" erschienen), das in einer neuen Art der Analyse die bei den Abbildungen der
fläche entstehenden Verserrungen erörtert sowie die wichtige Frage, bei welcher flächentreuen Projel
gegebenen Gebietes die größte auf der Karte vorkommende Winkelverserrung möglichst klein sei, u
überhaupt für ein gegebenes Land die Karten mit kleinster Verserrung sind (ausgleichende Projektion).
unter Verwerfung der Bonneschen Projektion die Aufmerksamkeit der praktischen Kartographen auf eine
Projektion[1]). Dadurch wird die Kartographie in neue Bahnen gelenkt. Von weiteren Arbeiten seien
„Les Levées photographiques et la photographie en voyage" 1889, Fraipont: „L'art de prendre un croq
Bassot: „La Géodésie française" 1891, Bertrand: „Traité de topographie" 1892, Crouzet: „É-
topographie" 1891, Moussard: „Topographie et Géodésie" (Cours de St. Cyr) 1892, Durand-Clage
tions sur le terrain" 1889, Pelletan: „Traité de topographie" 1893, Dallet: „Manuel pratique de
1897, erwähnt. Von außergewöhnlicher Bedeutung für das Studium der Geographie wurden 186m.
Jomard: „Monuments de la géographie ou recueil d'anciennes cartes européennes et orientales, publ.
similé de la grandeur des originaux" in 8 Abschnitten, 1842—62, zu denen nach seinem Tode noch
Cortambert geschriebene „Introduction" 1879 trat. Unter dem Schutz der portugiesischen Regierung
von 1842—53 der große Atlas des Vicomte de Santarem, der 76 zum größten Teil noch nicht ver
Welt-, Portulan-, hydrographische und historische Karten des 16. und 17. Jahrhunderts in Imperialform
nebst einem Commentaire: „Essai sur l'histoire de la cosmographie et de la cartographie pendant le me
sur les progrès de la géographie après les grandes découvertes du XVe siècle". Endlich L. Gallois:
graphes allemands de la Renaissance" 1890 (mit 6 Tafeln).
    An hervorragenden, auch für den Kartographen wichtigen geographischen Werken seien endlic.
Élisée Reclus: „Géographie universelle" in 19 Bänden, Vivien de St. Martin: „Nouveau dict
géographie universelle" in 8 Bänden (1879—97) mit Suppléments, endlich Joanne: „Dictionnaire g.
et administrative de la France", im Erscheinen (6 Bände sind bisher veröffentlicht).

4. Die neueste Periode.

Die neueste Entwickelungszeit der französischen Kartographie, in welche die t
eines Planes für eine neue Landeskarte und der Beginn ihrer Ausführung fällt, l
die **Neubestimmung des Meridians von Frankreich** an. Obwohl d.
der Messung von Méchain und Delambre ohne Einfluß auf die Genauigkeit des
bildes sind, beeinträchtigen sie doch den Wert der Triangulation 1. O., welche
inzwischen erzielten Fortschritten der geodätischen Wissenschaft nicht mehr im
stand. Hier war Abhilfe nötig, damit Frankreich in den internationalen Bestrebu
Bestimmung der Erdgestalt nicht zurückblieb. Die Neubestimmung war aber a
wendig, um das große Projekt einer Verbindung Spaniens mit Algier durchzufüh.
durch wurde eine ununterbrochene Dreieckskette von den Shetlandinseln im Norde
lands durch Großbritannien, über den Kanal, durch Frankreich, Spanien, Mittel
Nordafrika, d. h. ein Erdbogen von $28\frac{1}{2}°$ Amplitude oder ein Drittel der Entfern
Pol zum Äquator festgelegt. Endlich aber war damit der Ausgang gegeben für ε
und möglichst genaue Katastermessung, denn diese erforderte ein Netz von Punkte
sogar 5. O., die von Stationen 3. O. aus bestimmt werden müssen. Da diese abe
richtigen Lage wieder von der Triangulation 1. und 2. O. abhängen, bei der fr
Winkel direkt beobachtet war, so wurde zur genauen Festlegung der 3. O. eine
der Haupttriangulation erforderlich, zu der aber die Meridianneubestimmung die G
und die erste Anregung bildete.

Im Frühjahr 1870 hatten bereits durch Hauptmann Perrier[2]) und seine Mitarb
Hauptleute Penel und Bassot, die Operationen begonnen, zunächst im Pariser Meri
Süden aus bis nach Montredon vorgehend, als der Krieg 1870 diese Arbeiten un
Im Herbst 1871 konnten sie dann wiederaufgenommen werden, schritten aber aus

---

[1]) In Deutschland ist durch Zöppritz' und Hammers Tätigkeit diese wichtige Arbeit besonders b
worden.

[2]) François Perrier war ein hochverdienter Geodät, der 1861 die trigonometrische Verbindung
Englands und Frankreichs, 1863 die Vermessung Korsikas, 1864—69 die Arbeiten in Algier mit aus
sich dabei die größten Erfahrungen erworben hatte. Er führte auch die Reiterations- statt der Repetit
beim Dépôt ein. Seit 1873 war er Mitglied der internationalen Gradmessung, später wurde er Leiter
phischen Abteilung des Kriegsministeriums. 1888 starb er in Montpellier.

...und ... Röhre ... (in Potsal ... gleich Verständigung ... durch ... Vorort vertaugt

... Grunmarken und dem ... schen Operationen Frankreichs durch Neu ... Gemeinheit angeführten Noten in der

... und Vervollständigung des 1861–64 ... meterneizes von 18000 km Umfang ... damaligen Ministers der öffentlichen Arbeiten ... in der Vertreter der Ministerien des Innern ... Oberst Goulier und die Majors Perrier und

...ter, um $20{,}xx$ für den Unterschied der mittleren Sonnen... ... Auch eine Messung von 1882 ergab eine Differenz ... ... beide Meridiane feststeht, sondern als Wissenschaft ... betragend, besteht.

Verlangen herzustellenden Reproduktionen der Meßtischblätter. Mit diesen kämen noch 8 900 000 Francs hinzu, die aber die Besteller tragen. Soll die Karte in 1 : 10000 in 30 Jahren veröffentlicht werden, so wären jährlich, bei rund 31500 Blättern, 1050 Heliogravüren zu liefern, d. h. 3½ Blatt täglich (bei 300 Arbeitstagen jährlich). Die Commission centrale soll die Leitung aller erforderlichen Arbeiten übernehmen.

. Nach allen weiteren Vorschlägen würde die neue Carte de France au 50000ᵉ in der heute verbreitetsten polyedrischen (polyzentrischen) Projektion, die am wenigsten Rechnungen erfordert und den leichtesten Gebrauch ermöglicht, entworfen werden. Die kleinen, praktisch verschwindenden Verzerrungen der Blätter fallen außer Betracht, ein Zusammenlegen aller Blätter einer Karte dieses Maßstabes und Umfangs (sie würde etwa 22 m Seite einnehmen) ist kaum zu erwarten und wertlos, während eine kleine Anzahl von Blättern sich sehr gut aneinanderlegen lassen, in derselben Zone sogar mathematisch genau. Frankreich würde ein Trapez bilden, das zwischen dem 42. und 51. Breitengrade und dem 7.° w. und 5.° ö. L. liegt und bei der Annahme des Clarkeschen Abplattungswerts von 1 : 293,46 ungefähr 16,85 m obere und 19,37 m untere Seitenlänge bei 20,007 m Höhe hätte. Bei einer Einteilung in 15 Breiten- und 30 Längenminuten (Sexagesimalsystem) würde die Karte aus 24 Meridian- oder Längskolonnen zu je 36 Blatt und aus 36 Parallelzonen von je 24 Blatt bestehen, d. h. also aus 864 Blättern sich zusammensetzen, deren Unterschiede in den oberen und unteren Rändern zwischen 0,00377 m in der nördlichen und 0,00325 m in der südlichen Zone betragen würden, bzw. würde der größte vorkommende Unterschied zwischen den oberen und unteren Blattbreiten 0,126534 m erreichen. Beim Zusammenlegen würde jeder Meridian eine polygonale konvexe Linie darstellen, die sich fast der geraden nähert, da das Gesetz der Zunahme der Parallel-Bogenlänge von Norden nach Süden konstant ist. Der Unterschied zwischen beiden Linien beträgt auf 20 m Gesamthöhe nur 0,00215 m, d. h. $\frac{1}{8000}$ der Höhe. Legt man zwei solche Längskolonnen in der Ebene ausgebreitet nebeneinander, so würde es keinen praktischen Schwierigkeiten begegnen, die Meridiane würden zu geraden Linien werden, die Parallelen regelrechte Polygone sein, die in konzentrische Kreise eingepaßt werden können, deren Halbmesser leicht zu berechnen sind. Man kann also dem Polyeder ein ihm nahestehendes Sphäroid von konischer Fläche substituieren. Viel größer sind die nicht zu beseitigenden Unstimmigkeiten, die in dem Papiereingang &c. liegen. In Wirklichkeit würde den Blättern allerdings rechteckiges Format gegeben werden, von einer Größe, die das verhältnismäßig größte Trapezformat übertrifft und dadurch den Vorteil bietet, daß die Blätter leicht übergreifen. Es handelt sich um eine Kurvenkarte, da die Bergstrichsysteme, obwohl das Relief in dieser Darstellung, namentlich bei Anwendung schrägen Lichts, künstlerischer wirkt, zu zeitraubend und teuer sind, auch die heute so wichtige Kurrenthaltung erschweren. Die Kurven, durch eine Kreideschummerung nach leicht benutzbarer einfacher Böschungsskala und im gemischten System schräger und senkrechter Beleuchtung unterstützt, geben in klarer und für die verschiedenen Bedürfnisse der Kartenbenutzer bequemer Weise die geometrischen Geländeformen. Dadurch wird aber eine farbige Darstellung nötig (außer für die in Schwarz zu haltenden Meßtischblätter), denn sonst würden Irrtümer beim Lesen der Karte zwischen Situationslinien und Kurven entstehen. Die Farben erfordern aber wieder den Ersatz des Kupferstichs, der ihre Wiedergabe nicht gestattet, durch ein kombiniertes Verfahren aus Stich und Zinkgravüre, und zwar ist für jede Farbe eine besondere Platte nötig, was die Revision sehr erleichtert, indem sie nun getrennt für jede Farbe vorgenommen werden und die Berichtigung der Straßen, Gehölze &c. unabhängig voneinander geschehen kann. So ist also größte Lesbarkeit mit möglichster Schnelligkeit und Wirtschaftlichkeit der Herstellung der Karte verbunden, wenn auch vom künstlerischen Standpunkt die Aufgabe des schönen, fein und genau wirkenden Kupferstichs zu bedauern ist. Übrigens ist, trotz der vielen schon bestehenden

Verfahren, eine gute Farbenwiedergabe und besonders eine gelungene Modellierung des Geländes durch Schattenwirkung nicht leicht. Auch erfordert die Farbenkarte bei schneller Ergänzung des Bedarfs, z. B. im Mobilmachungsfalle, längere Herstellungszeit als die monochrome. Das Blatt wird sich auf etwa 1800 Francs (ohne Aufnahme) stellen. Mit den Aufnahmen ist längst begonnen unter Benutzung der besten Instrumente und Methoden. Man bedient sich des Tachéomètre Goulier, modèle du Génie, welches ebenso wie das tachymetrische Verfahren eine bemerkenswerte Beschleunigung der Arbeit, größere Leichtigkeit und zahlreiche Kontrollmittel gegenüber dem älteren Meßtischverfahren mit der alidade à éclimètre gestatten soll. Weiter wird die Phototopographie benutzt. Der Gedanke, die topographischen Arbeiten mit Hilfe der Photographie zu bewirken, tauchte zuerst in Frankreich, und zwar bei dem berühmten Astronomen und Physiker Arago auf[1]). Doch fand er zunächst keinen Anklang. Erst als 1859—61 Genieoberstleutnant Laussedat mit gutgelungenen Aufnahmen und Studien photogrammetrischer Art[2]) den Beweis für die Brauchbarkeit des neuen Meßverfahrens lieferte, wobei ihm ein 1858 von Chevallier erfundener photographischer Meßtisch gute Dienste leistete, gewann die neue Methode Anhänger. Ihre Vervollkommnung geschah namentlich durch den Geniekapitän Javary 1864 bei Aufnahme eines Plans der Umgebung von Grenoble, und 1867 erzielte Faverges gute Ergebnisse in Savoyen, so daß andere Staaten sich auch ernsthaft und erfolgreich mit der Phototopographie zu beschäftigen begannen, namentlich Italien, Österreich-Ungarn und die Vereinigten Staaten[3]). Heute wird die topographische Aufnahme mittels verschiedener Phototheodoliten als gelegentliche Unterstützung des tacheometrischen Verfahrens (nicht als Ersatz) auch in Frankreich angewendet. Die Aufnahmen geschehen in dem seit 1875 auch für die Umgebungen der festen Plätze üblichen Maßstabe 1:10000, nur für Gebirgsgegenden in 1:20000, wo man sich meist in den Tälern hält und die topographischen Aufnahmen an die trigonometrischen Dreieckspunkte anknüpft, das so erzielte dürftige Netz durch eine eigene graphische Triangulierung erweiternd. 1898 waren bereits über 4000000 ha vermessen und 50 Blätter in 1:10000, 13 in 1:20000 ausgeführt, was 338000 Francs erfordert hatte, da das Blatt 1:10000 damals 500 Francs, 1:20000 rund 335 Francs kostete, ein Preis, der inzwischen durch Verwendung von einem gut ausgebildeten Unteroffizier- und Mannschaftspersonal auf 273 bzw. 221 Francs ermäßigt worden ist. Dieses Personal genügt für die topometrischen, während für die eigentlichen topographischen Arbeiten Offiziere nach wie vor tätig sind. 3 Blätter der neuen Karte 1:50000 (Umgegend von Paris) sind schon fertig und recht gelungen.

Es erübrigt noch, einen Blick auf die heutige Organisation des Service géographique de l'Armée für Ausführung seiner wichtigen Arbeiten, und auf ein anderes großes, allgemein interessantes Kartenwerk zu werfen, das dieser Behörde seine Entstehung verdankt. Der Service géographique ist unmittelbar dem Kriegsministerium, in fachlicher Beziehung dem État-major de l'Armée unterstellt. Direktor ist ein Sous-chef d'État-major général, augenblicklich General Berthaut. Die Aufgabe des Service ist das wissenschaftliche Studium aller auf astronomische, geodätische, topographische und kartographische Arbeiten Bezug habenden Erscheinungen. Er bewirkt die Präzisionsaufnahme, besonders auch für die Carte de France und in der Umgebung von Festungen, bearbeitet diese und alle auf ihrer Grundlage entstehenden Kartenwerke, erhält sie sowie die wichtigsten fremdländischen Karten auf dem laufenden und versorgt im Mobilmachungsfalle die Armee mit Kriegskarten. Der Service gliedert sich in vier Sektionen, jede unter einem Chef im

---

[1]) Bereits 1791—93 hatte übrigens der französische Gelehrte Beautemps-Beaupré aus perspektivischen Handzeichnungen von Küstengebieten in Vandiemensland und Santa Cruz Karten in geometrischer Projektion abgeleitet.

[2]) Er entwarf den Plan eines Teils von Paris aus 2 Photographien, die er von der Kirche St. Sulpice und dem Dache der École polytechnique gemacht hatte.

[3]) Im Deutschen Reich, wo die Photogrammetrie zuerst durch Meydenbauer große Förderung erfuhr, findet sie für topographische Zwecke hauptsächlich bei den bayerischen Gebirgsaufnahmen Anwendung.

Stabsoffiziersrange, und zwar: 1. die astronomische und geodätische (Géodésie), 2. die Präzisionsaufnahme (Levés de précision), 3. die topographische (Topographie), 4. die kartographische Sektion (Cartographie). Außerdem besteht das Rechnungswesen (Comptabilité), das Kartenmuseum, die Instrumentenanstalt und die Bibliothek. Die 1. Sektion führt mit 12 Offizieren die ihrem Namen entsprechenden Arbeiten aus. Chef ist ein Artillerieoffizier. Die 2. Sektion besteht aus Genieoffizieren und Unteroffizieren — den brigades topographiques du génie in Paris, Bayonne und in den Alpen, die je aus 1 Hauptmann, 8—9 adjoints du génie, 8 kommandierten Offizieren und 2 Unteroffizieren bestehen. Sie führen die Aufnahmen sehr großen Maßstabes, besonders für die Umgebungen von Festungen mit dem Tacheometer aus. (Jährlich etwa 25 QMln, darunter Gebiete in 1:1000, 1:2000, 1:10000 und 1:20000.) Ihr sind auch die Reliefsammlung und die Zentralstelle für Aufnahmeinstrumente zugewiesen. Die 3. Sektion unter einem Genieoffizier gliedert sich in die Revision d'ensemble der Carte de France, die aus vier unter je einem Hauptmann stehenden Gruppen besteht, die auf die verschiedensten Gegenden Frankreichs verteilt werden und denen (brevetierte und nicht brevetierte) Offiziere aller Waffen (Infanterie, Artillerie und Marine) zugeteilt werden, sowie den sieben brigades topographiques für Algier (3) und Tunis (4), ebenfalls aus Infanterie- wie aus Artillerie- und Marineoffizieren zusammengesetzt. Die 4. oder kartographische Sektion besteht aus der (1878 errichteten) Abteilung für auswärtige Kartographie, der Zeichnungsabteilung, den Abteilungen für Gravüre, Photographie und Heliogravüre, sowie Galvanoplastik und der Druckerei, endlich der Publikation. Ihr ist auch eine Zeichnungsschule (mit zweijährigem Kursus), sowie die Buchbinderei und der Mobilmachungsdienst zugeteilt. Dem Rechnungswesen ist das Kartenmagazin unterstellt.

Von anderen kartographischen Arbeiten neuerer Art des Service möchte ich nur auf die Plans directeurs der großen Festungen hinweisen (seit 1875 in 1:10000, wie z. B. die großen Umgebungspläne von Lille, Valenciennes, Maubeuge, die 120 km Ausdehnung von Osten nach Westen darstellen, dann die von Longwy und Montmédy, an die sich eine lange Reihe von Plänen von Verdun im Norden bis Lunéville und von Châtel sur Moselle längs der Vogesen und des Jura bis Pontarlier und Besançon schließen), sowie auf die Übersichtskarte der ganzen Erde 1:1000000 (Carte au millionième), welche die Topographische Abteilung unter General Bassots Leitung begonnen hatte. Die Randlinien der Blätter schneiden mit vollen Gradlinien ab, stellen also Trapeze vor und sind vier Breitengrade hoch und sechs Längengrade breit. Nur die Blätter der Balkanhalbinsel und zehn Blatt der asiatischen Türkei sind selbständig gehalten und rechtwinklig umrahmt. Mehreren Sektionen sind Stadt- und Hafenpläne 1:50000 beigegeben. Die Ausführung ist sehr gelungen, das Gelände recht plastisch in graublauer Schummerung mit etwas schräger Beleuchtung dargestellt und ihm zahlreiche Höhen-, dem Meere Tiefenzahlen beigefügt. Auch die Schrift ist schön und die ganze in Heliogravüre ausgeführte Karte mit ihrem roten Wege- und blauen Gewässernetz (das Meer in blau abgestuften Tiefenlinien) von mustergültiger Deutlichkeit und Lesbarkeit. Natürlich mußte der wissenschaftliche Quellenwert darunter leiden, daß viele, besonders die wenig erforschten Länder, nicht genau vermessen sind, auch die Auswahl des verschiedenartigsten Materials nicht immer mit guter Kritik getroffen wurde. Endlich werden durch die Galerie des plans des reliefs (2. Section) Reliefpläne nach den feuilles-minutes ausgeführt.

An literarischen Arbeiten des Service sind hervorzuheben: „Matériaux d'étude topologique pour l'Algérie et la Tunisie" und „Rapport sur les travaux exécutés en 1901" von General Bassot. Die „Cahiers du Service" sind dagegen geheim.

Anhang: Seekarten.

Zum Schlusse dieser Abhandlung möchte ich noch einen ganz kurzen Überblick über die französische Seekartographie geben, ohne im geringsten an Vollständigkeit selbst in den wichtigsten Erscheinungen zu denken.

Das erste bekanntere Werk sind Tassins 1634 in Paris erschienene „Cartes générales et particulières de toutes les côtes de France tant de la Mer Océane que Méditerrannée". Dann kam 1643 eine wahre Enzyklopädie der maritimen Wissenschaften heraus in des Jesuiten Georges Fournier „Hydrographie, contenant la théorie et la pratique de toutes les parties de la navigation". 1693 folgt der „Atlas nouveau des cartes marines, levées et gravées par ordre exprès du Roy pour l'usage de ses armées de Mer", der auch „Le Neptune françois" genannt und bei Hubert Jaillot in Paris veröffentlicht wurde. An den 42 Karten, die Nolin, de Fer, Pierre Mortier verfaßt hatten und bereits die neuen astronomischen Längen von Westeuropa enthielten, während Chazelles' wichtige Ortsbestimmungen in der Levante von 1694 nicht mehr berücksichtigt werden konnten, hat auch Cassini mitgearbeitet. Alle Generalkarten sind in Mercatorprojektion und meist mit Maßstäben für die wachsenden Breiten ausgeführt. Windrosen finden sich nur im Meer. Der Atlas machte später den dritten Teil des Sansonschen aus. Später erschien noch „Le petit Neptune", auch in englischer Sprache, der eine Generalkarte 1:5340000, 18 Küstenkarten verschiedenen Maßstabes, 16 Hafen- und Reedenkarten, 5 Inselkarten, 71 Ansichten von Küstengegenden, 1 schönen Plan der Bucht von Neapel in sehr wertvoller und lobenswerter Ausführung enthält. Die Meerestiefen sind in französischen Faden zu 5 französischen Fuß (14 franz. = 15 engl. Fuß) wiedergegeben. Dazu gehört eine Beschreibung der Küsten Frankreichs und der benachbarten Inseln. Philipp Buaches Isobathenkarte des Canal de la Manche von 1737, die auch ein Längenschnitt begleitete, ist von besonderem wissenschaftlichen Wert. In D'Après de Mannevillettes „Le Neptune oriental" von 1745 (2. erw. Aufl. 1775) sind die ostindischen und chinesischen Küsten, sowie General- und Spezialkarten für die Schifffahrt der verschiedensten Meere enthalten. Er wurde bei Jean-François Robustel in Paris gedruckt. Es sind „Cartes plates" und „Cartes réduites" mit einem Kranz von Nebenrosen um eine Mittelrose. 1756 wurde auf Befehl des Marineministers Bellins: „L'Hydrographie française" veröffentlicht. Sie enthält in 2 Bänden Cartes réduites für Europa, Asien, Afrika und Amerika mit Meilenmaßstäben in den Seitenmeridianen. Auch gab Bellin eine „Carte des variations de la Boussole et des vents généraux" 1:37 Mill. (i. Äqu.) 1765 heraus, die wie die vorige für die „vaisseaux du roy" bestimmt war. Santarems großer 1849—55 erschienener, für die Geschichte der Kartographie wichtige Atlas, der zahlreiche Faksimiles von Portulanen und Seekarten aus dem 6.—17. Jahrhundert, die zum großen Teil noch nicht herausgegeben waren, enthält, möge die ältere Zeit der französischen Seekartographie beschließen.

Das 1720 gegründete Dépôt des cartes et des plans de la Marine wurde 1793 durch Befehl des Comité de Salut public mit dem Dépôt de la Guerre vereinigt. Aber schon 1795 wurde es auf Verlangen des Marineministers ihm unterstellt und ist seither bei diesem Ministerium verblieben. Nach der letzten Organisation vom 21. Oktober 1890 ist der „Service hydrographique de la Marine", an dessen Spitze ein Admiral steht, mit der Pflege der nautischen Wissenschaften überhaupt, d. h. mit allem, was sich auf Hydrographie, Seekarten, Instrumente, Tiefseeforschungen &c bezieht, betraut. Ein Comité hydrographique prüft alle den Service interessierende Fragen. Ingénieurs hydrographes und kommandierte Seeoffiziere fertigen die Seekarten, wobei einem Ingénieur hydrographe en chef die besondere Sektion der Küsten Frankreichs, Algiers und Tunis unterstellt ist. Dazu gehört ein Unterpersonal von Zeichnern, Photographen, Druckern &c. Einem Chef du service des instructions nautiques (höherer Marineoffizier) liegt die Leitung der Veröffentlichung der nautischen Instruktionen, sowie die Herausgabe der Annales hydrographiques ob, auch steht er dem photographischen Atelier vor. Aus der älteren Zeit ist das noch unter dem Schutze des „Dépôt" 1810—54 entstandene großartige Werk „Le Pilote français" zu nennen, das C. F. Beautemps-Beaupré, der Vater der französischen

Hydrographie, noch redigiert hat. Dieser aus sechs starken Bänden Großadlerformats bestehende Atlas enthält auf sauber in Kupfer gestochenen Blättern die durch französische Marineoffiziere bewirkten vollständigen See- und Küstenaufnahmen einheimischer und überseeischer Gebiete. Es ist besonderer Wert darauf gelegt, nicht nur die Umrißlinien, sondern auch den Charakter der Küsten zur Darstellung zu bringen. Von späteren Arbeiten sei hier die Vorbereitung der Bestimmung des mittleren Meeresniveaus durch Aufstellung von Mareographen zu Cherbourg, St. Malo, Brest, St. Naguère, auf der Insel Ain, in Rochefort, St. Jean de Luy und Toulon erwähnt. Unter den neueren Vermessungen von Küsten und Flüssen ist besonders die Aufnahme der Insel Korsika auf 18 Blättern 1 : 35000 und 1 : 140000 mit 10 Hafenplänen, dann der Nord- und Westgestade Frankreichs, sowie von Tonkin, Annam und Cochinchina erwähnenswert. Ebenso die 1881 entstandene Karte der Küsten des östlichen Indo-Chinas 1 : 900000 auf 4 Blatt, die Dutreuil de Rhins gefertigt und die 1886 das Dépôt de la Guerre berichtigt hat. Endlich die Carte polaire nord en projection centrale von 1897.

Alle Veröffentlichungen, auf deren weitere Namhaftmachung, auch der wichtigsten, ich verzichten muß, erfolgen als feuille grand aigle (1,014 : 0,666 m Format), demi-aigle, quart d'aigle und huitième aigle fast ausnahmslos in Kupferstich. Die in schräger Beleuchtung schraffierten Blätter sind außerordentlich ausdrucksvoll und schön. Die technische Ausführung geschieht meist im Wege des Wettbewerbes durch hervorragende Zivilanstalten, die auch einen Teil der Korrekturen, sowie die galvanoplastische Herstellung der Hoch- und Tiefplatten übernehmen. Nur geheime Arbeiten werden in eigner Kupfer- und Steindruckerei, bzw. in eigner photographischer Anstalt ausgeführt. Die neuen Verbesserungen geschehen teils graphisch, teils schriftlich sofort nach Bekanntwerden und werden dem betreffenden Schiffskommandanten und den Kriegshäfen sogleich übersandt, auch werden sie alsbald in einer vorläufig auf photomechanischem Wege hergestellten Ausgabe berücksichtigt, bis der neue Stich fertig ist. Endlich sei noch eine Karte der Planigloben erwähnt, welche die Linien gleicher Höhe und Tiefe enthält. Die Tätigkeit des Service ist bei der großen Küstenausdehnung Frankreichs und seiner Kolonien sehr rege; es liefert jährlich etwa 150000 Abdrücke, wobei ausschließlich Tiefdruck angewendet wird.

8. Osteuropa.
Rußland.

Das große, geschlossene, Europa von Asien trennende und mit ihm verbindende Russische Reich (Rossija) bietet höchst eigenartige kartographische Verhältnisse. Das riesige Wachstum dieses Landes — von 1500—1900 hat es durchschnittlich täglich 130 QWerst zugenommen, darunter freilich unzählige Wüsten, Tundren im Norden, Sandwüsten im Südosten, viel menschenleeres Gebiet — hat auch in kartographischer Hinsicht außergewöhnliche Aufgaben gestellt, wie wohl in keinem anderen Lande der Welt, die Union vielleicht ausgenommen. Die Durchführung und Bewältigung derselben in so kurzer Zeit — wenn auch noch eine Riesenarbeit übrigbleibt —, wie sie das bisher Geleistete erkennen läßt, kann nur durch die topographisch einfachen Natur- und Kulturverhältnisse des zu vermessenden Landes und die Anwendung entsprechender Mittel wie vereinfachter, dennoch die Genauigkeit nicht zu sehr verletzender Methoden, einer gewaltigen Energie, tüchtig geschulten Personals, reicher finanzieller Kräfte und die Einsicht der leitenden Personen erklärt werden. Wohl in keinem Lande wirkt die Geodäsie so politische Macht und Kultur verbreitend, wie gerade im weiten Rußland. Dort war der Aufnehmer zugleich der Forscher und Pionier, der die Länder zuerst erschloß, die dann der Soldat und der Staatsmann in Besitz nahm und einer freilich mehr extensiven als intensiven Kultur zugänglich machte. Besonders der Eisenbahningenieur hat viel zur geodätischen und politischen Erschließung weiter Gebiete beigetragen. Aber auch die gewaltige Ausdehnung des Reiches selbst, welche wie kaum die eines anderen in Europa imstande war, die Elemente zur Bestimmung der wahren Erdgestalt zu liefern, lockte zu geodätischen Arbeiten, endlich der jedem Halbkulturvolk innewohnende besonders mächtige Drang zu wissenschaftlicher Betätigung, der auch die Russen zu den willkommensten und glücklichsten Mitarbeitern auf dem Gebiete des Vermessungswesens gemacht hat. Dazu kommt das Planmäßige in der Natur dieses Volkes und die zähe Energie, auch die größten Hindernisse — wie sie hier ja namentlich auch das Klima bietet — ohne viel Aufhebens zu überwinden, ein Zug, den wir ja ganz besonders in politischer Hinsicht ausgeprägt finden.

So liegt ein „travail colossal" vor, wie schon Schubert vor fast 100 Jahren sagen konnte, der für sich selbst spricht und zu dessen Darstellung auf engem Raum natürlich größte Auswahl erforderlich ist, um das Wesentliche und Typische der Entwickelung ohne zu große Lücken zu zeigen, dennoch aber eine Übermüdung des Lesers mit zuviel Einzelheiten und katalogartigen Kartenangaben tunlichst zu vermeiden. Nur die Grundzüge können gegeben werden und hierbei muß auch namentlich den Organisationsverhältnissen der zur Erzeugung der Landesbilder berufenen amtlichen Organe, hauptsächlich des Russischen Generalstabes, der Seele der ganzen Arbeit, gebührend Rechnung getragen werden. Ist doch in Rußland wie nirgends in dem Maße das Kartenwesen im wesentlichen eine militärische Schöpfung, wenn auch die Akademie der Wissenschaften, die Geographische Gesellschaft, die Sternwarten, die übrigen Ministerien wie das der Marine, der Wegebauten &c. große Verdienste um die Geodäsie sich erworben haben.

Den gewaltigen Stoff will ich in geschichtlicher Hinsicht in drei große Perioden gliedern:

A. Die älteste Zeit bis auf Peter den Großen; B. Die Periode von Peter dem Großen bis 1863; C. Die Zeit von 1863 bis heute.

A. Die älteste Zeit bis auf Peter den Grofsen.

Die Geschichte Osteuropas umfaßt weit mehr als ein Jahrtausend. Aber erst nach dem Jahre 1000 tritt dieser slawische Osten allmählich aus dem Dunkel hervor. Reichlich sieben Jahrhunderte hindurch entwickelte er sich in großer räumlicher, politischer und geistiger Abgelegenheit sowie hochmütiger Selbstgenügsamkeit von der eigentlichen Kulturwelt in Westeuropa. Der Orient, Byzanz wie das Chinesentum, waren seine wichtigste Schule. Haß und Verachtung gegen die Fremden und wüste Vorurteile vom Abendlande entwickelten ein russisches „Chinesentum". Daß die Griechen diese ferne Welt schon ahnten, wenn sie auch fabelhafte Vorstellungen von ihren Ländern und Völkern hatten, beweist außer Herodot, der in seiner Geschichte (4. Buch, um 440 v. Chr.) nach den Erzählungen griechischer Kolonen von Skythen jenseits des Pontus Euxinus berichtet, besonders Aristoteles. Er verlegt sie jenseits einer im Norden gelegenen unübersteiglichen Gebirgsscheide. Seine Auffassung eignete sich der bekannte alexandrinische Astronom und Geograph Claudius Ptolemäus an, von dem allein größere Werke uns überkommen sind. In seiner 140 n. Chr. vollendeten „$\Gamma\varepsilon\omega\gamma\rho\alpha\varphi\iota\kappa\dot{\eta}\ \dot{\upsilon}\varphi\dot{\eta}\gamma\eta\sigma\iota\varsigma$" erwähnt er u. a. die Wolga und den Ural, glaubt aber auch an jene gewaltige nördliche Alpenkette, die „Montes Rifei", in der die zahlreichsten und größten Flüsse entspringen. Und da bis zum Wiederaufblühen der Wissenschaften diese Erdbeschreibung das verbreitetste Lehrbuch war, so finden wir diese Anschauung auch auf allen später auf sie gegründeten Kartenwerken bis in jenes Zeitalter wieder. Denn im Mittelalter wurde wenig zur Aufklärung getan, es gab nur flüchtige, unwesentliche und meist auch unliebsame Berührungen mit dem russischen Osten. Zuerst war es 839, als die Deutschen durch eine Gesandtschaft am

Hofe Ludwigs des Frommen den Namen der Ros (Russen) hörten. Der Periplus des Normannen Othere, der 890 bis zur Dwinamündung gelangt war, blieb unbekannt, obwohl er
die ganze Kunde vom Norden umgestalten konnte. Auch die Araber wußten nicht viel
von Rußland. Dann schrieb um 1100 der älteste russische Chronist Nestor (1056—1116)
die erste Geographie des Landes. Und über die Ostsee, von deren Länge man, wie schon
Einhard, Karls des Großen Geschichtschreiber, bemerkt, nichts wußte, brachte erst der
Livenapostel Albert, nachdem er durch Gründung des Ordens der Schwertbrüder die
Grundlage zu den deutschen Ostseeländern gelegt hatte, nähere Nachrichten, obwohl schon
der Sendbote der nordischen Mission, Adam v. Bremen (gest. 1076), festgestellt hatte, daß
das Baltische Meer im Norden geschlossen sei und man auf dem Landwege von Schweden
nach Rußland kommen könne. Nachdem seit 1240 der größte Teil Rußlands mongolischen
Großfürsten tributpflichtig geworden war, wurde die Kenntnis von Osteuropa nur selten
gefördert, so z. B. durch Berichte abendländischer Missionare wie Wilhelm Rubruck (1253).
So sieht man noch auf der Kompaßkarte des Pedro Vesconte von 1320 (Codex Vaticanus)
die alte Ptolemäische Darstellung mit den „Hyperborei Montes", in denen der Don entspringt und nach ganz kurzem Laufe in die „Palus Mäotides" — das Asowsche Meer — sich
ergießt. Auf der Katalanischen Weltkarte von 1375 erblicken wir den Namen Russia auf
einem leeren Raum, dagegen sind Riga, Krakau, Lemberg und Bolgary an der Donau verzeichnet, Kijew fehlt indessen. Fra Mauros berühmte Weltkarte von 1457, die Asien so
bevorzugt, beeinträchtigt Osteuropa und ist mit willkürlich gewählten Namen, oft wunderlichster Art, da verunziert; Moskau ist freilich vermerkt.

So mußte Rußland an der Schwelle der neuen Zeit gleichsam wie Amerika erst wieder
neuentdeckt werden, und die Angliederung an die europäische Kultur erfolgt dann nicht
ohne Widerstreben auf beiden Seiten. Seit Mitte des 15. Jahrhunderts tritt Osteuropa
wieder mehr aus dem Dunkel hervor und wird vom europäischen Westen ernster beachtet.
Schon 1454 lernte der von Kaiser Friedrich III. nach Preußen gesandte Äneas Silvius
Piccolomini (der spätere Papst Pius II.) Polen und Litauen kennen. 1473 durchquerte der
venetianische Gesandte Ambrogio Contarini auf seiner Expedition nach Persien ganz Rußland, um 1477 über Astrachan, Rjäsan und Moskau in seine Heimat zurückzukehren. Der
Argwohn der Russen hinderte die deutschen Gesandten Niklas Poppel und Georg v. Thurn
auf ihren Reisen, die bis Moskau führten (1486—89), viel Neues zu erkunden. Aber 1492,
in demselben Jahre, wo Kolumbus den neuen Weltteil entdeckte, erschien zu Moskau unter
Führung von Michael Simps eine vom Erzherzog Siegismund aus Innsbruck an den Großfürsten Iwan III., der das asiatische Joch abgeschüttelt hatte, gesandte rein wissenschaftliche
Expedition. Leider wissen wir nichts über deren Erfolg. Neues Licht verbreitete dagegen im
16. Jahrhundert über die Geographie des Ostens der Krakauer Kanonikus Matthaeus
v. Miechow durch seine Arbeit „Über die beiden Sarmatien", in der namentlich mit den
Montes Rifei aufgeräumt wurde. Das gleiche tat hinsichtlich dieser Hyperboreischen Berge
des trefflichen und vielseitigen Schriftstellers Paolo Giove Werk: „Libellus de legatione
Basilii Magni Principis Moschoviae ad Clementem VII. Pont. Max., in quo situs Regionis
antiquis incognitus, Religio gentis, mores et causae legationis fidelissime referentur". Sie
gab wie die sie erläuternde Karte (heute in einem Atlas des fleißigen Kartographen
Battista Agnese von 1525 in der Bibliothek San Marco zu Venedig, reproduziert in der
Fischerschen Sammlung) Rußland als Flachland bis zum äußersten Norden wieder, freilich
leer wie etwa Mittelafrika zu Anfang des 19. Jahrhunderts. Paolo Centurione hatte Giove
manche Nachrichten von seinen zweimaligen Reisen nach Rußland 1520 und 1525 mitgebracht, als er in Begleitung des russischen Gesandten Dmitry Gerassimow in Rom eintraf. Auf einer Straßburger Karte von 1522 finden wir noch Moskau östlich von Grönland, wo dieses nach damaliger Ansicht mit Skandinavien zusammenstieß, nämlich unter
80° n. Br. liegen. Und recht roh und ungeschickt ist noch die Darstellung des heiligen

Rußlands in des Sebastian Münster „Cosmographia" (Basel 1544), in der man auch an der Landenge von Perekop Auerochsen grasen sehen kann. Es war die erste gedruckte Karte des Landes. Überaus vorteilhaft unterschied sich von dieser Phantasterei die Karte, welche dem welthistorischen, weil von grundlegender Bedeutung für die neuere Kunde Rußlands, Werke des Kärntner Freiherrn Siegmund v. Herberstein (geb. 1486 zu Wippach): „Rerum Moscovitarum Commentarii" (Wien 1549) beilag als das Ergebnis seiner Reisen 1516—18 und 1526—27. Freilich enthielt die Karte auch manches Falsche, z. B. entsprang der Ob aus einem See „Kithay" und unmittelbar daneben lag „Cumbalick, regia in Cathay" (also Peking?), während doch die Entfernung von Tobolsk, dessen Lage dem See Kithay entspricht, bis Peking 4000 km beträgt. Vielleicht hat Herbersteins Karte — der übrigens wahrscheinlich eine Karte des Danzigers Anton Wied von 1537—44 mit benutzt hat — die Entdeckung des Seeweges nach Rußland durch das erste englische Schiff unter Richard Chancellor 1553 angeregt, das „auf dem Wege nach China" um das Nordkap herum ins Weiße Meer gelangte und in der Nähe des Nikolaiklosters an der Dwinamündung Anker warf. Denn Sebastian Cabot hatte sie zugleich mit der Karte des Olaus Magnus von Skandinavien den Entdeckern mitgegeben. Chancellor ging dann zu Schlitten nach Moskau. Ihm folgten später zahlreiche Engländer, so 1557—71 mit 5 Reisen Anthony Jenkinson, der bis in die Bucharei vordrang. Auch in Abraham Ortelius' „Theatrum orbis" befindet sich eine Karte Rußlands von Jenkinson (1562 entworfen).

Im 17. Jahrhundert bestrebte man sich vor allem, das asiatische Rußland zu erforschen. So zog der gelehrte holländische Geograph Isaak Massa aus, um das fast noch ganz unbekannte Sibirien zu erkunden und, darauf gestützt, 1609 und 1612 Karten zu veröffentlichen, die bis zum Jenissei reichen. Er widmete sein Buch dem Prinzen von Oranien. Auf Grund von Itinerarien, einzelnen Messungen und oberflächlichen Schätzungen soll übrigens schon 1599 der erste „Westling" (Sapadnik), der russische Thronfolger Feodor, der Sohn des Zaren Boris Godunow, eine „Reichskarte von Rußland" (Bolschoi Tschertesh = großer Plan) haben entwerfen lassen, welche nicht nur die Grundlage der Karte des Isaak Massa, sondern auch zu der ersten gedruckten und offiziellen, 1614 in Holland veröffentlichten „Tabula Russiae" in 1 : 8 775000 (87 alte Werst auf 1 Grad) des niederländischen Kartographen Hessel Gerrits (Gerard) gewesen ist. Diese handschriftliche Reichskarte des Zarensohns ist nicht mehr erhalten, aber durch Beschreibungen und Erläuterungen bekannt [1]). Seine Karte enthält bereits das Weiße Meer als einen Arm des nördlichen Eismeeres sowie den Lauf der Flüsse Mesen und Petschora. Auch beseitigte er den Irrtum der alten griechischen Geographen, daß das Innere Rußlands von einem Alpenwall, den Rhipäen, von Westen nach Osten durchzogen sei, von neuem und endgültig, indem er an ihre Stelle östlich von der Petschora und mit nordsüdlicher Achsenrichtung den Ural setzte, der von den Russen nicht ohne Anmut Semnoipojas, d. i. der Gürtel der Welt, genannt wurde. Die erste ausführliche Geographie Rußlands schrieb dann der Schwede Peter Petrejus 1615 auf Grund vierjähriger Reisen. Das Buch des Hofmathematikers und Bibliothekars des Herzogs Friedrich von Holstein-Gottorp, Adam Olearius, über seine 1636—38 ausgeführten Reisen durch Rußland nach Persien von 1646 ist zusammen mit des Holländers Nikolaus Witsen „Noord en Oost Tartarie" für das 17. Jahrhundert etwa dasselbe, was Herbersteins Arbeiten für das 16. waren, nämlich der Anfang einer neuen Geographie und Kartographie Rußlands. Olearius' Werk übertrifft aber, auch in den beigefügten Ansichten und Karten, die an Ort und Stelle gezeichnet waren, sowie an Fülle der Nachrichten Herberstein. Besonders seine Spezialkarte der Wolga ist eine Bereicherung der Topographie Rußlands. Und Nikolaus Witsens,

---

[1]) 1838 hat Jasykof, 1846 Spassky das „Buch zum Großen Plan" wieder gedruckt und erläutert. Die „Tabula Russiae, ex autographo quod delineandum curavit filius Tsaris Boris decanta ab Hessalo Gerardo" ist in den Iswestija der K. russ. Gesellschaft, 25. Band, 1889 von Stebnitski veröffentlicht worden.

des späteren Bürgermeisters von Amsterdam, Erforschung Sibiriens, wozu er sich eine handschriftliche Karte dieses Landes verschaffte, ist von größtem Verdienst. Die danach 1687 entworfene Karte vom Russischen Reich bis an den Stillen Ozean kam 1692 in Amsterdam heraus und war für lange grundlegend und abschließend. Eine 2. Auflage dieses gründlichen Werkes „Noord en Ost Tartarie" erschien 1705 mit lateinischer Widmung an Peter den Großen, der Witsen bei seinem Aufenthalt in Holland 1697 viel Anregung verdankt und mit dem er später in förmlichem Briefwechsel stand.

Von sehr großer Bedeutung für die russische Kartographie damaliger Zeit waren auch des Philosophen Leibniz' vielfache Anregungen. 1717 hat er in der Pariser Sorbonne durch Zeichnung und Erläuterung den Irrtum in der Darstellung des Kaspischen Meeres zu berichtigen gesucht und hat 1721 eine wesentlich genauere, wahrscheinlich vom Ingenieur van Veerden gefertigte Karte davon gegeben. Durch ihn erfuhr man erst, daß der Syr-Darja und der Amu-Daja nicht in den Kaspischen, sondern in den Aralsee fließt. Auch regte er Forschungsreisen an, die wesentlich die Kenntnis Asiens bis zum 206. Grade förderten (bisher war nur eine solche bis zum 158. vorhanden). Die denkwürdige Expedition Berings, welche das Problem der Asien und Amerika trennenden Meeresstraße löste, ist wesentlich der Anregung dieses genialen und klaren Gelehrten zu verdanken, ebenso auch andere Ideen, die später die wissenschaftlichen Forschungen in Rußland sehr fördern sollten, so ein Kanalprojekt zwischen Don und Wolga.

B. Periode von Peter I. dem Großen bis 1863.

Obwohl man mit dem hervorragenden russischen Geschichtschreiber Ssolwjew sagen kann, daß die für Rußland so bedeutungsvolle „Wendung nach dem Westen" schon ein Jahrhundert vor Peter beginnt — es genüge hier, die Namen der Zaren Boris Godunow, Demetrius, Alexei, der Minister Ordyn-Naschtschokin, Matjejew, Golizyn, sowie der Schriftsteller Krissanitsch, Possoschkow und Kotoschin zu nennen —, so brachte doch erst die europäische Studienreise Peters I. (1682—1725) dieses für die Geschichte Rußlands wirklich entscheidende Ereignis in einer Weise zur Vollendung, daß es auch Epoche in der Weltgeschichte macht. Dieser große Herrscher, der Schöpfer des russischen Heeres und seiner Kriegsflotte, der gelehrige Schüler bedeutender Gelehrten, fühlte neben dem dringenden Bedürfnis nach brauchbaren Orientierungsmitteln für seine Kriegführung auch die Notwendigkeit, sein halbbarbarisches Land den Handels- und Kulturstaaten zuzuführen. So entstand in ihm der Plan, auf wissenschaftlicher Grundlage eine brauchbare Karte seines Reichs zu schaffen[1]). Konnte doch noch 1724 Hauber in seiner „Historie der Landcharten" sagen: „Von dem weitläuffigen, aber bis dahero gutenteils unbekannten Russischen Reich seynd zwar viel Charten edirt worden, die aber sehr von einander unterschieden seynd." Peter betraute damit zunächst seinen Generalquartiermeisterstab, der einen Teil des von ihm 1701 ins Leben gerufenen Allgemeinen Generalstabes der Armee bildete. 1720 zählte dieser bereits etwa 300 Mitglieder, darunter namentlich alle Offiziere, die außerhalb der Front Dienst taten. Auch wurden 30 Zöglinge der Marineakademie zu den nun beginnenden Aufnahmen herangezogen. Das so entstehende Werk war aber zusammenhanglos und mangels astronomischer Ortsbestimmungen von geringem Wert, so daß der Zar eine wissenschaftliche Leitung für notwendig erkannte. Aber erst seinen Nachfolgern (Katharina I., Peter II., Anna und Elisabeth) war es möglich, einigen Wandel zu schaffen. Die unter Leibniz' regem Anteil am 8. Februar 1724 begründete Akademie der Wissenschaften, in deren Händen auch alle geographischen Forschungen lagen, erhielt 1739 die Oberleitung der kartographischen Arbeiten. Mit allerhöchster Genehmigung zog sie dazu den bereits 1725 von Paris nach Petersburg von ihr berufenen bekannten französischen

---

[1]) Peter teilte 1708 Rußland in Gouvernements, die in Strahlenbergs Werk, das ein Ortsverzeichnis enthält, auf einer großen Landkarte eingetragen sind (1730).

Astronomen Joseph Nicolas Delisle (1688—1768) als Leiter hinzu, der unter Mitwirkung seines Bruders Louis, genannt La Croyère, Eulers (1707—83)[1], des 1727 nach Petersburg gegangenen Lieblingsschülers Johann Bernoullis, Heinsius' und Lomonossows die Arbeit von der ersten astronomischen Positionsbestimmung bis zum Stich der Karten des „Atlas Russicus" in der Geografitscheskaja palata der Akademie bewältigte. Der Atlas bestand aus einer Generalkarte von Rußland 1:1428000 (34 Werst = 1 Zoll) sowie 19 Spezialkarten verschiedenen Maßstabes, die das Gebiet zwischen 47° 30' und 62° 30' n. Br. umfaßten. 13 Blätter betrafen das europäische, 6 das asiatische Rußland. Er ist in der von Mercator erfundenen, von Euler theoretisch untersuchten und empfohlenen Projektion von de l'Isle entworfen, bei der die Meridiane gerade Linien, die übrigen größten Kreise nahezu Gerade sind. Daher ist es möglich, bei nicht zu großer Ausdehnung der Karte alle Entfernungen mit einem geradlinigen Maßstab annähernd richtig aufzutragen. Die Schrift war deutsch. 1745, zwanzig Jahre nach Peters Tode, konnte das Werk erscheinen. Ein 1760 von Grischow herausgegebenes Mémoire dazu enthielt ferner bereits an 15 vollständige Positionen (von Krasilnikow und den beiden de l'Isle), sowie 28 Breitenbestimmungen des asiatischen Rußlands.

Eine eigentliche Landesvermessung begann aber erst unter der Regierung Katharinas II. (1762—96). Sie schied die Offiziere der Quartiermeisterabteilung aus den Truppenstäben aus und vereinigte sie 1763 in einen Körper unter der Bezeichnung „Generalstab", der zuerst 40, bald 100 Offiziere umfaßte. Mit seiner Leitung wurde der aus fremden Diensten herangezogene Generalquartiermeister Bauer betraut, ein geborener Hannoveraner, der sich im Siebenjährigen Krieg durch seine ausgezeichneten topographischen Kenntnisse einen großen Ruf erworben hatte. Er bereitete in der Constantinschule durch Ausbildung von 60 Unteroffizieren im Topographieren das Personal für die künftige Landesaufnahme vor. Ein geographisches Departement mit einer Kartenzeichnungsabteilung wurde für den Kartenentwurf und die Leitung der Aufnahmen eingerichtet. Eine École du corps des guides (Wegweiser oder Kondukteure) bezweckte die Ergänzung des Generalstabes durch junge Edelleute, die u. a. auch im Aufnehmen unterrichtet wurden. Es entstanden einige Umgebungskarten von St. Petersburg, Moskau und anderen Städten sowie Blätter der Baltischen Provinzen und der Moldau. Bereits 1786 konnte die Akademie eine von Rumowski gefertigte Tabelle von 67 astronomischen Positionen erscheinen lassen, von denen der größte Teil später die Prüfung von Struve hinsichtlich Länge und Breite gut bestand. Die ersten astronomischen Ortsbestimmungen waren schon 1727—30 von den Brüdern de l'Isle gemacht und in das Grischowsche Mémoire mit aufgenommen worden (13 Breiten), während Krasilnikow 1736—45 solche Bestimmungen schon in Sibirien und Kamtschatka auf Veranlassung der Kaiserin Anna gemacht hatte. Nun lag ein in Anbetracht der ungeheueren Ausdehnung des Reiches, der Gefahren der wissenschaftlichen Reisen und der Schwerfälligkeit der damaligen Instrumente und Methoden wahrhaft glänzendes Ergebnis einer etwa sechzigjährigen geodätischen Tätigkeit vor.

Als Kaiser Paul I. (1796—1801) zur Regierung kam, zerfiel Bauers Schöpfung. Denn der Generalstab wurde aufgelöst und dafür das „Gefolge Seiner Majestät für die Quartiermeisterangelegenheiten" unter dem Generalquartiermeister General Araktschew in Petersburg eingerichtet. Dieser Offizier errichtete 1799 ein „Höchsteigenhändiges Kartendepot Seiner Majestät" und einen „Zeichensaal" für die Hauptfriedenstätigkeit des Generalstabes damals, das Aufnehmen, Zeichnen und die militärische Beschreibung des Landes, besonders an den Grenzen. Ingenieuroffiziere, Zeichner, Stecher &c. wurden dem mit einem Archiv und einer Bibliothek versehenen Depot zugeteilt. Eine der ersten Arbeiten des unter General Oppermann als Direktor stehenden Depots war die Vollendung einer den

---

[1] Euler hat viel für Rußland getan. So berechnete unter seiner Leitung G. Schweizer den Flächeninhalt der 37 westlichen Gouvernements und Provinzen Rußlands für das Steuerkataster &c.

nötigsten militärischen Bedürfnissen genügenden „Übersichtskarte von Rußland 1 : 1500000" auf 60 Blatt in Kupferstich (1785—99), die alle Gouvernements mit ihren wichtigsten Ortschaften und Straßen umfaßte, aber lediglich eine Zusammenstellung aller bisherigen verbindungslosen Aufnahmen auf Grund nur weniger von der Akademie bestimmter astronomischer Punkte war. Den Mangel der geodätischen Grundlage suchte dann unter Kaiser Alexander I. (1801—25) Araktschews Nachfolger, der Ingenieurgeneral Suchtelen, zu beseitigen, indem er seit 1802 Offiziere seines Stabes zur Ausführung astronomischer Ortsbestimmungen an die Akademie der Wissenschaften kommandieren ließ, wo sie der Astronom Schubert[1]) unterwies. Die ersten Triangulierungsversuche durch diese Offiziere wurden dann 1809 gemacht. Die 1810 bei der Universität Moskau gebildete mathematische Gesellschaft gab dann auf Veranlassung des Generalmajors Murawiew besonders den Kolonnenführern (Aspiranten zu Generalstabsoffizieren) Gelegenheit zur Erlernung astronomischer und geodätischer Arbeiten und Vertiefung der wissenschaftlichen Bildung. Das gleiche geschah durch Kommandierung von Offizieren an die Dorpater Universität zu Professor Struve. Auf Vorschlag des Kriegsministers Barclay de Tolly wurde dann das Kartendepot 1811 in ein aus fünf Abteilungen (geodätische, topographische, Reproduktions-, Bibliotheks- und Verwaltungsgruppe) sich gliederndes „militärtopographisches Depot" mit dem Chef des Generalquartiermeisterstabes (seit 1810 Fürst Wolkonski) als Direktor, Generalstabs-, Ingenieur- und Artillerieoffizieren, Unteroffizieren und Zivilbeamten als Personal umgewandelt und dem Kriegsministerium unterstellt. Eine mechanische Werkstätte unter Leitung des deutschen Professors Reissig wurde eingerichtet. In dieser Zeit ist, nachdem schon 1809 eine „Carte de la partie européenne de l'Empire de Russie 1 : 3 Mill." auf 4 Blatt voraufgegangen war, die 1814 veröffentlichte „Generalkarte von Rußland 1 : 840000" (20 Werst == 1 Zoll) auf 113 Blatt als Hauptarbeit des Depot unter General Oppermann als geistigem Urheber zu nennen. Es ist die erste auf astronomischer Grundlage systematisch ausgeführte Übersichtskarte, welche das Gelände in Schummerung darstellt. Auch wurden topographische Aufnahmen an der österreichischen Grenze, im Kreise Tarnopol, ausgeführt.

Im übrigen waren in den Kriegsjahren 1805—15 natürlich die meisten Generalstabsoffiziere mit dem Schwerte tätig. Dafür ließ aber die Akademie der Wissenschaften in diesem Zeitraum 250 Punkte in dem großen Gebiet zwischen Libau und Jekaterinburg durch den Astronomen Wischniewsky bestimmen. Leider starb ihr Urheber vor Vollendung seiner Berechnungen, so daß diese ausgezeichnete Arbeit — eine der bedeutendsten der damaligen Zeit — nur historischen Wert behalten sollte.

Durch Ukas vom 12. Dezember 1815 wurde dann der „Hauptstab Seiner Majestät des Kaisers" unter dem Fürsten Wolkonski als Chef ins Leben gerufen und seinem Verwaltungsdepartement von 1816 ab auch das militärtopographische Depot mit mechanischer Werkstätte, sowie das Observatorium und die Druckerei des Hauptstabes unterstellt. Das eigentliche Quartiermeisterdepartement erhielt eine besondere topographische und Marschrouteabteilung. Den Nachwuchs besorgte bis 1826 die schon erwähnte Kolonnenführerschule in Moskau.

---

[1]) Friedrich Theodor v. Schubert, 1758 zu Helmstedt in Deutschland geboren, ursprünglich Theologe, wurde durch den preußischen Major v. Cronhelm für die Astronomie und Mathematik gewonnen. 1785 erhielt er einen Ruf an die Petersburger Akademie der Wissenschaft, wo er zunächst den berühmten Gottorpschen Globus ausbessern half, 1789 aber schon ordentliches Mitglied wurde und seinen „Traité d'astronomie théorique" schrieb, der 1791 erschien und seinen wissenschaftlichen Ruf begründete. Als Nachfolger Stephan Rumowskis wurde er Direktor der Akademischen Sternwarte und widmete sich seit 1802 mit ausgezeichnetem Talent und hervorragendem Erfolge der Aufgabe, Generalstabsoffizieren Vorträge in praktischer Astronomie zu halten. Er verfaßte bei dieser Gelegenheit für seine Schüler eine „Anleitung zu astronomischen Beobachtungen, um die Länge und Breite eines Orts zu bestimmen" (1805). Die Theslew I. und II., Kotzebue, Tenner, Schubert Sohn u. a. waren seine Schüler und machten ihm hohe Ehre. 1825 starb Schubert, noch auf dem Totenbett mit mathematischen Berechnungen beschäftigt.

Nun begann seit 1816 bzw. 1820 eine wissenschaftliche Triangulierung durch die Generale Tenner und Schubert in den nördlichen und westlichen Gouvernements Wilna, Grodno, Minsk, Kurland, Pskow, Petersburg, Witebsk, Nowgorod in Europa, die 1857 vollendet wurde und eine neue Epoche der russischen Kartographie bezeichnet. Im Anfange wurde mit dem Repetitionskreis nach der Repetitionsmethode und den Berechnungsweisen des französischen Geodäten L. Puissant gearbeitet. Bald aber wurden diese Grundsätze durch die großartigen Arbeiten von Gauß[1]), Bessel und Struve und die neuen vorzüglichen Instrumente Ertels, Reichenbachs, Frauenhofers u. a. umgeworfen. Struve maß anfangs bei den Dreiecken 1. Klasse jeden Winkel durch 6 Sätze 24mal. Ihre Summe (180° mit dem sphärischen Exzeß) durfte nicht mehr als 3″ Unterschied aufweisen. Bei Dreiecken 2. O. wurde jeder Winkel 12mal, bei solchen 3. O. 3mal gemessen. Die Winkel der Dreiecke 1. O. durften nicht weniger als 30° und nicht mehr als 120° betragen.

Tenners Arbeiten in den Gouvernements Wilna, Kurland, Grodno und Minsk dauerten von 1816—34. Er maß zunächst 6 Basen mit dem Struveschen Apparat (System Délambre, Bordascher Schieber) in Längen bis 11,7 km. Die interessanteste Messung war die einer 11,533 km langen Grundlinie auf dem Eise des Driswiackischen Sees im Gouvernement Wilna. Sie erfolgte in 44 Tagen Gesamtdauer mit 67 m Geschwindigkeit in der Stunde und mit großer Genauigkeit. Zur Ermittelung der Höhenveränderungen des Eises (bis zu 5 cm) wurden besondere sinnreiche Vorrichtungen angewendet. Die Verbindung der Grundlinien geschah durch 248 Dreiecke 1. O. und 5258 solche niederer Ordnung. Daneben gingen astronomische Ortsbestimmungen, Höhenmessungen, Berechnungen rechtwinkliger Koordinaten mit eigenem Nullpunkt und 1832—33 der Anschluß an die preußischen Triangulationen bei Memel in bewunderungswürdiger Genauigkeit, gemeinschaftlich mit Bessel und Baeyer[2]). An diese Arbeiten schloß sich 1840—44 die Netzlegung Tenners (gemeinschaftlich mit den beiden Obersten Oberg) in den Gouvernements Kaluga, Tula, Orel, Tschernigow, Poltawa, Kursk sowie im Bialystocker und Kiewer Bezirk. Dann führte er 1845—53 eine einheitliche Triangulation des Königreichs Polen mit drei Grundlinien von 4,1—5,4 km Länge, 195 Dreiecken 1. O. und 2112 solchen niederer Ordnung aus, die bei Thorn, Tarnowitz und Augustowo 1852—55 an Preußen, bei Tarnogrod und Krakau 1847—51 an Österreich (in Verbindung mit dem Obersten Marieni des Wiener Militärgeographischen Instituts) in vorzüglicher Übereinstimmung angeschlossen wurden. Diese Anschlüsse[3]) gewährten auch die Möglichkeit, den Niveauunterschied zwischen Ostsee und Adria zu bestimmen. Endlich leitete der verdienstvolle General Tenner 1846—51 die trigonometrischen Arbeiten in Bessarabien mit 2 Grundlinien, 61 Dreiecken 1. O. und 630 solchen 2. O., wodurch zugleich die Bestimmung des Meeresspiegelunterschiedes zwischen Ostsee und Schwarzem Meer möglich wurde.

General Schubert triangulierte von 1820—39 die Gouvernements St. Petersburg, Nowgorod, Witebsk, Pskow, Smolensk, Mohilew und Moskau, sowie als Direktor des Hydro-

[1]) 1825 war in Schumachers Astronomischen Abhandlungen, 3. Heft, die epochemachende Preisarbeit der Kgl. Sozietät der Wissenschaften zu Kopenhagen von C. F. Gauß: „Die Teile einer gegebenen Fläche auf einer anderen gegebenen Fläche so abzubilden, daß die Abbildung dem Abgebildeten in den kleinsten Teilen ähnlich wird" erschienen, welche in rein mathematischer Begründung seine konforme Projektionsmethode für beliebige Flächen bringt.

[2]) C. Tenner: „Verbindung der russischen Triangulationen mit den preußischen bei Memel". Ausgeführt in den Jahren 1832—33. Breslau 1858.

[3]) W. Struve: „Verbindung der russischen Dreieckskette mit der preußischen", Berlin 1857, und „Sur la jonction des opérations géodésiques russes et autrichiennes", St. Pétersbourg 1853. — F. Bessel und J. J. Baeyer: „Gradmessung in Ostpreußen und ihre Verbindung mit preußischen und russischen Dreiecksketten", Berlin 1848. — J. J. Baeyer: „Die Verbindung der preußischen und russischen Dreiecksketten bei Thorn und Tarnowitz", Berlin 1858. — C. L. v. Littrow: Bericht über die in den Jahren 1847—51 ausgeführte Verbindung der österreichischen und russischen Landesvermessung. Wien 1858.

graphischen Amts der Marine unter Mitwirkung des Kapitäns Baron J. Wrangel und von Marineoffizieren (zugleich für die damals dort beabsichtigte Gradmessung) in den Ostseeprovinzen. Es wurden fünf Grundlinien von 6,8—10,5 km Länge mit 1020 Dreiecken erster und über 6350 niederer Ordnung festgelegt. Die Triangulation beiderseits des Finnischen Meerbusens schloß sich an das schwedische Netz an. Nur wenige astronomische Beobachtungen wurden gemacht, eigne Koordinatenmittelpunkte benutzt und 1839 im Baltischen Meere auch an Bord des Kriegsdampfers Hercules die erste „Chronometerreihe" (56 Stück) in Rußland für Längenbestimmungen ausgeführt[1]).

Von weiteren Netzlegungen russischer Offiziere sei die von 1836—38 in der Krim durch Oberst Oberg, die Triangulation des Generals Tutschkow 1840—51 in den Gouvernements Twer, Nowgorod, Mohilew, Smolensk, Moskau, Jaroslaw angeführt, welche zugleich Lücken des Schubertschen Netzes ausfüllte, so daß schon damals in dem Gebiet vom Finnischen Meerbusen bis zum Schwarzen Meere und von der Prosna bis zum Don ein Dreiecksnetz von rund 26000 Q.-Meilen Größe vorhanden war. Oberst Chodzko triangulierte 1847—54 Transkaukasien, General Wrontschenko 1848—55 die Gouvernements Cherson, Jekaterinoslaw, Nordtaurien und Charkow bis zur Grundlinie von Astrachan unter Anschluß an die Netze in der Krim, Bessarabien, Kiew und Poltawa. Darauf begann seine Triangulation bis an das westliche Ufer des Kaspischen Meeres und während des Krimkrieges die Verknüpfung des transkaukasischen Netzes mit einem in der asiatischen Türkei ausgeführten. Von 1856—58 wurde durch Oberstleutnant Lłabin die Triangulierung Estlands, sowie der Gouvernements Kostroma und Nischnij-Nowgorod, 1858—62 durch Oberst Oberg die des Gouvernements Woronesch, endlich 1861—63 durch Oberstleutnant Wassiljew die Netzlegung im Orenburgschen bewirkt. Hieran schlossen sich Ergänzungstriangulationen in den Gouvernements Moskau und Nowgorod bis 1864, und von 1860—65 fand ein Anschluß der transkaukasischen an die übrigen europäischen Triangulationen unter Leitung des Generals Chodzko statt: Die 1859 von Oberst Forsch geplante einheitliche Netzlegung Finnlands (zur Vollendung der bereits 1830—45 unter Struwes Oberleitung dort bis Torneå ausgeführten) konnte infolge der großen natürlichen Hindernisse durch Sümpfe, Urwälder, Felsengebirge bei gleichzeitigem Mangel an hervorragenden Punkten &c. nicht vollständig beendet werden. Immerhin wurde von 1860—64 unter Mitwirkung einiger Marineoffiziere eine größere Zahl von Punkten astronomisch und trigonometrisch bestimmt, nach dem C. W. Gylden bereits 1850 eine Höhenkarte von Finnland 1:112000 mit Hilfe von Nivellements der wichtigsten Wasserstraßen und von Höhenmessungen mit Isohypsen von 200 zu 200 Fuß und in 10 verschiedenen Farben für die Höhenzonen in finnischer Sprache geliefert hatte.

Endlich sei nebenbei die 1865—67 durch russische Generalstabsoffiziere unter Leitung der Obersten Artamanow und Kartazzi erfolgte Auswahl der wichtigsten Punkte für eine Netzlegung in der europäischen Türkei erwähnt.

Neben diesen Generalstabsvermessungen gingen nun die geodätischen und astronomischen Arbeiten anderer Behörden und Personen, vor allem die des hochverdienten Staatsrats F. W. Struwe[2]), Professors an der Dorpater Universität und Direktors der dortigen

---

[1]) Bereits 1754 hatten zwei französische Künstler, Ferdinand Berthoud und Pierre Leroy, der Akademie ihre Erfindung übergeben, sehr genaue Uhren zu Längenbestimmungen zu verwenden. Die ersten praktischen Anwendungen zu solchen Ortsbestimmungen fanden die Chronometer während Napoleons Feldzug in Ägypten und durch Humboldt in Südamerika.

[2]) Friedrich Georg Wilhelm Struwe war einer der hervorragendsten Astronomen der Welt. Geboren am 15. April 1793 zu Altona, rettete er sich vor den französischen Werbern nach Dorpat 1808, wurde Studierender der dortigen Universität, 1809 Lehrer im Hause des Grafen Berg, um sich dann, als Schüler des Astronomen Huth, ganz der Astronomie zu widmen. Mit 20 Jahren wurde er Observator an der eben gegründeten Dorpater Sternwarte und außerordentlicher Professor. Nach seiner Verheiratung in Deutschland 1815 wurde er 1820 ordentlicher Professor und Direktor der Sternwarte in Dorpat, wo er bis 1839 wirkte und dem Institut einen bedeutenden Ruf verschaffte. Seit 1832 Mitglied der Petersburger Akademie der Wissenschaften, wurde er von ihr mit den Vorarbeiten zur Gründung eines Observatoriums zu Pulkowa beauftragt und 1839 Direktor dieser Nicolai-Haupt-

Sternwarte. Sie dienten — 40 Jahre schon vor Baeyers Anregung — vor allem Grad-
messungszwecken. Diese von 1816—55 ausgeführten Arbeiten, an denen zum größten
Teil auch Offiziere beteiligt waren, erstreckten sich schließlich von Fuglenaes bei Hammer-
fest über Torneå durch halb Europa bis nach Ismaïl an der Donaumündung. Dieser
25° 20′ 8,5″ (= 1 447 787 Toisen) umfassende, der Berechnung des Clarkeschen Erdellipsoids
zugrunde gelegte russisch-skandinavische Meridianbogen[1]) war bis vor Vollendung des englisch-französischen der größte von allen gemessenen und einer der hervorragendsten in der Ausführung. Begonnen wurde diese bedeutende Arbeit, an der sich die
hervorragendsten Gelehrten des In- und Auslandes geistig und praktisch mit beteiligten, zunächst in den Ostseeprovinzen in etwa 3¼° Ausdehnung. Bereits von 1816—19 hatte
Struve auf Wunsch der Ökonomischen Gesellschaft Livlands die Triangulation dieser Provinz
ausgeführt, auf deren Grundlage auch 1839 eine Karte von Livland und 1844 eine die „Resultate der Vermessung" enthaltende Schrift von ihm erschien. Bei dieser Gelegenheit
wurde eine recht bemerkenswerte Basismessung (12,5 km) auf dem gefrorenen Wire-Jarvis-
See, sowie die Bestimmung mehrerer kleinerer 1—2 km langer Grundlinien mittels Kette
und die Festlegung eines Netzes von 90 Dreiecken 1. Ordnung und 337 niederer Ordnung
(mit 325 Festpunkten, davon 270 mit Höhenangaben) bewirkt, und zwar in so vorzüglicher Weise, daß bei dem 1820 ausgeführten Anschluß an die Messungen Tenners in den
Nachbarprovinzen sowohl in den Seiten- wie in den Winkelvergleichungen größte Übereinstimmung der in gegenseitiger Unabhängigkeit ausgeführten Arbeiten beider Geodäten
durch Bessel festgestellt wurde. Diese erste Triangulation Struves gab nun den Anstoß
zu der unter seiner Oberleitung 1821—31 unter Mitwirkung des Kapitäns J. Wrangel
auf Veranlassung der Universität Dorpat mit Allerhöchster Genehmigung ausgeführten
Breitengradmessung in den Ostseeprovinzen[2]). Von 1845—52 wurde diese Gradmessung
durch Struve bis in die Nähe des Nordkaps, 1845 durch Tenner bis zum südlichsten
Punkte Podoliens und dann gemeinsam von ihm mit Struve bis an die Donau fortgesetzt.
Es sind im ganzen 10 Basen und 258 Dreiecke bestimmt worden, davon zwischen Torneå
und Ismaïl allein 8 Grundlinien, die durch 245 Dreiecke verbunden wurden. Struves
größte Dreiecksseite (zwischen Ararat und Godarebi im Kaukasus) beträgt 202384 m
(1° 49′). Dieser Bogen wurde dann in den dreißiger Jahren bis in die Nähe von Ham-
merfest (Basis Altenguard) verlängert[3]). Neben und zwischen diesen Arbeiten führte der
unermüdliche Astronom zahlreiche andere aus. So stellte er 1828—32 gemeinsam mit
den Offizieren Birdin, Wrontschenko, Ortenberg, Essen &c. des Generalstabes astronomische
Ortsbestimmungen in der europäischen Türkei, in Kaukasien und Kleinasien an und berechnete daraus die absoluten Längen von 22 Punkten und die Werte der Polhöhen. Es
war dabei die wichtige Aufgabe zu lösen, die absoluten, durch Monddurchgänge und Sternbedeckungen bisher erhaltenen Längen mit den durch Pulversignale (zuerst durch Picard
angewendet), Chronometer oder Azimute bestimmten Längenunterschieden auszugleichen.
Weitere wichtige Längenbestimmungen durch Chronometer folgten im eignen Lande. Zunächst
wurde die Lage der 1834 gegründeten Pulkowaer Sternwarte 1839 nach Länge und Breite

---

sternwarte. Hier entfaltete er eine hervorragende 20jährige Tätigkeit und machte Pulkowa zum Zentralpunkt der
geographisch-astronomischen Arbeiten des großen Russischen Reiches. Struve war Forscher und Schriftsteller,
sowie Lehrer, namentlich auch junger Generalstabs- und Marineoffiziere. Er richtete seine Arbeiten sowohl auf
den gestirnten Himmel wie auf die Erde. Seine Herrscher (Alexander I., Nicolaus und Alexander II.) haben sein
Wirken sehr gefördert und anerkannt. 1862 zog er sich ins Privatleben zurück und starb er am 11./23.
November.

[1]) F. W. G. Struve: „Arc du méridien de 25° 20′ entre le Danube et la Mer Glaciale, mesuré depuis
1816 jusqu'à 1856 sous la direction de M. de Tenner, Chr. Hansteen, N. H. Selander, F. W. G. Struve."
St. Pétersbourg 1857—60. 3 Bände.

 .[2]) Struve hat darüber ein zweibändiges Werk in deutscher Sprache veröffentlicht.

[3]) Auf Wunsch der türkischen Regierung sollte unter Teilnahme von türkischen Offizieren der Meridianbogen
durch Bulgarien, Rumelien und längs der Küste von Kleinasien bis zur Spitze von Kreta um 10—11° verlängert
und auf 36 Breitengrade also gebracht werden. Aufstände in Kreta haben dies verhindert.

($+ 59° 46' 19''$) bestimmt und dann 1843 unter Mithilfe von Struwe Sohn, Sawier, Szydlowsky, Fuß, Peters und Schumacher der Längenunterschied zwischen ihr, Altona und Greenwich ($+ 2^h\ 1^m\ 19^s = 30°\ 19'\ 39''$ östl. Greenwich) ermittelt, worüber Struwe eine Schrift, „Expédition chronométrique entre Poulkowa, Altona et Greenwich", 1846 erscheinen ließ. Es fanden zu diesem Zweck 15 Hin- und Rückreisen mit 68 Chronometern zwischen Pulkowa, Altona und Greenwich statt. Seit 1845 wurden dann bis 1857 unter O. Struwes Leitung durch Generalstabsoffiziere eine Reihe ähnlicher Festlegungen gemacht, so 1845 zwischen Moskau Warschau, 1850 zwischen Nischnij-Nowgorod und Rjäsan, 1854 zwischen Pulkowa und Dorpat, 1855 zwischen Moskau und Astrachan, 1857 zwischen Pulkowa, Archangelsk und Moskau, und dadurch das Landinnere an die Zentrale Pulkowa angeschlossen. Später löste der elektrische Telegraph den Chronometer ab.

Dann sei der überaus wichtigen Ermittelung des Höhenunterschiedes zwischen dem Schwarzen und dem Kaspischen Meere gedacht, die nach Struwes Plan drei seiner Schüler, Georg Fuß, Sabler und Sawitsch, 1836/37 ausführten und über die Struwe 1849 im Auftrage der Akademie eingehend berichtet hat. Durch ein 800 km umfassendes trigonometrisches Nivellement wurde ermittelt, daß der Wasserspiegel des Kaspischen Meeres 83,67 engl. Fuß (26,06 m) tiefer liegt, als der des Schwarzen. Zugleich wurden die Gipfel des Elbrus und Kasbek trigonometrisch bestimmt, nachdem schon 1829 von Wisniawski, Parrot, Dubois, Abich &c. barometrische Messungen im Kaukasus stattgefunden hatten. Ferner lag schon 1850 ein zwischen dem Schwarzen Meer und der Ostsee ausgeführtes trigonometrisches Nivellement von 1857 km Länge vor, das einen Niveauunterschied beider Meere (infolge unvermeidlicher Fehler) von 1,1 m ergab. Endlich plante Struwe die Ausführung einer großen Parallelgradmessung, die er aber nicht mehr erleben sollte. Er schlug 1857 die Ausführung einer 53 Längengrade umfassenden Messung des 47,5° Parallels vor[1]), wozu er das bereits für Südrußland (Kischinew—Astrachan) vorhandene Dreiecksnetz 1. O. (19° 12') als Ausgang wählen wollte. Dieser Anregung verdankt dann Europa die 1891 vollendete berühmte europäische Längengradmessung unter dem 52. Parallel, welche Europa auf dem längsten Wege, nämlich in einer Ausdehnung von 69° = 639 geographischen Meilen von der asiatischen Grenze bei Orsk am Uralfluß bis zur westlichen Küste Irlands (Valentia) durchzieht und die mitteleuropäische Gradmessung etwa in der Richtung Warschau—Leiden schneidet. Auf Rußland entfällt dabei ein Anteil von über die Hälfte, nämlich 39° 24' = 361 geogr. Mln.

Leider sollte F. W. Struwe nicht mehr die Ausführung, wohl aber noch deren Einleitung erleben. Auf der im April 1863 in Berlin stattgehabten Konferenz zwischen den Direktoren der Sternwarten Pulkowo und Bonn, O. W. v. Struwe[2]), dem Sohn und Gehilfen des Vaters, und Argelander, dem Freunde, sowie dem preußischen Generalleutnant Baeyer wurde ein genaues Programm aufgestellt. Es sollten durchweg galvanische Zeitübertragungen und galvanische Zeitsignale ohne Anwendung von Relais auf direkten (Haupt-) Linien zur Bestimmung der Längenunterschiede der Hauptstationen Orsk—Orenburg—Samara—Saratow—Lipeck—Orel—Bobruisk—Grodno—Warschau—Czenstochau stattfinden[3]). Da die Linienstationen in Rußland nur teilweise unter sich, dagegen alle mit Moskau telegraphisch verbunden waren, so wurde während der Operationen innerhalb Rußlands ein und derselbe Beobachter in Moskau (als Referenzstation) angestellt, während zwei andere

[1]) Auch hat F. W. Struwe zuerst die sämtlichen europäischen Triangulationen übersichtlich in der Schedaschen Karte dargestellt und deren Ergänzung und Verbindung bei den betreffenden Regierungen angeregt. Insofern war er ein Vorläufer Baeyers, der dann eine mitteleuropäische Gradmessung zustande brachte.

[2]) O. W. Struwe war am 7. Mai 1819 zu Dorpat geboren, seit 1837 Gehilfe seines Vaters in Dorpat, seit 1839 in Pulkowa, 1862 Direktor dieser Sternwarte, 1847—62 beratender Astronom des Generalstabes und der Marine. Die Ergebnisse seiner Arbeiten sind in den Mémoires der Akademie der Wissenschaften niedergelegt.

[3]) Im ganzen waren es 16 Stationen, auf denen Messungen durch die russischen Offiziere Forsch, Jernefeld, Smyslow, Zylinski und den preußischen Dr. Thiele zuerst ausgeführt wurden. Die ersten Längenmessungen mit dem elektrischen Telegraphen wurden 1844 auf der Strecke Washington—Baltimore ausgeführt.

sich von einer zur andern Linienstation begaben, auf jeder unabhängig voneinander die Zeit bestimmten und durch eigene Zeitsignale sich mit dem Moskauer Beobachter verständigten. Die Signale bestanden aus 4 Gruppen von je 12 in Zwischenräumen von 13—17 Sekunden abgegebenen Zeichen. Der Längenunterschied zwischen zwei Stationen mußte sechsmal zuverlässig bestimmt werden. Auf allen Linienstationen wurde ein und dasselbe Passageinstrument in zwei Exemplaren für die Zeitbestimmungen benutzt, dessen Anfertigung nach Angabe von O. Struwe und W. Dollen durch den Mechaniker Breyer in Pulkowa erfolgte. Ein gleiches Instrument erhielt Moskau. Jeder Beobachter hatte vier Ericsonsche Chronometer. Die 1864—66 ausgeführten Längenbestimmungen ergaben einen wahrscheinlichen Fehler zwischen $\pm 0{,}021$ sek. und $\pm 0{,}064$ sek. Auf allen Hauptstationen, ohne Ausschluß der festen Sternwarten, wurde gleichzeitig mit der Beobachtung für die Längen auch die der Polhöhen mit dem Repsold-Struweschen Vertikalkreis durch einen eignen Beobachter ausgeführt. 6 Breitenbestimmungen mit Kreisverstellung genügten für die Erledigung einer Station. 1869 und später wurden auch die Azimute mittelst Ertel-schen und Breyerschen Universalinstrumenten von 8 Punkten bestimmt. Die Oberleitung dieser astronomischen Arbeiten hatte der damalige Direktor der militärtopographischen Sektion, dem O. W. Struwe als wissenschaftlicher Beirat zur Seite stand. Die Seele der Ausführung war der Generalstabsoberst (spätere Generalmajor und Direktor der Kriegsakademie) Forsch. Dieser, sowie der Generalstabskapitän v. Zylinski und darauf der Oberst, spätere Chef der militärgeographischen Sektion General v. Stubendorf waren auch Mitglieder der internationalen Kommission für die 1864 in Breslau beginnenden Längenbestimmungen, wirkten also auch außerhalb des Landes. An geodätischem Material besaß man bereits Dreiecksnetze 1. O. auf dem 52. Parallel in Rußland (242 Dreiecke), die nur vervollständigt und berichtigt zu werden brauchten, so daß von 1863—73 noch 122 Dreiecke neu hinzukamen. Das größte der 364 Dreiecke hat einen Exzeß von $3''{,}361$ und die mittlere Länge der Dreiecksseiten beträgt 30000—40000 m. Der Netzausgleich erfolgte nach der Methode der kleinsten Quadrate. Alle Operationen wurden nach dem Vorbilde der Struweschen Meridiangradmessung ausgeführt, ebenso wurden 7 Basen mit seinem Apparat bestimmt, mit wahrscheinlichem Fehler von $\pm 0{,}00671$ bis $\pm 0{,}01033$ m, von denen je zwei durch 27 bis 67 Dreiecke verknüpft waren. Dann erfolgte die Berechnung der Polarkoordinaten, wozu der Gradbogen in 9 Teile zerlegt wurde, und die Azimut- und Breitenübertragung nach den Bessel-Gaußschen Formeln, sowie in späterer Zeit (1880) die Reduktion der geodätischen Linie auf den 52. Parallel mit den Clarkeschen Elementen nach den Helmertschen Formeln[1]).

Außer diesen Struweschen Arbeiten wurde für das schnelle Fortschreiten der Generalstabsmessung wichtig die Benutzung aller übrigen Aufnahmen des Reiches, so der des Katasteramtes und der 1845 begründeten hervorragenden Petersburger „Imperatorskoje Geographitschesskoje Obschtschesstwo" (Kaiserlichen Geographischen Gesellschaft)[2]). Das Katasteramt schloß seine Arbeiten an die durch das Depot bestimmten astronomischen Punkte an, und unter General Mendes rühmlicher Leitung arbeitete ein Feldmesserkorps, dessen Aufnahmen zu Gouvernementsatlanten 1:1 680000 zusammengestellt wurden. Die Geographische Gesellschaft beteiligte sich namentlich bei den Marschroutenaufnahmen der auswärtigen Armeestäbe in neuerschlossenen Gebieten im Osten und Südosten Rußlands.

Wenn wir noch, ehe wir zu den topographischen Aufnahmen übergehen, einen kurzen Rückblick auf die eben skizzierte astronomisch-geodätische Grundlage der-

---

[1]) Über den russischen Teil dieser Gradmessung wurde ausführlich von General Stebnicki in den Bänden der Sapiski des Generalstabes von 1892 (XLVI und XLVII) berichtet. Den englisch-französischen Anteil zwischen Nieuport und Valentia, der schon 1863 vollendet war, behandelt Colonel J. James in seiner 1863 zu London erschienenen Schrift: „Extension of the triangulation of the Ordnance Survey into France and Belgium &c."

[2]) Heute mit selbständigen Abteilungen in Orenburg, Irkutsk, Tiflis, Omsk, Chaborowsk und Taschkent.

selben werfen, um das ihren Arbeiten in der Ausführung Gemeinsame festzustellen, so ist zunächst hinsichtlich der Basismessung zu bemerken, daß die Grundlinien in 250 bis 500 km Abstand voneinander gelegt wurden. Ihre mittleren Längen betrugen 8—10 km, die kleinste war etwa 3 km, die größte über 12 km lang. Sie wurden anfangs nur einfach bestimmt, später doppelt, und zwar, wie erwähnt, mit dem auf dem Delambreschen Prinzip beruhenden Struweschen Apparat. Es sind das vier zylindrisch oder prismatisch geschmiedete Stangen von etwa 12 Fuß (4,2 m) Länge, 15 Linien Breite bzw. Dicke, die in hölzerne Kästen luftdicht so eingeschlossen sind, daß sie sich doch ausdehnen können. Ihre Temperatur wird durch zwei aus der Dichtung hervorragende Quecksilberthermometer bestimmt. Die Zwischenräume zwischen je zwei auf Unterlagen ruhenden und durch eine Visiervorrichtung ins Alignement gebrachten Stangen wurde durch einen Fühlhebelapparat mit Nonius und Lupe bis auf $1/{50}$ mm genau gemessen. Die Geschwindigkeit der Messung betrug etwa 140—160 m in der Stunde (nach anderen Angaben etwa 70—80 m). Die Verbindung der Grundlinien geschah in der Regel durch in einfacher Kette, seltener polygonal aneinandergereihte Dreiecke von 30—40 km Seitenlänge. Ihre Winkel wurden in der Zeit der größten Vervollkommnung durch Reichenbachsche Repetitionstheodolite nach der Repetitionsmethode in 30—40facher Messung bei der 1. Ordnung bestimmt. Der mittlere Winkelfehler betrug ± 0,60", der wahrscheinliche Dreiecksfehler 1,07". Die Berechnung der Dreiecke geschah nach dem Legendreschen Satz, der Ausgleich auf empirischem Wege, seit 1853 nach der Methode der kleinsten Quadrate. Erst später, aber nicht in allen Gouvernements, wurden auch trigonometrische Netze 2. und 3. O. geschaffen. Topographische Beschreibungen der trigonometrischen Punkte fehlten bis 1858, wodurch ihre spätere Auffindung erschwert wurde. Die Bezeichnung der Punkte 1. O. geschah unterirdisch, die Punkte 2. und 3. O. waren nicht markiert. Zur Signalisierung dienten für die 1. O. Pyramiden, für die Nebennetze Signalstangen oder in holzarmen Gegenden Erd- und Steinhaufen. In unübersichtlichen Gebieten wurden die Festpunkte niederer Ordnung polygonometrisch mit eigens dafür konstruierten Nivelliertheodoliten bestimmt. Anfang der 40er Jahre fanden die Topographen ein Netz vor, das sich bereits über 20 Gouvernements erstreckte. In den nordöstlichen Gouvernements, im Kosakengebiet, gab es jedoch nur einzelne direkt nach geographischen Koordinaten bestimmte, etwa 40—50 Werst auseinander liegende Punkte. Als sich Rußland 1861, zunächst für Polen, der 1861 durch den preußischen General Baeyer vorgeschlagenen mitteleuropäischen, später (1867) europäischen, heute (seit 1886) internationalen Erdmessung anschloß [1]), besaß es außer den schon genannten Triangulierungen, chronometrischen und telegraphischen Längenbestimmungen 19 Grundlinien mit 113,2 km Gesamt-, 6 km Durchschnittslänge, sowie zahlreiche Küstenmessungen, trigonometrische Nivellements &c. Ein geometrisches Nivellement fehlte dagegen bis 1873, wo die ersten gewöhnlichen (nicht Präzisions-) Nivellements begannen.

Wenden wir uns nun zu den topographischen Arbeiten, so müssen wir zunächst das Personal und seine Entwickelung bis 1863 kurz betrachten. Um den sehr erheblichen Bedarf an Kräften für die durch die großen Triangulationen auf neue Grundlage gestellten Arbeiten zu decken, wurde bereits am 28. Januar 1822 unter General Schubert als Chef ein Militärtopographenkorps von zunächst 9 Offizieren und einigen Unteroffizieren gebildet, das freilich vorerst im Auslande Verwendung fand, nämlich 1826 im Kriege gegen Persien, dann 1826/27 zu Itineraraufnahmen auf der Balkanhalbinsel, endlich 1828 im russisch-türkischen Kriege im Rücken der Armee und in besetzten Landesteilen. Oberst Ditmars nahm damals systematisch, auf 40 astronomische Punkte

---

[1]) Bevollmächtigte waren Generalmajor v. Blaramberg, Direktor des Kriegsarchivs, dessen späterer Nachfolger Generalmajor v. Forsch und Otto Struve, der Direktor der Pulkowaer Sternwarte, zugleich Vizepräsident der internationalen Kommission.

gestützt, in der Moldau, Walachei, Bulgarien rund 2270 QMln in 1 : 42000 und 1 : 84000 topographisch auf, während 1157 QMln krokiert wurden. Es geschah dies — wie auch in Rußland vor Fehlen eines rationellen Dreiecksnetzes — mit Meßtisch, Diopterlineal und Astrolabium, und meist in Form einer à la vue - Aufnahme. 1826 wurde auch eine das Korps ergänzende Militärtopographenschule gebildet. Der bis dahin schwankende Etat des Korps wurde am 1. Januar 1832 bereits auf 50 Offiziere und 347 Unteroffiziere und am 28. März desselben Jahres auf 90 Offiziere und Fähnriche und 456 Topographen (Unteroffiziere 1. und 2. Klasse und Gemeine) festgesetzt, die in 8 Kompagnien gegliedert waren, deren erste in Petersburg stand und den Namen „Militärtopographisches Depot" erhielt. Die Offiziere wurden hinsichtlich Rang und Beförderung dem bald nach Antritt der Regierung durch Kaiser Nikolaus (1825—55) als „Generalstab" bezeichneten „Gefolge Seiner Majestät" gleich gestellt und erhielten — gemeinsam mit dem Depot — einen. eignen Direktor, da der Chef des Generalstabes die Arbeiten ihres Umfanges wegen nicht mehr bewältigen konnte.

Die vervollkommneten Präzisionsinstrumente wurden meist im Auslande, besonders in München, Paris und London, zum Teil aber auch in der mechanischen Werkstätte des Depots angefertigt. Ein eignes Kartenmagazin für den Vertrieb wurde eingerichtet. Die Vervielfältigungsverfahren wurden vervollkommnet, indem nicht nur die 1828 von Senefelder erfundene Lithographie, sondern auch die Zinkographie eingeführt wurde, für welches Verfahren König Friedrich Wilhelm III. von Preußen die Einrichtung schenkte. Endlich wurde die Bibliothek auf 54000 Nummern vermehrt. Für die Aufnahmen in Kaukasien, Sibirien und im Orenburgschen wurde ein eignes Topographenkorps gebildet, das aus Offizieren des Generalstabes, des Topographenkorps und einigen Offizieren des militärtopographischen Depots bestand und den Stäben der bezüglichen Armeekorps unterstellt wurde. Die Topographenschule stand unter einem Inspektor (Stabsoffizier) und gliederte sich in zwei Halbkompagnien zu je 60 Mann in zwei Jahrgängen. Die erste Halbkompagnie bildete den Offizier-, die zweite den Unteroffizier- und Beamtenersatz. 1840 wurde eine Spezialsektion für Militärgeodäten bei der Pulkowaer Sternwarte errichtet. 1841 wurde das Personal vermehrt, infolge des Anwachsens des Reiches und damit der Arbeiten im Osten und Südosten. Auch wurde das Depot jetzt neu gegliedert. Es bestand fortan aus einer astronomischen und geodätischen Abteilung, einer Zeichen-, Stich- und Reproduktionsabteilung (Kupferstich, Lithographie, Chromolithographie und Zinkographie) und der mechanischen Werkstätte mit dem Instrumentenkabinett. Daneben blieben selbständig die Kanzlei, die Bibliothek mit Archiv, das Kartenvertriebsmagazin, die Topographen- und eine neugebildete Stecher- und Druckerschule. Hierzu trat bis 1857 noch eine photographische Abteilung. Diese Organisation dauerte bis 1863 und hat eine rege Tätigkeit entfaltet. Unter ihr wurden die geodätischen und topographischen Arbeiten der westlichen Gouvernements vollendet, die der inneren Gouvernements gefördert. Die Leitung hatten stets zwei Generale und zehn Stabsoffiziere, unter welchen die teils beim militärtopographischen Depot in St. Petersburg, teils bei auswärtigen Stäben beschäftigten sieben Topographenkompagnien in der Stärke von einer Anzahl Offizieren des Depots und 48—60 Topographen tätig waren. Dabei wurde bis 1885 je eine halbe Kompagnie zu Kataster-, Bergwerks- und Kolonisationsvermessungen (in Sibirien) verwendet. 1843 wurde noch vorübergehend eine neunte Topographenkompagnie für Asien gebildet. Alle Neuerungen der Aufnahme- und Kartographentechnik wurden eifrig verfolgt und nutzbar gemacht. So traten auch zum Meßtisch (quadratische Platte von 10 Werst Seitenlänge 1 : 21000) und Perspektivdiopter als Hauptinstrumente die Bussole und Meßkette. Studienreisen wurden ins Ausland gemacht, so von Oberst Bołotow 1845 nach Deutschland, England, Frankreich, Piemont, Österreich und der Schweiz, um die dortigen Fortschritte kennen zu lernen. Dadurch gelang es, ein Gouvernement mit besseren Methoden statt in 10 Jahren schon in

2. Karte von Serbien 1:166000. 1819.

3. Karte von Bulgarien, Walachei und Rumelien 1:840000 von Chatow. 1828.

4. Karte des östlichen Bulgarien 1:84000 von 1848—54.

5. Karte der Umgebung von Konstantinopel 1:84000. 1828.

6. Karte des Bosporus 1:42000. 1842.

7. Karte der Dardanellen 1:84000. 1833.

8. Karte von Ostrumelien 1:84000. 1850.

9. Karte des Kriegstheaters in Europa 1828/29 1:420000 von Pozniakow und Mednikow auf 11 Blatt. 1831.

Auch ist damals eine Karte von Mitteleuropa 1:1333000 (1819), eine strategische Karte Mitteleuropas 1:1680000, dann eine Karte des Kantonierungsbezirks der russischen Armee in Frankreich 1815—18 1:84000 auf 12 Blatt (1820) und endlich eine solche des Departements Ardenne und Marne 1:42000, die Städte 1:16800, auf 5 Blatt entstanden. (1820.)

Endlich sei eine „Karte von Kleinasien 1:840000 (20 Werst)" auf 2 Blatt. 1834/35 erwähnt.

Von wichtigen Arbeiten anderer, auch ausländischer Autoren, auch über das in Rußlands Besitz übergegangene Polen, mögen chronologisch hier angeführt sein:

1. J. M. Has: „Imperii Russici et Tartariae universae tam majoris et Asiaticae, quam minoris et Europae tabula." Nürnberg 1739. 1 Blatt farbiger Kupferstich, in veralteter Geländedarstellung. 2. Le Clerc: „Carte générale de tout l'empire de Russie, dressée sur les meilleures cartes de l'Académie de St. Pétersbourg, dont Büsching a donnée copie et soumise aux observations astronomiques les plus récentes." Kupferstich in 3 Blatt. Académie de Berlin 1769. 3. J. J. Canter: „Regni Poloniae magni ducatus Lituaniae provinciarum foedare et vasallagio illis junctarum et regionum vicinarum nova mappa geographica 1:530000." 25 Blatt. Regensburg 1770. 4. Rizzi Zannoni: „Carte de la Pologne, divisée par provinces et palatinats 1:700000" in 24 Blatt. Paris 1772. 5. Joh. Trescott und Jac. Schmidt: „Tabula geographica generalis imperii russici." 1776. 6. „Nova tabula geographica Imperii Russici in gubernia divisa." 1787. 1 Blatt farbig, Kupfer, gänzlich veraltet. 7. Schrembl: „Carte générale de l'Empire de Russie" in 3 Blatt. 1792. 8. Rizzi Zannoni: „Polen in die dermaligen Besitzungen eingeteilt 1:1250000" in 4 Blatt. Wien 1795. 9. „Militärkarte des russisch-preußischen Grenzgebiets 1:420000." 1799. 10. „Übersichtskarte von Rußland 1:500000". 1801—10. 11. J. C. M. Reinecke: „Charte des ganzen Russischen Reiches in Europa und Asien." Nach den neuesten und sichersten astronomischen Ortsbestimmungen entworfen und berichtigt auf der Sternwarte Seeberg bei Gotha. Weimar 1800. 2 Blatt farbige Kupfer. 12. J. B. Poirson: „Charte générale de l'Empire de Russie." Paris 1802. 2 Blatt farbige Kupfer. Veraltet. 13. Gilly: „Spezialkarte von Südpreußen (jetziges Polen) 1:150000" in 13 Blatt. 1802—3. 14. D. G. Reymann: „Generalkarte von einem Teile des Russischen Reiches in Gouvernements und Kreise eingeteilt, worauf die Post- und andere Hauptstraßen angezeigt sind. Bey Sr. Kayserlichen Majestät Kartendepot im Jahre 1799 entworffen. Ins Deutsche übersetzt und mit Nachträgen versehen. Berlin 1802." 1 Blatt, farbig, Kupfer. 15. Sotzmann: „Topographische Militärkarte von Neu-Ostpreußen 1:150000" in 15 Blatt. 1808. 16. „Karte von Podolien 1:42000". 1810—25. 17. J. Danielow: „Karte des europäischen und eines Teils des asiatischen Rußland 1:2225000" auf 13 Blatt. Wien und St. Petersburg 1812. 18. Nordmann: „Karte des vormaligen ganzen Königreichs Polen nach seiner dermaligen Einteilung 1:880000" auf 2 Blatt. Wien 1813. 19. Engelhardt: „Karte von dem Königreich Polen, Großherzogtum Posen und den angrenzenden Staaten 1:760000" in 4 Blatt. Berlin 1812 bzw. 1831. 20. Dépôt de la guerre (Paris): „Carte de la Russie européenne 1:500000" en 79 feuilles, avec tableau d'assemblage. Kupferstich, schwarz, nach der gleichartigen russischen Karte. Gelände in Schraffen. 21. Dasselbe: „Carte des routes de poste de la Russie européenne 1:2500000" auf 2 ganzen und 2 halben Blättern. Kupferstich. 1812. 22. Pedischeff: „Atlas géographique de l'Empire de Russie, du Royaume de Pologne, et du grand-duché de Finlande. Avec une carte générale et un tableau de la distance en verstes entre les principales villes situées sur les chemins de poste." 63 Blatt, farbig, Kupferstich, Schraffen. St. Petersburg 1823. 23. Piadyscheff: „Carte générale de l'Empire de Russie avec états incorporés: le Royaume de Pologne et le Grand-Duché de Finlande. 1 Blatt, farbig, Kupfer, Schraffen. St. Petersburg 1827. 24. J. M. F. Schmidt: „Wegekarte vom nordöstlichen Europa, enthaltend die Länder zwischen der Oder und Wolga, dem Ladoga-See und dem Ursprunge des Prypietr." 1 Blatt, farbig, Kupfer. Berlin 1831. 25. Michaelis: „Das alte und das neue Polen 1:4 Mill." 1 Blatt. München 1831. 26. Dépôt de la guerre (Paris): „Carte militaire des principaux États de l'Europe 1:2400000." 4 schwarze Blätter in Kupferstich mit 6 suppléments. 1832. (1889 auf Grenzen und Eisenbahnen revidiert.) Enthält Rußland teilweise (Kaukasus, Schwarzes Meer). 27. Preußischer Generalstab: „Karte eines Teils des Königreichs Polen (das ehemalige Südpreußen) 1:57600 in 42 Blatt. Manuskript. 1831. 28. Derselbe: „(Reymannsche) Topographische Spezialkarte von Mitteleuropa 1:200000". Gibt Westrußland teilweise. Kegelprojektion. 29. Österreichischer Generalquartiermeister-Stab: „Kriegsstraßenkarte eines Teils von Rußland und der angrenzenden Länder 1:1400000." 16 Blatt in Steindruck, 1 Übersichtsblatt. Wien 1837. 30. Russischer Generalstab bzw. General Richter: „Topographische Karte von Polen 1:126000 (3 Werst) auf 63 Blatt in Kupfer (38,2:52 cm). Schrift polnisch. 1839. (Seit 1877 neue Aufnahme.) 31. Derselbe: „Topographische Karte des Gebiets des donischen Heeres 1:126000" auf 63 Blatt. 1840—45. 32. C. F. Weiland: „Generalkarte vom Europäischen Rußland 1:3218000." 1 Blatt, farbig, Steindruck, Schraffen. Weimar 1840. 33. Ssemok: „Topographische Karte der Halbinsel Krim 1:210000" auf 8 Blatt. 1842. 34. Stielers

Handatlas: „Ost-Europa 1:3700000." 1. Aufl. 1817—31. Gotha, Perthes. 35. S. Schropp: „Karte der gewerblichen Verhältnisse im europäischen Rußland 1:3 6750000" (nach dem russischen Original des Finanzministeriums). 4 Blatt. Berlin 1844. 36. H. Schmidt: „Generalkarte von Esthland 1:2 560 000" auf 2 Blatt. 1844. 37. H. Handtke: „Karte von Süd-Rußland (Podolien, Bessarabien, Kijew, Poltawa, Cherson nebst Teilen von Volhynien, Jekaterinoslaw und Taurien) 1:900000." Glogau 1854. 38. Derselbe: „Karte von Bessarabien, Podolien und den angrenzenden Ländern 1:900000." 2 Blatt. Glogau 1854. 39. P. v. Köppen: „Carte ethnographique de la Russie" in 4 Blatt, farbig. St. Petersburg 1852, nebst 2 Heften Erläuterung. 40. v. Erckert: „Carte ethnographique de l'empire de Russie". 1 Blatt. Berlin 1862. 41. F. v. Stülpnagel: „Ergänzung zu Stielers Handatlas: Die europäisch-russischen Grenzländer 1:1250000" auf 10 Blatt, farbige Kupfer. 1855—56. Gotha, Perthes. 42. A. P. Schokoeljew: „Karte des Russischen Reichs mit Verzeichnis der Land-, Wasser- und Telegraphenverbindungen 1:5040000." 1 Blatt. St. Petersburg 1872. 43. C. Flemming: „Umgebung von Sebastopol mit Angabe der Belagerungsarbeiten der verbündeten Armeen 1:40000." Glogau 1854. 44. Derselbe: „Die russischen Häfen am Schwarzen und Asowschen Meere in verschiedenen Maßstäben." Glogau 1858. 45. H. Jones: „Plan of the defenses of Sebastopol 1:10000, with the lines of the allied armies previous to the final assault." Edinburgh 1855. 46. G. Alfthan: Karta öfver Stor Fürstendömet Finland 1:1 260000 in 2 Blatt. Chromolithographie. Petersburg 1862.

Auf die Veröffentlichungen nichtrussischer europäischer Länder oder anderer Erdteile russischerseits kann hier nicht näher eingegangen werden; einige bemerkenswerte Kartenwerke aus dieser Periode sollen am Schluß des Aufsatzes zusammengestellt werden.

Es erübrigt noch, einen Blick auf die wichtigste Literatur in diesem Zeitraume zu werfen. Die Zahl der Schriften ist eine sehr große, aber nur wenige erscheinen ihrer Bedeutung wegen oder aus historischen Gründen geeignet, hier angeführt zu werden. Da ist zunächst Mattheus Mechovita: „Tractatus de duabus Sarmaticis", Krakau 1517, zu nennen. Dann Captain Chancellor: „The first voyage for discoverie under the charge of Sir Hugh Villonghby, in which he dyed, and Muscovia was discovered 1553. Soc. de Hackluyt." Falk bietet „Beiträge zur topographischen Kenntnis des Russischen Reichs". St. Petersburg 1785—86, in 2 Bänden. Dann aus der reichen amtlichen Literatur die einen bleibenden Wert beanspruchenden, die Urkunden für die Richtigkeit und Schärfe der mathematischen Kartengrundlage liefernden wichtigen Memoiren (Sapiski) der militärtopographischen Abteilung, zu denen für die Zeit von 1837—65 ein Generalregister erschienen ist. Ferner die vom Generalstab bearbeiteten „Materialien für die Geographie und Statistik Rußlands", welche, nach Gouvernements geordnet, den in persönlichen Erkundungen gesammelten Stoff enthalten, der sich auf alle Zweige der Geographie und Statistik des Landes erstreckt. Ein hervorragendes Urkundenwerk ist dann der „Katalog der trigonometrischen und astronomisch bestimmten Punkte im Russischen Reich" (mit 4 Karten), 1865 vom Generalstab veröffentlicht. Er enthält zwar nur 6355 Höhen von sehr verschiedenem Wert und in sehr ungleichmäßiger Verteilung. Ferner die Veröffentlichungen der Petersburger Akademie: 1756—75 Kommentarien, 1777—1802 Akten, seit 1803 Memoiren, seit 1843 daneben Bulletins. Auch gibt das unter dem Ministerium des Innern stehende „Comité central de statistique" in St. Petersburg seit 1861 „Ortsverzeichnisse" heraus, die in Tabellenform die Angabe aller Gouvernementsorte, ihrer Lage, Entfernung, Zahl der Feuerstellen, männliches und weibliches Einwohner, Kirchen, Gebethäuser etc., sowie die Haupt- und Distriktsstädte enthalten und besonders auch für die Nomenklatur der Karten wichtig sind. Weiter müssen die zahlreichen Veröffentlichungen der Kaiserlich Russischen Geographischen Gesellschaft (Iswestija, Sapiski, Otschet, Jeschegodnik) rühmend hervorgehoben werden, die ein reiches kartographisches Material in Wort und Zeichnung enthalten. Dann sind die schon genannten Schriften Struwes, weiter v. Blarambergs und v. Chodzkos Veröffentlichungen in Petermanns Mitteilungen (1858, 1861, 1862), v. Sydows hervorragende Berichte ebendort (1857—64) und last not least F. F. de Schubert: „Expédition chronométrique, exécutée 1833" und sein „Exposé des travaux astronomiques et géodésiques exécutés en Russie dans un but géographique jusqu'à l'année 1855" (1858 erschienen), als zu den wichtigsten Orientierungsquellen gehörend, zu nennen. M. Mejof endlich gibt seit 1858 jährlich eine Bibliographie aller geographischen Werke heraus.

C. Periode von 1863 bis heute.

Das Jahr 1863 bildet einen wichtigen Wendepunkt in der Geschichte der russischen Kartographie; es hebt die sich in zwei Epochen gliedernde moderne Zeit an, und zwar mit der Neuorganisation des Generalstabs und der ihm unterstellten militärtopographischen Abteilung. Die bisherige Generalstabsabteilung wurde zunächst 1863 in eine Hauptverwaltung des Generalstabs mit einem Generalquartiermeister an der Spitze umgewandelt. Jedoch schon 1865 erhielt sie — unter Fortfall des Generalquartiermeisters — den Namen „Hauptstab" und wurde mit dem Kriegsministerium vereinigt. Dem Hauptstabe wurde das militärtopographische Depot als militärtopographische Abteilung unterstellt. Sie gliederte sich in ein Inspektorat, eine geodätische Sektion (für astronomische, geodätische und topographische Arbeiten), eine Zeichnungs-, technische, photographische und lithographische Sektion, das mechanische Institut (mit Instrumentenabteilung), die Druckerei, Buchbinderei, das Archiv, das Kartenvertriebsmagazin und die Topographen- und Graveurschule. Nur Offiziere, welche die geodätische Abteilung der Generalstabsakademie besucht hatten und 2 Jahre zur Sternwarte in Pulkowa kommandiert waren, konnten fortan astronomische und geodätische Arbeiten leiten und ausführen. Auch beim Topographen-

korps erfolgte 1865 eine bedeutsame Veränderung, indem aus der Kompagnie des
Depots die obengenannte Militärtopographenschule unter einem General oder Obersten als
Kommandanten gebildet wurde, nach deren zweijährigem Besuche die Zöglinge (Junker)
zu $^2/_3$ zu Topographenoffizieren, zu $^1/_3$ zu Topographenbeamten, sogen. „Klassentopographen", ernannt werden. Auch konnten Topographenunteroffiziere als Zöglinge unter
besondern Bedingungen angenommen werden. Die freiwillig eintretenden Zöglinge der
neu errichteten Zeichenschule, welche den Nachwuchs für die technischen Abteilungen bildeten, wurden zu „Militärkünstlern" (Graveure und Lithographen) nach erfolgreichem Besuch ernannt, welche eine eigene Beamtenklasse bildeten.   Die übrigen Kompagnien des
Topographenkorps blieben erhalten und führten selbständig geodätische Arbeiten aus. Da
die Arbeiten der Landesvermessung aber immer mehr anwuchsen, wurde bereits 1877 eine
erhebliche Vermehrung des Personals notwendig, der 1887 eine neue Organisation und
Verstärkung der Abteilung folgte, infolge deren das Militärtopographenkorps dem Chef
des Hauptstabs unmittelbar unterstellt wurde. Neue Klassentopographen wurden nicht mehr
ernannt, vielmehr wurden nur noch Offiziere als Topographen verwendet, die sich aus den
Junkern der Topographenschule ergänzten, und das Personal auf 9 Generale, 75 Stabsoffiziere und 370 Oberoffiziere festgesetzt. Auch in den folgenden Jahren geschahen verschiedene Änderungen, so daß heute die militärtopographische Abteilung des
Hauptstabs unter einem Chef (Generalleutnant oder Generalmajor, heute Generalleutnant Artamonow) sich in die geodätische Sektion (astronomische, geodätische
und topographische Gruppe) mit mechanischer Werkstatt und Instrumentenkabinett
— 1 General und 3 Stabsoffiziere —, die kartographische Gruppe (mit Zeichen-
und Kolorier-, Gravier-, Lithographie-, Photographieanstalt, Galvanoplastik, Druckerei,
Buchbinderei, Tischlerei, Feldkartendepots und Kartenvertriebsmagazin) — 1 General,
1 Stabsoffizier, 60 Topographen, 1 Zivilbeamter —, die Verwaltungs- und Rech-
nungsabteilung (mit Kanzlei, Archiv und Bibliothek) gliedert. Hierzu tritt das
mit der Militärtopographenschule in Zusammenhang stehende Militärtopographenkorps, das sich in Offiziere (General, Stabs- und Oberoffiziere), Topo-
graphenbeamte höheren und niederen Ranges (Unteroffiziere und Soldaten) unter dem
Chef der militärtopographischen Abteilung als Kommandanten gliedert. Es hatte einschließlich des Personals der Abteilung beim Hauptstab und der Militärtopographenschule am
1. Januar 1899 einen Stand von 13 Generalen, 17 Obersten, 54 Oberstleutnants 120 Kapitänen und Stabskapitäns, 111 Leutnants und Unterleutnants, 172 Militär- und 4 Zivilbeamten, sowie die erforderlichen Unteroffiziere, Soldaten und Lehrlinge. Davon entfallen
auf die Abteilung 3 Generale, 5 Stabsoffiziere, 30 Topographen, 4 Zivilbeamte. Es
war also der Sollbestand des Etats vom 1887 nicht erreicht. Die Offiziere sind entweder Geodäten — welche aus der geodätischen Abteilung der Nikolausakademie [1]
hervorgehen und für alle leitenden Stellungen bestimmt sind — oder Militärtopographen, die die Militärtopographenschule erfolgreich besucht haben [2]. Die Topographenbeamten ergänzen sich aus hervorragenden Topographenunteroffizieren, die
eine praktische und theoretische Prüfung bestanden haben. Die niederen Topographen finden ihren Ersatz in freiwillig Eintretenden oder Soldaten und werden in
einer Lehrabteilung theoretisch und praktisch fortgebildet. Die Militärkünstler der
technischen Sektionen der Abteilung des Hauptstabs (Graveure, Kupferstecher) ergänzen
sich aus Lehrlingen oder Zivilfachleuten und haben höheren oder niederen Rang wie die
Topographenbeamten. Die Aufstellung und Prüfung der geodätischen Vorschriften sowie

[1] Für die Offiziere, welche sich der Landesaufnahme widmen wollen, besteht eine geodätische Abteilung
mit 4$\frac{1}{2}$jährigem Lehrgang (gegen 2$\frac{1}{2}$ Jahre der übrigen Abteilungen). Es werden jährlich 10 Offiziere aufgenommen,
die in den letzten 2$\frac{1}{2}$ Jahren praktische Aufnahmeübungen abhalten und nach Bestehen der Prüfung unmittelbar
in den Generalstab kommen.
[2] 1899 wurden 17 Offiziere zur Aufnahme in das Korps geeignet befunden.

die Leitung des Lehrganges der Militärtopographenschule ist unter andern Aufgaben die Pflicht des unter dem Chef des Hauptstabs stehenden militärwissenschaftlichen Komitees, zu dem auch Offiziere des Topographenkorps als Mitglieder gehören. Die militärtopographische Abteilung des Hauptstabes hat alle im europäischen Rußland auszuführenden Vermessungs- und Kartierungsarbeiten. Bei den selbständigen Militärbezirken des Kaukasus, von Turkestan, Omsk, Amur und Irkutsk bestehen außerdem besondere „militärtopographische Abteilungen" unter je einem General als Leiter, die nur allgemeine Anordnungen des Hauptstabes erhalten. Das gleiche ist bei den Neuaufnahmen der drei westlichen Grenzgebiete und des Gouvernements Grodno der Fall. Endlich dienen die astronomischen Observatorien Pulkowa und Taschkent auch Zwecken der Landesaufnahme.

Die Arbeiten der Landesvermessung in dieser Periode verfolgten nun hauptsächlich folgende Zwecke: 1. Gradmessungsarbeiten; 2. Aufnahme neu erworbener bzw. besetzter, sowie noch nicht vermessener asiatischer Gebiete; 3. Neuaufnahmen früher vermessener Länder mit den feineren Methoden und Mitteln der Neuzeit.

Die Gradmessungsarbeiten Schuberts, Tenners und Struwes bildeten die Grundlage der nun folgenden und dienten zur Nutzbarmachung des vorhandenen, aber unzusammenhängenden älteren Kartenmaterials. Außer den noch näher zu erwähnenden Triangulierungen, den regelmäßigen astronomischen Beobachtungen und geographischen Ortsbestimmungen sei vor allem auf die Längenbestimmungen hingewiesen, bei denen jetzt der elektrische Telegraph[1]) meist den Chronometer ablöste. Die ersten solchen Ermittelungen in Rußland hatte schon 1860 Oberst Forsch in Finnland gemacht. Jetzt folgten solche im östlichen europäischen Rußland zwischen Perm und Kasan 1866, dann 1868—69 weitere in Finnland, 1872 zwischen Pulkowa und Warschau, 1873—76 zwischen Moskau und Wladiwostok am Stillen Ozean, 1874 unter Stebnicki zwischen Teheran und Eriwan und Teheran — Berlin bzw. Teheran — Ispahan (unter Benutzung von Längenbestimmungen der deutschen astronomischen Expedition gelegentlich des Venusdurchganges zwischen Ispahan und Berlin), 1875 zwischen Odessa — Berlin, Pulkowa — Warschau, Warschau — Wien, Pulkowa — Wien. Daran schlossen sich Längenbestimmungen am Schwarzen Meer und am Don 1877, während des Kriegs 1877/79 auf der Balkanhalbinsel unter Oberst Lebedeff, 1878 Odessa—Konstantinopel, 1878/79 Warschau—Wilna, Pulkowa—Dorpat, Dorpat—Riga, 1880 zwischen Warschau—Königsberg und Warschau—Berlin, 1887 Pulkowa—Archangelsk. Dann sei der wichtigsten und zugleich vorläufig abschließenden Gradmessungsarbeit dieses Zeitraums durch die militärtopographische Abteilung, der Messung des Parallels 47¼° n. Br. von Kischinew bis Astrachan von 19 Längengraden 12 Minuten Umfang und deren Verbindung in meridionaler Richtung (im östlichen Rußland) mit dem früher bestimmten 52. Parallel, etwas näher gedacht. Diese schon von Struwe einst angeregte Messung, die immer im Auge behalten wurde, weshalb auch die Triangulationen 1. O. dieser Gegend mit ganz besonderer Schärfe erfolgt waren, geschah 1877—90 nach den allgemeinen Grundsätzen der Längenbestimmung des 52. Parallels[2]). Die Hauptstationen für die telegraphische Ermittelung waren Kischinew, Kijew, Odessa, Nikolajew, Alexandrowsk, Rostow, Sarepta, Saratow und Astrachan. Die astronomischen Arbeiten umfaßten Längenbestimmungen, die einen wahrscheinlichen Fehler zwischen 0,008 sek. und 0,022 sek. enthalten, und bei denen Siemenssche Relais und Feldpassageinstrumente von Herbst angewendet

---

[1]) Die Bestimmung von Längenunterschieden durch den elektrischen Telegraphen geschah zuerst 1844 zwischen Washington und Baltimore. In Europa war es wohl zuerst Encke, der 1857 größere telegraphische Längenbestimmungen ausführte.

[2]) Sapiski 1893, 1. u. 2. Teil: Südrussische Gradmessung des Parallelbogens in 47¼° Breite von Kischinew bis Astrachan.

wurden, dann Polhöhenermittelungen nach der Talcottschen Methode mit Repsoldschen und Breyerschen Instrumenten und Azimutbestimmungen. Für die geodätischen Arbeiten wurden bei Astrachan, Nowotscherkask und Borislaw neue Basen gemessen und durch ein Netz von 196 Dreiecken, aus einer Haupt- und südlichen Zweigketten bestehend, verbunden, die nach der Methode der kleinsten Quadrate ausgeglichen wurden. Die Reduktion der geodätischen Linien geschah mit den Clarkeschen Elementen. Drei Verbindungsketten von je 60, 85 und 74 Dreiecken verknüpfen den 47½. Parallel mit dem 52. in gehörigen Abständen und geben eine gute Kontrolle beider so wichtiger Längengradmessungen, die dem russischen Professor Schdanow[1]) Gelegenheit gaben zur Aufstellung neuer Elemente des Erdsphäroids. Er findet für die große Halbachse der Erde 6 377 717 m, für die Abplattung $\frac{1}{299,65 \pm 6,9}$, also erhebliche Abweichungen von Clarke, dagegen große Übereinstimmung mit Bessel[2]) bzw. Helmerts Pendelbeobachtungen (Clarke hat $\frac{1}{293,5}$, Bessel $\frac{1}{299,1}$, Helmert $\frac{1}{299,3}$). Der Astronom Ivanow kommt auf anderm Wege zu $\frac{1}{297,5}$. An weiteren wichtigen Gradmessungsarbeiten sind die Pendelbeobachtungen zu erwähnen, die namentlich einer Anregung des Generals Stebnicki, der sie auch meist leitete, zu verdanken sind, nachdem schon 1826—27 der russische Admiral Graf Lütke solche auf seiner Weltumsegelung ausgeführt hatte. General Smyslow machte 1865—68 auf Veranlassung der Akademie solche Beobachtungen auf dem russisch-skandinavischen Meridianbogen mit dem Repsoldschen Revisionspendel, 1876—83 sowie 1894 namentlich im Kaukasus, 1887—90 auf Nowaja Semlja sowie auf dem 52. Parallel.

Was nun die Nivellementsarbeiten anlangt, so war die Hypsometrie Rußlands trotz einiger Glanzleistungen aus früherer Zeit (z. B. der Bestimmungen von Fuß, Sabler, Sawitsch zwischen dem Schwarzen und Kaspischen Meere) überaus vernachlässigt. Es fehlte an System und Koordination. Bis 1873 gab es keine geometrischen Nivellements. Hier Methode hineingebracht zu haben, ist ein Hauptverdienst des Generals Tillo[3]), der sich mehr als 20 Jahre diesen Arbeiten widmete, auch an den hypsometrischen Unternehmungen des Wegebauministeriums sich beteiligte und die Eisenbahnnivellements nutzbar machte. 1873—74 wurden noch Nivellements mit gewöhnlichen Nivellierinstrumenten und Zielweiten über 200 m, mit Messung der Vertikalwinkel nach mehreren Lattenpunkten ausgeführt. Bemerkenswert ist das Nivellement zwischen Kaspi- und Aral-See unter Tillos Leitung 1874. Erst seit 1875 begannen wirkliche Präzisionsnivellements längs der wichtigsten Eisenbahnen, Flüsse und Kanäle, die Ostsee, Schwarzes und Asowsches Meer miteinander verbanden und wertvolle Ergebnisse z. B. über die Höhenlage des Ladoga (statt + 18 m nur + 5 m) und Onega hatten, den uralisch-baltischen und uralisch-karpathischen Landrücken verschwinden ließen usw. Die Nivellements wurden mit nach Angabe des Generalstabs vom Mechaniker Wolfrum ausgeführten feinen Instrumenten und horizontalen Sichten, und zwar bis 1877 mit Zielweiten bis 107 m, aus der Mitte gemacht. Die Sommerleistung eines Offiziers betrug rund 420 km, täglich etwa 4 km bei 6 Rubel Kostenaufwand. Dann trat bis 1881 eine Unterbrechung ein, worauf zunächst in alter Weise, seit 1882 aber mit neuen Instrumenten (Fernrohre von 37 cm Brennweite,

---

[1]) Schdanow: Über russische Gradmessungen. Vortrag in der Kais. Russ. Geogr. Gesellschaft. (Bd. XXIX, 1893.)

[2]) Bessel dienten ebenso wie Clarke hauptsächlich Breitengradmessungen zur Bestimmung seiner Elemente und zwar 10 Messungen, die zusammen 50,57 Grade des Erdquadranten (etwa 750 geogr. Mln) umfaßten.

[3]) Alexis v. Tillo wurde am 25. November 1839 in Kijew geboren und starb am 11. Januar 1900 in St. Peterburg als Generalleutnant, Senator und Präsident der mathematischen Abteilung der Kais. Russ. Geogr. Gesellschaft. War aus alter Hugenottenfamilie, Kadett, Schüler der Artillerieakademie und der geodätischen Abteilung der Akademie des Generalstabes, sowie später W. Struwes in Pulkowa. 1866 Chef der topographischen Abteilung des Orenburger Bezirks, wo er Mustergültiges leistete, dann in verschiedenen militärischen Stellungen bis zum Divisionskommandeur tätig. Sein Hauptfeld war die Hypsometrie Rußlands, sein Hauptwerk die hypsometrische Karte desselben südlich vom 60.° N. (1889). Sehr wichtig war auch seine Tätigkeit in der Geographischen Gesellschaft, zuletzt als Gehilfe des Präsidenten.

40 mm Öffnung, 40facher Vergrößerung) aus der Mitte mit gleichen (abgeschrittenen, dann durch das Fadenkreuz kontrollierten) Zielweiten bis 170 m nivelliert wurde. Es erfolgte dabei ein Anschluß an die Höhenpunkte 1. O. Bis Ende 1889 wurden 8850 km Linien doppelt und im entgegengesetzten Sinne festgelegt. Das Nivellement enthielt — bei 10,4 km mittlerer Entfernung — 883 Punkte 1. O., 21 Punkte 2. O. und war mit Preußen an sechs, mit Österreich-Ungarn an zwei Stellen (Radziwiloff und Brody) angeschlossen. Die Ausgangs-niveaufläche ist der Nullstrich des Kronstädter Pegels, der 0,02286 m über dem Ostsee-Mittelwasser liegt. Der Ausgangsfestpunkt war die Höhenmarke 173 in Oranienbaum, in Höhe von 5,541 m über dem Nullpunkt. Als wahrscheinlicher Kilometerfehler ergab sich bis 1874 ± 7 mm, bis 1877 ± 4 mm, später < ± 3 mm. 1892 war das Nivellement vollendet; es enthält 14760 km Länge, davon etwa 1500 km allerdings nur einfach ermittelt. Oberst Rylke stellte 1894 einen Katalog der bis 1892 bestimmten Höhen auf. Die Bände 36, 37, 39 und 41 der Sapiski enthalten die Berichte über alle diese Nivellements, deren interessantes Ergebnis z. B. ist, daß der Unterschied des Mittelwassers der Ostsee bei Kronstadt und des Schwarzen Meeres bei Odessa sich nur zu ± 0,2 Saschen ergibt, und daß die Höhe von Moskau um 3 Saschen höher liegt als in den älteren trigonometri-schen Aufnahmen. Neuerdings ist ein neues Feinnivellement im europäischen Rußland in Arbeit.

In Asien, wo schon früher geometrische Nivellements, aber von geringer Genauig-keit, stattgefunden haben, hat — teilweise ebenfalls von Tillo angeregt — die Geographische Gesellschaft in Westsibirien bis zum Baikal rund 3000 km nivellieren lassen, wobei auch wertvolle Anhaltspunkte für die Luftdruckverhältnisse im Innern Asiens gewonnen wurden. In den mit Urwäldern und Sümpfen erfüllten Gebieten, wo eine trigonometrische Netz-legung nicht möglich ist, fand ein besonderes Nivellement mit Nivelliertheodoliten statt, um den Topographen Punkte niederer Ordnung zu verschaffen.

Endlich wurden Pegel am Baltischen Meere bei Kronstadt, Reval, Libau, Windau, St. Petersburg, je ein selbstregistrirender Pegel in Dünamünde und Hargöudd und ein Mareograph in Libau aufgestellt[1].

Was die Vermessungen neu erworbener oder noch nicht aufgenommener Gebiete anlangt, so sei zunächst der Triangulationen im Orenburger Kosakengebiet von 1869—73 gedacht. Dazu wurden 5 Grundlinien von 2,5 bis 3,5 km Länge bis auf $\frac{1}{40000}$ bis $\frac{1}{80000}$ Genauigkeit mittels längs ausgespannter Schnüre gelegter Holzstangen bestimmt. Das Netz stützte sich auf die Orskaer Basis und bestand aus 214 Punkten 1. und 267 sol-chen 2. O. Die Winkelmessung erfolgte mit kleinen Nonieninstrumenten. Auf zwei Punkten geschahen astronomische Beobachtungen. Dann seien die in der Geschichte der Kartographie der Balkanhalbinsel epochemachenden russischen Triangulierungen[2] daselbst während des Krieges 1877/79 hervorgehoben, die von der Donau bis zum Ägäischen Meere

---

[1] Auf die Küstenvermessung des Marineministeriums und die Arbeiten des Ministeriums für Wege- und Wasserbauten, die, vom Finnischen Meerbusen ausgehend, die größten Seen überschreiten und am Weißen Meere enden, kann hier nicht eingegangen werden. Tillo hat eine Zusammenstellung „Materialien zur Hypsometrie des Europäischen Rußland" gemacht (1896), in der alle Nivellements der verschiedenen Behörden, wie der Eisenbahnen (Katalog der Höhen der Eisenbahnstationen von 1884), der Flüsse (vom Geologischen Komitee des Ministeriums der Kommunikationen 1892) usw. zusammengestellt sind und durch die betreffenden Profile und die Karte des Falls der Flüsse (1:2520000 — 60 Werst) erläutert sind. Auch machte er eine Berechnung der mittleren Höhe der Kontinente und der Tiefen der Meere, ebenso auch der Flächen der einzelnen Höhen- und Tiefenstufen. Endlich sind bezüglich der gesamten geodätischen, astronomischen, topographischen und karto-graphischen Arbeiten die in den Sapiski erscheinenden Berichte (Otschet) der militärgeographischen Abteilung des Hauptstabes zu studieren.

[2] General A. Järnefeldt in der „Russischen Revue" von 1880, ferner daraus auszüglich Fr. Ritter v. Lemonnier in den Mitteilungen der K. K. Geographischen Gesellschaft in Wien (Band XXIII, 1880) berichten über diese geodätischen (und topographischen) Arbeiten. Dann Baron Kaulbars in seinem „Aperçu des travaux géographiques en Russie" (1889), weiter R. Kiepert in den „Verhandlungen der Gesellschaft für Erdkunde zu Berlin" (1879), H. Hartl in den „Mitteilungen des Militärgeographischen Institute" (X—XIII), und vor allem Oberst M. N. Lebedeff in den „Sapiski" der militärgeographischen Abteilung des Hauptstabs, worüber Professor Supan in Petermanns Mitteilungen 1889 berichtet.

und von der serbischen Grenze über Bulgarien, Ostrumelien, die Dobrudscha und den
Teil der Türkei zwischen der Marica, dem Schwarzen und dem Marmara-Meere bis in die
unmittelbare Nähe von Konstantinopel und den Bosporus sich erstrecken. Dazu wurden
— teilweise von Topographen, die nicht auf die Beendigung der Triangulierung mit ihren
Arbeiten warten konnten*— sechs Grundlinien bei Widin, Nikopolis, Konstanza, Köstendib,
Philippopel und Burgas an der nördlichen und südlichen Grenze des Aufnahmegebiets in
gegenseitiger Entfernung von rund 200 km und durchschnittlicher Länge von 3—5 km
durch hölzerne Maßstangen, die längs gespannter Schnur gestreckt wurden und $\frac{1}{70000}$ bis
$\frac{1}{300000}$ Genauigkeit ergaben, bestimmt. Die Verbindung geschah durch geschlossene einfache
oder polygonale Dreiecksketten 2. und 3. O., und beträgt die mittlere Länge einer Dreiecksseite 2. O. das Vierfache der Grundlinien, der wahrscheinliche Winkelfehler fast 4″. Der
Anschluß an das russische Netz geschah an zwei Stellen in Bessarabien, der an das 1855
ausgeführte österreichische nördlich von der Donau an 11 Punkten. Im ganzen wurden
1274 Punkte der Lage und Seehöhe nach trigonometrisch bestimmt, 52 Punkte in der
Nähe des Balkans astronomisch festgelegt und eine sehr große Zahl von Höhenbestimmungen
(allein 57300 Punkte im westlichen Bulgarien) gemacht. An 10 Punkten wurden Wasserstandsbeobachtungen ausgeführt und endlich das Gefälle der bedeutenderen Flüsse ermittelt. Sehr
günstig war, daß von den fast 800 Beobachtungen bei der Triangulation bis auf 20 alle
vom Stativ aus, also ohne erhöhten Instrumentenstand, gemacht werden konnten. Über
die Höhenangaben berichten am zuverlässigsten Petermanns Mitteilungen (Band XXVII,
1881) auf Grund eines autographierten Mémoires des Leiters der ganzen astronomisch-
geodätischen Arbeiten, des Obersten Lebedeff. Zur Ausführung der astronomischen Arbeiten
(Messung der Azimute, Breiten und Längen) dienten die Triangulierungsinstrumente [1]).
Diese Triangulierung ergab die Grundlage für die unter Leitung des Obersten Artamanow
durch die militärtopographische Abteilung des Hauptstabs der Operationsarmee fast gleichzeitig mit den Trigonometern flüchtig ausgeführten topographischen Aufnahmen 1 : 42000,
wobei natürlich die aus den Jahren 1828 und 1829 rührenden Vermessungen in 1 : 84000
mit verwertet wurden, sowie der noch zu erwähnenden ersten genauen Karte dieses wichtigen Gebiets (S. 211), welche einen erheblichen Fortschritt in der Landeskunde bezeichnet
und für lange die beste Grundlage aller späteren kartographischen Arbeiten bilden wird.
Ferner wurden im Kaukasus durch die militärtopographische Abteilung in Tiflis Neuaufnahmen gemacht und dazu das ganze Gebiet in 7 Bezirke geteilt. Winnikow berichtet
über die Triangulationen in den Sapiski 1897. Die 1888 bzw. 1892 in Kutais und Twer
vorgenommenen Messungen schloß man an das transkaukasische Dreiecksnetz an und verband die so entstehenden einzelnen Ketten durch Netze 1., 2. und 3. O. Die gegenseitigen Höhenunterschiede wurden aus gemessenen Zenitdistanzen berechnet, die Netze
nach der Methode der kleinsten Quadrate ausgeglichen, wobei eine Ableitung der Dreiecksseiten von früher gemessenen Grundlinien stattfand. Es wurden zahlreiche astronomische
Ortsbestimmungen gemacht und Tiflis telegraphisch an Pulkowa angeschlossen; das Observatorium liegt 44° 47′ 49″ ö. von Greenwich unter 41° 43′ 8″ Breite. Besonders umfangreich
sind die Neuaufnahmen in den asiatischen Gebieten, namentlich nach Beginn der durch
kaiserlichen Ukas vom Februar 1891 angeordneten Weiterführung der Bahn Samara über
Slatousk bis Tscheljabinsk (sibirische Bahn), welche auf kürzester Linie die gewaltige
Strecke zurücklegt und dabei Gebirge (Ural, Jablonai, Schingan, Berge der Liao-tung-
Halbinsel) und große Stromsysteme zu überwinden, Sümpfe zu umgehen hat. Die militärtopographische Abteilung in Taschkent hat in Turkestan ein Gebiet von 7 Längen- und

---

[1]) Von Interesse ist, daß die russischen geographischen Längen mit den österreichischen gut übereinstimmen,
ebenso die Breiten, indem sie nur 0,21″ — 4 m bzw. 0,33″ — 6 m kleiner sind. Dagegen weichen die Höhen an
den Anschlüssen um 2 m durchschnittlich ab, und zwar sind die russischen kleiner, was mit einer Bodensenkung
innerhalb 20 Jahren erklärt wird.

5 Breitengraden Ausdehnung systematisch trigonometrisch und topographisch vermessen und dabei an die englischen Aufnahmen angeschlossen, was für die Gradmessung von besonderm Wert ist. Es wurden mehrere 2—3 km lange Grundlinien bestimmt. Der wahrscheinliche Dreiecksfehler beträgt $\pm$ 3,59″ [1]). Die topographischen Vermessungen geschehen im 1-Werstmaßstabe. Ähnliche Arbeiten führte die Omsker Abteilung im Ssemirietschenskischen Bezirk, einem Raum von 13 Längengraden Größe, und in verschiedenen abgesonderten Gebieten aus. Die 1-Werstaufnahme längs der sibirischen Bahn fand in 4 km Breite von Kurgen bis Omsk statt. Die Abteilung in Irkutsk machte mittels Nivelliertheodoliten Itinerarsaufnahmen bis weit in die Mongolei hinein. Endlich wurde das Amurgebiet in 850 km Länge an der sibirischen Bahn (bei 100 km Breite) sowie in zusammenhängender Weise von der koreanischen Grenze nach Norden bis Chabarowka und längs der Grenze der Mandschurei sowie im Ussuri-Gebiet trianguliert. Die Aufnahmen längs der sibirischen Bahn fanden in zwei Bezirken getrennt statt. Der erste, eine Gebirgsgegend, östlich von Schita anfangend, zieht sich in einem Streifen nördlich der Hoda und Schilka bis Strietensk. Der zweite bildet ebenfalls einen Gürtel und erstreckt sich in mehr oder minder großen Unterbrechungen von Pokrowskaja ab anfangs am linken Amurufer, entfernt sich dann von Wosskrossensk ab von diesem Flusse nach Norden unter Beibehalt seiner allgemeinen Richtung längs des Amur, sich ihm bald nähernd, bald sich von ihm entfernend, endigt er an der Bureja etwa 30 km von ihrer Mündung in den Amur. Es ist im allgemeinen eine sich von Westen nach Osten abdachende Erhebung. Im ganzen wurden 22218 qkm in 1:84000 (2 Werst), 85 km in 1:21000 (250 Saschen) und 14 qkm in 1:4200 (50 Saschen) aufgenommen. Sehr gutes Material, namentlich auch an der Topographie eine gute Grundlage gebenden astronomischen Punkten, ist ferner im asiatischen Rußland, besonders durch zahlreiche Expeditionen bedeutender Reisenden gewonnen worden. Ich erinnere an die Thian-Schan-Unternehmung des Barons Kaulbars 1872, bei welcher der Geodät C. Scharnhorst mit guten Instrumenten Positionen bestimmt hat. Dann die Expeditionen des Oberstleutnants Grombtschewskij in Darwas, Pamir, Dschiti-Schaar, Kandschut, Raskem und dem nördlichen Tibet in den Jahren 1885, 1888, 1889 und 1890. Sie ergaben eine inzwischen überholte Übersichtskarte 1:420000 von 1890/91, die nebst Bericht und Angabe der Positionen in den Iswestija veröffentlicht sind[2]). 1895 erschien dann unter Redaktion des Oberstleutnants Rodjanow die endgültige Karte 1:840000 dieser Gebiete auf 5 Blatt. Auch Pjewtsows Expedition nach Tibet 1889 und 1890 lieferte Positionen, die 1895 in St. Petersburg in „Trudi Tibetskoje Ekspedizij 1889—90" veröffentlicht wurden.

Endlich möge der Neuaufnahmen schon früher vermessener Gegenden hier gedacht sein. Schon 1873—78 wurden in der Polesie Neu- und Ergänzungstriangulationen gemacht, nämlich im Anschluß an das 1840 vollendete Netz 1. Ordnung solche 2. und 3. Ordnung. Dann fanden in den 70er und 80er Jahren in Bessarabien, von dem auf Grund älteren russischen Materials nur eine Karte 1:420000 des K. u. K. Militärgeographischen Instituts in Wien (ohne Gelände) vorhanden war, trigonometrische Vermessungen, verbunden mit gänzlichen Neuaufnahmen der im Berliner Vertrag erworbenen Teile, statt, deren Ergebnis eine 34blättrige Karte von Bessarabien war, die 1885 in Heliogravüre erschien. Im Anschluß an die schwedische Triangulation führte 1865—75 General Ehrenfeld eine solche in Finnland aus. Daran schlossen sich die 1885 begonnenen Neu- bzw. Ergänzungstriangulationen des nordwestlichen, westlichen und südwestlichen Grenzgebietes, zum Teil auf Grundlage der Tenner-Schubertschen Basen und Hauptdreiecksketten. 1886—88 nahm

<hr/>

[1]) Näheres: Sapiski 1897: „Verzeichnis der astronomischen und trigonometrischen Punkte des Militärdistrikts Turkestan und der ihn umgebenden Gebiete." Venukoff: „Sur l'état actuel des travaux géodésiques en Turkestan russe." C. R. Ac. Sc. Paris 1897. Krahmer: „Russische topographische und kartographische Arbeiten in Sibirien 1895."

[2]) Vgl. auch Peterm. Mitteil. 1889 und 1890.

Oberst Witkowski eine trigonometrische Vermessung im Gouvernement Petersburg vor, wobei eine 9,8 km lange Basis zum ersten Male mit dem Jäderinschen Apparat doppelt bestimmt wurde, dann eine solche in Kurland. Auch auf der Halbinsel Krim fand die Legung eines neuen Netzes 1888—89 auf Grundlage einer 4,5 km langen neuen Basis bei Feodosia statt. Ehe diese Triangulationen abgeschlossen waren, anfangs also auf Grund der Tennerschen Triangulation von 1845—53, später jedoch gestützt auf die neue, begonnen 1880, in dem militärisch so wichtigen westrussischen Grenzgebiete (Militärbezirk Warschau) unter Leitung der Generale Sohdanow, Polukarow, Schulgin, bzw. Lebedeff, Rylke, bzw. Bonsdorf, Sawicki, bzw. Sawicki die neuen topographischen Aufnahmen mit Meßtisch neuer Art, Kippregel mit Distanzmesser und Distanzlatte, Höhenmesser, Bussole und Meßband. Es wurden 199378 Q.-Werst (226893 qkm), d. h. mehr als der dreifache Flächenraum Böhmens und Mährens, aufgenommen und erkundet, und zwar in 1 : 16800 2695 Q.-Werst (3067 qkm); in 1 : 21000 180920 Q.-Werst (205887 qkm) und in 1 : 42000 3200 Q.-Werst (3642 qkm), der Rest erkundet. Freilich bleiben noch etwa $^2/_3$ des europäischen Rußlands, ein Teil des Kaukasus, Transkaspien, Teile von Turkestan und die südöstlich angrenzenden Gebiete, die weniger militärisch wichtig oder kultiviert sind, als solcher genauen Aufnahmen entbehrend, übrig, von den nur durch Itinerare festgelegten ganz zu schweigen.

Diese neuen Meßtischaufnahmen sollen einer neuen Spezialkarte 1 : 42000 von Rußland als Grundlage dienen, da die topographische Karte 1 : 126000 nicht als solche gelten kann und viele Mängel aufweist. Obwohl es an Zeichnern, Kupferstechern und Lithographen mangelt, dürfte aus politischen Gründen die Herstellung der Karte und ihre Ausgabe an die Dienststellen nicht mehr lange auf sich warten lassen. Dagegen wird sie wahrscheinlich n i c h t in den H a n d e l kommen.

Bei dieser Gelegenheit sei nun etwas näher auf die seit 1886 vorgeschriebene Art der A u s f ü h r u n g der t o p o g r a p h i s c h e n Arbeiten eingegangen. Es ist klar, daß in einem Lande von so gewaltiger Ausdehnung die einzelnen Gebiete einen sehr verschiedenen Charakter und naturgemäß auch einen sehr unterschiedenen geographischen, kulturellen und namentlich militärischen Wert haben. Daher ist auch nicht der gleiche Genauigkeitsgrad bei der Aufnahme angestrebt, schon mit Rücksicht auf die vorhandenen Arbeits- und Geldmittel, oft aber auch nicht möglich infolge äußerer Umstände, wie raschen Fortschreitens infolge beabsichtigter Kriegsunternehmungen oder im Kriege &c. selbst. Es werden also alle Aufnahmearten vertreten sein.

1. T o p o g r a p h i s c h e A u f n a h m e n im engeren Sinne auf Grund des (seit 1885 im nordwest-, west- und südwestlichen Grenzgebiet neu begonnenen) trigonometrischen Netzes und des Präzisionsnivellements, sowie von Eigentumskarten großen Maßstabes. Diese genauesten Aufnahmen erfolgen in 1 : 16800 (0,4 Werst = 1 Zoll) oder meist 1 : 21000 ($^1/_2$ Werst oder 250 Saschen = 1 Zoll) für den ganzen Westen des europäischen Rußlands, die Krim, den größten Teil des Kaukasus und besonders wichtige Gebiete des asiatischen Rußlands. Sie sollen eine neue Detailkarte 1 : 42000 bzw. 1 : 84000 liefern, da die topographische Karte 1 : 126000 nicht als solche gelten kann. Sie geschehen nur i n s t r u m e n t e l l, d. h. mit Meßtisch, Kippregel mit Entfernungsmesser (System Forsch), sowie Höhenmesser, Bussole und Meßband, niemals also durch Schätzung oder Schrittmaß. Neuerdings sollen durch v. Stubendorff und Pomeranzow neue Instrumente eingeführt sein. Die graphische Triangulierung schließt sich eng der trigonometrischen an, die 4—5 Punkte auf jede Platte 1 : 21000 liefert, und ergibt auf dem 5' geographische Breite und 9' geographische Länge umfassenden Meßtischblatt 30—36 Punkte, außerdem an den Rändern — über welche bei den Grenzsektionen eine Aufnahmegebiets noch um 100 Saschen (213,36 m), sonst um 40—50 Saschen hinaus zu topographieren ist — noch mindestens 2—3 Punkte des Nachbarabschnitts, um den richtigen Anschluß an ihn zu erleichtern. Die seit 1863 eingeführten Höhenmessungen geschehen jetzt in beiden Kreislagen, derart,

daß jede Höhe mindestens 2—3mal bestimmt wird. So ergeben sich im durchschnittenen Gelände 12—16, im offenen 8—12 Punkte auf 1 Q.-Werst (1,138 qkm). Bei über ½ Werst (rund ½ km) Entfernung wird die Strahlenbrechung berücksichtigt. Die Höhen der nicht trigonometrischen Punkte sind bis auf 0,5 Saschen genau. Die Darstellung des Geländes erfolgt schon seit Ende der 50er Jahre vorigen Jahrhunderts (jedoch ohne Grundlage von Höhenmessungen damals) fakultativ, seit Ende der 60er Jahre obligatorisch in Schichtenlinien (neben Schraffen), und zwar neuerdings in flacherem Gelände mit 1 Sasche (2,13 m), in gebirgigem und bewaldetem Gebiet mit 2 Saschen (4,26 m) Abstand. Für den Kaukasus und die Krim beträgt der Schichtabstand 4 Saschen (8,52 m). Bei Böschungen von 2°—3° sind noch Zwischen- und Hilfsniveaulinien einzuschalten. Es ergeben sich bei den Revisionen höchstens Fehler von 2 Saschen (4,26 m) in den neuesten westrussischen Aufnahmen. In der Situation — die alle Wege, Kulturen, die Wälder (meist mittels Polygonzügen bestimmt) enthält — kommen durchschnittlich Unterschiede von nicht über 10 Saschen (21,3 m) vor, zuweilen allerdings auch das Doppelte bis Vierfache. Während der Regentage werden jedenfalls die Höhenkurven in Tusche ausgezogen, alles übrige meist erst im Winter zu Hause, und zwar einfarbig, behandelt, damit das Meßtischblatt zur Vervielfältigung durch Heliographie geeignet ist. Dabei werden die Flächen der einzelnen Kulturen planimetrisch ausgemessen. Da die neueren Karten (seit 1881) in 1:42000 oder 1:84000 hergestellt werden, so wurden durch die militärgeographische Abteilung in St. Petersburg meist photographisch (was 15 Tage erfordert), neuerdings im Interesse der Schnelligkeit auch pantographisch Kopien in 1:63000 von in demselben Maßstab durch die Topographen auf Ölpausen gefertigten Abzeichnungen der Meßtischblätter gemacht, die nur das Gelände, sowie die Umrisse der Kulturen enthalten. Diese Reduktionen der Abteilung werden dann den Topographen wieder zugestellt, welche darauf in sorgfältiger Handzeichnung alles darin Fehlende aus der Platte eintragen und das vollendete Blatt wieder der Petersburger Abteilung zur heliographischen Herstellung der Tiefdruckplatte 1:84000 einsenden. Die Karte wird dann in zwei Farben (Gelände und Gerippe getrennt) gedruckt und enthält die Bodenformen in Niveaulinien von 10, zuweilen auch 5 Saschen (21,3 bzw. 10,6 m) und Bergstrichen. Die Leistungen der Topographen sind natürlich nach dem Gelände sehr verschieden. Im nord- und südwestlichen Grenzgebiete (Westrußland) wurden im Sommer 112 Q.-Werst (127,59 qkm), in Bessarabien 192 Q.-Werst (218,5 qkm), in Grodno nur 100 Q.-Werst (113,8 qkm), in Wolhynien 164 Q.-Werst (186,6 qkm) bewältigt, allerdings nach den Witterungsverhältnissen in verschieden langen Zeiträumen. Die kleinsten Durchschnittsleistungen kamen infolge sehr ungünstiger klimatischer Verhältnisse im nordwestlichen Grenzgebiet mit 58 Q.-Werst (66 qkm) vor. Diese durch Photogalvanoplastik vervielfältigten Blätter werden nur für Armeezwecke abgegeben.

2. **Militärtopographische Aufnahmen** auf derselben Grundlage wie 1., jedoch — mit Ausnahme von Städten und militärisch wichtigen Stellungen, die in 1:21000 vermessen werden — nur im Werstmaßstab 1:42000 ausgeführt. Dabei wird viel krokiert. So waren die Aufnahmen im mittleren Kamm des Kaukasus, auf weiten Flächen Rußlands, in der Provinz Daghestan, ebenso 1877/78 auf der Balkanhalbinsel, wo die Mappeure sich oft selbst Grundlinien messen und darauf die graphische Triangulation, unter möglichst reichlicher Einbeziehung von schon aufgestellten Signalen erst später durch den Trigonometer bestimmter Punkte, gründen mußten. Erst nachträglich konnten dann die ohne Sektionsrahmen aufgenommenen Blätter in die richtige Lage gebracht werden.

3. **Halbinstrumentelle Aufnahmen** 1:42000 oder meist 1:84000, die sich nur teilweise auf ein weitmaschiges trigonometrisches und geometrisches Netz stützen, für fast ⅔ des europäischen Rußlands, Transkaspien, Kaukasus und Teile Turkestans, Südsibiriens, des Amurgebiets und des Ussuritals. Da wird das Gerippe und zwar Eisen-

bahnen, Straßen, Kanäle, Gouvernements- und Kreisgrenzen instrumentell, alles übrige durch Krokis nach dem Augenmaß aufgenommen, und die Geländedarstellung ist bereits wenig zuverlässig.

4. Erkundungsaufnahmen (Rekognoszirowski) in 1:126000 (3 Werst) bis 1:840000 (5 Werst) in schwach kultivierten Gegenden, wie in der Kirgisischen Steppe, in Turgansk, in den Gouvernements Turkestan (teilweise), Tomsk, Tobolsk und teilweise im Ussurigebiet, auch in europäischen Gebieten, wie Wologda, Wiatka, in Perm, Samara, Eriwan &c. Nur die wichtigsten Punkte und Hauptlinien werden im Anschluß an astronomisch bestimmte Festpunkte mit Bussole und Aneroiden aufgenommen, alle übrigen Einzelheiten werden nach dem Augenmaß auf das Krokierbrett eingezeichnet, wobei für einige fruchtbare Abschnitte dieser Gebiete zuweilen Katasteraufnahmen 1:8400 einen Anhalt gewähren, die freilich weder astronomisch orientiert sind, noch eine trigonometrische Grundlage haben.

5. Marschroutenaufnahmen (Itinerare) 1:84000, 1:126000, 1:210000 und 1:420000 sind, wie die vorigen, entstandene Krokis wichtiger Straßen, welche das Seitengelände in etwa 2—3 Werst Breite mit umfassen. Sie sind in nur wenig erforschten Gegenden, besonders in China, aber auch im östlichen Teile Finnlands, angewendet worden, und doch umfaßt die kartographische Darstellung auf dieser von wenig astronomischen Punkten gestützten Grundlage über 12000000 qkm Fläche!

So ist seit 1822 ein Grundmaterial für die kartographische Darstellung in größerem Maßstabe von etwa ⅘ des europäischen Rußlands, sowie der größten Teile Mittelasiens und Turkestans in zielbewußter, planmäßig und umsichtig organisierter und geleiteter Arbeit geschaffen worden, wenn auch von sehr ungleicher Güte und namentlich kaum für geologische Präsisionsaufnahmen in irgendeinem Gebiet bis auf die neuesten Arbeiten ausreichend. Aber gewaltig ist die noch zu lösende Aufgabe. Über 10000000 qkm sind noch mehr oder minder genau aufzunehmen, davon im europäischen Rußland das östliche Finnland, der Nordosten von Archangelsk, der östliche Teil von Perm, in Asien Sibirien zwischen dem Eismeer und dem 57° n. Br., wo noch nichts vermessen ist, ebenso ein weites Feld in Mittel- und Ostasien. Die neuesten Instrumente und Aufnahmemethoden, z. B. die Photogrammetrie, die bereits im Kaukasus angewendet wurde, werden dabei zu Hilfe zu nehmen sein.

Im folgenden will ich das an kartographischen Arbeiten bereits Geleistete nun an den wichtigsten Kartenwerken näher erläutern.

1. Russische Generalstabskarten.
a. Europa.
α. Europäisches Rußland.

1. Kriegstopographische Karte des europäischen Rußlands 1:126000 [3 Werst (3 × 1066,79 m = 3 × 42000 Zoll):1 Zoll (= 2,5399 cm)] der Karte. Diese auf 972 Blatt[1]) von 58,5 cm Breite und 41,4 cm Höhe (3123 qkm) berechnete Karte, von der wenig über die Hälfte (rund 570 Blatt) erschienen ist, nämlich der Westen und Süden Rußlands, ist die eigentliche Kriegs- oder Generalstabskarte. Ihre Veröffentlichung wurde zuerst 1847 im „Russischen Invaliden" Nr. 147, und zwar für einen Umfang von rund 1300 Blatt angekündigt. Es wurde die Bonnesche (modifizierte Flamsteedsche) Projektion angewendet und als Nullmeridian der durch die Pulkowaer Sternwarte (47° 59′ 25″ ö. L. von Ferro, 30° 19′ 39″ ö. Greenwich, 27° 59′ 25″ ö. Paris) gehende, als Mittelparallel der 55. n. Br. bestimmt. Das Gradnetz ist von 20 zu 20 Minuten gezogen, die Blatteinteilung ist unabhängig davon. Zur Bezeichnung der Blätter dienen die Nummern der

---

[1]) Später wurden 60 Blatt für Polen hinzugefügt.

wagerechten Zonen in römischen Ziffern, die links oben stehen, und der 32 senkrechten Kolonnen in arabischen Ziffern 1—28 und A—D, die rechts oben angebracht sind. In der Blattmitte oben steht der Name des Gouvernements, links unten der des Stechers von Netz, Gelände und Wäldern, rechts unten der Name des Zeichners der Schrift und das Datum der der Richtigstellung zugrunde liegenden Erkundungen. Ein dreifacher Rand umgibt das Blatt, davon sind die beiden inneren Randlinien mit einer auf den Nullmeridian bzw. die Pariser Sternwarte bezogenen Gradeinteilung in Minuten versehen. In der Mitte unten steht der Maßstab. Eine sehr reichhaltige Zeichenerklärung in russischer, polnischer und französischer Sprache ist beigefügt. Die sauber und scharf in Kupfer gestochenen, schwarz gedruckten Blätter geben das Gelände in Bergstrichen (senkrechte Beleuchtung), die ersten Blätter allerdings noch rein krokiartig, seit 1858 mit Höhenangaben (liegende Ziffern) in Saschen (1 Sasche = 2,13 m) wieder. Neuere Blätter enthalten Niveaukurven von 2 Saschen Schichthöhe. Das Gerippe unterscheidet Eisenbahnen (im Bau und im Betrieb), Chausseen (mit und ohne Bäume), Poststraßen (ebenso), Wege (mit und ohne Kanäle), kleine gewöhnliche Wege, Fußwege, Winterwege, Faschinen- und projektierte Wege. Die Ortschaften werden im Grundriß wiedergegeben. Es finden sich die Staats-, Gouvernements-, Militär-, Kolonial-, sowie die Kreisgrenzen. Wald und Gebüsch werden als naß oder trocken, Wiesen als reine und nasse unterschieden. Die Nomenklatur ist russisch. Es ist klar, daß diese zwar immer noch beste und ausführlichste Karte des Landes, die einst unter Berücksichtigung aller Fortschritte des Vermessungswesens entworfen und ausgeführt wurde, bei der Länge der Zeit ihrer Herstellung höchst ungleichwertig in ihren Teilen sein muß. Mit Ausnahme der Eisenbahnen und Chausseen ist auch die Evidenthaltung keine sorgfältige. Die Druckplatten mancher Blätter sind, namentlich hinsichtlich des Geländes, fast verbraucht, daher undeutlich. Einige Blätter sind schon nach den neuesten Aufnahmen berichtigt, werden dann aber nicht veröffentlicht. Es scheint aber an Stechern und Zeichnern zu fehlen. Zu der Karte gehört ein Tableau d'assemblage 1:1008000 mit sauberem Fluß- und Straßennetz.

2. Die neuesten topographischen Karten des westrussischen Grenzgebiets in 1:84000 (2 Werst) bzw. 1:42000 (1 Werst) sind nicht im Handel zu haben. Sie sind sehr sorgfältig ausgeführt, besonders im Detail reichhaltig, und berücksichtigen nicht bloß militärische Bedürfnisse. Sie umfassen auch Bessarabien, sowie die Gouvernements Grodno und Wolhynien. Das Gelände ist in Schichtenlinien von 10 Saschen (21,3 m), an einigen Stellen auch von 5 Saschen (10,6 m) Abstand und in Bergstrichen (senkrechtes Licht) dargestellt. Es sind in zwei Farben ausgeführte heliographische Reduktionen aus in 1:63000 hergestellten Handzeichnungen auf Grund der Originalaufnahmen. Die Karte ist seit 1883 in Arbeit.

3. Garnisonumgebungskarten 1:21000, 1:42000 und 1:84000 gibt es für Moskau (6 Blatt), St. Petersburg (10 Blatt), Krasnoje Selo, Dünaburg, Riga, Orel, Elisabethgrad, Warschau, Twer &c. Es sind meist Chromolithographien, oft auch in mehreren Farben gedruckte Kupferstiche und Heliogravüren.

4. Gouvernementskarten 1:42000 bis 1:840000. Das Gelände ist in der Regel in Schummerung (Tuschmanier, Kreideabtönung) dargestellt. Es sind meist Chromolithographien, oft auch Kupferstiche. So sei erwähnt: Twer 1:84000 in 97 Blatt, 1848/49 von General Mende ausgeführt; Moskau 1:84000 in 40 Blatt, 1853—56 und 1880 vom Depot hergestellt; Rjäsan 1:84000 in 25 Blatt, 1860; Tambow 1:168000 in 33 Blatt, 1864, von General Mende; Simbirsk 1:126000 in 21 Blatt, 1860; Kaluga 1:252000 in 4 Blatt, 1862; Teile von St. Petersburg und Wyborg 1:42000 in 53 Blatt, 1865 und teilweise 1884; Finnland 1:84000 in 9 Blatt und 1:42000 in 131 Blatt; Krim 1:42000 in 89 Blatt, 1855; Podolien 1:840000 in 1 Blatt, 1864; Militärbezirk Odessa 1:840000 in 4 Blatt, 1867 &c.

5. (Neue) Spezialkarte des europäischen Rußlands 1:420000 (10 Werst) auf 177 Blatt großen Formats, davon 157 ganze (63,5 : 48,3 cm = 59970 qkm Fläche) und 20 halbe. Diese 1865 zuerst von dem General Iwan Afanasjewitsch Strelbitsky[1]) nur für den russischen Teil (in 145 Blatt) veröffentlichte, 1880 neuaufgelegte und dabei auf ihre jetzige Blattzahl gebrachte wichtige Karte umfaßt das ganze europäische Rußland einschließlich Polen, Finnland und die transuralischen Teile, die Gouvernements Perm, Orenburg, Transkaukasien, sowie die ausländischen Grenzgebiete (Preußen bis Berlin, Österreich bis Wien, die europäische Türkei, Rumänien, Ostrumelien und Bulgarien). Die Karte ist in Gaußscher Projektion entworfen. Der Kegel schneidet das Erdellipsoid in den Parallelen 45° und 59° n. Br., der Nullmeridian liegt 10° ö. L. von Pulkowa. Die Meridiane und Parallelkreise folgen alle 10'. In der Westhälfte ist die Karte genauer als in der Osthälfte ausgeführt, wenn sie auch fortlaufende Verbesserungen enthält. Die Darstellung der ursprünglich in Kupfer gestochenen, dann lithographisch übertragenen und in vier Farben gedruckten Karte ist ziemlich ausdruckslos. Das Gelände ist in braunen Lehmannschen Bergstrichen wiedergegeben, fast ohne Höhenzahlen. Wald (ohne Umrisse) und Wiesen sind grün, Gewässer blau, der übrige Teil ist schwarz gehalten; Grenzen haben rotes Handkolorit. Es werden Eisenbahnen, Chausseen, Post-, große Fahr- und Handelsstraßen, Landwege, ferner Reichs-, Gouvernements-, Provinz-, Bezirks-, Kirchspiel- und Kreisgrenzen dargestellt. Bei den Ortschaften, welche in Städte, Ansiedelungen und Dörfer von 500 bis 20 Höfe, von 20 bis 10 und von 10 bis 3 Höfe unterschieden werden, ist die Zahl der Häuser bzw. Gehöfte beigefügt. Die Schrift ist russisch. Die Karte erscheint auch ohne Geländedarstellung. Im übrigen sind Blatteinteilung und Orientierung wie bei der 3-Werstkarte. Bei der Umarbeitung dienen gewöhnlich die photographisch in 1:210000 verkleinerten Aufnahmen der Reichsdomänen.

6. Kriegsstraßenkarte des europäischen Rußlands 1:1050000 (25 Werst) auf 18 Blatt (72,4 : 48,3 cm), seit 1890 durch 8 Blatt auf Westrußland und die angrenzenden Teile als strategische Karte erweitert, ist eine Übersichtskarte von großer Wichtigkeit, auch für Verwaltungszwecke, weshalb sie stets verbessert wird. Sie ist 1881 unter Leitung des ehemaligen Obersten Iljin entstanden. In Gaußscher Kegelprojektion wie die vorige ausgeführt, Meridiane und Parallele von Grad zu Grad, schwarz, Kupferstich. Ursprünglich ohne Darstellung der Bodenformen, sind solche seit 1898 in einer 2. Buntdruckausgabe von 19 Blatt, von denen bisher 4 erschienen sind, braun ausgedrückt und die Wälder grün wiedergegeben worden.

7. Hypsometrische Karte des europäischen Rußlands südlich vom 60° N. 1:2520000 (60 Werst = 1 Zoll) auf 3 Blatt, 1889. Von Generalmajor Alexis v. Tillo[2]), Präsidenten der Abteilung für mathematische Geographie der K. Russischen Gesellschaft. Russisch. Farbendruck. Lithographie. Als Vorarbeit diente eine Karte der absoluten Höhen der Flüsse des europäischen Rußlands von 1888 in 8 Blatt 1:2520000. Die hypsometrische Karte umfaßt das genannte Gebiet vom 47. bis zum 60. Breitengrade mit Ausnahme der nördlichen Teile des Landes und des Kaukasus, erstere wegen fehlender Daten, letztere, weil eine besondere Karte vorhanden ist, nicht berücksichtigt. Das Gelände dieser Reduktion der 10-Werstkarte ist in Schichtentönen: Grün (5 Töne) für die Höhenstufen 10 bis 80 Saschen, zimtbraun (in 11 Tönen) von 80—450 Saschen und schwarz von 450—700 Saschen. Die mittlere Höhe Rußlands ergibt sich daraus zu etwa 170 m. Die Flüsse, deren mittleres

---

[1]) Der um die darstellende und rechnende Erdkunde hochverdiente Mann war seit 1854 Soldat, kam 1857 in den Generalstab und leitete die militärtopographischen Arbeiten. Er war auch schriftstellerisch erfolgreich tätig. 1900 starb er.

[2]) Er hat auch eine Zusammenstellung der „Materialien zur Hypsometrie des europäischen Rußlands" gemacht, in der alle Nivellierungen der Eisenbahnen (Katalog der Höhen der Eisenbahnstationen 1884) und der Flüsse (1892) durch verschiedene Behörden (Geologisches Komitee, Ministerium der Kommunikationen &c.) zusammengestellt und durch bezügliche Profile erläutert sind.

Niveau etwa 100 m beträgt, liegen mit ihren Quellen selten höher als 200 m. Die russischen Erhebungen weichen von ihren bis dahin üblichen Formen erheblich ab. Auf Grund von 51385 Höhenpunkten, die durch zahlreiche barometrische und andere Bestimmungen ermittelt wurden, läßt sich statt des jetzt verschwindenden uralisch-baltischen und uralisch-karpathischen Höhenrückens eher eine nord-südliche Richtung der Erhebungen feststellen. Besonders sind zum ersten Male die zentralrussische Waldaihöhe und die sie von der Wolga trennende Niederung klar zum Ausdrucke gebracht und auch die Höhenverhältnisse des Flachlandes festgelegt worden.

8. Hypsometrische Karte des westlichen Rußlands 1:1 680 000 (40 Werst). Ist 1890 vom General v. Tillo herausgegeben, 1895 erweitert worden. Sie umfaßt außer Westrußland auch noch die angrenzenden Teile Deutschlands und Ungarns sowie ganz Rumänien. In ihr treten daher die Höhenverhältnisse der osteuropäischen Ebene und der sie im Südwesten begrenzenden Karpathen, Sudeten &c. klar hervor. Das Gelände ist in Schichtentönen von verschiedenen Farben und Stufenhöhen dargestellt. 0—80 Saschen (0—170,68 m) sind durch 4 grüne Töne von je 20 Saschen = rund 42,7 m Abstand gekennzeichnet. 80—400 Saschen Höhe (170,68—853,40 m) werden durch 10 braune Farben ausgedrückt, die bis 200 Saschen Höhe heller gehalten sind und ebenfalls 20 Saschen Stufenhöhe haben, während auf der Strecke 200—400 Saschen vier dunklere Töne von je 50 Saschen = 106,7 m Stufenhöhe folgen. Daran schließen sich sechs Rosatöne in Abständen von je 100 Saschen = 213,4 m bis zu 1000 Saschen (2133,5 m) Höhe. Es ist also ein ähnliches Prinzip, wie bei der österreichischen hypsometrischen Übersichtskarte 1:750000 befolgt worden, auch hinsichtlich der Farbenwahl und Tönung. Das Meer hat blaue Töne in drei Stufen bis 50, 100 und über 100 Saschen (zu je 1,829 m) Tiefe. Die übrigen Gewässer dieser lithographierten Karte sind ebenfalls blau ausgeführt.

9. Etappenkarte des europäischen Rußlands 1:2520000 (60 Werst) in 4 Blatt, zuerst 1860, dann 1888 neu aufgelegt, auch farbig.

10. Generalkarte der Kommunikations- und Telegraphenlinien des europäischen Rußlands 1:3360000 (80 Werst) in 4 Blatt, 1891.

β) Nichtrussische europäische Länder.

1. Karte des Teils der Balkanhalbinsel, der das ganze Kriegstheater 1877/78 umfaßt:

a) Karte der östlichen Balkanhalbinsel 1:210000 (5 Werst) auf 62 Blatt (27:30 cm), 1884. Chromolithographie in 4 Farben. Sie ist nach dem Gradkartensystem, jedes Blatt 45 Längen-, 30 Breitenminuten groß, entworfen unter Redaktion des Wirklichen Staatsrats de Livron und unter Mitwirkung des Kapitäns Saidorow, des Hofrats Saidorow, der Titularräte Malejew und Butowitsch sowie der Kollegiensekretärs Iwanow, welche der Militärischen Geschichtskommission angehörten. Die Karte, die 1888 türkischerseits verbessert und ergänzt und 1894 vollendet wurde, umfaßt in einheitlicher Darstellung das heutige Bulgarien und Ostrumelien sowie den südöstlichen Teil der Türkei bis zum Marmarameer und Konstantinopel. Jedes der heliographisch erzeugten Blätter enthält die Zeichenerklärung. Die Orientierung erfolgt nach dem Meridian von Pulkowa. Die Gewässer und Sümpfe sind blau schraffiert, die Wälder grün, die Gebüsche grün gefleckt dargestellt. Die übrige Situation ist schwarz und gibt Eisenbahnen, Chausseen, Haupt- (Land-, Heer-), Transport-, Seitenstraßen, endlich Fußwege wieder. Ferner sind die Post- und Telegraphenstationen, sowie die Telegraphenlinien eingetragen, dann die Wirtshäuser, Zollgebäude, Kirchen, Moscheen und Synagogen, endlich die Fabriken, Mühlen und Befestigungen. Das Gelände (mit den astronomischen, trigonometrischen und geometrischen Punkten und vielen Höhenzahlen) ist in braunen Niveaulinien von 10 Saschen (21,34 m) Abstand, in den angrenzenden rumänischen Teilen in lichtbraunen Schraffen dargestellt und gibt ein anschauliches Bild. Die Grenzen sind sehr eingehend gezeichnet. Die Schrift ist kyrillisch. Im ganzen ist diese in einheitlicher Darstellung und vollendeter Form ausgeführte Karte, trotz ihrer hier und da noch anfechtbaren Genauigkeit, auch heute noch die Grundlage für alle kartographischen Arbeiten der Balkanhalbinsel.

b) Karte der östlichen Hälfte der Balkanhalbinsel 1:126000 (3 Werst) auf 62 Blatt in Kupferstich und Umdruck auf Stein von 1895. Sie schließt sich inhaltlich der vorigen an, mit der sie auch Projektion, Orientierung, Geländedarstellung teilt. Der Waldaufdruck fehlt.

2. Karte der östlichen Türkei 1:420000 (10 Werst) von Artamanow in 20 Blatt (69,1:45,7 cm), seit 1877. Sie ist in Gaußscher Kegelprojektion entworfen, der Kegel berührt das Ellipsoid im 43. Parallelkreis. Die Längen rechnen von Pulkowa. Der Mittelmeridian liegt 7° 30' W. Die Meridiane und Parallelkreise sind alle 30' gezogen. Viele Einzelheiten, besonders im östlichen Teil. Das Wegenetz enthält die fertigen und im Bau begriffenen Eisenbahnen, Chausseen, Fahrwege, Saum- und Fußpfade. Die Gewässer sind blau, das Gelände ist in roter Schummerung ganz ansprechend ausgedrückt die Ortschaften sind nach Einwohnerzahlen und ihrer administrativen Stellung geordnet. Die russische Schrift ist stellenweise unleserlich. Im mittleren Bulgarien versagt die sich vielfach, besonders im Süden in Thessalien, Epirus, Albanien und längs des Ägäischen Meeres auf Kiepert und A. Viquesnel stützende, 1884 vollendete lithographierte Karte fast ganz.

3. Umgebungskarten von Konstantinopel und dem Bosporus in 1:420000 (1 Werst) von 1881 und 1:420000 von 1883 von Artamanow. Die erstgenannte, auf 6 Blatt im Gradkartensystem, enthält die Meridiane mit 15', die Parallelkreise mit 12' Abstand.

4. Pläne der Befestigungen der Tschataldschalinie und von „Philippopel und Umgebung" sowie von „Adrianopel und Umgebung" 1:21000, von Artamanow, Chromolithographien auf je 1 Blatt seit 1878, mit allen Festungsanlagen.

5. Pläne von Plewna 1:21000 und Rustschuk 1:8400 von Artamanow, 1878.

6. Karte Crnogorske Knjaževina (Montenegro) 1:168000 in 4 Blatt, zum kleinsten Teil auf Grund der russischen Triangulation. Diese sowohl im Wegenetz wie in der Geländedarstellung unzuverlässige lithographierte Karte zeigt die Bodenformen in brauner Schummerung, die Ebenen grün und ist sehr verbreitet, trotz ihrer Fehler und Verzerrungen. Die Höhen sind, soweit überhaupt vorhanden, in russischen Fuß, die Schrift in kyrillischen Zeichen, das Gerippe ist schwarz dargestellt. Petersburg 1881.

7. Karte von Neu-Montenegro 1:42000 und 1:21000, 1879—81 von russischen Offizieren aufgenommen. Geheim. 1882.

8. Karte von Montenegro 1:420000 von Baron Kaulbars, zum kleinen Teil auf russischen Aufnahmen beruhend, 1881.

9. Frontières du Monténégro 1:100000, Petersburg 1880, und Délimination du Monténégro 1:50000, ebenda 1882, beide von Kaulbars und geheim. Stellen natürlich nur einen kleinen Teil des Landes dar.

10. Carta Knažestvo Černagorskago 1:294000 von P. A. Rowinski, auf Grund der Originalaufnahmen 1:42000 in 1 Blatt, 1889. Gelände geschummert. Lithographie, Dreifarbendruck. Die wichtigste Karte von Montenegro[1]). Von Michelow gestochen.

---

[1]) 1888 im Militärgeographischen Bureau hergestellt, gehört zu seinem Werk über Montenegro.

b. Asien [1]).

Asiatisches Rußland.

Militärtopographische Abteilung des Hauptstabes (St. Petersburg):

1. Karte des asiatischen Rußlands 1:8400000 (200 Werst) auf 4 Blatt. Chromolithographie. Seit 1860, dann 1874 neue Ausgabe. In russischer Sprache.

2. Dieselbe, aber auf 2 Blatt, seit 1865, dann 1878 neu aufgelegt.

3. Karte des asiatischen Rußlands und der angrenzenden Gebiete 1:4200000 (100 Werst) auf 8 Blatt (66:48,3 cm) und 2 Klappen. Gaußsche Projektion, Berührung des Ellipsoids im 54. Parallel. Mittelmeridian 66° östl. von Pulkowa. Alle 2° ein Meridian bzw. Parallel. Umfaßt neben dem russischen Gebiet auch einen großen Teil des übrigen Asien (China, Tibet, Pandschab, Persien) bis zum 32. Parallel. Das vorläufig geschummerte Gelände erhält später graublaue Schraffen. Chromolithographie. Seit 1883.

4. Karte der südlichen Provinzen und des Grenzgebiets des asiatischen Rußlands 1:1680000 (40 Werst) auf 32 Blatt (57,5:51,4 cm). Enthält einen großen Teil Sibiriens, ganz Turkestan, das östlich vom Kaukasus gelegene Gebiet und einen großen Teil Asiens (China, Mandschurei, Korea, Japan) bis zum 28. Parallel. Gaußsche Entwurfsart mit im 44. Parallel berührendem Kegel. Der Mittelmeridian 86° östl. von Greenwich, von wo zum erstenmal die — wie die Parallelkreise — alle 2° gezogenen Meridiane gezählt sind. Die Bodenformen in graublauen Schraffen. Reich an topographischen Einzelheiten. Chromolithographie in 4 Farben.

5. Karten des Orenburger Kosakenheeres 1:420000 und der Orenburger Kirgisensteppe 1:840000 in Lithographie, 1882 bzw. 1889.

6. Militärstraßenkarte des asiatischen Rußlands 1:2100000 (50 Werst) in 14 Blatt, 1874.

7. Karte der astronomischen und trigonometrischen Punkte des asiatischen Rußlands 1:1680000 (40 Werst) auf 2 Blatt in Lithographie, 1876.

Militärtopographische Abteilung für Kaukasus (Tiflis):

1. Topographische Karte des Kaukasus (und der angrenzenden Teile der asiatischen Türkei und Persiens) 1:210000 (5 Werst) auf 58 Blatt. Als Chromolithographie 1863—85 entworfen und ausgeführt von General Stebnitzki. Im Hochgebirge ursprünglich sehr ungenau, ist sie auf Grund von Neuaufnahmen in 1:42000, unter Zugrundelegung eines dichteren trigonometrischen Netzes, berichtigt worden.

2. Dieselbe in 1:420000 (10 Werst) auf 22 Blatt (45:60 cm), 1:840000 (20 Werst) auf 9 Blatt (40:45 cm) — sämtlich Chromolithographien. 1847 bzw. 1858.

3. Orographische Karte des Kaukasus 1:1680000 (40 Werst) auf 1 Blatt.

4. Topographische Karte des transkaspischen Gebiets 1:840000 (20 Werst) auf 2 Blatt. Seit 1881.

5. Topographische Karte von Transkaspien 1:210000 (5 Werst).

6. Marschroutenaufnahmen in der transkaspischen Provinz 1:84000 (2 Werst). Seit 1872.

Militärtopographische Abteilung für Orenburg (seit 1881 aufgehoben):

1. Karte der Etappenstraßen des Orenburger Landes 1:2100000 auf 1 Blatt. Lithographie. 1865.

2. Generalkarte des Gouvernements Perm und der Orenburger Länder 1:840000 auf 19 Blatt. Chromolithographie. 1864—69, seit 1880 berichtigt.

3. Generalkarte der Orenburger Länder nebst Teilen von Chiwa und Buchara 1:2100000 (50 Werst) auf 2 Blatt. Chromolithographie. 1879.

---

[1]) Nur die wichtigsten Karten und in aller Kürze können hier erwähnt werden.

4. Karte der Orenburger Länder 1:420000 (10 Werst) auf 70 Blatt. Wird allmählich auf die Länder des uralischen Kosakenheeres, der bukajewskischen Kirgisenhorde, die Steppengebiete von Turgai und Uralik erweitert. Chromolithographie. Seit 1868.

5. Zwei Karten des uralischen Kosakenheeres 1:210000 auf 16 Blatt. 1869—72, und 1:420000 auf 4 Blatt, 1879. Chromolithographie.

Militärtopographische Abteilung für Westsibirien (Omsk):
    1. Ethnographische Karte der Kirgisensteppe 1:840000 (20 Werst). Lithographie. 1868.
    2. Karte von Omsk 1:1680000 (40 Werst) auf 12 Blatt. 1893.
    3. Spezialkarte von Westsibirien 1:420000 (10 Werst). Lithographie. 1870.
    4. Karte von Westsibirien 1:630000 (15 Werst) auf 6 Blatt. 1885.

Militärtopographische Abteilung für Ostsibirien (seit 1884 in die Abteilungen Irkutsk und Amur geteilt):
    1. Zwei Karten von Südussuriland 1:420000 und 1:630000. 1866 und 1883.
    2. Karte von Ostsibirien 1:4200000.
    3. Karte der nordwestlichen Mongolei 1:2100000 (50 Werst) auf 1 Blatt (54,6:53,3 cm). Gaußsche Kegelprojektion. Längen von Pulkowa. Mittelmeridian 63° 30′ östl. davon (Pulkowa). Meridiane und Parallelkreise alle Grad. Chromolithographie. Seit 1883.
    4. Marschroutenkarten 1:630000. Nach Karatageis und Darwas von Roß-jakow. 1875.
    5. Karte des oberen Amur-Darjagebiets 1:260000 (30 Werst) auf 1 Blatt. Kegelprojektion. Meridiane und Parallele alle Grad. Der Mittelmeridian 88° östl. von Pulkowa.
    6. Marschroutenaufnahmen von Staro-Zurucheitujewsk nach Aigun (Amur) 1:1050000. Von Butin.
    7. Karte der Insel Sachalin 1:168000 (4 Werst) auf 1 Blatt. Lithographie.
    8. Karta Amursskago i Primorsskago gornych okrugow 1:420000. Mit 14 Seiten Text. St. Petersburg, 1897.
    9. Karta Bargusinsskago okruga 1:420000. Sabajkalsskaja oblasstij. 18 Seiten Text. St. Petersburg, 1897.
    10. Karta Lensskago gornago okruga 1:420000. Sakutsskaja oblasstij i Irkutsskaja 2. Blatt. 44 Seiten Text. St. Petersburg, 1897.
    11. Karta Nertschinsska—Sawordsskago, Nertschinsskago i Tschinsskago okrugow 1:420000. Sabajkalsskaja oblasstij. 16 Seiten Text. St. Petersburg, 1897.
    12. Karte der östlichen Mandschurei 1:840000 (20 Werst) in 2 Blatt, mit Angabe der Wege und Erzlager. Russische Schrift.

Infolge der bzw. für die geologischen Untersuchungen längs der sibirischen Bahn wurde eine große Zahl von Karten hergestellt, so
    1. Marschrutnaja geologitscheaskaja tschessti Sabajkalskoj oblassti ot prisstani Myssowoj do poss. Bjankina 1:1680000.
    2. Ssibiri, Karta tretitschnichi posslje tretitschnich otloshenij Sapadnoj 1:8400000 &c.
    Endlich wurde auf Grund der astronomischen Bestimmung von 1849—96 und des kartographischen Materials bis 1891 eine „Kartenskizze des Baikalsees 1:1260000" zusammengestellt.

Militärtopographische Abteilung für Turkestan (Taschkent):
    1. Karte des Miltärbezirkes Turkestan 1:420000 (10 Werst) auf 7 Blatt.

2. Dieselbe, aber 1 : 1 680000 (10 Werst) auf 15 Blatt (48,3 : 45,7 cm). Gaußsche Kegelprojektion, im 43. Parallel berührend. Mittelmeridian 40° östl. von Pulkowa, hauptsächlich Wegekarte. Chromolithographie. 1894—95.

3. Karte des Gebiets Ssemirjetschenk 1 : 210000 auf 1 Blatt. 1867.

4. Karte des Generalgouvernements Turkestan 1 : 2100000, 2 Blatt, 1873.

5. Karte des Chanats Chiwa und der Niederungen von Amu-Darja 1 : 1 555000 auf 1 Blatt. Chromolithographie. 1876.

6. Karte der chinesischen Grenzlande 1 : 210000 auf 18 Blatt. Chromolithographie. 1888.

7. Zwei Karten des westchinesisch-russischen Grenzgebiets 1 : 210000 und 1 : 840000. Photolithographie. 1884.

8. Karten des Gebiets von Fergana 1 : 42000 (1 Werst) und 1 : 84000 (2 Werst). Chromolithographien. 1882—84.

9. Plan des russischen Teils von Taschkent 1 : 8400 auf 1 Blatt. 1890.

2. Arbeiten anderer russischer Behörden und russischer wissenschaftlicher Gesellschaften.

Geologische Kommission des Bergdepartements (Ministerium der Reichdomänen):

1. Allgemeine geologische Karte des europäischen Rußlands 1 : 420000 (10 Werst) auf 154 Blatt, mit Text. Seit 1883 auf Grund der von Tschewkin, Murchison und Verneuil in den 30er Jahren des vorigen Jahrhunderts begonnenen, 1845 vollendeten und durch Neuaufnahmen, namentlich die Strelbitzkischen und Tilloschen Arbeiten, berichtigten Karten in Arbeit, aber noch weit zurück. Genügt ja das hypsometrische Material weiter Gebiete nicht, um auch nur in ganz kleinem Maßstabe eine auf Richtigkeit Anspruch machende Höhenlinienkarte, die Grundlage jeder geologischen, zu entwerfen.

2. Geologisische Karte des europäischen Rußlands 1 : 2520000 (60 Werst). Auf topographischer Grundlage der Generalkarte Iljnis. 6 Blatt. Unterscheidet 45 geognostische Elemente. Sehr sauber von 45 Autoren ausgeführt. Text dazu in russischer und französischer Sprache. 1893.

3. Allgemein geologische Karte des europäischen Rußlands 1 : 6300000 (126 Werst) auf 10 Blatt, welche die verschiedenen Formationen, jede für sich besonders, darstellt. Russisch, 1897. Stuckenberg hat 1898 ausführliche Erläuterungen dazu gegeben (mit 5 Tafeln in Russisch und deutschem Auszug), die sich auf das mittlere und östliche Rußland beziehen. Ebenso hat 1897 die Geologische Kommission einen Führer für die Ausflüge des VII. Internationalen Geologenkongresses herausgegeben, der in 35 Abhandlungen der hervorragendsten Geologen aller Länder und durch Erläuterung mit Karten &c. die geologischen Verhältnisse Rußlands auf Grund dieser Karten klarlegt.

4. Geologische Aufnahme Finnlands 1 : 200000 auf 32 Blatt. Nördlich vom 61° n. Br. wird die Aufnahme in 1 : 400000 fortgesetzt werden. Berichte von E. Zimmermann über die Aufnahme (1897) und J. E. Rosberg über die Karte (1898). Erscheint seit 1879.

5. Geologische Übersichtskarte von Finnland 1 : 2500000 mit Text von J. J. Sederholm. 1889.

6. Bodenkarte des europäischen Rußlands 1 : 2520000, von Tschaslawski. Vergriffen.

Finanzministerium:
Russian Map of Manchuria 1 : 3360000 von Borodowski, 1 Blatt. Enthält Gelände und Bahnen, sowie 6 Nebenkarten. Dazu Text mit Ortsverzeichnis. Russisch. 1895.

Postdepartement:

Postkarte des Russischen Kaiserreichs 1:1750000 in 9 Blatt. St. Petersburg.

Ministerium des Innern (Zentralstatistisches Komitee):

Karte der Gouvernements und der Gebiete, welche die sibirische Bahn passiert 1:630000 (15 Werst). 1893/94.

Ministerium der öffentlichen Verkehrswege:

1. Hypsometrische Karte der südlichen Hälfte des europäischen Rußlands mit Rücksicht auf die angrenzenden Teile von Deutschland, Österreich-Ungarn und Rumänien, in 4 Blatt, 1:1680000 (40 Werst) von A. v. Tillo. Mit und ohne Schrift sowie mit den Linien der Wasserscheiden. St. Petersburg, 1899.

2. Karte der Gebiete der inneren Wasserwege des europäischen Rußlands mit Angabe der meteorologischen und Wassermessungs-Beobachtungspunkte 1:2520000 (60 Werst). St. Petersburg, 1899.

3. Schiffahrtskarte des Amur (vorläufige) auf 23 Blatt (78:48 om). St. Petersburg, 1898.

Observatoire physique central Nicolas:

„Atlas climatologique de l'Empire de Russie" in 89 Karten 1:12,5 Mill. und 15 graphischen Tafeln, mit einer „Notice explicative", St. Petersburg, 1900. Dieses anläßlich der 50jährigen Gründungsfeier (1849—99) des jetzt unter Rykatschew stehenden Observatoriums veröffentlichte hervorragende Werk bringt die Luftdruckverhältnisse in Monats- und Jahreskarten, dann die Temperaturverhältnisse, die absolute und relative Feuchtigkeit, die Niederschlagsmengen, Bewölkungsverhältnisse, den Auf- und Zugang der Gewässer, die Dauer der Schneedecke, die Gewitterhäufigkeit, die Bahnen der Depression zur kartographischen Darstellung. Auch typische Wetterkarten in verschiedenen Diagrammen finden sich — alles in mustergültiger Klarheit und guter Farbengebung.

Kaiserliche Akademie der Wissenschaften:

1. Berichtskarte der astronomischen, geodätischen und topographischen Arbeiten im europäischen Rußland bis 1890 einschließlich. 1:8400000. Farbendruck. Von E. Kowerski. 1893.

2. Karte des asiatischen Rußlands und seiner Nachbarländer 1:8400000 von E. Kowerski, ausgeführt von der kartographischen Abteilung des Generalstabes. In russischer Sprache, mit 1 Band Erläuterungen. St. Petersburg, 1900. Dieses großartige Werk gibt das Gesamtergebnis der wissenschaftlichen und praktischen Erforschung und wirtschaftlichen Ausnutzung des russischen Asiens in mustergültiger Weise wieder. Die Karten reichen über die Mongolei, Pamirländer, Afghanistan, Persien und bis zum Yangtse. Man findet alle Forschungsreisen der letzten Jahrzehnte, sowie die wichtigsten geographischen und statistischen Verhältnisse über Russisch-Asien.

Kaiserliche Geographische Gesellschaft in St. Petersburg:

1. Karte des europäischen Rußlands und des Kaukasus 1:1680000 (40 Werst) auf 12 Blatt, 1862, neu aufgelegt 1895.

2. Ethnographische Karte des europäischen Rußlands 1:2520000 (60 Werst) auf 6 großen Blättern. 1875.

3. Karte des Baikalgebiets 1:210000 (50 Werst). 1899.

Sällskapet för Finlands geografi:

Atlas öfver Finland, 32 Karten und 12 Seiten sowie einem Text von 479 Seiten, unter Redaktion eines Komitees aus E. R. Nevvius, J. A. Palmén, M. Alfthan, J. P. Norrlin,

E. G. Palmén, O. Savander, J. J. Sederholm. In finnischer und schwedischer Sprache. Helsingfors, 1899, G. W. Edlund. Dieses wichtige Werk gibt über alle geographischen, statistischen und wirtschaftlichen Verhältnisse des Landes eine zuverlässige Auskunft. Es befindet sich auch eine hypsometrische Karte darin, die aber nur den allgemeinen Charakter der Bodengestaltung geben kann, da für die Situation nur 500 Fixpunkte zur Verfügung standen und in den höheren Teilen Finnlands die Kurven nur ganz beiläufig gezeichnet werden konnten. 1896 ist von dem Topographischen Aufnahmebureau für Finnland und des Gouvernements St. Petersburg ein Katalog der in Finnland von 1860—96 bis zum 61° n. Br. bestimmten astronomischen und trigonometrischen Punkte erschienen.

Hydrographisches Departement:

Es gibt für alle Meere (Schwarzes, Kaspisches, Baltisches, Weißes) Segelanweisungen (Lozien) heraus, die mit der Zeit in neuer Auflage erscheinen. Ebenso sind Seekarten in verschiedenen Maßstäben vom Hydrographischen Departement veröffentlicht und in einem zeitweise ergänzten Katalog verzeichnet worden. Aber die Karten der nordischen Meere sind teils ungenau, teils veraltet. Auch gibt es einen Atlas mit Plänen der Handelshäfen (vielfach 1750 feet to an inch), Beobachtungen über Gezeiten, Strömungen &c.

Die russische Privatkartographie ist sehr bescheiden und vereinigt sich fast allein auf das allerdings treffliche kartographische Institut von Poltarazky und A. Iljin, das eine große Reihe guter geographischer, historischer General-, Spezial- und Atlaskarten in den verschiedensten Maßstäben veröffentlicht, darunter viele militärisch beachtenswerte. Auch im Auslande werden seine Karten vertreten, z. B. durch Brockhaus in Leipzig. Hier seien genannt:

1. Generalkarte Europas 1 : 2 520 000 (60 Werst) auf 9 Blatt.
2. Generalkarte von Asien 1 : 8 400 000 (200 Werst) auf 6 Blatt.
3. Generalkarte des asiatischen Rußland 1 : 10 500 000 (205 Werst) seit 1865.
4. Generalkarte des europäischen Rußland 1 : 2 520 000 (60 Werst) auf 6 Blatt.
5. Karte des ganzen russischen Reiches 1 : 8 400 000 (200 Werst) auf 3 Blatt, Chromolithographie.
6. Dieselbe 1 : 4 200 000 (100 Werst) auf 2 Blatt.
7. Atlas des russischen Reiches und der angrenzenden Gebiete, mit Plänen der Gouvernementsstädte. 125 Blatt in Folio. Gelände in braunen Schraffen, Gewässer blau, Städte rot, russisch. Verschiedene Maßstäbe. Von General Iljin. 1885—93.

Dann Schulatlanten von Iljin und Linberg, die politisch-physikalische Wandkarte 1 : 2 520 000 von Iljin usw.

Von andern Verfassern und Verlegern seien nachstehende Karten angeführt:

P. A. Antropow: Finanz-Statistscher Atlas Rußlands 1885—95. St. Petersburg 1898.

Mar. Götz: Handkarte der Gouvernements des Königreichs Polen, mit Entfernungsangaben. Warschau 1898.

Bolschew: Karte des asiatischen Rußland 1 : 420 000 auf 192 Blatt. Sie reicht von Kasan im Westen bis Kainek im Osten, von Wiatka im Norden bis Brirdscheni im Süden, und stellt 9 000 000 qkm Fläche dar.

Rodinow: Karte zu der Reise des Obersten Grombtschewski in Darwas, Pamir, Tibet 1 : 84 000 auf 4 Blatt. 1889—90.

J. E. Kondratschenko: Karte von Transkaukasien 1 : 84 000 (20 Werst) mit Angabe der Bevölkerungsverhältnisse, bearbeitet auf Grund der Arbeiten des transkaukasischen Komitees. Tiflis 1897.

Große russische Enzyklopädie: Hypsometrische Karte Rußlands 1 : 15 300 000 (wahrscheinlich von J. v. Schokalsky). Sie gibt die erste Darstellung der Höhenlinien für das

Gebiet zwischen Finnland und Nordural und geht über ganz Rußland; daher, trotz des kleinen Maßstabes, recht beachtenswert.

J. Sitzka: Archäologische Karte von Liv-, Est- und Kurland 1:1 Mill. in 2 Blatt. Jurjev (Dorpat) 1896.

8. J. Wernitzky: Karte der Post-, Telegraphen- und Telephonverbindungen in Livland. 2 Blatt (47:96,5 cm). Lithographie und Farbendruck. Riga, L. Hoerschelmann, 1899.

Grosser allgemeiner Tisch-(Hand-)Atlas Marcks. Unter den 62 Haupt- und 148 Nebenkarten auf 58 zweiseitigen Foliotafeln, reduziert von Prof. J. HD. Peter und H. J. M. v. Schokalskij ist eine „Karte des europäischen Rußlands" in 16 Blatt 1:2 Mill. (mit Übersichtsblatt 1:20 Mill.) hervorzuheben, von der bisher 6 Blatt erschienen sind. St. Petersburg. A. F. Marcks. Seit 1903 im Erscheinen. Schraffen und Höhenzahlen, die Gewässer blau, die Tiefen in blauen Flächentönen. Tüchtige Arbeit. Neuestes Material.

Ausländische Veröffentlichungen. Ihre Zahl ist groß, nur das Wichtigste kann angeführt werden.

Von Behörden:

Preußischer Generalstab (Berlin):

1. (Reymannsche) Topographische Spezialkarte von Mitteleuropa 1:200000. Kegelprojektion. Enthält Rußland teilweise (Grenzgebiet bis zum 43. Meridian im allgemeinen). Neu berichtigt.

2. Topographische Übersichtskarte des Deutschen Reiches 1:200000 und Karte des Deutschen Reiches 1:100000 enthalten kleine Teile des Grenzgebiets.

Militärgeographisches Institut (Wien):

Die Spezialkarte 1:75000, die Generalkarte von Mitteleuropa 1:200000, die Generalkarte von Zentraleuropa 1:300000, die Übersichtskarte von Mitteleuropa 1:750000 (seit 1902) enthalten das europäische Rußland teilweise.

Service géographique de l'armée (Paris):

1. Carte de la Russie 1:424000 auf 35 Blatt (1854—56) ist eine reduzierte Kopie der russischen Generalstabskarte.

2. Carte des chemins de fer de l'Europe centrale 1:1200000 auf 3 Blatt, schwarz, Kupferstich, enthält Rußland teilweise.

3. Carte de France au 320000e prolongée in 3 Farben, 1877, gibt einen kleinen Teil des westlichen Grenzgebiets, wird aber durch die Karte 1:200000 prolongée ersetzt.

Von Privaten:

1. Stielers Handatlas: Europäisches Rußland 1:3,7 Mill. in 6 Blatt. Von H. Kehnert und H. Habenicht, sowie West- und Ostsibirien, je 1:7500000. Gotha, Perthes. Neue Auflage 1902. Eine völlig neue, die vor vierzig Jahren von Petermann entworfene Karte ersetzende, ganz hervorragende Arbeit, in der namentlich die treffende Auffassung des Geländebildes und der Reichtum an Höhenzahlen angenehm auffällt.

2. A. Petermann: Karte des südwestlichen Teils der Krim: 1:1700000. 1 Blatt. 3. Aufl. Gotha, Perthes. 1885.

3. H. Habenicht: Orohydrographische Schulwandkarte von Rußland 1:2000000 in 12 Blatt. Gotha, Perthes. 1895.

4. H. Kiepert: Generalkarte des Russischen Reiches in Europa 1:3000000 auf 6 Blatt. Lithographie und Kolorit. 6. Aufl. 1893 (1. Aufl. 1865). Berlin, D. Reimer.

5. G. O'Grady: Übersichtskarte vom westlichen Rußland 1:1750000. 4 Blatt, Farbendruck. Kassel, Fischer, 1895, sowie Handkarte von Russisch-Polen 1:1750000, ebenda.

6. W. Koch und C. Opitz: Eisenbahn- und Verkehrsatlas von Rußland und den Balkanstaaten. 28 Blatt 1:2 Mill. mit 11 Nebenkarten (11. Abt. des gleichnamigen Atlas von Europa). 1. Aufl. 1894, 2. Aufl. 1900. Leipzig, J. J. Arnd. Ein in seiner Art einzig dastehendes Werk in vierfachem Farbendruck, von großer Übersichtlichkeit und guter Lesbarkeit. Die Staats- und Privatbahnen sind einheitlich rot koloriert und mit Nummern versehen, zu denen auf Blatt 1 eine nähere Erklärung gegeben ist. Doppelgeleisige und Schnellzugsbahnen sind durch besondere schwarze Doppellinien hervorgehoben. Das den Verkehrslinien zugrunde liegende Gefließeetz ist hellblau dargestellt, das Grenzkolorit möglichst sparsam verwendet worden. Zu den au einer Verkehrswandkarte von 175:152 cm Größe zusammensetzbaren Blättern gehört ein Verkehrshandbuch in deutscher und russischer Sprache von praktischem Inhalt und tabellarischer Anordnung.

7. Handtke: Generalkarte des Europäischen Rußland 1:5000000. Glogau 1889.

8. Derselbe: Generalkarte des westlichen Rußland 1:2 Mill. nebst Teilen des Deutschen Reiches und von Österreich-Ungarn. 1 Blatt. Glogau 1888.

9. K. Bamberg: Schulwandkarte von Rußland 1:2560000 in 12 Blatt (38,5:47 cm), Farbendruck, mit roten politischen Grenzen. Berlin, C. Chun. 4. Aufl. 1889.

10. G. F. Raab: Eisenbahnkarte von Rußland 1:4800000. Farbendruck. 59,5:55 cm. Glogau, C. Flemming. 22. Aufl. 1889.

11. C. Riemer: Das Kaisertum Rußland und das Großfürstentum Finnland. 1:6588000. 58,5:47,5 cm. Farbendruck. Weimar, Geogr. Institut. 1889.
12. G. Freytag: General- und Straßenkarte von Westrußland. 1:1500000. Farbendruck. Wien. 1. Aufl., 1884, 2. Aufl. 1898.
13. J. Pohl und B. Widimsky: Eisenbahnkarte des östlichen Europa mit besonderer Berücksichtigung des russischen Reiches 1:2500000. 4 Blatt. 132:120 cm. Wien.
14. Eugen Schuler: Dislokationskarte der russischen Armee 1:4500000. Militärisch wichtig.
15. B. Noordhoff. Rusland, wandkaart voor schoolgebruik (in Kleurendruck). 94:73 cm. Amsterdam, 8. L. Ley. 1899.
16. F. Schrader: Russie d'Europe 1:7500000 (Atlas universel de géographie, commencé par Vivien de Saint-Martin, continué sous la direction de E. Colin et Delaune). Paris, Hachette et Cie. 1899.
17. W. Liebenow: Spezialkarte von Mitteleuropa 1:300000, gibt das russische Grenzgebiet.

Literarische Arbeiten. Der russische Generalstab hat ein Memorial, den Sbornik und die Sapiski herausgegeben (Kriegsdepot bzw. Bureau der topographischen Abteilung). Baron Kaulbars: Aperçu des travaux géographiques en Russie 1889; gibt eine gute Übersicht aller Arbeiten. Psanow: Geschichte der halbhundertjährigen Tätigkeit der Kaiserlich Russischen Geographischen Gesellschaft, 1896, in 3 Teilen, mit Karte (1:840000 von Kowerski: Russisch-Asien). H. Tschernitscheff: Hauteurs absolues déterminées dans l'oural méridional. 1882—85. St. Petersburg 1886. Strelbitsky: Berechnung der Oberfläche sämtlicher Besitzungen des Russischen Reiches. 1874, 2. Aufl. 1889; und „La Superficie de l'Europe", 1882, die beste Arealstatistik europäischer Staaten. Rylke: Liste des hauteurs du nivellement russe 1871—93. St. Petersburg 1894. Anontchin: Le relief de la Russie 1895. J. Bielawski und Haardt v. Hartenthurn: Die topographischen Arbeiten im westrussischen Grenzgebiet, 1900. Geogr. Zeitschriften aller Art wie die russischen Iswestija, Sapiski, Otschat, Jeschegodnik, Semlevedenie, die Peterm. Mitt., Geogr. Jahrbuch, Mitt. des Militärgeogr. Instituts, Zeitschrift der Gesellschaft für Erdkunde &c.

4. Nordeuropa.

Seit den Tagen der Wikinger, seit Erik dem Roten, Leifr, Ottar, Harald Hardraade bis zu Nordenskiöld und Nansen hat die skandinavische Welt Unsterbliches für die Geographie und Kartographie getan. „Man verstand im Norden Kartenbilder von einer überraschenden Treue zu einer Zeit zu entwerfen," wie Wieser sagt, „aus der uns sonst nur — abgesehen von den Portulanen der Italiener und Katalanen — schematische Radkarten und rohe Routenskizzen erhalten sind."

Obwohl heute politisch geschieden oder doch nur locker zusammenhängend, gehören diese oft unter einer Herrschaft gestandenen Reiche Norwegen, Schweden und Dänemark innerlich, mindestens geographisch und kartographisch, zusammen und sollen daher unter einem Stichwort vereint, wenn auch einzeln, hier betrachtet werden.

Die ältesten wirklich historischen Angaben reichen in griechisch-römische Zeit und werden im 4. Jahrhundert v. Chr., zu Alexanders des Großen Tagen, dem berühmten Nordmeerfahrer Pytheas verdankt, der in nordische Gewässer bis zum Eingang der Ostsee vordrang. Er bereichert die Küstenkunde, bringt aber nichts Ethnographisches. Eine Flotte des Tiberius fuhr im Jahre 9 v. Chr. um die Cimbrische Halbinsel herum bis ins Kattegat. In die Ostsee gelangten die Römer erst unter Nero zu Handelszwecken, um Bernstein zu gewinnen. Plinius († 79 n. Chr.)[1] sammelte bei seiner Anwesenheit in Deutschland alle Nachrichten über die „Clarissima Insula Scatinavia", aus welchem Namen später mißverständlich Skandinavien entstand. Procop v. Caesarea, Belisars Sekretär auf seinen Feldzügen (527—549 n. Chr.), zog Erkundungen über den Norden Skandinaviens ein und erzählt von den schneeschuhlaufenden Finnen, den Skritifinni, bei denen eine 40tägige Polarnacht herrsche, also mußte ihr Wohnsitz noch jenseits des Polarkreises liegen. Damit war doch ein Fortschritt gegen des Ptolemäus (150 n. Chr.) Weisheit erzielt, der außer dem heutigen Jütland, das er sehr verzerrt darstellt, nur das Mare Suevicum mit der kleinen Insel Scandia statt der nordischen Halbinsel- und Inselwelt kannte.

In der frühesten Hälfte des Mittelalters wurde der Norden Europas, freilich sehr

[1] Er schildert eindrucksvoll Skandinavien als einen neuen, von Norden herabragenden Weltteil. Auf seine Arbeiten, als die besten römischen, stützt sich auch Pomponius Mela, der besonders die Dänischen Sunde beschreibt.

allmählich, bekannt. Von christlichen Glaubensboten erfuhr man, daß er in viele Völkerschaften mit Königen oder Edelleuten an der Spitze geteilt sei. Erzbischof Ebbo v. Rheims gelangte 823 nach Jütland, Ansgar, der Apostel des Nordens, nach Schleswig und Schweden (823—26). Im 8. und 9. Jahrhundert unternahmen auch die Bewohner Skandinaviens ihre als Wikingerzüge bekannten verheerenden Seefahrten und brachten sich und ihr Land so in unliebsame Erinnerung. Schon im 9. Jahrhundert hatte die Umsegelung des Nordkaps und des ganzen nördlichen Teils durch den Normannen Othar die Halbinselnatur Skandinaviens erkennen lassen, während die Alten es als Insel bezeichnet hatten. Immerhin blieben die Vorstellungen über die nordische Welt noch lange recht phantastisch. Unternehmenden Fürsten gelang es damals, sich über die anderen Stammeshäupter zu erheben und 3 Königreiche, Norwegen, Schweden und Dänmark, zu gründen. In der Zeit der Scholastiker hat Saxo Grammatikus (1225) deutlich den Halbinselcharakter betont.

Die ältesten Skandinavien berücksichtigenden Erdbilder der neueren Zeit sind rektanguläre Plattkarten in der Projektion des Marinus v. Tyrus oder in der ptolemäischen Kegelprojektion entworfen. Auf der italienischen Karte des Vesconte von 1320 sehen wir eine gänzlich verzerrte Halbinsel Norvega. Die Karten des ältesten nordischen Kartographen, des Dänen Claudius Claussen Swart (Niger) beruhen auf ptolemäischer Grundlage und blieben lange in Geltung. Es ist dies eine 1424 in Rom entstandene, jetzt in Nancy befindliche Karte des Nordens, Island und Grönland besonders mit Beschreibung, die schon von altdeutschen Kartographen wie Irenicus und Schoner benutzt worden ist, und eine von ihm später etwa 1450, im Norden ausgeführte Verbesserung, ebenfalls mit Text, der 1900 von Dr. Björnbo in einem Wiener Kodex entdeckt worden. Von besonderer Wichtigkeit für die Geschichte der nordischen Kartographie ist die von Nordenskiöld in einem Ptolemäuskodex der Zamoisky-Bibliothek zu Warschau aufgespürte „Tabula regionum septentrionalium" von etwa 1470, die er in seinem Atlas, Tafel XXX, wiedergibt, und die ersichtlich auf ein nordisches Original zurückgeht, das wahrscheinlich aus dem Beginn des 13. Jahrhunderts stammt, wo der Gebrauch des Kompasses bei den dortigen Seeleuten noch nicht bekannt war. Sie ist in der trapezförmigen Donisprojektion entworfen und gibt namentlich ein nach Lage und Gestalt besonders auffallend richtiges Bild von Grönland. Auch in Florenz gibt es drei handschriftliche Karten, welche der Nordenskiöldschen Tabula vollständig gleichen, darunter die von von Donus Nicolaus Gemmanus herrührende in der Camagiana (sec. XV). Die spätere Zenokarte ist diesen Bildern ebenfalls sehr ähnlich. In der deutschen Ptolemäusausgabe von 1482, die Nicolaus Donis besorgt hat, finden sich einige von ihm auf der Grundlage des Clavus gezeichnete und von Joh. v. Arnheim in Holz geschnitzte Blätter der nordischen Länder und Gewässer. Ganz ähnlich war die Darstellung da, wie die auf alten Seekarten angegebene; es waren Inselgruppen oder Länderstriche im Norden Europas, die Namen wie Islant, Orehanda, Frisland u. dgl. enthielten, ohne irgendeine brauchbare Anschauung zu geben. Weit vollendeter war schon das für den Landauer Großkaufmann Jacob Ziegler 1523 in Straßburg bei Peter Schöffer gedruckte, in Mainz herausgegebene Erdbild, an dessen Herstellung Donis auch beteiligt war. Auf ihm waren in eigenartiger Weise Schondia, d. h. die Scandinavische Halbinsel, Grönland, Island und andere nordische Inseln, ferner Irland, England, Dänemark und endlich die Ufer der Ostsee mit ihren großen Meerbusen in einer den Venetianern eigentümlichen Ausführung dargestellt. Diese Karte, zu der auch ein ausführlicher Text gehörte, der sich über die Gradmessung äußerte, dann eine Landesbeschreibung gab, die viel mehr Orte nannte, als die graphische Darstellung bot und daher wohl anderer Herkunft war, stand weit höher, als alles, was bisher die Donis, Johann Rysch, Martin Walseemüller u. a. über Skandinavien geboten hatten. Sie gab dem schwedischen Geistlichen Olaus Magnus die Hauptanregung zur Herstellung der ältesten Karte, welche die nordischen Länder einigermaßen mit der Wirklichkeit übereinstimmend darstellt, nämlich der „Carta marina et descriptio septentrionalium terrarum ac mirabilium rerum in eis ac in Oceano vicino" [1] von 1539. Sie ist der „Descriptio rerum Aquilinarum" desselben Verfassers beigefügt, die die ausführlichsten Angaben über die nordischen Inseln enthält (Hebriden, Orkaden, Thule, Shetland, Faröer, Island, Grönland, später auch seiner „Historia de gentibus septentrionalibus earumque diversis statibus, conditionibus, disciplinis", etwa um 1570. Die Kosten für die Ausführung der Karte im Betrage von 440 Dukaten streckte durch Vermittelung des emsigen Sekretärs der Signoria Venedigs, Giambattista Ramusio (1485—1557), der Patriarch vor, und der 78jährige Doge Pietro Lando verlieh das Veröffentlichungsrecht, Papst Paul III. die Druckerlaubnis und Tommaso Rossi an der Rialtobrücke übernahm die Vervielfältigung. Ostsee und Bottnischer Busen erstrecken sich in fast gleicher Breite gerade von Norden nach Süden, der Finnische Golf aber hat eine schmale Biegung gegen Norden ohne die geringste Ähnlichkeit mit sich selbst. Upsala liegt fast unter der geographischen Breite von Torneå, und das Erzstift gleichen Namens erstreckt sich weiter gegen Norden, als damals irgendein Grönlandfahrer gekommen ist. Es ist eine Plankarte mit vier nachträglich angebrachten Kompaßsternen und an der Seite mit Gradeinteilung sowie auf einer Seite einer scala milliarum versehen. Olaus schrieb dazu einen lateinischen, deutschen und italienischen Kommentar, der anhebt: „Olaus Gothus benigno lectori salutem" und endigt: „Ceterum, optime lector, ne brevi hoc indice difficultatem incurras, adjungam posthac libros, quibus summa totius cartae cum mirabilibus rebus aquilonis declarantur". Von dieser — übrigens viel höher als das eigentliche Buch stehenden Tabula erschien zuerst in Venedig eine Ausgabe mit deutschem Text, 1555 kam dann noch eine in Rom heraus (neue Auflage 1567 in Basel), zugleich mit des Verfassers „Historia &c.", welches Buch aber leider die Karte verdunkelte, weil es auch Karten enthielt, die der Tabula von 1539 aber wenig entsprachen. Dazu kam, daß die damals maßgebenden Kartographen der Mittelmeerländer zu wenig von den nordischen Gebieten wußten und sie daher in der Darstellung vernachlässigten, auch den Olaus nicht benutzten. Nur wenige Kenner bewunderten das Werk wie Ramusio, Oviedo, Gómara u. a. Posthume Ausgaben gereichten ihr ebenso wie Nachbildungen nicht zum Vorteil. Höher war die Schätzung der Arbeit in Schweden, dann in Deutschland, wo ihr Sebastian Münster für seine beiden Ptolemäuskarten die Umrisse entnahm, freilich unter Festhaltung einer anderen Verbindung Norwegens und Grönlands („Cosmographia universalis 1550/52"), am höchsten wurde ihr Wert in England beurteilt, wo Sebastian Cabot sie für seine 1. Expedition 1552 nach China mitnahm. Am meisten hat der Verbreitung der Olauskarte die Arbeit Nicolo Zenos geschadet, die 1558 bei Francesco Marcolini in Rom erschien und trotz mancher Widersprüche bis in die neueste Zeit für echt und wertvoll gehalten worden ist, obwohl sie im wesentlichen nur ein Sammelwerk, besonders eine Wiedergabe der Karte des Clavus und der Magnusschen Arbeit ist; durch einen Ballast von nebensächlichem Material aber ist diese Entnahme versteckt worden. Die populären Zenofahrten haben aber auch diese Karte unter die Leute gebracht, zum Schaden der wertvollen Originalarbeit. Gerhard Mercators Bild der nordischen Inseln in seiner „Nova et aucta orbis terrae descriptio" stimmt in den Umrissen ziemlich mit der Zenokarte, doch sind die Namen nicht ganz dieselben. Und ebenso erinnert an diese ein Kupferblatt „Septentrionalium regionum descriptio" in des Abraham Ortelius „Theatrum orbis terrarum" von 1570. Daran schließen sich dann Karten, die einzelne Teile der nordischen Landgebiete enthalten, und die wir nun bei den betreffenden Ländern näher betrachten wollen, wobei eben-

---

[1] Vgl. Dr. Oskar Brenner: „Die echte Karte des Olaus Magnus († 1558) vom Jahre 1539 nach einem Exemplar der Münchener Staatsbibliothek" (Christiania Videnskabs-Selskab Forhandlinger 1886), dann Herm. Schumacher: „Olaus Magnus und die ältesten Karten der Nordlande" (Zeitschrift der Ges. für Erdkunde, Berlin 1893), endlich Nordenskiölds Faksimile-Atlas von 1886.

falls auf das Altertum für die besondere Entwickelung zurückzugehen sein wird. Die drei Staaten bieten im einzelnen große Unterschiede, zumal ein Skandinavismus bei ihrer echt germanischen Eifersucht nicht aufkommen kann. Besonders groß sind die Gegensätze zwischen dem kleinen, selbstbewußten, kräftigen, geistig regsamen und durchaus demokratischen Norwegen und dem stärker bevölkerten und mächtigeren, um die Geschichts- und Naturwissenschaften hochverdienten, mehr aristokratischen Schweden, dessen Hauptstadt der Brennpunkt des wissenschaftlichen Lebens der nordischen Reiche ist, nachdem Kopenhagens Ruhm etwas verblaßt ist.

I. Norwegen (Norge)[1].

Norwegens schönes kartographisches Bild ist trotz der reizvollen Aufgabe, die seine Herstellung bietet, am spätesten von allen drei nordischen Ländern gewonnen worden, da die Schwierigkeiten und Mühen einer Vermessung hier am größten waren, das Bedürfnis (ganz ähnlich wie in der Schweiz) nach guten Karten bei der Einsamkeit und schwachen Bevölkerung des Landes sich erst sehr allmählich fühlbar machte, der Reiseverkehr noch später als in den Alpen das halbe Polarland erschlossen hat. Am frühesten wurden die Küsten bekannt, an deren klassischen Beispielen auch die ersten Beobachtungen über Strandverschiebungen angestellt wurden.

Die Bewohner Norwegens waren das älteste seefahrende Volk der Welt und die Begründer der ozeanischen Seeschiffahrt, deren kühne Züge im frühen Mittelalter sie einerseits bis zur Dwina über das Nordkap hinweg, anderseits nach Westen an die Nordseeküsten und weiter bis zur Neuen Welt und durch das Mittelmeer nach Konstantinopel (Miklagard) führten. So wurden sie die Länderkunde und Kartographie bereichernde Entdecker (Shetland-Inseln, Far-Öer, Island, Grönland) und Staatengründer (Rußland, Normandie und Unteritalien). Harald Harfargar (Schönhaar), aus dem Stamme der schwedischen Inglinger, hat nach harten Kämpfen um 875 sich das ganze Land unterworfen und aus den kleinen Häuptlingstümern ein normannisches Reich mit Lade als Hauptstadt geschaffen. Die Shetlandinseln, Orkneys, Hebriden, Far-Öer wurden dazu erobert, das Ganze in Provinzen unter Jarls (Grafen) eingeteilt. Ein Teil der Häuptlinge entfloh nach Irland. Olaf Trygnäson führt um 1000 das Christentum ein und gründet die erste Stadt, das heutige Trondhjem. Unter Olaf dem Heiligen (1017—33) gewinnt das Land aber erst wirkliche Einheit und das Christentum Boden. Eine Abhängigkeit von Schweden und Dänemark entstand bald, 1397 wurden alle drei Reiche vereinigt, von 1521—1814 gehörte Norwegen zu Dänemark. So kommt es, daß auch seine kartographische Geschichte bis dahin eng mit der der beiden andern Staaten verbunden ist und erst nach dieser Zeit volle Selbständigkeit gewinnt.

Auf der Zieglerschen Karte von 1523 hängt Norwegen mit Grönland zusammen und liegt auf der einen Seite eines Schondia (Skandinavien) durchziehenden Mittelgebirges, während auf der andern Gothien sich befindet. Der Text erklärt: Nordvegia id est septentrionalis via, ferner Drontheim mit Druidum domicilium usw. Die „Carta marina" des Olaus Magnus von 1539 gibt die Umrisse schon recht gut wieder. Auch zwei Forschungsreisen sind in dieser Zeit besonders bemerkenswert, nämlich die zweite bekannt gewordene Umsegelung des Nordkaps durch den russischen Gesandten Blasius 1510 und die Fahrt des ersten englischen Schiffes unter Robert Chancellor um die Nordspitze Europas ins Weiße Meer „auf dem Wege nach China" 1553.

Von wichtigeren Ereignissen aus der dänischen Zeit ist die 1734—37 gemeinsam

---

[1] Das alte Westarfold.

mit Schweden ausgeführte Vermessung der beiderseitigen Grenze und vor allem die Errichtung eines Bureaus der Landesvermessung (Geografiske opmaling) 1779 hervorzuheben, das 1779, 1782 und 1784 die ersten Grundlinien auf den Eisflächen des Mjösen, Storsöen, Hämmus-Söen und Jansrandet bestimmte und daranschließend ein Dreiecksnetz über Schneefelder und Fjorde spannte, das 1800 von Kristiania bis Drontheim reichte, sowohl längs der Küste als quer über Land. 1788 begannen die topographischen Einzelaufnahmen 1:20000. Die kriegerischen Ereignisse in Europa unterbrachen diese Arbeiten, und 1814 wurde Norwegen an Schweden abgetreten. Da aber die Nation gegen diese Vereinigung war und die verbündeten Mächte Norwegens Unabhängigkeit erhalten wollten, so kam am 4. November 1814 die Personalunion mit Schweden zustande, und der schwedische König Karl XIII. (1809—14) wurde als Karl I. auch König von Norwegen.

Im 19. Jahrhundert begann dann 1828 eine neue planmäßige Landesaufnahme[1]) mit einer genauen Triangulation, einer neuen Basislegung bei Kristiania (1834—35) und daranschließenden Einzelaufnahmen in 1:20000 für stark angebaute, 1:50000 für mittelkultivierte und in 1:100000 für über der Bewachsungsgrenze liegende sowie unkultivierte Gegenden, wobei Höhenschichtlinien von 25 bzw. 100 Fuß Abstand konstruiert wurden. Die Karten erschienen in 1:200000. Die Kartenprojektion war dieselbe wie in Schweden (s. dort). Diese Arbeiten führten anfangs Munthe, Ramm und Gjessing, später der Generalstab aus. 1858 erfolgte der Anschluß an die schwedischen Vermessungen. 1862 erschien eine Übersichtskarte der von 1779—1862 ausgeführten Arbeiten. 1865 trat Norwegen mit Schweden der mitteleuropäischen Gradmessung bei, wobei der Direktor der Sternwarte in Kristiania, Dr. Fearnley und Prof. Dr. Hansteen, das Land vertraten. Es konnten dabei zwei 1864 mit einem neuen Basisapparat von Fearnley und Naser gemessene Grundlinien bei Kristiania (2025 Toisen) und Levanger am Drontheim-Fjord (1806 Toisen), sowie eine Dreieckskette, die im Anschluß an die Triangulation an der schwedischen Westküste über Kristiania und Bergen nach Drontheim ging, endlich Längenbestimmungen zwischen Kristiania und Stockholm zur Verfügung gestellt werden. Die späteren Triangulationen, für die unter anderen 1882 bei Bodö eine sehr genaue Grundlinie gemessen wurde, entsprachen den Anforderungen der Gradmessung. Seit 1887 wurden Präzisionsnivellements ausgeführt, die schon 1891 eine Ausdehnung von 338 km doppelt und in entgegengesetzter Richtung gemessenen Linien erreicht hatten. Die Ausgangsfläche, ein Labradorblock auf viereckigem Granitsockel im felsigen Hofe des geographischen Instituts, liegt 18,1546 m über dem Mittelwasser des Hafens von Kristiania. Als Nivellierinstrumente dienten Breithauptsche mit 42 mm Objektiven (bei 40facher Vergrößerung und 46 mm Brennweite). Für die seit dem 18. Jahrhundert begonnenen Küstenvermessungen wurden zur Ermittelung der mittleren Meereshöhe Pegel aufgestellt und einnivelliert.

1867 wurde dann ein Norges geografiske opmåling (geographisches Institut) in Kristiania neu begründet und 1872 mit der Generalstabens topografiske afdeling vereinigt, die unmittelbar unter dem Kriegsministerium steht. Direktor des Opmåling ist ein höherer Generalstabsoffizier, lange Jahre der 1901 gestorbene, um die Landesvermessung hochverdiente Oberst J. W. Haffner. Er war auch Präsident der norwegischen Abteilung der internationalen Erdmessung und der Norwegischen geographischen Gesellschaft. Das nötige Personal an Generalstabsoffizieren weist der Chef des Generalstabs zu, der auch Vorsitzender der geographischen Kommission Norwegens ist und das jährliche Budget des Instituts sowie den Arbeitsplan feststellt und dem Kriegsministerium vorlegt.

[1]) Diese Arbeiten, obwohl amtlichen Zwecken dienend, waren zunächst ein Privatunternehmen der Kapitäne Munthe und Ramm. Aber die Aufnahme und namentlich auch das Stechen der Platten in Paris stellte sich so teuer, daß die Regierung bald Beihilfen gab und schließlich alles auf eigene Kosten ausführte.

Das Institut gliedert sich heute in ein dem Direktor unmittelbar unterstelltes Haupt-
bureau und 6 Abteilungen, sowie die Rechnungskanzlei, Buchbinderei und Gebäude-
verwaltung.

Die geodätisch-trigonometrische und topographische Abteilung
steht unter einem Generalstabshauptmann als Chef, dem von der Truppe 3—4 Offiziere
als Trigonometer, 2 Offiziere als Rechner zugewiesen sind.

Die zweite Abteilung hat die Einzelaufnahme und die Landkarten-
zeichnung zu besorgen und zwar meist in 1 : 50000, seltener in 1 : 25000, in Gebirgsgegenden in 1 : 100000. Unter einem Generalstabshauptmann als Chef gliedert sie sich in
Sektionen, nämlich die Mappierungs-, die Zeichnungs- und die Evidenzsektion. Dieser Abteilung werden im Sommer etwa 12 Offiziere als Aufnehmer zugeteilt.

Die dritte Abteilung besorgt die Vermessung der Seekarten und alle hydrographischen Arbeiten unter Leitung eines Kapitäns zur See und von 4 Marineoffizieren
als Assistenten. Im Sommer werden für die hydrographischen Arbeiten 8 Offiziere der
Kriegsflotte kommandiert. Der Abteilung ist auch die von einem Kapitän zur See geleitete
Zeitschrift „Nachrichten für Seefahrer" zugeteilt.

Die vierte Abteilung ist die technische, welche sich unter einem Lithographen als Chef in die Kupferstich- und Lithographiesektion sowie die Druckerei gliedert.

Die fünfte Abteilung besorgt die photographischen und galvanoplasti-
schen Arbeiten, geleitet von 1 Ingenieur mit 5 Assistenten.

Endlich die statistisch-topographische Abteilung unter einem Infanterie-
hauptmann als Vorstand, dem 2 Ingenieuroffiziere als Assistenten und 2 Unteroffiziere
zugeteilt sind.

An Kartenwerken, von denen Oberst Haffner sagte, daß die meiste Arbeit noch
zu tun sei, um nur zu einer geographischen Übersicht zu gelangen, sind im Erscheinen,
bzw. vollendet:

1) Topographische Landkarten.

a. Topografisk kart over kongeriget Norge 1:100000 (nordlige i sydlige del): Kegelprojektion mit nach Norden und Süden vom mittleren Parallel wachsendem
Verjüngungsmaßstab. Nördlich vom 65. Parallel soll jedes Blatt 1° Länge und 20° Breite
umfassen. Die Blatteinteilung ist unabhängig vom Gradnetz. 29 Sektionen der in 57 große
Rechtecke (rektangel kartene) geteilten Karte sind blind. Die Bezeichnung der Blätter
(33,9 : 42,5 cm) geschieht durch Nummern und Buchstaben. Die anfangs in Kupfer gestochene Karte wird seit 1881 in Heliogravüre mit Umdruck auf Stein ausgeführt. Das
Gelände ist recht ansprechend in Höhenkurven von 100 norwegischen Fuß (31,4 m) Schichthöhe und grauer Schummerung, in den kultivierten Gegenden in Bergstrichen statt der
Tönung dargestellt, die Gletscher (etwa 4600 qkm) sind grün angelegt. Die stehenden
Gewässer sind blau, die kultivierten Landstriche in Tuschtönen wiedergegeben. Das
übrige Gerippe und die Schrift sind schwarz gedruckt, kleinere Orte haben nur Signaturen, von den Beständen sind nur Wälder (31,1 % des Areals) angegeben. 194 Blatt.

b. Gradabteilungskarte über das nördliche Norwegen 1:100000 in
150 Blatt (1° Länge, 20′ Breite). Seit 1894 sind 30 erschienen.

c. Die Amtskarten in 1 : 200000. Diese zuerst 1826[1]) erschienenen Kupferstich-
blätter der 6 Stifter und 18 Ämter enthalten fast alle Einzelheiten des Gerippes der
topographischen Karte. Jedes Amt umfaßt je nach Größe 1—4 Blatt (je 89 : 54 bzw.
52 : 43 cm). Das Gelände ist in Schichtlinien von 31,4 m Abstand und in Schraffen
(senkrechtes Licht), aber ohne Höhenzahlen, dargestellt. Felsgegenden haben besondere
Signaturen. Der Druck ist teils mehrfarbig, teils schwarz erfolgt. Die technische Aus-

---

[1]) Sie wurden früher bei Ramm & G. Munthe, seit 1845 bei G. Jessing, seit 1867 werden sie im Geografiske Opmåling verlegt.

führung — die nur für Amt Tromsö in Lithographie erfolgt ist — läßt manches zu wünschen übrig. Erschienen sind 32 Blatt von 126650 qkm Fläche.

d. **Generalkart over det sydlige Norge** 1 : 400000 in 18 Blättern (37 : 45 cm). Sie ist 1878 erschienen und gibt Schrift und Gerippe schwarz, Wege und Ortszeichen rot, Gewässer und deren Namen blau wieder, während die Bodengestaltung in Niveaulinien von 500 norw. Fuß (156,9 m) Schichthöhe und grauer Schummerung ausgedrückt ist. Lithographie. [1]

2) Küstenkarten.

Auch die für den Verkehr wie den Fischfang so wichtigen Küstenvermessungen sind eifrig gefördert worden. Welche Schwierigkeiten und welchen Umfang diese Aufnahme hat, erhellt wohl daraus, daß die Gestade im Norden und Westen in steilen, selbst überhängenden Felswänden zum Meere abfallen, das hier und im Süden, wo sich die höchsten schneebedeckten Erhebungen finden, tief in die spaltenartigen Täler eindringt. An den Eingängen dieser Fjorde liegen unzählige Felseninseln, „Schären", durch welche nur wenige schmale Einfahrten führen, die besonders charakteristische unterseeische Formen haben, nämlich im Längsschnitt beckenförmige, im Querschnitt trogförmige Gestalt. In den meisten Fällen sind mehrere Becken vorhanden, von verschiedener Tiefe oft, so daß Schwellen entstehen. Viele Fjorde teilen sich in mehrere Arme, es entstehen Fjordsysteme. Neben diesen tiefen Fjorden gibt es aber auch flache, unzerschnittene, massive Fjelde. Dazu kommen die Muschelbänke, Terrassen und Strandlinien (Seter). So herrscht trotz der Eintönigkeit im großen doch große Mannigfaltigkeit im einzelnen an der Küste, die noch durch die Inseln vermehrt wird. Dazu tritt ihre große Ausdehnung. Während die Gestade z. B. zwischen dem 61. und 62.° Br. in gerader Linie nur 134 km lang sind, beträgt die Entwickelung im Festlande 2197, in den Inseln 3224 km, im ganzen also 5421 km [2]. Das Küstenwasser befindet sich hier durchschnittlich 1,4 m über der tiefsten Einsenkung der wirklichen Meeresoberfläche, die ungefähr 0,19 m über der Ostsee liegt. Die Höhenangaben der Karten beziehen sich auf **Mittelwasser** des Hafens von Christiania, die Tiefenmessungen auf **Niedrigwasser** der Springzeit. Es sind entstanden [3]:

a. **Specialkarter** 1 : 100000 vom Nördlichen Norwegen, 1 : 50000 vom Südlichen Norwegen. Sie enthalten die Tiefen wie das Gelände farbig und in Kurven.

b. **Generalkarter** 1 : 200000 bis 1 : 1 Mill.

c. **Oversigtskart til kystkarter** 1 : 2400000.

d. **Fiskekarter** 1 : 100000 und 1 : 200000.

Als Segelanweisungen dienen „Den Norske Lod" (1855—88).

Von den Arbeiten anderer Behörden sind vor allem die **geologischen Aufnahmen** des **Norges geologiske undersögelse** hervorzuheben. Es gibt wenig Länder, die soviel geologisches Interesse bieten wie gerade Norwegen, und besonders seit Leopold v. Buchs Reise durch dieses und Lappland (1810) ist der geologischen Erforschung erhöhte Aufmerksamkeit geschenkt worden. Nach verschiedenen Privatarbeiten sind dann, sobald die Generalstabskarten soweit vorgeschritten waren, planmäßige amtliche Vermessungen vorgenommen worden. Das Ergebnis sind

a. **Geologisk karter** på grundlag of topografisk kart in 54 Blatt (Rektangelkarten) 1 : 100000.

b. **Geologisk Oversigtskart** over det sydlige Norge 1 : 1000000 på grundlag of geografiske Opmälings-Kart (1878) in 1 Blatt. 1880.

---

[1] Hierzu kommen nicht im Handel erschienene Kriegsspielkarten 1 : 5000. Photolithographie.
[2] Ich folge hier A. Supan: Physische Erdkunde.
[3] Die neueren Küstenmessungen begannen seit 1833 unter Oberleitung des Professors Hansteen durch Major Vibe.

W. Stavenhagen, Kartenwesen des außerdeutschen Europa. 29

In der internationalen geologischen Karte 1:1,5 Mill., die unter Beyschlags Leitung entsteht, ist 1902 auch Norwegen erschienen.

Nicht unbeträchtlich und dabei wertvoll ist ferner die in- und ausländische Privatkartographie über Norwegen.

Von inländischen Arbeiten seien aus älterer und neuerer Zeit hervorgehoben:

1. Carl of Forsell: Karta öfver södra delen af Sverige och Norrige in 8 Blatt (57:81 cm), in 1:500000. 1815—26. Stockholm. Diese Forsellsche Karte von Schweden und Norwegen soll die erste Anwendung von Farbentönen zeigen. (?)

2. Carl B. Roosen: Generalkart over den nordlige i den sydlige deel af K. Norge. 1848.

3. Veikart over Norge: Waligorski og Wergeland 1:820000 in 2 Blatt. Kristiania 1849.

4. P. A. Munch: Kart over det sydlige Norge von 1845 und Kart over det nordlige Norge von 1852, beide auf je 2 Blatt in 1:700000, die das Gelände in Schraffen enthalten. Diese vorzügliche in Kristiania erschienene Arbeit ist lithographisch hergestellt.

5. A. Vibe: Hoi demaalinger i Norge, Kristiania 1860, mit zahlreichen Höhenangaben. Von ihm sind auch Küstenkarten mit Beschreibungen erschienen.

6. K. Petersen: Geologiske karter 1:400000, z. B. der Lofoten und von Vesteraalen.

7. Nissen: Reisekart over det nordlige Norge in 4 Blatt, Farbendruck. Kristiania, Cammermeyer. 1899.

8. Oversigtskart over Christianssand og Opelands Turistströg og dets Forbindelse öst- og vestover i 1:800000. Kristania 1897.

9. Ivar Refsdal: Atlas över Norge for Skole og Hjens. Bergen, Grieg. 1898.

10. P. Dybdal: Vaegkart över Norge i to blade 1:600000. Trondhjem, A. Bruns. 1894.

Von Stadtplänen z. B. aus den Jahren 1830 die Kart over Trondhjem 1:5000 des Kapitäns B. A. Blom, ein gutes, genügende Einzelheiten gewährendes Blatt, und Kristiania med naermeste Omgivelser 1:15000 von Carl B. Roosen, in 1 Blatt, von klarer, aber nicht sehr eleganter Ausführung. Dann K. O. Björlykke: Geologisk kaart med beskrivelse over Kristiania 1:150000. 1898. Eine neuere empfehlenswerte Touristenkarte ist N. Raeders „Hjulturistkart over Christiania" 1:130000, 1898 bei Haffner & Hille (for Norsk Hjulturist forening) bearbeitet, sowie die Karten und Pläne in den Reisebüchern von Bennett, Nielsen und Randers.

Von ausländischen Arbeiten ist aus den 40er Jahren die damals sehr beliebte C. F. Weilandsche Reisekarte des Weimarer Geographischen Instituts zu nennen, auf Grund deren manche anderen, z. B. die bei Morin in Berlin 1844 erschienene, bearbeitet sind, und aus dem Jahre 1857 H. Berghaus' Karte der drei skandinavischen Reiche mit einer Einleitung zur Kenntnis Europas (Berlin).

Aus neuerer Zeit sind außer den Karten der großen Atlanten von Vivien de St. Martin et Schrader (1:2,5 Mill.), Stieler (Süd-Skandinavien 1:2,5 Mill., eine vorzügliche Arbeit von C. Scherrer), Andree (1:4 Mill.), Wagner-Debes (1:1,7 Mill.), W. Koch und C. Opitz: Verkehrsatlas von Europa &c., Karl Bambergs Wandkarte von Skandinavien 1:1400000 in 12 Blatt (39,5:49 cm), ein Farbendruck mit rotbezeichneten Grenzen, Berlin, C. Chun, 1899; dann C. Gräf: Schweden und Norwegen 1:3 Mill., 1 Blatt (68:52 cm) in Farbendruck, als Reisekarte des Weimarer Geographischen Instituts erschienen. Weiter sind Lundbergs Karta öfver Sveriges och Norges järnväger, Stockholm, Wahlström & Widstrand, 1899; R. Noordhoffs Wandkaart (in Kleurendruck) voor schoolgebruik: Noorvegen en Zweden 1 Blatt (34:73 cm),

Amsterdam, L. L. Loy, 1899; sowie die englischen Admiralitätskarten hervor-
zuheben. Weiter die Blätter 2 und 3 der Reymannschen Karte mit einem Teil Süd-
Norwegens. Dann die Karten und Pläne der Reisehandbücher von Karl Baedeker, Grieben,
Meyer &c. Endlich die Karte 1 : 10 Mill. in dem Reisewerke des Prinzen von Neapel:
Sulle coste di Norvegia.

An **Literatur** möchte ich hervorheben das Statistisk Aarbog for kongeriget Norge (Kristiania), die
Topogr.-statistisk beskrivelse over Tromsö amt, die Berichte über die neuere wissenschaftliche Literatur zur Länderkunde Norwegens im Geographischen Jahrbuch (Gotha), dann O. E. Schiöts:
Resultate der im Sommer 1893 in den nördlichsten Teilen Norwegens ausgeführten Pendelbeobachtungen, desgl.
1894, Kristiania 1894 und: „Norske Gradmälings Kommission: Geodätische Arbeiten. Wasserstandsbeobachtungen."
Heft 1882—93. Endlich „Det Norske Geografiske Selskab Aarbog", das unter V. Engströms Leitung seit 1889
in Kristiania erscheint und die Zeitschrift der eben genannten, 1889 begründeten Gesellschaft ist. Nissen:
Oversigt over de vigtigste topografiske og kartografiske arbejder i nordiske riger. Kristiania 1879.

II. Schweden (Sverige)[1].

Die kartographische Geschichte dieses durch seine rauhe und vielfach unzugängliche Natur Vermessungen wenig begünstigenden Landes lehrt, daß es zu den Staaten
gehört, die lange vor Cassini eine amtliche topographische Karte, dank der Weitsicht
seiner Fürsten, besessen haben.

Aus römischer Zeit ist des dürftigen Bildes zu gedenken, das Ptolemäus aus dem
vor die Weichselmündung gelegten, von Goten und Friesen bewohnten Lande gemacht
hat. Er stützte sich hauptsächlich auf die Vorarbeiten des Marinus von Tyrus.

Im Mittelalter, wo gegen Ende des 9. Jahrhunderts Erik Edmund Allein-
herrscher über Schweden und Goten war, tat der das Christentum 829 predigende
Missionar Ansgar manches zur Erhellung der Landeskunde. Im 11. Jahrhundert, als
Olaf Skautkonung (aus dem Hause der Inglinga) sich zum ersten König und das
Christentum zur herrschenden Religion machte, zeigte sich der Bischof Adam von
Bremen († 1076) besonders über Mittel- und Südschweden gut unterrichtet. Kurz vor
der Wiedererweckung des Ptolemäus war dann das überraschend treue Bild bemerkens-
wert, das sich in der „Tabula regionum septentrionalium" (etwa 1467) von
Schweden findet.

In der Neuzeit, die mit der durch die verschiedenen Ptolemäusausgaben eingeleiteten Renaissance des Kartenwesens anhebt, sind es außer den dort niedergelegten Darstellungen, besonders der 1482 zu Ulm erschienenen deutschen Übersetzung des Nicolaus
Donis, welche von den Ergebnissen der Deutschlafahrten vorteilhaften Gebrauch machte,
der älteste Erdapfel des Martin Behaim in Nürnberg (1492) und vor allem des Olaus
Magnus „Carta marina" von 1539, welche von größerer Bedeutung wurden. Er war
ein Anhänger Gustav I. Wasas (1534—60), der Schweden von dem Joche des Union-
königs Christian II. befreit hatte und dafür zum König gewählt worden war (1524).
Olaus beschäftigte sich im Brigittenkloster zu Danzig besonders auch mit der Darstellung
Schwedens, dessen südlichsten Teil, nämlich die Küste hinter Bornholm, Laaland,
Gotland mit dem berühmten Wisbyer bis nach Åland, er zeichnete, wobei er sich auf
die schon unter Norwegen erwähnte deutsche Karte Zieglers von 1523 stützte, sowie
vielleicht auch auf von Gustav Wasa für Regelung des Steuerwesens angeordnete Kataster-
messungen und ältere Periplen. Diese erste Karte wurde dann die Grundlage seiner
bereits näher erwähnten „Carta marina" von 1539, welche am meisten in Schweden
Anerkennung erlangte, namentlich weil sie die von Sebastian Münster und anderen
Kartographen geleugnete, in Schweden gesuchte Verbindung des Atlantik und des chine-

---

[1] Sverige = Rige der Svear, das alte Austarfold (im Gegensatz zu Westarfold oder Norwegen). Die Suiones,
die ältesten Bewohner nach römischer Angabe, haben Schweden den Namen gegeben.

sischen Meeres wiedergab. Auf der Karte des Olaus durchschneidet der Polarkreis
30 schwedische Meilen nördlich von Upsala das Land. Viel schärfer bestimmten dann
englische und holländische Nordostfahrer die Umrisse Schwedens.

Die weitere Entwickelungszeit der schwedischen Kartographie läßt sich am besten
in vier Perioden gliedern.

A. Erste Periode von 1600—1680.

In der ersten Periode behielt das Land noch längere Zeit die Verunstaltung der
Olauskarte bei. Doch schon Karl IX. (1604—11) organisierte ein Vermessungsamt (landmäterikontor) und beauftragte durch Order vom 2. Juli 1603 den Königlichen
Oberbaumeister Andreas Bureus (1571—1646) mit der Herstellung einer amtlichen
„Tabula Cosmographica Regnorum Septentrionalium", deren erster Teil,
Lappland umfassend, bereits 1611 als erste gedruckte Karte in Schweden vorlag. Inzwischen war der Gründer schwedischer Größe, Karls IX. Sohn, Gustav II. Adolf
(1611—32), zur Regierung gekommen, für den 1613 Adrian Veno eine bei Hondius gestochene Karte entwarf, welche auch in den neuen Auflagen von Mercators Atlas Aufnahme fand. Sie stellt freilich nur eine Skizze dar, die Bureus kurz vor Aufnahme des
Kampfes gegen das Haus Habsburg auf Grund seines neuen Materials wesentlich erweitert
erscheinen ließ (6 Blatt). Zugleich wurde aber die eigentliche Karte energisch gefördert,
und 1626 lag sie als „Orbis arctoi nova et accurata delineatio" für den
Norden in 6 Blatt vollendet vor. An ihr hatten mehrere tüchtige Geometer, darunter auch
der spätere Generalquartiermeister Gustav Adolfs während des 30jährigen Krieges, der
Militäringenieur und Kartograph Olaf Hansson Svart (Örnehufvud oder Olaus Joannes
Gothus aus Nylödöse), als hervorragendster mitgearbeitet [1]). Zu ihrer Ausführung waren
ältere Grenzkarten zwischen Schweden und Rußland, dann Isaac Massas Karte von Rußland von 1614 (gestochen von Hessel Gerritz), dann die von demselben gestochene, auf
Veranlassung des Fürsten Radziwill 1613 bei Guilbelmus Janssonius Blaeu in Amsterdam
erschienene Karte „Ducatus Lithauaniae", ferner die Landtafeln von Preußen in 9 Blatt
des ausgezeichneten Kartographen Kaspar Hennenberger von 1584 und endlich für die
Küsten ältere, aber berichtigte Küstenkarten benutzt. Weiter organisierte der König 1628
eine Katastervermessung unter Leitung von Bureus. Diese Karten sollten alle
Einzelheiten der Dörfer und Bauerngüter zur Anlage von geometrischen Grundbüchern
sämtlicher Provinzen des Landes zwecks Steuerverteilung &c. enthalten und wurden daher
in größtem Maßstabe, meist noch über 1 : 4000, hergestellt. Sie enthielten in der Regel nur
Äcker und Wiesen, aber keine Waldungen. Der König überwachte diese Aufnahmen mit
besonderem Interesse und ließ dafür eine „Instruktion för Andreae Bureo, Generali Mathe-
matico, hvarutinaun hans ämbete enkannerligen best å skall" ausgeben. Bureus gewann
zunächst die sechs Landmesser Johan Andersson, Olof Gangius, Jonas Johansson, Jost
Månsson, Olof Månsson und Johan Åkesson für diese Arbeiten. Sie schritten rasch vor,
und bald hatten die meisten Provinzen solche geometriska jordeböcker, d. h. Katasterkarten.
Gleichzeitig wurde geplant, von größeren Gebieten, wie Gerichtsbezirken, Kirchspielen oder
Provinzen, Landkarten kleineren Maßstabes auf Grund einer eignen Vermessung herstellen zu lassen, die aber erst begann, als die Katasteraufnahme in den
40er Jahren im wesentlichen abgeschlossen war. Sie geschahen unter dem Inspektorat von
Peder Menlös (seit 17. Mai 1642). Es erschienen dann z. B. 1642 und 1643 geogra-
phische Karten der Lappländerbezirke von Torne und Kemi von Olof Larsson Treak
(Olaus Laurentii Helsingus), 1646 solche von Jämtland, Medelpad und Ångermanland, die

---

[1]) Er hat auch 1626 eine Karte Livlands, dann 1636 eine recht gute Karte der Mark Brandenburg in
1 : 800000 im Auftrage seines Königs, endlich 1648 gemeinsam mit dem Gen.-Quartierm. Lt. G. W. Kleinstrettl
eine Karte vom nördlichen Teil des Bodensees verfaßt, die jetzt in der Skara-Stiftsbibliothek sich befindet.

:-k Kalmar
·d,
ιs'
7),
ιni-
ssen
tten.
hatte

ιphie",
ɔwesen.
.s dahin
ιrte war
.)as erste
i Öster-
innehäller
.r, Inlopen,
Diese zum
gelhaft und
ermessungen
inige Marine-
t der Peilung
l schuf, unter
n, einen 1695
ιι schwedischen
·rcatorprojektion,
ete Blatt enthält
tz. Die „Spezial-
ιten Männern, wie
g, Distrik Wrangel
ier „Bestecks" ver-
es Bild der Küsten-

wa in den 80er Jahren,
ɔh neue Messungen ge-
.25. Oktober 1683 unter
ιnts, Carl Frhrn v. Grie-
:ler Karten war nämlich
·n nötig, und dazu wurde
Vermessungskommissionen
ι Material im Vermessungs-
ɔ unter anderen eine Karte
r westlichen Provinzen Hal-
ιssen Felterus, eine von
erwaltungsbezirks von Upsala

·r auch eine Karte von Östersjön ent-

von Petter Gedda. Frigelius (?) arbeitete eine Karte 1 : 72000 vom Kalmarer Bezirk, Christoffer Jakobssohn Stenklyft von den norrländischen Provinzen in 1 : 100000 bis 1 : 200000 aus. Anders Anderson lieferte 1680 in 1 : 50000 die Karte der Kirchensprengel eines Teils von Södermanland, Gabriel Thoring 1688 eine Karte 1 : 50000 der Gerichtsbezirke Nerikes &c.

Aus diesen topo- und chorographischen Karten wurden nunmehr in Stockholm geographische Karten 1 : 180000 bis 1 : 900000 verkleinert und schließlich 1688 eine vorzügliche, gegen die Arbeit des Bureus einen großen Fortschritt darstellende Generalkarte von Schweden etwa 1 : 3 Millionen durch die dortigen Ingenieure hergestellt, die nach Provinzen gegliedert war. Ein Teil dieser Blätter trug Griepenhjelms Namensunterschrift. Freilich stellte sich bei der Herstellung dieser Karte heraus, daß noch große Teile des Landes nicht neu vermessen waren und, soweit nicht auf Bureus zurückgegriffen werden konnte, ergänzt werden mußten. So wurde der Mälarsee aufgenommen, ein Ergebnis dieser Aufnahme ist Griepenhjelms große „Land- och sjökarta öfver sjön Mälaren och dess öar" von 1689 in über 1 : 40000 (8¼ m lang, heute in der Königlichen Bibliothek), ferner die Schären von Stockholm und die Insel Gotland. Während nun aber die Küstenkarten in den Handel kamen, wurde die Veröffentlichung dieser Landkarten aus politischen und militärischen Gründen untersagt [1]).

Aber dem französischen Gesandten in Stockholm, Grafen d'Avacex, gelang es, sich heimlich Kopien der Karte zu verschaffen, und so erschien 1706 zu Paris eine nach ihnen von dem berühmten französischen Geographen Guilleaume de l'Isle hergestellte „Carte des couronnes du Nord", die er sogar „Au très puissant et très invincible prince Charles XII" (1697—1718) widmete. Ihr verdankt man die erste wichtigere Landeskunde Schwedens. Von ihr erschien 1708 eine verbesserte Auflage bei Blaeu in Amsterdam. Seitdem wurden noch mehrere Karten von dem Landesvermessungsamt selbst veröffentlicht — der Bann des Staatsgeheimnisses war gebrochen.

C. Dritte Periode.

In die bis zum Anfang des 19. Jahrhunderts reichende dritte Periode fallen zunächst die wichtigen Aufschlüsse über die sphäroidische Gestalt unseres Erdkörpers durch die große Gradmessung Maupertuis' zwischen Torneå nud dem Berge Rittis von 1736—37, an der auch Andreas Celsius teilnahm (Meridiangrad = 111949 m) und die später (1801 bis 1803) von dem Schweden Svanberg berichtigt wurde. Dadurch wurden frühzeitig astronomische und trigonometrische Vorarbeiten ermöglicht, auf Grund welcher die 1739 gegründete Akademie der Wissenschaften einige Provinzkarten als Reduktion des Katasters und 1747 eine Generalkarte des ganzen Reiches in etwa 1 : 2 500000 erscheinen ließ, die erste Reichskarte seit 1626. Allerdings fand sich, daß das vorhandene Material noch vielfach mangelhaft war. Zunächst aber bedurfte es neuer Katasteraufnahmen zur Regelung des Grundbesitzes (Storskift), so daß nur wenig Kräfte des Amts für eigentliche topographische Vermessungen übrigblieben. Zu diesen gehörten die Feststellung von Grenzen sowohl zwischen den verschiedenen Provinzen als auch gegen Norwegen nebst einer Zahl von astronomischen Ortsbestimmungen. Im Kriegsarchiv befinden sich 16 Grenzkarten von Fridenreich, Thoda, Marelius, Bantz, Ratkind und Holm, die von 1752—66 fertig gestellt wurden. Die von dem Premieringeniör des Landmäterikontores, Nils Marelius, ausgeführten sind wohl die besten, aber zuwenig ins einzelne eingehend und daher ohne größere Bedeutung.

Weit mehr wurde wieder bei den Seekarten erreicht, die durch Nils Ström-

---

[1]) Selbst Erik Dahlbergs Karte von Schweden zu seinem Werke „Suecia antiqua et hodierna" von 1680 macht, obwohl er die neueren Arbeiten kannte, noch keinen Gebrauch von ihnen, ebensowenig sein Atlas der schwedischen Provinzen von 1698.

crona, einen früheren Mitarbeiter Geddas, verbessert wurden und 1730—40 erschienen. Auch kam 1739 eine Karte des Mälarsees heraus. Aber diese Arbeiten, ebenso wie eine 1750 ausgegebene Gradkarta öfver Östersjön, Kattegat und Skagerak von Jonas Hahn, entbehrten einer hinreichenden geodätischen Grundlage. Es wurden daher astronomische und trigonometrische Messungen in Verbindung mit hydrographischen von 1758—85 ausgeführt, an denen Strömer, Schenmark, Zegolström, H. Wallin u. a. beteiligt waren, und 1780 beauftragte König Gustaf III. (1771—92) den Admiral Johan Nordenankar vom Admiralitätskollegium, neue Seekarten anzufertigen. Die erste Karte erschien 1782 über das Kattegat, und 1797 konnte dem König Gustaf IV. Adolf (1792—1809) bereits eine Karta öfver Östersjön och Bälten in 2 Teilen überreicht werden, eine Art General-karte für den Schwedischen Seeatlas. Diesen erfolgreich weiterzuführen, war dem Flottenkapitän Gustaf af Klins beschieden, den der König nach seiner Thronbesteigung mit der Leitung der Arbeiten betraut hatte.

Um nun auch den Seekarten ebenbürtige Landkarten zu schaffen, ging 1790 der Bergrat Frhr Samuel Gustav Hermelin (1744—1820) mit Aufopferung fast seines ganzen bedeutenden Vermögens daran, ein Kartenwerk von allen Teilen des Landes mit Hilfe geschickter Kartographen, wie C. P. Hällström, C. G. Forsell u. a., zu schaffen. Es sind von 1790—1818 in drei Serien 39 Blatt der schwedischen Provinzen in verschie-denem Maßstabe herausgekommen. Die ersten Blätter sind größtenteils mit Benutzung älterer geographischer Karten von Norrland und Finnland ausgeführt, die späteren von Svea- und Götaland auf Grund der im Vermessungsamt vorhandenen geometrischen Karten der Bauerngüter und Dörfer, die verkleinert, zusammengestellt und berichtigt bzw. ergänzt wurden.

In dem Hermelinschen Kartenwerk, das für 20000 Reichstaler an eine Aktiengesell-schaft überging, die eine „Geografisk Inrättning" schuf, deren erster Geograph Hällström war, sind die Höhenverhältnisse des Geländes nur ausnahmsweise wiedergegeben. Die letzten Blätter waren eine 1811 herausgekommene Karta öfver Svea rike och norra delen af Sverige (utom Västerbotten och Lappland), eine 1812 veröffentlichte Karta öfver Skane in 2 Blatt, die 1815 erschienene Karta öfver Sverige och Norge 1:2 Millionen und 1818, als letztes Werk, eine Karta öfver Kalmarlän. Die Maßstäbe der Karten waren sehr ver-schieden, sie schwankten von 1:150000 bis 1:3,4 Millionen (Generalkarte von Finnland). Die Karten waren in Kupfer teils in London, teils in Stockholm gestochen (Neele, Åcker-land, Akrel, Andersson, Lundgreen) und bildeten die Grundlage des schwedischen Teils von Carl af Forsells 1826 in 6 Blatt 1:500000 (Spenssche wachsende Kegelprojektion) erschienener Karte des südlichen Skandinaviens, welche indessen bereits die vertikale Bodengestaltung auf Grund der militärischen Aufnahmen der nun folgenden Periode wieder-geben konnte. Ehe wir uns dieser zuwenden, sei noch der von 1801—03 durch Svan-berg und Öfverbom ausgeführten Erdbogenmessung zwischen Malörn und Pahlawar gedacht, welche die schon erwähnte Maupertuis' berichtigte. Sie bestimmte den Bogen zu 92777,981 Toisen Länge. Svanberg ermittelte ferner, gemeinsam mit Cronstrand, den schwedischen Fuß zu 0,3757864 der Länge des Sekundenpendels der Stockholmer Stern-warte. Auch fallen in diese Periode die ersten geologischen Kartenversuche, ebenfalls durch Hermelin gemacht. Von ihm rührt „Försök till mineralhistoria öfver Västerbotten och Lappland", mit Karten vom Bergrat P. Adlerbeim und C. M. Robsalun (1800). 1804 erschienen noch „Petrografiska Kartor" über andere Landesteile, so vom südlichen Skandi-navien, von Götarike, Närike und Skane.

D. Vierte Periode.

Die vierte Periode wird eingeleitet durch die 1805 unter Gustaf IV. Adolf auf Vor-schlag des Generals Gustav Wilhelm af Tibell (späteren Präsidenten des Kriegs-kollegiums und Mitglieds der Akademie, sowie verdienstvollen Schriftstellers) erfolgte Grün-

von Petter Gedda. Frigelius (?) arbeitete eine Karte 1 : 72000 vom Kalmarer Bezirk, Christoffer Jakobssohn Stenklyft von den norrländischen Provinzen in
1 : 100000 bis 1 : 200000 aus. Anders Anderson lieferte 1680 in 1 : 50000 die Karte
der Kirchensprengel eines Teils von Södermanland, Gabriel Thoring 1688 eine Karte
1 : 50000 der Gerichtsbezirke Nerikes &c.

Aus diesen topo- und chorographischen Karten wurden nunmehr in Stockholm geographische Karten 1 : 180000 bis 1 : 900000 verkleinert und schließlich 1688 eine
vorzügliche, gegen die Arbeit des Bureus einen großen Fortschritt darstellende Generalkarte von Schweden etwa 1 : 3 Millionen durch die dortigen Ingenieure hergestellt, die
nach Provinzen gegliedert war. Ein Teil dieser Blätter trug Griepenhjelms Namensunterschrift. Freilich stellte sich bei der Herstellung dieser Karte heraus, daß noch große
Teile des Landes nicht neu vermessen waren und, soweit nicht auf Bureus zurückgegriffen
werden konnte, ergänzt werden mußten. So wurde der Mälarsee aufgenommen, ein
Ergebnis dieser Aufnahme ist Griepenhjelms große „Land- och sjökarta öfver sjön Mälaren
och dess öar" von 1689 in über 1 : 40000 (3¼ m lang, heute in der Königlichen Bibliothek), ferner die Schären von Stockholm und die Insel Gotland. Während nun
aber die Küstenkarten in den Handel kamen, wurde die Veröffentlichung dieser Landkarte
aus politischen und militärischen Gründen untersagt [1]).

Aber dem französischen Gesandten in Stockholm, Grafen d'Avacex, gelang es, sich
heimlich Kopien der Karte zu verschaffen, und so erschien 1706 zu Paris eine nach
ihnen von dem berühmten französischen Geographen Guillaume de l'Isle hergestellt.
„Carte des couronnes du Nord", die er sogar „Au très puissant et très invinci
prince Charles XII" (1697—1718) widmete. Ihr verdankt man die erste wichtige
Landeskunde Schwedens. Von ihr erschien 1708 eine verbesserte Auflage bei Blaeu
Amsterdam. Seitdem wurden noch mehrere Karten von dem Landesvermessungsamt sel:
veröffentlicht — der Bann des Staatsgeheimnisses war gebrochen.

C. Dritte Periode.

In die bis zum Anfang des 19. Jahrhunderts reichende dritte Periode fallen zunä
die wichtigen Aufschlüsse über die sphäroidische Gestalt unseres Erdkörpers durch
große Gradmessung Maupertuis' zwischen Torneå und dem Berge Rittis von 1736-
an der auch Andreas Celsius teilnahm (Meridiangrad = 111949 m) und die später (1
bis 1803) von dem Schweden Svanberg berichtigt wurde. Dadurch wurden früh:
astronomische und trigonometrische Vorarbeiten ermöglicht, auf Grund welcher die
gegründete Akademie der Wissenschaften einige Provinzkarten als Reduktion des Kata
und 1747 eine Generalkarte des ganzen Reiches in etwa 1 : 2 500000 erschi
ließ, die erste Reichskarte seit 1626. Allerdings fand sich, daß das vorhandene Ma
noch vielfach mangelhaft war. Zunächst aber bedurfte es neuer Katasteraufnahmen
Regelung des Grundbesitzes (Storskift), so daß nur wenig Kräfte des Amts für eigent
topographische Vermessungen übrigblieben. Zu diesen gehörten die Feststellung
Grenzen sowohl zwischen den verschiedenen Provinzen als auch gegen Norwegen
einer Zahl von astronomischen Ortsbestimmungen. Im Kriegsarchiv befinden sich 16 G
karten von Fridenreich, Thoda, Marelius, Bantz, Ratkind und Holm, die von 175:
fertig gestellt wurden. Die von dem Premieringeniör des Landmäterikontors, Nils Ma
ausgeführten sind wohl die besten, aber zuwenig ins einzelne eingehend und daher
größere Bedeutung.

Weit mehr wurde wieder bei den Seekarten erreicht, die durch Nils S´

---

[1]) Selbst Erik Dahlbergs Karte von Schweden zu seinem Werke „Suecia antiqua et hodierna" ↄ
macht, obwohl er die neueren Arbeiten kannte, noch keinen Gebrauch von ihnen, ebensowenig sein ↄ
schwedischen Provinzen von 1698.

cross, einen früheren Mitarbeiter Geddes, ... Auch kam 1739 eine Karte des Mährssen .... eine 1750 ausgegebene Gradkarte über Österreich, ... einer hinreichenden geodätischen .... und trigonometrische Messungen in Verbindung mit ...., an denen Strömer, Schenmark, Hegström, J. Wallis .... 17.. .... König Gustaf III. (1771—92) den Admiral .... vom Admiralitätskollegium, neue Seekarten anzufertigen .... über den Kattegat, und 1797 konnte dem König Gustaf IV. Adolf .... eine Karte über Östergöten och Bälten in 2 Teilen überreicht werden, eine Art .... für den Schwedischen Seeatlas. Diesen erfolgreich weiterzuführen, war dem .... Gustaf af Klint beschieden, den der König nach seiner Thronbesteigung .... mit Arbeiten betraut hatte.

.... Seekarten ebenbürtige Landkarten zu schaffen, ging 1700 der .... Gustav Hermelin (1744—1820) mit Aufopferung fast seines .... Vermögens daran, ein Kartenwerk von allen Teilen des Landes mit .... Kartographen, wie C. P. Hällström, C. G. Forsell u. a., zu schaffen. Er .... Serien 39 Blatt der schwedischen Provinzen in verschie- .... Die ersten Blätter sind größtenteils mit Benutzung .... Karte von Norrland und Finnland ausgeführt, die späteren von .... nur im Vermessungsamt vorhandenen geometrischen Karten der .... und berichtigt bzw. ergänzt wurden.

dung eines militärischen Feldmesserkorps. Bis dahin hatten seit 1770 für rein militärische Vermessungen, Festungsaufnahmen &c. Rekognoseringsbrigaden nur in Finnland bestanden, welche in großen Maßstäben (1 : 4000 bis 1 : 20000) aufnahmen und Spezialkarten in 1 : 40000, Generalkarten in 1 : 60000, 1 : 320000 und 1 : 640000 von einzelnen Landesteilen ausgeführt hatten. Dem neuen Korps wurde die Anfertigung einer auf astronomische Beobachtungen und trigonometrische Operationen gegründeten Karte des Reiches übertragen, die von topographischen, statistischen und militärischen Beschreibungen begleitet sein sollte. Auch hatte es ausführliche Berichte und Pläne über alle militärischen Stellungen und Verteidigungslinien des Landes zu liefern. Ihm wurde ein „Krigsarkiv" beigegeben, das zugleich eine Schule für den Nachwuchs abgeben sollte und mit dem auch des Königs Privatkartenarchiv vereinigt wurde. Das Archiv gliederte sich in 3 Abteilungen, die topographische für die Landesaufnahme, die statistische für die Beschreibung und die historische für kriegsgeschichtliche Studien mit den entsprechenden Bibliotheken und Kartensammlungen. Die Aufnahmen des unter einem Generalquartiermeister stehenden Feldmesserkorps begannen 1810 (unter Karl XIII. 1809 bis 1818) und gingen vom Stockholmer Observatorium ($+ 59° 20' 34''$ n. Br., $14° 33' 52''$ ö. L.) aus, das zunächst durch eine Triangulation 1. O. (Bordascher Kreis) mit Upsala, dann mit den Anfangspunkten des russischen Netzes bei Åbo und des dänischen bei Kopenhagen verbunden wurde. Es handelte sich nicht um eine gänzliche Neumessung, sondern alle vorhandenen geometrischen Aufnahmen und Katasterkarten wurden zur Herstellung einer Netzkarte in vorgeschriebener Projektion und Reduktion, nämlich einer Spezialkarte (Stomkartor) in 1 : 100000, zunächst in konischer Entwurfsart mit Verbesserungen von Euler und Cassini, benutzt, mit Hilfe deren die verschiedenen Gegenden erkundet, durch Meßtischaufnahmen 1 : 20000 ergänzt und berichtigt wurden. Aus der Spezialkarte entstanden dann Generalkarten 1 : 500000 und Wegekarten 1 : 1000000. Die Reduktion des vorhandenen Kartenmaterials geschah infolge Übereinkunft durch Hällström. Die Anleitung für die Erkundungen gab Tavastjärnas 1807 erschienenes „Förelasningar i topografin", das auf 250 Seiten alle geodätischen und topographischen Methoden, Instrumente &c. behandelt. Die von Svanberg und Öfverbom ausgeführte Gradmessung in Norrbotten diente der Triangulation als Stütze. Die Geländedarstellung geschah zuerst in Lehmannschen Schraffen, später wurden Isohypsen gewählt, die im Terrain durch Kontur- und Profilstrecken abgesteckt und eingemessen wurden. 1811 wurde das Feldmesserkorps als solches aufgelöst und mit dem Ingenieurkorps in zwei Brigaden vereinigt (Fortifikations- und Feldmesserbrigade). Diese Einrichtung blieb bis 1832 bestehen. Die Vermessungsarbeiten wurden öfter unterbrochen, besonders in den Kriegsjahren. 1815—20 wurde von Hallands Vaderö bis zur norwegischen Grenze trianguliert und von Uddervalla über Väster- und Östergötland bis östro skärgården, sowie Erkundungen in Skåne, auf Malmöhus und einem großen Teil von Kristianstadalän ausgeführt. Hansteen und Selander, zusammen mit Melan, Woldsted und Lindhagen, erweiterten den großen russischen Meridianbogen Struwes und Tenners auf schwedischnorwegischem Gebiet, welche Arbeit 1851 vollendet war.

Auf königlichen Befehl von 1816 wurde zwischen den Chefingenieuren von Schweden und Norwegen, Sparre und d'Aubert, ein gemeinsamer Aufnahmeplan festgestellt: „Åsyftande en fullkomlig sammanbindning af de förenade rikenas Kartverk", der 1817 genehmigt wurde. Maßstab und Projektion wurden gemeinsam angenommen, und zwar 1 : 20000 für die Aufnahme (konceptkartorna), 1 : 100000 für die specialkartorna und 1 : 500000 für die generalkartan, während als Kartenentwurfsart eine eigentümliche, Verzerrungen möglichst vermeidende konische[1]) eines schwedischen Generalstabsoffiziers, Grafen Spens, bestimmt

---

[1]) Näheres in Vet. Akad. Handl. von 1817. Die Projektionsskala beträgt: für 54° 1 : 0,9956; 56° 57' 40" 1 : 1,0000; 60° 44' 30" 1 : 1,0021; 64° 22' 48" 1 : 1,0000; 65° 50' 20" 1 : 0,9979; 71° 15' 0" 1 : 0,9829.

wurde. Sie ist der Gaußschen ähnlich, eine „wachsende" Kegelprojektion, die aber den Nachteil hat, daß sich der Maßstab mit der Breite, wenn auch nur langsam, ändert, so daß sie für ausgedehnte Länderräume ungeeignet ist. Der größte Projektionsfehler für Norwegen beträgt $\frac{1}{100}$, was in 1 : 100000 nur 1 mm ausmacht (5 mil). Jedes Kartenblatt ist 20 : 15 cm (in Norwegen 18 : 18 cm) groß. Auf Vorschlag des Chefingenieurs bestimmte eine königliche Order vom 27. März 1821, daß der Aufnahmemaßstab fortan 1 : 100000 (statt 1 : 20000) betragen solle, weil die Arbeiten zu langsam vorschritten. Nun ging es schneller. 1821—25 wurde von Landsort längs der Schären bis Stockholm und von Mälaren über Strängnäs bis Upsala, sowie von Stockholm bis Arholm und Söderarmsbåken vermessen. Erkundungen wurden in Gästrikland und an den älteren Küstenvermessungen bei Umeå ausgeführt, sowie bei Nyköpings, Stockholm, Upsala und Östergötland. Unter dem Brigadechef Carl Akrell wurde 1829 versucht, in 1 : 50000 aufzunehmen. 1831 wurde das Feldmesserkorps wieder von den Ingenieuren getrennt und bildete fortan unter dem Namen „Topografiskakåren" eine selbständige Abteilung des Generalstabes unter Akrell als Chef. 1832 wurde auf seinen Vorschlag die Herausgabe eines Länskartverk 1 : 200000 mit statistischer Beschreibung durch den König (Karl XIV. 1818—44) angeordnet. Auch erreichte er trotz des Widerstandes des Generallandmäterikontoret (unter Forsell als Chef), daß das Hermelinsche Kartenwerk 1833 an das Kriegsarchiv überging und damit überhaupt der Auftrag für die Herstellung geographischer Karten auf den Generalstab. Eine neue Instruktion vom 11. November 1834 ordnete die Zusammenstellung und Herausgabe einer Generalkarte 1 : 500000 auf Grund der Länskartor in 1 : 200000 an. 1841 kamen die ersten Länskarten von Västermansland, 1844 von Örebrolän (2 Blatt), 1845 Skaraborgs (2 Blatt), 1847 Hallands, 1848 von Blekinge, 1850 Upsalas, 1856 Älfsborgs (norra), 1859 Göteborgs (2 Blatt), 1860 Älfsborgs (södra) und 1866 von Söder manlandslän heraus. Von 1850—57 wurden außerdem 30 Blatt 1 : 100000 in Kupfer gestochen, und am 3. November 1857 ordnete ein Kabinettsbefehl Oskars I. (1844—59) an, daß die bis dahin geheimgehaltene Originalaufnahme veröffentlicht werden dürfe. Damit beginnt eine neue

E. Fünfte Entwickelungsperiode.

In dieser ist vor allem die erhöhte Präzision der Aufnahmen und die größere technische Vervollkommnung der Vervielfältigung charakteristisch[1]). Schon 1851 war in Lappland eine 4,44 km lange Basis gemessen und mit dem trigonometrischen Netz in Verbindung gebracht, auch die Höhenermittelung zwischen den beiden Meeren beendet worden. Als Schweden (mit Norwegen) 1863 der mitteleuropäischen Gradmessung beitrat (sein 1. Vertreter war Professor Dr. Lindhagen, Sekretär der Akademie der Wissenschaften, später ein Kommission aus Feldzeugmeister v. Wrede, Lindhagen und Prof. Selander), konnte es vier Grundlinien zur Verfügung stellen: die von Öland (1840 mit dem Besselschen Apparat ermittelt), Stockholm (1190 Toisen lang, 1863 bestimmt), Axevalla in Westgotland (1357 Toisen, 1863 gemessen) und die von Halland (1863 zu 3740 Toisen festgestellt), bei welchen drei letztgenannten, durch Lindhagen ausgeführten, ein neuer Basisapparat des Barons Wrede Anwendung gefunden hatte. Das Dreiecksnetz bestand aus einer Kette, die von Stockholm im Norden nach Süden längs der Ost- und Südküste Schwedens zog, wo sie sich an die dänische Triangulation anschloß. Eine zweite Kette setzte die erste längs der Westküste bis Norwegen fort, und eine Transversalkette unter 58° 20' n. Br. verband, quer durch Schweden ziehend, beide Ketten. Weiter ging eine kleine Dreieckskette von Stockholm nach Upsala und eine andere von der Hauptstadt nach Gefle, nachdem sie sich vorher auf den Ålandsinseln an

---

[1]) In diese Periode fällt auch die Einführung eines neuen dezimalen Maßsystems durch Verfügung vom 31. Januar 1855, das offiziell schon seit dem 1. Januar 1859, allgemein erst seit dem gleichen Tage 1863 Geltung erlangte.

das russische Netz angeschlossen hatte, das weiter längs des Finnischen Busens nach Pulkowa zog. Später kam noch die Triangulation einer Kette 1. O. hinzu, die zwischen dem 63° und 64° Parallel vom Bottnischen Meerbusen bis an die norwegische Grenze sich erstreckte und 1880 fertig wurde, wobei mittels der Seite Köshongen—Anjerkutan ein erneuter Anschluß an das norwegische Netz hergestellt wurde. Auch wurde eine Meridiankette von der Gegend nördlich von Storsjön in Jemtland bis in die Umgegend von Siljan und Dalarne trianguliert. Seit 1886 wurde ein jetzt 4000 km umfassendes Präsisionsnivellement mit 1173 etwa 2,1 km im Mittel voneinander entfernten Punkten 1. O. ausgeführt. Es wurde doppelt und in entgegengesetzter Richtung mit Bambergschen Instrumenten (40 cm Objektiv, 42 cm Brennweite, 24fache Vergrößerung) nivelliert, als Ausgangsfläche diente eine provisorisch angebrachte Marke, die 11,6 m unterhalb des Hauptfixpunktes in Stockholm liegt. Es wurde genau aus der Mitte, im übrigen nach preußischen Grundsätzen, nur manchmal auch mit einspielender Libelle, nivelliert.

Seit 1894 wurden sämtliche Kartenwerke, zu denen auch noch das Rikets economiska gekommen war (1871), in das Rikets allmanna Kartverk vereinigt, dessen Ausführung der Topografiska afdeling übertragen ist. An ihrer Spitze steht heute Oberst Frhr v. Lowisin, dem 3 Sektionen (die topographische, zugleich geodätische, die ökonomische und die ökonomisch-topographische) unterstellt sind. Es gehören folgende Einzelwerke zum Reichskartenwerk:

1. Generalstabens karta öfver Sverige 1:100000. Die Blatteinteilung dieser 234 früher nach Zonen und Kolonnen gegliederten, neuerdings fortlaufend numerierten Sektionen (44:59,5 cm) der wichtigsten Kriegs- und bürgerlichen Karte des Reiches ist unabhängig vom Gradnetz. Wachsende Kegelprojektion des Grafen Spens. Das Gelände ist ähnlich wie in englischen Karten in kurvenartigen Querschraffen, in den höheren Teilen, wo weite Ebenen mit Granitmassivs wechseln, in Niveaulinien dargestellt, doch fehlt es an Höhengaben, die von vorhandenen in Pariser Fuß (= 1,0941 schwedisch) gemacht sind. Die Gletscher (400 qkm) sind besonders charakterisiert. Die Gewässer der Schwarzdruckkarte, die in Kupfer gestochen und auf Stein umgedruckt wird, haben blaues Handkolorit. Die Schrift ist sehr sorgfältig. Seit 1839. Erschienen sind bisher 89 Blatt des südlichen Teils.

2. Rikets ekonomiska Kartverk 1:50000 und 1:100000, und zwar in letztgenanntem Maßstabe das Küstenland Norrbottens und Alfdall in Wärmsland. Diese 1860 vom Landmäterikontoret begonnenen und von Beschreibungen begleiteten wirtschaftlichen Karten sind in Farben gedruckt, und zwar die Ortschaften und Wege in verschiedenen braunen Tönen, das Ackerland gelb, die Wiesen grün, die Gewässer blau, das Gerippe und die Schrift schwarz. Das Gelände ist grau geschummert. Im Erscheinen.

3. Norrbottens läns Kartverk 1:200000, von der „Geografiska Inrättningen" begonnen, seit 1832 vom Generalstab übernommen, besteht aus ökonomisch-topographischen Gradabteilungskarten (84 Blatt) von Norra Sverige. Jedes Blatt enthält 65 Konzeptblätter (zu je 4 Meßtischblättern) 1:50000. Dazu gehören statistische Beschreibungen. Im Erscheinen.

4. Länskartor 1:200000. Diese Kupferstichkarten der einzelnen Landshauptmannschaften oder Läne (24) enthalten das Gelände der höheren Gebiete in Schichtlinien, sonst in Schraffen, mit Höhenangaben in Metern. Die Blätter sind 52,5:70,5 cm groß und erscheinen seit 1844.

5. Höjdkarta öfver södra och mellersta Sverige 1:500000 ist eine auf Grund der Länskartor ausgeführte vortreffliche Höhenschichtenkarte des südlichen und mittleren Schweden auf 10 Blatt (36:48 cm) in Farbendruck, die später auch auf Nordschweden (5 Blatt) ausgedehnt wurde. Die Bodengestaltung ist durch 9 nach oben dunkler

werdende Schichtentöne mit 100 schwed. Fuß (29,7 m) Abstand derselben dargestellt, die Gewässer sind blau wiedergegeben. Seit 1886.

6. **Generalkarta öfver Sverige 1:1 Mill.** in 4 Blatt, Kupferstich, gibt das Gelände in Schraffen, die Höhen in schwedischen Fuß (0,3 m) wieder.

7. **8. G. Hermelins geografiske kartor öfver Sverige** in verschiedenen Maßstäben in 30 Blatt. Stockholm 1810.

8. **Umgebungskarten** in Schwarz, Wasser und Grenzen farbig. So z. B. Karta öfver Traktes Omkring Stockholm 1:20000 in 9 Blatt, 1861; Nya karta öfver Stockholm 1:4000, 1899; Karta öfver Östergöts lands län 1:400000, 1896; Kapparbergs län 1:500000, 1898; Småland i Öland, 1898.

9. **Reskartor** in 12 Blatt, 1889.

10. **Karta öfver Rickets indelning i Inskrifnings Bataljons och Kompani områden** 1904.

Von anderen Behörden ist zunächst das K. **Sjökartverket** in Stockholm zu nennen, das einen Sjö-Atlas, Küstenkarten, Segelanweisungen &c. herausgibt. Die Arbeiten begannen im 18. Jahrhundert, wie ausgeführt, und erreichten einen hohen, vorbildlichen Stand schon damals. Seither ist fortgearbeitet, zumal die schwedisch-finnische Ostseeküste stark wächst (1784—1894 Zuwachs von 667 ha) und das Land sich hebt. Ein durch Nivellement verknüpftes und mit selbstregistrierenden Mareographen ausgestattetes Pegelnetz ist vorhanden.

Dann ist vor allem „Sveriges geologiska undersökning" hervorzuheben, die seit 1858 auf Grund der topographischen Karte erscheinen läßt:

1. **Geologisk karta öfver Sverige 1:50000** in 115 Blatt. Im Erscheinen.

2. **Geologisk karta öfver Sverige 1:200000** in 107 Blatt, 1875—86. Gelände in Bergstrichen, Gewässer blau, rot. Geologische Einzelheiten in 1:20000—80000, magniska kartor in demselben großen Maßstabe.

3. **Geologisk Öfversigtskarta öfver mellersta Sverige Berggrund 1:280000** in 9 Blatt. 1876—81.

4. **Geologisk Öfversigtskarta öfver Sverige 1:100000.** 1884.

5. **Atlas** till underdånig berättelse om en undersöking af mindre kända Malm fyndigheter i nom Jukkasjäror Malmtrakt och dess om gifningar verställd af Sveriges geologiska undersöking på grund af Kongl. Majists nådiga beslut den 19. Maj 1899. 8 Blatt.

6. **Geologisk Öfversigtskarta** öfver Jukkasjäror Malmtrakt och dessom gifningar uppränad af Sveriges Geologiska Undersökning genom Fredr. Svenonius 1:500000 (mit Förklaring).

7. **Geologisk karta öfver Blekinge Län 1:100000** in 2 Blatt.

8. **Öfversigtskarta** öfver Jordarsterna i nom Norike och Karlskoga. Berglagsamt Fellingsbro Härad in 2 Blatt, mit Erläuterung. 1902.

Seit 1896 werden der feste Gebirgsgrund (Felsboden) einerseits und die quartär-geologischen Formationen anderseits auf verschiedenen Karten in 1:200000 bzw. 1:100000 erscheinen. Diese neuen Serien bearbeiten A. Lindström und A. E. Törnebohm, und ist eine geologische Übersichtskarte über den Felsboden in 2 Blatt, mit Begleitschrift von Törnebohm, bereits erschienen. Dieser hat auch „Grundzüge der Geologie Schwedens" verfaßt mit 2 geologischen Karten 1:8 Mill. und 1:3,5 Mill.

Endlich ist Schweden im internationalen geologischen Atlas (1:1,5 Mill.), von F. Beyschlag geleitet, 1902 veröffentlicht worden.

Erwähnenswert ist weiter die Ausführung der **Gradmessung** auf Spitzbergen (zur Kontrolle der epochemachenden französischen Arbeiten des 18. Jahrhunderts in Lappland) durch Schweden (und Rußland). Zunächst war 1898 eine Vorexpedition abgesandt, welche die Signale für die spätere Triangulierung errichten und einige Ortsbestimmungen machen sollte. Es wurden an 26 Orten im ganzen 21 Breiten und 31 Längen von Jäderin, v. Leipel und Carlheim gemessen[1]). Die 1901 tätige Hauptexpedition stand unter Leitung des Staatsgeologen Professor de Geer (Schiff „Antarctic"). Sie sollte ein Netz von 18 Dreiecken legen, das Azimut der Dreiecksseiten von mindestens 13 Punkten bestimmen, 2 Basislinien messen und an mindestens 8 Stellen die Länge des Sekundenpendels bestimmen. Dazukommen verschiedene Nebenarbeiten topographischer, geologischer, hydrographischer und meteorologischer Art. Es wurde unter anderm durch Chronometertransport zu Schiffe eine Fundamentallänge mit einem m. F. $= \pm 0{,}13^{s} = \pm 2''$ bestimmt, ein für solche Breiten recht gutes Ergebnis.

Sehr reichhaltig ist die (in- wie ausländische) Privatkartographie. Aus älterer Zeit sind die Arbeiten von Delisle, Dahlberg, Forsell, Marelius schon genannt. Es mögen dann erwähnt sein Petrus Filaeus: General-Charta öfver Stockholm med Malmarne 1733; J. Bapt. Homann: Regni Suecia Tabula generalis, 1 Blatt farbigen Kupferstichs in veralteter Geländedarstellung; Calwagen: Karte von Medelpad (Norrland) 1769; Sotzmann: Generalkarte von Schweden-Norwegen von 1803; W. Hisinger: Geognostik karta öfver Medlersta och Södra Delarne af Sverige, Stockholm 1834 (derselbe Verfasser hat auch Höhentabellen 1829 veröffentlicht); August Hahr: Karte von Südschweden 1 : 500000 auf 8 Blatt, 1852—60; Derselbe: Generalkarta öfver Sverige, Norge och Danmark, samt öfver angränsende delar af österajö landerne jemte jernväge-kommunikationner in 6 Blatt 1 : 1 Mill., 1878 (2. Aufl. 1880); F. A. Mentzer: Cartes statistiques de la Suède, 3 Blatt, 2 Hefte, Stockholm 1865; Derselbe: Atlas öfver Sveriges län, jemte statistika uppgifter, Norrköping 1869. 1. Heft, läns de Stockholm, d'Upsala, de Malmöhns e de Christianstad, 4 Karten, Text; Magnus Roth: Geografisk Atlas öfver Sverige 1 : 400000 in 2 Serien mit 14 Übersichts- und 22 Provinzkarten, Stockholm 1878; N. J. Selander: Atlas öfver Sverige efter Generalstabens Generalkarta 1 : 1 015000, Stockholm, seit 1880; Derselbe: Karta öfver Sverige 1 : 500000 in 15 Blatt, Stockholm 1882; O. Torell: Karta öfver Sverige, Norge, Danmark e Finland 1 : 200000, in 2 Blatt, Stockholm 1888; Schollert: Kart over Norge og Sverige til Skoleborg, Kristiania 1880; Ed. Cohrs: Atlas öfver Sverige, 6. Aufl. 1899, enthält in trefflicher Ausführung eine Übersichtskarte, 9 Provinzkarten 1 : 100000, 3 Provinzkarten 1 : 200000 von den nordländischen Provinzen, für Reisezwecke hauptsächlich, daneben Stadtpläne und geographisch-statistische Angaben; Fr. Syenonius: Topografiska kartor öfver Norbottniska turistleda med bänage till sv. turistföreningens vägvisare, 42 Blatt, Stockholm 1896; A. H. Bystrom: Karta öfver Värin lands län (Svenska turist föreningens kartor), 4 Blatt, Stockholm 1897; G. Klint: Seeatlas; V. Petersson: Geologisk Atlas öfver Norbergs bergslag 1 : 1 500000, Stockholm 1900; A. Kempe: Topografisk kartor öfver Jönköpings, Kalmar i Kronobergslän 1898 i Westmanland i Örebrolän 1900; C. Gräf: Schweden (und Norwegen) 1 : 3 Mill., auf 1 Blatt (68 : 52 cm), Farbendruck, Weimar 1899, Geogr. Institut. Die neue österr. Übersichtskarte 1 : 750000 des Instituts und die Liebenowsche Karte von Mitteleuropa 1 : 300000 enthalten einen kleinen Teil Südschwedens, die Reymannsche Schweden bis über den 58.° n. Br. Dazu die Karten in den großen Atlanten wie Stieler (Übersicht von Skandinavien 1 : 10 Mill. und Südskandinavien 1 : 2,5 Mill., mit 1 Nebenkarte 1 : 500000, völlig neue Arbeiten), Wagner-Debes, Sohr-Berghaus, Andree, Vivien de St. Martin, Schrader &c. Auch die orographische Schulwandkarte Habenichts in 9 Blatt (55,5 : 49 cm) : 1 : 1500000, Perthes, Gotha 1896, sei erwähnt, sowie Iljins Höhenschichtenkarte 1 : 2,5 Mill.

Von hervorragender Bedeutung als Quellenwerk ersten Ranges ist endlich des großen Polarforschers und Entdeckers der nordöstlichen Durchfahrt, A. E. Frhrn v. Norden-

---

[1]) Näheres in Carlheim-Gyllensköld: „Travaux de l'expédition suédoise au Spitsbergen 1898 pour la mesure d'un arc de méridien."

skiölds 1889 erschienener „Facsimile-Atlas to the early history of cartography with reproductions of the most important maps printed in the XV. and XVI. centuries" (Übersetzung von Ekelöf und Clements R. Markham), der auf 136 Folioseiten Text 84 in denselben gedruckte Karten und 51 Foliokarten enthält (darunter 27 Folio alter Ptolemäusblätter) und desselben Verfassers „Periplus, an Essay on the early history of Charts and Sailing Directions", Stockholm 1897.

Literatur. Von offiziellen Werken: Prof. P. G. Rosén: Die astronomisch-geodätischen Arbeiten der topographischen Abteilung des schwedischen Generalstabes, Stockholm, 1. Band, Heft 1 (1882), 2 (1885), 3 (1890); mit Tafeln. Aus älterer Zeit: Ordbestämmelser i Sverige, verkställde af topografiska Corpsen, Aren 1814—49, Stockholm 1866. Nissen: Oversigt over de vigtigste topografiske og kartografiske arbejder i nordiske riger. Kristiania 1879. Von anderen Werken &c. seien hervorgehoben: Sven Lönborg: Sveriges Karta tiden till omkring 1850, Upsala 1903. C. M. Rosenberg: Geografisk-Statistikt Handlexicon öfver Sverige, Stockholm 1882—83. Härom Ahlenius: Till Kännedomen om Skandinaviens geografi och kartografi under 1500 talets senare hälft. Härom Pörf: Om de älsta Kartorna öfver Sverige. Huss: Om äldre Kamerala handlingars betydelse för geografisk forskning (Ymer 1901). H. Ahlenius: Olaus Magnus 1895. Hildebrand: Minne af Olaus Magni (Sv. Akad. Handl. 1897). Ekstrano: Svenska Landtmätare, n:r 1684. Almquist: Verner von Rosenfelt (Samlaren 1895). Faggot: Historien om Svenska Landtmäteriet och Geographien, 1747, Praesidii tal i Vet. Akad. P. Alfving: Om Landtmäteriet. P. G. Rosén: Bestimmung der Intensität der Schwerkraft auf den Stationen Haparanda, Hernösand, Upsala, Stockholm und Lund (Bihang till K. Svenska Vetenskaps Ak. Handlingar 1899). Karl Ahlenius: Bericht über die neuere wissenschaftliche Literatur zur Länderkunde Europas. Schweden. Geogr. Jahrbuch, Gotha. Endlich die Zeitschrift „Ymer" der 1877 begründeten Svenska Sällskapet för Antropologi och Geografi in Stockholm, die unter Redaktion von G. Andersson seit 1881 erscheint.

III. Dänemark (Danmark).

Das meerumschlungene Halbinsel- und Inselkönigreich mit seinen europäischen Beiländern (Island, Faröer), Grönland und den drei westindischen Kolonien (Inseln St. Croix, St. Thomas und St. John) bietet der Kartographie manchen Reiz, aber auch, trotz im ganzen einfacher oro- und hydrographischer Verhältnisse, wegen der höchstens von Großbritannien erreichten Mannigfaltigkeit und der Zerstreuung seiner Gebiete, selbst bis in den hohen Norden und in die Tropen hinein, der Beschaffenheit namentlich der versandeten und verkehrsarmen europäischen Westküsten, die stellenweise, wie in Jütland, förmlich unnahbar sind, und der nordischen Gletscherwelt manche Schwierigkeit. Mit Ausnahme der plateauartigen Tafel Bornholm und der vulkanischen Faröer-Eilande im Norden Großbritanniens, sowie des von Klippen umgebenen einsamen Island und der grönländischen, noch wenig erforschten Eiswüste, ist das Land überall flach, wenn auch der Osten des festländischen Jütland von den letzten Ausläufern des uralisch-baltischen Höhenrückens durchzogen wird. Denn selbst die höchsten Erhebungen erreichen dort noch nicht 170 m.

In römischer Zeit wurde wohl nur das von den kontinentalen Germanen bewohnte Jütland, und zwar durch eine Flotte des Tiberius, die bis ins Kattegatt drang, bekannt, während von der noch von Kelten und Finnen bewohnten Inselwelt selbst Plinius und Ptolemäus wenig oder besser gar nichts wußten [1]).

Im Mittelalter fanden sich dann nordgermanische Dänen, etwa im 5. Jahrhundert schon, auf den Inseln ein, kamen später auch auf die Kimbrische Halbinsel, wo inzwischen Angeln und Jüten sich angesiedelt hatten. Burgendaland (Bornholm) hatte einen eignen König. 823 kam Erzbischof Ebbo von Rheims nach Jütland, ihm folgte der Missionar des Nordens, Ansgar. Seit dem Lethrakönig aus der Dynastie der Skjöldunger, Gorm dem Alten († 935), war das bis dahin aus einzelnen Häuptlingsherrschaften bestandene Reich vereinigt (883), Nord- und Südjütland, Fünen, Seeland mit Inseln, Schonen, Halland und Blekingen bildeten ein Königreich. Kaiser Heinrich I. gründete 931 die Mark Schleswig.

---

[1]) Man sprach wohl von Dancionern, was auf Dänen vielleicht deutet. Die Wortkritik hat da noch manche Aufgabe. Auch Prokop v. Caesarea kennt außerhalb Thules wohnende dänische Völkerschaften, aber nicht in Jütland.

Als Harald Blataud (935—85) von Kaiser Otto dem Großen zur Annahme des Christentums gezwungen worden und die jütischen, von Hamburg, später von Bremen abhängigen Bistümer gegründet waren, wurde Dänemark vom 10. bis 11. Jahrhundert ein Lehnsstaat des Deutschen Reichs. Noch wichtiger war freilich die geistige Eroberung, die Städtegründung nach deutschem Vorbilde, die Ansiedelung deutscher Künstler, Gelehrten und Handwerker. Der Bischof Adam von Bremen († 1076) zeigt sich sehr gut über die dänischen Gebiete unterrichtet und schildert sie genau. Aber auch die nordischen Inseln waren inzwischen entdeckt worden, so schon im 8. Jahrhundert Faröer durch irische Mönche, 795 Island, die später, 770 bzw. 870 nochmals, nun aber von Normannen, aufgesucht wurden. Der große dänische Geschichtschreiber Saxo Grammaticus, so phantastisch er auch in seinen historischen Darlegungen [1]) ist, zeigt sich über das eigentliche dänische Gebiet geographisch wohlunterrichtet. Er lebte zur glänzendsten Zeit Dänemarks, als Waldemar II. der Siegreiche (1202—41), der auch Teile Estlands und der pommerschen Küste erobert hatte, „von GOttes Gnaden König der Dänen und Slaven, Herzog von Jütland, Herr von Nordelbingen" war. Eine glorreiche Epoche des Landes lag freilich schon hinter ihm, nämlich als es von 1016—42 über England geherrscht. Zur Hohenstaufenzeit, als Deutschland in verhängnisvoller Weise italienische Politik trieb, brachte der Däne Rügen, Pommern, Mecklenburg und Holstein in seine Abhängigkeit, und in der gesicherten insularen Lage konnte das Phantom einer europäischen Machtstellung sich entwickeln, das durch Überspannung der Kräfte die Keime des inneren Verfalls barg. In den Kämpfen mit der Hansa gingen bald alle Eroberungen verloren, und Waldemar IV. (1340—75) blieb nur noch auf das eigentliche Dänemark beschränkt, das sich nach dieser kurzen Blüte nie wieder zur alten Größe erhob. Um so kräftiger aber entwickelte sich das Nationalgefühl und die geistige Kultur. Noch einmal hob sich die politische Macht, nachdem 1380 schon Norwegen und Island hinzugekommen waren, nach der Stiftung der Union der drei nordischen Reiche 1397 zu Kalmar durch Waldemars Tochter Margarethe. In diese bis ins 16. Jahrhundert währenden Periode, wo es sich 1460 noch mit Schleswig-Holstein verbrüdert, fallen nur einige wichtige Kartenwerke, die Dänemark mit betreffen. Da ist zunächst die von Nordenskiöld entdeckte „Tabula" von 1470, dann besonders auch die deutsche Ptolemäus-Ausgabe von 1482, in der wir auch Island [2]) und weit im Osten davon die obersten Teile von Europa als Grönland bezeichnet finden, ohne jedoch eine Verbindung nach Westen anzudeuten. 1493 entstand eine rohe Holzschnittkarte von Georg Alten in Nürnberg über Schleswig-Holstein, auf der aber nur die Namen Hamburg, Lübeck und Albis fluv. zu finden sind. Die erste isländische Karte einheimischen Ursprungs rührt jedoch aus weit späterer Zeit, nämlich 1570, und ist von Sugurd Stephanus bearbeitet. Sie zeigt auch die Orardes, Hetland, Feroe und darunter Frisland, dann die Küste von Grönland mit Heriols-neus und Huidsaert, höher hinauf Riceland, Narveoe &c., und geht über Norwegen, Skiarmaland auf der andern Seite, dann Helleland, Markland, Skraelingeland bis zum Promontorium Vinlandiae. Daran schließt sich die 1576 in Venedig von Tommaso Porcachi da Castiglione verfaßte Karte, die zu seinem Buche „L' isole piu famose del mundo" gehört und Island nach Zeno·enthält, während die Beschreibung nach Olaus Magnus ist. Dessen „Carta marina" von 1539 bringt natürlich auch Dänemark, mit Island, Faröer, Grönland &c., dagegen ist der Text sehr wortkarg über erstgenanntes und spricht sich dafür um so eingehender über diese drei genannten Inseln aus. Auch die der Olauskarte zugrunde liegende Zieglersche von 1523 gibt Grönland und dann eine Karte des Ramusio von 1540 aus 9 Teilen, in der die Halbinsel Dania, dann Island (zwischen 76° und 89° n. Br., also nur 1° vom Pol entfernt und größer als beide Sizilien) dargestellt ist, mit 3 hohen Bergen,

---

[1]) 1514 erschien zu Paris seine „Danorum regum Historia." 1839 von E. Müller deutsche Ausgabe.
[2]) Es gehörte (mit Norwegen) seit 1380 zu Dänemark.

deren Gipfel ewiger Schnee deckt, deren Fuß Feuer wie der Ätna speit, und von denen vier wunderbare Gewässer entspringen: ein ganz heißes, ein ganz kaltes, ein trinkbares und ein das Leben tötendes, schwefeliges. 4° höher als Island liegt endlich Grönland, das mit Labrador in Verbindung steht, zwischen beiden befindet sich der weiße Berg oder Huitsoerk.

Von 1521—1814 war Dänemark nur noch mit Norwegen vereinigt, 1658 auch der Länder jenseits des Sundes durch Schweden beraubt, und seit 1660 gehorcht es unumschränkten Königen. In dieser Periode wurde das Land im Anfang des 16. Jahrhunderts von Deutschland, dann von den Niederländern kartographisch beeinflußt und ist dann natürlich in den Atlanten der Mercator (1585) und Ortelius, wie in allen Kosmographien und Ptolemäus-Ausgaben, sowie Weltkarten dargestellt. Aus dieser Zeit sei die Karte „Daniae Regni Typus" von 1550 des Cornelius Antonius mit guter Küstendarstellung erwähnt. 1552 erhielt Professor Marcus Jordan von Christian III. den Auftrag, eine Karte von Dänemark herzustellen. Es kam 1559 eine Karte von Schleswig-Holstein und eine Karte des Malers Peter Böckel von Dänemark zustande. Die erste einheimische Karte von Bedeutung findet sich aber erst in dem Beginn der Gradmessungszeit. Es ist die 1647 begonnene, 1650 vollendete große Generalkarte Dänemarks mit den dazugehörigen „Spezial Tabulen" Johannes Mejers[1]) aus Husum, des Mathematikers und Kartographen Kristians IV. Sie beruht auf Vermessungen, die auf Veranlassung des Königs der Professor der Ingenieurwissenschaften, Lauremberg aus Rostock, seit 1631 ausgeführt hatte und die durch Mejers Aufnahmen von 1638—48 ergänzt wurden. Es waren 30 See- und Landkarten der Provinzen verschiedenen Maßstabes, welche fast 150 Jahre die Grundlage aller späteren Arbeiten blieben. Auch war eine „geo-hydrographische Beschreibung" beigefügt. Später ist besonders die „Karta öfver Danmark" erwähnenswert, die 1660 Erik Dahlberg seiner für Pufendorf geschriebenen „Historia om Karl X" mitgab, weil sie manche eigne Forschungen enthält. Auch die zahlreichen Darstellungen in den deutschen Homannschen Atlanten (seit 1702) sind hervorzuheben.

Erst in der Periode der eigentlichen geodätischen Aufnahmen und Triangulationen, die François Cassini de Thury einleitet, erfolgte dann, und zwar auf Veranlassung der Akademie der Wissenschaften (Konigl. Vindenskabernes Selskab), eine zusammenhängende, sehr gründliche Mappierung seit 1766, meist in 1:20000, die den meisten Staaten Europas überlegenes leistete. Das Ergebnis war der erste „Atlas von Dänemark", der 1777—1825 herauskam und auf 19 Blatt verschiedenen Maßstabes (1:62500, 1:121000, 1:125000, 1:250000) das Land in zwar veralteter, aber doch klarer Weise darstellte. Die Arbeit wurde durch die Kriege im Anfange des Jahrhunderts oft gestört. Nach dem Wiener Frieden 1814 blieben Dänemark nur noch die norwegischen Nebenländer, darunter namentlich Island. Es wurde ein Staat von der Größe etwa Ostpreußens, aber so klein es auch auf der Karte wurde und so eingeschränkt seine politische Macht, so groß blieb seine Geschichte und sein Einfluß als geistig leitender Staat des Nordens, in welcher Rolle es jetzt freilich Schweden abgelöst hat. Eine ausgezeichnete Grundlage erhielt die weitere Vermessungs- und kartographische Arbeit durch die Berufung des Gaußschülers, des Astronomen Heinrich Christian Schuhmacher[2]) (1780—1850), 1810 nach Kopenhagen als Professor der Astronomie, wo er zwar zunächst nur bis 1813 blieb, dann aber 1815 zurückkehrte und bis an sein Lebensende (mit Wohnsitz in Altona) wirkte. Er führte auf 1816 ergangenen Befehl Friedrichs VI. von 1817—23, nachdem er mit einem neuen Apparat je eine Basis bei Braak in Holstein und auf der Insel

---

[1]) P. Lauridsen: Kartografen Johannes Mejer, Dansk. Hist. Tidsskr. VI Raekke, Bd. I. Er hat auch Mejers Karte über Seeland in Farbendruck wiedergegeben.

[2]) Hervorragend war auch seine literarische Tätigkeit. Er rief ins Leben und leitete von 1823—25 die „Astronomischen Abhandlungen", von 1836—44 das „Astronomische Jahrbuch" und vor allem von 1825—50 die „Astronomischen Nachrichten".

Amager bestimmt hatte, eine mustergültige Triangulation über das gesamte zu Dänemark gehörige Festland von Skagen bis zum Herzogtum Lauenburg aus und bestimmte, damit in engster Verbindung stehend, die Länge des Sekundenpendels auf Schloß Güldenstein, an die sich die Neuregelung des dänischen Maßsystems knüpfte [1]). Die Länge des von ihm gemessenen Bogens Lauenburg—Lyssabel betrug 87436,54 Toisen. Das Netz 1. O. wurde mit dem englischen, dem hannöverschen und 1839/40 mit der preußischen Küstenvermessung verbunden.

Der Atlas wurde 1824—29 dann in dem Abrahamsonschen „Ämter-Atlas" auf 31 Blatt in 1 : 237000, also in einheitlichem verkleinerten Maßstabe, verarbeitet. Das topographische Detail ist vollständig und zuverlässig, die Bodengestaltung in etwas veralteter Weise ausgedrückt. Die Schrift (dänisch) und der Stich sind klar, das ganze Werk recht brauchbar. Aber noch während der Vermessungen der Akademie erschienen Arbeiten, so eine „Kort over Siaelland" von Wessel 1771, eine „Kort over Moen, Falster og Laaland" von Skanke 1771, eine „Karte von Dänemark" 1802 des bekannten Sotzmann.

Inzwischen begann auch der General Quartermester Staben mit einer Triangulation des Landes. Schumacher hatte bereits 1827 die Polhöhe von Kjöbenhavn bestimmt, dessen Runde Taarn der Ausgangspunkt des dänischen Gradnetzes wurde. 1830 erschien von dieser Behörde bereits eine „Karte der Umgegend von Kopenhagen 1 : 60000". Dann kam 1839 eine auf Triangulation und in 1 : 20000 bewirkter Mappierung beruhende Spezialkarte „Omegnen af Faestningen Rendsburg, begraendset med kensyn til militairt brug" auf 1 Blatt 1 : 40000 heraus, die nördlich bis zum Bristensee, östlich bis Höbek, südlich bis Jevenstadt, westlich bis Tetenhusen reichte und in sehr klarem Stich und ausgezeichneter Schrift sowie ansprechender Geländedarstellung in Lehmannschen Schraffen die genannte Festung und Gegend mit allen Einzelheiten wiedergab.

1840 erschien „Kjöbenhavn med löbene dertil" 1 : 40000, mit Eintragung des nördlichen Hafens in 1 : 15000 auf einem Karton, einer ledende merker mit 5 wichtigen Angaben über die Lage der Sternwarte, Weitsichtigkeit des Leuchtfeuers der Dreikronenbatterie &c. Das 34" 10¼''' hohe und 23" 2¼''' (paris.) lange Blatt reicht im Norden bis Naerum und enthält auch die Insel Saltholm. Von anderen Arbeiten sei hervorgehoben die saubere und zuverlässige „Topographische Karte des Königreichs Dänemark" des Kapitäns, späteren Oberstleutnants v. Mansa, die 1837—47 in 18 Blatt (40 : 44,5 cm) 1 : 160000 erschien. Freilich ist in dieser brauchbaren Spezialkarte das Gelände nur skizziert. Von hervorragendem geschichtlich-kartographischen Interesse ist die 1824 entstandene, 1830 mit Bredstorffs Unterstützung veröffentlichte Karte von Europa des dänischen Artilleriehauptmanns Olsen, weil sie die erste hypsometrische, auf Grund guter barometrischer Messungen entstandene ist. Die Aussetzung eines Preises der Pariser Geographischen Gesellschaft für die beste Orographie Europas hatte sie angeregt, das durch Vervollkommnung der Barometerformeln durch Ramond und Laplace sowie die bessere Durchbildung des Quecksilberbarometers und durch zahlreiche geodätische Höhenmessungen, namentlich unter Humboldts Einfluß allmählich entstandene, von Olsen sorgfältig gesammelte orographische Material ermöglicht. Von ihm stammt auch die elegante und ziemlich zuverlässige Karte „Sönder-Jylland eller Hertugdömmet Slesvig, udfört efter de af det Kongelige danske Videnskabernes Selskab jorenstalted e trigonometriske og geografiske Opmaalinger auf 1 Blatt 1 : 240000", die 1836 erschien und alle wichtigen Einzelheiten bringt, indessen bezüglich mancher Ortsnamen und der Wege, von denen 3 Straßenklassen unterschieden werden, schon damals der Ergänzung bedürftig war.

---

[1]) 1 Fod (= 118,13 Pariser Linien = 0,313 853530 m) = 12 Tommer = 144 Linier.

1842 ging dann die gesamte Landesaufnahme auf die Generalstabens topografiske afdeling in Kopenhagen über, welche seit 1845 ihre auf 81 Blatt berechnete „Generalstabens topografiske Kaart over Kongeriget Danmark med Hertugdom Slesvig" 1 : 80000 (also leider mit Ausschluß Holsteins und Lauenburgs) herausgab, von der 1853 schon 7 Blatt vorlagen, die dann aber, namentlich aus Geldmangel, langsam vorrückte und freilich auch durch die Kriege 1848/49 und 1864 unterbrochen wurde. Die Meßtischaufnahmen geschahen unter Benutzung der pantographisch reduzierten Katasterkarten 1 : 4000 in dem damals ungewöhnlich großen Maßstabe 1 : 20000. Sie sind später bis auf die Faröer (1901 waren 53 Blatt fertig) ausgedehnt worden und viel eingehender als die bis 1842 von Schumacher[1]) bewirkten Vermessungen ausgeführt worden. Auf jede Quadratmeile entfielen an 100 durch trigonometrisches Nivellement bestimmte Punkte, die der Aufnehmer dann so vermehrte, daß er unmittelbar auf dem Felde Höhenkurven von 5 dänischen Fuß Abstand eintragen konnte. Auch der Meeresgrund wurde nach den Originalküstenvermessungen eingezeichnet. (Näheres bei der Zusammenstellung der Kartenwerke.)

Fast als erste vollendete Arbeiten des Generalstabs in der neuen Periode sind die von O. N. Olsen ausgeführten zu nennen, und zwar 1844 eine „Kaart over Hertugdömmet Lauenburg, grundet paa en naermessmed Hensyn til militairt Brug, foretagen Recognoscering" auf 1 Blatt (63 : 62 cm) 1 : 84000, eine sehr sauber gestochene inhaltreiche Spezialkarte, und die 1846 erschienene Generalkarte desselben Verfassers: „Kongeriget Danmark med Hertugdömmet Slesvig" in 2 Blatt 1 : 480000, welche alle dem Maßstabe entsprechenden Einzelheite enthält und deutlich gestochen ist. Auch lieferte Olsen auf Wunsch der Société littéraire d'Islande ein prächtiges Naturgemälde: „Uppdráttr Islands a fjorum blödum" in 1 : 480000 (1844), das je nach Kolorit physisch-geographische, hydrographische und administrative Karte war, und von dem 1849 auch eine Reduktion als Generalkarte in 1 : 960000 auf 1 Blatt, und zwar nur mit illuminierter Verwaltungseinteilung, erschien. Es beruhte auf zahlreichen Ortsbestimmungen und zum wesentlichen Teile auf den 18jährigen Aufnahmen des Adjunkten B. Gunnlaugsson.

Der Krieg 1864, bis zu welchem Dänemark noch bis zu den Toren Hamburgs und Lübecks reichte und elbaufwärts bis Lauenburg (mit sehr verwickelten Grenzverhältnissen), störte die Vermessungs- und kartographischen Arbeiten und kostete dem Land Schleswig-Holstein.

1865 trat noch eine „Kaart over Jydland 1 : 40000" (Atlasblade) in 134 Blatt als neues Unternehmen hinzu, von dem 1870 bereits 6 Blatt erschienen waren. (Siehe S. 243.)

Nicht minder rührig waren in dieser Zeit andere Behörden, vor allem das Hydrographische Institut und das 1794 gegründete Seekartenarchiv, beide zu Kopenhagen. So ließ das Institut See- und Küstenkarten erscheinen, z. B. „Sunde og Belt terne med Östersoen til Öland" in 1 Blatt 1 : 48000 (Ostsee zwischen der mecklenburgischen und preußischen Küste bis Kolberg, Bornholm, Öland, Kattegatt und Ostküste von Jütland, Schleswig-Holstein) 1828, dann sämtlich auf je 1 Blatt 1 : 120000 „Lille Belt" (1830), „Neustadt Bugten" (Ostsee zwischen Laaland, Heiligenhafen, Wismar und Darserort) 1838, Kattegatt (1852), Lijmfjord (1854) &c., im ganzen 19 Blatt. Auch gab es 1866 eine Segelanweisung „Den Danske Lods" (5 Aufl. 1899) und 1899 „Den Danske Havne Lods" heraus.

Das Seekartenarchiv (Sökaart-Archiv) gab eine nach den Vermessungen unter Konferenzrat Schumacher hergestellte saubere Übersichtskarte „Die Herzogtümer Holstein und Lauenburg mit dem Fürstentum Lübeck und dem Gebiet der freien Städte Lübeck und Hamburg" auf 1 Blatt 1 : 320000 (1848) heraus, das auch alle Straßenverbindungen und Eisenbahnen enthielt[2]).

---

[1]) Dieser hatte seine Arbeit niedergelegt, ohne daß Holstein vollständig vollendet war. Er wollte dies, ebenso Lauenburg, in 1 General- und 16 Spezialkarten sowie verschiedenen Stadtplänen darstellen.
[2]) Die Aufnahmen Schumachers von Hamburg gingen bei dem Brande der Stadt größtenteils verloren. Einige Blätter 1 : 20000 veröffentlichte v. Bentzin.

Als Dänemark der mitteleuropäischen Gradmessung bei ihrem Entstehen beitrat — 1. Kommissar war Geh. Etatsrat Andrae, Leiter der dänischen Gradmessung —, war der größte Teil seiner 1830 begonnenen, 1871 vollendeten Triangulation fertig. 1881—82 wurde noch das Dreiecksnetz Jütlands, der Inseln Læsö und Bornholm, die mit Südschweden verknüpft wurden, vollendet. Die Triangulation stützt sich auf die Braaker Grundlinie in Holstein von 3014,480 Toisen Länge und die Kopenhagener Basis von 1385,83 Toisen und war an Skandinavien wie an Deutschland angeschlossen. Zwischen Kopenhagen (12° 34′ 42″ östl. v. Greenwich, + 55° 41′ 13″ n. Br.) und Altona waren Längenbestimmungen ausgeführt. Der Ausgangsmeridian war der Runde Taarn in Kjöbenhavn. Aus verschiedenen Erddimensionen war ein Mittelwert von $\frac{1}{300}$ für die Abplattung der Erde angenommen worden (mittlerer Meridiangrad 111114,8 m, Meridianquadrant = 57010 Toisen = 10000310 m). Dagegen führte der Anschluß an die übrigen Staaten zur Ausführung eines sehr genauen Präzisionsnivellements. Seit 1884/85 sind mit einem wahrscheinlichen Fehler < ± 1 mm 660 km (doppelt und im entgegengesetzten Sinne) nach der Methode des Nivellements aus der Mitte mit gleichen Zielweiten 900 km festgelegt und dazu 80 Höhenfixpunkte 1. O., 170 2. O. (von 2,6 km mittlerem Abstand) benutzt. Ausgangsfläche war ein Syenitbalken in der alten Kathedrale zu Aarhus. Als Instrument diente ein Jürgensches Modell aus Kopenhagen, mit 54 mm Objektiv, 45 cm Brennweite, 30—40facher Vergrößerung. Auf Faröer wurden ganz andere Höhen, als bisher angenommen waren, festgestellt. Von Interesse sind besonders die Nivellierungsarbeiten im Großen Belt und im Öresund durch Professor Zachariä 1896 und 1898. Im Belt ermöglichte die Insel Sprogö, die Wasserfläche auf 8 km einzuschränken und 2 verschiedene Methoden anzuwenden, nämlich reziproke Ablesung aus den Endpunkten und Ablesung aus einem in der Mitte zwischen den Endpunkten liegenden Ort. Beide Verfahren hatten sehr gute Ergebnisse. Im Öresund hat Zachariä 1896 an 12 und 1898 an 5 Tagen die Horizontübertragung mit Nivellierinstrument-Einweisungen ausgeführt, die später der schwedische Professor Rosén mit 2 Respsoldschen Höhenkreisen (47 cm Teilungskreis) trigonometrisch und mit Anwendung von entgegengesetzten Zenitdistanzen kontrolliert hat, wobei sich nur wenige Millimeter Unterschied ergaben.

Ehe wir uns nun den bei Gad in Kopenhagen erschienenen Kartenwerken des Generalstabes im einzelnen zuwenden, sei noch der heutigen Organisation der unter das Kriegsministerium gestellten Topografiske Afdeling desselben gedacht. Sie gliedert sich, unter einem höheren Stabsoffizier, heute General Le Maire, stehend, in drei Bureaus, nämlich das geodätische und Berechnungs-, das toponomastische und das Revisions- und Redaktionsbureau sowie ein photographisches Atelier, ein Archiv und ein Depot. In den Bureaus sind Offiziere und Guiden, d. h. in topographischen Vermessungen sorgfältig ausgebildete und auch militärisch ausgezeichnete Unteroffiziere tätig, außerdem natürlich die nötigen Kupferstecher, Drucker, Steinschleifer &c. und ein Archivar.

2—3 Offiziere, 3 Guiden mit den erforderlichen Gehilfen des geodätischen Bureaus führen die astronomischen, Triangulations- und Nivellementsarbeiten aus. Gleichzeitig mit diesen Messungen geschehen die topographischen Feldarbeiten, zu denen das gesamte Personal der beiden anderen, dann aufgelösten Bureaus, in Meßtischbrigaden zu je 1 Offizier, 5—10 Guiden gegliedert, herangezogen wird. Im Winter darauf erfolgt die weitere Ausführung. Das dritte Bureau bewirkt die Redaktion und Revision, das Kartenzeichnen und den Kupferstich, bzw. im Atelier die Photolithographie der Aufnahmen und schließlich ihre Veröffentlichung.

Es sind nun erschienen bzw. im Erscheinen:

1. Maalebordsbladene (Meßtischblätter) 1:20000, und zwar 1070 genau und schön in photolithographischem Farbendruck nach den Originalaufnahmen ausgeführte Blätter (31,5 : 38 cm). Das Gelände ist in Höhenkurven von 5 dänischen Fuß (1,57 m)

Schichtabstand ausgeführt und die See in vier Horizontalkurven von 6 Fuß Äquidistanz dargestellt. Größere Tiefen sind in Faden angegeben. Die Gewässer sind blau, der Wald und das Wegenets braun, die Wiesen grün, die Heiden rosa, der Sand gelb, die Grenzen violett gedruckt. Die Schrift ist schwarz. Stellenweise läßt die Lesbarkeit der Meßtischblätter, die nur für Seeland und die Nebenländer noch nicht vollendet sind und die auch die Grundlage von Garnisonumgebungskarten, z. B. Kopenhagens, bilden, etwas zu wünschen übrig.

2. Kaart over Jydland (Atlasblade) 1:40000. Es sind 134 saubere Kupferstichblatt (28:37,4 cm) in einer schwarzen und einer farbigen Ausgabe, erstgenannte seit 1865 veröffentlicht. Bei der farbigen sind Wald und Gewässer mit der Hand koloriert, das übrige ist Farbendruck, und zwar sind die Wege braun, die Grenzen bunt ausgeführt. Auf beiden Ausgaben ist die Bodengestaltung in Höhenkurven von 10 dänischen Fuß (3,14 m Schichthöhe) dargestellt. Von der seit 1871 erscheinenden farbigen Ausgabe gibt es auch eine reine Gerippkarte. Die bis auf den Norden Jütlands und einige Teile Bornholms fertig gestellte Karte macht einen guten Eindruck. Sie ist bis in die kleinste Einzelheit lesbar, wenn auch zuweilen nur mit Zuhilfenahme der Lupe. Jedoch ist die Wegesignatur, besonders für Eisenbahnen und Übergänge, nicht glücklich gewählt. Sehr genau sind die Ortschaften, Wälder und Wiesen wiedergegeben. Seit 1900 erscheint eine neue Auflage.

3. Generalstabens topografiske Kaart over Kongeriget Danmark med Hertugdom Slesvig 1:80000. In dieser auf 81 Blatt 1845 projektierten Kupferstichkarte ist das Gerippe in denselben Kartenzeichen wie bei Nr. 2 in Farbendruck, das Gelände in schwarzen Schichtlinien von 10 dänischen Fuß (3,14 m) Abstand dargestellt. Die elegante Schrift ist schwarz ausgeführt. Vollendet ist seit 1846 ein Atlas von Seeland, Laaland, Falster und kleineren umliegenden Inseln in 29 Blatt (37:46,5 cm) = 960 qkm Fläche in zwei Ausgaben.

4. Generalstabens Kaart over Danmark 1:100000. Von dieser seit 1890 erscheinenden eigentlichen Kriegskarte sind sämtliche 68 Blatt (33,3:40,3 cm) vollendet. Es ist ein sehr übersichtlich und gut ausgeführtes Bild des Landes in vierfachem Farbendruck (Photozinkographie) entstanden. Die Gewässer sind blau, die Wiesen grün, der Wald ist hellbraun, die übrige Situation und die Schrift schwarz dargestellt und die Höhenzahl in Metern angegeben.

5. Generalkaart over Jydland 1:160000 in 9 Blatt (38:63 cm) und 1 Titelblatt, photolithographischer Farbendruck, erscheint seit 1880 und ist zum größten Teil vollendet. Gewässer sind blau, Wiesen grün, Wälder braun, Straßen und Heiden rot wiedergegeben.

6. Fysisk-geografisk Kaart over Danmark med tilhörende Bylande 1:480000 in 4 Blatt (84,5:96 cm). Als Grundlage dient die noch auf dem laufenden gehaltene Olsensche Generalkarte von 1846. Das Gelände ist in grauen Bergstrichen, die Gewässer sind blau dargestellt, die Ausführung der seit 1889 erscheinenden Karte geschieht in Kupferstich[1]).

7. Kaart over Danmark 1:1 Mill. in 5farbiger Zinkographie.

8. Kaart over Bornholm 1:50000 in 4 Blatt (78:87 cm) seit 1890.

Danmarks geologisk Undersögelse läßt eine geologische Karte 1:100000 mit Text erscheinen. Auch hat das statistische Bureau früher eine kleine maßstabslose geologische Übersichtskarte veröffentlicht. Von besonderem geologischen Interesse ist das hügelige Granitplateau Bornholms. Im übrigen war die geologische Untersuchung des mineralarmen Landes hauptsächlich privaten Arbeiten bis vor kurzem überlassen, so von Skeat, Madsen, Rördam, Jessen, Hartz, Gröinvall, Nossing u. a., die zu Veröffentlichungen mit Skizzen geführt haben. Heute leitet General Le Maire die „Undersögelse".

---

[1]) Seit 1880 wird für Kupfersticharbeiten der Porensansche „Kartograph" an Stelle des Stichels angewendet. Es ist ein gewöhnlicher Pantograph mit Diamantstift, der nur wenig Nacharbeit mit dem Burin erfordert.

Der etwas oberflächliche Pomponius Mela (aus Tingentera in Spanien) fußt auf allen diesen Vorgängen und gibt in seiner unter Gaius' und Claudius' Regierung erschienenen Chorographie (40 n. Chr.): „De situ Orbis" [1]), der ersten römischen, im Liber II auch eine Darstellung von den spanischen Küsten, wobei er namentlich dem Eratosthenes folgt. Auf einen alten punischen Periplus stützen sich zum Teil die Angaben in des Avienus „Ora maritima". Zur Zeit der Flavier schrieb Plinius (23—79 n. Chr.) den Varro für seine auch Spanien berücksichtigende Enzyklopädie aus. Auch in der Chorographie des Orosius kommt das Land vor, und der große Claudius Ptolemäus (87—150 n. Chr.) gibt in seiner Geographie die Angaben der offiziellen Reichsstatistik seiner Zeit wieder, mit den Breiten und Längen der Orte. Dann mögen noch die Darstellungen der Reiseroute von Gades nach Rom erwähnt sein, die sich auf den 1852 in den Bädern von Vicarello gefundenen Silbergefäßen findet, und die Itinerarien „Tabula Peutingeriana" (um 230 n. Chr.), „Antonini" und „Hierosolymitanum" aus dem 4. Jahrhundert, von denen ersteres, die Tabula, von Gades nach Osten auch die spanischen Gebiete durchzieht, während in den aus der Zeit des Diokletian stammenden beiden anderen Wegekarten nur wenig auf Spanien entfällt.

Unter Konstantin verfiel das Land, bis dann 406 die ersten germanischen Völker einfielen und nach langen Kämpfen ein von 531—711 bestehendes westgotisches Reich in Spanien sich bildete. Es wurde abgelöst durch die Herrschaft der Araber nach der Eroberung durch Tarek und Musa, an welche sich die Gründung eines asturischen Reiches durch Christen, einer unabhängigen arabischen Macht in Cordoba und eines freien Staats im Norden der Halbinsel schloß. Trotz des regen Interesses der seemächtigen Omajjaden für Kartographie wurden die Araber doch nicht Fortbildner der Griechen, und Itachris Karte des Mittelmeeres ist kaum etwas anderes als ein mathematisches Figurenexperiment. Im übrigen gibt in der Zeit des mittelalterlichen Verfalls der Kartographie die um 700 n. Chr. verfaßte Kosmographie des ravennatischen Anonymus eine Menge moderner Namen, leider oft entstellt und an falscher Stelle genannt.

In dem Zeitalter von der Erfindung des Kompasses bis zur Wiedererweckung des Ptolemäus und dem Beginn der großen Entdeckungen, in dem sich Spaniens Macht immer mehr konsolidierte, besonders nach Vereinigung Kastiliens und Aragoniens zu einem Reiche und nach Vertreibung des letzten Restes der Mauren, um unter Karl V. dann ein selbständiges Königreich (1516) zu bilden, finden wir die Spanier in kartographischer Hinsicht bis zum Anfange des 15. Jahrhunderts ganz im Schlepptau der Italiener. Namentlich von den den Atlantik zuerst befahrenden Genuesen nahmen sie Belehrung an, später von den Basken und Portugiesen. Und doch war Spanien das Land, von dem aus die Entdeckung der Neuen Welt ausging! Aber jede kosmographische Wissenschaft fehlt, auch wird von der Iberischen Halbinsel nur selten eine Holzschnittkarte, gar kein Globus entworfen. Erst im 15. Jahrhundert treten die Spanier selbständig in der Kartographie auf, nachdem die katalanische Marine schon lange blühte und spanische Mönche bereits im letzten Viertel des 14. Jahrhunderts auf den Kanaren erschienen waren. Jahrzehnte dauerte aber noch die Unsicherheit der astronomischen Ortsbestimmungen, nicht bloß in den schwierigeren Längen-, sondern selbst in den Breitenangaben, am längsten freilich in den westindischen Gewässern, wo selbst ein Kolumbus zwischen eigenen Versuchen und den Positionen der Toscanellikarte schwankt, bis er diesen blindlings folgt.

Betrachten wir nun einige dieser ältesten spanischen Karten. Der wahrscheinlich von dem mallorcanischen Kartenzeichner Jafudá Cresques 1375 entworfene „katalanische Weltatlas" hat voraussichtlich die beiden Weltkarten des Genuesen Angelino Dalorto zum Vor-

---

[1]) Von diesem im Mittelalter und noch in der Neuzeit gelesensten Werke ist 1564 in Basel bei Heinrich Petri eine Ausgabe in 20 Karten erschienen.

bilde. Er benutzt schon die Nachrichten Marco Polos bezüglich Chinas und gibt Ostindien bereits als Halbinsel wieder, während die Ostseeküste nur roh angedeutet ist, mit wenigen Ortsnamen. Diese aus 6 Blatt (je 62 : 49 cm groß) bestehende vollständigste Mappa mondi des 14. Jahrhunderts stellt die ganze damals bekannte Erde vor und berücksichtigt auch das Innere der Länder, ihre politischen und ethnographischen Verhältnisse, ihre Handelswege &c. Sie besteht aus 4 Tafeln; die zum Teil übergreifenden Blätter haben Kompaßkreise von je 1200 Miglien Halbmesser, der Maßstab für das Mittelmeer ist etwa 1 : 6 Mill. König Johann I. von Aragonien erwarb diese jetzt in Paris (Bibliothèque nationale) befindliche Weltkarte, um sie 1381 dem König Karl V. von Frankreich zu schenken [1]). Neben dieser das Innere der Länder berücksichtigenden Richtung gab es damals auch eine, die nur, den praktischen Bedürfnissen des Seemanns entsprechend, die Küsten darstellt, ohne weitere Individualisierung, also reine Routen- oder Portulankarten. Die älteste neuere Karte Spaniens befindet sich dagegen in der Florentiner Ptolemäusausgabe des Francesco Berlinghieri von 1478; sie ist etwa 1474 entstanden und bereits in Kupfer gestochen. Sie ist also auch älter als die in den Ulmer Ausgaben von Leonhard Holl (1482 und 1486) vorhandenen Holzschnittkarten. Die Quellen sind unbekannt. Nordenskiöld meint, daß diese Ptolemäuskarten alle von einem Original abstammen, was G. Marcel bestreitet. Sehr wertvoll ist dann der aus 4 Karten bestehende „Spanische Atlas" der Münchener Universitätsbibliothek, der einmal die Westküste Afrikas bis Kap Verde mit einer Breitenskala von 10°—41° N., dann Westeuropa von Portugal bis Schottland und unbenannte Inseln nördlich davon mit einer Skala von 33°—63° N., endlich den mittleren und den östlichen Teil des Mittelmeeres (ohne Skala, nur mit bezifferten Maßstäben) wiedergibt. Er dürfte, wie die Skala lehrt, aus dem Anfang des 16. Jahrhunderts stammen und zeigt auch genuesischen Einfluß. Mit ihm verwandt ist die Spanische Karte des Saluat de Pilestrina vom Jahre 1511. Sie gibt auf einem 110 : 73 cm großen Pergamentblatt die Westküste der Alten Welt von Island bis Gaubra wieder und befindet sich jetzt im Armeekonservatorium zu München. Die älteste handschriftliche Weltkarte, auf der die Neue Welt dargestellt ist, hat der baskische Pilot Juan de la Cosa in den ersten 15 Jahren des 16. Jahrhunderts gefertigt. Sie enthält ein System von Gradlinien ohne Einteilung, und zwar den Meridian der 1494 bestimmten sog. spanisch-portugiesischen Demarkationslinie (21°—22° westl. von der Kapverdischen Insel S. Antonio) und den Äquator nebst den Wende- und Polarkreisen sowie einen Kranz von Kompaßrosen, völlig unabhängig vom Gradnetz. Diese Karte [2]), in der zuerst die bisher gemachten spanischen Entdeckungen eingetragen waren, befindet sich jetzt im Marinemuseum zu Madrid. Sie ist in etwa 1 : 4 Mill. konstruiert Auch ist in der sog. Castiglioni-Weltkarte die Arbeit eines anonymen Spaniers von 1525 in 1 : 32 Mill. erhalten, welche den Äquator alle 5° eingeteilt enthält und die westindischen Inseln in richtiger Breite gibt. Weiter ist eines Spaniers, vermutlich des Nuño Garcia de Torenos, „Carta universal en que se contiene todo que el mundo se a descubierto fasta aora, hizola un cosmographo de Su Magestad," einer 1527 zu Madrid veröffentlichten 216 : 86 cm großen Weltkarte, zu gedenken, die sich jetzt in der Großherzoglichen Bibliothek zu Weimar befindet. Diese in 1 : 27,5 Mill. entworfene Karte stellt insofern einen Fortschritt dar, als das Mittelmeer hier zuerst etwa 1 Strich nach Süden geschwenkt ist, auch die Großen Antillen mit Kuba südlich des Wendekreises gelegt sind. Demarkationslinie wie Äquator sind ferner in Grade eingeteilt [3]). 1542 erschien eine Mappa mondi des spanischen Kosmographen Alonzo de Santa Cruz, heute in der Königlichen Bibliothek zu Stock-

---

[1]) H. Kiepert hat eine Verkleinerung ausgeführt. Die beste Wiedergabe findet sich in „Choix de documents géographiques", Paris 1883. 12 Doppeltafeln in Heliogravüre. Auch die Onganis-Fischersche Sammlung enthält eine photographische Verkleinerung.
[2]) 1892 ist in Madrid ein Faksimile als Jubiläumsausgabe nebst Text von Antonio Vasáno erschienen.
[3]) Für Chicagos Weltausstellung in Originalgröße auf 12 Blatt (86 : 43 cm) photographisch hergestellt, ebenso ist bei Reimer eine in 1 : 57 Mill. in 2 Blatt ausgeführte photographische Verkleinerung erschienen.

W. Stavenhagen, Kartenwesen des außerdeutschen Europa. 32

holm[1]). Auch gab Pedro de Medina 1560 eine Karte von Spanien in „verbesserter" Gestalt heraus. Wir sehen in allen Kartenwerken so lange italienischen und teilweise auch portugiesischen Einfluß, bis es 1503, durch Errichtung des Indischen Amts zu Sevilla, zu einer geordneten spanischen Kartographie kam. Von diesem Amt ging fortan die Leitung aller überseeischen Unternehmungen aus, weshalb es von selbst zu einer Sammelstelle der neuesten Karten wurde und gleichzeitig zur kritischen Sichterin des für Seefahrer brauchbaren Materials. Besonders als Amerigo Vespucci 1508 als Pilotmajor die Leitung übernahm und unter ihm Juan Diaz und Vincente Yañez Pinzon tätig waren. Sie faßten zuerst den Gedanken einer Übersichtskarte aller neuen Entdeckungen. Die Karte des Andreas de Morales wurde als die vorhandene beste vorläufig zur offiziellen, zum Padron reale erhoben. Bei 50 Dublonen Strafe (560 Mark) sollte kein Schiff eine andere Karte an Bord haben, was freilich schwer erfüllbar war. Nach Amerigo Vespuccis Tode folgte ihm 1512 Diaz de Solis in der Leitung, der zusammen mit dem Neffen seines Vorgängers Juan eine neue offizielle Karte verfassen sollte, von der uns aber nichts Näheres bekannt geworden ist. Erst als Pinedo die Küste des Golfes von Mexiko aufgenommen und Sebastian d'Elcano vom Geschwader Magalhães die erste Karte vom Südende Südamerikas heimbrachte, also um 1523, befestigte sich die spanische Küstenauffassung der Neuen Welt, und nun war die Zeit auch für einen neuen allgemein gültigen Padron gekommen. 1526 erhielt Ferdinand Kolumbus den Auftrag dazu, doch kam es nicht zur Ausführung. Die oben angeführte Weimaraner Karte von 1527 und eine von Diego Ribero 1529 entworfene, jetzt ebenfalls zu Weimar, bildeten fortan den Padron general auf ausdrücklichen Befehl Kaiser Karls V.[2]). Ob übrigens der neue Weltteil zu Asien gehöre oder mit ihm zusammenhänge und dergleichen für seine Lage zu den übrigen Erdteilen wichtige Fragen wurden nicht in Spanien, sondern in Deutschland und Italien erörtert, zu dem später Frankreich trat. Erwähnt sei schließlich die 1508 erfolgte Gründung der Universität Madrid.

In der Zeit der Reform der Kartographie durch Gastaldi, Apian, Ortelius und vor allem Mercator, ebenso zu Beginn der Gradmessung der neueren Zeit, ist es ganz still in Spanien mit der einheimischen Kartographie. Nur in den Werken der ebengenannten und anderer Meister finden sich Darstellungen der Iberischen Halbinsel, die zum großen Teil der Wiedererweckung des Ptolemäus zu verdanken sind und auf die hier nicht weiter eingegangen werden kann, ebensowenig auf die Karten der J. Bapt. Homannschen (seit 1702)[3]) sowie der Sansonschen Atlanten, welche nichts Originales bieten.

Frankreich war inzwischen an die Spitze der Kartographie getreten, nachdem schon im 16. Jahrhundert nautische Aufnahmen der neuen Länder dort Eingang gefunden hatten. Die Cassinische Karte übte zuerst in Spanien ihren Einfluß aus. Ein 1756 an die, 1713 gegründete, Akademie der Wissenschaften zu Madrid erlassener Regierungsbefehl zur Aufnahme des Königreichs nach den neuen französischen Grundsätzen kam freilich zunächst nicht zur Ausführung. Erst Thomas Lopez gelang es, allerdings nicht auf Grund einer Neuvermessung, zum Teil sogar auf recht ungleichartigem Material aufgebaut, 1765—98 einen großen „Atlas von Spanien und Portugal" auf 102 Blatt von verschiedener Größe zu bearbeiten, der 1802 erschien. Nach Maßstab und Größe bilden ein oder mehrere Blatt in 1:400000 bis 1:600000 eine Provinz, z. B. Neukastilien in 5, Altkastilien in 18, Leon in 26 Blatt &c. Außerdem enthält der Atlas eine Generalkarte 1:1260000. So vollständig er auch hinsichtlich der Hydrographie und des Anbaus ist, so mangelhaft ist er natürlich bezüglich des Geländes, das in gänzlich veralteter Auffassung dargestellt ist, und der übrigen Situation. Die Straßen fehlen fast ganz. Auch

---

[1]) E. W. Dahlgren: „Map of the World by the Spanish Cosmographer Alonzo de Santa Cruz," Stockholm 1892. 5 Blatt mit Text.

[2]) J. G. Kohl: „Die beiden ältesten Generalkarten von Amerika," Weimar 1860. Ebenso S. Ruge: „Die Entwickelung der Kartographie in Amerika". (Pet. Mitt., Ergänzungsheft Nr. 106, 1892.)

[3]) „Regnorum Hispaniae et Portugalliae tabula generalis" z. B. 1 Blatt in farbigem Kupferstich, 1708.

stimmen die Maßstäbe nicht überall mit der Gradeinteilung. Die Ungleichheit und Unvollständigkeit des zusammengetragenen Materials machen sich überall fühlbar. Dennoch
wurde dieses große Werk die Grundlage aller späteren Karten [1]). Etwa gleichzeitig wie Lopez das Innere, bearbeitete Don Vicente Tofiño de San Miguel die
Küsten und ließ 1789 einen meisterhaften „Atlas maritimo de España" auf 45 Blatt
in Madrid erscheinen, von denen das erste eine Generalkarte 1 : 6 293000, die übrigen
Blätter Küstenkarten 1 : 250000 bis 1 : 1 260000, endlich Hafen- und Buchtenkarten
1 : 12000 bis 1 : 100000, Küstenansichten und Inselkarten sind. Ausführung und Stich
dieses Prachtstücks spanischer Kartographie sind hervorragend. Es ist 1847 und 1849
in dritter, berichtigter Ausgabe erschienen, veranstaltet vom Hydrographischen Amt. 1812
kam dann zu London eine von J. Dougall bewirkte Verkleinerung und Übersetzung des
Tofiño als „España maritima or Spanish coasting Pilot" heraus, die durch
Aufnahmen englischer Kriegsschiffe vermehrt und sehr elegant ist. In 11 Abteilungen enthält das Werk: 1.—4. Küstenbeschreibungen; 5. Straße von Gibraltar; 6.—8. Mittelmeer;
9.—11. Balearische Inseln. Dazu eine Übersichtsküstenkarte 1 : 4 687000. Leider ließen
die Kriege das Land nicht zu Ruhe kommen, weshalb zunächst nur Ausländer sich an
seiner Darstellung beteiligen konnten. Eine der besten war, trotz ihrer veralteten Gebirgszeichnung, des Engländers Nantiat 1810 zu London erschienene „New Map of
Spain and Portugal" 1 : 880000 in 4 Blatt, mit Meilenzeiger, einer Angabe aller benutzten Quellen und militärgeographischen Notizen. Weniger gelungen, besonders in der
Bodendarstellung geradezu phantastisch, war Fadens „Map of the Kingdom of Spain and
Portugal" 1 : 750000, ebenfalls zu London in 4 Blatt herausgegeben. Besseres leistete des
Franzosen Ch. Piquet zu Paris 1822 veröffentlichte „Charte des routes de postes
et itinéraires d'Espagne et de Portugal" auf 1 Blatt 1 : 2,5 Mill., von Lapie
entworfen, in farbigem Kupfer, Gelände in Schraffen, und namentlich die sehr elegant ausgeführte „Carte des Royaumes d'Espagne et de Portugal, dressée pour l'intelligence
des opérations des armées Françaises et Espagnoles dans la campagne de 1823", die der
französische Geograph L. Vivien in 12 Kupfern 1 : 1 450000, Orographie in Bergstrichen, mit
zahlreichen kriegsgeschichtlichen Beispielen versehen, 1824 zu Paris erscheinen ließ. Von
ihr kam 1831 eine Verkleinerung in 2 Blatt heraus.

Eine der besten Karten ihrer Zeit war dann Alejo Donnets „Mappa civil y
militar de España y Portugal" 1 : 769000 in 6 Blatt (Paris 1823), weil sie, trotz
des übrigens sehr anschaulichen Systems der älteren Gebirgszeichnung, ein recht vollständiges Bild des Landes gibt, die besten Materialien benutzt und jedenfalls die in Wien
kurz vorher erschienene, grobe Irrtümer enthaltende Karte Davidos: „Spanien und Portugal
nach den neuesten astronomischen Ortsbestimmungen", sowie den Atlas nach Lopez in
1 : 942000 auf 6 Blatt (Wien, Artaria) weit übertraf. Sie enthält auch Spezialpläne von
34 „ciudades".

Ein neues Feld eröffnete sich der Topographie der Halbinsel durch Borys de St. Vincent
geübte scharfe Kritik des bisher Geleisteten, namentlich auch der seit Lopez herrschenden
falschen Anschauungen über die Bodengestaltung, wie sie zunächst in seinem 1823 zu
Paris (bei Janet) erschienenen „Guide du voyageur en Espagne", mit Kartenskizze, zum
Ausdruck kommt. Sie beeinflußte schon die seit 1821 zu Paris herauskommende, elegant
gestochene „Mapa general de España y Portugal" 1 : 228000 in 63 Blatt, die auf Grund
des besten bekannten Materials der Direktor des Dépôt der französischen Invasionsarmee,
Beauvoisin, mit Aragos Unterstützung verfaßt hatte. War sie doch auch nach
allen bisherigen Karten kleinen Maßstabes die erste Spezialkarte, hatte die besten
Grundlagen und die richtigste Bodenauffassung, trotz noch veralteter Zeichnung des-

---

[1]) Gässefeld in Nürnberg hat den Atlas mit einzelnen, keine Verbesserungen darstellenden Veränderungen
nachgestochen und wohlfeiler verkauft.

selben.   Allein sie war sehr umfangreich und teuer.   Daher war des Deutschen H e i n r i c h
B e r g h a u s 1829 zu München auf 1 Blatt farbigen Steindrucks veröffentlichte (Übersichts-)
K a r t e v o n d e m I b e r i s c h e n H a l b i n s e l l a n d e 1:1500000 um so willkommener,
als sie alles gute Material berücksichtigte, reiche Einzelheiten des Gerippes enthielt und
trotz fehlender Geländedarstellung doch zahlreiche Höhenangaben und Gebirgsnamen bot,
alles in guter, scharfer Ausführung.   Sie diente den späteren Darstellungen F. v. Stülp-
nagels, besonders seiner vierblättrigen „K a r t e v o n S p a n i e n u n d P o r t u g a l"
1:1850000 in der 1855 neu erschienenen Ausgabe von Stielers Handatlas, als wichtige
Grundlage.   Auch A. H. Dufours „C a r t e a d m i n i s t r a t i v e , p h y s i q u e e t r o u t i è r e
d e l'E s p a g n e e t d u P o r t u g a l" 1:630000 auf 2 Blatt (Paris 1847) und sein 1835
bis 1849 ebendort erschienener „A t l a s n a c i o n a l d e E s p a ñ a y P o r t u g a l"
1:562000 in 3 Blatt, der trotz mancher Vorzüge hinsichtlich der Orographie doch viele
Irrtümer enthielt, seien hervorgehoben.

Alle Arbeiten an Wert übertraf aber eine Veröffentlichung des spanischen Ingenieur-
obersten Don F r a n c i s c o C o ë l l o.   Er machte jahrelang gemeinsam mit Don P a s c a l M a d o z
größere Aufnahmen, besonders in den Bezirken von Neukastilien, Estremadura, Andalusien,
Murcia und Valencia, benutzte ferner mehrere ältere Triangulationen, so namentlich die
Dreieckskette für den Anschluß nach Frankreich, die östlich zur Verlängerung des Meridians von Dünkirchen geführt hat, ebenso solche in den baskischen Provinzen und deren
Nachbargebieten (durch Ferror, Bauzá u. a.) und Bauzás Dreiecke in der Provinz Madrid &c.,
sowie mit Hilfe der Staatsarchive und des Dépôt de la Guerre Frankreichs namentlich
wertvolle militärische Erkundungen und größere Aufnahmen aus den Jahren 1823—27.
Darauf gestützt, erschien 1849—66 sein großer „A t l a s d e E s p a ñ a y s u s P o s e s i o -
n e s d e u l t r a m a r" por el Coronel de Ingenieros Don Francisco Coëllo[1]), der aus einer
Übersichtskarte, „España y Portugal", 1:1000000, und 64 nicht zum Zusammenlegen
eingerichteten Provinzkarten 1:200000 (78:101 cm), sämtlich in farbigem Kupferstich,
besteht.   Außerdem sind zahlreiche Städtepläne, z. B. der von Madrid 1:5000, beigegeben.
Das Gelände ist teils in Höhenkurven, teils in Schraffen dargestellt.   So bedauerlich auch
die Zerreißung des Gesamtbildes in einzelnen Provinzkarten war, so mangelhaft auch die
technische Ausführung und Lesbarkeit des unsicher gestochenen und matt gedruckten
Werkes ist, so eröffnet es doch eine neue Epoche und bildet für lange die beste Ausfüllung der Lücke, die das Fehlen einer offiziellen Karte noch immer bestehen ließ.

Durch Gesetz vom 19. Juli 1849 wurde das f r a n z ö s i s c h e m e t r i s c h e M a ß s y s t e m
eingeführt, das 1855 für einzelne Provinzen, 1859 für ganz Spanien in Kraft trat, ohne
indessen die alten, besonders die Kastilianischen, Maße ganz zu verdrängen.

Endlich, am 26. Dezember 1856, erschien das Gesetz über die amtliche geometrische Aufnahme des Landes, das die Ausführungsbestimmungen (48 Artikel) vom
5. Juni und 20. August 1859 zur Folge hatte.   Sie ordneten für das ganze Königreich
die geodätischen, topographischen und landeswirtschaftlichen (geologischen, forstlichen &c.)
Aufnahmen.   Es sollten nicht allein alle Orts- und Gemeindegrenzen, und besonders gründlich die kultivierten Gebiete und die Wasserverteilung festgelegt, sondern auch eine wirkliche Höhenmessung geschaffen werden.   Neben Coëllos Arbeiten, Willkomms Buch über
die Pyrenäische Halbinsel von ·1855 und dem älteren Werke Olsens „Commentaire à l'esquisse orographique de l'Europe" (Kopenhagen 1833) waren für die Hypsometrie namentlich auch die barometrischen Messungen von de Verneuil und Collonel in Murcia und einigen
angrenzenden Provinzen vorhanden, die ein schätzenswertes Material als erste Grundlage

---

[1]) C o ë l l o d e P o r t u g a l y Q u e s a d a wurde am 26. April 1820 in Jaen geboren, wandte sich als Genie-
oberst a. D. hauptsächlich geographischen und topographischen Arbeiten zu und war wohl der bedeutendste Geograph Spaniens neuerer Zeit. Er war 1876 Mitbegründer und später Präsident der Geographischen Gesellschaft
in Madrid. Am 30. September 1898 starb er.

boten. Ebenso mancherlei bei Eisenbahn- und Kanalbauten ausgeführte Nivellements — allerdings alles mit großer Vorsicht zu benutzen. Die 1860 im Anschluß an das französische und das damals schon größtenteils vollendete portugiesische Dreiecksnetz beginnenden neuen systematischen Triangulationen stützten sich auf Aguilhars Breitenbestimmung von Madrid[1]), nachdem schon seit 1853 mit jährlich 12 Offizieren die Vorarbeiten zu einer in 25 Jahren zu bewirkenden Katastervermessung begonnen hatten, die in 1:1000, 1:2000 und 1:5000 auszuführen waren und den späteren Triangulationen folgen sollten. Diese ersten Triangulationen, welche im Meridian und Parallel von Madrid begannen, wurden allmählich, namentlich seit dem 1866 erfolgten Beitritt Spaniens zur mitteleuropäischen, bzw. jetzigen internationalen Erdmessung, immer vollkommner, dank vor allem eines Meisters der Geodäsie, des hervorragend tüchtigen und energischen, als General verstorbenen Carlos Ibañez Marquis de Mulhacén[2]), der sie zu mustergültiger Vollendung brachte.

Während in den meisten Ländern die Herstellung der nur militärischen Zwecken dienenden Kriegskarten dem Generalstabe bzw. Kriegsministerium, die der auf Ackerbau, Grundsteuer, Statistik des Grund und Bodens sowie des Katasters bezüglichen den Zivilministerien übertragen ist, die von Anfang an ganz unabhängig voneinander arbeiteten, oft vielleicht absichtlich nichts voneinander wissen wollten, so daß auf diese kostspielige Weise mitunter ganz dieselben oder solche Operationen vorgenommen werden, die recht gut gleichzeitig hätten stattfinden können, hat sich Spanien schon 1859 entschlossen, durch Gesetz die gesamte Landesaufnahme einer einzigen, unter die Oberleitung des Ministerpräsidenten gestellten Behörde, der Statistischen General-Junta, zu übertragen. Sie wurde in 6 Zweige gegliedert (Geodäsie, Seewesen, Geologie, Forstwesen, Straßenbau und Kataster). Für Triangulationszwecke und Aufnahmen von Festungsplänen wurden ebenso wie von Grenzregionen Generalstabs-, Artillerie- und Ingenieuroffiziere zugeteilt, darunter namentlich die seit 1853 bei der Aufnahme schon tätigen Ibañez und Saavedra. Für hydrographische Karten und Hafenpläne wurden Marineoffiziere bestimmt, für die übrigen Kartenwerke Mitglieder der betreffenden technischen Körper. Ein Dekret des Königs vom 20. August 1859 stellte in 48 Artikeln die Grundsätze zur Ausführung des Gesetzes auf. Was die Vermessungsarbeiten selbst betraf, so sollten überall Zenitdistanzen genommen werden, um die Höhenunterschiede zu bestimmen. Der größte zulässige Basisfehler war zu $\frac{1}{300000}$, der für die Dreiecke zu $\frac{1}{5000}$, für die Einzelmessungen zu $\frac{1}{100}$ bzw. $\frac{1}{500}$ für die Höhenunterschiede $\frac{1}{500}$ festgesetzt. In Entfernungen von 2000 m sollte immer ein sichtbares Signal sich befinden. Das Bodenrelief mußte in gleich abständigen Höhenkurven von 5 m Unterschied zum Ausdruck gebracht werden. Für Übersichtspläne war 1:20000, für Detailpläne 1:2000 vorgeschrieben. Die Ausführung des Katasters sollte unter Aufsicht der Junta einem Generalunternehmer anvertraut und 4 Realen für den Hektar dafür gezahlt werden. Vom In- wie Auslande traf dazu eine Reihe von Anerbieten ein. Anfangs war der Mangel an Personal groß. Doch wurde er schließlich durch Errichtung einer Schule und durch die Bildung eines Korps von Detailvermessern und Signalträgern beseitigt[3]). 1866 trat Spanien aus eignem Antriebe der mitteleuropäischen Gradmessung bei. Colonel Ibañez war sein hervorragender Vertreter. Es stellte schon 280 Dreieckspunkte. Besonders wurde seitdem eine Neuvermessung der 1792 bzw. 1806—1808 von den französischen Gelehrten Méchain und Délambre bzw. Biot und Arago bestimmten,

---

[1]) Die Höhe des Madrider Observatoriums über dem Meere (655 m) hat Verneuil zu 650 m (2001 Pariser Fuß) bestimmt, während v. Humboldts barometrische Messung noch 343 Toisen (2058 Pariser Fuß) als wahrscheinlich gab und auf Coëllos Atlas es zu hoch mit 2460 Kastilianischen — 2132 Pariser Fuß angegeben war.

[2]) Ibañez war 1825 zu Barcelona geboren, wurde Genieoffizier, war seit 1872 Präsident der Internationalen Maß- und Gewichtskommission, nach Baeyers Tode 1885 Präsident des Zentralbureaus der europäischen Gradmessung. Auch war er Mitglied der Akademie der Wissenschaften. Er starb am 29. Januar 1891 zu Nizza.

[3]) Das jährliche Budget betrug 4 Mill. Realen, d. i. 288888 Taler für alle Arbeiten. Für das Kataster wurden davon jährlich zunächst 3 Mill. Realen bestimmt.

spanisches Gebiet bis zur Insel Formentera durchziehenden Kette in Verlängerung des Meridians von Dünkirchen (705 257,21 Toisen Bogenlänge) geplant. 1869 wurde dann das dem Ministerium des öffentlichen Unterrichts unterstellte „Instituto Geográfico y Estadístico" errichtet und mit der Ausführung der astronomischen und geodätischen Arbeiten betraut. Es wurde der Leitung des Generals Ibañez übergeben und in 5 Sektionen (Geodäsie, Topographie und Kataster, Metrologie und Statistik, Kartenherstellung des Königreichs, Rechnungslegung) gegliedert. Der 1. Sektion waren 12 Generalstabs-, Artillerie- und Ingenieuroffiziere zugewiesen, welche mit 18 Gehilfen (Unteroffizieren und Mannschaften) die Triangulation und das Hauptnivellement auszuführen hatten. Die Dreieckslegung niederer Ordnung, die Topographie und das Kataster, besorgte das aus 300 Feldmessern und 80 festangestellten Obergeometern bestehende Topographenkorps. Die 3. und 4. Sektion bildeten Zivilingenieure, die 5., die der Rechnungslegung, Zivilverwaltungsbeamte. So wurde das bestgegliederte Institut[1]) des Festlandes geschaffen, indem die gesamte L.-A. in ihm zentralisiert wurde. Dadurch kann mit denselben Mitteln Besseres als bei 2 oder 3 voneinander unabhängigen Behörden geleistet werden. Der jährliche Etat wurde auf 200000 Francs festgesetzt. Später wurden die rein topographischen Arbeiten dem Déposito de la Guerra überwiesen, das dem Cuerpo de Estado Mayor (Generalstab) unterstellt ist und sich in eine geographische und eine statistische Abteilung gliedert. Der geographischen — die hier allein in Betracht kommt — sind die topographischen Aufnahmen übertragen und eine Zeichen-, Lithographie-, Graveur- und Photographie-Sektion zugeteilt, außerdem das Archiv mit der Karten- und Büchersammlung. Chef ist ein Oberst des Generalstabes (augenblicklich Benitez y Tarodi), dem Generalstabsoffiziere und Schüler der Kriegshochschule für die Mappierungsarbeiten sowie die Leiter und das Personal der verschiedenen technischen Sektionen unterstellt sind.

Durch Dekret von 1870 wurde dann, unter Zugrundelegung der Besselschen Erdabmessungen ($\frac{1}{299,1528}$ Abplattung, 111,1192 km mittlerer Meridiangrad) die Herausgabe einer chromolithographischen Gradabteilungskarte „Mapa topografico de España"[2]) in 1080 Blatt 1 : 50000 verfügt. General Ibañez hat über die geodätischen Arbeiten eingehende Rechenschaft in den mehrbändigen „Memorias del Instituto Geográfico y Estadístico" gegeben. In Band VIII (1889) dieses wichtigsten Quellenwerks finden wir eine Übersichtskarte 1 : 1 500000 mit dem spanischen und portugiesischen Dreiecksnetz 1. O., dem Anschluß an Frankreich und Algier, die gemessenen Standlinien, alle damaligen Präzisionsnivellements- und Höhenzahlen, ferner die zugehörigen Profile. Aus allen Angaben erhellt die überaus große Sorgfalt und Genauigkeit, mit der verfahren wurde. Einige interessantere Mitteilungen möchte ich herausgreifen. Der ältere spanische Basisapparat ist 1856 von Ibañez konstruiert und durch den Mechaniker Brunner in Paris ausgeführt worden. Mit ihm sind in 78 Arbeitstagen mehrere Grundlinien, namentlich die 1857 durch Ibañez, Saavedra, Monet und Quiroga gemessene 14662,885 m lange Zentralbasis bei Madridejos (etwa 100 km südlich Madrid) bestimmt worden. Der Apparat besteht aus 2 Stäben von Kupfer bzw. Platin gleicher Abmessung, die — nur in der Mitte fest verbunden — 6 mm Zwischenraum voneinander haben. Der Längenunterschied beider Metalle infolge verschiedener Temperaturausdehnung wird mittels einer Mikrometerschraube festgestellt. Die genannte Basis wurde in 5 Teile geteilt, die unter sich trigonometrisch verbunden waren durch ein Netz von 10 Punkten mit 120 Dreiecken und 45 Verbindungen. In einer Stunde gelang es zunächst nur 31 m zu messen. Das 2767 m lange Mittelstück der 5teiligen Grundlinie wurde in 12 Ab-

---

[1]) Die Internationale Gradmessungskommission sprach durch Hirsch und Fligely dem Ministerium der öffentlichen Arbeiten ihren Dank für diese Gründung aus. Heute ist Franc. Mart. Sánchez Generaldirektor.
[2]) Ibañez hatte schon 1852 als Hauptmann deren Notwendigkeit betont und zusammen mit Saavedra Vorarbeiten dafür gemacht.

sätzen je zweimal bestimmt mit einem mittleren Fehler von $\pm$ 0,40 mm. Obwohl die Genauigkeit, nämlich $\frac{1}{865000}$, befriedigte — ja für die Zeit unerhört war —, war die Geschwindigkeit des älteren Apparats, die bis auf 70 m in der Stunde schließlich gesteigert wurde, nicht genügend, und daher konstruierte Ibañez 1864 einen neuen, einfacheren Apparat, wenn auch nach demselben Prinzip wie der erste. Mit ihm sind dann von 1865—79 8 weitere spanische Grundlinien gemessen worden[1]). Es wird hier nur ein Maßstab von 4 m Länge angewandt, der auf zwei Stativen liegt. Die Einrichtung ist recht einfach, dabei genau. Man kann 200 m in 1 Stunde 10 Minuten leisten, bei einem mittleren unregelmäßigen Kilometerfehler von $\pm$ 0,9 mm. Die Temperatur wird durch zwei voneinander unabhängige Bestimmungen mittels in gleichen Zwischenräumen eingelassener Quecksilberthermometer festgestellt. So hat Spanien jetzt 9 Grundlinien von im Mittel 6 km, im ganzen 32,8 km Länge, die in 21 Jahren bis 1879 gemessen waren, und zwar außer Madridejos noch Mahon (2359 m, 1867 in 6 Absätzen, mittlerer Fehler m = $\pm$ 0,43 mm), Iviza (1665 m, 1868 in 4 Absätzen, m = $\pm$ 0,82 mm) — bei beiden 120 m in 1 Stunde bestimmt —, dann noch Lugo (Galicien, 281 m, $\frac{1}{181747}$, 1875) Arcos de la Frontera (Cadix, 2483,76 m, $\frac{1}{455542}$, 1876) Vich (Katalonien, 2483,54 m, 1877 in 7 Abschnitten, davon 6 etwa 400 m), Olite, Pamplona und auf den Balearischen Inseln. Die neueren Grundlinien sind doppelt gemessen. Was die Triangulationen 1. und 2. O. anlangt, so ist das Dreiecksnetz in 10 Gruppen geteilt, die jede für sich zur Ausgleichung kamen. Zunächst sind 4 Hauptketten vorhanden, die das Land von Norden bis Süden in den Meridianen von Salamanca, Madrid, Pamplona und Cerido durchziehen, dann 3 Querketten in den Parallelen von Valencia, Madrid und Bajadoz, endlich 2 Haupttriangulationen längs des nördlichen und südöstlichen Küstengebiets. Die erstgenannte dieser Küstenketten schließt sich an das portugiesische Netz an, die andere hat Abzweigungen nach den Balearen und stellt an den Pyrenäen die Verbindung mit der französischen Gradmessung her. Es waren 285 Hauptdreieckspunkte und Dreiecksseiten von 30 und 50 km Länge vorgesehen. Die Arbeiten begannen in dem Meridian und Parallel von Madrid, auch triangulierte die geologische Kommission in den nördlichen Teilen von Valencia und Leon und an der Küste bei der Meerenge von Gibraltar sowie im Bereiche der Balearischen Inseln. Im ganzen finden sich 770 doppelt einvisierte Richtungen, 76 einseitige, 486 Winkel- und 279 Seitengleichungen. Ältere Triangulationen wurden geprüft und benutzt, astronomische Beobachtungen von Breiten und Azimuten auf Station Quintanilla, dem Leuchtturm von S. Sebastian in Montolar und Javalon auf dem Meridian von Pamplona, in Desierte de las Palmas, in Matadaon und in Tetica gemacht. Die engeren Triangulationen (3. O.) begannen im Parallel von Madrid, gingen dann nach Süden bis ins dortige Küstengebiet und endeten an den Gestaden des Ozeans. Für die europäische Gradmessung wurden jährlich einige 20 Stationen des Hauptdreiecksnetzes vollendet, auch ein Hauptnivellement von Alicante nach Madrid und von da nach Santander gemacht. Von besonderem Interesse ist ferner der 1879 von Ibañez und Perrier ausgeführte schwierige Anschluß des spanischen an das algerische Netz. Auf spanischer Seite waren dafür der Mulhacen (3482 m) und der Monte Tetica (2080 m), auf algerischer der Filhaoussen (1140 m) und M. Sabiha (583 m) gewählt, um durch ein Netz verknüpft zu werden. Die Dreiecksseite Mulhacen—Filhaoussen beträgt 269926 m = 2° 26', ist also sehr lang[2]). Zur Signalisierung reichte Heliotroplicht nicht aus, weshalb elektrisches verwandt wurde. 18 verbindende Dreiecke ergaben bei 450 km Entfernung zwischen Cartagena (Spanien) und Oran (Algerien) eine Anschlußdifferenz von — 24,2 mm für 1 km. 1888 wurde dann unter großen Schwierigkeiten wegen der Höhenverhältnisse und herrschenden Unwetters der Längenunterschied des mit dem

---

[1]) Auch die Schweiz wählte diesen Apparat zur Messung von 3 Basen 1880—81.
[2]) Die berühmte deutsche, von Gauß bestimmte Inselsberg—Brocken beträgt nur 105977 m = 0° 57'.

algerischen Netze verknüpften Monte Tetica de Bacares und Madrid ermittelt. Zwischen Spanien (Vich) und Frankreich (Perpignan) ist der Anschluß durch 10 Dreiecke mit — 2,1 mm Anschlußunterschied für 1 km bewirkt worden. Auch sind die Grundmeridiane beider Länder Madrid und Paris und damit ihre Dreiecksnetze durch telegraphische Bestimmung des Längenunterschiedes verknüpft worden. Oberstleutnant M. Bassot von französischer Seite und der spanische Geodät A. Esteban fanden 24' 5" 998''' $\pm$ 0" 009''' (gegenüber der älteren Angabe von Leverrier und Aguilhar um 0" 082''' geringer). Das Präzisionsnivellement ist 1872 begonnen, aber noch nicht vollendet. Bis 1878 wurden 1362 km, bis 1891 waren bereits 10792 km doppelt und in entgegengesetzter Richtung gemessen. Es wird aus der Mitte mit nahezu gleichen, abgeschrittenen Zielweiten von etwa 90 m Länge gemessen mittels eines von Kern in Aarau gelieferten Instruments (36 mm Objektiv, 37 cm Brennweite, 40fache Vergrößerung). Als Ausgangsniveaufläche dient der mittlere Stand des Mittelmeeres bei Alicante. Eine 8,47 m über demselben liegende Höhenmarke NP ist am Rathaus der Stadt (etwa $\frac{1}{2}$ km vom Flutmesser) angebracht worden. Die mittlere Entfernung der Nivellementspunkte 1. und 2. O. beträgt 1 km, der wahrscheinliche mittlere Fehler $\pm$ 1,7 mm. So wurde z. B. die 268 km lange Linie Bailén—Granada—Malaga, die den 9. Teil des ganzen Nivellements bildete, unter Leitung des Obersten Francisco Cabello und des Majors Ed. Mier und ferner die 172 km lange Linie Cuesta del Espino—Malaga gemessen und 1886 veröffentlicht. 1888 geschah dies mit der 400 km langen Linie Valladolid—Behovia (über Burgos und Vitoria mit einigen Abweichungen), die dann durch Bestimmung der Höhen der Eisenbahnstationen zwischen Madrid und Valladolid ergänzt wurde. Alsdann folgte die 268,3 km lange Strecke Zaragoza—Puente de Behovia über Pamplona &c. Mit Portugal und Frankreich ist Spanien bisher nur je an einer Stelle nivellitisch verbunden, was unzureichend erscheint.

Auch mareographische und meteorologische Beobachtungen von Alicante, Cádiz und Santander wurden 1890—92 vorgenommen. Endlich sei der Schweremessungen kurz gedacht, die zuerst 1877 der Ingenieuroberst Joaquin Barraquez y Rovira im Gebäude des Geographischen Instituts selbst, nur mit einem Pendel, vorgenommen hat, an die sich dann 1882 und 1883 die weiteren Beobachtungen mit vier neuen Inversionspendeln am Observatorium anschlossen und dann endlich 1890 solche bei Pamplona durch die Majore Cabria und Los Arcas folgten. General Ferreiro hat über diese eben erwähnten Arbeiten in den Memorias ausführlich berichtet.

Die topographischen Aufnahmen geschahen in 1 : 20000 und begannen 1873. Ihnen diente eine Reduktion 1 : 20000 der ebenfalls unter Ibañez' Leitung Anfang der 60er Jahre hergestellten, auf Fläche und Bodengüte basierten Katasteraufnahme[1]) als Grundlage, welche nach bayerischem Vorbilde auf einer Detailmessung und einer nivellitischen und trigonometrischen Bestimmung der Tertiärpunkte mittels kleiner Ertelscher Universalinstrumente beruht. Auch der Professor der Geologie Imam Vilanova y Pyara hat sich um das Parzellenkataster verdient gemacht. Auf diesen Grundlagen konnte sich nun die neue Gradabteilungskarte aufbauen. Auf ein Gradfeld entfallen 18 Sektionen, jede derselben bildet eine Gradabteilung von 20 und 10 Minuten in Breite und Länge. Ihre Größe im mittleren Breitengrade beträgt 56,7 : 37 cm. 1875 erschienen die ersten Blätter des leicht aufzunehmenden Gebiets von Neukastilien, und zwar zunächst die Umgebung der Landeshauptstadt. Bis 1888 waren 51 Blätter von 14886 qkm Fläche erschienen. Die vielen inneren und äußeren Wirren und die stete Finanznot waren aber dem raschen Fortschritt der Arbeit nicht förderlich. Das Gelände ist auf der Mapa durch braune Höhenkurven von 20 m Abstand und zahlreiche Höhenzahlen außerhalb derselben dargestellt. In den flachen Teilen, etwa bis 5° Böschungswinkel, wären Zwischenniveau-

---

[1]) Die das Gelände in Niveaulinien wiedergebenden Originalpläne sind in 1 : 1000, 1 : 2000 oder 1 : 5000 hergestellt.

linien wünschenswert. Sehr gut und in seinen Signos convencionales interessant ist auch das Gerippe dargestellt. Das Gefließnetz ist blau mit Unterscheidung der wasserhaltigen und der zeitweilig trockenen Bäche. Die gebauten Wege sind in 3 Klassen unterschieden und in Rot eingetragen, während die gewöhnlichen bis zum Reitweg und Pfad hinab schwarz erscheinen. Schwarz ist auch der Grundton der ganzen Karte, die Gemeinde- und Verwaltungsgrenzen, das durch zarte durchsichtige Schraffierung vom Brachfeld unterschiedene Ackerland, der Weinbau, die Zuckerplantagen, die Reisfelder, die Zitronen- und Pomeranzenbäume sowie die der Bedeutung des Geländegegenstandes sehr gut angepaßte Schrift. Vorzugsweise grün ist dagegen der übrige Ausbau, was erlaubte, die Zeichen für die außerordentlich mannigfaltige Vegetation zweier Zonen, für Hoch- und Niederwald, Wiesen, Gemüse- und Ziergärten, für Obst- und Olivenbäume wie für Weideland gut auseinanderzuhalten. So sind bei der wohlgelungenen Chromolithographie die Blätter, trotz der Mannigfaltigkeit der topographischen Merkmale, durchaus lesbar geblieben, und es ist ein vortreffliches, eigenartiges Kartenwerk entstanden, das freilich noch längere Zeit zur Vollendung braucht.

So lange dies nicht geschehen, bleiben die Lücken unseres geographischen Wissens über Spanien bestehen, trotz mancher anderen guten Arbeiten. Die Coëllosche Karte 1:200000, die 1884 durch General Ibañez vortrefflich ergänzt wurde durch eine „Mapa de España 1:1500000" in Lithographie, mit braun schraffiertem Gelände, hauptsächlich zur Übersicht der militärischen Territorialeinteilung, bleibt in erster Linie zu beachten. Ibañez' Mapa ging aber schon voraus die auch von ihm benutzte meisterhafte Karte unseres verdienten deutschen Kartographen Dr. C. Vogel, der zwar das Land nie selbst gesehen, aber das vorzüglichste Material kritisch und künstlerisch verwandt hat, das zuerst 1875, nun 1903 in neuer Auflage in dem hervorragenden Stielerschen Handatlas erschienene „Übersichtsblatt" von „Spanien und Portugal" 1:3,7 Mill. und die zugehörigen 4 Blätter (31,5 : 39,5 cm) 1:1500000, in der neuen berichtigten Ausstattung in Braundruck. Auf Nebenkarten sind Madrid und Lissabon in 1:150000 und die Kanarischen Inseln sowie Madeira in 1:5 Mill. zur Darstellung gebracht. Weiter sind dann noch einige Arbeiten des Staates zu nennen, wie die 1865 in 20 Blatt 1:500000 vom Cuerpo de Estado mayor del Ejército hergestellte und vom Depósito de la Guerra (mit 8 Bändchen Text) veröffentlichte „Mapa itinerario militar de España" (lithographischer Farbendruck), dann die vom Institut 1882 herausgegebene „Mapa general de la Peninsula Iberica, Islas Baleares, Canarias y posesiones españolas 1:750000" auf 6 Blatt in lithographischem Farbendruck, Gelände in brauner Schummerung (Verfasser Emilio Valverde y Alvarez), welche zusammen mit einigen Blättern des Lopezschen Atlas noch zu Rate gezogen werden können. und durch das von Ibañez 1888 veröffentlichte, von verschiedenen Fachmännern geschriebene Staatshandbuch: „Reseña geográfica y estadística de España por la direccion general del Instituto Geográfico y Estadístico" (mit Ibañez' Karte der Halbinsel 1:1500000) bezüglich wichtiger Fragen der Landeskunde vortrefflich ergänzt werden.

Von anderen, namentlich militärisch wichtigen, Kartenwerken des Kriegsministeriums und der ihm unterstellten Behörden erwähne ich: „Itinéraire général d'Espagne" 1:200000, par la capitainerie de Burgos (1863); „Itinéraire général militaire d'Espagne par la capitainerie des provinces basques (1870). Dann einen „Atlas topographique de la narration militaire de la guerre Carliste de 1869 à 1876" mit Plänen in verschiedenem Maßstabe. Weiter eine „Carte militaire des Chemins de fer d'Espagne" auf 4 Blatt 1:100000 (1898). Groß ist auch die Zahl der Umgebungspläne von Städten, meist in 1:10000, zuweilen 1:20000 und 1:50000, so von Valencia (1882), Ferrol (1887), Granada (1887), Almeria (3 Blatt 1:50000, 1887), Cartagena (1889), Cadix (1890) &c., endlich Pläne von Madrid 1:2000 und 1:8000.

Neben den topographischen sind die g e o l o g i s c h e n Aufnahmen die Grundbedingungen einer wirklichen Landeskunde. Eine geologische Vermessung ist mehrfach, so schon 1831 und 1849, in Angriff genommen worden, zum Teil in Verbindung mit und angeregt durch den blühenden Bergbau. 1870 wurde die „Comisión del Mapa Geológico de España" eingesetzt, die 1873 in Tätigkeit trat und eine geologische Karte des Landes auf Grund der schon vorhandenen privaten Einzeldarstellungen schaffen sollte. An solchen war z. B. eine Karte des deutschen Geologen und General-Minendirektors W i l h e l m S c h u l z 1 : 127500 in 3 Blatt von 1855, dann eine „Carte géologique de l'Espagne et du Portugal" 1 : 1 500000 par E. d e V e r - neuil et E. Collomb von 1864, ferner von M a c p h e r s o n u. a. vorhanden. Der erste Leiter der Aufnahme für die 1893/94 vollendete „M a p a g e o l ó g i c o d e E s p a ñ a, conjunto reducido delque en escala di 1 : 400000", von der 1889 die ersten Blätter erschienen, war D. M a n u e l F e r n a n d e z d e C a s t r o, nach dem sie auch genannt ist. Die 64 Blatt geben ein überaus wertvolles Hilfsmittel zur wissenschaftlichen Auffassung der Bodenplastik. Später erschien eine „Ü b e r s i c h t s k a r t e 1 : 500000", welche die älteren Blätter von Verneuil, Botello y Hornos u. a. veralten macht. Sie enthält 16 Blatt und ist 1894 vollendet worden. Ihr innerer Gehalt läßt zu wünschen übrig. Dazu treten zahlreiche Einzelstudien über die Provinzen Alava, Avila, Barcelona &c. Seit 1874 veröffentlicht die Kommission Memorias und ein Boletin, von denen bis 1892 14 bzw. 18 Bände erschienen waren. In den Memorias von 1898 erklärt L. Mallada z. B. die erschienenen geologischen Blätter und Salvador Caldera die Bodengestaltung in geologischer Hinsicht. Übrigens hat die von Don J o a q u i n E z q u e r a d e l B a y a s 1850 veröffentlichte „Geognostische Übersichtskarte von Spanien" (Madrid) wohl mit zuerst zu einer richtigen geologischen Auffassung der Höhengestaltung des Landes beigetragen (1852 ins Deutsche übertragen). Heute leitet Daniel de Cortázar die „Comisión".

K ü s t e n k a r t e n u n d S e g e l a n w e i s u n g e n gibt das dem Marineministerium unterstellte D e p ó s i t o h i d r o g r á f i c o auf Grund von besonders in den 70er und 80er Jahren gemachten Aufnahmen heraus, welche die bis dahin gebräuchlichen englischen und französischen bzw. den Atlas Tofino allmählich entbehrlich machten. Von solchen K ü s t e n - k a r t e n sei die der Mittelmeerküste auf 16 Blatt in 1 : 100000, dann die zugehörigen Übersichtskarten 1 : 1500000 und 76 Pläne aller wichtigsten Reeden und Häfen 1 : 5000 erwähnt. Ferner seien die 6 Küstenkarten der andalusischen O z e a n k ü s t e 1 : 50000 hervorgehoben, während von der Nordküste solche in erheblich kleinerem Maßstabe vorhanden sind, die aber durch zahlreiche Pläne &c. noch ergänzt werden. Auch die S e g e l - a n w e i s u n g e n (Derroteros de las costas) enthalten ungemein viel geographisch wertvollen Stoff, namentlich sehr lehrreiche Ansichten und Profile. Eine eingehende militärgeographische Küstenbeschreibung zu strategischen Werken hat Oberst F r. R o l d a n y V i z c a i n o veröffentlicht.

Wenden wir uns nun kurz zur Privatkartographie. 1845 vollendete Don D o - m i n g o F o n t a n, Direktor des Königlichen Observatoriums zu Madrid, eine im gleichen Jahre durch den Stich Bouffards vervielfältigte „K a r t e d e s K ö n i g r e i c h s G a l i c i e n 1 : 100000" in 12 Blatt, die auf gewissenhaften Triangulationen beruht und sich durch sorgfältig ausgeführte Einzelheiten sowie zahlreiche Höhenangaben auszeichnet. Ein Ergebnis persönlicher Feldarbeiten, wenn auch nur auf vervollkommneten Positionsbestimmungen beruhend, ist die „K a r t e d e r P r o v i n z B u r g o s 1 : 180000" in 8 Blatt von Don Victores de la Fuente, wenn sie auch hinsichtlich der noch in alter perspektivischer Manier erfolgten Geländedarstellung versagt. Wertvoll ist, freilich technisch mangelhaft, die „K a r t e d e r P r o v i z G u i p ú z c o a 1 : 100000" von Parencios und Olazabal von 1836, sowie des schon genannten Inspector general de Minas, Wilhelm Schulz in, 1 : 127500 im Jahre 1855 ausgeführte „M a p a t o p o g r a f i c o d e l l a P r o v i n c i a d e O v i e d o". Sie gibt ein klares, viele Einzelheiten enthaltendes Landschaftsbild, freilich mit skizzierten

Gebirgen. Endlich aus dieser älteren Zeit die „Boden- und Vegetationskarte der Iberischen Halbinsel", die Dr. Willkomm seinem bedeutenden Werke 1852 beigegeben hat (Leipzig). Unter den neueren Arbeiten möge vor allem Fed. Botello y Hornos 1889—90 in Madrid veröffentlichte „Mapa hipsometrica de España y Portugal 1:2 Mill." hervorgehoben sein, die das Gelände ansprechend in Niveaulinien von 100 m Schichthöhe enthält. Zu ihr gehört eine 1897 erschienene „Orohydrographische Übersichtskarte 1:4 Mill." in Reliefform mit entsprechenden Gebirgsschnitten, die eine „Breve instruccion para el mejor intelligencia del mapa in relievo" begleitet. Dann ist Francisco Magallons Nuevo mapa de Aragon 1:400000 (Madrid, M. Murillo), J. Almera y Ed. Brosas Mapa topografico y geologico de la provincia de Barcelona 1:40000 (1891) und Elias Zerolos Mapa de España y Portugal, escala 1:1600000 (Paris, Garnier hermanos 1899) zu erwähnen. Auch Schulatlanten von F. Sanches Corado von 1898 (Madrid, Lopez Comacho).

Von ausländischen Arbeiten seien außer der schon erwähnten C. Vogelschen im Stielerschen Atlas die Karten der Atlanten von Vivien de St. Martin (Carte générale 1:2,5 Mill. und 4 Blatt 1:1,25 Mill.), Sohr-Berghaus, F. Schrader, E. Prudent und E. Anthoine (1895), dann P. Vidal de la Blache zunächst genannt. Weiter sei auf die vorzügliche Reisekarte „Spanien und Portugal" 1:2 Mill. des Weimarer Geographischen Instituts, einen 52,5:64,5 cm großen Farbendruck (1899), und Karl Bambergs „Schulwandkarte der Pyrenäenhalbinsel" in 1:800000 auf 12 Blatt (48:40,5 cm), einen 1899 in 5. Auflage erschienenen Farbendruck, hingewiesen. Interessant ist die sphärische „Carte globulaire hypsométrique et bathymétrique de la Méditerrannée" 1:5 Mill. par E. Patesson, welche auch die Iberische Halbinsel enthält und unter Élisée Reclus' Leitung entstanden ist. Sie gibt die Höhen von 0 bis über 4000 m in braunen, nach oben dunkler werdenden Schichtentönen, die Tiefen von 0 bis über 5000 m in ebensolchen blauen wieder. Dann seien genannt: Vidal de la Blache: „Espagne et Portugal, Carte physique et agricole und Carte politique et industrielle" 1:1200000, Paris, Collin, auch spanisch in Verbindung mit Torres Campos bearbeitet; weiter H. Kieperts „Spanien und Portugal 1:2500000" und seine Wandkarte in 4 Blatt (146:110 cm) 1:1 Mill., beide Berlin, Reimer, 1894; Ed. Gäblers „Wandkarte der Pyrenäischen Halbinsel 1:1 Mill." in 4 Blatt (57,5:78 cm), ein Farbendruck von G. Lang, 1894, und Sydow-Habenichts 9blättrige orohydrographische 1:750000 (168:147 cm), Gotha, Perthes. Ferner sind erwähnenswert: „Nuevo mapa de España y Portugal y de sus colonias, illustrado con los 49 escudos de sus provincias y con los 14 decoraciones militares, indicando todos los caminos e hierro, carreteras, rios y canales" in 1:1650000, eine 1894 bei Dossuay, Gadola et Cie in Paris erschienene Chromolithographie; R. Hausermann: „Carte de l'Espagne et Portugal 1:4600000" (Atlas universel) Paris, Fayard frères, 1897; R. Noordhoff: „Spanje en Portugal", wandkaart, 1 Blatt (94:73 cm), Amsterdam, S. L. Looy, 1899, und L. Schiaparelli ed E. Mayr: Atlante scholastico della Peninsola Iberica fisica e politica 1:4 Mill., Gelände in Bergstrichen, Torino, F. Vaccarino, 1900. Mit Text.

Von einschlägiger Literatur sei zunächst das ältere Werk Miñanos: „Diccionario geográfico-estadistico de España y Portugal" genannt, das 1826—29 in 11 Bänden mit guten Karten zu Madrid erschien. Dann Soler: „Descripcion geográfica, historica, estadistica y pintoresca de España", mit Karten von Lopes, Madrid 1844—46, in 2 Bänden, sowie Don Pascual Mados: „Diccionario geográfico, estadistico, historico de España" in 16 Bänden, Madrid 1845—60. Die 1. Sektion der seit 1848 bestehenden Königlichen Kommission zur Untersuchung der Naturverhältnisse Spaniens hat ein „Quadro geográfico" des Guadaramagebirges herausgegeben. Manuel Recacho veröffentlichte als Mitglied der topographischen Brigade des spanischen Ingenieurregiments, dem einzelne Aufnahmen zu verdanken sind, ein „Memoria solve las nivelaciones barometricas" (Madrid 1858). Von großem Wert, auch heute noch, ist Don Francisco Cosilos in Mitwirkung von Francisco de Luxan und Agusto Pascal 1859 herausgegebenes Werk: „Reseña geográfica, geológica y agricola de España," das auch eine vollständige Bibliographie der Arbeiten über Spanien bis zu diesem Zeitpunkt enthält. Dann seien hervorgehoben: J. Navarro y Paulo: „Geografia militar y economica de la Peninsula Iberica", Madrid 1882, und E. Heris: „Construccion de mapas", Barcelona 1882. Letzteres behandelt auf 12 Seiten Text und 8 Tafeln den Entwurf von Kartennetzen.

Wichtig ist das „Gran Diccionario geográfico, estadístico y histórico de España y sus posesiones" in mehreren seit 1891 in Madrid erscheinenden Bänden von R. del Castillo, und Cobo F. de Guzmans „Espagne, rapport sur les travaux géodésiques, exécutés par l'Institut géographique et statistique", 1897, sowie der gleichnamige Rapport für 1898 von Donnado Matteo Sagasta. Auch Ibañes und Perriers „Jonction géodésique et astronomique de l'Algérie avec l'Espagne", 1886, gehört hierher, sowie die „Memorias del Instituto Geográfico y Estadístico", Teil 1—10 (1875—95). Viel Interesse bieten unseres Th. Fischer „Spanien" (Leipzig 1893) und sein „Versuch einer wissenschaftlichen Orographie der Iberischen Halbinsel 1 : 500000" (Peterm. Mitt. 1894), ebenso seine Berichte über die neuere wissenschaftliche Literatur der Iberischen Halbinsel im Geogr. Jahrbuch (XXI. Band, 1899). Dann seien Ribeyro y Saulas: „Il suelo de la patria" (Madrid 1899) und E. Gallois: „Excursion dans la péninsule ibérique" (Paris 1899), sowie Josef Israel: „Spain", und F. A. Obes: „Spain", beide New York 1899 erschienen, genannt, und endlich die Revista und das Boletin der 1876 gegründeten Real Sociedad Geográfica (Präs. heute Fern. Duro).

II. Portugal[1]).

Während des ganzen Altertums und bis zum Anfang des 12. Jahrhunderts der christlichen Zeit hat Portugal die Geschicke Spaniens, besonders seiner westlichen Hälfte, geteilt, hat daher keine eigene Geschichte, sondern wiederholt nur die spanische oder bildet ein Bruchstück von ihr. Nur die Lusitanier, die man schon zu karthagischer Zeit von den Hispaniern unterschied, scheinen ausschließlich portugiesischem Boden angehört zu haben. Ihre unter Augustus bestimmte Grenze (Plinius) fällt aber keineswegs mit der des heutigen Portugal zusammen. Konstantin änderte diese Einteilung wieder, und die Einfälle der Barbaren des 5. Jahrhunderts stürzten wie alle römischen Einrichtungen auch diese. Das Land der Sueven, dem auch das heutige Portugal angehörte, wurde 583 von dem westgotischen Reiche absorbiert, dann unterwarfen es sich mehr als zwei Jahrhunderte lang die omajjadischen Kalifen (wie auch ganz Spanien), unter denen die römischen Kolonien Lissabon, Porto &c. blühten und byzantinische Kultur Einfluß gewann. Da die Araber Sinn für Astronomie und Mathematik hatten, Sternwarten errichteten, Meridianbogen maßen, astronomische Ortsbestimmungen machten, den Ptolemäus übersetzten und Spezialaufnahmen fertigten, so mögen wohl auch Karten von Portugal schon entstanden sein, wenigstens von seinen Küsten, denn die Seemacht der Omajjaden war blühend. Jedoch verlautet Näheres nicht darüber. Auf der Weltkarte des Abu Isbak al Farsi al Istachri (um 945) ist auch Portugal berücksichtigt. Im 11. Jahrhundert verschwand das Kalifat, unabhängige Emire breiteten sich im Lande aus, wurden jedoch von den christlichen Königen Galiciens bedroht. Alfons VI., König von Leon, Castilien und Galicien, rief gegen die muselmännischen Almoraviden den Statthalter von Coimbra, Grafen Heinrich von Burgund, zu Hilfe, der dann sein Schwiegersohn wurde. Dieser Comes Portugalensis vereinigt 1095 Porto und Coimbra, d. h. das Land zwischen Minho und Douro, zur Grafschaft Portugal. Von nun an beginnt die Geschichte des portugiesischen Staats. Graf Heinrich (1095—1112) benutzte für seine Kreuzzüge genuesische Schiffe, und so gewannen Italiener naturgemäß auch Einfluß, nicht zuletzt auf die Kartographie. Ihre Küstenaufnahmen im Atlantik bis nach Marokko wurden von allen seefahrenden Nationen, also auch von den Portugiesen, allein benutzt. Diese Abhängigkeit von Italien in der kartographischen Kunst währte bis Anfang des 15. Jahrhunderts. Inzwischen hatte Portugal 1267 unter Affonso III. (1248—79) nach Vertreibung der Mauren durch den Zurückfall des wieder unabhängig gewordenen Algarve — nachdem es sich schon früher das Alemtejo ausgedehnt hatte — seine heutigen Grenzen erlangt. Unter König Diniz (1279—1325), dem Gründer der unter den Oberfehl des Genuesen Micer Manoel als Admiral gestellten Seemacht, der auch die ersten Beziehungen mit dem später so einflußreichen England knüpfte und 1286 die Universität Coimbra schuf, blühte das Land. Die Erdkunde und die Küsten-

---

[1]) Der Name bedeutet Port de Cale (Portus Calese) — ursprünglich die Stadt Villanova de Gaia auf dem linken Douro-Ufer. Eine andere Etymologie lautet: Portus Gallorum.

kenntnis fördernde Unternehmungen zur See konnten gewagt werden. 1415 fand unter dem Oberbefehl der drei kühnen Söhne König Joãos I. die erste Expedition nach Afrika mit einer gewaltigen Flotte statt, die mit der Einnahme Ceutas endete. Mit den planmäßigen Unternehmungen zur See eines dieser drei Königssöhne, des Prinzen Heinrich des „Seefahrers", beginnt (zugleich mit der Übersetzung des Ptolemäus 1410 durch Jacobus Angelus in Florenz) die neue Zeit in der Geschichte der Kartographie wie der Erdkunde überhaupt, zugleich geben diese Entdeckungen und Kolonisationen auch dem Lande einen heroischen Aufschwung. 1418—20 wurde Porto Santo und Madeira aufgesucht, 1433 unter Gil Eannes von Kap Bojador aus der Schritt ins Unbekannte gewagt. Immer aber waren noch Italiener die Lehrmeister der Portugiesen im Entwerfen der Seekarten. Bald wurde das anders. Portugiesen haben das Verdienst, zuerst Nordamerika (vom hohen polaren Norden abgesehen), wohin ihre Schiffe um 1500 kamen, in richtigen Umrissen dargestellt zu haben, was beweist, daß sie nicht nur tüchtige Piloten, sondern auch geschickte Kartenzeichner waren. Sie übten durch ihre Arbeiten wie ihre Methode großen Einfluß, namentlich auch in Deutschland, und ihre Kartographen, wie z. B. Francisco und Ruy Faleiro, Jorge und Pedro Reinel, Simon de Alcazale de Sotomayor, gingen heimlich nach Spanien[1]) in die Dienste Karls V.[2]). Die wichtigsten und ältesten kartographischen Urkunden über die Neue Welt — außer der noch zu erwähnenden des deutschen Kosmographen Waldseemüller — sind italienische Kopien portugiesischer Originale, nämlich von Cantino und Canerio. Der Portulan des Nicolaus de Canerio (1502) ist dabei, soweit bekannt, die erste nautische Karte mit einer Breitenskala (am linken Rande). Weder Äquator noch Wendekreise sind ausgezogen. Diese aus einzelnen ungleich großen Blättern bestehende Weltkarte im mittleren Maßstabe 1:12,5 Mill. befindet sich jetzt im Dépôt de la Marine zu Paris[3]). Über Neufundland und Brasilien sind die besten Breitenbestimmungen von den Portugiesen geliefert. Hier gebührt ihnen entschieden der Vorrang vor den Spaniern, hinter denen sie sonst, an Umfang der Leistungen namentlich, zurückstehen. Sie haben die gelehrte Kosmographie wesentlich beeinflußt, selbst in Italien blieb bis 1527 portugiesisches Vorbild für die Auffassung der neu entdeckten Länder maßgebend. Freilich, bald trat der deutsche Einfluß für die Vorstellung von Amerika bestimmend auf und behauptete sich ein halbes Jahrhundert. Portugiesische Seekarten und die Berichte von 4 Schiffsfahrten des Kolumbus gaben den lothringischen Kartographen Walter Lud, Ringmann und vor allem dem Martin Waldseemüller oder Ilacomilus die Anregung zu ihren bahnbrechenden Arbeiten. Von letztgenanntem stammt nicht nur die jene neuesten portugiesischen Entdeckungen enthaltende erste gedruckte Weltkarte mit dem Namen Amerika (1507), sondern auch eine „Carta marina navigatoria Portugallen. navigationes atque totius cogniti orbis terre marisque formam naturamque situs" &c. aus 12 Folioblättern (45,5 : 62 cm), die in 3 Zonen zu je 4 Blatt aneinanderzureihen sind (1516). Diese Plattkarte ist als richtige Seekarte ohne Gradnetz, aber mit einem Gewebe von Windstrichen entworfen und benutzt portugiesische Vorbilder,

---

[1]) Auch in Venedig finden wir weit später noch einen bedeutenden portugiesischen Kosmographen, Diego Homem, der von 1558—74 künstlerische Atlanten herstellte.

[2]) Damals begann mit der sog. „großen" Seefahrt auch das Bedürfnis, den ausschließlich geodätischen Landorientierungsmitteln sowie Kurs und Distanz (Kompaßrichtung und Gissung) auch astronomische hinzuzufügen, d. h. Breiten durch Bestimmung der Pol- oder Sonnenhöhe zu ermitteln und von einem astronomisch festgelegten Punkte aus durch Graduierung eines Meridians die Breiten anderer Orte zu bestimmen. Ein angemessenes Gradnetz, also ein einheitlicher Plattkarten- oder Zylinderentwurf fehlten aber stets. Denn nicht nur kam die Längenbestimmung erst im 18. Jahrhundert auf, sondern wegen Schwankens der Annahme über die Größe der Erde waren auch die Breitengrade unsicher, besonders wich infolge der örtlich verschiedenen Mißweisung die europäische von der amerikanischen Breitenskala ab. Vom Wesen des loxodromischen Kurses verstand man nichts. Der Erdgrad wurde schließlich zu 70 Miglien von je 0,8 Seemeilen oder 17,5 spanischen Leguas, d. h. die Erdgröße noch um etwa 7% (wie H. Wagner angibt) zu klein bestimmt.

[3]) Gallois in dem Bull. Soc. géogr. de Lyon 1890. Harrisse, Discovery of North America, 1892. S. Ruge, „Topographische Studien zu den portugiesischen Entdeckungen &c.", Leipzig 1903.

namentlich bei Darstellung der vorderindischen Halbinsel. Das in Straßburg oder St. Dié gedruckte Werk enthält eine längere Legende. Ferner bemerkenswert ist von portugiesischen Arbeiten die farbige Karte der amerikanischen Küsten in 1 : 82 Mill. von etwa 1519, weil sie zuerst auch eine Gradeinteilung des Äquators enthält und die Zentralrose nun in diesem zur Mittellinie gewordenen Kreise liegt. Freilich fehlen sowohl Bezifferung der Einteilungen wie der Meilenmaßstab. Das Original dieser Karte befindet sich in München, ebenso Pedro Reinels Seekarte des nördlichen Atlantischen Ozeans 1 : 10 Mill. von 1505, die durch eine doppelte Breitenskala interessant ist. Um 1550 erschien dann ein portugiesischer Seeatlas von Amerika in 4 farbigen Blättern 1 : 13,3 Mill. (Original in der Florentiner Bibliothek Riccardiana), und gegen 1580 gab Jernão Vaz Dourados (dem wir auch die erste europäische Spezialkarte von Japan verdanken), einen, jetzt in München befindlichen, 6blättrigen Seeatlas etwa gleicher Verjüngung von dem neuen Kontinent heraus. Im übrigen ist schon damals eine Abneigung portugiesischer Kartenzeichner zu bemerken, spanische Arbeiten zu benutzen, und umgekehrt, so daß vielfache Widersprüche in den Karten vorkommen, was zumal bei dem Fehlen genauer Küstenbeschreibungen recht unbequem war und ist. Die vielen Überfahrten nach Afrika wurden ebenfalls eine rechte Schule der Nautik und Kartographie für die Portugiesen [1]). Lange glückte es ihnen nicht, dort festen Fuß zu fassen, erst unter Affonso V., dem „Afrikaner", der 1458 Alcacer, Arzilla und Tanger eroberte, gelang das. Unter Manuel dem Glücklichen (1495—1521), dem ersten König der Dynastie Vizeu, machten dann die prächtigen Entdeckungen Vasco da Gamas (1497), Cabrals (1500), Almeidas (1505), Andrades u. a. aus den Portugiesen nicht nur eine Seemacht, wie sie heute England ist, sondern überhaupt die erste Nation der Welt. Glänzend entfaltete sich ihre Macht besonders unter João III. in Indien, und 1000 Segler bildeten die Flotte, mit der Sebastião nach Afrika fuhr. Von den portugiesischen Besitzungen in Afrika (und Südamerika) ließ Reinel um 1515 eine jetzt in Florenz im Besitze des Baron Ricasoli befindliche Seekarte erscheinen. Dann aber verfiel das Land durch Auswanderung, Judenvertreibung und Inquisition, und unter der mit Philipp II. beginnenden 60jährigem verhaßten spanischen Herrschaft büßte es auch seine Seemacht ein. Erst der Herzog von Braganza begann das spanische Joch abzuschütteln und wurde als João IV. der Stammvater der heutigen Dynastie. Unter seinem Nachfolger wurde die volle Unabhängigkeit 1668 wieder erlangt. Inzwischen war aber auch Portugals Vorrang in der Kartographie längst auf andere Nationen übergegangen, und die bisher vorwiegend maritime Darstellungsweise wurde im wesentlichen kontinental. Im 18. Jahrhundert geriet das Land derart in englische Einflußsphäre, daß 1754 der Minister Pombal sagen konnte, zur vollkommenen Abhängigkeit fehle nur noch der wirkliche Besitz. Alle Lebensäußerungen in Handel und Wandel, auch im Kartenwesen, wurden von England beherrscht, und das blieb so unter Josés Regierung (1750—1777), unter der der närrischen Königin Maria I. (1777—1792) und unter der ersten Regentschaft Joãos VI. (1792—1826), bis es diesem 1816 gelang, dies Joch, das während der Napoleonischen Kriege verstärkt wurde, aber ertragen werden mußte, abzuschütteln. Dennoch fallen große Ereignisse wissenschaftlichen Ranges in diese Zeit, wie die Neubegründung der Universität Coimbra 1772 durch Pombal, die für alle, auch die kartographischen Bestrebungen, von Wichtigkeit wurde, ebenso die 1762 vorangehende der Militärakademie Real Collegio dos nobres. An beide Institute wurden ausgezeichnete Lehrer berufen, die, wie der Piemontese Michiele Antonio Ciera und eine Schule von Mathematikern gründende Venezianer Michiele Franzini, maßgebenden Einfluß auf die Landesaufnahme gewinnen sollten. Am 17. Januar 1779 rief dann ein Alvara die Academia Real das Sciencias in

---

[1]) Der Nürnberger Patrizier und Kosmograph Martin Behaim unternahm 1484 im Dienste Portugals seine Reise nach der Westküste Afrikas. Er führte auch den Jakobstab und die Ephemeriden des Regiomontan in die portugiesische Marine ein und starb 1506 zu Lissabon. Er war ein Freund von Kolumbus und Magelhães.

Lisboa nach französischem Vorbild ins Leben, vornehmlich auf Anregung des weitgereisten Lefoës. Ihr Präsident ist der König. Am 23. August 1781 ordnete ein weiterer Alvara die Errichtung einer neuen Zeichenschule „Aula de Desenho e Architectura civil" in Lisboa an — beide Einrichtungen von großem Wert für die künftige Landesaufnahme. In geistiger Hinsicht überwog immer mehr der französische Einfluß, und die großartigen Leistungen französischer Geographen, nicht zuletzt aber das Vorbild der Cassinischen Karte, mußten den Entschluß zeitigen, auch Portugals Landeskunde wieder zu fördern und die alten ruhmvollen Traditionen der Kartographie wieder zu erneuern, zumal es mit dem vorhandenen Kartenmaterial recht kläglich bestellt war.

Die neueren Aufnahmen reichen daher bedeutend weiter als in Spanien zurück. Schon 1788 begann Dr. Ciera auf Befehl der Regierung, sich dem Kataster zuzuwenden, von dem angeblich bereits aus dem 12.(!), jedenfalls aber bis ins 16. Jahrhundert zurückreichende Aufnahmen vorhanden waren. Bald ging Ciera auch, gemeinsam mit Caula und Folque, an geodätische Vorarbeiten (Bordascher Kreis von 16—18" Durchmesser), und schon 1794 und 1796 lagen zwei gemessene Grundlinien, bei Montijo mit 10 km und zwischen Buarcos und Monte Redondo von 34 km Länge, die mit Stäben von Brasilholz nach Angabe des Astronomen Da Rocha bestimmt waren, vor. Dann trat eine Unterbrechung ein. 1801 erschien eine amtliche Verfügung, nach der die angefertigten Spezialkataster der einzelnen Bezirke zu einer großen geographischen Karte zusammenzustellen seien. Obwohl dieser Befehl 1811 erneuert wurde, begannen infolge von Hindernissen aller Art doch erst 1833 unter General Pedro Folque, der nach Cieras Tode (1815) die Leitung übernommen hatte, regelmäßige Triangulationen und Vermessungen, die bis 1847 Detailaufnahmen von rund 280 QMln Umfang zutage förderten. 1848 folgte der bisher schon an den Arbeiten beteiligte Sohn Pedros, General Filippo Folque, an die Spitze der Landesaufnahme. Er schuf ein ganz neues Netz von 236 Dreiecken, das in der 1. O. (193 Dreiecke) 1863 vollendet und mit dem spanischen verbunden wurde[1]. Es stützt sich auf die 1053,895 m (4787,941 Braças) lange Basis von Montijo, die mit dem Apparat des Dr. Monteira da Rocha von Folque bestimmt wurde. Die ersten darauf begründeten topographischen Aufnahmen mit Bussole und Meßtisch in 1:50000 begannen 1856 durch das Militäringenieurkorps und wurden 1865 vollendet. In dieser ganzen Zeit dienten die vortreffliche Küstenkarte Franzinis sowie die auf barometrische Höhenmessungen von Charles Bonnet in Algarve und Alemtejo und 115 ältere Dreiecspunkte sich stützende, von der Akademie der Wissenschaften in 1:200000 veröffentlichte Karte von Algarve und Alemtejo als Aushilfe. 1860 wurde das 1840 festgesetzte ältere Maßsystem durch das metrische ersetzt, ohne indessen den einheimischen Palmo de Craveiro, das Grundmaß der Länge, und die Milha und Legoa ganz verdrängen zu können. 1861 erfolgte die Errichtung des jetzt unter Campos-Rodrigues stehenden Real Observatorio Astronomico zu Lissabon. 1869 wurde die „Direcção geral dos Trabalhos geodesicos e topographicos" in Lissabon gegründet und mit der Leitung und Durchführung des ganzen amtlichen Kartenwesens betraut. Diese unter das Ministerium der öffentlichen Arbeiten gestellte Behörde gliedert sich heute in eine geodätische und eine chorographische Abteilung. Die militärkartographischen Arbeiten unterliegen einer von dieser Generaldirektion unabhängigen Sektion des Generalstabes[2].

Zunächst ließ die neue Behörde die „Carta geographica de Portugal, publicada

---

[1] Portugal beteiligte sich durch General Folque an der europäischen Gradmessung und bestellte bei Repsold in Hamburg feinere Arbeiten ermöglichende Instrumente (Basisapparat, Reversionspendel &c.). 1868 waren von 113 Dreiecken alle 3 Winkel gemessen und die astronomischen Beobachtungen auf 90 Stationen beendet. Das Observatorium von Coimbra (99 m Seehöhe) wurde zu 351° 34,3′ ö. L. v. Gr. und 40° 12′ 25″ n. Br., das von Lissabon (94 m Seehöhe) zu 350° 48′ 50″ ö. L. v. Gr. und 38° 42′ 31,3″ n. Br. bestimmt.

[2] Generaldirektor ist augenblicklich der Divisionsgeneral des Ruhestandes de Arbis Mereira. Vorstand der geodätischen Abteilung ist der Generalstabsoberst Comte d'Avila, der der chorographischen ein inaktiver Divisionsgeneral.

die Griechen abgenommen. Man schrieb von ihnen, besonders von Heron von Alexandrien, meist ab, und die Neuerungen in der Feldmeßkunst sind mehr praktischer Natur. Besonders ungünstig sah es noch immer um die Längenbestimmungen aus, da man für sie im wesentlichen auf die selten vorkommenden Verfinsterungen angewiesen war. Die Kartenzeichnung blieb nun gar· weit hinter der beschreibenden Geographie zurück[1]). Nur wenige Denkmale der kartographischen Kunst sind uns bekannt geworden, zumal seit dem zweiten Punischen Kriege nur in einzelnen Landschaften der besetzten Gebiete, wie in Spanien und Gallien, Aufnahmen stattfanden, die seit Polybius von den griechischen Geographen fortgesetzt wurden, im übrigen aber bis zur Zeit der Monarchie ruhten. Julius Cäsars Befehl einer Neuvermessung des ganzen Reiches kam erst unter Augustus durch Marcus Vipsanius Agrippa zur Ausführung, nach dessen Tode sie der Kaiser vollendete. Seine Karte (30—12 v. Chr. ausgeführt), welche in der Form einer ovalen Sphära in der Säulenhalle der Polla auf dem Campus Martius öffentlich aufgestellt wurde, um dem Volke die Größe des Reiches zu zeigen und den Patriotismus zu beleben, wurde die Quelle und das Vorbild aller späteren kartographischen Darstellungen, wie der Itinerarien &c. Die der zuerst 15 n. Chr. von dem geistreichen Strabo erwähnten Karte zugrunde liegenden Materialien — außer griechischen Quellen namentlich die Entfernungen auf den Staatsstraßen und Stationsangaben — ließ Augustus in der „Chorographia" zusammenstellen, auf die sich Pomponius Mela in seinem geographischen Werke — dem ersten uns erhaltenen römischen — und später zur Flavierzeit Plinius bei seiner Feststellung der Lage und Grenzen der Länder stützt, und von der Kopien in den Provinzen und besonders in den Schulen vorhanden waren. Die Agrippakarte trägt ganz den Charakter römischen Geistes, indem sie von römischen Meilensteinen aus den Erdkreis konstruiert. Sie wurde das Prototyp aller späteren Weltkarten für Jahrhunderte, auch durch ihre, schließlich zur Fessel werdende sphärische Form (orbis pictus). Wichtig, besonders vom militärischen Standpunkt, als gewissermaßen erste kriegstopographische Karten, sind die bloßen Itinerare, auf denen — mit Außerachtlassung der Richtungen — Wegelängen unter Angabe der Entfernung der Orte zusammengestellt waren, und aus denen nicht bloß auf die Beschaffenheit der Marschstraßen, sondern oft auch auf das freilich sehr verzerrt wiedergegebene angrenzende Gelände geschlossen werden konnte. Die Meilensteine dienten als Orientierungsmittel, und es wurden Reisemaße ohne Berücksichtigung der Wegebiegungen angewandt. Für jede Landschaft gab es Verzeichnisse der Meilensteine und Inschriften, die im „Corpus inscriptorum" zusammengestellt waren, das heute alle anderen Hilfsmittel über die Geographie des alten Italien übertrifft[2]). Außer diesen Itineraria scripta gab es auch picta, d. h. graphische Wegedarstellungen. Als Einheitsmaß diente der römische Fuß. Das Dasein solcher Wege- und Stationsverzeichnisse, die zunächst für militärische und Verwaltungszwecke bestimmt waren, war sowohl für den Dienstgebrauch der Offiziere und Beamten wie für den Kaufmann, den Pilger &c. wichtig. Vegetius, der bedeutendste Kriegsschriftsteller des sinkenden Kaisertums, der nächst Cäsar die größte literarische Nachfolge hat, rät den Feldherren (ganz ähnlich wie 1000 Jahre später Macchiavelli) solche Kartenbenutzung bei der Anordnung der Märsche in den von Strategie und Taktik handelnden drei Büchern seiner „Epitoma rei militaris" an. „Itineraria planissime perscripta, ita ut locorum intervalla non solum passuum numero, sed etiam viarum qualitate perdiscat, compendia deverticula montes flumina ad fidem descripta consideret." Er hat auch Kenntnis davon, daß „sollertiores duces itineraria provinciarum, in quibus necessitas gerebatur, non tantum adnotata, sed etiam picta" mit sich geführt haben, „ut non solum consilio mentis,

---

[1]) Wir haben zwischen tabula oder orbis pictus — römische Karte (woraus das deutsche „Landtafel" [noch bis Mitte des 18. Jahrhunderts von Schickard so genannt] entstanden ist), und scripta — Handbücher zu unterscheiden.

[2]) H. Kiepert hat die zugehörigen Karten bearbeitet.

verum aspectu oculorum viam profecturus eligeret". Auch der unter Justinian (5. Jahrhundert) schreibende byzantinische Anonymus will in seinem Buch von der Kriegswissenschaft von taktisch wichtigen Stellungen Geländeaufnahmen im Anschluß an Itinerarien gemacht haben. Von solchen „Distanzkarten", in denen die Entfernungen der Orte von einem rechtwinkligen Koordinatensystem aus dargestellt waren, wäre zunächst das Iter Brundisinum zu nennen, auf vier silbernen Gefäßen, in Form von Meilensteinen, die am Lago di Braciano bei Vicarello 1852 gefunden wurden, aufgetragen. Es enthält die Wegestationen von Gades bis Rom. Dann vor allem das von Alexander Severus um 230 n. Chr. zunächst zu militärischen Zwecken veranlaßte Itinerar, die sog. „Tabula Peutingeriana". Es ist heute nur die von Conrad Celtes zuerst in Worms entdeckte Nachbildung auf 11 gemalten Pergamenttafeln (die 12. ist verloren gegangen) in der Wiener Hofbibliothek vorhanden, die einst dem Prinzen Eugen von Savoyen gehört hat und die ein Dominikanermönch zu Kolmar 1265 nach dem verloren gegangenen Original, vielleicht auch von irgendeiner von ravennatischen Kosmographen exzerpierten Abschrift gefertigt hat. Denn ihre Namensbestände decken sich großenteils mit denen des Itinerars Ravennas. Es handelt sich um die ab und zu gekürzte Kopie einer sich auf die des Agrippa stützenden Weltkarte, jedoch in Form einer Wegekarte, die daher besonders wichtig für die Kenntnis der römischen Militärstraßen ist. Es ist ein langer Streifen von 21,25' Länge und nur 1' Breite, der die ganze den Römern bekannte Welt von Gades bis zum östlichen Ozean (Europa und Asien) zwar berücksichtigt, aber im wesentlichen nur regelmäßig eingetragene Ortsentfernungen sowie das richtige Zusammenpassen der Straßen beachtet, während Gebirge und Flüsse zurücktreten und nur zur Orientierung dienen, die Meere aber ohne Begrenzungen sind. Auch finden sich die Namen der wichtigsten Provinzen angegeben. Es ist natürlich ein sehr verzerrtes Bild, in nordsüdlicher Richtung zusammengequetscht, in ostwestlicher auseinandergezogen. Die Himmelsrichtungen der dargestellten Orte sind nicht mehr zu bestimmen. Eine ganze Literatur ist über dieses kartographische Denkmal des Altertums entstanden. 1591 hat Marcus Welser bei Aldus in Venedig zwei Blatt von der dem Augsburger Ratsherrn Konrad Peutinger (1465—1547) seit 1588 gehörigen Kopie in Holzschnitt herstellen lassen und sie mit gelehrtem Kommentar seinem Gönner Jacob Curtius von Senftenau, Vizekanzler des Römischen Reiches, gewidmet. Später hat Welser die volle Tafel wieder aufgefunden und von dem Augsburger Künstler Joh. Moller verkleinern lassen. Diese hat dann Abraham Ortelius in Augsburg stechen lassen, so daß sie 1599 von seinem Schwiegersohne Moret veröffentlicht werden konnte[1]). Von den Scripta ist das Itinerarium Antonini (Caracalla) Augusti um 300 (mit den Straßen und Stationen der römischen Provinzen) sowie das Itinerarium Hierosolymitanum[2]), das 333 ein christlicher Pilger aus Burdigala (Bordeaux) für die von dort nach Jerusalem und zurück über Mailand Reisenden verfaßt hat, und die beide von G. Parthey und M. Pinder 1848 in Berlin herausgegeben worden sind, zu erwähnen. Wichtig für die Kenntnis der Topographie sind ferner die Münzen der Römer.

Antike Seekarten sind uns zwar weder erhalten, noch werden solche von den alten Schriftstellern erwähnt. Aber bereits seit den ältesten Zeiten werden kurze Aufzeichnungen von Entfernungen, Häfen, Städten an den Küsten — Periplen —, deren sich nicht nur der praktische Schiffer und Reeder, sondern auch der Offizier und Beamte sowie das reisende Publikum bediente, und die etwa den späteren mittelalterlichen Hafenbüchern (Portulani annotati) entsprechen, gemacht. Die wichtigste unter den ältesten dieser meist nur das Mittelmeerbecken umfassenden Küstenbeschreibungen ist der Periplos des „inneren Meeres" von Skylax von Karynda, der aber wahrscheinlich erst aus der Zeit kurz

[1]) Die beste Ausgabe (mit Kommentar) ist von E. Desjardins (Paris 1869—71), eine billigere in zwei Drittel der Originalgröße und farbig von K. Müller in Regensburg 1888 veröffentlicht.
[2]) Zuerst 1512 von Christophorus Longolius bei Henricus Stephanus in Paris herausgegeben. Beste Ausgabe wie auch des Iter Antonini aber die obige von Parthey und Pinder.

vor Alexander dem Großen stammt. Auf gut alexandrinische Quellen geht ein sehr wertvoller, nur in byzantinischer Sprache erhaltener Stadiasmos zurück. Ein uns erhaltener
Periplos spätrömischer Zeit ist der etwa im 4. oder 5. Jahrhundert n. Chr. durch
Kompilation aus älteren Quellen entstandene Stadiasmos, der sich auf rein praktische, lediglich
der Schiffahrt dienende Elemente beschränkt. Er gibt Entfernungsangaben zu den Häfen
und Inseln sowie Bemerkungen über die Güte der Häfen des Mittelmeeres und des Pontus
Euxinus, den auch der Periplos des Arrian, eine Art Reisebrief aus Hadrianischer
Zeit, behandelt. Das Fragment des Periplos des Menippos aus der Zeit um 400
n. Chr. erstreckt sich auf die Nordküste Kleinasiens. Dann sei noch ein anonymer Periplos
aus dem 5. Jahrhundert mit Maßangaben derselben Küste und endlich der aus der
römischen Kaiserzeit rührende „Anaplus des Bosporus" von Dionysios von
Byzanz erwähnt. Dem „Itinerarium maritimum Antonini Augusti" liegt eine
Weltkarte zugrunde, die vieles bietet, was die Tabula Peutingeriana nicht enthält, obwohl
sich auch diese auf sie stützen mag. Daher muß der Reichtum an Angaben des frühe-
stens zur Zeit des Mark Aurel entstandenen oder ausgeführten Originals erheblicher gewesen sein. Diese Antoninische Weltkarte war vielleicht nur eine verbesserte Auflage der
Karte des Agrippa, jedenfalls aber die saubere Nachbildung einer mehr oder minder sorgfältigen Kladde. Ob sie auf dem Fußboden oder in der Wand, in Marmor oder Metall
oder Mosaik hergestellt war, ist unbekannt. Für die Küstenfahrt sei auch noch das Iter
des Rutilius Namatinus „de reditu suo" erwähnt.

Wichtig endlich als Denkmale einer Katasteraufnahme sind der Kapitolinische
Stadtplan von Rom, der unter Severus und Caracalla entstanden ist, dann die Konstantinische
Regionsbeschreibung und der Bericht über die Stadtvermessung des Vespasian bei Plinius.
Der in etwa 1:250 hergestellte Stadtplan, der an der Nordwand des Templum sacrae
urbis angebracht und öffentlich ausgestellt war und dessen Trümmer noch heute, nach der
Anordnung der Ausgabe des Bellori, in den Treppenwänden des Kapitolinischen Museums
vermauert zu sehen sind, ist ungleich und stellenweise flüchtig ausgeführt. Er kann auch
nicht die ganze Stadt umfaßt haben. Trotz der dürftigen Erhaltung des wahrscheinlich
nach Osten orientierten Plans sind wichtige archäologische und topographische Fragen
nach ihm entschieden worden. Die Regionsbeschreibung ist ein nach den 14 Regionen der Stadt geordnetes Katasterverzeichnis mit 2 systematischen Anhängen, die eine
Art Adreßbuch der wichtigsten Bauwerke und Denkmäler Roms und statistische Nachrichten
enthalten. Sie ist in 2 Abfassungen erhalten.

Den Übergang vom klassischen Altertum in die christliche Zeit bilden die Kompilationen des Äthicus Orosius (in seiner Chorographie) und des Marcianus Capella
sowie des Orators Julius Honorius aus dem 4. Jahrhundert. Besonders die Kosmographie des letztgenannten ist erwähnenswert, weil sie originale Nachrichten, so über die
Vermessung des Römischen Reichs durch Agrippa und seine Weltkarte, enthält. Auch
das Itinerar des Prokop von Cäsarea, des Sekretärs Belisars auf seinen Feldzügen
gegen die Perser und Vandalen (527—549), kann noch hierher gerechnet werden, ebenso
die „Tabula" des Theodosius II.

Nach langen Kämpfen war es den Römern gelungen, die ganze Halbinsel national zu
einigen. Mit der Zertrümmerung des abendländischen Teils des römischen Weltreiches im
Beginn des Mittelalters zerfiel Italien in viele Staatsgebiete und wurde der Zankapfel
verschiedener Völker, besonders auch der Deutschen, welche mehrere Jahrhunderte mit der
römischen Kaiserkrone auch die Herrschaft über einen großen Teil des Landes behaupteten.
Diese Zersplitterung machte sich natürlich auch in der Kartographie geltend. Dazukam,
daß die Entdeckungsgeschichte und die Entwickelung des Weltbildes zunächst verschiedene
Wege wandelten und erst ziemlich spät sich einander näherten und ineinander übergriffen.
Das lag zum wesentlichen Teile daran, daß von Anfang des christlichen Mittelalters an bis

zum Ausgang der Kreuzzüge kirchliche Lehren für die Kartographie maßgebend waren, die nur innerhalb dieses Rahmens einigen Raum für die Unterbringung einiger Überreste der Kenntnisse des Altertums und neuer Erkundungen zu gewähren für gut erachteten. So kamen recht phantasievolle, dazu ziemlich rohe bildliche Darstellungen einer weltfremden kosmographischen Idee zustande, die dieser orthodoxen Kartographie den allgemeinen Charakter einer „illustrierten Romanze" aufprägten. Nur außerordentlich langsam entschloß man sich zu wirklichen Naturnachbildungen, zur annähernden Angabe der Verteilung von Land und Wasser &c. Alles aber wurde in einen Kreis[1]) gepreßt, der dann 1200 Jahre, bis zum 15. Jahrhundert, das Weltbild beherrschte, und dessen Mittelpunkt als Nabel der Welt das heilige Jerusalem beherrschte. Mit wachsendem Stoff mußten die Zerrbilder immer ungeheuerlicher, der das Festland kreisförmig umfließende Ozean eine stets lästigere Schranke werden, namentlich zu Zeiten der Entdeckungen der Kreuzzüge. In diesen rein schematischen Radkarten hatte das in den fernsten Orient, das heutige China, verlegte Paradies den Ehrenplatz oben. Daher lag Süden rechts, Norden links, Westen unten. Asien nahm überhaupt einen gewaltigen Raum ein, nämlich die Hälfte, auf Kosten der anderen Erdteile. Doch tröstete man sich mit der Bibel, in der ja Sem einen größeren Anteil als Ham und Japhet erhalten hatte. Im höchsten Norden Asiens befanden sich die Länder der in der Apokalypse (wie im Koran) erwähnten sagenhaften Völkerschaften Gog und Magog. Durch einen Meeresstreifen von dieser asiatischen Erdhälfte getrennt, lagen die beiden anderen Viertel, Europa und Afrika, die wieder Nil und Tanais schieden, so daß das Erdbild durch ein T in einem O (Ozean) symbolisiert werden konnte. Man suchte sich für die Einzelheiten Stellen aus der Heiligen Schrift aus, verwarf die Lehren der Klassiker über Anordnung und Verteilung der Länder, pilgerte nach dem vom Bischof Athanasius von Alexandrien (325) in den Orient versetzten „Paradiese" und beschrieb es wie Mandeville nach Erkundigungen oder gar nach eigenen „Lehren". Im 5. Jahrhundert waren die alten Originale fast ganz in Vergessenheit geraten, die Lehren der Kirchenväter Augustinus[2]) und Hieronymus standen im Vordergrunde. Im 6. Jahrhundert waren es eigentlich nur die Irrlehren des vielgereisten Indienfahrers, des alexandrinischen Mönches Kosmas Indopleustes, die hier zu nennen wären. Er stellte sich die Erde als einen glockenförmigen Hügel vor, hinter dem sich die Sonne nachts verberge. In seiner viereckigen Karte von 550 spukten falsche biblische Vorstellungen. Im 7. Jahrhundert übten die frommen Lehren des Bischofs Isidorus von Sevilla (600—36) und namentlich die Weltkarte eines griechischen Mönchs, des anonymen Geographen von Ravenna (um 700), Einfluß. Diese Weltkarte war schon nach einer Art von Projektion gezeichnet und steht in Beziehung zur Peutingerschen Tafel. Nach Mommsen und Schröder handelt es sich nur um ein Blatt, nach Philippi um eine Rundkarte für das erste Buch der Schrift des Ravennaten (einer griechisch verfaßten Kosmographie) sowie um mehrere Itinerarkarten für die übrigen Kapitel. Ravenna war der Mittelpunkt für die Stundenlinien der natürlich nach Osten orientierten Karte[3]). Vom Altertum waren in jener Zeit nur noch Verzeichnisse von Städtenamen, populäre Kompilationen von Länderbeschreibungen, die selbst wieder die Quelle für Überarbeitungen abgaben, sowie allerlei Sagen und Fabeln vorhanden. Die eigentliche Wissenschaft der alten Werke wäre auch nicht verstanden worden, namentlich die sphärische Erdgestalt. Freilich waren ja auch die Grenzen der Länderkunde zu beschränkt, als daß nicht alle Wissenschaft in dem einfachen Organismus der Radkarte Platz gefunden hätte. Im Osten

---

[1]) Nur einige kehrten zu der antiken ovalen oder elliptischen Umrißform zurück, und Priscon nahm in seiner Periegese an, daß die Erdgestalt durch zwei an den Grundflächen sich berührende Kegel gegeben sei.

[2]) Dieser bezeichnete es z. B. als irrig, daß es, wie die Griechen schon annahmen, Antipoden geben könne, denn jene Ländergebiete seien durch einen heißen, jedem Leben feindlichen Ozean von uns getrennt und für Adams Nachkommen gar nicht erreichbar.

[3]) Hier sei auf Schröders „Versuch einer Rekonstruktion der Weltkarte des Kosmographen von Ravenna" hingewiesen.

war der Ganges, im Westen blieben die Säulen des Herkules die Grenze, und die Nordküsten
Asiens wurden durch das Kaspische Meer, eine Bucht des nördlichen Ozeans, gegeben, so
daß das ungeheure Gebiet im Norden und Osten des Kontinents überhaupt fehlte. Der
Ozean griff in die bewohnte Erde, außerdem in den Meerbusen des Mittelländischen Meeres
im Westen, des Roten und Persischen im Süden und Osten sackförmig ein. Trotzdem ist
das ernste Streben nach Eintragung aller wirklichen Kenntnisse in die durch Vignetten
und Randverzierungen geschmückten Radkarten nicht zu verkennen, nur Unbeholfenheit in
der graphischen Darstellung und die Unfähigkeit, Wahres vom Falschen zu unterscheiden,
sowie die verwirrenden Irrlehren frommer Männer hinderten es oder brachten Aufzeichnungen
beiderlei Art zustande. Schon Karls des Großen drei Silbertafeln (um 800)
mit einer Erdkarte und den Plänen von Rom[1]) und Konstantinopel, die leider sein Enkel
Lothar aus Geldnot 842 zerstückeln und unter sein Kriegsvolk verteilen ließ, zeigten wahrscheinlich manchen Fortschritt. Auch die um 1050 entstandene Turiner Weltkarte,
die zu einem Kommentar der Apokalypse gehört, ist bemerkenswert[2]). Immer verwickelter
wird der Gliederbau der Erde, immer mehr nehmen die Küsten des nordwestlichen Europa
und des südwestlichen Asien Gestalt an, die Länderräume bedecken sich mit Namen für
Völker, Ortschaften, Flüsse infolge der Erforschungen der Kreuzzüge, und in Wort und
Bild wundersame Legenden einzelner Gegenden, aus denen man bei undatierten Karten
oft allein auf die Abfassungszeit schließen kann, häufen sich immer mehr. Freilich, da die
Reisenden anfangs meist nicht des Schreibens kundig waren, nur mündliche Berichte
brachten, konnten bis etwa um die Mitte des 12. Jahrhunderts die Kreuzzüge noch keinen
berichtigenden Einfluß auf die Karten ausüben, um so weniger, als man noch in den Anfangs-
gründen der Länderzeichnung sich befand. So blieb die Kartographie zunächst noch hinter
der Länderkunde zurück, und es bedurfte erst eines Umschwunges des gesamten geistigen
Lebens, wie er sich namentlich in der Hohenstaufenzeit vollzog, um mit veralteten
romantischen und biblischen Anschauungen ganz zu brechen und den späteren einschneidenden Neuerungen den Weg zu bahnen. Ein wichtiges Zwischenglied dazu bilden die
Araber, deren Entwickelung sich von der christlichen Welt getrennt vollzieht
und deren Herrschaft sich schließlich von Spanien bis zum Indus erstreckte. Schon im
9. Jahrhundert erregten bei ihnen die Werke des Ptolemäus ebenso wie die Karten des
Marinus u. a. Aufmerksamkeit, und bei ihren astronomisch-mathematischen Kenntnissen
hätten sie auf dieser antiken Grundlage wohl erfolgreich weiter bauen können. Allein es
fand keine Durchdringung beider statt, sie verwarfen das in ihre Kreisform (mit Mekka als
Mittelpunkt) nicht passende Projektions- und Gradnetz des Alexandriners und beseitigten
damit den Keim weiteren Fortschritts. Auch der von ihnen schon gekannte Kompaß fand
nicht jene epochemachende Verwendung, wie bei den Mittelmeervölkern. Ihre Karten
blieben, überdies durch reiches dekoratives Element verunstaltete, Zerrbilder, die weder
die antike Kartographie fortbildeten noch die damals gerade blühende Ländererforschung
nutzbar machten, sondern den Einfluß der Kirchenväter zeigen. Eine Ausnahme epochemachender Art bildet nur die Weltkarte des Edrisi, und sie sollte allerdings von größtem
Einfluß auf das Abendland werden, denn die ersten Spuren einer Kartographie der neueren
Zeit finden sich in Italien, als um die Mitte des 12. Jahrhunderts, um 1140, christliche Gelehrte am Hofe König Rogers II., des Herrschers von Sizilien und fast ganz Süd-
italiens, mit dem bedeutenden arabischen Geographen, dem Scherif Edrisi (1099—1180),
zusammentrafen und sich durch Erlernung der arabischen Sprache das Verständnis für
arabische Karten und die arabischen Übersetzungen der in Vergessenheit geratenen alten

---

[1]) Von der Stadt Rom gibt es aus dem 8. Jahrhundert das sog. „Einsiedler-Itinerar", die Hand-
schrift eines Anonymus aus dem Kloster Einsiedeln, die offenbar auf Grund eines Planes eine Beschreibung der
Wege enthält.
[2]) Abbildungen in Lelewels Atlas, Tafel 9, Nr. 35, dann in Jomards „Monuments de la géogr.",
Tafel 58 u. 59, und als farbige Kopie in Chius. Ottinos „Il mappamondo di Torino", Turin 1892.

Klassiker, namentlich des nur wenig bevorzugten, bisher zugänglich gewesenen Ptolemäus, eröffneten. Besonders förderte aber diese Wandlung und den kartographischen Fortschritt in Europa überhaupt die von Edrisi selbst auf Wunsch des Königs in zwölfjähriger Arbeit auf einer Silberplatte gefertigte, 1154 vollendete „Weltkarte". Sie läßt trotz ihrer Unvollkommenheit alles, was die Geographen bis dahin in der Kartographie geleistet, weit hinter sich, zumal sie auch durch den Gebrauch des Kompasses unterstützt wurde. Dazu schrieb Edrisi ein Werk „Nusham", von den arabischen Gelehrten das „Buch des Königs Roger" genannt, welches eine Sammlung aller bis dahin bekannten Urkunden und Berichte von geographischen Reisenden darstellt. Leider wurde das Werk bald vergessen [1]). Aber es bahnte doch eine Entwickelung an, deren Träger zunächst die italienischen Kartenzeichner des scholastischen Mittelalters wurden, und die ihren höchsten Ausdruck in der Periode vom 13. Jahrhundert bis zu der mit Mercator anhebenden Neuzeit fand. Neben der Bekanntschaft mit dem Urtext griechischer Schriftsteller, der Rückkehr zur Ptolemäischen Ortsbestimmung besonders, war es namentlich der infolge von Einfällen der Mongolen erzeugte Verkehr mit Ostasien und endlich die durch zahlreiche Reisen auf dem atlantischen Seewege von den blühenden Republiken Genua, Pisa und Venedig aus geförderte Bekanntschaft fremder Länder, welche der kartographischen Darstellung neuen Stoff, allerdings im wesentlichen dem maritimen, brachten. Besonders die Fahrten der Gebrüder (Nicolo und Maffio) Poli und vor allem Marco Polos [2]), des Lehrers Nicolos, die 1254 begannen, zeigten den Osten in ungeahnter Größe, und aus ihnen und ihren Schilderungen — Karten brachten sie nicht — entstand zugleich der Gedanke der westlichen Überfahrt nach Asien, der die Kartographie später überaus fördern sollte.

Das Jahr 1300 bildete dabei einen wichtigen Wendepunkt der italienischen Kartographie. Vor ihm sind nach Ruge zwei verschiedene Richtungen nachzuweisen, nämlich eine ältere, rein praktischen Bedürfnissen entsprechende, wie sie sich in den wahrscheinlich vor 1000 v. Chr. entstandenen Randzeichnungen zu des Florentiners Leonardi Dati Gedicht: „La Sfera" kundgibt, die die Küstenstrecken des Mittelmeeres und der nächsten atlantischen Gestade wiedergeben, welche noch ohne geeignete Instrumente arbeitete. Es waren lediglich Itinerarien mit roh geschätzten Entfernungen, ohne Maßstab, charakterloser Küstendarstellung, in der meist nur die Hafenstädte eingetragen wurden, und deren Urheber Genuesen sind. Dann bestand eine jüngere Richtung, welche zu den auf Küstenaufnahmen beruhenden eigentlichen Portulankarten überleitet, von denen die ältesten Denkmäler die aus dem Ende des 12. Jahrhunderts stammende, nach Osten orientierte Pisanische Weltkarte 1:4,5 Mill. (Original in der Pariser Nationalbibliothek, zuerst 1883 von Jomard veröffentlicht) und der 8blättrige Atlas idrografico Fammar Luxorro von etwa 1300 sind (von C. Desimoni und F. Belgrano ausführlich beschrieben). Beide sind undatierte anonyme Seekarten ohne Gradnetz.

In die erste Hälfte des 14. Jahrhunderts fallen die ersten sicher datierten Portulankarten von 1311—20. Sie stammen, da zu jener Zeit Genua die Vorherrschaft in der Schiffahrt hatte, auch von einem Genuesen, nämlich Pietro Vesconte, dem ältesten italienischen Kartographen, den wir kennen. Wir finden sie teilweise in dem Werke des Venezianers Marino Sanudo [3]), welches er seiner Denkschrift an die gekrönten Häupter der

---

[1]) Erst 1592 kam es wieder in Erinnerung durch eine zu Rom erschienene arabische Ausgabe. Später, 1691, ließen die Brüder Marotini in Paris eine lateinische Übersetzung unter dem Titel „Geographica nublensis id est accuratissima in septem climata divisa descriptio" erscheinen. Um die Mitte des 19. Jahrhunderts übersetzten und erläuterten dann der Orientalist Michel Amari und Prof. C. Schiaparelli den auf Italien bezüglichen Teil in den Memoiren der Akademie (mit arabischem Text und einer zur Zeit Rogers aufgenommenen Karte Italiens).

[2]) Er blieb 24 Jahre im Morgenlande, davon 17 im Dienste Kublai Chaans, zuletzt als Admiral, und durchzog sämtliche Provinzen innerhalb der großen Mauer bis auf Kuang-si und Kuang-tung. Auch betrat er unter dem Schutze mongolischer Geschwader das östliche Tibet, Jünnan und Nordchina.

[3]) Er wollte die christlichen Herrscher zu einer Handelssperre gegen Ägypten und zu einer Blockade der afrikanischen und syrischen Küste bewegen, um den indischen Handel aus dem Roten Meere in den Persischen Golf über Tebris und Trapesunt abzuleiten.

Christenheit als Erläuterung beifügte, dem „Liber secretorum fidelium crucis", enthalten, wenn auch hier die Portulane ohne Namen, so daß lange Sanudo als Urheber gegolten hat[1]. Auf allen andern Karten lesen wir dagegen seinen Namen und die Jahreszahl. Die älteste davon ist von 1311 und umfaßt das östliche Mittelmeer. Dann folgt ein Atlas von 6 Blatt (0,50 : 0,315 m) von 1313, die jedoch die atlantische Küste Afrikas nicht enthalten[2], während die Einzelblätter in dem Werke des Sanudo die atlantischen Küsten und die einzelnen Meerbecken des Mittelmeeres auf 1 : 600000 bis 10000000 darstellen. Weiter ist der in Wien jetzt aufbewahrte Atlas Vesconte aus dem Jahre 1318 zu erwähnen (K. u. K. Bibliothek), dessen 9 Blatt (0,195 : 0,185 m) die Küsten von England bis zum Schwarzen Meer darstellen und sowohl in Jomards „Monuments de géographie" wie in Nordenskiölds Periplus nachgebildet sind[3]), und von dem ein ähnliches Exemplar von 7 Blatt (0,25 : 0,15 m) das Museo civico zu Venedig besitzt. Th. Fischers schöne Sammlung enthält auch dieses Werk. Der vorzüglichste aller auf uns gekommenen Atlanten Vesconte, sowohl in bezug auf Ausführung, namentlich der Schrift, als auch Ausstattung und Erhaltung, ist der wahrscheinlich einst dem Papste Johann XXII. gewidmete Codex Vaticanus von 1320, der ebenfalls zu einem Exemplar des Sanudo gehört, und von dem auch noch der Entwurf in dem Codex Palatinus der Vatikanischen Bibliothek vorhanden ist. Die 5 Karten, auf 9 Blattseiten von 0,30 : 0,23 m Größe, sind zuerst von A. Magnallo in seiner Abhandlung: „La Carta de mare mediterraneo di Marin Sanudo il Vecchio" phototypisch verkleinert und mit Erläuterung versehen veröffentlicht worden (Boll. Soc. Geogr. Ital., 1902). In den Karten des Vesconte, dem wahrscheinlich Sanudo mit seiner geographischen Erfahrung beigestanden hat, zeigt sich besonders in der Darstellung des Mittel- und Schwarzen Meeres ein Fortschritt; wir finden eine selbst in den Einzelheiten meist richtige Darstellung ihrer Küsten. Auch die Umrisse des Asowschen und Kaspischen Meeres sowie des Golfes von Biscaya und der arabischen Halbinsel weisen manche Verbesserung auf. Wo dagegen der Kompaß nicht hingekommen ist, wie namentlich in Asien, da hat Vesconte auch die fehlerhaften älteren Quellen benutzt, ja er bleibt sogar hinter Edrisi, dem er hier wohl das meiste verdankt, zurück. Denn Vesconte gibt Europa und Afrika einen größeren Raum als Asien, das eng zusammengedrückt ist, während ein großer Teil desselben im heutigen Sibirien, dem zwischen Kaspischen Meer, Syrien und Indien, durch das dahin verlängerte Europa eingenommen wird. Nur ein kleines Gebiet Asiens liegt noch nördlich und östlich des Kaspischen Meeres, und hier finden sich Gog und Magog und das zum ersten Male auftretende Reich Sycia sive regnum Cathay, was in der mittelalterlichen Sprache China bedeutet. Außerhalb der Grenzen Chinas steht die sich seit dem 2. Jahrhundert wiederholende Bezeichnung: Hic stat Magnus Canis. Die afrikanische Küste reicht bis Mogador (mogodor). Vielleicht noch älter als Vescontes Arbeiten, nämlich, wie S. Ruge vermutet, zwischen 1306 und 1326 (mit größerer Annäherung an 1306) abgefaßt, ist die bisher als zweitälteste Weltkarte (von 1326) angenommene des Rektors der Markuskirche von Genua, Giovanni da Carignano, die sich heute im Staatsarchive zu Florenz befindet[4]). Sie enthält Angaben über das vor 1326 erfolgte Auftreten der Türken in Kleinasien und in ihrem asiatischen Teil deutliche Notizen über neuere Ereignisse im Persischen Reiche, ähnelt aber in den Legenden sehr der Vesconteschen Karte, so daß wahrscheinlich beide Genuesen aus derselben Quelle geschöpft haben. Diese Weltkarte ist 0,92 : 0,62 m groß. Weiter sei die nautische Weltkarte des Genuesen Angelino Dalorto von 1325 erwähnt. Das 1,00 : 0,66 m große Blatt, das sich jetzt im Besitze des Fürsten Tommaso Corsini

---

[1] K. Kretschmer: „Marino Sanudo der Ältere und die Karte des Petrus Vesconte" (Zeitschr. Ges. Erdk. Berlin, 1891) beweist, daß Sanudo kein Kartograph war, Vesconte an seine Stelle tritt.
[2] Näheres darüber enthält G. Marcel: „Récentes acquisitions de cartes par la section géographique de la Bibliothèque Nationale", Paris 1897.
[3] Behandelt ist dieser Atlas in den „Studi biogr. e bibliogr." II, S. 54.
[4] In der Fischerschen Sammlung und im Periplus verkleinert wiedergegeben.

befindet, zeigt zuerst auf einer Portulankarte die Küsten Nordeuropas und der Ostsee bis zur Newa und geht an der afrikanischen Küste noch südlich von Mogador[1]). Dann folgt des Terrinus Vesconte Weltkarte von 1327, jetzt in der Laurenziana zu Florenz. Sie ist in lateinischer Schrift abgefaßt und 0,945 : 0,58 m groß. Angelino Dalortos Weltkarte von 1339, die schon früher entdeckt wurde (1886 in Paris) und bisher infolge falscher Namenlesung dem Dulceti irrtümlich zugeschrieben wurde, gehört heute Herrn Lesouëf in Paris und ist ein neuer Abschnitt in der geschichtlichen Entwickelung der Küsten- kunde von Afrika. Denn die 1,04 : 0,75 m große Karte (auf 2 Blatt) weist von Mogador bis zur alten Schiffahrtsgrenze Kap Non eine ganze Reihe neuer Küstennamen auf, die sich durch das ganze 15. Jahrhundert hindurch dann behauptet hat. Der große Wert beider Dalortoschen Karten besteht aber ferner nach Ruge darin, daß sie das Vorbild des noch zu erwähnenden Katalanischen Weltatlas von 1375 geben, so daß damit bewiesen ist, daß es nicht die Katalanen waren, die zuerst die neue Portulankartenkunst aus- gebildet haben.

In der zweiten Hälfte des 14. Jahrhunderts erscheint zunächst anonym der Portulaneo Mediceo von 1351, jetzt in der Laurenziana zu Florenz aus dem Nachlaß des Segn. Gaddiani. Er besteht aus 8 Folioblättern (0,56 : 0,425 m), nämlich einer Weltkarte, sechs Tafeln und einem kosmographischen Tableau, und ist eingehend kritisch beleuchtet in der Sammlung Th. Fischer - Ongania. Ihm schließt sich die Weltkarte der Fra- telli Pizzigani von 1367 an, nach der Schrift zu urteilen, venetianischer Herkunft, heute in der Nationalbibliothek zu Parma. Diese 1,38 : 0,92 m große Karte weicht in manchen Einzelheiten von den früheren ab, vielleicht weil sie nicht genuesischen Ursprungs ist. Sie reicht nur bis zum Kaspischen und Persischen Meer im Osten, südlich bis Aden, und ist von Jomard in seinen Monuments wiedergegeben. Von Franc. Pizzigani stammt auch ein jetzt in der Ambrosiana zu Mailand befindlicher Seeatlas von 1373, der z. B. die Adria in 1 : 4,4 Mill., den Archipel in 1 : 3,5 Mill. enthält und zwei 32strahlige Zentral- ohne Nebenrosen auf den Blättern gibt. In diesem Zusammenhang möge dann die nahezu die ganze damals bekannte Welt umfassende, auch das Innere der Länder, die Handelswege und Flüsse sorgfältig berücksichtigende Mappamondo (vielleicht des mallorcanischen Karto- graphen Jafudá Cresques), der sog. Katalanische Weltatlas von 1375, genannt sein. Er weist auch eine Erweiterung der Kenntnis der afrikanischen Küste auf und besteht aus 6, jetzt in der Pariser Nationalbibliothek befindlichen, zum Teil übergreifenden Blättern von 0,62 : 0,49 m Größe[2]), die in Kompaßkreise von je 1200 Miglien Halbmesser ein- gezeichnet sind. Er benutzt schon die Nachrichten Marco Polos bezüglich Chinas und gibt Ostindien bereits als Halbinsel. Der Ganga entspringt dem See Issi-Kul und bezeichnet das Finis Indiae. Die in katalanischer Sprache abgefaßte und für das Mittelmeer in etwa 1 : 1,6 Mill. entworfene, Karl V. von Frankreich gewidmete Karte enthält aber auch viel Phantastisches.

Der erste dem Namen nach sicher bekannte Katalanische Kartograph ist der Civis Majoricarum Guillelmus Soleris, der um 1380 und 1385 2 Weltkarten (1,05 : 0,66 bzw. 1,05 : 0,62 m) schuf, die sich jetzt in Paris und Florenz (Staatsarchiv) befinden und ziemlich mit dem Katalanischen Atlas übereinstimmen. Das Pariser Exemplar hat reichen Wappenschmuck. Nun folgt der Zeit nach (1384) der jetzt im Britischen Museum aufbewahrte Genuesische Atlas Pinelli-Walkenaer (frühere Besitzer) in 6 Blatt, die indessen auf nicht immer sehr kritischer Nacbarbeit älterer Karten zu beruhen

---

[1]) Alberto Managhi: „La carta nautica costruita nel 1325 da Angelino Dalorto", Florenz 1898, mit einer photozinkographischen Nachbildung in fast der Größe des Urbildes. Ferner G. Marinelli: „Angellinus de Dalorto" in Riv. Geogr. Ital. 1897, Text zu einer gelungenen photozinkographischen Reproduktion des Militär- geographischen Instituts.

[2]) Im Periplus von Nordenskiöld, der auf der photolithographischen Kopie von 1883 in den „Choix de documents géographiques" fußt.

scheinen. Santarem hat eine farbige, Nordenskiöld eine photolithographische Nachbildung (Periplus) geliefert.

Aus der ersten Hälfte des 15. Jahrhunderts seien kurz erwähnt: 2 Katalanische Weltkarten von 1410 und etwas später dann die 4 Seeatlanten eines der tüchtigsten venezianischen Kartographen der Zeit, Giacomo Giraldi (der erste von 1426 in 6 Blatt von je 0,36 : 0,28 m, spätere Ausgaben von 1443 und 1446), jetzt ebenso wie die 10 Seekarten des Andrea Bianco von 1436 [1]) in der Marciana zu Venedig; weiter ebenda die Seeatlanten Giraldis von 1426; dann die, neben der des Fra Mauro die wichtigste, Genuesische Weltkarte von 1447 des Palazzo Pitti in elliptischer Form, welche auf Grund des Ptolemäus den Ostrand Asiens gibt. Die im allgemeinen symmetrischen Netzlinien dieser in der Nationalbibliothek zu Florenz aufbewahrten Karte sind nicht zu eigentlichen Kompaßrosen angeordnet, was diese Karte von den anderen nautischen Arbeiten des Jahrhunderts unterscheidet. Die Wiedererweckung des Ptolemäus durch eine 1405 ausgeführte lateinische Übersetzung durch den byzantinischen Gelehrten Emanuel Chrysoloras, die sein Schüler, der Florentiner Jacobus Angelus, 1410 vollendete, hatte — neben der Revolution durch den Kompaß und der Berücksichtigung der Nachrichten der Reisenden — den größten Einfluß auf die richtige Darstellung der Welt, besonders damals Asiens. Diese zunächst nur handschriftlich verbreitete Arbeit brachte das Verständnis der Methode des großen Alexandriners, die die Araber trotz ihrer mathematisch-astronomischen Kenntnisse nie erreicht hatten [2]), weshalb sich auch so lange noch die alte orthodoxe Darstellungsweise vielfach bisher behauptet hatte, die sogar den Kompaß ignorierte. Die berühmte Karte des Kamaldulenser Mönches Fra Mauro aus Venedig, deren Original sich im Dogenpalast befindet [3]), ist die erste Weltkarte von Bedeutung, auf der sich die neue Weltanschauung Bahn bricht, und bedeutet einen wirklichen Fortschritt des Kartenwesens. Das Werk berücksichtigt dabei alles Neue, besonders die Nachrichten der Reisenden, ohne Vernachlässigung des Ptolemäus. Für Europa und die Mittelmeerküste benutzt Fra Mauro die italienischen Kompaßkarten, für den Westen Afrikas die Karten der portugiesischen Entdecker, für Ostafrika abessinische Bilder von solcher Treue, daß sie nur im Lande selbst entstanden sein können. Besonders groß ist der Fortschritt in Asien, das zu so bedeutender Ausdehnung anschwillt, daß darunter sogar Europa und Afrika leiden. Ist zwar die Darstellung Vorderindiens nach Ptolemäus, trotz der Benutzung der Schilderungen Nicolo Contis, ein Rückschritt gegen die Katalanische Weltkarte, so bricht sich doch, dank namentlich der Nachrichten Marco Polos, in Ostasien eine fast verwirrende Küstenentwickelung Bahn. Denn neben die Namen des Ptolemäus [4]) und seine Meerbusen und Inseln setzt Fra Mauro alle neu erfahrenen. Er wird dadurch freilich auch genötigt, Asien auf Kosten der Länge in die Höhe zu verzerren. Auch Jerusalem, der Weltmittelpunkt, wurde von ihm nach Osten verschoben. Die noch von ihm beibehaltene Kreisform der ohne Netzlinien entworfenen Karte war eben längst für die Fülle des Neuen zu eng geworden, und so wurde die jahrhundertelang hemmende Hülle denn in der zweiten Hälfte des 15. Jahrhunderts auch gesprengt, eine beide Erdhälften umfassende Weltkarte entstand, und das Ptolemäische Gradnetz trat in sein Recht und schrieb keine einengende Umgrenzungslinie mehr vor. Dies hatte zwar anfangs eine Verzerrung früher leidlich richtiger Umrisse von Meerbusen zur Folge, weil man versuchte, sogar die mit dem Kompaß aufgenommenen Küstenlinien den astronomischen

---

[1]) Zuerst in „Le scoperte antiche" von A. Franc. Miniscalchi-Frizzo, Venedig 1855, veröffentlicht.

[2]) Nur Baco hatte durch die arabischen Übersetzungen volles Verständnis gewonnen.

[3]) Die beste Nachbildung dieses wichtigsten Denkmals der mittelalterlichen Kartographie in Originalgröße gibt Santarem. Eine Photographie befindet sich in Ongania-Fischers Sammlung. Unter Kieperts Leitung wurde auch eine nicht im Buchhandel befindliche Skizze autographiert.

[4]) In seiner Karte fand man das Innere von Asien im Osten des Kaspischen Meeres und die südlichen Küsten des Kontinents weit eingehender dargestellt, als es bisher möglich war. Zugleich erfuhr man aus der Karte des Edrisi und durch die Reisen von Marco Polo, daß Asien eine vom Indischen Ozean aus erreichbare Ostküste habe. So erhielt man zugleich die Einsicht, daß Ptolemäus verbesserungsfähig sei. (v. Richthofen.)

Ortsangaben anzupassen. Im wesentlichen aber war der Fortschritt, besonders für Asien, durch die graduierte Karte gewaltig, wenn er auch erst mit dem Erdglobus des Nürnbergers Martin Behaim, 1492, in die volle Erscheinung trat. Anderseits brachte die Wiedererweckung des Ptolemäus insofern große Schwierigkeiten, weil man seine Namen oft gar nicht identifizieren konnte und dadurch deren sinnlose Entstellungen, auch Zerreißungen der Länderdarstellung, besonders in Asien (Tibet, Ceylon, Bengalen), herbeiführte. Freilich wurde die nun weiter verfolgte alte Idee einer großen östlichen Verlängerung Asiens, wie sie namentlich auf der den ganzen Ozean bis Asien umfassenden, leider verloren gegangenen Seekarte des Italieners Paolo Pozzo Toscanelli[1]) von 1474 sich zeigt, für Kolumbus, der sie nebst einem Wegweiser desselben Verfassers von den Azoren nach Zipangu (Japan) erhielt, das leitende Motiv und der Anhalt zur Aufsuchung des der europäischen Küste um 90° näher gerückten Ostrandes von Asien, die dann zur Entdeckung Amerikas führte. Und die Tat des Genuesen Kolumbus gebar dann wieder die Auffindung des Seeweges nach Indien durch den Portugiesen Vasco da Gama (1497) und die Umsegelung der Welt durch Magalhães (1520—21). Übrigens stützt sich auch Behaim bei seinem epochemachenden Globus wesentlich auf Toscanellis Karte. Auch für die Küstengeographie Afrikas bedeutet diese Zeit der zweiten Hälfte des 15. Jahrhunderts einen neuen Abschnitt, indem mit einer Karte des Andrea Bianco südlich Bojador die neue Zeit der Entwickelungen anhebt, die die Portugiesen seit bereits 30 Jahren eingeleitet hatten, und die seit 1470, mit der Karte des Piero Roselli, dann auch mit den veralteten Formen und unverständlichen Namen nördlich von Bojador aufräumt. (S. Ruge.)

Die Wiederbelebung der altklassischen Studien, besonders der schon erwähnten Werke des Ptolemäus, dann die großen Entdeckungsreisen nach Amerika und Ostindien, die Forschungen in Afrika, dem die Verbreiterung im südlichen Teil genommen wurde, wodurch der sagenhafte Südkontinent (terra australis incognita) aus den Gedanken der Kartenzeichner schwand, erweckten die Vorliebe für die Geographie in weiten Kreisen. Dazu gesellte sich die Erfindung des Platten- und Buchdrucks, welche eine Reform und damit eine neue Zeit der Kartographie heraufführen halfen. Die bisher im wesentlichen „maritimen" Karten werden nun auch „kontinentale", und die Handschriften weichen immer mehr den gedruckten Erdbildern. Im Gegensatz zu Deutschland, wo der Holzschnitt blühte, pflegte man hier in Italien den Kupferstich.

War die erste lateinische Ausgabe des Ptolemäus in der genannten Übersetzung des Jacobus Angelus 1475 zu Vicenza noch ohne Karten erschienen, so wurde die 1478 in Rom von Konrad Schweynheim und Arnold Buckink lateinisch gedruckte zweite Auflage bereits mit 27 zierlich in Kupfer gestochenen Karten nach Agathodämon versehen. Daran schlossen sich dann an 100 Jahre lang immer neue Ausgaben, bis Mercator erscheint. Hier braucht nur die Florentiner des Francesco Berlinghieri genannt zu sein, die etwa 1480 erschien und wahrscheinlich auch die ältesten Kupferstichkarten sowie Tabulae novae, besonders auch von Italien, brachte, dann 1490 eine römische, die erste von 1478 im wesentlichen nachbildende, von Petrus de Turre.

Im Anfang des 16. Jahrhunderts blühte in Genua die Kartographenfamilie Maggiolo (1511—1648). Vesconte de Maggiolo brachte 1511 eine Darstellung der neuentdeckten Ländergebiete, 1518 eine durch eigenartige Anordnung des Liniennetzes ausgezeichnete Karte der Atlantischen Küste (1 : 25 Mill. im Meridian), jetzt zu München, die Westindien bereits in wesentlich südlicher Lage zeigt. Bis 1527 blieb aber stets portugiesisches Vorbild maßgebend, dann kam spanischer Einfluß auf. Wir besitzen ferner einen angeblich von Benincasa stammenden Atlas aus dieser Zeit aus 11 Karten, Doppelblättern von 53 : 41 cm

---

[1]) Toscanelli hat, wie Baratta nachweist, zuerst den Gedanken gehabt, auf dem westlichen Seewege Ostasien zu erreichen. Einen Rekonstruktionsversuch der Karte in Plattkartenprojektion für die Mittelbreite von Lissabon machte H. Wagner (Nachr. d. Ges. d. W. zu Göttingen 1894).

und halben Blättern von 23,5 : 12 cm. Darunter ist eine ovale Weltkarte (Süden oben) mit 36 Meridianen und 18 Parallelkreisen enthalten, auf der Südamerika noch als großes dreieckiges Festland erscheint und Asien nach Ptolemäus wiedergegeben ist, dann eine Karte von Großbritannien und der Westküste von Europa, weiter Karten des Mittelmeeres, der Adria, des Ägäischen Meeres, des Atlantischen und Indischen Ozeans (heute im British Museum). Auch eine Karte von Italien (1479) sowie eine Weltkarte (1515) des Leonardo da Vinci[1]) sind aus dieser Periode zu verzeichnen, in der indessen die eigentliche wissenschaftliche Erdkunde und die Kartographie bereits auf die Portugiesen und später namentlich auf die Deutschen übergegangen war. Weiter ist die wahrscheinlich älteste gedruckte Karte, die sog. Borgia-Weltkarte[2]) zu nennen. Aus der Mitte des 16. Jahrhunderts ist dann der erste brauchbare Plan der Stadt Rom von Leonardo Buffalini von 1551 hervorzuheben. Es ist eine wertvolle, nach Osten orientierte Darstellung, von der nur noch 3 Exemplare vorhanden sind (Barberina in Rom, eine unvollkommene Nachzeichnung in Rom und ein Exemplar des British Museum). Auch ein Restaurationsversuch, ein „Effigies antiquae Romae ex vestigiis &c.", von Michael Tramazinus ist damals (1558) gemacht worden.

Was das Kartenbild Italiens in dieser Zeit anlangt, so findet sich noch bis zum Ende des 16. Jahrhunderts ein auffälliger Gegensatz zwischen den Seekartendarstellungen, die auf regelrechten Bussolenaufnahmen beruhten und daher wenig von der wirklichen Gestalt abwichen, zumal sie sich auch auf astronomische Beobachtungen stützen konnten, und den Landkarten, bei denen die Ptolemäusbilder, welche freilich an Inhalt und Form immer reicher wurden, die Grundlage bildeten, mit allen ihren Fehlern in der Ortsbestimmung, besonders in den Längen. Namentlich Europas Antlitz wurde dadurch sehr verzerrt, und es trat besonders im Mittelmeer ein erheblicher Rückschritt gegen die genauen Längenangaben der Kompaßkarten ein. Die Bestimmung der großen Achse dieses von der Apenninenhalbinsel in zwei Hälften zerschnittenen Meeres auf 62 Längengrade (statt 41° 41') wirkte natürlich auch fehlerhaft auf die Achsenstellung Italiens zurück. Trotzdem wurde dieselbe von den meisten italienischen Kartenzeichnern übernommen und verunstaltet z. B. die vorzüglichen Karten des Jacopo Gastaldi (1548), der doch zu den Reformatoren der Kartographie sonst gehört, des Girolamo Ruscelli (1561) u. a. Doch wurden auf wirklichen Vermessungen beruhende Spezialkarten, die dann auch zu Generalkarten verwendet wurden, schon häufiger. Besonders wertvoll ist der 142 schöne italienische Kupferstichkarten, darunter die des schon erwähnten Piemontesen Gastaldi, enthaltende Lafreri-Atlas (1556—72). Von anderen bemerkenswerten italienischen Arbeiten des 16. Jahrhunderts ist die „Karte der Fratelli Niccolo und Antonio Zeno" von 1558, ferner die in der Darstellung der nördlichen Gegenden sich auf diese stützende italienische Ptolemäus-Ausgabe des Venezianers Girolamo Ruscelli von 1561 zu nennen, die zuerst die Teilung der Weltkarte in zwei Hemisphären vornimmt, welche dann auch wieder in der Mappamondo des Fausto Rughesi von 1597 (heute in der Bibliothek Barberini in Rom) vorfindet. Vor allem berühmt aber durch die Genauigkeit ihrer Angaben ist eine Karte Italiens des Mathematikers Antonio Magini aus Padua von 1589, die sich auf zahlreiche Breitenmessungen stützt und das Land in Regionen teilt[3]).

In dem mit dem 17. Jahrhundert beginnenden Zeitalter der Gradmessungen verdanken wir einem ausgezeichneten Astronomen, dem Jesuiten H. B. Riccioli, den ersten Versuch in Italien zu einer Bestimmung der Erdgröße. Er führte gemeinsam mit F. M. Grimaldi 1645 zwischen Bologna und Modena, Ferrara und Ravenna eine Erdbogenmessung aus, die freilich ein sehr ungünstiges Ergebnis lieferte. Seine Grundlinie

---

[1]) R. H. Major: „Memoir on a Mappamondo by Leonardo da Vinci", London 1865. M. Fiorini: „Il Mappamondo di Leonardo da Vinci e altre consimili mappe". Riv. Geogr. Italiana, Rom 1894.
[2]) Nordenskiöld gibt im Ymer (1891, mit Karte), H. Wagner in den Nachr. d. Ges. d. W. in Göttingen (1892) Näheres.
[3]) Italia descritta, con tavole geografiche, Bologna 1620.

war 5472½ bolognesische Fuß (1064 Toisen) lang; daraus fand er den Erdgrad bei Bologna im Mittel zu 3173321 Fuß, also 62220 Toisen, 1 Fuß, d. h. um 5000 Toisen zu groß und ein Rückschritt gegen Snellius. Freilich waren auch seine Basis sehr kurz, seine Winkel zu klein, und selten wurden alle drei Winkel eines Dreiecks beobachtet. Wichtiger aber als die Messung ist sein 1661 erschienenes reichhaltiges Werk: „Geographiae et hydrographiae reformatae libri duodecim Bononiae, ex typis hered. Benatii", das über die Ergebnisse seiner Meridianmessung (die noch nach dem Kepplerschen Verfahren[1]) gemacht war) und eines geometrischen Nivellements berichtet und eine so große Zahl die des Ptolemäus verbessernde Ortsbestimmungen enthält, daß es später geradezu reformierend auf die Konstruktion des Kartenbildes Italiens wirken sollte. Wäre das damals einzigartige Buch auch mit Karten ausgestattet gewesen, so hätte es schon 40 Jahre vor Delisle bahnbrechend wirken können. So blieb es 1715 dem berühmten französischen Geographen d'Anville vorbehalten, hauptsächlich auf Ricciolis Grundlage, seine.im „Atlas nouveau" erschienene epochemachende Karte Italiens zu konstruieren, der freilich auch neue wertvolle Messungen, namentlich von Giovanni Domenico Cassini[2]) auf seiner italienischen Reise (1694—96) gemachte astronomische Beobachtungen und die geodätischen Arbeiten Francesco Bianchinis dienten. Über dessen den Meridian von Rom durch ganz Italien verlängernde und damit die Halbinsel richtig orientierende Messungen hat nach seinem Tode Eustachio Manfredi 1737 in „Astronomiae ac geographicae observationes selectae" berichtet. Wichtig für die Kenntnis Roms im 17. Jahrhundert ist die „Nuova pianta ed alzata della città di Roma" in 12 Blatt von 1676. Sehr rege war damals die Tätigkeit der Italiener in der Herstellung von Erd- und Himmelsgloben. Die älteste wirkliche Globularprojektion ist die des Sizilianers J. B. Nicolosi von 1660, der 1794 der englische Kartograph Aaron Arrowsmith diesen Namen gab, nachdem sie bereits 1676 von Pierre Duval in Frankreich benutzt worden war. Coronellis berühmter Globus von 15' Durchmesser für Ludwig XIV. von 1683 gab (ebenso wie sein berühmtes Kartenwerk aus 400 Blatt) Venedig einige Zeit neuen Ruhm zurück. Über diese Globenkunst berichtet am besten M. Fiorini in seinem Werk: „Sfere terrestri e celesti di autore italiano oppure fatte o conservate in Italia" (Rom 1899). Verdienstlich ist auch, weil später für die Höhenmessung wichtig, Torricellis Erfindung des Barometers (1644). Mercator, Blaeu &c. bringen natürlich auch Karten Italiens in ihren Atlanten.

Ende des 17. und im 18. Jahrhundert vollzogen sich neue große Umwälzungen in der Kartographie Italiens, die dann zu regelrechten geodätischen und topographischen Aufnahmen führen sollten, etwa von 1750 ab, nämlich mit den Basis- und Winkelmessungen der Patres Boscovich und Maire im Kirchenstaat, denen sich dann solche noch zu erwähnende in anderen Teilen der Halbinsel anschließen sollten. In dieser Periode glänzt vor allem das Haus Savoyen als Förderer der Kartographie. Während der Feldzüge des Fürsten Victor Amadeus II. (seit 1713 König, von Sardinien 1720—30) erschien zu Turin 1683 die vom Ingenieur Borgonio gefertigte „Carta chorografica degli Stati di S. M. il Re di Sardegna" in 1:191480 auf 12 Blatt in Kupferstich, zu deren Herstellung die Regentin, eine französische Prinzessin, das Geld gegeben hatte, weshalb das Werk auch „Carte de Madame Royale" genannt wird. Diese (zum zweitenmal 1763 von Dury in London, dann wieder 1772 und endlich in schönem Aquarell 1778 neuaufgelegte) auf 25 Blatt vermehrte und verbesserte Karte ist eigentlich die erste militärtopographische des Landes[3]), denn sie enthält alle Straßen und Wege und gibt eine deutliche Vorstellung von dem Gebirgsbau. Seit 1798 befanden sich die Platten im Pariser Dépôt de la Guerre,

---

[1]) Die Horizontalentfernung zweier Punkte von bedeutenden Höhenunterschieden war durch Triangulation bestimmt und aus den an ihnen gemessenen Zenitdistanzen schloß Riccioli, welcher Winkeldistanz jener Horizontalabstand entsprach.

[2]) G. D. Cassini: „Observations astronomiques faites en France et en Italie en 1694, 1695 et 1696", Paris 1696.

[3]) d'Anville zieht zwar Delisles Karte von Piemont vor.

und Napoleon benutzte für seinen Feldzug 1796 hauptsächlich diese Karte. Im Dezember 1815 wurden die Kupfer dem Kommissär des Königs von Sardinien, Herrn Coster, wieder zurückerstattet[1]). Auch das unter Victor Amadeus' Regierung erschienene „Théâtre de Savoie et de Piémont" (Theatrum Statuum regiae Celsitudinis &c., Amsterdam 1682 und Haag 1700), das in zwei starken Foliobänden eine topographische und statistische Beschreibung dieser Länder gibt, enthält ein großes Kupfer des Hochgebirges, das zwar von geringem topographischem Wert ist, aber in der sehr geschickten und wirkungsvollen Manier des Piranese die Kämme und Täler sehr scharf hervortreten läßt. In Frankreich war inzwischen d'Anvilles klassische „Analyse géographique de l'Italie, dédiée à Monseigneur le duc d'Orléans" 1744 erschienen, die in der Geschichte der Wissenschaften Epoche machte und durch scharfsinnige Kritik alles vorhandenen Vermessungsmaterials Italien seine genauen Umrisse gab.

1750 führte dann der gelehrte Jesuit Giuseppe Ruggero Boscovich di Ragusa, Professor am Collegio Romano (1711—87), gemeinsam mit dem englischen Jesuiten Cristoforo Maire (1697—1767), auf Befehl des Papstes Benedikt XIV. die von ihnen durch Vermittelung des Ministers, des Kardinals Valenti, vorgeschlagene, durch die vorangegangenen französischen angeregte Meridiangradmessung zwischen Rom und Rimini im Kirchenstaat aus. Sie sollte nicht nur über die Erdgestalt Aufschluß geben, sondern auch die sehr mangelhafte Karte des Staats verbessern helfen, frühere Beobachtungen Bianchinis aber kontrollieren. Auch bot sie zugleich den Vorteil, gewissermaßen den französischen Meridian, der nur einen geringen Längenunterschied besaß, nach Süden fortzusetzen. Nach Überwindung großer Schwierigkeiten war nach 3 Jahren die Arbeit vollendet, von der 1755 der ausführliche Bericht: „De litteraria expeditione per pontificiam regionem ad dimetiendos duos meridiani gradus et corrigendam mappam geographicam" erschien und 1770 in Paris eine französische Übersetzung. Die Patres hatten 2 Basen in der Nähe der beiden Endpunkte des Gradbogens gemessen und durch auf sie gestützte Triangulation den Abstand Rom—Rimini (etwa 2°) bestimmt, der auf den Meridian durch Azimutmessungen projiziert wurde. Endlich wurde die astronomische Breite zu Rom und Rimini ermittelt, um die Winkelgröße des dazwischenliegenden Himmelsbogens zu bestimmen. Die Basen wurden mittels dreier Holzstangen von je 27 röm. Palmen Länge, die mit der französischen Toise, oder vielmehr mit einer von ihr entnommenen Kopie, die der Akademiker Mairan gemacht hatte, verglichen waren, ausgeführt. Die römische Basis — auf der Via Appia zwischen dem Grabmal der Cäcilia Metella und Frattochie — ist einmal gemessen und wurde zu 5356 2⅕ Pari oder 6139⅖ Toisen oder 11966,1 m bestimmt. Die Basis von Rimini — vom Foce dell' Ausa in Richtung auf Pesaro — wurde nach zweimaliger Messung zu 52674,3 Pari oder 6037,62 Toisen oder 11767,5 m ermittelt. Das Netz bestand aus 9 Dreiecken, deren Spitzen in der Kuppel von St. Peter und Signalen auf den Monti Gennaro, Soriano (Cimino), Fionchi, Pennino, Tezio, Catria, Carpegna und Luro lagen. Bei dem rein rechnerischen Vergleich beider Grundlinien ergab sich gegenüber der wirklichen Messung nur ein Unterschied von 1,27 Passus (1,89 m), damals ein günstiges Resultat. Der Bogen zwischen der Kuppel von St. Peter und dem Parallel von Rimini wurde zu 123221,3114 Toisen = 240163 m festgelegt, der Wert eines Meridiangrades zwischen den Parallelkreisen 42° 30' und 43° 30' ergab sich nach den Breitenbestimmungen daraus zu 56979 Toisen oder 111054 m[2]). Da nun ein erheblicher Unterschied gegen Cassinis Messungen im südlichen Frankreich eines Bogens des nur 10° westlich gelegenen Pariser Meridians war, so schloß Boscovich auf eine Lotablenkung des Apennin und fand dadurch

---

[1]) 1816 die übrigen dem Dépôt von Turin von der französischen Armee entnommenes Materialien, darunter an 300 Karten.

[2]) Die Nachprüfungen verschiedenster Teile dieser Messung in späterer Zeit durch Zach, Oriani (1809), Marieni (1841), P. Secchi (1856), Riechebach ergaben zwar mit den neuen besseren Instrumenten und Methoden manche Abweichungen, konnten aber das Grundergebnis und die Schlußfolgerungen Boscovichs nicht umstoßen.

von neuem Newtons Theorie der Gravitationskraft bestätigt. Auch Ortsbestimmungen (84) wurden gemacht, von Rom ausgehend, dessen Lage zu 30° östlich von Ferro bestimmt wurde. Pater Maire konstruierte auf Grund dieser Messungen und alles vorhandenen kartographischen Materials eine „Nuova Carta geografica dello Stato Ecclesiastico" in etwa 1 : 370000, welche mit einem Schlage das Kartenbild Mittelitaliens veränderte, da dieses „alla Santità di N. S. Papa Benedetto XIV" gewidmete Werk das erste auf regelmäßigen astronomischen und geodätischen Vermessungen beruhende dieser Gegend war, wenn es sich auch nur um eine Übersichts-, keine topographische Spezialkarte handelte. Sie eröffnete eine neue Ära des italienischen Kartenwesens.

Das Beispiel des Kirchenstaats wurde nun von anderen italienischen Staaten befolgt, zunächst von Piemont, wo Victor Amadeus' Sohn, König Karl Emanuel III. (1730—73), getreu den Traditionen seines Hauses[1]), den Vorschlägen Boscovichs Gehör schenkte und, um den Einfluß eines noch mächtigeren Gebirges als die Apenninen, die Alpen, auf die Messungen festzustellen, 1759 den Pater Giovanni Battista Beccaria di Mondovi (1718—81), Professor der Experimentalphysik an der Universität Turin, mit astronomischen und geodätischen Beobachtungen beauftragte. Sie sollten leider keinen Einfluß mehr auf die jeder trigonometrischen Grundlage entbehrenden Karten ausüben, die der König vor seinen Feldzügen gegen und mit Frankreich herstellen ließ, so außerordentlich reich und genau sie auch an Einzelheiten — einige Blätter sind wahre Miniaturen — waren, und so groß deren spezieller militärischer Wert für damalige Zeiten auch sein mochte. Es sollte bis zum Jahre 1810 dauern, wo ein eigenes astronomisches Observatorium in Turin errichtet wurde, ehe in Piemont sich die Topographie auf ernste geodätische Grundlagen zu stützen anfing. Bis dahin war das Interesse, besonders der Militärs, für dergleichen Arbeiten, wie sie Beccaria mit seinem Assistenten Domenico Canonica von 1760—64 und 1774 ausführte, gering. Er ging von einer zwischen Turin und Rivoli gemessenen Basis von 6051 französischen Toisen Länge aus, sein kleines Netz, bei dem die Winkelbestimmung mit einem Quadranten, ähnlich dem Boscovichs, ausgeführt wurden, bestand nur aus 7 Dreiecken (Spitzen: Mondovi, Saluzzo, Sanfrè, Rivoli, Torino, Soperga, Massè, Col del Timone, Andrate). Er bestimmte ferner den Bogen Mondovi—Turin zu 40' 40" und Turin—Andrate zu 27' 14". Sein mittlerer Meridianquadrant betrug auf der ersten Strecke 57137, auf der zweiten 57965,65 Toisen, was von der französischen Messung von 57024 für den 45. Breitengrad erheblich abwich und wieder der Massenanziehung des Gebirges zuzuschreiben war. Graf César François Cassini di Thury, der Direktor des Pariser Observatoriums, prüfte Beccarias Messungen wegen ihrer Verschiedenheit mit den französischen, kritisierte sie scharf, worauf Beccaria ebenso erwiderte und auf die Alpen als Ursache der Unterschiede hinwies. Die Polemik dauerte noch ein halbes Jahrhundert, bis neue Beobachtungen mit besseren Instrumenten die Ergebnisse der Turiner Gradmessung[2]) im wesentlichen bestätigten. Im September 1809 hat der österreichisch-ungarische Baron Franz Xaver von Zach, damals Direktor der Seeberger Sternwarte (1754—1832), in Turin eine sorgfältige Nachprüfung der Breiten Beccarias vorgenommen und einen Gesamtunterschied von 29" zwischen dem Erd- und dem Himmelsbogen festgestellt, den er für zu groß erachtet. Später noch zu erwähnende Kontrollmessungen ergaben indessen, daß Beccarias Arbeiten für die Mittel der Zeit gut genannt werden dürfen.

In der Lombardei wurde 1720 die Herstellung einer Katasterkarte großen Maßstabes des Herzogtums Mailand beschlossen, deren Verkleinerung neben einigen astronomischen Beobachtungen zur Konstruktion einer „Carta geografica[3]) dello Stato"

---

[1]) Karl Emanuel I. hat in einer Galerie seines Palastes die Porträts aller seiner Vorgänger mit den von ihnen erworbenen Landkarten anbringen lassen.

[2]) Beccaria et Canonica: „Gradus Taurinensis", 1774.

[3]) Nur eine „Carta generale della Lombardia", die aber jeder astronomischen Grundlage entbehrt, kam zu-

führen sollte, die aber nicht veröffentlicht wurde. Viele Jahre später, 1777, erschien auf
Befehl der Regierung eine „Carta topografica dello Stato di Milano secondo
la misura censuaria", die Johan Ramis auf Grundlage der Katasterblätter gestochen
hat, aber ungenügend war. Gegen Ende desselben Jahres schlug der aus Frankreich, wo
er Chef des Marinedepots und Inspekteur der Ingenieurgeographen gewesen, zurückgekehrte
Antonio Rizzi-Zannoni (1736—1814) dem Fürsten Kaunitz eine Gradmessung und Triangulation auf lombardischem Gebiet vor, die zur Verbesserung der topographischen Karten
des Staats später dienen sollte. Kaunitz billigte diese Vorschläge und beauftragte den
Gouverneur der Lombardei, die Ausführung einzuleiten. 2 Jahre früher hatte Cassini di
Thury den König von Sardinien und den Kaiser um die Erlaubnis gebeten, seine Triangulationsarbeiten durch Italien (Ferrara) und Deutschland bis Wien verlängern zu dürfen,
um einen möglichst großen Parallelbogen zu messen[1]). Aber die Regierungen hielten es
für richtiger, die Ausführung den Astronomen des eigenen Landes zu übertragen. So
wurden von dem österreichischen Gouverneur die Astronomen des 1762 durch Bemühungen
der Patres Louis Lagrange und Ruggiero Boscovich gegründeten Observatoriums der Brera:
Francesco Reggio (1743—1804), Angelo Cesaris (1749—1832) und Barnaba Oriani
(1752—1832)[2]) sowie der berühmte Mathematiker und Physiker Pater Angelo Frisi beauftragt, der besonders lebhaft für Zannonis Vorschläge eingetreten war. Zannoni sollte
lediglich die rein geographischen Arbeiten leiten. Aber heftige Streitigkeiten zwischen
den Astronomen der Brera und Frisi, der 1784 starb, über die von erstgenannten zu umfangreich befundenen Vorschläge Zannonis, der inzwischen 1781 einer Einladung der
Regierung des Königs von Neapel zu dauerndem Aufenthalt in seinem Lande zwecks Ausführung geodätischer und kartographischer Arbeiten gefolgt war, verzögerten das Werk.
1786 bekamen dann die Brera-Astronomen den erneuten Befehl des Kaiserlichen Gouver-
neurs, eine „carta geometrica del territorio lombardo" sowie die Messung eines
Meridiangradbogens auszuführen. 1788 begannen die Arbeiten mit der sorgfältigen Bestimmung einer 10 km langen Basis auf dem linken Ticinoufer bei Somma. Die doppelte
Messung geschah mit 8 Doppeltoisen, die mit der von Peru verglichen waren, und ergab
5 cm Unterschied, ein ausgezeichnetes Ergebnis damals. Francesco Reggio berichtete 1794
in den „Ephemeriden" von Mailand darüber „De mensione basis habita anno 1788, Com-
mentarius". Hieran schloß sich in den folgenden Jahren eine genaue Triangulation des
ganzen Herzogtums, deren Ergebnisse, verbunden mit Einzelaufnahmen, zu einer „Carta
topografica" in 8 Blatt 1:86400 à la Cassini führten, die der Geometer Pinchetti zusammenstellte, und die Bordiga bis 1796 mit Ausnahme eines Blatts fertig stach. Die Österreicher
nahmen die Zeichnungen und Platten infolge der Kriegsereignisse mit, und erst 1804 kehrte
das Material wieder in die Brera-Sternwarte zurück. Die Karte ist aber nie veröffentlicht
worden, nur wenige Abzüge wurden für dienstliche Zwecke gemacht.

In der Republik Venedig war man dagegen jeder kartographischen Unternehmung feindlich gesinnt, aus militärpolitischen Gründen, der Sicherheit des Staats wegen. So gibt es nur
einige rein geographische Karten Venetiens von Santini, die zu seinem 1777/78 von
Remondini zu Venedig gedruckten „Atlante" gehören, dann einige Gewässerkarten für
Entwürfe zur Regelung der Flüsse und Gießbäche, die in die Lagune strömen, so
z. B. von dieser selbst eine „Laguna Veneta" 1:40000 betitelte (1780), und einige
schöne Stadtpläne der Königin der Adria, trotzdem reiche Schätze an kartographischem
Material in den Archiven der Republik lagerten, von denen auch später Bacler d'Albe

_____

stande, vielleicht die Karte, die d'Anville in seiner Analyse beschreibt. Die Katasterkarte wurde 1787 in
132 Blatt vollendet.

[1]) Die französische Akademie veröffentlichte 1775 die Ergebnisse seiner bezüglichen Reisen.

[2]) Diese Astronomen hatten bereits einige astronomisch - geodätische Vorarbeiten ausgeführt, so Reggio die
Breite Mailands und seinen Längenabstand mit Feuersignalen bestimmt, Cesaris die Breite von Cremona.

Gebrauch gemacht hat. Im Gebiete von Padua[1]) hatte der Venezianische Senat 1766 ein astronomisches Observatorium begründet, dessen erster Direktor Abt Toaldo war, der auch seine astronomische Lage zum Campanile von S. Marco bestimmte; sein Nachfolger wurde Giovanni Chiminello. Auch hatte 1787 und 1789 der berühmte Astronom Giovanni Cagnoli in Verona Breiten- und Längenbestimmungen gemacht, als deren Nullpunkt die Torre Maggiore der Stadt gewählt wurde. Schon seit 1773 war der bekannte Geograph Rizzi-Zannoni, ein Paduaer Kind, bestrebt, eine Karte seiner Heimat herzustellen. Nach genauer Bestimmung der geographischen Lage des Observatoriums gemeinsam mit seinen Astronomen und nach sorgfältiger Messung einer Grundlinie legte er ein Dreiecksnetz über das ganze Gebiet und ermittelte die Positionen der wichtigsten Punkte der Provinz (1776—81). Darauf erließ er ein „Manifesto per la Carta del Padovano co' suoi fondamenti", in dem er 1 : 20000 als Maßstab und eine Einteilung in 20 Blatt von je 0,50 : 0,66 cm, sowie die Aufnahme und Konstruktionsmethoden der Karte vorschlug. Aber die „Gran carta del Padovano di G. A. Rizzi-Zannoni della Real Società delle Scienze e belle lettere di Göttingen" blieb unvollendet, zumal ihr Verfasser inzwischen nach Neapel zu neuer Arbeit gegangen war. Erst als 1798 Österreich durch den Frieden von Campoformio in den Besitz Venetiens gelangt war, wurde in diesem Jahre Generalmajor und Generalquartiermeister der Armee von Italien Anton Frh. v. Zach mit der trigonometrischen Vermessung Venetiens zwecks Herstellung einer topographischen Karte betraut, die 1798 mit der zweimaligen Messung einer 2400 Wiener Klafter langen Basis bei Padua begann und zwar mit einem in der Militärakademie zu Wiener-Neustadt gefertigten hölzernen Basisapparat, dessen sich schon Liesganig bedient hatte. Hieran schloß sich eine Triangulierung und eine topographische Aufnahme 1 : 28800. Während des Feldzuges 1799 unterbrochen, wurden die Arbeiten 1801 auf Befehl des Erzherzogs Karl wiederaufgenommen, eine neue Basis bei Cima d' Olmo (an der Piave) und eine dritte zur Kontrolle bei Passeriano von 6700 Klafter Länge (am Tagliamento) gemessen. 1805 war die Triangulation beendet[2]), und die Ausführung einer topographischen Karte, mit dem Paduaer Observatorium als Mittelpunkt, in 120 Blatt (jedes 9600 : 6400 Klafter natürlicher Größe entsprechend) wurde beschlossen, als deren Projektion die Cassinische festgesetzt wurde unter Annahme einer Erdabplattung von $\frac{1}{324}$, sowie ferner einer Generalkarte des Herzogtums Venezia in 4 Blatt 1 : 240000, die 1806 in Wien dann als erste geometrische Karte der Provinz auch wirklich erschien.

Im Bolognesischen nahm 1730—86 der piemontesische Oberstleutnant Tomassini auf und lieferte eine schöne Karte 1 : 115200. Cassini, Riccioli, Grimaldi, Guglielmi, Manfredi, Zanotti und Zach machten Positionsbestimmungen.

Von Parma war nur der westliche Teil in 1 : 144000 vortrefflich dargestellt unter Angabe der Feuerstellen jedes Orts.

In Lucca nahm 1723—25 der Ingenieur Palarino eine hinsichtlich der Einzelheiten sehr sorgfältige, aber großenteils nur auf dem Augenmaß beruhende Karte in etwas kleinerem Maßstabe als dem der Cassinischen auf, die aber nie gestochen wurde.

Im Mantuanischen wurde ein Zensus ausgeführt, dessen Katasterkarte in 90 Blatt, ebenso wie die von Mailand, später die Grundlage der Vermessung der Republik durch französische Ingenieure für eine Generalkarte bildete.

Da in Toskana der Großherzog Pietro Leopoldo einer ihm von dem berühmten Astronomen und Wasserbautechniker Leonardo Ximenes (1716—86) und später von Giovanni Domenico Cassini angebotenen astronomischen und geodätischen Vermessung gegenüber sich ablehnend verhielt, so ist für die Topographie des Landes nur durch Privatarbeit des Ingenieurs Ferdinando Morozzi etwas geschehen, der auf Grund eigener Beobach-

---

[1]) Wo schon 1720 eine „Carta delle diocesi padovana" auf Grund früherer Vermessungen des Marchese Giovanni Poleni vom Abate Clarici entstanden war.
[2]) Mit ihr stand auch die Dreieckslegung in Istrien, Dalmatien und Ragusa in Beziehung durch Zach.

tungen, dann solchen von Ximenes und alten Karten eine „Carta di una parte della Toscana" und später eine „Carta geografica dello Stato della Chiesa, Granducato di Toscano e Stati adiacenti" 1 : 600000 herausgab, die er dem Kardinal Andrea Corsini widmete [1]).

Im Königreich Neapel vertraute der Bourbone Ferdinand IV. dem berühmten Geographen Giovanni Antonio Rizzi-Zannoni, dessen Tätigkeit wir schon mehrfach gedacht haben und der bereits 1769 in Paris für Rechnung des neapolitanischen diplomatischen Agenten Abate Ferdinando Galiani auf Grund alten Materials, aber ohne genügende geodätische Grundlage eine „Carta Geographica della Sicilia prima ossio Regno di Napoli" 1 : 425000 in 4 Blatt gefertigt hatte, die Aufnahme und den Stich einer topographischen Karte des Königreichs an (1780). Die erste Sorge des neuen „Regio Geografo e Direttore di un apposito Uficio", Rizzi-Zannoni, war die astronomische Bestimmung der Stadt Neapel 1782 [2]). Dann maß er eine 7 geographische Meilen lange Basis zwischen Caserta und Caivano, auf die er ein Dreiecksnetz stützte, und ließ später durch den Königlichen Agrimensor Francesco Imbriani eine Kontrollbasis bei Lecce bestimmen, sowie verband seine Beobachtungen mit denen Boscovichs und Maire im Kirchenstaat, indem er den Meridianbogen zwischen den Parallelen durch Capo Santa Maria di Leuca und Neapel maß, wobei er 57000 Toisen erhielt. Mit diesen Daten wurden die geographischen Positionen der Hauptorte des Königreichs berechnet. Obwohl diese geodätisch-astronomischen Arbeiten nicht Zwecke höchster Vermessungskunst verfolgten, sondern rein praktisch kartographischen Aufgaben dienen sollten, überschritten doch die Genauigkeiten in den Basen und den Winkelbestimmungen das durchaus erforderliche Maß und verschafften der Topographie des Königreichs eine Überlegenheit über die aller übrigen italienischen Staaten, ja mit Rücksicht auf den Maßstab vielleicht auch Europas. Der in Cassinischer Projektion hergestellte „Atlante Geografico del Regno di Napoli" bestand aus 31 Blatt und 1 Tableau, jedes 30 neapolitanische Unzen lang und 20 hoch (45 : 30 Miglien) und im Maßstabe 1 : 111000 (126000 in 45 Blatt war reich beabsichtigt). Giuseppe Guerra hat ihn künstlerisch gestochen, aber noch in veralteter Darstellung. Obwohl die ersten Blätter 1788 erschienen, waren 1806 doch erst 17 infolge finanzieller Knappheit veröffentlicht, 8 im Stich, und 6 blieben noch auszuführen. Es ist ein nach Cassinischen Grundsätzen entworfenes Meisterwerk von heute hohem archivarischem Wert, das eine sehr anschauliche Darstellung des Gebirges liefert, während die Kursivschrift zu wünschen übrig läßt. Der Atlas wurde unter Napoleon verbessert und vollendet. Auch einen „Atlante di Napoli" 1 : 444000 hat Zannoni ausgeführt, der unter Josef Napoleon mit neuem Titel versehen, 1815 durch die Österreicher bedeutend verbessert wurde, obwohl der Stich etwas monoton ist und die Einzelheiten zu zu wünschen übrig lassen. Ferner wurden ein „Atlante maritimo del Regno di Napoli" in 22 Blatt, eine „pianta della città di Napoli" und eine nicht veröffentlichte „pianta militare delle frontiere del Regno collo Stato Romano" 1 : 10000 ausgeführt.

Recht günstig steht es um die Kartographie Siziliens dieser Zeit. Während des Spanischen Erbfolgekrieges und der Operationen der österreichischen Armee auf der Insel nahm der österreichische General Baron Samuel von Schmettau auf Befehl Kaiser Karls VI. eine Topographische Karte 1719—21 in 25 Blatt 1 : 65000 (rund) [3]) auf, die mög-

---

[1]) Sie hat später der 1806 vom Deposito generale della Guerra veröffentlichten, von G. Bordiga gestochenen schönen „Carta militare del Regno d' Etruria e del Principato di Lucca" 1 : 200000 als Grundlage gedient. Erwähnt seien auch die geodätischen Arbeiten des Franzosen Tranchot (1789—90) zur Verbindung Toskanas mit Korsika und die von Puissant und Moynet 1803 zur Triangulation Elbas ausgeführten Vermessungen, die eine 1821 im Dépôt de la Guerre erschienene „Carte de l'Archipel Toscan 1 : 50000" zur Folge hatten.
[2]) Rizzi-Zannoni: „Observations astronomiques faites par ordre du Roi à la guérite septentrionale de la forteresse de S. Elme de Naples", 1786.
[3]) Das Original soll 1820 während der Aufstände in Palermo, wohin es durch die Königin Karoline als Geschenk ins Uficio Topografico gekommen war, zerstört worden sein. Eine im Auftrag des Sohnes, J. G. C.

licherweise 1748 veröffentlicht wurde und die Grundlage aller späteren topographischen Bearbeitungen Siziliens wurde. Von ihr entstand eine Verkleinerung auf 2 Blatt als „Nova et accurata Carta Siciliae" in 1 : 300000 1720—21, eine selten wertvolle Arbeit. Der Maßstab der aus Raummangel schräg orientierten Karte stimmt nicht mit der Gradeinteilung überein. Die Gebirge sind in veralteter, aber ansprechender Weise dargestellt. Diese viele interessante Einzelheiten enthaltende Karte befindet sich in der Preußischen Plankammer, wohin sie wahrscheinlich aus dem Besitze des Sohnes, des preußischen Generals Grafen J. G. C. von Schmettau, gelangt ist. Gian Giuseppe Orcell hat später eine „Descrizione geografica del Regno di Sicilia" als Reduktion der Schmettauschen Originalkarte in Palermo herstellen lassen und dem Vizekönig Marcantonio Colonna gewidmet. Von besonderem Interesse ist auch die schon erwähnte Carta della Sicilia 1 : 425000 Zannonis von 1769. Sie umfaßt das Gebiet westlich des Faro und war ein Geschenk Ferdinands IV. an König Friedrich den Großen. Heute befindet sich das auf blauer Seide geklebte Exemplar in der Plankammer des Preußischen Generalstabes. Die Ausführung der Karte ist sehr sauber und fleißig, die Berge sind in nicht üblem Halbrelief in Sepia getuscht, die Hydrographie ist gut, die Schrift klar und deutlich, aber die Darstellung ist — nach Gewohnheit der Zeit, um die Sicherheit Italiens nicht zu gefährden — absichtlich falsch gezeichnet, namentlich in den „strategischen Schlüsselpunkten". Später kam die Karte in den Handel, Artaria in Wien hat von ihr auch einen gelungenen Nachstich veröffentlicht.

Erwähnt mögen noch die mannigfaltigen Ortsbestimmungen sein, die Baron Zach wie in Venedig, Padua, Bologna und Rimini so in Florenz, Pisa und Lucca machte, die von großem Einfluß auf die italienische Geodäsie wurden.

Weiter sei des ältesten Stadtplans Roms, der auf exakten Messungen beruht, nämlich Giov. Batt. Nollis „Nuova pianta di Roma", von 1748 in 12 Blatt gedacht (von dem eine gute Verkleinerung in Stier & Knapps Beschreibung Roms enthalten ist) und der nur antike Reste darstellenden Pianta di Piranesi in der Antichità romana von 1748, die auf Grund des vorigen konstruiert wurde.

Endlich möge der an Einzelheiten reichen und mit nützlichen Angaben für die Schiffahrt versehenen fleißigen Karte: „Die Inseln Malta und Gozzo 1 : 35000" von De Palmeus gedacht werden, die auf 2 Blatt 1752 in Paris erschien. Von ihr wurde 1799 eine schöne englische Kopie in London veröffentlicht, die nicht nach geographischen Längen, sondern nach rhumbos et distantias orientiert ist.

Unter fremdländischen Arbeiten ist die klare, ganz Italien umfassende Generalkarte des großen Geographen d'Anville „L' Italie" 1 : 2666666 auf 2 Blatt (Paris 1745) hervorzuheben, auf der jedoch die Straßen fehlen.

Das 19. Jahrhundert ist die durch Cassini zuerst eingeleitete Periode großer einheitlicher Landmessungen, die sich durch planmäßige geodätische und topographische Aufnahmen mit weit größeren Anforderungen an die Genauigkeit der Übertragung der natürlichen Punkte und Linien, namentlich auch der Höhen, auf die Kartenebene, wie sie eine vervollkommnete Rechnung und Technik ermöglichen, sowie durch vollendete technische Wiedergabe der Erdbilder charakterisieren lassen. In Italien sind dabei zwei große politische Perioden zu unterscheiden, nämlich die vor und die nach dem Frieden von Villafranca, eine Gliederung, die sich auch kartographisch rechtfertigen läßt, denn dieser Frieden übte durch eine vollständige Umgestaltung aller italienischer Verhältnisse, nicht zuletzt auch durch die Neuordnung des Heeres und die von ihr abhängige Landesaufnahme, einen mächtigen Einfluß aus.

Schmettau, gefertigte Pause, wahrscheinlich die einzige erhaltene Kopie, mit Berichtigungen, die 1800 auf Befehl des Königs und der Königin beider Sizilien gemacht waren, befindet sich im Archive des Istituto Geografico Militare. („Carta generale di Sicilia in 25 fogli".)

A. Die Periode vor dem Frieden von Villafranca.

In dieser Periode bildet der Frieden von 1815 wieder einen Markstein, da er den politischen Zustand wie die Karte Europas, nicht zuletzt diejenige Italiens, wesentlich veränderte. In dem vor dieser Periode gelegenen, noch im Ausgang des 18. Jahrhunderts beginnenden Zeitraum der Napoleonischen Kriege steht dieser große Feldherr, der die Bedeutung einer guten Karte für seine Operationen wohl erkannt hatte, sowie die Arbeit seiner Ingenieurgeographen im Vordergrunde. Noch als General Bonaparte hat er als Chef des Topographischen Bureaus bei seiner Armee in Italien den Artilleriehauptmann im „Dépôt de Nice" und tüchtigen Geographen, Baron Bacler d'Albe (1761—1824) [1]) ernannt. Auf Grund der Erfahrungen des italienischen Feldzuges (1792—96), in dem Napoleon nur Borgonios „Carta geografica" (verbessert 1772), Chaffrions „Genuesische Karte" (1784) und für das Alpengebiet Bourcets „Carte géométrique du Haut Dauphiné et de la frontière ultérieure 1 : 86400" zur Verfügung hatte, die oft versagten, ließ er nach dem Frieden von Campo-Formio durch Bacler d'Albe eine „Carte générale du théâtre de la guerre en Italie et dans les Alpes, depuis le passage du Var le 29 septembre 1792 (V. S.) jusqu'à l'entrée des Français à Rome le 22 pluviose de l'an VI de la république, avec les limites et divisions des nouvelles républiques" anfertigen, die in Paris und Mailand 1798 (an VI) im Selbstverlage des inzwischen zum Mitglied des Dépôt de la Guerre ernannten Verfassers erschien. Dieses von den Gebrüdern Bordiga auf 30 Blatt von je 65 : 51 cm Fläche in Kupfer gestochene Kartenwerk war nach Art der Cassinischen Karte, aber in dreifachem Maßstabe (1 : 259265 = 1 ligne pour 300 toises) hergestellt. Als 25 Blatt erschienen waren, die von Kolmar im Norden bis Toulon und Fondi im Süden, von Grenoble im Westen bis Wien im Osten reichten, auch Korsika umfaßten und auf dem 25. Blatt schräg orientiert Alt- und Neu-Griechenland 1 : 1 400000, mußten die Franzosen Italien verlassen, und die Kupferplatten, darunter auch solche von noch nicht veröffentlichten Blättern, fielen in österreichische Hände und wanderten nach Wien. Napoleon befahl die sofortige Wiederherstellung, und als 20 Platten neu graviert waren, erstattete Österreich auch die alten wieder zurück. Der inzwischen vom Ersten Konsul zum Chef des Ingénieurs géographes ernannte Bacler d'Albe ging sofort an die Herstellung des zweiten, südlichen, Teils seines großen Werks, das Neapel, Sizilien, Sardinien, Malta und Gozzo umfaßte und alles irgend nur erreichbare veröffentlichte und nicht veröffentlichte Material mit berücksichtigte. Unter dem Titel: „Carte générale des royaumes des Naples, Sicilie et Sardaigne ainsi que des îles de Malte et de Gozze, formant la seconde partie de la carte générale du théâtre de la guerre en Italie et dans les Alpes" erschien die Arbeit im Jahre 1802 (an X républicain). Ihre Originale wurden in der Nationalbibliothek von Frankreich aufbewahrt. Von den im ganzen 54 Blättern dieses epochemachenden Werkes, das bis in die 30er Jahre des vorigen Jahrhunderts tonangebend gewesen ist, enthält eins den Titel, ein andres die unvollständige Geschichte der Kriege jener Zeit in französischer Sprache. Auch sind im ersten Teil die Stellungen der Österreicher und Franzosen, im zweiten die Geschichte der Eroberung Neapels durch Championnet (1799, mit einer kleinen Übersichtsskizze 1 : 1 Mill. des Operationstheaters) eingetragen. So wertvoll diese Notizen und Truppenaufstellungen auch vom kriegsgeschichtlichen Standpunkt sind, so ist doch die Karte selbst mit Vorsicht zu genießen, da ihr Verfasser neben den besten Quellen der Archive von Turin, Mailand und Venedig auch minderwertige benutzt hat, wodurch die Karte ungleichmäßigen Wert besitzt. Am zuverlässigsten ist sie da, wo die französischen Operationen liefen, weniger in den entfernteren, besonders den deutschen, Gegenden. Trotzdem ist sie nicht nur die

---

[1]) Aus dem Korps der Ingenieurgeographen hervorgegangen, später, als General, 12. Directeur des Dépôt de la Guerre (1813). Er rettete die Kupfer der Cassinischen Karte vor den Verbündeten.

größte und vollständigste ihrer Zeit, sondern sie bedeutet auch in kartographischer Hinsicht einen Fortschritt. Einmal durch die angewandte Horizontalprojektion (an Stelle der perspektivischen), dann durch die reliefartige Darstellung der Bodengestaltung unter Anwendung des Clair-obscur und durch die lobenswerte Ausführung überhaupt, die, namentlich im zweiten Teil, klares Gerippe, gute, wenn auch nicht elegante Schrift, genügende Einzelheiten und kraftvolle Geländezeichnung, besonders der Alpen, bei gleichförmigem Stich zeigt. Bacler war es gelungen, Künstler durch diese Arbeit heranzubilden. Freilich war keine topographische, sondern eine Übersichtskarte entstanden. Das „Mémorial Topographique" enthält eine Zusammenfassung der Denkschriften und Instruktionen Baclers über die Herstellung seines Meisterwerks, von dem auch Reduktionen erschienen, so 1816 in Paris die bemerkenswerte „Carte statistique, politique et minéralogique de l'Italie" 1:1176500 auf 2 Blatt. E. Bomhard ließ 1798 in Wien eine „Carta del teatro della guerra in Italia, divisa secondo i nuovi confini" 1:450000, Haas 1797 in Basel eine Napoleon gewidmete, mit beweglichen Typen nach Art des Buchdrucks gedruckte „Nouvelle carte de l'Italie" 1:3,4 Mill. und Chanlaire et Mentelle 1798 in Paris einen „Atlas d'Italie" in 17 Blatt (16" : 12") in verschiedenem Maßstabe erscheinen, der zu einem ganz Europa umfassenden, sehr sauber ausgeführten Werk gehört.

1800 (an IX) schuf Napoleon, bald nach dem Siege von Marengo und der Einsetzung der cisalpinischen Republik, ein topographisches Institut zu Mailand unter dem wenig glücklichen Namen „Dépôt de la Guerre". Erster Direktor war Capitaine Balathier[1]). Seine erste Aufgabe war die Herstellung einer topographischen Karte Italiens durch sein topographisches Korps, dem auch Geniehauptmann Campana angehörte. In der schon von Österreich begonnenen, durch das Einrücken der Napoleonischen Armee unterbrochenen Weise sollte die im Maßstabe 1 ligne pour 100 toises (etwa 1:86133) entworfene Arbeit, von der schon 7 Blatt vollendet waren, fortgesetzt werden. Die Astronomen der Brera mußten ihre Triangulationsarbeiten wiederaufnehmen, die bis nach Rimini ausgedehnt wurden, während Kupferstecher, wie die Fratelli Bordiga, an der Karte, arbeiteten. Doch wurde 1808 diese Carta di Brera eingestellt. Dafür traten die französischen Ingenieurgeographen ein, die aber den Astronomen der Brera nicht nur vorzüglich geschulte Kräfte (Carlo Brioschi, die beiden Marieni &c.), sondern auch das ganze bisherige Material verdankten. Als 1809 auch die Gebiete von Ancona, Macerata und Fermo dem Königreich einverleibt wurden, begann der Premier-lieutenant ingénieurgéographe Marieni das Netz auch auf diese Neuerwerbungen fortzusetzen. Auch die Gradmessung Boscovichs wurde geprüft. Die kriegerischen Ereignisse unterbrachen zunächst diese interessanten Arbeiten.

In Süditalien wurden unter französischer Herrschaft die nun unter Dumas' Oberleitung stehenden Arbeiten durch den ihre Seele bildenden, aber schon alternden Rizzi-Zannoni seit 1808 energisch fortgesetzt, zumal sich das Ungenügende in geometrischer Hinsicht des „Atlante Geografico" immer mehr ergab. Es entstanden eine treffliche Übersicht gebende „Nuova carta dell' Italia" 1:1250000 auf 2 Blatt, 1802 auf Kosten des Buchhändlers Molini zu Florenz in Neapel erschienen, mit guter Hydrographie und Gebirgen in Reliefmanier, eine „Carta di Sicilia" 1:400000 (ohne Titel und Jahreszahl) in meisterhafter originaler Behandlung, von klarer, guter Hydrographie, die Gebirge in plastischem Relief, sowie 1808—11 eine „Nuova carta dell' Isola e Regno di Sardegna 1:380000 in 2 Blatt auf Grund der Aufnahmen und Nachträge von P. Tommaso Napoli, damals die beste und geschmackvollste Darstellung der Insel, mit reliefartigen Gebirgsformen, von Rizzi-Zannoni.

In Sizilien errichtete 1808, nach der Trennung von Neapel, König Ferdinand ein Ufficio Topografico als 3. Departement seines Generalstabes unter 1 Direktor, mit 1 Pro-

___

[1]) Ihm folgte bald der schwedische General Tibell, der aber, durch seine Nationalität verdächtig, provisorisch durch Campana, dann durch Macdonald, endlich durch Vanquacourt ersetzt wurde. 1814 folgte Campana.

fessor der Astronomie und 9 Genieoffizieren als Ingenieurgeographen. Es sollte eine Neuaufnahme für eine. Generalkarte begonnen werden nach einem Plan des berühmten Astronomen Piazzi vom Observatorium zu Palermo. Indessen kam nur eine neuberichtigte Reduktion der Schmettauschen Karte als „Carta del Regno di Sicilia" in 265000 in Kupferstich zustande, die heute sehr selten ist, da die Kupfer 1820 in den Unruhen zerstört wurden. Sie hat aber trotz ihres Fortschritts gegen Schmettau mangels einer genauen geodätischen Grundlage keinen wissenschaftlichen und geographischen Wert. Daher wurde unter Leitung des Astronomen Niccolò Cacciatore eine 6806 Fuß lange Basis bei Palermo, eine andere bei Trapani gemessen, doch die Ereignisse von 1815 unterbrachen den Fortgang der geodätischen Arbeiten.

Ebenfalls unter französischer Herrschaft entstand unter Benutzung einer älteren einblättrigen in 1 : 2307692 (1803) im Jahre 1808 eine 1810 neuaufgelegte „Carte des stations militaires de l'Italie et de Dalmatie" 1 : 500000 auf 4 Blatt, mit wichtigen militärischen Angaben, und die „Carte administrative du royaume d'Italie" 1 : 500000 in 8 Kupferblatt, die 1811 in 1., 1815 in 2. Auflage erschien.

Nach dem Sturze des Kaiserreichs trat eher eine erhöhte als eine verzögerte geodätische und kartographische Arbeit ein, die am besten wieder in den einzelnen Staaten zu verfolgen ist. Den Hauptanteil daran hatten das K. K. österreichische Institut in Mailand, die Königlichen Institute in Turin und Neapel und die Privatmänner La Marmora und Inghirami.

Im Lombardo-Venezianischen Königreich erwarb sich Österreich große Verdienste durch die unter seiner Herrschaft in dem einheitlichen Maßstabe 1 : 86400 und in gleicher Ausführung wie später auch in Sardinien hergestellten topographischen Spezialkarten. Nach der Besitznahme des Landes, 1814, wurde das Kriegsdepot als „I. R. Istituto geografico militare" beibehalten, aber auf Befehl des Kaisers Franz I. vom 5. Januar 1818 neuorganisiert und dem K. K. Generalquartiermeisterstabe in Wien unterstellt. Sein Direktor war noch immer Oberst Ritter Campana v. Splügenberg. Unter Benutzung der von den Mailänder Brera-Astronomen Reggio, Cesaris und Oriani auf Cassinis bzw. Zannonis Anregung 1773—88 für die österreichische Regierung vollendeten und unter französischer Herrschaft weiter ausgedehnten Triangulation 1. O. wurde 1816—28 eine solche 2. O. eingereiht, die Ingenieur Carlo Broschi ausführte. Sie ging von der Seite Parma—Modena des durch die Franzosen noch hergestellten Netzes über die nördlichen Alpen nach Florenz, Livorno und längs der Adria bis zum Gouvernement Neapel. Unter Zugrundelegung reduzierter Katasterblätter und originaler Detailaufnahmen in 1 : 28800 wurden bis 1839 das Königreich, die Herzogtümer Parma, Modena und Lucca sowie die Küsten der Adria topographisch vermessen und 42 Blatt der topographischen Karte vom Königreich 1833 veröffentlicht. Darauf erfolgte die Verlegung des Instituts nach Wien und seine Vereinigung mit der Topographisch-lithographischen Anstalt des Generalquartiermeisterstabes zum K. K. Militärgeographischen Institut unter Generalmajor Campana als erstem Direktor. Dieses stellte dann noch die 69 Blatt von Mittelitalien (einschl. Parma, Piacenza, Guastalla, Modena und des Kirchenstaates) her. Die 1828—56 in 4 gesonderten Kartenwerken auf 111 Blatt erschienene, teils in Kupfer, teils später in Stein gravierte Karte enthält das Gelände in Lehmannschen Schraffen und galt trotz zahlreicher Irrtümer als eine vorzügliche Arbeit, die noch lange in dem geeinigten Königreiche Verwendung finden sollte. Ein Teil dieses Gebiets, das Lombardo-Venezianische Königreich, wurde 1840 in Mailand als Generalkarte 1 : 288000 auf 4 Blatt veröffentlicht. Auch ließ das Institut schon 1820 die „neue Karte des südlichen Kirchenstaates" in 1 : 200000 auf 6 Blatt, von den Gebrüdern Bordiga in Kupfer gestochen und mit zahlreichen historischen und hydrographischen Angaben versehen, erscheinen, bei der die 1821 beendeten sorgfältigen Katasteraufnahmen dieses Gebiets die Grundlage bildeten. Weiter gab es eine „Post-

und Marschkarte für die österreichischen und die fremden italienischen Provinzen" 1:1,9 Mill. auf 2 Blatt heraus, welche von Frankfurt a. M. bis zur Straße von Messina und von Paris bis Pest und Peterwardein reichte, mit sehr ansprechender Gebirgsdarstellung, 7 Klassen von Straßen, aber zu überfüllt durch Postzeichen und Zahlen. Der zugehörige Text ist auch italienisch gedruckt worden. Endlich veröffentlichte das Institut 1822—25 einen monumentalen „Atlas der Adria" auf 30 Blatt[1]), den später die französische und englische Admiralität vervielfältigte (1851). Über die 1821—23 vorgenommene, rein wissenschaftlichen Interessen dienende Messung eines (des 45.) Parallelgradbogens siehe „Sardinien".

Im Königreich Sardinien ist der Beginn der geodätisch-topographischen Arbeiten der Neuzeit auf 1821, unter der Regierung von Karl Felix (1821—31), anzusetzen, als im Verein mit einer Kommission österreichischer Offiziere (Major Ramberg, Hauptmann Havlinzeck, Leutnants Simpschen und Brupacher) sowie den die rein wissenschaftlichen Arbeiten und die Veröffentlichung[2]) derselben besorgenden Astronomen Francesco Carlini (1783—1862) von der Brera und Giovanni Plana (1781—1864) vom Turiner Observatorium, der sardinische Generalstab (Oberst Isaca, Hauptleute Pozzino und Casalegno, sowie Leutnant Castelborgo) das Dreiecksnetz 1. O. auf der 43204,8 m langen Seite Granier—Colombier bzw. Superga—Masse im Potal in Piemont und Savoyen an die französischen Arbeiten mit 15 Dreiecken mittlerer Größe anschloß. Es waren die ersten, von Laplace 1820 angeregten Längengradmessungen von rein wissenschaftlichem Wert auf dem 45. Breitengrade, die, mit den vollkommensten Instrumenten der Mechanik unternommen, 1823 beendet wurden. Der Berechnung wurde eine Abplattung von $\frac{1}{308,64}$ zugrunde gelegt[3]). Fast gleichzeitig wurden astronomische Beobachtungen (Breiten-, Längen- und Azimutermittelungen von den beiden Astronomen unter Benutzung von Pulversignalen ausgeführt[4]). In kürzester Frist wurde dann eine Triangulation 2. O. eingereiht, auch die Gradmessung Beccaria geprüft und ihr geodätischer Teil weniger genau als ihr astronomischer befunden, das Ganze aber als eine für ihre Zeit gute Arbeit erklärt. Für die Kleinaufnahme in 1:10000 (ausnahmsweise auch 1:20000) wurde nach Bedarf bis 1830 weiter trianguliert. Hierzu zog man das französische Topographenkorps, das schon die Platten für eine Neuausgabe des „Borgonio" vorbereitet hatte, mit heran, ebenso zu den mit Meßtisch und Bussole ausgeführten topographischen Arbeiten. Bei diesen wurden aber meist Katasterblätter, die auf 1:50000 reduziert wurden, sowie vorhandene Karten verschiedenen Maßstabes benutzt

---

[1]) Diese „Carta di cabottaggio del Mare Adriatico" besteht aus einem Titelblatt, dann einem Blatt mit Skelett für die Küstenkarten in 1:500000 (Idrografia generale) und Notizen für die Einrichtung der Karten, ferner einem alphabetischen Verzeichnis von 90 an der Küste von Italien nach Länge und Breite gemessenen Punkten, darunter 9 astronomisch, die andern geodätisch bestimmt sind, sowie 90 auf der dalmatinischen Küste festgelegten Punkten, von denen 8 astronomisch, 4 astronomisch trigonometrisch und 78 bloß trigonometrisch ermittelt wurden. Die eigentlichen Küstenkarten (20) enthalten in 1:175000 das Land längs der Gestade in 1 italienischen Meile Breite, Kanäle bis 20 italienische Meilen landeinwärts, sowie 71 Hafenpläne in großem Maßstabe auf Grund von Meßtischaufnahmen. 8 Blatt sind Ansichten der Häfen und der merkwürdigsten Punkte. Alles ist sehr genau und künstlerisch ausgeführt unter Mitwirkung von Campana, Marieni und Bordiga. Ein Anhang in Oktav gibt besondere Bemerkungen über die Beschiffung des Adriatischen Meeres. Die Triangulation und die Aufnahmen wurden schon zur Zeit der Franzosen in Italien begonnen, und zwar legte Beautemps-Beaupré den ersten Grund, dann folgte der österreichische Generalquartiermeisterstab mit Hilfe der englischen und französischen Marine. Die Graduierung geschah unter einem Abweichungswinkel von 45° westlich mit astronomisch-geodätischer Genauigkeit und in Verbindung mit der großen österreichischen Triangulierung. Die Karte ergänzt den bekannten „Portulano del Mare Adriatico" von Hauptmann Giacomo Marieni, 1830.

[2]) „Opérations géodésiques et astronomiques pour la mesure d'un arc du parallèle moyen, exécutées en Piémont et en Savoie, par une commission, composée d'Officiers de l'État-Major général et d'Astronomes Piémontais et Autrichiens", Milano 1825—27. Mit Atlas.

[3]) Nicht unerwähnt bleibe der Einfluß, den eine auf diplomatischem Wege eingeholte Auskunft über das damals mustergültige bayerische Vermessungs- und Katasterwesen auf die sardinischen Aufnahmen ausübte.

[4]) Diese von der Mündung der Gironde bis Fiume sich erstreckende Längengradmessung umfaßte einen Bogen von 12° 59' 3,72". Die für den Parallelgrad gefundenen Längen weichen, hauptsächlich infolge örtlicher Ablenkung der Lotlinien, voneinander ab. Bessel hat daher diese Längengradmessung für seine Bestimmung der Erddimensionen nicht benutzt.

und durch à-la-vue-Aufnahmen ergänzt und berichtigt.   Die Höhen waren freilich in
ungenügender Weise barometrisch bestimmt worden, da die trigonometrischen Messungen
nicht ausreichten.   So entstand bis 1831 eine neue Originalkarte des Königreichs
1 : 50000 auf zunächst 113 Blatt (mit Handkolorit) unter Leitung des Astronomen Plana
in Bonnescher Projektion, der das Observatorium von Turin (45° 4' 7,3" n. Breite und
7° 41' 48" ö. Länge, 270 m Seehöhe) als Koordinatenausgangs- und Mittelpunkt der Karte
diente.   Dieses zunächst geheimgehaltene, erst seit 1852 in Turin veröffentlichte künstlerisch
schöne Werk gibt das Gelände mit Bergstrichen in schräger Beleuchtung wieder.   Es hält der
wissenschaftlichen Kritik wohl stand und diente als Grundlage für das unter Karl Albert
(1831—49) 1841 begonnene, 1851 vollendete Meisterwerk: „Carta orografica degli
Stati di Sua Maestà Sarda in terra ferma" 1 : 250000, das 1898 neuaufgelegt
und bis heute bezüglich der Eisenbahnen (auf galvanischer Kopie) auf dem laufenden erhalten wurde.   Die 6 Blatt (78 : 48 cm) sind in „modifizierter Flamsteedscher", richtiger
Bonnescher Projektion — die rechtwinkligen Koordinaten auf das Turiner Observatorium
bezogen — entworfen und in Kupfer gestochen.   Ihre Wirkung ist pittoresk, das Werk
ist ein Juwel der Stechkunst, dabei hinreichend genau.   Auf diese Arbeit stützt sich die
vorzügliche Verkleinerung in 1 : 500000 auf einem Kupferblatt (78,7 : 68,5 cm) von
1846, in der nur das Hochgebirge zu starke Schraffen aufweist.   Auch sie wird mit Recht
heute noch evident gehalten, wenn auch beide Kartenwerke wegen ihres Verjüngungsverhältnisses nicht eine Spezialkarte ersetzen können.   Deshalb wandte man sich nach den
Kriegsjahren 1848/49 unter des Königs Vittorio Emanuele II Regierung (1849—78) wieder
der Originalaufnahme sowie der auf ihr beruhenden, bis 1831 entstandenen „Carta topografica degli Stati Sardi" 1 : 50000 zu, die nun von 1852—69 auf 91 lithographierten Blättern erschien und besonders für die großartige Eisenbahnbautätigkeit willkommen war.   Recht gelungen ist namentlich die Darstellung der Alpen (Bergstriche,
schräges Licht).   Heute ist die Karte freilich veraltet.   Auch wurde 1851 ein allgemeines
trigonometrisches Nivellement Liguriens und Piemonts ausgeführt, um die Höhenangaben
der Karte zu vervollkommnen, sowie das Netz 1. O. bis zur Insel Caprera verlängert und
diese mit Toskana und Korsika verbunden.

   Im Königreich Neapel und Sizilien blieb man hinter der Tätigkeit des Nordens
zurück, namentlich auch infolge politischer Unruhen.   Unter Leitung des Genieobersten
Ferdinando Visconti (1772—1845), der in der Geodäsie ein Schüler der Brera-Astronomen
und der späteren Ingenieurgeographen des Deposito della guerra in Mailand und 1814 nach
Rizzi-Zannonis Tode Direktor des dann von ihm reorganisierten, fortan Deposito
della guerra genannten Reale Officio Topografico war, begann 1815 eine sehr genaue
Landesaufnahme[1]).   Sie diente zur Schaffung einer 1814 beschlossenen „Nuova carta
topografica del Regno" 1 : 80000.   Zunächst wurde das trigonometrische Netz 1. O.,
von der Basis von Somma abgeleitet, längs den neapolitanischen und kirchenstaatlichen
Küsten bis zur Seite Monte Conero—Scapezzano verlängert, dann bis zur Seite Civitella
del Tronto—Montepagano, die die erste des neapolitanischen Netzes wurde, und darauf
gemeinschaftlich mit dem Mailänder Institut bis zum Kap Santa Maria di Leuca geführt.
Das britische Schiff „Adventure" unter dem Kommando des englischen Marineoffiziers
W. Smith beteiligte sich an diesen Arbeiten, aus denen eine „Carta di cabottaggio
della Costa del Regno delle due Sicilie, bagnata dell' Adriatico del
fiume Tronto al Capo Santa Maria di Leuca" 1 : 100000 in 13 Kupferstichblättern hervorging (1834), ein kostbares Denkmal nautischer Kartographie.   Von den
Originalaufnahmen in 1 : 20000 wurde 1834—35 eine sehr genaue Zusammenstellung in
44 Blatt gemacht, die aber nicht veröffentlicht wurde.   Sie enthält Meer und Land in je

---

[1]) Firrao: „Cenno storico dei lavori geodetici e topografici eseguiti nel Reale Officio Topografico di Napoli", 1851.   Dann die Mitteilungen Viscontis in dem „Annuario geografico italiano", 1845.

2 km Breite von der Küstenlinie, das Gelände in Bergstrichen, die Kulturen farbig, die Fabriken rot und ist sehr genau und fein ausgeführt.

Die trigonometrische und topographische Landaufnahme erstreckte sich auf die Provinzen Neapel und Terra di Lavoro sowie die nördlichen Grenzstriche. Die topographischen Messungen begannen 1833 und geschahen in 1:20000. Sie wurden 1851 fertig. Die darauf zu gründende topographische Karte 1:80000 wurde aber, weil zu großartig im Verhältnis zu den vorhandenen Mitteln geplant, nicht fertig. 1860 waren 128 Meßtischblätter der festländischen Provinzen und 40 von Sizilien, in größter Vollkommenheit vollendet. Von der Karte wurden indessen nur 5 Blatt (0,82 : 0,55) im Kupferstich fertig und zeigten das Gelände in Höhenkurven von 10 Passus (18,52 m) Abstand oder auch solchen von 50 Passus (92,60 m) Schichthöhe, sowie in Bergstrichen mit schrägem Licht. Diese Blätter gehörten zu den vollendetsten kartographischen Arbeiten Europas. Dagegen kam auf Grund einer ersten kleinen, auf eine 5292,54 Passus lange, provisorisch gemessene Basis zwischen Capua und Calvi sich stützende Triangulation eine „Carta topografica ed idrografica dei contorni di Napoli" in 1:25000 auf 25 Blatt zustande, deren Veröffentlichung erst 1870 gestattet wurde. Das sehr schöne Werk ist 1817—19 von Generalstabsoffizieren und Ingenieurgeographen hergestellt worden. Auch erschien eine Generalkarte von Sizilien 1:260000 in 4 Blatt, die südlichen Provinzen (diesseits der Landenge von Messina) in 1:640000 auf 4 Blatt, sowie eine Unzahl in Umdruck hergestellter „Kriegskarten".

Im Großherzogtum Toskana begannen gleich nach dem Frieden privatim durch den jungen Padre Giovanni Inghirami[1]) di Volterra (1779—1851), der Zeuge der Arbeiten des Barons v. Zach gewesen war, astronomische und trigonometrische Bestimmungen zum Zwecke der Herstellung einer topographischen Karte des Landes nach dem Cassinischen Vorbilde. Nach Längen- und Breitenermittelungen von Pistoja, Prati, Volterra, San-Miniato und Fiesole sowie kleineren Orten Toskanas maß er in der Ebene San Piero in Grado südlich des Po 1817 eine 8749,35 m lange Basis und schloß seine Triangulation an diese und die von Carlo Brioschi vom Mailänder Institut ausgeführte an. Als dann die Regierung 1817 eine Katasteraufnahme anordnete, bestimmte sie, daß ihr Inghiramis Dreiecksnetz als Grundlage dienen sollte, wodurch dieses amtlichen Charakter erhielt. Es wurde von Inghirami nun über das ganze Großherzogtum ausgedehnt und mit einem trigonometrischen Nivellement zur Bestimmung der wichtigsten Höhen verbunden. Auf dieser Grundlage und im Verein mit der in 10 Jahren vollendeten Katasteraufnahme ging Inghirami dann an die Herstellung einer „Carta geometrica della Toscana ricavata dal vero nella proporzione di 1:200000", welche er dem Großherzog Leopold II. widmete. Sie ist unter Annahme einer Abplattung von $\frac{1}{310}$ in Bonnescher Entwurfsart mit dem Osservatorio Ximeniano als Mittelpunkt (43. Parallel, 8° 39′ 30″ östl. v. Paris) ausgeführt, und zwar unter Benutzung der 1821 zu Paris erschienenen meisterhaften „Carte topographique de l'Archipel" (Elba, Capraja, Tianosa, Gorgogna, Monte Christo) in 1:50000 von Puissant[2]) für die Inseln, die noch einer Katasteraufnahme entbehrten, sowie der schon erwähnten Küstenaufnahme des Engländers Smith und alles erreichbaren, auch noch nicht veröffentlichten, kartographischen Materials. Das Gelände ist in Bergstrichen unter Annahme schräger Beleuchtung wie der ganze übrige Teil der Karte künstlerisch dargestellt und in Kupfer gestochen. Die 1830 in 4 Blatt (0,70 : 0,535 m) veröffentlichte Karte enthält auch Stadtpläne 1:35000, eine Tabelle mit 216 Höhenangaben und eine Erläuterung der Konstruktionselemente des Werkes, das trotz seines zu kleinen Maßstabes wegen seiner vorzüglichen geodätischen Grundlage und

---

[1] Inghirami: „Della latitudine e longitudine della città di Pistoia e di Prato per servire di saggio ad una generale corografia astronomica della Toscana", 1816. — Derselbe: „Di una base trigonometrica misurata in Toscana nell' autunno del 1817". — Derselbe: „Elevazione sopra il livello del mare delle principali eminenze e luoghi più importanti della Toscana determinate trigonometricamente", 1841.

[2] Sie sollte als Modell der Typographie gelten und enthält auch eine Übersicht in 1:1 Mill.

37*

der genauen Ausführung zu den besten Arbeiten der Zeit gehört und einen wirklichen Fort-schritt in der italienischen Kartographie bedeutet. Girolamo Segato hat 1832 eine Ver-kleinerung in 1 : 400000 ausgeführt und Attilio Zuccagni-Orlandini sie zu seinem ebenfalls 1832 veröffentlichten „Atlante geografico - fisico e storico del Granducato di Toscana" in 20 Blatt zu 1 : 100000 und 1 : 300000 benutzt. Die von Inghirami noch beabsichtigte, mit Unterstützung der Società Toscana de Geografia Statistica e Storia Naturale Patria auszuführende topographische Karte größeren Maßstabes kam nicht mehr zustande, blieb vielmehr später der österreichischen Regierung vorbehalten. Nur vom Fürstentum Lucca machte Genieleutnant Celeste Mirandoli auf Grund von 1830 und 1843 von dem Padre Michele Bertini ausgeführten trigonometrischen Messungen eine solche in 1 : 20000 und nach 1848/49, als er als Major Leiter des neuerrichteten Ufficio topografico militare gewor-den war, stellte er eine „Carta topografica del Compartimento Lucchese" in 1 : 28800 her, die 1850 von Zuccagni-Orlandini gezeichnet wurde, aber, wie die in 1 : 20000, Manuskript blieb. Nach seinem Tode, 1858, nahm die toskanische Kartographie unter dem vom Oberst Ripper berufenen österreichischen Hauptmann Valle einen neuen Aufschwung, der jedoch durch die kriegerischen Ereignisse von 1859 gestört wurde.

Hohe Verdienste um die Kartographie der Insel Sardinien erwarb sich der damalige piemontesische Generalstabsoberst, spätere General Graf Alberto Ferrera de La Mar-mora (1789—1863), ein Schüler Puissants, indem er auf eigene Kosten mit Hilfe des Generalstabshauptmanns, späteren Majors Carlo di Caudier, eines geborenen Sardiniers, 1824—38 eine „Carta dell' Isola e Regno di Sardegna 1 : 250000" auf 2 Blatt (0,90 : 0,70) in modifizierter Flamsteedscher Projektion analog der Karte der Terra ferma aus-führen und 1845 in Paris von Künstlern des Dépôt de la Guerre, Desbuisson und Armoul, stechen und dort und in Turin erscheinen ließ (die letzte durch Eisenbahnen vervollständigte Ausgabe ist von 1894). Ursprünglich sollte Rizzi-Zannonis in 1 : 360000 hergestellte Karte von 1811 als Grundlage dienen, doch bald erkannte La Marmora das Ungenügende ihrer geodätischen Verhältnisse. Es wurden daher 1821—34 in verschiedenen Teilen der Insel trigonometrische Messungen vorgenommen, 2 Basen von 521,23 m (Cagliari) und 2603,43 m Länge (Oristano) bestimmt und die Arbeiten mit denen auf Korsika verbunden. Die Abplattung wurde zu $\frac{1}{308,44}$ angenommen. Diese mustergültigen Aufnahmen, deren Grundsätze später zu Normen des Piemontesischen Generalstabes erhoben wurden, konnten seit 1840 durch die offiziellen Aufnahmen des Generalstabskorps ergänzt werden. Das Gelände der Karten ist in Berg-strichen mit schräger Beleuchtung wiedergegeben und enthält einige Höhenzahlen, ebenso wie die nächsten Meerestiefen in französischen Fuß ausgedrückt sind. Von der Karte wurde später (1853) eine Verkleinerung auf 1 Blatt in 1 : 500000 zu Turin veröffentlicht[1]).

Endlich der Kirchenstaat. Das Beste, was von ihm kartographisch geschaffen wurde, verdankt er Ausländern, da das Interesse für Kartenwesen bei der Regierung ein sehr geringes war. Unter französischer Herrschaft ist 1809—13 eine Katasteraufnahme 1: 1000 bzw. 1: 2000 unternommen worden, die nach einer Pause 1816 durch das Pontifikat wieder-aufgenommen wurde, ohne daß ihr eine andere geodätische Grundlage als eine allgemeine Orientierung zuteil wurde. Aus ihr sollte in 1 : 32000 eine „Carta geografica dello Stato" reduziert werden, die aber nicht im Zusammenhange, sondern viele Jahre später in einzelnen Teilen veröffentlicht wurde. Weiter sind einige Privatarbeiten zu nennen, nämlich die 1800 von Giuseppe Calandrelli ausgeführte Bestimmung seines Observatoriums in größerer Genauigkeit, als dies Boscovich getan hatte, dann seine Ermittelung der Höhenlage der Kuppel von St. Peter und einiger anderer Punkte in der Umgebung Roms, dann die von den Astronomen Andrea Conti und Giacomo Ricchebach ausgeführte Triangulation und Bestimmung der Lage und der Koordinaten von 238 Punkten im Innern Roms, seiner

---

[1]) Colonel A. de La Marmora: „Notice sur les opérations géodésiques faites en Sardaigne pour la Carte de cette île", Anhang zu seiner Schrift: „Voyage en Sardaigne". Paris 1839.

nächsten Umgebung und von 25 Provinzorten, die sich auf eine 1815 vom Ingenieur Lunot bestimmte kleine Basis von 554,405 Toisen Länge stützte. Die weitere Ausdehnung des Netzes kam nicht zur Ausführung, und erst die Österreicher machten eine allgemeine Triangulierung, auf die sich dann ebenso wie auf die Katasterpläne ihre schon erwähnte Carta topografica stützte. Endlich sei der berühmten Basismessung des P. Angelo Secchi (1818—78) im Winter 1854—55 auf der Via Appia gedacht, welche auf Wunsch des Architekten Canina zur Festlegung der antiken Baudenkmäler erfolgte. Der Direktor des Observatoriums des Collegio Romano wurde dabei von dem französischen Obersten Levret des Dépôt de la Guerre zu Paris und dem Ingenieur Belley unterstützt. Die mit dem Porroschen Apparat in 73 Tagen ausgeführte Messung ergab 12043,140 m Länge mit 1 cm Unsicherheit. Von dieser Basis aus wollte Secchi eine große Triangulation ausführen, zu der es nicht kam, ebensowenig zu erfolgreichen anderen geodätischen Arbeiten, obwohl 1869 auf seine Anregung hin der Kirchenstaat der Internationalen Gradmessung beigetreten war[1]).

Weit mehr leisteten Ausländer, zunächst der preußische Major Helmut v. Moltke, damals Adjutant des Prinzen Heinrich von Preußen, der auf Grund seiner Meßtischaufnahme von 1845—46 im Jahre 1851 eine „Carta Topografica di Roma e dei suoi dintorni fino alla distanza di 10 miglia fuori le mure" in 1:25000 erscheinen ließ. Sie stützt sich auf astronomische Beobachtungen, ist vom Hauptmann der Artillerie Weber gezeichnet und von Heinrich Brose gestochen. Moltke schreibt an seinen Bruder Ludwig: „Der Stich ist nach Urteil der Kenner so schön, daß nicht leicht etwas Vollenderetes in diesem Fach erschienen ist." Auch heute haben die 2 Blatt (1,0 : 0,78 m zusammen) noch Wert, nicht bloß ihres Urhebers wegen. Das Manuskript eines dazugehörigen „Wegweisers" ist leider bei der Zusendung an A. v. Humboldt auf der Post verloren gegangen. 1859 erschien eine sehr schöne Reduktion der Karte in ¹/₂ Maßstabe, die unter H. Kieperts Leitung Steffens auf 1 Blatt in Lithochromie ausgeführt hat. (Berlin, Schropp.) Hervorragend ist ferner die „Carte de la partie sud-ouest des États de l'Église, rédigée et gravée au Dépôt de la Guerre" in Paris (1856). Sie beruht auf einer unter Leitung des Oberst Blondel von französischen Generalstabsoffizieren ausgeführten Triangulation, ist in Bonnescher Projektion entworfen und besteht aus 4 Blatt (0,84 : 0,51 m) 1 : 80000, die das Gebiet vom Lago di Vico im Norden bis zur Zisterne im Süden, vom Meere im Westen bis Poggio Mirteto im Osten umfassen. Das Gelände ist in Bergstrichen mit vielen Höhenangaben dargestellt, das Ergebnis einer Aufnahme in äquidistanten Niveaulinien. Außerdem gehört ein Plan von Rom 1 : 20000 dazu.

Es sind schließlich noch einige noch nicht hervorgehobene in- und ausländische Privatarbeiten über Italien aus dieser Epoche kurz zu erwähnen. So zunächst Arrowsmith: „Map of South Italy 1 : 650000" eine damals sehr brauchbare und klare Übersichtskarte in eleganter Ausführung. Dann Orgiazzis sehr wertvolle „Carte statistique, politique et minéralogique" 1 : 1176500 in 2 Blatt. (Paris 1816). Weiter die Arbeiten Brués, die 1820 bzw. 1822 zu Paris erschienenen, sehr elegant, dabei kraftvoll gestochenen und eine vorzügliche Schrift aufweisenden Werke: „Carte Générale de l'Italie" 1 : 3 Mill. auf 2 Blatt, davon eins Alt-Italien, das andere Neu-Italien und Illyrien, jedoch ohne Straßen, darstellend, und seine „Carte routière de l'Italie" 1 : 2 Mill., mit sehr deutlicher Oro- und Hydrographie. Darauf folgte 1823 die wohlfeile, sauber gestochene kleine Generalkarte „Italien" 1 : 3,8 Mill. von Stieler, für den Handatlas bestimmt, sowie R. C. Piquets (Sohn) sehr brauchbare „Carte routière" 1 : 850000 auf 2 Blatt, ohne Gradeinteilung, Straßen in 3 Klassen mit Postzahlen. (Paris 1824.) Dahin

---

[1]) Erst 1864 erschien eine Pio Nono gewidmete „Carta topografica di Roma e Comarca" in 9 Blatt 1:80000 auf Befehl des Kardinals Giuseppe Bofondi, Präsidenten der päpstlichen Regierung vom Officio del Censo verfaßt, die aber der französischen Karte nachsteht, ebenso der österreichischen 1 : 86400.

gehört ferner die für die Geographie des Landes bahnbrechende „Corografia fisica, storica e statistica dell' Italia e delle sue Isole" (1835—45) des Grafen A. Z. O r l a n d i n i, der ein großartiger „Atlanto degli Stati Italiani" in 142 Blatt (1845) mit einer „Carta generale d' Italia 1 : 620000" auf 15 Blatt und den Karten der einzelnen Staaten und Provinzen in verschiedenen Maßstäben und sowohl physikalischem, wie politischen und historischen Inhalts folgte, eine groß angelegte, sehr teuere Arbeit, der es aber leider an guten Spezialaufnahmen gefehlt · hat. Von ihm hat 1847 H. B e r g h a u s eine teilweise Reproduktion in seiner Karte „Ober- und Mittelitalien" geliefert. C i v e l l i s mittelmäßige „Grande Carta d' Italia" 1 : 555055 auf 28 Blatt (1843—45), S t u c c h i s schöne Übersichtskarte: „Carta fisica e postale dell' Italia" 1 : 111111 in 4 Blatt (1845) und die damals beste „Carta stradale e postale d' Italia" 1 : 864000 von C e r r i in 8 Blatt mit sehr charakteristischer Geländeauffassung (Wien Artaria, 1849, neue Auflagen 1859 und 1868). Auch J. M. Z i e g l e r s in Winterthur auf 1 Blatt 1 : 900000 erschienene „Carta dell' Italia superiore coi passagi delle Alpi" von 1850, dann die Blätter des zuerst das Alpengebiet in ein geographisches Gesamtbild zusammenfassenden J. G. M a y r - schen Atlas (1858, Perthes), welche in 1 : 450000 eine sehr plastische Darstellung des Hochgebirges liefern, ferner H e r m. B e r g h a u s' „Straßenkarte der Alpen und des nörd- lichen Apennin" 1 : 1,85 Mill. auf 1 Blatt (Perthes), mit übersichtlicher Angabe der Kom- munikationen und hypsologischer Massendarstellung des Gebirges, sowie H. K i e p e r t s „Spezialkarte von Ober- und Mittelitalien" 1 : 1800000 auf 1 Blatt (Berlin 1860) und F. H a n d t k e s „Generalkarte von Italien" 1 : 1 790000 sind zu nennen.

Von kleineren Gebieten und Städten seien erwähnt P i q u e t s „Karte der Insel Elba" 1 : 100000 (Paris 1814) in vorzüglicher Ausführung, mit einem Plan von Porto Ferrajo in dreifachem Maßstabe sowie einer Höhentabelle, die „Pianta topografica di Roma antica" von C a n i n a (1832 und 1836), die „Pianta di Roma" von T r o j a n i 1835 und C a n i n a s großer Plan: „Parte media di Roma antica" 1 : 1000 von 1848 — sämtlich auf der Pianta topografica della direzione del Censo beruhend. Auch L é t a r o n i l l y (1841), B e c k e r (1843) haben Pläne Roms von Bedeutung verfaßt, während L. B é r i n g u i e r 1860 zu Berlin „Gaëta mit nächster Umgebung" in 1 : 40000 auf 2 Blatt erscheinen ließ.

B. Die Periode nach dem Frieden von Villafranca.

Diese Periode gliedert sich auch in zwei Epochen, nämlich die der Jahre 1859—73 und die mit 1873 anhebende neueste Zeit.

a. Die Epoche von 1859 bis 1873.

Das Ergebnis des Krieges 1859/60 war die Einigung Italiens und die Verkündigung eines neuen Königreichs dieses Namens im Jahre 1861 [1]), deren Folge die Verschmelzung aller bestehenden staatlichen kartographischen Institute, nämlich des Ufficio Tecnico del Regno Sardo, des Reale Officio Topografico Napoletano (welches aber bis 1880 eine selb- ständige Unterabteilung in Neapel blieb), sowie des Ufficio Topografico Toscano, zu einer einzigen Zentralanstalt, dem U f f i c i o T e c n i c o d e l C o r p o d i S t a t o M a g g i o r e zu Florenz, das später I s t i t u t o T o p o g r a f i c o und endlich I s t i t u t o G e o g r a f i c o M i l i t a r e genannt wurde. Dieses autonome, nach dem Vorbilde des Dépôt de la Guerre in Paris organisierte Institut vereinigt alle Kräfte für die L a n d e s a u f n a h m e in sich und wird hinsichtlich der Arbeiten für die K ü s t e n vermessung durch das U f f i c i o, heute (seit

---

[1]) 1859 bestanden in Italien die Königreiche Sardinien, Lombardo-Venetien (unter Österreich), Neapel oder beider Sizilien, das Großherzogtum Toskana, die Herzogtümer Parma und Modena, dann Monaco, San Marino und der Kirchenstaat (Bologna, Ancona, Ferrara, Ravenna, Sinigaglia, Faenza, Perugia, Jesi, Benevento &c., sowie Rom und Comarca). Nun wurden alle diese Staaten, bis auf Monaco, San Marino, Korsika und den Kirchenstaat, mit Italien vereinigt.

1872) Istituto Idrografico della R. Marina in Genua ergänzt. Zu diesen beiden Einrichtungen kam später, als Italien der mitteleuropäischen Grad-, jetzt internationalen Erdmessung beitrat, die Reale Commissione Geodetica Italiana für rein wissenschaftliche Zwecke, besonders die umfangreichen astronomischen Beobachtungen, deren es zur Gewinnung von Fixpunkten für das Dreiecksnetz bedurfte. Sie ist ein Ausschuß der internationalen Geodätischen Kommission und bestand bei ihrer Bildung aus dem Chef des Ufficio Superiore di Stato Maggiore, dem General Ricci als Vorsitzendem, den Professoren Donati, De Gasparis und Schiaparelli (Vertreter Italiens bei der ersten Sitzung der Gradmessungskommission in Berlin vom 15.—22. Oktober 1864, die das Arbeitsprogramm für die einzelnen Staaten aufgestellt hatte) — Direktoren der Observatorien von Florenz, Neapel und Mailand —, sowie den Mitgliedern des neuen Ufficio Tecnico, dem Obersten Ezio de Vecchi und dem Professor der Geodäsie Schiavoni als Mitgliedern. Endlich fand damals in ganz Italien die gesetzliche Einführung des Metersystems statt, das im lombardo-venezianischen Königreich bereits seit 1803 (infolge der französischen Fremdherrschaft) bestand.

Wenden wir uns nun der Tätigkeit des Ufficio Tecnico zu. Auf Vorschlag des Kriegsministers Della Rovere genehmigte das Parlament in der Sitzung der Deputierten vom 15. Februar 1862 die Ausführung einer „Carta Topografica delle provincie meridionali (napoletane e siciliane)" 1 : 100000 in 106 Blatt, für welche 2 Mill. Lire in die Budgets von 1862—69 eingestellt werden sollten. Für Nord- und Mittelitalien war nämlich reichlich Karten- und Aufnahmematerial vorhanden, für Süditalien, außer den prächtigen Einrichtungen des Topographischen Bureaus in Neapel, nur wenig Brauchbares, nämlich von den 92941 qkm Fläche nur die Meßtischblätter von 12420 qkm, d. h. kaum $1/7$, und die 1814 zwischen Castel Volturno und Patria gemessene Basis mit anschließendem Dreiecksnetz. Daher sollte hier, und zwar zunächst in Sizilien, die auf 20 Jahre Dauer (bei 68 Aufnehmern) geschätzte Arbeit begonnen werden. Der gewählte Aufnahmemaßstab der Karte war 1 : 50000, die Darstellung der Bodenformen sollte sehr zeitgemäß in 10metrigen Höhenkurven erfolgen, als Projektionssystem wurde das Bonnesche bestimmt, die Zahl der Meßtischblätter war 174 von je 0,50 : 0,70 m Größe (875 qkm). Leider wurden die Vegetationsgrenzen durch Buchstaben statt durch Signaturen bezeichnet, so daß kein charakteristisches Landschaftsbild entstehen konnte.

Noch vor Veröffentlichung des Gesetzes, nämlich im Dezember 1861, begann unter Leitung des Obersten Ezio de Vecchi im Anschluß an die schon vorhandene die Triangulation in den südlichen Provinzen. Sie lieferte 25—30 Punkte für das Meßtischblatt, also für die Q.-Ml. einen, und wurde bis 1865 in Sizilien, von 1867—75 in dem neapolitanischen Gebiet vollendet. Den Ausgangspunkt für die Karte und das Dreiecksnetz bildete das 1819 begründete Observatorium von Capodimonte (+ 40° 51' 45" geographische Breite, 14° 15' 26" ö. von Greenwich, mit 164 m Seehöhe). Die Grundlage der Triangulation Siziliens (900 feste Punkte der 3 Ordnungen) bezüglich ihrer endgültigen Berechnung war die 1865 von den Hauptleuten Marangio und de Vita mit dem Besselschen Apparat bestimmte 3691 m lange Basis von Catania (1894,83610 Toisen)[1]. 1862 begannen die topographischen Aufnahmen und waren trotz Cholera, schwieriger Bevölkerung und Krieg (1866) 1868 in 54 Blatt (531 Q.-Ml.) vollendet. Eine auf Grund der Mappierung in 1 : 50000 (für einige Gegenden 1 : 25000 und 1 : 10000) verkleinerte „Carta di Sicilia" 1 : 100000, eine meisterhafte Fotoincision nach Avet auf 51 Blatt, die 1871 erschienen, war das nächste Ergebnis; auch wurden die Meßtischblätter photographisch reproduziert und veröffentlicht. In dem festländischen Teil der südlichen Provinzen, zunächst in Puglia und in der Capitanata, schloß man 1867 an die 1859—60 gemessene Grundlinie von Foggia (2016 Toisen, 3 Fuß, 6 Zoll)[2]

---

[1] „Rapporto del Luogotenente Generale Marchese G. Rixi a Sua Eccellenza il Ministro della Guerra intorno alla misura di una base nella pianura di Catania." Torino 1867.

[2] Dabei kontrollierte man die 1818 gemessene Basis Castel Volturno und fand ein befriedigendes Resultat,

an und verknüpfte das Netz 1869, gemeinsam mit österreichischen Offizieren, mit der Triangulation Dalmatiens durch 5 Dreiecke (größte Seite 132 km) über die Adria fort. 1870
begann die Dreieckslegung in Kalabrien. 1871 wurde eine Zwischenbasis zwischen den
Linien von Catania und Foggia bei Valle del Crati unter Leitung des Majors Chiò bestimmt,
und zwar zu 1497,926611 Toisen mit dem Besselschen Apparat [1]). 1872 schloß sich daran
die Messung der Grundlinie von Lecce (Straße von Otrando) durch Major de Vita, die
ebenfalls mit dem Besselschen Apparat geschah und eine Länge von 1561,894294 Toisen
ergab [2]). Sie liegt der österreichischen Grundlinie von Skutari an der albanesischen Küste
gegenüber und gestattet so eine von der Europäischen Gradmessung gewünschte Verknüpfung beider Netze auf dem Parallel von Neapel. An diese Triangulation schlossen
sich von 1869—72 ebenfalls die topographischen Aufnahmen. Sie wurden wie die von
Sizilien in 1:50000 ausgeführt.

An kartographischen Arbeiten entstanden während dieser Aufnahmeperiode für die
dringendsten Bedürfnisse mit Hilfe der Ergebnisse dieser Vermessungen und des besten
vorhandenen Kartenmaterials zunächst eine „Carta corografica dell' Italia superiore e centrale" 1:600000 auf 6 Blatt in Steindruck, die 1865 in Turin erschien.
Die ersten 4 Blatt waren im wesentlichen die Wiedergabe der chorographischen Alpenkarte des 1845 veröffentlichten Werkes: „Le Alpi chi cingono l' Italia" von A. die Saluzzo.
Das 5. Blatt war eine Verkleinerung der Karte der Insel von Sardinien von La Marmora
(1:250000), und für das 6. benutzte man die österreichische Karte von Mittelitalien
(1:86400). An diese sehr klare und lesbare, das Gebiet zwischen Genf, Klagenfurt und
Rom umfassende Übersichtskarte in der freilich das Gebirge etwas steif und mit einseitig
verteiltem Schatten dargestellt war, schloß sich eine solche in 1:640000 von Süditalien
und Sizilien auf 4 Blatt, im wesentlichen die alte, schon erwähnte Karte von 1862,
jedoch mit Berichtigungen. Endlich begann 1869 die Konstruktion einer „Carta corografica delle provincie meridionali" in 1:250000, unter Benutzung der Karte
von Rizzi-Zannoni, die von den Österreichern schon berichtigt war, unter Ergänzung des
Straßennetzes von 1868—69 in 25 Blatt. Sie wurde aber erst 1874 veröffentlicht.

Das Ufficio, spätere Istituto Idrografico della Marina, begann 1867 mit
seinen Aufnahmen der Küsten des Königreichs zur Herstellung einer „Carta idrografica d' Italia" in 1:100000 und zur Ausgabe von Küsten- und Hafenplänen &c.,
worüber seine „Memorie", seit 1900 „Annali Idrografici", berichten.

Die R. Commissione Geodetica hatte in ihrer ersten Sitzung zu Turin vom
3.—7. Juni 1865 ein sehr großes Arbeitsprogramm aufgestellt, zu dessen Durchführung
aber bald die Mittel fehlten. Es sollten die Elemente zur Bestimmung von 3 Meridian-
und 3 Parallelgradbogen geliefert werden. Die Dreiecksnetze, die sich in meridionaler
Richtung erstrecken sollten, waren: das erste von Cagliari durch Sardinien und Korsika
und den Toskanischen Archipel bis Mailand und das Ligurische Küstengebiet; die zweite
Kette von der Insel Ponza über Rom, Florenz und Padua und die dritte vom Kap Passaro
über Messina, Potenza und Foggia zu den Tremitischen Inseln, von da über die Adria
an die dalmatinische Küste. Zwischen den beiden ersten Netzen sollte eine Transversalkette über die Alpen den Anschluß an Deutschland und die Schweiz herstellen. Die drei
Ketten im Sinne der Parallelkreise sollten gehen: 1. von Savona bis Padua, 2. von Korsika
bis Gargano und 3. von Ponza bis Brindisi. Ferner sollte Sizilien mit Afrika verknüpft
und die Triangulation Beccarias wiederholt und erweitert und durch eine besondere Kette
längs der Halbinsel die einzelnen Netze miteinander verknüpft werden. Eine gewisse An-

---

somit auch für das auf sie gestützte Dreiecksnetz. Für die Stadt Neapel wurde zur Detailtriangulation eine eigene
kleine Grundlinie von 663,11 m Länge bestimmt.
   [1]) „Misura della Base del Crati." Napoli 1876.
   [2]) „Misura della Base di Lecce." Napoli 1876.

zahl mit dem Besselschen Apparat gemessener Basen — ungefähr alle 20—25 Dreiecke eine — sollte die Triangulation stützen, etwa bei Trapani, Catania, Taranto, Foggia, Rimini, Livorno, Somma, Turin und Cagliari. Für die Höhenbestimmungen war ein trigonometrisches Nivellement in Aussicht genommen, da für ein geometrisches sich das italienische Gebiet weniger eignet. Endlich sollten astronomische Ortsbestimmungen in großer Zahl mittels elektrischer Methode an den Scheitelpunkten der Dreiecke vorgenommen werden. In der ersten Zeit fehlte es sowohl an geeigneten Instrumenten wie an Personal, weshalb in Gemeinschaft mit dem Ufficio Tecnico gearbeitet wurde, dessen sizilische Triangulation so genau war, daß sie mit wenigen Korrekturen für Erdmessungszwecke übernommen werden konnte. Die Arbeiten wurden im Meridian des Caps Passaro begonnen. 1869 wurden auf Anregung des Professors Fergola und des Padre Secchi der Längenunterschied zwischen Capodimonte und dem Collegio Romano elektrisch bestimmt, 1870 von den Professoren Schiaparelli und Celoria ebenso der zwischen der Brera und der Sternwarte von Neuchâtel sowie der astronomisch-geodätischen Station Sempione. Die Sitzung vom 27. September 1869, in der diese letztgenannte Arbeit beschlossen wurde, war bis 1873 die letzte der Kommission, die ihre „Atti" in den „Processi Verbali" veröffentlicht.

Von **Privatarbeiten** aus dieser Epoche seien hervorgehoben: L. **Schiaparelli** und G. u. E. **Mayr**: „Nuova Carta generale del Regno d' Italia" 1 : 920000 in 9 Blatt (Gotha, Perthes, 1864), die erste, nicht nur ganz Italien, sondern auch einen Teil der Schweiz und Malta umfaßende Schulkarte mit lebendig aufgefaßtem Geländebilde, das 1865 erschienene Supplement: „Rom und Neapel" 1 : 450000 zu J. G. **Mayrs** Alpenländer-Atlas; **Adam Reilly**: „The Chain of Mont Blanc" 1 : 80000, London, Longman & Cie, 1865, ein Erzeugnis fleißiger Messungen, auf Veranlassung des englischen Alpenklubs entstanden; und als ausländische amtliche Arbeit die sehr genau und charakteristisch ausgeführte **Britische Admiralitätskarte**: „Malta and Gozzo Islands" 1 : 62000 (London 1864), eine 1blättrige See- und Landkarte zugleich.

b. Die Epoche von 1873 bis heute.

Die **neueste** Entwickelung des italienischen Kartenwesens hebt mit der infolge Königlichen Dekrets vom 27. Oktober 1872 im Jahre 1873 erfolgten Einrichtung eines vom Generalstabe ganz unabhängigen, selbständigen, nur unter die Oberaufsicht des Chefs des Generalstabs gestellten „Istituto Topografico militare" (seit 1882 Istituto Geografico militare) zu Florenz (Via della Sapienza 8) an. Die Fülle der Aufgaben des bisherigen Ufficio Tecnico del Corpo di Stato Maggiore auf geodätischem, topographischem und kartographischem Gebiet war zu groß, ihr im wesentlichen topographisch ausgebildetes Personal dafür nicht ausreichend geworden, auch gingen dem Generalstab für seine eigentlichen militärischen Aufgaben zuviel Kräfte verloren[1]). Der erste Direktor der neuen Anstalt war der bisherige Leiter der sizilischen Aufnahmen, General **Ezio de Vecchi**, und seine rechte Hand der spätere Nachfolger, General **Annibale Ferrero**, während die rein geodätischen Arbeiten dem Obersten **Leopoldo De Stefanis** zufielen. Unter diesen ausgezeichneten und energischen Männern gewann die neue Zentralstelle der Landesaufnahme bald hohen Ruf, nicht bloß im In-, sondern auch im Auslande.

Ehe wir uns den eigentlichen Arbeiten des Instituts zuwenden, möge zuvor, weil ihnen als Grundlage dienend, der Tätigkeit gedacht werden, welche mit erhöhter Lebhaftigkeit seit 1873 die R. **Commissione Geodetica** gemeinschaftlich mit dem Institut und unter Vorsitz seines Direktors, Generals de Vecchi, bis 1875 einschließlich ausgeübt hat.

---

[1]) Übrigens hatte bereits 1867 die Geodätische Kommission in ihrem Processo Verbale dem Kriegsminister den Wunsch ausgesprochen, daß für geodätische Arbeiten geeignete Ingenieurgeographen beim Ufficio angestellt werden möchten, da derartige Aufgaben nicht von jedem Generalstabsoffizier zu verlangen wären.

Zunächst wurde erwogen, ob Italien bei seinen beschränkten Mitteln und in Anbetracht des bedeutend erweiterten, von der einfachen Messung eines Meridians in Mitteleuropa (Kristiania—Palermo) auf die Bestimmung der Gestalt der ganzen Erde ausgedehnten Programms sich noch weiter an den rein wissenschaftlichen Arbeiten der internationalen Erdmessungskommission beteiligen sollte. Schiaparelli riet ab, indessen die Erkenntnis siegte, daß durch Beteiligung auch die eigenen Triangulationsarbeiten für praktische kartographische Zwecke wesentlich gefördert würden. So entsandte die Kommission wenigstens Korrespondenten zu dem Baeyerschen großen Werk. Dann wurde eine Arbeitsteilung zwischen der Kommission, die fortan die rein astronomischen Arbeiten ausführen sollte, und dem Institut vorgenommen, dem die eigentliche Geodäsie zufiel (1873, Processo verbale vom 15.—16. Dezember). In die beiden folgenden Jahre fallen dann zahlreiche Ortsbestimmungen, zum Teil auch auf Veranlassung des Instituts, sowie des Ufficio Idrografico della R. Marina ausgeführt. Erwähnt seien hier die Breiten- und Azimutfestlegung der Station Villa Barberini auf dem Monte Mario, dem späteren Ausgangspunkt für die Koordinaten der Carta d'Italia, durch Professor Respighi vom Observatorium des römischen Campidoglio und eine ebensolche im Auftrage des Instituts für das Observatorium von Pizzofalcone in Neapel. Im Jahre 1875 wurde auf Oppolzers Anregung der Längenunterschied zwischen den Observatorien von Mailand und Padua und der neuen Sternwarte auf der Türkenschanze in Wien, an die später auch das Observatorium von Monaco angeschlossen wurde, durch die Professoren G. Celoria und Lorenzoni festgestellt. Diese Arbeit gab zu einer Revision der italienischen Längen überhaupt auf dem mittleren Meridian Anlaß und zur Feststellung des Unterschiedes von Mailand (Sternwarte der Brera) und Padua (Osservatorio Astronomico) gegen Paris und Greenwich. Dieselben Professoren, sowie Professor Nobile führten gemeinsam mit dem Ufficio der Marine die Ermittelung der Längenunterschiede zwischen Genua (Marine-Sternwarte), Mailand, Neapel (Capo di Monte) und Padua 1875 aus, während unter Leitung Schiavonis und auf Veranlassung des Istituto Topografico die geodätischen Signale von Monte Li Foi in Basilicata und Castanea delle Fure in Messina nach Breite und Azimut bestimmt wurden. Endlich ließ Major Magnaghi, der Direktor des Marine-Ufficio, in Südsizilien ebenso die Lage von Pachino an der Küste und seinen Längenunterschied zwischen Neapel bestimmen.

Wenden wir uns nun dem Institut und seinen Arbeiten zu. Die erste Tätigkeit war die Vollendung der schon erwähnten Carta Corografica delle Provincie Napoletane 1:250000 (25 Blatt in Photoinzision nach der Methode des Generals Avet) im Jahre 1874, um dem augenblicklichen Bedürfnisse zu genügen. Nachdem dann die Erkenntnis von der ungenügenden Beschaffenheit der bisherigen Karten Piemonts und besonders der österreichischen von Lombardo-Venetien und Mittelitalien (1:86400) immer mehr durchgedrungen war, wurde durch Gesetz vom 29. Juni 1875 die Schaffung eines einheitlichen offiziellen Kartenwerks des Königreichs bestimmt, das nicht nur militärischen, sondern allen wissenschaftlichen und bürgerlichen Interessen dienen sollte, um die Landeskunde in orographischer, hydrographischer und geologischer Hinsicht zum allgemeinen Wohl zu fördern[1]. Für dieselbe wurde 1:100000 als Maßstab festgesetzt und die Ausdehnung der in Süditalien stattfindenden Aufnahmen auf das ganze Staatsgebiet, und zwar ursprünglich in 1:25000 nur für 25 Blatt in der Nähe großer Städte, im übrigen aber in 1:50000. Überaus wichtig war, daß auf Ferreros[2] Betreiben

---

[1] Der erste Gesetzentwurf des Kriegsministeriums rührt vom 3. Februar 1875. Der parlamentarischen Beratungskommission gehörten Bertolè-Viale, Biancardi, San Marsano Morra, Corbetta, Massa, Marselli, Zanoli und Gandolfi an. Die ursprünglich auch beabsichtigte Verbindung der neuen Aufnahmen mit den Operationen für das neue Kataster (Entwurf vom 21. Mai 1874) wurde fallen gelassen, weil verzögernd wirkend.

[2] Annibale Ferrero (1839—1902) war als Generalstabsoffizier schon an den Aufnahmen in Sizilien beteiligt. 1872 wurde er als Major Mitglied des Instituts und bald darauf auch Sekretär der Geodätischen Kommission, als welcher er in freundschaftliche Beziehungen zum Begründer der Gradmessung, dem preuß. General Baeyer, seit 1875 trat, die ein dauerndes ersprießliches Zusammenwirken zwischen deutscher und italienischer Geo-

an Stelle der Bonneschen die (preußische) Polyeder- oder Gradkartenprojektion (in Italien sistema policentrico o naturale genannt) als Entwurfsart angenommen wurde. In dieser rationellen Darstellungsweise, die eine konforme Doppelprojektion zunächst des Ellipsoids auf die Kugel, dann dieser auf die Ebene (des Polyeders) ist, bildet jedes einzelne Blatt eine Karte für sich, deren Projektionsmittelpunkt mit der Blattmitte zusammenfällt, und kein Blatt ist vor dem andern hinsichtlich der Verzerrung bevorzugt. So kann von der Erdkrümmung Abstand genommen werden, indem die Verzerrungen auf dem ganzen Bereich der Karte zu klein und praktisch verschwindend sind, als daß sie Bedeutung hätten. Man verzichtet damit freilich auf die kaum vorkommende und wertlose mathematisch genaue Zusammensetzung der sämtlichen Kartenblätter. Eine solche Ausbreitung in der Ebene kommt höchstens für wenige Sektionen in Betracht, und da sind dann die Papierverzerrungen schon größer als die mathematischen. Übrigens passen die Blätter derselben Zone mit ihren West- und Osträndern bei dieser Projektionsart, die als Randlinien der einzelnen Sektionen das Gradnetz (Meridian- und Parallelkreise) wählt und damit auch die Himmelsrichtungen liefert, natürlich auch mathematisch genau zusammen. Jedes trapezförmige Blatt ist 20' Br. hoch (im Mittelmeridian) und 30' L. an der Basis breit. Jede Gradabteilung wird in meridionaler Richtung in 3, für die Aufnahme in 6 bzw. 12 Teile, in der andern Richtung für die Karte in 2, die Meßtischblätter in 4 bzw. 8 Teile zerlegt. So gehören also zu einem Gradfelde 6 Blätter (20' Br., 30' L.) 1:100000 und 24 Blätter (10' Br., 15' L.) 1:50000, sowie 96 Meßtischblätter (5' Br., 7,5' L.) 1:25000, denn jedes Kartenblatt enthält 4 bzw. 16 Tavolette in 1:50000 bzw. 1:25000. Durch diese sehr zweckmäßige Einteilung sind die Kartensektionen handlich, die Meßtischblätter (37:39 cm durchschnittlich, allerdings bei der großen Längenausdehnung Italiens vom 37 bis 46° n. Br. sehr verschieden groß) für die Aufnahme bequem. Als Koordinatenanfangspunkt wurde das schon erwähnte trigonometrische Signal des Forts auf dem Monte Mario bei Rom (30° 6' 59" ö. v. Ferro) bestimmt. Von dem durch dieses gehenden Nullmeridian aus werden die Längen nach Osten und Westen gezählt, so daß die geographische Orientierung mit den übrigen europäischen Kartenwerken nicht übereinstimmt. Die Koordinaten beziehen sich auf den Schnittpunkt des mittleren Meridians und des mittleren Parallels jedes der 277 Blätter in 1:100000 der Karte[1]). Für die Geländedarstellung wurden Lehmannsche Schraffen mit 50 m-Niveaulinien, für die Vervielfältigung die galvanische Inzision nach dem System des Generals Avet (wie bei der Karte 1:250000) beschlossen, und zwar in Schwarz, nachdem Versuche in farbiger Wiedergabe schlecht ausgefallen waren. 3 Jahre später wurde bestimmt, daß die Aufnahmen in weit größerem Umfange in 1:25000 stattfinden sollten, sowie 150000 Lire für die Erwerbung des Eigentumsrechts an dem Avetschen Verfahren bewilligt. Im ganzen wurden 4,4 Millionen Lire, auf verschiedene Jahre verteilt (davon für 1875—78 650000), für die Karte bewilligt. Auch wurde in der Zeit von 1874—76 eine Vergrößerung der österreichischen Karte der Lombardei und Venetiens, sowie Mittelitaliens auf 1:75000 für die ersten Bedürfnisse ausgeführt.

Die Triangulationen[2]) begannen 1874 mit der Messung einer 3248 m (1666,73878

dies zur Folge haben sollte. Von 1875—93 war er Chef des Geodätischen Dienstes, von 1886—93 Direktor des Instituts, von 1893—1902 Präsident der Italienischen Geodätischen Kommission, seit 1891 Vizepräsident der Internationalen Erdmessung, deren Weiterbestehen nach Baeyers Tode hauptsächlich auf ihn zurückzuführen ist. Er hat nicht nur um das Kartenwesen im allgemeinen, sondern vor allem um die geodätischen, topographischen und die von ihm 1886 begründeten und von 1888—94 mustergültig geleiteten Katasterarbeiten Italiens die größten Verdienste, ihm verdankt vor allem das Institut sein Aufblühen. Auch als wissenschaftlicher Schriftsteller leuchtet sein Name, besonders in den Arbeiten der Internationalen Kommission.

¹) Ferrero hat 1878 in der „Rivista militare Italiana" (Serie III, Bd. II, S. 2—29) in einem Aufsatz „Sul sistema di projezione più conveniente per le carte topografiche d'Italia" über die Entwurfsart berichtet.

²) Vitale: „Sulla triangolazione principale d'Italia", „Atti" del 3° Congresso Geographico Italiano 1898 und 1899. Vollständiger Überblick. — Istituto Geogr. militare: „Istruzione sulle ricognizione trigonometriche", 1889.

Toisen) langen Basis bei Udine durch Kapitän Maggia, nachdem Ende 1873 die Basis-apparate mit den österreichischen verglichen waren [1]. Das 1865 vollendete sizilianische Netz wurde 1876 über die Inseln Marittimo und Pantelleria hinweg mit der französischen Triangulation in Tunis verknüpft. 1878 wurde die alte Basis von Ticino zu 9999,4116 m (5130,42916 Toisen) neu bestimmt und 1879 eine neue Grundlinie bei Ozieri (Sardinien) von 1745,57395 Toisen gemessen, an die von 1879—82 eine Triangulation 1. O., darauf bis 1897 eine Detailnetzlegung der Insel angeschlossen wurde. Die bis 1878 vollendete Triangulation 1. O. Italiens bestand aus 366 Dreieckspunkten, die über das ganze Gebiet verteilt waren. Es finden sich dabei Seiten von 134 km Länge. 1890 wurde auch Malta mit dem italienischen Netz verbunden. Als Dreieckspunkte dienten dabei in Sizilien das Observatorium des Ätna (3000 m), der Monte Cammarata (1578 m) in Westsizilien und der Leuchtturm Guiridan auf Gozzo (122 m). Die Entfernungen betrugen 128 und 180 km. Es wurden Nachts elektrische Lichtsignale gewechselt [2]. 1893 wurden die Winkelbeobachtungen des Netzes 1. O. beendigt. 1895 wurden 15 neue Stationen in Sizilien bestimmt und geschah die Messung einer 4621 m langen neuen Basis bei Piombino (Toskana) [3]. 1900 wurden die maltesischen Inseln (Gozzo) mit dem sizilischen Netz verbunden und dabei zwei vollständige Vierecke hergestellt, nämlich Monte Gemini (Sizilien) — Lauro (Sizilien) — Porre Nadur (Malta) — Faro Giurdan (Gozzo), sowie Monte Gemini — Ätna — Monte Santissimo (Sizilien) — Faro Giurdan. Bei dem letztgenannten Viereck liegen die Meereshöhen der 4 Eckpunkte auf bzw. 2942 m, 1578 m, 884 m und 142 m. Die größte Seitenlänge, Ätna—Faro Giurdan, beträgt 198 km, hat also bedeutende Abmessung. Der Exzeß des größten Dreiecks beträgt 51¼″, also fast 1′. Die Signalisierung geschah mit dem Fainischen Phototelegraphen (Acetylenlicht), die Horizontalwinkelmessung mit einem 42 cm Brunnerschen Azimutalkreis (Fernrohr 62 cm Brennweite, 53 mm Öffnung). Der mittlere Fehler eines gemessenen Winkels betrug nach der Netzausgleichung ±0,4″ [4]. Endlich wurde 1902 auf Wunsch der Internationalen Erdmessung und als letzte Verpflichtung Italiens in geodätischer Hinsicht ihr gegenüber vom Institut der Anschluß der 1882 beendeten Triangulation Sardiniens an das übrige Italien bzw. den Kontinent bewirkt, eine wegen der großen Entfernungen und geringen Höhe der gegenüberliegenden Küsten bis dahin nicht für durchführbar gehaltene schwierige Arbeit. Zwischen Korsika und Sardinien bestand keine Verbindung, obwohl erstgenanntes durch eine ältere, allerdings nicht zuverlässige, Messung an das Festland angeschlossen ist. Der Anschluß Maltas und der maltesischen Gruppe an Sizilien gewährte nun die Möglich-keit der Verbindung unter Benutzung der Inseln Giglio, Monte Christo und Elba. Die größte Visierlänge (Monte Lapame auf Elba — Monte Nidda auf Sardinien) beträgt 232 km. Zur nächtlichen Verbindung diente Acetylenlicht. Wahrscheinlich wird nun auch Korsika an Sardinien angeschlossen werden. Über diese unter der verdienten Leitung des Obersten de Stefanis [5] im wesentlichen ausgeführte, für die eigentliche Kartographie schon 1897

---

[1] Es standen außer den älteren Grundlinien noch die 670 m lange Basis von Foggia (1860 durch Prof. Schiavoni, von Neapel (340,224 Toisen, durch Schiavoni 1862), die von Catania (1894,336 Toisen, 1865 durch Marangio), von Valle del Crati in Kalabrien (1871 durch Chiò, 1497,9266 Toisen), von Lecce (1561,894 Toisen — 3043 m, durch de Vita 1872) zur Verfügung.

[2] Näheres: L. Vitale in den „Atti", 3⁰ Congr. Geogr. Ital. 1899.

[3] Damit gibt es im ganzen also 8 Basen, von denen immer eine auf etwa 20 Dreiecke 1. O. entfällt. Das Dreiecksnetz 1. O. ist 10 Breitengrade breit und dient somit zugleich der Messung eines Erdbogens (in Verbindung mit den ausländischen Netzen) bis Tunis. Auch ist auf diese Weise der ganze westliche Teil des Mittelmeeres von Tunis bis Norditalien, durch Italien, Spanien und Frankreich hindurch trigonometrisch bestimmt.

[4] Commissione geodetica italiana: „Collegamento geodetico delle isole Maltesi alla Sicilia", Firenze 1902. Mit 3 Kartenskizzen.

[5] Leopoldo de Stefanis (1840—94) war früher französischer Genieoffizier, kam 1873 ans Institut, wo er fast ohne Unterbrechungen bis 1890 blieb und 1883 Ferreros Nachfolger als Chef der Geodätischen Sektion wurde. Er hat vor allem die rein wissenschaftlichen Arbeiten und die Berechnungen ausgeführt, auch eine wert-volle „Valutazione della superficie del Regno", 1884, verfaßt.

(mit Sardinien) abgeschlossene Triangulation ist seit 1880 eine umfangreiche Veröffentlichung in Arbeit, die in wenigen Jahren vollendet sein dürfte [1]).

Das für die Internationale Erdmessungskommission hauptsächlich ausgeführte Präzisionsnivellement ist seit 1876 im Gange, wurde zuerst von der Commissione Geodetica durch den Ingenieur Oberholzer, seit 1878 aber vom Institut ausgeführt. Es sind
bisher rund 7200 km, die bestimmten Höhen belaufen sich auf über 10000, darunter 3320
Punkte 1. und 2. O. von durchschnittlich 1 km Entfernung. Der Ausgangshorizont ist das
Mittelwasser bei Genua, wo auf einem Granitwürfel im Hafen der Hauptfixpunkt O mit
der Kote 2,572 m sich befindet, wodurch die Niveaufläche etwa 30 cm unter das dortige
Mittelwasser fällt. Nivelliert wurde mit Instrumenten von Pistor und Martins (Berlin),
Starke und Kammerer (Wien) und Barthélemy (Paris), und zwar aus der Mitte mit vollkommen gleichen Zielweiten und doppelten Anbindepunkten. Der wahrscheinliche Fehler
ist $< \pm 3$ mm. Heute ist das Fundamentalnetz über ganz Nord-, Mittel- und fast ganz
Süditalien ausgebreitet. Es besteht in der Hauptsache aus zwei Küstenketten, von denen
die eine von Ponte S. Luigi bei Ventimiglia (mit Anschluß an das französische Netz) ausgeht und die Mareographen von Genua, Livorno, Civitavecchia verbindet, während die
andere bei Pontebba und Strasoldo (mit Anknüpfung an das österreichische Nivellement)
beginnt und bis Bari geht, dabei die Mareographen von Venezia, Porto Corsini und Bari
verbindet. Außerdem gibt es zahlreiche Quernetze im Innern des Landes. Eine größere
Veröffentlichung über das Nivellement mit allen Einzelheiten ist seit 1902 im Gange;
bisher erschienen 3 Bände [2]).

An diese Triangulationsarbeiten schlossen sich bzw. gingen Hand in Hand mit ihnen
die topographischen Arbeiten, die 1876 in Süditalien beendet wurden. Sie geschahen
durch Abteilungen von je 6—8 mappatori (Offiziere und aus dem Unteroffizier- sowie dem
Zivilstande hervorgegangene Beamte) unter je einem Hauptmann als Vermessungsdirigenten.
Von 1877—95 kam der ganze übrige Teil des Festlandes zur Ausführung. 1896—1900
wurde auch die Insel Sardinien erledigt, 1902 die kleine Insel Monte Cristo als Abschluß
der gesamten Feldarbeiten, die hier in 1:10000, sonst in den stark angebauten Gegenden,
vorzugsweise also in der Lombardei, in der Umgegend großer Städte &c., in 1:25000
— 1005 Tavolette —, im übrigen Italien besonders im Gebirge in 1:50000 — 661 Quadranti — ausgeführt sind. Auf die Republik San Marino entfällt eine Tavola 1:25000. Jedes
Meßtischblatt 1:50000 (Quadranti) enthält 20, jede Tavoletta 1:25000 12 trigonometrische [3]) Punkte, die durch ein kleines Dreieck mit einer Zahl bezeichnet sind. Sehr
eifrig wurde von der Photogrammetrie Gebrauch gemacht, die im Hochgebirge und für
Detailstudien verwendet wird und in dem Ingenieurgeographen Cav. Pio Paganini [4]) einen
geradezu klassischen Vertreter hat. Er hat dies photographische Meßverfahren auch bei
der Küstenvermessung eingeführt, ebenso kam es in Eritrea viel zur Anwendung. Die meisten
Hochgebirgsblätter wurden ausschließlich photogrammetrisch hergestellt, höchstens fanden
in den Tälern topographische Ergänzungen statt. Der topographische Inhalt der Aufnahmen, für die eine gemeinsame Zeichenerklärung besteht, ist reich und genügt den vielseitigsten Bedürfnissen des Staats, sowohl in planimetrischer wie altimetrischer Hinsicht.
Die Kulturen sind sorgfältig unterschieden, auch die politischen Grenzen, bis zu denen
der Gemeinden herab, wobei die auf 1:25000 photographisch verkleinerten Katasterblätter

---

[1]) Von den geodätischen Elementen der trigonometrischen Punkte der Carta d' Italia sind bisher an 70 Hefte
mit den Punkten von 114 Blättern veröffentlicht.

[2]) Und zwar: Istituto Geogr. Militare: „Livellazione geometrica di precisione". Außerdem ist von
Wert: Oreste Coari: „Studi sulle livellazioni geometriche di precisione", Roma 1879.

[3]) Die „Istruzioni e norme pratiche per le levate" (1897 letzte Ausgabe) regeln das Aufnahmeverfahren.

[4]) Paganini hat viel über Photogrammetrie geschrieben. Siehe „Literatur". Die ältesten Versuche in
Italien, ohne praktischen Erfolg, machte übrigens Porro.

ebenso wie bei dem übrigen Gerippe als erste Grundlage dienen. Das Gelände wird entweder in Lehmannschen Schraffen und Höhenschichtlinien von 25 m Abstand für 1 : 25000 bzw. 50 m für 1 : 50000 — die 100 m-Kurven verstärkt — oder allein in Niveaulinien (von 10—15 m Schichthöhe für 1 : 50000 und 5—25 m für 1 : 25000) dargestellt. Wo es die Formen erfordern, sind teils Bergstriche, teils fein gerissene 5- und 10 m-Linien gezeichnet, erstere für Feld-, Geröll- und Gletscherbildung in malerischer, naturgetreuer Darstellung. Diese Meßtischblätter dienen der Carta topografica wie zahlreichen Umgebungskarten größerer Städte (Rom, Florenz, Neapel, Turin &c.) 1 : 10000 bis 1 : 50000 als Grundlage. Sie wurden früher photolithographisch, dann wurden sie durch Photoinzision (Heliogravüre) vervielfältigt und im Handel vertrieben.

In Eritrea erfolgte gleichfalls eine Triangulation und eine topographische Aufnahme, und zwar in 1 : 100000 für rund 23000 qkm Fläche.

Endlich hat das Institut seit 1883 die Ausführung einer „Carta orografica del Regno e delle regioni adiacenti" 1 : 500000 in 35 Blatt unternommen, die 1890—93 erschien.

Die Evidenzhaltung der Karten geschieht durch die topographische Abteilung mit Unterstützung der bürgerlichen Behörden in ähnlicher Weise wie in Österreich-Ungarn. Alle 5—6 Jahre ist die Revision der Carta d' Italia, mit der zuerst 1895 in Sicilien begonnen wurde, beendet.

So hat es augenblicklich nach etwa 40jähriger Arbeit einen gewissen Abschluß erreicht, soweit von einem solchen bei dem ewigen Fluß der kartographischen Kunst und Wissenschaft überhaupt die Rede sein kann, und darf mit voller Befriedigung auf eine Zeit zurücksehen, in der es dem Lande eine geometrisch genaue Darstellung seines Bodens in ziemlich großem Maßstabe und mit reichen Höhenangaben, der internationalen Erdmessung eine Reihe wichtiger Daten für die Bestimmung der Erdgestalt liefern konnte, dank namentlich eines Mannes, wie es Annibale Ferrero war! Es dürfte angezeigt sein, hier kurz die jetzige Organisation des Istituto Geografico Militare[1]) anzugeben. An seiner Spitze steht 1 Direktor (augenblicklich Luogotenente Generale Onorato Moni), dem 1 Stellvertreter (höherer Stabsoffizier) sowie 3 Offiziere und 3 Beamte beigegeben sind. Der Direktion sind 5 Abteilungen unterstellt: 1. Die geodätische (1 Ingenieurgeograph 1. Kl. als Leiter, 1 Offizier, 21 Beamte, davon 7 Ingenieurgeographen) mit einem Spezialbureau für wissenschaftliche Arbeiten sowie einer kleinen Sternwarte. Sie hat die Triangulation und das Präzisionsnivellement zu besorgen; 2. die topographische (1 Stabsoffizier des Generalstabes, 45 in der Mehrzahl auf 3—4 Jahre kommandierte Offiziere, 28 Beamte, darunter 1 Ingenieurgeograph) mit einer photogrammetrischen Unter- und einer Revisionsabteilung. Ihr liegt die Mappierung und die Evidenzhaltung ob. Eine 1874 errichtete Topographenschule bildet den Nachwuchs heran; 3. die artistische (1 Topograph 1. Kl., 59 Beamte für Vervielfältigungs- und Zeichenarbeiten). Ihr fällt die Vervielfältigung durch Zeichnung, Lithographie und Kupferstich zu, wofür sie in 4 Unterabteilungen gegliedert ist; 4. die phototechnische (1 Stabsoffizier, 1 Offizier, 13 Beamte) für die photomechanischen Reproduktionsarbeiten, die 4 Sektionen ausführen, der ein chemisches Laboratorium, die phototechnische Anstalt und die Druckerei beigegeben sind, und 5. die Administrationsabteilung (3 Offiziere, 10 Beamte).

Wenden wir uns noch kurz der Tätigkeit der Commissione Geodetica Italiana (seit 1875) zu, an deren Spitze heute Giovanni Celoria, Direktor des R. Osservatorio di Brera, steht, während der Direktor des Instituts Vizepräsident ist und der Direktor des R. Istituto Idrografico (heute Comendatore P. Leonardo Cattolico) zu den Mitgliedern (Com-

---

[1]) Das Institut hat leider kein Jahrbuch. Es veröffentlichte seine Arbeiten zuerst im Bolletino della Società Geografica Italiana, dann im Giornale Militare Ufficiale und in den Processi verbali der Geodätischen Kommission, sowie in selbständigen Schriften, über die, wie über die Karten, ein Katalog erscheint.

missari) gehört, neben dem Capo del servizio geodetico dell' Istituto Geografico Militare und den Professoren Ant. Abetti und En. Fergola, Direktoren der Observatorien von Florenz und Neapel.

Die wichtigsten Arbeiten waren Bestimmungen von Längenunterschieden und Orts-lagen, dazu kam im Anfange auch das geometrische Präzisionsnivellement. So machte Prof. Schiaparelli 1879 telegraphische Längenbestimmungen zwischen dem Osservatorio di Brera (Mailand) und dem Campidoglio (Rom); 1880 zwischen Mailand und Parma, wozu auch Breitenermittelungen kamen. 1881 wurde, gemeinsam mit der Direktion des Dépôt de la Guerre in Paris, der Längenunterschied zwischen den Observatorien der Brera und von Montsouris bei Paris sowie Mont Gros bei Nizza bestimmt. 1882 geschah, gemein-schaftlich mit dem Ufficio Idrografico, die Ermittelung des Längenunterschiedes zwischen dem astronomischen Observatorium des Campidoglio und Cagliari, sowie die Beobachtungen für die Bestimmung des Längendreiecks Padua—Arcetri—Rom, die 1884 ergänzt wurden. 1885 wurde der Längenunterschied von Mailand, Padua und dem trigonometrischen Punkt Tremoli durch Porro festgelegt und durch Fergola, Angeletti und Rejna der zwischen Rom und Neapel kontrolliert, sowie Breite und Azimut von Tremoli und Turin durch Porro ermittelt. 1888 wurde der Unterschied zwischen Neapel und Mailand, 1892 zwischen Mailand und Solferino, 1896 zwischen Mailand und Station Crea (Monferrato), wo auch absolute Breiten- und Azimutbestimmungen gemacht wurden, bestimmt. Weiter unter-stützte die Kommission Privatarbeiten oder regte solche an, wie die Breiten- und Azimut-bestimmungen des Dr. Cescato bei Padua 1892 und 1894, des Prof. Zona in Catania 1894, der Prof. Lorenzoni, Venturi und Rejna, des Dr. Porro &c. Endlich führte sie auf Antrag des Hydrographischen Instituts Breitenbestimmungen in Livorno (1897), Genua (1898), Bari (1898), Tarent und Ancona (1900), sowie in Porto Fiseo und auf Maddalena (1902) aus und bestimmte 1899 den Längenunterschied zwischen Livorno und Genua. Auch errichtete die Kommission eine vollständige astronomische Station auf der Insel Gozzo (Punta di Laplace). Weiter ist auch der im Jahre 1894 mit dem Sterneckschen Apparat ausgeführten Erdschweremessungen durch Baglioni zu gedenken.

Über die Arbeiten des Istituto Idrografico della R. Marina soll, soweit nicht schon im vorstehenden seine Tätigkeit gestreift wurde, bei Gelegenheit seines wich-tigsten Kartenwerkes im folgenden berichtet werden, ohne indessen näher auf das Seekarten-wesen eingehen zu können.

Seit 1886 besteht ein alle geodätischen Arbeiten des Königreichs, ähnlich dem preußi-schen Zentraldirektorium, der Vermessungen zusammenfassendes „Consiglio superiore dei lavori geodetici", unter Vorsitz des Direktors des Istituto geografico militare.

Wenden wir uns nun den wichtigsten neueren Karten Italiens zu, die durch die Arbeit seiner Behörden, Privater und des Auslandes entstanden und noch heute von praktischem Wert sind.

Kartenwerke des Istituto Geografico militare:

I. Carte Topografiche dell' Interno Regno d' Italia:

1. **Levate di campagna — Tavolette e Quadranti in 1:25000** bzw. 1:50000. Über die Entstehung dieser Meßtisch- bzw. photogrammetrischen Arbeiten ist bereits das Nähere gesagt worden. Die heliographisch vervielfältigten Blätter (System Avet) sind im Gerippe sehr, fast übermäßig, kräftig gezeichnet, wodurch die Abstufung des Wichtigeren vor dem Untergeordneten leidet. Die Schrift, welche alle topographisch wichtigeren Gegenstände benennt, ist vielfach ungewandt gestellt und nicht monumental, weil auch liegende vorkommt. Dabei sind die Haarstriche oft zu fein, worunter die Deutlichkeit leidet. Von den zahlreichen Höhenangaben sind die der trigonometrischen Punkte in stehenden, die topographisch bestimmten in liegenden Ziffern eingetragen. Der untere Rand

der Blätter enthält Erläuterungen für das Verkehrsnetz und die Grenzen, sowie Signaturen. Die Genauigkeit der in Schwarz ausgeführten Blätter ist eine gute. Die technische Wiedergabe aber weder schön noch scharf. Der Abdruck geschieht auf fest geleimtem Papier. Jedes Blatt hat dieselben Abmessungen wie die Kartenblätter 1 : 100000 und kostet 50 Centesimi.

2. **Carta Topografica del Regno d' Italia** ·1 : 100000 in 277 Blatt (je 37,39 : 41 cm = 35 km Breite, 50 km Länge). Sie erscheint seit 1879. Es fehlen noch etwa 30 Blatt der Insel Sardinien, die in etwa 2—3 Jahren fertig gestellt sein werden. Die Blätter 1—4 enthalten Einzelheiten über die trigonometrische Grundlage der Karte. Die auf den geodätischen Vermessungen und den topographischen Meßtischblättern beruhende, von diesen in 1 : 75000 photomechanisch verkleinerte und kartographisch umgezeichnete, darauf wieder auf photozinkographischem Wege in 1 : 100000 reduzierte[1]) Generalstabskarte ist das wichtigste Kartenwerk des Landes und die eigentliche Kriegskarte. Aufgespannt ist die Karte 11 : 13 m groß. Die Karte bietet ein etwas dürftiges Gerippe, hat keine Gemeindegrenzen, die Kulturen sind oft schwer zu erkennen. Die Schrift ist reichlich, aber oft zu groß und stark. Das Gelände ist in den älteren (schwarz gehaltenen) Blättern in 10 m-Schichtlinien ohne Bergstriche (Süditalien), bei den späteren, also der Mehrzahl, in Lehmannschen Schraffen, jedoch unter Annahme schiefer Beleuchtung für die oberen Teile des Hochgebirges, und mit 50 m-Niveaulinien dargestellt, welche die Grundlage für viele Höhenzahlen liefern. Felsen, Gletscher und Geröll sind malerisch ausgeführt, die Kämme der Gebirge weiß gelassen, so daß die Oberflächenformen im ganzen ein ebenso übersichtliches wie wirkungsvolles Bild abgeben. Überhaupt ist die Karte, wenn sie auch vielfach schärfer und gefälliger sein könnte, doch erheblich besser als die Levate di campagna geraten. Für einen kleinen Teil Italiens (ohne Neapel und Sizilien) gibt es eine Ausgabe in 182 Blatt in Schwarz mit Niveaulinien, aber ohne Bergstriche. Im übrigen erfolgt die Wiedergabe in photographischem Stich auf Kupfer nach dem schon bei der Karte in 1 : 250000 bewährten Verfahren des Generals Avet (Heliogravüre), das auch die Möglichkeit der Schaffung einer photozinkographischen Reduktion in gleichem Maßstabe wie die Originalzeichnung, nämlich 1 : 75000 (siehe auch Nr. 3) gestattet, dagegen sich nicht für farbige Vervielfältigung eignet, besonders nicht für das Gelände. Hierzu hat man zu dem neuen Photoinzisionsverfahren (System Gliamas) greifen müssen, das eine Ausgabe in Zweifarbendruck (Chromolithographie) mit braun geschummertem Gelände, Höhenkurven von 100 m und blauem Gefließnetz ermöglicht, von der etwa 60 Blatt erschienen sind. Sie wurde aber vorläufig eingestellt und soll später vollendeter ausgeführt werden.

3. **Carta della Lombardia, del Veneto e dell' Italia centrale 1 : 75000.** Sie ist eine vergrößerte Reproduktion der österreichischen Karte 1 : 86400, die, durch Erkundungen im Gelände und einige neuere Messungen berichtigt, für die ersten Bedürfnisse der Armee und der Behörden 1874—76 herausgegeben wurde. Der Abdruck geschieht durch Photozinkographie auf halbgeleimtem, widerstandsfähigem Papier. Sie wird auch — als Editione economica — auf das übrige Italien ausgedehnt. (Siehe Nr. 1.)

4. **Carte Topografiche di regioni limitate a meno d' una provincia, piante di città a grandi scale.** Hierher gehören vor allem die auf Grund der Meßtischblätter ausgeführten Umgebungskarten großer Städte und Garnisonen, dann von Inseln,

---

[1]) Das Verfahren ist dabei folgendes: Von den Originalaufnahmen werden lichtblaue Drucke hergestellt, in denen alle Teile des Gerippes, welche in der Karte erscheinen sollen, schwarz ausgezeichnet werden. Die Bodenformen werden in Rot und zwar nur die 50 m-Niveaulinien dargestellt. Darauf geschieht die photolithographische Verkleinerung dieser „Spogli" (Auszüge) auf 1 : 75000 und die sorgfältige Einpassung der Reduktionen auf 1 Blatt mit einem äußeren Rahmen, in welchen auch alle trigonometrischen Punkte eingetragen sind. Nachdem dann davon ein Umdruckstein (nach trockenem Verfahren) hergestellt ist, wird von ihm ein lichtblauer Abdruck gemacht, der darauf schwarz ausgezeichnet und beschrieben wird. Von ihm wird dann endlich heliographisch die Karte 1 : 100000 entnommen.

Bergen, Lagern &c. im Maßstabe von 1 : 10000 bis 1 : 100000, einzelne Blätter in Niveaulinien, andere in Bergstrichen oder in Schummerung, neuerdings als Buntdrucke (3—5 Farben)
und meist mit Niveaulinien und Bergstrichen. Die verschiedensten Vervielfältigungsverfahren, wie Kupferstich, Chromolithographie, mehrfarbiger Steindruck, Photolitho- und
Zinkographie kommen zur Anwendung.

II. Carte corografiche dell' interno Regno d' Italia e di regioni estere ad una o più provincie.

1. **Carta corografica del Regno d' Italia e delle regioni adiacenti
alla scala di 1 : 500000 in 35 Blatt (37 : 49 cm).** Diese 1890—93 in Florenz erschienene
Karte verdankt ihre Entstehung dem General Ferrero. Sie reicht westlich bis Montpellier—Nevero, östlich bis Budapest, nördlich bis München, südlich bis Tunis und Algier.
Es ist eine Übersichtskarte von konisch-konformer (Bonnescher) Projektion, die im Anschluß an die Generalstabskarte bearbeitet ist. Der Meridian für die Teilung der Kartenblätter in Rechtecke liegt etwa 16,7" östlich von dem des Monte Mario ab, die Mitte bei
42,5° Br. Die Originale sind auf Grund der Feldarbeiten und anderer Veröffentlichungen,
die zunächst in einen lichtblauen Abdruck der Karte 1 : 100000 eingetragen werden, in
1 : 300000 für die Planimetrie und 1 : 500000 für das Gelände photolithographiert und dann
durch Heliogravüre (System Gliamas) verkleinert, worauf die nötigen Umdrucksteine hergestellt werden. Die Bodengestaltung ist in silbergrauer Schummerung (schräge) Beleuchtung mit zahlreichen Höhenzahlen dargestellt. Die Gewässer sind blau, die Ebenen
grünlich, das übrige Gerippe und die Schrift der sehr übersichtlichen und vollständigen,
einen guten Eindruck machenden Karte sind schwarz wiedergegeben, und zwar durch
Photolithographie. Es gibt auch eine Ausgabe ohne Gelände, sowie eine schwarze und
eine Ausgabe, bei der nur die Gewässer blau koloriert sind. Die erste Konstruktion dieser
Karte wurde 1883 begonnen. 1889 wurde eine Neubearbeitung unternommen, von der
aber erst einige 30 Blätter erschienen sind.

2. **Nuova carta ipsometrica dell' Italia e delle regioni adiacenti**
1 : 500000 in 35 Blatt, für deren Planimetrie die vorgenannte Carta corografica die Grundlage abgibt, und welche außer dem Königreich noch das Schweizer Gebiet sowie die
angrenzenden Teile Frankreichs, Deutschlands und Österreich-Ungarns bis zur Balkanhalbinsel umfaßt. Diese ebenfalls von Ferrero angeregte Karte ist von der Kriegsschule unter
Leitung des Majors Conte Carlo Pozzi im Original ausgeführt und vom Institut wiedergegeben und gedruckt worden. Etwas über die Hälfte des in Chromolithographie hergestellten Werks ist erschienen. Das Gelände ist in farbigen Höhenzonen und in Niveaukurven dargestellt, und zwar sind die Zonen von 0—300 m in Grün (3 Töne), von
300—2800 m in Bister (5 Töne), von 2800—3600 m in Blau (1 Ton) und von 3600—4000 m
in Weiß ausgeführt. Die Kurven 100, 300, 800, 1300, 2000, 2800, 3600 und 4000 m
sind zusammenhängend, die Höhenlinien 200, 500, 1000, 1600, 2400 und 3200 m
gestrichelt angegeben. Die Gletscher sind durch blaue Bergstriche, die Hauptstraßen rot,
alles übrige ist schwarz dargestellt.

3. **Carta delle Alpi occidentali. Schizzo ipsometrico e stradale.**
1 : 500000 auf 2 Blatt. Die Karte reicht von Nîmes bis Spezzia und von Parey-le-Monial
bis Thusis und ist ebenfalls unter Pozzos Leitung von Kriegsschülern ausgeführt. Sie hat
ein sehr ansprechendes Äußere, auch ist von ihr ein Schizzo geologico mit geologischem
Flächenkolorit vorhanden.

4. **Carta Itineraria del Regno 1 : 300000 auf 24 Blatt,** für einige Teile, wo
die Gemeinden sehr dicht sind, wie um Mailand, in 1 : 200000. Sie ist eine Chromolithographie in drei Farben: Wegenetz rot, Gewässer blau, alles übrige schwarz. Das
Hauptstraßennetz wird in seiner ganzen Ausdehnung dargestellt. Dazu gehört ein alpha-

betisches Verzeichnis jedes Hauptortes der Gemeinden mit Angabe der Blätter und Quadranti, in denen die Gemeinde gelegen ist, sowie Entfernungstabellen. 1868.

5. Carta Itineraria del Regno in 1:1 Mill. auf 6 Blatt, dreifarbige Lithographie auf Grund der vorigen hergestellt. Sie unterscheidet in dem außer den Eisenbahnen rot angegebenen Straßennetze 3 Klassen je nach der Fahrbarkeit. Zuerst 1868, dann 1874 erschienen.

6. Carta d' Italia 1:800000 auf 6 Blatt in einer Vierfarben- und einer Einfarbenausgabe. Sie ist eine Photozinkographie der Originalzeichnung zu der (unter Nr. 7) folgenden Karte 1:1 Mill. 1896.

7. Carta d' Italia 1:1 Mill. auf 6 Blatt, zuerst 1885 erschienen, dann 1896 in 2 Ausgaben neu aufgelegt, nämlich einer Ausgabe in Schwarzdruck ohne Gelände und einer farbigen Ausgabe, bei die Gewässer blau, die Bergstriche (schräges Licht) braun, Gerippe und Schrift schwarz dargestellt sind. Die Originalzeichnung 1:800000 ist in Bonnescher Entwurfsart angefertigt. Photoincision (Heliogravüre) und Umdruck auf Stein.

8. Carta delle Provincie Napoletane 1:250000 in 25 Blatt, 1874 erschienen, 1869 auf Grund der alten, von den Österreichern berichtigten Karte Rizzi-Zannonis entworfen. Photoinzision nach General Avet.

9. Carta delle ferrovie e delle linee di navigazione del Regno d' Italia 1:1 Mill. Auf Grund der in 1:500000 gezeichneten Originalblätter hergestellte Chromolithographie in 2 Blatt. Die Stationsentfernungen sind in Kilometern angegeben. 1900. (Zuerst in 1:1500000 im Jahre 1874 erschienen).

10. Carta delle Provincie Meridionale 1:50000 in 174 Blatt. 1862—76. Nicht mehr evident gehalten, da durch die neueren Arbeiten ersetzt.

11. Carta dell' isola di Sicilia e delle Calabrie 1:500000 in 4 Blatt und auch Carta dell' isola di Sicilia allein in 1 Blatt. 1885.

12. Carta della circonscrizione militare 1:1200000 in 2 Blatt. 1884.

III. Kolonialkarten.

1. Carta oorografica della Colonia Eritrea e delle regione adiacenti 1:250000 auf 30 Blatt, von denen die zuerst seit 1885 erschienenen 16 Blatt die Zone zwischen dem 12. und 14. Parallel und dem 36. und 40. Meridian (von Greenwich) umfassen, während die weiteren die ganze Danakilküste, die Mündung des Assab, den Golf von Tadschura und das Sultanat Aussa darstellen. Diese Karte benutzt die Triangulation Äthiopiens von d'Abbadie, verschiedene Itinerarien &c. Sie ist eine Chromolithographie in 4 Farben und zeigt das Straßennetz rot, die Gewässer blau, die Gebäude &c. und die Schrift (mit Ausnahme der in Rot gegebenen ethnographischen Bezeichnungen) schwarz, das Gelände in braunen Schraffen mit zahlreichen Höhenangaben. Von dieser ersten, gleich nach Besitznahme von Massaua begonnenen Karte ist auch eine Reduktion in 1:400000 erschienen.

2. Carta della Colonia Eritrea 1:100000 in 34 Blatt (20' L., 20' Br.). Sie ist auf Grund von regelmäßigen trigonometrischen Vermessungen und topographischen Aufnahmen in 1:50000[1]), sowie zahlreichen Itineraren und à la vista-Skizzen, die 1889 bis 1898 ausgeführt wurden, entstanden. Das Gelände ist in braunen Niveaulinien und Schraffen dargestellt. Farbendruck, der Gewässer blau, Straßen rot, das übrige Gerippe und Schrift schwarz enthält.

3. Carta dimostrativa della regione compresa fra Massaua, Cheren, Adigrat ed Adua 1:40000 von 1887. Gelände in braunen Schraffen, Buntdruck.

---

[1]) Dieselben wurden besonders durch Orestes Baratieri während seiner Gouvernementszeit (1892—96) gefördert.

4. **Carta di Assab e dintorni** 1 : 10000 auf 1 Blatt. Eine 1885 hergestellte Photozinkographie, die das Gelände in 5 m - Niveaukurven wiedergibt.

IV. Andere, wissenschaftliche und historische, Kartenwerke und Veröffentlichungen.

Die Zahl dieser Arbeiten ist nicht unbeträchtlich. Es seien hier z. B. die 1883 erschienene „Pianta di Roma" 1 : 6000 aus der Zeit Julius III. (Anfang des 16. Jahrhunderts) in 6 Blatt, dann die Reproduzione fotozincografica della „Carta del Teatro della Guerra in Italia e nelle Alpi di Bacler d'Albe nella scala di una linea per trecente tese" (1 : 259265) von 1792—1800 in 30 Blatt großen Formats erwähnt. Dann z. B. die 1900 bzw. 1902 erschienenen Karten „Il Vesuvio" 1 : 10000 und „Cono Vesuviano" 1 : 25000, aus denen die wichtigsten Veränderungen dieses wechselvollen Gebiets ersichtlich sind. Dazu die noch unter „Literatur" zu nennenden Veröffentlichungen über die Arbeiten des Instituts und allerlei Karten für besondere Armee- und Privatzwecke, Kunstdrucke &c., ähnlich wie im Wiener Institut.

Veröffentlichungen anderer Behörden Italiens:

I. R. Comitato Geologico d'Italia.

Dasselbe steht unter Direktor N. Pellati und entfaltet eine sehr rege Tätigkeit. Die Originalmeßtischaufnahmen des Generalstabs werden seit 1887 zu einer „Geologischen Übersichtskarte" 1 : 1 000000 für ganz Italien in 27 Farbentönen verarbeitet, von der 1889 bereits die 2. Auflage erschienen ist. Dann stellt die Behörde eine „Geologische Übersichtskarte" 1 : 500000 und eine „Geologische Spezialkarte" 1 : 100000 her. Von letztgenannter sind Campagna Romana, Sizilien und Kalabrien fertig, und Kalabrien, von Cortese 1888—90 aufgenommen, bereits 1901 in einer von Di Stefano revidierten 2. Auflage erschienen (Rom). Die Fertigstellung des ganzen Werks wird aber leider noch lange auf sich warten lassen. Endlich ist eine „Carta delle Alpi Apuane" 1 : 50000 und eine „del' Isola d' Elba" 1 : 25000 und 1 : 50000 vorhanden. Sämtlich Steindruck. Auch gibt das Komitee „Memorie descrittive della carta geologica d' Italia" (in zwanglosen Heften) und ein „Bollettino" heraus.

II. R. Istituto Idrografico della Regia Marina in Genova.

Dieses unter Capt. di Vasc. P. L. Cattolica jetzt stehende Institut ist durch Dekret vom 26. Dezember 1872 an Stelle des Ufficio centrale per il servicio scientifico della R. Marina in Livorno errichtet worden und hat gemäß Parlamentsbeschlusses vom Jahre 1894 jährlich 300000 Lire zur Verfügung. Seine wichtigste Aufgabe ist, gute Seekarten für Italien herzustellen. Den Aufnahmen liegt ein 1867 aufgestelltes Programm zugrunde. Sie begannen im Norden der Adria, im Venezianischen Golf, und gingen allmählich nach Süden ins Ionische, Tyrrhenische und dann ins Ligurische Meer über, bis endlich die Küste von Sardinien den Abschluß machte. Die Triangulation der Adria ist im Anschluß an und gemeinsam mit Österreich-Ungarn ausgeführt worden. Während letztgenanntes seine Küsten bearbeitete (Kapitän F. v. Oesterreich), übernahmen die Italiener unter dem Schiffskapitän Duca A. Imbert die ihrige. 1877/78 erschien dann eine „Carta (Atlante) dell' Adriatico" in 4 Teilen von klarer und eleganter Ausführung auf Grund von topographischen Aufnahmen in 1 : 10000, 1 : 20000 und 1 : 50000, die Häfen in 1 : 2500 und 1 : 5000. Von diesem Werk ist zunächst eine im Wiener Militärgeographischen Institut unter Leitung von Anton Baur ausgeführte „Generalkarte" 1 : 1 000000 auf 1 Blatt (auch unter italienischem Titel) zu nennen, dann eine „Generalkarte" 1 : 350000 in 4 Blatt, die ebendort hergestellt wurde. Außerdem gibt es eine „Carta costiera dell'Adriatico confine austriaco al capo Colonna" 1 : 100000 in 24 Blatt und (die

Österreioh-Ungarn zugehörige) „Carta costiera austriaca" in 30 Blatt verschiedenen Maßstabes (östlich von den Lidi und dem Archipel von Porto Busa bis zum 30. Parallel). Wegen der übrigen Seekarten muß ich auf den „Catalogo per le navi da guerra della Regia marina italiana" verweisen, der außer einer Übersichtskarte in 1 : 2 000000 Karten von 1 : 50000 bis 1 000000, sowie Pläne von Küsten, Reeden, Häfen, Inseln von 1 : 4000 bis 1 : 40000 aller Küstenmeere Italiens aufweist.

III. R. Direzione Generale di Agricoltura.

Die R. Direzione Generale di Agricoltura, welche unter dem Ministerium di Agricoltura steht, gibt auf Grund der Generalstabskarte seit 1887 eine „Carta idrografica d'Italia" 1 : 100000 auf 242 Blatt (ohne Sardinien) heraus, welche in besonderen Maß- stäben auch die natürlichen und künstlichen Wasserläufe, z. B. den Tiber in 1 : 500000, enthält. Die Gewässer sind blau ausgeführt und enthalten die Angaben der Wasser- mengen. Die Regenmesser sind rot und mit Bezeichnung der Wassermengen dargestellt. Die mittleren jährlichen Regenmengen sind blau in Millimetern angegeben. Ebenso ist alles bewässerte Land blau, alles noch zu bewässernde rot schraffiert. Die Schrift ist gegen die topographische Karte vereinfacht, das Gelände ist ganz fortgelassen. Von dieser Steindruckkarte erscheint auch eine Verkleinerung in 1 : 500000 mit Text (1892 Nera e Velino, 1895 Lizi e Garigliano, 1896 Sele e Volturno, 1898 Tevere, 1900 Aterno e Pescara). Zur Karte 1 : 100000 gehören seit 1888 erschienene 25 Bände „Memorie illustrative" als Erläuterung.

IV. R. Direzione Generale della Statistica.

Sie gibt einen „Atlante statistico del Regno d'Italia" heraus. Auch ließ sie 1880 in 2 Blatt eine „Carta della circoscrizione elettorale politica dell' Italia" in 1 : 111111 auf 2 Blatt als kolorierte Lithographie erscheinen. Sie veröffentlicht die offiziellen „Annali di Statistica" seit 1884.

Die italienische Privatkartographie.

Die italienische Privatkartographie kann auch nicht entfernt der staatlichen folgen, was sehr bedauerlich ist. Um einige bessere Arbeiten von besonderem Interesse zu er- wähnen, seien genannt:

G. Garollo: „Atlante geografico storico dell' Italia" in 24 Blatt, meist 1 : 8 000000, mit 67 Seiten Text, enthält eine Fülle geographisch-statistischer Angaben. Mailand 1890. U. Höpli.

R. Lanciani: „Forma Urbis Romae" 1 : 1000, 12 Blatt, seit 1893. Der Plan bringt die übereinanderliegenden Bauschichten vom Altertum bis heute und die Aus- grabungen zur Darstellung.

F. Sacco: „Abozzo di Carta geologico dell' Appennino della Romagna" 1 : 100000 in 2 Blatt, Turin 1899.

G. Trabucco: „Carta geologica, geognostica, agricola dell' Alto Monferrato" 1 : 75000, Florenz 1899.

G. Cora: „Carta altimetrica e batometrica del Regno d'Italia" 1 : 200000.

Gambillo: „Nuova carta delle strade ferrate italiane" 1 : 1 Mill. (?).

Ferner sei die „Carta geologica della Provincia Vicenza" 1 : 100000 von A. Negri genannt, die mit Hilfe hervorragender Geologen wie Taramelli, C. di Stefano &c. im Auf- trage des italienischen Alpenklubs bearbeitet und 1901 veröffentlicht worden ist. Sie geht sehr ins einzelne und enthält in 5 Abteilungen das Quartär. Barattas 1901 bei Voghera erschienene „Carta sismica d'Italia" 1 : 1 500000 in 4 Blatt ist ohne Gelände, bringt die wichtigsten Schüttergebiete als blaue, die schwächeren als grüne und die nicht genau bestimmten als blaugrüne Flächen zur Anschauung und wird durch einen Text erläutert. Endlich seien Marinellis Seeaufnahmen der wichtigsten Provinzen Italiens hervorgehoben.

Von besonderem Interesse ist auch das von Cesare Piombas in Turin hergestellte große Relief von Italien auf gekrümmter Oberfläche 1 : 1 000000.

Ausländische Arbeiten.

Ihre Zahl ist sehr groß und teilweise vorzügliche Werke befinden sich darunter. Von

Veröffentlichungen ausländischer Behörden

sei vor allem auf die Arbeiten des Wiener K. u. K. Militärgeographischen Instituts hingewiesen, dessen Geschichte ja auch so eng mit der der bella Italia verwachsen ist, wie wir gesehen haben. Von den neueren Arbeiten ist Italien teilweise mit enthalten in der „Generalkarte von Mitteleuropa" 1 : 200000, der „Generalkarte von Zentraleuropa" 1 : 300000, der „Übersichtskarte von Mitteleuropa" 1 : 750000 (sämtlich Ober- und Mittelitalien bis zum 42.° n. Br. enthaltend), der „Hypsometrischen Übersichtskarte von Österreich-Ungarn" 1 : 750000 (mit einem Teil der Ostküste von Venedig bis Ancona). Auch wird die seit 1902 erscheinende neue „Übersichtskarte von Mitteleuropa" 1 : 750000 (Projektion Albers) Ober- und Mittelitalien bis zum 41.° n. Br. enthalten. Näheres s. „Österreich-Ungarn".

Weiter gibt es eine vom Landesbeschreibungsbureau des K. u. K. Generalstabs 1883 veröffentlichte „Hypsometrische Karte von Mittelitalien" 1 : 750000, eine Photolithographie und Farbendruck (66 : 77 cm). Endlich die schon erwähnte, vom Hydrographischen Amt in Pola gemeinsam mit dem italienischen herausgegebene „Carta dell' Adriatico".

Nicht minder eng ist das Pariser Dépôt de la Guerre, der heutige Service géographique de l'armée, an der Kartographie Italiens beteiligt. Von neueren Arbeiten außer der „Carte de France" in 1 : 80000 können die „Cartes de France" 1 : 320000, 1 : 500000, die „Cartes de la Frontière des Alpes" 1 : 80000 und 1 : 320000, die „Carte de l'Europe centrale" 1 : 320000 und endlich die „Carte militaire des principaux États de l'Europe" 1 : 2 400000 genannt werden, die mehr oder minder große Teile, namentlich des westlichen Oberitaliens, umfassen. Über die Ausführung der Karten siehe „Frankreich".

Die von der Preußischen Landesaufnahme herausgegebene Reymannsche Topographische Spezialkarte Mittel-Europas 1 : 200000 enthält ebenfalls Oberitalien und zwar bis zum 45.° n. Br. (Mantua).

Unter der Flut

privater ausländischer Arbeiten

seien die hervorragend schöne Vogelsche Karte von Italien 1 : 1500000 in 4 Blatt (mit Nebenkarten von Rom und Palermo 1 : 150000) und die Übersichtskarte 1 : 3 700000 (mit Nebenkarten von Rom, Neapel, Turin, dem Ätna und der Straße von Messina 1 : 500000), welche in dem Standwerke des Stielerschen Atlas enthalten und neuerdings verbessert und in schönem Braundruck erschienen sind, zunächst genannt. Den großen Fortschritt läßt ein Vergleich mit der ihrer Zeit guten Petermannschen Karte von 1863 am besten erkennen. Dann die H. Kiepertschen Arbeiten, so seine „Neue Karte von Unteritalien mit den Inseln Sizilien und Sardinien" 1 : 800000 auf 2 Blatt, ein 1882 erschienenes ausgezeichnetes Werk, seine „Karte von Unteritalien" 1 : 200000 (52 : 59,5 cm), ein neuerdings von Arnd redigierter, 1899 im Weimarer Geographischen Institut wieder aufgelegter Farbendruck, endlich H. Kieperts „Spezialkarte von Mittelitalien" 1 : 250000 auf 4 Blatt (Berlin 1881, Reimer, mit einem Vorbericht über die benutzten Quellen) und seine historischen Pläne von Rom 1 : 2500 und 1 : 10000. Weiter die Fritzscheschen Karten, wie seine „Carta topografica della provincia di Roma e regione limitrofe" 1 : 250000 vom Jahre 1892, mit einer Übersichtskarte des Albaner Gebirges, und seine große „Carta politica speziale del Regno d' Italia" 1 : 500000 auf 20 Blatt. Sie ist auf Grund amtlichen Materials verfaßt, enthält zwar kein Gelände, dafür aber eine Fülle guter Angaben, die Verwaltungs- und Gemeindegrenzen, Eisenbahnen, weiter statistische Tabellen, Quellenverzeichnisse am Rande. Freilich machen sie die hier zu zahlreichen Signaturen nicht gerade sehr lesbar. K. Bambergs Schulwandkarte von Italien 1 : 800000 in 12 Blatt (40 : 46 cm), ein Farbendruck mit rot bezeichneten politischen Grenzen, Berlin C. Chun, 6. Aufl. 1899, sei erwähnt. Dann natürlich die ausgezeichneten Arbeiten der verschiedenen deutschen Atlanten, wie E. v. Sydows und H. Habenichts methodischer Wandatlas, H. Wagners und E. Debes', R. Andrees, Sohr-Berghaus' Atlas-werke. Weiter die zahlreichen Hand-, Reise- und Radfahrerkarten, z. B. des Weimarer Geographischen Instituts Ober- und Mittelitalien 1 : 1200000, ganz Italien 1 : 2000000 in Farbendrucken, G. Freytags Radfahrerkarte 1 : 300000 (z. B. Südtirol und Oberitalien) in Farbendruck, G. Freytag & Berndt in Wien (1899), &c. Auch die Karten und Pläne der Reisehandbücher wie Baedeker, Meyer, Murray &c. verdienen erwähnt zu werden.

Von französischen Arbeiten möge Vivien de St. Martins „Atlas universel" zunächst genannt werden, der jetzt von F. Schrader fortgesetzt wird (Paris, Hachette & Cie). Er enthält z. B. „Italie septentrionale et méridionale" 1 : 1500000 auf 2 Blatt in ausgezeichneter Ausführung von F. Weinreb, F. Prudens, E. Delaune, E. Dumas-Vorzet, sowie eine „Carte générale" 1 : 2,5 Mill. Dann F. Schraders „Atlas universel de géographie", bei demselben Verleger. Weiter die tüchtigen Arbeiten R. Hauser-manns in dem „Atlas universel" der Gebrüder Fayard, Paris, und die Karten des groß-artigen „Atlas général" von P. Vidal de la Blache (A. Colin & Cie, Paris).

Von Schweizer Autoren seien die Arbeiten R. Leuzingers und F. Beckers hervorgehoben, so des erstgenannten „Reisekarte von Oberitalien (und den benachbarten Gebieten von Frankreich sowie dem größten Teil der Schweiz)" 1 : 900000, ein 51 : 73,5 cm großer Farbendruck, 1899 in 4. Aufl. bei J. Meier in Zürich erschienen, und Beckers sehr gelungene „Reliefkarte von den oberitalienischen Seen" 1 : 150000.

Unter den englischen seien die neue Coloured Hand Map: „Italy" von B. B. Dickinson und A. W. Andrews, die 1899 bei George Philipp & Son in London erschienen ist, sowie G. B. Grundy: „Italia and Sicilia" 1 : 1,2 Mill., London, J. Murray, erwähnt.

Von holländischen Arbeiten die Wandkaart voor schoolgebruik: „Italië" (94 : 73 cm), die R. Noordhoff in Amsterdam bei S. L. Looy erscheinen ließ.

Überaus groß ist natürlich die Literatur über die Kartographie eines so alten Kulturlandes wie Italiens. Von amtlichen Veröffentlichungen seien zunächst die wichtigsten des Geographischen Instituts erwähnt, bzw. seiner Offiziere und Beamten, soweit ihrer nicht schon gedacht wurde. Seit 1875 erscheint: „Elenco delle altitudine dei punti geodetici in Italia risultanti della triangolazione eseguita dal corpo di stato maggiore" und daran anschließend: „Elementi geodetici dei punti contenuti nei fogli (folgen die Nr. der Blätter, bis Ende 1902 für 136 in 79 Heften). Annibale Ferrero: „Esposizione del metodo dei minimi quadrati", 1876. Derselbe: „Rapport sur les triangulations". Col. Achille Coën: „Venticinque anni di lavoro dell' Istituto Geografico Militare", dato in luce dall' Istituto in occasione del 3° Congresso Geografico Italiano (Atti 1898), gibt eine vorzügliche Übersicht über alles Geleistete. Der frühere Direktor, General Biagio de Bene-dictis, hat ebenfalls in den Atti 1895 über die Geschichte und den Stand der Arbeiten des Instituts berichtet und dabei durch 12 Tafeln den Bericht erläutert, darunter eine Karte der Standlinien, dann des Dreiecksnetzes mit Anschlüssen, den Nivellements und Muster der topographischen Karte gegeben. Ebenso hat Oberstleutnant Botto 1895 über die Entwickelung und den Stand der Kartenwerke für den 1. Geographentag berichtet und der Generalstabsoberstleutnant E. de Chauraud de Saint-Eustache in seinem „Testo di Topografia militare" (Turin, Gebr. Pozzo, 1901) Geschichtliches über die italienische Militärkartographie gegeben, desgl. Oberstleutnant C. Fabris in „Le Carte dell' Istituto geografico militare". Endlich im Jahre 1903 Attilio Mori in seinem dem „Congresso internazionale di Scienze Storiche in Roma" gewidmeten: „Cenni storici sui lavori geodetici e topografici e sulle principali produzioni cartografiche, eseguite in Italia dalla metà del secolo XVIII ai nostri giorni" (mit 12 Porträts verdienter Männer des Instituts), P. Paganini: „La fototopografia in Italia" (Boll. della Società Geogr. 1881); „La fototopografia in Italia" (Rivista di Topografia e Catasto 1889); „Relazione sui lavori fotogrammetrici dell' Istituto Geografico militare" (Atti del 1° Congresso Geogr. Ital.); „La Fototopografia al l' Istituto Geogr. milit.; Applic. della fototop. all' idrografia", 1895; „Nuovi appunti di fototopo-grafia", 1896. Zahlreiche Veröffentlichungen hat auch das Institut über Breiten- und Asimutbestimmungen verschiedener Orte, sowie über Basismessungen herausgegeben.

Nicht minder wichtig sind die Publikationen der Commissione geodetica italiana. Ihre „Atti" erscheinen in den „Processi verbali" ihrer „Sedute", die für die Zeit von 1865 bis 1870 in einer „Raccolta" vereinigt wurden. Sie hat auch vielfach selbständige Schriften erscheinen lassen, so über „Determinazione della differenza di longitudine fra Napoli e Roma", 1887, &c., freilich meist von den Verfassern selbst unter ihrem Namen herausgegeben (Celoria, Respighi, Rajna, Porro &c.). Gemeinsam mit dem Institut, aber unter dessen Namen geht auch „Livellazione geometrica di precisione".

Das Ministero della Istruzione pubblica hat ein „Regolamento della R. Commissione geodetica italiana" verfaßt.

Das Ufficio idrografico gibt „Annali idrografici" seit 1900 als Zeitschrift des Marineamts heraus, in der eine umfassende Übersicht aller Arbeiten sich findet. Ebenso hat es zu der 1867—96 vollendeten hydrographischen Karte 1:100000 „Memorie illustrative della carta idrografica" in 25 Bänden erscheinen lassen.

Von sonstigen Arbeiten seien hier G. Marinelli: „Topografia e idrografia", Rom 1888, genannt, welche die geographischen Koordinaten und Höhen von 818 wichtigen Punkten sowie eine Übersicht der bedeutendsten Karten Italiens enthält, sowie desselben Verfassers „Saggio di cartografia della regione Veneta". Fr. L. Pullé: „Della opportunità di compilare un dizionario toponomastico dell' Italia, sulla base principalmente della carta d' Italia dell' Istituto Geografico Militare e del metodo e dei mezzi da impiegarsi all' uope" (Atti 3° C. G. Ital. 1899, Bd. II). G. Ricchieri: „Saggi di correzione dei nomi locali nelle carte topografiche dell' Istituto Geografico Militare, per quanto riguarda la Sicilia Occidentale e Meridionale" (Atti 1899, Bd. II.). F. Guarducci: „Rapport sur les travaux préparatoires pour la jonction de Malte à la Sicile" mit Karte 1:1500000. (Int. Erdmessung 1899.) Matteo Fiorini († 1901), der verdiente Führer Italiens auf dem Gebiet der Geschichte der antiken Kartographie, veröffentlichte: „Le proiezione delle carte geografiche" (mit 11 Tafeln). Castellani gab einen „Catalogo ragionato delle più rare e più importante opere geogr. e stampa, che si conservano nella bibliotheca del Colleg. Romano", Roma 1881 und G. Uzielli e P. Amati „Mappamondi, carte nautiche, portolani dei secoli XII.—XVI. (ed. 2a Roma 1882) heraus.

Von ausländischen Arbeiten nenne ich Th. Fischer: „Raccolta di mappamondi e carte nautiche dal XIII al XVI secolo", Venedig, F. Ongania, 1881, mit erläuterndem Text von 1886, und „La Penisola Italiana, Saggio di Corografia Scientifica", Turin, Unione Tipografico-Editrice, 1902, eine vom Verfasser durchgesehene und erweiterte Übersetzung des vortrefflichen deutschen Werkes, der sich V. Novarese, F. M. Passini und F. Rodizza untersogen haben. Es ist eine geographische Landeskunde bester Art, in der auch über die kartographischen Hilfsmittel berichtet wird, und der Karten und andere graphische Darstellungen beigefügt sind. Ebenso berichtet Fischer im Geographischen Jahrbuch (Gotha) 1899 über die Landeskunde Italiens. Dann die von Karten und Plänen reichen Reisebücher von Baedeker, Meyer, Grieben und J. A. Murray.

Endlich möge hier noch der auch für die Kartographie sehr wichtigen italienischen geographischen Gesellschaften und ihrer Zeitschriften gedacht sein. Die 1867 gegründete „Società Geografica Italiana" (Präs. Gius. Dalla Vedova) in Rom gibt seit 1868 ein „Bolletino", seit 1878 „Memorie" heraus. Es folgte 1879 die „Società Italiana di Esplorazioni Geografiche e Commerciale" in Mailand, 1880 eine „Società Africana d' Italia in Neapel, 1883 eine „Società di Studi Geografici e Coloniale" in Florenz, die seit 1884 die „Rivista Geografica Italiana e Bollettino delle Società di Studi Geografici e Coloniale", jetzt unter Redaktion von Prof. O. Marinelli und Att. Mori, veröffentlicht, endlich 1889 eine „Società Ligustica di Scienze naturali e geografichi" in Genua, die seit 1902 ein „Bolletino" herausgibt. In Turin erscheint seit 1875 die von G. Cora herausgegebene Zeitschrift „Cosmos". In Rom werden seit 1878 das „Annuario statistico italiano", seit 1884 die „Annali di statistica" verlegt. Auch das zu Mailand bei Fr. Vallardi erscheinende „L'universo", Geografia per Tutti", das L. Cori leitet, und die besonders für das Kartenwesen wichtige „Rivista di topografia e catasto (seit 1888) seien erwähnt.

Viel wird auch staatlicherseits zur Hebung des Unterrichts in der Geographie durch Ausbildung tüchtiger Fachlehrer und Errichtung von Lehrstühlen an den Universitäten getan, und rege ist die Forschertätigkeit bis hinauf zu Italiens Fürsten.

C. Die Balkanhalbinsel.

Kein Land Europas, Spanien und Portugal vielleicht ausgenommen, ist kartographisch so vernachlässigt, wie die im Norden kontinental beginnende und sich in etwa 800 km Breite (von Fiume bis zu den Donaumündungen) an den Rumpf dieses Erdteils anlehnende, im Süden inselartig endende, vom Adriatischen, Jonischen, Ägäischen und Schwarzen Meere eingeschlossene Südosteuropäische Halbinsel[1]), das weit mehr als die Appenninische und Iberische von Gebirgen erfüllte Übergangsland zwischen Europa und Asien.

Im Altertum war der festländische Norden von Barbaren bevölkert und hat daher nie oder erst sehr spät eine geschichtliche Bedeutung erlangt. Es waren im Westen die Illyrier, im Osten die Thraker, welche diese Wohnsitze einnahmen und beständig in Kriegen lebten.

Die den das Maximum von Berührung zwischen Land und Wasser darstellenden südlichen Teil bewohnenden 4 griechischen Stämme sind zwar von großem kulturgeschichtlichem Einfluß gewesen, und auch das Wiegen- und Jünglingsalter der Kartographie

---

[1]) Zuweilen auch, aber nicht zutreffend, Illyrische, Griechische, Türkische, Südslawische Halbinsel genannt.

verdankt ihnen Außerordentliches; Grundlegendes aber für die Darstellung ihrer engeren
Heimat und gar der ganzen Balkanhalbinsel ist wenig von ihnen geschehen, man kam über
die Umrisse nicht viel hinaus. Hier war es das Fehlen eines gemeinsamen Staats, das
keinen Anlaß, vor allem aber auch nicht die Mittel und Kräfte zu einer wirklichen Landesvermessung und Aufzeichnung bot. Und in römischer Zeit ist man über rein praktischen
Zwecken dienende Wege- und Küstenkarten nie hinausgekommen, von einer gerade hier so
wichtigen Gebirgsdarstellung konnte bei dem damaligen Stande des Kartenwesens keine
Rede sein.

Und als dann das römische Reich zerfiel und die Halbinsel der Mittelpunkt jenes
oströmischen, byzantinischen oder griechischen Kaisertums wurde, das in langem und zähem
Dasein das Altertum mit der neueren Zeit verknüpft, war die Neigung wie die Möglichkeit
zur Vermessung erst recht nicht vorhanden. Die Südosteuropäische Halbinsel fiel in den
verheerenden Völkerkriegen des früheren Mittelalters in Barbarei, und nach dem Falle von
Byzanz begann die jeder kartographischen Arbeit feindliche osmanische Mißwirtschaft. Damit hört allmählich die geographische Kenntnis jener Länder so gut wie ganz auf, sie
mußten später förmlich neu entdeckt werden.

Bis in den Beginn des 19. Jahrhunderts blieb dieser traurige Zustand, und auch dann
geschah nichts von den einheimischen Regierungen, sondern die Kriege, welche fremde
Nationen führten, brachten erst wieder die Grundlagen eines Kartenbildes und damit den Be-
ginn einer Landeskunde zustande und wirkten also mittelbar kulturfördernd. Ausländer führten
Aufnahmen aus, die Österreicher im Westen, die Russen im Osten, die Franzosen im
Süden des Festlandes und die Engländer auf dem Inselmeer. Und dann erschlossen Eisen-
bahnbauten oder -projekte das Land, lieferten die ersten zuverlässigen Höhenangaben und
Punkte, brachten geologische Untersuchungen und Messungen zustande. Dazu kamen die
Entdeckungsreisen einzelner in das ganz dürftig oder gar nicht bekannte Innere, so schon
Ende der dreißiger Jahre Ami Boués und Viquesnels, Griesebachs u. a., bis dann in
Heinrich Kiepert der Mann erstand, durch dessen außergewöhnliche Tätigkeit Ordnung
in das gesamte vorhandene, vielfach zerstreute kartographische und literarische Material
und auch in die oft verwirrende Nomenklatur gebracht wurde. Aber erst der russisch-
türkische Krieg 1877/78 rief eine neue Epoche in der Geschichte der Kartographie
der Balkanhalbinsel hervor. Die energisch und rasch ausgeführten großartigen russischen
Aufnahmen der europäischen Türkei, vor allem des heutigen Bulgarien und Ostrumelien,
wirkten bahnbrechend, bald folgten andere Staaten, vor allem Österreich-Ungarn, diesem
Beispiel für ihre Länder, und endlich ließ sich sogar die Türkische Regierung aus ihrer
Lethargie und Abneigung vor geodätischen und kartographischen Arbeiten aufrütteln, dank
vor allem einem deutschen Offizier, Colmar v. d. Goltz-Pascha, wie auch deutsche Gelehrte,
es genüge, die Namen Philippson, Partsch, Hassert unter anderen zu nennen, die größten Verdienste um die neuere Kartographie der Balkanhalbinsel haben, neben den schon früher einsetzenden geodätischen und topographischen Missionsreisen von Offizieren des österreichischen
Militärgeographischen Instituts. Aber weit ist noch der zurückzulegende Weg, große
Teile von Albanien und fast ganz Makedonien sind topographisch noch eine Terra incognita.
Die Türkische Regierung wie die der einzelnen Staaten haben also noch gewaltige Aufgaben vor sich.

Während die zu Österreich-Ungarn gehörigen Gebiete von Dalmatien und das südwestliche Kroatien bei diesem Lande behandelt werden, sollen hier nacheinander die verschiedenen Staaten der Balkanhalbinsel nun betrachtet werden, nämlich Griechenland,
Bulgarien, Serbien, Montenegro, Rumänien (obwohl nördlich der Donau gelegen), die
europäische Türkei (d. h. ihre unmittelbaren Besitzungen) und Bosnien mit der Herzegowina. Voranschicken aber will ich die die ganze Südosteuropäische Halbinsel oder größere Teile derselben behandelnden Kartenwerke, die in der Zeit vom

Ende des 18. Jahrhunderts bis heute entstanden sind. Das ihr Vorausgegangene, z. B. 2 Karten aus der Mitte des 14. Jahrhunderts, die das Nordgebiet der Halbinsel umfassen, mit Ortsnamen daraus (Belgrado, Bulgarien &c.) und einer lateinischen Legende in gotischen Lettern — Beilagen zu dem großen Ruf genießenden Werk des Paulus Santinus „Tractatatus de re militari e de machinis bellicis[1]" —, dann die Karten Mercators (um 1600), W. J. und C. Blaeus (1620—40), J. Janssonius (1650—70), J. B. Homanns & Nachfolger (seit 1710), Seutters u. a. bringen zwar dem Historiker und Geographen manches Interessante, können aber den Topographen und Kartographen wenig oder gar nicht befriedigen. Was davon doch erwähnenswert, wird bei den einzelnen Staaten genannt werden.

Ich folge bei der Darstellung der Neuzeit — außer älteren Arbeiten von v. Sydow, H. Kiepert u. a. — vor allem und sehr wesentlich der eben erst erschienenen, für die neueste Geschichte der Balkanhalbinsel und ihrer Staaten grundlegenden Arbeit von Vincenz v. Haardt: „Die Kartographie der Balkanhalbinsel im 19. Jahrhundert" (Wien 1903, Verlag des Militärgeographischen Instituts).

I. Gesamtdarstellungen.

Die Karte von Le Rouge: „E'Empire Ottoman", in mehreren Blättern verschiedenen Maßstabes aus dem Jahre 1770, und Rizzi-Zannonis „Carte de la partie septentrionale de l'Empire Ottoman, contenant la Crimée, la Moldavie, la Valakie, la Bulgarie" &c. 1:1 400 000 aus dem Jahre 1774, von der auch eine farbige Ausgabe mit braunem Geländedruck vorhanden ist, können als die ältesten besseren Arbeiten größerer Teile aus dem 18. Jahrhundert bezeichnet werden, sind aber noch sehr fehlerhaft und dürftig.

Das 19. Jahrhundert leitet Mannerts kolorierter Kupferstich (52:70): „Charte von der europäischen Türkei" aus dem Jahre 1804 ein. Kanitz sagt, daß sie gegen die vorgenannten Arbeiten eher einen Rück- als einen Fortschritt bedeute. Dann folgt die dem Herzog von Ragusa gewidmete „Carte de la plus grande partie de la Turquie d'Europe" von Palma, die 1811 in Triest erschien und in den der Adria näher gelegenen Gebieten nach Kanitz wirkliche Fortschritte zeigt. Auf sie hat vielleicht eine Arbeit Arrowsmiths Einfluß gehabt. Es schließt sich an J. Riedls „Carte de la Turquie européenne ou de la Presqu'ile entre la Save, le Danube et la Méditerrannée" 1:1 900 000 aus dem Jahre 1812 (Berlin, J. Schropp & Cie.), die dem „Hochgeboren Herrn Grafen Wenzeslaus Severin Rzewusky" gewidmet war und auch einen ausführlicheren Titel als „General-Charte von Rumeli nebst Morea und Bosna" &c. führte. Sie hat aber das Kartenbild wenig gefördert, im nordwestlichen Teile und in der Dobrudscha ist sie am reichhaltigsten. Das Gelände ist schematisch in schraffierten Raupen ohne Höhenzahlen dargestellt. Sodann kommen in Betracht eine Karte von E. G. Reichard: „Der europäische Teil des Türkischen Reichs", Nürnberg 1816, bei Friedrich Campe, und F. Guillaume de Vaudoncourts „Carte générale de la Turquie d'Europe" &c. von 1818, zu der ein in demselben Jahre geschriebenes Mémoire gehört, Dépôt des cartes géographiques de Ch. Reinhard). Kanitz urteilt günstig über diese Arbeit und sagt, daß sie „in den östlichen Partien an der Donau neben manchen neuen Fehlern einige wesentliche Verbesserungen zeigt, die sich namentlich in der richtigeren Terraindarstellung, Orientierung und Nomenklatur bemerkbar machen". Besonders die Naturtreue des Timokgebiets lobt er. Von hervorragendem Werte aber und für Jahrzehnte die Quelle aller späteren Karten war des Chevalier Lapie, Officier supérieur au Corps Royal des Ingénieurs Geographes, 1822 in Paris bei Ch. Picquet,

---

[1] Es ist eine Wiedergabe der 10 Bücher der Ikonographie des berühmten Taccola, gen. »Archimedes", in Venedig und befindet sich jetzt in der Pariser Nationalbibliothek, wohin es aus dem Besitz des Marquis de Louvois gelangt ist, der es von dem französischen Gesandten der Pforte, dem Renegaten Girardin erhalten hat.

Géographe ordinaire du Roi, veröffentlichte „Carte générale de la Turquie d'Europe en XV feuilles". Sie ist in 1:816000 von Flahaut in Kupfer gestochen und umfaßt die ganze Balkanhalbinsel von Agram, Szegedin und Czernowitz im Norden bis Kreta im Süden, auch das westliche Kleinasien. Napoleons Entsendung von Ingenieur-offizieren und Konsulatsbeamten zur Erkundung der wichtigsten Straßenzüge der Türkei 1807—12, an der z. B. Vaudoncourt, Palma, Pertusier, Sorbier, F. C. Pouqueville teil-nahmen, hat wichtiges Material zu dieser sorgfältigen und talentvollen Arbeit geliefert, ferner die österreichischen Karten der Walachei von 1812, die russischen der Moldau und Walachei von 1817—20, Riedls Karte von 1810 &c., welche der Direktor des Dépôt de la Guerre, Lieutenant Général Comte Guilleminot und der Maréchal de Camp Baron de Tromelin zur Verfügung stellten. „Dennoch war der Kombination am Zeichentisch", wie Sydow sagt, „noch ein reiches Feld belassen, und es konnte nicht ausbleiben, daß dem an und für sich hochzuachtenden Werke noch vieles abging, was man von einer guten Spezialkarte zu fordern hat". Auch Kiepert findet, daß die Karte Lapies, der leider das darüber beste Belehrung gewährende Werk des englischen Obersten Leake nicht gekannt zu haben scheint, noch sehr bezüglich Epirus, Thessalien und des südlichen Makedonien vervollständigt werden könnte. Kanitz tadelt besonders das Lomgebiet, lobt aber, als richtiger als auf früheren und späteren Karten, unter ihren bulgarischen Namen ein-getragen, den „Chodža-Balkan" (Stara Planina) und das Suva-Gebirge. Immerhin war diese Arbeit ein sehr großer Fortschritt für die damalige Zeit infolge ihrer Reichhaltigkeit, ihrer richtigen Zeichnung der Küstenlinien und des Flußnetzes, besonders der Donaumündungen und der plastischen, unter Anwendung der schiefen Beleuchtung erfolgten Wiedergabe des Geländes in Bergstrichen, statt der Raupen. Freilich fehlen Höhenangaben. Auch viele neue Landschaftsnamen und Volksstämme sind eingetragen. Dazu als Nebenkarten je ein Plan von Saloniki, der Insel Rhodus sowie Kärtchen der Umgegend von Konstantinopel 1:200000 und der Dardanellen 1:266666. Auch eine Übersichtskarte des gesamten Türkischen Reichs, eine Reduktion der vorigen in 1:3 Mill., ließ Lapie in demselben Jahre erscheinen, die J. A. Orgiazzi, Graveur des Dépôt de la Guerre, gestochen hat. 1822 kam endlich von dem Géographe ordinaire des Königs und des Herzogs von Orléans, Charles Piquet, eine „Carte de l'Empire Ottoman en Europe et en Asie" 1:3 300000 heraus, die, in Kupferstich ausgeführt, das Gelände in Schraffen mit schrägem Licht gibt, aber hinter Lapies Arbeit zurücksteht.

Die wichtigen russischen Vermessungsarbeiten während des Krieges 1828/29 ergaben eine „Karte des Kriegsschauplatzes in der Türkei" 1:420000 von Pozniakow und Mednikow, die 1828/29 erschien, und eine vom Topographischen Depot in St. Petersburg 1831 veröffentlichte „Karte der europäischen Türkei" in gleichem 10 Werst-Maßstabe auf 20 lithographierten Blättern mit russischer Beschreibung. Sie geht im Osten bis zur Donaumündung und dem Bosporus, im Nordwesten bis nach Österreich-Ungarn, im Süden reicht sie bis zum Busen von Saloniki und Konstantinopel. Sie ist von reichem Inhalt, wenn auch technisch mangelhaft hergestellt. Sehr eingehend sind die Ortsangaben und das Wegenetz behandelt, minder gut ist das Flußnetz, nicht eindrucksvoll das ge-schummerte Gelände dargestellt, das nur vereinzelt Höhenzahlen in russischen Fuß ent-hält. Von anderen Karten dieser Zeit sind die nach Sydows Urteil sich streng an das Lapiesche Vorbild anlehnende sechsblättrige der Cottaschen Anstalt in München: „Das Osmanische Reich in Europa" nach dem Stande vom Jahre 1828, 1:1000000, die bei Artaria 1828 erschienene sechsblättrige Kupfersticharbeit von Fr. Fried: „Karte des größten Teils des europäisch-osmanischen Reiches" 1:738000, mit schraffiertem Gelände ohne Höhenzahlen, sowie in der Moldau und Walachei reicheren Einzelheiten, und die vom österreichischen Generalquartiermeisterstabe 1829 herausgegebene „Karte der europäischen Türkei nebst einem Teile von Kleinasien" in 21 Blatt 1:576000 des

Oberstleutnants Weiß, die Sydow und Kiepert ungünstig beurteilen und als im wesentlichen von Lapie entnommen bezeichnen, „eine sehr flüchtige, durch die damalige politische Lage verursachte Gelegenheitsarbeit", wie Kiepert in seiner allerdings meist scharfen
Beurteilung kartographischer Arbeiten äußert, während Boué sie zu den besten der damaligen Karten der Balkanhalbinsel rechnet, so daß die Wahrheit wohl in der Mitte liegen
möchte. Wesentlich Neues über Lapie hinaus zu bringen, war ja damals auch nicht möglich.
Die Kupferstichkarte gibt, abgesehen von einem kleinen Küstengebiet um Zara und Spalato,
die ganze Halbinsel, das Gelände in Bergstrichen mit einzelnen Höhenzahlen, die Ortschaften oft mit wertvollen Angaben über Einwohnerzahlen, Entfernungen (türkische Reise-
stunden?), Doppelnamen &c. begleitet. Kanitz bedauert, daß Weiß nicht die ältere handschriftliche Karte des Generalquartiermeisterstabes von 1809/10 benutzt hat, die vielfach
zuverlässiger sei.

Von größter Bedeutung für die wissenschaftliche Erforschung der Balkanhalbinsel,
wenn auch in kartographischer Hinsicht mehr durch zutreffende Beurteilung und Berichtigung der schon vorhandenen Kartenwerke, als durch eigene Leistungen wertvoll, war die
1836—38 ausgeführte Forschungsreise, die der Franzose Ami Boué in Begleitung der
französischen Geologen Montalembert und Viquesnel und der beiden Österreicher, des Botanikers Friedrichsthal und des Zoologen Schwab, ausführte. Seinem vierbändigen Meisterwerke „La Turquie d'Europe" (Paris 1840, Bertrand), das noch heute von hoher Wichtigkeit ist, lag eine kleine lithographierte Übersichtskarte, „Carte de la Turquie
d'Europe", bei, die skizzenhaft die ganze Balkanhalbinsel bis an die Nordgrenze des
Peloponnes in schraffiertem Gelände und mit den Fahr- und Reitwegen wiedergibt. Auch
soll nach Touls von Boué ein Manuskript-Atlas von 13 Karten vom Jahre 1850 bei der
Wiener Akademie der Wissenschaften vorhanden sein, der aber nicht veröffentlicht ist.
Sehr wichtig für die Kartenzeichner sind aber Boués Routenbeschreibungen, die 1854
noch in einem besonderen „Recueil d'Itinéraires" in 2 Bänden (Wien, Braumüller) herausgegeben sind. Šafařik sagt, daß viele bis dahin gänzlich unbekannte Gegenden „uns zum
ersten Male in Boués Werk, wie eine neue Welt aus dem Chaos, in überraschender Wahrheit und Klarheit vor die Augen getreten". Freilich beklagt er auch, daß Boué fremde
Arbeiten von Gegenden, die er selbst nie bereist hat, „dergestalt mit den seinigen zu
verschmelzen keinen Anstand nahm, daß es selbst dem Manne vom Fache schwer fallen
dürfte, diese von jenen oder das Gold vom Kupfer überall mit Sicherheit auszuscheiden".
Ein reiches kartographisches Material von einzelnen Teilen der Halbinsel bietet dann
ein Atlas in 34 Blatt von Viquesnel, dem Positionsbestimmungen des Bureau des
longitudes und russischer Generalstabsoffiziere, die der Astronom Struve veröffentlicht hat,
sowie 1854 gemachte Aufnahmen französischer Offiziere als Grundlagen für seine Karte
und seine Itineraraufnahmen gedient haben. Von hervorragender Bedeutung für die Kartographie der Balkanhalbinsel ist dann H. Kieperts „Generalkarte von der europäischen
Türkei" in 4 Blatt 1:1 000 000, Berlin 1853, die das gesamte vorhandene Originalkarten-
und Itinerarmaterial kritisch verarbeitet hat, mit einem Geschick, einer Sorgfalt, einer
Stoffkenntnis, wie sie nur einem so bedeutenden Kenner der Balkanhalbinsel möglich war.
v. Sydow sagt, daß das Kartenwerk „die Lapiesche Karte und alle dieser nachgemachten
entbehrlich gemacht hat und in der Geschichte der Kartographie der Türkei einen neuen
Abschnitt absteckt".

Zwei Punkte sind besonders hervorzuheben, nämlich die Vermeidung jeder willkürlichen Kombination, also die deutliche Bezeichnung des wirklich Festgestellten und seine
Unterscheidung von dem noch zu erforschenden Gebiete, und die Einführung einer möglichst einheitlichen, leicht lesbaren Schreibweise der Namen, um dem Leser die richtige
Aussprache zu ermöglichen. Ganz ließ sich solche einheitliche Rechtschreibung bei den
zahlreichen Sprachen und Dialekten natürlich nicht durchführen. Aber wenigstens sind

40*

alle slawischen, walachischen, albanesischen und türkischen Namen im türkischen Gebiete
in deutscher, alle auf österreichisch-ungarischem sich findenden in der dort einheimischen
(deutschen, magyarischen, serbisch-kroatischen und serbisch-dalmatischen) Orthographie
wiedergegeben. In einer sehr wertvollen „Erläuterung" beurteilt Kiepert kritisch das gesamte vorhandene Kartenmaterial. 1870 kam eine Neuausgabe zustande, die sehr durchgreifende und umfangreiche Berichtigungen enthält, so daß Kiepert selbst gesteht und
Sydow zustimmt, daß es vorteilhafter gewesen wäre, ein in Anlage und Ausführung ganz
neues Kartenwerk zu schaffen. Die Karte hatte aber in ihrer Klarheit und Übersichtlichkeit keineswegs dadurch gelitten und verkörperte den damaligen Standpunkt der türkischen Landeskunde in vollkommenster Weise, wie die berufensten Kenner Sydow, Kanitz,
Steinhauser u. a. feststellten. Auch zu dieser, in der Ausführung der geschmackvollen
ersten Auflage gleichenden Karte, die auch dieselben Pläne der Dardanellen und des Bosporus 1:200000 und eine Karte von Montenegro 1:500000 als Nebenkarte enthält, hat
Kiepert einen erläuternden „Vorbericht" gegeben, aus dem vor allem das reiche, teilweise
noch nicht veröffentlichte Quellenmaterial hervorgeht. Dazu gehörten die Itinerarien von
Božik für Nordbosnien, die Spezialkarten von Vaclik über die Herzegowina, Montenegro
und Nordalbanien, die Arbeiten von H. Barth über Albanien, Makedonien, Thrakien und
Bulgarien, Kanitz' Krokis über den westlichen Teil der bulgarischen Donauterrasse, die
türkische „Carte du Vilayet de Touna" u. a. 1855 ließ Kiepert dann in 1:3000000
eine „Generalkarte des Türkischen Reiches in Europa und Asien, nebst
Ungarn, Südrußland, den kaukasischen Ländern und Westpersien" auf 4 Blatt bei Reimer
erscheinen, die bezüglich der Türkei eine sehr gelungene und übersichtliche Verkleinerung
der Karte von 1853 bedeutet. Sie ist 1865 in französischer Ausgabe als „Carte générale
de l'Empire Ottoman en Europe et en Asie" erschienen, die nur eine geringe Vervollständigung aufweist und 1867 eine 2. Auflage erlebt hat, während von der deutschen
Ausgabe 1877 eine vielfach berichtigte, auch Afrika einschließende Auflage erschien.

Stielers Handatlas brachte 1868 ein Blatt: „Die Europäische Türkei",
1:2500000 in guter Ausführung, die v. Hochstetter zuverlässig gefunden hat. Von erheblichem Wert waren auch die 1869 ausgeführten Reisen G. Lejeans für die Kartographie der Balkanhalbinsel, welche seine früheren, seit 1857 unternommenen, ergänzten
und zur leider nicht veröffentlichten Ausarbeitung einer „Karte der Europäischen Türkei"
in 1:200000 auf 49 Blatt führten, von denen er vor seinem Tode noch 20 vollendete.
Kiepert spricht sich äußerst anerkennend über diese Arbeit aus. Ferner unternahmen von
1867—69 die Russen Erkundungen für eine Triangulation, wobei 31 Punkte astronomisch
bestimmt wurden, und entwarfen gleichzeitig eine neue „Karte der Europäischen Türkei"
1:420000 im Topographischen Bureau zu St. Petersburg, sowie seitens der Militärakademie des Generalstabs eine „Karte der Türkei" 1:840000. v. Hochstetter
hat eine sehr wichtige „Geologische Übersichtskarte des östlichen Teils der Europäischen
Türkei" 1:1000000 1870 veröffentlicht, deren topographische Bedeutung hauptsächlich
in der Benutzung eines Teils der noch nicht veröffentlichten neuen Generalkarte Kieperts
(von 1870), mit Weglassung eines Teils der Ortsnamen sowie des Geländes, lag. 1873
erschien eine „Generalkarte der Europäischen Türkei" in 6 Blatt 1:400000 des Hauptmanns J. Stuchlik und des Oberleutnants P. Moretti, welche für die Wiener Weltausstellung ausgearbeitet und durch Aly Effendi unter Leitung des Professors Plechacsek
türkisch beschrieben war. Sie war auf Grund neuerer astronomischer Ortsbestimmungen,
der Sohedaschen und Kiepertschen Generalkarten von 1869 und 1870, Studien und Routen
in Serbien, Bulgarien und Albanien, Aufnahmen der Baudirektion der rumelischen Bahnen &c.
entworfen und von sehr reichhaltigem Inhalt. Das geschummerte Gelände enthielt keine
Höhenzahlen.

Seit 1876 wurde auch die „Generalkarte von Zentraleuropa" 1:300000 des Militärgeographischen Instituts auf die Balkanhalbinsel, zunächst in provisorischer Weise, erweitert, während 1878 von ihr eine „Gerippkarte" in 1:500000 reduziert und ferner Steinhausers „Hypsometrische Karte der Türkei" 1:1500000 als Teil seiner großen von Mitteleuropa erschien. 1879 fügte J. Strelbicki 15 Kartenbeilagen seinem Werke „Possessions des Turcs sur le continent Européen de 1700 à 1879" bei. Vielfache Verbesserungen gegen ältere Ausgaben enthielt dann die 1880 erschienene Bearbeitung der Schedaschen „Generalkarte der Balkanländer" 1:864000 in 13 Blatt durch A. Steinhauser, die Vogel günstig beurteilt, besonders auch den beigefügten prächtigen chromolithographischen „Plan von Konstantinopel" 1:28000 (Artaria, Wien). Dr. K. Peucker hat 1897 eine Neuausgabe bewirkt. Einen weiteren Fortschritt bedeutete dann desselben Verfassers 1887 ebendaselbst erschienene „Karte von Südosteuropa" 1:2000000, welche die Staaten der Balkanhalbinsel mit reicher Situation und braun eingedrucktem schraffiertem Gelände darstellt und die Meeresflächen in Isobathen von 50, 100, 200, 500, 1000, 1500, 2000, 2500 und 3000 m wiedergibt. Die Detailzeichnung läßt zwar zu wünschen übrig, doch sind die Verkehrswege in Europa und Asien deutlich hervorgehoben worden. Diese sehr brauchbare Hand- und Reisekarte ist 1903 mit neuester politischer Einteilung und statistischen Angaben (Heeresstärke der orientalischen Mächte, historische Entwickelung der Gebietserweiterungen &c.) von Dr. Karl Peucker neuherausgegeben worden.

Nicht eigentliche Originalwerke sind die Karten von Sidorow 1:1680000 (St. Petersburg 1883), W. Liebenow 1:1250000 (Berlin 1886), Freytag 1:1600000 und A. Kullemin 1:3000000 (Paris 1889). Dagegen ist eine wertvolle Originalkarte die 1887 vom Militärgeographischen Institut herausgegebene 4blättrige in 1:1200000: „Der europäische Orient", eine farbige Höhenschichtenkarte, die nach Vogel das hypsometrische Bild „überraschend klar" in Isohypsen von 200, 500, 1000, 2000 und 2500 m Schichthöhe gibt, und zwar die Höhen von 0—200 m und über 2500 m weiß, von 200—2500 m braun, die Täler und Ebenen grün. Kiepert stellt die Verwertung alles neueren Materials fest, bemängelt, daß rein hypothetische Teile nicht als solche durch bloße Punktierung der Horizontalkurven kenntlich gemacht sind, und findet manche Irrtümer und Inkonsequenzen in der Namenschreibung. Weiter sind erwähnenswert die Müllhauptsche „Carte de la presqu'île du Balcan et des états limitrophes" 1:3000000 (Bern 1888) und Habenichts „Orohydrographische Schulwandkarte der Balkanhalbinsel" 1:750000 in dem bekannten Sydow-Habenichtschen Atlas. Hervorragenden Wert hat dann wieder C. Vogels meisterhafte 4blättrige Karte „Die Balkanhalbinsel" in 1:1500000 im Stielerschen Atlas, mit den Nebenkarten: „Konstantinopel" 1:150000 und „Athen und Piräus" 1:150000, von 1890. Er wendet südslawische Namenschreibung in dieser mit Hilfe von B. Domann in vorzüglichem Kupferstich ausgeführten, echt wissenschaftlichen Arbeit an, zu der er auch einen sich über die Quellen äußernden erläuternden Text in den Petersm. Mitteilungen von 1890 (S. 42 ff.) verfaßt hat. Nur die rumänische Generalstabsaufnahme der Dobrudscha in 1:10000 und ihre Verkleinerung in 1:200000 konnte Vogel nicht mehr völlig benutzen. Die neueste Ausgabe des Stieler in Braundruck verwertet natürlich alles seither vorliegende beste Material. Vom französischen Ministère de la Guerre (Service géographique de l'armée) ist 1899—1900 eine „Carte des Balcans" 1:1000000 in 6 Blatt bearbeitet worden, welche die ganze Halbinsel bis zur Insel Kreta, jedoch ohne die Donaumündungen, umfaßt, einen sehr reichen Inhalt hat und einen günstigen Eindruck macht. Das Gelände ist in graubrauner Schummerung unter Anwendung schrägen Lichts, stellenweise etwas unruhig wirkend, dargestellt, das Flußnetz blau, das Wegenetz — mit Ausnahme der schwarz gehaltenen Eisenbahnen — rot und oft zu dicht im Verhältnis zum Maßstabe. Die Schreibweise ist die phonetische Übertragung der Namen in die französische Sprache. Bessere Arbeiten sind ferner die in Sofia erschienene „Staro Planinski Poluostrov ponajnovi istočnici" 1:200000 von N. Dankow und D. Ilkow, wenn sie auch die neuesten Quellen nicht genügend ausnutzt, und E. Kogutowicz' „Gesamtkarte der Balkanhalbinsel" 1:800000 (Budapest 1903) auf 4 Blatt, mit geschummertem Gelände, reichen Höhenangaben, dichtem Wege- und Ortsnetz, blauen Gewässern. Endlich die „Übersichtskarte der Balkanhalbinsel" 1:3000000 aus dem Scheda-Steinhauser-schen Handatlas, in neuer Ausgabe von 1903 und die Karte in dem russischen Atlas von Marcks.

Von amtlichen Kartenwerken seien schließlich noch erwähnt die „Karte der Europäischen Türkei" 1:210000 in 64 Blatt des Osmanischen Generalstabs (siehe „Europäische Türkei"), der voraussichtlich eine solche in 1:300000 auf 74 Blatt, die auch Kleinasien enthalten soll, folgen wird, die Russische Spezialkarte eines Teils der Balkanhalbinsel 1:126000 in 57 Blatt, und die Blätter, welche sich in den Kartenwerken des Österreichischen Militärgeographischen Instituts auf die Balkanhalbinsel beziehen, und zwar der „Generalkarte von Zentraleuropa" 1:300000, der „Übersichtskarte von Mitteleuropa" 1:750000, der „Generalkarte von Mitteleuropa" 1:200000 (bis zum 39.° n. Br., Höhe Proveza—Lamia) und der neuen „Übersichtskarte von Mitteleuropa" 1:750000, die die Halbinsel bis zum 41.° n. Br. (Saloniki—Konstantinopel) enthalten wird (siehe „Österreich-Ungarn").

An Literatur seien außer den im Eingange und im Laufe des Textes genannten Arbeiten noch erwähnt:

Th. Fischer: „Die südosteuropäische (Balkan-) Halbinsel" in A. Kirchhoffs „Länderkunde von Europa" (1890) und desselben Verfassers „Übersicht über die wissenschaftliche Literatur zur Länderkunde Südeuropas" (Geogr. Jahrbuch 1894).

G. Hirschfeld: „Der Standpunkt unserer heutigen Kenntnis der Geographie der alten Kulturländer, insbesondere der Balkanhalbinsel, Griechenlands und Kleinasiens" (Geogr. Jahrbuch 1884).

Fr. Toulas Periodische Berichte über die Geologie der Balkanhalbinsel (Geogr. Jahrbuch 1887, 1889, 1891, 1893, 1895, 1897, 1899, 1900).

Chr. Ritter v. Steeb: „Die Gebirgssysteme der Balkanhalbinsel" (Mitt. der K. K. Geogr. Gesellschaft 1889), wo auch eine hypsometrische Karte 1:3000000 von großer Anschaulichkeit sich befindet, ebenso eine Karte der „Gebirgssysteme" gleichen Maßstabes.

H. v. Moltke: „Briefe über Zustände und Begebenheiten in der Türkei aus den Jahren 1835 und 1839" mit wertvollen Kartenbeilagen.

F. Toula: „Der gegenwärtige Stand der geologischen Erforschung der Balkanhalbinsel und des Orients", Wien 1904. Unter den 2 Kartenbeilagen ist die eine 1:3,5 Mill. in Schwarzdruck bei Perthes für den Congrès géologique international hergestellt und gibt durch blaue Eintragung der Grenzen die geologische Erforschung des kartographischen Materials seit Boué wieder. Die zweite, farbige, bei Reimer ausgeführte, ist auf Grund der Kiepertschen des Osmanischen Reichs verfaßt und enthält Toulas Versuch, gestützt auf die erste Karte eine vergleichende Darstellung der verschiedenen Anschauungen über den tektonischen Bau der Halbinsel zu geben.

II. Griechenland.

Dieser südlichste Staat nimmt in jeder Hinsicht, auch kartographisch, eine Sonderstellung auf der Balkanhalbinsel ein, die oft, wenn auch, namentlich politisch, unzutreffend, nach ihm benannt wird, obwohl Charakterzüge des festländischen Teiles der südosteuropäischen Halbinsel sich in ihm wiederholen. Hier sei, weil auch für das Kartenbild von hoher Wichtigkeit, zunächst auf die reiche Ausgestaltung seiner Küsten, besonders an der eigentlichen Stirnseite, den busen- und hafenreichen Ostgestaden mit ihren fast 500 Inseln, hingewiesen, während die Westseite der Gliederung und namentlich der Halbinseln entbehrt. Diese übrigens auch in den Gebirgen sich zeigende Vielgestaltigkeit, die auf das Meer hinweisende gegenseitige Durchdringung von Wasser und Land, die den Verkehr nach dem Orient und Okzident leitende Zertrümmerung, ja Auflösung des südlichen Gebietes der Balkanhalbinsel ist keinem ihrer anderen Länder eigen. Dann aber hat kein Volk der Welt größere Verdienste sich um die Entwickelung der Geographie, namentlich ihres exakten Teiles, der mathematischen Erdkunde, und damit auch der Kartographie, sich erworben, als die Griechen. Ihr der Naturbeobachtung, sowie der ihnen von den Ägyptern und Babyloniern überkommenen Geometrie und Meßkunst zugewandter philosophischer Geist hat schon im Altertum für alle Zeiten Grundlegendes in bezug auf einige geographische und geodätische Probleme, namentlich die Bestimmung der Größe und Gestalt der Erde und die Verteilung von Land und Wasser, sowie die Gliederung der Erdräume überhaupt geschaffen, dann mit seiner Kenntnis und Erfahrung die westeuropäischen Kulturvölker maßgebend beeinflußt.

Altgriechenland[1]).

In diesem nicht bloß auf den südlichen Teil der Balkanhalbinsel beschränkten, sondern auch die Inseln und Küsten des Ägäischen Meeres umfassenden Gebiet bezeichnet den Höhepunkt des Wissens von der Erde das inhaltlich durch 1500 Jahre, der Form nach heute noch als maßgebend anerkannte Lehrbuch des Alexandriners Claudius Ptolemäos (87—150 n. Chr.). Es legte damals endgültig das geometrische Gerüst der Erde fest, nachdem schon vorher durch den größten griechischen Astronomen und Erfinder der stereographischen Projektion Hipparch aus Nicäa (um 130 v. Chr.), der durch seine aus der babylonischen Zwölfteilung der Ekliptik entstandene Einteilung des Äquators in 360 Grad zur Bestimmung der Länge und Breite eines Ortes beitrug und durch Berechnung der Polhöhen die Genauigkeit der Distanzangaben förderte, das Prinzip scharfer Ortsbestimmung durch zwei Koordinaten, ebenso wie durch den nachalexandrinischen Mathematiker Eratosthenes (276—195 v. Chr.), der auch die Polhöhen verschiedener Orte ermittelte, anerkannt gewesen. Auch gab letztgenannter Geograph, nachdem schon vor ihm der Pythagoräer Archytas, ein Zeitgenosse des Plato, versucht hatte, den Erdumfang zu bestimmen, worauf wahrscheinlich des Aristoteles Angabe von 400000 Stadien beruhte, bereits nach den heute dafür angewandten rationellen Grundsätzen den Umkreis der von dem Pythagoräer Parmenides aus Elea (um 460 v. Chr.) zuerst — aus teleologischen Gründen — an die Stelle der Erdscheibe gesetzten Erdkugel[2]) annähernd richtig an. Durch eine erste diesen Namen verdienende Gradmessung bestimmte er den Erdbogen zwischen Alexandria und Syene zu 1/50 des ganzen Meridians und berechnete die Entfernung zu 5000 Stadien, so daß sich ein Umfang von 250000 Stadien d. h. 6260 geogr. Ml. ergab[3]). Später schränkt Posidonius (134—160) ihn auf 180000 = 4500 geogr. Ml. ein, welche falsche Angabe sich lange (bis zu den Arabern) erhielt und auch von Ptolemäus angenommen wurde. Aber erst dieser Astronom hat von jedem Ort, jedem Berge, jeder Quelle und Mündung eines Flusses theoretisch die Längen und Breiten bis auf Zwölftelgrade angegeben — wenn auch tatsächlich nur durch Konstruktion aus geschätzten und gemessenen Entfernungen — und ist zu der Idee eines wirklichen aus Meridianen und Parallelen bestehenden Gradnetzes fortgeschritten, wobei er den bereits von seinem Vorläufer Marinus von Tyrus (um 100 n. Chr.), der noch näherungsweise alle Polhöhen zusammenstellte, gewählten Nullmeridian annimmt. Auch zeigt er sich sowohl mit der von Eratosthenes herrührenden, von ihm vervollkommneten einfachen konischen wie mit der von Hipparch zur Abbildung des Himmelsgewölbes angewendeten stereographischen Abbildungsweise vertraut. Ferner wußte er die von Anaximandros schon ausgeführten Breitenberechnungen (denn über mehr als 1/2 Dutzend wirklich beobachtete verfügte auch er nicht) so zu vervollkommnen, daß — im Gegensatz zu seinen große Fehler aufweisenden Längenbestimmungen, die späteren

---

[1]) Aus Raumrücksichten können nur Andeutungen gegeben werden, zumal ein Mehr die Geschichte der antiken mathematischen und kartographischen Geographie überhaupt schreiben hieße. Auch muß natürlich die Höhenzeit der mykenischen Kultur (Mitte des 2. Jahrtausend) sowie die homerische Epoche dieses im Vergleich zu den Ägyptern, Assyrern und Babyloniern jugendlichen Volks der Hellenen, weil noch zu wenig geklärt, hier außer Betracht bleiben.

[2]) Den ersten mathematischen Beweis und die Einteilung der Erde in Zonen liefert der Astronom Eudoxos von Knidos um 370.

[3]) Dieses zu große Ergebnis erklärt sich durch die Unvollkommenheit der Methoden, sowohl der astronomischen Beobachtung (Sonnenhöhen durch Länge des Gnomonschattens bestimmt), als aus der durch Zusammensetzung aus vielen in ihrer Richtung nicht hinreichend genau bestimmten Weglängen notwendig zu groß ausfallenden Linienmessung.

Jahrhunderten noch große Schwierigkeiten bereiten sollten — in meridionaler Richtung die auf Grund seiner Angaben später entworfenen Erdkarten nur geringe Verzerrungen aufweisen. Damals konnte der Unterschied der Breiten durch Polhöhenbestimmung mittels Gnomons oder Sonnenzeigers schon festgestellt werden, zu den Winkelmessungen bediente man sich sonst des Quadranten, Astrolabiums und der Armillarsphären. Dagegen konnte der Unterschied der örtlichen Tageszeit nicht zur Längenbestimmung benutzt werden, weil es an gleichzeitigen Beobachtungen des Eintritts der Verfinsterungen von Sonne und Mond oder der Sternbedeckungen fehlte und nur die Entfernungsberechnung zweier Punkte möglich war und auch erst nach des Eratosthenes Erdmessung. So hat Ptolemäus die Kartographie auf eine neue Grundlage gestellt, die den Keim der Verbesserung in sich trug, freilich infolge dafür nachteiliger Wandlungen der anschließenden Zeit auch den Abschluß der kartographischen Entwickelung der Griechen im Altertum bildete. Erst über 1000 Jahre später wurde seine Methode erfolgreich wiederaufgenommen. Zunächst aber trat durch die veränderte allgemeine Geistesrichtung für Jahrhunderte eine Zeit des Verfalls ein, die auf Ptolemäus folgenden griechischen Mathematiker haben die Geodäsie und Kartographie nicht gefördert, von der Mitte des 2. Jahrhunderts n. Chr. hörte jeder Fortschritt auf.

Was nun die Kenntnis des eigenen wie der fremden Länder und ihre karto-graphische Darstellung anlangt, so ist den Griechen die Kunde hauptsächlich vom Meere aus geworden, auf dem ja ihre ganze Kultur überhaupt so wesentlich beruhte. Freilich ist zur Zeit der Homerischen Gedichte das Wissen von den eigenen Wohnplätzen noch ein Gemisch von Wahrheit und Dichtung. Genaueres enthält dagegen die Ilias schon über Kleinasien, namentlich die Troas. Auch gab es bereits bestimmte Vorstellungen von der Erde, unter der freilich meist nur der Länderkreis um das östliche Mittelmeer herum verstanden wurde. Der priesterliche Einfluß auf die damalige Erdkunde zeigt sich darin, daß sie vielfach an den Orakelorten gemacht wurde, und zwar ehe in Milet die Kunst der Erdzeichnung ausgebildet wurde. Bis auf die Zeit des Demokritos galt Delphi als „der Nabel der Welt". Dann aber kamen die ionischen Denker, bewährte Staatsmänner und kluge Ratgeber, die durch ihre Verbindung mit Ägypten und Babylonien die astronomischen Kenntnisse und die Seefahrten verbesserten, während die Kunst der Ländervermessung und -verzeichnung von den Phönikern gelernt wurde, die einen starken Teil der Bevölkerung der jonischen Handelsstadt Milet ausmachten. Den ersten hellenischen Versuch, eine Welttafel herzustellen, führte der Thalesschüler Anaximandros († 547 v. Chr.) aus, indem er eine Zeichnung in Erz eingraben ließ, über deren Umfang und Inhalt aber nichts Näheres bekannt geworden ist [1]. Sein weitgereister [2] Landsmann Hekatäus (um 500) folgte ihm mit einer ebenfalls verloren gegangenen Erdkarte von solcher Kunstfertigkeit, daß sie die Zeitgenossen in Erstaunen setzte. Sie soll nicht nur Städte und Völker, sondern auch Straßen, Flüsse und Meere verzeichnet haben und war von einem Kommentar ($\gamma\tilde{\eta}\varsigma$ $\pi\varepsilon\varrho\acute{\iota}o\delta o\varsigma$) begleitet, dem ältesten, uns nur durch Zitate bekannten griechischen geographischen Werke. Der Milesier Aristagoras hat, als er die Spartaner für den Aufstand der Ionier gegen die Perser (um 500 v. Chr.) zu Hilfe rief, ihnen eine eherne Tafel gesandt, in die der Erdkreis eingegraben war, und die ihre Bewunderung fand. Auch Sokrates fordert den reichen Alkibiades auf, seine Besitzungen auf einer Landkarte zu suchen. Zwar sind alle diese Landkarten verloren gegangen, auch enthalten auffallenderweise die zahlreichen Inschriften nirgends auf Karten oder Pläne bezügliche Angaben, obwohl doch die Griechen z. B. ihre Städte (Peiraios 480 v. Chr., Alexandria 332 v. Chr. &c.) nach einheitlichem „Plane" bauten, aber nach

---

[1] Nach Plinius soll er Breiten als der Erste zu messen verstanden haben.
[2] Er trug die Ergebnisse seiner Reisen, wie die verschiedener Griechen, nach Ionien, Libyen, Italien, Iberien, ja nach der Bretagne und den britischen Inseln angeblich ein. (Avienus.)

den spärlichen Äußerungen des Herodot und des Aristoteles glichen diese ersten Versuche den Radkarten des frühen christlichen Altertums und müssen, da die Magnetnadel fehlte, die größten Orientierungsfehler enthalten haben. Die Erde erschien als runde Scheibe, die der sie rings umfließende Okeanos von dem sich ins Unendliche dehnenden, im wesentlichen das Mittel- und Schwarze Meer umfassenden Ozean trennt. Daß das Mittelmeer den Griechen so gewaltig vorkommen mußte, erhellt aus der einfachen Betrachtung, daß es 44mal größer als ihr eigener Wohnplatz war, was für die antike Raumauffassung und die damalige, sich scheu vom offenen Meere zurückhaltende Schiffahrtskunst etwas Ungeheures bedeuten mußte. Noch zur Zeit des Halikarnassiers Herodot (um 450 v. Chr.), des Vaters der historischen Länder- und Völkerkunde und eines Gegners und Berichtigers der ionischen Schule, dürfte sich der Horizont der Griechen, wie Ratzel sagt, auf höchstens 8 000 000 qkm ausgedehnt haben. Herodot erfüllte die Erdräume mit Menschen und Dingen und gibt uns, gestützt auf eigene Erkundigungen und scharfe Beobachtungen, Nachricht über Griechenland und fernere Länder, jedoch nur der östlichen Hälfte des damals bekannten Erdkreises. Freilich hält auch er die Erde für eine nach dem Mittelmeer eingedrückte Scheibe, auch wußte er nicht, ob Europa im Osten, Norden und Westen von Meer umgeben sei. Er hat auch manchen unverstandenen Namen angeführt. Viel trugen zur Erweiterung der geographischen Kenntnis auch die griechische Kolonisation und die Entdeckungen anderer Völker (Ägypter, Phöniker, Perser) bei. Berühmt wegen der bedeutenden Erweiterung der Kenntnis des europäischen Nordwestens bis zu den britischen Inseln waren besonders des Massilioten Pytheas Forschungsreisen (um 330), die sich auf genaue Breitenbeobachtungen stützten. Vor allem aber erweiterten das geographische Wissen, namentlich über den östlichen Teil der Alten Welt bis nach Indien, in epochemachender Weise die Kriegszüge Alexanders des Großen im 4. Jahrhundert und seiner Nachfolger. Auch ihnen müssen gewiß Karten zur Verfügung gestanden haben, deren Grundlagen namentlich Straßenvermessungen ($\beta\eta\mu\alpha\tau\iota\sigma\tau\alpha\iota$) und Küstenfahrten, wie des Nearchos und Onesikritos im erythräischen, des Patrokles unter Seleukos I. im Kaspischen Meere waren. Die Kenntnis des von den makedonischen Heeren nicht betretenen östlichen und südlichen Indiens wurde durch Gesandtschaftsreisen unter Seleukos I. und Ptolemäus II., die Arabiens und Ostafrikas durch die Handelsexpeditionen der Ptolomäer erweitert. Alexandria wird dadurch nicht nur Mittelpunkt des Welthandels, sondern auch der Wissenschaft. Nicht nur die Ländererforschung, sondern auch die wissenschaftliche Bearbeitung des gewonnenen Tatsachenmaterials wurden also mächtig angeregt. Namentlich war es der Schüler des Aristoteles Dikäarch aus Messina (350—290 v. Chr.), welcher eine Erdkarte nach den neuen Länderkenntnissen aus diesen Feldzügen und eigenen, nach trigonometrischer Methode ausgeführten Bergmessungen entwarf, für die er ein Kreuz von zwei Normalrichtungslinien zur Orientierung eintrug, von denen der „Parallelkreis", von den Säulen des Herkules über Sizilien — den Peloponnes — die Südküste Kleinasiens bis Indien gehend, die damals bekannte Ökumene ziemlich halbiert. Diese „pinax" wurde daher Diaphragma genannt. Sie arbeitete dem eigentlichen Erfinder der quadratischen Plattkarte, dem schon erwähnten Marinus von Tyrus, auf den sich später, ihn verbessernd, wieder Ptolemäos stützte, zwar vor, war aber noch eine einfache Plankarte, d. h. ein in Beziehung zur Nordrichtung gesetzter, verkleinerter, ebener Grundriß vermessener Punkte und Umrißlinien. Mit Marinus kommt dann die Plankarte mit Gradnetz, d. h. die Plattkarte, auf, eine echte Zylinderprojektion mit parallelen Meridianen. Die Maschen sind in dem Wegemaß entnommene Zwischenräume eingeteilt. Ptolemäos wendet die trapezmaschige Entwurfsart — eine unechte Zylinderprojektion mit nichtparallelen Meridianen — meist an. Er führte den Stand der damaligen Länderkunde kritisch und nach neuen Methoden vor. Freilich, von einer eigentlichen Orographie und Gebirgsdarstellung konnte auch bei ihm keine Rede sein. Erdgloben — natürlich nur der nördlichen Halbkugel —

kamen erst in der Mitte des 2. Jahrhunderts, wahrscheinlich durch den Stoiker K r a t e s von Mallos (bei Pergamon) [1]), auf.

Was die See- und nautischen Küstenkarten anlangt, so gab es weder im Altertum noch im scholastischen und patristischen Mittelalter solche. Vielmehr fanden sich Periplen (Segelanweisungen oder Kursbücher), als Vorläufer der mittelalterlichen Portulane, vor. Der Stadiasmos wies verschiedene Zahlen auf, je nachdem es sich um eine Fahrt genau gleichlaufend zum Gestade, um ein Abschneiden von Einbuchtungen durch ein Querfahren von Vorgebirge zu Vorgebirge oder endlich um die gänzliche Umsegelung eines Meeresbeckens handelte (Paraplos, Diaplos, Periplos). Astronomische Beobachtungen waren mit den damaligen Instrumenten auf schwankenden Schiffen nicht möglich, der Steuermann schätzte lediglich die Distanz, d. h. den zurückgelegten Weg, und ermittelte den Kurs, d. h. die Richtung, nach der Sonne und den Sternen. Auch war das Heraufholen von Grundproben gebräuchlich. Seit Marinus wurde die für nautische Zwecke gut geeignete Plattkarte angewendet. Berühmt ist auch der Periplus des Mittelmeeres unter dem Namen des S k y l a x (400—360).

Der zerstückelte, fast verworrene Bau Griechenlands, der den Partikularismus und den inneren Hader förderte, und die nationale Beschränktheit, die eine große Politik verhinderte, richteten das alte Land der Griechen politisch zugrunde. Es wurde dadurch die Beute mächtigerer, national geeinigter Völker, zuerst seit Chäronea (338) der Makedonier, dann seit Zerstörung Korinths (146) der Römer, in deren weiterer Entwickelung es — als Provinz Achaia — seine eigene, auch die k a r t o g r a p h i s c h e , Geschichte gewissermaßen fortsetzt. (Siehe „Italien".)

Nach den verheerenden Völkereinfällen, zuerst im 3. und 4. Jahrhundert der Goten, dann im 6. der Slawen, wurde zusammen mit dem sich langsam Bahn brechenden Christentum die alte griechische Kultur zerstört. Nach Strabos Schilderung verfielen aber die Griechen schon unter der römischen Herrschaft. Ganze Landstriche wurden, namentlich im Norden, entvölkert, altberühmte Städte, wie Theben, Megalopolis, lagen in Trümmern. Den alten Geist konnten selbst Kaiser, wie Trajan und Hadian, nicht mehr beleben. Die Nachkommen versanken in Trägheit und Sinnengenuß und wurden so die leichte Beute der kriegerischen Barbaren. Dann kamen die Normannen, dann nach Errichtung des Lateinischen Kaisertums die fränkische Herrschaft und schließlich das osmanische Joch. 1503 war Griechenland türkische Provinz. In dieser traurigsten Periode seines Daseins, die nun anhebt, wurde alles wissenschaftliche Leben erstickt, die Nation moralisch entwürdigt. Von irgendeiner k a r t o g r a p h i s c h e n Entwickelung konnte um so weniger die Rede sein, als der Türke die Karte fürchtet als einen Wegweiser für den Feind und daher Aufnahmen verbietet.

Erst als die osmanische Macht ins Wanken kam vor dem Ansturm der westeuropäischen Staaten, begann auch k a r t o g r a p h i s c h eine neue Zeit.

Neugriechenland (Hellás).

Zunächst waren es freilich A u s l ä n d e r , und zwar im Anfange des 18. J a h r h u n d e r t s , welche über Nordgriechenland (Thessalien und Livadien, d. h. einen Teil von Epirus), Mittelgriechenland (Hellas und Rumelien), Peloponnes (Morea) und die Inseln, einschließlich der erst seit 1863 zu Griechenland gehörigen Ionischen, Karten brachten. Auch die jetzt unter selbständiger Verwaltung stehende Insel Kreta (Kríti) und der 1897 verloren gegangene Teil Nordthessaliens wird in die Betrachtung mit einbezogen werden.

Zunächst war es der große Schüler Cassinis, G u i l l a u m e D e l i s l e (1675—1726), der eine „C a r t e d e l a G r è c e , dressée sur un grand nombre de mémoires anciens et

---

nouveaux, sur ceux de Mrs. Wheler et Tournefort, sur les observations astronomiques de Mr. Vernon du P. Feuillée Minime &c." in 1:2500000 erscheinen ließ, „chez l'Auteur sur le Quai de l'Horloge avec Privilège Sept. 1707 et se trouve à Amsterdam chez Louis Renard, Libraire près de la Bourse". Die zweite unveränderte Auflage kam „Avec Privi-lège du Roi 1780", also nach Delisles Tode, heraus, und zwar „Chez Dezauche Graveur". In dieser Kupferstichkarte ist außer Griechenland auch Albanien, Mazedonien, Rumelien ganz, Kleinasien, Kreta, Cypern, im Westen Süditalien zum Teil enthalten. Das Wegenetz fehlt, die Ortslagen sind unsicher, das Gelände ist phantastisch in Hügelmanier dargestellt, das Flußnetz wie die Landesumrisse sind fehlerhaft, kurz es ist eine topographisch gering-wertige Leistung, wie sie bei dem Stande der kartographischen Grundlagen auch nicht anders sein konnte. Auch gibt es eine „Graeciae pars meridionalis" betitelte Kupferstich-karte Delisles von etwa 1720 (39 : 49 cm, mit Kartusche). Eine italienische Karte 1 : 590000 von 1770, die den damaligen Kriegsschauplatz zwischen Rußland und der Pforte darstellt[1], ist in ähnlicher, nur noch geringwertigerer Ausführung wie die Karte von 1707, weist aber inhaltlich auf anderes Material hin, enthält auch von Griechenland nur den Peloponnes und die Inseln Kephallonia und Zante. Von gleichem Umfang, aber in der Ausführung in jeder Hinsicht einen größeren Fortschritt, auch gegen die Delislesche Karte, beweisend, ist eine 1785 von L. A. Dupuis gestochene „Carte de la Morée" 1:720000. Erwähnens-wert sind dann 2 Kupferstiche „Graecia Nova et Mare Aegeum s. Archipelagus" von Lotter (1760, 49:56 cm) und „Griechenland" von F. A. Schraembl (1791, 49:66 cm). Tardieu hat etwa um dieselbe Zeit eine „Carte de l'Isle de Candie" 1:552000 erscheinen lassen, in Hügelmanier, ohne Wege-, aber mit sehr vollständigem Flußnetz. Von Barbié du Bocage rühren eine Kupferstichkarte „l'Attique, la Mégaride et ptie. de l'isle de Eubée" (18 : 28 cm) aus dem Jahre 1785 sowie 2 Pläne von Athen von je 21:16 cm Größe, die 1784 und 1785 erschienen sind. Ebenso enthält das Archiv des österreichischen Militärgeographischen Instituts eine Anzahl Originalzeichnungen über Griechenland und die Ionischen Inseln aus jener Epoche.

Das 19. Jahrhundert leitet eine 12blättrige „Carte de la Grèce" 1 : 350000 von Fr. Th. Müller ein, mit fehlerhaften Küstenlinien und Flußnetz, Gelände in Hügel-darstellung, reichem Gerippe. Sie wurde in Wien beim Verfasser auf der Wieden Nr. 404 und bei Jean Cappi auf dem Michaeler Platz Nr. 5 verkauft. Aus den ersten Jahren des neuen Jahrhunderts sind auch Darstellungen der unter englischem Schutz stehenden Ioni-schen Inseln zu erwähnen. Vor allem von Korfu (Kerkyra), das 1803—11 von den russischen Obersten Papandopulo und Gajos aufgenommen wurde, worauf sich eine von Baron Kaulbars erwähnte Karte: „Topographie der Insel Korfu" („Aperçu &c.") gründet. Wie ferner Professor Partsch mitteilt, haben die Franzosen durch Dufour — der ja da-mals in ihren Diensten stand und als Hauptmann die Befestigungsarbeiten auf der Insel leitete — 1807—14, während ihrer Herrschaft, eine vollständige Triangulierung Korfus und der nahen albanischen Küste sowie eine topographische Aufnahme der Hauptstadt in 2metrigen Niveaulinien, die aber sämtlich nicht veröffentlicht wurden, ausführen lassen. Auf dieser Grundlage ist ein Relief entstanden. Dann folgten die Engländer mit einer Vermessung der ganzen Insel. Im Val di Ropa wurde eine 1415 m lange Basis gemessen und daran ein Dreiecksnetz geschlossen, von dem 46 Punkte auf Korfu, 7 auf die kleinen Nachbarinseln und 13 auf Albanien entfielen. Dann erfolgte eine genaue Mappierung in 1:10650 durch 4 Offiziere, deren Ergebnis eine 13blättrige Karte war, die Grundlage für spätere Werke bezüglich der Küstenlinien auch für die englischen Seekarten. Die selbst einzelne Häuser und Kapellen darstellende Karte ist nach Partsch eine hoch-zuschätzende wissenschaftliche Arbeit. Trotz aller Mängel der Karte, besonders in der

---

[1] Katharina II. suchte, als 1768 der Krieg ausbrach, die Griechen zum Aufstand zu bewegen, der aber bald unterdrückt wurde, ebenso 1787. Die Unruhen wiederholten sich dann oft bis zum Tage der Befreiung.

Geländezeichnung mit den spärlichen Namen und Höhenzahlen, dem nicht zuverlässigen Straßennetz, kann dem Urteil zugestimmt werden, und es ist, sofern nicht etwa diese Arbeit absichtlich geheimgehalten wurde, zu verwundern, daß man ihre Spuren nicht in späteren englischen Kartenwerken wiederfindet. Von der Insel L e u k a s haben die Engländer ebenfalls Aufnahmen gemacht, die teilweise auch ihren Seekarten zugute kamen, auch soll nach Partsch sich im Archiv zu Santa Maura eine Karte der Lagunen (mit Text) aus dieser Zeit befinden. I t h a k a ist 1806 in ausgezeichneter Weise durch ein von G e l l mit „energischer Hand entworfenes Terrainbild", wie Partsch sagt, dargestellt worden, während den Uferlinien der Seekarten eine genaue Aufnahme des englischen Kapitäns S m y t h von 1820 zugrunde liegt. Gewiß werden solche Vermessungen auch für Z a n t e ausgeführt sein, obwohl sie nicht bekannt geworden sind. Dagegen hat Partsch eine „Carte della Città ed Isola di Zante" 1 : 46600 aus dem Jahre 1820 erwähnt, welche sich durch sorgfältige Angabe und Beschreibung der Gemeindegrenzen, Reichhaltigkeit ihrer Flur- und Bergnamen und gute Gliederung des Berglandes auszeichnet, trotz mangelhafter, weil nicht auf trigonometrischen Aufnahmen beruhender Linienführung. Dann hat der genannte Kapitän Smyth auch die Inseln K y t h e r a und A n t i k y t h e r a und ihre Gewässer vermessen und damit den Grund für unsere Kenntnis der Küstengegenden gelegt, wie sie später auf den englischen Admiralitätskarten zum Ausdruck gelangte, während freilich das Innere flüchtig und unzureichend dargestellt ist. 1807—12 sandte N a p o l e o n Ingenieuroffiziere und Beamte zu Erkundungszwecken nach der Türkei, deren Eroberung er anstrebte, um von hier aus gegen Rußland und Britisch-Indien später vorzugehen. Unter diesen Entsandten befand sich auch F. C. P o u q u e v i l l e, der schon früher (1798—1801) auf der Balkanhalbinsel gewesen war und 1805 bei Gabon & Cie. in Paris ein 3bändiges Werk über seine Reise, besonders auch in Morea, veröffentlicht hatte. Kartographisch von Interesse ist dabei ein recht guter Schwarzdruckplan „de la plaine de Tripolitza en Morée", den J. D. B a r b i é d u B o c a g e nach Anleitung Pouquevilles entworfen hatte. Er gibt, wie eine Nebenkarte „Plan particulier de Tripolitza", das Gelände in Bergstrichen. Das auf Grund der Expedition von 1805 geschriebene, 1820 in Paris erschienene Werk Pouquevilles: „Voyage en Grèce" enthält ebenfalls von Barbié gezeichnete Kartenbeilagen, auf die sich später Lapie stützt, die aber Kiepert abfällig beurteilte, was zwar zunächst erstaunlich ist, da Lapies Arbeiten doch jahrzentelang die alleinige Quelle aller Kartographen waren, was aber von späteren Forschern wie Woodhouse, Oberhummer, Philippson im wesentlichen bestätigt wird. Für äußerst wertvoll ist, wie gesagt, stets die auch schön ausgeführte „Carte physique, historique et routière" 1 : 400000 in 4 Blatt des Chevalier P. L a p i e gehalten worden, der einer der gewandtesten Offiziere des französischen Ingenieurgeographen-Korps war. Sie stützt sich auf die maritimen Aufnahmen von Gauttier und Smyth sowie die Materialien der französischen Generale Guilleminot, Tromelin und Dumas und ist 1826 in Paris erschienen. Die Franzosen haben, als sie 1828 nach glücklichem Abschluß durch den Seesieg von Navarin (1827) des 1818 entstandenen Freiheitskampfes der Griechen auf Morea landeten, während der Okkupationszeit die erste allgemeine Landesaufnahme eines Teils von Griechenland ausgeführt. Sie maßen 1829 in der Ebene von Argos eine 3500 m lange Basis, machten an einem Endpunkt derselben Breiten- und Azimutbestimmungen, schlossen daran eine Triangulierung von über 1000 Punkten durch die Hauptleute Peytier, Reillon, Boblaye und Servier und vollendeten bis 1831 auch eine vollständige topographische Aufnahme. Es entstand die erste, nachträglich auf das ganze, nun befreite Königreich des neuen Herrschers Otto I. (1832—62) ausgedehnte, topographische „Carte de la Morée, rédigée et gravée au dépôt général de la guerre, d'après la triangulation et les levés exécutés en 1829, 1830 et 1831 par les officiers d'état-major attachés au Corps d'occupation, par ordre de M. le Maréchal Duc de Dalmatie, Ministre de la Guerre, sous la direction de M. le Lieutenant-Général Pelet. Gravée sur pierre par E. Rivier. Paris 1832" in 1 : 200000 auf 6 Blatt. Dazu gehört eine besondere „Carte trigonométrique de la Morée" 1 : 400000. Die Längen der Hauptkarte, die in Bonnescher Projektion entworfen und sehr elegant ausgeführt ist, beziehen sich auf die Länge von Milo, die Schiffskapitän Gauttier festgelegt hatte. v. Sydow sagt 1857 von dieser sehr inhaltreichen und genauen Karte, daß sie „in ihrer charaktervollen Haltung, unter Darbietung einer reichhaltigen Höhensammlung, noch bis auf den heutigen Tag als beste Quelle der betreffenden Landeskunde in gerechter Geltung steht". Ja, wie v. Haardt 1902 ausspricht, ist man bis heute in der Kartographie des Peloponnes nicht um vieles über diese französische Karte hinausgekommen. Sie gibt genau die Küstenumrisse, das Flußnetz, die in fahrbare und nicht fahrbare Verbindungswege abgestuften Wege, die nach Städten, Märkten und Dörfern gegliederten Ortschaften wieder, ferner die einzelnen Baulichkeiten, das Gelände in sorgfältiger Schraffendarstellung mit Höhen in Meterangabe, die geodätischen Signale durch Kartenzeichen, die geschichtlichen Namen neben den jetzigen in Klammern oder in Haarschrift, auf einem Blatt, auch tabellarisch ein Verzeichnis der wichtigsten Höhenpunkte (mit ihrer Erhebung über dem Meere) und Angabe über Aussprache, Rechtschreibung und Bedeutung der Namen und einiger griechischer Worte. 1835 gab Lapie auch eine schöne und wertvolle Kupferstichkarte „Candie, Criti ou Crète" 1 : 400000 mit verschiedenen Nebenkarten heraus. Küstenlinien, Flußnetz und das nach schiefer Beleuchtung schraffierte plastische Geländebild sind sorgfältig[1]). Der Aufenthalt der Franzosen wurde überhaupt — wie einst unter Napoleon in Ägypten, einem ihnen eigenen Talente zufolge, das wir Deutschen, wie der Chinafeldzug gezeigt, nicht in dem Maße zu besitzen scheinen — zu einer wahren Expédition scientifique, die der topographischen Erforschung des Landes sehr zugute kam. Ihre Aufnahmen hatten in Verbindung mit der Lapieschen Karte zunächst eine 1838 in Athen erschienene „Carte du Royaume de la Grèce" 1 : 400000 auf 8 Blatt von F. Aldenhoven zur Folge, die, in französischer und neugriechischer Sprache verfaßt, späteren Karten zur Grundlage gedient hat, bis auch sie überholt wurde durch das topographische Meisterwerk des Dépôt de la Guerre von 1852, die 20blättrige „Carte de la Grèce" 1 : 200000, mit der es seinem Verdienste um Griechenland die Krone, nach Sydows wahrem Wort, aufsetzte, so lückenhaft und unbefriedigend auch große Teile derselben, zumal bei der Eile der Aufnahmen, ausfallen mußten. Obwohl über ein halbes Jahrhundert schon alt, bleibt sie doch neben der österreichischen Generalkarte 1 : 300000 und einzelner Arbeiten privater Art aus späterer Zeit, besonders auch der deutschen Generalstabsaufnahmen über Attika, die Grundlage unserer topographischen Kenntnis Griechenlands. Der Stil der Ausführung ist der der Karte von Morea, die eine Verbesserung jedoch erfahren hat und die Blätter 7, 8, 12, 13, 17 und 18 des neuen Werkes bildet. Blatt 5 gibt eine Übersichtskarte in 1 : 900000 mit der Blatteinteilung. Die Entwurfsart ist wieder die modifizierte Flamsteedsche (Bonnesche). Die Karte umfaßt das ganze Festland bis zu den Golfen von Arta und Volo und den Archipelagus. Bezüglich der griechischen Inselwelt fußt sie meist auf den englischen Seekarten und wiederholt deren fehlerhafte Namengebung mit Ausnahme weniger, z. B. der selbständig und ziemlich gut aufgenommenen Insel Amorgos. 1880 erschien eine zweite Auflage. Blatt 10 enthält einen genauen Plan von Athen 1 : 10000 mit alten und neueren Gebäuden, sowie einer Tabelle der politischen Einteilung des Landes. Französischem Einflusse ist es auch zu danken, daß durch Gesetz vom 8. September 1836 das metrische System eingeführt und die früher üblichen griechischen Benennungen auf die metrischen übertragen wurden. Jedoch wurde zum Unterschied von den alten ihnen die Bezeichnung „Königliche" beigelegt[2]).

---

[1]) Von dieser durch die berühmte Belagerung weltbekannt gewordenen wichtigsten Insel des Archipels, namentlich aber ihren Befestigungen, gab es übrigens aus älterer Zeit schon eine Reihe von Karten und Plänen, z. B. de Witts in Amsterdam hergestellten Kupferstich: „Insula Candia ejusque Fortificationes" von 1660.

[2]) 1 Piki = 1 m; 1 Königliches Stadion = 100 Piki = 1 km; 111,2066 Stadien = 1 Äquatorgrad.

1861 veröffentlichte H. Kiepert in der Zeitschrift der Berliner Gesellschaft für Erdkunde eine „Skizze der Höhenverhältnisse von Nordattika und dem Isthmus" 1 : 300000, welche in anschaulicher Weise Höhenschichten von 500, 1000, 2000, 3000 und 4000 Pariser Fuß in schwacher Schraffur gibt und zum großen Teil auf den Höhenbestimmungen des Direktors der Sternwarte von Athen J. F. Jul. Schmidt beruhte, während sie im übrigen eine Reduktion der französischen Karte war. Ein „Plan von Athen" 1 : 30000 war ihr beigefügt, der Schichtenlinien von 20 Pariser Fuß enthält und die Stufen von 100 zu 100 Fuß zu deutlicher Anschauung bringt. 1863 ließ E. Kalergis in Paris einen sauber hergestellten Plan „Athènes et ses environs" 1 : 10000 erscheinen. 1868 gab der Berliner Professor E. Curtius, der berühmte Historiker der Griechen, seine weitbekannten „Sieben Karten zur Topographie von Athen" heraus, an denen noch Professor K. Bötticher und unter Leitung des preußischen Generalstabsobersten C. v. Strantz eine Anzahl Topographen tätig waren. Diese sehr sorgfältig durchgeführten Arbeiten umfassen unter anderem: „Übersichtskarte von Athen und seinen Häfen" 1 : 40000 mit einer „Terrainkarte von Athen" 1 : 20000, beide in 25füßigen Niveaukurven mit brauner Kreideschummerung. Dann gehörten dazu ein „Plan von Athen" 1 : 10000, ein „Plan des Piräus" 1 : 10000, eine „Karte der Umgebung von Dekeleia" 1 : 180000 &c. Diese Karten (je 30:40 cm) bildeten die Einleitung zu der mit Hilfe des Preußischen Generalstabes durch das Deutsche archäologische Institut später ausgeführten Vermessung von Athen und Attika. 1868 soll zu Paris eine geologische Karte von Attika veröffentlicht worden sein.

1869 erschien dann Oberst v. Schedas Aufsehen erregende, aber auch sehr angefeindete „Generalkarte der Europäischen Türkei und des Königreichs Griechenland" 1 : 864000, die 1880, 1885 und 1891 in neuer verbesserter Bearbeitung von A. Steinhauser unter dem Titel „Generalkarte der Balkanländer" herauskam, und über die bereits im allgemeinen Teil gesprochen wurde. Im gleichen Jahre hat A. Petermann im Stielerschen Atlas sein Blatt „Griechenland" 1 : 1850000 veröffentlicht, ein sehr willkommener Beitrag, jedoch im Geländestich nicht recht geglückt. Ihr liegen namentlich die Höhenangaben französischer Offiziere auf dem Festlande und englischer auf den Inseln zugrunde.

Auch die griechische Inselwelt, von denen die bisher unter englischem Schutz gestandenen Ionischen der neue König Georg aus der dänischen Dynastie 1863 als Geschenk der Nation bei seiner Thronbesteigung mitbringen konnte, erfuhren manche kartographische Bereicherung sowohl in Land- wie in hier nicht zu erwähnenden Seekarten. Da wären zunächst die 1858 und 1862 erschienenen beiden Blätter „Western (Eastern) Part of Candia or Crete (Kirit Adasi)" 1 : 162500 des englischen Kapitäns Spratt zu erwähnen, welcher unter seiner Leitung fortgesetzte Aufnahmen, die der Kapitän Graves begonnen hatte und an denen Kapitän Marsell und die Leutnants Brooker, Stokes und Wilkinson teilgenommen, zugrunde liegen. v. Sydow nennt diese Arbeit, die bis heutigentags allen späteren Karten als Ausgang gedient hat, eine „vortreffliche", die von keinem Kartographen und Geographen unbeachtet bleiben dürfe. Natürlich hatte sie in Anbetracht der Kürze der auf ihre Herstellung verwendeten Zeit Mängel, so in der hydrographischen und der Geländedarstellung, die aber ihre sonstigen großen Vorzüge nicht beeinträchtigen können. So hat sie auch ihrem Hauptkritiker Kiepert für seine 1866 erschienene Karte: „Die Insel Kandia oder Kreta" 1 : 500000 gedient, der sie mannigfach verbesserte, z. B. durch Eintragung fehlender Örtlichkeiten, Berichtigung der Nomenklatur, Vervollständigung durch etwa 60 Höhenbestimmungen, die der Geologe Raulin nach seinen Messungen ihm geliefert hatte, nebst etwa 100 durch Bussole und Oktant aufgenommenen Einzelskizzen. Das Gelände — mit Höhenangaben in englischen Fuß — ist braun geschummert, das Meer zeigt Isobathen in 25, 50 und 100 Faden. Eine vorteilhafte Ergänzung zu dieser Karte bildet eine „Orohydrographisch-physikalische Karte von Kandia oder

Kreta" 1 : 650000 von Dr. A. Petermann, in Schichtenlinien von 1000 engl. Fuß Abstand unter Benutzung von Höhenmessungen von F. W. Sieber und mit Tiefenlinien von 1000 Fuß Unterschied sowie zahlreichen Höhenzahlen. Von ihr erschien in Bukarest 1868 eine Wiedergabe in 1 : 400000 als „Carte de l'île de Crète" von G. Katelous. Die vulkanische Inselgruppe der Kaymenen mit Santorin ist mehrfach vermessen worden, so durch K. v. Seebach und J. F. Jul. Schmidt, von denen erstgenannter dann 1867 eine die Genauigkeit der englischen Admiralitätskarten vielfach bestätigende und durch barometrische Messungen ergänzende Arbeit: „Über den Vulkan von Santorin und die Eruption von 1866" erscheinen ließ, ferner durch den österreichischen Linienschiffsleutnant Heinz und den Seekadetten Bartsch auf Befehl des Kommandanten der Fregatte „Radetzky" 1867 die Neo-Kaymene &c. Eine geologische Karte von Samothrake auf Grund der englischen Seekarte, die vierfach vergrößert wurde, rein geologischen Inhalts, ohne Geländezeichnung, gab R. Hoernes 1874.

In den 70er Jahren hat das griechische Festland außer einer Reihe von wertvollen Seekarten zunächst eine in H. Kieperts „Neuem Handatlas" als Blatt 25 B 1872 erschienene Neuauflage seiner „Karte von Griechenland" 1 : 1 000000 zu verzeichnen, einschl. einer Nebenkarte „Umgebungen von Athen und seinen Häfen" 1 : 100000, in braun schraffiertem Gelände, ohne Höhenangaben. Von dieser noch in weiteren Auflagen erschienenen Karte kam auch eine russische Übersetzung heraus. 1875 und 1877 wurde vom Preußischen Generalstabe der Vermessungsinspektor Kaupert nach Griechenland beurlaubt, der seit 1876 gemeinschaftlich mit dem Premierleutnant v. Alten in der Ebene von Athen eine Triangulation und Aufnahme durchführte, bei der auch Geh. Baurat Adler und Baumeister Peltz behilflich waren, und zu der das Unterrichtsministerium einen Zuschuß gewährte. Als erstes Ergebnis derselben und als Beginn einer Reihe von 12 Blättern, die einen ganzen, 1878 erschienenen „Atlas von Athen" bildeten, der im Auftrage des Kaiserl. deutschen Archäologischen Instituts von E. Curtius und J. A. Kaupert veröffentlicht wurde, kam ein „Plan von Athen" 1 : 25000 heraus, der von H. Petters in Hildburghausen schön in Kupfer gestochen war. Es ist eine höchst sorgfältige, wertvolle Arbeit, die sich dann auf die gesamte Umgebung von Athen, schließlich auf ganz Attika ausdehnen sollte. Das Gelände ist ähnlich wie in den preußischen Garnisonsumgebungsplänen in schwarzen 20 m-Niveaulinien mit braunen Bergstrichen und zahlreichen Höhenzahlen wirkungsvoll dargestellt, die Situation — mit roter Eintragung der ebenso beschriebenen antiken Baureste — und die Schrift sind schwarz ausgeführt. Die übrigen „Karten von Attika" (im ganzen 26) sind in gleicher Darstellungsweise und in demselben Verjüngungsverhältnis hergestellt, nur die unmittelbare Umgebung von Athen, Piräus und Tatoi sind in 1 : 12500 gezeichnet, während ein Ergänzungsblatt, Theben, in 1 : 50000 aufgenommen wurde. Der Plan von Athen, 1 : 12500, ist von Meister Kaupert selbst aufgenommen, von H. Petters künstlerisch schön in Kupfer gestochen, und gibt Altathen mit seinen Denkmalen, Plätzen und Verkehrsstraßen wieder. Das südwestliche Athen ist in 1 : 4000 dargestellt. Dazu kamen dann 9 Tafeln Ansichten und Pläne der wichtigsten Punkte in lithographischem Lichtdruck, sowie zahlreiche Durchschnitte, Grundrisse &c. und Holzschnitte im begleitenden Text. 1881 lagen 8 Lieferungen dieses hervorragenden Kartenwerkes, an dem auch die geographisch-lithographische Anstalt von L. Kraatz in Berlin beteiligt wurde, vor. Dann erschienen noch „Karten von Attika" 1 : 100000, herausgegeben von J. A. Kaupert, die in 9 Blatt (24 : 25,5 cm) einen Gesamtüberblick über das klassische Land und eine Reihe von Einzelplänen von Eleusis, Dekeleia, Rhamnus, ein Ergänzungsblatt von der Insel Ägina, sowie ein Titel- und zwei Erläuterungsblätter bieten und einen würdigen Abschluß der „Karten von Attika" bildete, deren erste Anregung die früher erwähnten 7 Curtiusschen Karten gegeben hatten. Diese Übersichtskarte gründet sich auf die eigenen Originalaufnahmen, die englischen Seekarten, sowie auf Erkundungen und Ergänzungen nach der

französischen Karte. Sie enthält das Gelände recht plastisch in hellbraunen 25metrigen
Niveaulinien, von denen die 50metrigen stärker und die 100metrigen ganz stark ausgezogen sind, mit brauner Schummerung und zahlreichen Höhenzahlen in Metern, während
das Meer in blauen Schichtentönen, die 10, 25, 50, 75 und 100 m Tiefe bezeichnen, dargestellt ist. Die Situation und die Schrift sind schwarz gedruckt, der Kupferstich und
Farbendruck sind von H. Petters bewirkt. Der erläuternde Text ist von Arthur Milch-
hoefer, das zugehörige Gesamtregister von J. Jessen bearbeitet; 1900 lag das ganze Werk
im D. Reimerschen Verlag (Berlin) vollendet vor. Auch hier sind die antiken Baureste rot
eingetragen worden. DieKarte ist ebenso schön wie genau und gewährt nach Van Kampen „ein
ebenso einheitliches wie klares Bild der interessanten Oberflächenentwickelung dieses in der Geschichte einzig dastehenden Ländchens". Reichhaltig und sorgfältig in ihren Darstellungen waren
auch A. Gräfs „Handkarte von Griechenland und Ionischen Inseln" 1 : 800000, die 1877
neuaufgelegt wurde, ein mehrfarbig gedruckter Kupferstich, und H. Kieperts Neuausgabe
seiner 1850 zuerst erschienenen Karte: „Das Königreich Hellas oder Griechenland und die
Ionischen Inseln" 1 : 800000, mit schraffiertem Gelände und Höhenangabe in Pariser
Fuß, sowie zwei Nebenkarten von „Athen" 1 : 100000 und „Korfu" (Corfu, Kerkyra)
1 : 800000. 1878 gab auch der Griechische Generalstab eine „Karte von Epirus
und Thessalien" 1 : 420000 in griechischer Schrift heraus und ließ ihr 1880 ein auch
kartographisch sehr lehrreiches statistisches kleines Werk über Griechenland folgen. Auch
fanden an verschiedenen Stellen des Landes wertvolle, die Verbesserungen von Einzelheiten der bisherigen, namentlich der französischen, Karte betreffende Aufnahmen durch
diese Behörde statt, welche indessen den Bedürfnissen keineswegs genügten. Da es nun
an dem für größere geodätische und topographische Arbeiten geeigneten Personal im Lande
fehlte, so wandte sich das griechische Kriegsministerium an die österreichische Regierung
um geeignete Kräfte. Diese entsandte 1888 bereitwillig eine geodätische Mission, bestehend
aus dem Oberstleutnant und Leiter der Geodätischen Abteilung des Militärgeographischen
Instituts Heinrich Hartl als Leiter, dem Hauptmann Franz Lehrl und dem Linienschiffsleutnant Julius Lohr als Mitgliedern, welche bereits im September desselben
Jahres bei Eleusis mit einem mitgebrachten Apparat des Instituts eine rund 4925 m lange
Basis maßen, unterstützt von den griechischen Unterleutnants Nider und Constantinopulos
und Leutnant Messalás. Daran schlossen sich bis Ende 1888 Beobachtungen auf allen
Stationen des Entwickelungsnetzes und bis Ende 1890 die Vollendung des Dreiecksnetzes
1. O. über zwei Dritteile des Peloponnes. Schon im Juni 1890 konnte der verdiente
Oberstleutnant Hartl der griechischen Regierung die „Grundzüge eines Entwurfs
der Organisation der Landesvermessung" vorlegen, die angenommen wurden.
Nachdem noch im Herbst 1890 versuchsweise in der Gegend von Eleusis eine Aufnahme
1 : 25000 stattgefunden hatte, begann 1891 hier eine Abteilung die Detailtriangulierung,
während eine zweite eine solche in der Ebene von Argos ausführte, in der 1891 mit der
Katastervermessung angefangen werden sollte. Dringende Ereignisse forderten aber deren
vorläufigen Aufschub und die rasche Herstellung einer guten Karte der Provinz Thessalien.
Bis Ende 1891 wurde daher das Dreiecksnetz 1. O. über dies Gebiet ausgedehnt, so daß
nur noch einige Ergänzungen der Triangulation im Peloponnes, die Fortführung des Netzes
über die Kykladen und die Ionischen Inseln und seine Verknüpfung auf Korfu mit dem
italienischen und österreichischen Netze (Albanien) notwendig waren. Dies geschah 1892,
wo auch das Netz 2. und 3. O. in Thessalien und das Detailnetz bei Argos—Nauplia vollendet wurden, so daß 1893 dort auch die Katastervermessung begonnen werden konnte.
Nachdem ferner im Winter 1892/93 die provisorische Ausgleichung der Triangulation
1. O. bewirkt war, 1893 im Sommer, nach Verbesserungen derselben, durch eine Abteilung in Argolis, eine zweite im nordöstlichen Thessalien Kleintriangulierungen für die
Aufnahmeblätter stattgefunden hatten, begannen noch 1893 Meßtischaufnahmen durch

griechische Offiziere in 1:5000 für die Katasteraufnahme in der Ebene von Argos, zunächst zur Einschulung. Leider aber wurden die so trefflich begonnenen, nach in Hartls „Normen für die Vermessungsarbeiten in Griechenland" enthaltenen Grundsätzen ausgeführten Arbeiten schon 1894 durch politische Verhältnisse gänzlich unterbrochen. Hartl wollte die topographischen Aufnahmen in 1:20000, nur größere Städte mit Umgebung, wichtige Geländeabschnitte &c. in 1:10000, später aufnehmen und das Gelände durch Isohypsen, nur, wo diese Einzelheiten nicht ausdrücken können, durch Bergstriche darstellen lassen[1]). Er wurde 1901 nochmals zur Fortsetzung der Katasterarbeiten von Griechenland erbeten, soll solche auch in Angriff genommen haben, ist aber leider am 3. April 1903 gestorben, ein schwerer Verlust für die Geodäsie, wie besonders für die Kartographie der Balkanhalbinsel und Griechenlands im besonderen. Hoffentlich werden die gut eingeleiteten Arbeiten aber nun durch eigene Kräfte der Geographischen (früher Geodätischen) Abteilung des griechischen Kriegsministeriums gefördert und energisch bewältigt werden. Von Thessalien soll eine Karte 1:50000 auf Grund der bisherigen Vermessungen erschienen sein(?). Das astronomische Observatorium in Athen (23° 43,8′ ö. v. Gr., 37° 58′ 20″ n. Br.), heute von D. Aeginitis geleitet, dient den Arbeiten als Ausgangspunkt.

Von anderen wichtigeren Karten dieser Zeit sei zunächst einiger geologischer Arbeiten gedacht, die die Frucht der Reisen österreichischer Geologen waren, welche in der Zeit von 1874—76 stattfanden, unter ihnen in erster Linie M. Neumayrs. Er suchte Nordgriechenland auf und gab auf Grundlage der Kiepertschen Karte von Epirus und Thessalien 1:500000 zusammen mit L. Burgenstein und F. Teller eine „Geologische Übersichtskarte der nordwestlichen Küstenländer des Ägäischen Meeres" in gleichem Maßstabe 1880 heraus, die 11 geologische Ausscheidungen in Farbendruck enthält, im übrigen ohne Geländedarstellung ist. Mit A. Bittner und F. Teller ließ er dann noch eine „Tektonische Übersichtskarte eines Teiles der Küstenländer des Ägäischen Meeres" 1:1850000 erscheinen, welche mit Rot die tektonischen Angaben verzeichnet, im übrigen die Kammlinien der Gebirge in schwarzen Strichen, die Meerestiefen bis und über 100 Faden in blauen Flächentönen wiedergibt. F. Teller hat geologische Farbenkarten über Chalkidike und Thessalien 1:500000, das griechische Festland und Euböa 1:400000 &c. herausgegeben (1879), sowie 1880 über Chios. 1881 ließ das österreichische Militärgeographische Institut eine 6blätterige „Karte von Epirus und Thessalien" 1:300000 in der Ausführung seiner Generalkarte gleichen Maßstabes, jedoch mit griechischer Beschreibung, aber noch ohne die durch den Berliner Kongreß vorgeschriebenen neuen Grenzen erscheinen. Diese sind erst durch H. Kiepert 1881 (wenn von einer Map of the Turk-Greek Frontier 1:600000 des englischen Generalstabes von 1880 hier abgesehen wird) in ausgezeichneter Weise durch 4 Kartenwerke unter dem Gesamttitel „Die neue griechisch-türkische Grenze nach den Bestimmungen der Konferenz zu Konstantinopel, November 1881", Reduktion der von der Internationalen Kommission aufgenommenen Originalkarte in 1:50000, dargestellt worden. Diese die Originalaufnahmen vollkommen ersetzenden Arbeiten (mit wertvollem erläuternden und kritischen Text) sind in 1:200000 bei den drei ersten, den eigentlichen Grenzkarten, und in 1:1000000, der die „Trigonometrischen Aufnahmen in Epirus-Thessalien und Kompaß-Rekognoszierungen" bringenden vierten Karte, verfaßt. Jede Grenzkarte enthält Nebenkarten. Das Gelände ist bei den Hauptkarten in braunen Schichtenlinien (mit Höhenangaben in engl. Fuß) oder braun geschummert (ohne Höhenzahlen), die Situation schwarz, die Grenzen farbig wiedergegeben, die Orthographie nach dem Originale, die antiken Namen in Haarschrift. Die vierte, die Aufnahmen enthaltende Karte unterscheidet in Weiß die 1800—1868 durch englische, französische, deutsche und

---

[1]) „Die Landesvermessung in Griechenland" von H. Hartl. Mitt. des K. u. K. Militärgeogr. Instituts 1890, X. Band; 1891, XI. Band.

dänische Reisende erkundeten Gebiete, in Gelb die 1872—73 von den österreichischen
Offizieren gemachten Vermessungen, in Braun (verschiedene Töne) das von dem Ingenieurgeographen Laloy, dann von dem französischen Generalstabe, endlich 1881 von der Internationalen Grenzkommission aufgenommene Gelände. Die Grenze von 1835 ist blau, die
von 1881 rot eingetragen. Von besonderem Werte sind dann weiter einige preußische
Kartenwerke, und zwar zunächst die „Karten von Mykenai" des Hauptmanns Steffen,
die eine einen Teil der Landschaft Argolis mit Mykenai im Mittelpunkt in 1:125000, die
andere die Akropolis in 1:750 darstellend, dann eine dritte desselben Verfassers auf
Grund der großen französischen Karte 1:200000 eine „Übersichtskarte von Argolis" 1:300000 bildend. Diese auf Veranlassung des deutschen Archäologischen Instituts
entstandenen Meisterwerke sind in dreifarbigem Kupferdruck ausgeführt und bringen vor
allem eine vollendete Darstellung des Geländes. Dr. H. Lolling hat dazu einen sehr
wertvollen Anhang über das wenig bekannte mykenisch-korinthische Bergland geschrieben.
J. A. Kaupert ließ 1882 als Beilage zu einem von ihm, Curtius und Adler 1882 herausgegebenen Hefte über „Olympia und Umgegend" eine „Karte der Umgebung von
Olympia" 1:100000, auf seinen Aufnahmen von 1880 beruhend, erscheinen, dann — gemeinsam mit E. Curtius — 1887 einen „Wandplan von Alt-Athen" aus 4 Blatt
1:6000 von prächtiger Ausführung. Das Wegenetz ist in rot angelegten schwachen Doppellinien, das Gelände in 5metrigen Niveaulinien mit grauen Bergstrichen und untergelegtem
Kreideton dargestellt, die antiken Heiligtümer und öffentlichen Bauwerke und Denkmäler
sind rot eingetragen. Dazu gehört ein Heft vertvollen Textes. Sehr verdienstlich ist
ferner eine Karte „Südlicher Epirus und Thessalien" in 8 Blatt 1:200000 von
M. Th. Chrysochóos, von der Kiepert sagt, daß sie „in der oro- und hydrographischen
Zeichnung nur in der epirotischen Heimat des Verfassers und im mittleren Teile des
östlichen magnesischen Berglandes Spuren selbständiger Berichtigung zeigt, im übrigen
aber nur in vergrößerter Form die Züge der österreichischen Karte wiederholt, vor welcher
sie jedoch den Vorzug der Einschaltung einer beträchtlichen Zahl von in den alten Karten
fehlenden Ortschaften und der richtigen griechischen Schreibart sämtlicher Ortschaften
voraus hat". Sie gibt das Gelände in lichtbrauner Schummerung und rührt aus dem
Jahre 1884. In diesem erschien auch die mit Benutzung von 4 Blättern der „Generalkarte von Zentraleuropa", welche inzwischen berichtigt und verbessert waren, sowie auf
Grund der französischen Carte de la Grèce und der neuesten englischen Seekarten, endlich
von Berichtigungskarten des griechischen Oberstleutnants J. Kokides hergestellte, vorher
von Professor Kiepert revidierte „Generalkarte des Königreichs Griechenland" 1:300000 des K. und K. Militärgeographischen Instituts in griechischer
Ausgabe. Sie besteht aus einer „statistischen und politischen Übersicht" und 11 Blättern
mit 2 Halbblättern in Photolithographie und gibt das Gelände in braunen Bergstrichen
mit Meterangabe, das Meer in leichten blauen Tönen, Schrift und Gerippe schwarz, nur
die Gewässer blau. In einer 1885 veröffentlichten deutschen Ausgabe ist auch das Gefließnetz schwarz dargestellt. Wegen des ungleichwertigen Quellenmaterials ist natürlich auch
der Wert der Karte ein ungleichartiger, besonders in ihrer nördlichen Erweiterung über
die französische Karte, wo es in dem neuerworbenen Gelände noch an vollständigen topographischen Aufnahmen fehlte. „Was unter diesen schwierigen Verhältnissen mit sorgfältiger kritischer Benutzung der Originalquellen zu leisten war, das ist in der österreichischen Generalkarte geleistet", sagt Professor J. Partsch. In Athen erschien 1884
eine 6blätterige „Carte télégraphique de Grèce" 1:700000 in griechischer
Schrift, das Telegraphenwesen richtig wiedergebend, und 1889 eine „Straßen- und
Eisenbahnkarte von Griechenland" 1:300000 in ebensoviel Blättern, welche die
Betriebs und im Bau begriffene und projektierte Eisenbahnen (schwarz) und Straßen (rot)
darstellt, endlich von Skandalides eine 6blättrige Eisenbahn- und Telegraphenkarte

1:1 Mill. in griechischer Sprache. A. Steinhauser veröffentlichte 1886 nach Schedas Karte der Balkanhalbinsel eine „Generalkarte von Griechenland und dem Ägäischen Meer" 1:864000 in 4 Blatt, mit politischer Einteilung ohne jede Geländedarstellung, aber von großer Zuverlässigkeit. Von E. Oberhummer kam 1887 eine Übersichtskarte „Akarnanien und das angrenzende Gebiet" 1:300000 heraus, die mannigfache Verbesserungen der Generalkarte des Instituts auf Grund neuer Quellen und eigener Beobachtungen enthält, und eine „Spezialkarte" 1:100000, die im wesentlichen auf Grund der englischen Küstenaufnahmen das heutige Geländebild veranschaulicht. 1890 ließen A. Mavrokordátos und Lalannis eine „Karte eines Teiles von Thessalien" in 1:100000 in Athen in griechischer Sprache erscheinen, die Mittelthessalien in braun geschummertem Gelände mit 50metrigen Höhenkurven und schwarzer Situation wiedergibt, während ein Blatt 1:500000 die Gegend von Domokós in Südthessalien enthält. 1887 beginnt Dr. A. Philippson seine für die Erforschung Griechenlands, auch in kartographischer Hinsicht, so wertvoll gewordenen Reisen, zunächst im Peloponnes, wo er 1889 besonders Aneroidmessungen machte. 1890 bereiste er Nord- und Mittelgriechenland. Das Ergebnis dieser Reisen war u. a. eine „Ethnographische Karte des Peloponnes" 1:1000000 und eine „Karte des Isthmos von Korinth" 1:50000, die erstere im größerem Maßstabe, auf eigenem Kroki und der französischen Karte beruhend, eine Lithographie mit roh geschummertem Gelände und Höhenzahlen in Metern, sowie zwei Nebenkarten: „Skizze der Verkehrswege des Isthmos im Altertum" 1:60000 und „Übersichtskizze der Verwerfungen auf dem Isthmos" 1:300000. Als Abschluß dieser Periode erschien dann sein meisterhaftes Werk „Der Peloponnes", 1892, dem eine geologische Karte 1:300000 mit Höhenkurven und 18 Ausscheidungen, dann eine oro-topographische Karte desselben Maßstabes, 1 Profiltafel und 40 Profilskizzen im Text beigefügt waren. Seit 1893 ging er dann nach Nordgriechenland. Als Ergebnis seiner Studien kam zunächst eine „Kartenskizze von Nord- und Mittelgriechenland" 1:750000 zur Veranschaulichung seiner Reisewege zustande (in Rot), die aber auch die Kammrichtung der wichtigeren Gebirgszüge, sowie die bedeutenderen Ebenen wiedergibt und geologische Unterscheidungen macht.

Dann ergaben sich als Kartenbeilagen zu einer Reihe von Aufsätzen bzw. zu seinem Werke „Thessalien und Epirus" zunächst zwei aneinanderschließende Karten 1:300000 von Südostthessalien und von Epirus und Westthessalien, denen die neue Landesvermessung Hartls, einige Dreieckspunkte der französischen Carte de la Grèce und der österreichischen Generalkarte als geodätische Grundlage dienten, sowie die britischen Seekarten für die Küstenlinien. Sie enthalten das Gelände in brauner Schummerung und Meterangaben, die Meerestiefen in Kurven von je 50 m bzw. bei der zweiten Karte von 50, 100, 200, 500 und 1000 m, das Gerippe in Schwarz, die antiken Namen und die Reiserouten des Verfassers in Rot, dazu ein wohlgegliedertes Wege- und Grenzennetz (bis zu den Eparchien herab). Zu beiden Karten gibt es geologische Ausgaben, und zwar nach den eigenen Aufnahmen Philippsons und den Arbeiten M. Neumayrs, auf Korfu auch von J. Partsch, mit farbigen geologischen Ausscheidungen, ohne Gelände. Endlich gehören geologische Profile in Schwarzdruck mit verschiedenen Signaturen für die Ausscheidungen dazu. Diese Karten bedeuten nach dem Urteile so berufener Kenner wie Partsch und Oberhummer einen der bedeutendsten Fortschritte in der Kartographie dieser Gegenden, die uns mit einem Schlage gewaltig vorwärts gebracht haben, wie ein Vergleich mit der im gleichen Maßstabe gehaltenen Generalkarte des Militärgeographischen Instituts lehrt. Ein Höhenverzeichnis in 10 Abschnitten, von A. Galle berechnet, ergänzt diese Arbeiten. Es sind dabei nicht nur die Messungen Philippsons, sondern auch die Angaben der französischen und österreichischen Karten, dann jener von Mavrokordátos, Kiepert, der Kopaïs-Gesellschaft und der preußischen Aufnahmen in Attika berücksichtigt. Endlich sind von

Philippson noch eine Karte: „Der Kopaïssee und seine Umgebung" 1:150000 (auf Grund des „Plan du Lac Copaïs" 1:50000 der Compagnie française pour le desséchement et l'exploitation du Lac Copaïs und der „Carte de la Grèce" 1:200000) und eine „Vegetationskarte des Peloponnes" 1:625000 1894 und 1895 veröffentlicht worden.

1897 kam dann die wertvolle griechische Karte von M. Th. Chrysochóos: „Karte von Makedonien, Illyrien und Epirus" 1:400000 in Athen heraus, welche besonders im südlichen und südwestlichen Teile ihres vom Golf von Valona im Norden bis zum Breitenkreis von Nordkorfu und von der Adria bis zum Ägäischen Meere reichenden Gebietes manche Neuerungen enthält, wenn sie auch technisch, besonders im braun geschummerten Gelände, nicht vollendet ausgeführt ist, auch der ausreichenden Höhenangaben oft entbehrt. Die Grenzen und das Wegenetz sind rot, die Flüsse sind blau gedruckt. Von H. Kiepert erschien 1897 eine neue Ausgabe seiner „Carte de l'Épire et de la Thessalie" 1:500000, die jedoch jetzt das Gelände in braunen Höhenkurven, die griechisch-türkischen Grenzgebiete mit Angabe der griechischen Sprachgrenze durch hellblaues Band darstellt. Nur im türkischen Becken des Salamoria ist letztere nicht wiedergegeben.

Wenden wir uns nun noch der Inselwelt zu. Sie ist vor allem durch deutsche Privatarbeiten in dieser Epoche kartographisch gefördert worden. Voran steht J. Partsch, der 1885 seine Erforschung der Ionischen Inseln begann und die Berichtigung und Vervollständigung der topographischen und hypsometrischen Kenntnis sich vor allem zur Aufgabe gesetzt hatte und dabei die guten, aber wenig in die Öffentlichkeit gedrungenen englischen Originalaufnahmen der Ionischen Inseln, namentlich Korfus, zu Ehren gebracht hat. Auf Grund dieser sowie eigener trigonometrischer und barometrischer Höhenmessungen entstand zunächst eine „Originalkarte der Insel Korfu" 1:100000 mit drei Nebenkarten: „Geologische Karte der Insel Korfu" 1:300000, „Korfu und Korkyra" 1:35000 und „Die Vermehrung der Bevölkerung von 1766 bis 1879" 1:300000. Das Gelände ist in der autographierten Karte braun geschummert, mit zahlreichen Höhenangaben versehen, das schwarze Gerippe zeigt ein dichtes Wegenetz, die Schrift, ebenfalls in Schwarz, verbessert viele Namen der englischen Aufnahme, die 1886 dem Verfasser zugänglich wurde. Dann erschien 1888 eine „Originalkarte der Insel Leukas" 1:100000 in ähnlicher Ausführung, mit einer Nebenkarte: „Das antike Leukas" 1:50000. Auch sie fußt in bezug auf den geodätischen Teil auf englischem Material, und zwar den Seekarten, bereichert aber die Topographie durch eigene Aufnahmen, namentlich barometrische Höhemessungen, zumal das Innere von den britischen Seeoffizieren meist vernachlässigt ist und nur die Küsten genau sind, wenn auch bei Leukas eine die ganze Insel überspannende trigonometrische Aufnahme stattgefunden hat. Weiter bietet Partsch eine „Originalkarte der Inseln Kephallenia und Ithaka" 1:100000 in der gleichen Ausführung wie bei Korfu und zwei Pläne 1:10000 der alten Stadt Same und der alten Stadt Krane. Sie beruht auf Theodolitbestimmungen im Anschluß an die englischen Küstenaufnahmen und trigonometrischen Höhenmessungen der wichtigsten Gipfelpunkte, sowie topographischen Beobachtungen mit leichten, tragbaren Instrumenten auf seinen zahlreichen Wanderungen in zum Teil ganz unbekannten Gebirgsgegenden. Auch auf Zante machte er eigene Aufnahmen, legte ein kleines Dreiecksnetz mittels Theodoliten, stellte das Wegenetz durch Kompaßpeilungen fest und nahm Höhenbestimmungen vor, auf Grund welchen Materials und von 24 Kartenskizzen Dr. K. Peucker eine „Originalkarte der Insel Zante" 1:100000 fertigte. Dazu gehört eine Nebenkarte: „Zunahme und Verteilung der Bevölkerung von 1766 bis 1889" 1:300000. Die Insel Kythera ist durch Dr. R. Leonhard 1896 bereist und im Rahmen der englischen Seekarte durch Theodolit- und Kompaßaufnahmen sowie Aneroidmessungen kartographisch festgelegt worden. Eine „Originalkarte der Insel Kythera (Cerigo)" 1:100000 mit Nebenkarten: „Geologische Skizze der Insel Kythera" 1:300000 und dieselben Karten für die Insel Antikythera, die Original-karten ähnlich wie die von Partsch ausgeführt, die Nebenkarten mit 100 metrigen Iso-hypsen, waren das Ergebnis. Von den Inseln Páxos und Antípaxos sind 1887 durch eigene Aufnahme vervollständigte Hafenpläne durch Erzherzog Ludwig Salvator, 1901, namentlich auf Grund seiner Aufnahmen von 1899 durch Dr. A. Martelli, je eine geo-logische und eine hypsometrische Karte 1:75000 veröffentlicht worden mit 25 metrigen Höhenkurven, wobei sich die Unzulänglichkeit der englischen Seekarte und der öster-reichischen Generalkarte 1:300000 ergab. Von der Insel Kreta ist 1887 durch H. Kie-pert eine saubere, klare und vollständige „Karte von Kreta zur Darstellung der Vertei-lung der Konfessionen" 1:300000 veröffentlicht worden, die das Gelände nur durch Höhen-zahlen andeutet. Dann erschien 1898, gestützt auf Spratt und Kiepert, eine Karte: „Kreta" 1:400000 des Wiener Militärgeographischen Instituts mit dürftigen Orts-angaben, ohne Wegenetz, braun geschummertem Gelände und einer Reihe von Ansichten von wichtigen Küstenlinien und Städten, für einen Sonderzweck verfaßt. Sorgfältiger und eingehender ist dagegen die Karte „Ile de Crète" 1:400000 des französischen Service géographique de l'armée aus demselben Jahre, wenn auch nur auf Spratt sich gründend. Sie enthält die Wege in Rot, zahlreiche Ortsangaben, die Gewässer blau, das Gelände grau geschummert, das Meer in blauen Flächentönen und 50- bzw. 100 metrigen Isobathen. Endlich haben die Gebrüder Baldacci 1899 eine Karte von Kreta 1:500000 veröffentlicht, mit ihren Reiserouten, die bei Agostini in Rom hergestellt wurde und das Gelände in graubrauner Schummerung darstellt. Was die Ägäischen Inseln anlangt, so gaben 1887 zunächst Foullon und Goldschmidt geologische Karten von Syra 1:100000, Syphnos 1:150000 und Tinos 1:180000 in farbigen geologischen Ausschei-dungen und schraffierter Geländedarstellung heraus. 1897 erschien von A. Philippson, der seit 1896 auch dieses Gebiet in seine Reisen und Studien hineingezogen hatte, eine „Kartenskizze des Ägäischen Meeres" 1:2 Mill. mit farbigen Unterscheidungen der Meeresstraßen bis zu 200, 500, 1000, 2000, 3000 und über 3000 m nach den Messungen der englischen Admiralität und der österreichischen Expedition zur Erforschung des Mittelmeeres, sowie geologischen Eintragungen der Streichungsmessungen der Gebirge und der Gesteinsarten in Schwarz und Rot, wodurch der frühere Zusammenhang der Ge-birge Europas und Kleinasiens charakteristisch angedeutet wird, im übrigen ohne Gelände-darstellung, aber mit seinen rot eingetragenen Reiserouten. (Verhandlungen der Gesell-schaft für Erdkunde, Berlin 1897.) 1901 veröffentlichte Philippson als Anhang zu einem Aufsatze „Beiträge zur Kenntnis der griechischen Inselwelt" im Ergänzungsheft Nr. 134 von Petermanns Mitteilungen 4 Karten: 1. „Die magnesischen Inseln und die Insel Skyros (die nördlichen Sporaden)" 1:500000, 2. „Karte der Kykladen" 1:300000, 3. und 4. Geologische Karten derselben Gebiete in gleichem Maßstabe und gleicher Ausführung, mit farbigen geologischen Formationen. Grundlage für die Küstenumrisse und Tiefen bildeten die englischen Seekarten und die Lotungen des öster-reichischen Expeditionsschiffes „Pola", für den übrigen topographischen Teil die Karten von Fouqué und Wilski über Santorin, K. Ehrenberg über Milos, Bürchner über Nikariá, Evgenias und Gefährten über Tinos und Kotsovillis über Syra, Andros nach den Karten von Mamaïs und Stavlas, während auf den übrigen Inseln, dann auch teilweise auf Tinos, Lyra und Andros, Philippsons eigene Aufnahmen oder, wo er nicht war, auch für das Innere die britische Admiralitätskarte zugrunde gelegt sind. Das Gelände ist in Niveaukurven von 100 m Schichthöhe, die Stufen 0—100 m grün, die höheren braun getönt dargestellt. Die Flachsee von 0—200 m ist hellblau, die weiteren Tiefen in immer dunkler werdenden blauen Tönen unter Hinzufügung von Isobathen von 50, 200, 500 und 1000 m dargestellt. Da ihm Hartls schon begonnene Dreieckslegung 1. O. nicht zugänglich war, so konnte Philippson nur die ungefähre Lage einiger Signale eintragen, wie überhaupt die Genauigkeit auf den verschiedenen Inselzeichnungen eine überaus ungleichwertige sein mußte, am willkürlichsten sind Mykonos und Seriphos ergänzt, doch folgte 1902, ebenfalls in den Petermannschen Mitteilungen, noch eine wertvolle topographische und geologische „Karte der Insel Mykonós" 1 : 300000. Endlich sei E. Oberhummers Arbeit über „Imbros" mit einer kleinen Karte der Insel 1 : 250000 erwähnt, die R. Kiepert auf Grund eigener Beobachtungen von H. Kiepert gezeichnet hat. Für die griechische Inselwelt wie für das Festland sind die oft vortrefflichen Karten und Pläne der Reisebücher von B a e d e k e r , M e y e r , J o a n n e , M u r r a y ebenfalls beachtenswert, ebenso Hand- und Reisekarten wie z. B. der Farbendruck des W e i m a r e r G e o g r. I n s t i t u t s 1 : 800000 (55,5 : 66,5 cm). Im ganzen muß aber leider gesagt werden, daß die kartographische Darstellung Griechenlands, namentlich des Festlandes, wo große Teile noch der Aufnahme harren, eine unzulängliche ist, und daher eine einheitliche genaue Landesvermessung ein immer dringender sich fühlbar machendes Bedürfnis wird.

Wenden wir uns nun noch zu einigen literarischen Arbeiten. Aus dem Altertum ist die wichtigste Quelle des geistreichen Strabo „Γεωγραφικά", die mit Benutzung zahlreicher Vorgänger (Eratosthenes, Hipparchos, Polybios, Poseidonios für die einleitenden mathematischen Abschnitte, dann im folgenden topographischen und geographischen Teil des Pytheas, Ephoros, Timaios Antiochos von Syrakus, Apollodoros von Athen, Artemidoros von Ephesos, Demetrios, weiter von Cäsar, Fabius Pictor, Cälius u. a.) sowie eigener Beobachtungen die ganze damals bekannte Welt, besonders natürlich Griechenland, umfaßten. Dann folgten die Schriften der Piriegeten, mit Diodoros an der Spitze, von denen die Arbeiten des Tolemon und des Pausanias (der die griechische Landschaft in 10 Büchern beschreibt und namentlich Hervorragendes über die Topographie Athens auf Grund eigener Untersuchung und des Studiums bester Quellen gibt) hervorzuheben sind. Daran schließen sich Pomponius Mela (40 n. Chr.) und Plinius (23—79 n. Chr.). In byzantinischer Zeit ist des Hieroklos (6. Jahrhundert) Verzeichnis der 64 Eparchien des oströmischen Reiches und die aus dem 7. Jahrhundert stammende Übersetzung eines griechischen Originals des 8. Jahrhunderts, welche die „Kosmographia" des Anonymus von Ravenna enthält, von besonderem Wert. Im 15. Jahrhundert geht man wieder auf die Urquellen zurück, die man durch eigene Reisen ergänzt, im 17. und 18. Jahrhundert sind die Arbeiten Klüvers (Cluverius), Kellers (Cellarius) und die bahnbrechenden Studien Bourguignon d'Anvilles (1697—1782), dessen Karten erst durch die Lapies, Leakes und Gells überholt wurden, hervorzuheben. Im 19. Jahrhundert ist vor allem zunächst das hervorragende Werk „Travels in Northern Greece", London 1835/36, des britischen Obersten Leake mit einer Karte 7 : 750000 zu erwähnen, das alle übrigen literen Arbeiten der Zeit, besonders auch die französischen, überragt, namentlich auch durch Zuverlässigkeit und Genauigkeit. Ferner F. W. Gell: „Itinerary of Greece, containing one hundred routes in Attica, Boetia, Phocis, Locrisand, Thessaly", London 1819, dann B. G. Fiedlers „Reise durch alle Teile des Königreichs Griechenland" (1840—41), dessen Wert Oberhummer besonders betont, sowie die französische große Arbeit: „Expédition scientifique de Morée" (1831—39). Weiter F.W. Forchhammer: „Topographie von Athen", mit 1 Stadtplan, Kiel 1841, und „Beiträge zur physischen Geographie von Griechenland" von Jul. Schmidt (Athen 1864—69) mit zahlreichen Höhenbestimmungen, Bursians „Geographie von Griechenland" von 1873, mit einer Karte von Griechenland von H. Lange, Buttmanns „Kurzgefaßte Geographie von Altgriechenland" (Berlin 1872, Nicolai), E. Curtius: „Griechische Geschichte", mit einer Karte Griechenlands von J. A. Kaupert, G. Grote: „Geschichte Griechenlands mit vielen Karten und Plänen", 2. Aufl., Berlin 1880, L. Neumann und J Partsch: „Physikalische Geographie von Griechenland, mit besonderer Rücksicht auf das Altertum", 1885, E. Oberhummer: „Akarnanien, Ambrakia, Amphilochien, Leukas im Altertum" (mit 2 Karten, 1887, nach Fischer eine „überaus fleißige, die Quellen voll beherrschende, topographisch-historische Einzelschrift", und desselben Verfassers „Aus Nordgriechenland und Arkadien" (1899 und 1900, Berliner Philologische Wochenschrift), drei Besprechungen (A. Philippson, Will. J. Woodhuse und Gust. Fougères). Endlich die schon erwähnten Schriften Hartls sowie Philippsons, sowie die Berichte im Geographischen Jahrbuch von H. Wagner („Übersicht über die wissenschaftliche Literatur zur Länderkunde Südeuropas").

III. Bulgarien (mit Ostrumelien).

Das seit 1885 mit Ostrumelien vereinigte, seit dem russisch-türkischen Kriege von 1877/78 autonome, wenn auch noch der Türkei tributäre Fürstentum Bulgarien ist seit Jahrhunderten unter osmanischem Joche gewesen, und in dieser Zeit kann von irgendeiner K a r t o g r a p h i e in dem schönen unteren Donaugebiet keine Rede sein. Erst 1792 regte sich wieder der Geist der Freiheit, es begannen kleinere Aufstände gegen die türkischen Unterdrücker, und seit 1840 spürten auch Wissenschaft, Kunst und Literatur wieder einen frischen Hauch. Trotzdem waren es zunächst und für lange Zeit F r e m d e , die sich mit der topographischen und kartographischen Erforschung des Landes befaßten, und bis in die letzte Zeit hinein gründete sich die Landesdarstellung im wesentlichen auf russische, teilweise auch auf österreichische Arbeiten. Erst seit kurzem zeigen sich die Anfänge einer **einheimischen Kartographie**, nachdem im Kriegsministerium zu Sofia ein **Militär-kartographisches Institut** geschaffen wurde, das nun eine selbständige Tätigkeit entwickelt.

Am Ende des 18. Jahrhunderts ist es wieder die dürftige Karte Rizzi-Zannonis 1:1400000 aus dem Jahre 1774, welche auch „la Bulgarie" enthält, wenn auch Sofia hier noch die byzantinisch-bulgarische Nebenbezeichnung „Triaditza" führt. Dann vergeht eine lange Zeit, ehe wieder ein Kartenwerk auftaucht, nämlich bis 1821, wo Homentowskys „Karte der Moldau, Walachei und von Bulgarien" erscheint.

Einigen Wandel schuf erst der russisch-türkische Krieg 1828/29, wo die geodätischen Arbeiten mehrerer Generalstabsoffiziere unter Oberst Ditmars Leitung sich auch auf einen Teil Nordbulgariens erstreckten, dort astronomische Punkte festlegend, an die bis 1833 topographische Aufnahmen 1:42000 und 1:84000 geschlossen wurden. In Westbulgarien und Ostrumelien wurden dagegen rund 1160 Q.-Ml. krokiert, weshalb die Aufnahmen, zumal beim Fehlen genügender Grundlagen und bei der großen Eile, wenig zuverlässig waren. Chatows Karte von Bulgarien 1:840000 und eine Generalkarte desselben Verfassers in gleichem Maßstabe, die sich aber außerdem auch auf die Walachei und Rumelien ausstreckte, waren das erste kartographische Ergebnis, zu dem dann 1848—54 noch eine Karte des östlichen Bulgarien 1:84000 und 1850 eine solche Ostrumeliens 1:84000, beide vom Russischen Topographischen Depot, traten. Letztgenannte, wie die anderen in russischer Schrift, besteht aus 21 großen Blättern, die aus 60 kleineren zusammengefügt sind, und enthält ein Chausseen, Fahr-, Reit- und Karrenwege und Fußsteige unterscheidendes Wegenetz, viel Einzelheiten, aber das Gelände nur flüchtig in Schummerung.

Es ist nun einer Reihe meist **privater Arbeiten**[1] kurz zu gedenken. Die in Wien bei Artaria 1828 erschienene 6blättrige Kupferstichkarte von F. **Fried** über den größten Teil des europäisch-osmanischen Reiches enthält auch Bulgarien, das Gelände in Schraffen ohne Höhenangaben. 1867 kam, jedoch ohne im Sinne einer Originalarbeit die Landeskunde besonders zu fördern, bei **Wallishausen** in Wien eine „Karte der Länder an der unteren Donau und der angrenzenden Gebiete" heraus, die sich auch mit Bulgarien näher befaßt. Vor allem hat aber wieder Felix **Kanitz** fördernd auf die Erforschung und Kenntnis dieses damals ziemlich unbekannten Landes der europäischen Türkei gewirkt durch seine mit Unterstützung der österreichischen Regierung 1864 ausgeführte Reise in Nordbulgarien, über welche er in den „Denkschriften der K. K. Akademie der Wissenschaften" unter Beifügung von „Routiers mit Beiträgen zur Altertumskunde von (Südserbien und) Nordbulgarien" berichtet. Freilich läßt diese Kartenskizze ohne Geländezeichnung wenig erkennen von dem, was sein Bericht Wertvolles meldet und was als wichtiges kartographisches Material dem Professor Kiepert zur Berichtigung der neuen (1870er) Ausgabe seiner Generalkarte der europäischen Türkei gedient hat. Im Jahre 1871 trat Kanitz dann eine größere Reise nach Bulgarien an, die sehr Wertvolles, teilweise Grundlegendes, für die Kartographie dieses Landes brachte. Nicht bloß berichtigte er schon 1872 mehrere schwere Irrtümer in den Karten Kieperts und namentlich v. Schedas, brachte sehr Tüchtiges über die Ortsnomenklatur, gab eine Fülle von Anregungen zur Verbesserung des Kartenbildes, sondern vor allem schenkte er uns eine „Originalkarte von Donau-Bulgarien und dem Balkan" 1:420000 nach seinen eigenen Reiseaufnahmen in den Jahren 1870—74, welche einen sehr bedeutenden Fortschritt in der Kenntnis der nördlichen Balkanhalbinsel bedeutet. Sie gibt, wie Friedrich Marthe treffend sagt, „zum ersten-

---

[1] Es wird dabei von den die gesamte Balkanhalbinsel umfassenden Karten abgesehen.

Toula seine Arbeiten fort und durchquerte sechsmal den westlichen Balkan, worauf er, auf die Erfahrungen beider Reisen gestützt, 1881 in Wien eine „Geologische Übersichtskarte des westlichen Balkans" 1 : 300000 als ersten Entwurf veröffentlichte. Sie enthält das Gelände in Schraffen und gibt 24 geologische Ausscheidungen sowie auf einem Nebenkärtchen die wichtigsten Reiserouten anderer Geologen (Boué, Peters, v. Hochstetter, Foetterle, Schröckenstein, v. Fritsch). Auch äußert sich Toula in seinen 1882 erschienenen „Reiseskizzen" über die Kartenwerke von Kanitz und des Militärgeographischen Instituts in sehr beachtenswerter und zutreffender Weise. 1884 durchquerte er wieder achtmal den Balkan und konnte dann in einem Bericht, der manche Berichtigungen der Karten von Kanitz, der russischen Karte und der Generalkarte 1 : 300000 brachte, sowie 1888 in einer kleinen Geologischen Kartenskizze 1 : 300000 mit 22 Ausscheidungen die Ergebnisse seiner Reisen niederlegen. Er benutzt dabei die Arbeiten von Zlatarski, Foetterle, v. Fritsch, v. Hochstetter, A. Pelz und H. Sanner. Der letztgenannte hatte 1882 eine das geologische Bild des Balkans wesentlich berichtigende Reise gemacht, deren Ergebnis eine Übersichtskarte 1 : 600000 in neuslawischer Orthographie war, die auch die Arbeiten v. Hochstetters und Toulas außerordentlich verbesserte. Sie wurde dann wieder von Toula 1890 in seiner „Geologischen Kartenskizze von Donau-Bulgarien und Ostrumelien nebst den angrenzenden Gebieten" 1 : 1600000 verwertet, die er seinem wichtigen Aufsatz „Geologisches aus Bulgarien" beifügte. Sie brachte 12 Ausscheidungen, ohne Gelände- und Höhenangabe, in vielfach nicht korrekter Namenschreibung und beruht in ihrer topographischen Grundlage auf der von G. Freytag hergestellten Karte der Balkanhalbinsel gleichen Maßstabes. Nach einer weiteren Reise 1888 im östlichen Balkan, der sechsmal überschritten wurde, und einer einmaligen Durchquerung von 1890 beendete Toula seine Arbeiten, deren Abschluß dann eine „Geologische Kartenskizze des östlichen Balkans" 1 : 300000 bezeichnete, in der auch die Arbeiten von F. v. Hochstetter, H. Sanner und die von H. Scorpil (der schon 1884 ein geologisches Kärtchen 1 : 3000000, das aber ohne besondern Wert war, hatte erscheinen lassen und 1888 Toula teilweise begleitet hatte) zur Verfügung gestellten Beobachtungsergebnisse verwertet waren. Die Verdienste Toulas sind recht erheblich, namentlich wertvoll sind seine zahlreichen Hinweise und Berichtigungen bezüglich des vorhandenen Kartenmaterials. Auch der dem meisterhaften Werke des ausgezeichneten Kenners Bulgariens, des Professors C. Jireček: „Das Fürstentum Bulgarien" beigefügten Karte sei gedacht, obwohl ich über sie nichts Näheres zu sagen vermag, da sie mir nicht bekannt wurde. Dann hat A. Kriwossijew bei Ch. G. Danow in Philippopel eine von Freytag in Wien lithographisch hergestellte 10blättrige „Karte von Bulgarien und den angrenzenden Gebieten" 1 : 420000 in enger Anlehnung an die russische und mit Benutzung österreichischer Generalstabsarbeiten verfaßt, die viel Neues bringt. Auch ein Teil Serbiens, Albaniens, ist auf ihr vorhanden, im Süden reicht sie bis an die Grenze Griechenlands, während im Osten die Küste des Schwarzen Meeres die Karte abschließt und ein besonderes Blatt kleineren Formats die Dobrudscha und die Donaumündungen umfaßt. Die Arbeit wird von J. Cvijić und andern Kennern sehr günstig beurteilt, für Makedonien über die österreichische Generalkarte 1 : 300000, für Serbien über die Spezialkarte 1 : 75000 gestellt. Das Gelände ist in braunen Schraffen mit zahlreichen Höhenangaben, das Gefließnetz blau, die Wälder sind grün wiedergegeben, und das Wegenetz ist sehr vollständig dargestellt. Die Schrift ist kyrillisch, die Zeichenerklärung reich an statistischen Angaben. 1896 hat J. Cvijić hypsometrische Karten des Rila-Gebirges in Bulgarien 1 : 150000 und der Karen dieses Gebirges 1 : 45000 seinem Aufsatz über „Das Rila-Gebirge und seine ehemalige Vergletscherung" beigefügt, die sehr wertvoll sind. Sie sind auf Grund der russischen Karte 1 : 126000 sowie zahlreicher eigener Messungen und Berichtigungen hergestellt. Die erstgenannte gibt ein klares, übersichtliches Bild des Gebirges in je 300metrigen Farbenstufen, und zwar für 300—1200 m in grünen, für 1200—2700 m in braunen Tönen. In der Karenkarte 1:42000 sind in die Stufen noch alle 50 m-Niveaulinien eingetragen und die grünen Töne bis 2400 m, die braunen bis und über 2700 m angewendet worden. K. Peucker hat die Herstellung der vortrefflichen Arbeiten, die in der Zeitschrift der Berliner Gesellschaft für Erdkunde 1898 veröffentlicht wurden, unterstützt. Nach russischem Material stellte 1898/99 das Militärgeographische Institut in Wien zu Studienzwecken Pläne 1:25000 vom Balkan beiderseits der Straße Plevna—Sofia und der Gegend zwischen dem Topolnica- und Iskerfluß her. Der bulgarische Bureauchef der Staatseisenbahnen Fr. Meinhard veröffentlichte 1899 eine Übersichtsskizze: „Die Eisenbahnen Bulgariens", in der die im Betrieb befindlichen, die im Bau begriffenen und in roten Linien die projektierten Bahnen, sowie in einer besondern Skizze ein Längenprofil der Straße über den Schipkapaß gegeben werden, und ließ dann in derselben Zeitschrift (Deutsche Rundschau für Geographie und Statistik) in 1:1500000 eine „Graphisch-statistische Darstellung der Bevölkerungsverhältnisse des Fürstentums Bulgarien" folgen, die in 12 Kartenzeichen die Verteilung der Einwohner und auch deren Verhältnis in den gemischtsprachigen Gegenden in übersichtlicher Weise angibt. Später hat er noch einen „Plan des Schlachtfeldes von Plevna" in Niveaulinien ohne Höhenangaben mit einer Skizze der Bahn Roman—Plevna veröffentlicht, der sich auf die russische Karte stützt. Den Abschluß der neueren Privatarbeiten machten G. Bontschews „Geologische Karte der Umgebung von Burgas" 1:420000, die 1900 in Sofia erschienen ist und seine gemeinsam mit dem Professor der Geologie an der Sofiaer Universität G. N. Zlatarski, sowie L. Dimitrow und L. Wankow herausgegebene geologische Spezialkarte von Bulgarien.

Die neueste Periode hebt nun mit der Begründung eines Kartographischen Instituts im Kriegsministerium zu Sofia an. Bereits 1894 war der österreichische Hauptmann des Armeestandes Trepal mit den vorbereitenden Arbeiten der 1893 beschlossenen Landesaufnahme in 1:75000 als Chef betraut worden, die er auch mit etwa 70 Topographen, darunter 30 Offizieren, begann. Aber schon am 1. September 1895 kehrte er in die österreichische Armee zurück. 1900 begann dann eine Reambulierung der russischen Karte 1:126000 in 36 Blättern, die sich jedoch auf das Gerippe allein erstrecken soll, während das Gelände einfach entnommen wird. In etwa 2—3 Jahren wird die Arbeit vollendet sein. Von dem bereits veröffentlichten Blatt Sofia ist zu sagen, daß es erhebliche Verbesserungen gegenüber der russischen Karte und der Karte des Wiener Militärgeographischen Instituts bringt. Die nächst zu erwartenden 6 Blätter werden das Gebiet bei Džumaja an der türkischen Grenze und östlich des Eisernen Thores bringen. In Vorbereitung ist außerdem eine Spezialkarte in 1:50000 oder 1:100000. Die türkische Karte 1:210000, soweit sie Bulgarien und Ostrumelien betrifft, wurde übersetzt. Nach der Neuorganisation des Kriegsministeriums vom 1./14. Januar 1904 bildet das Institut die 4. Abteilung seines I. Departements, des Armeestabes. Die Ausbildung der die Aufnahmen leitenden Generalstabsoffiziere geschieht zum Teil in Rußland auf der Nicolai-Generalstabsakademie. Der Gesamtetat des Ministeriums beläuft sich auf 52 Offiziere (einschl. 7 Generale), indessen waren 1903 nur 2 Generale und 18 Offiziere überhaupt vorhanden. Kriegsminister ist jetzt General Sawow.

An literarischen Arbeiten seien erwähnt: „Voyage en Bulgarie" von G. Lejean, 1867; Kanitz: „Reise in Südserbien und Nordbulgarien, ausgeführt im Jahre 1864", 1868; Sax: „Geographisch-ethnographische Skizze von Bulgarien", 1869; die amtlichen Berichte der österreichischen Offiziere R. und H. v. Sterneck, v. Horsetzky, Milinković, Gyurkovich, Hartl von 1871—75; Kanits: „Synonymik der Ortsnomenklaturen von Westbulgarien", 1872, und desgleichen von Ostbulgarien, 1873; Derselbe: „Donau-Bulgarien und der Balkan", 1875—78 in 1. Auflage; A. Järnefeldt: „Bericht über die Tätigkeit des russischen Topographenkorps 1877—79" (Russische Revue 1880); Fr. Ritter v. Lemonnier: „Die russischen Aufnahmen auf der Balkanhalbinsel in den Jahren 1877—79" — Auszug aus vorigem Werk (Mitt. der K. K. Geogr. Ges. in Wien 1880); Baron N. Kaulbars:

„Aperçu des travaux géographiques en Russie", 1889; H. Hartl: „Über die neueren Vermessungsarbeiten auf der Balkanhalbinsel"; M. N. Lebedeff: „Beschreibung der Triangulierung von Bulgarien" (mit 32 Tafeln und Karten 1877—79, Sapiski XLIII. Band); Dr. A. Supan: Referat zu vorigem Werk in Peterm. Mitt. 1889; Fr. Toula: „Geologisches aus Bulgarien" (Deutsche Rundschau für Geographie und Statistik 1890); C. Jireček: „Das Fürstentum Bulgarien", Wien 1891: Fr. Meinhard: „Auf Transbaikal-Studien", 1899.

IV. Serbien (Srbija).

Aus der ältesten Zeit dieses seit dem 9. Jahrhundert unter einer Herrschaft stehenden, seit Michael (1050—80) zum Königreich erhobenen Landes — des gebirgigen, aber fruchtbaren Flußgebiets der Murawa — bis in das 18. Jahrhundert hinein, ist von eigenen Kartenwerken nichts bekannt geworden. Erst als der Staat 1718 nach der denkwürdigen Belagerung Belgrads unter österreichische Hoheit kam, wurde die Grundlage zur kartographischen Darstellung gelegt, und ohne daß eine sichere Datierung möglich wäre, kann man etwa die Mitte des 18. Jahrhunderts als Beginn einzelner Arbeiten bezeichnen. Nur die nach griechischen Karten und den Itinerarien von mittelalterlichen Reisenden konstruierte Karte von Marsilli, deren nähere Ausführung und Verjüngungsverhältnis mir aber unbekannt sind, stammt aus dem Jahre 1727. Dagegen erschienen zunächst zahlreiche Pläne von Belgrad. Unter ihnen erwähne ich einen kolorierten Kupferstich (47 : 37 cm) von S. Hartl in Wien (1710), eine kolorierte Handzeichnung (46 : 36 cm) von Lackner, ebendort 1715, einen durch Erklärung erläuterten Kupferstich (47 : 54 cm) von Schenk in Amsterdam: „Platte Grond der Stadt en Vesting Belgrado, benevens het Leger des Keyserser" (anno 1717), sowie einen solchen, illuminiert, von Monath in Nürnberg (59 : 59 cm): „Eigentlicher und wahrhaffter Grundriß der Vestung Belgrad samt der Belagerung anno 1717" und mit einer Nebenkarte „Marsch der Kayserlichen Armee von Fusak bis Belgrad" sowie großer Gesamtansicht der Festung. Auch ein interessanter „Accurater Grundriß der Vestung Belgrad" von J. Wolff erschien 1720. Den Reigen der Karten eröffnet dann zunächst eine „Karte von dem Königreich Servien, gestochen von F. Müller, zu finden in Wien bey Artaria Compagnie, Kunsthändlern auf dem Kohlmarkt", in 1 : 640000. Sie reicht im Norden an die Donau und Save, im Osten an den Timok, im Südosten bis Caribrod und im Süden bis Giustandil (Kjustandil), Kratovo, Prischtina und Skopia, im Westen bis zum Lim und zur Drina und ist im Gerippe wie im Gelände (Hügelmanier) sehr fehlerhaft, große Lücken finden sich im Wegenetz. Sie hat einen doppelten Maßstab (ungarische und deutsche Meilen). Darauf folgt die „Karte von Serbien" 1 : 840000 eines unbekannten Verfassers, deren zahlreiche Verkehrslinien in bereiste und unbereiste Fahrwege und Reitsteige klassifiziert und mit Entfernungsangaben in Reitstunden der größeren Ortschaften bezeichnet sind. Es werden Städte, Marktflecken, (palankierte und gewöhnliche) Distanzorte und (bereiste wie unbereiste) Dörfer unterschieden und den größeren Wohnplätzen die Häuserzahl beigefügt. Das Gelände ist schematisch und unnatürlich in Bergstrichen ausgeführt. Ein Druckort ist nicht angegeben, wohl aber ein Doppelmaßstab in geographischen und türkischen Meilen. Weiter findet sich „Servien" auf der schon erwähnten Karte Schimeks in 1 : 480000 vom Jahre 1788. Endlich ist aus dieser Periode die von den K. K. Hauptleuten v. Lauterer und Frhrn. v. Tauferer aufgenommene „Navigationskarte der Donau von Semlin an bis zu ihrem Ausfluß ins Schwarze Meer" in 8 Blatt aus dem Jahre 1789 zu nennen, welche allerdings nur das unmittelbare Ufergelände des Stromes in Schraffen bzw. Hügelmanier zeigt und mit ausführlichen Erläuterungen auf jedem Blatt versehen ist. Sie ist in Wien auf Kosten der Kurtzbekischen Buchhandlung aus Anlaß der ersten Fahrt eines Seeschiffes aus der Kulpa durch die Donau nach Konstantinopel erschienen. Von der Gegend um Belgrad ist 1788 bei Artaria in Wien eine nach den besten Originalquellen gestochene

Karte 1 : 215000 veröffentlicht worden, die die Bodengestaltung allerdings recht mangelhaft in Hügelmanier enthält. Auch besitzt das österreichische Militärgeographische Institut eine Handzeichnung: „Plan de Belgrad et de ses environs le long de la Save jusqu'à Zabresie et de Semlie jusqu'à Wischnitza le long du Danube levé sur le lieu pendant la guerre des Années 1788 et 1789". Dieser in 1 : 28800 sorgfältig und schön gezeichnete farbige Plan ist nach Süden orientiert, gibt das Gelände in Pinselschraffen und leicht laviert, enthält eine eingehende Darstellung der Wege, ferner der türkischen Laufgräben und der Verschanzungen des Prinzen Eugen von 1717 und der Stellungen von 1789 und verzeichnet Wälder und Auen in besonderen Zeichen. Aus dieser Zeit stammen auch zwei „Situationspläne von Belgrad" von J. Frister (38:33) und S. Hartl (17:30 cm), beide in Wien veröffentlicht.

19. Jahrhundert.

Im Anfange desselben erhob sich Serbien unter Georg Petrowitsch (Kara Georg, 1804—17) gegen die Türkei und erreichte 1808 eine gewisse Selbständigkeit unter einem einheimischen christlichen Fürsten. 1816 erhielt es eine eigene Verwaltung, aber bis 1862 blieben die Festungen in türkischer Hand, und erst 1867, unter Milan III. aus dem Hause Obrenowitsch, verließen die Türken das Land, das während der Regierung Milans IV. (1868—91) 1878 auf dem Berliner Kongreß für unabhängig erklärt wurde, 1882 den Rang eines Königreichs erhielt, den es seit Vernichtung der serbischen Macht auf dem Amselfelde 1389 verloren hatte.

Bis zur Mitte des Jahrhunderts ruht die Kartographie in den Händen von Ausländern.

Aus dem Jahre 1810 stammt die älteste bekannte „Charte von Serbien und Bosnien" dieses Jahrhunderts. Sie erschien zu Wien und ist nach bisher unbenutzter Aufnahme — wohl Itineraren — von J. Riedl bearbeitet, und zwar in einer Vereinigung neuerer graphischer Darstellungsweise mit der älteren, wie Kanitz sagt, wobei sie „neben einzelnen richtigen Details bezüglich der allgemeinen Orientierung die gröbsten Irrtümer zeigt, was vorzüglich vom Timokgebiet gilt".

1820 wurde durch den österreichischen Hauptmann A. v. Weingarten im Streffleur eine „Karte von Serbien" als Beilage zu einem längeren Aufsatze über dieses Land veröffentlicht, die eine allgemeine Übersicht auf Grund der besten gestochenen Karten und mit Benutzung vieler gezeichneter Pläne, Rekognoszierungsaufnahmen und Reiseberichte gibt. Dorfschaften, befestigte Märkte, Palanken und Schlösser sind hervorgehoben, ebenso die Entfernungen der Ortschaften auf den bereisten Wegen bezeichnet. In der 1822 zu Paris erschienen Guilleminot-Tromelin-Lapieschen „Carte générale de la Turquie d'Europe" 1:816000, ebenso in der 1829 vom österreichischen Generalquartiermeisterstabe herausgegebenen Weißschen „Karte der europäischen Türkei" 1:576000, endlich in der 1828 bei Cotta erschienenen Karte: „Das Osmanische Reich in Europa" 1:1000000 ist Serbien mit enthalten, und zwar nach dem Urteil des preußischen Premierleutnants O. v. Pirch mit einer großen Menge von Detail, das auf österreichischen Aufnahmen beruht, aber mit meist unrichtig geschriebenen Ortsnamen. Den im russisch-türkischen Kriege 1828/29 ausgeführten Aufnahmen russischer Offiziere ist eine „Karte von Serbien" 1:168000 von Roselian-Sachalsky aus dem Jahre 1831 zu verdanken, wie das Land auch in der vom Depot hergestellten „Karte des Kriegsschauplatzes in der Türkei" 1:420000 von Posniakow und Mednikow, die während des Krieges erschien und reich an topographischen Angaben ist, enthalten ist. Dem Material des berühmten Balkanreisenden Viquesnel ist die vom Colonel Lapie entworfene „Carte d'une partie de la Servie et de l'Albanie" 1:800000, die 1842 in Paris herauskam, entnommen.

1845 unter dem Fürsten Alex. Karagjorgjuvitsch (1842—58) entstand

dann die erste einheimische „Karte von Serbien." Sie ist in 1:345000 von
dem fürstlich serbischen Ingenieur Bugarskij elegant gezeichnet und hat nach
Kiepert das Verdienst, „wenigstens die Namen und die Bedeutung der einzelnen Ortschaften korrekt zu geben und die jetzt existierenden administrativen Grenzen und
Hauptstraßen zu enthalten, wenn sie auch in bezug auf Terrainzeichnung, Genauigkeit der
Situationen (die von den Russen gemachten astronomischen Bestimmungen sind darin noch
durchaus ignoriert) und selbst Vollständigkeit an Ortsnamen sehr viel zu wünschen übrigläßt und in dieser Rücksicht durch anderes Material bedeutend berichtigt und ergänzt
werden muß". Schon Boué hatte die zu geringe Sorgfalt der Bergzeichnung, die eine
Unterscheidung des niedrigen vom höheren Gebirge erschwere, beklagt, und Kanitz hält
sie nicht für zuverlässig. Wenig günstig spricht sich Kiepert auch über eine 2blättrige
„Carte de la Serbie et de la Bosnie" von Alexander Cirkoff aus, die 1848 in Petersburg erschien und ein „aus älteren Karten kopiertes Gelegenheitsprodukt" sei. Die Namen
sind in neuslawische Mundart übersetzt. Von Kiepert stammt eine „Karte von Serbien"
1:800000 aus dem Jahre 1849, Weimar. 1850/52 erschien die erste offizielle Karte
von Serbien in 1:300000, die der Steuerbeamte Milenkovitsch aufgenommen hatte und
die nach Kiepert in den Ortslagen etwas richtiger und vollständiger ist als die Karte Bu-
garskije, wenn sie auch sehr undeutlich und nachlässig gestochen sei. Etwas später wurden
auf Veranlassung der Belgrader „Gelehrten Gesellschaft" in ihrem Jahrbuche „Glasnik"
vier Kreiskarten veröffentlicht, von denen die des Knjaževacer Kreises von Dr. Kiko nach
Kiepert die beste von allen ist, und die nach Boué (ebenso wie die des Nžicaer Kreises) „von
diesen höchst interessanten Gegenden ein treueres Bild geben als die bisherigen Karten".
Unter diesen werden namentlich die russischen und österreichischen von Kanitz nicht
gerade gerühmt, er hält sie nur in Breite einiger Meilen längs der Donau- und Saveufer
für verläßlich, nicht aber im Innern. 1859—61 führte nun Kanitz seine ersten Reisen
in Serbien aus, deren Bericht er eine Karte „Reiserouten in Serbien" beifügt, die eine
Menge neuer Angaben und Berichtigungen alter bringt und die serbisch-kroatische Schreibweise (im Gegensatz zu der von Kiepert für alle slawischen Namen gewählten deutschen)
anwendet. Und nach seiner 1864 ausgeführten Reise in Südserbien fügte er seinen Berichte in den Denkschriften der Wiener Akademie der Wissenschaften von 1868 auch
„Routiers" der Reisen 1860, 62 und 64 bei, einfache Skizzen ohne Gelände. Dafür
war der Bericht um so wertvoller an kartographischem Material und hat Kiepert für seine
Generalkarte der Türkei in der 1870er Bearbeitung gedient. Auch Scheda hat seine
richtigere Eintragung des Kopaonikgebiets benutzt, das Kanitz als eine der wichtigsten
Stationen für eine spätere trigonometrische Vermessung bezeichnet hat. In der Tat haben
sowohl die Österreicher 1874 (v. Sterneck) wie die Russen 1877/78 diesen Rat befolgt.
Der österreichische Major Heinrich Filek von Wittenhausen ließ 1869 eine „Übersichtskarte von Serbien" als Beilage zu einer das Fürstentum behandelnden kleinen militärgeographischen Schrift erscheinen, die Kanitz und Sydow günstig beurteilen, „ungeachtet
der nur wenigen Ortsnamen" (Kanitz), und weil sie „im übrigen eine viel größere Vollständigkeit darbietet durch Aufnahme dreifach klassifizierter Wege, dann der Kreisgrenzen
und zahlreicher Ortschaften" (v. Sydow). v. Haardt sagt, daß das Terrainbild den Geographen nicht völlig befriedigen könne, weil es nicht dem Maßstabe entsprechend generalisiert sei. In demselben Jahre erschien eine Karte des Fürstentums in 1:500000 von
vom Kapitän Jovanovitsch, die, obwohl sie noch nicht auf durchgängiger Vermessung, sondern vielfach nur auf militärischer Erkundung beruht, doch nach Kiepert gegenüber den bisherigen Karten einen erheblichen Fortschritt bezeichnet. Auch ein „Plan
der Umgebung von Belgrad" des serbischen Kapitäns Alexitsch, den er 1865—66
in 1:50000 aufgenommen hat, ist wegen seiner ins einzelne gehenden Ausführung des
Geripppes bemerkenswert. Höhenzahlen fehlen freilich. 1870 ließ dann das Topo-

graphische Depot in St. Petersburg eine „Karte von Serbien" 1 : 300000 erscheinen.
1872 kam in Belgrad eine Karte des Landes in 1 : 350000 aus 16 Blättern in serbischer
Sprache heraus, die trotz vieler Einzelheiten doch unzuverlässig, namentlich in den vielen
falsch geschriebenen Ortsnamen, ist. Das Gelände ist in Schraffen dargestellt. Sie ist später
ins Türkische übersetzt worden. 1876 ließ das österreichische Militärgeographische Institut
seine Erweiterung der „Generalkarte von Zentraleuropa" 1 : 3000000 nach Südosten,
die nach den neuesten und besten Quellen entworfen und ausgeführt war, erscheinen. In
dieser provisorischen Ausgabe, welche auf den Blättern VI und IX der Fallonschen Karte
1 : 864000 sowie auf Vermessungen österreichischer Offiziere und anderem neuerem Material,
besonders von Kanitz, beruhte, waren die Grenzen Serbiens nach den ziemlich verläßlichen
Kreiskarten eingetragen. Das Gelände war in brauner Schummerung mit Höhen in Meterangabe, der Wald grün wiedergegeben, jedoch wegen Unsicherheit der dortigen Bestände
nur in der Nähe der Hauptstraßen. Die Schreibweise war die südslawische auf Grund
des in kyrillischen Buchstaben gedruckten Ortsnamenlexikons von Rečnik. Neben dieser
Karte galt als die hervorragendste die v. Hauslabsche „Übersichtskarte von Bosnien, der
Herzegovina, von Serbien und Montenegro" 1 : 600000 (4 Blatt) von 1876, welche das
Gelände in farbigen Höhenschichten bis an die Blattränder hin, d. h. über die Landesgrenzen hinaus, enthält und ein anschauliches Bild in allmählich nach oben dunkler werdenden braunen Tönen von der Bodengestaltung des Landes entwirft, auch reich im Wegenetz und in den Ortsdarstellungen ist. Eine ebenfalls beachtenswerte, immer wieder neuaufgelegte und verbesserte ist die A. Steinhausersche „Ortskarte" 1 : 1 000000, die
auch Serbien enthält. Sie erschien zuerst 1875 bei Artaria in Wien, entbehrt zwar der
Geländewiedergabe, enthält aber zahlreiche Höhenzahlen und orographische Namen und
vor allem Ortsangaben.

Die kriegerischen Ereignisse der Jahre 1877/78 brachten auch eine entscheidende
Wendung in der Entwickelung der serbischen Kartographie. Zunächst waren freilich zwei
ausländische Arbeiten die erste Folge. Unmittelbar nach dem Berliner Vertrage wurde
durch eine „Commission internationale pour la délimination de la Serbie", zu der neben
englischen, russischen, österreichisch-ungarischen und türkischen auch serbische Offiziere
gehörten, ein vom Ordnance Survey Office in Southampton vervielfältigtes „Croquis de
la frontière bulgaro-serbe" gemäß Artikel 36 des Vertrags verfaßt. Es bestand
aus 19 Blatt in 1 : 42000, 2 Blatt in 1 : 30000 und enthielt in 2—3 km Breite das Grenzgebiet in Niveaulinien dargestellt (Schwarzdruck, Photozinkographie). Auch Baron A. Kaulbars ließ 1880 eine Karte der „Grenzen Serbiens" 1 : 100000 erscheinen. Immer
mehr aber hatte sich die Unzulänglichkeit des serbischen Kartenmaterials herausgestellt, weshalb die Regierung unter König Milan IV. eine Landesaufnahme beschloß, die der Geographischen Abteilung des dem Kriegsministerium unterstellten Generalstabs übertragen wurde.
Da nur geringe Geldmittel, Arbeitskräfte und wenig Zeit zur Verfügung standen, so wurde die
geodätische Grundlage den Arbeiten fremder Staaten, nämlich den astronomischen Ortsbestimmungen (69) des österreichischen Hauptmanns R. v. Sterneck vom Jahre 1874 — der auch
durch eine Triangulierung den Kopaonik mit mehreren anderen Punkten des serbischen Gebirges
(z. B. dem Gipfel des Ljubeten) verbunden (134 Punkte), ferner von 189 Hauptstationen barometrisch die Höhen ermittelt hatte —, sowie der 1877/79 von den Russen vorgenommenen Dreieckslegung und den obengenannten Grenzkarten entnommen. Daran schlossen serbische Offiziere eine Einzeltriangulierung, verbunden mit einer topographischen Aufnahme 1 : 50000 (nur
die Gefechtsfelder wurden in 1 : 10000 mappiert), wobei die Höhen mit dem Aneroid bestimmt
wurden. Hierbei dienten sowohl die Station Belgrad wie die jedes Jahr für die Feldarbeiten neuerrichteten Zentren als Ausgangspunkte[1]). Die Geländedarstellung geschah

---

[1]) Als Maße dienten die türkischen und zwar für Wegelängen der Berri = 1,667 km und der Agatsch
= 3 Berri = 5,001 km, sowie als Ellenmaß der Pik Halebi = 0,688 m; seit 1883 offiziell das Metersystem.

durch Isohypsen, im Felde nur krokiartig, um die Formen zu gewinnen, ohne Rücksicht auf die gemessenen Höhenpunkte. Erst zu Hause wurden im Winter die endgültigen Niveaulinien von 50 m Schichthöhe nach den Höhenkoten konstruiert, wobei im Berglande 25metrige Hilfsschichtlinien, im Hügel- und Flachlande 12,5 m - Hilfskurven eingeschaltet wurden. Infolge dieses Verfahrens und der großen Tagesleistungen [1]) sind zahlreiche Fehler in der Höhendarstellung vorgekommen, wie besonders Professor Dr. J. Cvijić für die aus diesen Originalaufnahmen entstandene (provisorische) Spezialkarte nachgewiesen hat. Diese „Topographische Karte des Königreichs Serbien" in 1 : 75000 hat eine Blatteinteilung unabhängig vom Gradnetz. Jede der 132 (36,67 : 33,33 cm großen) Sektionen ist nach einem wichtigen auf ihr vorkommenden Punkt benannt, außerdem mit einem der serbischen (kyrillischen) Buchstaben A bis Л und einer der Zahlen 1 bis 12 bezeichnet. Als Nullmeridian gilt der von Paris. Von 1885 bis 1888 sind 95 Blatt veröffentlicht worden. Sie geben das Gelände in braunen Isohypsen von 50 m Schichthöhe, leider wegen fehlender Bergstriche oder besser Schummerung nicht plastisch, wieder. Die Straßen sind rot, die Wälder grün, die übrige Situation und die kyrillische Schrift schwarz dargestellt. Die Höhen (1—2 auf 1 qkm) beziehen sich auf den Pegel an der Save-Donaumündung (+ 73,3 m). Als Zeichenschlüssel diente ein der österreichischen Spezialkarte ähnlicher [2]). Diese photolithographisch in Vierfarbendruck hergestellte Karte ist, trotz der mit der Natur ihrer Entstehung zusammenhängender Fehler, doch ein erheblicher Fortschritt in der kartographischen Entwickelung des Landes. Sie fordert andererseits zu einer baldigen genauen Triangulierung des Landes mit eigenen Mitteln in Verbindung mit einem Präzisionsnivellement und womöglich von Katasteraufnahmen auf. Sie diente einer Generalkarte in 1 : 200000 (1893) zur Basis, indem das Wege- und Gefließnetz, sowie die Ortschaften photographisch aus der Spezialkarte reduziert, die Orographie dagegen neugezeichnet und die in der Karte 1 : 75000 leider fehlenden inneren Verwaltungs- (Distrikts-) Grenzen eingetragen wurden. Auch sind die Schrift neuverfaßt und manche Einzelheiten durchgearbeitet worden. Die Karte, mittels Feder- und Kreidezeichnung auf Stein gedruckt, gibt zuviel Einzelheiten, die der Maßstab nicht mehr verträgt, wodurch die Übersicht leidet. Auch fehlt die Angabe, daß die Orientierung der Karte nach dem Pariser Meridian erfolgt ist. Das braun geschummerte Gelände ist nicht großzügig genug dargestellt, so daß die Serbien eigentümlichen Gebirgsketten nicht klar genug hervortreten, wie überhaupt die Lesbarkeit zu wünschen übrigläßt. Die Blatteinteilung — 9 Blatt von je 55 : 60 cm, von denen jedes 16 Blatt der Spezialkarte entspricht, nebst 8 Klappen, — ist insofern nicht günstig gewählt, als die Karte im Süden und Osten um einen 17,2 bzw. 14,4 cm breiten Streifen gegen die Karte 1 : 75000 erweitert ist (auf Grund der russischen Karte von Bulgarien, sowie der österreichischen Karten 1 : 75000 und 1 : 300000) und dieser Ergänzungstreifen nicht mit einbegriffen ist. Eine Teilung in 12 Blatt oder in 9 Blatt größeren Formats (58,6 : 64,3 cm) wäre, wie ich von Haardt zustimme, zweckmäßiger gewesen. Auf Grund der Generalkarte ist eine Schulkarte gleichen Maßstabes vom Königreich Serbien entstanden, welche eine Kommission von Pädagogen bearbeitet hat, und die, ebenfalls nach Professor Cvijić Urteil, zu überladen und im Terrain zu wenig plastisch ist.

Schon 1891 begann eine Neuvermessung des Landes. Oberstleutnant Simonović berichtet in seinem 1896 erschienenen Werk: „Erste topographische Aufnahme des Königreichs Serbien, ausgeführt vom Großen Generalstabe in den Jahren 1880 bis 1891", daß seitdem 574 trigonometrische Punkte neufestgelegt, 20000 Polygonpunkte bestimmt und weitere Arbeiten bei den in Angriff genommenen Katasteraufnahmen geleistet

---

[1]) Durchschnittlich 10,9 qkm, im Gebirge auch bis 14,5 qkm.
[2]) Die „Topographische Zeichenerklärung" von 1882 auf 12 Tafeln ist sehr eingehend, leider aber für Nichtkenner der serbischen Schrift nur schwer verständlich.

seien. Doch wünscht er mit Recht eine systematische Triangulation durch den Generalstab. Nach einer Mitteilung des jetzigen Obersten Simonović an v. Haardt sind seitdem eine
Basis bei Paraćin ausgesteckt und weitere trigonometrische Arbeiten für eine spätere
systematische Mappierung in 1 : 25000 ausgeführt worden. Auch sollten 1901 Kontroll-
grundlinien bei Šabac, Negotin und Vranja gemessen, die Triangulierung fortgesetzt werden,
einschließlich des Präzisionsnivellements der Eisenbahnstrecke Semlin—Paraćin, woran sich
unmittelbar die topographischen Aufnahmen zu schließen haben. Erwähnt sei endlich als
Generalstabsarbeiten eine photolithographierte „Übersichtskarte der südlichen Morava" 1 : 300000, auf Grund von in diesem Maßstab pantographisch verkleinerten à la vue - Aufnahmen während des serbisch-türkischen Krieges (1876), sowie der
österreichischen Generalkarte 1 : 300000, ferner ein 1881 in lithographischem Schwarzdruck ausgeführter „Plan der Umgebung von Belgrad" 1 : 50000, ohne Geländezeichnung und Höhenangaben, mit sehr eingehendem Geripppe und den Waldflächen, sowie
ein seit 1897 in Angriff genommener neuer „Plan der Umgebung von Belgrad"
1 : 25000 in 20 Blatt. Derselbe gibt die Bodendarstellung in 25metrigen Niveaulinien,
fein punktiert, die 50metrigen in schwachen, die 100metrigen in starken Volllinien, mit
Höhen in Metern. Die Hauptstraßen sind rot, die Gärten grün, der Wald leicht grau
(mit Signaturen), das Flußnetz blau ausgeführt, das übrige Geripppe und die serbisch-
kyrillische Schrift schwarz (Photolithographie). Schließlich ist noch eine klare „Carte
des Communications postales, télégraphiques et des chemins de fer du
Royaume de Serbe" 1 : 500000 des Generalstabs zu nennen, welche seit 1893 erscheint, die Poststraßen rot, die Telegraphenlinien blau, das Eisenbahnnetz mit allen
Stationen und Kilometerangaben enthält und durch eine Tabelle der neuesten politischen
Einteilung ergänzt wird. Die traurigen Ereignisse und der Dynastiewechsel 1903, der
König Peter aus dem Hause Petrowitsch ans Ruder brachte, haben indessen in Verbindung mit der schlechten Finanzlage eine vorläufige Stockung der Landesaufnahmen
herbeigeführt. Von anderen einheimischen Arbeiten ist zunächst J. M. Žyjović
„Geologische Übersichtskarte des Königreichs Serbien" 1 : 750000 zu
nennen, welche in übersichtlicher und klarer Darstellung in 12 Ausscheidungen die
geologischen Verhältnisse mit einer Menge neuer Einzelheiten wiedergibt. Sie ist eine
Verkleinerung der österreichischen Generalkarte 1 : 300000 und enthält keine Geländedarstellung (1886). Cvijić gab 1898 eine wie die vorgenannte, im K. u. K. Militärgeographischen Institut ausgeführte „Karte von Serbien und Montenegro" in
1 : 750000 heraus, das Gelände in Schraffen, mit braunen Höhenschichtenstufen von 300
bis 500 m, darauf bis 700, 1000, 1300, 1600, 1900, 2360 bis 2600 m und einem grünen
Flächenton für die Erhebungen von 0 bis 150, einem weißen von 150 bis 300 m. Die Karte
ist ein Überdruck der bezüglichen Teile der österreichischen Übersichtskarte von
Mitteleuropa 1 : 750000. Die Schrift ist serbisch-kyrillisch. Auch rührt von Coijić eine
schöne und ausführliche „Geologische Karte Alt-Serbien und Makedonien". M. V.
Smiljanić hat 1900 eine „Karte der Bevölkerungsdichte von Südserbien" 1 : 400000 veröffentlicht, eine Verkleinerung der serbischen Generalkarte mit eingetragenen Niveaukurven
nach der Spezialkarte 1 : 75000. Sie sind in rotbraunen 200 m-Meterlinien ausgedrückt, wobei
die 800 m - Kurve, als die mittlere Höhe des Landes bezeichnend, stärker ausgezogen wurde.
Die nach der Einwohnerzahl abgestuften Ortschaften (einschl. der Einzelhöfe) sind durch
schwarze, rote und blaue Zeichen unterschieden, wobei die Städte zum Teil nur schraffiert
sind. Die sonst übersichtliche Karte enthält nach Hassert zu wenig Namen, so daß man
der Beschreibung nicht immer folgen kann, auch ist sie, wie Schlüter treffend sagt, eigentlich eine Siedelungskarte, da sie über die Bevölkerungsdichte nicht den geringsten Aufschluß gibt. Sie gehört zu einer Abhandlung: „Beiträge zur Siedelungskunde Südserbiens"
(Abh. der K. K. Geogr. Ges. Wien). Endlich hat M. Stajić eine „Schulkarte von Serbien"

1 : 800000 verfaßt, deren technische Ausführung nach v. Haardt nur bescheidenen An-
sprüchen genügt. Unter den für die Kartographie wichtigen wissenschaftlichen Instituten
des Landes sei zunächst die 1886 gegründete Kgl. Akademie der Wissenschaften
(General Sima Lozanić, Präsident) dann das Geographische, Geodätische und Geologische
Institut sowie das astronomische Observatorium der serbischen Hochschule (mit
Cvijić, Andanović, Kovačević, Nedelković und Zujović als Professoren bzw. Leitern der
Institute) und die Serb. Geol. Gesellschaft (unter Zujovićs Vorsitz) erwähnt.

Von ausländischen Arbeiten stehen die des K. K. Militärgeographischen
Instituts obenan. Bereits 1884 erschien ein „Plan von Belgrad" 1 : 17500, mit
schraffiertem Gelände ohne Höhenangaben, die Stadtviertel in Hellrosa angelegt. Seit
1897 wurde die österreichische Spezialkarte 1 : 75000 auch auf serbisches Gebiet ausgedehnt. Ebenso enthalten die Generalkarte 1 : 200000 und die Übersichtskarte
1 : 750000 Serbien. (S. „Österreich-Ungarn".) Das K. u. K. Technische und Administrative Militärkomitee hat 1887 einen hübschen Plan der Umgebung von Belgrad
1 : 50000 mit 25 m-Niveaulinien und brauner Schummerung erscheinen lassen auf Grund
einer Zeichnung des Generalstabs. Die „Carte des Balkans" 1 : 1000000 des französischen Service géographique, welche Serbien umfaßt, stützt sich auf österreichische und
russische Karten.

Von Privatarbeiten des Auslandes seien die „Spezialkarte des serbisch-
bulgarischen Kriegsschauplatzes" 1 : 240000, die 1885 bei D. Reimer in Berlin
erschienen ist, die „Generalkarte von Serbien &c." 1 : 600000 von F. Handtke,
Glogau (neue Auflage 1890), A. Steinhausers „Generalkarte des Königreichs Serbien
nebst den angrenzenden Gebieten" 1 : 864000, Wien 1885, in einer Ausgabe mit und
einer ohne Gelände, auf Scheda gegründet, Dr. A. Peuckers in gleichem Maßstabe auf
Grund der Schedaschen Generalkarte verfaßte „Karte von Altserbien &c." (mit einer Nebenkarte der sprachlichen Interessensphären 1 : 8000000), welche das Gelände in brauner
Schummerung mit zahlreichen Höhenangaben enthält (64 : 70 cm, II. Aufl. 1903), und die
Darstellungen in den großen Atlanten wie Stieler, Debes-Wagner, Vivien de St. Martin &c.
erwähnt.

Von literarischen Erscheinungen seien die „Annales Géologiques" und die Sitzungsberichte
der Geol. Gesellschaft noch erwähnt.

V. Montenegro (Zrnagora).

Das heute eine erbliche unbeschränkte Monarchie bildende Fürstentum der Schwarzen
Berge, ein vollkommen einheitlicher christlicher und slawischer Staat, wird zuerst durch
die Entdeckungsreise des venezianischen Edelmannes Bolizza im 12. Jahrhundert bekannt.
Lange stand es in serbischer Abhängigkeit, besonders zur Zeit des Kaisers Duschan Silni
(† 1356). Damals wurde das Fürstentum Zeta von der Familie Balšić beherrscht, der es
1389 gelang, das Vasallenverhältnis zu Serbien zu lösen und die Unabhängigkeit gegen
Serben und Türken zu behaupten. Damals umfaßte die Zrnagora noch Nordalbanien, die
Bocche di Cattaro und Teile von der Herzegowina. Diese ältere Geschichte Montenegros
bildet eine endlose Reihe von Kämpfen mit Venezianern und Türken, die es, aber stets
vergeblich, zu unterjochen suchten. Von irgendwelchen kartographischen Erzeugnissen kann gar keine Rede in dieser Periode sein. Im 17. Jahrhundert wurde das Land
auf die ziemlich abgegrenzte Felsengrundlage der Schwarzen Berge beschränkt. Die 1697
zur Regierung kommende heutige Dynastie der Petrović Njegus vergrößerte den theo-
kratisch gewordenen Staat bald auf das Siebenfache, besonders seit dem Berliner Vertrage.

Die erste bekannt gewordene Karte Montenegros bildet ein Blatt des mehrfach erwähnten

Werkes: „L'Empire Ottoman" von Le Rouge, das 1770 erschien und bei sehr kindlicher Darstellung im wesentlichen ein Phantasieerzeugnis war. Die Bodengestaltung ist durch einzelne Hügel in perspektivischer Manier ausgedrückt. Die neue Ära, welche mit der Regierung des heiligen Peter I. 1782 begann, der nicht nur durch die siegreiche Schlacht bei Kruse den Türkenangriffen ein Ziel setzte, sondern auch einen Feldzug gegen die Franzosen 1805 begann, der mit der Eroberung der Bocche di Cattaro und der Einnahme von Ragusa endete, sollte auch zur ersten richtigeren Abbildung Montenegros führen. Sie beruhte auf den Beobachtungen, die der vom Marschall Marmont 1809 an den Vladika gesandte französische Oberst Vialla de Sommières im Lande angestellt hatte. Eine seiner Reisebeschreibung von 1820 beigefügte „Carte du Monténégro" wurde trotz ihres zweifelhaften Wertes und ihrer vielfach willkürlichen und oberflächlichen Darstellungsweise grundlegend für spätere Arbeiten. Daran schließt sich eine „Map of the Montenegro", die ein in türkischen Diensten stehender Montenegriner Nikola Milošev, der 1835 in amtlichem Auftrage nach Montenegro gesandt war und sich selbst Fürst von Vasojević nannte, verfaßt hatte und im Lithographischen Institut von L. J. Herbert in London auf Stein zeichnen und im Quarter Master Generals Office drucken ließ. Davon sollen Kopien, die aber bisher nicht aufgefunden wurden, an die Statthaltereien Zara und Triest gesandt worden sein. Einen großen Fortschritt in der Kartographie Montenegros bedeutet dann die zuerst auf einigen Ortsbestimmungen und Messungen sowie genaueren Geländeaufnahmen und neuen Beobachtungen sich aufbauende „Karta Zrnegore. Carte du pays de Monténégro" 1:288000, die 1838 Graf Fédor de Karacsay in Wien erscheinen ließ. H. Kiepert bezeichnet sie als die beste der bis dahin vorhandenen, die nach einer Menge nicht veröffentlichter Routiers sehr sorgfältig gearbeitet sei; J. G. v. Hahn sagt, sie habe das unbestreitbare Verdienst, die Karstbildung des Kerns von Montenegro zuerst aufgeworfen zu haben, und K. Hassert nennt sie um so mehr eine wissenschaftliche Eroberung, als sie trotz ihres falschen Details den allgemeinen Bau des Landes im großen ganzen richtig aufgefaßt zeigt. Die in Kupfer gestochene Arbeit gibt das Gelände in Bergstrichen ohne Höhenzahlen, sowie ein sehr dichtes Wegenetz und dehnt sich zum Teil auch auf Albanien und die Herzegowina aus. Eine 1841 in Petersburg, 1844 in Prag erschienene Karte von Kowalewski bezeichnet ,Dr. W. Koner, dem sich auch Hassert anschließt, als völlig unbrauchbar. Eine von einem österreichischen Offizier Vuković (Basilius Risa) 1853 in 1:288000 hergestellte, einen Fortschritt bekundende Karte scheint nicht veröffentlicht worden zu sein, wohl aber dürften die im Militärgeographischen Institut zu Wien vorhandenen beiden Originalzeichnungen: „Karte von Montenegro" mit ihr gleichbedeutend sein. Das eine Blatt enthält das Gelände braun laviert, ohne Höhenzahlen, ein ziemlich dichtes Wegenetz und reiche Ortsangaben, die administrative Einteilung und eine Beschreibung in kyrillischer Schrift. Das andere scheint eine unvollständige Kopie von dem ersten Blatt zu sein, es gibt die Bodengestaltung in Schraffen und ist in lateinischer Schrift beschrieben. Eine dritte Karte des Instituts 1:245000 enthält weder Jahreszahl, noch Ort, noch Autor und steht gegen die vorigen an Wert zurück, stammt aber wohl aus gleicher Zeit.

1852 kam Danilo I. zur Regierung, führte 1853 einen siegreichen Krieg gegen die Pforte, brach mit der theokratischen Herrschaft und nannte sich Fürst und Herr des freien Montenegro und der Brda. Unmittelbar nach Beendigung des Krimkrieges wurde, um den immerwährenden Grenzstreitigkeiten, die Montenegro, das übrigens durch Landabtretung der Türkei vergrößert war, mit den Nachbarländern ein Ende zu machen, eine Grenzenaufnahme durch eine internationale Kommission ausgeführt. Das Ergebnis war eine von Col. Sir H. James in London 1860 veröffentlichte „Map of Montenegro, from a copy by Lieut. Sitwell, R. E., attached to Major Cox, R. E., British Commissioner for the demarcation of the Boundaries of Montenegro in 1859—60", auf 1 Blatt 1:200000. Lith⁴ at the Topographical Dep^t of the War Office 1860. Sie ist ohne Gradnetz, nur mit einer Nordnadel versehen und enthält nach v. Sydows Urteil eine effektvolle, aber leicht in Kreidemanier skizzierte Gebirgszeichnung, das notwendige topographische Detail mit ausreichender Nomenklatur und gemäß der Veranlassung zu ihrer Herausgabe eine genaue Grenzangabe. Sie ist jedenfalls also ein wertvoller Beitrag. In Wien entstand als private Arbeit eine bei Artaria erschienene Reduktion 1:300000 von dem technischen Offizial J. Pauliny: „Carta di Montenegro (Crnagora)", die sich in allem an die offizielle Karte anlehnt. Kiepert äußert sich sehr ungünstig über die ganze Arbeit der europäischen Kommission, die in topographischer Beziehung flüchtig sei und nicht einmal in den Grenzlinien stimme. Manches Material für das Kartenbild brachten auch die Reisen der Konsuls Sax (von Serajewo nach dem Durmitor und durch die mittlere Herzegowina nach Montenegro, mit einer 1870 erschienenen Karte 1:400000), sowie Blaus bezüglich des nördlichen Teils und des Generalkonsuls v. Hahn für den mittleren Teil Montenegros. Aus der gleichen Zeit stammt auch eine „Karte von Montenegro" 1:200000, die als Handzeichnung im Wiener Militärgeographischen Institut vorhanden ist und den Major Stefan Jovanović zum Verfasser hat. Sie bringt manche neuere Angaben, ist aber in der Gebirgszeichnung ungenügend. 1861 erschien dann von dem Präsidenten des Genfer Geographischen Vereins, H. Br. de Beaumont, eine von dem durch seine Reisen hervorragend bekannten Ami Boué nachgesehene und berichtigte „Esquisse de l'Herzegowina et du Monténégro", extraite des meilleurs documents (Le Globe 1861), die aber, zumal Boué das Innere Montenegros ebensowenig wie seine Vorgänger betreten hat, sich nur auf vorhandene fehlerhafte Quellen stützen konnte, dagegen waren die Grenzen klar dargestellt. Die Kartenskizze ist in Winterthur lithographiert worden. Auch H. Kieperts Karte von 1852: „Das Fürstentum Zrnagora oder Montenegro" 1:500000 ist zwar durch kritisches Kombinationstalent und scharfsinnige Auswahl und Verarbeitung des vorhandenen Materials ausgezeichnet, konnte aber doch nicht dessen Unvollständigkeit und Fehlerhaftigkeit beseitigen. v. Sydow sagt daher auch, daß durch Kieperts Karte das Feld der noch offenen Fragen nicht geschlossen sei, was Kiepert selbst in seinem Vorbericht zur Generalkarte der Europäischen Türkei ähnlich äußert. Hassert betont, daß alle Arbeiten über Altmontenegro undankbar sein mußten, da die meisten Reisenden nur wenige Bezirke des Landes kennen gelernt, das Fehlende also durch Vermutungen und Erkundigungen ergänzt hatten, so daß, da es auch keine trigonometrischen Punkte gab, sämtliche älteren Arbeiten voll Fehler und Abweichungen waren, die selbst der findigste Kopf nicht in Einklang bringen konnte. Eine sehr bekannte Karte des Sekretärs des Fürsten Danilo, H. Delarue, die er seinem 1862 in Paris veröffentlichten Werke über Montenegro beigegeben hat, „Carte pour servir à l'histoire de Monténégro d'après les travaux de Kiepert, Karacsay, Hecquard, Voukovich et Jubain", ist unbrauchbar und hat die schärfste Kritik erfahren. Gering ist auch der Wert einer Karte 1:576000 der Hauptleute J. F. Schestak und F. v. Scherb („vielfach verworren", sagt Hassert von der Kompilation), die 1862 in Wien erschien, und einer gleichzeitig in London erschienenen des Leutnants Arbuthuot. Sehr widerspruchsvoll ist dagegen die Fachkritik in bezug auf das Montenegro darstellende Blatt der Schedaschen Generalkarte 1:576000 von 1863/64, wo Autoritäten wie Sydow, Kiepert, Kanitz, Hochstetter und — der Verfasser selbst zu sehr verschiedenen Urteilen kamen.

Von großer Bedeutung wurden aber die auf Rechnung der russischen Regierung 1860—66 (und 1874—76), besonders aber nach dem vom Fürsten Nicola gegen die Pforte 1861/62 glücklich geführten Kriege, gemachten Vermessungen des russischen Hauptmanns Paul Bykow. Es entstanden zum ersten Male auf astronomische und geodätische Arbeiten gegründete Kartenwerke, wobei zu beklagen ist, daß die Aufnahme, die in 1:15000 erfolgte, geheimgehalten worden ist, ebenso wie die darauf gegründete „Karta Knjačestva Černogorskago" 1:42000 und 1:84000. Zuerst arbeitete Bykow

1866/67 zu Petersburg die Aufnahme 1 : 15000 aus, die zwar geheimgehalten wurde, von der aber nach Hassert sich stark verkleinerte Kopien in Wien und Berlin befinden sollen, die Kiepert später benutzt hat. Eine Karte 1 : 168000 ist aber veröffentlicht und wird von Kiepert eine vortreffliche genannt, zumal sie nördlich bis tief in das türkische Gebiet hinein reicht, bis zum Durmitorgebirge. Auch ist das Gelände in Bergstrichen besser als auf allen früheren Karten dargestellt, die Karte reich an Einzelheiten, so sehr sie auch noch immer auf flüchtigen Itinerarien und nur wenigen astronomischen Punkten sich aufbaut, wie Hassert hervorhebt.

Auch Österreich-Ungarn, der unmittelbare Nachbar Montenegros, zu dem es enge politische Beziehungen hatte, nahm Veranlassung, auf Grund des bisherigen Forschungsmaterials, von Itinerarien, Reisebeschreibungen, à la vue-Aufnahmen — eigentliche topographische Vermessungen wurden von dem Fürstentum natürlich nicht gestattet, so daß manche Kenntnis wohl heimlich erworben sein mag — eine „Spezialkarte des Fürstentums Montenegro (Cernagora) mit angrenzenden Gebieten von Dalmatien, Albanien, Bosnien und der Herzegowina" 1 : 144000 in 5 Blatt zu veröffentlichen. Die auf heliographischem Wege hergestellte Karte wurde in die von der Internationalen Kommission 1860 vermessene Grenze eingepaßt. Sie geht über das damalige Montenegro soweit hinaus, daß sie im Nordwesten das Popovo-Polje, im Nordosten die Limgegend bei Bijelo-Polje und im Südosten den ganzen See und die Stadt Skutari umfaßt. Nach den Angaben des Militärgeographischen Instituts sind die Ortslagen innerhalb Montenegros als „vielleicht noch immer um 1/4 bis 1/2 Meile unsicher bezeichnet, doch relativ richtiger als in den bisherigen Darstellungen. Bei einzelnen Namen bleibt es zweifelhaft, ob sich selbe auf einen Wohnort oder bloß auf die Gegend beziehen." Das Wegenetz ist sehr vollständig, das Gelände in Kreide geschummert, teilweise ist auch der Wald durch Baumsignaturen angegeben, und auf dem Titelblatt ist über den Wert der Quellen und ihre Verläßlichkeit berichtet. In der neuen Ausgabe, die Kiepert 1870 von seiner Generalkarte der europäischen Türkei 1 : 1 000000 veranstaltete, ist ebenfalls wie bei der ersten von 1853 auf einer Nebenkarte Montenegro in 1 : 500000 dargestellt und sind dabei auch die bis dahin noch veröffentlichten Itinerarien oder richtiger „aus Kombination vielfacher Reisen hervorgegangenen handschriftlichen Spezialkarten" von J. Vaclik, des einstigen Sekretärs des Fürsten von Montenegro, benutzt worden. 1872 wurden vom Wiener Militärgeographischen Institut die Hauptleute W. v. Sterneck und Theodor v. Millinković unter anderm auch nach Montenegro entsandt, wo hauptsächlich die Grenze, aber auch einige Punkte im Innern bestimmt wurden, wobei Sterneck die astronomischen, sein Reisebegleiter die à la vue-Aufnahmen und Beschreibungen auszuführen hatte. 1874—76 wurde auf Bitten Montenegros der schon erwähnte russische Hauptmann P. Bykow mit der Aufnahme und Bearbeitung einer Karte 1 : 84000 beauftragt, die aber bald überholt wurde. Das Jahr 1875 brachte zunächst die auch Montenegro mit umfassende „Ortskarte" 1 : 1000000 A. Steinhausers, welche bei Artaria in Wien erschienen ist. Sie enthält kein Gelände, aber viele Höhenzahlen und Bergnamen, und erlebte mehrere verbesserte Auflagen. Dann folgt die Aufnahme eines „Plan von Cetinje" durch Spiridion Gopčević in 1 : 4000, der einem 1877 erschienenen Werk desselben Verfassers beigefügt wurde. Er enthält in Schwarzdruck das Gelände in Bergstrichen, die Kulturen und die wichtigeren Gebäude. 1876 erschien die vom Militärgeographischen Institut in 1 : 300000 ausgeführte (provisorische) „Generalkarte" von Bosnien, der Herzegowina, von Serbien und „Montenegro", in der die Grenzen dieses letztgenannten Landes der Grenzregulierungskarte der Internationalen Kommission von 1860 entnommen und als topographisches Material die dort hergestellte Spezialkarte des Fürstentums hauptsächlich benutzt waren. Die Schreibweise ist die südslawische. Später wurde die Generalkarte von Zentraleuropa 1 : 300000 um diesen Teil im Südosten erweitert,

Ostmontenegro noch mancher Vervollständigung bedarf. Die photolithographisch hergestellte Karte, bei der aber die Geländeschummerung durch Autotypie mittels Rasterverfahrens wiedergegeben ist, wird sorgfältig evident gehalten, kann aber nur als provisorische gelten, solange nicht die russischen Aufnahmen veröffentlicht sind. Und auch dann wird Montenegro kartographisch noch nicht ausreichend erschlossen sein, dazu bedarf es einer nach dem neuesten Stande der Wissenschaft ausgeführten Triangulierung und genauen topographischen Aufnahme. Trotzdem ist nach Cvijićs Urteil die Karte so hoch zu schätzen, daß neben ihr alle früheren Karten Montenegros nur noch historischen Wert haben.

Von anderen Arbeiten sei der künstlerischen Darstellung Montenegros in Carl Vogels Kupferstichkarte der Balkanhalbinsel 1:1500000 in Stielers Atlas (1890) zunächst gedacht, die nun eine verbesserte Neuauflage in Braundruck erlebt. Dann aber namentlich der überaus verdienstlichen Tätigkeit eines der besten Montenegrokenner, Kurt Hassert, der 1891 seine erste Reise antrat, 1892 die zweite, welche sich hauptsächlich mit dem Kartenbild des Landes beschäftigte. Seine schon erwähnte Karte 1:500000 gibt das Gelände ziemlich generalisiert in grauer Schummerung, sonst ohne Höhenangaben, Gerippe und Schrift schwarz, die Reiseroute rot und weicht vielfach beträchtlich von der Vogelschen Karte ab. 1894 erschien in Petermanns Mitteilungen die Karte: „Die Landschaftsformen von Montenegro" 1:800000, ohne Terrainzeichnung, welche die Alluvial- und Küstenlandschaft, die Karst- und die Schieferlandschaft farbig unterscheidet, ebenso die Verbreitungsgebiete einiger Pflanzenarten. Sehr wertvoll waren auch seine Lotungen im Skutarisee, nach ihm einem der interessantesten Seen Europas, die er 1891 vorgenommen hat, und die eine 1892 im „Globus" erschienene Karte: „Der Skutarisee und seine Umgebung bei niedrigstem Wasserstande" 1:150000 zur Folge hatte. Die Tiefen sind in blau abgestuften Schichtentönen von 2 zu 2 m, außerdem durch 1metrige schwarze Isobathen dargestellt, wobei sich die Tiefenzahlen 8 und 10 m auf Messungen beziehen, die der K. und K. Linienschiffsleutnant Končicky 1870 ausgeführt hat. Ebenso sind die Grenzlinien zwischen Albanien und Montenegro und die vorhandenen wie die schon verfallenen Befestigungen eingetragen. Von besonderem Wert auch Hasserts auf die Arbeiten Emil Tietzes und Luigi Baldaccis gegründete, in Farbentönen ausgeführte „Geologische Übersichtskarte von Montenegro" 1:500000, die kürzlich Vinassa de Regny und Martelli berichtigt haben, ferner seine „Hydrographische Karte von Montenegro" 1:500000, welche die Flußgebiete, die Küstengewässer, sowie oberirdisch abflußlosen Gebiete durch farbige Töne, dann die Haupt- und Nebenwasserscheiden, die im Sommer trockenen Flüsse, solche, die ständig Wasser führen, endlich für Dampfer schiffbare unterscheidet, auch die Malariagebiete und die Firnflecken kennzeichnet. Weiter gibt Hassert eine „Pflanzengeographische Karte von Montenegro" 1:500000, die in Farbentönen die verschiedenen Waldarten, Weide-, Acker- und Kulturland trennt, auch die Nordgrenze des Weinbaues enthält, dann eine „Übersichtsskizze der jährlichen Temperaturverteilung in Montenegro" 1:2000000, endlich eine Skizze: „Die verschiedenen Bezeichnungen des Pivasystems und Skizze des Durmitor" 1:300000, und 2 zugehörige Profile. Diese Karten bilden 4 Tafeln des gründlichen und grundlegenden Werkes des Verfassers: „Beiträge zur physischen Geographie von Montenegro mit besonderer Berücksichtigung des Karstes" (Pet. Mitteil., Ergh. Nr. 115), der „physisch-geographischen Grundlage einer Landeskunde von Montenegro" nach Th. Fischer[1]).

Der tüchtige Kenner der Balkanhalbinsel, Professor J. Cvijić, hat eine „Übersichtskarte", 1:600000, zu seinen morphologischen und glazialen Studien in Montenegro erscheinen

---

[1]) Hasserts Tiefenmessungen kleinerer Seen, wie Gornje Blato, Rikavac Jesero, Bugomirsko Jesero, sind noch nicht veröffentlicht.

lassen, in der die Poljen in grünem Ton, ohne Unterscheidung ihrer Höhenlage, die ober- und unterirdischen Wasserscheiden und die vergletscherten Teile rot, die Abflüsse der Poljen in braunen Zeichen angegeben sind, während es sich im übrigen um eine in grauem Ton hergestellte Höhenschichtenkarte handelt. Auch sind Skizzen des Durmitor, 1:100000, und seiner Kare, 1:50000, beigefügt. Cvijić hat ferner 1901 eine Auslotung des Skutarisees ausgeführt, die eine bathimetrische Karte „Skadarsko Blato" 1:75000 zu „Veliker Jezera Balkanskoga Polnostrva, 10 Karata" (Belgrad 1902) zur Folge hatte. Auch möge eine „Carta coro-grafica del Montenegro" in 4 Batt, 1:200000, von P. Galli, 1901, erwähnt sein, die sich ganz an die neue österreichische von Zentraleuropa, 1:200000, anlehnen soll. Letztgenannte soll übrigens nach Mitteilung von Dr. Santagata, des Topographen einer unter Dr. Baldaccis Leitung 1902 ausgesandten italienischen Studienkommission, in der Gegend zwischen der Morača und dem Cem, sowie im Gebiet der Šala wesentlich be-richtigungsbedürftig sein.

So erkennen wir nach allem, daß doch noch ein großes Arbeitsfeld für die Topo-graphie und Kartographie Montenegros übrigbleibt. Selbst die besten Arbeiten, die des K. und K. Militärgeographischen Instituts 1:75000 und 1:200000, sowie die russische Karte 1:294000 von Rowinski sind nur provisorische, die durch eine auf wirklicher ein-heitlicher Landesvermessung gegründete hoffentlich bald ersetzt werden. Wesentliche Dienste werden dabei auch Tracierungs- und Aufnahmearbeiten für die Eisenbahnen und Fahrstraßen, wie solche z. B. schon 1892 durch den Ingenieur G. Lelarge stattgefunden haben, leisten. Freilich entbehrt die auf das Milizsystem aufgebaute Armee der ausreichen-den Friedenskadres. Das Kriegsministerium ist indessen neuerdings (19. Dezember 1903) in 4 Sektionen neu gegliedert, von denen wahrscheinlich die 3., welcher die Generalstabs-geschäfte obliegen, auch die Leitung der Landesaufnahme übernehmen könnte, namentlich wenn auch hier das sehr interessierte Rußland mit seinen reichen personellen und materiellen Mitteln unterstützend eingriffe.

Von literarischen Arbeiten mögen außer den schon genannten noch erwähnt sein: G. Frilley und J. Vlahović: „Le Monténégro contemporain", Paris 1875; Baron N. Kaulbars: „Mitteilungen über Monte-negro", St. Petersburg 1881 (russisch); K. Hassert: „Lo Sviluppo della cartografia del principato di Montenegro nel secolo XIX, Roma 1903, presso la società geografica italiana".

VI. Rumänien (România).

Dieser wichtige, seit 1878 selbständige Zwischenstaat zwischen Rußland und der Türkei ist das erste Land der Balkanhalbinsel, welches eine durch eigene Kräfte aus-geführte Aufnahme seines Gebiets unternommen hat. Die heute das seit 1881 zum König-reich erhobene Rumänien bildenden 32 Distrikte gehören drei Ländern an, die nicht immer vereinigt waren. Zu den eigentlichen Donaufürstentümern Moldau (13 Distrikte) und Walachai (17) kamen erst 1878 die Dobrudscha und die Donaumündungen. Dennoch sollen sie hier gemeinsam in ihrem Kartenwesen betrachtet werden.

Auch hier in Rumänien erscheint ein Zurückgehen über das Ende des 18. Jahr-hunderts nicht erforderlich. Weder in römischer Zeit, wo die Moldau und Walachai die Provinz Dazien bildeten, noch in mittelalterlicher, die mit der Herrschaft eigener Woiwoden seit dem 13. Jahrhundert in der Walachei, seit dem 14. in der Moldau schließt, noch endlich in den Jahrhunderten seit dem Zeitalter der Entdeckungen, wo die Länder des jetzigen Königreichs die wechselvollsten Geschicke erlebten, sich bald an Ungarn, bald an Polen lehnten, dann türkische Lehns- und zugleich Wahlfürstentümer wurden (1529), ist kartographisch irgend etwas Bemerkenswertes vorgefallen. Besonders die Osmanen hinderten jeden Versuch einer Aufnahme des Landes. Erst als europäische Staaten, zunächst 1769 die Russen, das Land besetzten, und namentlich als 1774 Österreich den nördlichen

Teil der Moldau erhielt, beginnen die ersten erwähnenswerten Dokumente kartographischer Art.

Wenn wir von einer in Nürnberg 1769 erschienenen, in Kupfer gestochenen „T a b u l a g e o g r a p h i c a continens Despotatus W a l l a c h i a e atque M o l d a v i a e, provinciam Bessarabiae itemque provinciam Polonicam Podoliae, tanquam regiones, in quibus bellum praesens geritur" von mehr ephemerer Art absehen, ist das erste die „C a r t e d e l a M o l d a v i e" 1 : 290000 in 6 Blatt aus dem Jahre 1772. Sie trägt den weiteren Titel: „pour servir à l'histoire militaire de la guerre entre les Russes et les Turcs. Levée par l'État-Major sous la direction de F. G. d e B a w r, Maréchal Général de logis, Lieutenant Général &c." und beruht auf topographischen Vermessungen während des genannten Krieges 1769—70.   Der Inhalt umfaßt die heutige Moldau mit Bessarabien und der Bukowina, deren Fluß- und Wegenetz sehr eingehend behandelt sind, während das Gelände krokiartig und ohne Angabe von Höhen in Bergstrichen wiedergegeben wurde.   Es werden zwei Arten fahrbarer Straßen unterschieden, daneben in einfachen Linien die untergeordneten Verbindungen.   Die in Amsterdam sauber in Kupfer gestochene Karte enthält auf ihrem südwestlichen Blatt kunstvolle Verzierungen.   Sie bildete lange eine wichtige Grundlage für andere Kartenwerke.   Auf der schon genannten K a r t e R i z z i - Z a n n o n i s 1 : 1 400000, die den nördlichen Teil des Türkischen Reichs umfaßt, vom Jahre 1774, ist sowohl die Moldau wie die Walachai enthalten, und zwar in einer gegen ältere Darstellungen nach Kanitz wesentlich verbesserten Art.

1788 erschien dann ein österreichisches, dem Präsidenten des Hofkriegsrats F. M. Grafen Hadik gewidmetes Werk: „M a p a s p e c i a l i s W a l a c h i a e" 1 : 610000 auf einem in Kupfer gestochenen Blatt von F. J. R u h e d o r f, das namentlich in hydrographischer Hinsicht wertvoll ist.   Nur ist, wie v. Haardt sagt, der unterste Donaulauf von Silistria bis Braila ab zu kurz und falsch gerichtet gezeichnet, so daß dieser Fehler natürlich auch den Unterlauf der Jalomita beeinflussen mußte.   Auch sind die Flüsse, namentlich die Donau, übermäßig breit dargestellt.   Reichhaltig, aber ohne Klassifizierung ist auch das Wegenetz, namentlich in dem überhaupt besser bedachten nördlichen Teil der Karte, während das schraffierte Gelände ohne Höhenzahlen ist und der Charakteristik und Plastik entbehrt.

Den B e g i n n d e s 19. J a h r h u n d e r t s leiten wieder österreichische Arbeiten ein, und zwar zwei 1810 bzw. 1811 bei Tranquillo Mollo in Wien erschienene Karten.   Die erste, „M a p a s p e c i a l i s V a l a c h i a e, ex melioribus mappis et plurimis delineationibus specialibus deducta Opera Josephi D i r w a l d t" ist auf 2 Blatt 1 : 350000 in Kupfer gestochen und enthält nur insofern einen Fortschritt gegen die Ruhedorfsche Arbeit, als sie Fahr- und Fußwege unterscheidet und das Gefließnetz verbessert erscheint, auch die Ortschaften mehrfach abstuft und noch Kontumazstationen, Salinen, Verschanzungen, Brücken, Überfuhren sowie Ackerfelder mit aufnimmt.   Die andere Arbeit ist die „C a r t e d e l a M o l d a v i e, rédigée d'après Bauer et des autres pièces les plus authentiques, par l'Abbé H e r r w i t z" in 4 Blatt 1 : 440000.   Sie gibt mehrere Unterscheidungen von Ortschaften (feste Orte, Städte, Marktflecken, Dörfer mit und ohne Kirche), dagegen nicht von Wegen, und enthält auch keine Höhenangaben in dem schraffiert dargestellten Gelände.   Erheblich Besseres als diese beiden Kartenwerke leisten zwei 1811 von Fr. F r i e d gezeichnete „Generalkarten".   Die eine, die der M o l d a u, ist von J. R i e d l entworfen und im Kunst- und Industriekontor zu Wien erschienen.   Sie ist sowohl im Gefließnetz wie in der Geländedarstellung und in der gut lesbaren Schrift ein Fortschritt, wenn auch Höhenangaben fehlen und das Wegenetz nicht klar genug hervortritt.   Das gleiche kann von der Generalkarte der W a l a c h e i 1 : 720000 desselben Fr. F r i e d gesagt werden, der diese auch „nach allen vorhandenen Hilfsmitteln" bearbeitet hat.   Sie übertrifft die Ruhedorfsche Karte wesentlich und ist gut gestochen.   Es scheint, daß der Verfasser einige neuere astronomische Angaben außerdem benutzt hat. Verschiedene Erkundungen im Jahre 1790 verdankt hauptsächlich die 1812 vom K. K. Generalquartiermeisterstabe in 4 Blatt 1 : 576000 (4000 Wiener Klafter = ¹/₉ Wiener Zoll) veröffentlichte „Topographische Karte der großen und kleinen Wallachey" in 4 Kupferblatt ihr Entstehen, die das gesamte Material der damaligen Zeit verwertet und im Gerippe sehr reichhaltig ist. Es werden Chausseen, Kommerzialstraßen, Kommunikationswege, Reit- und Saumwege unterschieden, Heilbäder, Mineralfundorte &c. angegeben und das Gelände in kräftigen Bergstrichen, leider ohne Höhen, dargestellt.

Die Russen, welche 1812 den östlichen Teil der Moldau mit Bessarabien eingenommen hatten, ließen 1817—20 Karten der Moldau und Walachei erscheinen. 1821 gab Homentowsky eine „Karte der Moldau, Walachei und von Bulgarien" heraus. Auch Fr. Frieds schon genannte Karte des größten Teils des europäisch-osmanischen Reichs 1 : 738000 von 1828 enthielt beide Länder.

Von ganz hervorragender Bedeutung wie für die Kartographie der Balkanhalbinsel überhaupt so auch der Donaufürstentümer, war der russisch-türkische Krieg 1828/29, denn er hatte systematische, geodätische und kartographische Arbeiten durch Generalstabsoffiziere zur Folge. Wie Baron Kaulbars in seinem „Aperçu des travaux géographiques en Russie" berichtet, stützte man die den Straßen und Flüssen folgenden topographischen Arbeiten, die bezüglich des Gerippes mit Instrumenten, hinsichtlich des Geländes krokiartig geschahen, auf astronomische Bestimmungen und nahm auf Grund von 40 solcher Punkte im ganzen Okkupationsgebiet (Türkei, Moldau, Walachei, Bulgarien) von 1828—33 in den Donaufürstentümern und Nordbulgarien 2273 Q.-Ml. in 1 : 42000 und 1 : 84000 auf. So erschienen 1828 zwei Arbeiten von Chatow: die „Walachei" 1 : 840000 und die „Generalkarte der Walachei, von Bulgarien und Rumelien" 1 : 840000.

Die geographische und kartographische Erforschung des Tafellandes der Dobrudscha beginnt hauptsächlich mit der sehr wertvollen Arbeit des Reisegefährten Moltkes in der Türkei, des spätern Obersten im Preußischen Generalstabe Frhrn. v. Vincke, der 1840 eine „Karte des Karasutals zwischen der Donau unterhalb Rassowa und dem Schwarzen Meere bei Küstendsche" 1 : 150000 als Beilage zu seiner gleichnamigen Schrift lieferte, die sich mit der Ausführung einer Kanalverbindung in Verlängerung des Donautals quer durch die Dobrudschahalbinsel nach dem Meere beschäftigte. Der um die Erforschung dieses Gebiets vor allem verdiente österreichische Geologe Dr. K. F. Peters sagt von dieser Karte, daß sich gegen deren Richtigkeit, abgesehen von den seither völlig veränderten Gewässerverhältnissen, wenig einwenden läßt. Auch Moltke verfaßte auf seiner türkischen Sendung Denkschriften über die Dobrudscha und ihre Verteidigung, die auch topographisch und kartographisch interessant sind, ebenso beschäftigt sich sein 1845 erschienenes Werk: „Der russisch-türkische Feldzug 1828/29" mit der physischen Geographie des nördlichen Teils dieses Landes. Ferner ließ das französische Corps Impérial des Ponts et Chaussées 1855 zu Paris eine „Carte topographique de l'Isthme de Dobroudcha" in 1 : 100000 erscheinen, in der die Ergebnisse eines zwecks Ausführung eines Kanals gemachten Nivellements samt einem Längenprofil eingetragen sind, das die Unmöglichkeit der Durchführung des Projekts beweist, da eine hohe, niemals durchbrochen gewesene Kalkplatte das Meer von der Donau bzw. dem Karasu her scheidet.

Ein sehr verdienstliches Werk war dann die „Marschkarte der Moldau und Walachei" in 4 Blatt 1 : 840000 der österreichischen Generalquartiermeisterabteilung des Serbisch-Banater Armeekorps, obwohl sie sich noch auf älteres Material stützt. Ohne Geländedarstellung gibt sie in ausgezeichneter, durch Farben unterschiedener Weise klar Chausseen, erhaltene Straßen, gewöhnliche Fahrwege, Karrenwege, Reitsteige samt Marsch- und Poststationen und deren Entfernungen an (1855). Auf Grund russischen Materials gab das K. K. Institut in Wien eine Karte: „Bessarabien, Moldau, Walachei

45*

und ein Teil von Bulgarien", ohne Gelände, mit grau getönten Wäldern, als provisorischen Behelf Anfang der fünfziger Jahre heraus.

Vor allem wichtig aber für die Landeskunde war die während der Besetzung der
Walachei durch österreichische Truppen auf Wunsch der dortigen Regierung ausgeführte
Triangulierung und topographische Mappierung dieses Landes durch K. K. Offi-
ziere. Das Dreiecksnetz (mit 124 Punkten 1. O.) wurde durch eine selbständige 6648 m lange
Grundlinie bei Silistria und eine astronomische Station auf dem Basisentwickelungspunkte Movila-
David (bei Slobozia) an die Siebenbürgische Triangulation angeschlossen und das Land dann
1856/57 durch 12 Abteilungen in 1 : 57600 (1 Wiener Zoll = 800 Klafter) vermessen.
Das Ergebnis dieser unsäglich schwierigen und anstrengenden, binnen Jahresfrist fast vollen-
deten Aufnahmen[1]) war eine 1867 erschienene „Generalkarte des Fürstentums
Walachei" in 6 Blatt 1 : 288000, eine kartographische Meisterarbeit, die trotz großer
Übersichtlichkeit doch fast alles nötige Detail enthält. Die Bodengestaltung ist, auch im
Hochgebirge, klar und deutlich, mit zahlreichen Höhenangaben in Wiener Klaftern, aus-
gedrückt, und ebenso sind die Schrift und die Situation sorgfältig und gut leserlich ausgeführt. Nicht nur größere Orte, sondern auch einzelne Gehöfte und Häuser sind noch
zur Darstellung gelangt, und bei den Wäldern ist die Begrenzung scharf wiedergegeben.
Ein unveränderter Abdruck lediglich des Gerippes, ohne Gelände und Entfernungs- oder
sonstige Angaben ist die ein Jahr früher schon erschienene „Straßenkarte des
Fürstentums Walachei" 1 : 288000. Während die Originalaufnahmen 1 : 57600 im
Wiener Institut sich befinden, hat die walachische Regierung eine photographische Nachbildung derselben auf 112 Blatt sowie alle auf die Vermessung bezüglichen Schriftstücke
erhalten, von der sie später eine photolithographische Vergrößerung 1 : 50000 veranstaltet
hat. Es ist eine Chromolithographie mit Flächenkolorit für die verschiedenen Kulturen,
mit Kreideschraffen für das Gebirge, in besonders feiner und eleganter Herstellung zwar
mannigfach übertroffen, in ihrer ganzen Bedeutung aber ein großartiges Werk wie Sydow
sagt. Auch ein „Plan der Stadt Bukarest" in 1 : 5760 entstand auf Grund dieser
Aufnahmen, der schon 1856 von Hauptmann Friedrich Jung mit allen erforderlichen
Einzelheiten gezeichnet worden ist.

Das 1858 zu einem Fürstentum unter Johann I. (Oberst Cusa) vereinigte Rumänien
erlebte 1866 einen Thronwechsel, bei dem Fürst Karl von Hohenzollern die Zügel
der Regierung übernahm. Schon 1867 richtete der weitsichtige Herrscher ein „Dépôt
de la Guerre (Depositul de Resboi)" in Bukarest ein, dem astronomische, topographische, militär-wissenschaftliche und statistische Aufgaben zugewiesen wurden und das
seine geodätischen Arbeiten 1874, seine topographischen 1876 aufnahm. Ehe wir uns
jedoch diesen zuwenden, möge ein Blick auf die bis dahin noch entstandenen kartographischen Arbeiten von anderer Seite getan werden. Da ist zunächst hinsichtlich der
Dobrudscha der Tafel 31 des großen Atlas von A. Viquesnel zu gedenken, welche
in 1 : 800000 reduziert die zwischen Varna und Raschowa ausgeführten Itineraraufnahmen
von Generalstabsoffizieren der französischen Orientarmee enthält. Das Werk ist bei Erhard
in Paris auf Stein graviert, während der Geograph M. Charle die Zeichnung lieferte.
Sehr wertvoll ist ferner die geologische Karte 1 : 420000 der Dobrudscha, welche
Dr. K. F. Peters seiner Abhandlung über dies Gebiet beigefügt hat. Obwohl sie ohne
Geländedarstellung ist, bringt doch die Situation viele neue Angaben, das Wichtigste ist
natürlich der geologische Inhalt. Auch unterzieht der Text die damalige kartographische
Literatur einer näheren Besprechung. Kartographisch sehr wichtig ist dann der Atlas
aus 40 Blatt, den die Europäische Donaukommission 1867 ihrem zu Galatz erschienenen

---

[1]) „Über die neueren Vermessungsarbeiten auf der Balkanhalbinsel" von H. Hartl,
Oberstleutnant im K. K. Militärgeographischen Institut, 1891, und A. v. Fligely: „Organisation und Fortschritt der militärkartographischen Karten in Österreich", 1859.

„Mémoire sur les travaux d'amélioration, exécutés aux embouchures du Danube par la Commission européenne" beifügte, in dem sich ein Überblick über alle ihre Arbeiten befindet. Diese „Planscomparatifs" bilden mit die Grundlage für H. Kieperts 1869 erschienene schöne Karte „Das Donaudelta" 1:500000, die hauptsächlich zwar auf der englischen Admiralitätskarte, den österreichischen Aufnahmen der Walachei, den russischen Generalstabskarten und den geognostischen Arbeiten von Peters entstanden ist.

Wenden wir uns nun der amtlichen Landesaufnahme zu. Sie liegt dem inzwischen „Institutul geografic al Armatei" (Institut géographique de l'armée) genannten früheren Depositul ob, welches die 3. Abteilung des großen Generalstabes (Marele Stat Major, unter Brig.-General Carcaletzano als Chef) bildet. Es gliedert sich in drei Sektionen für Technik, Vervielfältigung, Verwaltungs- und Rechnungswesen mit je drei Dienstzweigen und ist einem Direktor, jetzt General C. Bratiano, dem ein Stabsoffizier als Sekretär zugeteilt ist, unterstellt. Diese sind 1. Astronomie, Geodäsie; 2. Topographie, Geometrie; 3. Nivellement, Aufnahme; 4. Kartographie, Modellierung; 5. Lithographie, Holzschnitt, 6. Photographie, Galvanoplastik; 7. Rechnungswesen; 8. Instrumente, Kartendepot; 9. Statistik, Sekretariat. Unmittelbar nach dem Abschluß des Berliner Vertrags nahm das Institut die zur Schaffung einer ersten, auf einheitlicher und selbständiger Vermessung des Landes beruhenden topographischen Karte Rumäniens (Harta specialǎ a Romǎniei) 1:50000 und einer Generalkarte von Rumänien (Harta generalǎ a Romǎniei) 1:200000 nötigen Aufnahmen auf, und zwar zunächst in der Moldau, mußte aber diese Arbeiten bald nach Beginn unterbrechen, um zunächst eine „Harta Dobrogei" 1:200000 vorzubereiten. Denn dieses Gebiet war eben für Bessarabien an Rumänien gelangt. Nachdem das Domänenministerium 1879 eine in 1:5000 bewirkte Katastervermessung beendet hatte, begann in demselben Jahre die Aufnahme durch das Depositul. Als Ausgangslinie der Triangulation wurde die Seite Defcea—Sǎpata (bei Galatz) des österreichischen Dreiecksnetzes von 1855/56 angenommen, das zur Ermittelung des Niveauunterschieds zwischen dem Schwarzen Meere und der Adria gelegt war. Die bis 1883 zu Ende geführten topographischen Aufnahmen geschahen in 1:10000. Das Gelände wurde in Niveaulinien von 10 m, im Flachlande von 5 m Schichthöhe dargestellt. Die 1887 beendete Karte in 4 Blatt 1:200000 ist eine Chromolithographie in 8 Farben. Das Gelände ist in bräunlichen Bergstrichen (schräges Licht) mit vielen Höhenzahlen (in Metern) ausgedrückt, die Gewässer sind blau, die Wälder grün gedruckt. Die Verwaltungsgrenzen der Distrikte (Judetse) und der Arrondissements (Flassi) sind eingetragen. Die Kartenzeichen sind von genügender Mannigfaltigkeit. Die Koordinatenachsen und der Abplattungswert sind dieselben wie bei der Karte des übrigen Königreichs. Der Eindruck der Karte ist etwas einförmig.

Die 1879 begonnenen und dann wieder unterbrochenen geodätischen Vermessungen in der Moldau wurden nach Beendigung der Dobrudschakarte 1887 wiederaufgenommen. Man benutzte die Seite Isvôrele—Cinciulea des großen Struweschen Meridianbogens zwischen Torneå und Ismail an der Donau, die zur Triangulierung Bessarabiens gehört, als Ausgang der Dreieckslegung und als Kontrollbasis die österreichischerseits in der Bukowina bestimmte. Die Triangulierung wurde dann nach der Walachei bis Bukarest fortgesetzt, wobei die Seite Pilisketetö—Lakócza des österreichischen Hauptnetzes in Siebenbürgen als Grundlinie diente. Dazu wurden 1895 drei neue Basen, und zwar bei Bukarest (9400 m), Gârla Mare (4800 m) und Roman in der Moldau (7200 m), mit einem der französischen Regierung gehörigen Brunnerschen Apparat gemessen. Zwischen Bukarest und Potsdam wurde (gemeinsam mit dem Preußischen Geodätischen Institut) der Längenunterschied bestimmt (Bukarest Metropolitankirche + 44° 25' 38" geogr. Breite, 26° 6' 18" östl. Greenwich). Ebenso wurden die Längenunterschiede zwischen Bukarest und Kronstadt und Jassy und Czernowitz ermittelt. Die topographischen Aufnahmen geschahen in 1:20000, und zwar hatten bis 1900 die quadratischen Blätter 50 cm (= 10 km) Seitenlänge, von

da ab 10′:10′ geographische Länge und Breite. Das Gelände wurde wie auf den Meß-
tischblättern der Dobrudschaaufnahme dargestellt. Für die Herstellung eines Planes von
Bukarest sowie der Linie Fokschani—Nomolossa—Galatz fanden Präzisionsvermessungen in
1:500 mittels Tachymeter statt. 1895 begann ein Präzisionsnivellement, das an vier
Orten mit Österreich-Ungarn angeschlossen ist und sich längs der Linie Constanza—
Bukarest—Plojeschti—Predeal entlang zieht. Es hat das mittlere Niveau des Schwarzen
Meeres, das durch zwei Flutmesser bei Constanza festgestellt wurde, zur Ausgangsfläche.

Die auf Grund dieser Vermessungen in Entstehung begriffenen Kartenwerke sind
folgende:

1. Die „Original-Aufnahmeblätter" 1:10000 (Dobrudscha) und 1:20000 (Mi-
nuta topografică der Moldau und Walachei), seit 1874 entstanden. Das Gelände ist in
Schichtlinien von 10 m und im Flachlande 5 m Abstand dargestellt, die Seitenlänge der
Blätter betrug bis 1900 50 cm, seitdem 10′. Sie werden nicht veröffentlicht.

2. Die „Harta specială a României" 1:50000 (édition provisoire) in 450 Blatt
(40:40 cm), von denen bis Ende 1902 für die Moldau und östliche Walachei 223, für die
Dobrudscha 58 veröffentlicht waren, und zwar die letztgenannten photolithographisch in
Schwarzdruck, die anderen als Chromolithographien. Das Gelände ist in 10metrigen braunen
Schichtkurven mit Höhenzahlen in Metern, die Gewässer sind blau, der Wald grün, das übrige
Gerippe und die Schrift schwarz ausgeführt. Diese bis 1898 durch unmittelbare photolithographische Verkleinerung der Originalblätter 1:20000 (bzw. 1:10000) entstandene
provisorische Ausgabe befriedigte so wenig, daß die Herstellung einer in Stein gravierten
beschlossen wurde, deren Ergebnisse einen guten Eindruck machen. Sie wird außer als
Ersatz für die photolithographische auch zur Abfassung von Departementskarten benutzt,
und einige Blätter wurden versuchsweise für Manöverzwecke quadriert, um das Entfernungs-
schätzen zu erleichtern.

3. „Harta României" 1:100000 (édition par départements). Sie ist durch
photolithographische Verkleinerung der vorigen entstanden und gleicht ihr im wesentlichen
in der Ausführung. Die spätere endgiltige Generalstabskarte erhält denselben Maßstab.

4. „Harta generală a României" 1:200000. Diese seit 1891 durch photolithographische Reduktion der Harta 1:50000 entstandene Übersichtskarte in 29 Blatt,
deren eins 16 Blättern der Spezialkarte entspricht und zu der noch die 4 Blatt der
Dobrudscha treten, enthält das Gelände in rotbraunen Bergstrichen mit zahlreichen Höhenkoten in Metern, während die Gewässer blau, die Wälder grün gedruckt und die Schrift
sowie das übrige Gerippe schwarz wiedergegeben sind. Etwa 24 Blatt sind erschienen.

5. „Marschroutenkarte Rumäniens" 1:200000 in 48 Blatt ist in Bearbeitung.

6. „România, Harta de dislocări a trupelor" 1:800000 enthält die farbige
Einteilung des Landes nach Korps-, Divisions- und Brigadekommandos für den Gebrauch
von Militärbehörden.

7. „Imprejurime a Bucuresci" (Umgebung von Bukarest) in 9 Blatt 1:50000,
wird nicht mehr verausgabt. Sie wurde 1895 für Truppenmanöver hergestellt und gibt
das Gelände in rötlichbraunen Höhenkurven von 5 m-Schichtlinien, die Gewässer blau,
die wichtigsten Straßen rot, die Wälder grün, die übrige Situation und die Schrift
schwarz wieder.

Im Auftrag anderer Behörden hat das Institut folgende Karten ausgeführt:

I. Für die Forstverwaltung:

1. Eine „Harta Pădurilor, pe categorie de proprietari" 1:200000,
welche die Staatswälder rot, die der Krondomänen gelb, die Gemeindewälder lichtbraun,
die Wälder der öffentlichen Fonds orange und die im Privatbesitz befindlichen grün wiedergibt. Ohne Geländezeichnung.

2. Eine „Harta Pădurilor cu arătarea speciilor predominante" 1:200000, welche die Holzarten unterscheidet, und zwar die Nadelwälder dunkelgrün, die Mischwälder orange, die Eichenwaldungen hellgrün, die Buchenwälder dunkelgrau, die Pappelwälder gelb und die Akazienwälder karminrot. Auch hier fehlt die Geländedarstellung.

II. Für das Kultusministerium:

1. „România i Ţerile vecine, Harta politica" 1:500000, eine politische Schulwandkarte, die das Gelände in lichtgrauen Schraffen mit Höhenzahlen enthält, die wichtigsten Verkehrslinien und die Ortschaften, nach ihrer Einwohnerzahl gegliedert, darstellt.

2. „Harta fisica" 1:500000, eine physikalische Schulwandkarte, welche die Städte nur mit ihren Anfangsbuchstaben beschrieben enthält, das Flußnetz in blauem Druck einschließlich Schrift, das Gelände dagegen, bei gleichem Unterdruck wie bei der vorigen Karte, in Höhenzonen darstellt und das Flachland unter 500 m in zwei grünen Stufen, das Hügelland unter 500 m und die Höhen über 2500 m weiß, die Zonen von 500—2500 m in braun abgestuften, alle 500 m nach oben dunkler werdenden Tönen.

III. Für allgemeinen amtlichen Gebrauch:

1. „România, Harta generală" 1:600000 mit rot dargestellter politischer Einteilung (bis an die Landesgrenzen geführt), blauem Flußnetz, sonst schwarzem Geripp und mattgrau aufgedrucktem schraffiertem Gelände.

2. „Regatul României, Harta Eparchiilor" 1:600000 ist eine die kirchliche Einteilung (Episkopate) verschiedenfarbig wiedergebende Karte.

3. „Eisenbahn- und Telegraphenkarte" 1:600000 mit allen Eisenbahn- und Telegraphenlinien sowie den Poststationen.

IV. Für das Meteorologische Institut:

1. „Harta Stațiunilor meteorologice din România" 1:1 Mill. gibt die meteorologischen Stationen und deren Höhenlage in Metern, das schraffierte Gelände in hellgrauem Aufdruck.

2. „Carte du régime pluviométrique de Roumanie" 1:1 Mill. ist eine die Niederschlagszonen von 100 zu 100 mm in farbigen Flächentönen enthaltende Regenkarte, in der auch die meteorologischen Stationen, nicht aber das Gelände dargestellt sind.

V. Für die Stadtgemeinde Bukarest:

1. „Planul Orașului Bucuresci" 1:5000 in 4 Blatt mit sämtlichen Wohn- und Wirtschaftsgebäuden, Straßen und Kulturen, jedoch ohne Gelände, auf Grund der erwähnten Präzisionsaufnahme 1:500 in 250 Blatt von je 1 qm Fläche.

2. „Plan der Stadt Bukarest" 1:10000 ist eine verkleinerte Ausgabe des vorigen, die sich nur die öffentlichen Gebäude und einzelne Kulturen darzustellen erlaubt. Die 1892 begonnene sorgfältige Katastervermessung soll bald vollendet sein.

Karten anderer Ministerien und Behörden.

I. Rumänisches Bautenministerium:

„România starea căilor de comunicațiune la 1 Januariu 1888". Diese Straßenkarte gehört zu dem Werk: „Verkehrswege des Königsreichs Rumänien".

II. Ministerium der öffentlichen Arbeiten:

„Harta Drumilor" 1:430000 in 4 Blatt, eine sowohl die vorhandenen wie die im Bau begriffenen oder entworfenen Verkehrswege darstellende sehr wichtige Straßenkarte,

ohne Gelände. Staatsstraßen sind rot, Bezirksstraßen blau, Vizinalwege grün und Gemeinde-
wege gelb wiedergegeben, und eine Tabelle erläutert diese Angaben und enthält die Verteilung dieser Verkehrslinien auf die einzelnen Distrikte. Der Druck ist in der geographischen Anstalt von J. V. Socecŭ in Bukarest 1898 erfolgt.

III. Grenzbestimmungskommissionen:

1. „Frontière roumano-bulgare". 1880 in Paris erschienen.

2. „Extrait de la carte générale de la principauté de Roumanie".
1880 in Paris erschienen.

3. „Carte du Bas-Pruth entre Nemtzeni et le confluent avec le Danube, levée dans les années 1883—88 par l'ingénieur de la Commission
M. G. de Toncourt" 1:100000. Gibt den Grenzstrich zwischen Rumänien und Bessarabien.

Von in- und ausländischen Privatarbeiten seien hier erwähnt:

1. A. Gorjan: „România, Chartă portativa", 1880.

2. G. Al. Zamphirolu: „Chartă Judeţului Ilfov", 1881.

3. Socecŭ & Comp.: „România, Charta murală" 1 : 576000, Bukarest 1882. Gelände
in ziemlich mangelhafter Schummerung.

4. H. Kiepert: „Cartes des nouvelles frontières entre la Serbie, la Roumanie &c.
selon les décisions du Congrès de Berlin, juillet 1878. Réduction des levés originaux
1 : 42000". Berlin 1881, Reimer. Photolithographie, als Manuskript für die europäische
Grenzkommission gedruckt. Von den 6 Tafeln enthält die 5. die Grenze zwischen Rumänien
und Bulgarien, allerdings nicht in der endgültigen Festsetzung. Die Topographie der an
die Grenzen anschließenden Teile ist der österreichischen Karte 1 : 300000 entnommen.

5. M. Drăghicénu: „Geologische Übersichtskarte des Königreichs Rumänien"
1 : 800000, mit Angabe der Verbreitung der nutzbaren Materialien, 1890 im Jahrbuche der
K. K. Geologischen Reichsanstalt in Wien erschienen und vom dortigen Militärgeographischen
Institut hergestellt, gibt in 20 Farben die geologischen Formationen sowie in verschiedenen
Kartenzeichen die Fundorte der Mineralien &c., enthält aber keine Orographie. Von demselben Verfasser erschien bereits 1882 eine „Chartă geologica a judeţului Mehedinţi"
1 : 450000.

6. N. Michăilescu: „România, Harta murală" 1 : 428000 in 4 Blatt, von der auch
eine „stumme" Ausgabe (Charta mută) erschienen ist. 1888. Sehr überladen, namentlich
auch wegen der Gemeindegrenzen, welche besonders die Lesbarkeit des Geländes beeinträchtigen.

7. C. Vogel: „Rumänien" in der schon erwähnten Karte der „Balkanhalbinsel"
1 : 1500000 (Stielers Handatlas), 1890. Neueste Ausgabe in Braundruck.

8. D. M. Cracalesco: „România, şi terele vecine a Căilor Ferate şi oficielor tele-
grafo postale" 1 : 1200000, mit Angabe der Sitze der Post- und Telegraphenbehörden.
Bukarest 1892.

9. C. Chiru: „Hydrographische Übersichtskarte von Rumänien" 1 : 806400, in
Bd. XIV des Buletin der Rumän. Geogr. Gesellschaft, 1893. Nach P. Lehmann von
geringem Wert.

10. Gr. Stefanescu: „Harta geologica generala a Romaniei, lucrată da membri
biuroului geologic sub direcţiunea domnului" 1 : 200000 in 28 Blatt, ohne Geländedarstellung, mit farbigen Formationen, die neueste und beste geologische Karte des Landes.

11. Gust. Weigand: „Linguistischer Atlas des dakorumänischen Sprachgebietes"
1 : 600000. Auf Kosten der Rumänischen Akademie herausgegeben. Chromolithographien.
Leipzig, J. A. Barth. Im Erscheinen begriffen.

12. Peters: „Geologische Übersichtskarte der Dobrudscha" 1 : 420000.

13. Anastasio: „Carte géologique de la Dobrodgea" 1 : 800000.

14. Popovic-Hatzeg: „Geologische Karten der Umgebung von Sinaia und Murgoco (Paringu Massiv)" in 1 : 200000. Derselbe Autor bearbeitet auch eine in einzelnen Teilen bereits auf der Pariser Weltausstellung preisgekrönte Geologische Karte von ganz Rumänien.

Von literarischen Arbeiten seien erwähnt: Verhandlungen der 13. allgemeinen Konferenz der Erdmessung zu Paris, 1900: „Darstellung der Triangulation Rumäniens".

Vom Institut: „Notices sur les plans et plans exposés", Bukarest 1902, gibt die auf der kartographischen und maritimen Ausstellung in Antwerpen im Mai 1902 ausgestellten Arbeiten des Generalstabes.

Kantemir: „Beschreibung der Moldau", Frankfurt und Leipzig 1791.

V. A. Urechia: „Chartografia romana" 1881. („Annales de l'Acc.) Berichtet auch über die ältesten Karten.

C. Chirita: „Dictionar geografic al judeţului Jasi". Bukarest 1888: Preisgekrönt.

Lahovari, Bratianu und Toeilescu: „Marele Dictionar geografical României".

Bratianu: „Notite des pre lucravile cari an avut de Scop descierea geometrica a României". (Ann. Ac. Rom.) 1900.

Dr. F. W. Paul Lehmann: „Rumänien", 1893 in Kirchhoffs Länderkunde.

Em. de Martonne: „La Roumanie" Paris 1900.

Derselbe: „Le Levé topographique des Cirques de Gäuri et Gälescu" (Massif du Paringu) mit sorgfältiger Karte 1 : 10000. Bucuresci 1900.

H. Hartl: „Über die neueren Vermessungsarbeiten auf der Balkanhalbinsel", enthält von Seite 78 ab auch die rumänischen Aufnahmen.

W. Heimbach und K. Hödl moser: „Die Militärkartographie auf der Weltausstellung in Paris 1900" (Mitt. des K. K. Militärgeographischen Instituts 1900), berichtet ebenfalls über rumänische Kartenwerke.

Das unter der Redaktion von G. J. Lahovari in Bukarest stehende, seit 1876 erscheinende „Buletin" der Societatea Geografică Romăne enthält manches wertvolle Material, ebenso die „Annales de l'Académie roumaine" (Bukarest).

VII. Europäische Türkei (Unmittelbare Besitzungen).

Nachstehend sollen die Wilajets und Mutessarifats der unmittelbaren europäischen Besitzungen des Memalik i Osmanije, geographisch im wesentlichen Albanien und Makedonien nebst Konstantinopel und Tschataldscha (Thrakien), sowie die Inseln des Ägäischen Meeres umfassend, in kartographischer Beziehung betrachtet werden.

Albanien, das alte Illyrien, heute hauptsächlich die Wilajets Skutari und Janina, sowie Teile der Wilajets von Monastir und Kossovo einschließend, und die alte nordgriechische Landschaft Makedonien, das von Pelasgern, Phrygern, Thrakern und Illyriern bewohnte Stammland Alexanders des Großen, heute das Wilajet Saloniki und Teile von Monastir bildend, sowie Thrakien sind seit vielen Jahrhunderten in osmanischem Besitz. Daraus ergibt sich von selbst, daß, da auch das Altertum sowohl vor wie während der römischen Herrschaft und das Mittelalter mit seinen Völkerkriegen keinerlei kartographische Ergebnisse zurückließen, dieser Teil der Balkanhalbinsel wohl der geographisch und topographisch am wenigsten erschlossene ist. Eigentlich sind es erst die 70er Jahre des 19. Jahrhunderts, in welchen, und auch nur im östlichen Teile, eine erwähnenswerte topographische Tätigkeit, und zwar durch den Landesfeind, den Russen, zu verzeichnen ist, und erst in allerneuster Zeit ist ein provisorisches, nicht auf zusammenhängenden systematischen Aufnahmen der eigenen Behörden beruhendes türkisches Kartenwerk des osmanischen Generalstabes entstanden. Überhaupt ist einzig von den militärischen Fähigkeiten und Tugenden der osmanischen Rasse kartographisch noch etwas zu hoffen, sonst scheitern an der geistigen und körperlichen Trägheit der Türken, ihrem starren Fanatismus, ihrer Unzugänglichkeit für Wissenschaft und Technik, der sittlichen Verderbtheit der Beamtenwelt und der Apathie des Herrschers alle Reformversuche.

Ende des 18. Jahrhunderts finden wir Albanien in der mehrerwähnten, bei Artaria in Wien bzw. F. A. Schraembl erschienenen Kupferstichkarte von Maximilian Schimek in 1 : 430000 von 1788 vertreten, deren Küstenumrisse, Gefließnetz und Gelände in phantastischer Weise dargestellt sind. Dann ist der Erkundungen zu gedenken, die 1798—1801 von Pouqueville auf seinen Reisen ausgeführt wurden und die unter anderen einen „Plan de la plaine de Janina en Albanie", dressé sur différents mémoires par J. D. Barbié du Bocage, An XII (1804), in Schwarzdruck, mit schraffiertem Gelände zur Folge hatten.

Als er später (1807—12) auf Napoleons Befehl die wichtigsten Straßen erkundete, war auch eine auf eigenen Studien beruhende, freilich unvollkommene Karte „Janina et ses environs" 1:200000, die 1820 als Beilage zu einem vierbändigen Werk erschien, das Ergebnis. Nach 1816 wurden von österreichischen Generalstabsoffizieren gemeinsam mit englischen Seeoffizieren unter Kapitän Smyth die Küsten von Albanien aufgenommen und in Handzeichnungen 1:144000 und 1:300000 dargestellt, allerdings sehr arm an Einzelheiten, mit in Sepia abgetöntem Gelände, die sich noch im Archiv des Wiener Militärgeographischen Instituts befinden. 1822 lieferte G. de Vaudoncourt eine „Carte générale de la Turquie d'Europe à la droite du Danube ou des Begler begliks (86:96 cm). 1824 führte Marieni auf Grund einiger astronomischer Bestimmungen einige flüchtige Küstenaufnahmen aus, die ein wenig oder gar nicht brauchbares Kroki ohne jede Geländeeinzelheiten ergaben. 1828 ließ der Preußische Generalstab eine „Karte der Hauptpoststraßen von der niederen Donau bis Konstantinopel" auf einem schwarzgedrukten Blatt (94:63 cm) erscheinen. Viquesnel, Ami Boués Reisegefährte, lieferte dem Oberst Lapie den Stoff für 2 wertvolle Karten während seiner Reisen 1836 und 1838. Es sind die 1842 bzw. 1843 zu Paris erschienenen „Carte d'une partie de la Servie et de l'Albanie" und „Carte de la Macédonie", beide in 1:800000. Manche neue Angaben, namentlich Ortsbestimmungen, finden sich in der im übrigen ziemlich nachlässig und stark verzerrt und unrichtig gezeichneten Schwarzdruckkarte des K. K. Kreisphysikers Dr. J. Müller, „Nord- und Westalbanien", von 1844, mit vielfach gänzlich falsch aufgefaßter Geländedarstellung in Bergstrichen. Sie gehört zu einem wertvollen Werke desselben Verfassers über „Albanien, Rumelien &c." (Prag).

Weit übertroffen wurde diese Müllersche durch eine freilich in der technischen Ausführung wenig gelungene Kiepertsche „Karte von Albanien" 1:1500000, eine in der K. K. Hof- und Staatsdruckerei zu Wien hergestellte Lithographie mit schraffiertem Gelände, die den „Albanesischen Studien" von Dr. J. G. v. Hahn (Jena 1854) beigefügt wurde und nach der großen Karte der Europäischen Türkei gezeichnet war. Noch höher steht eine Kartenskizze, die von den Ländern des Dringolfes und des Vardarsystems durch die tüchtigen Arbeiten v. Hahns und seiner Reisebegleiter, des österreichischen Linienschiffsleutnants v. Spaun und Dr. Szekely, auf einer 1863 unternommenen Reise ermöglicht wurde und welche einen wesentlichen Fortschritt in der Darstellung jener noch so wenig bekannten Gebiete gestattete. Sie ist unter Zugrundelegung einer dreifachen Vergrößerung der Kiepertschen Generalkarte von 1853, auf Grund eigener Messungen, wobei Längenbestimmungen allerdings nur durch Vergleichung von vier alten Itinerarien der römischen Via Egnatia mit den heutigen Distanzangaben möglich waren, sowie von schriftlichen Angaben der Bewohner von Gegenden, die die Reisenden nie betreten hatten, entstanden. So kann sie daher auch nicht in allen Teilen auf gleiche Genauigkeit Anspruch machen, ja es gibt auch völlig mißglückte Stellen, wie im Limgebiet. Dennoch steht diese von H. Kiepert nach den ihm gelieferten Materialien zusammengestellte „Karte der Flußgebiete des Drin und des Vardar, von Nordalbanien und Westmakedonien" 1:500000, wie dieser strenge Beurteiler selbst äußert, obenan unter den Quellen, die er für seine neue Ausgabe der Generalkarte der Türkei von 1870 benutzt hat. In ihr sind alle Routen von A. Boué und A. Viquesnel 1836—38, A. Griesebach 1839, H. Barth 1862—65 in zarten, die Reisewege von v. Hahn und Zach von 1858 und von v. Hahn und Frhrn v. Spaun von 1863 in kräftigen Linien eingetragen worden. Das Gelände ist stark generalisiert und geschummert, die Situation durch zahlreiche Wege und Ortschaften wiedergegeben worden. 1870 lieferte A. Boué einige Berichtigungen der Karte, die 1869 als Beilage zu dem Reisebericht erschien und nicht mehr bei der auch Albanien umfassenden Spezialkarte des Wiener Militärgeographischen Instituts 1:144000 von 1869 berücksichtigt werden konnte (?). Sehr gefördert wurde die Küstenkenntnis Albaniens durch die bereits 1869 mit Messung einer 3061,19 m langen Basis bei Skutari durch Oberst Ritter v. Ganahl begonnenen Küstenvermessung in der Adria. 1870 wurde die 160 Seemeilen lange albanische Küste trianguliert, daran schloß sich unter Oberleitung des Linienschiffskapitäns Ritter v. Oesterreicher die regelmäßige topographische Mappierung im Militärmaße bis auf 4—5 Seemeilen landeinwärts. In Süd-albanien machte Schiffsleutnant Lehnert auf der Hauptstraße des Landes eine flüchtige Aufnahme.

Eine Zeichnung des Marinehauptmanns Wutzel v. Wutzelburg der nordalbani-schen Küste bis Korfu 1 : 350000 und eine das Inland umfassende Darstellung Albaniens 1 : 115200 durch Schiffsleutnant Hopfgartner, welche das Gelände in Schichtenlinien von 10, 20 und 25 Klaftern Abstand oder in Niveaukurven und Schraffen mit Höhenkoten in Wiener Fuß bzw. Klaftern ausdrücken, sind die wichtigsten der im Archiv des Instituts vorhandenen Ergebnisse dieser Vermessung. Auch die schon bei Bulgarien erwähnten Arbeiten der österreichischen Hauptleute Millinković und v. Horsetzky auf ihrer 1873 unternommenen amtlichen Reise berührten Teile des Landes, namentlich die „Nord-albanischen Alpen", sind hervorzuheben. In der österreichischen Generalkarte 1 : 300000 von 1876 sind bezüglich Albaniens namentlich die Hahnschen Arbeiten berücksichtigt. In der mit 1875 beginnenden Kriegszeit ist dann ferner der Albanien betreffende Ausschnitt aus der Schedaschen großen Karte 1 : 864000, der 1876 aus diesem Anlaß erschien, be-merkenswert, trotz des kleinen Maßstabs. Gründliche Erforscher von Epirus und Albanien sind auch die Italiener E. de Gubernatis, der 1869—78, und Guido Cora, der 1874 und 1876 dort reiste, und die die Topographie förderten.

Für Makedonien sind die Arbeiten der im Auftrage des französischen Unterrichts-ministeriums dahin gesandten „Mission archéologique" hervorzuheben, welche unter anderm auf Grund einer Bussolenaufnahme „Itinéraires entre la Macédoine et la Thessalie" 1 : 625000 mit braun schraffiertem Gelände, blauem Flußnetz und schwarzem Wegenetz von L. Heuzet und H. Daumet ergab, Beilagen zu dem 1877 in Paris erschienenen Reisewerke.

Nicht von Originalwert, aber von guter technischer Ausführung ist die im Wiener Militärgeographischen Institut hergestellte v. Reitznersche Generalkarte 1 : 1 000000 vom Jahre 1880, die auf einem Supplementblatt „Albanien, Rumelien und Macedonien" enthält. 1885 und 1890 wurden durch die österreichische Marine Korrekturen der Küsten-karte in Albanien bewirkt. Auch A. Tumas' Übersichtskarte 1 : 1 200000 zu seinem Werke „Griechenland, Macedonien und Südalbanien" von 1880, obwohl ohne Gelände, ist wegen der Vollständigkeit, Übersichtlichkeit und vielfachen Abstufung des Wegenetzes recht beachtenswert. Nicht minder als Zusammenfassung seiner verschiedenen Reise-ergebnisse seit 1892 die „Botanische Originalkarte von Mittelalbanien und Epirus" 1 : 1 000000 von A. Baldacci 1897, die ebenfalls ohne Geländezeichnung, in Flächen-linien die verschiedenen (Mittelmeerländer-, Bergwald- und Hochgebirgs-) Regionen des Landes unterscheidet, sowie desselben Verfassers „Itinerari albanesi" mit Karte 1 : 600000 (B. S. G. Italiana, Rom 1900).

Über Makedonien möge die auf neueren Quellen beruhende „Karte der Eisenbahn von Saloniki nach Monastir" 1 : 300000, die General Colmar v. d. Goltz seiner 1894 erschienenen Schrift „Ein Ausflug nach Makedonien" beigefügt hat, erwähnt sein. Sie stellt das Gelände in rötlichbraunen Niveaukurven von 100 m Schichthöhe und in Meter-angaben, das Flußnetz blau, die übrige Situation schwarz dar, wobei der Wald besonders unterschieden wird, und enthält als Nebenkarte 1 : 1 000000 eine „Skizze der Bahnlinie von Tschingane Derbend bis Üsküb". Ferner ist die 1897 in Athen erschienene, in griechischer Sprache abgefaßte „Karte von Makedonien, Illyrien und Epirus" 1 : 400000 von M. Th. Chrysochóos von großem sachlichem Wert. Sie gibt zwar das Gelände in brauner Schummerung nicht gerade gelungen und mit zu wenig Höhenangaben in Metern wieder, aber sie enthält, namentlich im südlichen Teile, viel Neues. Das Flußnetz ist blau, das Straßennetz rot dargestellt. Für die geognostische Kenntnis des Landes ist Dr. K. Oestreichs „Geologische Übersichtskarte von Innermakedonien" 1 : 750000 wertvoll. Sie hat die österreiche offizielle „Übersichtskarte von Europa" gleichen Maßstabes zur topographischen Grundlage und enthält neue farbige geologische Ausscheidungen. Sie ist 1902 als Beilage zu seinen „Beiträgen zur Geomorphologie Makedoniens" herausgekommen. 1903 hat Dr. K. Peucker eine „Karte von Makedonien, Altserbien und Albanien" 1 : 864000 in Wien bei Artaria auf Grund der Steinhauser-Schedaschen Generalkarte, mit deren oft überreichem Inhalt, das Gelände braun geschummert, erscheinen lassen, welche auch die neueren Forschungsergebnisse sowie zahlreiche wertvolle kartographische, historische und statistische Notizen enthält. Auch Jovan Cvijič hat sich dieser Gegend auf seinen Reisen zugewandt und in Skizzenform, mit Tiefenlinien von 50 zu 50 m, die makedonischen Seen Ohrida und Prespa nach eigenen Auslotungen in 1899, dargestellt (1900), ebenso im G. J. London 1900 einen Aufsatz: „Researches in Macedonia and Southern Albania" mit 2 Karten 1 : 250000 veröffentlicht.

Von ganz besonderer Bedeutung, namentlich als erstes amtliches Erzeugnis des Kriegsministeriums (5. Sektion), ist die im Jahre 1317 (1899) daselbst ausgeführte und gedruckte „Karte der europäischen Türkei" 1 : 210000 in 64 Blatt (durchschnittlich 34 : 30 cm), die „richtig gestellt vom Generalstab Seiner durch Allahs Gnade mächtigen, erhabenen, schützenden Majestät, nach Beiträgen verschiedener Abteilungen" wurde und über die unter Zufügung eines Zeichenschlüssels der Generalstab in einem Aufsatz: „Die Karte der europäischen Türkei" 1 : 210000 näher berichtet. Sie beruht im wesentlichen auf der österreichischen Generalkarte 1 : 300000, der je 4 Blätter der türkischen genau entsprechen, den beiden russischen Karten 1 : 210000 (5 Werst) und 1 : 126000 (3 Werst), mit denen namentlich der Zeichenschlüssel fast genau übereinstimmt, sowie für die Gegend von Skutari auf der österreichisch Generalkarte 1 : 200000, endlich für größere Teile auch auf eigenem, die genannten Karten wesentlich verbesserndem und bereicherndem Originalmaterial[1]). Das Gelände ist in Niveaukurven von 50 m Abstand mittels Höhenangaben in Metern dargestellt. Das Gerippe stellt die Hauptrichtungen des Wegenetzes, die Wälder in grünem Flächenton, das Gefließnetz blau dar, in den Tiefen sind stets Wasserlinien gezogen. Die Namenschreibung ist nicht einheitlich, im Westen fast ausschließlich die türkische Rika (Kursiv), im Osten auch das lesbarere Alphabet von Fuad Pascha. Die Transkription der slawischen, serbisch-albanischen und türkischen Laute ist nicht gelungen, dabei werden nur offizielle, der Bevölkerung oft unbekannte Namen angewendet, dagegen ist sehr klar die türkische Nomenklatur, die auch in Bulgarien und Ostrumelien beibehalten wurde. Die Karte ist eine für größere Anordnungen wohl geeignete militärische Operationskarte. Noch bleibt aber eine systematische Landesaufnahme zu leisten, zumal fast ganz Makedonien und das innere und östliche Albanien topographisch jungfräulicher Boden sind.

Betrachten wir schließlich noch kurz die wichtigsten Arbeiten über den Bosporus, die Dardanellen und Konstantinopel. Der älteste erhaltene Plan ist die 1422 von dem Florentiner Buondelmonte mit wichtiger Beschreibung herausgegebene, Stambul und Pera umfassende, die bedeutendsten Bauwerke und die Hafenanlagen perspektivisch darstellende Arbeit. Dagegen sind die „Mensa argentea" Karls des Großen wie wahrscheinlich auch im Altertum vorhandene Stadtpläne vernichtet worden. Von des „Griechischen Keyserthumbs Hauptstadt im Lande Thracia am Meere gelegen" lieferte ferner 1550 Christoph Steinmer eine „Contrafractur" in Form einer in Holz geschnittenen großen Vogelschauansicht

---

[1]) Unter v. d. Goltz' Oberleitung sind 3 Abteilungen von je 8—10 Offizieren topographisch tätig gewesen.

(20:38 cm). Eine der ältesten und interessantesten Arbeiten ist dann die Aufnahme Konstantinopels im Jahre 1559 durch Melchior Lorichs aus Flensburg, deren Originalhandzeichnungen sich in der Leidener Universitätsbibliothek befinden und kürzlich in 24 Tafeln mit Text von Professor E. Oberhummer reproduziert worden sind (München, R. Oldenburg). Ferner hat M. Seutter 1720 eine kolorierte Ansicht in Kupfer der „größest, mächtigst und Prächtigsten Residenz Stadt des Türck. Kaisers in der Prov. Romanien" (50:58 cm) und 1750 Lotter einen kolorierten Kupferplan mit der umliegenden Gegend (49:57 cm) und Erklärungen veröffentlicht. F. B. v. Reber gab bei Homann 1764 mit Erklärungen heraus: „Bosphorus Thracious. Der Kanal des Schwarzen Meeres oder die Meerenge von Constantinopel" (80:50 cm). Dann sei der Lapieschen Darstellungen gedacht, und zwar der Umgebungskarte 1:200000 in seiner großen Carte générale 1:816000 von 1822 und der Plan der Stadt 1:46000 in seiner Reduktion dieser Generalkarte in 1:3000000. Das russische topographische Depot ließ 1828 die „Umgebungen" in 1:84000 auf Grund seiner Vermessungen veröffentlichen. Dann enthält die Weißsche Karte der europäischen Türkei von 1829 eine „Umgebungskarte von Konstantinopel mit den dortigen Wasserleitungen" als Nebenkarte. Das französische Dépôt de la guerre gab 1829 eine Lithographie: „Carte des environs de Constantinople" 1:380000 heraus, von der 1832 eine berichtigte Neuausgabe erschienen ist. 1845 stellte Admiral Manganari aus „Eclipses d'étoiles" die Lage der wichtigen Stadt fest. 1853, als die politischen Ereignisse Konstantinopel wieder in den Mittelpunkt des Interesses gerückt hatten, ließ H. Kiepert auf Grund der im Auftrage Muhammeds II. bewirkten Aufnahmen des preußischen Majors Frhrn. v. Moltke in 1:25000 von 1836/37 eine Verkleinerung in 1:100000 „Konstantinopel und der Bosporus" und als Nebenkarte auf seiner türkischen Generalkarte von 1853 eine Reduktion 1:200000 erscheinen. Sehr günstig beurteilt v. Sydow die „äußerst geschmackvoll und zweckmäßig arrangierte Arbeit", welche der schöne „Plan von Konstantinopel nebst dessen nächsten Begrenzungen" 1:10000 von C. Stolpe darstellt. Diese 1863 erschienene Chromolithographie beruht auf an Ort und Stelle gesammelten Grundlagen und wurde schon 1864 durch einen „Plan der zum 6. Kommunalbezirk vereinigten Vorstädte Galata, Pera und Pancaldi nebst den Angrenzungen", der auf bis 1861 nach den Vorschriften der Munizipalität ergänzten Aufnahmen beruht und sehr sauber und elegant ausgeführt ist. Eine Übersicht gab desselben Verfassers „Karte des Bosporus mit Konstantinopel und den umliegenden Ortschaften mit Dampfschiffahrtsverbindungen" 1:100000 von 1864. Schließlich ließ Stolpe noch einen „Plan von Konstantinopel mit den Vorstädten, dem Hafen und einem Teile des Bosporus" 1:15000, der bis 1866 berichtigt war, 1867 erscheinen; 1880 kam eine verbesserte Auflage heraus mit deutschen und französischen Übersetzungen der türkischen Namen. Auf diesen Vorgängern beruht dann die schöne Nebenkarte zu Schedas Generalkarte der europäischen Türkei, „Plan von Konstantinopel" 1:28800, mit schraffiertem Gelände, ohne Höhenzahlen, und Unterscheidung in besondern Farben der Gebäude, Wohnquartiere und Friedhöfe der Christen, Mohammedaner und Juden (1869). Sehr wichtig war P. v. Tchihatcheffs Werk „Le Bosphore et Constantinople avec perspectives" (Paris 1864, 3. Aufl. 1877), das auch zwei Karten bringt. Bei E. Stanford in London kamen 1879 dann „The Bosphorus and Konstantinople" 1:95040 (1¼ miles to 1 inch) und „The Dardanelles and the Troad" 1:190080 (3 miles to 1 inch) heraus, in denen das Gelände in braunen Schraffen und ein recht vollständiges Wegenetz enthalten ist. 1881 veröffentlichte der russische Generalmajor Artamanow eine 6blättrige „Karte der Umgebungen von Konstantinopel und vom Bosporus" 1:42000, 1883 eine Reduktion davon in 1:420000, die auf Grund der 1877/78 ausgeführten russischen Vermessungen hergestellt sind, während General Stebnitzki als Mitglied der internationalen Grenzkommission gemeinsam mit dem in Odessa befindlichen Astronomen Block, an diese Stadt anschließend, telegraphisch die geographische Länge bestimmte (Hagia Sophia

28° 58' 58" ö. v. Greenwich). Die wichtigste moderne Arbeit aber ist Colmar Frbrn. v. d. Goltz-Pascha s „Karte der Umgegend von Konstantinopel" 1 : 100000 vom Jahre 1897, welche er auf der Grundlage eines aus den zuverlässigsten und kritisch gesichteten besten vorhandenen Plan- und Kartenmaterialen zusammengestellten Netzes mit Hilfe einer kleinen Bussole, eines Aneroidbarometers und einer Taschenuhr aufgenommen hat. Die 10metrigen Höhenkurven von denen die 50metrigen stärker ausgezogen wurden, sind nur das Gelände möglichst getreu wiedergebende Formlinien. Das Flußnetz ist blau gezeichnet und beschrieben, die Wege sind in vier Klassen: Chausseen, Landstraßen, fahrbare Ortsverbindungen, Reit- und Fußwege unterschieden. Auf einzelnen Strecken sind auch noch die alten Pflasterwege eingetragen. Buschwerk und Wälder wurden durch besondere Zeichen hervorgehoben. Die Schreibweise der Namen, für welche die den deutschen Kreisen geläufigsten gewählt sind, ist möglichst der Aussprache angepaßt. Ein Verzeichnis der häufiger vorkommenden Gattungsnamen erhöht den Wert dieses schönen, brauchbaren Kartenwerks, das, so lange die türkische Regierung nicht eigene Aufnahmen liefert, wohl das empfehlenswerteste bleiben wird.

Literatur: Demetrie Kantemir: „Geschichte des osmanischen Reichs", Hamburg 1745 (Übersetzung aus dem Englischen).

C. S. Sonnini: „Reise nach Griechenland urd der Türkei auf Befehl Ludwigs XVI". Aus dem Französischen mit Anmerkungen von Ch. Weigand. Mit 1 Kupfer. Berlin 1801.

Jos. v. Hammer: „Constantinopolis und der Bosporus". Pest 1822. Langes Hauptwerk.

Sp. Gopčević: „Makedonien und Alt-Serbien". 1 Ansicht, 5 Karten, 1889.

Hugh Callan: „Albania and the Albanians in 1898." Edinburgh 1897.

Mark Sykes: „Through Five Turkish Provinces." London, J. Bickers, 1900.

VIII. Bosnien und die Herzegowina.

Diese nordwestlichen, ehemals ein Wilajet bildenden türkischen Provinzen, die jetzt zu den mittelbaren, unter selbständiger Verwaltung Österreich-Ungarns als „Okkupationsgebiet" stehenden Besitzungen gehören, waren schon vor der österreichischen Herrschaft das bestbekannte Land der südosteuropäischen Halbinsel. Trotzdem beginnt erst mit dieser auch kartographisch eine neue Zeit, indem gleich nach erfolgter Besetzung des Landes eine Katastervermessung modernen Stils unternommen wurde als Grundlage einer Mappierung und einer Spezial- wie einer Generalkarte im Anschluß an die Kartenwerke der österreichisch-ungarischen Monarchie.

Auch die ältere Zeit des Kartenwesens hebt erst mit Ausgang des 18. Jahrhunderts an. „Das Königreich Bosnien und die Herzegowina (Rama) samt den angrenzenden Provinzen von Kroatien &c." Nach den militärischen Handkarten des Prinzen Eugen, der Grafen Kbevenhüller, Marsigli und Pallavicini geographisch aufgetragen und nach den zuverlässigsten Nachrichten und Reisebeschreibungen berichtigt von Herrn Maximilian Schimek. Diese in 1 : 430000 hergestellte, schon öfter hier besprochene Kupferstichkarte von 1788, die bei Artaria & Komp. in Wien, in anderer Ausgabe bei Herrn F. A. Schraembl erschienen ist, darf als die älteste dieser Zeit angesehen werden. Sie zeigt, wie weit die Landeskunde damals noch zurück war, ebenso die kartographische Darstellungsweise. Auf sie folgen zwei J. Riedlsche Arbeiten von 1810 bzw. 1812, nämlich eine „Charte von Serbien und Bosnien &c." und eine „General-Charte von Rumeli nebst Morea und Bosna" 1 : 900000, die Karl Stein gestochen, J. Schropp & Komp. in Berlin verlegt hat. Bei sehr fehlerhaftem Flußnetz stellt sie das Gelände ohne Höhenangaben in schraffierten Raupen dar. So zieht sich eine solche durch Bosnien von der Lika gegen Skoplje (Üsküb). Trotzdem ist ein reiches Material verarbeitende Karte für damals verdienstlich. Die wenig beachteten Itinerare des 1847 in Bosnien reisenden Münchener Botanikers Sendtner berichtigen erhebliche Fehler älterer Karten. Von Graf Karacsay ist eine nach seinen Winkelmessungen berichtigte handschriftliche „Karte der Herzegowina"

aus dieser Zeit vorhanden, ebenso von H. de Beaumont eine solche von der Herzegowina, dem südlichen Bosnien und Montenegro aus dem Jahre 1861, „Esquisse" genannt,
die Boué durchgesehen und verbessert hat (siehe „Montenegro").
Von größerem Wert ist die 1865 veröffentlichte vierblättrige „Karte von Bosnien,
der Herzegowina und des Paschalik von Novibazar (Rascien) 1:400000,
die der österreichische Hauptmann Rośkiewioz auf Anordnung des Generalstabes nach
den neuesten Quellen und mit Ausnahme der Kraina an Ort und Stelle gesammelten orographischen Skizzen entworfen und gezeichnet hat. Das Gelände ist skizzenhaft in Kreide
geschummert und durch zahlreiche Höhenangaben in Wiener Fuß ergänzt. Das Wegenetz
ist sehr vollständig und nach den damals im Wiener Militärgeographischen Institut, das
die Karte auch lithographiert hat, üblichen Vorschriften abgestuft. Die Nomenklatur ist
reichhaltig und kräftig gehalten, ein Gradnetz fehlt leider. Nähere Angaben über die
Entstehung der Karte, die besonders auch v. Sydow in seiner Kritik gewünscht hatte,
brachte dann 1868 das Werk desselben Verfassers: „Studien über Bosnien und die Herzegowina", das auch eine Verkleinerung in 1:1152000 der Originalkarte enthält. Besonders
werden die Auskunft über das wirklich Beobachtete und die eigenen Routenbeschreibungen
wertvoll. Recht Verdienstvolles für die Verbesserung des Kartenbildes leisteten auch die
Veröffentlichungen der Reisestudien von Karl Ritter v. Sax, namentlich auch für die
Namenkunde und das Straßennetz sowie die Grenzverhältnisse. Schedas Generalkarte
von Zentraleuropa 1:576000 enthält auf Blatt XIII und XVIII Bosnien und die Herzegowina nebst dem größten Teil Dalmatiens. Der frühere österreichische Hauptmann und
spätere serbische Ingenieur R. R. Milošević beschreibt und kartiert den am linken Ufer
der Tara und der Drina liegenden Teil unseres Gebiets und gibt die eingehende Beschreibung von 28 Routen mit ihren Ortschaften, während Hauptmann Gustav Thoemmel
eine „geschichtliche, politische und topographisch-statistische Beschreibung des Wilajets
Bosnien, d. h. das eigentliche Bosnien nebst Türkisch-Kroatien, der Herzegowina und
Rascien" 1867 in Wien veröffentlicht. 1872 reisten die Hauptleute H. v. Sterneck
und Th. Millinković im amtlichen Auftrag nach Bosnien, der Herzegowina, um astro-
nomische und à la vue-Aufnahmen zu ihren in Schleifen angeordneten Reiserouten aus-
zuführen. Dabei wurden alle wichtigen Punkte in die Beobachtungen mit einbezogen,
Bergspitzen trigonometrisch gemessen, Höhen mit dem Aneroid bestimmt, magnetische
Deklinationen ermittelt und photographische Aufnahmen gemacht.
Im Jahre 1875, wo die Wirren auf der Balkanhalbinsel begannen, erschienen mehrere
Arbeiten, so A. Steinhausers „Ortskarte" 1:1 Mill., die auch Bosnien und die
Herzegowina enthält, mit vielen Orts- und orographischen Namen und Höhenzahlen, jedoch
ohne Geländedarstellung, dann des französischen Dépôt de la guerre „Carte de
l'Hercegovine et des pays limitrophes" 1:800000, „eine ziemlich flüchtige und wenig
brauchbare Arbeit", nur die routes principales und die Eisenbahnen enthaltend, mit mangelhaft geschummertem Gelände, spärlichen Ortsangaben und Einzelheiten. Um so wertvoller
waren die 1876 veröffentlichten Karten, nämlich die 1:300000 des Militärgeographischen Instituts in Wien und namentlich die hypsometrische „Übersichtskarte von Bosnien, der Herzegowina, von Serbien und Montenegro"
1:600000 in 4 Blatt des FZM. Ritter v. Hauslab (siehe „Serbien"), endlich die „Routen
in Bosnien und Herzegowina" 1:500000, nach den Originalskizzen und Tage-
büchern des Konsuls Dr. Otto Blau zusammengestellt und redigiert von H. Kiepert, als
Beilage seines bei Dietrich Reimer erschienenen Reiseberichts (Berlin). Sie bringt mehrfache Berichtigungen und Ergänzungen und enthält als Nebenkarten 1:150000 die Umgebungen von Sarajevo, Jajce und Plevlje sowie der Trescavica Planina. Wertvoll durch viele
Höhenbestimmungen und geologische Angaben ist dann Heinrich Daublebsky v. Sterneck
„Übersichtskarte von Bosnien, Herzegowina und Nordmontenegro" mit 2 Profiltafeln, eine

Beilage seines 1877 bei Braumüller in Wien erschienenen Buches „Geographische Verhältnisse, Kommunikationen und das Reisen in Bosnien, der Herzegowina und Nordmontenegro". Während der Kriegszeit und der Okkupation entstanden eine große Reihe von oft nur dem Augenblicksbedürfnis genügenden Arbeiten, wenige Arbeiten wie die von Schlacher, Scheda, v. Haardt z. B. ausgenommen, welche indessen auch nichts Neues brachten.

Gleich nach der Besetzung von Bosnien und der Herzegowina durch Österreich begann dann eine neue Epoche in der Kartographie dieser Länder, welche unter „Österreich-Ungarn" behandelt worden ist. Ergänzt sei hier bezüglich des Präzisionsnivellements, daß bis Ende 1901 in 15 Monaten 777 km nivelliert wurden, davon 70 km auf dem Bahnkörper der bosnisch-herzegowinischen Staatsbahn, und daß die 291 km Linien von 1901 einen mittleren Fehler von ± 1,76 mm für 1 km und aus den Differenzen der Teilstrecken von ± 1,16 mm ergeben, also fast frei von systematischen Fehlern sind. Durch diese Aufnahme traten, wie hier kurz wiederholt sei, zu den bisher am häufigsten verwendeten, freilich während der Operationen sich als unzulänglich erwiesen habenden Arbeiten der Generalkarte 1 : 300000 des Instituts und der Karte 1 : 400000 von Roškiewicz zunächst 1884—85 eine (orohydrographische) Generalkarte 1 : 150000, dann eine politische Übersichtskarte gleichen Maßstabes — auf Grund der Katastervermessungen und flüchtigen Terrainaufnahmen. Ferner, nach Ausführung der wirklichen Mappierung, wurde von 1888—89 die Spezialkarte 1 : 75000 in 60 Blatt vollendet. Ein Teil des Landes ist auch als Spezialkarte 1 : 50000 ausgeführt. Dazukommen noch die Kartenwerke 1 : 200000 und 1 : 750000, welche ebenfalls das Okkupationsgebiet enthalten. Außer diesen Kartenwerken des Militärgeographischen Instituts seien kurz erwähnt: Die dem Werke des K. u. K. Kriegsarchivs über die Okkupation beigefügte strategische Übersichtskarte des Landes nebst 21 Karten und Plänen größeren Maßstabes, ferner vom K. u. K. Finanzministerium eine Forstkarte 1 : 50000 in 223 Blatt, nur in einer beschränkten Zahl von Exemplaren gedruckt, von 1885, mit sehr genauer Darstellung der Waldungen, eine Übersichtskarte 1 : 900000 mit Angabe und Klassifizierung der Ortschaften nach der Einwohnerzahl von 1885, eine Karte der Straßenzüge 1 : 500000 von 1886, eine Übersichtskarte über die Kommunikationen vor und nach der Okkupation 1 : 750000 von 1887, eine vierblättrige Schulkarte „Zemljovid Bosne i Hercegovine" 1 : 300000 von 1889, eine „Karte der Römerstraßen" 1 : 600000 von 1893, eine „Übersichtskarte des Kohlenvorkommens" 1 : 750000 von 1899, sämtlich im Institut ausgeführt. Die bosnisch-herzegowinische Landesregierung ließ ebendaselbst 1892 eine dreifarbige politisch-statistische „Generalkarte von Bosnien und der Herzegowina" 1 : 600000, ohne Geländedarstellung, herstellen, und der K. u. K. Generalstab für den Dienstgebrauch seit 1883 in mehreren Auflagen und Maßstäben, zuletzt 1901 eine „Schematische Karte der Militär- und Eisenbahn-Telegraphenleitungen" 1 : 600000.

Zum Schluß sei noch einer sehr wichtigen Privatarbeit gedacht, nämlich der von den österreichisch-ungarischen Geologen Edm. Mojsisovics, Dr. E. Tietze und Dr. A. Bittner unter Mitwirkung des Professors Dr. G. Pilar verfaßten „Geologischen Übersichtskarte von Bosnien-Herzogowina" 1 : 576000, die als erster Entwurf 1880 in Wien erschienen ist. Sie ist von E. Jahn gezeichnet und enthält in Farbendruck 20 geologische Ausscheidungen, aber weder Geländedarstellung noch Höhenzahlen. An Detailkarten in 1 : 75000 arbeiten E. Kittl und Fr. Kager. Von ausländischen Privatarbeiten seien Vogels Südostblatt der Karte von Österreich im Stieler 1 : 1500000 und die Carte d'Autriche-Hongrie 1 : 2,5 Mill. im Atlas Universel von Vivien de St. Martin hervorgehoben.

Literatur: E. Jettel in den Mitteil. der K. K. Geogr. Ges. in Wien von 1881 (nebst Karte).
A. Schuermans: „La Bosnie-Herzégowine", Cosmos Paris 1900.
C. Scotti: »Attraverso la Bosnia et l'Ersegowina«. Emporium Bergamo, 1900.

Personenregister.

Spalte 1:

Name	Seite
Abrahamson	240
Achin	147
Adlerheim	231
Aeginitis	329
Affonso III.	260
Agricola	80
Agrippa	1, 2, 80, 268
Aguilhar	256
Ahlenius, H.	236
Ahlenius, K.	236
Airy	10, 87, 99
Akamon	228
Albach	35, 36, 46
Albus	8
Aldenhoven	325
Aldus	269
Alexander I.	188
Alexander der Große	1
Alfons VI.	260
Alfthan	199, 216
Allent	144
Almera, J.	259
Alten, Georg	238
Alten, v.	327
Altorfer	63
Alvarez	257
Amari	273
Anaximander	1, 267, 329
Anderson, A.	230
Anderson, J.	276, 279
Andrae	242, 245, 376
Andree	12, 120, 226
Androossi	143
Andrew	108, 310
Angelus, J.	276, 279
Anich	17
Anselmier	65, 68
Anthoine	99, 172, 259
Astropow, P. A.	217
Anville, d'	4, 131, 284, 334
Apian	3, 4, 14, 250
Arago	87, 142
Araktschew	187
Ardaillon, E.	376
Argelander	192
Aristagoras	320
Arrian	270
Arrosmith	6, 97
Artamanow	84, 200, 212
Artaria	46, 366
Aubert, d'	232
Auer, v.	62
Augustin	21
Augustus	10, 241, 268, 271
Avezac, d'	230

Spalte 2:

Name	Seite
Aventinus	14
Avezac, d'	83
Avienus	122
Avila, d'	266
Babel	23
Bachofen	65
Bacler d'Albe	144, 145, 148, 286
Baco	81
Baedeker	334
Baeyer	27, 123, 189
Baggesen, A. v.	245
Bakhuyzen	109
Balathia	287
Balbus	267
Baldacci	333, 363
Baldamus	78
Bamberg, K.	99, 218, 226, 259, 310
Bär	6
Baratieri	306
Barbey	77
Barbié du Bocage	324
Bardin	173
Barraquer	174
Barrois	171
Barth	362
Bartholomew, J. G.	375
Bartsch	327
Bas, de	245
Bassot	174, 180
Basville	130
Batenburg, van	375
Baudot	72
Bauer	187
Bauer, C. F.	36
Bazin	139
Beaumont	171, 366
Beautempe-Beaupré	155, 181
Beauvoisin	251
Beccaria	281
Bechstatt	8
Becker, F.	74, 77—79, 294, 310
Beda	81
Behaim	14, 227, 262
Beke	101
Belgrado	273
Bellin	181
Bellune	265
Benedicti	21, 24
Bentabole	153
Bentzin	241, 244
Béraud	153, 153
Berghaus, H.	6, 9, 13, 226, 256, 294

Spalte 3:

Name	Seite
Berlinghieri	128, 277
Bernouilli	187
Berra	26
Berthaut	173
Berthier	189
Bertrand	174
Bessel	29, 189, 202
Bétemps	64, 65
Beyrich	12
Beyschlag	235
Bielawski	219
Billot	175
Biot	142, 151
Björnbo	220
Blache, Vidal de la	259, 310
Blaeu	4, 17, 104
Blaramberg, v.	194, 199
Blaschnek	25
Blondel	161, 293
Bock, v.	24
Böckel	239
Bolotow	195
Boltschew	217
Bonne	143, 145, 149
Bonne, R.	7
Bonnefont	172
Bonsdorf	206
Bonstetten, v.	51
Boos	108
Borda	139
Borgonia	5
Boscovich	280
Bossi	36
Botello	259
Botto	310
Boudet	139
Boué	312, 315, 362
Bouguer	126
Bourcet	18
Bourdaloué	155, 173, 175
Bredstorff	6, 8
Breitinger	58
Bremen, A. v.	2, 184, 227, 238
Breuner	221
Bressanini	65
Breton	155
Breusing	83
Broca	358
Broschil	368
Brossier	148
Brousseaud	152
Brué	147
Bruins	108
Brunner	175

	Seite		Seite		Seite
Cabot	82	Conti	292	Dybdal	225
Cagnoli	283	Convert, H.	376	Dyonnet	65
Cailloux	171	Cora	363	Ebbo	220, 237
Calandrelli	292	Corado	259	Ebel	57
Callan	366	Corjić	364	Eberle	62
Calon	142	Cortambert	174	Eckert	199
Calwagen	236	Cossa, de la	249	Eckstein	107, 108, 110
Cambden	83	Cracalesco	360	Eequevilly	148, 149
Campana	22, 24, 286	Crassus	80	Edlund	216
Camus	137	Cresques, da	248	Edrisi	272, 273
Canerio	261	Crest, du	8, 53	Eduard I.	81
Canina	294	Crouset	174	Einhard	2, 184
Canonica	281	Cruquius	128	Elisabeth	186
Canter	198	Cruz, de S.	249	Elmpt	19
Capitaine	120, 137, 139, 164	Cuny	171	Eneke	201
Cares	171	Curtius	326, 327, 334	Enderli	62
Carignano	274	Cvijić	338, 344, 345, 352, 376	Enders	26
Carla, du	8	Dahlberg, E.	289	Engelhardt	198
Carlini	289	Dahlgren	250	Epailly	143
Carniaux	118	Dallet	174	Erasmus	120
Cary	97	Dalorto	274, 275	Eratosthenes	1, 247, 319, 376
Cäsar	49, 80, 111	Danielow	198	Erik der Rote	219
Cassini, D.	8, 125, 126	Danilo I.	347	Erik, E.	227
Cassini, J.	125, 126, 127	Danow	338	Ernouf	143
Cassini de Thury	5, 112, 126, 127, 133—137, 239, 281	Dati	273	Escher	68
Cassius, Dio	122	Daudon	189	Eschmann	58, 59, 60
Castaigne	118	Daumay	363	Esteban	256
Castiglioni	249	Davidos	256	Eudoxos	319
Castillo	260	Debes	12, 47, 345	Euler	5, 7, 187
Castro, de	258	Dechen	173	Evain	149
Cattolica	307	Defforges	175	Fabri	19
Caudier	292	Delambre	141, 148	Fabris	310
Cederstolpe	121	Delarue	348	Faden	97
Cellarius	4	Delby	99	Faggot	337
Celoria	298, 302	Delcros	153	Fallon	21, 24
Celsius	280	Delgado	265	Farre	165
Cerri	294	Delisle, G.	130, 322	Fayen	129
Cesaris	282	Delisle, L.	187	Fearnley	223
Chabaud-La-Tour	166	Delisle, N.	5, 131, 187	Feil	15
Chanclaire	5, 120, 146	Denaix	148	Felsing	67
Charl	356	Dengler	63	Felterus	229
Charpentier	66	Densler	65	Feltre	150
Chatow	355	Derrécagaix	161, 163, 177	Fer, de	181
Chesseaux	53	Derrien	175	Ferdinand I.	24
Chevert	171	Descelier	129	Fergola	297
Chio	296	Desimono	273	Ferkhmine, A.	375
Chirita	361	Desjardins	269	Fernel	123
Chiru	360	Deaterberg	120	Ferraris	9, 12, 19, 112
Chohre	266	Daventer	3, 101	Ferrero	9, 72, 98, 305, 310
Chodsko	189, 190, 199	Dias	199	Feuillée	128, 130
Choffat	265	Dickinson	108, 310	Fiedler	334
Chrisochóos	330, 332, 363	Diedenhoven	114	Fief, du	117
Christensen	244	Dikkarch	2, 267, 321	Filāns	236
Christiani	245	Dinis	260	Finäus	129
Cicero	49	Dirwaldt	354	Finsler	55, 59
Ciera	263	Ditmar	194	Fiorini	278, 311
Cirkoff	342	Domann	317	Firrao	290
Civelli	294	Donis	128, 220	Fischer, Th.	260, 274, 311, 318
Clarke	86, 88, 89	Donnet	147, 251, 256	Fitzroy	95
Clere	144, 173, 198	Dosseray	117	Flaccus	267
Clitiver	104	Dougall	251	Flamsteed	144, 150
Coari	301	Dourado	262	Flemming	199
Coëllo	252	Draghiceau	360	Fligely	24, 27, 356
Coën	310	Drivet	171	Folque, F.	263, 264
Cohrs	236	Dubocage	144	Folque, P.	263
Colbert	125	Ducaria	8, 128	Fontan	258
Colby	375	Dufour	57, 58, 64, 252	Forbes	95
Colignon	174	Dufrénoy	171	Forchhammer	334
Collet	189	Dumas	142	Förf	237
Collewaert	117	Dumont	7	Fornaro	62
Collomb	258	Dupain-Triel	8	Forsch	192, 193, 261
Condamine	126	Dupuis	323	Forsell	226, 231
Condorcet	141	Durand-Claye	174		

	Seite
Forstner	107
Feuillon	383
Foulard	152
Fournier	181
Fraipont	174
Français	173
Francoeur	173
Frank	44
Franz I.	23
Franz II.	21
Franz Josef I.	27, 28
Fréret	130
Freyeinet	162
Freytag	46, 219, 310, 338
Fridolin	49
Fried	314, 335, 354, 355
Frigelius	230
Frilley	353
Frisi	282
Frisius	105, 111
Frister	341
Fritsche	309
Frontin	67
Fuente	258
Faß	192
Füßli	72, 78
Gäbler	259
Galläus	4
Galle	351
Galli	353
Galleis	15, 129, 260, 261
Gallus	50
Gambillo	308
Ganahl	27, 363
Gangina	228
Garollo	308
Gamer	52
Gastaldi	250, 278
Gautier	79
Gedda	229
Geers	244, 245
Geikie	97
Gell	324, 334
Georg III.	86
Germanus	220
Gerrits	185, 228
Gerster	77
Gilly	198
Gjessing	223
Giove	184
Giraldi	276
Glareanus	52
Glockendon	9, 14
Godunow	185, 186
Goldschmidt	333
Goll	61
Goltz, v. d.	363, 365
Goos	105
Gopcevic	349, 366
Gorm	237
Görög	24
Gräf	236, 328
Gregor	45
Griessbach	312, 362
Grill	45
Grimaldi	278
Grundy	173, 310
Guarducci	311
Gubernatis	363
Gudme	244
Guicciardini	118
Guilleminot	314
Guran	28

	Seite
Gustav III.	231
Gusman	260
Gyger	52
Haardt, v.	36, 219, 313, 325, 336, 368
Habenicht	6, 47, 218, 236, 310, 317
Haffner	223
Hager	337
Hahn, J.	231
Hahn, v.	348, 362
Hahr	236
Hakluyt	83
Haldingham	82
Halley	84
Hällstrom	231
Hammer	10
Hammer, v.	366
Handtke	218, 294, 346
Haradauer	36
Harfagar	222
Harriese	261
Hartl, H.	203, 328, 334, 336, 340, 351, 356, 361
Hartl, S.	340, 341
Has	198
Haßler	54
Hassert	352, 353
Hatt	177
Hauber	186
Hauchecorne	12
Hauer	27, 46
Heuser	345
Hauslab, v.	26, 343, 350, 367
Hausermann	47, 48, 249, 310
Haxo	145
Heath	8
Heimbach	361
Heinrich, Graf	260
Heinrich I.	237
Heinrich der Seefahrer	261
Heinsius	187
Heins	327
Hekatäus	1, 267, 320
Held	74, 75
Heldenfeld, v.	21, 23
Helmert	376
Hendrik	103
Hennequin	6, 113, 118
Hennert	20
Henrionet	118
Henry	55, 143, 147
Herberstein, v.	3, 16, 185
Hertz	259
Hermelin, Frhr v.	251, 235
Herodot	1, 247, 267, 321
Herr	27
Herrmundt	16
Herrwich	354
Herrwitz	353
Heß, v.	23
Heuzet	363
Heyer	15
Hieroklos	384
Hieronymus	271
Hipparch	319
Hippler	15
Hiptus	267
Hirsch	72
Hirschfeld	318
Hirschvogel	14
Hisinger	236
Hochstetter	36, 316

	Seite
Hödlmoser	10, 48, 361
Hoffmann	16
Holl	14, 128
Holm	230
Homann	85, 236
Homentowsky	335
Hondius	103
Honorius	270
Horner	58
Hörnes	327
Hörnos	259
Horsetzky	336, 339, 363
Hübl, v.	10, 48
Hueber	17
Hughes	99
Humboldt	253, 293
Hunfalvy	26
Hyginus	267
Ibañez	253, 254, 256
Iljin	12, 120, 215, 217, 256
Imbert	307
Imbriani	284
Imfeld	77
Inberg, J. J.	375
Inghirami	291
Inglis, H. R. G.	375
Ishakal	260
Israel	260
Ivernow, J. v.	376
Jacotin	138, 156
Jacquot	171
Jäderin	376
Jäger	10
Jaillot	20
James	10, 81, 99, 347
Jameson	4, 103
Jkrnefeldt	203, 339
Jettel	368
Jireček	338, 340
Jode, C. de	102
Jode, G. de	102
Johnston	97
Jolivet	129
Jomard	174
Jones	199
Jordan	259
Jordans	97
Josef II.	18
Jovanowitsch	342
Kalmar, v.	36
Kanitz, v.	335, 339, 342
Kantemir	361, 366
Karacsay	347, 366
Karagjorgjewitsch	341
Karl d. Gr.	2, 272
Karl V.	101, 248, 250
Karl IX.	228
Karl XI.	229
Karl XIII.	232
Karl Albert.	290
Karl Emanuel II.	281
Karl Felix	289
Karlinski	27
Katharina I.	186
Katharina II.	187
Kaulbars, A.	219, 343
Kaulbars, N.	339, 350, 363
Kaupert	327, 330, 334
Keller	50, 57, 58, 334
Kempe	236
Keppler	8

Seite

Keulen 105
Kiepert, H. 12, 13, 218, 249, 268,
    309, 312, 315, 316, 326, 329,
    332, 336, 337, 342, 347, 349,
    357, 360, 367
Klint 231, 236
Klüver 334
Knonau 51
Koch 12, 218, 226
Koffmahn 98, 375
Kogutowicz 318
Kohl 215
Kokides 330
Kondratschenko . . . 217
Konstantin 248
Kopernikus 3
Koriatka 26
Kowalewski 347
Koweraki 216
Kraats 327
Krahmer 205
Krasilnikow 187
Krates 1
Krayenhoff . . . 107, 113
Kregbieh 25
Kretschmer 274
Kriwossijew 338
Kummerer, v. 25
Kümmerly 77
Kummersberg 25
Kündig 62
Küsell 16, 20

Laat, de 104
Lae 14
Lachner 340
Lagrange 7, 147
Lahovari 361
Lalannis 331
Lallemand 176
Lanciani 308
Lapie   147, 156, 244, 313, 324,
    341, 365
Laplace 156
Larsson 229
Lasceret 152
Lauda 221
Lauridsen 239
Laussedat . . . 173, 179
Lauterer 340
Leake 334
Lebedeff . . 201, 203, 340
Lebègue 118
Lebon-Languelot . . . 156
Lechner . . . 41, 45, 47
Legendre 147
Lehmann 8, 145
Lehmann, P. 361
Lehnert 365
Lehrl 36, 328
Leibnis 186
Lejean 316, 329
Lelewel . . 118, 272, 339
Lemonnier . . . 203, 339
Leonhard 332
Leopold I. 5
Leroy 144
Lesage 144
Létarouilly 294
Latoschek 47
Leuzinger 71, 72
Levasseur 171
Leverrier 256

Seite

Levret 161
Lhuyd 82
Liagre 118
Lichtenstern, Frhr. v. . . 25, 26
Liebenow 12, 36, 118, 120, 219,
    317
Liesch 119
Liesganig 19, 20
Lindauer 47
Lindhagen 233
Linguard 97
Lipsky 24
Littrow 26, 27
Livius 48
Livron 211
Llabin 190
Lochmann 74
Lognon 172
Lohr 328
Lolling 330
Lomonossow 187
Lönborg 237
Longolius 269
Lopez 250, 256
Lorenzoni 298
Lorich 264
Lotter 323, 365
Louis XIII. 129
Louis XIV. 129
Louis XVI. 142
Löw 72
Lud 261
Lundberg 226
Lunot 291
Luxan 259
Luxorro 273

Mabyre 172
Mackenzie 97
Maelen, v. d. . . . 113, 120
Maggia 300
Maggiolo 277
Magnaghi 298
Magnalo 274
Magnus 3, 220, 227
Maire 280, 281
Maissiat 156, 158
Major 278
Malejew 211
Malte-Brun . . . 147, 171
Manganari 365
Mannert 316
Mannevillette . . . 181
Mansa, v. 240
Månsson 228, 229
Mans 63
Marcel 249, 274
Marcks 218, 375
Marelius 230
Marieni 189, 362
Marinelli . . . 275, 311
Marinus . . . 1, 220, 319
Marmora, La 292
Marselli 340
Marsigli 366
Martelli 333
Marthe 335
Martini 16
Martonne 361
Massa 185, 228
Maupertuis 230
Mauro 184, 276
Mavrocordatos . . . 331
Mayr 259, 294, 297

Seite

Méchain 141, 142
Mechovita 199
Mednikow 314, 341
Meinhard 339, 340
Mejer 239
Mejow 199
Mela 248, 324
Mende 193
Menippus 270
Menlös 228
Mentelle 287
Mentzer 236
Mercator . . . 4, 101, 221
Merian 53
Merula 104
Merz 55
Meydenbauer 179
Meyer 334
Meyer, J. R. 54
Michael 61
Michaelescü 3
Michaelis 198
Miechow, v. . . . 16, 184
Mier 256
Mikowini 17
Milchhöfer 328
Milenkowitsch . . . 342
Millinković 336, 339, 349, 363, 367
Milosević 347, 367
Miñanos 259
Mirandoli 292
Milan III. 341
Milan IV. 341, 343
Moëssard 174
Mojaisowics 368
Moll 4, 85
Mollieux 83
Mollweide 7
Moltke, v. . 293, 318, 355, 365
Mommsen 50
Monath 340
Montalembert . . . 137
Montigny 137
Moreau 143
Moretti 316
Mori 311
Morossi 283
Motzel 19
Mudge 99
Müller, F. 360
Müller, F. Th. . . . 323
Müller, J. 362
Müller, J. Chr. . . . 16
Müllhaupt . . . 63, 67, 317
Munch 226
Munthe 224
Münster . . . 3, 15, 52, 221
Murchison 215
Mureau, de 128
Muriel 143, 145
Murray 96, 334

Nansen 219, 244
Nantiat 251, 265
Napoleon I. . . 143, 324, 362
Navarro, J. 259
Nestor 184
Netuschill 48
Neu 69
Neumann, L. 334
Neumayr, M. 329
Nevvius, E. R. . . . 216
Newton, J. 84
Nicklas 351

Seite

Nielsen 226
Nikolaus I. 195
Niox 172
Nissen . . . 226, 227, 287
Noordhoff, R. 219, 226, 259, 310
Nordenanker, J. . . . 251
Nordenskiöld, E. v. 128, 219, 220, 221, 236, 275, 278
Nordmann 198
Noëlin, J. P. 216
Norwood, R. 85
Oberg 290
Oberhummer, E. . 331, 334, 364
Obes, F. A. 260
Oesfeld 11
Oesterreich, v. . . 307, 364
Oesterreicher, v. . . . 363
Ofverbom 251
O'Grady, G. . . . 218
Olearius, A. . . . 185
Olsen . . . 6, 8, 241, 245
Oppermann . . . 187, 188
Oppolzer 298
Orcell 285
Orell & Füßli . . . 72
Orgiazzi . . . 256, 293
Oriani . . 280, 282, 288
Ori 59
Orlandini 294
Orosius 270
Ortelius, A. 4, 15, 102, 111, 221, 250
Ortrog 118
Osterwald . . 54, 68, 69
Other 2
Ottino, Chim. . . . 272
Oudemans 108

Paganini . . . 301, 310
Palarino . . . 283
Pallavicini . . . 366
Palmas, G. . . . 26
Palmén, E. G. . . 217
Palmén, J. A. . . 216
Papen 6
Parthey, G. . . . 269
Partsch . . 324, 331, 332, 334
Pascal, A. . . . 259
Pasquich . . . 21
Paterculus . . . 49
Pateson, E. . . . 259
Paul I. 187
Paul III. . . . 221
Pauliny 348
Paulo 269
Pedincheff . . . 198
Pelet, General . . 153, 154
Pelet, P. . . . 171
Peliati, N. . . . 307
Penck, A. . . . 47
Perrier . . 173, 174, 260
Perthes 6
Pery, G. A, . . . 266
Pestalozzi . . . 58
Peter I., der Gr. . 183, 186
Peter II. . . . 186
Peter I. von Serbien . 347
Peter, J. H. . . . 375
Petermann, A. 15, 98, 199, 218, 245, 327
Peters . . 192, 355, 356, 360
Petersen, K. . . . 226
Petrejus, P. . . . 185
Petters . . . 47, 327

Seite

Peucker, K. 47, 317, 332, 346, 364
Peutinger 269
Peytier 173
Pfyffer 53
Philippson . . 331, 333, 354
Philips 12
Picard . . . 124, 130
Piccolomini, S. . . 184
Pichler 48
Pigeonneau . . . 171
Pilar 368
Pilestrina, S. de . . 249
Pinchetti . . . 262
Pinedo 250
Pinder, M. . . . 269
Pinson, V. Y. . . . 250
Piquet, Ch. . 251, 293, 314
Piranesi . . . 284
Pireh, v. . . . 341
Pirekheymer . . . 14
Pizzigani . . . 275
Plaats, J. D. van der . 375
Plana . . 9, 289, 290
Plantamour . . . 72
Plantius . . . 80
Plessis . . . 143
Plinius . . 49, 122, 268, 284
Pohl, J. . . . 219
Poirson, J. B. . . 198
Poleni . . . 283
Polo, M. . . 249, 273
Poltarasky . . . 217
Polukarow . . . 206
Pompejus . . . 247
Porcachi . . . 258
Poseidonios . . 247, 376
Postel, G. . . . 129
Pouqueville . . 314, 324, 361
Posniakow . . 314, 341
Pozzi, C. . . . 305
Prätorius . . . 5
Preußen, F. W. III. v. . 195
Probus . . . 49
Procop . . 219, 270
Prony . . . 144
Prudent, E. . . 166, 259
Psano . . . 219
Ptolemäus 80, 122, 219, 248, 319
Ptolemäus II. . . 321
Puissant 8, 58, 142, 147, 156, 173
Pullar, L. . . . 96
Pullé . . . 311
Pytheas 1, 79, 121, 219, 247, 321

Raab, F. G. . . . 218
Radziwill . . . 228
Raeder, N. . . . 226
Raemdonck, J. v. . . 101
Ramm . . . 223
Ramusio . . 221, 238
Randegger . . . 72
Randers . . . 226
Ratkind . . . 230
Ravenna, Kosmograph von . 271
Ravenstein . . . 78
Reccacho, M. . . 259
Recer, v. . . . 365
Reclus, É. . . 118, 174
Refsdal, J. . . . 226
Reggio . . . 262
Reichard . . . 313
Reilly, A. . . . 297
Reilly, J. v. . . . 5
Reimer, D. . . . 336

Seite

Reinecke, J. M. . . . 198
Reinel, P. . . . 262
Reissig . . . 188
Reitzner, v. . . . 363
Respighi . . . 298
Reymann, D. G. 11, 26, 118, 172, 198, 236, 245, 375
Rhaeticus, J. . . . 15
Ribera, D. . . . 250
Ribeiro, C. . . 260, 265
Riecebesch . . 280, 292
Ricchieri . . . 311
Riccioli . . . 5, 278
Richter, Ed. . . . 47
Richter, General . . 22
Richthofen v. . . . 276
Riedl. . . . 313, 341, 366
Bieloff . . . 107
Riemer . . . 219
Ringmann . . . 261
Robert . . . 20
Robaulus . . . 231
Roger II. . . . 271
Rogier, de . . . 229
Roosen . . . 226
Rösch . . . 55
Rosellian-Sachatsky . . 341
Rosén . . 237, 242
Rosenberg . . . 237
Rosenfelt . . . 229
Rosenthal . . . 245
Rosier . . . 74
Roskiewics . . 367, 368
Rossi . . . 221
Roth . . . 236
Rotterdam, E. v. . . 101
Rouge, Le . . 313, 347
Rousseau . . 21, 23
Rowinski . . . 351
Roza, di . . . 266
Ruelens . . . 118
Ruge . . 250, 273, 274
Rughesi . . . 273
Ruhedorf . . . 354
Ruscelli . . . 278
Rysch . . . 220

Sabler . . . 192
Sacco . . . 308
Safari . . . 315
Sagasta . . . 260
Sale . . . 350
Salusso . . . 333
Sanches . . . 254
Sanner . . . 358
Sanson . . . 130
Sanson, General . 20, 145
Santarem . . 174, 265
Santini . . . 262
Santinus . . . 313
Sanudo . . . 278
Saulas . . . 260
Saunois . . . 171
Saussure . . 58, 153
Savander . . . 216
Savoyen, E. v. . 269, 366
Sawicki . . . 206
Sawier . . . 192
Sawitsch . . . 192
Sax, v. . . 348, 367
Saxo . . 220, 238
Saxton . . . 83
Schans . . . 20
Schdanow . . 202, 206

	Seite		Seite		Seite
Schiaparelli	259, 273, 297	Sonnini	366	Tarlier	118
Schiavoni	295	Sontagata	358	Tassin	181
Scheda 6, 12, 25, 26, 318, 326,		Sotsmann	198, 240	Tauferer, v.	340
348, 362, 365, 368		Soudier, Le	172	Teller 46, 329
Schedel	14	Soulavie	178	Tenner 188, 189
Schedius	25	Sousa	266	Ternest	117
Schekoljew	199	Sparre	232	Thales	267
Schenk	340	Spaun, v.	362	Theodorich d. Gr. . . .	2
Scherb	348	Spead	83	Theodosius	270
Scherrer	245	Spens	232	Thoda	230
Scheatak	348	Spenser	95	Thömmel	367
Scheuchser	52	Sperg	18	Thoring	230
Schickart	5	Spratt	326	Tibell 231, 287
Schikofsky	10	Spruner, v.	6	Tietse 46, 350, 368
Schimeck 340, 366		Seernok	198	Tillo, v. . 202, 210, 211, 215, 226
Schiöts	227	Ssidorow 11, 317		Tinter	45
Schlacher 41, 350		Stab	14	Tissot	174
Schmettau, J. G. C. v. .	285	Stajić	345	Toñño 251, 265
Schmettau, S. v. . . . 20, 284		Stamkart	108	Toldy	46
Schmidt, H.	199	Stanford 97, 365		Tolly, de	188
Schmidt, Jac.	198	Staring 108, 110		Tomassini	283
Schmidt, Jul. . . . 327, 334		Stebnicki 193, 337, 365		Toncourt	360
Schokalski . . . 213, 375, 376		Steeb, v. . . . 41, 45, 318, 351		Torell	236
Schollert	236	Stefanesco	360	Torilescu	361
Schömer	14	Stefanis, de 297, 300		Toscanelli	277
Schrader 12, 219, 226, 259, 310,		Steffen	350	Toula . . . 318, 337, 338, 340
375		Steiner	48	Trabucco	308
Schrämbl 5, 198, 325		Steinhauser . 8, 10, 12, 26, 317		Tralles	54
Schreiber	10	Steinmer	364	Tramaginus	278
Schropp	199	Stengel	65	Tranchot	118
Schubert, v. . . . 188, 189		Stenklyft 229, 230		Trapp	245
Schuermans	368	Sterneck, v. 48, 336, 339, 343, 349,		Trechsel	54
Schuler	219		351, 367	Trek	228
Schulgin	206	Stieler 12, 26, 47, 118, 120, 218,		Treskott	198
Schulz	258	226, 236, 293, 309, 316, 346,		Triel 8, 128
Schuhmacher, Chr. . .	239	375		Trojani	294
Schuhmacher, H. . . .	221	Stieler, A. 6, 13, 57		Tromelin	314
Schüts	20	Stöffler	14	Trynison	222
Schwars	350	Stolpe	365	Tschernitscheff . . .	219
Schweynheim	277	Strabo 49, 80, 334		Tschewkin	215
Scipio	247	Streffleur, v. . . . 26, 36		Tschichatscheff . . .	365
Scobel	47	Streit 25, 26		Tschudi 3, 51
Scotti	368	Strömer	230	Tuma	363
Secchi 280, 293, 297		Struwe, F. W. 188, 190, 194, 375		Turmeier	3
Sederholm . . . 215, 216, 376		Struwe, O. . . . 192, 193		Turquan	171
Sedlazek	37	Stryenski . . . 62, 65		Turre, de	277
Seebach	327	Stuart 108, 229		
Seeger	19	Stubendorf	193	Urechia	361
Séguin	136	Stucchi	294	
Selander 233, 236		Stuchlik	316	Vaelik	349
Sendtner	366	Stuckenberg	215	Vaderö	232
Senftenau, v.	269	Studer 56, 57		Valle 26, 292
Sennefelder	8	Stülpnagel 6, 13, 199, 252, 266		Vallongue 144, 173
Sibirtscheff, N. . . .	375	Stumpf	52	Valverde	257
Siculus	49	Suavi	350	Varenius	104
Siegfried . . 65, 67, 69, 72		Suchtelen	188	Vasano	249
Silva, da	265	Suston	49	Vasseur	171
Simons	114	Sugard Stephano . . .	238	Vaudoncourt, de . 313, 362
Sitzka	218	Sulsberger 56, 61		Vaugondy . . . 4, 147, 314
Sjöbjelm	229	Supan 203, 225, 340		Vault	132
Skanke	240	Susiljanić	345	Vecchi, de 294, 297
Skantkonung	227	Svanberg 230, 231		Veerecke	117
Skylax . . . 121, 269, 332		Svenonius	236	Vega 20, 22
Smyth 95, 362		Swart, Cl.	220	Vegetius	368
Snel van Rolen, W. . . 105, 375		Swinden	106	Vellejus	49
Soellius . . . 4, 105, 112		Sydow, v. 6, 47, 259, 310, 313,		Velten	69
Soceeti	360	315, 365		Veno	228
Sohr-Berghaus	259	Sykes	366	Venukoff	205
Sokrates	320	Szakely	362	Verneuil 215, 258
Soldner	8	Szombathy	337	Vesconte 220, 273
Soler	259			Vespucci	250
Soleris	275	Taccola	313	Vibe 225, 226
Sologul	350	Tanfiliff, H. G. . . .	375	Victor Em. II.	290
Sommières, de	347	Tardieu	328	Villaret	140

	Seite		Seite		Seite
Vincent, de St.	251	Waas	227	Wrangel	20
Vinci, da	278	Wassiljew	190	Wrede	233
Viquessel 312, 315, 337, 340, 356,	362	Wauters	118	Wright	80, 83
Vischer	15	Wauwermans	128	Wrontschenko	190
Visconti	290	Weigand	360	Wuhren	256
Vita	296	Welland	226, 245	Wulfstan	2
Vitale	299	Weingarten	341	Wussin	20
Vivien de St. Martin 12, 48, 171, 174, 226, 251, 259, 310, 368,	375	Weiß . . 54, 55, 68, 315, 341,	365	Wutzelburg	363
Vlahovic	353	Well	98	Wyß	51
Vogel, C. 13, 173, 245, 257, 309 317, 352, 360,	368	Welser	229	Ximenes	283
Volkmer	28, 36	Wensely, v.	20	Zach, A. v.	283
Vuillemin	171, 266	Werner	3	Zach, F. X. v. . 280, 281,	362
		Wernitzky	218	Zacharias	242, 245
Wagner, H. . 12, 261, 277,	278	Wessel	240	Zamphirolu	360
Waldseemüller 14, 128, 220, 261,	266	Wiebeking	108	Zaffauk	36
Walkenaer	180, 275	Wieland	17	Zannoni 198, 282, 283, 284, 287, 313, 335,	354
Walker	56	Wieser	266	Zeno	221, 278
Walser	53	Willkomm	258	Zerolo	266
Wandel	245	Witsen	185, 186	Ziegler, J.	220
Wang	337	Witt	4, 105, 325	Ziegler, J. M. . . 69,	294
Wanka, Frhr v. . . 29, 31,	39	Wittenhausen, v.	342	Zimmermann	215
Wartmann	51	Wolf, J.	340	Zyjovic	345
		Wolf, R.	58, 72	Zylinski	193
		Wolkonski	188		
		Woltersdorf	26		
		Wörl	57		

Nachträge und Berichtigungen.

S. 11: Europa: Reymanns Spezialkarte: Der Kegelmantel, dessen Radiusvektor 721,15 geogr. Ml. beträgt, berührt die Erdoberfläche unter dem 50. Breitengrade und wird in der Richtung des 30. Meridians ausgebreitet gedacht. Das dargestellte Gebiet erstreckt sich je 14 Grade nach O und W vom 50. Parallel je 8 bzw. 5 Grad nach N und S. Die Kartenblätter bilden Rechtecke von 34,13 : 23,39 cm. — S. 13 : 12. Marocks: Großer allgemeiner Tisch- (Hand-) Atlas mit 62 Haupt- und 148 Nebenkarten auf 53 Folioseiten. Redigiert von Prof. J. H. Peter und H. J. M. v. Schokalskij. St. Petersburg. Seit 1903 im Erscheinen. (S. Rußland.)

S. 73: Schweiz: Z. 20 v. u.: Bodenseekarte 1 : 50000 (statt 1 : 5000); Z. 21 v. u.: Topographischen (statt Typographischen).

S. 86: Großbritannien: Die erste Grundlinie Roys bei Hounslowheath ist 3mal mit Kette, Holzstäben und Glasröhren gemessen und ergab zuletzt 27404,72 Fuß (7550 m). Die Basis von Romney-Marsh ist 28532,92 Fuß, die 1794 bei Salisbury bestimmte 36574,4 Fuß lang. Die Kompensationsstangen des Generals Colby heben die Ausdehnung von Eisen und Zink gegenseitig auf. Sie werden an je 6 in Holzkästen verwendet, die Zwischenräume der Stangen werden mikroskopisch gemessen. Mit ihnen wurden die Grundlinien von Loug Foyle (im nördlichen Irland, 1827, 41641 Fuß) und Salisbury (bei London, 1849, 34840 Fuß lang) bestimmt. — S. 95: Z. 13 v. o.: Dalrymple (statt Dal Eympa); Z. 26 v. o.: Fitzroy (statt Fitroy). — S. 97: Z. 14 v. u.: Thames (statt Tames); Z. 3 v. u.: Whitaker (statt Whitacker). — S. 98: Z. 7 v. o.: J. Walker (statt Walter); Z. 8. v. o.: Newnes (statt Newmes). Die Karte von Großbritannien und Irland im neuen Stieler von O. Koffmahn ist 1903 vollständig erschienen. — J. G. Bartholomew: „The Royal Atlas of England and Wales", London 1900, und H. R. G. Inglis: „Strip Maps". — S. 99: Z. 13 v. o.: Cartes (statt Carta).

S. 101: Niederlande: Z. 44 v. o.: Karl V. (1519—58) statt (1815—48). — S. 105: Die Triangulierung von Willebrord Snel van Roien (1580—1626) — im wesentlichen eine Breitengradmessung mit Winkelbestimmungen in Gradmaß und trigonometrischer Berechnung mit einer heute noch als beste geltenden Form der Basisnetzes — umfaßte 33 Dreiecke. Sie ergab rechnerisch die Länge der Basis zu 326,43 Ruten, durch unmittelbare Linienmessung zu 326,90 Ruten; ersteres Ergebnis wurde für die weiteren Ableitungen beibehalten. Die Abhandlung: „Overzicht van de graadmetingen in Nederland (met plaat)" door Dr. J. D. van der Plaats, Utrecht 1889, berichtet auch darüber Näheres.

S. 191: Rußland: Die erste russische Gradmessung behandelt am authentischsten F. G. W. Struve in seinem 1831 zu Dorpat erschienenen Werk: „Beschreibung der unter allerhöchstem kaiserlichen Schutze von der Universität veranstalteten Breitengradmessung in den Ostseeprovinzen Rußlands". Der mittlere Fehler eines Dreieckswinkels fand sich zu m = ± 0,60", und für 31 geschlossene Dreiecke ist der mittlere Winkelfehler m = ± 0,57". — S. 205 : 1895 wurde bei Moloskowicy eine 9322,31 m lange Basis mit dem schnell messenden Jäderinschen Meßapparat mit einem wahrscheinlichen Fehler von ± 0,924 mm gemessen. — S. 215: Das Geologičeskij Komitet hat eine „Geologische Karte des europäischen Rußland" im 150-Werstmaßstabe, auf 1 Blatt, und eine 12blättrige „Karte der Verbreitung einzelner geologischer Systeme auf dem Gebiete des europäischen Rußland" 1897 veröffentlicht. Vom Ackerbau- und Domänenministerium ist bei Iljin unter von den Professoren N. Sibirtscheff, H. G. Tanfilieff und A. Ferkhmine 1900 bearbeitete „Bodenkarte Rußlands" 1 : 2,52 Mill. (60 Werst) mit erläuterndem Text 1902 herausgegeben worden. — S. 217—219: J. J. Inberg ließ 1900 bei K. E. Holm eine „Karta öfver Storfurstendömet Finland, kompletterad och rättad ar 1900 af

N. Holmström", 1:1 Mill., zu Helsingfors erscheinen. Von Vivien de St.-Martin und Schrader kam im Atlas univ. 1903 eine „Carte de la Russie orientale et Caucase" 1:4 Mill. heraus, und van Batemburgs Schetskarten enthalten Rußland 1:12 Mill. (27:33 cm). Gorinchem 1900, J. Noorduyn & Zoon. — An Literatur sind noch zu erwähnen: J. v. Ivernow: „Das Geodäsiewesen der Gegenwart in Rußland", Moskau 1897, dann J. Sederholm: „Esquisse hypsométrique de la Finlande" 1899, endlich J. de Schokalsky: „Note sur une carte hypsométrique de la Russie d'Europe", Paris 1900.

S. 242: Dänemark: Die dänische Triangulation zeichnet sich durch scharfe Genauigkeitsuntersuchungen aus. Der mittlere Gesamtfehler der 2701 m langen Kopenhagener Grundlinie beträgt 1,7 Millionstel, sie kann also als fehlerfrei angenommen werden. Der mittlere Winkelfehler beträgt ± 0,71", nach Ferrero (internationale Formel) aus allen 87 Dreiecken ± 0,87". Ein wichtiger Literaturbericht über Andraes 1867—84 erschienenes 4bändiges Werk über den „Danske Gradmaaling" ist von Helmert 1877/78 in den „Vierteljahrsheften der astronomischen Gesellschaft" veröffentlicht worden.

S. 234: Schweden: Professor Jäderin in Stockholm hat 1885 mit einem aus über Stative mittels eines Dynamometers ausgespannten vernickelten Stahl- bzw. Kupferdrähten von 25 m Länge bestehenden Basisapparat günstige Erfahrungen gemacht. Die Messung kann sehr schnell und unabhängig von der Bodengestaltung erfolgen. Die größte Leistung war 550 m in 1 Stunde und 2368 m in 9stündiger Arbeitszeit.

S. 291: Italien: Z. 1. v. u.: Topographie (statt Typographie).

S. 318: Balkanhalbinsel: Cvijić hat 1901 eine „Bibliographie géographique de la Péninsule Balcanique" veröffentlicht, welche kritisch Karten und Literatur der Jahre 1898—1900 bespricht.

S. 319: Griechenland: Der Erdquadrant des Eratosthenes beträgt 11 562500 m, ist also etwa 16 %/₈ zu groß, der des Posidonius 11 100000 m (Stadion = 185 m). 1902 ist eine „Société hellenique de Géographie" in Athen unter J. Cocaidis' Vorsitz gegründet worden. E. Ardaillon und H. Convert haben eine Karte von Delos 1:2000 veröffentlicht.

S. 358: Rumänien: Die „Harta generala" 1:200000 umfaßt ein größeres Gebiet als die Karten 1:50000 und 1:100000. Die Orte sind in 5fach abgestuften Zeichen, ebenso Post- und Telegraphenstationen angegeben. Straßen und Wege sind deutlich unterschieden, die Chausseen leider in eisenbahnähnlicher Signatur dargestellt. Die Flüsse sind in trockene, nur zeitweise und beständig wasserführende klassifiziert. Die Kartenblätter sind 42:42 cm groß und weisen einen großen Fortschritt gegen die der österreichischen Karte 1:288000 auf. Die Harta Pădurilor (1 und 2) besteht aus 2 Serien von je 34 Blatt und erscheint seit 1900. 1898 ist in Bukarest von der Directia generala a postelor ei telegrafelor ein „Romania atlasu" in 32 Karten 1:300000 mit Text veröffentlicht worden.

Druck der Engelhard-Reyherschen Hofbuchdruckerei in Gotha.

?? und Hassenstein, Ost-Afrika zwischen Chartum und dem Roten Meere, ?? Pf.
Heft 1–6 bilden den I. Ergänzungsband (????–????). ? M. ?? Pf.
?? und Hassenstein, Inner-Afrika: ...
...
Heft 7, 8, 10, 11 bilden den II. Ergänzungsband (????–????). ?? M. ?? Pf.
und Tschudi, Ilias Gerais. ? M.
, Die Hohe Tatra in den Zentral-Karpathen. ? M.
Kiepert, Steininger, Steudner, Die Deutsche Expedition in Ost-Afrika ???? und ????. ? M. ?? Pf.
??, Die Metallproduktion Kaliforniens und der angrenzenden Länder. ? M. ?? Pf.
Die Tinnen'sche Expedition (im ?????? ?????????), ????????, ????. ? M.
Heft 9, 12–15 bilden den III. Ergänzungsband (????–????). ?? M. ?? Pf.
??, Spitzbergen und die arktische Zentral-Region. ? M.
??, Adamello-Presanella-Alpen. ? M.
??, Ortler-Alpen, Südostspitze. ? M. (Vergriffen.)
?r modernen Verkehrsmittel: Dampfschiffe, Eisenbahnen, Telegraphen. ? M. ?? Pf. (Vergriffen.)
?:??, Reisen in Kleinasien und Armenien, ????–????. ? M. ?? Pf.
Heft 16–23 bilden den IV. Ergänzungsband (????–????). ?? M. ?? Pf.
?., Novaja Semlä in geographischer, naturhistorischer und volkswirtschaftlicher Beziehung. ? M. ?? Pf
Reisebilder von den Canarischen Inseln. ? M. ?? Pf
?is westlichen ?????????? (Trachytgebiet). ? M. ?? Pf. (Vergriffen.)
?is Transcaspische ??????. ? M. ?? Pf.
Reise durch Nord-Afrika von Kuka nach Kuka. ? M.
Heft 24–32 bilden den V. Ergänzungsband (????–????). ?? M. ?? Pf.
?, Die arktische ??????? der deutschen Seewarte ????–????. ? M. ?? Pf.
?is südlichen Ortler-Alpen. ? M. ?? Pf.
? und Petermann, Die Erste Deutsche Nordpolar-Expedition, ????. ? M.
??, Australien in ????. Mit geographisch-statistischem Kompendium von Meinicke. 1. Abt. ? M. ?? Pf. (Vergriffen.)
Heft 33–40 bilden den VI. Ergänzungsband (????–????). ?? M.
??, Australien in ????. Mit geographisch-statistischem Kompendium von Meinicke. 2. Abt. ? M. ?? Pf. (Vergriffen.)
?is nördlichen Ortler-Alpen, Marieff etc. ? M.
, Die ?????????? Alpen. ? M. ?? Pf. (Vergriffen.)
? Wagner, Die Bevölkerung der Erde. I. ? M. ?? Pf. (Vergriffen.)
Reise durch Nord-Afrika von Kuka nach Lagos. ? M. ?? Pf.
Heft 40–44 bilden den VII. Ergänzungsband (????–????). ?? M. ?? Pf.
?:? Wagner, Die Bevölkerung der Erde. II. ? M. (Vergriffen.)
??le, Vier Vorträge über den Kaukasus. ? M.
Reisen im Innern von Süd-Afrika, ????–????. ? M. ?? Pf.
?, Die atmosphärische Zirkulation. ? M.
Heft 45–48 bilden den VIII. Ergänzungsband (????–????). ?? M. ?? Pf.
??, Die ??????????????? Expedition Argentine, Chile, Paraguay und Uruguay in ????. ? M. ?? Pf. (Vergriffen.)
?rger, Die ????????-????, Lechthaler und Vorarlberger Alpen. ? M. ?? Pf.
?? Wagner, Die Bevölkerung der Erde. III. ? M. ?? Pf.
??bus Erforschung des Thian-Schan-Gebirgs-Systems ????. II. Hälfte. ? M. ?? Pf.
Heft 49–52 bilden den IX. Ergänzungsband (????). ?? M. ?? Pf.
??ous Erforschung des Thian-Schan-Gebirgs-Systems ????. II. Hälfte. ? M. ?? Pf.
lechnische ?????-Expedition durch die Gebiete des Euphrat und Tigris. I. Hälfte. ? M.
technische ?????-Expedition durch die Gebiete des Euphrat und Tigris. II. Hälfte. ? M.
?nider, Die Fellata Haus und das benachbarte Goldryzand. ? M. ?? Pf.
?chers Reise im Somali-Lande. ? M. ?? Pf.
Heft 53–57 bilden den X. Ergänzungsband (????–????). ?? M. ?? Pf.
Die Wirkung der Winde auf die Gestaltung der Erde. ? M. ?? Pf.
?? Wagner, Die Bevölkerung der Erde. IV. ? M.
, Fragmentierten Reisen im Nilgebiete. I. Hälfte. ? M. ?? Pf
, Fragmentierten Reisen im Nilgebiete. II. Hälfte. ? M.
, Ost-Forschung und das Fundo-Plateau. ? M.
Heft 58–62 bilden den XI. Ergänzungsband (????–????). ?? M.
?kys Reise an den Leb-Nor und Altyn-Tag ????–????. ? M.
nographie ??????????, nach A. v. Rittich. ? M.
nd Wagner, Die Bevölkerung der Erde. V. ? M.
, Die Deltas. ? M.
Heft 63–64 bilden den XII. Ergänzungsband (????–????). ?? M.
?, Edelmetall-Produktion. ? M. ?? Pf.
Studien über das Klima der Mittelmeerländer. ? M.
?r Wassenfall in Ägypten. ? M. ?? Pf.
??, Die Serradruct. ? M.
Heft 67–70 bilden den XIII. Ergänzungsband (????–????). ?? M.
??, Die Serra da Estrella. ? M.
nd Wagner, Die Bevölkerung der Erde. VI. ? M.
Ht ?????????? Nordmeer-Expedition. ? M.
die Deichgebiete. ? M.
??, Die Gotthard-Bahn. ? M. ?? Pf.
Heft 71–74 bilden den XIV. Ergänzungsband (????–????). ?? M. ?? Pf.
chreiber, Die Bedeutung der Windrosen. ? M. ?? Pf.
ritt, Ford, Versuch einer Ethnographie der Philippinen. ? M.
D., Das Tal d'Anniviers und das Bassin de Sierre. ? M.
d Wagner, Die Bevölkerung der Erde. VII. ? M. ?? Pf.
r, Der Bergglesteher von Kufstein bis Hang. ? M.
Heft 65–70 bilden den XV. Ergänzungsband (????–????). ?? M. ?? Pf.
chia und v. Stein, Die russischen Kosakenheere. ? M. ?? Pf.
?a Schweiz, Reisen im oberen Nilgebiet. ? M. ?? Pf.
?????????, Kritische Untersuchungen über die Zivillinder. ? M. ?? Pf.
r ?????, Die Stromreiche der Erde. ? M. ?? Pf.
?????????, Der Taman-Gletscher und seine Umrandung. ? M. ?? Pf.
Heft 71–75 bilden den XVI. Ergänzungsband (????–????). ?? M. ?? Pf.

Vorläufiger Bericht

über eine in den Jahren 1902 und 1903 ausgeführte

hungsreise in den zentralen ·
Tian-Schan

von

Dr. Gottfried Merzbacher.

GOTHA: JUSTUS PERTHES.
1904.

Preis 8 Mark.

die Bestimmung des Honorars für Originalkarten vor.

An *Verlagsbuchhandlungen* und *Autoren* richten wir die Bitte um Mitt
bzw. Werke, Karten oder Separatabdrücke von Aufsätzen mit Ausschluß
geographischen Inhalts behufs Aufnahme in den Literatur- oder Monatsberi
vorhinein bemerken, daß über Lieferungswerke erst nach Abschluß dersel

Für die Redaktion: **Prof. Dr. A. Supan:**   **Justus Perthes'**

Vorläufiger Bericht

über eine

in den Jahren 1902 und 1903

ausgeführte

orschungsreise in den zentralen Tian-Sch

von

Dr. Gottfried Merzbacher.

Mit 1 Karte und 2 Panoramen.

(ERGÄNZUNGSHEFT No. 149 ZU »PETERMANNS MITTEILUNGEN«.)

GOTHA: JUSTUS PERTHES.
1904.

UV

Inhaltsverzeichnis.

Seite

Einleitung 1
Von Prschewalsk nach Narynkol und in die Mukur-Mutu-Täler 4
Das Bayumkol-Tal 7
Sary-dschaß-Tal und Semenow-Gletscher 13
In das Inyltschek-Tal und weiter südlich 22
Vom Kap-kak-Tal zum Großen Musart-Tal 28
Nördliches Musart-Tal, Musart-Paß und südliches Musart-Tal 30
Aus dem Musart-Tal nach Kaschgar 36
Paläontologische Sammelreisen am Südrand des Tian-Schan 37
Der Südrand des Tian-Schan zwischen Kaschgar und Utsch-Turfan 40
Zum Chalyk-Tau und zurück nach Utsch-Turfan 45
Die südlichen Quertäler des zentralen Tian-Schan und der bisher angenommene, sowie der wirkliche Durchbruch der nördlichen Gewässer 49
Der Sabawtschö-Gletscher 54
Zum Kukurtuk-Tal und von da zum Bedel-Tal und über den Paß 56
Über die Syrt-Plateaus zum Souka-Paß und über diesen zum Issyk-kul 62
Zweite Reise in das Sary-dschaß-Tal und Vermessung des Semenow-Gletschers 65
Der Muschketow-Gletscher 66
Nochmals zum Inyltschek-Gletscher und seine Begehung bis zum Fuße des Khan-Tengri . . . 68
Über den Atschailo-Paß zum Kaündü-Gletscher 77
Vom Kaündü-Tal über das Ütsch-schat-Plateau in das Koi-kaf-Tal 79
Nochmals in das Bayumkol-Tal und von dort in das Kleine Musart-Tal 86
Besuch hochgelegener Alpenseen 89
Erforschung des Dondukol-Tals und zweiter Besuch des nördlichen Musart-Tals 92
Durch das Tekes-Tal und über den Temurlik-Tau nach Kuldscha und Taschkent 95
Rückblick 97
Bemerkungen zur Karte 99

Karten.

Tafel

Übersichtskarte des zentralen Tian-Schan zur Veranschaulichung der Reiserouten der Merzbacherschen Expedition in den Jahren 1902 und 1903. Auf Grund der russischen 40 Werstkarte nach den vorläufigen Ergebnissen der während der Expedition gemachten Routenaufnahmen und Beobachtungen bearbeitet von Dr. Gottfried Merzbacher. 1 : 1 000 000 1

Panorama des zentralen Tian-Schan, aufgenommen von einem Gipfel (ca 4200 m) am Nordrand des oberen Sary-dschaß-Tals 2

Telepanorama, aufgenommen von einem Gipfel (ca 4000 m) in dem Ostrand des Dondukol-Tals . . 3

Einleitung.

Als ich im Jahre 1892 auf einer Reise in Zentralasien zum erstenmal ein Stück des zentralen Tian-Schan kennen lernte, empfing ich, schon bei einem nur flüchtigen Besuch, von diesen großartigen Gebirgsketten nachhaltige Eindrücke, die, später aufs neue belebt durch die Lektüre der meisterhaften Schilderungen des berühmten Tian-Schan-Pioniers P. P. Semenow und durch das Studium der Berichte seiner hochverdienten Nachfolger N. A. Sewerzow und J. W. Muschketow, in mir den Wunsch rege werden ließen, genaueren Einblick, besonders in die höchsten Regionen dieses Gebirges und seine Gletscher zu gewinnen, sowie zu ihrer Erforschung selbst etwas beizutragen.

Ausgedehnte Reisen in andere Gebirgsländer jedoch und umfangreiche Arbeiten ließen mich erst zehn Jahre später zur Verkörperung meiner Wünsche schreiten. Die einleitenden Schritte geschahen während meines Aufenthalts in der russischen Hauptstadt im Januar 1902, wo ich, ermutigt durch die mir zugesicherte Unterstützung der Kais. Russ. Geographischen Gesellschaft, vor allem ihres ersten Präsidenten Sr. Kais. Hoheit Großfürst Nikolai Michailowitsch und ihres aktiven Präsidenten, Senators P. P. Semenow, den Entschluß faßte, noch im gleichen Jahre die Reise in den Tian-Schan anzutreten. Die für mich kostbaren Ratschläge P. P. Semenows und das Studium der reichen russischen Literatur über den Tian-Schan, welche mir in dankenswerter Weise durch den ersten Sekretär der Kais. Russ. Geographischen Gesellschaft, Herrn Professor Grigoriew übermittelt wurde, bestärkten mich in meiner Anschauung, daß ein Sommer nicht genügen könne, um in den ausgedehnten, schwer zugänglichen Hochregionen des zentralen Tian-Schan etwas Ersprießliches zu leisten, zumal erst Erfahrung zu sammeln war über die technischen Schwierigkeiten, die den Forscher in diesen ganz besonders gearteten Schnee- und Eisregionen erwarten. Ich war daher vom Beginn an entschlossen, dem Unternehmen mindestens zwei Jahre zu widmen.

Viele hochverdiente russische Forscher haben unsere Kenntnis vom orographischen und geologischen Bau, vom Pflanzen- und Tierleben des Tian-Schan bereichert, doch gerade seine höchsten Teile, die mit Schnee und Eis bedeckten Regionen, waren bisher nur unvollkommen bekannt geworden. Nur durch ihre genauere Erforschung konnte jedoch Antwort auf so manche Frage erlangt werden, welche sich hinsichtlich des Baues der zentralsten Teile bei einem Blicke in die Karten sofort aufdrängten, sowie Aufschluß über so manche dunkle Punkte in der neueren Geschichte des gewaltigen Gebirgsreliefs. Zwar ist auch unsere Kenntnis von den Gletschern des zentralen Tian-Schan, besonders durch die Forschungen A. W. v. Kaulbars und durch die an wichtigen Ergebnissen in mancherlei Hinsicht reiche Expedition von J. W. Ignatiew und A. N. Krassnow sehr vermehrt worden, allein es blieb gerade inbezug auf die größten Gletscher noch vieles schleierhaft. Man kann eben ausgedehnte Gletschergebiete und ihre Umrandung, sowie den komplizierten Bau schwer zu überblickender Teile eines Hochgebirges nur erforschen, wenn man die Gletschertäler bis zu ihrem Schlusse durchwandert, wenn man hochgelegene Punkte ersteigt und von ihnen aus Überblick und Orientierung zu gewinnen sucht. Hierzu fehlte aber meinen

Vorgängern die Übung, Erfahrung und Ausrüstung; es handelte sich daher für mich darum, auch im Tian-Schan den Alpinismus in den Dienst der Wissenschaft zu stellen, wie es in anderen Hochgebirgen vonseiten so mancher hochverdienter Männer schon geschehen ist. Aus diesem Grunde sicherte ich mir auch durch Einladung eines der erprobtesten modernen Alpinisten, des Ingenieurs Herrn Hans Pfann aus München, eine schätzenswerte Hilfskraft und überdies engagierte ich einen tüchtigen, jungen Tyroler Bergführer, zu dem sich im folgenden Jahre noch ein zweiter gesellte.

Um der geologischen Erforschung der zu durchreisenden Gebiete besondere Aufmerksamkeit zuzuwenden, namentlich zur Anlegung einer paläontologischen Sammlung, hielt ich es für notwendig, die Hilfe eines jungen, energischen, auch in schwierigem Terrain arbeitsfähigen Geologen der Expedition zu sichern. Herr Professor Steinmann in Freiburg i. B. hatte die Güte, mir einen seiner Schüler und Assistenten, den jungen Geologen Herrn Hans Keidel zu empfehlen, der sich der Expedition auf meine Einladung hin anschloß. So bestand denn meine Expedition aus Kräften, mit deren Unterstützung ich hoffen durfte, der Wissenschaft einige Ergebnisse zu sichern.

Die Zeit für Vorbereitung eines so bedeutenden und für so lange Zeitdauer geplanten Unternehmens, für die Anschaffung und das Erproben der nötigen Instrumente und Apparate, der mannigfachen Ausrüstungsgegenstände und Materialien, war leider sehr kurz bemessen. Nur durch fieberhafte, angestrengteste Tätigkeit, sowie dank der Unterstützung opferwilliger Freunde, von denen ich nur den Namen des berühmten Hochgebirgsphotographen Cavaliere Vittorio Sella in Biella, sowie den des Kaukasusforschers, Herrn M. v. Déchy in Odessa, nenne, gelang es mir, die Expedition für 1902 noch ziemlich rechtzeitig auf den Weg zu bringen, allerdings schon um einige Wochen später, als es erwünscht gewesen wäre.

In diesem Bericht, den ich in Taschkent sogleich nach der Rückkehr aus dem Gebirge niederschreibe [1]), kann ich natürlich nicht schon genaue Rechenschaft über alle während dieser langen und mühevollen Reise ausgeführten Arbeiten ablegen, nicht alle Beobachtungen von wissenschaftlichem Interesse mitteilen, die gemacht wurden. Zweck dieses Berichts ist vielmehr, nur das genaue Itinerar der Expedition bekannt zu geben und eine größere Reihe von Tatsachen, besonders neuen, bisher nicht bekannten mitzuteilen, ohne jetzt schon weitgehende Folgerungen daran zu knüpfen, bevor noch die reichen, während der Expedition angelegten Sammlungen wissenschaftlich untersucht und bestimmt sind. Da diese Arbeit jedoch voraussichtlich längere Dauer in Anspruch nehmen, somit der genauere Reisebericht, dessen geologischen und geotektonischen Teil Herr Keidel auszuarbeiten übernommen hat, erst in entfernterer Zeit veröffentlicht werden kann, war es nötig, dem vorläufigen Bericht schon etwas mehr Inhalt zu geben, als es durch eine trockne Aneinanderreihung von Daten hätte geschehen können und schon jetzt mindestens ein beiläufiges Bild der durchreisten Gegenden vorzuführen. Hierbei war ich bestrebt, namentlich Beobachtungen über die heutige und frühere Vergletscherung des Tian-Schan, sowie über Besonderheiten in den physischen Zügen seiner Talbildungen ins Feld zu führen, da auf die Geschichte der Tal-

---

[1]) Dieser Bericht wurde am 18. April d. J. von Taschkent aus an die Redaktion abgeschickt, also zu einer Zeit, wo der Reisebericht des Herrn Dr. M. Friederichsen: »Forschungsreisen in den zentralen Tian-Schan und Dsungarischen Ala-tau.« (Mitteilungen der Geograph. Gesellschaft in Hamburg, Bd. XX, August 1904) und der des Herrn Giulio Brocherel: »In Asia Centrale.« (Bolletino della Societa Geographica Italiana. Juli 1904 ff.) noch nicht erschienen waren, und mir von den Ergebnissen, besonders der italienischen Expedition, ja sogar von der Route, welche sie eingeschlagen hat, auch nicht das Allermindeste bekannt geworden war. Aus diesen Gründen sind, da mir die Zeit fehlte, meinen Bericht nach dem Erscheinen der erwähnten Publikationen nochmals umzuarbeiten und da seine Veröffentlichung nicht noch länger hinausgeschoben werden durfte, in meinem Bericht auf erwähnte beide Veröffentlichungen keinerlei Beziehungen genommen. Insbesondere war mir bei Abfassung meines Berichts gänzlich unbekannt, daß mehrere Täler und Örtlichkeiten, von denen ich annehmen mußte, daß meine Expedition die erste war, welche sie berührt hatte, schon vorher von der italienischen Expedition besucht worden waren.

bildung und auf die heutige und ehemalige Eisbedeckung im Tian-Schan während dieser Expedition hauptsächlich meine Aufmerksamkeit gerichtet war. Freilich von Mitteilung botanischer, zoologischer, klimatischer Beobachtungen mußte fast gänzlich abgesehen werden, um dem Bericht nicht einen seinen Abdruck erschwerenden Umfang zu geben.

Am 15. Mai 1902 verließ ich München in Begleitung der Herren Hans Pfann und Hans Keidel. Wir trafen in Wien mit dem vorher engagierten Bergführer Franz Kostner aus Corvara zusammen und fuhren nach Odessa, wohin der größere Teil des Gepäcks vorausgeschickt war. Dort gab es mehrtägigen Aufenthalt wegen Erledigung der Zollformalitäten und Übernahme der durch Freundeshilfe bereitgestellten Vorräte von Konserven, Zwieback usw. Infolge der vom Kais. Russ. Ministerium der Finanzen in dankenswerter Weise bewilligten freien Einfuhr meiner Ausrüstung, Instrumente, Apparate, verlief die Zollbehandlung rasch und wir konnten uns bis zur Abfahrt des Dampfers der liebenswürdigen Gastfreundschaft des bekannten Forschungsreisenden, Herrn M. v. Déchy, sowie der des Krymisch-Kaukasischen-Bergklubs und der seines überaus gefälligen und hilfreichen Präsidenten, Herrn Professors Ilowaisky, erfreuen.

Am 25. Mai landeten wir in Batum und fuhren weiter nach Tiflis, wo es abermals mehrtägigen Aufenthalt gab, da ich dort die mir vom Chef der topographischen Abteilung im großen Generalstab in St. Petersburg, Herrn Generalleutnant von Stubendorf, gütigst überlassenen Karten zu übernehmen hatte und überdies auf dem Observatorium sämtliche Instrumente nochmals überprüfen ließ.

Ich hatte in Tiflis die hohe Ehre, vom ersten Präsidenten der Kais. Russ. Geographischen Gesellschaft, Sr. Kais. Hoheit Großfürst Nikolai Michailowitsch, empfangen zu werden. Wie Se. Kais. Hoheit mir schon in Petersburg die vorbereitenden Schritte für die Expedition erleichtert hatten, nahmen Sie auch an deren Entwicklung regen Anteil und sicherten mir Ihren ferneren Beistand zu.

Nachdem sich in Tiflis der Expedition der Präparator, Herr E. Russel aus Pjatigorsk, angeschlossen hatte, erfolgte die Weiterfahrt über Baku nach Krassnowodsk und auf der Transkaspischen Eisenbahn nach Taschkent, wo ich infolge von Empfehlungen seitens der Kais. Russ. Ministerien des Auswärtigen und des Krieges und dank dem Atkritiilist der Kais. Russ. Geographischen Gesellschaft, den freundlichsten Empfang bei Sr. Hohen Exzellenz, dem Generalgouverneur von Turkestan, Herrn Generalleutnant Iwanow, fand. In dankenswerter Bereitwilligkeit wurden die offiziellen Papiere ausgestellt, welche mir die Unterstützung aller Behörden in den von mir zu durchreisenden russischen Territorien sicherten.

Da die Dauer der Expedition auf zwei Jahre vorgesehen war, mußten nun die Vorräte an Materialien, Konserven usw. geteilt und der für das zweite Jahr bestimmte Teil verpackt und nach Kaschgar verschickt werden. Dank der werktätigen Unterstützung meines verehrten Freundes, Herrn R. Schubert in Taschkent, konnte auch diese Angelegenheit und so manche andere in befriedigender Weise erledigt werden, so daß die fünfköpfige Reisegesellschaft am 9. Juni, nun mit vielem Gepäck, die unter solchen Umständen erschwerte Tarantaßfahrt durch die zentralasiatischen Steppen antreten konnte.

Während ich von Pischpek aus am 18. Juni allein nach Wernoje fuhr, um mich dort dem Gouverneur des Semiretschenskischen Kreises, Sr. Exzellenz Herrn Generalleutnant Jonow, vorzustellen und von ihm noch spezielle Empfehlungen für die seiner Administration unterstellten Behörden in Empfang zu nehmen, machten die Herren Pfann und Keidel einen Ausflug in das Alexandergebirge und erstiegen dort einen der höchsten Gipfel. Das große Gepäck ging einstweilen unter Aufsicht von Kostner und Russel mit dunganischen Fuhrleuten weiter nach Prschewalsk. Am 24. Juni fand ich mich mit meinen Gefährten in Tokmak wieder zusammen und weiter ging die Fahrt entlang dem nördlichen Ufer des

Issyk-kul nach Prschewalsk. Dort traf ich zu meiner Freude mit der Expedition des Herrn Professors Saposchnikow aus Tomsk und deren Teilnehmern, darunter Herrn Dr. M. Friederichsen aus Hamburg, zusammen. Freundliche Begrüßungen wurden getauscht. Anfänglich war ich besorgt, die Saposchnikowsche Expedition und die meinige könnten der gleichen Route im Hochgebirge folgen, was im Interesse der Forschung um so mehr zu bedauern gewesen wäre, als in einem derart ausgedehnten und so wenig erforschten Gebirgsgebiete, wie der zentrale Tian-Schan, genügend Raum für die forschende Tätigkeit mehrerer Expeditionen ist. In entgegenkommender Weise teilte mir nun Herr Professor Saposchnikow sein Reiseprogramm mit, woraus hervorging, daß unsere Wege sich nur im Sary-dschaß-Tal, am Fuße des Semenow-Gletschers deckten. Und da die Saposchnikowsche Expedition überdies für jenen Gebirgsstreifen nur einen Aufenthalt von wenigen Tagen vorgesehen hatte, ungenügend zur genauen Durchforschung des großen Semenow-Gletschers, die einen wesentlichen Teil meines Reiseprogramms bildete, so erwies sich meine Besorgnis glücklicherweise als gegenstandslos. Leider verspätete sich die Ankunft des Gepäcks in Prschewalsk um fast eine Woche, ein großer Verlust für die Arbeiten der Expedition.

Von Prschewalsk nach Narynkol und in die Mukur-Mutu-Täler.

Erst am 2. Juli konnte die Weiterfahrt über den Santasch-Paß nach Karkara angetreten werden. Die Überschreitung des Passes (ca 2155 m), der durch Semenow und Sewerzow bekannt geworden ist, gab Gelegenheit, unsere ersten karbonischen Fossilien im Tian-Schan zu sammeln. Schon beim Abstieg vom Passe, der durch ausgedehnte Tertiärablagerungen führt, stößt man auf die ersten Zeichen einstiger Vergletscherung dieses Gebiets: Granit-, Porphyr- und Syenitblöcke, die aus den Höhen des Kungeu- und des Kuuluk-Tau vom Eise hierher gefrachtet wurden. Bald nachher, im Abstieg von den tertiären Sandsteinhöhen bei Taldü-bulak, erblickt man in der Tiefe den weiten, begrünten, alten Seeboden von Karkara (ca 2000 m), den im S eine lange, vielgipfelige, kleine Gletscher tragende Kalkkette (Basch-oglü-tagh) umfaßt und um etwa 1200 m überragt. An ihrem Rande sind die alten Seeterrassen gut erhalten. Im N und NW umschließen das weit ausgedehnte Becken niedere, stumpfe Tertiärrücken, Ausläufer des Tschul-adür, hinter welchen die weit bedeutenderen Höhen des Ketmen-Tau hier und da vorsehen. Am südwestlichen Rande dieses Beckens hatte Herr Keidel das seltene Glück, in diesen als fossilienleer geltenden tertiären Ablagerungen eine kleine Fauna sammeln zu können, welche für den Charakter und die Altersbestimmung wenigstens eines Teiles dieser Niederschläge von großer Bedeutung sein kann.

Die ausgezeichnetsten Alpenmatten mit einer prächtigen Flora schmücken den hochgelegenen, weiten Aufschüttungsboden, in dessen Mitte alljährlich in den Monaten Mai bis Oktober eine umfangreiche Stadt von Blockhäusern und Holzbuden sich erhebt, der berühmte große Jahrmarkt, der für die ungemein zahlreiche Kirgisenbevölkerung des Tekes-, Tschalkodü-su, Kegen und Tscharün-Gebiets von großer Bedeutung ist. Tausende von Kirgisenjurten umgeben in weitgezogenem Kreise die hölzerne Stadt. Dies ist der Handelsplatz, wo die Kirgisen ihre Erzeugnisse: Wolle, Felle, Schafe, Pferde gegen die ihnen nötigen Manufakturwaren umtauschen, welche hauptsächlich von tatarischen Händlern feilgeboten werden. Hier auf einem abgeschlossenen, dem Weltverkehr völlig entrückten, grünen Alpenboden, umwallt von firnglänzenden Bergketten, kann der Reisende einen merk-

über eine in den Jahren 1902 und 1903 ausgeführte

en

von

Dr. Gottfried Merzbacher.

GOTHA: JUSTUS PERTHES.
1904.

Preis 8 Mark.

Geschlossen 9. Dezember 1904.

großen Kette einschneiden, wird diese hauptsächlich nur durch drei kurze, von überaus dichten Fichtenwäldern erfüllte Quertäler zerteilt, die Mukur-Mututäler, die schon nach kurzem Laufe an einem ausgedehnten, hohen Plateaugebiet enden. Die kalmakische Bevölkerung des Tekestals versteht übrigens unter dem Namen Mukur-Mutu überhaupt den ganzen Abhang des Gebirges zwischen Klein- und Groß-Musart mit allen darin eingeschnittenen Quertälern, also das Gebiet, welches im O und W von den genannten großen Tälern, im S und SO von den Tälern Maraltö und Dondukol, im SW vom Ürtentötal begrenzt wird, Täler, von welchen im Laufe meiner späteren Ausführungen vielfach die Rede sein wird. Die Gegend wird auch mit dem Namen Kutingö bezeichnet. Ich möchte hier schon gleich hervorheben, daß die Darstellung dieses ganzen Landstrichs, wie die 40 Werstkarte sie bietet, auch nicht eine entfernte Vorstellung von der Wirklichkeit erwecken kann; beispielsweise ist von den MukurMututälern nur eines eingezeichnet, und dieses gerade dreimal länger als sein wirklicher Verlauf ist. Die Erosion hat in dem hohen Plateaugebiet, auf dem die Mukur-Mutu-Täler ihren Ursprung nehmen, nur breite Rinnen von geringer Tiefe ausgearbeitet. Die gipfelreichen Ketten, welche das Quellgebiet aller obengenannten Täler umwallen, bilden zugleich den Rand der Plateaumasse, welche ihrerseits sich zu einigen kuppenförmigen Höhen aufwölbt. Nach der 40 Werstkarte scheint es, als ob sich in der südlichen Umwallung des Plateaus der Khan-Tengri erhöbe und hierüber Gewißheit zu erlangen, war die Veranlassung zu diesem Ausflug. Wir durchwanderten nur eine kurze Strecke das westlichste der MukurMututäler (Talmündung ca 1850 m) und wandten uns bald scharf nach O, sehr steil über bewaldete, mit Alpenmatten von nie gesehener Üppigkeit bedeckte Abhänge ansteigend, wo eine wundervolle Alpenflora auf altem Grundmoränenschutt sich entwickelt. Stellenweise durchbrechen hohe Klippenzüge geschichteten, rosa Granits die steil gestellten, abradierten Schieferschichten und die auf ihnen abgelagerten weichen Formen des begrünten, alten Gletscherbodens; man gelangt zu einer Plateaustufe, wo wir in Höhe von ca 2350 m lagerten. Von dort wandten wir uns nach S zu einer weit höheren Plateaustufe empor, wo man bald in eine Zone dunkler, fossilreicher, dichter Kalke gelangt, die, jedoch ohne stark krystallinisch geworden zu sein, eine ungeheure Pressung gemeinschaftlich mit den zwischen ihnen aufragenden geschichteten Graniten erfahren haben, so daß von Organismeneinschlüssen das meiste bis zur Unkenntlichkeit verpreßt wurde und überdies nur sehr wenig hiervon herauszubringen ist. Die Ausbeute war also gering. Bei einem zweiten Besuch des Tales im folgenden Jahre glückte es an einer anderen Stelle, etwas besseres Material zu sammeln und hierdurch das Alter der Kalke als unterkarbonisch zu bestimmen. Diese dichten, dunklen Kalke wechsellagern mit hellen, etwas körnigen Kalkschiefern und weiterhin mit roten, tonig-kalkigen Schiefern. Die ganze Serie folgt dem Streichen der Granite (durchschnittlich N 35° O), die weiter im SO wieder auf die Kalke folgen, variiert jedoch sehr und geht höher oben in eine fast entgegengesetzte Richtung über. Dort befindet man sich in einem Verwerfungsgebiet: ein schöner Kesselbruch — in der Tiefe des Kessels ein kleiner See — liegt noch an der Grenze zwischen Graniten und Kalken in diesen; höher oben erscheint ein Teil der plateaubildenden Kalkmasse auf bedeutender Länge nach S gegen eine grabenartige Senkung niedergegangen, deren Achse (OSO) das quer durch das Plateau ziehende Hochtal Maraltö folgt. Von dem interessanten Gebiet eine genauere Schilderung zu entwerfen, würde über den Rahmen dieses vorläufigen Berichts hinausgehen; ich führe nur noch an, daß die Fundstelle der besser erhaltenen Fossilien gerade in einer Bruchfläche liegt.

Wir erstiegen eine der höchsten kuppenförmigen Anschwellungen des Plateaus (ca 3400 m), photographierten dort die prächtigen Gipfel am Ostrande des Ürtentötals und machten telephotographische Aufnahmen von der im S ragenden, kühn gegipfelten Eiskette, die parallel dem hier ostsüdöstlich streichenden Hauptkamme vorgelagert ist; von diesem selbst konnte man nur einzelne Graterhebungen hinter der Parallelkette emporstreben sehen. Erhöbe sich aber der Khan-Tengri an der Stelle, wo er in der 40 Werstkarte und in allen anderen Karten eingetragen ist, so hätte man seine Pyramide von unserem Standpunkt aus unbedingt im S sehen müssen. Somit hatte dieser Ausflug nur zum Ergebnis, daß wir noch weiter in der schon früher entstandenen Ansicht bestärkt wurden, die Karten seien sämtlich in diesem Kardinalpunkt unrichtig. Nun galt es, die wirkliche Lage des Khan-Tengri festzustellen.

Das Bayumkoltal.

Der erste Vorstoß zu diesem Zwecke führte uns in das große Quertal Bayumkol (fälschlich Karakol und Biankol von einigen Reisenden genannt). Die Achsenrichtung dieses etwa 60 Werst langen Tales wechselt vielfach. Von der Ausbruchsstelle des Flusses aus dem Gebirge dringt das Tal in dieses in ungefährer Südrichtung ein, biegt nach SO, dann nach OSO um, nimmt abermals Südrichtung an und gabelt an seinem Schlusse in zwei Ästen, einem nach S und SW und einem nach SO ausgreifenden, beide von bedeutenden Gletschern erfüllt und von total vergletscherten Ketten umgeben, deren Gipfel mit zu den höchsten des zentralen Tian-Schan gehören, also bis 6000 m und darüber ansteigen. Diese Ketten bilden einen Teil des zentralen, wasserscheidenden Tian-Schan-Hauptkammes. Der dem Tale entströmende wasserreiche Fluß nimmt bei seinem Austritt aus dem Gebirge in die ungeheure, beckenförmige Weitung des Tekestals zunächst östliche Richtung, wo er die ausgedehnten Becken zweier ehemaliger Randseen durchfließt; von dem einen sind die aus tonig-sandigen Schichten erbauten Ränder vorzüglich erhalten. Der Strom wendet sich dann nach NNO, vorbei an der Staniza Narynkol und erreicht zuletzt in nördlicher Richtung den Tekes. Unser Weg in das Gebirgstal führte daher erst etwa 18 Werst am Unterlauf des Flusses durch eine Niederung, die in der Nähe der Staniza sumpfig ist und von einem breiten Gürtel dichten, hohen Gebüsches umgeben wird. In diesem Dickicht, durch das unser Weg führte, schwirrten Millionen von Bremsen, die meinen erst von den kühlen Gebirgsweiden herabgeholten Pferden derart zusetzten, daß sie unruhig wurden, ihre Lasten verschoben, wodurch erschreckt einige von ihnen die Flucht ergriffen, und ehe man es sich versah, waren alle anderen dem Beispiel gefolgt. Im Zeitraum von weniger als einer Minute waren alle zwölf Lastpferde, ihre Lasten abwerfend und an den Bindestricken nachziehend, in rasendem Galopp und mit den Hinterbeinen gegen die Gepäckstücke fortwährend ausschlagend, nach allen Richtungen in der weiten Steppe und deren Dickichten entflohen. Instrumente, Apparate, Provisionen usw. alles war dahin. Sprachlos vor Entsetzen sah ich dem Schauspiel zu. Wenn die unentbehrlichsten Ausrüstungsgegenstände besonders die Instrumente und Apparate zerbrochen waren, konnte kein Ersatz hierfür unter vielen Monaten herbeigeschafft werden und die Expedition war im Auslaufen aus dem Hafen schon gescheitert. Die Hüllen einer Anzahl Gepäckstücke waren unter den Hufen der Pferde geplatzt, ihr Inhalt, besonders die Konservenbüchsen im hohen Grase der Steppe zerstreut. Während ein Teil der Dschigiten und Kosaken den entflohenen Tieren nacheilte, suchten die anderen im Busch und Gras nach den einzelnen Gepäckstücken oder deren Inhalt. Nach einiger Zeit ließ sich übersehen, daß der Schrecken größer war als der Schaden, und daß ich noch verhältnismäßig glücklich um diese Klippe herumgekommen war. Die kostbarsten Gepäckstücke waren sämtlich unbeschädigt geblieben. Von Narynkol, wohin ich einen

Boten geschickt hatte, war Hilfsmannschaft gekommen; die Pferde konnten wieder ein-
gefangen werden, die beschädigten Hüllen, Riemen usw. wurden in aller Eile ausgebessert
und nach fünf Stunden war die Karawane wieder marschfähig; der Schrecken aber lag mir
noch lange in den Gliedern.

Sobald man das erwähnte, geschlossene, ungefähr acht Werst lange Seebecken durch
eine enge Pforte in seiner Umwallung verlassen hat, betritt man ein anderes, noch viel
ausgedehnteres Becken, dessen Nordumrandung ein mäßig hoher Kalkzug bildet. Die
terrassenförmigen Rücken des eben verlassenen Beckens setzen sich am Fuße des Kalkzugs entlang fort. In diesem Kalkwall bemerkt man gerade gegenüber der Mündung des
Bayumkoltals am Nordende des Seebeckens eine torartige Bresche, durch welche jetzt
nur das unbedeutende Flüßchen Ukurtschö geradewegs hinaus nach N gegen den Tekes
fließt. Der Bayumkolfluß hingegen biegt unmittelbar bei seinem Austritt aus dem Gebirge, statt seinen nördlichen Lauf fortzusetzen, wo ihn hier in der weiten Ebene nichts
behindern würde, das Felsentor im N zu erreichen und direkt dem Tekes zuzuströmen,
plötzlich nach O um und trifft sofort auf eine ihm im Wege stehende Kalkklippe (Tas-
tube), die er durchbrechen muß, sägt sein Bett tief in die Kalkfelsen am Rande des Gebirges ein, um seinen weiteren Lauf nach O, NO und N fortsetzen zu können, bis er endlich den Tekes erreicht. Was konnte den Fluß zu diesem komplizierten Wege veranlassen?
Offenbar hatte er früher die Richtung gerade nach N über die Ebene und durch die einstens
von ihm selbst geschaffene Bresche genommen, bis ihm in der Eiszeit entweder Eismassen
oder Geröllablagerungen diesen Weg verlegten und ihn in die Ostrichtung zwangen. Für
die Bedeutung der einstigen Vergletscherung legen alte Moränenmassen am Rande des Gebirges im Tekestal Zeugnis ab, an deren Form und Anordnung ich erkennen konnte, daß
die einst aus dem Gebirge vorgedrungenen Eismassen die Kammhöhe der ersten Randkette
überflutet hatten. Die Mündung des Bayumkoltals ist fast 1¼ Werst breit geöffnet; die
Sohle liegt in gleichem Niveau (siehe S. 5) mit dem Haupttal (ca 2100 m) und steigt, da
ungeheure Aufschüttungsmassen das alte Bodenrelief verhüllen, nur ganz mäßig an (etwa 35 m
pro Werst). Das Tal ist in beckenartige, bis zu 1½ Werst erreichende Weitungen gegliedert,
die durch Zusammenschnürungen bis zu 350 m voneinander getrennt sind. Von diesen
Weitungen enthielten die meisten Seen, durch alte Stirnmoränen aufgestaut, die in der
Rückzugsperiode des gewaltigen früheren Talgletschers hintereinander aufgeworfen wurden.
Nur bei zweien dieser Weitungen konnte ich andere Ursachen für ihre Entstehung erkunden:
eine in der Nähe der Mündung des Tales Ak-kul ist zweifellos durch seitliche Erosion des
Talflusses gebildet oder doch ausgestaltet worden, eine andere bei der Mündung des Seitentals
Tör-ascha entstand infolge einer Verwerfung zwischen Kalken und chloritischen Schiefern.

Von den meisten der alten Stirnmoränen sind nur unbedeutende Reste erhalten; nur
zwei von ihnen sperren noch heute als ungeheure Wälle das Tal, die eine bei der Mündung
des Seitentals Alai-aigür, das, nach O ziehend, einen Übergang in das Saikaltal (Klein Musart)
vermittelt und die andere bei der Mündung des Tales Kenem-Begu, das nach W zu einem
Übergang in das Aschu-tör-Tal führt. Beide mehr als ¹/₂ Werst breite Moränen verdanken
ihre Erhaltung gewaltigen Bergstürzen, die auf sie niedergingen, der erste aus Granit, der
zweite meist aus phyllitischem Gestein bestehend. Da wo diese ungeheuren Blockmassen auf-
lagern, erwiesen sich sowohl atmosphärische Einflüsse, als die Stärke der abräumenden Gewässer machtlos. Der Fluß mußte sich an beiden Stellen begnügen, sich einen Durchgang
in tiefer, klammartiger Enge zu schaffen, wo er allem Anschein nach sein schon vor der
Eiszeit innegehabtes Bett wieder einnahm und vertiefte. Außer diesen beiden monumentalen
Zeugen der einstigen gewaltigen Vergletscherung des Tales sind solche auch in Form hochgelegener Felsabschleifungen, sowie von Moränenschuttanhäufungen oder in Schotterterrassen

an den Talrändern erhalten geblieben, überall, wo das Gehänge nicht zu steil ist; sie bilden bald am rechten, bald am linken Ufer viele Werst weit ausgedehnte Hochterrassen; an manchen Stellen kann man Moränenschutt bis mehr als 250 m über Flußniveau beobachten. An den Mündungen mancher Seitentäler, besonders der des Aschu-tör-Tals, sind die aus ihnen herausgekommenen, sehr bedeutenden Moränenwälle vorzüglich erhalten, an anderen durch Ausspülung umgelagert, wie am Ak-kul-Tal.

Am Eingang des Bayumkoltals bildet Granit die Umwallung, an den bald fossilienleere Kalke und Kalkschiefer, sowie dunkle Tonschiefer anschließen, worauf wieder Granit folgt. Granite sehr verschiedenartiger Ausbildung, Kalke, Kalkschiefer, Tonschiefer, auch Gneis und andere kristallinische Schiefer wechseln der ganzen Länge des Tales nach in unausgesetzter Folge ab und in sehr eigenartigen Lagerungsverhältnissen, auf welche indes hier um so weniger eingegangen werden kann, als Herr Keidel ein geologisches Profil des Tales aufgenommen hat, das er im geologischen Teile des ausführlicheren Berichts veröffentlichen und erläutern wird. Ich möchte nur schon jetzt hervorheben, daß Granit und Gneis vorherrschend am Bau der Umwallung beteiligt sind, daß die Sedimente immer wieder eingepreßt zwischen den Graniten ohne Kontaktbildung erscheinen und die Granite Merkmale starker Auswalzung zeigen, was auf Faltungsprozesse hindeutet, die beide Arten von Gesteinen gemeinschaftlich betroffen haben. Ferner sei der Einlagerung diabasischer Gesteine, besonders auch diabasischer Schiefer gedacht. Endlich sei schon jetzt auf die wichtige Tatsache hingewiesen, die hier im Bayumkoltal zuerst festgestellt wurde und ihre Bestätigung dann in sämtlichen von der Expedition besuchten, zum Hauptkamm leitenden Tian-Schan-Tälern fand: Die kristallinischen Gesteine reichen stets nur in mehr oder weniger große Nähe des wasserscheidenden, zentralen Hauptkamms; dieser selbst ist ausschließlich aus Sedimenten aufgebaut, die durch dynamometamorphische Prozesse zum Teil auch infolge von Durchbrüchen diabasischer Gesteine starke Umwandlung erfuhren. Am Bau der zentralsten und höchsten Region des zentralen Tian-Schan haben nur Kalke verschiedener Art, vorzugsweise dichte, dunkle Tonschiefer sehr verschiedenartiger Ausbildung, doch überwiegend dunkle mit Tafelschiefercharakter und Marmore verschiedener Färbung, meistens weiße oder hellgebänderte Anteil.

Das Tal zeigt den Charakter eines nordischen Alpentals mit trefflichen Alpenmatten und ausgedehnten, sehr dichten Fichtenwäldern (Picea Schrenkiana), mit welchen sich streckenweise auch Laubbäume (Cornus, Weiden, Ebereschen) vereinen. Das etwas goldführende Alluvium des Flusses hatte schon vor mehr als 45 Jahren, als diese Gegend noch zu China gehörte, Ausbeute durch Chinesen gefunden und die Versuche, Gold zu gewinnen, wurden später von russischen Unternehmern in belangreicheren Anlagen fortgesetzt, scheinen sich jedoch nicht gelohnt zu haben, da die Anlagen jetzt außer Betrieb sind und verfallen.

Der Fluß ist ungemein wasserreich, während der wärmeren Tagesstunden tosend wild und nur mit Gefahr zu überschreiten, was ich zu meinem schweren Schaden erfahren mußte. Eines der Lastpferde kam zu Fall, wurde von den Fluten sogleich in wirbelnder Bewegung fortgetrieben und konnte nur mit größter Anstrengung gerettet werden; von seiner Last ging ein Gepäckstück verloren, das fast alle meinem persönlichen Gebrauch dienenden Gegenstände enthielt.

Kurz vor der Mündung des großen Nebentals Aschu-tör sieht man plötzlich hinter einem quer über das Haupttal laufenden Waldgürtel die großartige Pyramide des Khan-Tengri auftauchen; der Berg sieht so genähert aus, daß man den täuschenden Eindruck empfängt, er stehe im Hintergrund des Bayumkoltals. Am Ende des erwähnten, großen, granitischen, auf der Höhe der ersten alten Endmoräne liegenden Bergsturzes angelangt, bei der Einmündung des Seitentals Alai-aigür, erblickt man zu Füßen in der Tiefe den Mittellauf des Bayumkoltals als waldumsäumtes Becken mit völlig ebener Sohle; es wird hier für das Auge wiederum durch den Khan-Tengri großartig abgeschlossen und so schien es, als ob wir am Ende des Bayumkoltals unmittelbar zum Fuße des Riesen gelangen würden. Indes fanden wir dort zwar einen großartig vergletscherten Talschluß, einen Kranz vom Fuße bis zum Scheitel in Eis gehüllter, sehr hoher Berge, allein der Khan-Tengri fand sich nicht unter ihnen. Bei dem Umstand, daß der Berg keinen ebenbürtigen Rivalen besitzt, daß er die höchsten Gipfel der nahe an ihm gelegenen Ketten, noch um ungefähr 1000 m überragt, wird er eben von allen Seiten, sobald man sich in entsprechender Entfernung von ihm befindet, sichtbar. Seine Lage zu erkunden, sollte neben der geologischen Erforschung der Talumrandung und der topographischen Aufnahme der Bayumkolgletscher die Aufgabe der nächsten Zeit bilden.

Das Lager wurde am Ende des Haupttals (ca 3200 m) aufgeschlagen, in der Nähe der Stelle, wo der aus SO und der andere aus SW herbeiziehende Gletscherarm sich in gemeinschaftlicher Endzunge (ca 3250 m) vereinen. Während der südwestliche Gletscher. der längere, ein ziemlich geschlossenes und nicht sehr stark geneigtes Eisfeld von etwa 12 Werst Länge bildet, das zwischen zeltförmigen Firngipfeln an einem hohen Firnsattel entspringt, den ich erst im folgenden Jahre betreten sollte, ist der südöstliche Gletscher etwas kürzer, aber weit steiler und zerrissener; er entsteht aus der Vereinigung von dreien, aus den Schluchten der eisigen Talumwallung vorbrechenden, in einem zirkusförmigen Bassin zusammenfließenden Eisströmen. In der Eisdecke sind eine Anzahl trichterförmiger Seen eingetieft. Das weite Eisbassin wird unmittelbar überragt von einem Berge, der unter den in der Umkränzung der Bayumkolgletscher sich erhebenden Riesengipfeln der gewaltigste ist, sowohl an Höhe, als an breitmassiger Form und an Kühnheit des Baues. Von seiner eisgekrönten Schulter sinkt auf der Nordwestseite direkt zu den wilden Eisbrüchen des Gletscherbodens eine fast 2000 m hohe, senkrechte Wand ab, an welcher natürlich weder Firn noch Eis zu haften vermag; sie besteht aus weißem und streifigem Marmor, weshalb wir den Berg zunächst die »Marmorwand« benannten. Neben dem Khan-Tengri ist dieser gewaltige Berg ein Wahrzeichen des zentralen Tian-Schan, ein Orientierungspunkt. Man erblickt ihn wegen seiner bedeutenden Höhe und, da er gerade im Schnittpunkt der Hauptkammverzweigungen aufragt, von weit und breit, von allen hochgelegenen Punkten aus, auch sogar aus der Tekesebene und erkennt ihn sofort an seiner merkwürdigen Gestalt und an seiner Marmor-Absturzwand. Es sollte sich jedoch erst später herausstellen, welche wichtige Rolle ihm im Bau des Tian-Schan zukommt.

Während zweier Wochen, die wir im Bayumkoltal verbrachten, waren wir mit der Untersuchung der Gletscher und ihrer Umrandung, Herr Pfann überdies mit ihrer Vermessung und Aufnahme beschäftigt, indes Herr Keidel ein geologisches Profil des Tales anfertigte und das hierzu nötige Belegmaterial sammelte. Die Arbeiten wurden jedoch vielfach durch zwei wichtige Faktoren gestört, zum Teil behindert: durch Ungunst des Wetters und durch das Versagen der Träger in schwierigem Terrain. Der Sommer 1902 zeichnete sich überhaupt durch unbeständige Witterung aus. In den Hochtälern des zentralen Tian-Schan wird diese jedoch außerdem durch lokale Verhältnisse in erheblicher Weise beeinflußt. Wie es sich im Verlauf der Reise erwies und durch die mit Regelmäßigkeit täglich zweimal ausgeführten meteorologischen Beobachtungen festgestellt werden konnte, ist jedem Tale ein besonderer Witterungscharakter eigen, der im wesentlichen von der Achsenrichtung des Tales abhängt. Für das Bayumkoltal ist maßgebend, daß es, nach N breit geöffnet, unmittelbar in die Weitung der Tekesebene mündet. Die dort während der Nacht stagnierenden und stark abgekühlten Luftschichten werden gegen Mittag durch die ungemein kräftige Insolation des Steppenbodens bedeutend aufgelockert, nehmen einen stürmischen Lauf gegen das Gebirge hin und dringen durch die breite Lücke des Bayumkoltals zu dessen hochgelegenen Teilen empor, wo sie an den gegen N und NO gerichteten, verhältnismäßig kühlen Gehängen, an Temperatur rasch abnehmend, ihren Dampfgehalt kondensieren. Die Witterung im Hochtal war in der Regel vormittags gut, aber die Gewalt des mit Regelmäßigkeit in den ersten Mittagsstunden von der Ebene aufsteigenden Luftstroms ist so groß, daß sie die bis dahin im Hochtale herrschende Windströmung verdrängt, welche erst gegen Abend wieder in ihre mit Aufklären verbundenen Rechte tritt. Mit großer Regelmäßigkeit trübte sich die Atmosphäre täglich gegen Mittag, und um 2 oder 3 Uhr begannen Regengüsse oder Schneestürme, worauf abends und nachts wieder klares, reines Wetter herrschte. Diese Winde kondensieren übrigens ihre Feuchtigkeit schon in den mittleren Höhen und die höchsten Kämme empfangen nur wenig hiervon. Im Hauptlager (ca 3200 m) war die Witterung stets schlechter als auf den um 1000—2000 m höheren Lagen, wo wir gerade beschäftigt waren, die Niederschläge im Tale also andauernder und ergiebiger. Die trockne, konsistenzlose Beschaffenheit des Schnees auf den extremen Höhen des Tian-Schan, wovon noch mehr die Rede sein wird, findet zum Teil schon hierdurch eine Erklärung, wenn allerdings auch noch andere Umstände hierauf von Einfluß sind.

Was die Träger anbelangt, so desertierte ein Teil der Kirgisen in der Nacht, die anderen versagten den Dienst, wenn sie die Plage auf sich nehmen sollten, zu Fuß über Gletschereis größere Höhen zu ersteigen und, wenn auch nur ganz mäßige Lasten auf dem Rücken dahin zu tragen. Etwas besser waren die ausgedienten Kosaken; allein auch sie wollten das nicht leisten, was in den heimatlichen Alpen ein auch nur mittelkräftiger Träger mit Leichtigkeit bewältigt, von den Leistungen der Eingeborenen in Sikkhim und Kaschmir schon gar nicht zu reden. Vor dem Hochschnee zeigten sie überhaupt die größte Abneigung, wiewohl sie alle von mir mit Tiroler eisenbeschlagenen Bergschuhen, mit Steigeisen und Eispickeln ausgerüstet wurden. Rechnet man zu den beiden ungünstigen Faktoren noch die schlechte Beschaffenheit des Hochschnees, der besonders an den Nord- und Osthängen trocken und pulverig, nur locker der vereisten Unterlage aufliegt, so kann man sich ein Bild von den kläglichen Schwierigkeiten machen, die sich unseren Forschungen entgegenstellten. Ich kam daher schon frühe zur Einsicht, daß die extremen Höhen des Tian-Schan kein Feld für den Alpinismus sind. Unsere anfängliche Absicht, die »Marmorwand« zu ersteigen, mußte aufgegeben werden, weil die Träger nicht dazu bewogen werden konnten, das zu einem mehrtägigen Aufenthalt unentbehrlichste Gepäck über Höhen von ca 5000 m hinweg zu einem Sattel am Fuße des Nordwestgrates des Berges zu bringen.

Das kleine Bergzelt hatten wir auf einer eisfreien Stelle (ca 3800 m) eines in der nordöstlichen Umwallung des östlichen Gletschers eingetieften Sattels aufgestellt. Wir machten von dort aus Vorstöße zu den ca 4300—4500 m hohen, granitischen (der Granit ist dort infolge Gebirgsdrucks in ungemein mannigfaltiger Weise verändert), von kleinen Gletschern gekrönten Felsgipfeln im NW und zu den 5000—5500 m hohen, völlig überfirnten Schieferkuppen im SO des Hochlagers, um von diesen Höhen aus Einblick in den Bau der umrandenden Ketten und in den Verlauf der sie trennenden Täler zu gewinnen, sowie um photographische, insbesondere telephotographisch-panoramatische Aufnahmen zu machen. Diese Aufnahmen werden von großem Werte sein für die Ergänzung der topographischen Aufnahmen, bei denen das Detail ohnedem durch Photogrammetrie erlangt wurde.

Von diesen Vorstößen war von besonderem Interesse der folgende: Am 28. Juli kurz nach Mitternacht verließen wir ein 4300 m hohes Biwak in der nordöstlichen Umwallung des östlichen Gletschers, umgingen in der Nacht auf gefährlichem Terrain an den Südsüdwestflanken einer hohen Firnkuppe dieses Hindernis und erklommen die nächste ca 5000 m hohe Firnkuppe, ließen uns von dort einige Hundert Meter zu einem Firnsattel hinab und strebten wiederum aufwärts zu einer ca 4800 m hohen, ähnlichen Gratanschwel-

2*

lung. Von dort stiegen wir hinab gegen O und gelangten so in den Schluß eines bishr:
unbekannten, gänzlich von Gletschereis erfüllten Tales, das zunächst nordöstlich, dann östlich und endlich südöstlich ziehend, in der Nähe des Musartpasses ausmündet, demna·ll
eine Länge von etwa 40 Werst besitzt. Aus dem völlig ebenen Eisboden des Talschluss·.
wendeten wir uns gegen SSW und stiegen ca 400 m über Firngehängen an, worauf wir
auf einem breiten Firnsattel am Fuße des Nordwestgrates der »Marmorwand« anlangten.
Von hier aus eröffnete sich ein großartiger Ausblick: einerseits nach W hinab in die wild·
Eislandschaft des Bayumkoltals, anderseits nach O in die langgestreckten Eisgefilde d·-
neu entdeckten Tales. Dieses wird auf seiner Südseite von einer gewaltigen, gegen de·
Musartpaß hin sich erstreckenden, gänzlich übereisten Kette von prächtigen Gipfeln umrandet, zwischen deren tiefen Buchten überaus zerrissene, pittoreske Gletscher lagern, di·
meistens stufenförmig zum Hauptgletscher abstürzen. Diese von der »Marmorwand« abzweigende Kette ist zweifellos der wasserscheidende Hauptkamm zwischen Nord- und Südabhang des zentralen Tian-Schan, wie auch durch alle späteren Beobachtungen von den
verschiedensten Standpunkten aus zur Untrüglichkeit erwiesen wurde. Ich schätze di·
mittlere Kammhöhe dieser Kette auf etwa 5000 m, die mittlere Gipfelhöhe auf annähernd
6000 m. Nur eine einzige tiefe Depression ist in dem Riesenwalle eingekerbt. Meine Erwartung, den Khan-Tengri in ihm aufragen zu sehen, wurde getäuscht, und die Frage hinsichtlich seiner Lage wurde immer schleierhafter. Weit entfernt konnte er nicht sein, aber
in welchem der hinter dieser hohen Kette gelegenen Täler konnte er sich erheben? Sicher
festgestellt war abermals nur die Fehlerhaftigkeit aller Karten in diesem Punkte. Da w·
ihnen zufolge der Khan-Tengri sein sollte, erhebt sich die »Marmorwand«. Auch die nördliche Umwallung des Eistals, wenn auch weniger hoch als die südliche, ist imposant; durch
ihre Kammeinschnitte konnte man hinausblicken auf ein Meer von Gipfeln, viele davon
noch von keines Menschen Auge gesehen. Ein Teil von ihnen gehört zur Umwallung der
unerforschten Täler im NO und O unseres Standpunkts, von denen ich im folgenden Jahre
wenigstens einige durchwandern konnte. Wegen der dichten Firn- und Eishülle der hohen
Kette, vermochte man von ihrem geologischen Bau nur verschwindend wenig zu sehen.
Daß auch Diabas darin vertreten sein muß, erwies sich lediglich an Blöcken der spärlichen
Schuttanhäufungen im Talschluß. Im folgenden Jahre vermochte ich die mit der Schlußkette des Bayumkoltals identische Zusammensetzung festzustellen. Beim Ausblick auf die
rings ragenden, gewaltigen Bodenanschwellungen drängte sich zunächst die Wahrnehmung
auf, daß die breiten Massen des Gebirges im O und W meines Standpunkts nur von wenigen
tiefen Tallinien, diese offenbar sehr alter Entstehung, durchschnitten und hierdurch in einzeln·
Massive zerlegt werden, deren Decken jedoch in überwiegender Weise nur durch Hochmulden
oder nicht stark eingetiefte Rinnen zerteilt und zu schmalen Kämmen und zahlreichen, den
Plateaus aufgesetzten Gipfeln ausgestaltet sind. Die Mündungen jener, kleinere Firnlager
und Gletscher bergenden Hochtäler liegen fast immer hoch über den Sohlen der Haupttalzüge. Ohne auf das interessante Thema hier näher einzugehen, will ich nur darauf hinweisen, daß zur Zeit, als die Rinnen der Haupttäler noch hoch hinauf mit Eis angefüllt
waren, die kleinen, in diesen Hochtälern liegenden Zuflußgletscher ungefähr im Eisniveau
der Haupttalgletscher mündeten. Als die Gletscher unten und oben sich zurückzogen.
— die Seitengletscher natürlich rascher als die Haupttalgletscher — konnte, infolge der
rasch zunehmenden Trockenheit des Klimas, auch Erosion durch fließendes Wasser nicht
mehr erheblich zur Ausbildung jener jüngeren Täler beitragen, während anderseits, infolge
verstärkter Abtragung der Gebirgskämme, die Auffüllung der Hohlräume mit Gebirgsschutt
begann und sich fortsetzte, bis diese erst bei einem späteren, allerdings schon weniger
kräftig einsetzenden Eisvorstoß abermals zum Teil mit Firn und Eis ausgefüllt wurden.

Wir haben im Relief der Decken dieser Massive demnach das Ergebnis einer nur mehr zu schwacher Wirkung gelangten Erosion und Ausräumung zu sehen, während in den tiefen Sammelrinnen, besonders in den Interglazialzeiten beide energisch wirkten und auch jetzt noch immer sehr kräftig fortarbeiten (Übertiefung). Die anhaltend ungünstigen Witterungsverhältnisse im Bayumkoltal veranlaßten mich, obgleich die Arbeiten noch nicht beendet waren, es vorläufig zu verlassen, um erst im Herbst, wo bei geringeren thermalen Gegensätzen zwischen Ebene und Gebirge, beständigeres Wetter zu erwarten war, dahin zurückzukehren. Ich wollte versuchen, ob nicht in einem anderen der großen Täler, im Sary-dschaß-Tal, bessere Witterungsverhältnisse die Forschung begünstigen würden.

Sary-dschaß-Tal und Semenowgletscher.

Wir zogen etwa 25 Werst talaus und wandten uns dort nach S in das schon erwähnte Seitental Aschu-tör, das einen großen Reichtum an Wasser, schönen Alpenmatten und Fichtenwäldern birgt. Das Tal hat eine ungefähre Länge von 25 Werst und erstreckt sich, steil in drei Stufen ansteigend, zwar in vielfachen Windungen, doch im allgemeinen nach SSW, in der Streichrichtung des Gneises, der, öfters in Granit übergehend, mit Kalken, phyllitischen und umgewandelten Tonschiefern, besonders auch Marmorschiefern, die im Unterlauf schroff gegipfelten Talränder bildet. Marmore und Marmorschiefer zeigen besonders im Talschluß infolge von Brüchen große Zerrüttung und außerordentliche Zerklüftungserscheinungen. Das Tal trägt allenthalben die Spuren seiner ehemaligen Eisbedeckung zur Schau, nicht allein in den Schuttablagerungen, sondern auch in der Abschleifung und Ausrundung der Felsumrandung, besonders gut im Oberlauf zu beobachten. Der jetzige Reichtum an Gletschereis ist nicht mehr groß, doch bergen einzelne von den vielen einmündenden Seitentälern kleinere, zwei davon ziemlich ansehnliche, jedoch auch schon stark abschmelzende Gletscher. Allenthalben ist Firn und Eis — besonders scharf an den Gehängen einiger schroffer, breitmassiger Felsgipfel zu sehen — jetzt an nördliche und östliche Exposition gebunden. Am Schlusse des Tales stiegen wir sehr steil über sumpfiges Wiesengehänge — der Wasserreichtum im Tale ist überraschend — einer alten Grundmoräne empor und gelangten zu einem Gletscher, dessen Überschreitung für die Pferde wegen der stark erweichten Schneedecke und der überschneiten Spalten sehr schwierig wurde. Den Firnsattel (ca 3900 m) überschreitend, gelangt man in das Tal Karakol, das zum Sary-dschaß-Tal ausmündet. Ich muß hier einschalten, daß die Kirgisen für dieses Seitental keinen anderen Namen als Karakol kennen, was ich auf vielfache Erkundigungen ebenso feststellen konnte, als daß nirgendwo im Tekestal die kirgisische Bevölkerung oder die Kosaken von Naryn-kol oder die berufenen Behörden für das Bayumkoltal auch den Namen Karakol anwenden. Herr Ignatiew hat daher, meines Erachtens zu unrecht, das eigentliche Karakoltal auf den Namen seines kirgisischen Führers Bektur-bulak umgetauft. Man kann mit geographischen Ortsbezeichnungen nicht vorsichtig genug umgehen, wenn man nicht Verwirrung stiften will. Herr Dr. Friederichsen, der mit der Saposchnikowschen Expedition den gleichen Übergang wie wir, zwei Wochen früher und in umgekehrter Richtung machte, legt in seinen »Reisebriefen« diesem Tale den Namen Aschu-tör bei, während er nur dem vom Passe nach N zum Bayumkoltal hinabziehenden Tale zukommt; dieses Nebental, das eigentliche Aschu-tör-Tal, hielt Dr. Friederichsen für das Haupttal Bayumkol, während doch schon der bei weitem bedeutendere Wasserreichtum des Haupttalstroms darauf hin-

weist, daß das Haupttal in südlicher Richtung und zu großen Gletschern führen muß. Den
Paß selbst nennt er Narynkol-Paß, offenbar in der Annahme, er sei identisch mit dem
von Ignatiew überschrittenen und von ihm Narynkol getauften Passe, was jedoch kaum
zutreffen dürfte. Wenn der Übergang einen Namen führen soll, wäre »Aschu-tör-Paß‹
geeigneter.

Wir stiegen vom Passe steil in südwestlicher Richtung ab, dem Laufe des schuttfreien, von
stumpfen Firnkuppen herabziehenden Karakolgletschers, in einem Graben zwischen dessen
30 m hoher, seitlicher Eiswand und der Bergwand folgend. Das Gebirge besteht hier aus
phyllitischen Schiefern, geschichtetem Porphyr, Granit, Kalken und außerordentlich zerklüfteten Marmoren, sowie Konglomeraten und Breccien, die mit dem Durchbruch der
Porphyre in Verbindung stehen. In den Kalken fand Herr Keidel schlecht erhaltene
Fossilien. Die Felswände sind an beiden Talseiten hoch hinauf vom Eise abgeschliffen,
und das ganze Tal kann als Typus eines, wenn auch nicht vom Eise geschaffenen, so doch
in sehr erheblichem Maße vom Eise ausgestalteten Tales gelten. Außer dem Hauptgletscher,
der nach einem Laufe von 4—5 Werst mit hohem Eisabbruch im Schutte endet (ca 3700 m).
sind heute noch zwei bedeutende Gletscher vorhanden, die von der linken Talseite einmünden,
aber ihre Zungen hängen an den schwarzen Schieferwänden, ohne den Hauptgletscher mehr
zu erreichen, ebenso die einer Anzahl kleinerer, die in Buchten und Schluchten der Umwallung lagern. Der Unterlauf des Tales, infolge von Brüchen — einer ist besonders
schön aufgeschlossen — sehr erweitert, ist durch konvergierende Tätigkeit der zahlreichen,
ehemals aus den Lücken der Umrandung vorbrechenden, konzentrisch einmündenden Nebengletscher, sowie der des Hauptgletschers kesselförmig korradiert worden, ein wahres Lehrbeispiel für die Korrasionsarbeit des Eises. Dort bietet sich auch infolge der Brüche, sowie
der mittelbar zerreibenden Stoßkraft des Eises und der, wegen der nach S und W geöffneten
Lage des Tales, besonders kräftig wirkenden Verwitterung, ein Bild derartig vorgeschrittener
Zerstörung der Bergwände, wie ich es selbst in dem an derartigen Erscheinungen reichen
Tian-Schan selten vor Augen hatte. Diese südliche und westliche Exposition, welche eine
außerordentliche Erwärmung der dunklen Felswände begünstigt, sowie starke Rückstrahlung.
ist auch die Ursache des weit bedeutenderen Rückgangs sowohl des Haupt- als der Nebengletscher, als ich ihn in irgend einem anderen, gleich hoch gelegenen Tale des nördlichen Tian-
Schan beobachtet habe. Der Hauptgletscher mündete einst 10 Werst unterhalb seinem
jetzigen Ende zu dem ehemals das Sary-dschaß-Tal ausfüllenden Riesengletscher ein. Auf
grüner Moränenterrasse nahe der Stelle, wo jetzt der Karakolbach in den Sary-dschaß-Fluß
mündet, ließ ich das Hauptlager aufschlagen (ca 3500 m), von dem aus Vorstöße zur Erforschung des Semenowgletschers und seiner Umrandung gemacht wurden.

Nach den Veröffentlichungen russischer Reisender, welche das Sary-dschaß-Tal besuchten
und auch einige Werst weit über das Eis des Semenowgletschers aufwärts gezogen waren,
sollte dieser Gletscher von den Firnfeldern des Khan-Tengri gespeist werden. War dies
der Fall, so mußte der Berg im Hintergrund dieses Eistals stehen. Bei dem mehrfach
gewundenen Laufe des Tales jedoch, kann man seinen Hintergrund selbst von hochgelegenen
Punkten aus nicht genau erkennen, um so weniger, als breite Seitentäler nahe am Talschluß einmünden und sich wiederum verzweigen. Man sieht von vielen Punkten in der
Umrandung des Sary-dschaß-Tals den Khan-Tengri, allerdings in solcher Stellung, daß man
glauben möchte, er könne nur am Schlusse des Semenowgletschers sich erheben, doch war
ich, seit ich im Bayumkoltal festgestellt hatte, wie weit nach N der Semenowgletscher
sich erstreckt, mißtrauisch gegen diese Annahme.

Die Gunst des Wetters ausnutzend, erstiegen wir sogleich einen unmittelbar hinter dem
Lagerplatz, am Nordrand des Tales ragenden Felsgipfel, von dessen firngekrönter Plateauhöhe

(ca 4200 m) man einen vorzüglichen Überblick auf die Gletscherketten des zentralen Tian-Schan gewinnt. Die günstige Lage des erreichten Punktes, klare Luft und außerordentlich scharfe Beleuchtung ermöglichten die Aufnahme eines telephotographischen Panoramas in 12 Blättern von 8—10 engl. = ca 20½—25½ cm, das von großem Werte für die Orientierung über Bau und Verlauf der den höchsten Teil des Tian-Schan bildenden Ketten sich erweisen wird. Der Überblick über diese gewaltige Gebirgsmasse zeigte, daß der Khan-Tengri keinen auch nur annähernd ebenbürtigen Rivalen besitzt. Wenn auch viele Gipfel über 6000 m Scheitelhöhe erreichen mögen, einige sogar wohl bis 6400 m, so überragt sie die schlanke Pyramide des Khan-Tengri doch noch immer in beherrschender Weise. Ich kann in diesen gedrängten Mitteilungen über die Vertikalentwicklung des zentralen Tian-Schan nur sagen, daß die höchsten Erhebungen in der Umrandung des Bayumkoltals und zwar zwischen diesem und dem Semenowgletscher stehen, denen einige der großartigen Eisgipfel am Südrand des Adür-tör oder Muschketowgletschers mehr als ebenbürtig sein dürften, daß aber sie alle noch überragt werden von den Bergen am Südrand des Inyltschekgletschers, und daß jedenfalls die mittlere Kamm- und mittlere Gipfelhöhe dieser Kette als die höchste Scheitelhöhe des Tian-Schan anzusehen ist, worauf allmähliche Abdachung gegen S eintritt. Von unserem Standpunkt aus konnte man mit Sicherheit feststellen, daß die »Marmorwand« identisch mit dem Gipfel ist, der auf allen Karten als Khan-Tengri bezeichnet ist und wenn ihre ganze Bedeutung als Knotenpunkt auch erst später völlig erwiesen wurde, konnte man doch auch jetzt schon sehen, daß in ihrer Nähe eine Scharung divergierender Ketten stattfindet. Die Gruppierung der um die Gipfelpyramide des Khan-Tengri gedrängten Kämme aber ist von hier gesehen eine solche, daß man auch nicht mit entfernter Sicherheit sagen könnte, aus welchem der Täler sie sich erhebt, um so weniger als in ihrer Nähe, etwas nordöstlich von ihr, ein für das Auge wirres Zusammendrängen von mehreren, aus verschiedenen Himmelsrichtungen heranziehenden Ketten stattfindet. Vermuten ließ sich, jedoch nicht feststellen, daß die Basis des Khan-Tengri, des Tian-Schan-Beherrschers, im Inyltschektal liege.

Einige Hundert Meter unterhalb der Scheitelhöhe unseres Plateaus, gleichsam wie eine Schulter des Berges, erstreckt sich eine Terrasse, auf welcher Herr Pfann eine Basis absteckte und ihre Lage durch Ortsbestimmung fixierte. Von ihr aus bestimmte er Lage und Höhe des Khan-Tengri und der hervorragendsten Gipfel des zentralen Tian-Schan, während dessen ich mit der Erforschung des Semenowgletschers und seiner Umrandung und Herr Keidel sich mit der Untersuchung des geologischen Baues der abwärts vom Lager das Sary-dschaß-Tal umwallenden Ketten beschäftigte, wozu er Vorstöße in die Quertäler des rechten Ufers machte. Er fand dort ausgedehnte Bruchgebiete, als deren Ergebnis Schiefer, Phyllite, Kalke, Granite und Diabase in schmalen Schollen in verschiedene Niveaus abgesunken sind. Im Tale Kaschka-su glückte es ihm, devonische Kalke aufzufinden. Lagerungsverhältnisse und Zusammensetzung des geologischen Baues der Talketten zeigen Ähnlichkeit mit dem Bayumkoltal, doch haben im Sary-dschaß-Tal Diabase eine größere Verbreitung als im ersteren. Genauere Mitteilungen bleiben dem geologischen Spezialbericht vorbehalten.

Das Sary-dschaß-Tal ist das ausgedehnteste und insofern das wichtigste aller Täler des zentralen Tian-Schan, als ihm in seiner Eigenschaft als durchgreifendes Tal die Rolle zukommt, für die Entwässerung und Ableitung der Gewässer nach S, zum Tarim, den großen Sammelkanal zu bilden. Auf seine heutige Ausgestaltung ist zweifellos eine Glazialperiode von Einfluß gewesen. Auf die Bedeutung der im Tale vorhandenen Glazialablagerungen zuerst hingewiesen zu haben, ist das Verdienst P. P. Semenows; indes ist deren Verbreitung eine noch mächtigere, als selbst dieser berühmte Forscher angenommen hat. Ich konnte sie und andere Merkmale der Eiswirkung im Haupttal und seinen Nebentälern bis zu 500 m über heutiges Flußniveau verfolgen, bis zu solcher Höhe, daß man auf ehemalige, nahezu gänzliche Ausfüllung des Tales mit Gletschereis schließen darf. Im Vergleich zu dieser einstigen Mächtigkeit sind die heute noch im Haupttal und den ihm tributären Tälern vorhandenen Firn- und Eislager nur unbedeutend; dennoch bilden sie eines der größten Gletschergebiete im gesamten Tian-Schan und sind, wie durch die Ergebnisse meiner Forschungen erwiesen wird, jedenfalls weit bedeutender, als man bisher annahm. Der größte Gletscher des Gebiets ist der Semenowgletscher, er galt bisher als der größte des Tian-Schan. Es glückte mir im Laufe der Expedition, den Nachweis zu führen, daß er von anderen Eisströmen wesentlich an Länge, von einem um mehr als das Doppelte übertroffen wird. Aber auch die Ausdehnung des Semenowgletschers wurde bisher unterschätzt. Nach Ignatiew, der 1886 den Gletscher besuchte, beträge seine Länge 10 Werst, was gerade um das Dreifache zu gering geschätzt ist; von seiner Breitenausdehnung und der seiner ihm tributären Gletscher hatte man bis jetzt überhaupt keine zutreffende Vorstellung. Aus verschiedenen Ursachen, zum Teil auch als Folge der nach W gerichteten Achse des Sary-dschaß-Oberlaufs, macht sich zunächst die auffallende Erscheinung geltend, daß der Hauptgletscher sich mehr zurückgezogen hat, als die heute noch vorhandenen Seitengletscher, welche, wenigstens die im obersten Tallauf mündenden, ihre frühere Horizontalausdehnung, wenn auch nicht ihre ehemalige Mächtigkeit, nahezu beibehalten haben. Dies trifft jedoch nur auf die am orographisch linken Ufer mündenden zu, weil deren Achsen nach N gerichtet sind; ihre Zungenenden hängen als Eislappen an den Mündungen auf Grundmoränenschutt 2—300 m über der heutigen Sohle des Haupttals, soweit dieses von Eis frei ist. Von denjenigen Nebengletschern, welche schon im Gebiet des heutigen Hauptgletschers enden, erreichen die Endzungen der ersten drei diesen auch nicht mehr, schweben vielmehr 100—150 m über dessen Eisniveau. Alle weiter nach O zu, in den Hauptgletscher einmündenden, zum Teil sehr ausgedehnten Nebengletscher vereinen sich mit dem Haupteisstrom, und ihr Gesamtniveau liegt in einer Ebene mit dem des letzteren. Die ungemein geringe Neigung aller dieser Eisströme — sie beträgt im Mittel- und Oberlauf des Hauptgletschers nur 25 m pro Werst — dürfte mit Wahrscheinlichkeit auf bedeutende Aufschüttung der Talrinnen mit Gebirgsschutt in einer Zeit hinweisen, als sie noch nicht vom Eise bedeckt waren.

Die am rechten Ufer mündenden Quertäler, wenigstens die im jetzt eisfreien Teile des Haupttals mündenden, besitzen, da ihre Achse gegen S gerichtet ist, heute keine Talgletscher mehr; nur im Schlusse einiger von ihnen sieht man noch kleinere Firnfelder. Die Mündungen dieser Quertäler liegen 2—300 m über der Sohle des Haupttals; man steigt zu ihnen über steile, begrünte, sumpfige, alte Grundmoränen empor. Während die linke Uferkette durch zahlreiche Quertäler zerschnitten ist, deren eigene Umwallungen, wiederum tief geschartet, in viele schroffe und mannigfaltig geformte Gipfel aufgelöst erscheinen, wird die rechte Uferkette verhältnismäßig seltener durch Quertäler zerteilt, deren umkränzende Wälle überdies weit weniger gebrochene Kammlinien, sondern mehr plateauartige Decken (Destruktionsflächen) mit aufgesetzten Kuppen zeigen. Die heute noch wirksamen gebirgsformenden Kräfte vermögen diese Tatsachen nicht zu erklären, welche vielmehr darauf schließen lassen, daß schon vor Eintritt der jetzigen Eisbedeckung des Gebirges die Erosion am nördlichen Gehänge, die Zerstörung am südlichen kräftiger gewirkt hat, mithin schon damals ähnliche, wenn auch vielleicht weniger scharf accentuierte klimatische Verhältnisse bestanden haben wie jetzt, wobei auch die steile Aufrichtung der das Gebirge zusammensetzenden Schichten in Betracht zu ziehen ist. Mehrere Werst unterhalb der Endzunge des Semenowgletschers ist der Talboden zu einem über 2 Werst breiten Becken ausgerundet mit geröllbedecktem, ebenem Boden. Frühere Endmoränen hatten hier das Abwasser des Gletschers ehemals zu einem See aufgestaut; das Becken birgt heute noch einige kleine Reliktenseen. Beständig sind die Schmelzwasser des Gletschers geschäftig, was von altem Moränenschutt noch vorhanden ist — stellenweise bedeutende Massen — zu zerteilen und wegzuräumen.

Auf den klimatischen Unterschied zwischen Nord- und Südufer ist es auch zurückzuführen, daß die Endzunge des Gletschers auf eine Länge von mehr als 1 Werst, als schmaler Eisarm dem südlichen Ufer entlang läuft, während das nördliche noch eisfrei bleibt; die gleiche Erscheinung konnte ich in der Folge an anderen, ähnlich exponierten Tian-Schan-Gletschern beobachten. Die Eiszunge des Semenowgletschers endigt bei ca 3600 m (Beobachtungen in zwei aufeinander folgenden Jahren). Auch im Unterlauf des Gletschers äußert sich der klimatische Unterschied zwischen beiden Ufern noch sehr stark und zwar hier insofern, als die nach S gekehrte Uferkette lediglich auf ihrer nur schwach gegliederten Scheitelhöhe Firn und Eis trägt, während die schroffen, felsigen Abstürze nur in Schluchten und Rinnen solches bergen. Dagegen ist die nach N gewendete Uferkette in einem nur selten eine Lücke zeigenden, überaus prächtigen Mantel von Firn und Eis gekleidet. Vielfältig gegliedert, dehnt sie sich als unabsehbare Reihe überfirnter, gewaltiger Kegelberge, hornförmiger Gipfel und schroffer Eiswände nach O, einen großartigen Anblick darbietend. Im Mittel- und Oberlauf des Gletschers, wo dessen Achse mehr nach NO gerichtet ist, erscheint auch der rechte Uferwall in sehr erheblichem Maße von Eis umhüllt, wenn er auch weder in dieser Hinsicht, noch in bezug auf Formenreichtum die linke Uferkette erreicht, welche überdies auch wesentlich höher ist. Dieser letztere Umstand, sowie die Tatsache, daß der Gletscherboden gegen das nördliche Ufer hin abdacht, ist auf das allmähliche Ansteigen der gesamten Gebirgsmasse nach S hin zurückzuführen. Infolge der Neigung des Eisbodens nach N haben die Schmelzwasser das Bestreben, nach dem rechten Ufer hin zu fließen, und der Hauptbach entspringt deshalb nicht dem Zungenende, sondern einer Höhlung im rechtsuferigen Eisabsturz, mehrere Werst oberhalb des Zungenendes. Gleiche Erscheinung, der gleichen Ursache zu danken, konnte ich an den anderen, nach S hin folgenden, großen Gletschern beobachten.

Der Gletscher hat nahe seinem Zungenende nur eine Breite von ca 1⅓ Werst, erweitert sich jedoch zusehends und erreicht im Mittellauf eine Breite von mehr als 3 Werst. In seinem Unterlauf ist der Gletscher schneefrei, mit etwas Schutt bedeckt, jedoch weit weniger, als dies bei anderen großen Gletschern des Tian-Schan der Fall ist; seine Decke ist dort lediglich durch besondere Insolationsverhältnisse, abhängig von der Gestalt der Talwände, und durch Erosion der Schmelzwasser von einigen tiefen Mulden durchzogen, im übrigen höckerig; stellenweise wellenförmig, doch nicht in sehr erheblichem Maße von Spalten durchsetzt. Überhaupt ist die Zerklüftung der kolossalen Eisdecke verhältnismäßig gering, teils infolge der schwachen Neigung und Gleichmäßigkeit ihrer Unterlage, worauf ich früher schon hinwies, teils wegen des Fehlens seitlicher Pressung, da, abgesehen von der ungeheuren Weite des Beckens, an beiden Rändern das Eis durch tiefe Gräben von den Uferwänden getrennt ist, endlich weil, wie schon erwähnt, die meisten Nebengletscher ohne Gefälle zum Hauptgletscher einmünden. Die Hauptspaltengebiete liegen an den gewölbten seitlichen Rändern und zwar vorzugsweise am rechten. Zu Séracsbildung ist es nur an wenigen Stellen gekommen.

Infolge seiner gewaltigen Ausdehnung und seiner geringen Neigung ist der Semenowgletscher ziemlich konstant. Ich habe ihn in zwei aufeinander folgenden Sommern besucht, nach allen Richtungen durchstreift und im ganzen über zwei Wochen auf seiner Eisdecke zugebracht, konnte aber weder am Zungenende, noch an den Seitenwänden Anzeichen einer in neuerer Zeit stattgefundenen Schrumpfung bemerken. Wenn von sehr starker Abschmelzung, als einer andauernden Erscheinung, in bezug auf den untersten Teil des Gletschers berichtet worden ist, so mögen hierzu wohl die vielen kräftigen Rinnsale auf dem

Eise Veranlassung gegeben haben, die jedoch bei jedem großen Gletscher — wenn auch weniger stark, sogar bei denen der europäischen Alpen — an heißen Sommertagen in den Nachmittagsstunden in der Nähe der Endzunge sich bilden. Was jedoch unter den gegenwärtig herrschenden klimatischen Verhältnissen dort im Laufe eines kurzen Tian-Schan-Sommers abschmilzt, wird durch die außerordentlich bedeutenden Zufuhren an Firn und Eis, die der Semenowgletscher, besonders aus den sehr großen Nebentälern seines Oberlaufs empfängt, reichlich ersetzt. So lange überhaupt solche ungeheure Schneevorräte, wie ich sie in den bisher unbetretenen, ausgedehnten, innersten Teilen des zentralen Tian-Schan gesehen habe, vorhanden sind, die sowohl wegen der dort dem Hochschnee eigenen, trocknen Beschaffenheit — siehe S. 11 u. später mehr hiervon — als wegen der niederen Lufttemperatur auf den extremen Höhen, nur sehr geringe Abschmelzung oder Verdunstung, hingegen viel Vermehrung durch neue Niederschläge erfahren und so lange deren durch eigene Schwere in tiefere Lagen geführte Massen fortgesetzt für neue Firnbildung reiches Material liefern, besteht meines Erachtens keine Gefahr für eine Austrocknung des Tian-Schan, von der man öfters lesen kann. Auf dieses interessante Thema und die mit ihm verknüpften Erscheinungen, vermag ich im Rahmen dieses Berichts nicht näher einzugehen.

Von allen großen Gletschern des zentralen Tian-Schan, die ich besucht habe, zeigt übrigens der Semenowgletscher in seinem ganzen Habitus noch verhältnismäßig am meisten Ähnlichkeit mit den großen Gletschern der europäischen Alpen. Nur in einem Punkte unterscheidet er sich wesentlich von ihnen: in bezug auf den großen Reichtum an Eisseen, über deren Entstehen und Vergehen ich mich im ausführlicheren Bericht äußern werde. Die meisten von ihnen haben trichterförmige Gestalt und sind in etwas unregelmäßiger Weise an beiden Ufern des Unter- und Mittellaufs angeordnet, doch zahlreicher am rechten Ufer. Manche haben bedeutende Ausdehnung (200—300 m) und bieten einen prachtvollen Anblick, wenn in ihren grünen oder blauen Fluten sich die Eisriesen der Gletscherumrandung spiegeln. Dieser Unterschied in der Färbung — die einen haben grünes, die andern blaues Wasser — ist eine höchst eigentümliche Erscheinung. Im Oberlauf der Gletschers finden sich keine Eisseen, aber in der rechten Ufermoräne zahlreiche, nicht unbedeutende Moränenseen eingebettet. Die Schneebedeckung beginnt im Mittellauf und wird im Oberlauf sehr mächtig. Den obersten, nordöstlichen Teil des Gletschers bildet ein in zwei Staffeln ansteigendes, sonst nur geringes Gefälle besitzendes, etwa 1½ Werst breites, ovales, muldenförmiges Firnbecken, ein Firnsee, der von der südlichen Umwallung des westlichen Bayumkolgletschers abgeschlossen wird. In diesem Walle, in welchem sich einige bis über 6000 m hohe, prachtvolle Eisgipfel erheben, ist eine tiefe, aus der obersten Firnmulde leicht erreichbare Depression eingeschnitten, die ich, weil sie am äußersten Schlusse des Semenowgletschers liegt, »Semenowpaß« nenne. Bei günstiger Beschaffenheit der Firndecke des Bayumkolgletschers, könnte man sich vielleicht durch diese Lücke einen Abstieg in letztgenanntes Tal bahnen. Die ganze Länge des Semenowgletscher vom Zungenende bis zu diesem Passe beträgt ca 30 Werst.

Die vom Gletscher transportierten Massen Gebirgsschuttes sind verhältnismäßig geringe: die Seitenmoränen sind zu Ufermoränen geworden, die Mittelmoränen — deren sind es bloß zwei — empfangen nur wenig Material, weil die großen Seitentäler, von denen eines bei einer durchschnittlichen Breite von 1 Werst eine ungefähre Länge von 10 Werst hat, zwar von großartigen Bergketten umwallt sind, deren prachtvolle Firn- und Eishüllen jedoch nur selten eine felsige Lücke zeigen. Im vorderen Teile der seitlichen Moränen überwiegen Granite und Kalke im allgemeinen die chloritischen Schiefer und Tonschiefer; doch findet sich Kalk überhaupt nur in der linken Ufermoräne, weil dort ein Ausstreichen der aus NO heranstreichenden Kalke stattfindet, die den rechten Uferwall nicht mehr erreichen. Die Mittelmoränen bestehen zunächst fast nur aus Graniten verschiedener Art, auch Pegmatit, Granitporphyr, Syenit mit etwas Tonschiefern; je mehr man sich jedoch dem Oberlauf des Gletschers nähert, desto mehr werden sie von letzeren, dann stark veränderten Kalken, Schiefern und weißen Marmoren, sowie Fragmenten von Diabas und diabasischen Schiefern verdrängt. Dies läßt darauf schließen, daß die innerste Umwallung nur aus dieser Gesteinsserie besteht. Die dichte Firnbedeckung verhindert dort jedoch jeglichen Einblick in die Lagerungsverhältnisse. Am rechten Ufer, wo allenfalls noch hier und da schneefreies Gehänge vorkommt, ist es stets aus einem Chaos von Blöcken gebildet.

Leider begünstigte auch im Sary-dschaß-Tal die Witterung unsere Arbeiten nur wenig, wenn sie auch nicht so sehr unbeständig als im Bayumkoltal war. Von einem Biwak etwa 15 Werst am Gletscher aufwärts, auf der rechten Ufermoräne (ca 3900 m) erstiegen Herr Pfann und ich mit dem Tiroler Kostner einen über dem Lagerplatz sich erhebenden, pyramidenförmigen Firngipfel (ca 4800 m). Von seinem Scheitel aus erschloß sich uns die ganze imposante Pracht des gewaltigen Eisfeldes und seiner gipfelreichen, völlig in Firn und Eis gehüllten Ketten, hinter welchen die noch darüber hinaufreichenden wundervollen Berge des Muschketow- und auch einige des Inyltschekgletschers sichtbar wurden, ein Stück Hochgebirge, dessen Gleichen nur an wenigen Punkten der Erde dem menschlichen Auge sich bieten dürfte. Die Gipfelpyramide des Khan-Tengri erblickte man im SSO weit hinter einer breiten Firnkuppe und umgeben von mehreren sich schneidenden Rücken, so daß wohl jetzt zur Genüge erwiesen war, daß der Khan-Tengri in keiner Verbindung mit dem Semenowgletscher stehe, ohne daß man jedoch, bei dem Mangel an jeglicher verlässiger topographischer Unterlage, zu sagen vermochte, aus welchem Tale er aufrage. Der Ausblick von unserem Gipfel nach N bot besondere Belehrung über die Gliederung des zwischen den Tälern Bayumkol, Karakol und Kapkak sich erstreckenden Gebirgskomplexes und den Verlauf der ihn zerteilenden Hochtäler, eine willkommene Ergänzung der von den Höhen des Bayumkoltals gemachten Beobachtungen. Mit knapper Not konnte alles durch photographische Aufnahmen festgehalten werden, als ein hereinbrechender Schneesturm den Beobachtungen ein Ende machte.

Fest entschlossen, das Rätsel der Lage des Khan-Tengri zu lösen, faßten wir schon für den folgenden Tag die Ersteigung des höchsten Gipfels in der Begrenzung des Semenowgletschers ins Auge. Es ist dies eine prachtvolle, von wilden Gletscherbrüchen umgebene, breite Firnkuppe, die etwa 25 Werst vom Zungenende des Gletschers in seiner nordöstlichen Umwallung aufragt; ihre Scheitelhöhe übersteigt 6000 m um einige 100 m. Ich benenne diesen wundervollen Berg, da er das ganze Bassin des Semenowgletschers beherrscht »Pik Semenow«, zur ewigen Erinnerung an die großen Verdienste des aktiven Präsidenten der Kais. Russ. Geographischen Gesellschaft um die Erforschung des Tian-Schan.

Wir verließen unser Hochlager kurz nach Mitternacht. Nur mit Schwierigkeit vermochten wir uns am rechten Ufer in der Nacht einen Weg durch das Randspaltensystem zu bahnen, das wegen der scharfen Umbiegung des Tales nach NO dort sehr kompliziert ist. Ich hatte das Mißgeschick, dabei in eine Spalte einzubrechen und mir den linken Fuß derart zu luxieren, daß ich, wenn ich auch für diesen Tag, ungeachtet einiger Behinderung noch marschfähig blieb, doch für die folgende Zeit genötigt wurde, mir Schonung aufzuerlegen und von der Teilnahme an anstrengenden Bergtouren ausgeschaltet blieb. Nach einem scharfen Marsche von ziemlich 12 Werst über hartgefrornem Firn, langten wir am Fuße der letzten Staffel an, über welche man Zutritt zum höchsten Firnbassin gewinnt; von hier sind es noch ungefähr 5 Werst bis zum »Semenowpaß«, dem extremsten Punkte. Von dieser Firnstaffel aus stiegen wir über stark zerklüftetes, steiles Firngehänge in annähernder

3 *

Ostrichtung empor und machten bei der wegen der frühen Morgenstunde (5 Uhr) günstigen Beschaffenheit des Firns gute Fortschritte. Wir gewannen rasch eine bedeutende Höhe. so daß uns die feste Hoffnung beseelte, den Scheitel des Riesenbergs erklimmen und von ihm aus endlich Sicherheit über die Stellung des Khan-Tengri und über die Verzweigung der höchsten Kämme erlangen zu können. Diese Hoffnung trieb uns rasch vorwärts. Als wir jedoch in immer höhere Regionen gelangten, etwa dem Niveau von 5000 m genähert. schwand allmählich der harte Firnboden unter den Füßen; die Bodendecke bildete jetzt Schnee, der mehr und mehr pulverige Beschaffenheit annahm.

Auf eine Ursache dieser Erscheinung habe ich schon (S. 11) hingewiesen. Der auf den extremen Höhen des Tian-Schan zum Niederschlag gelangende Schnee besitzt eigentümliche Kristallisationsform und ist pulverig trocken. Die Luftschichten dieser Höhen sind ungemein arm an Feuchtigkeit, bewirken aber in so geartetem Schnee keine nennenswerte Verdunstung. Auch unter dem Einfluß der Insolation kommt es bei beständiger Bewegung der oberen Luftschichten und ihrer niedrigen Temperatur auf diesen Höhen zu keinem Auftauen der Oberflächenschicht bei Tage und demgemäß auch zu keinem Gefrieren in Form einer Kruste bei Nacht. Höchstens finden solche Vorgänge, wenn auch nur in schwachem Maße. an den gegen S und W gerichteten Gehängen, an den Nord- und Osthängen in der Regel nicht. Dort machen im Gegenteil die starken Nachtfröste den Schnee nur noch trockner; dies verhindert ein Zusammenballen und man tritt metertief in das Schneemehl ein. Liegt der pulverige Schnee aber einer Schicht alten Schnees auf, die durch die erwähnten Prozesse an einzelnen, günstige Bedingungen hierfür bietenden Stellen eine eisige Oberfläche angenommen hat, oder durch den Druck der über ihr lagernden Schichten allmählich gefestigt wurde, dann ist die Gefahr groß, daß die lockere obere Schicht vom steilen Gehänge, wenn man sie betritt, sich loslöst und mit den auf ihr sich gerade befindlichen Menschen zur Tiefe gleitet; schon nach wenigen Tagen sollte sich dies bewahrheiten. Für uns lag während dieses Aufstiegs diese Gefahr so nahe nicht; allein wir sanken bei jedem Schritte bis zum Oberkörper ein und konnten keine festen Stufen mehr austreten. Alle Versuche, durch Wechsel der Anstiegsrichtung in eine Zone besser tragenden Schnees zu gelangen, schlugen fehl. Um jedem bei so anstrengender Arbeit etwas Zeit zur Erholung zu geben, wurde mit dem Vortreten alle zehn Minuten gewechselt, allein die Kräfte der drei Bergsteiger erlahmten dennoch allmählich und ungeachtet heroischer Anstrengungen machten wir keine nennenswerten Fortschritte mehr. Über 1000 m absoluter Höhe wären noch zu überwinden gewesen, wenn man den Neigungswinkel des Gehänges und die Krümmungen der Wegrichtung berücksichtigt, eine Bahn von mehr als 1500 m. Selbst falls unsere Kräfte hierzu ausgereicht hätten — in den obersten, stark verdünnten Luftschichten bei solchem Schnee undenkbar — wäre es bis zur Erreichung des Gipfels Abend geworden. Und wie leicht konnte die Witterung umschlagen, so daß wir, oben angelangt. doch nichts mehr hätten beobachten können! Das Unternehmen mußte daher als hoffnungslos abgebrochen werden. Ganz nutzlos war es nicht: der Ausblick von der gewonnenen Höhe bot mancherlei neue Belehrung.

Der Zustand meines Fußes nötigte mich zur Umkehr ins Hauptlager. An meine Stelle trat Herr Keidel und einer der Narynkoler Kosaken wurde hierzu befohlen, um den großen photographischen Apparat zu tragen. Die Gesellschaft erstieg nun zunächst zum Zwecke photographischer Aufnahmen und um Orientierung für die ferneren Unternehmungen zu gewinnen einen 4600 m hohen Gipfel am Südrand des Semenowgletschers. Von dort aus wählte Herr Pfann als nächstes Ziel einen Berg aus, der am Südrand des benachbarten, parallel mit dem Semenowgletscher ziehenden Muschketowgletschers sich erhebt, in der — erst ein Jahr später als richtig erwiesenen — Annahme, daß von seinem Scheitel aus unbedingt Einblick in das Tal gewonnen werden müsse, aus welchem man die Pyramide des Khan-Tengri stets aufragen sah. Da die Flanke des Berges, über welche der Anstieg führen sollte, nicht sehr steil, überdies der Westseite zugekehrt ist, waren alle Voraussetzungen für ein erfolgreiches Unternehmen vorhanden.

Die vierköpfige Gesellschaft verließ um Mitternacht ein am linken Ufer des Semenowgletschers, bei der Einmündung eines breiten, flachen Nebengletschers gelegenes Biwak (4100 m), durchschritt das Tal des Nebengletschers seiner etwa 8 Werst betragenden Länge nach und erreichte noch in der Nacht den Fuß eines breiten, niederen, von stumpfen Firnkuppen gekrönten Rückens, welcher den obersten Teil des Muschketowgletschers (später mehr hiervon) vom Semenowbassin trennt. Eine tiefe Depression (ca 4400 m) in diesem Walle, die ich zu Ehren des unvergeßlichen Gelehrten »Muschketowpaß« benenne, wurde überstiegen. Da die Sohle des Muschketowgletschers dort ungefähr 150 m höher, als die des Semenowgletschers liegt, verlor man nur wenig an Höhe, um sie im Abstieg zu erreichen; sie wurde ihrer dort ca 2½ Werst betragenden Breite nach gequert, so daß man bei Tagesanbruch am anderen Ufer den Fuß des zu ersteigenden gänzlich überfirnten Berges erreichte, dessen Scheitelhöhe ungefähr 5300 m mißt. Über einen nach W ausgreifenden Firnrücken erreichte man die Schulter des Berges und begann den Aufstieg an der Westflanke des eigentlichen Gipfelbaues. Alles ging gut; der Schnee hielt fest unter den Füßen der Wanderer, welche gemeinschaftlich durch ein starkes Bergseil verbunden waren. Gegen 11 Uhr vormittags befand sich die Gesellschaft nur mehr 100—120 m unter der Scheitelhöhe des Berges. Da vernahm man plötzlich ein Krachen; die einer gefestigten Schneeschicht nur locker aufliegende obere Schneedecke hatte sich gespalten; sie wich und glitt mitsamt den vier Bergsteigern zur Tiefe. Alle schienen verloren, als glücklicherweise eine etwa 200 m tiefer, aus dem Gehänge heraustretende kleine Firnstufe den weiteren Lauf hemmte. Sämtliche vier Personen konnten sich unbeschädigt aus den Schneemassen herausarbeiten und nichts war zu beklagen, als der Verlust einiger Hüte und Eisäxte, die nicht mehr gefunden werden konnten. Der Kosak war gelähmt vor Schreck, seiner Sinne nicht mehr mächtig. Die anderen drei waren untröstlich über das Fehlschlagen des Unternehmens, das nach Herrn Pfanns Überzeugung zur Entdeckung der Lage des Khan-Tengri geführt hätte. Erst ein Jahr später stellte es sich heraus, daß er Recht hatte. So nahe am ersehnten Ziele mußte man Schiffbruch erleiden.

Für mich ergab sich nun aus allen bisherigen Erfahrungen die Lehre, daß in den Hochregionen des Tian-Schan der Schnee nur unter ganz ausnahmsweise günstigen Bedingungen vielleicht jene Konsistenz gewinnen kann, welche die Ersteigung von über 5000 m hinaufragenden Gipfeln ermöglicht, wenn nicht etwa der Aufstieg auf Felsterrain durchgeführt zu werden vermag. Allein die hohen Felskämme sind meistens ungemein steil und, wie durch weitere Erfahrungen erwiesen wurde, infolge des Einflusses außerordentlich großer thermaler Gegensätze so stark verwittert, daß ihrer Erkletterung sich häufig unüberwindliche Hindernisse entgegen stellen. Aufstiegsrichtungen durch felsige Rinnen müssen wegen der großen Gefahr des Steinfalls vermieden werden. Somit bieten nur sehr wenige der hohen Tian-Schan-Gipfel dem Alpinisten Aussicht auf Erfolg. Dies beherzigend sah ich im weiteren Verlauf der Expedition von schwierigen alpinen Unternehmungen ganz ab und bestieg fortan nur solche Berge, die ihrer Lage nach als vorzügliche Aussichtswarten für den Einblick in den Bau des Gebirges gelten konnten und deren Ersteigung für geübte Alpinisten nicht mit Gefahr verbunden schien. Inzwischen war wieder eine Periode ungünstiger Witterung hereingebrochen: tägliche Schneefälle behinderten alle Tätigkeit, was mich veranlaßte, den Semenowgletscher zu verlassen, dessen genaue Vermessung durch Triangulation erst im folgenden Jahre von uns durchgeführt wurde. Da

es sich herausgestellt hatte, daß der Khan-Tengri auch nicht im Bassin des Muschketow-
gletschers steht, beschloß ich, sogleich in das nächste große Paralleltal, in das Inyltschektal,
einzudringen und ihn dort zu suchen.

In das Inyltschektal und weiter südlich.

Wir wanderten etwa 35 Werst im Sary-dschaß-Tal abwärts. Es verliert schon bald
landschaftlich an Interesse. Die rechte Uferkette zeigt, aus den schon hervorgehobenen
Ursachen, stumpfe Kämme, von nur wenigen, hochgelegenen Taleinschnitten durchbrochen,
keine Gletscher. Das linke Ufer bewahrt noch einige Zeit Hochgebirgscharakter; es wird
durch gletscherbergende Quertäler in Schollen zerlegt. Diese aus den Lücken vorbrechenden schuttfreien Gletscher und der blinkende Firn der sie umragenden Gipfel bilden einen
schönen Gegensatz zu dem tiefen Grün des mit Alpenmatten bedeckten Talbodens und Gehänges. Das bedeutendste dieser Quertäler ist das Adür-tör-Tal, das oberhalb seiner Mündung gleich energisch nach O sich wendend, annähernd parallel dem Semenowgletschertal
zieht und diesem an Länge, Breite und Gletscherreichtum fast ebenbürtig ist, an Höhe und
Pracht seiner Berge es sogar übertrifft; seinen Oberlauf füllt ein Gletscher, den Ignatiew
»Muschketowgletscher« benannte (hiervon später mehr).

Die weiten, grünen Gefilde des Sary-dschaß — durchschnittliche Talbreite 1½ Werst,
jedoch Erweiterungen bis zu 3 Werst — mit dem Charakter der baum- und strauchlosen
Hochsteppe, tragen sanfte, gerundete Formen zur Schau, Folge der die Talwände umhüllenden alten Moränenablagerungen; solche Wälle (Ufermoränen) begleiten links, gut erhalten
in zwei Stufen, streckenweise den Oberlauf des Tales; am rechten Ufer findet man sogar
auf den plateauförmigen Kämmen der Umrandung noch Moränenschutt und erratische Blöcke,
und bemerkte an beiden Ufern häufig Gletscherschliffe hoch an den Felswänden. Den Talboden füllt alte Grundmoräne; sumpfige Wiesen mit kleinen Seen, den Relikten der die
beckenförmigen Weitungen ehemals füllenden, durch Endmoränen abgedämmt gewesenen
großen Seen. Die Entstehung von einigen dieser Weitungen durch seitliche Erosion des
Flusses läßt sich erkennen; eine andere, oberhalb des Adür-tör-Tals, ist einer Art Scharung
zu verdanken, einem Auseinandertreten der Ketten, infolge plötzlicher Änderung der
Streichrichtung; die Erscheinung dürfte im Zusammenhang mit den schon erwähnten (S. 15),
in den Seitentälern beobachteten Verwerfungen und Brüchen stehen. Bei der über 1 Werst
breiten Mündung des Adür-tör-Tals sinken der Granit und die ihn in großer Mächtigkeit
begleitenden Phyllite ab. Die Kalke der linken Uferkette des Adür-tör-Tals streichen
heraus und bilden fernerhin im Sary-dschaß die südliche Umwallung in schon bald ab-
flachenden Rücken, hinter welchen das prächtig vergletscherte Hochgebirge des Kulu-Tau
mit einem kapartig herausspringenden, überaus kühn geformten Berge auftaucht. Die Schiefer
und Marmore, am rechten Ufer in Schollen vorhanden, fehlen am linken.

Aus einer breiten Lücke des niederen Kalkzugs am linken Ufer fließt ca 10 Werst
unterhalb der Adür-tör-Mündung dem Sary-dschaß der wasserreiche Tüs-aschu-Bach zu,
der ein vielverzweigtes Talgebiet entwässert; in den Karten ist es nicht berücksichtigt.
Diese Talgruppe liegt in einem nach NW abdachenden Gebirgskomplex, eingeschlossen
zwischen der das linke Ufer des Adür-tör-Tals bildenden hohen Kette, die nach NW
streicht und der nach SW streichenden, das rechte Ufer des Inyltschektals bildenden Kette.
In dem flachen Winkel, der durch das kräftige Auseinandertreten der beiden Ketten ent-

steht, liegt plateauförmig ein ausgedehntes, sanft geneigtes Firngebiet, in den beiden divergierenden Ketten zu flach zeltförmigen Firngipfeln anschwellend. Aus den Lücken dieser
einen weiten Kranz bildenden Erhebungen ziehen flache, muldenförmige, mit Firn gefüllte
Talfurchen herab, in radialem Verlauf die ganz allmählich gegen das Sary-dschaß-Tal abdachende, breite Landscholle zerlegend. Durch einen hohen, von der Erosion verschont
gebliebenen Plateaurücken (Tur) wird das ganze Talsystem in zwei Gruppen gegliedert;
das der Kusgun-ja-Täler, von denen später die Rede sein wird, und das der Tüs-aschu-
Täler. Kongul-dschol, Atschik-tasch, Mai-bulak, Tüs-aschu I und II sind die Namen der
hauptsächlichen, radial zusammenfließenden und in einem gleichfalls Tüs-aschu genannten
Hauptbach sich vereinenden Quelltäler (Tüs-aschu bedeutet Verzweigung eines flachen
Ortes). Die in den weiten flachen Hochmulden der Quelltäler liegenden Firnfelder sind
jetzt durch Rippen beträchtlicher Mengen Moränenschutts voneinander getrennt; nur zwei
von ihnen zeigen noch ansehnliche Gletscherzungen, die jedoch auch schon bald auf Grundmoränenschutt flach auslaufen. Der ganzen Anordnung nach fällt es sofort in die Augen,
daß alles, was hier von jetzt isolierten Firnfeldern vorhanden, nur die Reste einer einst
zusammenhängenden, sehr ausgedehnten Firndecke sind. Ein großer Gletscher hat sich
ehedem aus diesen Firnmassen entwickelt, die tiefer gelegenen Teile des Landstrichs überflutet und sich mit dem früheren gewaltigen Sary-dschaß-Gletscher vereint. Das ganze
weite Tüs-aschu-Gebiet, das zu den bevorzugten Weideplätzen der Kirgisen gehört, stellt
eine großartige Moränenlandschaft dar, wie man sie typischer selten irgendwo zu sehen
bekommt; auch die Felswände sind hoch hinauf vom Eise abgeschliffen. Ich konnte später
von hochgelegenen Standpunkten aus feststellen, daß der große Gletscher, dem sie zu
danken ist, aus der Vereinigung der Eismassen der südlichen Randkette des Muschketow-
gletschers und der nördlichen Uferkette des Inyltschekgletschers sich gebildet hatte. In der
trogförmigen Senkung des Tüs-aschu-Gebiets sind die Gebirge in Moränenschutt — jetzt
mit sumpfigen Alpenwiesen bedeckt — förmlich begraben, so daß nur an wenigen Stellen
das Gestein zutage tritt: Kalk, in enge, nach N verlaufende Falten gelegt, Granit, phyllitische
Schiefer.

Da die nördliche Uferkette des Inyltschektals gerade hier eine starke Absenkung er-
leidet, während die südliche in der gleichen Meridianlinie zu einer ihrer gewaltigsten Erhebungen anschwillt, einem der imposantesten Berge des gesamten Tian-Schan, so erhält
man, wenn man im unteren Boden des Tüs-aschu-Tals und nach S gewendet die breite,
sanft ansteigende Talmulde hinaufsieht, den täuschenden Eindruck, das langgestreckte Firn-
feld am Talschluß — da sich sein oberer Rand auf diese projiziert — ziehe direkt zu
den wilden Eisabsturzwänden des ungeheuren Inyltschekgipfels hin. Was dazwischen liegt,
bleibt dem Auge des Beschauers verborgen. Offenbar hat dieser Eindruck auch Professor
Krassnow getäuscht, als er, noch dazu bei schlechtem Wetter, ein Stück weit in das von
ihm Tesnük-Basü genannte Tüs-aschu-Tal eindrang. Er schreibt (Sapiski K. R. G. G. Tom
XIX, 1888, S. 89): »Der dritte Gletscher, der von Ignatiew gar nicht erwähnt wird und
der selbst in seiner Karte fehlt, ist der am Fuße des Tesnük-Basü, des nach dem Khan-
Tengri höchsten Pikes, gelegene Gletscher gleichen Namens. Dieser Gletscher tritt mit
seinen Firnfeldern mit denen der Inyltschek-Gletschergruppe augenscheinlich zusammen. Das
Tal des Flusses Tesnük-Basü, des zweiten linken Zuflusses des Sary-dschaß, verfolgte ich
bis zu den Endmoränen dieses Gletschers, der augenscheinlich dem Muschketowgletscher
nur wenig nachstand. Zu meinem Bedauern wurde ich durch das Unwetter verhindert usw.«

In dem Scheidewall zwischen Tüs-aschu und Inyltschek ist ein vergletscherter Paß
(ca 4050 m) eingetieft, den ich als den kürzesten Zugang zum Inyltschektal mit der Karawane überschritt, nicht ohne Schwierigkeit. Ich nenne ihn »Tüs-aschu-Paß«. Man bewegt

sich beim Aufstieg zum Passe zwischen ostnordöstlich streichenden Kalken und Kalkschiefern, die in der Nähe des Passes nach N überschobene Falten bilden, an deren Rand Granit sich erhebt. Infolge der engen Berührung mit dem Granit ist von dem großen Fossilienreichtum dieser karbonischen Kalke nur sehr wenig erhalten; immerhin gelang es bei später wiederholter Überschreitung des Passes einiges Bestimmbares zu sammeln. Auf der Südseite des Passes sind die Kalke rot gebrannt, gefrittet und stark zerrüttet; Konglomerate und Reibungsbreccien finden sich vor, den Durchbruch von Eruptivgesteinen verkündend, deren Ausbruchsstelle ich erst später auf der Nordostseite des Passes, im nahen Kusgun-ja-Tal auffand.

Als Umrandung des torartigen Paßeinschnitts ragen hunderte obeliskförmiger Kalkklippen empor, in welche das wunderliche Spiel der Erosion diese Massen zerlegt hat. Wendet man sich aus dieser eigenartigen Umgebung nach S und O, erblickt man ca 1000 m tiefer den geröllbedeckten Boden der breiten Furche des Inyltschektals, umwallt von vielgipfeligen, überfirnten Hochgebirgen, deren Kammlinie im Mittel 2500 m über der Sohle liegt, und sieht ein um eine Stufe höher liegendes, außerordentlich ausgedehntes Eisfeld in gleicher Umwallung weit gegen O ziehen. Mag das Auge des Beschauers auch durch den Anblick der höchsten Anschwellungen unserer Erdoberfläche, wie Himalaja, Karakorum usw. an gewaltige Verhältnisse gewöhnt sein, so wird die erste Erscheinung der ungemein steil abfallenden südlichen Randkette des Inyltschektals dennoch den Eindruck des Erstaunens und der Bewunderung hervorrufen. Die großartigste Erhebung des Tian-Schan entfaltet sich hier: eine Riesenkette der schroffsten und wildesten Firngipfel in den mannigfaltigsten Formen, welche gipfelbildende Kräfte je ausgemeißelt haben, sieht man in einer Länge von ca 75 Werst sich nach O dehnen, eines der großartigsten Hochgebirgsbilder der Erde. In dieser stolzen Phalanx ist ein gegenüber dem Passe sich erhebender Berg, derselbe, den man, wie früher erwähnt, auch aus dem Tüs-aschu-Tal schon zum Teil sehen kann, der herrlichste. Es ist schwer, sich eine zutreffende Vorstellung von dem weit ausgreifenden, gewaltigen Bau dieses Berges, von der Wildheit seiner vielfach gebrochenen Kämme, der Pracht seiner mit tausendfältigen Brüchen geschmückten, mannigfach gegliedert herabhängenden Gletscher zu machen. Ich stehe nicht an, diesen etwa 6500 m hohen, wundervollen Berg als den schönsten im Tian-Schan zu bezeichnen, für den ein geeigneter Name gefunden werden sollte. Erst in der mittleren Kammhöhe (5500 m) dieser ostnordöstlich streichenden Kette und nicht, wie man bisher annahm, in der Südkette des Semenowgletschers erreicht der zentrale Tian-Schan seine höchste Kammanschwellung. Von hier aus findet (siehe S. 15) nach S hin allmähliche Abdachung statt. Die höchste Erhebung des Tian-Schan jedoch, den Khan-Tengri, erblickte ich wider Erwarten auch in dieser Kette nicht und die Frage, wo seine Basis liege, wurde immer rätselhafter.

Der Inyltschekgletscher macht vom Passe gesehen schon gewaltigen Eindruck, wiewohl sein unterer Teil, auf viele Werst weit gänzlich mit Schutt bedeckt, keinem Eisfeld gleicht und obgleich wegen der Achsenkrümmung des Tales sein Verlauf nicht ganz überblickt werden kann. Dennoch fiel uns allen sofort auf, daß die Schätzung Ignatiews (12 Werst Länge) um vieles hinter der Wirklichkeit zurück bleibt. Freilich die ganze ungeheure Ausdehnung des Eisstroms klärten erst die Forschungen des folgenden Jahres auf. Die Sohle des Tales hat äußerst geringes Gefälle und ist in seinem ganzen Oberlauf ein durchschnittlich 1½ Werst breiter, durch Aufschüttung gänzlich eingeebneter, wüster Geröllboden, in welchem der mächtige Strom sich vielfach unregelmäßig verzweigt; ungeachtet dieser Teilung ist seine Überschreitung schwierig, da auch die einzelnen Arme noch tiefe Betten von ansehnlicher Breite besitzen, wasserreich und reißend sind; wo sich diese Fluten, wie auf einzelnen Strecken des Mittellaufs zu einem Arme vereinen, ist die Überschreitung nur in den frühen Morgenstunden möglich. Da ich das Tal im folgenden Jahre von seiner Mün-

dung in den Sary-dschaß aufwärts bis zum Tüs-aschu-Paß durchwanderte und über die
dabei gemachten Wahrnehmungen im späteren Teile dieses Berichts mich äußern werde,
so beschränke ich mich für jetzt darauf, wenige der physischen Züge des Oberlaufs hervorzuheben.

Beckenartige Weitungen bis zu 3 Werst Breite kommen auch hier vor; eine solche,
etwa 20 Werst vom Gletscherzungenende abwärts, wird durch eine niedere Gruppe von
Kalkschieferklippen abgeschlossen, einer Barre, die auf eine Länge von 1½ Werst sich quer
über die hier ca 2½ Werst breite Talsohle legt, so daß den Gewässern des Flusses nur
eine Öffnung von ca 150 m zum Durchgang bleibt. Auf den außerordentlich zerstörten
und zersetzten Klippen dieser alten Barre liegen noch Reste der alten Grundmoräne. Die
alten Moränenablagerungen erreichen überhaupt auch in diesem Tale eine außerordentliche
Ausbreitung. Beim Abstieg vom Tüs-aschu-Paß stößt man auf sie schon etwa 300 m unter
der Paßhöhe, also 6—700 m über der Talsohle und in gleichem Verhältnis im Laufe
des Tales abwärts. Dementsprechend liegen auch die Mündungen fast sämtlicher Quertäler,
deren es übrigens im ganzen Mittel- und Unterlauf dieses langgedehnten Tales nur ganz
wenige gibt, sehr hoch über der heutigen Talsohle. Nach dem Rückzug der Seitengletscher
in der Postglazialzeit hat offenbar die Erosion dort, infolge des sich rasch ändernden Klimas
keine kräftige Wirkung mehr ausgeübt, wie ich dies schon an anderen Beispielen (S. 12
und 16) gezeigt habe. Auch im Inyltschektal ist, ähnlich wie in den anderen großen
Längstälern und aus gleichen Ursachen, von denen schon die Rede war, der Hochgebirgscharakter, wenigstens im eisfreien Teile des Tales, überwiegend der südlichen Umwallung
vorbehalten.

Die Vegetation ist im Oberlauf, mit Ausnahme einer Schuttflora, aus dem Talboden
verbannt und auf die beiderseitigen Gehänge beschränkt, doch äußert sich hier ein sehr
scharfer Gegensatz. Das nach S gekehrte Gehänge des rechten Ufers ist baum- und strauch-
los und in den tiefen Lagen nur von einer dürftigen, dünnen Grasnarbe bedeckt, die nur
an einzelnen, infolge der Gliederung des Abhangs vor scharfer Insolation geschützten Stellen,
den Charakter von Wiesen annimmt. Das nach N gerichtete Gehänge des linken Ufers
hingegen trägt den Schmuck schöner Alpenwiesen und im Gegensatz zum waldlosen Sary-
dschaß-Tal, sogar ziemlich dichte Bestände von Fichten, was um so merkwürdiger ist, als
das Inyltschektal bei gleicher Streichrichtung, wie das Sary-dschaß-Tal, doch wesentlich
südlicher liegt und nach meinen meteorologischen Aufzeichnungen sich durch größere
Trockenheit der Luft auszeichnet, als letzteres, während anderseits im Sary-dschaß-Tal sogar nach S-gerichtetes Gehänge mit schönen Alpenwiesen bedeckt ist, die den gleich exponierten Lagen des Inyltschektals fehlen. Dagegen ist hier überall, wo alter Moränenschutt erhalten ist, oder wo von den steilfelsigen Talwänden der linken Uferkette nur ein
wenig Gebirgsschutt herunter kam und in Kegeln am Fuße der Wände abgelagert wurde,
oder auf Bändern und Terrassen liegt, Fichtenwald zu finden. Die Bodenbeschaffenheit vermag den Widerspruch dieses Verhältnisses nicht zu erklären, da das gebirgsbauende Material
in beiden Tälern so ziemlich den gleichen Bestand aufweist. Auf der gleichen Uferseite erstreckt sich auch ein grüner Gürtel am Fuße der Bergwände in das Gletschereis auf eine
Länge von ungefähr 18 Werst hinein; kurzes Alpengras, reiche Alpenflora und außer anderem
Buschwerk waldartig dicht auftretende Caraganasträucher setzen diese in die Region der
Erstarrung hineinragende freundliche Zone zusammen, die an altem Ufermoränenschotter
gebunden ist.

Merkwürdigerweise auf die gleiche Länge (ca 18 Werst) ist der Gletscher in seiner
ganzen, ca 3 Werst betragenden Breite von einem Gebirge von Moränenschutt und großen
Blöcken bedeckt, dessen Mächtigkeit mindestens 100 m beträgt; es ist durch atmosphärische

Einflüsse, sowie durch Erosion von Gewässern und durch die Gletscherbewegung in Ketten, Gipfel der verschiedenartigsten Form, Täler, Mulden, Kessel usw., kurz in alle Formen eines wirklichen Gebirges zerlegt. Das Material hierzu haben zum großen Teile die am Unterlauf des Eisstroms bis zu beträchtlicher Höhe eisfreien Abhänge der Talketten und ihre schlucht-artigen Seitentäler geliefert, da die Zerstörung des Gesteins, infolge der in diesem weit nach S vorgeschobenen Tale außerordentlich starken thermalen Gegensätze, ungemein weit vorgeschritten ist und das gebirgsbildende Material, hier vorzugsweise Schiefer, nur geringen Widerstand leistet. Dennoch hätten die klimatischen Einflüsse allein keine so starke Wirkung hervorrufen können, wenn ihnen nicht die unglaubliche Zerrüttung des Gebirgs-baues zu Hilfe gekommen wäre. Wir befinden uns hier im Gebiet der stärksten und mannigfaltigsten Dislokationen, die an beiden den Unterlauf des Gletschers begleitenden Talwänden vielfach aufgeschlossen erscheinen.

Daß die Bodenbewegungen übrigens in diesem Gebiet bis heute noch nicht zum Ab-schluß gekommen sind, bewies ein Erdbeben am Morgen des 22. August 1902, das etwa 1/2 Minute währte und sich in dreien, von unten nach oben wirkenden, sehr heftigen Stößen äußerte. Ein unvergeßliches, furchtbares Schauspiel war es, als sich in unmittel-barer Folge der Erschütterung von den schroffen Hängegletschern des beschriebenen, groß-artigen Berges, an dessen Fuß das Hauptlager errichtet war, kolossale Eismassen ablösten und mit unbeschreiblichem Getöse in die Schluchten des ungeheuren Felsgerüsts hinabfielen, von wo sodann Schnee- und Eisstaub wieder in mächtigen Säulen bis zur Höhe der Firn-kämme des gewaltigen Berges emporstieg.

Das auf der Eisdecke aufgetürmte Schuttgebirge ist so lückenlos, daß nur an den Rändern Eis zutage tritt, und die Gletscherzunge, die übrigens tiefer hinabreicht, als die des Semenowgletschers, wird daher ungeachtet ihres Hineinragens in ein südliches Klima, vor Abschmelzung geschützt. Da die Schmelzwasser gezwungen sind, sich unter der Schutt-decke einen unterirdischen Ablauf zu suchen, so spülen sie anfängliche Spalten am Gletscher-ende zu Höhlen aus, in welchen sie sich sammeln; bei Eintritt der wärmeren Jahreszeit mögen die eingeschlossenen Gewässer ihr Gefängnis sprengen und mit katastrophischer Ge-walt sich in die Ebene entleeren, mächtige Eismassen mit sich reißend. Ich habe noch gegen Ende August 1902 in dem einer so kräftigen Insolation ausgesetzten Geröllboden des Inyltschektals, bis zu 2¼ Werst vom Gletscherende entfernt, eine Anzahl haushoher Eis-blöcke angetroffen, eine Erscheinung, für welche ich keine andere, als obige Erklärung wüßte.

Als Niveau des Zungenendes wurde beim Besuch des Gletschers in zwei aufeinander folgenden Jahren der Wert von ca 3200 m ermittelt. Für neuerlichen Rückzug des Eisstroms fanden sich keinerlei Anzeichen; seine ungeheure Ausdehnung, das geringe Gefälle — nur ca 26 m pro Werst —, die im Unterlauf geschlossene Schuttbedeckung, die übrigens auch im Zusammenhang mit dem geringen Gefälle steht, erklären zur Genüge seine Stabilität.

Dieses Schuttgebirge macht die Begehung des unteren Gletscherteils zu einer äußerst mühsamen und langwierigen; man kann im Laufe eines Tages nur wenige Werst weit kommen. Auf diesen Umstand nicht gefaßt, und nach allen bisherigen Nachrichten über den Gletscher so gewaltige Größenverhältnisse nicht erwartend, zudem in Unkenntnis dar-über gelassen, daß das Tal zu dieser Jahreszeit nicht einmal von nomadisierenden Kirgisen besucht wird, hatte ich nicht so bedeutende Vorräte mitgenommen, als zur Ernährung meiner Truppe auf acht bis zehn Tage — das Minimum der nötigen Zeit, um auf dem Gletscher mit Erfolg arbeiten zu können — ausgereicht hätten. Auch die Zahl der Träger war zu solchem Unternehmen ungenügend, und selbst diese Leute versagten im entscheiden-den Augenblick den Dienst und brachen in Meuterei gegen mich aus. Unter solchen Um-ständen mußte ich mich für dieses Mal auf einen kurzen Vorstoß in die Eisregion beschränken.

Die Expedition teilte sich: Herr Keidel reiste mit einigen Leuten das Tal abwärts, um einen Überblick auf dessen geologischen Bau zu gewinnen, und um einige Orientierung über die dortigen Verhältnisse zu erhalten, drang er in das zunächst gegen S folgende, große, parallele Längstal, das Kaündütal, ein, das noch gänzlich unbekannt, ja nicht einmal in den Karten zu finden ist. Da ich dieses Tal und ein noch weiter südlich ziehendes im folgenden Jahre genauer durchforschte, finden sich Mitteilungen hierüber erst im späteren Teile dieses Berichts.

Herr Pfann und ich überschritten in mühseliger Weise das Schuttgebirge des Gletschers und kamen nur langsam vorwärts. Als wir etwa 3 Werst zurückgelegt hatten, sahen wir hinter den Schuttmassen eine hohe, breitmassige, dunkle, mit Firn gekrönte Felswand auftauchen, die weit hinten, wo das Eis schon schuttfrei ist, das breite Eistal in zwei Äste spaltet. Noch ein kurzes Stück höher hinan, und es erschien, noch viel weiter zurück, seitwärts von der dunklen Masse, hart an ihrer Nordseite, eine schlanke, helle Pyramide, hoch in die Lüfte ragend. Wir erkannten sie sofort als den Gipfel des Khan-Tengri. Infolge eigenartiger Krümmung der Talachse und des Gebirgszugs, zu welchem offenbar die dunkle Wand gehört, verschiebt sich das interessante Bild für das Auge derart, daß man im Unklaren über die Anordnung der Gebirgszüge und über die Lage der Lücke bleibt, aus welcher die Gipfelpyramide sich erhebt; nach einigen hundert Schritten schon sieht man diese überhaupt nicht mehr. Immerhin lag große Wahrscheinlichkeit vor, daß der Gipfel irgendwo im Inyltschektal oder in einem irgendwie mit ihm verknüpften Tale stehen müsse. Wir beschlossen daher, um bessere Kenntnis dieser Verhältnisse zu gewinnen, gegen das linke Ufer hinüber zu streben, dort am Rande des Gletschers zu biwakieren und einen in der Randkette aufragenden, hohen Gipfel zu ersteigen. Von solcher Höhe aus, hofften wir Klarheit über den Verlauf der Talketten und über die Lage des Khan-Tengri zu erhalten, sowie telephotographische Aufnahmen hiervon machen zu können, da die Ungunst der erwähnten Umstände für diesmal weiteres Eindringen in das geheimnisvolle Eisgebiet verbot. Ich überließ indes die Bewältigung dieser Aufgabe Herrn Pfann und wandte mich der Untersuchung der komplizierten Störungen im Bau des Gebirges zu, die besonders an den Steilwänden auf der rechten Talseite in schönen Aufschlüssen beobachtet werden können.

Die außerordentliche Brüchigkeit der den Felskamm des fraglichen Berges bildenden Schiefer und die trügerische Beschaffenheit des Hochschnees verhinderten Herrn Pfann jedoch den Gipfel zu erreichen. Auch trat schon während des Aufstiegs Trübung der Atmosphäre ein, so daß vom Gebirge überhaupt nicht mehr viel zu sehen war. Eine starke atmosphärische Depression war hereingebrochen. Schneefälle kündeten sich an. Zu meinem schmerzlichen Bedauern mußte ich das so wenig erforschte Tal, ohne viel davon gesehen zu haben, nun in aller Eile verlassen, wenn mir der Rückzug über den Paß nicht durch Schnee verlegt werden sollte. Erst im folgenden Jahre, als ich besser vorbereitet dahin zurückkehrte, hatte ich das Glück, die Geheimnisse seines Baues zu enträtseln, worüber sich im späteren Teile dieses Berichts Näheres findet.

Nur auf eine besondere Erscheinung in den klimatischen Verhältnissen des Tales möchte ich schon jetzt hinweisen. Mit Regelmäßigkeit erhoben sich während meines fünftägigen Aufenthalts im Tale in den späten Nachmittagsstunden wirbelnde Luftströmungen, welche Staubteilchen des Bodens in bedeutender Menge zu großer Höhe trugen und sie auf Gesimsen und kleinen Terrassen in der Umrandung des Gletschers als Löß niederschlugen. Man kann mächtige Bänke dieser äolischen Niederschläge besonders an der linken Uferwand des Gletschers beobachten.

Vom Kapkaktal zum Großen Musarttal.

Auf dem Rückweg aus dem Tüs-aschu-Tal in das Sary-dschaß-Tal verließen Herr Pfann und ich die Karawane und erstiegen den früher erwähnten Scheiderücken zwischen den Talgruppen Kusgun-ja und Tüs-aschu, das Hochplateau Tur (ca 3750 m). Wir sahen dort die Gipfelpyramide des Khan-Tengri weit mehr aus den sie umgebenden Ketten herausragen, als von irgend einem der bisher besuchten, wenn auch weit höheren Standpunkte. Die Ketten verschieben sich indes, von dort gesehen, in ganz besonderer Weise und zwar so, daß man den Eindruck empfängt, es erhöbe sich der Khan-Tengri am Schlusse eines Tales, das seinen Lauf nach NO gegen den Musartpaß, oder noch weiter, etwas gegen S von diesem hin nehme, an seinem Ursprung jedoch mit dem des Inyltschektals zusammen zu stoßen scheint. Das Gesehene wurde skizziert und photographiert, wobei so viel Zeit verloren ging, daß wir unseren Forschungseifer mit einem Freilager ohne Schutz und ohne Proviant zu büßen hatten und die Karawane erst am folgenden Tage nach Überschreitung des Kapkakpasses (ca 3700 m) im gleichnamigen Tale einholten.

Dieses südnördlich gerichtete, ca 65 Werst lange Tal gehört zu den bedeutendsten Nebentälern des Tekes-Oberlaufs. Der Kapkakpaß liegt in einer vierfachen Talverzweigung, da hier, infolge einer Verwerfung, die Ketten weit auseinander treten. Aus diesem Grunde hat der Kapkakfluß mit seinen bedeutenden, weit ausgreifenden Nebentälern ein sehr ausgedehntes Gebiet zu entwässern. Die Durchschreitung dieses reizenden Alpentals gehört zu den genußreichsten Wanderungen im Tian-Schan. Alle Elemente, die zur Bildung eines malerischen Hochalpentals gehören, sind hier im reichsten Maße vertreten. Die Fichtenwälder sind prächtig und enthalten Bäume von riesenhaftem Wuchse, die Entwicklung der . Alpenflora ist neben der des Mukur-Mutu-Tals die reichste und üppigste, welche ich im Tian-Schan gesehen habe, und der Wachstum des Alpengrases erstaunlich. Phyllit, Granit, Sandstein, Kalke, zum Teil fossilienführende und Kalkschiefer bilden den geologischen Bau, der Ähnlichkeit mit dem des Bayumkoltals hat, jedoch infolge hier auftretender Störungen mancherlei besonderes Interesse bietet.

Für das Studium der späten Schicksale vieler Tian-Schan-Täler bietet das Kapkaktal, besonders in seinem Unterlauf typische Verhältnisse. Wiewohl es an seinem Schlusse jetzt nur mehr ganz unbedeutende Firnlager enthält, kann man doch dort alle Merkmale früherer völliger Vereisung wahrnehmen und alte Moränen sind im Oberlauf mächtig entwickelt, im Unterlauf fluvioglaziale Schotterterrassen, in welche der Fluß sich streckenweise tief eingeschnitten hat. Die Verlegung seines früher mehr nach O gerichteten Laufes durch solche Schottermassen oder Eis hat ihn gezwungen, um zum Tekes zu gelangen, eine mächtige Barre harter Kalke in tiefer, ungangbarer Klamm zu durchsägen. Die einst durch Glazialschutt abgedämmten Gewässer haben beckenartige Weitungen, als Seen gefüllt. Die dort einmündenden Quertäler liegen sehr hoch, sind trogförmig erodiert, heute wasserleer und ihre Mündungen liegen hoch über den Böden der ehemaligen Seen. Gründe für dieses Verhältnis wurden mehrfach schon früher hervorgehoben (S. 12, 16, 25). Auf späten Einbruch bedeutender Mengen fließenden Wassers deutet aber der Umstand, daß hoch oben an ähnlichen Tertiärbildungen, wie sie an den Rändern der alten Tekes-Seen liegen, sich jüngere, lockere Konglomerate angelagert finden; diese reichen sogar stellenweise über das Tertiär hinauf zu den Kalken. Neben Tertiärablagerungen zeigen sich auch, gerade wie an manchen Stellen des Tekestals und an anderen Orten, große Mengen Sandes und Gruses, die von zerstörtem und ausgespültem Granitmaterial herrühren. Im späteren Verlauf der Reise besuchte ich eines der großen Nebentäler des Kapkaktals, das Tal Karakol-sai, in

welchem ein durch alte Moränen abgedämmter See noch vorhanden ist, und die Merkmale
der bereits entschwundenen sich gut erhalten zeigen. (Siehe hierüber später.)

Gegen Ende August nach Narynkol zurückgekehrt, verlor ich dort kostbare Tage mit
der Auswechslung der unbrauchbar gewordenen Pferde und besonders mit der Aufnahme
neuer Dschigiten und Träger an Stelle der früheren, deren renitentem Verhalten es zum
Teil zuzuschreiben ist, daß der bisherige Verlauf der Reise nicht ergebnisreicher war. Anfangs September endlich konnte ich nochmals in das Bayumkoltal ziehen, um die früher
durch schlimme Witterung unterbrochenen Arbeiten wieder aufzunehmen. Ich hoffte, im
Spätjahr, wo die thermalen Gegensätze zwischen Ebene und Hochtal weniger ausgeprägt
sind, durch beständigere Witterung begünstigt zu werden. Es traten jedoch nunmehr allgemeine atmosphärische Störungen ein und behinderten und verzögerten die Arbeiten neuerdings in erheblichem Maße. Aus dem gleichen Grunde mußte die beabsichtigte Ersteigung
eines der hohen Eisgipfel am Talschluß unterbleiben; nur ein ca 4400 m hoher Granit-
gipfel am Nordrand des westlichen Gletschers wurde erklommen und von seiner Höhe aus
ein Panorama der umgebenden Gebirgsketten aufgenommen. Auch die Vermessung des
westlichen Gletschers konnte, trotz der Ungunst der Witterung, durch Herrn Pfann abgeschlossen und von einer hochgelegenen Basis aus die Gipfel der Umrandung anvisiert
werden. Im Verlauf der mit diesen Arbeiten verbundenen Wanderungen, gelangte ich zu
einem schneefreien Einschnitt (ca 4250 m) in dem Kamme, der das zum Sary-dschaß ziehende
Karakoltal (siehe S. 13) vom Tale des westlichen Bayumkolgletschers trennt, und hatte dort
einen prachtvollen Blick auf den Khan-Tengri. Ich fand in dieser Scharte fünf verwitterte
Stangen zwischen Felsblöcken eingeklemmt. Im Anfang vermutete ich, daß sie von der
Ignatiewschen Expedition herrühren, und daß der fragliche Kammeinschnitt identisch mit
dem von diesem Reisenden »Narynkolpaß« benannten Übergang sei, dessen Höhe er mit
13580′ angibt. Nach nochmaliger Durchlesung der betreffenden Stelle im Ignatiewschen
Reisebericht (Iswestiya Kais. Russ. Geogr. Gesellschaft, tom. XXIII) wurde ich in dieser
Annahme jedoch wieder schwankend, weil Ignatiew vom Passe aus den Abstieg zu einem
Gletscher ausgeführt und diesen seiner Länge nach zu Pferde überschritten hat, was für
den westlichen Bayumkolgletscher schlechterdings als undurchführbar bezeichnet werden
muß; auch könnte man von diesem Gletscher aus nicht in einem Tage nach Narynkol gelangen, wie dies Ignatiew hervorhebt. Endlich ist die Höhendifferenz zwischen unseren
beiden Bestimmungen so groß, daß diese sich nicht auf den gleichen Punkt beziehen können.
Der Übergang Ignatiews muß daher wohl ein anderer sein. Der westliche Bayumkolgletscher
entsteht aus dem Zusammenfluß von fünf aus Einbuchtungen der Talwände vorbrechenden
Gletschern und ist besonders im Mittellauf sehr zerrissen, auch an seinem Schlusse, schon
im Firngebiet, spaltenreich. Dort steht er durch einen Firnsattel (ca 4400 m), den ich im
folgenden Jahre vom Semenowgletscher aus erreichte (siehe späteres), mit diesem in Verbindung und mit dessen oberstem Firnbassin durch den Semenowpaß (siehe S. 18). Zweifellos
hat früher auch eine Verbindung des Bayumkolgletschers mit dem Karakolgletscher bestanden
und in der Eiszeit bildeten offenbar alle diese Gletscher eine zusammenhängende Eismasse.
Jetzt ist der Gebirgsrücken zwischen Karakol und Bayumkol auf der dem letzteren Tale
zugekehrten Seite (SO) eisfrei, und man sieht dort in schönen Aufschlüssen die Sedimente
(Kalke, Marmor, Tonschiefer) mehrfach wiederholt zwischen Granit liegen.

Außerordentlich ergiebige Schneefälle trieben uns endlich (20. Sept.) aus dem Hochgebirge
hinaus, da kein Futter für die Pferde mehr zu finden war. Der Schnee reichte bereits in die Tekes-
ebene herab. Es blieb mir nichts übrig, als alle noch auf meinem Programm stehenden, die Nordseite des Gebirges betreffenden Forschungen auf das folgende Jahr zu vertagen und auf die Südseite überzugehen, wo günstigere Verhältnisse vielleicht noch längere Arbeit ermöglichen konnten.

Nördliches Musarttal, Musartpaß und südliches Musarttal.

Nach einigen Tagen der Vorbereitung verließ die Expedition am 23. September Narynkol, um den Großen Musartpaß zu überschreiten. Der Übergang ist schon von einigen russischen Expeditionen durchgeführt worden. v. Kaulbars veröffentlichte einiges über die Topographie des Gebiets, Ignatiew Geologisches. Ich werde mich daher in diesem Bericht auf Hervorhebung unvollkommen oder gar nicht bekannter Tatsachen beschränken, behalte jedoch eine Rejhe physiko-geographischer Beobachtungen, zu denen die Überschreitung dieses Passes vielfach Gelegenheit gibt, dem ausführlicheren Reisebericht vor.

Der Weg von Narynkol durch das Tekestal abwärts führt durch eines der am besten ausgeprägten Becken der alten Randseen, welche am Fuße des Gebirges an Stelle des heutigen Tekestals einstmals lagerten. Am Südrand sind die Formen der alten Uferterrassen vorzüglich erhalten. Am weitgeöffneten Eingang des Großen Musarttals liegen fluvioglaziale Schottermassen in fünf übereinander gelagerten alten Talterrassen und begleiten als Längsstufen mehrere Werst weit den Lauf des Tales bis nahe zum Beginn seines Gebirgslaufs.

Dort in der Nähe des ersten chinesischen Piketts, wo der wasserreiche Fluß aus dem Gebirge hervortritt, gesellt sich ihm sein ebenbürtiger Zufluß, der Dondukol (hiervon später mehr), und der so vereinte Strom ist nicht leicht zu überschreiten. Durch Unachtsamkeit der Dschigiten wurde die Expedition bei der Überschreitung von einem folgenschweren Unfall betroffen. Eines der Packpferde stürzte und seine Lasten, zwei als »luftdicht« gekaufte Blechkoffer fielen in die Fluten. Als man sie herausgezogen hatte, fand sich ihr Inhalt vollständig durchnäßt. Es befanden sich hierunter eine Anzahl großer, exponierter Edward-Films, die in Zinkbüchsen eingeschlossen waren, welche als absolut »airtight« galten. Im Vertrauen hierauf wurden sie nach dem Unfall nicht gleich geöffnet. Als dies später geschah, zeigte es sich, daß Wasser dennoch eingedrungen, und die sämtlichen Films verloren waren. 60 Aufnahmen im Format von 6½:8 Zoll engl., meistens Panoramas und Telepanoramas, aufgenommen von hohen Standorten, die Frucht unsäglicher Mühe und Sorgfalt, das Hauptergebnis der photographischen Tätigkeit des abgelaufenen Sommers, geographische Dokumente von unschätzbarem Werte waren unwiederbringlich verloren. Mit dieser Katastrophe war der Expedition für das folgende Jahr der Weg eigentlich schon vorgeschrieben. Auf diese für die Topographie des zentralen Tian-Schan wichtigen Dokumente konnte nicht verzichtet werden; es war unerläßlich, die wichtigsten Punkte, von denen aus die verlorenen Aufnahmen gemacht waren, nochmals zu besuchen. Wie empfindlich dieser Schaden auch war, hatte er doch auch Gutes im Gefolge: Gezwungen, die schon einmal besuchten Hochtäler nochmals zu bereisen, konnte ich im folgenden Jahre, nunmehr vertraut mit allen örtlichen Verhältnissen, überdies begünstigt durch gute Witterung, besser und erfolgreicher arbeiten als im ersten Sommer und was mir rätselhaft geblieben war in der Struktur des zentralen Tian-Schan, zum größten Teile der Lösung zuführen.

Am Eingang des Großen Musarttals zeigt sich eine mächtige Serie chloritischer Schiefer, öfters wechsellagernd mit Phylliten ähnelnden Schiefern. Schon kurz vor seinem Austritt aus dem Gebirge durchbricht der Fluß Massen roten Granits, auf die eine schmale Zone Gneiß folgt. Bald jedoch verbreiten sich Aphanite auf einen großen Raum und gehen weiter taleinwärts, wo sie wieder in die Nähe einer granitischen Zone kommen, mehr und mehr in Schieferform über. Diese Schiefer sind bei dem für diese Gegend anormalen nahezu N-Streichen (N 10° O) in enge, unregelmäßige Falten geworfen. Pressungserscheinungen äußern sich auch im Granit, der öfters die Form von Granitgneis annimmt. Kalke und Tonschiefer, zwischen den Graniten auftretend, sind infolge dynamo-metamorphischer Vorgänge, die ersteren in Schieferform gepreßt, letztere kristallinisch geworden. Erst weiter hinten im Tale, wo wieder normales N 70° O-Streichen eintritt, herrschen ruhigere Verhältnisse. Der Granit tritt hier in sehr verschiedenartiger Ausbildung auf, auch als Granitporphyr und wird streckenweise durch Syenit ersetzt. Auf eine weitere Zone Gneis und andere kristallinische Schiefer folgen, je mehr man sich dem Talschluß nähert, in desto vorherrschenderer Weise, dunkle, mehr oder weniger kristallinische Kalke, Tonschiefer und Marmore, aus welchen, gleichwie in den anderen großen Tälern, die dem Hauptkamm angehörenden, Talschluß bildenden Gebirgsteile ausschließlich aufgebaut sind. Hier treten jedoch in großer Mächtigkeit auch dolomitisierte Kalke hinzu, die in den gleichen kühnen und bizarren Gipfelformen sich äußern, wie sie uns aus den dolomitischen Kalkgebirgen Südtirols bekannt sind, und so gestaltet fast den ganzen Lauf des Musartpaß-Defilees gegen S begleiten.

Das nördliche Große Musarttal hat, soweit es im Gebirge verläuft, eine Länge von 55 bis 60 Werst und unterscheidet sich von den anderen großen Tälern des zentralen Tian-Schan durch etwas stärkeres Gefälle seiner Sohle (im Mittel ca 18—19 m pro Werst). Beim Austritt des Flusses aus seinem engen Gebirgslauf (ca 1900 m) liegen große Mengen Glazialschutts (S. 29) zu beiden Seiten der Talöffnung in Terrassen angelagert, die bei der Mündung des sich dem Hauptfluß in flachem Winkel vereinenden Dondukolflusses (nicht Maralta, wie Ignatiew ihn irrtümlich nennt) sich gegen die gleichen, aus diesem Tale gekommenen Bildungen stauen oder schneiden. Gleichwie andere Tian-Schantäler ist auch dieses in beckenförmige Weitungen gegliedert, welche durch schluchtartige Engen verbunden sind; diese sind meist durch alten Moränenschutt verstopft, in welchen der Fluß sein Bett stets sehr tief eingeschnitten hat, selten den Felsgrund erreichend. In den beckenartigen Weitungen sehen wir diesen Moränenschutt, meist am linken Ufer, in stufenförmig übereinander liegende Terrassen umgelagert. Man bewegt sich bei der Wanderung aufwärts in dem malerischen, durch prächtige Fichtenwälder (nur am Gehänge des linken Ufers) geschmückten Tale, besonders im Mittellauf, ausschließlich auf Alpenwiesen und Wälder tragendem Moränenboden. An mehreren Stellen sind die alten Endmoränen von ungeheurer Mächtigkeit. Bei der Mündung (ca 2400 m) des Seitentals Chamer-dawan (hiervon später mehr) liegt die gewaltigste, die eine Breite von fast 2½ Werst hat und ein Gebirge im Tale bildet, eine andere, fast ebenso mächtige, liegt nur 10 Werst weiter aufwärts im Niveau von ca 2600 m und erreicht noch jetzt eine Höhe von 80 m über Talniveau. Bis zu bedeutender Höhe der Talwände können die Moränenreste verfolgt und Abschleifungen und Rundhöcker an den Felswänden beobachtet werden. Auch hier finden wir neben den großen, tief erodierten Nebentälern alter Entstehung; Dondukol, Chamer-dawan, Atun-bulak usw. eine Reihe hochgelegener, trogförmiger, jugendlicher Talbildungen mit karförmigen Weitungen am Schlusse und Mündungen, die, hoch über der heutigen Haupttalsohle hängend, das ehemalige Niveau des Hauptgletschers anzeigen; sie enthalten auch jetzt noch kleine Gletscher. Eine eigentümliche Erscheinung in diesem windgeschützten Tale ist die Ablagerung lößartiger Massen von bedeutender Mächtigkeit (15—18 m) auf alten Moränenterrassen; es scheinen Gebilde fluvialer Entstehung zu sein, zeigen jedoch Ähnlichkeit mit äolischem Löß. Im mittleren Tale treten heiße Quellen zutage (48° C), von den Kalmaken in primitiver Weise gefaßt und zu Heilbädern benützt; ihr Austritt findet in der Talsohle (Niveau ca 2550 m), in der Kontaktzone statt, wo kristallinische Schiefer und Granite mit stark zerrütteten Kalken in Berührung treten.

Dort, wo die Talachse eine halbkreisförmige Kurve von kurzem Radius nach O beschreibt, schwingt sich die rechte Uferkette, scheinbar das Tal schließend, zu einer Reihe ca 5500 m hoher, außerordentlich kühn gebauter Gipfel auf, die wegen ihrer Exposition nach N mit gänzlich in Firn und Eis gehüllten Fronten, prachtvoll über eine dunkel bewaldete, alte Moräne aufragen. An ihrem Fuße bricht aus einem von O herbeiziehenden Seitentale, kaskadenförmig in tausendfältigen Séracs gegliedert, der wildeste Talgletscher vor, den ich im Tian-Schan gesehen habe; seine Zunge wendet sich, im Tale angelangt, nach N und endet bei 2750 m, nur wenig oberhalb des dritten Piketts, wo sie durch die von ihr aufgeworfenen, mächtigen Ufermoränen vom Haupttal getrennt wird. Nach der Höhe dieser Moränenwälle (bis zu 60 m), nach den gewaltigen Dimensionen der ausschließlich aus hellem, dolomitisiertem Kalk und aus Marmor bestehenden Transportblöcke und nach der Mächtigkeit der Eiszunge zu schließen, dürfte dieser noch unerforschte Gletscher sehr lang sein. Zweifellos nimmt er seinen Ursprung auf dem wasserscheidenden Rücken, der den Schluß eines der Nebentäler des zum Tekes nach N ziehenden Agiaßtals vom Musarttal scheidet. Von dort, also vom Hauptkamm des Chalyk-Tau im O, streichen auch die die hohen Eisgipfel aufbauenden dolomitisierten Kalke und Marmore herüber, die hier die Granite und Gneise abschneiden. Der klimatische Schutz dieser nach N gerichteten Wand hat für die dahinter liegende Talstrecke, trotz der hohen Lage (2800 m) des Talbodens, ungewöhnlich mildes Klima zur Folge, unter dessen Gunst eine außerordentlich schöne Busch- und Waldvegetation hoch ins Gletschereis hineinragt.

Der Musartpaß ist ein Wallpaß, dessen unebene Scheitelfläche eine Ausdehnung von mehr als 16 Werst besitzt. Der Aufstieg von der Nordseite, der von den ca 2900 m hoch gelegenen, obersten Terrassen des nördlichen Musarttals ausgeht, ist bis zur Erreichung des Plateaus kurz und steil, der Abstieg nach S zum Pikett Tamga-tasch (ca 2760 m) lang und mit Ausnahme einiger Steilstufen allmählich, also die Schenkel ungleich. Eine Anomalie äußert sich darin, daß der Gletscher der Nordseite klein, der der Südseite sehr ausgedehnt ist. Der zur Nordseite abfließende Gletscher Jalin-Chanzin ist nur mehr ein unbedeutender Rest eines ehemals sehr ausgedehnten Eisfelds; er endet bei ca 3100 m und ist fast ganz mit Schutt bedeckt, so daß nur bei den Einmündungen kleiner Seitengletscher etwas Eis zutage tritt. Die Wasserscheide zwischen ihm und dem nach S abfließenden Dschiparlikgletscher ist verwischt; zumal infolge der sehr veränderlichen Anhäufungen von Moränenschutt ist der kulminierende Punkt, die Paßhöhe, schwer festzustellen. Wir hielten ein kleines Plateau dafür, dessen Höhe, nach vorläufiger Feststellung, sich auf ungefähr 3500 m berechnet. Ignatiews Kote ist 12240' = 3730 m.

Nahe der Paßhöhe auf seiner Südseite mündet aus einem von ONO heranziehenden Längstal der gewaltige Dschiparlikgletscher; seine Zunge ist, soweit sie das oberste Paßplateau bedeckt, fast schuttfrei und auf einer mehrere Werst langen, kaum geneigten Strecke in Millionen kleiner, zeltförmiger Erhebungen zerlegt, deren Entstehung auf besondere Abschmelzungsprozesse zurückzuführen ist. Soweit der Blick in das 3—400 m breite Ursprungstal einzudringen vermag, sieht man an seinen Ufern hohe, überfirnte Berge (Kalk und Marmor). Wegen der Krümmung der Talachse kann der Ursprung nicht gesehen werden; er scheint in dem gleichen Scheidekamm, wie der früher erwähnte, bei der Haupttalkrümmung mündende große Gletscher zu liegen. Nahe seinem Austritt auf das Paßplateau zweigt vom Hauptgletscher ein Arm nach SW ab, legt sich quer über das Plateau und entschwindet dem Blicke in einer nach SW gerichteten Öffnung der westlichen Uferwand, während die Hauptmasse in einer durchschnittlichen Breite von 2 Werst nach SO, dann nach S ihren Lauf zum südlichen Musarttal nimmt und bei ca 2900 m in einer stark im Rückzug begriffenen Zunge oberhalb des Piketts Tamga-tasch endet. Der Bach bricht aus einer torförmigen Öffnung der Eiswand heraus; zur Zeit als ich dort vorbeikam, sah man über der untersten Höhle noch zwei ganz ähnliche, aber wasserleere Tore, eines über dem anderen, in der Abbruchwand der Eiszunge. Der Bach hatte also sein Bett im Eise immer tiefer erodiert; seine Wasser waren einst vor dem Zungenende zu einem ca 3 Werst langen, 1¼ Werst breiten Moränensee abgedämmt. Soweit der Gletscher das sanft nach S abdachende Paßplateau deckt, ist das Eis durch ein Schuttgebirge nahezu verhüllt, wo es zutage tritt, von einer sehr großen Zahl tiefer Trichter durchsetzt, in deren jedem ein oder mehrere große Felsblöcke liegen, deren starke Erwärmung den Anlaß zur Entstehung dieser Vertiefungen gab. An den mehr als 1000 m hohen Felswänden der Umwallung kann man allenthalben die Spuren des Gletschereises bemerken, welche Kunde von der einstigen Ausfüllung des Hochtals durch den Gletscher geben. Am Ostufer liegen am Fuße einer 400 m hohen, vom Eise abgeschliffenen Marmorwand auf einer abschüssigen Felsterrasse die Ruinen eines Masars und eines Piketts: Masar-Baschi. An dieser Stelle, wo ein Seitengletscher einmündet, bricht der Hauptgletscher in einer ca 100 m hohen Stufe zu einer tiefer liegenden Terrasse ab und seine Eismassen sind in wilde Séracs, Eistürme und Hörner, durch gähnende Schluchten getrennt, aufgelöst. Es ist dies die schon seit Jahrhunderten berühmte, gefürchtete Passage, die von den Karawanen nur mit Hilfe der Wächter des Piketts Tamga-tasch überwunden werden kann; diese haben regelmäßige Treppen in die Eistürme eingeschlagen. In großer Zahl umherliegende Skelette von Last-tieren bekunden jedoch, daß trotz aller Hilfe die Fährlichkeiten der Überschreitung große sind. Und dennoch ist dieser Paß noch immer der verhältnismäßig leichteste für den Verkehr zwischen Nord- und Südseite. Eine Karawane inmitten dieses Labyrinths von Eistürmen zu sehen, gewährt einen abenteuerlichen Anblick. Am Fuße der nächstfolgen-den Eisterrasse liegt in der Nähe des linken Ufers ein ausgedehnter Eissee. Die gesamte Länge des Dschiparlikgletschers muß auf mindestens 25 Werst veranschlagt werden.

Es wurde schon hervorgehoben, daß dolomitisierter Kalk in ungemein kühnen Gipfel-bauten zusammen mit weißem Marmor zum überwiegenden Teile die Umwallung des Musart-passes bildet. Von diesen hellen Massen heben sich scharf, dunkle Wände mit zackigen Graten eingefalteter, stark metamorpher Eruptivgesteine ab, welche vom Beginn des Paß-defilees im N bis zu seinem Südende und darüber hinaus unausgesetzt die umgewandelten Sedimente begleiten, mit denen sie gemeinsame Auffaltung erfahren haben. Außerordent-liche Störungen in prachtvollen Aufschlüssen lassen sich in diesen wahrnehmen. Gneis und Syenit werden infolge Vorherrschens eines der Ostwestrichtung stark genäherten Nord-oststreichens nur mehr auf der Nordseite des Passes wahrgenommen.

Der Weg durch das südliche Musarttal, das eine Länge von ca 90 Werst hat, bei einer Breite, die zwischen 1½—2¼ Werst wechselt, bietet in zweierlei Hinsicht großes Interesse: zunächst wegen der gewaltigen Dislokationen, welche sowohl die kristallinen Gesteine (Gneis, Granit, Syenit), als die Sedimentärbildungen betroffen haben, und wegen der beide durchbrechenden Mengen von Eruptivgestein (Diorit, Porphyrit). Es bedarf noch genauerer Prüfung der beobachteten Verhältnisse, ehe gesagt werden kann, ob die Störungen vom Durchbruch der eruptiven Massen ausgingen, also bis zu gewissem Grade lokaler Natur waren, oder ob eine weitgehende Bewegung die Gebirgsmassen ergriff, gefolgt oder begleitet vom Aufsteigen des Magmas in den entstandenen Klüften. Wie häufig, so erweckt auch hier die Kontaktzone das meiste Interesse. Starke Metamorpho-sierung zeigt sich nicht nur in der Berührungszone der Durchbruchsgesteine mit den Sedi-menten und altkristallinischen Gesteinen, sondern auch dort, wo letztere und die Sedimente aneinander treten. Herr Keidel hat, als wir das Tal zum zweitenmal besuchten, eine voll-ständige Sammlung der Kontaktgesteine eingebracht.

Granit, Syenit, Gneis usw. treten im südlichen Musarttal erst in größerer Entfernung vom zentralen Kamme auf, als in allen von mir besuchten nördlichen und südlichen Quer-

tälern: erst in der äußeren Hälfte des Tales, bis wohin die Sedimente allein den Gebirgsbau bilden. Gneise sind weit mächtiger entwickelt, als bisher angenommen wurde. Zwischen
den Piketts Chailik-Mabuse und Tograk bilden sie eine geschlossene, an beiden Enden
scharf begrenzte Zone von 4 Werst Breite. Chloritische und stark umgewandelte Schiefer
wechsellagern mit Graniten. Auch die Kalke sind mehr oder weniger kristallinisch geworden.
Die oft bis zur Höhe von 1500 m und darüber senkrecht angeschnittenen Wände der schräg
zur Talachse ziehenden Ketten zeigen im Schichtenbau die merkwürdigsten, vielfältigsten,
bis ins kleinste gehenden Knickungen, Zerknitterungen und Fältelungen der steil aufgerichteten
Sedimente in großartigen Aufschlüssen und stets in der Nähe des Auftretens der Eruptivgesteine am intensivsten. An einigen Stellen zeigt sich gangförmiges Aufsteigen des Magmas,
von starker Apophysenbildung begleitet. Trotz der dynamischen Wirkungen bei der starken
Dislokation der Sedimente gelang es Herrn Keidel einen Kalkhorizont zu finden, dem er
eine dem oberen Karbon angehörige Fauna entnehmen konnte. Dies berechtigt zur Annahme, daß diese Kalke des mittleren und vorderen Tales und das kristallinische Massiv,
in welchem sie liegen, tektonisch scharf von den älteren paläozoischen Kalken und den
mit ihnen gefalteten metamorphen Eruptivgesteinen zu trennen sind. Alte kristallinische
Konglomerate finden sich schon in der zweiten Hälfte des Tales, treten jedoch in großen
Mengen erst nahe an seinem Ausgang auf, wo sie zwischen den Quertälern Ak-topa und
Moro-chotan mit Sandsteinen und umgewandelten Schiefern zusammengefaltet sind. Auf-
schlüsse an 4—500 m hohen Wänden lassen auch in diesem Komplex außerordentliche
Verrenkungen und Verbiegungen der Schichten erkennen; von der starken Pressung geben
umherliegende Konglomeratblöcke Kunde, deren Material der Länge nach ausgewalzt ist.
Diese Konglomerate bilden auch die Abdachung des Gebirges gegen das nach O ziehende
Tal des Musart-daria, wovon später mehr. Einige Werst, nachdem man das Musarttal in der
Richtung nach S verlassen hat, treten in der Abdachung des Gebirges gegen die Steppe,
bei der Mündung des Tales Kasch-bulak wieder Sandsteine auf, die mit groben, schiefrig-
kalkigen und feinen, grauwackenähnlichen Konglomeraten in enge Falten gepreßt sind und
stellenweise zerknitterte, blättrige, fettglänzende Lettenkohlenschiefer, an anderen Stellen
auch wirkliche Anthrazite enthalten.

Nicht weniger Interesse, als die Besonderheiten im geologischen Bau des Musarttals,
bieten die Zeichen seiner ehemaligen, gewaltigen Vergletscherung. Wenn in diesem nach
S gekehrten Tale die alten Moränenablagerungen massenhafter und ungestörter vorhanden
sind, als in den großen Gletschertälern der Nordseite, so erklärt sich dies damit — was
schon Ignatiew richtig beurteilte —, daß im N, infolge der auch jetzt dort noch sehr ausgedehnten Vergletscherung, die alten Glazialschuttmassen während langer Zeiträume der
abschwemmenden Wirkung der Schmelzwasser ausgesetzt waren und bis auf den heutigen
Tag sind. Hier im S hingegen, wo die heutige Vergletscherung verhältnismäßig gering, das
Klima weit trockner ist und jedenfalls auch in der Postglazialzeit rascher sich veränderte,
als im N, kamen die zerstörenden und abräumenden Kräfte im Innern der Täler weniger
lange zur Geltung.

Wir sehen zunächst, daß das Tal stellenweise durch alte Endmoränen, an anderen
Orten durch Anhäufung von Diluvialschutt an natürlichen Einschnürungen in sechs beckenartige Weitungen abgesperrt war, welche ebenso vielen früheren Seen entsprechen. Im
zweiten Becken liegen Moränenreste 3—400 m über der Talsohle auf Hochterrassen, und Abschleifungen an den Felswänden reichen dort sowohl, als weiter außen im Tale, beträchtlich
höher hinauf. Streckenweise, so im vierten Becken, ist der Fuß der Gebirgswände bis zu
beträchtlicher Höhe in Moränenschutt förmlich begraben, der auf eine Länge von 2 Werst
eine die weite Talrinne ausfüllende geschlossene Decke von noch immer mehr als 60 m

Mächtigkeit bildet, wiewohl schon viel davon hinweg geführt wurde. Trockne Verwitterung hat dort die Blockmassen (Marmore, Kalke) in Sand und Mehl verwandelt, aus welchen die erhalten gebliebenen Blöcke zum Teil herausragen. Durch diese Verwitterungsprodukte wurde eine weite Talstrecke in eine richtige Sandwüste verwandelt, deren dünenförmige Erhöhungen durch Pflanzen von echtem Wüstentypus zusammengehalten werden. Die feinsten Teile sind als Löß hoch auf Felsterrassen getragen und abgelagert worden, wo sie häufig eine Mächtigkeit von 12—15 m erreichen. Alter Moränenschutt reicht beim Lagerplatz Chailik-Mabuse (ca 2480 m) etwa 400 m über Talniveau hinauf. Die bedeutendsten Anhäufungen finden wir jedoch in der Nähe des Piketts Tograk (ca 2350 m), wo aus dem rechts einmündenden Tale Tograk-Jailak ungemein mächtige Transportmassen herauskamen, die sich an denen des Hauptgletschers aufstauten, wodurch der Schutt zu gewaltiger Höhe (5—600 m) an die jenseitige Bergwand hinaufgeschoben wurde. Ein etwa 200 m hohes Gebirge von Moränenschutt sperrt hier das Tal ab und wird in einer Länge von mehreren Werst vom Flusse in malerischer Engschlucht durchbrochen. Während auf den bisherigen Moränen das Blockmaterial aus Marmor und Kalken besteht, sieht man hier fast nur Gneisblöcke, welche durch äolische Korrasion zu tausenden in bizarre Formen umgestaltet wurden. Unterhalb Tograk mündet links das Seitental Dschin-Dschilga, aus dessen Mündung die riesige Grundmoräne des alten Gletschers in vorzüglich erhaltener Form weit in das Haupttal hinauszieht. Von diesem Seitengletscher allein können jedoch die gewaltigen Schuttmassen nicht herrühren, welche wallförmig auf einer Strecke von 10—12 Werst sich talauswärts dehnen, 40—50 m über dem Niveau des Flusses, der sein Bett tief in sie eingeschnitten hat. Die Terrainformen deuten vielmehr darauf hin, daß der Riesengletscher, der dieses Material lieferte, den dort sehr abgesunkenen linken Talwall überflutend, aus höheren Teilen des Chalyk-tau im O herüber kam. Auch beim letzten Pikett Koneschar (nicht Kunja-schar, wie es in der 40 Werstkarte heißt) war das Haupttal (ca 2100 m) durch Moränenschutt abgesperrt, welcher am rechten Ufer hoch hinauf die Bergwände einhüllt.

Daß die alten Gletscher auch aus dem Gebirge hinaus in die Ebene reichten, davon geben nicht nur die Moränengebirge Kunde, welche vor dem Fuße des nach O ziehenden Gebirgsrandes liegen und von der Expedition im folgenden Jahre auf dem Wege entlang des Chalyk-tau überschritten wurden (hiervon später), sondern auch die ungeheuren Decken, Transportblöcke einschließenden umgelagerten Glazialschuttes — ich hebe ausdrücklich hervor, daß diese Ablagerungen sich in wesentlichen Merkmalen von jenen Gebilden unterscheiden, für welche Herr Bogdanowitsch (Trudi Tibetskoi Expedizii S. 88 f.) die Bezeichnung Küren eingeführt hat —, welche in Mächtigkeit von mehreren hundert Metern, mehr als 30 Werst hinaus in die Ebene sich heute noch erstrecken und dort teils geschlossene Plateaus bilden, teils durch Erosion in vielgestaltige, kleine Gebirgszüge zerlegt erscheinen. Solche Massen sind in einer Gegend erhalten, wo Erosion, Aufbreitung und Abräumung so energisch gewirkt haben, wie in wenig anderen Landstrichen. Zerstreute Granitblöcke fand ich in der Wüste über 50 Werst vom Gebirgsfuß entfernt. Die Seitentäler des südlichen Musarttals, dessen von einem mächtigen Strome durchflossener, ausgedürsteter Boden durch diesen keine nennenswerte Befruchtung mehr erfährt, bergen auch heute noch einen erheblichen Schatz von Gletschereis, wo hohe, prächtig vergletscherte Ketten aufragen, die schönsten und gletscherreichsten im Tale Turpal-tsche, in dem zirkusförmigen Tale Tschirantoka, in den Tälern Serach-su, Tograk-Jailak usw. In diese Täler haben sich auch die Fichtenwälder aus dem fast ausgetrockneten Haupttal zurückgezogen und bilden, wo sie hervortreten, den schönsten Gegensatz zum Wüstencharakter des Haupttals. Wir sehen in diesem eines der merkwürdigsten Gebirgstäler, ausgestaltet durch Bodenbewegungen, Eis-,

Wasser- und Windwirkung, ein Zusammentreten von Steppe und Wüste in hochalpiner Um-randung. Viele andere physische Züge müßten noch hervorgehoben werden, um das Bild vollständig zu machen, allein dies ginge über den Rahmen dieses vorläufigen Berichts hinaus.

Aus dem Musarttal nach Kaschgar.

Unsere Absicht in den Hochgebirgen der großen Seitentäler des südlichen Musarttals noch einige Zeit zu arbeiten, ließ sich nicht verwirklichen, da das Tal weder für Menschen, noch für Transporttiere Subsistenzmittel bietet und die Versorgung der Expedition daher erst von einer weit außerhalb des Tales gelegenen Station aus, hätte organisiert werden müssen, wozu es in der vorgerückten Jahreszeit zu spät war. Der Plan wurde auf das folgende Frühjahr vertagt, und wir nahmen den Weg talauswärts nach der Stadt Ak-su. Dieser Weg durchschneidet zwischen den Piketts Ljangar und Abad die Züge des Tertiär-gebirges Topa-dawan in einer Breite von ungefähr 18 Werst, Da meines Wissens über dieses Gebirge und die Tertiärablagerungen am Südfuß dieses Teiles des Tian-Schan über-haupt noch nichts veröffentlicht wurde, möchte ich einiges hierüber erwähnen. Am Baue des Gebirges Topa-dawan nehmen die gleichen roten, lockeren Sandsteine teil, denen wir im Tertiär der Tekesebene und anderswo begegnen, sodann rote, kochsalzführende Tone und bunte Mergel, wozu streckenweise auch gipsführende Mergel und endlich Konglomerate aus hellen und dunklen Kalken treten. Der ganze Komplex streicht im allgemeinen westnord-westlich und ist durch enge, stellenweise komplizierte Faltung ausgezeichnet. Das Gebirge ist im Sommer und Herbst wasserlos, allein durch die zur Zeit der Schneeschmelze sehr kräftig einsetzende Erosion des fließenden Wassers in der aus leicht löslichem Material aufgebauten Gebirgsmasse, sowie durch atmosphärische Einflüsse besonders auch Wind. Agentien, denen die enge Faltung und steile Aufrichtung der Schichten zu Hilfe kommt, wurden diese Ablagerungen in mehrere Ketten zerlegt und diese wieder in eine Unzahl der mannigfaltigsten und oft bizarren Gipfelformen aufgelöst. Wir finden in diesem Ton-und Mergelgebirge im kleinen und auf engem, übersichtlichem Raume gedrängt, die ver-schiedenartigen Tal- und andere Hohlformen, die mannigfaltigen Berggestalten und Ober-flächenformen wieder, wie sie das Hochgebirge im großen, auf weitem, unübersehbarem Raume aufweist. Viele der Vorgänge, die sich dort im großen abspielten, haben sich hier im kleinen wiederholt; kurz die gebirgsbildenden und gebirgszerstörenden Kräfte haben zusammen ein Relief geschaffen, das in bezug auf Mannigfaltigkeit der Bodenplastik ein Lehrbeispiel des Gebirgsbaues im großen darstellt. Ich habe später die aus gleichem Material aufgebauten Tertiärgebirge im W, N und NO von Kaschgar durchwandert, auch die Fortsetzung des Topa-dawan gegen S, den Tschul-tau (von dem allem später mehr). aber wiewohl sich auch dort streckenweise reiche Gliederung zeigt, erreicht sie doch nirgends das mannigfaltige Gepräge des Topa-dawan. Die mittlere Sohlenhöhe des Gebirges ist 1600 m; es steigt von O nach W allmählich an; während die ersten Ketten nur eine Höhe von 30—40 m über dem tischgleich geebneten Aufschüttungsboden erreichen, sind die dem Südwestrand genäherten über 200 m hoch. Dort überrascht öfters der Anblick steiler Bergwände, aus einer einzigen ungefähr 150 m hohen Tonplatte gebildet, die durch Auswitte-rung leicht zersetzbarer Einschlüsse siebartig durchlöchert erscheint. Nahe dem Südwest-rand beim Pikett Abad (ca 1550 m) findet eine Beugung der Achse und Veränderung des Streichens statt, indem die Züge des SW—NO streichenden Tschadan-tau mit denen des

WNW streichenden Topa-dawan verwachsen; bedeutende Störungen im Schichtenbau sind damit verbunden. Salz tritt besonders am Südwestrand in Rinnen und Mulden in Form von Exsudationsdecken auf, die bis zu 50 cm Mächtigkeit erreichen und von den Chinesen ausgebeutet werden. Das Gebirge bricht gegen die Wüste plötzlich ab — scheinbar — da die niederen Züge der äußersten Falten in einer mehrere hundert Meter mächtigen Schuttdecke begraben sind.

Der Weg von Abad über Dscham nach Ak-su darf als bekannt übergangen werden. Auch über die lange Strecke von Ak-su über Maralbaschi nach Kaschgar enthalte ich mich hier, wiewohl sie zu vielen interessanten Beobachtungen Gelegenheit bot, der Mitteilung, da sie schon durch andere Reisende einigermaßen bekannt geworden, teilweise vor nicht langer Zeit erst durch Sven Hedin beschrieben worden ist. Am 18. Oktober 1902 traf die Expedition im Winterquartier Kaschgar ein, von wo Herr Pfann und der Präparator Herr Russel die Heimreise antraten. Da die südlichen Randketten des Tian-Schan auch im Winter oft schneefrei bleiben, was speziell im Winter 1902/3 der Fall war, benutzten wir die Winterszeit, ungeachtet der empfindlichen Kälte, zu Ausflügen nach diesen Gebieten, hauptsächlich, um paläontologische Sammlungen anzulegen. Dieser Zweck wurde auch, dank dem Sammeleifer des Herrn Keidel erreicht, und wir kehrten mit reicher Ausbeute nach Kaschgar zurück.

Paläontologische Sammelreisen am Südrand des Tian-Schan.

Der erste Ausflug führte in das Toyuntal, zunächst durch enge Defileen der durch Stoliczka und Bogdanowitsch bekannt gewordenen »Artyschschichten«, welche am Südfuß des Tian-Schan ungemein weit verbreitet sind. Inmitten dieser stark dislozierten Schichten liegt eine Gruppe großer Dörfer, die den gemeinschaftlichen Namen Artysch tragen. Diese, sowie die gleichfalls von uns besuchte, weiter östlich am Südrand des Tertiärgebirges gelegene Gruppe von Dörfern, welche unter dem Kollektivnamen Altyn-Artysch zusammengefaßt werden, waren nicht lange vorher, im August 1902, durch Erdbeben nahezu gänzlich zerstört worden. Der Anblick der in Ruinen liegenden Ortschaften war traurig; im weiten Umkreis zeigte sich der Boden zerborsten und zerklüftet, und stellenweise bemerkte man kleine Schlammvulkane. Im Zusammenhang mit diesen Ereignissen war das Studium der stark dislozierten, sog. Artyschschichten für uns von besonderem Interesse. Jüngere Konglomerate, von welchen diese Tone, Mergel- und Sandsteinschichten diskordant überlagert werden, zeigen ebenfalls Merkmale erheblicher Dislokation, ja sogar in sehr jungen Konglomeraten wurden von uns an mehreren Örtlichkeiten, besonders im östlich von Altyn-Artysch gelegenen Tale Kurumduk Dislokationen beobachtet, die kaum einen Zweifel darüber lassen, daß die Bodenbewegungen, welche in den nach Bogdanowitsch zum Pliocän zu rechnenden Artyschschichten zum Ausdruck gelangten, sich in jüngeren Bildungen fortsetzten und bis auf den heutigen Tag fortdauern (mehr hierüber im ausführlichen Bericht). Solche Bewegungen führten im genannten Bezirk zu fast völliger Zerstörung von zehn bis zwölf volkreichen Dörfern, die, auf gut bewässerten Lößterrassen gelegen, die reichste und fruchtbarste Gegend in der Nähe von Kaschgar bilden. Das Epizentrum trifft ungefähr auf Artysch-Basar und die zerstörenden Wirkungen der von dort sich verbreitenden Wellen machten sich auch in der Stadt Kaschgar und deren nächster Umgebung geltend. Wir konnten diese im weiteren Umkreis etwas abgeschwächten, jedoch immerhin noch sehr destruktiven Wellen aufwärts im Toyuntal, im Maûdan-Geßtal, östlicher im Kurumduktal und später sogar noch weiter östlich verfolgen. Während unseres Aufenthalts in Kaschgar gehörten kräftigere und schwächere Bodenerschütterungen zu den alltäglichen Ereignissen; man gewöhnte sich daran.

Im Toyuntal wurden devonische Fossilien gefunden, teils an den schon von Stoliczka und Bogdanowitsch besuchten Stellen, nördlich vom Weideplatz (nicht Dorf) Tschon-Terek. teils an anderen Punkten. Im ganzen war jedoch die Ausbeute keine reiche, wiewohl wir nach N, weit über die alte Jakub-Begsche Talsperre Tschakmak hinaus, vordrangen. Hingegen konnten im Gebiet der stärksten Dislokationen, in den Schiefern und in den darin eingelagerten, von Bogdanowitsch als dem Tertiär angehörig bestimmten Sandsteinen, Durchbrüche basaltischer Gesteine festgestellt werden und zwar ziemlich weit südlich von den Örtlichkeiten, wo sie durch Bogdanowitsch (Sujoktal) und durch Stoliczka (Tschakmak) aufgefunden worden sind (siehe später).

Besseren Erfolg hatte die Sammeltätigkeit auf dem folgenden Ausflug. Die Reise führte über Altyn-Artysch nach N aufwärts, durch das früher von einem See ausgefüllte, ungeheure Tertiärbecken von Argu mit seinen schön erhaltenen, alten Terrassen; man betritt es durch eine in 200 m hohe Konglomeratwälle eingeschnittene, enge Pforte und verläßt es durch ähnlichen Ausgang, um in das Durchbruchstal Tangitar einzutreten, durch welches man zu den von W nach O je um eine Stufe höher gelegenen, beckenförmigen Weitungen der ehemaligen großen Seen von Tegermen und Arkogak gelangt. Stoliczka fand einige Fossilien im N des alten Jakub-Begschen Sperrforts Tangitar, also nördlich von der durch den Fluß durchbrochenen Enge. Die Fundstellen, wo wir große Ausbeute machten, liegen teils etwas im W der alten Befestigung, teils im S davon; die Fauna ist teils devonisch, teils karbonisch. Überraschend ist die Mächtigkeit der Konglomerate unmittelbar vor und hinter der Stelle, wo der Tangitarfluß in einer 15—20 m breiten, etwa 4 Werst langen, gewundenen, wilden Schlucht zwischen nahezu senkrechten Wänden die karbonischen Kalke durchbricht und in den Felszirkus von Tangitar austritt. Die Konglomerate, welche oft sehr große Blöcke einschließen, reichen dort, obwohl schon zum Teil abgetragen, stellenweise bis 350 m über Talniveau an die Kalkwände hinauf und springen als gewaltige Strebepfeiler weit in das Tal vor. Hinter der Schlucht liegen alte Talstufen in diesen Konglomeraten, welche von Löß in bedeutender Mächtigkeit überdeckt werden.

In dem mit Ausnahme eines schmalen Flüßchens jetzt trocknen, gewaltig ausgedehnten Becken von Tegermen sind die Aufschüttungsmassen von solcher Mächtigkeit, daß sie die Vorketten des Gebirges zum Teil derart verhüllen, daß nur mehr einzelne Kegel und Kuppen von ihnen inselartig aus der ungeheuren Schuttdecke herausragen. In der linken Uferwand des Beckens fand Herr Keidel oberkarbonische Brachiopoden und in einer Engschlucht devonische Korallen. Über eine breite Schwelle wird durch eine Bresche der Aufschüttungsboden des breiten Beckens von Arkogak betreten und in nordöstlicher Richtung lange Zeit überschritten. Durch ein nach O abzweigendes, indirekt zum Kurumdukfluß drainierendes Seitental, gelangt man zu den ausgedehnten kirgisischen Weideplätzen von Basch-Sugun. In den Kalken der Umwallung des Suguntals, welche von sehr verschiedenartigem Charakter sind und verwickelte Lagerungsverhältnisse zeigen, wurde eine Bank hellen, lockeren, weichen Kalkes getroffen, in welcher sich eine Anhäufung vorzüglich erhaltener Fossilien findet. Man konnte ihr eine reiche unterkarbonische Brachiopoden-Fauna von etwa 50 Spezies und mehreren hundert Exemplaren entnehmen. Basch-Sugun ist schon durch den Fossilienfund Stoliczkas (E. Sueß, Beiträge zur Stratigraphie Zentralasiens) bekannt geworden. Ob die von uns ausgebeutete Fundstelle jedoch identisch mit der Stoliczkas ist, scheint zweifelhaft, wenn man bedenkt, daß dieser Forscher nur einige Fossilien dort fand, während eine derartige Anhäufung von Organismenresten, wie sie an unserer Fundstelle vorhanden ist, wohl dem geübten Blicke des verdienten Forschers nicht entgangen wäre.

Auf dem Weiterweg nach SO durch das nunmehr sich verengende, eine Serie kleiner, nur durch enge Tore verbundener, kesselförmiger Weitungen bildende Suguntal wurden mächtige Ausbrüche basaltischer Gesteine in Form von Kuppen, aber auch als Gänge beobachtet. Zertrümmerungsbreccien und Konglomerate treten auf, und die umgebenden Kalke wurden stark verändert. Das nunmehr an verschiedenen, am äußersten Südrand des Tian-Schan gelegenen Örtlichkeiten von uns festgestellte Vorkommen basaltischer Gesteine — wir fanden sie außer an dem schon erwähnten Platze im Toyuntal (S. 38), auch an den äußersten Ausläufern des Gebirges bei Tagh-Tumschuk (unweit von Maral-Baschi) — beweist, daß ihr Ausbruch nicht auf die Bruchlinie beschränkt ist, welche Bogdanowitsch (Trudii usw. S. 72) am Nordabhang der Kok-Tan-Kette annimmt.

Durch eine 30 m weite Bresche erfolgt der Durchbruch des Sugunflusses nach O in ein ungefähr 3 Werst breites, bedeutendes Tal, das, seinerseits wieder nach SO ziehend, zum Kurumduk ausmündet. Es muß hervorgehoben werden, daß die Darstellung sämtlicher mir bekannter Karten für das Terrain, insbesondere das hydrographische System zwischen dem Plateau von Tegermen zum Sugungebiet, durch dieses zum Kurumduk und bis hinaus in die Ebene von Kaldü-Jailak auch nicht in entfernter Weise der Wirklichkeit entspricht. Von Ayak-Sugun, das an der Einmündung des erwähnten Seitentals in das Kurumduktal gelegen ist, gelangten wir nach Sugun-Karaul. Der Weg vom Kurumduktal — dieses selbst wird nur eine kurze Strecke weit durchschritten — zur Hochebene am Südfuß des Gebirges führt mehr als 25 Werst in engen, gewundenen Defileen, durch jene Teile des aus weichen Tonen und Mergeln bestehenden Tertiärgebirges, welches den stärksten Niveauverschiebungen ausgesetzt war. Infolgedessen ist es in solcher Weise zerstört und zum großen Teile im eigenen Schutt begraben, wie man dies selten irgendwo beobachten kann. Den Mergeln liegt noch eine mächtige Zone sehr feinen, harten Konglomerats vor und erstreckt sich 3 Werst breit hinaus in die wüste Hochebene von Kaldü-Jailak.

Wegen Herbeischaffung längst in Europa bestellter Ergänzungen der Ausrüstung der Instrumente und des photographischen Materials, sowie um die Herreise eines zweiten Bergführers aus seiner Heimat bis nach Taschkent auf telegraphischem Wege zu leiten, war ich gezwungen, da in Kaschgar kein Telegraph und auch nur eine ungenügende, langwierige Postverbindung ist, während der strengsten Herrschaft des Winters, die lange und beschwerliche Reise nach Taschkent zu machen. Der Weg wurde über den Terek-dawan genommen (Irkischtam — 23° C, Kok-su — 28° C). Da diese Route schon mehrfach, zuletzt durch Futterer (»Durch Asien«) beschrieben wurde, kann ich meine auf der viel des Interessanten bietenden Reise gemachten Beobachtungen hier übergehen.

Während meiner Abwesenheit beschäftigte sich Herr Keidel mit der Untersuchung der Lößablagerungen im Tale des Kaschgar-daria und machte einen Ausflug an die südliche Umrandung des Kaschgarbeckens. Der Weg führte über Boruktai nach Taschmalik, wo südwestlich von diesem Orte eine reiche fossile Fauna gefunden wurde. Exemplare einiger Arten dieser Sammlung fanden ihren Weg nach Calcutta, wo sie im Geological Survey of India als entsprechend »den Productus-limestones of the Punjab-Salt-range« erkannt wurden. Von Taschmalik begab sich Herr Keidel in das Geßtal und folgte diesem aufwärts bis nach Aktschiü, wo er in den von den Kirgisen in primitiver Weise bearbeiteten Kohlenlagern, eine Ausbeute an fossilen Pflanzen der Angara-Serie machte. Der Rückweg wurde über Eski- und Jangi-Hissar genommen. Ein gegen Ende Februar unternommener zweiter Ausflug nach Basch-Sugun hatte den Zweck, die paläontologische Sammlung durch Untersuchung anderer Horizonte in den dortigen Kalken zu ergänzen. In diesen Funden sind verschiedene Stufen des Karbons vertreten.

Der Südrand des Tian-Schan zwischen Kaschgar und Utsch-Turfan.

Anfangs März war ich von Taschkent, wo mir durch das besondere Wohlwollen Sr. Exzellenz des Herrn Generalgouverneurs von Turkestan, zwei tüchtige junge Kosaken als Eskorte bewilligt wurden, nach Kaschgar zurückgekehrt. Erst nach mannigfachen Zwischenfällen und unliebsamer Verzögerung traf der neue Bergführer, Sigmund Stockmayer aus Neukirchen in Pinzgau, mit einem Teile der bestellten Ausrüstungsgegenstände, Instrumente und Materialien ein, und nachdem endlich auch alle anderen schwierigen Vorbereitungen beendet waren, und das bis dahin sehr kalte Wetter sich etwas milder anließ, wurde am 14. April 1903 der Ausmarsch zur neuen Gebirgsexpedition angetreten. Die Gesellschaft setzte sich nunmehr außer mir und Herrn Keidel aus den beiden Bergführern Kostner und Stockmayer, dem Präparator Herrn Maurer, den beiden Kosaken Besporodow und Simin und der entsprechenden Begleitmannschaft sartischer Diener und Pferdewärter zusammen; später kam noch der Kosak Tschernow, einer von Sven Hedins Begleitern hinzu. Von den chinesischen Behörden waren in dankenswerter Weise alle auf meinem Wege liegenden Militärposten (Pikette) vorher verständigt worden. Geleitschreiben und für ein Stück des Weges eine Polizeiperson (Beg) wurden mir mitgegeben. Von seiten des Kais. Russ. Generalkonsuls in Kaschgar, Sr. Exzellenz Herrn N. F. Petrowsky, dem ich für vielfache Hilfe zu großem Danke verpflichtet bin, waren die russischen Aksakale in Utsch-Turfan und Ak-su von meinem bevorstehenden Eintreffen benachrichtigt worden. Wenn der Aufenthalt in Kaschgar auch wenig Angenehmes bot, trennte ich mich doch ungern von Personen, deren liebenswürdiges Entgegenkommen und opferwillige Unterstützung mir in manchen schweren Lagen sehr zustatten kam.

Da die Rauheit der Witterung und die im Gebirge liegenden Schneemassen das Vordringen in das Hochgebirge noch nicht zuließen, beschloß ich, zunächst mehrere Wochen lang möglichst nahe am Südrand des Gebirges entlang zu reisen, um seinen geologischen Bau zu studieren, da gerade über diesen Teil des Tian-Schan fast nichts bekannt ist. Der Weg mußte notgedrungen nochmals über Altyn-Artysch, Tangitar nach Basch-Sugun führen; doch war der abermalige Besuch dieser letztgenannten Örtlichkeit nicht nutzlos, da er zur Entdeckung permo-karbonischer Ablagerungen führte. Meine Absicht war über die Kara-bel-Pässe in das Aiktyktal zu gelangen, das am Südrand der — ich weiß nicht aus welchem Grunde — von Sewerzow so genannten »Kok-kya-Kette« entlang führt und von dort in dem Durchbruchstal des Kok-schaal-Flusses zwischen der erwähnten Kette und dem gleichfalls von Sewerzow »Bos-Aidyr-Kette« genannten Teile der südlichen Randkette, abwärts zu reisen. Dies scheiterte jedoch an dem Unverstand oder dem bösen Willen des mich im Auftrag der chinesischen Behörden begleitenden Begs. Ich möchte hier hervorheben, daß die Namen Kok-kya und Bos-Aidyr, für Gebirgsketten angewendet, der Bevölkerung am Südrand nicht bekannt sind.

Von Basch-Sugun ab führte unser Weg nach O und NO in engen Schluchten durch helle, korallenführende Kalke, dann am Südrand des Gebirges entlang, über den Aufschüttungsboden der Hochebene, aus deren ungeheuren Schuttmassen die äußerste Kette nur mehr in Bruchstücken herausragt, wie Klippen aus dem Meere. Bei der Kirgisenniederlassung Kara-dschil ragen diese Schollen der Vorkette nur 15—20 m hoch empor und bestehen aus wechsellagernden hellen und dunklen Kalken; letzteren konnte eine reiche oberkarbonische Fauna entnommen werden. Die Örtlichkeit darf nicht mit dem gleichnamigen chinesischen Pikett verwechselt werden, das weiter im N im Aiktyktal liegt. Von dieser, von der Expedition nun fernerhin durchreisten Gegend geben die Karten überhaupt eine ganz unzutreffende Vorstellung, die in vieler Hinsicht durch Herrn Keidels Routen-aufnahmen berichtigt und ergänzt werden wird.

Von Kara-dschil reisten wir in ostnordöstlicher Richtung am Fuße einer 5—600 m hohen Kalkkette über die Lößsteppe, wo die im Schutt begrabene Vorkette noch weithin bruchstückweise verfolgt werden kann und wandten uns dann etwas südlich zu der am Rande eines Salzsees (Schor-köl) gelegenen Kirgisenniederlassung Dschai-tewe (tube?). An diesem Punkte berührte die Expedition Sven Hedins Route von 1895, entfernte sich jedoch sogleich wieder hiervon in nordöstlicher Richtung und drang in ein in spitzem Winkel in das Gebirge schneidendes Tal ein, das als typisches, nach hinten sich schluchtartig ver-engendes, vollkommen ausgebildetes Quertal in harte Schichten von Kalken, Grauwacken und chloritischen, phyllitähnlichen Schiefern eingetieft ist. Dieses typische Erosionstal (Apatalkan) und seine Nebentäler fanden wir wasserlos; erst nahe an seinem Schlusse stießen wir auf einen schwachen, aus den dort lagernden Schneefeldern stammenden Wasserlauf. Die Ent-stehung eines solchen Tales, sowie die der kurz vorher und späterhin auf der Reise nach Utsch-Turfan von der Expedition durchschrittenen Erosionstäler, kann mit den periodischen Wasser-läufen, welche sie alljährlich nur für sehr kurze Zeit durchströmen, nicht in befriedigender Weise erklärt werden und deutet vielmehr auf gewaltige Klimaschwankung hin. Der Weg führte zwischen den infolge Nordfallens der Schichten, dem Tale zugekehrten Steilseiten der Berge, schroff zum ca 3000 m hohen Apatalkanpaß empor, dann durch das mulden-förmig profilierte, schneereiche nördliche Apatalkantal (Ujuk-Apatalkan) hinab, wo wir noch-mals, ungeachtet der vorgerückten Jahreszeit (22. April), in die Region des Winters, in heftige Schneestürme gerieten. Die Umwallung des Tales besteht aus einem regelmäßigen, stark abgetragenen Faltenbau aus chloritischen, phyllitähnlichen Schiefern verschiedener Aus-bildung und graublauen Grauwacken; dieser mächtige Horizont kann auch noch 40—50 Werst weit im Kok-schaal-Tal abwärts verfolgt werden. Kok-schaal wird der Oberlauf des Tauschkan-daria allgemein von der an seinen Ufern lebenden Bevölkerung genannt.

Bei der Ausmündung des Apatalkantals ist das Kok-schaal-Tal schon 1½—2 Werst breit, und man sieht nach rückwärts nur wenig weiter im W, den Strom sein Durch-bruchstal durch eine torförmige Pforte verlassen, worauf er sich in majestätischem Bogen in die Weite ergießt. Von der Besichtigung des bisher noch von keiner Ex-pedition besuchten Durchbruchstals mußte ich wegen Zeitmangels leider abstehen. Es ist bezeichnend, daß man im Kok-schaal-Tal, wie in allen nicht jugendlichen Tian-Schan-Tälern, sofort auf ungemein mächtige Konglomeratmassen stößt, welche den Lauf des Flusses beständig begleiten, die alten Schiefer unregelmäßig überlagernd und ihrerseits von jüngeren Konglomeraten usw. überlagert werden. Bei der Örtlichkeit Abdul-kia (auch Alep-turga ca 2500 m) — dieser, wie die meisten der folgenden Namen, finden sich auf keiner der vorhandenen Karten — sollte der Kok-schaal-Fluß überschritten werden, was sich indes wegen der starken Strömung als unmöglich erwies. Wir mußten vielmehr im Kalkgebirge des rechten Ufers, an dessen pralle Wände der Strom auf längerer Strecke anschlägt, durch Defileen der überraschend stark erodierten Kalkzüge reisen und gelangten flußab-wärts wieder ins Haupttal, wo der Strom, nunmehr in mehrere Arme geteilt, überschritten werden konnte. Schon in Abdul-kia hatte sich uns der Ausblick auf eine schöne Kette schnee-reicher, von Firnlagern durchsetzter Felsberge eröffnet, orographisch dem sog. Bos-Aidyr-Gebirge zuzurechnen, für dessen Abtrennung aus dem geschlossenen, langen Walle des Kok-schaal-Tau (nicht Kok-tal), ich auch weder in geologischer, noch in orographischer Hin-sicht eine befriedigende Grenze zu finden vermag.

Der Weg über die weiten, flach geneigten Steppenterrassen des Nordufers stand uns nun offen. Die große Kirgisenniederlassung Kara-bulak (mit einem verfallenen Jakub-

Begschen Fort) passierend, näherten wir uns über ein schwach gegen NO ansteigendes
Plateau aus gefestigtem Deckenschotter dem Fuße des in schroffen Formen abstürzenden
Gebirgswalles beim Aul Tschagasch-Gumbes (ca 2450 m). Die eine Höhe von ca 3500 m
erreichende Vorkette, der Kok-schaal-Tau, wiewohl in tektonischer Hinsicht von den dahinter sich erhebenden, höheren Ketten zu trennen, würde den Karten nach zum Sewerzow-
schen »Bos-Aidyr-Gebirge« gehören; sie wird von den Kirgisen dieser Gegend »Markesch-
tagh« genannt. Dieser erste Wall liefert kein kristallinisches Material zu den hier lagernden Schuttmassen. Kalke, Kalkschiefer und sehr dichte, stark umgewandelte Tonschiefer
und Sandsteine von bunter Färbung setzen ihn zusammen, eine Serie, die bald nach NNW,
bald entgegengesetzt einfällt. Aus den dahinter ansteigenden Ketten stammen wohl die
kristallinischen Geschiebe (Granit, Syenit), welche einige, die erste Kette durchbrechende
Bäche führen. Hingegen fand ich kristallinisches Material (große Granitblöcke) dort, wo
keinerlei Einschnitte in der ersten Kette mehr vorhanden sind, talabwärts in jüngeren
Schottern, die dort in großer Mächtigkeit den Fuß des Gebirges vielfach verhüllen; sie wurden
zweifellos weit aus dem Innern des Gebirges vom Eise hierher befördert. Es sind dies
nicht die einzigen Spuren früherer glazialer Tätigkeit, welche von uns im Kok-schaal-Tal
gefunden wurden: am rechten, wie am linken Uferrand wurden solche, wenn auch nicht
häufig, festgestellt.

Der Abschnitt des Kok-schaal-Tau, welchem der Name Bos-Aidyr-Kette beigelegt wurde.
besteht aus mehreren, annähernd parallel verlaufenden Ketten, von denen die erste, welche
die Vorkette überragt und an vielen Punkten des Tales sichtbar ist, um vieles höher und
formenreicher ist, als die vordere; ihre befirnten Gipfel zeigen schroffen Bau. Es äußert sich
hier ein von mir schon früher beobachteter und später oftmals bestätigt gefundener Grundzug
im Baue des Tian-Schan, der der Parallelstruktur. Schon P. P. Semenow, der scharfsinnigste
Forscher, der je dieses Gebirge betreten, hat vor langen Zeiten auf dieses Gesetz hingewiesen, das im Baue dieses Riesengebirges so häufig zum Ausdruck gelangt. Der Kok-
schaal-Tau zeigt überhaupt allmähliches Ansteigen von W nach O bis gegen den Bedelpaß
hin, wo ein Absinken stattfindet.

Bei der Kirgisenniederlassung Kysyl-Gumbes (ca 2300 m), die ihren Namen der roten
Färbung des Lößbodens verdankt, Ergebnis der Zersetzung der hier den schroffen, schön
gegipfelten Talmauern angelagerten, leuchtend roten Kalkkonglomeraten und Sandsteinen
(kysyl-rot) und den vielen die Gegend schmückenden kirgisischen Grabkammern (Gumbes)
verdankt, sollte ein Vorstoß in die sog. Bos-Aidyr-Kette gemacht und zur Gewinnung
besseren Einblicks in ihren Bau einer der Hochgipfel der Vorkette bestiegen werden.
Dies scheiterte jedoch zu meinem Leidwesen an einer Erscheinung, welche überhaupt
während eines großen Zeitraums, in welchem die Expedition sich am Südrand des Gebirges
bewegte, die Beobachtungen ungemein erschwerte und zum Teil unmöglich machte: an anhaltender, ungemein dichter Nebelbildung. Der Nebel war jetzt im Frühjahr — in dieser
südlichen, durch ungemein trocknes Klima ausgezeichneten Gegend eine überraschende Erscheinung — fast dichter, jedenfalls weit anhaltender als bei uns in den Alpen im November:
er lichtete sich wochenlang nicht. Die Erklärung hierfür liegt in der beginnenden, tags-
über kräftigen Erwärmung des Lößbodens, welche den ungemein feinen Staub aufwirbelt
und ihn selbst bei Windstille, geschweige denn bei den oft herrschenden, starken Winden.
in aufsteigender Bewegung in höhere Luftschichten bringt, wo er schwebend verharrt.
Da nun im Frühjahr die Berghänge infolge der Schneeschmelze viel Feuchtigkeit ver-
dunsten, so kondensieren sich diese Dünste an den schwebenden, feinen Staubteilchen
zu Nebeln, die nicht wanken und nicht weichen. Wir hatten im April und Mai häufig
wolkenlosen Himmel, aber selten klare Atmosphäre. Die photographische Tätigkeit mußte

öfters viele Tage unterbleiben, ein großer Verlust. Über vieles, der Beobachtung werte an unserem Wege, lag ein undurchdringlicher Schleier. In den Kalken, welche hauptsächlich am Bau der Vorkette beteiligt sind, fand Herr Keidel Schichten mit Koralleneinschlüssen, deren Bestimmung vielleicht Aufschluß über das Alter dieser Ablagerungen bieten wird, welche auch am rechten Ufer des Kok-schaal zu gewaltigen Massen anschwellen.

Bei der Örtlichkeit Aktala setzten wir wieder auf das rechte Ufer über. Hier und schon früher zeigte das Ufergebirge, der Sogdan-Tau, bedeutende Entwicklung, die imponierende Massenentfaltung eines auf eine Länge von etwa 20 Werst in seiner Kammlinie, nahezu geschlossenen, tief verschneiten, durchschnittlich etwa 1200 m über Talsohle hohen Walles, hinter welchem — abermals Parallelstruktur — eine weit höhere, etwas formenreichere und kleine Gletscher tragende Kette sichtbar wurde. Auf das Vorhandensein von Gletschern deutet auch der Name eines Quertals: Utsch-Musduk = 5 Gletscher. Hierauf wies bereits Sven Hedin hin. Dieses große, einen weiten Raum einnehmende Gebirge ist noch vollständige terra incognita. Unser Weg führte uns an seinem Saume in ein mäßig breites Längstal hinein, wo blättrige, grüne, phyllitische Schiefer mit grauen Sandsteinen bei regelmäßiger, ziemlich gedrängter Faltenbildung, wechsellagern, deren zum Teil abgetragene Gewölbe sich weithin verfolgen lassen. Diese Schichten überlagern, wie sich später an verschiedenen Punkten erwies, diskordant, vom linken Ufer schräge herüberstreichenden Kalke. Auch in diesem jetzt wasserlosen Gebiet fanden sich überraschend ausgebildete Erosionstäler. In der Nähe des Aules Sum-Tasch, in dessen Umgebung sich die noch nicht bekannten Ruinen einer alten Stadt befinden, machen sich komplizierte Faltungserscheinungen in der gleichen Gesteinsserie geltend und die unten gesehenen Kalke treten beim Passe Kok-belös, welchen wir überschritten, oben zutage, wo sie eine Brachiopoden führende Bank enthalten und diskordant unter Tonschiefern liegen. Der Bau des Gebirges fesselt weiterhin, infolge großartiger Aufschlüsse der interessanten Lagerungsverhältnisse unausgesetzt die Aufmerksamkeit, doch kann in diesem summarischen Bericht nicht näher hierauf eingegangen werden. Herr Keidel wird dies und anderes in seiner genaueren geologischen Darstellung der durchreisten Gegenden nachholen. Als wir durch ein Quertal wieder in das Hauptal hinabstiegen, erreichten wir die Kirgisenniederlassung Utsch (ca 1950 m) und trafen somit wieder auf Sven Hedins Route von 1895.

In der wildzerschluchteten, großartigen Felsumrandung von Utsch (auf Hassensteins Karte irrtümlich am linken Ufer), wo von einer erstiegenen Höhe die drei Parallelketten des Sogdan-Tau gesehen wurden, konnte eine schöne, reiche Fauna des oberen Karbons eingeheimst werden, die sich in zwei verschiedenen, in leichter Diskordanz lagernden Horizonten findet. Diese Gesteinssuite kann noch weithin nach O verfolgt werden. Herr Keidel entdeckte hier zuerst Schwagerinen führende Schichten, die nun unseren Weg zum Chalyk-Tau beständig begleiteten. Die ungeheure Verbreitung dieser das oberste Karbon charakterisierenden Foraminiferen ist ein neues Faktum in der Stratigraphie Zentralasiens. Auf der Fortsetzung des Weges nach O unaufhörlich großartige Aufschlüsse des gleichen, NO—SW streichenden, gedrängten Faltenbaues, besonders schön in der Nähe des Auls Schinne. Bald darauf, nach der Schlucht Kara-turuk (diese ist in Hassensteins Karte östlich, statt westlich vom Passe eingezeichnet) schlägt der reißende Strom an einen kapartig vortretenden Gebirgssporn und nötigt zur Überschreitung des Felsenpasses Schinne-dawan, in dessen Umgebung durch schiefes Anschneiden der Falten interessante geologische Bilder sichtbar werden: Wiedererscheinen des Horizonts von Utsch, diskordant unter Schiefern und weiterhin alte, geschichtete, von schwarzen Kalken und rötlichen Tonschiefern überlagerte Konglomerate, eine Serie, welche den Weg über den nächsten Paß und weiterhin durch ein Tal hinaus in die Ebene begleitet, wo in der Nähe des Auls Sary-turuk an ihrer Stelle harte, dunkle, kristallinische Kalke auftreten, die nun als mächtiger Horizont den Gebirgswall über Ak-kia bis zum kulturreichen Aul Safar-bai (ca 1850 m) bilden. Das den Fluß zur Linken begleitende, weit höhere, befirnte Gebirge blieb uns während dieser langen Wanderung durch das Kok-schaal-Tal, das öfters eine Breite bis zu 4 Werst annimmt, infolge des dichten Nebels leider fast stets unsichtbar. Das Flußbett wird zwar öfters durch kapartig vorspringende Enden der schräg zur Talachse angeordneten Erosionsrippen der Haupttalzüge auf 2—300 m zusammengeschnürt, allein die allgemeine Talbreite nimmt kaum ab.

Bei den Kirgisenniederlassungen Kara-bulung am rechten, Bulung-turuk am linken Ufer beschreibt der Fluß einen starken Bogen und führt von nun an den Namen Tauschkan-daria, wird auch kurzweg nur Daria genannt. Dort springen aus dem im Bogen weit nach SW geschwungenen Uferwall niedere Züge fossilienführender Kalke zum Strome vor. Nach Passierung des Aules Kosche-basche, wo die Lößebene des rechten Ufers reiche Bebauung zeigte, wird sie durch den herüberdrängenden Strom plötzlich zu einem schmalen Uferstreifen reduziert, und als auch dieser schwindet, führte unser Weg, da ein Übergang zum flachen, linken Ufer sich unausführbar erwies, über eine vortretende Felsklippe aus marmorartigem Kalk, schwierig am Passe Denge-dawan empor. Beim Aufsteigen fand ich die Felsen bis zu annähernder Höhe von 20 m durch die Fluten ausgespült, ein Kennzeichen für viele, die ich gesehen, daß der Fluß entweder sein Bett vertieft hat, oder daß er wesentlich wasserreicher gewesen, oder daß beides der Fall war. Auf der Ostseite dieser Klippe sind die Felswände hoch hinauf, tausendfach durch äolische Corrasion von kleinen Höhlen durchsetzt worden, eine Erscheinung, die im Kok-schaal-Tal an den Windseiten der Felsen zwar häufig beobachtet werden kann, nirgends' aber so schön als hier. In der Nähe des Aules Konganischuk-Jangöll springt aus der Haupttalkette abermals ein niederer Zug zum Flußbett vor, ja in dieses hinein; er ist teils durch Wasser-, teils durch Winderosion in einzelne kleine Felseninseln zerlegt, von denen zwei mitten im Flußbett aufragen. Dieser Klippenzug, den die Kirgisen Mai-tewe (tube) nennen, besteht aus grobem, dunklem Kalkkonglomerat, das mit Sandsteinen wechsellagert; die Kalkknollen schließen eine reiche, dem Oberkarbon angehörige Fauna ein, welche von uns gesammelt wurde. Nach dem flachen Einfallen der Schichten und der Anordnung der Falten zu schließen, dürfte sich dieser Horizont weit nach O und SO hin verfolgen lassen, wurde auch wirklich weiter im O wieder angetroffen.

Bei Basch-tschakma (ca 1700 m) und Tag-tumschuk entfaltet sich das Gebirge am rechten Ufer mächtig — auch hier konnten drei Parallelketten beobachtet werden — und bildet durch seine Höhe und Anordnung einen besonderen klimatischen Schutz für die Uferlandschaft, die nun endlich (Ende April) das erste Frühlingsgrün und den reizenden Farbenschmuck blühender Pfirsich- und Aprikosenbäume zeigte. Dort konnten an einem scharf heraustretenden Gebirgszug komplizierte Störungen, mehrfache Flexuren und Brüche, nach O und nach NO weithin verfolgbar, beobachtet werden in einem Schichtenkomplex von plattigen, fossilienleeren Kalken, lockeren Sandsteinen und rotbraunen, schieferigen Quarziten. Weiterhin beim Aul Kum-bulung treten jedoch diese Sandsteine allein auf, in mächtiger Entwicklung große Gewölbe bildend; ihre Zersetzungsprodukte haben die Gegend weithin in eine trostlose Sandwüste verwandelt, der nur mühsam etwas Kulturboden abgerungen werden kann. Erst der kräftig heraustretende dunkle Kalkzug des Ot-baschi-tag (Üt?) setzt bei einer Flußbiegung dem Vordringen des Sandes eine Grenze; unter seinem Schutze konnten Fleiß und Geschicklichkeit der von hier ab ausschließlich sartischen Bevölkerung die Gegend in ein unabsehbares, herrliches Gartenland verwandeln, das sich bis zur Stadt Utsch-Turfan (ca 1500 m) und darüber hinaus erstreckt. Diese dunklen Kalke begleiten den Weg dorthin in gedrängten Falten mit öfters merkwürdigen Schichtenverbiegungen; auch in ihnen findet sich eine oberkarbonische Fauna, von welcher Herr Keidel schöne Exemplare sammelte. Der aus diesen Kalken aufgebaute Felszug, dessen Spitze die malerische Zitadelle trägt, welche die nach Vaubanschem System hübsch umwallte Stadt und weithin das gartengleiche Land beherrscht, besteht teilweise aus mächtigen Bänken, die ausschließlich aus Productus und Spirifer-Knollen von 2 bis zu 12 cm Durchmesser zusammengesetzt sind.

Zum Chalyk-Tau und zurück nach Utsch-Turfan.

Nach eingeholten Auskünften mußte ich meine Absicht, von Utsch-Turfan aus, schon jetzt in die Quertäler des Hochgebirges einzudringen, vertagen, da es zur Zeit in jenen Tälern wohl Schnee, aber noch kein Futter für die Pferde gab, auch die hilfreichen Kirgisen noch nicht hinauf gewandert waren. So beschloß ich denn zunächst weiter nach O, in den bis dahin noch von keinem Forschungsreisenden besuchten Chalyk-Tau zu ziehen, dessen direkt nach S sich öffnende Quertäler bessere Verhältnisse erwarten ließen. Die Reise führte zunächst über Ak-dschar, Shah-Schambe und Tjaggerak nach der Stadt Ak-su, auf welchem Wege endlich (erste Maiwoche) mit dem Einheimsen der ersten Frühlingsflora der Steppe begonnen werden konnte.

In Ak-su mußte zur Ergänzung des Pferdestandes und der Begleitmannschaft, sowie wegen Vereinbarungen mit den chinesischen Behörden mehrtägiger Aufenthalt genommen werden. Wir verließen die interessante Stadt am 7. Mai auf dem alten Karawanenweg nach Bai und querten zwischen Kara-julgun und Tugarakdan (nach der unrichtigen Darstellung der 40 Werstkarte läge es zwischen Dschurga und Jaka-Aryk) das westnordwestlich streichende Tertiärgebirge des Tschul-tau in schrägem Schnitte durch seinen schönen Gewölbebau. Buntgefärbte Bänke von Sandstein und Tonmergeln, öfters gipsführend, darüber Konglomeratdecken, setzen das Gebirge zusammen, dessen Bau bei weitem nicht so kompliziert und dessen Erscheinung daher auch weniger formenreich ist als die des nordwestlich hiervon ziehenden, schon besprochenen Topa-dawan-Gebirges (S. 36). Die Kammhöhe des zentralen Teiles ist allerdings höher als dort, aber in seinen östlichen Ketten, zwischen Dschurga und Jaka-Aryk und weiter nach O ist es bis zu unansehnlichen, dünenförmigen Bodenanschwellungen abgetragen und hat durch sein Material wesentliches Ansteigen der Hochebene gegen O veranlaßt, die bei Tschachtschi (ca 1450 m) ihren Höhepunkt erreicht und von hier gegen den Musart-daria wieder absinkt. Der Besuch der Stadt Bai war von zweifelhaftem Werte: Die dort bei den chinesischen Behörden mit großen Schwierigkeiten eingezogenen Auskünfte über Wege und Verhältnisse in Chalyk-Tau erwiesen sich meistens als unzutreffend. Es scheint, daß niemand dort mit dem schwer zugänglichen Gebirge vertraut ist. Die 40 Werstkarte läßt uns hier gänzlich im Stiche; sie weist zwischen Bai und dem Gebirge nur einen weißen Fleck auf und was sonst von Chalyk-Tau dargestellt ist, erwies sich zum größten Teile unrichtig. Da die während der Reise aufgenommenen Croquis noch nicht ausgearbeitet sind und ohne topographische Unterlage das Verständnis für unsere Marschrichtung nur bei sehr ausführlicher Erklärung gefördert werden könnte, muß ich genauere Beschreibung dieser Teilstrecke mir vorbehalten und will in diesem vorläufigen Bericht nur das Allerwesentlichste anführen. Unerläßlich ist es jedoch zu erwähnen, daß Richtung und Lauf der Flüsse in der 40 Werstkarte mit der Wirklichkeit nicht übereinstimmt. Der Kapsalyan-Fluß, der bedeutendste der Gebirgsströme, nimmt beim Austritt aus

seinem Engtal die Richtung nach SW und W, dem Südabfall des Gebirges entlang und der
Fluß, welcher aus dem in der 40 Werstkarte fälschlich Kasnak-su genannten, in Wirklichkeit
den Namen Terek tragenden Tale herauskommt, ergießt sich nicht in den Musart-daria, sondern
in den Kapsalyan, der seinerseits erst in der Nähe von Tschachtschi jenen Strom erreicht.
Endlich ist Bai viel weiter vom Gebirgsfuß entfernt, als es der 40 Werstkarte nach scheint.

Unser Weg ging von Bai ab, erst in nordwestlicher Richtung über Terte und Uskim
durch die Wüste zu dem noch ziemlich entfernt vom Gebirgsrand gelegenen kleinen Kischlak
Masar-Jakub, wo es sich herausstellte, daß unser nächstes Ziel, das Quertal Tilbitschek
nicht direkt erreichbar sei, da sein Unterlauf eine für Lasttiere unzugängliche Schlucht
bildet. Wir mußten nach W abschwenken, durchmaßen das in junge kristallinische Konglomerate eingeschnittene, wüste Tal Kali-Agatsch, überschritten einen kleinen Paß und gelangten durch ein nach SW hinaus ziehendes Tälchen auf eine Hochebene und zu dem, am
Fuße der ersten Kette älterer Konglomerate, nahe an der Ausmündung des Kapsalyanflusses
auf die Hochebene gelegenen Dörfchen Dscham-Kuluk (ca 1600 m). Der Weg aufwärts in
diesem Tale hatte die Richtung O und NO; das Tal ist zwischen sehr schroffen, hohen,
roten Konglomeratmauern, wovon später mehr, eingetieft und zerfällt in drei, durch torartig
schmale, in den umschließenden Uferwällen eingeschnittene Öffnungen miteinander verbundene kleine Becken (alte Seeböden). So gelangten wir in das Gebiet von tertiären Tonmergeln, die mit den harten, violett-roten Konglomeraten zusammen steil aufgefaltet, aber
schon arg zerstört, größtenteils nur noch am Fuße der 2—300 m hohen, konglomeratischen
Steilmauern erhalten sind. Auf den Mergelterrassen — Fluß zur Seite in tiefer Klamm —
wanderten wir weiter talauf zu der auf einer schwellenförmigen Erhebung des Tales gelegenen Niederlassung Musulyk (ca 1820 m), von dort zur Ausmündung des Terek in den
Kapsalyan und nahe zur Geröllebene, wo dieser selber zwischen den prallen Mauern des
hohen Kalkgebirges hervorbricht. Nun wurde sein Gebiet verlassen und die breite Wasserscheide zwischen diesem und dem des Tilbitschek-Flusses durch ein ca 10 Werst langes
Defilee gequert, das, im Streichen der sehr verwitterten, bunten Mergelbänke liegend,
wunderlich formenreiche und farbige Bilder ergibt, zumal die roten Konglomeratmauern
mit kühn gegipfelter Kammlinie dahinter aufragen. Auf steilem Hange gelangten wir hinab
in die breite Ebene des Tilbitschektals, dessen torförmiger Eingang zur Schlucht seines
Unterlaufs bald hinter uns sichtbar wurde. Im mittleren Teile des Tilbitschektals sind die
weichen Mergel nahezu gänzlich abgeräumt und die roten Konglomerate bilden in ihrem
Streichen die Talumwallung; da sie steil nach SO einfallen, ist der orographisch rechte Wall
steil geböscht, der linke jedoch kehrt dem Tale vollkommen senkrechte Abstürze zu, eine wie
nach dem Senkel abgeschnittene, etwa 20 Werst lange, rote Mauer, gekrönt von bizarren
Gipfeln und Grattürmen, ein Anblick, wie er sich selten irgendwo bieten dürfte.

Eine kleine Tarantschi-Niederlassung im Tale heißt Suchun (ca 1950 m). Von dort drangen
wir tiefer in das Tal ein, zunächst in Richtung NO, dann N, wo die erhalten gebliebenen
parallelen Falten der steil aufgerichteten, bunten Mergel, in sägeartig gezähnten Kämmen
hintereinander ansteigend, zusammen mit den roten Konglomeratmauern sich zu höchst eigenartigen Bildern gruppieren. In diesem geologischen Horizont liegen drei beckenartige
Weitungen, welche durch nur 10—12 m breite, torartige Maueröffnungen miteinander in
Verbindung stehen. Durch das letzte Tor gelangt man in das Gebiet hellgrauer, feiner,
sandiger Konglomerate, welche in wirkliche Sandsteine übergehen und Lettenkohlenschiefer
mit Pflanzenabdrücken einschließen; höher oben treten hierzu noch dunkelbraune, arme
Toncisensteine und graue, dichte Kalke. Weit hinten im Tale beschäftigte sich ein in einer
Höhle lebender Tarantschi mit Eisenschmelzen. Das Haupttal verzweigt sich hier und führt
nach NW in hohen, Alpenmatten tragenden Stufen zu einem Passe; der Hauptast jedoch

zieht nach N als enge, vom Wildwasser, zwischen prallen, aus dichten Kalken aufgebauten Mauern, durchtoste Schlucht. Dem Versuch Herrn Keidels, tiefer in die Schlucht einzudringen und so aus der Kalkzone in die kristallinische zu gelangen, stellten sich schon· bald unüberwindliche Hindernisse entgegen.

Der zweite Vorstoß ins Gebirge führte uns durch einen weiter im W in den roten Konglomeratmauern gelegenen, engen, torartigen und schwierig passierbaren Durchbruch in das Tal Kepek-tschai, wo man weit früher in das Gebiet der erwähnten hellgrauen, sandigen Konglomerate, Sandsteine,·Lettenkohlenschiefer, Kalke und Tonsteine gelangt, als im Tilbitschektal, weil dieser Horizont etwa von NO—SW streicht. Im Hintergrund des Tales kann man in großartigen Aufschlüssen die kompliziertesten Formen des Schichtenbaues: Überschiebungen, Durchbiegungen usw. beobachten, die von chaotischen Zerstörungen der Gesteinsserien begleitet sind. Diese Störungen dürften sich vielleicht, nach genauerer Prüfung der beobachteten Verhältnisse, als im Zusammenhang stehend mit dem schon früher erwähnten, im südlichen Musarttal beobachteten Störungen (S. 33 f.) erweisen, da die kristallinischen Gesteine von dort herüberstreichen und etwas tiefer im Gebirge in Kontakt mit den Sedimenten treten. Die tertiären Schichten: rote Konglomerate und bunte Mergel sind, weil viel jünger, von dieser Bewegung unberührt geblieben.

Wir erstiegen den ins Tilbitschektal führenden Busai-tasch-Paß (ca 2800 m) und von dort aus die etwa 250—300 m höher, zwischen den zwei genannten und dem Kapsalyantal sich breitenden ausgedehnten Alpenplateaus, die einen schönen Überblick auf die schneeigen Hochketten des zentralen Chalyk-Tau gewähren. Die höchsten Gipfel liegen im N und W, gegen S und O findet allmähliches Abdachen statt. Nach Musulyk zurückgekehrt, versuchte Herr Keidel in das Kapsalyantal einzudringen, was jedoch wegen der schluchtartigen, von Wasser ausgefüllten Enge des Tales auch schon bald scheiterte. Nur im Winter, wenn der Fluß niedrig geht oder in Banden des Frostes liegt, dringen die Tarantschi in das Tal und führen Fichtenholz heraus. Nun entschloß sich Herr Keidel, um einen Einblick in den Bau des Gebirges zu gewinnen, zur Ersteigung eines zwischen Terek- und Kapsalyantal gelegenen, ca 3600 m hohen Gipfels, indes ich in das Terektal eindrang, das zwar gleichfalls den Charakter einer vielfach gewundenen Schlucht hat, aber sich doch als gangbar erwies. Es glückte mir von einem Biwak (ca 2450 m) im mittleren Teile der Schlucht aus, bis zu ihrem Schlusse zu gelangen (ca 2950 m), wo diese sich in zwei, an dem Hauptkamm auslaufenden Spalten verzweigt. Ich konnte also die ganze Serie der am Außenrand liegenden Sedimente, der kristallinischen Zone und der den Talschluß bildenden Kalke und Schiefer queren und eine vollständige Suite der Gesteine herausbringen. Ganz wie in allen anderen Quertälern des zentralen Tian-Schan, bilden also auch im Chalyk-Tau, den höchsten und zentralsten Teil des Gebirges nicht kristalline Gesteine, sondern Kalke und Schiefer, welche hier mit geringen Abweichungen nach S und N im ganzen O—W streichen. Diese Verhältnisse ließen sich indes, nach den schon am Musartpaß gemachten Beobachtungen, nicht anders erwarten. In den kristallinen Gesteinen des Terektals konnten bedeutende Störungen, Überschiebungen, starke Pressungserscheinungen usw. festgestellt werden. Schon weit hinten im Tale, besonders aber am Eingang der Terekschlucht, bei der kleinen Niederlassung Bom-Chotau, stehen Schwagerinen führende Kalke an, welche mit pflanzenführenden Schiefern wechsellagern; wenig weiter talaus folgt auf rote Sandsteine eine Porphyrzone zwischen ersteren und den mehrfach erwähnten grauen Sandsteinen.

Überraschend war es für mich, in diesem südlichen und nach S sich öffnenden Tale die Elemente eines engen Quertals der nördlichen Kalkalpen Tirols zu finden: Terrassen mit üppigen Alpenmatten, an felsigen Steilhängen Tannenwälder, welche bis in die Enge der

Schlucht herabziehen und auf Talstufen dichte Bestände bilden, einen sehr wasserreichen Hauptbach, genährt von vielen, aus echt alpinen Seitentälern kommenden Zuflüssen, prächtige, ungemein schneereiche, wilde Felsberge. Da das Tal an seinem Schlusse in zwei engen Spalten ausläuft, konnten sich dort keine Gletscher bilden; hingegen finden sich kleinere Gletscher in den karförmig geweiteten Talschlüssen der Seitentäler. An den Mündungen einiger dieser Täler sind, wiewohl vieles von dem Hochwasser des Stromes weggespült wurde, noch immer ansehnliche Mengen Moränenschutts aufgestaut, als Zeichen ehemaliger, bedeutender Vergletscherung. Die ganze Länge des Terektals beträgt etwa 50 Werst; kurz vor seinem Schlusse gabelt es in zwei Äste: der eine nach NW ziehende, heißt Jakonasch, der andere nach N ziehende, hauptsächliche, heißt Dschan-Kasnak. Aus diesem Namen ist wohl die in die 40 Werstkarte für das ganze Tal eingetragene irrtümliche Benennung Kasnak-su hergeleitet. Ich wiederhole, daß die Bewohner der Gegend das ganze Tal nur mit dem Namen Terek bezeichnen.

Der Rückweg vom Chalyk-Tau wurde nahe dem Gebirgsfuß entlang genommen; zunächst im Unterlauf des Terektals aufwärts, dann die das Tal scheinbar abschließende Hochterrasse Jar-Dschilga übersteigend, hinab in die weite Hochebene von Karabag, welche zwischen dem Laufe des Musart-daria und dem Gebirgsfuß sich dehnt. Die in diesem Teile des Chalyk-Tau eingeschnittenen Quertäler sind in keiner Karte eingetragen, geschweige denn benannt; sie heißen in der Reihenfolge von O—W: Jagustal, Kysyltal, Tutukterö, Tscholok-su, Alagir, Tjukur-möt. Alle fand ich, ungeachtet ihrer südlichen Exposition, sehr schneereich und in einigen liegen sogar ansehnliche Gletscher. Durch einen aus dem Musarttal abzweigenden, NW—SO herüberstreichenden Gebirgszug werden sie schräge abgeschnitten, weshalb die östlichsten kurz sind und im allgemeinen die Länge der anderen zunimmt, je weiter sie im W gelegen sind. Das bedeutendste unter ihnen ist das Tal Tutuk-terö, aus welchem ein großer Bergstrom herauskommt. Die meisten dieser Täler bergen Fichtenwälder, in welchen die Bewohner der weit zerstreuten Kischlaks der Hochebene Holzkohlen brennen. Unser Weg führte über die Kischlaks: Kisch-talga, Karabag. Kok-kia, Klein Karabag, Kyssalik und Tschapta-channe stets dem Rande des Gebirges entlang, das in etwa 1200 m hohen Mauern gegen die Hochebene abfällt; dem Fuße entlang zieht jedoch noch ein Gürtel mehr oder weniger zerstörter und abgetragener Tertiärablagerungen. Nach Überschreitung des Musart-daria bei Tschapta-channe, wo der Fluß ganz an den Gebirgswall hindrängt, führt der Weg unausgesetzt über alten, begrünten Moränenboden, über eine Anzahl N—S verlaufender, durch kleine Quertälchen getrennter Moränenrücken, auf welchen gewaltige Transportblöcke lagern (siehe S. 35). Von dieser ungeheuren Anhäufung Moränenschutts ging es steil hinab gegen das erste chinesische Pikett Koneschar, am Eingang des südlichen Musarttals, wo wir am 23. Mai eintrafen. Auf die Versicherung hin, daß ich, gemäß den von den chinesischen Behörden in Ak-su den sartischen Begs zugegangenen Befehlen, auf allen Stationen Futter für die Pferde und Lebensmittel bereitgestellt finden würde, entschloß ich mich zu nochmaligem Besuch des südlichen Musarttals. Hauptzweck war, vom letzten Pikett, Tamga-tasch, aus in das von dort nach NO ziehende undurchforschte Karakoltal einzudringen und den sehr bedeutenden Gletscher dieses Tales, vielleicht einen der größten im Tian-Schan, sowie seine Umrandung kennen zu lernen, die aus völlig in Eis gehüllten Ketten von riesiger Höhe besteht, deren Zusammenschluß mit den großen Hauptzügen noch völlig im unklaren liegt. Auch der stark vergletscherte Hintergrund des Tales Turpal-tsche sollte untersucht werden. Leider ließen sich diese Pläne nicht ausführen, da die Begs, ungeachtet der ihnen aus Ak-su zugegangenen Befehle, mich im Stiche ließen.

Ich machte von Tamga-tasch aus zunächst eine Rekognoszierungstour zum großen

Karakol-Gletscher, wobei festgestellt wurde, daß dieser ganz ähnlich wie der Inyltschek-Gletscher, mit einem mächtigen Gebirge aus Moränenschutt überlagert ist, dessen Über-schreitung auch nur auf die Länge von 4 Werst sich schon als sehr zeitraubend und überaus mühsam erwies. Soviel sich von einem hochgelegenen Punkte der Umrandung übersehen ließ, lagert dieses Schuttgebirge noch weiterhin auf einer Strecke von etwa 10 Werst auf dem Gletscher, ehe freies Eis erreicht werden kann, das sicherlich die drei-fache Länge des schuttbedeckten Teiles hat. Am Ende der Gletscherzunge liegt ein kleiner Moränensee. Die Begehung des Gletschers und die Untersuchung seiner Umrandung hätte zum mindesten eine Woche erfordert. Als ich von diesem Ausflug in das Picket zurückgekehrt war, stellte es sich heraus, daß man nur ein ganz unbedeutendes Quantum Futter gebracht hatte und weiteres nicht in Aussicht stand. Ich mußte somit rasch den Rückzug aus dem unwirtlichen Tale antreten und zu meinem Leidwesen von der Unter-suchung dieser unerforschtesten Gebiete des zentralsten Tian-Schan abstehen. Wenn dieser Ausflug auch eine Woche Zeit gekostet hatte, so war sie doch insofern nicht verloren, als die schon in kurzem geschilderten geologischen, glazialgeologischen und orographischen Ver-hältnisse des südlichen Musart-Tals (siehe S. 33 f.) genauer untersucht werden konnten, als dies bei der flüchtigen Durchwanderung im Vorjahr möglich gewesen war. Ungemein heftige Winde, Sandstürme und Nebel beeinträchtigten die Arbeit allerdings nicht wenig.

Auf dem schon früher bezeichneten Wege kehrten wir nach Ak-su zurück, wo nun auch der Kosak Tschernow, einer von Sven Hedins Begleitern, sich der Expedition an-schloß, und nach unglaublichen Schwierigkeiten und Zwischenfällen endlich auch die zur Weiterarbeit im Hochgebirge ganz unerläßlichen, seit Monaten erwarteten Ausrüstungsgegen-stände eingetroffen waren. Als Ausgangspunkt für die Untersuchung der südlichen Hoch-täler ist Utsch-Turfan, weil näher am Gebirge, günstiger gelegen; wir kehrten deshalb dort-hin zurück. Auf dem Wege dahin konnte in der nun erst in voller Blüte stehenden Steppen-und Wüstenflora reiche Ausbeute gemacht werden. Von dem chinesischen Ambal in Utsch-Turfan, einem aufgeklärten und gefälligen Manne, sowie dem dortigen sartischen Aksakal des Kais. Russ. Konsulats in Kaschgar in sachdienlicher Weise unterstützt, vermochte ich meine Untersuchungen in den bisher noch gänzlich unerforscht gewesenen Quertälern des süd-lichen zentralen Tian-Schan befriedigend durchzuführen. Die Athmosphäre war inzwischen durchsichtiger geworden, und wir hatten von Utsch-Turfan aus prächtige Aussicht auf das südliche Hochgebirge. Der Schneereichtum und besonders die Vergletscherung dieser südlichen Ketten übertraf bei weitem meine Vorstellungen. Der Hintergrund des Kaitsche-Tals mit dem im N davon aufragenden, von Kaulbars mit dem Namen »Petrowspitze« (nicht Peter-spitze) belegten, wunderbar kühn gebauten Riesengipfel, die prächtige Bos-Tagh-Gruppe, vor allem aber die gänzlich vergletscherte, gewaltige Sabawtschö-Kette bildeten geradezu Über-raschungen, in Anbetracht der nach S, zum Teil nach W gekehrten Hänge.

Die südl. Quertäler des zentralen Tian-Schan und der bisher an-genommene sowie der wirkliche Durchbruch der nördl. Gewässer.

Wir verließen Utsch-Turfan am 11. Juni, überschritten den inzwischen sehr wasser-reich gewordenen Tauschkan-daria ohne Schwierigkeit und näherten uns, auf dem tief zer-schluchteten, gewaltigen Aufschüttungsboden der Wüste allmählich ansteigend, dem Ge-birgsfuß.

Was die bisherige Wanderung entlang dem Südfuß des Tian-Schan schon gelehrt hatte, stellte sich hier erst recht in überzeugender Weise dar: Von dem sog. »mauerartigen« Abfall des Tian-Schan gegen das Tarim-Becken, von dem so viel geschrieben wurde, den man auch den meisten Kartendarstellungen zufolge erwarten müßte, ist mit Ausnahme weniger Stellen, nichts zu merken gewesen. Die schleierige Umhüllung des Gebirges, das scharfe Licht der Steppe, täuschte den in größerer Entfernung vom Gebirgsfuß dahin ziehenden Reisenden einen solchen Eindruck vor. Der Tian-Schan dacht jedoch allmählich gegen die Hochebene an seinem Südfuß ab, je nach Besonderheit des Baues der einzelnen Teile und der dementsprechend von der Erosion eingeschlagenen Richtung, in nach und nach absinkenden Zügen von Querketten, deren kapförmige Enden weit in die Wüste vorspringen, oder auch in stufenförmig sich erniedrigenden Längsketten. Bedenkt man überdies, wie viel von den äußersten Randketten in den ungeheuren Aufschüttungsmassen der Hochebene begraben liegt — es war von solchen Fällen öfters in diesem Bericht die Rede — so muß die bisherige Vorstellung von dem mauerförmigen Abfall aufgegeben werden. Manchmal treten Kalke als Vorsprünge des Gebirges auf, öfters bilden Konglomerate und tertiäre Tonmergel die äußersten Falten.

Unsere erste Station war die etwa 25 Werst südlich vom Ausgang des Kaitsche-Tals entfernte, am Flüßchen Ui-bulak gelegene Oase Kukurtuk (ca 1620 m). Mit Hilfe der dortigen Kirgisen drangen wir in das Dschanart-Tal ein, um zu prüfen, welche Bewandnis es mit dem angeblichen Dschanart-Durchbruch habe, und inwiefern die bisherigen Darstellungen der Karten hierüber sich bestätigen würden. Auf der Hochebene, bei der Annäherung zum Dschanart-Fluß fand ich zwar ein ca 40 m tief in die Gerölldecke eingerissenes, breites, jedenfalls auch für bedeutende Hochwassermengen genügendes Flußbett, aber kein solches, wie es einem gewaltigen Strome entsprechen müßte. Die Wassermenge darin konnte man höchstens ansehnlich nennen, und das Wasser war vollkommen klar. Schon diese Umstände erweckten in mir Zweifel an der Nähe des sog. Dschanart-Durchbruchs. Beim Eintritt in das Gebirgstal (ca 2250 m), wo die unvermeidlichen Schwagerinenkalke, allerdings stark verpreßt, sich wieder zeigten, war ich überrascht, ein flachmuldenförmiges Flußprofil zu finden und einen zwar ziemlich kräftigen Bergfluß, aber keinen mächtigen Strom, wie ihn die vereinigten Schmelzwasser der größten Gletscher der Nordseite: Sary-dschaß, Inyltschek, Kaündü usw. bilden müßten. Die Hochflutmarken an den Felswänden zeigten einen Pegelstand von 3—4 m über das damalige Flußniveau. Mit diesen Feststellungen war meine Überzeugung, daß durch das Dschanart-Tal kein Tropfen Wasser fließe, das aus den nördlichen Gletschern stammt, schon besiegelt. Indes wollte ich die Beweise hierfür zur Erschöpfung beibringen und beschloß, das ca 45 Werst lange Tal bis zu seinem Schlusse zu durchwandern, was infolge von Schwierigkeiten nur durch dreimaliges Vorschieben des Lagers ermöglicht wurde.

Im ersten Drittel des Tales bilden helle, dichte Kalke die Umrandung und der Charakter der südlichen Steppe tritt inmitten einer großartigen Felsumwallung auf. Im zweiten Drittel, wo das Tal nordisch alpinen Charakter annimmt, mit guten Weideplätzen und schönen Tannenbeständen, ist es zunächst von kristallinischen Schiefern und granitischen Gesteinen umrandet, denen eine zweite Serie heller Kalke, wechsellagernd mit dunklen Kalkschiefern folgt und diesen eine mächtige Serie dunkler Schiefer und heller Marmore. Eine schmale Zone von grünen Grauwackenschiefern und Phylliten scheint das Ausstreichende des im oberen Kok-schaal-Tal (siehe S. 41) beobachteten, gleichen, sehr mächtigen Horizonts zu sein; hierauf folgen, bis fast zum Talschluß reichend, nochmals die Kalkschiefer und Marmore. Das letzte Drittel zeigt schluchtartige Form, ganz hinten jedoch eine wannenförmige Weitung, wo die Gletscher sich breiten. In der höchsten Region, in der Umwallung des Passes, begegnen wir einer Zone Granit, die, wenigstens auf dem Südhang, nur geringe Breite hat. Der ganze Schichtenkomplex ist sehr steil gestellt, das mittlere Streichen ist O 10° N. In den wechsellagernden Kalken und Kalkschiefern fand Herr Keidel eine karbonische Fauna, die zwei verschiedenen Horizonten anzugehören scheint.

Der Gletscher im Haupttal besitzt keine große Ausdehnung; in den Seitentälern, besonders in den westlichen, ist die Vergletscherung etwas bedeutender, aber stark im Rückgang begriffen. Um so auffälliger sind die sehr großen Mengen alten Moränenschutts, welche schon beim Talausgang sehr hoch an die Talwände hinaufragen. Im mittleren Tale, wo der steile Bau der Felswälle ihre Erhaltung nicht erlaubte, hat der Fluß sein Bett stark eingetieft, und wir sehen dort unter fluvioglazialem Schotter Teile der alten Grundmoräne. Hinten ist das Tal auf langer Strecke von gewaltigen Moränenmassen derart verstopft, daß man, um zum Talschluß zu gelangen, fortgesetzt Riesenwälle von Blöcken und Trümmern überschreiten muß; in diesen macht sich nur äußerst selten kristallinisches Material bemerklich. Am vergletscherten Passe (ca 4400 m) standen wir inmitten einer großartigen Umrahmung von überaus schroff geformten, stark vereisten Felsgipfeln, deren Scheitel die Höhe von 5000 m wesentlich übersteigen dürften. Der Blick auf die Nordseite fiel zunächst in ein weites, hoch umwalltes Firnbecken, das durch ein gewundenes, spaltenförmiges Engtal jedenfalls zum Ischtyk-su drainiert wird. Eine nicht sehr formenreiche Eiskette sperrt im NW jeden weiteren Ausblick; der Lage nach kann es nur der Ischigart-tau sein. Nahe Hochgipfel verwehrten den Blick auf den zentralen Tian-Schan. Im W wäre wohl die Möglichkeit geboten gewesen, durch eine Lücke des dortigen Eiswalls Einblick in die Gletscher des Kaitsche-Tals zu gewinnen, was mich schon wegen Feststellung der Lage des von vielen Punkten aus gesehenen, gewaltigen Gipfels, der Petrow-Spitze, interessiert hätte; allein die Zeit fehlte hierzu.

Es war nun festgestellt, daß das Dschanart-Tal kein Durchbruchstal sei, und daß durch diesen Kanal kein Wasser der Nordseite dem S zufließen kann. Hiermit war jedoch das Problem nur zur Hälfte gelöst und die Frage, welchen Weg diese Gewässer auf ihrem Südlauf nehmen, blieb offen. Um mich zu überzeugen, ob nicht etwa das große Nebental des Dschanart, das, in seinem Gebirgslauf parallel mit ihm ziehend, sich erst in der Ebene mit ihm vereint, das Munkös-Tal, der Kanal sei, durch welchen die nördlichen Gewässer herausströmen, besuchte ich auch dieses Tal. Ich fand dort zwar ein sehr weites und sehr tiefes, in die mächtige Schotterdecke eingetieftes Flußbett, aber ganz wenig Wasser darin und zudem konnte ich schon, nachdem ich 8 Werst im Tale vorgedrungen war, mit Sicherheit feststellen, daß im Talschluß kein Durchbruch sein könne. Die Kirgisen hatten indes gute Kenntnis davon, daß die Gewässer der Nordseite des Gebirges dem S zufließen; übereinstimmend bezeichneten sie den Kum-Aryk als denjenigen Kanal, durch welchen sie dem Tauschkan-daria zugeführt werden. Hiervon mich zu überzeugen, war meine nächste Aufgabe; der Weg zum Kum-Aryk sollte möglichst nahe am Gebirgsrand genommen und dabei beobachtet werden, ob nicht noch ein anderer, bedeutender Strom aus dem Gebirge herausfließe.

In allen vorhandenen Karten sind die Quertäler, welche zwischen Bedel und Kum-Aryk den Südabhang des Gebirges durchschneiden, sehr unvollständig eingetragen, am vollständigsten noch in der der Krassnowschen Reisebeschreibung beigegebenen Karte Ignatiews (Sapiski K. R. G. G. Tom XIX, 1888), aber auch dort fehlt eine Anzahl. Ich möchte deshalb ihre Namen in der Reihenfolge von W—O hier anführen: Bedel, Kok-rum, Tanke-sai, Myndagyl-bulak Kukurtuk, Aire, Kaitsche, Taltan-su, Dschanart, Munkös, Sindan, Kosch-karata, Ui-bulak, Ullu-dschailak, Ulak-teke, Kum-Aryk. Von allen diesen Flüssen sind Bedel, Kok-rum und Dschanart die wasserreichsten. Das Wasser der meisten anderen versickert in

den Aufschüttungsböden ihrer Betten und kommt erst weit südlich hiervon an verschiedenen
Orten wieder zutage. Vom Dschanart nach O ist der Sindan, der sich übrigens in der
Ebene in den Dschanart ergießt, noch der einzige, welcher beständig erhebliche Wasser-
mengen führt; sein Bett ist in ungemein mächtige Diluvialbänke eingeschnitten. Die
anderen Flußbetten führen nur zur Zeit der Schneeschmelze, dann aber sehr bedeutende
Wassermengen dem Tauschkan-daria zu.

Der Weg nach O führte die Expedition eine Strecke weit durch das Tertiärgebirge,
das im N von Utsch-Turfan SW—NO streicht. Es besteht aus Konglomeraten, die in
weiten, flachen Antiklinalen angeordnet sind. Überraschend ist sein Reichtum an Wasser,
das in dieser heißen, schneelosen Gegend nicht geboren sein kann, sondern unterirdisch
aus dem Hochgebirge herabfließt und hier zutage tritt. Von den Quellen sind einige
stark salzig. Inmitten der Geröllwüste liegt am Fuße dieser Kette die bedeutende Oase
Kutschi, eine Tarantschi-Niederlassung (ca 1600 m). Es erwies sich ungemein schwer, dort
verlässige Auskünfte über den Weg zum Kum-Aryk zu erhalten. Mißtrauen und Furcht
beseelt diese Leute. Nur so viel konnte festgestellt werden, daß der Weiterweg in östlicher Richtung unmöglich sei, weil der Kum-Aryk dort einen einzigen, unüberschreitbaren
Arm bildet. Man. müsse nach SO zur Oase Oi-Tattir; dort sei der Fluß geteilt und könne
in den Morgenstunden überschritten werden. Wir wanderten dahin durch eine trostlose
Wüste, nur verschönt durch die im NO aufragende, prächtige Sabawtschö-Kette, die ab-
blendend weißer Wall sich weit gegen O dehnt. Man überschreitet auf diesem Wege eine
weite Strecke Landes, übersät mit zerfallenden, verlassenen Gehöften. Vor nicht langer
Zeit noch konnte Wasser aus dem Kum-Aryk hierher geleitet werden, und die Gegend war
blühend. Es scheint, daß der Fluß sein Bett inzwischen vertieft hat; die Kanäle können
kein Wasser mehr aus ihm erhalten, und das Land wurde wieder zur Wüste. Oi-Tattir
(ca 1480 m) ist eine sehr fruchtbare Oase, die für ihre Kulturen dem Kum-Aryk mehr Wasser
entzieht als sie bedarf, weshalb der Boden versumpft. 3 Werst im O von dieser Oase überschritten wir den Strom; er verzweigt sein Wasser auf eine Breite von 4 Werst in 14 bedeutende und etliche kleine Arme mit einer Gesamtbreite von 170 m und einer Maximal-
tiefe von 120 cm zur Zeit des täglichen Tiefwasserstandes. In den Nachmittagsstunden,
gegen Abend vermehrt sich das Wasserquantum um mehr als das doppelte und der Fluß
ist dann unüberschreitbar. Schon Sven Hedin, der den Fluß 1895 bei Ak-su, wo er Ak-
su-daria genannt wird, überschritt, wies darauf hin, daß er fast nochmals so wasserreich
sei (8. Juni 306 cbm pro Sek. Tageszeit?), als der Tauschkan-daria. Der Name Kum-Aryk
findet sich in der 40 Werstkarte nicht, ist aber der bei den Bewohnern seiner Ufer allgemein und ausschließlich gebräuchliche; er ist auch sehr zutreffend: Kum-Aryk bedeutet Kanal
der Wüste. Beim Austritt aus der seinen Gebirgslauf bildenden Schlucht in die Hochebene
fließt er in einer etwa 150—200 m senkrecht in die Gerölldecke eingeschnittenen Furche
dahin, so daß das Uferland wasserlos bleibt, eine vollkommene Wüste, die sich, nur unterbrochen von einigen Oasen, bis Ak-su hinausdehnt. Zwischen den einzelnen Armen breiten
sich, wo wir den Fluß überschritten, Wüstenstrecken mit Flugsand und Dünen. Dort indessen,
wo wir nach der Überschreitung am Ostufer aufwärts wanderten, zieht sich ein an den
Rand eines großen Kanals gebundener, schmaler Gürtel fruchtreicher Oasen viele Werst
entlang, am Fuße einer hohen, bankartigen Stufe dahin, mit welcher das zum Gebirge hin
stark aufgewölbte Schotterplateau zur Flußebene steil abfällt. Diese 15—18 Werst lange Reihe
unter Obstbäumen verborgener Gehöfte, zerfällt in vier Aule: Tschaudar, Tokai, Togak und
Schaichle; sie empfangen auch etwas Wasser aus zwei etwas weiter östlich, vom Gebirge
herabkommenden Flüssen: Tschorlok und Tamlok. Die letztgenannte Oase, Schaichle, bildet
unseren Stützpunkt für die nun folgenden Vorstöße.

Schon beim ersten Anblick des Kum-Aryk, eines besonders in den Nachmittagsstunden wahrhaft imponierende Wassermassen dahinwälzenden Stromes, wurde mir klar, daß solche Flut nur zum geringen Teile den Firnen der Südseite ihre Entstehung verdanken könne, und daß dies der Kanal sein müsse, der von den Wassern der großen Gletscher der Nordseite gespeist wird.

Wir wanderten von Schaichle unter dem Abfall der Hochterrasse zunächt nach W und erreichten das Ufer des dort einen einzigen, 120 m breiten Arm bildenden Stromes, wandten uns aber bald wieder vom Flusse ab nach N, durch eine in die gewaltige Schotterdecke tief eingerissene Schlucht und gelangten so, allmählich ansteigend, auf den wüsten Geröllboden der Hochebene. Dort zogen wir hoch am Uferrand des nun aus nördlicher Richtung strömenden Flusses aufwärts, etwa 200 m über seinem Niveau. Nach einiger Zeit wird die Hochterrasse durch viele, senkrecht umrandete, meistens 100 m und darüber tiefe Schluchten labyrinthisch zerschnitten. Wir stiegen in das Flußbett ab und setzten an des Wassers Rande den Weg fort, bis die Fluten, hart an die Schluchtwand anschlagend, uns wieder auf das Plateau drängten. In beständigem auf und ab, die Schluchten querend, erzwangen wir noch ein Stück Weges, bis endlich, nachdem wir etwa 25 Werst seinem Laufe gefolgt waren, angesichts des Ausbruchs des Kum-Aryk aus seiner Engschlucht, jeder Weiterweg gesperrt war. Was mir von den Bewohnern Schaichles vorher gesagt, von mir indes ungläubig aufgenommen worden war, bestätigte sich: Es ist nicht möglich in die Schlucht einzudringen. Zwischen senkrechten Mauern bricht der Strom aus der Enge des Gebirges heraus und läßt in dieser Schlucht, soweit man hineinsehen kann, keinen Fuß breit Landes wasserfrei, wenigstens nicht während der Hochwasserperiode, die von Ende April bis Anfang Oktober dauern soll. Im Winter, sagen die Bewohner von Schaichle könne man wohl in die Schlucht eindringen; allein es gehe niemand hinein, da dort nichts zu finden sei, als Steine und Wasser. Es kann demnach nur einer entsprechend ausgerüsteten und organisierten, mit Lebensmitteln, Brennmaterial und dem für die Transporttiere nötigen Futter für längere Zeit versehenen Expedition im Spätherbst oder Winter gelingen, die Schlucht zu durchmessen und ihren Verlauf, sowie den ihrer Zuflüsse bis zur Einmündung des Utsch-kul in den Sary-dschaß festzulegen. Das Bild, das die 40 Werstkarte von diesem ganzen hydrographischen System gibt, ist ungemein lücken- und mangelhaft. Der größte Fehler liegt darin, daß zwischen Sary-dschaß und Inyltschek überhaupt jede Verbindung des Flußsystems fehlt. Außerhalb des Ausbruchs des Kum-Aryk sieht man in den senkrecht angeschnittenen Ufermauern Anhäufungen ungemein großer, gerundeter Transportblöcke ohne Bindemittel 100 m übereinander aufgetürmt. Um solche Wirkung zu erzielen, muß die durchströmende Wassermenge ehemals um sehr vieles bedeutender gewesen sein, was in der Postglazialzeit sicher der Fall war und während der Entleerung der hinter der Schlucht aufgestauten Seen angedauert hat, als diese durch rückschreitende Erosion angeschnitten wurden.

Der Abfluß des Sabawtschö-Gletschers mündet unmittelbar außerhalb des Ausbruchs des Kum-Aryk von O her in diesen ein, als stürmisch wilder, sehr bedeutender Gebirgsbach. Nicht weit aufwärts in der Kum-Aryk-Schlucht sieht man aus ihrer rechten Uferkette die gewaltigen Schneegipfel der Bos-tagh-Gruppe aufragen, und hinter ihr gewahrt man eine noch höhere, jedoch stark felsige Kette. Ich vermute, daß zwischen beiden Ketten das Koikaf-Tal einschneidet. Wie ich später von anderen Standpunkten aus beobachten konnte, zweigt aus der Schlucht des Kum-Aryk schon bald hinter ihrer Mündung ein breites Seitental nach NW ab, welches da, wo man es im W der Bos-tagh-Gruppe gegen den dort stark absinkenden Hauptkamm hin verfolgen kann, an diesem als weite Gletschermulde unter flach-zeltförmigen Firngipfeln seine Entstehung nimmt. Daß dieses Seitental — die Kirgisen nennen es

Kara-gat — von der Hochebene am Südfuß des Gebirges aus unschwer durch Übersteigen
der ersten, parallelen Längsketten zugänglich ist, und somit die erwähnte Depression im
Hauptkamm erreicht werden könnte, scheint mir zweifellos. Vielleicht läge hier der Schlüssel
zur vollständigen Enträtselung des Durchbruchs. Mir stand, bei dem Umfang der noch auf
der Nordseite zu bewältigenden Aufgaben, keine Zeit mehr hierfür zu Gebote. Von dem
Längstal, wo im O der Bos-tagh-Gruppe, nach der 40 Werstkarte, der Ak-su oder Kum-
Aryk seinen Ursprung nehmen müßte, werde ich später einiges sagen.

Nachdem die photographische Aufnahme der interessanten Örtlichkeit beendet war,
traten wir den Rückweg nach Schaichle an.

Wiewohl es nun höchste Zeit war, auf die Nordseite des Gebirges überzugehen, um
die im Vorjahr unvollendet gebliebenen Forschungen zum Abschluß zu bringen, wollte ich
diese Gegend nicht verlassen, ohne Einblick in das noch völlig unbekannte Gletschergebiet
der Sabawtschö-Kette zu gewinnen.

Der Sabawtschö-Gletscher.

Wenn man von Schaichle nach N blickt, sieht man das Gebirge in mehreren, parallelen
Längsketten zur Hochebene abdachen, welche überschritten werden müssen, um in das
Sabawtschö-Tal zu gelangen. Rechnet man die das Sabawtschö-Tal im N begrenzende Kette
hinzu, so stellen diese vier Ketten vier parallele, O 30° N streichende Falten dar. Die
äußerste ist ein in kleine Kuppen zerlegter Zug und besteht aus bunten Mergeln, welche
konkordant über stark zersetzten, nicht mehr erkennbaren, dunklen Schiefern lagern, allem
Anschein nach den gleichen, welche weiter nach N zu, die beiden folgenden Ketten bilden.
Es sind dies blaugrüne, rotviolett verwitternde, tonig-sandige Schiefer, über deren Stellung
bis zu genauerer Untersuchung der Proben nichts weiter gesagt werden kann. Aus dem
gleichen Material ist auch die dritte Kette aufgebaut; doch sind hier schon graue Kalke
eingeschlossen und Platten von sandig-toniger, Grauwacken ähnlicher Beschaffenheit, welche
in der vierten Kette bereits als mächtige Bänke auftreten und mit den blaugrünen Schiefern
wechsellagern. In diesen Kalken findet sich an einzelnen Stellen eine Anhäufung von
Organismenresten, welche auf Brockwasserbildung hindeutet. Herrn Keidel glückte es, darin
eine gut erhaltene Fauna des obersten Karbons zu entdecken.

Unser Weg führte quer zum Streichen über die drei ersten Ketten und die sie
trennenden Längstäler — das dritte und bedeutendste heißt Terek — zu einem ca 3200 m
hohen Passe, Kara-burö, in der dritten Kette, welche die Hirten hier Mansur-tagh nennen.

Blickt man von dort hinab, so sieht man unter sich das in seinem Unterlauf etwa
1½ Werst breite Sabawtschö-Tal. Zu beiden Seiten lagern an seinen hohen, schroffen Talwänden in stumpfen, begrünten Rücken, Kuppen und Plateaus, große Mengen roter und
weißer, sandiger Konglomerate und wirkliche Sandsteine tertiären Alters, welche, überall
mit dichter Grasnarbe überzogen, auch den Talboden auffüllen und durch eine Unzahl senkrecht erodierter, 100—200 m tiefer, jetzt trockner Schluchten labyrinthisch zerschnitten
sind, so daß der vordere Teil des Tales unüberschreitbar ist. Nur an einer Stelle kann
man, aus SW kommend, über einen Paß (Kysyl-kut) dieses Talgebirge, ein Labyrinth von
Sandsteinplateaus und Kuppen queren und höher hinauf in das Sabawtschö-Tal gelangen. Die
außerordentliche Zerschluchtung der Sandsteinmassen gibt Kunde von den gewaltigen Wassermengen, welche einst das Tal durchströmten und aus den früher in ungeheurer Mächtigkeit

entwickelten Gletschern des Tales entsprangen. Überall erscheinen die Sandsteine von ungemein mächtigen Decken alten Moränenschuttes überlagert; am Abhang der linken Uferkette reichen sie höher hinauf als an der rechten und sind hier derart von altem Moränenschutt überlagert, daß nur einzelne Schollen von ihnen aus diesen zum Teil fluvio-glazialen, begrünten Transportmassen herausragen. Der Sabawtschö-Fluß strömt hart unter der nördlichen Talwand in einer unzugänglichen, senkrecht in die Sandsteine eingetieften Schlucht dahin. Das Tal verzweigt sich in zwei Äste, von denen der nördlichere das Haupttal bildet, das von O, weit aus dem Herzen der gänzlich in Eis gehüllten Sabawtschö-Kette, herbeizieht. Der südliche Zweig ist breiter, aber kürzer als der nördliche und nimmt seine Entstehung in mehreren Armen in einer sehr weiten, ungemein schnee- und firnreichen Wanne, welche von pyramidenförmigen Firngipfeln umstanden ist; sein wasserreicher Bach vereinigt sich im äußeren Tale mit dem aus dem Sabawtschö-Gletscher kommenden Hauptbach. Die Sohle dieses Nebentals liegt durchschnittlich 350 m höher als die des Haupttals; sie ist aber gleichfalls vielseitig und tief von heute meistens trocknen Schluchten zerschnitten und ihre den glazialen Transportmassen ihre Ausbildung verdankenden Hochterrassen werden von schönen, in dieser südlichen, trocknen Gegend geradezu überraschend dichten Alpenmatten bedeckt, auf welchen die Bewohner der heißen Ebenen ihr Vieh sommern. An den gegen N gerichteten Hängen breiten sich ausgedehnte Fichtenbestände. Wir verweilten zuerst eine Nacht oben bei den sartischen Hirten im Nebental und stiegen dann hinab ins Haupttal, wo auf dem, gegen das Strombett auslaufenden, kargtigen Ende des beide Strombetten trennenden Rückens, gerade an der Mündungsstelle ein von Jakub Beg — man begreift nicht zu welchem Zwecke — angelegtes, jetzt verfallendes Fort steht. Von hier aus unternahm ich eine Begehung des Sabawtschö-Gletschers und hatte das Glück, hierzu durch einen wolkenlosen Tag begünstigt zu sein, eine große Seltenheit in diesem Gebirge. Die thermalen Kontraste zwischen dieser hohen, schneereichen, hart am Rande der glühend erhitzten Ebene liegenden Region und dieser letzteren sind außerordentliche und führen fast täglich zu starken Kondensationserscheinungen oder stürmischen Ausgleichen. Der Weg zum Zungenende des Gletschers führt durch eine Zone schwer durchdringlichen, ungemein hohen Dickichts und dieses setzt sich an beiden Ufern des Gletschers auf Moränenrücken und auf den Moränenschutthalden der Bergwände fort, auf eine Länge von 10 Werst den Gletscher mit breiten, dunklen Bändern umsäumend, die öfters in mächtigen Armen sich hoch an die Talwände hinaufziehen. Man gelangt zwischen einem torförmigen Zusammenschluß der Ufergebirge zum Gletscher, dessen Zunge bei ca 2750 m endet. Ich konnte dort keinerlei Anzeichen eines rezenten Rückzugs des Eises wahrnehmen. Der Gletscher ist bis über die Hälfte seiner Länge, gleich dem Inyltschek-Gletscher, von einem ungemein formenreichen Gebirge aus Moränenschutt und Blöcken bedeckt, das noch mächtiger ist, als das am Inyltschek-Gletscher; doch sind hier, infolge des ungemein trocknen Klimas, die oft enorme Größe besitzenden Blöcke durch keinerlei Bindemittel miteinander verkittet; nur lockerer Sand und trockner Verwitterungsgrus liegt dazwischen. An Terrassen der Bergwände bemerkt man, als Gegensatz zu dieser Erscheinung, mächtige Bänke geschwemmten, feinen Tones mit eingebetteten Geröllschichten. Die Begehung des Gletschers, ein unausgesetztes Übersteigen von Schuttkämmen und Tälern ist überaus mühsam und zeitraubend. In mehreren der zwischen den Kämmen sich breitenden Talweitungen liegen Eisseen von zum Teil bedeutendem Umfang; nach ihrer Tiefe zu schließen, hat die Eisdecke eine große Mächtigkeit. Da, wo sie gegen die Bergufer hin sich abwölbt, ist sie stark zerborsten, zum Teil in Séracs aufgelöst. Infolge der ungemein zeitraubenden Begehung, gelangte ich nicht weiter, als etwa 10 Werst aufwärts im Eistal bis zu einer Stelle (ca 3300 m), wo aus NO ein großes Gletschertal einmündet, umrahmt von prachtvollen, unglaublich schroff ge-

bauten Bergen; zwischen ihnen zieht aus einem, so weit das Auge reicht, nach ONO
sich dehnenden Firnplateau ein großer Gletscher herab, dessen vollständig schuttfreie
Zunge in schönem Bogen durch das Tal herausfließt und sich mit dem Sabawtschö-Gletscher
vereint, einen herrlichen Anblick gewährend.

Den Hintergrund des Sabawtschö-Tals bildet eine Doppelreihe von 6000 m und darüber
hohen, kaum eine Spur von Fels zeigenden Eisbergen. Ich schätze die Entfernung von
dem von mir erreichten Punkte bis zum Talschluß auf mehr als 12 Werst. Mithin hat
dieser in einem nach SW sich öffnenden Tale und am Rande der heißesten und trockensten
Gegend des zentralen Tian-Schan gelegene Gletscher noch heute eine Gesamtlänge von
mindestens 22 Werst. Die starke Schuttbedeckung schützt ihn vor Abschmelzung. Welche
Dimensionen er ehemals hatte, davon geben die höher als bis zu 400 m auf Terrassen der
Talwände des mittleren Tales sichtbaren Moränenreste Kunde. Die Umrandung des Tales besteht zunächst aus den mehrfach erwähnten, blaugrünen, phyllitähnlichen Schiefern, die mit
tonig-sandigen Schichten und Kalken wechsellagern. Diese grauen Kalke sind jedoch hier infolge der unmittelbaren Nähe der Granite durch Kontaktwirkung kristallinisch geworden. Die
Zone der Granite erstreckt sich, soweit ich sie verfolgen konnte, mehr als 14 Werst weit in
das Gletschertal hinauf und umfaßt Granite von ungemein verschiedenartiger Ausbildung.
Syenite und Gneis. Ein schwarzes, dichtes, eruptives Gestein, das ich weiter hinten in der
Granitzone bemerkte, von dem ich jedoch nur in der Moräne Bruchstücke sammeln konnte,
scheint diabasischer Natur zu sein. Im Moränenschutt bemerkt man, je weiter man taleinwärts
kommt, desto mehr Bruchstücke von schwarzen Kalken, Schiefern und weißen und rötlichen
Marmoren, woraus zu schließen ist, daß diese Gesteinsserie, wie in anderen Tälern des zentralen Tian-Schan, so auch hier die höchsten Teile des Gebirges am Talschluß aufbaut.

Die das Gletschertal im N umsäumende Kette ist überaus formenreich und schroff
gegipfelt; man erblickt hinter ihr noch eine andere Kette. Der 40 Werstkarte nach, läge
zwischen beiden das Ursprungstal des Kum-Aryk oder Ak-su-Flusses, was jedenfalls unrichtig ist. Zieht dort ein Längstal hinein, was zweifellos der Fall ist, so könnte es
meinen bisherigen Ausführungen entsprechend, nur ein Seitental des Kum-Aryk sein. Ob
dieses Längstal identisch ist mit dem von mir später besuchten Koi-kaf-Tal, konnte ich
leider nicht feststellen. Jedenfalls aber sah ich deutlich zwischen dem Ak-su-Tale der
40 Werstkarte und dem Sabawtschö-Tal noch ein anderes Tal in gleicher Richtung ziehen:
es scheint nur kurz zu sein. Die Leute von Schaichle kennen es und bezeichneten es
mit dem Namen Kasalai.

Ich bedauerte lebhaft, daß das große, noch zu erledigende Arbeitsprogramm des Jahres
mir nicht noch 3—4 Tage Zeit gewinnen ließ, um den Sabawtschö-Gletscher bis zu seinem
Ende zu begehen und seine Seitentäler genauer zu besichtigen.

Zum Kukurtuk-Tal und von da zum Bedel-Tal und über den Paß.

Der Rückweg wurde von Kutschi ab etwas variiert und führte durch nördliche Ausläufer des Tertiärgebirges, von welchem beim Wege zum Kum-Aryk schon die Rede war.
Wir querten den Rand dieses Gebirges durch das Tal Darwasse-su (Torbach), ein sehr be-
zeichnender Name, da der Talbach durch eine torartige Enge in den Mergelwänden zum
breiteren Teile des Tales heraustritt. Die auch hier zahlreichen und starken Quellen können
nur dem Sickerwasser des Hochgebirges ihre Entstehung verdanken. Am Rande dieses Mergel-

gebirges querten wir die Wüste in südwestlicher Richtung und erreichten abermals die Oase Kukurtuk. Von hier in das Kukurtuk-Tal führte uns der Weg nochmals etwa 25 Werst über die Geröllwüste der Hochebene. Beim ersten Einblick in das Tal wird man überrascht davon, daß es durch eine verhältnismäßig niedere, schneearme Kette abgeschlossen scheint. Zum Verständnis des Folgenden muß ich jedoch schon jetzt hervorheben, daß dieser scheinbare Talschluß nicht der wirkliche, nicht der die Wasserscheide zwischen S und N bildende Hauptkamm ist, sondern eine nahe an diesem vorbeiziehende und ihn deckende Kette. In der Nähe des Kaitsche-Passes tritt nämlich eine Spaltung des Hauptkamms ein: Während dieser seinen westsüdwestlichen Lauf fortsetzt, zieht die abzweigende Kette zuerst gegen SSW bis zur Achse des Kukurtuk-Tals als stumpfer, schneearmer Kamm; von hier ab nimmt sie aber, freilich in mehrfachen Krümmungen, eine durchschnittliche Nordwestrichtung an, bildet in ihrem Laufe den Abschluß des Kok-rum-Tales und trifft in der Nähe des Bedel-Passes wieder auf den Hauptkamm. Mit ihrem Übergang in die Nordwestrichtung schwillt die Kette mächtig an, über die Höhe des Hauptkamms weit hinaus und zeigt eine Reihe prächtiger, stark vergletscherter Gipfel.

Am Eingang des Kukurtuk-Tals trafen wir nach einer Zone feinknolliger Konglomerate wieder auf die unvermeidlichen Schwagerinen-Kalke. Konglomeratartig gefestigte Deckenschotter in ungestörter Lagerung nehmen eine außerordentliche Mächtigkeit in dem sehr geweiteten Unterlauf dieses Tales an. Der Fluß, der beim Taleingang noch unsichtbar unter Geröll dahinfließt und erst nach 1½ Werst talaufwärts plötzlich und wasserreich zutage tritt, hat in diese konglomeratartigen Massen, deren Aussehen stellenweise deutlich auf glazialen Ursprung hinweist, zwei Etagen von Talterrassen ausgebildet, deren eine 18—20 m über der anderen liegt, und strömt durch einen regelmäßigen, vielgewundenen Cañon mit aus- und einspringenden Winkeln; stundenlang führte der Weg in diesem Cañontale aufwärts. Das hier herrschende, trockne Klima und die außerordentliche Zerrüttung des Gesteins der Talwände, welches infolgedessen alle Niederschläge verschluckt, also der Mangel seitlicher Abspülung erklären diese Erscheinung. Anfänge zu neuer Terrassenbildung hat der rasch tiefer erodierende Fluß bereits gemacht.

In keinem der bisher vor uns besuchten südlichen Tian-Schan-Täler äußert sich eine ähnliche Zerrüttung der Umwallung wie in diesem. Die Lagerungsverhältnisse sind derart verworren gestört, daß es schwer ist, sich eine zutreffende Vorstellung hiervon zu machen. Fallrichtung und Fallwinkel der Gesteine wechseln streckenweise alle zehn Schritte. Gewisse, zuerst unten gesehene Schichten sieht man schon nach kurzer Entfernung hoch oben, ohne daß man bestimmen könnte, welches das eingefaltete und welches das einfaltende Gestein ist. Helle und dunkle Kalke wechseln mit gelbweißen, marmorartigen Kalken und blaugrünen, bald vorwiegend tonigen, bald sandigen Schiefern, deren petrographischer Charakter überhaupt ungemein häufig variiert; sie sind in außerordentlicher Weise verpreßt, zerrüttet und zerknittert. Manchmal bilden die einzelnen Gesteine mehrere Werst breite Horizonte, manchmal solche von kaum 10 m Breite. In den dunkeln Kalken sammelte Herr Keidel eine sehr reiche, oberkarbonische Fauna (300 Exemplare, 50 Spezies). Auffällig war uns schon am Taleingang das Fehlen jegliches kristallinischen Materials im Gerölle. Es bestätigte sich bald nachher, was ich schon am Dschanart-Passe (siehe S. 51) beim Anblick der dort schon sehr schmalen Zone von Granit vermutete: das völlige Ausstreichen der kristallinischen Zone zwischen Dschanart und Kukurtuk; sie kommt weiterhin nach W, wenigstens über den Bedel-Paß hinaus im wasserscheidenden Hauptkamm und am Südabhang des Gebirges nicht mehr zum Vorschein. Hingegen scheinen die kristallinen Gesteine weiter im N ihre Fortsetzung nach W in der gewaltigen Borkoldai-Kette zu finden. (Hiervon später mehr.)

Merzbacher, Tian-Schan.

Beim Einmarsch in das Tal wurde ein kurzes Erdbeben erlebt, verbunden mit dröhnendem Geräusch. In diesem Gebiet starker Dislokation ist dies eine bezeichnende Erscheinung. Das Tal hat eine ungefähre Länge von 60 Werst. Anhäufung von altem Moränenschutt machte sich an den Mündungen mehrerer, heute nicht mehr gletscherbergender Nebentäler bemerkbar und solcher konnte als Terrassen-Auflagerung auch im Hauptal bis zu beträchtlicher Höhe der Bergwände hinan verfolgt werden. Bei einer schwellenförmigen Talstufe fanden wir eine von Jakub Beg in seiner wahnsinnigen Russenfurcht sogar in diesem schwer zugänglichen Tale angelegte, primitive Talsperre, hinter welcher das Wasser des Baches früher zu einem künstlichen See aufgestaut war.

Zufolge der in Utsch-Turfan erhaltenen günstigen Auskunft war es ursprünglich meine Absicht gewesen, mit der Karawane durch das Kukurtuk-Tal und über den am Talschluß im Hauptkamm eingeschnittenen Sattel die Nordseite des Gebirges zu gewinnen. Ich konnte mich aber schon bald von der Undurchführbarkeit eines solchen Unternehmens überzeugen und beschloß deshalb, wenigstens selber den Paßeinschnitt zu ersteigen, um dort genauere Orientierung über den Bau des Gebirges zu gewinnen. Trotz ungünstiger Witterungsverhältnisse konnte ich diese Absicht von unserem zweiten Lager (ca 2820 m) aus durchführen. Im Oberlauf des Kukurtuk-Tales sind auf einer Strecke von mehreren Werst richtige, klammartige Verengungen ausgebildet; die hohen Kalkwände, zwischen welchen der Bach keinen Zoll breit Boden frei läßt, treten öfters bis zu 15 m Breite aneinander und die Felsausspülungen sind dort bedeutend, doch kann man höher an den Felsmauern auch von Eiswirkung herrührende Rundbuckel und geschrammte Stellen öfters wahrnehmen. Dies wird erklärlich, wenn man höher oben im Tale die kolossalen, alten Moränenmassen beobachtet, in welche das Bachbett dort eingeschnitten ist. Mehrere der einmündenden Seitentäler zeigen bedeutende Profile und ungeachtet ihrer jetzigen Trockenheit führten sie zu beckenartigen Ausspülungen des Hauptals an ihren Mündungen. Etwas höher oben folgt bei einer Talschwelle abermals eine Zusammenschnürung, welche Jakub Beg benutzen ließ, um das Wasser nochmals zu einem See abdämmen zu lassen. Gleich darauf wird das Hauptal ungangbar; es zieht als gewundene, wasserreiche Schlucht steil nach NNW und der Weiterweg zum Passe muß durch ein nach W und dann N ziehendes, zu jener Zeit trocknes, schluchtförmiges Seitental genommen werden; auch dort wird das Vordringen im Talgrund bald unmöglich und man muß nun an sehr steilen und hohen Wänden entlang aufwärts streben. Auf solche Weise gelangt man wieder auf die Höhe eines Rückens und erreicht bald einen Sattel in der früher erwähnten, am Kaitsche-Paß sich vom Hauptkamm trennenden Zweigkette. Diese Kette ist hier jedoch wiederum in zwei Äste zerlegt, durch tiefe, schneeige Hochmulden voneinander getrennt, die ihr Wasser ins Hauptal senden. Man muß daher zweimal steil 250—300 m ab- und wieder ansteigen und gelangt dann über einen zweiten Sattel in die flach wannenartig modellierte, von einem kleinen Gletscher ausgefüllte Hauptalrinne, durch welche der eigentliche Paß erreicht wird. Und solchen Paßweg hielt Jakub Begs Russenfurcht noch der Befestigung bedürftig!

Die Talumwallung des oberen Tales zeigt zunächst den Wechsel gleicher Gesteine, wie in den tieferen Niveaus, doch schon nach der Abzweigung des Seitentals, durch welches der Aufstieg stattfindet, nehmen schwarze, sehr zersetzte Tafelschiefer einen sehr breiten Raum ein, während in der höchsten Region die öfters erwähnten, in ihrer Beschaffenheit ungemein oft wechselnden, blaugrünen Schiefer alleinherrschend sind und die Paßhöhe (ca 4400 m), sowie die sie umrandenden, stumpfen, firnbedeckten Kuppen bilden. Unmittelbar bevor dieser sehr mächtige Horizont beginnt, ist nach den schwarzen Schiefern eine etwa 200 m mächtige Zone dunkler, oolithischer Kalke eingeschaltet, die ganze Serie streicht O 20° N und fällt sehr steil, bald nach S, bald nach N ein. Kristallinisches konnte weit und breit nicht bemerkt werden und somit war die schon erwähnte, wichtige Tatsache des Ausstreichens der kristallinischen Zone am Kaitsche-Paß erwiesen. Der Nordabhang des Paßrückens ist jedenfalls leichter zu begehen als seine Südseite, auch weit weniger unter Schnee und von Gletschereis ganz frei, eine anormale Erscheinung. Auch sieht man dort schon etwa 800—900 m unter der Paßhöhe schöne Alpenmatten. Eine dort im N mit dem Hauptkamm annähernd parallel streichende, aus dunklen Schiefern aufgebaute Kette, welche zur Borkoldai-Kette nach W streicht, verwehrt, ebenso wie die enge, hohe Umwallung des Passes selbst, den Blick auf die höheren Gebirge im N. Großartig ist nur der Blick rückwärts nach SSW, auf den westlichen Teil der erwähnten, zum Kok-rum-Tal hinziehenden Nebenkette, die aus einer Reihe sehr schroff geformter und stark vergletscherter Gipfel besteht, deren Scheitelhöhe bis 5000 m und wesentlich darüber ansteigt.

Zwei auffällige Tatsachen, schwer miteinander zu vereinen, gaben mir im Kukurtuk-Tal zu denken. Mit Ausnahme weniger Stellen gibt es im ganzen Haupttal keinen Graswuchs und der Wald fehlt gänzlich, während doch das parallel angeordnete, nahe Dschanart-Tal an beiden verhältnismäßig reich ist. Im Widerspruch hierzu steht die verhältnismäßig bedeutende Menge von Niederschlägen, die das Tal empfängt. Beständig ballten sich Gewitterwolken gerade über dieses Tal, während die benachbarten Täler frei davon blieben. Schon von Utsch-Turfan aus konnte man dies beobachten.

Nachdem der Übergang über den Kukurtuk-Paß für die Karawane undurchführbar war, stand ihr nur der Weg über den Bedel-Paß frei. Es war höchste Zeit geworden, ihn einzuschlagen, denn der Monat Juni neigte seinem Ende zu.

Um nicht den bekannten, keine Bereicherung meines Wissens bietenden Karawanenweg durch die Steppe zum Bedel-Tal einzuschlagen und um weiteren Einblick in den Bau des Gebirges zu gewinnen, wandten wir uns nach dem Austritt aus dem Kukurtuk-Tal und nach kurzer Überschreitung der wüsten Hochebene gegen W und drangen in ein, nach W und SW in die Ausläufer des Gebirges einschneidendes, trocknes, breites Tal ein, Tschondschar genannt. Die Kalke der Talwände enthalten bis zur Unkenntlichkeit verpreßte Organismenreste. Bei seiner Verengung nimmt das bisher nur dürftige Steppenvegetation zeigende Tal den Charakter des Alpentals an, mit schönen, dichten Alpenwiesen am Gehänge, wiewohl damals nirgends fließendes Wasser in den Rinnen zu sehen war. Nachdem wir in westlicher Richtung zu einem grasigen Passe aufgestiegen waren, gelangten wir hinab in den geschlossenen Kessel eines weiten, in seinem Grunde und an den Gehängen mit dichten Alpenwiesen geschmückten Tales, Balter-Jailak (ca 2900 m), das durch die Vereinigung von vier, aus divergierenden Richtungen herbeiziehenden, steilen Hochtälern gebildet wird, welche die hohen Kalkketten der Umrandung durchfurchen. Aber trotzdem, mit Ausnahme einer entfernten Quelle, war auch hier kein fließendes Wasser zu finden. Offenbar saugen die steilgestellten Schichten der Umwallung die Niederschläge auf und diese fließen in geringer Tiefe im lockeren Aufschüttungsboden des Gehänges und der Talsohle dahin; man vermöchte sich außerdem den dichten Graswuchs dieser Alpenwiesen nicht zu erklären. Nach einer bei den Kirgisen des Tales verbrachten Nacht folgten wir über Alpenwiesen dem breiten, trocknen Hauptbachbett nach S, erstiegen einen etwa 150 m hohen, grasigen Rücken und gelangten absteigend in ein dem Balter-Jailak ganz ähnlich gebautes, kesselförmiges Tal; es steht durch sein damals trocknes Bachbett, das in torartiger Lücke den trennenden Wall durchbricht, mit dem Balter-Jailak in Verbindung. Die Hauptbachbetten dieser beiden Kessel vereinen sich zu einer tiefen Rinne, welche nach einem Durchbruch in der Ostumwallung des Balter-Jailak-Kessels, steil gegen SO hinaus ihren Lauf nimmt.

Indem wir die Südumwallung des zweiten Kessels erstiegen, gelangten wir zu einem Passe, Kok-belös (ca 3250 m). Man gewinnt von seiner Höhe einen beherrschenden Über-

blick über dieses System von Talverzweigungen, das die Gebirgsmasse zwischen den
großen Tälern Kukurtuk und Kok-rum zerlegt, und aus welchem nur zwei große Rinnen
(Myndagül-bulak und Tanke-sai) gegen den Tauschkan-daria hinausziehen; sie führen
jedoch nur periodisch Wasser. Es war mir von Interesse zu sehen, daß den Hauptzufluß
des Kessels Balter-Jailak ein an seiner Mündungsstelle damals trockner Bachlauf bildet,
welcher seine Entstehung im NW an der hohen, zum Kok-rum-Tal ziehenden Kette von
Gletscherbergen nimmt. Ein starker Bach soll, wie begreiflich, den Oberlauf dieses gleichfalls Balter, auch Ak-bel genannten Tales, durchströmen; aber auch dieses Wasser erreicht
wenigstens periodisch, oberirdisch das Kesselbecken von Balter-Jailak nicht. Diese ihrer Lage
und Bauart nach zu Wasserreichtum prädestinierten Täler bieten ein schlagendes Beispiel dafür,
daß es nicht sowohl die Verdunstung, als die Durchlässigkeit des Aufschüttungsbodens ist,
welche den Südabhang des Tian-Schan wasserarm macht. Aus dem Ak-bel-Tal soll ein hoher,
vergletscherter Paß in das Kok-rum-Tal führen; dies erklärt den Namen: Ak-bel = weißer Paß.

Vom Passe Kok-belös nach S absteigend, gelangten wir in ein Tal, von den Kirgisen
Churgo genannt, das zum Kok-rum drainiert; auch seine breite Wasserrinne war damals
trocken. In seinem Unterlauf verengt sich das Tal und durchbricht dort zwischen senkrechten Mauern einen aus feinem Material bestehenden, etwa 350 m hohen Zug von Konglomeraten; diese folgen dem Streichen des Kalkgebirges und bilden, in flachen Gewölben
aufgerichtet, als stark erodierter Zug den Rand des Gebirges zum Bedel-Tal hin und, soweit
erkennbar, darüber hinaus nach W. Bald darauf mündet das Churgo-Tal in das Kok-rum-
Tal. Nahe der Mündungsstelle gewinnt man von einer vortretenden Höhe einen umfassenden
Blick auf den gewundenen Lauf des Kok-schaal und Tauschkan-daria und auf die dessen
Südufer umwallenden, mächtigen, so wenig bekannten Gebirgszüge, die bis zu 3500 m
Meereshöhe ansteigen und, wie man von hier sehen konnte, einige ansehnliche Gletscher
tragen. (Siehe S. 43). Man gewahrte von hier deutlich die tiefe, schmale Einsattelung
des Sary-bel-Passes und die breite, plateauartige Absenkung des Dungaretme-Passes.

Wir stiegen steil zum Ufer des reißenden, wasserreichen Kok-rum ab, der, wie schon
(S. 57) erwähnt, an der sehr gletscherreichen Sekundärkette seinen Ursprung nimmt. Auch
die Kirgisen sagten mir, es seien in seinem Schlusse große Gletscher; ich vermochte dies
übrigens später von einer im hinteren Bedel-Tal erstiegenen Höhe aus, selbst festzustellen
und photographisch festzulegen. Bald verließen wir das Kok-rum-Tal wieder, querten das
wüste Hochplateau in südwestlicher Richtung und erreichten das Bedel-Tal bei dem Lagerplatz der Karawanen, Ui-Tal. Das Picket gleichen Namens, eine chinesische Festung mit
Talsperre, wo die Revision der Karawanen stattfindet, liegt 12 Werst weiter hinten im
Tale und wurde erst am folgenden Tage erreicht.

Der Bedel-Paß ist neben dem Musart-Paß der einzige, der den Karawanenverkehr
zwischen Nord- und Südabhang des zentralen Tian-Schan ermöglicht; er ist von Prsche-
walsky, Pjewtzow, Krassnow überschritten worden. Diese, sowie v. Kaulbars veröffentlichten einiges über die Route. Ich werde mich also in diesem vorläufigen Bericht über
den in mancherlei Hinsicht sehr interessanten Übergang kurz fassen und aus meinen Beobachtungen nur bisher wenig oder gar nicht Bekanntes hervorheben: Der wasserreiche
Fluß verrät durch sein klares Wasser schon, daß im Tale nur geringe Vergletscherung zu
erwarten ist. Da der Weg im unteren Teile des Tales auf der rechten Uferseite seitwärts
vom Flusse, dessen Bett ungangbar ist, durch tiefe Schluchten der Schotterdecke aufwärts
führt, hat man Gelegenheit, die außerordentliche Mächtigkeit dieser Aufschüttungsmassen
mehr als irgendwo zu würdigen. Nachdem die hier ungemein breitmassige Zone der
Konglomerate verlassen ist, zeigen sich ungemein bunt gefärbte, tonig-kalkig-sandige
Schiefer, die durch reichliche Erosion in stumpf pyramidenförmige Berge zerlegt sind;

die Zersetzung dieser Schiefer ist so weit vorgeschritten, daß sie beim geringsten Drucke
zerfallen; sie erwiesen sich fossilienleer. Im Weiterweg wird ein sehr mächtiger Horizont
von festeren, graublauen Schiefern erreicht, die den weichen Gebilden im vorderen Tale offenbar verwandt sind, über deren geologische Stellung jedoch vorläufig noch kein bestimmtes
Urteil abgegeben werden kann; sie sind sehr steil aufgerichtet und starke Zerrüttung, sowie große Unregelmäßigkeit macht sich in ihren Lagerungsverhältnissen bemerkbar. Mit
ihnen wechsellagern weiter hinten im Tale andere Schiefer von bald sandig-toniger, bald
kalkig-toniger Beschaffenheit, treten jedoch auch in eigenen Komplexen auf und werden weiterhin durch dunkle, feine Glanzschiefer abgelöst. Aus dieser Gesteinsserie, die eine Breite von
ca 15 Werst hat, gelangt man in eine 4 Werst breite Zone heller, marmorartiger Kalke,
welche Bänke roten Kalkes einschließen; sie sind auf der Einfallseite in chaotische Block-
hänge aufgelöst und bilden auf der entgegengesetzten Seite Steilflächen, senkrechte, geschlossene Mauern. Südwestexposition begünstigte die Zerstörung. Auf die Kalke folgen die
gleichen blaugrünen Schiefer, die im Dschanart-Tal schon als schmale Zone bemerkt wurden,
im Kukurtuk-Tal bereits einen ungemein mächtigen Horizont darstellen und hier im Bedel-Tal
noch mächtigere Entfaltung erfahren; sie bilden nun bis zum Passe hin, also auf mehr als
20 Werst die Talwände und wechseln auch hier häufig in ihrem petrographischen Charakter.
Manchmal schließen sie dünnplattige, grauwackenartige Schichten, öfters auch feine, dunkle
Tafelschiefer ein. Nur einmal noch wird diese Gesteinsserie von einer schmalen Zone
brauner, dichter Kalke durchbrochen. Die Verbiegung, Verquetschung und Zerrüttung des
ganzen Schichtensystems übertrifft jegliche Vorstellung. Die von dieser Gesteinsserie gebildeten Talwälle zeichnen sich durch stumpfe Formen aus. Altkristallines Gestein wurde
nirgendwo bemerkt und Fossilien nicht entdeckt. Das Vorkommen diabasartiger Gesteine
erklärt die Störungen des Schichtenbaues nur zum Teil.

Im zweiten Drittel des ca 55 Werst langen Tales, wo vor dem Aufstieg zum Passe
ein Lager bezogen wurde, bestieg ich eine hohe, zwischen dem Haupttal und einem aus
NO herbeiziehenden Seitental aufragende Kuppe, von der aus ich, wie schon erwähnt, den
stark vergletscherten Hintergrund des Kok-rum-Tals beobachten und photographieren konnte.
Ein dort im Talschluß sich erhebender, prächtiger Eisgipfel übertrifft die Höhe seiner Umgebung um mehrere Hundert Meter und dürfte etwa 5200 m erreichen. Aus dem Kok-rum-
Tal führt ein stark vergletscherter Paß in das erwähnte Seitental. Ferner konnte ich von
der gewonnenen Höhe aus auch feststellen, daß der im weiteren Sinne den rechten Uferwall
des Bedel-Tals bildende, NNO streichende Hauptkamm nicht nur reiche Gipfelbildung zeigt,
sondern auch eine sehr ansehnliche Gletscherdecke trägt, welche hauptsächlich nach NW in
das bedeutende, zwischen Borkoldai-Kette und Hauptkamm eingetiefte, unerforschte Längstal
Karakol drainiert. Aus dem mittleren Bedel-Tal sieht man eine kurze, stumpfe, aber hohe
und gänzlich überfirnte Seitenkette in Richtung O—W dem NNO gerichteten Hauptkamm
zustreichen. Auf der stark vergletscherten Südseite des Winkels, der aus dem Zusammentreffen beider Ketten entsteht, nimmt das Tschalmatö-Tal seinen Ursprung, dessen Bach,
wie die Kirgisen mir berichteten, der wasserreichste und reißendste am Südabhang des Kok-
schaal-Tau sein soll; er mündet gegenüber vom Aul Safar-bai in den Kok-schaal. Im Schlusse
dieses Tales erhebt sich ein ungemein hoher und schroff gebauter, breitmassiger, in diesem
Teile des Tian-Schan nur von der sog. Petrow-Spitze an Höhe übertroffener Gipfel; vermutlich ist es der auf der 40 Werstkarte mit dem Namen Usun-gusch bezeichnete Berg.
Ich konnte ihn vom Bedel-Passe aus telephotographisch aufnehmen.

Der Sattel des Bedel-Passes (ca 4300 m) liegt nicht am Schlusse des Bedel-Tals, sondern
etwas westlich von der einen kleinen Gletscher bergenden Karmulde des Talschlusses.
Vom Passe aus ist nur der Blick nach S interessant und wechselvoll; im N wird die

Aussicht abgesperrt durch die Kette des Ischigart-Tau mit ihrer gleichmäßigen Gipfelreihe; auffallend ist an ihr nur die über Erwartung bedeutende Vergletscherung ihres Südabfalls.

Der Schichtenkomplex der Südseite setzt sich auf der Nordseite des Bedel-Passes fort. Aus dem ungemein großen klimatischen Unterschied zwischen Süd- und Nordabhang der großen Kette, aus dem Wasserreichtum des Nordabhangs und der hier herrschenden feuchten Verwitterung, endlich aus der außerordentlich starken Einwirkung früherer Glazialtätigkeit im N, ist der große Unterschied im Relief und Landschaftscharakter der beiden Abhänge zu erklären. Ich muß mir die Erörterung dieses Verhältnisses für den ausführlicheren Bericht vorbehalten. In einer beckenartigen Weitung des nördlichen Bedel-Tals wurden in ungefähr 3300 m Höhe tertiäre Sandsteine beobachtet, die schwach disloziert sind. Der sehr wasserreiche, nördliche Bedel-Fluß wühlt sein Bett schon bald tief in die bodenbildenden, steil gestellten Kalke und sandig-tonigen Schiefer ein, fließt in enger Schlucht und wendet sich kurz vor dem in das Ischtyk-Tal leitenden, breiten Paßrücken energisch nach O. zwischen hohen, senkrechten Felsmauern dem Blicke in unzugänglicher Klamm entschwindend. Auf solche Weise gelangt sein Wasser durch den Kanal des Ischtyk-su in den Sary-dschaß und wird durch den Kum-Aryk der Südseite zugeführt; ein wunderlicher Verlauf, wenn man bedenkt, um wieviel leichter ihm die Erreichung des Naryn-Gebiets gewesen wäre!

Über die Syrt-Plateaus zum Souka-Paß und über diesen zum Issyk-kul.

Nach Überschreitung des flachen Wallpasses Ischtyk (ca 3500 m) erblickt man zum erstenmal die Borkoldai-Kette, deren hier sichtbarer, zwar sehr gletscherreicher, aber nicht sonderlich schroff gebauter östlicher Teil nicht die gewaltige Höhe und den überaus kühnen Bau der prächtigen, eisgepanzerten Riesengipfel des westlichen Teiles erwarten läßt. Erst beim Abstieg in das Quellgebiet des Kara-sai entfaltet sich diese Kette in ihrer ganzen, alle Erwartungen und Darstellungen übertreffenden Pracht. Es ist merkwürdig, daß von ihr bisher so wenig bekannt wurde; nur Kaulbars hat ihre Bedeutung gewürdigt. Die Gipfel dieser Kette, die bis zu 6000 m ansteigen dürften, zeigen solche Schönheit und Kühnheit des Baues, Zerrissenheit und Mannigfaltigkeit der Eisumhüllung, wie sie nur in wenigen Teilen des Tian-Schan wieder gefunden wird. Kaulbars hielt einen dieser Prachtberge, den er »Katharinenberg« taufte — ich habe ihn telephotographisch aufgenommen — für den höchsten; er wird jedoch von einigen, etwas weiter westlich und anderen, weiter östlich in der Kette stehenden Bergen an Höhe wesentlich übertroffen.

Nicht minder große Überraschung, besonders hinsichtlich der Entfaltung ihrer Firn- und Eisbedeckung und in bezug auf die Ausdehnung ihrer Gletscher, bereitet die NNO streichende Ak-schiriak-Kette, welche den Weg aus dem Karasai-Quellgebiet in das des Jak-tasch fortwährend im O begleitet. Man sieht in der Kammregion dieser im ganzen etwa 50 Werst langen Kette nur wenig Fels zutage treten; das Meiste ist in Firn und Eis gehüllt. Das Anormale an der Sache ist jedoch, daß das firnbedeckte Gehänge und der Lauf der großen Gletscher, unter welchen der schöne Petrow-Gletscher, mit einer Länge von ca 20 Werst — Ursprung des Jak-tasch-Flusses — die erste Stelle einnimmt, gerade gegen W gerichtet sind, gegen das breite Syrtplateau Ak-bel, während die Kette im W dieses Plateaus, die Jaluschu-Kette, trotz ihrer gegen O gerichteten Flanken keine Gletscherbildung zeigt. In keinem Teile des nördlichen Tian-Schan, in dem sonst, mit nur geringen Ausnahmen, Schnee und Eis mit mathe-

matischer Genauigkeit an die nach N und O gerichteten Hänge gebunden sind, bin ich einem
in großem Maßstab auftretendem ähnlichem Verhältnis begegnet.   Nur das Vorherrschen
gewisser Richtungen für die feuchten Winde kann eine Erklärung hierfür bieten.

Der Ak-schiriak-Kette, deren Gipfel nur bis 4500 m ansteigen und nur 7—800 m
über dem Syrtplateau sich erheben, fällt die Rolle des Wasserscheiders zwischen Naryn und
Sary-dschaß, also zwischen Syr-daria und Tarim zu; sie erfüllt sie jedoch nur mangelhaft.
Sowohl die Wasserscheide zwischen dem vielverzweigten Quellgebiet des Kara-sai im W
und dem des Ischtyk-su im O, als auch die zwischen dem nach W fließenden Jak-tasch und
dem nach O strömenden Jür-tasch ist sehr verwischt.   Auf den flachen, sumpfigen Syrt-
plateaus, auf denen die genannten Flüsse ihren Ursprung nehmen, fließen und sickern die
Abwasser der ringsum sich aufbauenden Gletscherketten in dem lockeren Aufschüttungsboden nach allen Seiten und bilden eine große Zahl kleinerer und größerer, im Grün der
Alpenmatten flach eingebetteter Seen, sowie ausgedehnte Sümpfe.   In diesen weiten Gebieten verzweigen sich die Wasserläufe derart, wechseln periodisch ihren Lauf und versickern
in Sümpfen, daß eine Trennung der Quellgebiete auf die größten Schwierigkeiten stoßen
würde.   Bezeichnend für dieses Gebiet der Stagnation ist es, daß man in den Betten der
ungemein zahlreichen und wasserreichen Bäche der Plateaus kaum irgend etwas anderes
sieht, als feinen Kies und Sand; größeres Material vermögen die trägen Gewässer nicht
zu triften.   Die unteren Teile der Gebirge sind derart in Schutt gehüllt, daß häufig die
steil gestellten Schichten der Kalke und Schiefer nur mehr wenige Meter hoch aus dem
Wiesboden herausragen.   Alles hat hier sanfte, gerundete Formen angenommen.   Offenbar haben
jedoch die Bäche von hier aus einstens energischeren Tallauf genommen; doch wurde durch
ungeheure Massen Moränenschutts, welche die konvergierende Tätigkeit der von allen Seiten
herbeiziehenden Gletscher hier aufgestaut hat, und durch die Gewässer auseinander gespült
wurden, schließlich alles eingeebnet und das alte Relief nahezu gänzlich verwischt, so daß
heute die genaue Wasserscheide zwischen O und W, S und N kaum mehr kenntlich erscheint.

Im Quellgebiet des Kara-sai fanden sich in unmittelbarer Nähe der Gletscher, auf
einer Höhe von ca 3700 m, also noch etwas höher als am See Tschatyr-kul, wo sie
Muschketow zuerst festgestellt hatte, tertiäre, rote Sandsteine und Konglomerate; solche
konnten auch noch weiter im W am Abhang des Dschitim-Tau ungefähr in gleicher Höhe
beobachtet werden.   Man wird nicht fehlgehen in der Annahme, daß auch sie in den hier
eingeschlossen gewesenen, alten Hochseen abgesetzt wurden, von denen die vielen auf dem
Plateau zerstreuten, kleinen Hochseen die Relikten sind.   Die Talumwallung im weiteren
Sinne des Quellgebiets sowohl von Kara-sai, als von Jak-tasch bilden Granite verschiedenen
Charakters.   Zwischen dem Ischtyk-Paß und dem Kara-sai fand Herr Keidel devonische Fossilien.

Der von uns eingeschlagene Weg fällt nicht ganz zusammen mit dem von den Karawanen gefolgten, und aus dem Jak-tasch-Gebiet weg entfernt er sich gänzlich von ihm.
Während die Karawanen von da nach NW ziehen und zur Überschreitung der Terskei-Ala-
Tau-Kette den wenig Schwierigkeit bietenden Barskoun-Paß benutzen, wandten wir uns aus
dem Ütsch-schö-Tal (ca 3650 m), einem Quelltal des Jak-tasch, gegen N und überschritten
den schwierigen Souka-Paß (ca 4250 m).   Während man sich dem Südfuß des Terskei-Ala-Tau
hier auf etwa 100 Werst seiner Längserstreckung über sehr hoch gelegene Syrtflächen bequem
nähern kann, stürzt diese Kette auf ihrer Nordseite gegen das Issyk-kul-Becken sehr schroff
ab.   Großartig ist von dem über dem Ütsch-schö-Tal im O sich aufbauenden Hochplateau aus
der Blick auf den ungeheuren Wall dieses Gebirges.   Die Vergletscherung ist sogar auf der
Südseite ungemein mächtig und übertraf bei weitem meine Vorstellungen.   Sehr ausgedehnte,
Kammhöhe bildende Plateaus liegen unter einer zusammenhängenden, mächtigen Eisdecke, und
die hohen Gipfel, deren einige bis nahe zu 6000 m ansteigen, sind mit schönen Gletscher-

mänteln geschmückt, deren Endzungen sich weit in die Syrt hinein erstrecken. Alles dies wurde durch telephotographische Aufnahmen festgelegt. Der Südrand der Kette besteht, wie schon angeführt, großenteils aus Plateaus und nur verhältnismäßig wenige Gipfel entragen diesen mehrfach durch tiefe Breschen zerschnittenen Kammflächen. Der westlichste, gegen die Pässe Kerege-tasch und Tosor zu gelegene Teil der Kette hingegen und der östlichste machen hiervon Ausnahmen; dort zeigt das Kammrelief bedeutende und reich vergletscherte Gipfel. Im zentralen Teile also herrscht auf der Südseite Plateaubildung vor; anders am Nordabhang, dessen Rand in eine ununterbrochene Reihe der formenreichsten, schroffsten, stark überfirnten Gipfel aufgelöst erscheint.

Das Defilee des Souka-Passes durchschneidet die gewaltige Kette an einer Stelle, wo sich zu beiden Seiten des Paßwegs großartige Hochgebirgsbilder entfalten; besonders von der Westseite münden sehr bedeutende Gletscher zur Mulde des Defilees ein. Der Übergang erwies sich für die Karawane schwierig, noch schwieriger der Abstieg nach S. In geringer Tiefe unter der Paßhöhe gelangt man zu einem vielgestaltigen, damals noch zugefrorenen See, welcher in einem Tälchen zwischen den ein- und ausspringenden Winkeln eines großartigen Bergkranzes eingebettet ist, aus dessen Schluchten Gletscher vorbrechen, die mit ihren zerrissenen Zungen in die Buchten des Sees ausmünden. Der Anblick ist prachtvoll; allein zur Zeit, als wir den See überschritten, waren die auf dem Eise liegende, tiefe Schneedecke und jenes selbst schon stark erweicht und daher die Überschreitung mit der Karawane gewagt. Am Tage vorher hatte eine zu den Weideplätzen des Kara-sai emporziehende Kirgisen-Karawane hier mehrere Hundert Schafe eingebüßt. Die Wildheit und Großartigkeit dieser Gebirgsumwallung wird im Tian-Schan nur von den Bergen des Inyltschek-Gletschers übertroffen.

An der Südseite des Passes herrschen dunkle Kalke in den Ufergebirgen vor; sie nehmen schieferige Beschaffenheit an. Am Passe selbst breitet sich eine mächtige Granitzone, aus Graniten sehr verschiedener Ausbildung bestehend. Nach N zu folgt hierauf eine Serie von dunklen, stark umgewandelten Tonschiefern und abermals dunkle Kalke. Dann tritt der Granit mit kristallinen Schiefern alleinherrschend auf und sie bilden bis in die Nähe des Issyk-kul die Talumwallung.

Der Abstieg vom Passe über steile, von enormen Anhäufungen Moränenschutts und Trümmern überdeckte Hänge ist schwer, die Umrandung herrlich, und so ist auch der Talweg. Der Formenreichtum der Umrandung des Haupttals, die prächtigen Gletscherbilder der Seitentäler, der Reichtum an Wald, Wasser und Alpenwiesen stempeln das Souka-Tal zu einem der großartigsten Alpentäler des Tian-Schan.

Eine dem Hauptzug des Terskei-Ala-Tau im N vorgelagerte, parallel mit ihm ziehende, formenreiche, kleine Gletscher tragende Vorkette ist in der 40 Werstkarte nicht eingetragen. Massen von altem, jetzt begrüntem Moränenschutt bilden das Relief des äußeren Tales. Diese Anhäufungen erstrecken sich — dort breit auseinander gespült — bis nahe zum Südufer des Issyk-kul. Alte Endmoränenwälle finden sich im mittleren Teile des Souka-Tals; im vorderen Teile erreichen sie noch sehr beträchtliche Höhe und sperren das Tal vollständig, so daß man sie übersteigen muß. Hinter ihnen lagen früher Seen. Auch der äußerste Teil des Gebirgslaufs des Tales bildete früher einen und zwar sehr großen See. Der Fluß durchbricht heute die dort in mächtigen Massen abgelagerten, roten, sehr lockeren, tertiären Sandsteine. Diese werden von bedeutenden Mengen jüngeren Moränenschutts überlagert, und in ihnen liegen zwei Etagen alter Talstufen und begleiten den Unterlauf des Flusses, wo eine dritte Stufe in der Ausbildung begriffen ist.

Die Überschreitung des Gebirges von S nach N nahm sieben Tage in Anspruch. Am 9. Juli trafen wir in Sliwkina, jetzt Pokrowskaja, am Südufer des Issyk-kul ein und gingen weiter nach Prschewalsk und Karkara.

Zweite Reise in das Sary-dschaß-Tal und Vermessung des Semenow-Gletschers.

Die Untersuchungen auf der Südseite der großen Kette hatten, wiewohl manches, was auf dem Programm stand, nur halb oder gar nicht geschehen konnte, mehr Zeit in Anspruch genommen, als hierfür vorgesehen war. Ich fürchtete, daß die unerläßlichen Arbeiten auf der Nordseite, in Anbetracht des schon weit vorgerückten Sommers, nicht mehr zu gedeihlichem Abschluß gefördert werden könnten, zumal, wenn die Witterung der Forschung so abhold sein würde, wie im vorhergehenden Sommer. Es soll jedoch schon jetzt bemerkt werden, daß diese Befürchtungen sich glücklicherweise als unbegründet erwiesen. Ausnahmsweise beständige Witterung, wie sie, nach den übereinstimmenden Aussagen der Einheimischen, selten in diesen Gegenden herrscht, förderte meine Untersuchungen und gestattete mir, bis gegen Ende des Jahres im Gebirge zu arbeiten, so daß ich vieles, was mir am Herzen lag, wenn auch nicht alles, einer günstigen Lösung entgegenführen konnte.

Um diesen schon über Erwarten umfangreich gewordenen Rechenschaftsbericht nicht in einem seinen Abdruck erschwerenden Maße anschwellen zu lassen, kann ich über den ferneren Verlauf der Expedition und über ihre sehr bedeutungsvollen und ergebnisreichen Arbeiten hier leider nur ganz summarisch Bericht erstatten.

Während ich in Karkara und Narynkol (Ochotnitschi) die Expedition für den Aufenthalt in den höchsten Regionen des Gebirges neu organisieren und speziell für die Sicherstellung ihrer Verproviantierung Vorsorge zu treffen hatte, auch geeignete Träger in genügender Zahl anwerben mußte, ging Herr Keidel mit einem Teile der Expedition einstweilen durch das Tal Ulluk-Karkara über den Sart-dschol-Paß (3720 m) in das Kok-dschar-Tal — in seinem Oberlauf Kuberganty genannt —, um dort und in seinen Nebentälern geologische Untersuchungen zu machen; er sammelte dort eine schöne, reiche, unterkarbonische Fauna. Sodann überschritt er den Kaschka-tur-Paß (ca 3700 m), gelangte in das Sary-dschaß-Tal, steckte dort in der Nähe der Mündung des Mün-tur-Tals eine etwa 1½ Werst lange Basis ab, die er durch geographische Ortsbestimmung festlegte und bestimmte von ihr aus nochmals Höhe und Lage des Khan-Tengri und der bedeutendsten Gipfel in seiner Umgebung. Nach genauer Berechnung dieser, sowie der im Vorjahre durch Herrn Pfann von einer anderen Basis aus gemachten Bestimmung werde ich mit einigem Vertrauen verdienenden Zahlenmaterial über Höhe und Lage des kulminierenden Gipfels hervortreten können.

Ich brach von Narynkol mit dem Gros der Expedition am 19. Juli auf, durchreiste das schon früher beschriebene Große Kap-kak-Tal, querte den Kap-kak-Paß und wandte mich sofort dem Oberlauf des Sary-dschaß zu, wo ich wenig unterhalb des Zungenendes des Semenow-Gletschers das Hauptlager aufschlagen ließ. Die erste und wichtigste Arbeit für mich war, Ersatz für den schwersten Verlust des vergangenen Jahres zu schaffen und das damals von einem hierfür vorzüglich geeigneten Standpunkt (4200 m) in der Nordumwallung des Tales aufgenommene, große, telephotographische Panorama des zentralen Tian-Schan in 12 Blättern im Format 8/10 engl. = 20½—25½ cm neu zu machen. Nach Ablauf einiger Tage Regenwetters gelang diese Arbeit, begünstigt durch Windstille und klare Atmosphäre vorzüglich.

Inzwischen war Herr Keidel, von seiner Basis aus herauf triangulierend, ebenfalls im Hauptlager eingetroffen und begann alsdann das Dreiecknetz weiter über den Semenow-Gletscher zu legen; er vollendete diese Arbeit, welche zuletzt durch schlechte Witterung gerade am obersten Teile des Gletschers sehr erschwert wurde, in neun Tagen. Das topographische Detail wurde durch photogrammetrische Aufnahmen gesichert. Diese Zeit be-

nutzte ich zur genaueren Untersuchung des Gletschers und seiner hauptsächlichen Zuflußgletscher. Von einem etwa 20 Werst am Gletscher aufwärts, zwischen zwei Moränenseen
der rechten Ufermoräne gelegenen Biwak aus (3950 m) drang ich in ein nach O ziehendes,
weites Eistal und erstieg den in seinem Schlusse eingetieften, breiten Firnsattel (ca 4400 m),
welchem ich im Vorjahr schon bei Begehung des westlichen Bayumkol-Gletschers nahe gekommen war (siehe S. 29); er vermittelt die Verbindung mit dem obersten Firngebiet des
letztgenannten Gletschers, und ich nenne ihn dementsprechend »Bayum-kol-Paß«. Die ausnahmsweise günstige Beschaffenheit der Firndecke veranlaßte mich, auch eine im N des
Paßeinschnitts aufragende, ca 4700 m hohe Firnkuppe zu ersteigen. Von beiden Höhen aus
bot sich mir eine willkommene Ergänzung der im Vorjahr gemachten Beobachtungen über
den Bau der Umrandung des Bayumkol-Tals, des Semenow- und Muschketow-Gletschers,
die in mehreren Panoramen aufgenommen wurde.

Von einem Biwak auf der Mittelmoräne des Hauptgletschers (3800 m), etwa 16 Werst
vom Zungenende entfernt, führte ich sodann die Ersteigung eines ungefähr 4800 m hohen,
am Südrand des Semenow-Gletschers stehenden Gipfels aus, der besonders günstig für die
Beobachtung des Südwestabfalls der Khan-Tengri-Pyramide gelegen ist und lehrreichen Einblick in den Bau der großartigen Berggruppen gewährte, die dem Khan-Tengri im SW unmittelbar vorlagern, sowie in die in der Nähe einmündenden, seitlichen Eistäler des Hauptgletschers. Mit dem auf die bedeutende Höhe gebrachten, großen Apparate konnte eine
Anzahl instruktiver Teleaufnahmen gemacht werden.

Der bedeutendste Zufluß, den der Hauptgletscher aus S empfängt, kommt aus einem
³/₄ Werst breiten Eistal, das gerade dort einmündet, wo die Achse des Hauptgletschers
am weitesten gegen S ausbiegt; infolgedessen dringt dieses Seitental am tiefsten in die
im S aufragende, gewaltige Bergkette ein. Der Vorstoß in dieses Tal und die Erreichung
einer Lücke (ca 4600 m) im Eiswall seines Westrandes vermittelte mir daher Orientierung
über den Bau der vom Unterlauf des Hauptgletschers abzweigenden, lateralen Eistäler, die
sich in starker Krümmung von S nach O wenden und hierdurch zwischen Semenow- und
Muschketow-Gletscher eingeschaltet sind. Großartig ist die eisige Umrandung dieses Tales,
nirgendwo auch nur der kleinste Fleck aperen Felsens zu bemerken. Auf diesen und
anderen Kreuz- und Querzügen am Eise des Semenow-Gletschers gewann ich eine ziemlich
genaue Kenntnis dieses zentral gelegenen Firnbassins und seines Zusammenhangs mit den
es umgebenden Tälern. Ich konnte aber noch immer keine unzweifelhafte Antwort auf die
Kardinalfrage erhalten: Aus welchem Tale erhebt sich der Khan-Tengri?

Der Muschketow-Gletscher.

Nachdem Herr Keidel seine Arbeiten am Semenow-Gletscher beendigt hatte, trat er am
7. August die Heimreise an, da ihn seine Militärangelegenheiten ins Vaterland zurückriefen.
Ich setzte die Forschungsreise allein weiter und begab mich in das Adür-tör-Tal. Die
nächste Aufgabe war die vollständige Begehung des Muschketow-Gletschers, seine Aufnahme
und die Feststellung seines Zusammenhangs mit den benachbarten Gletschern. Im Verlauf
einer Woche konnte diese Aufgabe erledigt werden. Hierbei wurde ein 4700 m hoher Gipfel
am Nordrand des Gletschers erstiegen, von dessen Höhe aus ein die großartige Umwallung
wiedergebendes Panorama aufgenommen wurde.

Vom Muschketow-Gletscher kann ich hier nur in flüchtiger Weise einige elementare
Züge anführen. Nach meinen Bestimmungen hat er von seinem Zungenende, das bei

3480 m, also etwa 120 m tiefer liegt, als das des Semenow-Gletschers, bis zu seinem Ur-sprung an der Hochfirnmulde des Semenow-Gletschers eine Länge von ungefähr 20 Werst, ist also um vieles länger, als ihn Ignatiew schätzte (8 Werst). Die Bedeckung des Gletschers mit Schuttmassen ist im vorderen Teile so dicht, daß dort kaum ein Stückchen Eis zutage tritt. Erst nach 5—6 Werst wird das Eis frei; seine Oberfläche ist sehr höckerig und außergewöhnlich zerrissen, sowie von Schnee entblößt. Im letzten Drittel, im Oberlauf jedoch, wird die Eisdecke ziemlich geschlossen und trägt eine schwache Schneedecke. Das Gesamtgefälle des Gletschers ist zwar gering, doch immerhin bedeutender, als das des Semenow-Gletschers. Wie bei diesem kommt der Hauptbach nicht aus dem Zungenende, sondern wegen der seitlichen Neigung der Gletscherdecke nach N, — ich habe die Ursache schon S. 17 erwähnt, — aus dem mauerartigen Abfall der Nordseite. Zwischen diesem und dem Bergwall zur Seite zieht ein tiefer Graben entlang, zum Teil vom reißenden Gletscherbach durchströmt. Das Berggehänge ist dort fast schneefrei, von Schutt und Trümmern gänzlich bedeckt und an seiner Basis entlang zieht, wenigstens 12 Werst weit in die Region des Eises hinein, ein unregelmäßiger, öfters unterbrochener Gürtel von Graspolstern mit schöner Hochalpenflora. Dieser ganze, von keinem Taleinschnitt durch-brochene nördliche Talwall trägt nur auf seinem höchsten Kamme und auf den Gipfeln den Schmuck von Firn und Eis. Hingegen ist der den Gletscher im S begrenzende, zwischen ihm und dem Inyltschek-Gletscher aufragende Scheidewall eine geradezu wundervolle, selbst die Südumwallung des Semenow-Gletschers an Höhe und Formenreichtum wesent-lich übertreffende Kette von Eisgipfeln, in deren Bau nur selten ein Stückchen Fels zu-tage tritt. Manche dieser Gipfel zählen zu den prächtigsten und höchsten des zentralen Tian-Schan; ihre Höhe wurde sowohl von der Pfannschen, als von der Keidelschen Basis aus bestimmt. Aus Hochtälern zwischen den einzelnen Gipfeln ziehen ungemein steile und zerborstene Gletscher herab, die mit schön geschwungenen Endzungen in den Hauptgletscher einmünden und auf dessen Eisdecke so stauend einwirken, daß große Unregelmäßigkeit und Zerrissenheit ihrer Oberfläche die Folge ist. Im mittleren Teile des Gletschers sind 15—20 kleinere und größere Eisseen von durchweg grüner Färbung ganz unregelmäßig verteilt. Der Gletscher besitzt bis zur Hälfte seines Laufes eine durchschnittliche Breite von 1 Werst, erweitert sich dann allmählich und erreicht in seinem letzten Drittel eine Breite von 3—4 Werst. Dort ist er vom Semenow-Gletscher, resp. dessen Seitentälern nur mehr durch jenen schon S. 21 besprochenen, breiten, von stumpfen Firnkuppen gekrönten, niederen Wall getrennt, über welchen der Muschketow-Paß (ca 4400 m) hinweg führt. Dieser Wall läuft allmählich in das beiden Gletschern gemeinsame Firnbassin aus, das in keinerlei Beziehung zum Khan-Tengri steht, und in diesem Sinne sind alle bisherigen Annahmen zu berichtigen. Riesig hohe Gebirgswälle sind zwischen ihm und dem Khan-Tengri aufgerichtet, was übrigens schon aus den Ergebnissen der Forschungen des Vorjahrs hervorgegangen war. Die Gesteine, welche die Umwallung bilden, sind die gleichen wie am Semenow-Gletscher: eine unregelmäßige Folge von dunklen Tonschiefern, chloritischen Schiefern, dunklen und hellen, von infolge starker Pressung nicht mehr bestimmbaren Fossilien erfüllten Kalken, wechselt mit Gneis, Granit, dunklen Tonschiefern anderen Charakters und hellen, gebänderten Marmoren. Der Wechsel ist häufig, aber leider sind keine Lagerungsverhält-nisse erkennbar. Drüben am Semenow-Gletscher liegt die ganze Serie unter Firn und Eis völlig begraben, hier wird sie überall, wo Schnee und Firn zurücktritt, von einem Chaos von Schutt und Trümmern überlagert.

Auch in diesem Tale, wo ich die Gipfelpyramide des Khan-Tengri in so herrlicher Gestalt zu sehen bekam, erlangte ich keine volle Sicherheit über die Lage des Berges;

höchstens wurde ich noch mehr in der Annahme bestärkt, daß seine Basis im Inyltschek-Tal
zu finden sein müsse. Von allen großen Gletschern des zentralen Tian-Schan, welche ich
besucht habe, ist der Muschketow-Gletscher der einzige, der unverkennbare Anzeichen
neuerlichen Rückgangs zu Schau trägt.

Nochmals zum Inyltschek-Gletscher und seine Begehung bis zum Fuße des Khan-Tengri.

Das nächste Ziel war das Inyltschek-Tal. Mit den Verhältnissen des unwirtlichen Tales
diesmal vertraut und darauf vorbereitet und eingerichtet, mit der unentbehrlichen Anzahl
tüchtiger Träger versehen, hoffte ich in diesem Jahre erfolgreicher dort arbeiten zu können,
als im Vorjahr. Die Entscheidung, ob es möglich sein würde, der Basis des Khan-Tengri
nahe zu kommen, hing hiervon ab.

Ich hatte, wie früher berichtet, im Vorjahr mit Herrn Pfann von dem zwischen Tüs-
aschu und Sary-dschaß gelegenen Hochplateau Tur aus, die Pyramide des Khan-Tengri
mehr aus ihrer Umgebung herausragen sehen, als von irgend einem anderen, wenn auch
höher gelegenen Punkte aus. Da ich in der Umwallung jenes Plateaus einen noch
günstigeren Platz für den Einblick in die um den Khan-Tengri gruppierten Ketten zu
finden hoffte, schickte ich die Karawane auf dem Talweg in das Tüs-aschu-Tal, während
ich mich mit wenigen Leuten nach W wandte. Ich überstieg die stumpfe Umrandung des
mittleren Adür-tör-Tals und das sie krönende Plateau, querte das Hochtal Dscham-tama.
überstieg seinen Westrand und gelangte hinab in die tief eingerissenen Quelltäler des Kus-
kun-ya-Flusses. Dieser und das vorgenannte Tal sind in den Karten nicht eingezeichnet
(schon S. 22 hervorgehoben); sie nehmen ihren Ursprung im SO und SSO in den hochgelegenen, weiten, flachen Firnmulden, welche zwischen der Südumrandung des Muschketow-
Gletschers und der Nordkette des Inyltschek-Tals eingebettet sind und münden nach N
zum Sary-dschaß ein.

Im Hintergrund des Kuskun-ya-Tals erstieg ich eine ca 3750 m hohe Kuppe
und sah dort die Gipfelpyramide des Khan-Tengri im O vor mir, gerade aus den sie
umgebenden Ketten mächtig herausragen. Man konnte das schwarze Band, das am
Fuße des eigentlichen Gipfelbaues um dessen West- und Nordwestflanke herumläuft,
das ich übrigens schon von anderen Punkten aus, zum Teil, gesehen hatte, hier vollkommen überblicken und dicht daneben einen breiten, schwarzen Rücken beobachten; beide
hoben sich auf das schärfste von dem hellen Gestein der Gipfelpyramide ab. Es gelang
mir erst später, den Charakter dieser schwarzen Zwischenlagerungen zu erkennen. Im NO
des Khan-Tengri erblickte ich zum erstenmal einen spitzen Firngipfel, der offenbar
höher war als selbst die im Winkel zwischen Bayumkol- und Semenow-Gletscher ragenden Riesen. Dieser Gipfel schien sich in einer vom Khan-Tengri nach ONO ausstrahlenden Kette zu erheben. Demnach mußte man annehmen, daß zwischen dieser und einem
parallel hiermit ziehenden Gebirgszug ein Tal einschneide, das, am Fuße des Khan-Tengri
seinen Ursprung nehmend, in der Richtung jener Kette und sodann nach O oder SO verlaufe.
In diesem Falle drainierten überhaupt die Firnfelder des kulminierenden Gipfels möglicherweise gar nicht nach W, und es konnte somit nutzlos sein, sich dem Gipfel aus dieser
Richtung nähern zu wollen. Aber falls wirklich ein Tal jene ungeheuren Firnmassen in

östlicher Richtung drainieren sollte, wo konnte, nach den Ergebnissen aller meiner Wanderungen, ein solch bedeutender Wasserlauf ausmünden, wie er diesen Verhältnissen entsprechen müßte? Im nördlichen, wahrscheinlicher im südlichen Musart-Tal? Dort müßte mir jedoch ein solch bedeutender Zufluß aufgefallen sein. Findet aber dennoch eine Drainage nach W statt, geht sie dann durch den Kanal des Inyltschek oder durch den des noch südlicher vom Khan-Tengri gehenden, großen Paralleltals Kaündü? Dies waren die Fragen, welche sich mir aufdrängten. Man gewahrt eben wohl von allen Seiten die Riesenpyramide des kulminirenden Tian-Schan-Gipfels, man sieht sie ungefähr 1000 m über alle sie umgebenden Ketten herausragen, ohne daß man jedoch bei der mangelhaften Beschaffenheit aller vorhandenen Karten zu sagen vermöchte, aus welchem der vielen divergierenden Täler sie sich erhebt. So neigte sich denn mein zweiter Sommer im Tian-Schan seinem Ende zu und über das Hauptproblem lag noch immer der Schleier des Rätselhaften. Von der Möglichkeit, den Inyltschek-Gletscher bis zu seinem Schlusse zu begehen, konnte die Lösung des Rätsels abhängen.

Nachdem ich den Riesengipfel und die ihn umgürtenden Ketten telephotographisch aufgenommen hatte, stieg ich tief zum Westzweig des Kuskun-ya-Tals ab, fast ebenso hoch zum Plateau Tur empor, machte dort ergänzende Aufnahmen und eilte dann hinab in das Tüs-aschu-Tal, wo ich wieder mit der Karawane zusammentraf. Im Kuskun-ya-Tal konnte ich den Durchbruch von Diabasgestein feststellen, welches die durchdrungenen Kalke rot gebrannt und gefrittet hatte, ganz wie ich es am nahen Tüs-aschu-Paß im Vorjahr beobachtet hatte.

Die Karawane überschritt den Tüs-aschu-Paß, welchem ich, als dem kürzesten Übergang in das Inyltschek-Tal, auch diesmal den Vorzug gab, nicht ohne Schwierigkeit. Nur dem heroischen Zusammenhelfen der Leute war es zu danken, daß kein schlimmer Unfall auf dem sehr schlecht beschaffenen Paßgletscher sich ereignete. Auf der Südseite des Passes wurden wir, noch hoch oben, zwei Tage durch Schneestürme aufgehalten, ehe der Abstieg in das Tal möglich war. 3 Werst unterhalb des Gletscherendes ließ ich, diesmal am rechten Ufer, das Hauptlager aufschlagen.

Die schwierige Aufgabe, den Riesengletscher zu durchmessen, wurde sofort in Angriff genommen, indem ich zunächst etwa 10 Werst weit aufwärts am Gletscher ein Proviantdepot errichtete und dann das Hauptlager etappenweise vorschob. Infolge der großen Hindernisse, welche das schon S. 25 f. beschriebene, der Eisdecke aufgelagerte Schuttgebirge bereitete, machten wir im Unterlauf des gewaltigen Eisstroms nur langsame Fortschritte. Zum Verständnis des Folgenden muß ich hier, wenn auch nur in ganz kurzen Worten auf die im Vorjahr gemachten Beobachtungen zurückkommen: Sobald man etwa 3 Werst am Gletscher zurückgelegt hat, sieht man eine hohe, breitmassige, dunkle Felswand weit hinten mitten im Eisfeld aufragen, das hierdurch in zwei Äste zerlegt wird, einen schmäleren, nördlichen und einen viel breiteren, südlichen. Daß diese Wand nicht etwa die Steilfläche eines isoliert aus dem Gletscher emporragenden Berges sein konnte, zeigte sich schon bald, indem man hinter ihrer Scheitelhöhe noch einige hohe, befirnte Kuppen aufragen sah. Die Wand war demnach als das jäh abbrechende Ende eines Gebirgszugs anzusehen, der irgendwo aus der Talumwallung des Inyltschek-Gletschers abzweigt und nach SW in die weiten Eisgefilde vorspringt. Geht man etwa eine halbe Werst weiter, so erblickt man, im Sinne des Anstiegs links von der dunklen Wand, weit hinten die Gipfelpyramide des Khan-Tengri, ohne daß man jedoch mit Sicherheit zu schätzen vermöchte, wie weit entfernt sie sei, und aus welchem Gebirgszug sie ansteigt. Das interessante Bild verschwindet schon nach einigen hundert Schritten. Immerhin lag die Wahrscheinlichkeit nahe, daß man, falls es gelänge, in den nördlichen Zweig des Gletschertals einzudringen, der Basis der Gipfelpyramide nahe kommen müsse, sei es, daß sie dort im Talschluß sich erhebt, in der Wasserscheide,

Mündung eines Seitentals plötzlich aufhört. Die Granitmassen konnten also nur aus diesem Seitental herauskommen.

Um alle die beobachteten neuen Tatsachen genau festzustellen, den weiteren Verlauf des alle bisherigen Annahmen von seiner Ausdehnung weit übertreffenden Gletschers zu kartieren galt es nun weiter vorzudringen. Meine Vorräte waren jedoch beschränkt, die Entfernung von meiner Basis weit, der Weg dahin schwierig, die Witterung unsicher, schwankend. Die Sache mußte somit rasch durchgeführt werden. Mit einem gewaltsamen Vorstoß wurde das Lager gleich 20 Werst weiter am Gletscher aufwärts verlegt. Hier konnte ich den erschöpften Trägern Ruhe gönnen und wollte dann mit den beiden Tirolern allein weiter gehen.

Auf dem Wege von der Talgabelung aufwärts erreichten wir schon bald schuttfreies Eis, auf dem sich in ungleichen Entfernungen nur die dunklen Streifen der drei Mittel- und zwei Seitenmoränen von der hellen Fläche abzeichneten. In jeder dieser Moränen herrscht anderes Material vor: Die helle Granitmoräne am linken Ufer begleitete unseren Weg, wie erwähnt, nur noch etwa 12 Werst. Dort öffnet sich ein etwa 1 Werst breites, tief in den Gebirgswall eingeschnittenes Eistal mit völlig ebener Sohle. (Mündungsstelle ca 3850 m.) Großartig ist die eisige Umwallung dieses Tales, nicht ein Zoll breit Fels an ihr zu sehen, woher das Granitmaterial stammen könnte. Aber am Schlusse verflacht die Umrandung gänzlich, und man scheint fast eben in ein dahinter, entlang dem Inyltschek parallel ziehendes, großes Längstal gelangen zu können, d. h. beide Täler scheinen hier in Verbindung zu treten. Nach den mir zugegangenen Informationen, konnte ich dieses benachbarte Längstal damals nur für das Kaündü-Tal halten. Auffällig und schwer zu erklären blieb allerdings die Wahrnehmung, daß unmittelbar westlich vor der Lücke des Granit führenden Seitentals aus der Scheidekette zwischen den beiden Haupttälern ein von einem großen Firnplateau gekrönter Rücken in den Gletscher des nächsten Paralleltals hinaustritt. Mein Standpunkt war zu niedrig, um den Lauf dieses Rückens weiter als ein kurzes Stück verfolgen zu können, und ich sollte daher erst im Kaündü-Tal erfahren, welche Rolle ihm zukommt. Da die gewaltigen Granitmassen — die Moräne hat im Haupttal schon eine Länge von ca 26 Werst — ausschließlich durch dieses Seitental herauskommen, mußte ich auf die Existenz eines großen Granitmassivs im Paralleltal schließen. In der folgenden Moräne herrschen hellgraue Kalke vor; in der nächsten dunkle Schiefer, vermischt mit Marmor, in der vierten fast nur Marmor, zum Teil Blöcke von riesigen Dimensionen, und in der rechten Seitenmoräne endlich dunkle Eruptivgesteine, von denen gleich mehr die Rede sein wird. Aus der Absonderung des Gesteinsmaterials war zu entnehmen, daß jede dieser Moränen ihren Ursprung in einer Gebirgsbucht nimmt, wo ein bestimmtes Gestein vorherrscht.

Der Hauptgletscher, der bisher schon eine Breite von mehr als 3 Werst hat, verbreitert sich hier auf etwa 4 Werst. Die rechte Uferkette, der talteilende Mittelzug, ist durch keinerlei Quertalbildung zerschnitten, nur durch Hochschluchten zerfurcht. Drüben am linken Ufer jedoch mündet Tal auf Tal ein, manche davon großartig ausgestaltete Eistäler. Durch die Pressung der einmündenden Seitengletscher ist drüben die Eisdecke des Hauptgletschers chaotisch aufgestaut, zerrissen und zerklüftet. Wir wurden nach rechts gedrängt, wo die Spalten zwar auch nicht fehlen, aber umgangen werden können. Das Eis war hier hauptsächlich durch ungleiche Abschmelzung, Folge der ungleichartigen Schuttbedeckung, und durch Erosion der Gletscherbäche gebirgig gestaltet. Im rechten Ufergebirge sah man jetzt ausgedehnte Wände fast schwarzen Eruptivgesteins, sich in langer Reihe haarscharf von den hellen Schiefern und Marmorhängen abheben; es sind Einlagerungen eines stark metamorphen Gesteins. Zweifellos sind sie auch am anderen Ufer, am

Südrand mächtig entwickelt, und ich konnte dies an einzelnen Stellen auch wahrnehmen; allein die kaum unterbrochene Firn- und Eisdecke des nach N gekehrten Gehänges verhüllt dort das meiste. Von dem Formenreichtum und der Pracht der in diesem ununterbrochenen, südlichen Talwall aufragenden Gipfelbauten kann man sich kaum eine zutreffende Vorstellung machen; er ist von sehr beträchtlicher Breite und durch muldenförmige Hochtäler in mehrere Äste zerteilt.

Nach der Höhe der sehr zahlreichen Gletschertische zu urteilen, meistens aus großen, weißen Marmorplatten bestehend, betrug die gesamte sommerliche Abschmelzung des Eises nicht mehr als 1—1¼ m, ein Betrag, welchen der in dieser Region 7—8 Monate während Winter leicht ersetzt. Die höchstens drei Monate dauernde Sommerzeit, die ungeheure Ausdehnung des Gletschers, sein geringes Gefälle — nur 26 m pro Werst — die außerordentlich großen Schneevorräte auf der Umrandung des obersten Firnbeckens, endlich die dichte Schuttbedeckung seines Unterlaufs erklären die Stabilität dieses Eisstroms.

Auf dem Vorstoß, den ich, begleitet von den beiden Tirolern, vom letzten Hochlager aus unternahm, mußte es sich entscheiden, ob ich den Khan-Tengri erreichen solle. Schon nach wenigen Werst aufwärts betraten wir geschlossenes Eisterrain, das nur ganz mäßig ansteigt und von einer festgefrorenen, nahezu ebenen Schneedecke bedeckt war. Diese Umstände erlaubten uns sehr rasches Vordringen auf dem hier ungefähr 3 Werst breiten, tief ins Herz der Eisgebirge ziehenden Gletscher. So weit das Auge reichte, alles blendende Weiße; nur aus der rechten Uferwand springt ein hohes, dunkelfelsiges Kap weit in die polare Landschaft vor und verbirgt, was hinter ihm liegend vermutet wurde, den lange gesuchten Khan-Tengri. Auch die linke Uferkette nimmt nördlich von dem granitführenden, breiten Quertal mehr und mehr die Gestalt eines Massivs an, das durch eine Serie von Hochmulden und Hochtälchen zu einem ungemein mannigfaltigen Relief zerlegt ist. Außerordentliche Mengen von Firn sind dort aufgespeichert und malerische Gletscher fließen daraus zu Tale. Der scheinbar Talschluß bildende Eiswall gliedert sich in zwei, zunächst parallel ziehende Ketten, von denen sich jedoch bald die eine nach O, die andere nach OSO wendet. Auch hier, wie so häufig im Tian-Schan Doppelstruktur.

Wir hatten nun fast fünf Stunden lang im schärfsten Tempo das Eisfeld überschritten, die Gebirge der Umwallung fingen an zu verflachen, die seitlichen Eistäler wurden kürzer, breit, weit ausgerundet an ihrem Schlusse, und noch immer deckte das dunkle Kap geheimnisvoll den spähenden Blicken das Rätsel des Khan-Tengri. Da begann plötzlich etwas Weißes sich hinter der schwarzen Kante des Kaps vorzuschieben, noch nichts Bedeutendes, aber mit jedem Schritte vorwärts nahm das Weiße größere Dimensionen, gewaltigere Form an. Eine sonnenbeglänzte Firnspitze erschien hoch oben, kolossale, weiße Marmorflanken schoben sich heraus. Noch wenige Schritte weiter, und eine ungeheure Pyramide war frei geworden, bald auch ihre Basis. Der Riesenberg, der Beherrscher des Tian-Schan zeigte sich jetzt meinen entzückten Blicken in seiner ganzen, nackten Größe, von dem im Eise des Gletschers wurzelnden Fuße bis zu seinem, von ziehenden, sonnendurchleuchteten Nebeln umspielten Haupte. Nicht die geringste Vorlagerung verdeckte mehr etwas von dem so lange geheimnisvoll versteckten Fuße des Berges. Unmittelbar an seinem Südfuß befand ich mich und betrachtete staunend, bewundernd, forschend die nackte Gestalt. Die Spannung der letzten Wochen, bis zur Unerträglichkeit in den letzten Tagen gesteigert, war mit einemmal gelöst, das ängstlich mit aller Kraft des Denkens und Wollens erstrebte Ziel erreicht. Was ich empfand, entzieht sich der Schilderung.

Ich kenne keinen bedeutenden Berg, der so völlig ununterbrochen, so in einem Gusse, ohne jegliche Vorlagerung von Scheitelhöhe zu Tale geböscht ist, als diesen, möchte jedoch gleich hervorheben, daß, wie gewaltig der Eindruck auch war, er doch nicht der Bedeutung entsprach, welche die einsame, alle anderen Gipfel so mächtig überragende Höhe des Khan-Tengri erwarten ließ. Ich stand zu nahe an seinem Fuße und zu niedrig, um nicht die Umrißlinien der gigantischen Pyramide in allzu starker Verkürzung zu sehen. Die am Gletscher von mir erreichte Höhe beträgt 4500—4600 m, und wenn der Gipfel des Khan-Tengri 7200 m erreichen sollte, so verteilte sich die Höhendifferenz von 2600—2700 m für mich auf einen allzu kurzen Gesichtswinkel. Dies muß natürlich noch stärker in den von mir an dieser Stelle gemachten photographischen Aufnahmen zur Geltung gelangen. Um die majestätische Gestalt des Herrschers richtig zu würdigen und im Bilde festzuhalten, müßte man in der etwa 2½ Werst entfernt dem Berge gegenüberliegenden Südumwallung des Gletschers einen hochgelegenen Punkt ersteigen. Dazu hätte es aber besonderer, von langer Hand getroffener Vorbereitungen und namentlich beständigen Wetters bedurft. Dieses war aber damals schon seit einiger Zeit recht unbeständig; jeden Nachmittag gab es Schneesturm und ein solcher war offenbar schon wieder im Anzug.

Der kulminierende Gipfel des gesamten Tian-Schan erhebt sich somit nicht im Hauptkamm, ist kein Gebirgsknoten und alle bisherigen Vorstellungen von der Rolle, welche ihm im Tian-Schan-System zukommt, müssen aufgegeben werden. Aus dem Hauptkamm heraus, nach SW weit vorspringend, tritt der den Inyltschek-Gletscher in zwei Täler spaltende Nebenast, auf dem sich die Gipfelpyramide erhebt[1]). Zwischen ihm und dem bis jetzt für das Auge Talschluß bildenden Teile des Hauptkamms zieht der südliche Gletscher in einem sich nunmehr wesentlich verengenden und gleichzeitig steiler ansteigenden, etwas gewundenen Tale weiter nach NO. Ich vermochte den Schluß dieses Tales nicht zu sehen; hierzu hätte ich noch mindestens 6 Werst weiter aufwärts dem Hauptgletscher folgen müssen, wozu schon die Zeit fehlte und auch das zusehends drohender sich gestaltende Wetter verbot es. Ich hatte bis zum Fuße des Khan-Tengri 53 Werst auf dem Gletscher zurückgelegt, und bis zum Eingang seines obersten, dort scharf nach NO gewendeten, sich verengenden Eistals sind es, wie gesagt, ungefähr noch 6 Werst. Meiner Schätzung nach, die sich auf den Verlauf der Kämme stützt, muß aber das oberste Eistal noch mindestens 6—8 Werst weit gegen NO ziehen. Somit hat der Inyltschek-Gletscher eine Gesamtlänge von 65—70 Werst, gegenüber 10—12 Werst, wie man seine Länge bisher geschätzt hat; er zählt demnach zu den größten kontinentalen Eisströmen. Den Zusammenschluß des den Khan-Tengri tragenden Astes mit dem Hauptkamm habe ich allen Grund, bei der sog. Marmorwand im Bayumkol-Tal anzunehmen, demselben Punkte, der auf allen Karten als Khan-Tengri bezeichnet ist. Jener Berg und nicht der Khan-Tengri ist somit der Knotenpunkt der Hauptverzweigungen des zentralen Tian-Schan. Da er nun einen Namen erhalten soll, wüßte ich seiner Bedeutung keinen entsprechenderen, als den des ersten Präsidenten der Kais. Russ. Geographischen Gesellschaft, Sr. Kaiserl. Hoheit Großfürst Nikolai Michailowitsch, der so lebhaftes Interesse an der Erforschung des Tian-Schan nimmt. Ich schlage daher vor, diesen Zentralgipfel Pik Nikolai Michailowitsch zu benennen.

Wie schon aus den vorhergegangenen Beobachtungen zu schließen war, muß nun auch die bisherige Vorstellung fallen gelassen werden, daß am Bau des Khan-Tengri Urgesteine beteiligt seien und alle Folgerungen, welche daran geknüpft wurden, sind gleichfalls hinfällig. Die höchste und innerste Region des Tian-

---

[1]) Es ist eine für den zentralen Tian-Schan geradezu typische Erscheinung, durch welche er sich, gleichwie in vielen anderen Beziehungen, wesentlich von den europäischen Alpen unterscheidet, daß die meisten seiner höchsten Gipfel ganz unabhängig von der Anordnung der Talnetze auftragen. Gerade die höchsten Gipfel stehen zum überwiegenden Teile, und im scharfen Gegensatz zu den in den Alpen herrschenden Verhältnissen, nicht an den Vereinigungspunkten mehrerer Kämme.

schan wird, was meine bisherigen Beobachtungen schon erwiesen haben und alle folgenden noch bekräftigten, ausschließlich aus Sedimenten aufgebaut. Die Gipfelpyramide des Khan-Tengri besteht aus mehr oder weniger umgewandelten Kalken und aus geschichtetem Marmor; am Bau seiner Basis sind die gleichen Kalke und mannigfach veränderte, auch kristallinisch gewordene Schiefer beteiligt. In dieser Gesteinsserie zeigen sich als Einlagerungen mächtige Massen eines dunklen, metamorphen, anscheinend diabasischen Gesteins; aus solchem Gestein besteht das schon von einigen Reisenden aus der Ferne beobachtete schwarze, um die Pyramide herumziehende Band und der breite, dunkle Rücken, den man besonders an der Westseite daneben erblickt. Wie stark die umwandelnde Kraft bei der Berührung mit den Eruptivgesteinen gewirkt hat, zeigt sich daran, daß Kalke und Schiefer in der Kontaktzone tiefrot gebrannt und gefrittet sind. Über das Alter der Kalke werden die talauswärts in ähnlichen Kalken gefundenen Fossilien Aufschluß geben.

Wenn der Khan-Tengri somit keinem Tiefengestein seine Entstehung verdankt, wenn sein Baumaterial überhaupt dem seiner Umgebung gleicht, und wenn er sich endlich nicht im Vereinigungspunkt mehrerer Kämme erhebt, wie erklärt sich seine einzigartige Stellung, das Geheimnis seiner, alle Hochgipfel noch um 800—1000 m übersteigenden, einsamen Höhe? Schon im Mittellauf des Inyltschek-Tals läßt sich beobachten, daß, ungeachtet aller Störungen in den Einzelheiten, der gesamte Schichtenbau der Südumwallung im großen Ganzen — abgesehen von größeren oder kleineren Abweichungen, bald nach O, bald nach W — Südfallen, der Schichtenkomplex der Nordseite dagegen Nordfallen zeigt. Dies läßt sich sogar an den Rändern der den Inyltschek-Gletscher teilenden Mittelkette, ja am Bau des Khan-Tengri selber wahrnehmen. Es scheint demnach hier der Kern eines alten Gewölbebaues vorhanden zu sein, der infolge von Senkungen an der Peripherie — von ausgedehnten Bruchgebieten in dem Gebirge nördlich vom Inyltschek-Tal ist in diesem Bericht öfters die Rede gewesen, und solche wurden später auch im S beobachtet — geborsten, zusammengestürzt und abgetragen ist. Von dem Scheitel des alten Gewölbes ist nichts erhalten geblieben als der Gipfel des Khan-Tengri. So und nicht anders kann seine in dem weiten Tian-Schan-System isolierte Höhe erklärt werden, die — wenn man von vulkanischen Kegeln absieht — in ähnlich ausgedehnten Gebirgssystemen beispiellos ist. Ich muß mir versagen, auf dieses wichtige Thema hier näher einzugehen; dies wird im ausführlichen Bericht geschehen.

Gegenüber meinem Standpunkt am Fuße des Khan-Tengri öffnet sich im Südwall ein ungefähr 1 Werst breites Eistal, leicht ansteigend, an seinem Schlusse nur eine niedrige Schwelle zeigend. Über sie müßte man leicht in das nächste, große Paralleltal gelangen, das zweifellos einen dem Inyltschek-Gletscher ebenbürtigen Gletscher birgt, von dem bisher niemand Kunde besaß. Wäre man mit den nötigen Provisionen, Brennmaterial und der entsprechenden Zahl von Trägern versehen, so könnte man die Erforschung dieses unbekannten, großen Gletschers von hier aus unternehmen, ebenso die Begehung des Inyltschek-Gletschers bis zu seinem Schlusse und die genaue Erforschung seiner Umwallung. Bedenkt man jedoch, daß die Entfernung bis zur Basis Narynkol etwa 200 Werst, teilweise sehr schwierigen Weges beträgt, daß von dorther das meiste zu einem mehrwöchentlichen Aufenthalt in der Eisregion Nötige, auch für eine Anzahl von mindestens zehn Trägern herbeigeschafft werden müßte, so wird man begreifen, daß ein derartiges Unternehmen die Kräfte eines privaten Forschungsreisenden übersteigt. Vor allem wäre es einem solchen geradezu unmöglich, in dieser Gegend die hierfür nötige Zahl verlässiger, geübter und disziplinierter Träger anzuwerben; notwendig wären meiner Schätzung nach 20—25. Was man dort aber von leistungsfähigen, gebirgsgewandten Trägern allenfalls finden könnte, übersteigt die Zahl 10 nicht, und auch diese würden, wie es mir so oft

10*

geschah, im entscheidenden Augenblick versagen; das Unternehmen wäre in Frage gestellt. Nur einer von der Kais. Russ. Geographischen Gesellschaft organisierten, von der Regierung unterstützten Expedition könnte es gelingen, ein solches Unternehmen durchzuführen. Da ich ohnedem hoffte, im weiteren Verlauf der Reise in jenes große Paralleltal von seinem Mittellauf aus eindringen zu können, bedauerte ich die hier versäumte Gelegenheit nicht; es stellte sich aber bald heraus, daß diese unbekannte Eisregion auch für mich verschlossen bleiben sollte.

Ich möchte hier noch einige kurze Bemerkungen über die Möglichkeit der Ersteigung des Khan-Tengri einschalten, da man irrtümlicherweise angenommen hat, die Absicht, diese zu unternehmen, sei der Hauptzweck meiner Expedition gewesen. Die stark vergletscherte Scheitelhöhe des Rückens, aus dem die Pyramide sich erhebt, schätze ich auf etwa 400 bis 500 m über meinem Standpunkt am Gletscher. An der Westbasis der Pyramide ist in dem Rücken ein von Firneis erfüllter Sattel eingetieft, aus dem ein steiler, jedoch noch gangbarer Gletscher zum Hauptgletscher herabfließt. Der Sattel ist also ohne größere Schwierigkeit erreichbar. Die absolute Höhe der Pyramide betrüge demnach (siehe S. 73) über dem Sattel noch 2100 m. Der Südgrat und die Südwand sind unangreifbar; ein geschlossener Eishang von furchtbarer Steile schließt jeden Gedanken an ihre Begehung aus. Etwas vertrauenerweckender sieht sich der felsige, mehrfach gebogene Südwestgrat an. Nimmt man den durchschnittlichen Neigungswinkel des Südwestgrats der Pyramide mit 45° an, ihre absolute Höhe über dem Sattel mit 2100 m und zieht die Krümmungen des Grates in Betracht, so dürfte etwas mehr als 3000 m Felsgrat zu durchklettern sein. Wenn ich nochmals hervorhebe, daß die ungeheure Pyramide nahezu gänzlich aus marmorisiertem Kalk besteht, bekanntlich diejenige Felsart, welche dem Kletterer die größten Schwierigkeiten bereitet und dazu bemerke, daß überdies die Schichtenköpfe stellenweise dachziegelartig aufeinander liegen, so kann sich der erfahrene Alpinist selbst ein Bild von den ihn bei einem Ersteigungsversuch erwartenden Schwierigkeiten machen. Kamine, die den Aufstieg erleichtern könnten, sind nicht vorhanden, Absätze und Terrassen, soweit sich dies von unten aus beurteilen läßt, sind bis wenig unterhalb des Gipfels kaum recht ausgeprägt; hingegen fehlt es nicht an mancherlei Komplikationen im Grate. Dennoch bietet der Weg über diesen noch immer mehr Gewähr für die Erreichung des Gipfels, als jede andere Anstiegsrichtung.

Ein Reisender, der vor einigen Jahren den Khan-Tengri aus dem Sary-dschaß-Tal, vielleicht auch von einem etwas näheren Standpunkt aus, beobachtet hat, hielt, abgesehen von dem großen Irrtum, in welchem er sich über die Zugangsrichtung zum Berge befand, die nur wegen ihrer enormen Steilheit von Schnee ganz entblößte Nordnordostwand und ihre stark vereisten, wohl mehr als 1500 m hohen Kamine für verhältnismäßig leicht ersteiglich. Dies trifft jedoch nicht zu. Wir haben jene Wand häufig und nahe genug vor Augen gehabt, und nach genauer Prüfung aller Einzelheiten ihres Baues waren sämtliche Teilnehmer der Expedition darüber einig, daß sie nicht die geringste Anwartschaft für einen erfolgreichen Aufstieg biete. Voraussetzung für jeden Angriff auf den Berg bildet natürlich die Möglichkeit, daß alles, was zu einem mehrwöchentlichen Aufenthalt in dieser schwer zugänglichen Eisregion nötig ist, dorthin gebracht werden kann. Was dies bedeuten will, wurde soeben hervorgehoben. Schließlich kommen noch die sehr prekären Witterungsverhältnisse in Betracht. Wehen, wie während meines Aufenthalts am Gletscher, täglich eisige Winde vom Tale herein, so würde sich das Klettern an den Felsen des Khan-Tengri von selbst verbieten. Meinen Beobachtungen am Fuße des Khan-Tengri wurde, kaum daß die unentbehrlichsten photographischen Aufnahmen ausgeführt werden konnten, durch zunehmende Trübung der Atmosphäre und darauf folgenden Ausbruch eines Schneesturms, ein allzu frühes Ende bereitet.

Über den Atschailo-Paß zum Kaündü-Gletscher.

Vom Hauptlager am Gletscherrand wanderte ich einige Tage später etwa 18 Werst talabwärts, wo man beständig, oft mehr als 300 m über Talsohle auf Terrassen der Talwände lagernde Reste alten Moränenschutts beobachten kann. Kurz bevor die alte Barre erreicht wird (siehe S. 25), mündet links aus einer engen Schlucht der stürmische Atschailo-Bach (Mündungsstelle ca 2800 m). Es ist bemerkenswert, daß dieses Seitental das einzige im Mittel- und Unterlauf des Inyltschek-Tals ist, welches im Sohlenniveau des Haupttals einmündet; alle anderen sind hängende Täler. Die tiefe Erosion wird durch den großen Wasserreichtum, das starke Gefälle bei kurzem Laufe und die zerrütteten und zersetzten Schiefer des Talwalls erklärt. Von den zwei Quellarmen kommt der eine aus O, der andere aus SO; beide entströmen bedeutenden Gletschern, welche von einer nach SO zwischen den Tälern Inyltschek und Kaündü sich erstreckenden, bisher unbekannten, etwa 18 Werst langen, formenreichen Kette stark vergletscherter Berge herabkommen. Dieser prächtige Gebirgszug erhebt sich im Mittel zu ungefähr 4400 m und seine höchsten Gipfel erreichen über 5000 m. Zwischen ihm und einem parallel verlaufenden, kalkigen Zuge, dessen nördlicher Teil das typische Bild eines schon zum größten Teile abradierten Gebirges bietet, liegt ein durchschnittlich 3 Werst breites und im Mittel etwa zu 3600 m sich erhebendes, von Alpenmatten bedecktes Plateau (Syrt), auf dessen kaum erkennbarer Scheitelhöhe (ca 3800 m) die Wasserscheide zwischen Inyltschek und dem nächsten Paralleltal, Kaündü, liegt.

In den bisherigen Karten ist, wie schon erwähnt, von allen den Tälern und Gebirgszügen, durch welche für einige Zeit meine Expedition sich nun bewegte, nichts zu finden. Meine Aufnahmen sind noch nicht ausgearbeitet, weshalb ich mich für jetzt auf Hervorhebung der wesentlichsten Züge der bereisten Gegend beschränke: Das erwähnte Plateau ist nichts weiter, als der Boden einer alten Firnmulde, von der einstens große Gletscher zu beiden Seiten etwa 8—900 m tief, der eine in das Inyltschek-Tal sehr steil, der andere weniger steil in das Kaündü-Tal hinabflossen. Dies ist beiderseits noch gut erkennbar, besonders schön auf der Inyltschek-Seite durch den Verlauf der alten Moränen. Gebirgsbildende Gesteine in dieser hohen Kette und weiterhin bis zum Kaündü-Tal sind stark umgewandelte, steil aufgerichtete Schiefer von sehr verschiedenartigem Aussehen, Phyllite, mehr oder weniger kristallinische Kalke, weißer Marmor und endlich Diabase. In dem ersten, aus O herbeiziehenden Quertal scheinen, wie man beim Aufstieg aus N sehen kann, die größten Gletscher dieser Kette und ihre höchsten Firngipfel zu liegen; ihre kühnsten Formen erreichen diese in der Nähe des Passes, wo an ihrem Fuße ein ansehnlicher Moränensee in das Grün der Alpenmatten sich erstreckt. Beim Abstieg zur Südseite sieht man mächtige Diabasstöcke, die schroffen Züge der Kalk- und Schiefermassen durchbrechen und öfters in wilden Zackengraten die höchsten Kämme bilden. In keinem der Täler des zentralen Tian-Schan, ausgenommen in unmittelbarer Nähe des Khan-Tengri, sah ich vulkanische Massen von so großer Ausdehnung und Mächtigkeit zutage treten, als am Oberlauf des Kaündü. Das Eruptivgestein zeigt hier sehr verschiedenartige Ausbildung.

Nahe seiner Mündung zum Kaündü verengt sich das von der Plateaumulde nach S auslaufende Tal zu ungangbarer, zwischen senkrechten Kalkmauern eingesägter Klamm. Der Weg führt daher über ein steiles Gehänge des rechten Ufers zu bedeutender Höhe empor, wo das ganze Terrain mit großen Mengen von weißem Marmor und Kontaktschieferblöcken übersät ist. Ebenso steil geht es zum Kaündü hinab. Dieses Tal verdankt seinen Namen den seinem Unterlauf eigenen Birkenwäldern. Im Oberlauf, wo das Tal eine Breite von ¹/₂—³/₄ Werst hat, werden die am Fuße der senkrecht abfallenden Kalkmauern des linken Ufers liegenden Schuttkegel von kleinen Beständen von Fichtenwald geschmückt. Da die Talachse häufig im Streichen der Schichten (N 40 O) verläuft, ist dort die dem schroffen Einfallen entgegengesetzte Seite eine Steilfläche. Dennoch besitzt die Umrandung des Tales nicht den großartigen Charakter derjenigen des Inyltschek-Tals. Die Ketten sind weniger hoch und nicht so formenreich. Von der Mündung des südlichen Atschailo-Bachs wanderten wir im Kaündü-Tal über eine flache, begrünte Terrasse am linken Ufer etwa 25 Werst tal-aufwärts zum Gletscherende, das auf einer Höhe von ca 3250 m liegt.

Es war mir überraschend, auf dem ganzen Wege nicht eine Spur von Granit oder anderen, altkristallinen Gesteinen im Geschiebe des Flusses oder im Moränenschutt zu finden. Dem-nach zu schließen, konnte sich das mehrfach erwähnte Granitmassiv (S. 70 u. 72), dessen Trümmer auf dem Inyltschek-Gletscher hinabgetriftet werden, auch in diesem Tale, wo ich es bisher vermutet hatte, nicht befinden. Der Fluß besteht aus einem einzigen Arme, ist zwar ansehnlich, jedoch lange nicht so bedeutend, wie dies einem Gletscher von der ungefähren Ausdehnung des Inyltschek-Gletschers entsprechen müßte. Beides waren mir sichere Zeichen, daß das Kaündü-Tal nicht das von mir gesuchte, große Längstal sein könne.

Die Talmauern sind aus Serien heller und dunkler Kalke aufgebaut, von denen manche Bänke ungemein reich an Fossilien sind, leider durch den Kontakt mit den Diabasen zer-quetscht und verpreßt; vielleicht ist einiges davon dennoch bestimmbar. Diabase verschiedener Ausbildung, Hornschiefer, Diabastuff, Hornsteine kommen vielfach im Gerölle vor; weiter taleinwärts treten wieder stark umgewandelte Tonschiefer und Sandsteine auf. Auffälliger-weise finden sich im Gebiet des Gletschers keine Marmore. Die Lagerungsverhältnisse sind sehr komplizierter Art. Herr Keidel glaubte bei seinem Besuch des mittleren Tales im Vorjahr, Schuppenstruktur zu erkennen.

Der Kaündü-Gletscher ist im ersten Viertel seines Laufes ebenfalls von einem, aller-dings weit weniger mächtigen Schuttgebirge bedeckt, als das des Inyltschek-Gletschers. Schon nach 5—6 Werst wird das Eis schuttfrei und ist dort sehr uneben, was jedoch mehr eine Folge der Erosion durch fließendes Wasser, als Pressungserscheinung ist. Im hinteren Teile ist die Eisdecke eben. Die durchschnittliche Breite ist 7—800 m, die Ge-samtlänge 18—20 Werst, die Gestalt eine mehrfach gewundene, die Neigung gering. Am linken Ufer sind mehrere grüne Seen in das Gletschereis eingetieft. Erwähnenswert, weil im Tian-Schan eine seltene Erscheinung, ist ein starker, hoher Wasserfall in der rechten Talwand. Am linken Ufer erstreckt sich eine begrünte Terrasse mit einem Walde von Caraganasträuchern noch 7 Werst dem Eise entlang aufwärts.

Der Kaündü-Gletscher zieht jedoch, wie sich bei seiner Überschreitung zeigte, nur eine Strecke weit parallel mit dem Inyltschek-Gletscher nach NO; er wird schon bald durch einen, bereits vor der Einmündung des granitführenden Seitentals in das Inyltschek-Tal aus dessen Südrand (siehe S. 72) abzweigenden Gebirgsast, dessen Rolle und Verlauf mir nun erst klar wurde, abgeschlossen, und das Nichtvorkommen von Granit im Tale wurde hierdurch aufgeklärt. Das Kaündü-Tal ist demnach nur eingeschoben zwischen einem weit ausgedehnterem Längstal und dem Inyltschek-Tal. Ein tiefer Ein-schnitt im vollständig vereisten Schlußwall des Kaündü-Gletschers könnte den Zutritt, oder doch wenigstens den Einblick in das größere, das Kaündü-Tal umfassende Längstal ver-mitteln.

Die Nordumrandung des Gletschers wird von einer Reihe schöner Firngipfel gekrönt, die jedoch vom Inyltschek aus nicht gesehen werden können, weil, wie ich schon früher (S. 73) hervorhob, der Scheidewall in zwei parallele Äste gespalten ist; hingegen erblickt man von den Inyltschek-Bergen einen der höchsten durch eine Lücke. Die südliche Talumwallung ist gleichfalls ansehnlich vergletschert, jedoch niedriger als die nördliche — die Abdachung der Gebirgsmasse des Tian-Schan gegen S nimmt hier ihren Anfang (S. 15 u. 17) — und während diese eine selten durchtalte Masse bildet, wird jene durch zahlreiche Einschnitte, die schief zur Längsachse des Tales laufen, zerlegt. Mehrere kleine und zwei große Seitengletscher ziehen aus diesen Einschnitten gegen den Hauptgletscher herab, doch erreichen ihn nur mehr die beiden größeren. Für eine Abnahme des Gletschers in neuerer Zeit konnten keine Anzeichen gefunden werden. Ein wie geringes Überbleibsel jedoch, der heutige Gletscher im Vergleich zu seiner ehemaligen Ausdehnung ist, dafür ist das ganze Tal von Beweisen erfüllt; streckenweise reichen die alten Moränen bis zu $^2/_3$ Höhe der Bergwände empor, bis zu 600 m über Talsohle.

Von einem etwa 1000 m über der Gletschersohle gelegenen Punkte der linken Talumwallung wurde ein Panorama des Gletschers und der ihn einschließenden Ketten aufgenommen.

Um das nächste, große Paralleltal aufzusuchen, setzte ich meine Wanderung fort und zog vom Kaündü-Gletscherende 36 Werst talabwärts. Das Kaündü-Tal zeichnet sich in seinem Mittellauf durch einen für ein südliches Tian-Schan-Tal unerwarteten Reichtum an üppigen Weideplätzen, an Fichtenwald und durch eine sehr reiche, schöne Flora aus. Auch hier haben Diabasdurchbrüche die Schiefer und Kalke der Talumwallung in mannigfacher Weise verändert. Da wo das Tal, nach etwa 30 Werst vom Gletscherende abwärts, sich zur Schlucht verengt, biegt es scharf nach SW um und bildet am Ausgang der 3 Werst langen Schlucht eine beckenartige Erweiterung, wo am linken Ufer jugendliche Bildungen, 40—50 m hohe Mauern aus rotem, sehr grobkörnigem, sehr hartem Sandstein anstehen; dieser geht in noch gröberen, braungelben Sandstein und weiterhin in Konglomerat über. Darüber sind jüngere gefestigte Schotter und über diese Löß gelagert. Die Konglomerate begrenzen auf viele Werst in Steilmauern zu beiden Seiten unmittelbar den weiteren Lauf des Flusses. Die Sandsteinschichten zeigen leichte Dislokation und streichen hier diskordant zu den Kalken der Talumwallung. Über die Geschichte, wenigstens eines Teils dieser jugendlichen Ablagerungen im Tian-Schan, habe ich mir meine eigene Ansicht gebildet, die von der bisher geltenden vielleicht in mancher Hinsicht abweicht; ich kann sie jedoch im Rahmen dieses summarischen Berichts nicht erläutern und begründen und muß mir dies für den ausführlichen Bericht vorbehalten.

Vom Kaündü-Tal über das Ütsch-schat-Plateau in das Koi-kaf-Tal.

Die linke Uferkette des Kaündü erscheint im Mittellauf des Tales in eine Reihe NW—SO streichender Züge zerlegt, die schroffe, reich vergletschert Gipfel tragen; einer von ihnen zeigt bewunderungswerte Form, ein verkleinertes Ebenbild des Khan-Tengri. Zwischen diesen Zügen liegen eine Anzahl kurzer Hochtäler, alle gleichmäßig von den Kirgisen Kara-bel genannt. Nur durch das erste dieser Täler kann man weiter, quer über das Gebirge nach S vordringen. Zwischen der tiefen Längsrinne des mittleren Kaündü-Tals im N und der noch wesentlich tiefer eingeschnittenen des nächsten Paralleltals im S, erstreckt sich in der wasserscheidenden Kette, eine ausgedehnte Depression zwischen den weiter talauf und weiter talab ragenden Gipfelreihen bildend, ein plateauartig stumpfer, von Alpenmatten bedeckter Rücken. Das zum Kaündü allmählich abdachende Gehänge dieses Rückens wird in stumpfe Züge durch flache, muldenförmige Hochtäler (Kara-bel) zerlegt, die dort, wo sie dem Plateaurand sich nähern, tiefer eingeschnitten sind, jedoch in hoher Steilstufe zur Sohle des Haupttals abfallen. Als dieses früher noch hoch mit Gletschereis angefüllt war, mündeten die aus der ehemaligen Firndecke des Plateaus durch diese Mulden herabfließenden Seitengletscher mit geringer Neigung zum Hauptgletscher ein. Das heutige Relief dieser hohen Region ist durchaus das Ergebnis glazialer Tätigkeit. Dagegen werden die nach S gerichteten, jäh abfallenden Hänge durch tiefe, unzugängliche Schluchten zerteilt. Zwischen beiden Abhängen erstreckt sich ein etwas nach SW geneigter, breiter Scheitel; in diesem ist ein nach SW offener, flacher Kessel eingesenkt, in welchem strahlenförmig aus verschiedenen Richtungen herabfließende Quellen sich zu drei Bächen vereinen, die ihrerseits tiefer unten in einer Rinne zusammenfließen. Die Kirgisen, welche in dieser hohen Alpenregion gute Sommerweiden haben, nennen das Gebiet Ütsch-schat = drei Täler und die etwas westlich davon aufragende Querkette sehr formenreicher, ziemlich reich befirnter Gipfel nennen sie Ütsch-schat-Tau. Der aus dem Zusammenfluß der drei Bäche entstehende Hauptbach wendet sich nach S und SW und verschwindet bald in einer Schlucht, deren Verlauf ich nicht genau feststellen konnte. Die Kirgisen sagen, sie münde in den aus N herbeiströmenden Sary-dschaß. Das oberste Quellgebiet dieses Ütsch-schat-Flusses, ein stumpfer Rücken von etwa 4000 m Höhe, bildet die Scheitelhöhe des Plateaugebiets, ist aber der tiefste Teil in der Kammlinie in der Wasserscheide zwischen dem mittleren Kaündü und dem nächsten, südlichen Parralleltal. In diesem Rücken liegt etwa 3750 m hoch eine Depression, der Kara-artscha-Paß, so genannt nach dem dunklen Buschwald von Artscha (Juniperus sabina) an seinem Südhang. Einzig dieser Paß vermittelt den Zugang zu jenem südlichen, parallelen Längstal, das die Kirgisen Koi-kaf nennen, so viel als Schaf-Sack. Unter Sack ist die geschlossene, enge Form des Tales gemeint und Koi = Schaf, deutet an, daß Schafe dorthin zur Weide getrieben werden. Die zu jener Zeit im Kaündü sich aufhaltenden Kirgisen sagten mir, das Tal sei so lang, daß niemand sein Ende erreichen könne, so eng und von wildem Wasser ganz erfüllt, daß es im Sommer undurchschreitbar sei; ein sehr großer Gletscher und viel Schnee breite sich im Hintergrund, wo sehr hohe Berge ragen. Nur im Winter, wenn der Wasserstand sehr niedrig ist, treiben die Kirgisen Schafe über den Kara-artscha-Paß hinab und 20 Werst talauf im Koi-kaf, wo das bis dahin schluchtförmige Tal sich etwas verbreitere; dort seien magere Weideplätze mit den von den Schafen bevorzugten, bitteren Steppenkräutern und wegen des tiefen Niveaus und der engen Umschließung, sowie wegen der weit nach S vorgeschobenen Lage sei es dort warm und fast schneelos, ein guter Überwinterungsplatz für die Schafherden.

Es galt nun sich selbst zu überzeugen, ob es nicht Bergsteigern dennoch möglich wäre, in dieses Tal einzudringen, das nach allem, was ich gesehen und gehört hatte, das von mir gesuchte, große, südliche Parallelel des Inyltschek sein mußte. Wir erreichten durch die enge Mündung des ersten Kara-bel-Tals, zwischen hohen, höhlenreichen Konglomeratmauern, eine muldenförmige Weitung, von mächtigen, alten, grünen Moränenrücken umwallt, die am Fuße einer prächtigen, stark vergletscherten, wilden Felswand entlang ziehen, wo im Vordergrund düstere Diabasklippen sich von den hellen Kalken und Marmorschiefern der Wände scharf abheben. Über Moränenboden steil gegen SO aufsteigend, gelangten wir auf den Kamm eines zwei Parallelmulden scheidenden Rückens, und stets der Kammschneide aufwärts folgend, zu einem Paß (Kara-bel-Paß ca 3450 m). Nun ging es gegen S hinab, in das Ütsch-schat-Gebiet bis zum Vereinigungspunkt der drei Bäche (ca 3250 m), sodann durch das östliche der drei Täler, zwischen zerrütteten Grauwackenschiefern und Sandsteinen hinan, wo unmittelbar unter dem Kara-artscha-Paß das Hauptlager (ca 3500 m) aufgeschlagen wurde. Von dort aus überschritt ich den genannten Paß (ca 3750 m), gelangte in schwierigem Abstieg nach S in das Gebiet zweier Quellbäche, die schließlich nach ihrer Vereinigung sich in einer tiefen Engschlucht verlieren. Um diese zu umgehen, wurden zwei hoch über den gähnenden Schluchteinschnitt vorspringende Rücken überschritten (ca 3250 und 3400 m) und nun ungemein steil an einer Bergwand direkt zum Boden der Schlucht 8—900 m tief abgestiegen. Wir bewegten uns dabei fortgesetzt im Gebiet der Sedimente: Kalke, dunkle und helle, vielfach veränderte Tonschiefer mit eingefalteten, diabasischen Schiefern. Vom Passe und den beiden Rücken aus konnte man einen Teil der Gebirge übersehen: Im S und SO eng aneinander und scheinbar regellos verlaufende, zersägte Felskämme mit nur geringer Schnee- und Eisbedeckung, tiefe Schluchten dazwischen eingeschnitten; es ist schwer, Klarheit über die herrschenden Züge in der Anordnung dieser Kämme zu gewinnen. Allenfalls die Firstlinien der den Lauf des Sary-dschaß begleitenden Uferketten ließen sich verfolgen. Die Standpunkte waren nicht hoch genug, die Umrandung zu enge, und darum konnte man auch die Eisgebirge des Sabawtschö- und des Kum-Aryk-Gebiets nicht sehen, zumal auch die Luft schleirig trübe war. Die Gebirgsmasse zur Seite im O war in erstaunlich vielgestaltiger Weise durch Erosion, doch nur in Form von Hochschluchten und Hochtälchen, zerlegt. Mitten im Prozeß einer mannigfaltigen Talbildung war die Erosion zum Stillstand gelangt. Jetzt sind diese hochgelegenen Rinnen meist trocken, sogar schneelos.

Die Schlucht ist anfangs 15—20 m breit, verengt sich aber bald auf 10 und stellenweise sogar auf 4 m; ihr trümmerbedeckter Boden wird von den tosenden Fluten des Kara-artscha-Bachs überspült. 3—400 m hohe, senkrechte Wände aus weißem Marmor: steilgestellte, teils bankartig dicke, teils schieferige Schichten, umstehen die vielgewundene Enge, in deren Dämmerlicht man die schönsten, domförmigen Felsausspülungen gewahrt. Knickungen, Stauchungen, und Zerklüftungserscheinungen sind in den Schichten dieser prallen Wände von erstaunlich mannigfaltiger Art; dazu kommt die außerordentliche Verwitterung, so daß man oft den Eindruck erhält, die nur mehr locker zusammenhängenden Massen müßten jeden Augenblick einstürzen. Ungeachtet aller Störungen läßt sich am Schichtenverlauf, an den Einfallrichtungen der Rest eines zerstörten Gewölbes erkennen. Konglomeratmauern, deren Material ausschließlich Fragmente weißen Marmors bilden, durch weißen Zement sehr fest verkittet, reichen ziemlich hoch an die Marmorwände hinauf, und zahlreiche Riesenblöcke solchen Konglomerats sperren im Bachbett oft den Weiterweg, andere schon gelockert, drohen mit Absturz. Auch Moränenschotter findet sich in der Schlucht, auf Absätzen der Marmorwände abgelagert. Sonst bildet das Material des Bachgerölls nur weißer Marmor und grüner Diabas, sowie phyllitische Schiefer. Chaotischere Bilder als in dieser Enge, um so merkwürdiger durch das hier das Gebirge bauende Material, habe ich auf meinen vielen Gebirgswanderungen kaum irgendwo gesehen. Interessant ist, daß ungefähr 150 m über der heutigen Schluchtsohle noch Schollen von Konglomeraten auf kleinen Terrassen der Steilmauern erhalten sind; sie zeigen das frühere Niveau des Kara-artscha-Bachs an. Etwa 4 Werst führte uns der schwierige Weg durch diese Klamm; kurz nach ihrem südlichen Ausgang zeigt sich ein merkwürdiges geologisches Bild: Dicke Bänke, wechsellagernd mit Platten, schwarzen, sehr dichten, fossilienleeren Kalkes, der Kern eines abgetragenen Faltenbaues, dessen Streichen N 50° W ist, werden von dem Komplex der weit steiler aufgerichteten, marmorisierten Kalke und Schiefer ganz umschlossen, die N 60° O streichen. Ich habe die merkwürdige Stelle photographisch festgehalten und konnte den alten Faltenbau auch weiterhin an den Felswänden gegen NW und SO verfolgen.

Das Tal, zu welchem die Klamm in ihrem ungefähren Südlauf sich verbreitert, ist 80—100 m breit, zwischen 11—1200 m hohen, wilden, kahlen, braunen Kalkwänden eingeschlossen und erscheint schon nach kurzem Laufe durch einen, seine Achse kreuzenden, noch höheren, prall abfallenden, felsigen Gebirgszug abgesperrt. Man hört dort mächtiges Rauschen, erblickt aber den hart am Fuße der absperrenden Steilmauer in tief eingegrabenem Bette dahinstürzenden Fluß erst, wenn man sich seinem Rande ganz genähert hat. Dieser Strom ist der Koi-kaf; in sein O—W laufendes Tal mündet der Kara-artscha-Bach ein. Zweifellos können Wassermengen, wie sie in diesem Flußbett dahingewälzt werden, in einer so niederschlagsarmen Gegend nur einem hochgelegenen, sehr bedeutenden Gletschergebiet ihr Dasein verdanken; aber sichtbar war hiervon nichts, denn man konnte in der etwa 20 m breiten, gewundenen Koi-kaf-Schlucht, durch welche der Fluß vorstürzte, nur ein kurzes Stück aufwärts oder abwärts sehen; pralle Felswände hemmten den Blick.

Auf einer kleinen Terrasse (ca 2150 m), nahe der Einmündung des Baches ließ ich die Bergzeltchen aufstellen. Die Örtlichkeit war in ihrer völligen Abgeschiedenheit — eine Art Kessel, allseits umschlossen von den Abstürzen wilder Felsberge — großartig, aber abschreckend öde: lockerer Lößboden, viel Gerölle, Wälle wüsten Moränenschutts, ein Chaos von Blöcken im Bachbett, Wasserfluten von zwei Seiten, und doch nur die dürftigste Strauchvegetation der südlichen Wüsten und Steinsteppen! Die hier vorbeirauschenden Wassermengen lassen keine befruchtende Wirkung zurück; der Boden bleibt trocken, staubig, ausgedürstet. Selten habe ich im Hochgebirge ein so ausgetrocknetes Tal gesehen. Die Luft war dumpf, bedrückend schwül, die Belästigung durch Stechfliegen groß. Zeitweise aus der Schlucht, wie aus einem Blasebalg kommende Windstöße umhüllten uns mit Wolken von Lößstaub. Der Aufenthalt an diesem Orte war höchst unbehaglich; besonders die Nächte, mit ihrer Schwüle zum Ersticken und den unabweisbaren Stechfliegen, wurden zur Qual. Die Luft war schleirig von den in ihr schwebenden Lößpartikelchen; man sah die Kammlinien der rings ragenden Steilmauern nur verschwommen.

Die ungünstigen Aufenthaltsbedingungen trieben zur Eile. Wir drangen in die wasserdurchtoste Engschlucht des Flusses ein. Nach etwa 4 Werst anstrengender Wanderung erwies sich der Weiterweg durch die an die Felsmauern anschlagenden, undurchschreitbaren, wilden Fluten gesperrt. Um diese Stelle zu überwinden, wurde versucht, sich hoch in den Felswänden den Durchgang zu erzwingen, aber die Schlucht beschreibt so enge Windungen, daß man schon nach kurzer Entfernung abermals an einem wasserumfluteten Kap das gleiche Hindernis fand. Das Klettern an den prallen, glatten Marmormauern wurde zudem bald unmöglich. Man konnte jedoch feststellen, wenn man mit den Blicken die engen Windungen verfolgte, welche die Kammlinien der umwallenden Felsmauern beschreiben, daß dieser Schlangenlauf sich viele Werst weit talaufwärts fortsetzt. Das Unternehmen war also hoffnungslos und mußte aufgegeben werden; die Kirgisen hatten Recht behalten. Ich beschloß nun, um dennoch Einblick in den Oberlauf des Tales zu gewinnen, in den Steilmauern der Umrandung einen Hochgipfel zu ersteigen. Von dort aus mußte man sich auch an den von solcher Höhe aus jedenfalls sichtbaren Eisgebirgen des Kum-Aryk- und des Sabawtschö-Gebiets darüber orientieren können, welche Beziehungen zwischen dem Koi-kaf und diesen Tälern bestehen. Allein auch dieses neue Unternehmen erwies sich nutzlos, denn die Trübung der Atmosphäre hatte derart zugenommen, daß schon die nächsten Kämme im Dunste verschwanden. Die Luft mag hier infolge des beständig aufsteigenden, feinen Lößstaubs gewöhnlich schleirig sein; damals aber gesellte sich, da eine starke barometrische Depression eingetreten war, auch noch Wasserdampf hinzu, und verhinderte, daß ich Einblick in diese geheimnisvollste Region des Tian-Schan bekam. Mit schwerem Herzen entschloß ich mich zum Rückzug aus dieser unwirtlichen Gegend. Ich würde jedoch die Qualen des Aufenthalts an diesem öden Orte noch für einige Tage auf mich genommen haben, wenn Aussicht auf irgend welchen Erfolg bestanden hätte; aber die Wetterzeichen waren schlimm.

Weit entfernt von der Kum-Aryk-Mündung konnte ich schon deshalb nicht gewesen sein, weil ich mich nur mehr ca 400 m über ihrem Niveau befand; man vermochte auch an der Gestalt der Gebirgskämme so viel zu erkennen, daß jene früher besuchten Täler nicht fern liegen konnten. Wäre es möglich gewesen, durch die Schlucht abwärts zu gehen, hätte man wohl leicht in einem Tage die Kum-Aryk-Mündung erreichen müssen, wenn auch die Kurven der Schluchten kompliziert sein mögen. Die Kirgisen wußten davon zu reden, daß die Gewässer der vereinigten Flüsse manchmal scharf nach W fließen und wieder plötzlich nach O sich wenden, daß sie also öfters gegeneinander strömen; sie wußten dies durch von Alters her überkommene Mitteilungen, wenn auch noch keiner von ihnen die Enge durchschritten hatte.

Am meisten drängte sich mir die Frage auf, ob das Koi-kaf-Tal identisch mit dem Längstal des Ak-su der 40 Werstkarte sei (siehe S. 56); sollte dies nicht zutreffen, so könnte dieses Ak-su-Tal jedenfalls nur das nächste, nach S zu folgende Paralleltal sein. Aus der Gestalt aller dieser Täler aber, die südlich von Kaŭndŭ nur mehr Klammen sind, aus der Zersägung der Gebirge, die auf deren oberen Teil beschränkt bleibt — ich habe schon S. 81 hierauf hingewiesen — geht hervor, daß eingetretene Trockenheit des Klimas die Ausbildung wirklicher Täler in diesem Teile des zentralen Tian-Schan verhindert hat. Die seitliche Abspülung fehlt; das Abwasser der Gletscher, mit starkem Gefälle herabfließend, vertieft die Betten der Hauptströme immer mehr; die Gestalt der Klammen wird nicht mehr bis zum Profil von Tälern erodiert.

Gleich bei der ersten Besichtigung des Koi-kaf-Flußbetts bemerkte ich im Geschiebe ziemlich viel Granit und zwar derselben Art, wie ihn die linke Seitenmoräne des Inyltschek-Gletschers führt, ein weiterer Beweis dafür, daß das Granitmassiv, welches durch ein beide Täler verbindendes Seitental dem Inyltschek Moränenmaterial liefert, im Koi-kaf-Tal sich erheben, und daß dieses letztere wirklich, parallel dem Inyltschek, weit nach O ziehen müsse. Da jedoch der zentrale Hauptkamm, welcher zweifellos auch das Koi-kaf-Tal abschließt, wie untrüglich erwiesen, aus Sedimenten aufgebaut ist, der Unterlauf und der Mittellauf des Koi-kaf-Tals gleichfalls von solchen umwallt sind, scheint der Granit in diesem Tale eine Insel zu bilden, d. h. stockförmig aufzutreten. Möglicherweise stehen diese Granitmassen aber auch mit den im Sabawtschö-Tal beobachteten in Verbindung. Aus allen Wahrnehmungen geht jedoch hervor, daß das Koi-kaf-Tal das von mir gesuchte große Längstal sein müsse, welches, das Kaŭndŭ-Tal umfassend, in seinem Oberlauf bedeutende Breite annimmt und dort einen Gletscher einschließt, der dem Inyltschek-Gletscher an Ausdehnung ungefähr ebenbürtig sein dürfte. Auch die Südumwallung dieses großen Längstals muß sich, nach allen, sowohl von der Nord- als von der Südseite aus gemachten Beobachtungen, bei dem Gebirgsknoten des Pik Nikolai-Michailowitsch mit dem Hauptkamm verbinden. Leider erlaubte mir die Ungunst der Umstände nicht, zu größerer Klarheit über den Bau dieses Teiles des zentralen Tian-Schan zu gelangen, und es bleibt somit in wichtiger Hinsicht in meiner Kenntnis eine klaffende Lücke.

Bei der Rückkehr zum Hauptlager im Ütsch-schat-Tal brachen heftige Schneestürme aus und solche begleiteten mich auch auf dem Rückweg in das Kaŭndŭ-Tal, das nun bis zu seiner Einmündung in den Sary-dschaß, eine weitere Strecke von ca 15 Werst, durchmessen wurde. Auf diesem Wege, sowie auf der Wanderung durch das Sary-dschaß-Tal hinauf bis zur Mündung des Inyltschek-Tals und in diesem seiner gesamten Länge nach aufwärts bis zum Tüs-aschu-Paß, wurden die Beobachtungen leider durch unsichtiges Wetter und Verhüllung des Gebirges unter dichter Neuschneedecke sehr beeinträchtigt.

Durch das Kaündü-Tal und den Sary-dschaß-Durchbruch zur Inyltschek-Mündung und zurück zum Tekes.

Die Uferketten des Kaündü-Tals sinken gegen die sie schneidende Querfurche des Sary-dschaß hin allmählich ab; der Aufbau ihrer Kammregion ist jedoch schroff und die Schartung bedeutend. Die auffällige, mit der allgemein herrschenden Streichrichtung im Widerspruch stehende Zerlegung der südlichen Randkette in NW—SO streichende Querzüge, wovon schon S. 79 die Rede war, konnte auch hier beobachtet werden. Eine Strecke weit wird das Tal durch Anhäufung kolossaler Diluvialmassen verstopft, und der Fluß durchschneidet diese in einer Enge; weiter talabwärts sind diese Diluvialmassen zu Terrassen (Längsstufen) umgeformt. Die Zeichen der Eiszeit sind hier überhaupt deutlich; Granitblöcke von enormer Größe liegen auf den Terrassendecken, während Granit nirgendwo im Tale ansteht. Grüne, grauwackenartige Sandsteine, phyllitähnliche Schiefer und Kalke bauen die Umwallung auf, an deren Rändern zu beiden Seiten des Tales große Konglomeratmengen lagern.

Da wo der Kaündü in den Sary-dschaß mündet, ist man, weil das Bett dieses Flusses nicht gangbar ist, gezwungen, den etwa 120 m hohen Steilrand des linken Ufers zu ersteigen, er springt kapförmig in den durch die Mündung des Nebenflusses in den Hauptfluß gebildeten Winkel ein, so daß sich von hier ein schöner Überblick auf den Lauf des Haupttals bietet. Zunächst gewahrt man, nach N gewendet, die Serpentinlinien der Bergkämme des Kulu-Tau und des Sary-dschaß-Tau, zwischen welchen der Strom in seinem N—S-Lauf in unzugänglicher Schlucht hindurchwindet, ehe er, hervorbrechend, kurz vor der Einmündungsstelle des Inyltschek beginnt, ein weites, offenes Tal zu bilden. Dieses hat eine allgemeine Richtung nach SSW, eine durchschnittliche Breite von 1¼ Werst, mißt an der breitesten Stelle jedoch 2 Werst. Es erstreckt sich auf etwa 16 Werst, geht dann aufs neue in Süd-, sogar Südsüdostrichtung über, sich gleichzeitig wieder eng zusammenschnürend und dringt als Schlucht in die Kette des Ischigart-Tau ein, wo der Fluß abermals dem Blicke zwischen den ein- und ausspringenden Winkeln der Bergkulissen entschwindet; er wird nun nicht mehr gesehen, bis er auf der Südseite des Tian-Schan als Kum-Aryk wieder aus der Enge des Gebirges vorbricht (S. 53). Auf seiner offenen Strecke fließt dem Hauptstrom von O her der Kaündü (Mündungsstelle ca 2400 m) und 12 Werst weiter oben der Inyltschek zu (Mündungsstelle ca 2600 m). Auf der Westseite mündet fast in gleicher Höhe mit dem Kaündü, gleichfalls einem Längstal entströmend, der Utsch-kul[1] in seinem Oberlauf Jür-tasch genannt (Irtasch), von dessen Quellgebiet ich früher berichtet habe, und 3 Werst unterhalb der Inyltschek-Mündung der ebenfalls in einem Längstal herbeifließende Terek-tü, welcher sich jedoch, ungeachtet seiner Bedeutung, merkwürdigerweise noch auf keiner der bisherigen Karten eingetragen findet.

Die Umwallung des Tales bilden zu beiden Seiten, da alle vom Flusse durchbrochenen Ketten an der Durchbruchfurche stark erniedrigt und meist gipfellos erscheinen, nur etwa 600 m hohe Wände aus schwarzen, plattigen, dichten, fossilienleeren Kalken, welche bei einem Streichen von N 20° O, 40° SO fallen und an beiden Ufern gleiche Lagerungsverhältnisse zeigen. Am rechten Ufer liegen am Fuße dieser Wände drei in den Diluvialmassen der Talweitung ausgebildete, vorzüglich erhaltene Längsterrassen, jede ungefähr

---

[1] Utsch-kul heißt der Unterlauf dieses Flusses, und zwar östlich von der Einmündung seines ihm aus N zuströmenden Nebenflusses Orto-Utsch-kul, während der Name Jür-tasch (Irtasch) nur dem Oberlauf, westlich von dieser Mündung zukommt. Dies habe ich sowohl durch Erkundung bei den, nahe der Mündung des Utsch-kul zum Sary-dschaß, im Kaündü-Tal sich aufhaltenden Kirgisen, als bei den nahe der Quelle des Irtasch nomadisierenden Kirgisen erfahren.

40—50 m über der anderen und jede von beträchtlicher Breite mit vollständig ebener. Deckfläche. An das linke Ufer hingegen tritt der Fluß sehr nahe heran und fließt zwischen dem Steilabbruch der untersten Terrasse des rechten Ufers und dem ca 50 m hohen, ebenso steilen Absturz der nur mehr als schmales Band erhaltenen unter der Felswand des linken Ufers entlang ziehenden Terrasse, in einem etwa 70 m breiten Bette, das, wenigstens bei meiner Durchschreitung des Tales, von den Fluten gänzlich überspült war. Diese schmale Terrasse, auf welcher unser Weg im Tale aufwärts führte, bricht bald ganz ab, und man muß nun, um in die Einmündung des Inyltschek zu gelangen, etwa 150 m über den in der Tiefe brausenden Fluß auf schmalen Gesimsen der Felswand traversieren. Ich sah dort auf kleinen Gesimsen und Vorsprüngen der Kalkwände Reste von Diluvialschotter, welche große Granitblöcke einschließen, und an anderen, noch höher gelegenen Absätzen und Nischen bemerkte ich geschichtete, 40 cm mächtige Bänke feinen Kieses und Sandes, schön erhaltene Zeugen der hier stattgefundenen Niveauveränderungen.

Herr Dr. G. v. Almaßy hat in den Mitteilungen der K. K. Geographischen Gesellschaft in Wien Bd. XLIX, 1901 die Möglichkeit erörtert, es könnten die Wasser des Sary-dschaß, damals zu einem großen See aufgestaut, einst über der Wasserscheide des Mün-tör-Syrtes hinweg nach N geflossen sein und wären erst in späterer Zeit, als ihnen durch Faltungsprozesse der Ablauf nach N unmöglich geworden war, zu ihrem Südlauf gedrängt worden. Ich will die Frage von der einstigen Existenz eines Sees von dem Umfang, wie ihn Dr. G. v. Almaßy begrenzt, hier unerörtert lassen, möchte auch die Möglichkeit der Verlegung des Abflusses nach N, z. B. durch diluviale Schottermassen, nicht gerade in Abrede stellen. Immerhin muß hervorgehoben werden, daß das Profil des Kok-dschar-Tals nicht darauf hindeutet, daß jemals so gewaltige Wassermengen, wie sie dem früheren Sary-dschaß entsprechen müßten, durch diesen Kanal geflossen wären. Auch bliebe dann immer noch die Frage offen, wenn die Sary-dschaß-Rinne damals nicht bestanden hat, wohin die großen Zuflüsse des Sary-dschaß: Inyltschek, Kaündü, Koi-kaf usw., von denen schon der Inyltschek allein wasserreicher ist als der Hauptstrom, damals ihren Lauf nahmen. Nach W in das Naryngebiet? Nach Beschaffenheit und Anordnung der im Wege liegenden Bergsysteme kaum denkbar! Was aber hat auch diese Flüsse veranlaßt, aus ihrer Ostwestrichtung abschwenkend, einen beiläufigen Meridionallauf zu nehmen? Endlich wäre noch auf den wichtigen Umstand hinzuweisen, daß sämtliche latitudinale Bergkämme, welche den Lauf der Ost- und Westzuflüsse des Sary-dschaß begleiten und von diesem quer zu ihrer Achse durchbrochen werden, gegen die Furche dieses Flusses hin ganz allmählich, aber sehr bedeutend abdachen (siehe S. 83), wogegen die Tatsache des nahe am Ostende des Kulu-Tau aufragenden, hohen Gipfels nicht viel bedeuten will. Ich behalte mir vor, auf diese interessante Frage im ausführlichen Bericht zurück zu kommen.

Die Strecke von der Mündung des Inyltschek-Tals bis zum Tüs-aschu-Paß beträgt ca 63 Werst, das ganze Tal bis zum Schlusse des Gletschers hat daher eine ungefähre Länge (die Biegungen eingerechnet) von 135 Werst. Im Unterlauf ist die durchschnittliche Talbreite 1¼ Werst; es wechseln jedoch beckenförmige Erweiterungen bis zu 3 Werst mit Zusammenschnürungen bis zu 200 m. An der alten Barre — von der früher schon die Rede war —, dem letzten Reste der Kalkklippen des eingestürzten Gewölbes, welche der Fluß noch nicht beseitigt hat, ist das Strombett sogar nur 150 m breit. Das Gefälle ist äußerst gering, kaum mehr als 6 m pro Werst. Die Höhe der den Unterlauf begleitenden Uferketten hat schon bedeutend abgenommen. Auch zeigen sie in ihrer Kammregion keine besondere Ausbildung und Schartung mehr; die Gipfelbildung bleibt auf breitkuppenförmige Anschwellungen der plateauförmigen Decken beschränkt. Die Vergletscherung ist nur mehr gering. Während die südliche Uferkette durch kleine Hochtälchen vielfach zerteilt ist, deren Mündungen hoch über dem heutigen Talboden liegen, bildet die nördliche Kette einen fest geschlossenen Wall. Es wiederholt sich in allen diesen O—W gerichteten Längstälern, wie aus allen meinen bisherigen Ausführungen hervorgeht, die gleiche Erscheinung: Das nach N gerichtete, schnee- und wasserreiche Talgehänge ist kräftig erodiert, das nach S gekehrte, trockne, in kaum nennenswerter Weise zerschnitten. Der Talboden zeigt im allgemeinen Steppenvegetation, doch ist der Graswuchs reichlich, stellenweise sehr reich, und an den Bergwänden der Südumwallung wechseln ausgezeichnete Alpenmatten in großer Ausdehnung mit beträchtlichen Fichtenwaldbeständen. Die Anhäufungen alten Moränenschutts sind auch im unteren Tale sehr belangreich; sie reichen sehr hoch an die Talwände hinauf, und Blöcke von enormem Umfang: Granit, Diabas, Kalk, Marmor lagern darauf. Gebirgsbauende Materialien sind hier halbkristallinische Kalke, Sandsteine, Porphyre und stark umgewandelte Schiefer von sehr verschiedenartigem Typus. In allen Gesteinsserien äußern sich starke Pressungserscheinungen. Von altkristallinen Gesteinen konnte ich wohl das Vorhandensein von Granit und Syenit im Mittellauf des Tales an einigen Plätzen feststellen, doch behinderten, wie schon S. 83 hervorgehoben, Unsichtigkeit des Wetters und starke Schneebedeckung des Gebirges die Beobachtungen.

Der Gletscher war bereits in eine gleichmäßige Schneedecke gehüllt. Am Tüs-aschu-Paß glückte es, eine korallenführende Bank zu entdecken. Ich wählte auch für den Rückweg diesen Paß, weil er den kürzesten Weg zum Nordabhang vermittelt. Zum letztenmal hatte ich auf der Paßhöhe das Glück, bei aufklärendem Wetter eine der großartigsten Gebirgsketten der Erde zu sehen, eine über 75 Werst lange, ununterbrochene Kette wundervoller Eisberge, die in feierlicher Pracht mit stählern harten Umrissen in die kalte, klare Herbstluft des scheidenden Tages hineinragten.

Der Sommer neigte seinem Ende zu, und jeder neue Tag konnte mit abermaligen, starken Schneefällen meinen Forschungen im Gebirge ein Ziel setzen. Das Tüs-aschu-Tal und seine Umrandung lagen bereits (12. September) unter einer zusammenhängenden, 40 cm tiefen Schneedecke; im Sary-dschaß-Tal war nur mehr der untere Teil des Südrandes schneefrei. Über den Mün-tör-Paß, das obere Kok-dschar-Tal (Kuberganty) querend, über den Kap-kak-Paß und durch das große Kap-kak-Tal erreichte ich das Tekes-Tal wieder. Groß war meine Überraschung und meine Befriedigung, hier und in den vom Tekes in das Gebirge ziehenden Quertälern, sogar die hohen Lagen noch schneefrei, sowie allgemein weit höhere Temperatur als im S zu finden.

Nochmals in das Bayumkol-Tal und von dort in das Kleine Musart-Tal.

Die Gunst des Wetters sofort ausnützend, besuchte ich zum drittenmal das Bayumkol-Tal. Zweck dieses Besuchs war, die wichtigen photographischen Aufnahmen, welche im Vorjahr in den Fluten des Musart-Flusses zugrunde gegangen waren, neu zu machen. Diese Arbeiten verliefen ungestört; von einem ca 4400 m hohen Gipfel am Westrand des westlichen Gletschers, sowie von einer 4600 m hohen Spitze am Nordrand des östlichen Gletschers konnten, nach Ablauf einiger stürmischer Tage, bei klarer Herbstluft eine Reihe wichtiger telephotographischer Aufnahmen und mehrere, in bezug auf die Verzweigungen der von Pik Nikolai-Michailowitsch ausstrahlenden, zentralen Kämme, lehrreiche Panoramen aufgenommen werden. Von dem letzterwähnten Gipfel aus bot der Einblick in den ganz in Firn und Eis gehüllten, großartigen Talschluß des Kleinen Musart- oder Saikal-Tals besonderes Interesse; doch erwies es sich für die Feststellung eines angeblichen, bisher angenommenen Zusammenhangs dieses Tales mit der Hauptwasserscheide als unerläßlich, es zu durchwandern. Die Terraindarstellung der 40 Werstkarte von diesem und den benachbarten Tälern steht in zu schroffem Widerspruch mit allem, was ich bereits gesehen hatte und deshalb war die Begehung dieses bis dahin noch von keinem Forschungsreisenden besuchten, großen Quertals die nächste Aufgabe, welche ich mir gestellt hatte.

Der Eingang des Kleinen Musart-Tals wird von der Staniza Narynkol (Ochotnitschi) in einer Wanderung von 9—10 Werst in Südostrichtung über die reiche Grassteppe der Tekes-Ebene erreicht. Der von den Gletschern des Tales genährte Fluß ist einer der wasserreichsten Gebirgsströme der Nordseite, seine Überschreitung schwierig, ja zeitweise unmöglich; er unterscheidet sich dadurch von vielen Tian-Schan-Flüssen, daß er sich bis zu seinem Oberlauf gar nicht verzweigt, sondern stets nur eine einzige Rinne bildet. Große Massen Diluviums sind aus der breit geöffneten Mündung (ca 2100 m) des Tales weit in die Tekes-Ebene hinausgefrachtet worden und verbreiten sich dort in mächtigen Terrassen zu beiden Seiten der Mündung. Im Tale selbst bilden sie drei Etagen begrünter, eine Zeit lang den Fluß begleitender Längsstufen. Die Talwände werden im Unterlauf aus Kalken gebildet, die von einer 2 Werst breiten Porphyrzone durchbrochen werden. Infolge der starken Einhüllung der Talwände durch Moränenschotter, herrschen in einem großen Teile des Tales weiche Formen vor. Ausgezeichnete Alpenböden, beliebte Überwinterungsplätze der Kalmaken, wechseln mit ausgedehnten Beständen dichten Fichtenwaldes, öfters durch Laubbäume (Sorbus, Weiden usw.) unterbrochen. Der Charakter ist fast der eines nordischen Alpentals.

7 Werst von seiner Mündung aufwärts gabelt das Tal in zwei Äste, einen nach SSO und SO ziehenden, Ürtentö genannt, und einen nach S sich erstreckenden, Saikal genannt. Schon der Wassermenge der Bäche nach zu schließen, enthält das Saikal-Gebiet die ausgedehnteren Gletscher. Die Sohle des Ürtentö-Tals liegt bei der Verzweigungsstelle um 40 m höher als die des Saikal-Tals (ca 2200 m) und fällt steil zu diesem ab; der Unterlauf hat schluchtartige Form, ist von dichtem Fichtenwald bestanden und schwer zugänglich. Im Mittellauf verbreitert sich das Tal ansehnlich — Sohle und Gehänge mit Alpenmatten bedeckt —, empfängt zahlreiche Zuflüsse, die in karförmigen Weitungen, wo sie ihren Ursprung nehmen, kleine Gletscher bergen, während das Haupttal bei einer Gesamtlänge von ca 40 Werst im letzten Viertel seines Laufes von einem etwa 10 Werst langen Gletscher erfüllt ist. Dieser wird genährt von den Firnlagern einer geschlossenen, plateauartigen Gebirgsmasse (siehe S. 6), die sich, umrandet von hohen, gipfelreichen Ketten, in dem Winkel zwischen den Talschlüssen des Saikal-Tals, der Mukur-Mutu-Täler und des Dondukol-Tals (bedeutendstes Nebental des Großen Musart-Tals) als Wasserscheide erstreckt und einstens gänzlich mit Firn und Eis überdeckt war. Zu kräftiger Talbildung ist die Erosion in diesem Gebiet nicht mehr vorgeschritten; nur Hochtäler durchfurchen es. Gegen ihren Schluß hin, wird die oberste Firnmulde des Ürtentö-Tals durch diejenige des Ostarmes des Saikal-Tals abgeschnitten, wovon später mehr.

Das Saikal-Tal verengt sich schon bald nach der Gabelung zu einer Schlucht mit durchschnittlicher Breite von 30 m und streckenweisen Verengungen bis zu 10 m. Die steilen Kalkwände sind dort hoch hinauf mit vielen Tausenden, infolge Waldbrandes abgestorbener Fichten bestanden, von denen viele, herabgestürzt, den ohnehin schon durch große Felsblöcke gehemmten Lauf des wasserreichen Stromes in seiner Enge behindern. Die Durchschreitung dieser 5—6 Werst langen Klamm ist daher sehr schwierig und im Frühling und Sommer überhaupt unmöglich, weil zu jener Zeit die Hochflut den engen Kanal haushoch ausfüllt. Die Luft stagniert in dieser bedrückenden, tiefen Enge und die vermodernde, an allen Felsnischen und Wandabsätzen wuchernde Vegetation erzeugt eine Stickluft. Am Ausgang der Schlucht verbreitet sich das Tal allmählich sehr bedeutend. Die mächtigen, alten Moränenmassen des Haupttals und die aus den vielen Seitentälern herausgefrachteten, durch Erosion vielfach zerlegt, mit ausgezeichneten Alpenmatten, ausgedehnten, dichten Fichtenbeständen und einer überaus üppigen Strauchvegetation bedeckt, verleihen dem Tale malerisches Relief. Die Seitentäler sind zumeist enge Hochschluchten, hinten zu gletscher- bergenden Karen erweitert. Kalk bildet noch immer die Umwallung, welche in dem Scheidewall zwischen Saikal und Bayumkol schroffe, zersägte, von kleinen Gletschern durch- setzte Kammform annimmt. Dieser Wall wird, ungefähr 25 Werst von der Talgabelung aufwärts, durch ein breiteres, gletscherführendes Tal durchbrochen, in dessen Schluß man, einen hohen Sattel zu dem in das Bayumkol-Tal mündenden Alai-aigür-Tal gelangen kann. von dem schon früher die Rede war. Von hier an beginnt Gneis die Talumwallung zu bilden und reicht, öfters in Granit und dieser wieder in Gneis übergehend, bis fast zum Tal- schluß. Infolge nicht steiler Schichtenstellung des Gneises (durchschnittlich etwa 40°) zeigen die Kammlinien der Uferketten nur selten schroffe Formen und tiefe Schartung.

Ungefähr 30 Werst nach der Talgabelung mündet orographisch rechts die wasser- reichste und bedeutendste der Quertäler ein, das in seinem vielverzweigten, ca 20 Werst langen Laufe zu einem hohen Passe (Saikal-Paß) führt, über den man in das Ürtentö-Tal gelangen kann. Bei der Ausmündung jenes Seitentals hatten sich einst herausgetriftete alte Moränenmassen an einer früheren Endmoräne des sich zurückziehenden Haupttalgletschers aufgestaut; hinter dieser hohen Barre waren später die Gewässer des Saikal zu einem großen, 1¼ Werst breiten See abgedämmt. In dieses Becken mündet orographisch links ein etwa 15 Werst langes, steiles, vergletschertes Hochtal, welches in zwei — einem aus S und einem aus SW kommenden — Ästen gabelt, von denen der eine auf dem Firnsattel des östlichen Bayumkol-Gletschers seinen Ursprung nimmt, wo im Vorjahr unser Hochlager stand, während der andere in einem nördlich hiervon gelegenen Firnbecken entspringt.

Gegen seinen Schluß zu wird das im ganzen ungefähr 45 Werst lange Saikal-Tal durch die Endmoränen des periodisch zurückgegangenen Hauptgletschers in mehrere runde, flache Böden zerlegt, in deren Kiesebenen der bisher geschlossen strömende Fluß sich verzweigt. Auf diesen hintereinander ansteigenden, alten Moränen sich erhebende Fichtenbestände schneiden scharf von dem blendenden Weiß der gänzlich vergletscherten, einen weiten Zirkus einschließenden Steilwände ab, die scheinbar den Schluß des Tales bilden. Am Fuße dieser ungemein zerborstenen, in ihren schönen Gipfeln etwa 2000 m über Talsohle (ca 3000 m) ansteigenden Eiswände, bricht kaskadenförmig die malerisch zerschründete, völlig schuttfreie Eiszunge vor und endet nach kurzem Tallauf in der Höhe von 2950 m mit einer 50 m hohen Abbruchwand; ein dunkles Band von Strauchvegetation umsäumt links das Eisgebilde. Erst wenn man sich der orographisch rechten Uferwand genähert hat, kann man wahrnehmen, daß das Tal nochmals nach OSO ausbiegt, und der eigentliche Talschluß — Eiswände, welche den eben beschriebenen ähneln, jedoch etwa 4—500 m niedriger sind — einige Werst weiter in der genannten Richtung liegt. Um diesen obersten Kessel zu erreichen, muß ein etwa ½ Werst breiter, hoher, alter Blockmoränenwall des vorderen Gletschers überstiegen werden. Man gelangt dann, steil absteigend, in ein ungefähr 6—700 m langes, 400—450 m breites, ovales Becken, das, auf drei Seiten von Eis- wänden umwallt, auf der vierten durch den eben erwähnten Moränenwall gesperrt ist, den der Fluß in enger Klamm durchbricht. Auf dem durch Ausspülung des aus feinem Kalk- und Schiefermaterial bestehenden Schuttes entstandenen, tischgleich eingeebneten Boden verzweigt sich der Bach. Die talschließenden Wände sind auch hier aus Kalk, Marmor und Tonschiefer aufgebaut und gehören nicht dem zentralen Hauptkamm an, sondern der parallel mit ihm ziehenden, nördlichen Uferkette des von Pik Nikolai-Michailowitsch gegen den Musart-Paß hinstreichenden, großen Eistals, das wir im Vorjahr entdeckt hatten (siehe S. 12).

Am östlichen Ende des beschriebenen Beckens mündet — aus einer Lücke der Umwallung heraustretend — im Talboden (ca 3100 m) die Endzunge eines großen Gletschers aus, der ein von OSO herbeiziehendes, etwa 20 Werst langes, ziemlich enges Tal füllt; dieses nimmt seinen Ursprung auf der gleichen, plateauartigen, hohen Gebirgsmasse, wie das Ürtentö-Tal, umfaßt in seinem Bogenlauf das oberste Firnbassin dieses Tales und stößt an seinem Schlusse mit dem des Dondukol-Tals zusammen. Aus dem Plateau fließen mehrere kleinere Gletscher in scharfem Winkel zwischen befirnten Gipfeln zum Hauptgletscher herab. Das Ürtentö-Tal schneidet seinerseits ein anderes Hochtal, Maraltö, ab, welches, das Plateau latitudinal durchfurchend (S. 6), zum Dondukol-Tal ausmündet. Wenn man jenes lange Gletschertal, da sein Wasser durch das Saikal-Tal abfließt, als eine Verzweigung, oder als höchstes Quelltal dieses Tales ansieht, so ergibt sich für das Gesamttal eine Länge von ca 70 Werst. Von der Existenz derart ausgedehnter Gletscher in diesem Teile des Tian-Schan hatte man bisher keine Kunde.

Die Erkenntnis dieser verwickelten orographischen Verhältnisse konnte natürlich nicht durch die Begehung des Saikal-Tals allein gewonnen werden. Erst die Ersteigung eines 4500 m hohen Firngipfels im Scheidewall zwischen Saikal und Ürtentö vermittelte den genauen Einblick in den Bau dieses Gebirgsteils und ergänzte die von den Höhen im östlichen Bayumkol und im Mukur-Mutu gemachten Beobachtungen. Da nach der erstmaligen Erreichung des Gipfels die Atmosphäre sich getrübt hatte, mußte die Ersteigung zwei Tage später wiederholt werden. Von der Gipfelhöhe aus wurden durch telephotographische Aufnahmen für diese Beobachtungen Belege gewonnen. Was vorher aus dem Bayumkol-Tal gegen O photographisch aufgenommen wurde, fand seine Ergänzung durch die vom Saikal-Gipfel nach W gerichteten, panoramatischen Aufnahmen. Dadurch, daß diese Arbeiten später nach O hin von hohen Standpunkten im Schlusse des Mukur-Mutu-Tals und des Dondukol-Tals fortgesetzt wurden, habe ich von Sary-dschaß bis zum Großen Musart-Tal eine ununterbrochene Serie der die zentrale Hochregion darstellenden, sich gegenseitig deckenden Panoramen gewonnen, welche eine ausgezeichnete Ergänzung der topographischen Arbeit bilden werden, bei der ohnehin das Detail meistens durch photogrammetrische Aufnahmen erlangt wurde. Hierzu kommen dann noch die besonderen Panoramen der großen Ketten vom Sary-dschaß nach S hin bis zum Kaündü-Tal.

Besuch hochgelegener Alpenseen.

Da mir berichtet wurde, daß auf der Höhe der Westumrandung des Saikal-Tals ein Alpensee liege — im zentralen Tian-Schan eine so seltene Erscheinung —, suchte ich diesen See auf dem Rückweg auf. Kurz bevor der Saikal-Fluß in seine schluchtförmige Enge tritt, steigt man nach W über mit Busch und Wald bestandene, alte Grundmoräne am Gehänge der linken Talwand steil 150 m empor und erreicht so die aufgetürmten Blockmassen einer alten Endmoräne, die ein 1/2 Werst breites Hochtal absperrt. Hinter diesem Walle im O liegt in einem offenbar einstens vom Gletschereise korradierten, tiefen Felsbett ein tiefgrüner Bergsee, etwa 5—600 m lang, 350 m breit, in einem Niveau von ca 2450 m;

er wird von den Kalmaken Nura-nor, von den Kirgisen Kara-kol genannt. Im S wird das
Wasserbecken von einer hoch hinauf mit dichtem, dunklem Fichtenwald bewachsenen,
steilen Bergwand und im N von einem eben solchen, doch mit Alpenmatten bedeckten Berghang umschlossen, der mit etwa 60 m hohen, steilfelsigen, vom Eise abgeschliffenen Phyllit-
wänden gegen den Wasserspiegel abfällt. Im W öffnet sich ein etwa 6 Werst langes, steil
zum Scheiderücken, hinter welchem das Narynkol-Tal liegt, ansteigendes Hochtälchen, durch
dessen Sohle zwischen Wald und dichtem Busch ein starker, klarer Gebirgsbach nach ()
herabströmt und in kleinen Kaskaden sich in den See ergießt. Schneeige Gipfel entragen rings
der Umwallung, auch drüben, jenseit der engen Spalte des Saikal-Tals, und spiegeln sich
in den tiefgrünen Fluten. Es ist ein melancholisch ernstes, echt alpines Seebild, dergleichen
im Tian-Schan zu den größten Seltenheiten gehört. Durch das jetzt vom Bach durchströmte
Hochtal kam einst der Gletscher herab, der das Seebecken in den leicht zerstörbaren Tonschiefern aushöhlte und bei seinem Rückzug den Moränenwall auftürmte, als der, das ganze
Saikal-Tal ehemals ausfüllende, große Gletscher, zu welchem dieser Seitengletscher früher
ausmündete, zurückgetreten war. Der See hat keinen sichtbaren Ausfluß; die unten in der
Sohle des Saikal-Tals zutage tretenden, starken Quellen dürften vom Abwasser des Sees
gespeist werden. Während die Ufer sonst rings felsig sind, hat der Zuflußbach auf der
Westseite ein kleines, flaches, sandiges Delta gebildet. Die Hochwasserstandsmarken an den
Felsufern liegen 2½ m über dem Wasserspiegel. Daß diese nur den Frühjahrs-Hochwasser-
stand anzeigen, wo der Zufluß stärker ist als der Abfluß, bewiesen die gleich hohen, noch
nicht verwischten Wellenschlagspuren im lockeren Sande des Westufers. Der See scheint
sich somit nicht im Stadium des Austrocknens zu befinden. Über die schroffen Hänge des
Nordrandes, die mit einem das Gehen sehr erschwerenden Filze ungemein hoher Gräser
bedeckt sind, stieg ich steil zu einem 3200 m hohen Rücken empor. Man erfreut sich hier
eines instruktiven Blickes auf die Umwallung des Kleinen Musart-Tals und hat gerade gegenüber, nahe im S, die aus dem Scheiderücken zwischen den Tälern Narynkol und Bayumkol
aufragende, hohe Eispyramide, welche, ihre Umgebung an Höhe weit überragend, durch
ihren kühnen Bau das Wahrzeichen der Staniza Narynkol bildet. Die Höhe des erstiegenen
Rückens fällt mit der oberen Fichtenwaldgrenze aller nahen Bergzüge zusammen. Nach
NO unter dem Bergkamm entlang, dann steil absteigend, gelangte ich in das walderfüllte
Buratö-Tal, das weit vorn zum Kleinen Musart-Tal ausmündet, und aus diesem ritt ich
zurück zur Staniza Narynkol.

Inzwischen hatte ich Kenntnis vom Vorhandensein dreier anderer Bergseen erhalten,
die, wie man mir sagte, zwischen dem mittleren Bayumkol-Tal und dem Kapkak-Tal liegen.
Das große Interesse, das solche Gebirgseen — früher im Tian-Schan so ungemein zahlreich und jetzt so selten geworden — in bezug auf die Geschichte der Vergletscherung
und hinsichtlich der Entwicklung der Talbildung im Tian-Schan bieten, beides Verhältnisse.
denen ich während dieser Expediton meine besondere Aufmerksamkeit zugewendet hatte,
veranlaßte mich, auch diese Hochseen zu besuchen und an ihnen zu prüfen, ob die an
meine bisherigen Beobachtungen geknüpften Folgerungen zutreffend seien.

Im mittleren Bayumkol-Tal, da, wo es aus seiner Südrichtung in die Ostsüdostrichtung
übergeht, und kurz vor seiner zweiten, großen, beckenförmigen Erweiterung, mündet orographisch links das bei seiner Mündung etwa ¼ Werst breite, von Fichtenwald erfüllte
Tal Ak-kul ein, aus welchem ein starker Bach herausfließt. Umgelagerter Glazialschutt
verbreitet sich aus seiner Mündung terrassenförmig in das Haupttal und Diluvialterrassen
begleiten auch den Lauf des Baches noch einige Werst taleinwärts. Das Tal zieht bei einer
Länge von 20 Werst zuerst südöstlich, dann südlich und südwestlich, doch ist die Haupt-
achsenrichtung SSW, dem Streichen der Granite folgend, welche der ganzen Tallänge nach

die Umwallung bilden; am Taleingang ist der Granit dickbankig abgesondert und stark disloziert. Nach 4 Werst beginnt das Tal sich zu verengen und hat nach 5 Werst nur mehr eine Breite von 50 m. Dort schlug ich mitten im dichtesten Fichtenwald mein Lager auf (2600 m) und ging das Tal hinauf bis nahe zu seinem Schlusse, wo der See Ak-kul liegt. Die Sohle des Tales ist stark geneigt, die Ufer zu beiden Seiten auf der ganzen Länge seines Laufes so reich an starken Quellen, wie ich sie in gleicher Zahl bisher noch in keinem Tian-Schan-Tal wahrgenommen hatte. Diesen, den stark dislozierten Graniten entströmenden Quellen und nicht dem Seeabfluß verdankt der Talbach seinen großen Wasserreichtum. Die Granitwände der Umwallung sind bis zu beträchtlicher Höhe von Glazialschutt eingehüllt, auf dem viel Wald, Busch und reiches Alpengras gedeiht, höher oben vom Eise abgeschliffen. Da, wo das Tal sich aufs neue beträchtlich erweitert, wird es in seiner ganzen Breite durch einen ungeheuren Moränenblockwall abgesperrt, dessen Niveau mit der Waldgrenze (ca 3000 m) zusammenfällt. Hinter diesem Walle hat die Talsohle nur mehr geringe Neigung. Man wandert beständig über Aufschüttungsgrund zwischen alten, begrünten Seitenmoränen und gelangt zu sumpfigen, grünen Böden beckenförmiger Weitungen, die früher Alpenseen eingeschlossen haben. Das Profil des Tales und das Relief der Ablagerungen auf seinem Boden sind typisch für ein durch Glazialwirkung ausgestaltetes Tal. Die meisten der zwischen den einzelnen Seebassins gelegenen, sie früher scheidenden Moränenrücken sind nur mehr in geringen Resten sichtbar. Endlich gelangt man zum Fuße eines gewaltigen, talsperrenden Blockmoränenwalls, der sich auf einer Strecke von ca 2 Werst taleinwärts dehnt. Unmittelbar dahinter liegt der See Ak-kul im Bette eines früheren Gletschers, der aus den jetzt eisfreien, karförmigen Weitungen der zwei Quelltäler — eines aus SO, das andere aus SW heranziehend — hervorkam.

Kurz vor dem Beginn des Seebeckens geben diese Quelltäler ihre bisherige steile Neigung auf und vereinen sich, flach im Tale des Seebodens auslaufend. Man kann den Lauf der jetzt begrünten, alten Grundmoränen in beiden Quelltälern, ebenso wie die Züge der Seitenmoränen noch sehr deutlich verfolgen. Dadurch, daß das Tal gleich nach Vereinigung der beiden Quelltäler eine Biegung erfährt, und anderseits dadurch, daß der Endmoränenwall von einem aus O einmündenden, früheren, bedeutenden Gletscher große Zufuhr erhielt, so daß hier die Blockmassen, kapförmig ausspringend, in das Becken vorgetrieben wurden, erhielt der See unregelmäßige Gestalt. Es läßt sich nichtsdestoweniger der durchschnittliche Länge auf 400 m, die Breite auf 170 m schätzen. Das Niveau ist 3350 m; die aus den Quelltälern von den Bächen herbeigeführten Detritusmengen haben das Seebecken schon so weit aufgefüllt, daß nur mehr etwa die Hälfte und zwar mit seichtem Wasser bedeckt ist, das infolge der in ihm schwebenden Tonteilchen ein milchiges, grauweißes Aussehen hat. Deshalb der Name Ak-kul = weißer See. Das Schicksal dieses im letzten Stadium seiner Existenz befindlichen Sees ist typisch für die Geschichte von hunderten, früher in den Tian-Schan-Tälern eingeschlossen gewesenen Seen. In den Frühlingsmonaten soll das Seebecken alljährlich noch von den Schmelzwässern des Winterschnees aufgefüllt werden, 5—6 m über seinem jetzigen Tiefstand, wie mir die Kirgisen berichteten. Ich fand die Bestätigung dieser Angabe an den Blöcken des Moränenwalls, die in gleicher Höhe am Seerand mit feinem, grauweißem Tonschlamm überzogen waren, der sich noch plastisch erwies. Das Abwasser des Sees findet seinen Ausweg unter dem Blockwall und tritt als kleiner Bach an dessen unterem Ende zutage. Von den Quelltälern des Ak-kul entspringt das östliche an einem Rücken, über den ein Paß in das Aschu-tör-Tal führt, das westliche an einem solchen, durch dessen Querung man in das Kap-kak-Tal gelangen kann.

In einem zwischen den Tälern Ak-kul und Aschu-tör eingeschalteten Tale liegt der

See Jaschik-kul, den ich nicht besuchte; die Kirgisen berichteten mir jedoch, er sei noch etwas mehr aufgefüllt, als der Ak-kul.

In seinem wasserreichen Zustand befindet sich hingegen noch der See Kara-kul, der im Schlusse eines in das Kap-kak-Tal aus SO einmündenden, sehr bedeutenden Seitentals, Kara-kul-sai, liegt. Dieses Seitental erreicht fast die Dimensionen des Haupttals und birgt den gleichen Reichtum an Alpenwiesen und Wäldern, wie dieses. Ich gelangte dahin, indem ich aus dem Ak-kul-Tal nach WSW in ein Seitental (Jar-kasn-sai) eindrang, nahe an seinem Schlusse nach WNW abschwenkte und einen 3700 m hohen Rücken überstieg; den Oberlauf des Kara-kul-sai erreichte ich dann im Niveau von 2350 m. Auch Profil und Bodenrelief dieses schönen Alpentals sind typisch für seine Ausgestaltung durch Glazialtätigkeit. Eine Serie jetzt verschwundener Seen läßt sich in ihren Spuren im Laufe des Tales erkennen; alle diese Gebilde verdankten den gleichen Ursachen Entstehen und Vergehen, wie der See Ak-kul. Das Tal ist gleichfalls ganz in granitische Gesteine eingeschnitten, zwischen welchen hier Diabasdurchbrüche beobachtet werden können. Der See wird durch einen über 100 m hohen Blockmoränenwall abgesperrt, sein Wasser hat eine tiefgrüne, schwärzliche Färbung, die den Namen Kara-kul = schwarzer See, rechtfertigt. Die Länge des Beckens ist 850 m, die Breite 400 m, das Niveau ca 3400 m. Die regelmäßig ovale Form des Beckens wird nur durch zwei kleine Buchten gestört. Seinen Hauptzufluß erhält der See aus einem Quelltal, durch welches aus SSW, aus einem sehr weiten, von schroffen, hohen Wänden umfaßten, jetzt eisfreien Kar der sehr bedeutende Gletscher herabfloß, welcher das flache Seebecken trogförmig zwischen den Granitwänden korradiert hat. Aus Quertälern einmündende Seitengletscher förderten die Korrasionsarbeit. Der Frühjahrswasserstand liegt, nach den Flutmarken der Ufer zu schließen, ca 4—5 m über dem Herbstniveau. Die Ausfüllung des Seebeckens ist noch nicht beträchtlich; die Wasserfläche besitzt eine imposante Ausdehnung. Der, wie man mir sagte, fischreiche See ist nicht ohne landschaftlichen Reiz, entbehrt jedoch des belebenden Schmuckes von Wald und bedeutender Bergformen in seiner Umwallung. Der Abfluß sucht auch hier seinen Weg unter den Blockmassen der absperrenden Moräne.

Während ich mich mit der Untersuchung dieser Seen beschäftigte, hatte ich den Tiroler Kostner nach den Mukur-Mutu-Hochtälern geschickt, der dort Ersatz für die photographischen Aufnahmen schaffen sollte, die im Vorjahr in diesen Tälern gemacht und dann im Musart-Fluß zugrunde gegangen waren. Auch hatte er den Auftrag, in den fossilienführenden Kalken dort nochmals Umschau zu halten. Es glückte ihm, trotzdem diese an Fossilien so reichen Kalke durch die unmittelbare Nähe der Granite stark umgewandelt, und die Fossilien bis zur Unkenntlichkeit verpreßt sind — siehe meine früheren Angaben (S. 6) —, eine Bank zu entdecken, der eine noch bestimmbare unterkarbonische, Fauna entnommen werden konnte.

Erforschung des Dondukol-Tals und zweiter Besuch des nördlichen Musart-Tals.

Andauernd schönes Herbstwetter schien meine Forschungen noch weiter begünstigen zu wollen. Ich wandte mich nunmehr den bisher noch unbekannten, bedeutenden Nebentälern des Nördlichen Großen Musart-Tals zu, da deren Zusammenhang mit dem vom Pik Nikolai-Michailowitsch nach O abzweigenden, großen Gletschertal und dessen Umrandung für die Ergänzung meiner topographischen Arbeiten von großer Wichtigkeit war. Schon im

Vorjahr hatte das mit dem Großen Musart-Tal 7 Werst vor dessen Ausgang zur Tekes-Ebene (15 Werst vor der Einmündung des Flusses in den Tekes) sich vereinende Tal Dondukol meine Aufmerksamkeit auf sich gezogen (siehe S. 30), nicht nur durch den landschaftlichen Reiz der seine Mündung umstehenden waldigen Berge, sondern vorwiegend durch die große Wassermenge, welche sein Ausfluß dem Musart-Strom zuführt. Da jener Wasserlauf fast so stark ist, als der Hauptfluß, mußte auf große Gletscher im Tale geschlossen werden, von deren Existenz jedoch bis jetzt nichts bekannt war.

Von meinem Hauptquartier, der Staniza Narynkol, erreichte ich in einem leichten Tagesmarsch (ca 40 Werst) den Eingang des Dondukol-Tals, aus dessen weiter Öffnung fluvioglaziale Schuttmassen in begrünten Terrassen von großer Mächtigkeit weit hinaus ziehen und sich mit den gleichen Bildungen des Haupttals in flachem Winkel schneiden. Rückläufige Bildung ist hier zu erkennen. Die vorzüglichsten Grasplätze der Kalmaken liegen auf jenen weiten Aufschüttungsböden. Gleich nach seiner Mündung (ca 2050 m) verengt sich das Tal auf 60 m und ist von sehr dichtem, hoch an die Berghänge ansteigendem Fichtenwald erfüllt. Diluvialterrassen begleiten seinen Lauf, bis es sich, schon nach wenigen Werst, zur Klamm von 10—12 m Breite verengt, stellenweise aber nur 6 m breit ist. Die Durchschreitung dieser 6 Werst langen Klamm ist schwierig und nur in vorgerückter Jahreszeit möglich. Auch jetzt, im Spätherbst, brauste noch ein bedeutender Wasserschwall durch die düstere, von Trümmern erfüllte Enge; sie wird durch einen in drei Stufen von je 15—18 m Höhe gegliederten Wasserfall unterbrochen, wo der Weiterweg, ebenso wie an vielen anderen Stellen, durch eine Wildnis von Wald und Blöcken über steiles Gehänge und Terrassen der Felswände erzwungen werden muß. Im Sommer pressen sich gewaltige Fluten durch die Enge — wie die Marken an den Felsmauern anzeigen, 4 m über Herbstwasserstand — und die Kalmaken sind gezwungen, mit ihren Herden den weiten Umweg durch die Mukur-Mutu-Täler und das Maraltö-Tal, zwei hohe Pässe überschreitend, einzuschlagen, um zu den vorzüglichen Weideplätzen am Oberlauf des Dondukol-Tals zu gelangen. Auch die kalmakischen Jäger wählen diesen Weg, wenn sie im Frühjahr dem wegen seines kostbaren Geweihs so sehr begehrten Maralhirsch nachstellen, der in den dichten Wäldern des Dondukol-Tals noch sehr häufig ist.

Die Talachse hat die allgemeine Richtung nach S, erfährt jedoch Ausbiegungen nach O und W, besonders gegen den Schluß hin nach O. Gebirgsbildende Gesteine sind zunächst ein mächtiger Horizont grüner, phyllitischer Schiefer verschiedenartiger Ausbildung, manchmal den Grauwackenschiefern ähnelnd, manchmal aphanitisch. Zwischen ihnen treten Zonen kristallinisch gewordener Kalke auf; hierauf folgt unmittelbar Gneis und Gneisgranit, sodann Granite verschiedenartiger Struktur und mehr oder weniger kristallinisch gewordene oder in Schieferform umgewandelte Kalke und wirkliche Marmore, Serien, zwischen welchen sich diabasisches Gestein eingelagert findet. Das Streichen des ganzen Schichtensystems ist stark der O—W-Richtung genähert mit kleinen Abweichungen nach S oder N, das Fallen sehr steil, 60—70°. Der Aufstieg zu einem hohen Berge, bot mir folgedessen durch eine lange Gratwanderung willkommene Gelegenheit, auf dieser Strecke den Wechsel der Gesteine genau zu verfolgen und Proben der ganzen Suite einzusammeln. Das Geröll des Bergstroms weist jedoch schon im Mittellauf des Tales mehr und mehr darauf hin, daß die höchste, Talschluß bildende Kette auch in diesem, wie in den anderen, nördlichen Quertälern, ausschließlich aus Sedimenten: mehr oder weniger umgewandelten Tonschiefern und Kalken, sowie aus Marmor aufgebaut ist.

Kaum daß die großartige Wildschlucht sich von neuem zum Tale erweitert hat, wird dieses durch einen ungeheuren Bergsturz gesperrt. Diese gewaltige Trümmermasse erfüllt das Tal auf eine Länge von 1½ Werst, und erreicht eine Höhe von mehr als 100 m über

Talsohle (ca 2340 m); sie besteht ausschließlich aus Phyllit und grünem, diabasischem Gestein, das von beiden Uferwällen, mehr jedoch vom linken herabstürzte. Ein für die Tragtiere schwieriger Pfad führt über diese kolossale Trümmeranhäufung, hinter welcher der Fluß zu einem See von fast 2 Werst Länge, und einer durchschnittlichen Breite von 150 m aufgestaut war, bis es ihm gelang, sich unter dem Walle einen Ablauf auszuwühlen; vermutlich hat er sein altes Bett wieder gefunden. Fast seinem ganzen Laufe nach ist das Talgehänge von den schönsten, dichtesten und zusammenhängendsten Fichtenbeständen bedeckt, die ich im Tian-Schan gesehen habe. Da überdies, infolge der erwähnten Steilaufrichtung der Schichten, die Kämme der Uferketten sehr zerrissen, tief geschartet und zu Reihen schroffer, mannigfach gestalteter, gletschertragender Gipfel ausgebildet sind, ja sogar öfters das Gehänge selbst in ein Chaos von Zacken aufgelöst erscheint, und da endlich der wasserreiche, klare Bergstrom, die schönen Alpenwiesen, das zahlreiche, hohe Buschwerk besonderen Schmuck des Tales bilden, zählt dieses zu den landschaftlich bevorzugtesten der Tian-Schan-Täler.

Überall, wo das Tal sich erweitert, sind die untrüglichen Spuren seiner glazialen Vergangenheit im Relief seines Bodens und den hoch an die Talwände hinaufreichenden, alten Moränenmassen erhalten geblieben. Ein einziges, bedeutenderes Seitental mündet, und zwar auf der orographisch rechten Seite ein; auch an seiner Mündung lagern hohe, begrünte, alte Moränenrücken. Sonst kommen alle Zuflüsse des Haupttals nur aus walderfüllten Hochschluchten.

Nach etwa 26 Werst sperrt eine etwa 1½ Werst breite, alte Endmoräne das Tal abermals ab, und der Fluß bahnt sich durch sie einen Weg in klammartiger Spalte. Hinter der Moräne ist das im allgemeinen mit sehr geringem Gefälle ansteigende Tal nur mehr ein flacher Aufschüttungsboden von 2—300 m, der sich ganz am Schlusse bis zu 3—400 m Breite erweitert. Dort ist die linke Uferkette in eine Anzahl schroffer, mit Gletschern geschmückter Gipfel zerlegt, deren höchster mit seiner Westflanke das aus NW herbeiziehende Ürtentö-Tal abschließt (siehe S. 64). Nach etwa 35 Werst steht man am Fuße der talschließenden Kette, eines sich ungefähr 2000 m über Talsohle (ca 2850 m) erhebenden, ganz in Firn und Eis gehüllten Walles, dessen Gletscher direkt zum ebenen Kiesboden der zirkusförmigen Talweitung abstürzen. Der Talschluß hat insofern große Ähnlichkeit mit dem des Bayumkol-Tals, als er sich, gleich diesem, in zwei Gletschertäler verzweigt, ein nach O und ein nach W ziehendes, von denen, wie im Bayumkol-Tal, das westliche das längere, das östliche das formenreichere ist. Die Länge des westlichen, in einem engen Tale mit mäßiger Neigung herabziehenden Gletschers schätze ich auf 5—6 Werst; seinen Abschluß bildet ein flacher Firnsattel, dessen Richtung in das östliche Saikal-Tal hinzeigt. Der Gletscher wird an seinem Nordrand von einem Bergrücken begleitet, der bis nahe zu seiner schroffen Kammhöhe begrünt ist, während seinem Fuße entlang ein Gürtel von Buschwerk mit einzelnen, dazwischen aufragenden Fichtenbäumen zieht. Noch auffälliger erschien mir das Hinaufreichen des Waldes im Eise des Mittelgletschers. Dort ist den schroffen Eiswänden unmittelbar ein über 300 m hoher, ganz von Moränenschutt eingehüllter Rücken vorgelagert, mit Gras und Buschwerk bis zum Scheitel, bis zu zwei Drittel seiner Höhe mit Fichtenwald bestanden, welcher demnach mehrere Hundert Meter in die Zone des Eises hinaufzieht. Den Glanzpunkt des Talschlusses bildet der östliche Gletscherarm. Man erblickt dort eine Gruppe ungemein schroffer, reich vergletscherter Felsberge und einige Firngipfel, zwischen denen ein Sattel tief eingeschnitten ist; über ihn kann man in den Schluß des nächsten, großen Nebentals des Musart-Tals, in das Tal Chamer-dawan (siehe S. 31), gelangen. Diesem, durch einen nasenförmigen Felszacken flankierten Paßeinschnitt verdankt das Tal seinen Namen: (Chamer-dawan = Nasenpaß). Der talschließende Wall des

Dondukol-Tals gehört nicht der Hauptwasserscheide an, sondern bildet, sowie der des Saikal-Tals, einen Teil der Nordumwallung des vom Pik Nikolai-Michailowitsch nach O ziehenden, großen Gletschertals.

Um in alle diese Verhältnisse, insbesondere in den Verlauf des letztgenannten Tales, genaueren Einblick zu gewinnen, bestieg ich einen in der rechten Uferkette des Dondukol-Tals aufragenden, ungefähr 4000 m hohen Gipfel. Ich gelangte zu ihm über einen begrünten Paßeinschnitt (ca 3300 m), der einen Übergang in das Große Musart-Tal vermittelt; man würde die Sohle dieses Tales in der Nähe des zweiten Piketes erreichen. Ich habe schon erwähnt, daß mir die Überwanderung der Kammhöhe Gelegenheit zur Sammlung aller Gesteine in der Schichtenfolge der Uferkette gab; außerdem konnten von der gewonnenen Höhe aus telephotographische Aufnahmen der vom Pik Nikolai-Michailowitsch nach O abzweigenden Kette und des dahinter aufragenden Khan-Tengri gemacht werden. Den Glanzpunkt der Aussicht und den wichtigsten Teil der aufgenommenen Gebirge bildeten jedoch die gipfelreichen, großartigen Ketten, östlich vom Musart-Paß, welche die Täler Ak-su und Agiaß begrenzen.

Meine Absicht, auch noch einen Gipfel in der Westumwallung des Tales zu ersteigen, um den Zusammenschluß der Täler Dondukol, Ürtentö, Saikal und des vielerwähnten, großen Gletschertals aus nächster Nähe aufzunehmen, ließ sich nicht mehr verwirklichen: der begrünte Teil des Steilgehänges, gegen O gerichtet, erwies sich schon so hart gefroren, daß wir mit unseren abgenutzten Bergschuhen keinen Halt mehr daran fanden, und Fußeisen waren nicht zur Stelle. Die Gewalt des Frostes hatte überhaupt, trotz der sonnigen Tagesstunden, derart zugenommen, daß man sich nachts in den dünnen Bergzelten, ungeachtet aller schützenden Umhüllungen, nicht mehr zu erwärmen vermochte. Es war nun Ende Oktober geworden und der Aufenthalt in den Hochtälern fing an, unmöglich zu werden. Aus diesem Grunde mußte ich zu meinem großen Bedauern darauf verzichten, sowohl das nächste bedeutende Quertal, Chamer-dawan, zu durchwandern, als das große, am Pik Nikolai-Michailowitsch abzweigende Gletschertal zu besuchen. Beides wäre zur Ergänzung meiner bisherigen Forschungen sehr wichtig gewesen. Manches, was mir dort zur Gewißheit geworden wäre, mußte infolgedessen eine bloß auf Wahrscheinlichkeit beruhende Annahme bleiben. Ich beschränkte mich darauf, nochmals durch das Große Musart-Tal bis zur Mündung des Chamer-dawan aufwärts zu wandern, weil die Croquierung dieser Strecke zur Ergänzung meiner Aufnahmen nötig war, und weil ich einige geologische Beobachtungen, die im Vorjahr unterblieben waren, nachholen wollte.

Aus der Mündung des Chamer-dawan-Tals (ca 2400 m) kamen mächtige, alte Moränen heraus, deren Form sehr gut erhalten ist, und die, mit der hier mehrere Werst breiten, alten Endmoräne (siehe S. 31) des Hauptgletschers vereint, dem Relief des Talbodens viel Wechsel verleihen. Die schon am Taleingang vergletscherten Uferketten und der sogar in dieser späten und trocknen Jahreszeit noch bedeutende Wassergehalt des Talbachs lassen auf einen in diesem Tale aufgespeicherten, erheblichen Vorrat an Gletschereis und Firn schließen. Die Kalmaken, welche es im Sommer mit ihren Herden besuchen, sprachen von ausgedehnten Gletschern.

Durch das Tekes-Tal und über den Temurlik-Tau nach Kuldscha und Taschkent.

Die Forschungen im Hochgebirge hatten somit ihr Ende erreicht. Meine nächste Aufgabe war, in Narynkol die Sammlungen zu verpacken und über den San-tasch-Paß zu schicken, ehe die nahe bevorstehenden Schneefälle dies unmöglich machen konnten. Den

Rückweg dachte ich dann über Kuldscha zu nehmen, weil ich die vor zehn Jahren schon von mir aufgefundenen, fossilienreichen Kalke im Temurlik-Tau, im Chonochai-Tal — Quelltal des Dschidschen — nochmals besuchen und ausbeuten wollte. Ich hoffte auch, auf dem Wege durch das Tekes-Tal abwärts noch ein großes Telepanorama des ganzen, zwischen Khan-Tongri und Karagai-tasch-Paß sich erstreckenden Riesenwalls des Tian-Schan aufnehmen zu können. Leider wurde mir jedoch auf diesem Wege die Gunst des Wetters untreu. Herbstnebel deckten nun, allerdings in diesem Jahre um einen Monat später als gewöhnlich das Hochgebirge. Nur weniges konnte in die Camera gebracht werden. Bei gelegentlicher Aufklärung überraschten mich auch diesmal wieder die gewaltigen Formen der in diesem, so wenig bekannten Teile der großen Kette aufragenden Gipfel und der Reichtum an Firn und Gletschern. Insbesondere die Umwallung der beiden, fast auf dieser ganzen, langen Strecke das Gebirge zerteilenden, großen Längstäler Agiaß und Kok-su, die erst in ihrem Unterlauf, plötzlich umbiegend, in die Quertalrichtung übergehen und zum Tekes einmünden, übertrifft in dieser Hinsicht alle Vorstellungen. Hier bleibt der Gebirgsforschung noch ein weites, ungepflügtes Feld offen. Zwar sind die genannten, großen Täler gerade in den letzten Jahren öfters von englischen Reisenden besucht worden, jedoch ausschließlich der Jagd wegen, und die Geographie hat leider durch diese Expeditionen keine Bereicherung erfahren.

Auch die Begrenzung der ehemaligen, großen Randseen fesselte auf dem Wege, ca 100 Werst im Laufe des Tekes abwärts, meine Aufmerksamkeit; ich werde jedoch erst im ausführlicheren Bericht auf diesen Gegenstand eingehen.

Nahe dem Austritt des Dschidschen-Flusses aus dem Gebirge angelangt, war ich überrascht von der hier stattgefundenen, großen Veränderung. Das frühere, bescheidene Lamakloster Sumbe und die einfachen Tempelbauten, die ich zehn Jahre früher besucht hatte, waren verschwunden. An ihrer Stelle hatte man etwas höher, am Abhang des Gebirges eine sehr ausgedehnte Lamaniederlassung von einigen Hundert stattlichen Blockhäusern errichtet, in welchen jetzt 2—300 Lamas behaglich leben. Wirtschaftsgebäude, riesig aufgetürmte Heuschober usw. unterbrechen die Gleichmäßigkeit der Blockhausgruppen. In ihrer Mitte erhebt sich ein großartiger, weitläufiger Tempelbau, von großen Höfen umschlossen, von kleineren Tempeln und zierlichen Pavillons flankiert. Die ganze Anlage, von chinesischen Arbeitern hergestellt, ist reich, in ihrer Gliederung harmonisch und bedeutend, in der Ausführung sorgfältig und geschmackvoll, in der Bemalung heiter und diskret, sicherlich eines der schönsten Tempelgebilde im westlichen China. Alles ist aus Holz hergestellt, nur die Plattformen, auf welchen sich die einzelnen Tempelbauten erheben und die monumentalen Tore des inneren Tempelhofs sind aus gebrannten Ziegeln. Ausgedehnte Wälder wurden vernichtet, um diese weite Lamaserie herzustellen. Der alte Da-Lama, der mich vor zehn Jahren ungemein gastfreundlich aufgenommen hatte, war inzwischen gestorben; allein auch sein Nachfolger zeigte sich gefällig und aufmerksam. Er erlaubte mir Inneres und Äußeres der Tempel zu photographieren und führte mich sogar selbst überall umher.

Leider hatte sich die Witterung nun ganz zum Schlimmen gewendet; plötzlich war der Winter mit voller Strenge, starken Schneefällen und empfindlicher Kälte hereingebrochen. Die Überschreitung des Temurlik-Tau war nun keine leichte Sache mehr. Als ich am 5. November die gastliche Lamaserie (ca 1950 m) verließ, in tiefem Schnee dem Gebirge mich zuwendend, gab ich fast die Hoffnung auf, noch Fossilien sammeln zu können. Wider Erwarten glückte es dennoch, im Chonochai-Tal eine reiche, unterkarbonische Fauna einzuheimsen. Freilich beeinträchtigte der tiefe Neuschnee die Arbeit, und die Ausbeute wäre unter günstigeren Verhältnissen jedenfalls weit bedeutender geworden.

Der Chonochai-Paß, den ich überschreiten wollte, war ebenso, wie die anderen, nahe gelegenen Pässe bereits durch Schnee gesperrt; nur der weit längere Weg durch die Defileen des Schateh-Passes (ca 3000 m) stand mir noch offen. Die Überschreitung erfolgte bei unaufhörlichem Schneefall unter großen Mühseligkeiten. Ich konnte zu meinem Bedauern von dem landschaftlich ebenso reizenden, wie geologisch interessanten Gebiet nur mehr wenig Nutzen ziehen und mußte froh sein, als ich nach zweitägiger Wanderung meine Karawane am Nordfuß des Gebirges im Kalmaken-Aul Ukurtschö (ca 1400 m) in Sicherheit wußte. Von dort ging es hinaus in die Ili-Ebene nach Kainak (ca 750 m), und am 9. November erreichte ich Kuldscha. Da sich ein großer Teil meiner Sammlungen noch in Prschewalsk befand und dort erst umgepackt und weitergeschickt werden mußte, blieb mir nichts übrig, als von Dscharkent aus, das Gebirge (Ketmen-Tau) nochmals zu queren, trotz der durch Schneefälle und Vereisung fast unpassierbar gewordenen Wege. Nur infolge der dankenswerten Unterstützung des Kreischefs von Dscharkent, Herrn Smirnow, der die Kirgisen zu meiner Hilfe aufbot, gelang die Überschreitung. Anfangs Dezember traf ich in Taschkent ein.

Rückblick.

Werfe ich einen Rückblick auf die Ergebnisse dieser langen, mühe- und sorgenvollen Expedition, so halte ich mich berechtigt auszusprechen, daß sie für die Wissenschaft nicht ergebnislos verlaufen ist. Nach Herstellung einer Karte, in welcher alle, während der Reise gemachten, topographischen Aufnahmen verwertet sind, wird die bisherige Vorstellung vom Bau des zentralen Tian-Schan in mancher Hinsicht verändert und ergänzt werden.

Durch die von Herrn Keidel übernommene Darstellung des geologischen Baues der durchreisten Gegenden werden die in diesem Bericht bereits enthaltenen, neuen Tatsachen vielfach vermehrt und näher erläutert, die bis jetzt verbreitete Kenntnis von der Struktur und Tektonik dieses gewaltigen Gebirges in vielen Punkten ergänzt, in anderen berichtigt werden. Die Grundlage für diese Darstellung werden die im Verlauf der Expedition angelegten paläontologischen und petrographischen Sammlungen bilden, von denen die erstere wohl die reichste ist, welche in diesem Teile Zentralasiens je zustande gebracht wurde, während ihr die petrographische an Bedeutung kaum nachsteht. Durch beide Sammlungen wird neues Licht über die Stratigraphie Zentralasiens verbreitet werden.

Bevor dieses große Material nicht von kompetenten Fachmännern gesichtet und bestimmt ist, wäre es gewagt, aus den in diesem vorläufigen Bericht niedergelegten und aus anderen, noch nicht darin zum Ausdruck gebrachten Tatsachen Schlüsse zu ziehen. Nur in einem Punkte steht meine wissenschaftliche Überzeugung heute schon fest und zwar darin, daß auch für den Tian-Schan eine Eiszeit angenommen werden muß. Vieles, was zur Stütze dieser Anschauung im vorliegenden Bericht nur angedeutet werden konnte, wird in einem später folgenden näher entwickelt, und ein erdrückendes Beweismaterial für meine Annahme ins Feld geführt werden. Freilich mag die letzte Eiszeit im Tian-Schan, von der allein vorläufig als von etwas Feststehendem gesprochen werden kann, einen von den Eiszeiten Europas verschiedenen Verlauf genommen haben, entsprechend den besonderen, in Zentralasien dem Ende der Eiszeit vorangegangenen Erscheinungen in der Verteilung von Wasser und Land, und anderen, spezifisch zentralasiatischen Verhältnissen. Darüber, ob nicht, gleich wie in anderen Gebirgsländern, auch in diesem, mehrere Eiszeiten einander ablösten, wird ein Urteil erst dann zulässig sein, wenn die beobachteten Tatsachen einer genaueren Prüfung unterzogen worden sind. Man könnte vielleicht gegen meine Annahme schon jetzt einwenden, daß in den weiten, am Fuße der Gebirge Zentralasiens sich erstreckenden Landstrichen, keine Spuren einer ehemaligen Eisbedeckung vorhanden sind, wie man sie in Europa und Amerika so zahlreich findet. Ich möchte daher gleich hervorheben, daß in Gegenden, wo Aufbreitung und Abräumung so außerordentlich gewirkt haben, wie in diesen, wo ferner, infolge der stärksten thermalen Gegensätze und anderer klimatischer Einflüsse, auf die hier nicht näher eingegangen werden kann, die Zerstörung und Abtragung des alten Bodenreliefs und seine Verhüllung so weit vorgeschritten sind, Glazialspuren natürlich nicht in gleichem Maße erhalten sein können, wie in Europa und Amerika. Nichtsdestoweniger fehlen sie keineswegs, was ich auf Grund meiner Beobachtungen erweisen werde; und da bisher noch niemand ernstlich darnach gesucht hat, ist es nicht ausgeschlossen, daß sich solche Spuren noch in weit größerer Zahl und Verbreitung finden werden.

Während dieser Expedition wurde die Photographie in hervorragendem Maße in den Dienst der Forschung gestellt, um so viel als möglich auch durch bildliche Darstellungen Belege für die beobachteten Verhältnisse und anschauliche Ergänzungen zu den Beobachtungen zu gewinnen. Mit drei Apparaten verschiedener Konstruktion und Bildgröße, sowie mit verschiedenartigen, den verschiedenen Verhältnissen angepaßten Platten wurde gearbeitet, und ausgiebiger Gebrauch von der durch neue Verbesserungen zu schönen Ergebnissen führenden Telephotographie gemacht, die in schwer zugänglichen Hochgebirgsgegenden als ein unentbehrliches Hilfsmittel des Forschers angesehen werden muß. Es wurden während der Expedition im ganzen mehr als zweitausend Aufnahmen gemacht, deren Abdruck dem Beschauer eine bisher unbekannte Gebirgswelt erschließen wird.

Weniger reich, als die paläontologische und petrographische Sammlung, ist die botanische, da ihrer Aufbringung nicht eine systematische Tätigkeit zugewendet werden konnte; sie wurde nur in solchem Maße zustande gebracht, als Zeit und Kraft ausreichten, neben den anderen, in erster Linie auf dem Reiseprogramm stehenden Arbeiten, auch auf diesem Gebiet tätig zu sein. Bei Hochgebirgsreisen, wo Zeit und Kraft des Reisenden ohnedem so intensiv in Anspruch genommen werden, wo überdies sich oft die Witterungsverhältnisse recht feindlich erweisen, und wegen der beständigen Hast, welche den Reisenden seinen schwer erreichbaren Zielen entgegen treibt, oft die vorzüglichsten Fundstellen nur höchst flüchtig, manchmal gar nicht ausgebeutet werden können, wo meistens nur im Fluge etwas von der Flora erhascht werden kann, muß von vornherein auf systematisches Botanisieren verzichtet werden. Nichtsdestoweniger ist auch die botanische Sammlung nicht unbedeutend und enthält neben zahlreichen Exemplaren der Hochgebirgsflora, eine ziemlich reiche Ausbeute der ersten Frühlingsflora der südlichen Tian-Schanischen Steppen und Wüsten.

Die Verhältnisse für Anlegung einer zoologischen Sammlung sind bei einer, in erster Linie anderen Zwecken dienenden Hochgebirgsreise noch ungünstiger. Dennoch wurde auch dieser Zweig wissenschaftlicher Sammeltätigkeit nicht vernachlässigt. Die zustande gebrachte Kollektion ist sehr ansehnlich, und enthält manche interessante Stücke.

Während der ganzen Dauer der Expedition wurden täglich zweimal Druck, Temperatur und Feuchtigkeitsgehalt der Luft gemessen, und zwar der Luftdruck gleichzeitig mit drei Anäroiden, deren Stand in ein- oder mehrtägigen Zwischenräumen mit dem Siedethermometer verglichen wurde. Für die Bestimmung der Temperaturschwankungen wurden Maximum- und Minimumthermometer verwendet. Außerdem wurden Beobachtungen der Insolation, der Windstärke und der Wolkenbildung so weit als möglich gemacht. Auf solche Weise wird die Verarbeitung dieser Beobachtungen ein anschauliches Bild der klimatischen Verhältnisse der durchreisten Gegenden liefern und gleichzeitig für mehrere hundert Punkte dem Kartenbilde die nötigen Koten vermitteln.

Wenn es mir demnach gelungen ist, in diesen schwer zugänglichen Gebieten einige Erfolge zu erringen, so war mir hierzu das Wohlwollen und die Unterstützung, welche meinem schwierigen Unternehmen von der Vorstandschaft der Kais. Russ. Geograph. Gesellschaft zuteil wurde, außerordentlich förderlich. Ich spreche daher meinen ehrfurchtsvollen Dank dem erlauchten ersten Präsidenten dieser um die Erforschung Zentralasiens so hoch verdienten Gesellschaft, Sr. Kaiserl. Hoheit Großfürst Nikolai Michailowitsch aus, der meine Expedition mit großer Sympathie begleitete und begünstigte. Auch dem aktiven Präsidenten der genannten Körperschaft, dem berühmten, ersten Erforscher des Tian-Schan, P. P. Semenow, drücke ich für seine ausgezeichneten Ratschläge und für das ausgestellte Atkritiilist der Gesellschaft, sowie für die bei den höchsten Kais. Russ. Behörden zum Vorteil meiner Expedition erwirkten Begünstigungen meinen ergebensten Dank aus. Zu lebhaftem Danke fühle ich mich auch dem ersten Sekretär der Gesellschaft, Herrn Professor Grigoriew, verpflichtet, für die Überlassung der reichen und wertvollen, russischen Literatur über den Tian-Schan und für so viele, freundliche Unterstützung.

Mein Unternehmen hatte sich des besonderen Wohlwollens Sr. Exzellenz des Generalgouverneurs von Turkestan, Herrn Generalleutnants N. I. Iwanow zu erfreuen, das er mir durch Gewährung einer Kosakeneskorte, durch Anweisung der ihm unterstellten Behörden zu meiner Unterstützung und manche andere Begünstigung erwies. Ich gebe daher an dieser Stelle meinem lebhaften Danke hierfür Ausdruck. Zu besonderem Danke fühle ich mich Herrn General v. Stubendorf, dem Chef der Topographischen Abteilung im Großen Generalstab verpflichtet, für Überlassung der nötigen Karten, dem Kaiserl. Russ. Generalkonsul in Kaschgar, Herrn N. F. Petrowsky für vielfache Förderung meines Unternehmens, dem Kreischef in Osch, Oberst Saizew für eifrige und liebenswürdige Unterstützung und dem ehemaligen Kaiserl. Russischen Gesandten in München, Sr. Exzellenz Herrn Giers, für Erwirkung der zollfreien Einfuhr meiner Ausrüstung nach Rußland. Wenn ich erst am Ende dieser Ausführungen zwei Männer nenne, die sich um das Gelingen meiner Aufgabe ungemein verdient gemacht haben, so liegt darin ein Hinweis, daß ohne ihr selbstloses Mitwirken mein Streben nicht leicht hätte zu gutem Ende geführt werden können. Es sind dies mein verehrter Freund, Herr Robert F. Schubert in Taschkent, dessen aufopferungsvoller, stets hilfsbereiter Regelung der technischen und finanziellen Schwierigkeiten es zu danken ist, daß das Unternehmen nicht ins Stocken geriet. Sind die Ergebnisse meiner, während der Expedition ausgeübten, photographischen Tätigkeit günstige geworden, so verdanke ich dies meinem hochgeehrten Freunde, Cavaliere Vittorio Sella in Biella, wohl anerkannt der ersten Autorität auf dem Gebiet der Hochgebirgsphotographie. Waren mir seine, auf die Reise mitgegebenen Ratschläge schon kostbar, so hat Signor Sella dadurch, daß er in hochherziger, uneigennütziger Weise die Mühen der Ausarbeitung meiner Aufnahmen selbst auf sich nahm, den Erfolg erst sicher gestellt. Mein Dankgefühl für die beiden verehrten Freunde wird nie erlöschen. Vieler anderer Persönlichkeiten, ohne deren Hilfe die äußeren Schwierigkeiten meines Unternehmens nicht zu überwinden gewesen wären, müßte ich noch gedenken. Mögen sie, auch ohne hier genannt zu werden, meiner stets dankbaren Gesinnung sich versichert halten.

Bemerkungen zur Karte.

Die vorliegende Karte bietet, wie schon ihr Titel andeutet, kein völlig zutreffendes Bild vom Bau des zentralen Tian-Schan. Um es dem Leser des vorliegenden Berichts möglich zu machen, dem Verlauf der Reise zu folgen, mußte eine provisorische Karte her-

gestellt werden, ehe noch die während der Expedition gemachten Routenaufnahmen, Vermessungen, Höhenbestimmungen und geographischen Ortsbestimmungen ausgearbeitet und
zu einem definitiven Kartenbild verwertet worden sind. Diese Arbeit aber wird bei der
großen Ausdehnung des durchreisten Gebiets und der Fülle des gesammelten topographischen
Materials längere Zeit beanspruchen. Immerhin sind in der vorliegenden, provisorischen
Karte die hauptsächlichen, geographischen Ergebnisse der Expedition, wenn auch nur in
beiläufiger Weise schon verwertet, so daß sie schon bei einer flüchtigen Betrachtung im
Vergleich zu allen bis zum heutigen Tage erschienenen Karten ein wesentlich verändertes
Bild der Hauptzüge des zentralen Tian-Schan bietet. Da die vielen Hunderte von barometrischen Höhenbestimmungen, welche während der Expedition gemacht wurden, noch
nicht genau berechnet sind, konnten die Höhenkoten, soweit sie auf diesen Beobachtungen
beruhen, nur in abgerundeten Zahlen eingestellt werden, die keinen Anspruch auf Genauigkeit haben. Höchstens kann das Verhältnis der einzelnen Höhen zu einander als beiläufig
richtig gelten. Bei dem kleinen Maßstab der Karte konnten nicht alle Örtlichkeiten.
Pässe usw., sowie die Namen aller Wasserläufe eingetragen werden, weil dies die Übersichtlichkeit erschwert hätte. Es wurden vielmehr nur die von der Expedition berührten
und die wichtigsten der in ihrer Nähe gelegenen Örtlichkeiten berücksichtigt. Die Gletscher,
welche die Expedition überschritten und aufgenommen hat, sind sämtlich in ihren beiläufigen Umrissen eingetragen worden, von den übrigen nur diejenigen, welche von der Route
der Expedition aus genauer beobachtet werden konnten. Es sind daher die Gletscher des
Naryn-Gebiets und die des ausgedehnten Gebirgskomplexes, der von den großen Fluß-
Systemen Agiaß und Kok-su entwässert wird, nicht berücksichtigt worden, wiewohl die
höheren Teile der Agiaß und Kok-su-Gebirge unter einem zusammenhängenden Mantel von
Firn und Eis liegen, dem große Talgletscher entspringen. Das hydrographische System.
wie es in dieser Karte zum Ausdruck kommt, kann ungeachtet ihres provisorischen
Charakters Anspruch auf ziemliche Genauigkeit erheben. Was die Schreibung der Namen
anbelangt, so habe ich darauf verzichtet, eine verkünstelte Schreibweise in Buchstaben zu
geben, welche dem deutschen Alphabet fremd sind und Zwischenlaute ausdrücken sollen.
die eben der Phonetik der deutschen Sprache fehlen, z. B. Tiën-Schan, statt Tian-Schan.
zumal es ja für den Nichtlinguisten ganz belanglos ist, ob jemand Tian-Schan oder Tien-
Schan spricht. Es war mein Bestreben, die meist türkischen Ortsnamen des Tian-Schan
auf rein phonetischer Grundlage, in möglichst einfacher Schreibweise wiederzugeben, freilich mag mir, da die Karte in großer Eile hergestellt werden mußte, in dieser Hinsicht
hier und da eine Inkonsequenz unterlaufen sein. Bei der Erkundung von Namen bin ich
mit großer Umsicht und Sorgfalt verfahren, und da ich die meisten Gegenden öfter besuchte und nicht in flüchtiger Weise, so glaube ich, daß die von mir angenommenen
Namen Anspruch auf Geltung erheben können. Unter dem Zeichen ○ sind nicht gerade
immer Ortschaften zu verstehen, sondern öfters auch Weideplätze, die von Kirgisen zu gewissen Zeiten regelmäßig besucht werden. Das Zeichen ● steht an Orten, wo sich
chinesische Wachtposten befinden. Die roten Linien bezeichnen die von der Expedition
eingeschlagenen Routen. Auf Einzeichnung anderer Details mußte bei dem kleinen Maßstab der Karte verzichtet werden.

Berichtigung.

Seite 39, Zeile 9 von unten ist statt: »dieser Sammlung« zu lesen: »der Sammlung von Basch-Sugun .

— —●●●— —

Druck von Justus Perthes in Gotha.

Muschketow-G

Dr. G. Merzbacher fec.

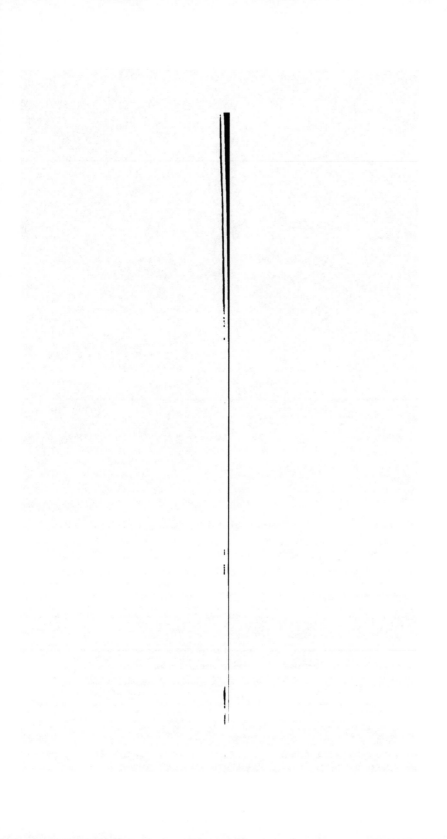

Dr. A. Petermanns Mitteilungen

Justus Perthes' Geographischer Anstalt.

Prof. Dr. A. Supan.

Ergänzungsheft Nr. 150

einer geomorp en Monographie.

Fritz Machaček
K. Oymnasialprofessor in Wien.

GOTHA: JUSTUS PERTHES.
1905.

Preis

aufgenommen. Ferner ist die Mitteilung *periodischer*, aber *seltener* oder *Karten*, sowie *außereuropäischer*, geographische Berichte enthaltender *Zeitungen*, ephemerer *Flugschriften* sehr erwünscht. — Für den Inhalt der Artikel sind antwortlich.

Die Beiträge sollen womöglich in d e u t s c h e r Sprache geschrieben sein, Abfassung in einer andern Kultursprache ihrer Benutzung nicht im Wege.

Originalbeiträge werden pro Druckbogen für die Monatshefte mit *69* gänzungshefte dementsprechend mit *51 Mark*, **Übersetzungen** oder **Auszüge** *Betrage*, **Literaturberichte** mit *10 Pf.* pro Zeile in Kolonel-Schrift, jede für geeignete **Originalkarte** gleich einem Druckbogen mit *68 Mark*, **Kartenmaterial** mit der *Hälfte dieses Betrags* honoriert. In außergewöhnlichen Fällen behält die Bestimmung des Honorars für Originalkarten vor.

An *Verlagsbuchhandlungen* und *Autoren* richten wir die Bitte um **Mitteilung** bzw. Werke, Karten oder Separatabdrücke von Aufsätzen mit Anschluß derjenigen geographischen Inhalts behufs Aufnahme in den Literatur- oder Monatsbericht, w vorhinein bemerken, daß über Lieferungswerke erst nach Abschluß derselben ref

Für die Redaktion: **Prof. Dr. A. Supan.**   **Justus Perthes' Geogr**

Der Schweizer Jura.

ersuch einer geomorphologischen Monographie.

Von

Dr. Fritz Machaček,

K. K. Gymnasialprofessor in Wien.

Mit 1 Kartenskizze, 1 Profiltafel und 13 Abbildungen im Text.

(ERGÄNZUNGSHEFT No. 150 ZU »PETERMANNS MITTEILUNGEN«.)

GOTHA: JUSTUS PERTHES.
1905.

Vorwort.

Seit mehr als hundert Jahren ist das schweizerisch-französische Grenzgebirge der Gegenstand intensiver geologischer Forschung. Namentlich in der Blütezeit der Schule von E. de Beaumont wurde durch Thurmann, Desor, Greppin, Jaccard u. a., in neuerer Zeit durch Mühlberg, Schardt und Rollier auf schweizerischem, durch Vézian, Bourgeat, später durch Kilian und M. Bertrand auf französischem Boden eine bis ins einzelne gehende Gliederung der stratigraphischen Verhältnisse durchgeführt und der scheinbar so einfache Bau des Gebirges enträtselt. Die so gewonnene Grundlage für die geographische Erforschung ist aber bisher nur in sehr bescheidenem Maße ausgenutzt worden. Man findet Bemerkungen rein geographischen Inhalts zumeist nur verstreut innerhalb der geologischen Juraliteratur; eine zusammenfassende Darstellung fehlte bisher, woran nicht zuletzt die durch die politische Grenze gezogene Scheidelinie Schuld tragen mag.

Es konnte daher als eine dankbare Aufgabe erscheinen, das reichlich verstreute Material zu sammeln und zu sichten und zu einem einheitlichen Ganzen zu verarbeiten. Indem sich der Verfasser dieser Aufgabe unterzog, war er sich dessen sehr wohl bewußt, daß er vielfach über eine bloße Kompilation nicht hinausgehen könne. Daneben aber stellte sich die Notwendigkeit heraus, auf dem bisher vernachlässigten morphologischen Gebiet nahezu selbständig vorgehen zu müssen. Die dazu erforderliche nähere Kenntnis des Landschaftsbildes erwarb sich der Verfasser auf mehrfachen Bereisungen des Juragebirges in den Sommern der letzten Jahre; freilich konnte es sich bei der großen Ausdehnung des in Betracht kommenden Gebiets nur selten um eine detaillierte Einzelforschung handeln; diese muß nach wie vor den mit den lokalen Verhältnissen vertrauteren Forschern überlassen werden. Das vorliegende Buch will daher auch nur den Versuch bedeuten, die Geschichte eines Stückes der Erdkruste vom geomorphologischen Standpunkt darzustellen; manchen der dabei gezogenen Schlüsse möchte eine mehr als hypothetische Bedeutung nicht zugemessen werden; in solchen Fällen wird erst die lokale Forschertätigkeit das letzte Wort zu sprechen haben.

Der Verfasser konnte sich bei seiner Arbeit des Rates namhafter Kenner des Juragebirges erfreuen. Die Herren Ed. Brückner und H. Schardt erteilten ihm in manchen Dingen wertvolle Auskunft. Insbesondere aber nahm der ausgezeichnete Jurageologe Herr Louis Rollier regen Anteil an der hier versuchten geographischen Darstellung; ihm verdankt der Verfasser wichtige Beiträge auf dem Grenzgebiet von Geographie und Geologie. Dafür sei ihm an dieser Stelle der herzlichste Dank ausgesprochen.

Wien, im September 1903.   Dr. **Fritz Machaček.**

Inhaltsverzeichnis.

	Seite
Vorwort	II
Berichtigungen	VII
I. Kapitel: **Der Jura als Ganzes**	1
1. Geographische Lage	1
2. Begrenzung des Juragebirges	1
3. Gliederung des Juragebirges	5
II. Kapitel: **Die Geschichte des jurassischen Bodens vor seiner Faltung**	9
III. Kapitel: **Tektonischer Aufbau des Juragebirges**	18
1. Geschichtliche Vorbemerkungen	18
2. Grundzüge der Jurastruktur	18
3. Die tektonischen Beziehungen zwischen dem Jura und seinen Nachbargebieten	22
IV. Kapitel: **Die Topographie der Juralandschaften**	26
I. Der südliche Jura	27
II. Der südliche Kettenjura	33
III. Der nördliche Kettenjura	35
Das Plateau der Freiberge	39
IV. Das nördliche Vorland des Faltenjura	45
V. Der Plateaujura	47
1. Der südliche Plateaujura	48
2. Der mittlere Plateaujura	51
3. Der nördliche Plateaujura: Das sequanische Plateau	55
V. Kapitel: **Geschichte des jurassischen Bodens seit dem Beginn der Faltung**	57
1. Alter der jurassischen Faltung	57
2. Morphologischer Nachweis von Altersverschiedenheiten im Jura	58
A. Die westlichen Randketten	59
B. Der plateauförmige Faltenjura	60
C. Der kettenförmige Faltenjura	61
3. Zwei Dislokationsperioden im Jura	63
4. Geringes Ausmaß der zweiten Dislokationsperiode	65
5. Isostatische Anpassung im Jura	65
6. Beziehungen des Jura zu den Alpen	66
7. Beziehungen des Jura zur Bresse	66
8. Entstehung der pliocänen Rumpffläche im Jura	67
Die Eiszeit im Jura	69
1. Die fluvioglazialen Ablagerungen am Jurarand	70
2. Die Ablagerungen der Maximalvergletscherung im Innern des Jura	71
3. Die Würmeiszeit im Jura	73
4. Die jurassische Lokalvergletscherung	74
A. Die Lokalgletscher des Kettenjura	75
B. Die Lokalgletscher des Plateaujura	79
VI. Kapitel: **Die Flüsse und Täler des Jura**	82
1. Die Entwässerung des jurassischen Bodens vor seiner Faltung	85
2. Geschichte der Jurarandflüsse	86
I. Das Birsgebiet	90
1. Entstehung der Birsklusen	91
2. Das Birstal unterhalb Soyhières	93
3. Die Klusen der Birszuflüsse	94
II. Die Flüsse der östlichsten Juraketten	95
III. Das Doubsgebiet	101
1. Beschreibung des Doubslaufs und seiner Zuflüsse	101
2. Geschichte des Doubstals	105
A. Das Doubstal bis Pontarlier	105
B. Das Doubstal zwischen Pontarlier und der Lomontkette	108
C. Das Doubstal von der Lomontkette bis zum Austritt in die Bresse	110

IV. Das Aingebiet · 112
   1. Das Aingebiet bis zur Biennemündung 112
   2. Das Biennetal 113
   3. Das Aingebiet unterhalb der Biennemündung 115
   4. Alter und Entstehung des Aintals 116
V. Das Rhônegebiet 117
   1. Das Rhônetal bis Culoz 118
   2. Das Rhônetal von Culoz bis zum Austritt aus dem Gebirge 121
VII. Kapitel: Das Karstphänomen im Jura 124
  I. Die jurassische Karstlandschaft 124
  II. Die Karsterscheinungen im Jura 126
    1. Die Karren 126
    2. Die Dolinen 127
    3. Die Höhlen des Jura und ihre Beziehungen zu den Dolinen 130
    4. Die Poljen 132
    5. Die Karstflüsse und Karsttäler des Jura 140

Abbildungen.

Seite

Fig. 1. Kartenskizze des Grenzgebiets zwischen Alpen und Jura (nach Hollande) 2
Fig. 2. Lac de Bourget (Nordende mit dem Hügel von Châtillon) 28
Fig. 3. Aintal bei Cize-Bolozon 31
Fig. 4. Gipfel der Dôle vom Talschluß des Châlet de Divonne 34
Fig. 5. Waldtal bei Châlet de Vuarne, im Hintergrund die Dôle 34
Fig. 6. Torfmoor bei Chaux-d'Abel 40
Fig. 7. Karstlandschaft bei Septmoncel 49
Fig. 8. Talkessel von Morteau mit den Mäandern des Doubs gegen O 56
Fig. 9. Moränen-Amphitheater von Champs-Meusel 75
Fig. 10. Szene aus der Orbeschlucht unterhalb Ballaigues 96
Fig. 11. Eingang der Doubsschlucht bei Les Brenets 103
Fig. 12. See von Les Brenets 103
Fig. 13. Plateaujura um St. Claude 114

Karten.

Tafel

Machaček, Dr. Fr.: Kartenskizze der Flußentwicklung im Berner Jura 1 : 200000 1
Machaček, Dr. Fr.: Geologische Profile aus dem Schweizer Jura. I u. II: Jura des Bugey; III u. IV:
   Südlicher Plateaujura und südlicher Kettenjura; Vª: Nördlicher Plateaujura; Vᵇ: Nördlicher
   Plateaujura und Neuenburger Kettenjura: VI, VII, VIII, IX: Waadtländer Kettenjura: X. Zen-
   traler Plateaujura; XI, XII, XIII: Berner Jura; XIV: Aargauer Jura . . . . ‹

angewendeten Zeitschriften-Abkürzungen.

—

Ann. club alp. franç. . .	Annuaire du club alpin français.
Ann. de Géogr. . . .	Annales de Géographie.
Arch. de Genève . . .	Archive des sciences physiques et naturelles de Genève.
Ber. nat. Ges. Freiburg .	Berichte der naturforschenden Gesellschaft in Freiburg i. B.
Bull. serv. carte géol. .	Bulletins du service de la carte géologique de France.
Bull. soc. géol. . . .	Bulletins de la société géologique de France.
Bull. soc. neuch. (vaud.)	Bulletins de la société neuchâteloise (bzw. vaudoise) des sciences naturelles.
C. R. ac. sc.	Comptes-rendues de l'academie des sciences (Paris).
Ecl.	Eclogae geologiae helvetiae.
Mém. soc. émul. Doubs (bzw. Montbéliard) . .	Mémoires de la société d'émulation du département Doubs.
Mitt. nat. Ges. Bern . .	Mitteilungen der Berner naturforschenden Gesellschaft.
Verh. nat. Ges. Basel .	Verhandlungen der Baseler naturforschenden Gesellschaft.
Duf.	Geologische Karte der Schweiz (Dufour-Atlas) 1 : 100 000.
carte géol. dét.	carte géologique détaillée de France 1 : 80 000.
Frz. Sp. K.	carte topographique de l'état majeur 1 : 80 000.

Berichtigungen.

Seite 3	Zeile 10	von oben	lies	460 m, nur 25 m statt 451 m, nur 16 m.		
„ 3	„ 11	„ „	„	85 m statt 76.		
„ 30	„ 25	„ „	„	Cormaranche statt Cormoranche.		
„ 31	„ 21	„ unten	„			
„ 33	„ 11	„ „	„	gegen dieses statt gegen dasselbe.		
„ 35	„ 15	„ „	„	Brenet statt Brenets.		
„ 35	„ 14	„ „	„	Talau statt Talane.		
„ 36	„ 14	„ oben	„	Vulteboeuf statt Vuilleboeuf.		
„ 38	„ 22	„ unten	„	St.-Immertal statt St.-Emmertal.		
„ 39	„ 1	„ oben	„	Karstwasserspiegels statt Kaltwasserniveaus.		
„ 46	„ 23	„ unten	„	Reigoldswyler statt Reingoldswyler.		
„ 48	„ 24	„ oben	„	St. Germain-de-Joux statt St. Germain-en-Joux.		
„ 48	„ 12	„ unten	„	in diesem statt in demselben.		
„ 52	„ 16	„ oben	„	oberirdisch abflußlose statt abflußlose.		
„ 53	„ 12	„ „	„	Angillon statt Anguillon.		

—

Nachträgliche Berichtigungen.

———

S. 72 Z. 26 von oben lies Valserinetal statt Valserine- und Seminetal.

S. 73 Z. 5 von oben lies 1050 m statt 950 m.

S. 73 Z. 6 von oben lies 800 m statt 700 m.

S. 77 Z. 16 von unten lies Seebecken statt Seedecken.

S. 144 Z. 7 von oben lies S. 104 statt 102.

S. 144 Z. 27 von oben lies S. 105 statt 102.

I. Kapitel.
Der Jura als Ganzes.

1. Geographische Lage.

In dem komplizierten Gerüst, welches den Aufbau des mediterranen Europa bedingt, spielen die Alpen die Rolle des zentralen Rückgrats. Bogenförmig gehen von ihnen vier Glieder aus: Das dinarische Faltungsgebirge und der Apennin nach SO, der Karpathenbogen und der Jura nach NO. Während aber die ersteren drei ihrerseits wieder mit neuen Ketten in Berührung treten und die Festlandmassen von Eurasien verknüpfen helfen, ist der Schweizer Kettenjura in ein dem alpinen System fremdes Gebiet hinausgesendet; er ist »ein abgeirrter Zweig« des Alpensystems[1]). Er trifft auf das mitteleuropäische Schollen- land, seine Ketten branden an dessen am weitesten nach S vorgeschobener Mauer, dem Tafeljura, empor und finden hier ein frühzeitiges Ende. Der morphologische Kontrast zwischen den aufgetürmten Ketten und den flachen Tafeln ist mindestens ebenso scharf als der tektonische. Trotzdem verknüpfen die stratigraphischen, klimatischen und kulturellen Verhältnisse, noch mehr aber die Konvention die beiden fremdartigen Landschaften zu einer geographischen Einheit. Der Tafeljura gilt als ein Stück des Schweizer Jura, und obwohl er sich jenseit des Rheins im Schwäbischen Jura fortsetzt, gilt nicht die Trennungslinie zwischen Ketten- und Tafeljura, sondern die tiefe, aber jugendliche Rheinfurche zwischen Waldshut und Basel als das Nordende des Schweizer Jura.

2. Begrenzung des Juragebirges.

Trotz seiner nahen Verwandtschaft mit den Westalpen besitzt der Jura doch eine ausgesprochene Individualität, er ist eine geschlossene geographische Provinz. Seine Ketten beginnen im S aus dem Westflügel des Massivs der Grande-Chartreuse, in dem sich zwischen der Tiefenlinie Voreppe—Les Échelles im W und dem Val de Grésivaudan im O zahlreiche Faltenzüge zusammendrängen. Aus der Synklinale von Voreppe geht fast genau nördlich streichend die Kette der Montagne de l'Épine und des Mont du Chat hervor; die höchsten Ketten der Grande-Chartreuse aber setzen sich nicht nach N fort, sondern tauchen südlich von Chambéry unter, nur eine geht aus den Bergen von Joigny und Gran- cier über in die erste subalpine Kette der Bauges, die Kette von Nivollet-Revard[2]). Die Tiefenlinie von Voreppe nach Les Échelles, durch einen Molassestreifen gekennzeichnet, gilt seit langem als die Grenze zwischen Jura und Alpen; so zieht die Grenze schon Bernhard Studer und nach ihm Karl Neumann[3]), während ältere französische Geologen

---

[1]) Neumayr-Uhlig, Erdgeschichte. 2. Aufl. I, S. 358.
[2]) Vgl. dazu: Hollande, Contact du Jura méridional et de la zone subalpine. (Bull. serv. carte géol., IV, 1892, Nr. 29, S. 261); Révil et Virieu, Note sur la structure de la chaîne Nivollet-Revard. (Bull. soc. géol. 3. série, XXVI, 1898, S. 365—371); und Révil, Note sur la structure de la vallée d'Entremont, (ebenda XXVIII, 1900, S. 873—897).
[3]) Die Grenzen der Alpen. (Zeitschr. d. D. u. Ö. Alp.-Ver., 1882, S. 200ff.)

1. Kapitel
Der Jura als Ganzes

1. Geographische Lage

Hornes und der Lägernkette am rechten Aareufer. In der Lägern findet schließlich der Faltenjura seinen östlichsten Ausläufer; sie tönt sich, als isolierte Kette aus der Quartärlandschaft aufragend, allmählich nach O aus und taucht bei Regensberg völlig unter, während sich der Tafeljura jenseit von Aare und Rhein ununterbrochen in den schwäbischen Jura fortsetzt.

Der Abfall des Jura gegen das Schweizer Mittelland entspricht einem Auftauchen der gebirgsbildenden Jura- und Kreideschichten aus der Tiefe, das in der Regel rasch und unvermittelt erfolgt; die Linie des Jurarandes bedeutet aber keinen Bruchrand[1]), sondern es steigen die Schichten unter der Molasse in ungestörtem Zusammenhang zumeist zu normalen Gewölben auf[2]).

Nicht so scharf wie im O ist die Begrenzung des Juragebirges im W; doch fällt auch hier die geologische Grenze zwischen Jura- und Tertiärschichten mit einem in der Landschaft deutlich markierten Steilabfall, wenn auch von bedeutend geringerer Höhe als im O, zusammen. Steht man auf einer der Höhen um Lyon, so fällt am östlichen Horizont, überragt von den verschwimmenden Alpenketten, eine niedrige weiße Kalkmauer auf: das ist der Abfall des Jura, seine »falaise«, gegen die Ebene des Rhône- und Saônebeckens, die Dombes und die Bresse. Er beginnt dort, wo die Rhône bei Vertrieu zum letztenmal durch Jurahöhen eingeengt wird und in die Dombes hinaustritt, und erreicht gegen N bei Ambérieu eine relative Höhe von rund 250 m. Ungefähr geradlinig verläuft er nach N bis zum Austritt des Ain aus dem Gebirge bei Pont-d'Ain, wo der Jurarand fast rechtwinklig gegen W vorspringt, unterbrochen durch das breite Aintal. Sodann folgt der Jurarand dem Westabfall der hier auftauchenden letzten Jurakette, des Revermont, 300 m über die Niederungen der Bresse sich erhebend, und zieht nördlich über Ceyzériat und Treffort nach Pressiat, wo er abermals nach W vorspringt. Von da an bezeichnet die charakteristische Lage der Randstädte Coligny, St.-Amour, Cuiseaux, Cousance, Lons-le-Saunier und die sie verbindende Bahnlinie recht genau den Rand des Gebirges. Er verläuft über Poligny und Arbois, vielfach unterbrochen durch die aus dem Jura austretenden Täler, namentlich bei Salins, wo die Bresse in eine Bucht des Gebirges eindringt, bis er bei Rozet unterhalb Besançon den Doubs erreicht[3]). Sein breites Tal kann aber nicht als Gebirgsgrenze dienen, da zu beiden Seiten desselben landschaftlicher Charakter und geologischer Bau der gleiche ist. Vézian ließ den Lauf des Oignon bis Marnay als Grenze dienen[4]). Kilian[5]) aber unterscheidet ein dem Jura vorgelagertes Gebiet, das teils dem Jura, teils den Vogesen untergeordnet ist; der nördliche Abschnitt umfaßt auch die Ebene des Elsgaues (Ajoie), er ist das subvogesische Hügelland, größtenteils aus sandigen Ablagerungen der Trias und des Perm bestehend, der südliche ist das vorjurassische Hügelland, aus Juraschichten aufgebaut, die hier wellige, von N—S streichenden Brüchen durchsetzte Plateaus bilden. Die Grenze des Faltenjura ist also dort zu ziehen, wo seine letzten Gewölbe an den vorgelagerten Tafeln zu Ende gehen. Für eine detaillierte Angabe der Grenzlinie fehlt in der Topographie der Landschaft jeder Anhalt. Es mag genügen zu betonen, daß der Faltenjura noch ein Stück weit auf das rechte Doubsufer hinübergreift, und dort seine äußerste Kette, die Chaîne d'Ormont, bei Clerval vom Doubs durchschnitten wird. Das vorjurassische Hügelland ist also nichts anderes als ein Stück Tafeljura, den Vogesen vorgelagert ebenso wie der Schweizer Tafeljura dem Schwarzwald. Dadurch wird die Grenze zwischen Jura- und Vogesenland noch weniger markant, und wir erhalten hier

[1]) Ed. Sueß, Entstehung der Alpen, S. 31: »Der hohe und steile Bruchrand ist den Alpen zugekehrt.«
[2]) Heim, Mechanismus der Gebirgsbildung, I, 206.
[3]) Auf der Strecke Salins-Rozet ist der Jurarand keine einfache Denudations-, sondern eine Bruchstufe. Vgl. M. Bertrand, Failles de la lisière du Jura. (Bull. soc. géol. 3, X, 1881/82, S. 114).
[4]) Le Jura. (Ann. club alp. franç., 1875, S. 610.)
[5]) Contributions à la connaissance de la Franche-Comté septentrionale. (Ann. de Géogr., IV, 1894/95, S. 320 ff.)

nur eine breite Grenzzone, welche auch den mühelosen Übergang vom Rhein- zum Rhônegebiet, die burgundische Pforte oder trouée de Belfort, enthält[1]).

Die nördlichste Jurakette zieht geradlinig mit deutlichem Abfall gegen den Elsgauer
Tafeljura bis Pont-de-Roide, wo sie abermals der Doubs durchbricht. Dieselbe Kette setzt
sich weiter nach O fort, stets als Grenze zwischen Faltenjura im S und Tafeljura im N.
Indem wir diesen zum Juragebirge hinzunehmen, reicht dieses gegen N so weit, bis die
mesozoischen Schichten unter den jugendlichen Bildungen des Sundgaues und der Rheinebene verschwinden; dies geschieht etwa längs der Linie Montbéliard—Delle—Réchésy—
Pfirt—Basel. Dem Rheintal aufwärts folgend gelangen wir zurück nach der Aaremündung.

In dieser Begrenzung umfaßt das Juragebirge ein Areal von rund 16400 qkm; seine
Länge von Les Échelles im S bis an das Ostende der Lägernkette, am östlichen Gebirgsrand gemessen, beträgt 320 km; seine Breite wächst von S an beständig bis in die zentralen Teile. Zwischen Seyssel an der Rhône und Ambérieu beträgt sie nur 35 km und
steigt zwischen Cossonay und Besançon auf 80 km. Sodann verschmälert sich das Gebirge
zwischen Biel und Montbéliard auf 50 km, und das Ostende des Faltenjura ist schließlich
in der Lägern auf eine einzige Kette reduziert. Im allgemeinen hat das Gebirge einen
bogenförmigen Verlauf, wobei sich die konvexe Seite nach NW richtet; der Krümmungs-
radius eines Kreisbogens, der die Orte Pont-d'Ain, Besançon und Basel berührt, mißt
158 km, sein Zentrum liegt 10 km südlich von Sitten im Wallis. Das Streichen der
einzelnen Gebirgsglieder ist ein wechselndes. Im südlichsten Jura, etwa bis zu der Linie
Nantua-Bellegarde, streichen die Ketten und Strukturlinien fast genau S—N, die westlichen
Randketten sogar nordwestlich. Nördlich dieser Linie schlagen namentlich die östlichen
Ketten ziemlich unvermittelt ein Streichen nach NNO ein, das immer mehr zu einem rein
nordöstlichen wird, und schließlich verläuft die letzte Kette sogar rein W—O. Diese
Änderungen der Streichungsrichtung geben uns ein Mittel an die Hand für eine Gliederung
des Gebirges durch Querlinien.

3. *Gliederung des Juragebirges.*

Der Jura ist, soweit er ein Zweig des Alpensystems, ein echtes Faltungsgebirge; aber nicht überall spiegeln sich die tektonischen Vorgänge, die ihn geschaffen
haben, auch in dem entsprechenden morphologischen Bilde. Verringerung der Intensität
der Faltung einerseits, höheres Alter der Faltung und zunehmende Abtragung anderseits
verwischen die ursprünglichen Formen des Kettengebirges und gestalten es zu einer Plateaulandschaft um. Als solche erschien der Jura von jeher den französischen Geologen, die
gewohnt waren, ihn von der französischen Seite (regard français) zu betrachten, während
der Schweizer Anteil des Gebirges den Charakter eines Kettengebirges in ausgeprägter
Deutlichkeit vor Augen führt. Darauf beruht auch die fast stets vorgenommene Zweiteilung des Gebirges in eine Zone der hohen Ketten im O und die Plateaugebiete im W[2]). Allerdings folgt diese Teilung nur teilweise den Landesgrenzen und
ist auch nicht für das ganze Gebirge streng durchzuführen. Zunächst sondert sich im S

---

[1]) O. Barré, La Haute Vallée de la Saône. (Ann. de Géogr., XI, 1901, S. 33) zieht die Grenze
des Faltenjura von Rozet nordöstlich nach Châtillon-le-Duc und von da ONO nach Clerval.
[2]) So u. a. Vézian a. a. O., S. 617, der die Grenzlinie ziemlich unsicher von Virieu im Dép.
Isère über Nantua und Pontarlier nach Pruntrut zieht. Andere Autoren begnügen sich, den ganzen Jura
durch Querlinien zu zerlegen, ohne für die zunächst ins Auge fallende Zweiteilung eine Grenzlinie festzustellen. So unterscheidet Thurmann vom rein tektonischen Gesichtspunkt drei Zonen, die der hohen
Ketten, der »zentralen Hebungen« und der Plateaus: Resumé des lois orographiques du système des monts
Jura (Bull. soc. géol., 2. série, XI, 1853, S. 47); E. Haug gliedert den ganzen Jura in drei Abschnitte:
den südlichen Jura oder J. bugésien bis zur Linie Bellegarde, Mündung der Bienne und quer hinüber nach
Cormangoux am Westrand, den zentralen Jura oder Jura franc-comtois bis zur Linie Biel—Sonceboz—Col des
Rangiers und den östlichen Jura oder J. argovien (Joanne, Dictionnaire géogr. de la France, III, S. 2002).

ein Gebirgsglied ab, in welchem weder der Ketten- noch der Plateaucharakter getrennt dominiert, und das von älteren Autoren als überhaupt nicht zum Jura gehörig betrachtet wurde. Wir nennen es den südlichen Jura und lassen es bis zu jener wichtigen Querlinie reichen, die den Jura von Pont-d'Ain am Westrand des Gebirges über Nantua bis Bellegarde an der Rhône durchsetzt. Während im überwiegenden Teile dieses N—S streichenden Gebirgsgliedes der Kettencharakter herrschend ist, beginnt doch schon in seinem westlichen Teile der Plateaucharakter sich geltend zu machen. Der Grand Colombier am rechten Rhôneufer zwischen Culoz und Bellegarde erscheint nur von O gesehen als echte Kette mit einer relativen Höhe von 1300 m; gegen W geht er ohne scharfen Abfall in die Hochfläche des Bugey über. Aber auch im südlichen Jura kann wieder eine Trennung in zwei Glieder vorgenommen werden. Die Querlinie Culoz—Artemare—Ambérieu, der die wichtige Eisenbahnlinie Genf—Lyon folgt, scheidet einen südlichen Teil, wo die nahe Verwandtschaft und Annäherung zwischen Alpen und Jura diesen noch kaum als selbständiges˙ tektonisches und morphologisches Glied des alpinen Systems erscheinen läßt, von einem nördlichen, wo die Loslösung des Jura von seinem Stamme bereits vollzogen ist und er im Aufbau und Streichen seine Selbständigkeit gewonnen hat. Wir wollen jenen Teil als savoyischen Jura, diesen als den Jura des Bugey bezeichnen.

Weiter gegen N wird die Trennung zwischen Ketten- und Plateaujura immer deutlicher und kann zum überwiegenden Teile längs markanter Tiefenlinien vorgenommen werden. Von Châtillon-de-Michaille führt aus der Querlinie Nantua-Bellegarde das Tal der Valserine, eines der längsten und schönsten Längstäler des Jura, nach NNO, und nach Überwindung einer kaum merklichen Talwasserscheide gelangt man auf das Plateau von Les Rousses; in gleicher Richtung führt die breite Mulde des Val de Joux nach Le Pont am Nordende des Lac de Joux; von da ermöglicht ein Anstieg von nur 76 m den Übergang in das Becken von Vallorbe, von wo der Col de Jougne das Doubstal bei Pontarlier erreichen läßt. Freilich ist diese Tiefenlinie keineswegs eine scharfe morphologische oder gar tektonische Grenze. Die Faltung und ihre Formen treffen wir auch noch westlich derselben, so namentlich im Gebiet des oberen Doubs und Drugeon. Aber der Charakter scharf profilierter, durch tiefe Täler getrennter Ketten geht verloren, jedes einzelne Gewölbe gleicht einem ausgedehnten, massigen Plateau, vom nächsten durch breitsohlige, hochgelegene Längstäler geschieden. Wenn daher die hier gezogene Grenzlinie von der namentlich bei französischen Geologen üblichen Auffassung, die sich rein an das strukturelle Moment hält, abweicht, so ist es doch vielleicht besser, sich Abweichungen und Ausnahmen zu merken als auf eine orographische Grenzlinie, die ja in diesem Falle auch eine wichtige Tiefenlinie ist, überhaupt zu verzichten. — Von Pontarlier können wir nun dem Doubstal bis zu seiner Umbiegung bei St. Ursanne folgen, ohne in dieser Abgrenzung des Ketten- und Plateaujura einen wesentlichen Fehler zu begehen[1]). Zwar verrät das Plateau der Freiberge am rechten Doubsufer oberflächlich nur wenig von seiner tektonischen Grundlage; doch verwächst es so innig mit den Ketten im O und ist, wie wir sehen werden, ein so intensiv gefaltetes Gebirgsland, daß eine weiter nach O verlegte Abgrenzung als nicht opportun erscheinen möchte. Von St. Ursanne führt in der Fortsetzung des Doubstals ein kleines Seitentälchen auf die Höhe der Rangierskette und somit in die Grenzzone zwischen Falten- und Tafeljura, die durch starke tektonische Störungen gekennzeichnet sich nach O bis in die Lägern fortsetzt.

Wir erhalten daher in großen Zügen die folgende Gliederung des Faltenjura: 1. den südlichen Jura, bis zu der Linie Pont-d'Ain—Nantua—Bellegarde reichend; 2. den

---

[1]) Auch E. Haug (Joanne, Dictionnaire géogr. de la France, III, S. 2001) sieht im Doubstal zwischen Morteau und St. Ursanne die Grenze zwischen Ketten und Plateaus.

I. Kapitel: Der Jura als Ganzes.

Kettenjura östlich der oben genannten Tiefenlinie vom Valserinetal über Les Rousses—Vallorbe—Pontarlier—St. Ursanne auf die Rangierskette, mit fast ausschließlich herrschendem Kettencharakter; 3. den Plateaujura westlich dieser Tiefenlinie mit vorwiegendem Plateaucharakter; die westlich der Grenzlinie sich erhebenden Höhen erscheinen nur von O her als Ketten (regard suisse); nach W gehen sie in die Plateaulandschaft über.

Bei der großen Ausdehnung der so gewonnenen Gebirgsglieder liegt es nahe, noch eine weitere Gliederung derselben vorzunehmen. Für den Schweizer Anteil des Gebirges ist eine solche nach den Kantonsnamen üblich; doch werden auf diese Weise sehr verschiedenartige Gebirgsstücke zusammengeschweißt. So umfaßt der Aargauer, Solothurner und Baseler Jura je ein Stück Tafel- und ein Stück Faltenjura. Berner, Neuenburger und Waadtländer Jura haben untereinander keine natürlichen Grenzen; die Kantonsgrenzen gehen vielfach quer über die Kämme hinweg. Von französischer Seite ist eine Gliederung des ganzen Gebirges öfters unternommen worden. Clerc[1]) unterscheidet im Jura eine »zone des hautes chaînes« und eine »zone des plateaux«, getrennt durch die Linie St. Rambert (bei Ambérieu)—Nantua—Aintal—Doubstal—Rangierskette; aber diese Linie trennt keineswegs Ketten- und Plateauentwicklung, indem beispielsweise das Aintal zu beiden Seiten von Plateaulandschaften gleicher Form und Struktur überragt wird. Daneben gibt Clerc noch eine Dreiteilung des ganzen Gebirges durch Querlinien in 1. den südlichen Jura (Jura bugeysien) ungefähr in derselben Ausdehnung wie hier angenommen; 2. den zentralen Jura (Jura franc-comtois) bis zu der Linie Delle—Les Rangiers—Biel, und 3. den nördlichen Jura (Jura argovien) bis zum Rhein und zur Aare; den zentralen Jura teilt Clerc ferner durch den Straßenzug Jougne—Pontarlier—Besançon in den Sektor von Morez und den von Morteau. Auch diese Dreiteilung, die sich an die Thurmanns anschließt, entbehrt jeder morphologischen oder geologischen Begründung und ist rein willkürlich. Denn die Linie Les Rangiers—Biel geht mitten durch die schönste Kettenentfaltung des Berner Jura hindurch und knüpft sich an keine bedeutungsvolle Tiefenlinie. Der »Jura argovien« östlich dieser Linie, an dem übrigens der Kanton Aargau nur sehr nebenbei Anteil hat, wird hier zu einem Konglomerat von Falten- und Tafeljura. Die Benennungen »secteur de Morez« und »secteur de Morteau« sind gleichfalls willkürlich und vielleicht nur aus mnemotechnischen Gründen gewählt.

Nicht glücklicher ist die von Marga übrigens nur in flüchtigen Zügen gegebene Gliederung des ganzen Jura in drei Zonen[2]); die der hohen Ketten im O, der Plateaus im NW und der engen Täler im S. Die engen Täler kehren aber auch in der nordwestlichen Plateauzone, z. B. an der Lone und am Dessoubre wieder.

Zu einer Gliederung in fünf Abschnitte gelangte Boyer folgendermaßen[3]): 1. südlicher Jura bis zur Linie Bourg—Nantua—Bellegarde (wie Clerc); 2. westlicher Jura bis zur Linie Lons-le-Saunier—St.-Claude—Genf; 3. zentraler Jura bis zur Linie Besançon—Ornans—Pontarlier—Orbetal; 4. nördlicher Jura, nach N bis zur Linie Pruntrut—Biel reichend; 5. östlicher Jura östlich der letztgenannten Linie. Auch diese Gliederung nimmt auf den Gegensatz zwischen Ketten- und Plateaucharakter keine Rücksicht; sie folgt Straßenzügen, die das Gebirge auf dem kürzesten Wege kreuzen.

Bei allen diesen Versuchen macht sich das praktische Bedürfnis geltend, das große Gebiet des Jura durch Querlinien zu zerlegen. Tatsächlich ist es nicht leicht, bei der großen Beständigkeit des landschaftlichen Charakters in den beiden Hauptzonen eine auf morphologischen Gesichtspunkten fußende Gliederung zu finden. Wenn hier trotzdem eine

---

[1]) Le Jura. (Bull. soc. de géogr. de l'Est, 1883, S. 386.)
[2]) Géographie militaire. Paris 1885. S. 243.
[3]) Remarques sur l'orographie des Monts Jura (Mém. Soc. émul. Doubs, 1887, S. 260).

solche versucht wird, so soll sie nur die Grundlage für die Besprechung der morphologischen Phänomene liefern und dazu dienen, eine übersichtlichere Gruppierung des Stoffes zu ermöglichen; dabei wird freilich des öfteren die Anwendung von Ausdrücken wie »Berner Jura«, »nördlicher Jura« usw. aus naheliegenden praktischen Rücksichten nicht zu vermeiden sein.

Für den Kettenjura ist eine solche Gliederung leichter aufzufinden. In seinem nördlichen Teile ist die Zahl der Ketten groß, wenn auch ihre Länge zumeist nicht bedeutend: denn eine Kette löst die andere ab, eine springt gegen die andere vor. Dieser Charakter währt bis an den Austritt der Orbe. Von da nach S besteht der Kettenjura wesentlich nur aus einer einzigen Kette, die bis auf das linke Rhôneufer zu verfolgen ist. Wir unterscheiden daher den südlichen Kettenjura mit N—NNO-Streichen und den nördlichen mit NO—O-Streichen und trennen beide Glieder durch das Orbetal von Vallorbe bis zum Austritt in das Vorland.

Im Plateaujura bieten die hydrographischen Verhältnisse den Anhaltspunkt für eine weitere Gliederung. Südlich der Linie Lons-le-Saunier—Clairvaux—St.-Laurent—Morez—Les Rousses[1]) geschieht die Entwässerung fast ausschließlich durch den Ain und seine Zuflüsse, die in tiefen Tälern das Land in einzelne, unvollkommene Plateaustücke zerschneiden. Wir wollen diesen Teil den südlichen Plateaujura nennen. Der ganze übrige Plateaujura fällt vorwiegend in das Gebiet des Doubs; Täler werden seltener, auf weite Flächen erstrecken sich Plateaus ohne nennenswerte Höhenunterschiede und mit sehr dürftiger oberflächlicher Entwässerung. Für diese Landschaften gebrauchen viele Autoren den Ausdruck »Jura bisontin«[2]). Contejean[3]) und Kilian[4]) nennen das Gebiet zwischen Pontarlier—Besançon—Montbéliard—Pruntrut »Jura du Doubs«; es bildet den nördlichen Teil der alten Freigrafschaft Burgund. Für die Gegend zwischen der Linie Poligny—Champagnole—Pontarlier im S, dem Doubs und der Lomontkette im N verwendet Marga (a. a. O. S. 170) den Namen »plateau sequanais«; doch ist die Südgrenze keine natürliche. Hingegen erscheint die Linie Pontarlier—Frasne—Salins, der auch die Eisenbahn folgt und längs welcher die kürzeste Durchquerung des Plateaujura stattfindet, von Bedeutung. Südlich derselben ist der echte Plateaucharakter nur auf eine schmale mittlere Zone beschränkt; hier liegt das Quellgebiet fast aller großer Juraflüsse, wie Ain, Bienne, Doubs, Drugeon. Wir bezeichnen daher im folgenden den Raum zwischen der obengenannten Linie Lons-le-Saunier—Morez-Les-Rousses im S und der Linie Salins—Pontarlier im N als mittleren Plateaujura; für das nördlich davon gelegene Gebiet, wo der Plateaucharakter in Struktur und Form am reinsten hervortritt und erst am Nordrand gegen den Tafeljura schärfer akzentuierte Formen eine intensivere Faltung verraten, möge der von Marga in ähnlichem Sinne gebrauchte Ausdruck »sequanisches Plateau« Verwendung finden. — Außerhalb dieser Gliederung bleibt dadurch das Gebiet am rechten Doubsufer bis an die Grenzen der Verbreitung jurassischer Schichten; es wird gewöhnlich als »Jura dôlois« bezeichnet und ist ein nach N an Höhe langsam zunehmendes Hügel- und Plateauland zu beiden Seiten des Oignon. Seine Beziehungen zum kristallinischen Massiv der Serre und die dadurch hervorgerufenen Störungen des Gebirgsbaues lassen ihn als ein dem Jura fremdes Gebiet erscheinen; wir wollen daher diesen Jura von Dôle von unseren Betrachtungen ausschließen. — Die Zweiteilung des Jura in Ketten und Plateaus beruht zunächst auf dem scharfen landschaftlichen Gegensatz der beiden Zonen; er läßt sich aber auch entwicklungsgeschichtlich begründen in der verschiedenen Ausbildung der

---

[1]) v. Boyer (a. a. O. S. 306) als »ligne magistrale de l'orographie jurassienne« bezeichnet, allerdings mit dem Gedanken an einen Zusammenhang mit Bruchlinien der Westalpen.
[2]) Wohl von Vesontium (Besançon) abgeleitet.
[3]) Description de l'arrondissement de Montbéliard (Mém. soc. émul. Montbéliard, 1863, S. 41 ff.).
[4]) Contribution à la connaissance de la Franche-comté septentrionale (Ann. de Géogr., IV, 319).

Landformen seit dem Beginn der Faltungsperiode, durch die die Geschichte des jurassischen Bodens in zwei große Abschnitte zerfällt. Beiden Zonen aber ist in den Hauptzügen der Verlauf des ersten Abschnitts gemeinsam, der Geschichte der Sedimentation.

II. Kapitel.

Die Geschichte des jurassischen Bodens vor seiner Faltung.

Die ältesten Schichten, die im Juragebirge zutage treten, gehören der Trias an, die hier in der außeralpinen oder germanischen Fazies entwickelt ist[1]). Ihre drei Glieder, Bundsandstein, Muschelkalk und Keuper, besitzen aber eine räumlich sehr beschränkte Verbreitung. In der Grenzzone zwischen Ketten- und Tafeljura, sowie am Westrand des Gebirges in der Umgebung von St.-Amour, Cousance und Salins sind die Triasschichten durch tektonische Vorgänge oder durch die weit vorgeschrittene Abtragung der jüngeren Schichtglieder an die Oberfläche gebracht; in den Quertälern des nördlichen Kettenjura geht die Erosion bisweilen bis auf die Triasschichten hinab. Für den Aufbau des Gebirges kommt aber die Trias nur im äußersten N in Betracht, wo die harten Muschelkalke widerstandsfähige Felsrippen bilden. Die Ufer des Triasmeeres lagen weit vom Jura entfernt, etwa nördlich von Belfort; über dem Buntsandstein hat sich die mittlere, marine Trias von N transgredierend abgelagert; auch für die Keupermergel (marnes irisées) und die Bonebed-Schichten am Schlusse der Trias haben wir im Jura keinerlei Anzeichen von reinen Landzuständen, und es folgt in ungestörter Sedimentation die Juraformation, der unser Gebirge den Namen gegeben hat.

Die Schichtfolge innerhalb der Juraformation ist lückenlos vertreten, nirgends durch tektonische oder abtragende Vorgänge unterbrochen. Der Lias ist im ganzen Jura vollkommen einheitlich als dunkle Mergel entwickelt; er bildet daher sanfte Wiesengehänge und verrutschte Flächen von meist geringer Ausdehnung. Wo die Erosion in den Quertälern des nördlichen Kettenjura bis auf den Lias hinabgeht, werden seine Mergelschichten, die mit dem Keuper gewöhnlich einen Komplex bilden, für die Untergrabung und den Abbruch der darüber aufragenden Kalkschichten wichtig. Im südlichen Kettenjura, wo die Erosion noch nicht so weit gediehen ist, sind daher die Abbruchserscheinungen seltener, die Quertäler enger und geschlossener als im N. Auch in der Liaszeit finden wir im Jura keine Spuren von Landnähe; er ist eine echt marine Bildung, seine Ufer lagen in der nördlichen Franche-Comté und nördlich des Aargaues. Die darüber folgende Doggerstufe ist das erste formenbildende Element von größerer Ausdehnung in der jurassischen Schichtreihe. Alle vier Stufen (Bajocien, Vésulien, Bathien und Callovien) bilden in der Regel eine einzige, bis 200 m mächtige Kalkmasse, in den unteren Lagen gewöhnlich als brauner Eisenoolith, in den oberen als fester Kieselkalk oder Echinodermenbreccie (dalle nacrée) entwickelt. Sie ragt in der Landschaft als unterste, zumeist waldbedeckte Steilstufe über den Lias- und Keupermergeln auf; nur im nördlichen Kettenjura, namentlich in der Grenzzone gegen den Tafeljura, werden die Doggerkalke als Hauptroggenstein gipfelbildend. Sie haben ferner den Hauptanteil an der Zusammensetzung der westlichen Juraplateaus. Das nächste Schichtglied, die Oxfordstufe, hat innerhalb des Juragebirges sehr verschiedene Verbreitung. Während sie im O mehr als eine Unterabteilung des weißen Jura oder Malm in geringer Mächtigkeit auftritt, gewinnt sie gegen W stark an Bedeutung und erscheint hier als selb-

---

[1]) Die folgenden Ausführungen über die Geschichte der Sedimentation in der mesozoischen Zeit beruhen auf einer großen Anzahl geologischer Arbeiten, für den Schweizer Anteil des Gebirges zumeist auf den »Beiträgen zur geologischen Karte der Schweiz«, für den französischen auf den »Bulletins du service de la carte géologique de la France« u. a. Ihr in den Hauptzügen übereinstimmender Inhalt macht wohl hier eine besondere Aufzählung überflüssig.

ständige Stufe, so daß eine Vierteilung der ganzen Jura-Serie gerechtfertigt erscheint. In der Landschaft spielen die Oxfordschichten dieselbe Rolle wie Lias und Keuper, werden aber infolge ihrer universellen Verbreitung von ungleich höherer Bedeutung. An ihr Auftreten knüpfen sich ausgedehnte, wellige Wiesenflächen, namentlich in den hochgelegenen »Comben«tälern, die ihre Entstehung dem Vorhandensein einer mächtigen Schicht weichen Materials zwischen zwei widerstandsfähigen kalkigen Schichtgliedern verdanken.

Die verschiedene Ausbildung der Oxfordstufe in den einzelnen Teilen des Gebirges hängt mit Bewegungen der Uferlinien des Jurameeres zusammen, die durch die Untersuchungen von Rollier klargelegt wurden[1]). In der Oxfordzeit herrschten über den größten Teil Deutschlands kontinentale Zustände, während sich westlich und südlich davon, vom Londoner und Pariser Becken über den ganzen Jura und die Westalpen bis nach Schwaben das Jurameer ausbreitete und den Südfuß von Vogesen und Schwarzwald bespülte. Die tiefmarinen Bildungen der Oxfordzeit fehlen aber im südlichen und östlichen Teile des Kettenjura; sie reduzieren sich von einer 50—80 m mächtigen Schicht im NW bis auf 1 m Mächtigkeit im SO bei Biel; noch weiter gegen O fehlt das untere Oxfordian ganz, das obere, als Eisenoolith entwickelt, liegt über Doggerschichten mit Spuren von Landerosion. Es scheint also hier eine Schwelle des Meeresbodens vorhanden gewesen zu sein, wobei es an der Ostgrenze des Gebirges vielleicht zu einem völligen Auftauchen des Landes kam. In der nun folgenden unteren Malmzeit kehrten sich die Verhältnisse völlig um. Damals erfuhr diese Schwelle eine Senkung, und es lagerten sich im südöstlichen Jura feste Schwammkalke und Mergel ab; sie bilden die Argovien-Fazies des unteren Malm. Gleichzeitig hob sich das Oxfordbecken im NW, in der Franche-Comté, und in dem wenig tiefen Meere bildeten sich weiße Korallenkalke; sie sind die Rauracien-Fazies des unteren Malm. Rauracien und Argovien sind also gleich alt, die Grenze der Faziesverschiedenheit ist ungefähr durch die Linie: Salins — Levier — Arc-sous-Cison — Luisans — Biaufond — Noirmont — Vermes — Beinwyl — Liestal gegeben. Die Argovien-Mergel südlich dieser Linie geben Veranlassung zur Bildung von Combentälern, ähnlich wie die Oxfordschichten im N. Im N ragen über den Oxfordcomben die Kalkgrate des Rauracien auf, im S spielen dieselbe Rolle die Kalkmassen der nächst jüngeren Malmstufe, des Sequanien. Diese kommt nun, ebenso wie die darauffolgenden Stufen, Kimmeridge, Virgulien, Ptérocerien und Portland, in nahezu universeller Verbreitung im ganzen Jura vor. Nur im nördlichen Teile des Kettenjura fehlen die obersten Malmkalke; doch handelt es sich hier nicht um eine stratigraphische Lücke; die oberen Malmglieder sind durch Denudation verschwunden, und die Juraserie schließt mit dem Kimmeridge ab. Die Malmschichten bilden das tonangebende Element der Juralandschaft in einer Mächtigkeit von 500 bis 900 m; sie sind fast durchweg durch feste, lichte Kalke vertreten, z. B. die Astartenkalke des Sequan; bisweilen sind sie koralliger Natur (»Corallien« im Sequan); doch enthält das Sequan häufig mergelige Zwischenlagen und bildet dann sanfte Böschungen. Die Malmkalke sind die eigentlichen gipfelbildenden Schichten des Kettenjura, sie treten als steile Mauern oder mächtige Felsbänder entgegen; die Portlandkalke kommen in großer Ausdehnung auch in den Plateaugebieten des Westens vor; sie sind vorzugsweise die Träger des Karstphänomens.

Die allgemeine Meeresbedeckung der Juraregion in den beiden ersten Abschnitten der mesozoischen Ära gilt auch für die ganze Umgebung mit Ausnahme des oberen Saônegebiets, wo durch die ganze mesozoische Zeit ein Festland, die terra rhenana, sich erhielt; doch tragen die Ablagerungen des Jurameeres den Charakter eines nicht allzu tiefen Meeres; es erfordert also die große Mächtigkeit der Jurasedimente die Annahme einer kontinuierlichen

---

[1]) Les facies du Malm jurassien (Arch. de Genève, XIX, 1888, S. 5—28, 132—184) und Relations stratigraphiques et orographiques du Malm dans le Jura (ebenda 1897, S. 263—280).

Senkung des Meeresbodens zur Zeit ihrer Ablagerung, während in den Westalpen einheitliche Tiefseeablagerungen entstanden.

Im Juragebiet wird nun am Schlusse der Juraperiode, in der Purbeckstufe, die Meerestiefe immer geringer. Die Binnenablagerungen des Weald, welche die Existenz ausgedehnter Landmassen in Norddeutschland, Nordfrankreich, Belgien und Südengland an der Grenze von Jura und Kreide erweisen, kehren auch in der Juraregion wieder, wenngleich die brackigen, mergeligen und kalkigen Schichten dieser Stufe nur wenig Anhaltspunkte für das Auftreten von Land bieten.   –

Die Juraformation zeichnet sich im ganzen Juragebirge durch große Lückenlosigkeit der Ablagerungsreihe und abgesehen von dem erwähnten Fazieswechsel durch allgemeine Verbreitung derselben Schichttypen aus. Für die morphologischen und tektonischen Verhältnisse wird der regelmäßige Wechsel von mergeligen und kalkigen Schichten von besonderer Bedeutung. Auf die mergelige Keuper-Lias-Gruppe folgt die feste Kalkmasse des Doggers; darüber lagern die Mergel des Oxford oder Argovien, die, obwohl verschiedenaltrig, doch im Landschaftsbild dieselbe Rolle spielen, und den Abschluß bildet die mächtige, nahezu einheitliche Masse der widerstandsfähigen oberen Malmkalke. Dabei nimmt die Mächtigkeit der Schichten im allgemeinen von N nach S zu, indem man aus der küstennahen Region immer mehr in das rein pelagische Gebiet kommt. Die Zone der Maximalablagerung unmittelbar an der Küste liegt außerhalb des Juragebirges. Gleichzeitig sinkt die Basis des Muschelkalks von 200 m über Meer im N auf 200 m unter Meer im S und W[1]).

Als am Ende der Juraperiode die ganze mitteleuropäische Provinz entweder trocken lag oder von Brackwasser bedeckt war, hatte auch die Juraregion ihre erste Kontinentalperiode. Das Relief war wohl noch wenig gegliedert, die Wirksamkeit oberflächlicher Erosion beweisen aber die Verwitterungs- und Erosionsflächen des Portlandkalkes dort, wo er von Kreideschichten überlagert wird, und Konglomerate aus Portlandgestein. Die Ablagerungen der Purbeckzeit sind spärlich; als weiche Schichten wurden sie zumeist rasch vernichtet.

Während im ganzen Jura, besonders im südlichen, durch die Purbeckschichten mit Süßwasserfossilien die Grenze zwischen Jura und Kreide scharf gezogen ist, fehlt diese Unterbrechung in der marinen Sedimentation bereits in den westlichsten subalpinen Ketten; hier dauerte die Herrschaft des Meeres ununterbrochen fort, und die Purbeckstufe ist durch Mergel mit Meeresbewohnern vertreten. Die eingangs (S. 2) angegebene Grenze zwischen Jura und Alpen ist also auch eine stratigraphische Scheidelinie, und dieser Unterschied kehrt auch in späteren Perioden wieder. Die Juraregion bildete somit zu Ende der Jurazeit die Küstenlandschaft eines mediterranen Meeres.

Über den Purbeckschichten folgt nun durch die Rückkehr des Meeres gegen N die untere Kreide, die in den Schweizer Alpen lückenlos vertreten, auch im Jura vorwiegend marin entwickelt ist und hier den Übergang von den pelagischen Bildungen des mediterranen Gebiets zu den Ablagerungen des Pariser Beckens bildet, indem die Süßwasserbildungen gegen N immer herrschender werden. Das Neokom ist in seiner unteren Etage, im Valangien, durch meist tonige Schichten vertreten; sie fehlen im ganzen nördlichen Teile des Gebirges bis in die Gegend von St.-Laurent; darauf folgen die hellen grobbankigen bis riffartigen Kalke des Hauterivien und der Barrême-Étage. Von den folgenden Stufen sind im Jura namentlich das Aptien und Gault, letzteres durch Grünsandsteine, vertreten. Innerhalb der Kreideablagerungen machen sich aber bereits auffällige Diskordanzen bemerkbar. Bei Avilley (am mittleren Oignon) liegt Hauterivien über Kimmeridge; im obersten

---

[1]) Thurmann, Essai d'orographie jurassienne, Genf 1856, S. 29. — Nach Thurmann, Greppin und Jaccard beträgt z. B. die Mächtigkeit der obersten Malmhorizonte (Portland und Ptérocerien) bei Pruntrut 35 m, bei Delsberg 150, bei Chaux-de-Fonds 180, bei Yverdon 200 m; die des mittleren Jura nimmt von 110 m bei Pruntrut bis auf 270 m bei Chaux-de-Fonds zu, die des gesamten Malm von 250 m im Aargau auf 500 m am Montoz und 950 m am Reculet (Rollier).

Doubsgebiet fehlt das Aption, und es folgt über dem Urgon unmittelbar das Gault; bei Besançon fehlt Aptien und Urgon, und auch Gault ist sehr beschränkt und litoral entwickelt; an anderen Stellen liegt das Zenoman direkt über Urgon. Diese Verhältnisse weisen auf zunehmende Transgressionen gegen W, auf Schwankungen des Meeresbodens und lokales Auftauchen hin, das dem endgültigen Rückzug des Meeres voranging.

Die Verbreitung der Kreideschichten im Jura ist eine sehr verschiedene. Im ganzen nördlichen Teile des Kettenjura bis zum Val St. Imier und im Plateaujura bis zur Linie Charquemont–Laval–Chantrans (nördlicher Teil von Blatt Ornans) fehlt die Kreide überhaupt; zwar ist anzunehmen, daß sie auf einem Teile dieses Gebiets durch spätere Denudation fortgenommen wurde — denn es finden sich vereinzelte Neokomfetzen weit entfernt von dem Gebiet zusammenhängender Vorkommnisse bei Russey, Pissoux (Blatt Ornans) u. a. O. — und daß wenigstens im Neokom noch nirgends im Jura Landzustände geherrscht haben. Aber die Zunahme klastischer Sedimente nach oben scheint dafür zu sprechen, daß im Urgon und Aptien eine Kontinentalperiode im Jura existiert habe, jeden-falls im Jura von Dôle, während im Gault und Zenoman wieder eine weiter nach N reichende Überflutung stattfand, die aber die nördliche Franche-Comté nicht erreichte; denn es wurden zwischen Belfort und Montbéliard und im Oignontale Litoralbildungen dieser Zeit konstatiert. In großen Teilen des östlichen Kettenjura liegen die ältesten Tertiärschichten über Kimmeridge; die Festlandperiode am Schlusse der Jurazeit hat sich also wohl bald in der Kreidezeit wieder-holt, oder es erreichten die Kreideschichten hier nur eine geringe Mächtigkeit. Aber nicht bloß nachträgliche Entfernung durch Erosion kann für das Fehlen der Kreide im nördlichen Jura maßgebend geworden sein; Länder, die nur wenig über das Meeresniveau aufragen, sei es weil sie schwach gehoben oder bis nahe an das untere Denudationsniveau abgetragen sind, liefern überhaupt keine oder nur sehr wenig Sedimente; die Küstenzone des Meeres bleibt nahezu sedimentfrei. Dieser Fall konnte in den nördlich des Jura gelegenen Gebieten am Schlusse der Juraperiode oder in einer Epoche der Kreidezeit eingetreten sein. Im Gegen-satz dazu ist im übrigen, namentlich im südlichen Jura die ganze untere Kreide bis zum Urgon stark entwickelt; Aptien und Gault fehlt zumeist oder tritt nur in kleinen Fetzen auf. Das gleiche gilt von den Stufen der oberen Kreide, während sie in den subalpinen Ketten gut vertreten ist. Im überwiegenden Teile des Kettenjura kommen aber die Kreide-kalke für den Aufbau des Gebirges nicht zur Geltung; sie sind zumeist nur in den Synklinalen erhalten. Erst im südlichen Kettenjura erheben sich die Neokomkalke gelegentlich auf die Höhe der Kämme, z. B. am Col de St.-Cergues und in der Vuachekette, während sie sonst nur eine Umrahmung der Ketten in Höhen von 600—1000 m bilden[1]. Es ergibt sich für den Bau des Gebirges und seine Geschichte die wichtige Tatsache, daß gegen S immer jüngere Schichten die Zusammensetzung seiner Höhen besorgen, vom Muschel-kalk an der Grenze gegen den Tafeljura angefangen bis zu den Kreidekalken im äußersten S.

Die Schwankungen des Meeres in der Kreidezeit führten schließlich, wahrscheinlich am Schlusse des Zenomans, zu einer zweiten allgemeinen Kontinentalperiode des Jura, die in manchen Teilen des Gebirges, nämlich im N, schon früher, in den südlichen später eintrat. Die aufsteigende Tendenz des Landes pflanzte sich von N nach S fort, und am Beginn des Tertiärs ist der ganze Jura trocken gelegt.

Zu Beginn des Tertiärs[2] ragte der Jura als eine Halbinsel zwischen die Meere nach S hinein, die im W die Sande und Kalke des Pariser Beckens, im O und S die Flysch-

---

[1] Schardt, Études géologiques sur l'extremité méridionale de la chaîne du Jura (Bull. soc. vaud., XXVII, 1891/92, S. 76).

[2] Die Literatur über das Tertiär des Jura und seiner Randgebiete ist so umfangreich, daß hier nur diejenigen Arbeiten genannt werden können, die in letzterer Zeit in zusammenfassender Weise und über größere Räume zur Kenntnis der Tertiärablagerungen unseres Gebirges beitrugen: Schardt, Sur la molasse

sandsteine und Nummulitenkalke der nördlichen Alpenketten ablagerten. Dieser Kontinentalphase des Jura gehören die universell verbreiteten Bolustone und Bohnerze (terrain sidérolithique), Quarzsande und vielleicht auch die Huppererde im Basler Gebiet an, mit zumeist eocänen, aber auch kretazischen Säugetierresten. Die Bohnerzphänomene, die einen bis in die Römerzeit zurückreichenden Abbau ins Leben gerufen haben, spielten auf einem von Sümpfen und Wasserbecken eingenommenen Boden, dessen Relief aber, nach der Konkordanz der eocänen und jüngeren Ablagerungen mit den Juraschichten zu schließen, nur wenig gegliedert sein konnte. Doch war die Abtragung der mesozoischen Schichten ebenso wie heute am stärksten im N, wo das Eocän auf den älteren und verschiedensten Malmhorizonten liegt, und wo Kreide und Portlandschichten fehlen; westlich und südlich von Biel liegt es nur mehr über Kreide. Das Land hatte also eine leichte Neigung gegen S, gegen das alpine Eocänmeer, und dorthin richtete sich auch die älteste Entwässerung des Jurabodens. Die genannten Eocänablagerungen treten nie flächenhaft auf, sondern in Taschen und karrigen Verwitterungsformen der mesozoischen Kalke; sie sind nicht, wie man früher annahm und auch heute noch vielfach liest, ›hydrothermale‹ Bildungen, sondern ein der terra rossa ähnlicher Verwitterungs- und Lösungsrückstand der Kalke, welche den karstartig modellierten Juraboden zusammensetzten.

Die ersten geschichteten Ablagerungen des Tertiärs sind Süßwasserkalke, die auf das Vorhandensein von großen Seebecken deuten; sie sind u. a. bekannt von Moutier im Berner Jura, vom Lac-Ter und Joux-Tal im Waadtländer Jura, vom östlichen Jurarand bei Orbe und Sarraz, aus dem Elsgau bei Morvillars und Bourogne. Im Mainzer Becken fehlt diese lakustre Formation. Das Eocän des Jura entspricht zeitlich den Grobkalken des Pariser Beckens und den Gipsen vom Montmartre.

Das marine Tertiär beginnt im Jura mit der Transgression des nordischen tongrischen Meeres, das sich über die eocäne Juralandschaft ausbreitete. Sein jurassischer Golf umgab sich mit einem Strandwall, der im Berner Jura bis Les Brenets, Montfaucon, Fregiécourt und Bressaucourt reichte, während ein anderer Wall vom Schwarzwald bis Äsch zu verfolgen ist. Die Reste dieser Strandablagerungen bilden den unteren Gompholit oder die untere Juranagelfluh und bestehen größtenteils aus Geröllen des oberen Jura, welche dem jetzt abgetragenen Kalkmantel von Schwarzwald und Vogesen angehören. Hingegen finden sich sehr wenig Kreidegerölle, weil bereits die eocäne Zersetzungsarbeit die Kreideschichten im nördlichen Jura zerstört hatte, wohl aber umgelagerte Bohnerzgerölle. Im N liegen diese Konglomerate diskordant über dem Eocän und auch über Juraschichten, ein Beweis für Bewegungen des Bodens im älteren Tertiär. Allmählich nehmen die tongrischen Ablagerungen rein marinen Charakter an; hierzu sind zu zählen die Dannemarie-Sande und Fischschiefer von Froidefontaine in der Franche-Comté, Cyprinenmergel um Montbéliard, blaue Letten und Sandsteine mit Meletta um Basel. Alle diese Ablagerungen gehören noch

rouge du pied du Jura (Bull. soc. vaud., XVI, 1880, S. 609—637). — Kilian, Notes géologiques sur le Jura du Doubs (Mém. soc. émul. Montbéliard, 1885, 3. Teil). — Derselbe, Note sur les terrains tertiaires du territoire de Belfort etc. (Bull. soc. géol., 3. série, XII, 1883, S. 729—754). — Früh, Beiträge zur Kenntnis der Nagelfluh der Schweiz (Neue Denkschr. schweiz. nat. Ges., XXV, 1890). — Schardt, Sur le sidérolithique du Jura (Bull. soc. vaud., XXVII, 1890, S. VIII). — Gutzwiller, Beiträge zur Kenntnis der Tertiärbildungen in der Umgebung von Basel (Verh. nat. Ges. Basel, IX, 1893, Heft 1). — Rollier, Études stratigraphiques sur les terrains tertiaires du Jura (Arch. de Genève, XXVII, 1892, S. 313—333, 409—430, und XXX, 1893, S. 105—130). — Derselbe, 1. supplément à la description géologique du Jura Bernois (Matériaux à la carte géol. de la Suisse, Bern 1893, 8. livraison). — Derselbe, 2. supplémet etc., Bern 1896. — Jaccard, 2. supplément à la description géologique du Jura neuchâtelois et vaudois (Matériaux etc., Bern 1893, 7. livr.). — Depéret, Classification du Miocène (Bull. soc. géol., 3. série, XXI, 1893, S. 170). — Delafond et Depéret, Les terrains tertiaires de la Bresse, Paris 1893. — Douxami, Les terrains tertiaires de la Savoie etc. (Ann. Univers. Lyon, Paris, Masson 1896). — Rollier, Compte-rendu de l'excursion dans l'Oligocène des environs de Porrentruy (Bull. soc. géol., 3. série, XXIV, 1897, S. 1035—1046).

dem Oligocän an; sie sind einerseits gleichaltrig mit den Septarientonen des Mainzer Beckens, anderseits mit den Sanden von Fontainebleau; es herrschten also große Analogien zwischen dem Pariser und Elsässer Becken; beide waren Golfe eines Nordmeeres, zwar von verschiedener Gestalt, aber mit der gleichen Entwicklung der Lebewesen. Temporär bestand auch eine Verbindung des tongrischen Meeres mit dem Meere des Schweizer Beckens in Gestalt einer schmalen Meerenge zwischen Delsberg und Biel, die durch Vorkommnisse von Gompholit bei Moutier, Court und Roche im Birstal und bei Bellelay und Montfaucon erwiesen ist. Tatsächlich herrschten auch in der Nordschweiz zur Zeit der sog. unteren Süßwassermolasse, deren untere Glieder dem Tongrian entsprechen, gelegentlich marine Zustände.

Am Schlusse des Tongrian geschah die allmähliche Ausfüllung des Elsässer Beckens durch Brackwasserbildungen. Dazu sind zu rechnen die lakustren Kalke der »Raitche« um Delsberg, die Cyrenenmergel bei Basel und die untersten Glieder des »système de Bourogne«, tonige Schichten und Süßwasserkalke um Allenjoie im Elsgau, während im Pariser Becken die Ausfüllung durch die lakustren Kalke von Lonjumeau besorgt wurde. Herrschend wurden die kontinentalen Bildungen im Jura wie in ganz Südeuropa in der aquitanischen Stufe (früher Delemontian oder Nymphéen). Ihr gehören an die Blätterschichten von Réchésy mit Konglomeratbänken und bereits reichem Glimmergehalt und das System der Bourogne im NW, gleichaltrig mit den mehr marinen Mergeln von Kolbsheim im Elsaß, wo entsprechend dem allmählichen Rückzug des tongrischen Meeres nach N die marinen Zustände länger andauerten. Um Basel sind die Blättersandsteine von Dornach und Süßwasserkalke die Vertreter der aquitanischen Stufe oder der unteren Süßwassermolasse des Jura, die nach Depérets System noch dem Oberoligocän angehört, gleichaltrig mit den Molterschichten des Wiener Beckens. Im Berner Jura gehören hierher die Elsässer-Molasse, rote Helizitenmergel und die Süßwasserkalke von Delsberg. Diese gehen aber bei Saicourt über in die etwas jüngere graue Molasse von Lausanne, die bereits dem Untermiocän zuzuzählen ist und hier bis Moutier reicht. Zu ihrer Zeit, entsprechend dem Travertin von Beauce im Pariser Becken, herrschten im ganzen nördlichen Jura kontinentale Verhältnisse.

Im südlichen Jura fehlt die tongrische Transgression, und der ganze Schichtkomplex vom Eocän bis zum marinen Miocän zeigt am Ostrand des Gebirges einen häufigen Wechsel von marinen Bildungen mit Material aus den Alpen und Süßwasserbildungen aus dem Jura. Die »rote Molasse vom Jurafuß«, gleichaltrig mit der Rigi-Molasse, ist aquitanisch, aus einer Zeit, wo der Jura größtenteils trocken lag und schon ein gewisses Relief hatte. Die graue Molasse, eine Sandsteinbildung mit Pflanzenresten nordamerikanischen Charakters, daher auch als Blättermolasse bezeichnet, bedeutet wohl bereits den Beginn der ersten mediterranen Transgression. Schon damals war im W das Senkungsfeld der Bresse und Dombes angelegt; es befand sich an ihrer Stelle eine flache Mulde, eingenommen von einem ausgedehnten See, der durch große Flüsse ausgefüllt wurde und nach O bis Culoz und Chambéry reichte, also mit den Gewässern des Schweizer Beckens in Verbindung stand. Nach dem Oligocän war der bressanische See bereits trocken gelegt und die Bresse nördlich von Lyon blieb einige Zeit ohne Ablagerungen.

Im unteren Miocän erfolgte nun das allmähliche Vordringen des europäischen Mittelmeeres nach N. Es drang im Rhônetal ein, erreichte den Alpenfuß, überflutete das Schweizer Mittelland und auch den größten Teil des Jura und verband sich schließlich mit dem Meere des Donaubeckens. Eine feste Grenze aber zwischen Oligocän und Miocän fehlt hier; es wurde der aquitanische See durch das miocäne Meer ersetzt. Das erste Stadium der Transgression war wahrscheinlich die schon genannte graue Molasse; dann folgen Muschelsandstein und andere sandige Bildungen, entsprechend den analogen Ablagerungen in Bayern, den Eggenburger Schichten und vielleicht dem Schlier am Nordrand der Alpen; sie gehören also der ersten Mediterranstufe (Helvétien oder Burdigalien) an. Damals reichte das Molassemeer im Jura gegen W bis Ste.-Croix—Chaux-de-Fonds—Court—Aarau—Baden. Jünger sind die Ablagerungen der zweiten Mediterranstufe (Vindobonien Depérets), wozu im Jura die obere Meeresmolasse zu zählen ist, und während welcher das Meer eine etwas größere Ausdehnung erlangte. Die Uferbildungen dieser Stufe lassen sich verfolgen längs einer Linie von Chaux-de-Fonds über Undervelier, Delsberg, Bernwyl, Liestal, Frick bis zum Randen und nach Sigmaringen[1]). Beide Uferlinien laufen in auffälliger Weise nahe und parallel der Grenzlinie zwischen Argovien- und Rauracien-Fazies, sowie der Grenze der Verbreitung der Kreideformation im Jura; es kehrt also in zeitlich so sehr auseinander-liegenden Perioden im gleichen Gebiet die Tendenz zur Festlandlage oder wenigstens relativ hohen Lage wieder, ein Umstand, der auch in der Geschichte des endgültig über das Meer gehobenen Jurabodens eine wichtige Rolle spielt.

Das nördlich der genannten Uferzonen gelegene Land, also der ganze nordwestliche Teil des Jura, bildete in Form einer nach S vorspringenden Halbinsel ein Küstenland jenes Festlandes, dem auch das südwestliche Deutschland, Ostfrankreich usw. angehörte, und das überhaupt die Landmasse Westeuropas in der Miocänzeit darstellte. Übrigens überschritt auch das Miocänmeer den Jura in Form einer Meerenge an ungefähr derselben Stelle wie das tongrische Meer, nämlich zwischen Biel und Basel. Aber auch südlich der erwähnten Uferlinien scheinen einige Höhen des damaligen Jurabodens inselartig aus dem Meere auf-geragt zu sein, wie das Vorkommen von Blättern und Geröllen in der Molasse beweist. Im waadtländischen Jura ist sie eine Ablagerung in Buchten und Fjorden von geringer Tiefe; im südlichsten Jura, über den hinweg die Verbindung des Rhônebeckens mit dem Meere des Schweizer Mittellandes geschah, fällt die Verbreitung des marinen Miocäns un-gefähr mit der heutigen Grenze zwischen Alpen und Jura zusammen (vgl. Fig. 1, S. 2). An den Ufern des Miocänmeeres entstand aus den Strandgeröllen die polygene Nagelfluh, z. B. bei Sorvilier und Moutier im Berner Jura und in den südlichen Freibergen, bis wohin alpine Gerölle in der Fortsetzung des Napf-Deltas gelangten. Auch im Aargauer Jura ist der Muschel-sandstein vorzüglich als Uferbildung entwickelt, so bei Safenswyl, am Bötzberg im sog. Kalofen mit Cardium, Pecten und Balanus; darüber liegt die marine Nagelfluh des Aargauer Jura. Im Delsberger Becken, wo diese Ablagerung 100 m mächtig wird, mischen sich darin Jura- mit Vogesen- und Schwarzwaldgeröllen. Bei Chaux-de-Fonds enthält das marine Miocän Gault- und Neokomgerölle; es ist also hier durch die vormiocäne Abtragung eine Erosionsfläche geschaffen worden; das Burdigalien liegt auf erodierten Portlandkalken, und die ganze Kreide fehlt.

Das Land nördlich der Ufer des Miocänmeeres hatte eine leichte Neigung gegen S. Auf ihm entwickelte sich als Vorläufer des heutigen ein fluviatiles Regime, dessen Adern Gerölle aus N brachten. Diese sind allenthalben im Elsgau und im nördlichen Berner Jura, gemischt mit den Dinotheriensanden vorhanden, äquivalent den Eppelsheimer Schichten in Schwaben. Sie stellen also die kontinentale Fazies der miocänen Meeres-molasse dar und beweisen Erosions- und Denudationsprozesse im N gleichzeitig mit der Meeresbedeckung im S. Sie reichen bis ins Tal von Tavannes im südlichen Berner Jura, wo sie bereits marinen Charakter annehmen, wie das Vorkommen von Pholaden beweist.

---

[1]) Diese Auseinanderhaltung zweier Miocänstufen im Jura ist das Ergebnis langjähriger Untersuchungen von Louis Rollier; ich verdanke ihre Kenntnis freundlichen persönlichen Mitteilungen. Vgl. auch: Rollier, Sur l'âge des calcaires à »Helix sylvana von Klein« (Bull. soc. géol., 4. série, II, 1902, S. 278—288).

Eine in unserem Gebirge durchaus auf die nördlichsten Teile, den Tafeljura und die Grenzzone gegen den Kettenjura beschränkte, allerdings aber über unser Gebiet nach N und O weit hinausgehende Bildung ist die sog. Juranagelfluh, die in der Regel als Konglomerat, oft aber auch, dem Unterlauf fließender Gewässer entsprechend, als sandige und mergelige Ablagerung entwickelt ist[1]). Sie enthält zumeist Gerölle der Trias, der kalkigen Glieder von Dogger und Malm und des älteren Tertiärs, aber gelegentlich auch Porphyre und Granite des Schwarzwaldes. Die Gegend, aus der sie stammt, nämlich die nördlich ihres heutigen Verbreitungsbezirks im Jura gelegenen Gebiete, waren also damals noch nicht bis zur Trias und zur kristallinischen Unterlage abgetragen. Die Juranagelfluh liegt stets auf ziemlich stark erodierten Oberflächen aller Schichten vom Malm bis zur letzten Meeresmolasse; sie ist das jüngste Glied der Tertiärablagerungen. Sie tritt niemals in Wechsellagerung mit der marinen Molasse, wohl aber geht sie, z. B. am nördlichen Gehänge des Linnberges, in glimmerreiche Süßwassermolasse über, die die Anwesenheit von Süßwasserbecken anzeigt. Die Juranagelfluh ist also abgelagert nach dem Rückzug des letzten Meeres von Flüssen, die, wie die petrographische Zusammensetzung und ihr nach S an Größe abnehmendes Material beweist, aus N, aus der Schwarzwaldgegend über ein erodiertes Juraland flossen, zu einer Zeit, als jene noch ihren Jurakalkmantel besaß. Es lag im Schwarzwald und im nördlichen Tafeljura das Gebiet der Erosion, im südlichen das der Akkumulation, und es fällt in die Zeit zwischen der Ablagerung der Meeresmolasse und der der Juranagelfluh eine Periode der Erosion und Korrasion, während welcher an vielen Stellen die Molasse abgetragen wurde, so daß die Nagelfluh auf Malmschichten zu liegen kam. Dabei liegt sie gegen S und W auf immer jüngeren Schichten; es nimmt also der Betrag der Abtragung vor Ablagerung der Juranagelfluh in der Richtung nach N und O zu. Gelegentlich bildet sie Rücken von geringer Höhe mit länglichem Verlauf, die alte zugeschüttete Bachbecken verraten, deren weichere Gehänge abgetragen wurden. So bedeutet ihre Verbreitung ein miocänes Flußsystem, das seither völlig zerstört und durch ein jugendliches überdeckt wurde.

Gleichzeitig mit dem allmählichen Rückzug des letzten Miocänmeeres lagerten sich in ausgedehnten Becken Süßwasserkalke ab, namentlich typisch um Le Locle und an mehreren Orten des Berner Jura. Sie entsprechen der oberen Süßwassermolasse der Mittelschweiz und gehören dem Öningian (Tortonian), also noch dem Mittelmiocän, an, sind somit gleichaltrig mit dem oberbayerischen Flinz. Mit ihnen schließt im Jura die Periode der Sedimentation ab. Das Miocän des Jura beginnt also ebenso wie in Frankreich mit der Transgression des Meeres der Burdigalien-Stufe und schließt mit dem definitiven Rückzug des Meeres aus der Schweiz und aus Süddeutschland.

Das Pliocän hat im Jura kaum Spuren von Ablagerungen hinterlassen; es ist eine Zeit der Gebirgsbildung und Erosion. Damals war das helvetische Becken bis auf isolierte Wasseransammlungen trocken gelegt; Alpen- und Juraflüsse arbeiteten gleichzeitig an ihrer Ausfüllung. Die Orographie des Jura war am Schlusse des Miocäns erst in großen Zügen angelegt. Obwohl Hebungserscheinungen schon vor dem Eocän und im Miocän auftraten, begann die Hauptfaltung erst nach dem Öningian. Alle Tertiärschichten sind mitgefaltet; die diluvialen Bildungen im Innern des Jura haben an der Faltung nicht mehr teilgenommen. Wir haben es also vor deren Beginn zu tun mit einem aufsteigenden Landblock von ungefähr N-S-Erstreckung, durchzogen von Flüssen, die ihren Lauf von dem

---

[1]) Einen kurzen Einblick in die Lagerungsverhältnisse und das Vorkommen der Juranagelfluh erhielt ich anläßlich einer Exkursion, die ich mit dem vorzüglichen Kenner der Geologie des Bötzberges im Aargau, Herrn F. Amsler in Stalden, im Sommer 1901 zu unternehmen Gelegenheit hatte. Es sei ihm für die liebenswürdige Führung an dieser Stelle der herzlichste Dank ausgesprochen.

alten Lande im N, zu dem auch der nördliche Jura gehörte, zentrifugal nach den Resten des sich zurückziehenden Meeres im S richteten. Es fällt der Beginn der entscheidenden gebirgsbildenden Bewegungen mit dem endgültigen Rückzug des Meeres vom jurassischen Boden zusammen.

Eine abweichende Entwicklung nahmen das Saône- und Rhônebecken, Bresse und Dombes. Dieses Senkungsfeld hatte seine größte Ausdehnung im Oligocän, eine etwas geringere im mittleren Miocän, dessen Molasse am Jurarande bis in die Gegend von Lons-le-Saunier reicht. Aber schon im oberen Miocän verließ das Meer das Rhônetal; es blieb ein Brackwassersee zurück, und das Ende des Miocäns ist im Rhônetal markiert durch Geröllablagerungen, in denen wir bereits die Anfänge des heutigen Rhônesystems erkennen können. In der Bresse fehlen alpine Gerölle dieser Zeit. Die Senkungserscheinungen, die schon seit Beginn des Oligocäns am Jurarand auftraten und dem mediterranen Meere den Eintritt gestatteten, setzten sich auch nach Schluß des Miocäns fort; es bildete sich eine tiefe, langgestreckte Schüssel, in der sich die pliocänen Bildungen ablagern konnten. In der reichen Entwicklung des Pliocäns sind die unteren Glieder vorwiegend lakuster, die jüngeren, in Erosionsformen der ersteren lagernd, fluviatil. Überall aber besteht zwischen Miocän und Pliocän zeitlich und stratigraphisch eine Lücke, so daß in dem dazwischen liegenden Zeitraum ein Teil der Miocänablagerungen der Bresse vernichtet wurde. Während nun im unteren Pliocän das Meer von S her im Rhônetal bis gegen Givors (unterhalb Lyon) reichte, befand sich in der Bresse ein Seebecken von wechselnder Ausdehnung, dessen sandige und mergelige Ablagerungen aufgerichtet wurden und ein Fallen von O und S gegen W und N erhielten. Am Ende des unteren Pliocäns wurde das Meer endgültig aus dem unteren Rhônetal hinausgedrängt, und die Talbecken von Saône und Rhône sowie die bressanischen Täler von Doubs und Loue bis an den Jurarand erhielten nun im mittleren und oberen Pliocän nur mehr mächtige Geröll- und Sandablagerungen in den im unteren Pliocän geschaffenen Tiefenlinien, zu deren Ausbildung die gleichzeitige Hebung von Jura und Alpen den Anlaß gab. Eine besonders stattliche Breite gewinnen diese Ablagerungen im oberen Pliocän; Saône, Doubs und Loue besaßen schon ungefähr ihre heutigen Betten, aber die hin- und herpendelnden Flüsse überschütteten in großer Ausdehnung die Ebene mit ihren Geröllmassen, deren Ursprung und Verbreitung uns noch beschäftigen wird.

Während also die pliocäne Faltung die Juraketten schuf, beeinflußten Bodenbewegungen von geringerem Ausmaß auch das große Senkungsfeld am Westrand des Gebirges; sie setzen sich durch die ganze Dauer des Pliocäns fort bis in die ersten Phasen der Diluvialzeit, und ähnliche Erscheinungen werden auch am Ostrand des Jura, im Schweizer Mittelland angetroffen. Sie werden aber auch von Wichtigkeit für die allmähliche Ausbildung der Tektonik des Juragebirges selbst.

Die Tertiärablagerungen in ihrer Gesamtheit kommen für den Aufbau des Gebirges nicht in Betracht; sie finden sich heute nur mehr in den tiefgelegenen Teilen, also zumeist in den großen Längstälern und Becken des Kettenjura und sonst in unzusammenhängenden Fetzen; von den Plateaus des Westens sind sie fast ausnahmslos verschwunden. Am Südrand des Tafeljura ist das Tertiär noch erhalten, weil es hier einstmals durch den überschobenen Nordrand des Kettenjura verdeckt und vor der Abtragung geschützt wurde. Gleichwie bei der Kreide sind auch die Grenzen der heutigen Verbreitung tertiärer Schichten nur Denudationsgrenzen, obwohl sie wohl niemals eine zusammenhängende Decke gebildet hatten; vielmehr scheinen schon vor ihrer Ablagerung einzelne Jurahöhen über das Molassemeer gehoben worden zu sein. Dabei liegen die letzten Tertiärschichten nach N zu auf immer älteren mesozoischen Schichten, so daß schon vor ihrer Ablagerung die Intensität der erodierenden und denudierenden Kräfte nach N zunahm. In vielen Tälern des nördlichen Kettenjura, z. B. im Tale von St.-Imier und von Chaux-de-Fonds sind die Tertiärschichten außerdem von quartären Bildungen verhüllt.

III. Kapitel.

Tektonischer Aufbau des Juragebirges [1]).

1. Geschichtliche Vorbemerkungen.

Seit den frühesten Zeiten geologischer Forschung galt der Schweizer Jura als Schulbeispiel eines regelmäßigen Faltungsgebirges, und Thurmanns Arbeiten über dieses Gebirge sind überhaupt die ältesten Untersuchungen, die in eingehender Weise über den Aufbau eines Faltungsgebirges angestellt wurden. Den Prinzipien der Schule E. de Beaumonts folgend stellte Thurmann vier Ordnungen von Hebungen (soulèvements) im Schweizer Jura auf: er unterschied daselbst 30 Ketten erster Ordnung, die als geschlossene Gewölbe auftreten, und bei denen die Hebung nur bis zum Corallien fortgeschritten ist; 80 Ketten zweiter Ordnung, wo der Aufbruch bis zum Dogger gediehen ist, flankiert von zwei Oxford-»Comben«; 40 Ketten dritter Ordnung, bei denen unter dem Dogger schon Lias aufgeschlossen erscheint, und schließlich 12 Ketten vierter Ordnung, bei denen der Aufbruch bis zum Muschelkalk herabreicht [2]). In den von Thurmann vorgezeichneten Wegen bewegten sich auch die Arbeiten von Gressly, Greppin, Studer, Desor, Jaccard, Vézian, Bourgeat u. a. über den Aufbau unseres Gebirges. Erst nachdem Sueß und Heim für die Alpen gezeigt hatten, daß die Entstehung der Faltungsgebirge vornehmlich der Auslösung tangentialer Spannungen zuzuschreiben sei, begannen auch die Jurageologen die Hypothese von der Hebung des Gebirges längs gewisser Hebungsachsen und den damit verbundenen Zerreißungsvorgängen der Kruste zu verlassen und die Struktur des Jura von den neuen Gesichtspunkten aus zu betrachten. Allerdings brachen sich diese Anschauungen bei den konservativen Franzosen nur recht langsam Bahn. Noch 1874 betrachtete Vézian die orogenetische Bewegung als einen Stoß von unten nach oben, hielt die Annahme von seitlichen Schuben für den Jura für unannehmbar und verglich diesen mit einem Mosaikbild, von unzähligen Sprüngen durchsetzt, die sich allmählich durch innere Kräfte erweiterten und in den Quer- und hochgelegenen Längstälern entgegentreten [3]). Wie lange diese Anschauungen nachwirkten, beweist der Umstand, daß noch 1893 Rollier es für notwendig halten mußte, dieselben eingehend zu widerlegen [4]). Wir wissen heute, daß der Jura als Zweig des Alpensystems die Faltung des Bodens passiv mitgemacht hat, und daß dieselben Kräfte das kompliziert gebaute Hochgebirge und den einfacher struierten Jura aufgetürmt haben.

2. Grundzüge der Jurastruktur.

Der Jura geht hervor aus der Virgation der subalpinen Ketten der Grande-Chartreuse [5]). Zwischen den divergierenden Ästen entwickelt sich, nach N an Breite gewinnend, das Schweizer Alpenvorland, in dem die Faltung aussetzt oder vielmehr noch nicht eingetreten ist. An die hohen Randketten des Ostens schließen sich nach W zu immer

---

[1]) Vgl. dazu die beigegebenen Profile, die, soweit nicht besonders angegeben, auf Grund der vorhandenen geologischen Karten der Schweiz und Frankreichs entworfen sind.

[2]) Thurmann, Essai sur les soulèvements jurassiques de Porrentruy, 1832/36. — Derselbe, Résumé des lois orographiques générales (Bull. soc. géol., 2. série, XI, 1853, S. 41). — Derselbe, Esquisses orographiques de la chaîne du Jura, Berne 1852/54. — Derselbe, Essai d'orographie jurassienne, Genf 1857.

[3]) Études géologiques sur le Jura, S. 126, Besançon 1874.

[4]) Matériaux etc., 1. supplément, S. 275.

[5]) Allerdings ziehen es französische und schweizer Geologen vor, von einem Anschmiegen der jurassischen an die subalpinen Ketten zu sprechen, und verfolgen daher ihren Verlauf in umgekehrter Richtung, als es hier geschieht, nämlich von N nach S. Da wir aber immer gewohnt sind, bei der Betrachtung der Alpen von W nach O vorzuschreiten, so empfiehlt es sich wohl mehr, von einer Virgation zu sprechen und den Anfang der Juraketten nach S, ihr Ende nach N zu versetzen.

niedrigere Bodenwellen, bis sich die gebirgsbildende Kraft noch einmal zu einem System westlicher Randfalten aufrafft. Für die Struktur des weitaus größten Teiles des Gebirges, namentlich aber für die ganze Kettenzone ist charakteristisch das Auftreten zahlreicher (nach Thurmanns Zählung 160) Antiklinalen von sehr verschiedener Länge. In der Regel tauchen dieselben ziemlich rasch auf und unter, haben also zwei ausgeprägte Walmseiten; dann erhebt sich in der Nähe, aber zumeist etwas gegen die frühere verschoben, kulissenartig eine neue Antiklinale. In der Grenzregion von Ketten- und Plateaujura sind zumeist zwei Antiklinalen konkav gegen einander gekrümmt, so daß sie mandelförmige Synklinalen einschließen. Seltener kommt es zu Verknüpfungen oder Scharungen mehrerer Faltenzüge, z. B. am Col des Loges unweit Chaux-de-Fonds. Häufig senkt sich die Kammlinie der Antiklinale so sehr, daß durch diese Sattelung (ensellement) Gelegenheit zur Anlage von Quertälern gegeben ist. Oft gabelt sich eine Antiklinale, bevor sie erlischt, wie z. B. die der Dôle im südlichen Kettenjura, oder eine domartige Falte geht durch eine horizontale Verschiebung in eine Synklinale über und gibt so zur Entstehung von zwei Synklinalen Anlaß, z. B. die Antiklinale der Barillette bei St.-Cergues [1]).

Die Gestalt der Falten ist durchaus im O schärfer, gegen W nimmt die Neigung zu dom- oder kofferförmigen Gewölben mit nahezu horizontaler Scheitelregion und senkrecht gestellten Schenkeln immer mehr zu. Einfache stehende Falten sind der seltene Fall; unter 160 Antiklinalen zählt Thurmann nur 40 stehende, hingegen 100 nach N, nur 20 nach S überliegende, so daß in diesem Verhältnis eine gewisse Asymmetrie des Baues ausgesprochen erscheint. Im Bereich der domartigen Gewölbe ist häufig der eine Flügel überstürzt (déjeté) und sind dann Juraschichten über den SO-Flügel der von Neokom und Tertiär erfüllten Synklinale hinweg geschoben, so daß es zur Bildung von Faltenverwerfungen kommt (wie u. a. kürzlich in der NW-Flanke der Montagne du Boudry bei Neuenburg nachgewiesen wurde) [2]), wobei auch in der Regel die Überschiebung gegen NW gekehrt ist. Die bedeutendste solcher Überschiebungen ist die längs der Ostseite des Valserinetales im südlichen Kettenjura [3]); .sie beginnt nördlich von Châtillon-de-Michaille, wo sie sich leicht über die Synklinale von Bellegarde schiebt, gleichsam als Ersatz für die Falten des Colombier im S, und setzt sich an der Westflanke der ersten Jurakette fort, wobei sie ein Stück weit die Lage des Tales bedingt. In naher Beziehung zu ihr steht eine große Dislokationslinie, an der der westliche Flügel des Gewölbes der Vuachekette abgesunken ist [4]). Sehr auffallende Lagerungsstörungen finden sich ferner in der Balstaler und Mümliswyler Klus im nördlichen Kettenjura, in den sonst normal gebauten Ketten des Paßwangs, Graitery und Weißenstein. Wir werden ihre Bedeutung für die Entwässerungslinien dieser Gegend an entsprechender Stelle zu würdigen haben.

Ein besonders weitgehender Grad der Faltung offenbart sich in der Umgebung des Sees von St.-Point [5]). Die Kreideschichten am Boden einer Synklinale fallen beiderseits bergeinwärts und richten sich dann am rechten Gehänge senkrecht auf (vgl. Profil VII und VIII); ähnlich liegen die Verhältnisse in der Antiklinale von Montperreux südöstlich des genannten Sees. Zunächst liegen über horizontalen Valangien-

---

[1]) Schardt, Note explicative de la feuille XVI. de la carte géologique de la Suisse, 2. édition, S. 84, Bern 1899.

[2]) Schardt et Dubois, Géologie des gorges de l'Areuse, Ecl. VII, Nr. 5, 1903.

[3]) Schardt, Études géologiques sur l'extremité méridionale de la chaîne du Jura (Bull. soc. vaud., XXVII, 1891/92, S. 94).

[4]) Schardt, Notice géologique sur la feuille XVI. de la carte géol. suisse (Ecl., 1900, S. 6), führt auf das Fehlen der tertiären Decke das Vorkommen der tektonischen Unregelmäßigkeiten auf den Höhen der Gewölbe zurück. Ebenso sieht Rollier die Ursache der tektonischen Unregelmäßigkeiten, des Vorkommens kleinerer und zahlreicherer Falten in den Freibergen gegenüber den einfacheren Strukturformen weiter im O darin, daß hier die Faltung die von mehrere Hundert Meter mächtigen Tertiärschichten bedeckten Kalkschichten ergriff, dort ein schon lange über das Meer gehobenes Gebiet (1. supplém. etc., 1893, S. 230 u. 270).

[5]) Fournier, Étude sur la tectonique du Jura franc-comtois (Bull. soc. géol., 4. série, I, 1901 S. 97—112).

schichten obere Jurakalke, so daß man eine große Überschiebung anzunehmen geneigt wäre; weiter gegen SO sieht man die Kreideschichten sich aufrichten, und schließlich bilden sie bei Touillon den Boden eines Muldentales. Es ist also hier ein großer Teil der Antiklinale überstürzt, so daß die älteren Schichten zu oberst liegen.

Im allgemeinen aber spielen tektonische Unregelmäßigkeiten im überwiegenden Teile des Jura, soweit er nicht durch fremde Nachbargebiete Störungen erlitten hat, eine sehr kleine Rolle. In der Regel sind die Umbiegungen mächtiger Kalkschichtenkomplexe in wunderbarer Reinheit erhalten und vornehmlich an den Wänden der Quertäler deutlich sichtbar. Dies spricht für einen nicht allzu stürmischen und intensiven Faltungsvorgang, aber auch für einen hohen Grad von Plastizität der gefalteten Massen. Hierfür kommt einmal der ziemlich regelmäßige Wechsel harter Kalk- und weicher Mergelschichten in Betracht, wodurch der von Thurmann so genannte »Pelomorphismus« erzielt war, anderseits aber lagen die an sich starren jurassischen Kalkmassen zur Zeit der Faltung noch unter einer mehr oder weniger mächtigen, an sich sehr plastischen Decke von tertiären Sedimenten, vielfach, namentlich im südlichen Kettenjura, auch unter den weicheren, mergelreicheren Kreidekalken, so daß unter der großen Last die Faltung in der Regel ohne Bruch vor sich gehen konnte.

Eine große Gleichförmigkeit beherrscht den inneren Bau der westlichen Plateaulandschaften, der zweiten tektonischen Zone unseres Gebirges. Die Antiklinalen sind zumeist breite, kofferförmige Gewölbe, die Synklinalen geschlossene Becken. Dabei tritt aber ein deutlicher Unterschied im Ausmaß der Faltung zwischen den nördlichen und südlichen Plateaugebieten entgegen. Nördlich der Linie Nantua—Bellegarde bis etwa zu der Linie Lons-le-Saunier—Morez treffen wir auf eine große Zahl von Falten mit allerdings bescheidener Spannweite; hier war die Faltung auf einen engeren Raum beschränkt, daher intensiver als weiter im N, wo der gebirgsbildenden Bewegung ein größerer Raum geboten war und daher öfters sogar völlige Horizontalität der Schichten zur Regel wird. Es sondert sich im N strenger auch in tektonischer Hinsicht von der Zone der hohen Gewölbe (zone des hautes croupes) die Zone der »plis à vaste amplitude«, weiter, flacher, öfters nach NW überliegender Antiklinalen, getrennt durch ausgedehnte synklinale Plateaus. Daneben aber erlangen Brüche mit Sprunghöhen bis zu 300 m größere Bedeutung. In der Region der größten Breite des Gebirges, also etwa in der Gegend von Champagnole und Nozéroy (Blatt Lons-le-Saunier, frz. Sp. K. 138), lassen sich drei Bruchzonen unterscheiden, durch die die ganze Masse in drei Plateaus zerfällt, die nach W an Höhe abnehmen und auf denen in gleicher Richtung stets ältere Schichten herrschend werden. Nach W zu werden die Brüche immer zahlreicher, bis sich schließlich die dritte tektonische Zone des Gebirges, die région des vignobles, entwickelt[1]). Sie besteht aus einer Reihe von kurzen, eng aneinander gepreßten Antiklinalen, deren Kern Trias, Lias und mittleren Jura enthält, getrennt durch zerbrochene Synklinalen aus oberem Jura. Auch hier trifft man öfters ältere Schichten in überkippten Falten über jüngere geschoben, so daß man an das Vorhandensein von Deckschollen glauben könnte. Diese Zone der westlichen Randfalten ist besonders breit um Salins, wo man fünf Antiklinalen zählt, und verschmälert sich gegen N; bei Besançon sind es nur mehr zwei Gewölbe, und bei Baume-les-Dames geht die Randzone in die rein östlich streichende Antiklinale der Lomontkette über; indem sich deren Fortsetzung auf Schweizer Boden fortsetzt, geht die mittlere Plateauzone verloren.

Eine besondere Form der Dislokationen und völlig unabhängig von Faltung und Brüchen

---

[1]) Vgl. darüber namentlich: M. Bertrand, Failles de la lisière du Jura entre Besançon et Salins, (Bull. soc. géol., 3. série, X, 1881/82, S. 114) und Failles courbes et bassins d'affaisement dans le Jura (Ebenda 3, XII, 1883/84, S. 452), ferner: Fournier, Étude sur la tectonique du Jura franc-comtois (Ebenda 4. série, I, 1901, S. 97).

sind die horizontalen Transversalverschiebungen oder Blattverwerfungen nach
Sueß, wobei in horizontaler Richtung ganze Kettenscharen längs einer Querlinie gegen
einander verschoben sind, so daß man in der Fortsetzung der Antiklinalachse auf eine Muldenachse stößt und umgekehrt; bisweilen ist statt völliger Trennung bloß eine Schleppung der
Falten vorhanden. In kleinem Ausmaß findet sich diese Erscheinung sehr häufig; am aus-
gedehntesten, mit einem Betrag der Verschiebung bis zu 3 km, ist sie längs einer Linie
vom Südostrand des Gebirges, am Nordende des Joux-Sees vorüber bis nach Pontarlier entwickelt, wobei die Intensität der Verschiebung nach N sich austönt[1]). Im südlichen Teile
treten infolgedessen kurze N—S streichende Ketten auf; es sind das Abweichungen der
westlich der genannten Linie liegenden Falten, die hier quer zum Streichen geschleppt
sind. Das Gebirgsstück östlich dieser Linie ist weiter nach N geschoben als das westliche,
und da die Verschiebung nach N sich austönt, ist auch die Zusammenpressung im östlichen
Teile stärker, die Falten im westlichen lockerer gestellt.

    Kontrovers ist noch die Erklärung der sog. Hauterivientaschen. Es finden sich in Hohlräumen
des Valangien taschenartige Ausweitungen, die fast ausschließlich von Hauterivienmergeln erfüllt sind. Nach
Rollier sind diese Taschen Erosionsgebilde des Valangienmeeres, in welchen das Meer des Hauterivien
Mergel abgelagert hat; Schardt hält sie für Produkte der Faltung, indem Spalten und Hohlräume des
Valangien durch ein en-bloc-Abgleiten der sehr steil gefalteten Hauterivienschichten ausgefüllt wurden[2]).

    Der Betrag der durch die Faltung erzeugten Kontraktion des in Betracht
kommenden Krustenstücks wurde bisher mehrfach berechnet, was angesichts der nicht allzu
häufigen tektonischen Unregelmäßigkeiten nicht auf große Schwierigkeiten stößt. Folgende
Tabelle möge dies veranschaulichen:

Profil senkrecht zum Streichen	Autor	Heutige Profillänge km	Breite der ausgeglätteten Zone km	Diff. in km	Diff. in %	Bemerkung
1. Genf—St.-Claude	Heim[3])	16,8	22,0	5,2	31	—
2. „ „	Bourgeat[4])	16,8	19,8	3,2	19	—
3. Col de la Faucille—Ain—M. Charvot	Machaček	61	69	8	13	gez. nach Bl. St.-Claude carte géol. dét.
4. Reculet—Revermont	„	47	57	10	21	„ „ „
5. Neuenburger See—Morteau—Baume-les-Dames	„	72	78	6	8	nach Duf.u. carte géol. dét. im Kettenjura 12%, im Plateaujura 6%.
6. Berner Jura	Rollier[5])	20	23	3	15	Mittel aus 13 Schnitten mit Schwankungen zw. 8,8 und 22,1%.
7. Östlicher Kettenjura	Heim[3])	7	12	5	71	?

    Abnorm hoch erscheinen nur die von Heim berechneten Werte, die auf veralteten
Profildarstellungen beruhen, woraus sich wohl auch der auffallende Unterschied zwischen
1. und 2. erklärt. In den übrigen Fällen hält sich der Betrag der Kontraktion in ziemlich
engen Grenzen und erreicht nirgends ¼ der heutigen Profillänge. Ferner erkennt man
die ziemlich intensive Faltung des südlichen, stark denudierten Plateaujura (21%) im
Gegensatz zu den breiten, weniger gestörten nördlichen Plateauflächen (6%); im Schweizer
Kettenjura ist die Kontraktion eine ziemlich gleichmäßige, erreicht aber, wie die Einzel-
werte in Rolliers Profilen zeigen, den geringsten Betrag in den südlichen Gewölben des
Berner Jura.

---

    [1]) Jaccard, Description géologique du Jura vaudois (Matériaux etc., VII. livraison, S. 263, Bern 1869).
    [2]) Vgl. namentlich: Baumberger, Über die geologischen Verhältnisse am linken Ufer des Bieler Sees,
Mitt. nat. Ges. Bern 1894, S. 150 und Schardt et Baumberger, Études sur l'origine des poches hauteri-
viennes (Bull. soc. vaud. XXI, 1895, S. 247).
    [3]) Mechanismus der Gebirgsbildung, II, S. 211 und Profile 10—12 des Atlas.
    [4]) Observations sommaires sur le Boulonnais et le Jura (Bull. soc. géol. 3. série, XX, 1892, S. 266).
    [5]) Description géol. du Jura Bernois 1. supplém. (Mat. carte géol. suisse, 8. liv., 1. suppl., S. 234 ff,
Bern 1893).

3. Die tektonischen Beziehungen zwischen dem Jura und seinen Nachbargebieten.

In innigem Zusammenhang steht der Jura mit den Alpen. Im südlichsten **Teile des** Gebirges ist der Parallelismus zwischen jurassischen und subalpinen Ketten ein vollkommener; so streicht das isolierte Gewölbe des Mont Salève parallel zur Kette des Grand Credo nördlich der Rhône und zu den subalpinen Ketten südlich des Genfer Sees. Nahezu **senkrecht** dazu streicht aber die erste Jurakette, die aus der Molasse auftauchende Vuachekette, so daß hier eine bemerkenswerte Kreuzung zweier Antiklinalachsen vorliegt[1]). Die zunehmende Entfernung des Jura von den Alpen wird dadurch hervorgehoben, daß die den Alpen zunächst liegenden Juraketten untertauchen, und neuere, kürzere erscheinen, deren Ursprung und Ende den Alpen ferner liegt. Es scheint nach N zu der Ort der Kompression immer weiter gegen W gerückt zu sein, so daß sich zwischen Jura und Alpen ein Raum entwickelt, den die vorwiegend synklinale Lagerung der Schichten als ein Senkungsfeld charakterisiert[2]). Ähnlich ist das Verhältnis des Jura zu dem im W liegenden Senkungsfeld des Rhône-Saône-Beckens, dessen Anlage mit der des Schweizer Molasselandes ungefähr gleichaltrig ist. Diese Lage des emporgehobenen Juragebirges zwischen zwei Senkungsfeldern und die Gleichzeitigkeit entgegengesetzt gerichteter tektonischer Bewegungen wird auch für die spätere Entwicklung des Gebirges von Bedeutung.

Die Nordsüdrichtung der ersten Anfänge des Jura ist gleichsam festgelegt durch die Nähe des französischen Zentralplateaus und dessen unterirdische Spuren; indem dasselbe nach W zurücktritt, gewinnt auch der Jura an Raum, so daß seine Außenketten sogar nach NW streichen und erst in der Breite von Ambérieu in die Nordrichtung zurückkehren. Ein wichtiges Moment der Störung aber führt in den regelmäßigen Bau der Jurafalten die Nähe des alten elsässischen Massivs ein. Deutlich wird dessen Einfluß am rechten Doubsufer im sog. Jura von Dôle[3]). Nördlich von Dôle erhebt sich aus jüngeren Bildungen aufragend die von NO nach SW gestreckte Insel der Serre, die südwestliche Fortsetzung der Vogesen, bestehend aus Gneis und Glimmerschiefern mit alteruptiven Gängen und Rotliegendem; ihre erste Faltung ist herzynisch, dann blieb sie bis zum Ende der Jurazeit vom Meere bedeckt, eine zweite Faltung erfolgte gegen Ende des Eocäns, wodurch die Serre in die gefaltete Zone der jurassischen Vorberge einbezogen wurde. Gleichzeitig versank der südliche Teil des Massivs, und es blieb ein Horst übrig, gegen den die Falten des Jura anstießen, so daß sie in nach NW überstürzte Antiklinalen mit Faltenverwerfungen deformiert wurden.

Weiter gegen O taucht die Serre unter, bald aber erzeugt die Nähe der Vogesen selbst eine ähnliche Wirkung, indem durch ihren Einfluß abgelenkt die Falten des Jura in die Ostrichtung übergehen[4]). Wo sie an die alte Scholle anstoßen, sind sie kompliziert durch ein System von Brüchen mit herzynischer Richtung, die sog. Brüche des Oignon (vgl. carte géol. dét., Blatt Montbéliard 114). Hier sind die Juraschichten an die alten Felsarten in parallelen Streifen angepreßt, woraus vier Ketten mit steilem NW-Abfall hervorgehen. Die große Bruchlinie (faille d'Oignon), welche das oberste Saônebecken von den

---

[1]) **Schardt**, Études geolog. sur l'extremité meridionale etc. (Bull. soc. vaud. XXVII, 1891/92, S. 153 ff).

[2]) Über das Verhältnis des Jura zu den ihn umgebenden Senkungsfeldern des Alpenvorlandes, der Bresse und der Rheinebene handelt ein während der Drucklegung dieser Arbeit erschienener Aufsatz von L. Rollier (Le plissement de la chaîne du Jura in Ann. de Géogr. 1903, Bd. XII, S. 304—310); Rollier unterscheidet hier drei Faltenbündel, das helvetische im O, das ledonische im W und den Lomontbogen im N, die in innigen Beziehungen zu den umgebenden Senkungsgebieten stehen, indem diese durch ihre gleichzeitige Senkung eine Faltung der dazwischen liegenden Krustenstücke erzeugen sollen. Daher die Faltung am stärksten an den Rändern, am schwächsten im Innern des Gebirges.

[3]) **Jourdy**, Orographie du Jura dôlois (Bull. soc. géol., 2. série, XXVIII, 1871/72, S. 336—390; **Déprat**, Le massive de la Serre (ebenda, 3. série, XXVIII, 1900/01, S. 862—872).

[4]) **Kilian**, Contributions à la connaissance de la Franche-Comté septentrionale (Ann. d. Géogr. III, 327 ff.).

vorjurassischen Hügeln trennt, geht von Rigney über Avilley, Chazelot nach Aynans, ziemlich parallel zum Tale des Oignon; andere sekundäre Brüche schneiden ihn unter spitzen Winkeln, während mehrere Querbrüche nahezu N—S verlaufen, auch noch die nördlichsten Ketten des Jura durchsetzen und gelegentlich, so in der Umgebung von Clerval am Doubs und bei Belvoir bestimmend für Richtungsänderungen der Falten werden. Alle diese Brüche, welche die Zerstücklung der alten herzynischen Ketten und die isolierte Stellung der Serre bewirkten, sind viel älter als die Faltung des Jura; diese geschah also hier auf einem bereits zerbrochenen Boden. Einige Brüche lebten wieder auf, z. B. die des Oignon, andere übten, obwohl verhüllt, doch gewisse Abweichungen auf den Verlauf der Falten aus. Das vorjurassische Hügelland oder der Elsgauer Tafeljura mit seinen herzynischen Längs- und Querbrüchen und seinem Steilabfall gegen W, der sog. falaise sousvosgienne, ist gleichsam das Vorland des gefalteten Jura und spielt dieselbe Rolle wie der Schweizer Tafeljura. Eine bemerkenswerte Unterbrechung erfährt aber dieses Vorland durch die breite Lücke der Rheinebene[1].

Längs einer Linie, die in der Fortsetzung des Ostabfalls der Vogesen nach dem Mont Terrible (nördlich von St.-Ursanne) verläuft, ist der Tafeljura gegen O abgeschnitten, und in gleicher Weise, aber viel deutlicher, durch eine Querlinie, die in der Fortsetzung des Schwarzwaldabbruchs vom westlichen Abfall der Schichttafel des Dinkelbergs nahezu meridional im unteren Birstal nach S zieht. Zwischen diesen beiden Querlinien, die die südliche Fortsetzung des Rheingrabens begrenzen, fehlt der dem Faltenjura vorgelagerte Tafeljura, und es dringen »wie durch ein geöffnetes Tor« die Juraketten 10 km weiter nach N als östlich und westlich dieser Linien, wo sie durch den Südrand des Tafeljura aufgehalten sind. Dieses Stück des Gebirges, von Steinmann als Rheintaler Kettenjura bezeichnet und etwa 30 km breit, besteht aus vier der Mont-Terrible-Kette vorgelagerten, einfach gebauten und sich verzweigenden Ketten, getrennt durch größere Tertiärbecken[2]. In gewissem Sinne wurde diese Unterbrechung des Tafeljura auch für den Bau des weiter südlich zwischen den gegen S fortgesetzt gedachten Querlinien gelegenen Kettenjura maßgebend.

Die »Sundgaulinie« trifft dann ungefähr das Südende des Bieler Sees, die Schwarzwaldlinie die Gegend von Solothurn. Diese ganze Region ist ausgezeichnet durch massige, locker gestellte Gewölbe, die zwischen sich breite beckenartige Synklinalen einschließen (z. B. die von Laufen, Delsberg, Moutier, Court). Links davon liegt das wesentlich anders gebaute, stärker gefaltete Gebiet der Freiberge, rechts drängen sich die Ketten eng aneinander zwischen schmalen, zerdrückten Synklinalen, und diese Verhältnisse steigern sich gegen N bis zum Auftreten der heftigsten Lagerungsstörungen in der Grenzzone von Falten- und Tafeljura. Ob die Sundgaulinie auch für den Verlauf der Juraketten von Bedeutung wurde, ist fraglich. Steinmann macht wohl darauf aufmerksam, daß an der Kreuzungsstelle dieser Linie alle Ketten eine Knickung aus der NO- in die O-Richtung erleiden. Doch gilt dies eigentlich nur für die nördlichste (Caquerelle)-Kette, während die übrigen in sanft geschwungenem Bogen, ohne plötzliche Richtungsänderung diese Linie kreuzen.

Die schwach undulierten Falten des französischen Plateaujura verschärfen sich nach N zu der Antiklinale der Lomontkette, die von Baume-les-Dames am unteren Doubs rein W—O streicht und sich jenseit des Doubs in die Mont-Terrible-, Wiesenberg- und Paßwang-Kette fortsetzt. Im westlichen Abschnitt, wo dem Jura das offene Rheintal gegenübersteht, entfaltet sich ein ziemlich einfacher Gewölbebau; doch schon östlich von Soyhières beginnen

---

[1] Das Folgende wesentlich nach Steinmann, Bemerkungen über die tektonischen Beziehungen der Oberrheinischen Tiefebene zum nordschweizerischen Kettenjura (Ber. nat. Ges. Freiburg i. Br. VI, 1892, S. 150 ff.).

[2] Tobler, Der Jura im Südosten der Oberrheinischen Tiefebene (Verh. nat. Ges. Basel, XI, 1896, S. 284—335).

abnormale Verhältnisse, und es entwickelt sich eine Faltenverwerfung, die von Bärschwyl über Erschwyl und Meltingen bis Bretzwyl reicht[1]). Nun tritt der Schweizer Tafeljura an den Faltenjura heran, und damit beginnt dessen Überschiebungszone. Die äußerst komplizierten Lagerungsverhältnisse in dieser Grenzzone wurden zuerst von Merian, Gressly, Mösch und A. Müller studiert, von denen der letztere zur Annahme von überkippten Falten und Überschiebungen gelangte, aber hier andere Kräfte als wirksam annahm, als im regelmäßig gebauten Faltenjura[2]), während Mösch und die anderen nur geschlossene oder »aufgebrochene«, allerdings liegende Falten zu finden glaubten[3]). In den letzten 15 Jahren ist nun das ganze Gebiet von Friedrich Mühlberg zum Gegenstand sehr sorgfältiger Detailstudien gemacht worden, aus denen sich ungefähr folgendes ergibt[4]):

Der Schweizer Tafeljura, begrenzt durch die Schwarzwaldlinie im W, das Rheintal im N, den Kettenjura im S und im O über die Aare hinausreichend, ist nur das erhaltene Deckgebirge des Schwarzwaldhorstes, das sich, wie die Gerölle der Juranagelfluh beweisen, noch in der Tertiärzeit auch über das alte Grundgebirge nördlich des Rheins ausbreitete. Der Tafeljura legt sich als eine dem Einfluß der Faltung durch die schützende kristallinische Grundlage entzogene, aber von Bruchlinien durchsetzte Tafel von W—O-Erstreckung vor die nördlichsten Falten des Schweizer Kettenjura und geht jenseit der Aare als Schwäbischer Jura nach NO. Seine Brüche, von mäßigem Betrag, streichen meist SW—NO und S—N, wobei in der Regel der südliche und östliche Flügel gehoben ist; sie sind ebenso wie die große Schwarzwaldlinie Erscheinungen, die mit dem Bau des Schwarzwalds zusammenhängen, somit Ausläufer der großen, den Horst gegen die Rheinebene begrenzenden Brüche, und älter als die heutige Ausgestaltung des Reliefs durch die Erosion. Die Schichten des Tafeljura, nämlich obere Trias und die ganze Juraserie, fallen gegen S, stoßen mit ihrer ganzen Mächtigkeit gegen die nördlichsten Falten des Kettenjura und schießen unter diese ein. In dieser Zone lassen sich unterscheiden: die W—O streichende Region zwischen der Schwarzwaldlinie und dem Hauenstein nördlich von Olten, wo alle von der Störung betroffenen Falten zu einer einzigen Kette zusammengeschart erscheinen und die Schichten über dem Muschelkalk nahezu fehlen, und das östlich davon bis zur Aare reichende Gebiet mit fast NO-Streichen, wo die kristallinische Masse den Ketten am nächsten kommt und auch die jüngeren Schichtglieder mehr entwickelt sind. Die stärksten Störungen treten in der Grenzzone zwischen Ketten- und Tafeljura auf, etwa längs der Linie Meltingen—Reigoldswyl—Oltingen—Bötzberg—Baden. Hier ist in der Regel die normale Faltung vollkommen aufgehoben, an ihre Stelle tritt Überschiebung bis zur Schuppenstruktur mit gleichsinnigem Südfallen, und es ist der Kettenjura derart über den Tafeljura hinweggeschoben, daß er ihn entweder einfach überdeckt, wie am Hauenstein, oder daß der Südrand des Tafeljura aufgestülpt ist und seine Schichten nach N aufsteigen, wie am Hornberg, oder er sogar nach N überstürzt erscheint, wie am Bötzberg. Am Hauenstein liegen sieben Muschelkalkklippen übereinander, so daß man schließen möchte, daß die Überschiebung erst nach der Abtragung der ursprünglich darüber gelagerten Sedimente, also des ganzen Jura und Tertiärs eingetreten sei; doch ist der Vorgang wahr-

---

[1]) Jenny, Die Rangierskette und ihre Beziehungen zu einigen Überschiebungen im Berner und Solothurner Jura (Verh. nat. Ges. Basel, XI, 1896, S. 465).
[2]) Abnormale Lagerungsverhältnisse des Baseler Jura (Ebenda, VI, 1878, S. 428).
[3]) Vgl. namentlich: Mösch, Geologische Beschreibung des Aargauer Jura (Beiträge zur geologischen Karte der Schweiz, 4. Lief. 1867) und: Der südliche Aargauer Jura (10. Lief. 1874).
[4]) Mühlberg, Kurze Skizze der geolog. Verhältnisse des Bötzbergtunnels (Ecl. I, 1888, S. 397). — Derselbe, Kurze Schilderung des Gebiets der Exkursion der oberrhein. geol. Ges. im Jura zwischen Aarau und Olten (Ecl. III, 1892, S. 181). — Derselbe, Bericht über die Exkursion der schweiz. geol. Ges. im Baseler Jura (Ecl. III, 1893, S. 418). — Derselbe, Geotektonische Skizze der nordwestlichen Schweiz, Livretguide du congrès géol. intern. 1894. — Derselbe, Bericht über die Exkursion der schweiz. geol. Ges. in das Grenzgebiet zwischen Ketten- und Tafeljura (Ecl. VII, 1902, S. 160).

scheinlicher so zu denken, daß Überschiebung nur in den unteren Schichtgliedern eintrat, während in den oberen die ursprüngliche horizontale Ausdehnung durch einfache Aufwölbung vermindert wurde, und sie seither abgetragen wurden. Wichtig wurde dabei die verschiedene petrographische Zusammensetzung. Während die kompakten Felsbänke des Muschelkalks, Hauptrogensteins und mittleren Malms unter der großen Belastung fähig waren, den Seitendruck fortzupflanzen, boten anderseits die eingeschalteten Mergel- und Gipsbänke des Salztones (im Muschelkalk), des Keupers und Lias Gelegenheit zu Rutschungen und Abgleiten der darüber liegenden Formationen. Bisweilen, so zwischen Läufelfingen und Ramsach, liegen einzelne Blöcke stark zerrütteten Hauptrogensteins schwimmend auf jüngeren Schichten, nicht als Erosionsreste einer einstmaligen Decke über dem Muschelkalk, sondern sie sind vom Südrand des Tafeljura aus der Tiefe aufgeschürft, also eine Art von Klippen ohne Zusammenhang mit der Unterlage. Typische Überschiebungsklippen gibt es zahlreich nördlich der Linie Meltingen—Waldenburg.

Das Vorkommen von Überschiebungen ist übrigens nicht auf die Grenzzone von Ketten- und Tafeljura beschränkt; sie treten im ganzen Kettenjura östlich der Schwarzwaldlinie auf. Nach O nimmt die Intensität der Überschiebungen in dem Maße zu, als immer mehr Ketten in ihren Bereich treten. Bei Neubrunn in der Paßwangkette ist der nördliche Teil des Südschenkels einer Antiklinale nicht nur über den Nordschenkel, sondern auch über den Malm der nächsten Synklinale nach N hinübergeschoben und die Verbindung durch Erosion zerstört. Schrittweise ließ sich hier von Bretzwyl gegen O der Übergang von normaler Faltung bis zur Überschiebung verfolgen. Östlich des Hauensteins treten die Überschiebungen des Hauensteingebiets wieder in Ketten auseinander; aber die Breite des Kettenjura nimmt nun rasch ab und schrumpft schließlich auf eine einzige Kette, die Lägernkette, zusammen, die das Ostende der 164 km langen Mont-Terrible-Lomontkette darstellt. Während aber die früheren Autoren die Lägern bloß als ein nach N überliegendes, in der Mitte erodiertes oder aufgebrochenes Gewölbe von Jura und Trias ansahen, in dessen Kern die Thermen von Baden auftreten[1]), hat kürzlich Mühlberg gezeigt, daß auch hier die abnormalen Lagerungsverhältnisse wiederkehren, daß im Nordschenkel Jurakalke über das Tertiär der Umgebung hinübergeschoben und hier, hervorgegangen aus Faltenverwerfungen, Überschiebungsklippen vorhanden sind, die durch Erosion auf einer ihnen fremden jüngeren Unterlage isoliert erscheinen[2]).

Wir sehen also am Rande des Faltenjura überall dort, wo er mit älteren Festlandmassen in Berührung kommt, die sonst einfache Faltung durch beträchtliche Störungen, Überschiebung und Schuppenstruktur, ersetzt. Die Annahme einer Stauung der Falten an alten Rändern ist hier kaum abzuweisen. Immerhin war aber die stauende Wirkung eine verschiedene. Im Elsgau und im Jura von Dôle wurde die vorgelagerte Juratafel zerbrochen, die Lomontkette selbst scheint keine abnormen Störungen mehr erlitten zu haben. Hier war eben der Faltung ein weit größerer Raum geboten, die Bewegung kam schon sehr abgetönt zum Stehen, wobei sie sich am Rande der alten Scholle noch einmal zu einem steilen Gewölbe aufraffte. Anders in der schmalen Faltungszone des östlichsten Jura, wo die Falten sogar über die vorgelagerte Scholle sich hinwegbewegten. Von Einfluß ist dabei die Mächtigkeit des von der Faltung betroffenen Krustenstücks und die Tiefe der stauenden Masse. Dort wo in der Fortsetzung der Rheinebene das Verbindungsstück von Vogesen und Schwarzwald vor der Faltung des Jura in große Tiefen abgesunken ist und der Tafeljura fehlt, fehlen auch die tektonischen

---

[1]) Vgl. u. a. Stütz, Über die Lägern (66. Neujahrstück der nat. Ges. Zürich 1864).
[2]) Mühlbergs geologische Karte der Lägern (Beiträge zur geol. Karte der Schweiz 1901) und Erläuterungen dazu (Ecl. VII, Nr. 4, 1903, 245—70).

Störungen, und diese sind am stärksten, wo das Schwarzwaldmassiv der Faltungszone am nächsten kommt. Eigentümlich ist das Verhalten der Lägernkette; obwohl durch einen breiten Streifen Molasselandes von der stauenden Scholle getrennt, zeigt sie dieselben abnormalen Schichtstörungen. Man kann daraus nur schließen, daß die Mächtigkeit der gefalteten Schale relativ sehr klein ist und daß die starren Schollen des Tafeljura hier in sehr geringer Tiefe unter dem Tertiär verborgen liegen und daher noch einen stauenden Einfluß ausüben konnten.

Überblickt man den tektonischen Aufbau des Jura in der Gegend seiner größten Breite in großen Zügen, so gewahrt man einen regelmäßigen Wechsel von gefalteten Ketten- und zerbrochenen Plateauzonen[1]). An die östliche Kettenzone schließen sich gegen W die schwachgefalteten und von Bruchlinien durchzogenen Plateaus, an diese die starkgefalteten Randketten der Bresse, deren Faltung sich noch fast bis an den Oignon fortpflanzt; dann folgen zwischen Doubs und Oignon die zerstückelten ungefalteten Plateaus des Jura von Dôle und schließlich ein neues Faltungsgebiet in der Umgebung der alten Masse der Serre. Zum mindesten für die östliche Faltungszone ist schon aus der gegen S zunehmenden Mächtigkeit der Schichten die Annahme einer ursprünglichen Geosynklinale der Ablagerung sehr wahrscheinlich, die während mehrerer geologischer Perioden sich durch tektonische Vorgänge immer mehr vertiefte und allmählich durch Sedimente ausgefüllt wurde, bis die Faltung am Schlusse des Sedimentationsprozesses einsetzte. An diese östlichste Zone des Jura schließt sich die große Geosynklinale des Schweizer Alpenvorlandes, in der jugendliche Schichtstörungen eine Fortdauer tektonischer Bewegungen verraten. Dieses Verhältnis rückt die Frage nach dem Alter und dem Fortschreiten der Faltung des Jura in einen bedeutungsvollen Zusammenhang mit den Schicksalen seines Bodens seit Beginn der Faltung. Diese Frage kann nur durch morphologische Betrachtung einer Lösung zugeführt werden, da geschichtete Sedimente im Innern des Jura seit dem Beginn seiner Faltung nicht zur Ablagerung gelangten. Hierzu ist aber eine ausführlichere Besprechung des jurassischen Landschaftsbildes und seiner topographischen Formen erforderlich.

IV. Kapitel.
Die Topographie der Juralandschaften.

In der eingangs gewählten Begrenzung, zwischen dem Steilabfall der ersten Juraketten gegen das Schweizer Molasseland im O und der durch Flußläufe hervorgehobenen Tiefenlinie von der Rhône bis an den Doubs im W, im N bis an den Tafeljura reichend, zeichnet sich der Kettenjura durch eine große Gleichmäßigkeit des landschaftlichen Charakters aus. Der hervorstechende Zug seines Landschaftsbildes ist die große Einfachheit und Friedlichkeit, die aber nie zur Einförmigkeit herabsinkt, ja bisweilen sogar einer gewissen pittoresken Romantik nicht entbehrt. Der Kettenjura ist ein echtes Kalkmittelgebirge, ebenso verschieden von der Kalkzone der Alpen wie von den deutschen Mittelgebirgen. Seiner horizontalen Gliederung nach ist er ein ausgezeichnetes Rostgebirge. Die Ketten streichen zumeist auf große Entfernungen mit geringem Höhenwechsel der Kammlinien dahin, die Längstäler, die die parallel angeordneten Kämme trennen, ordnen sich vielfach zu großen Längstalzügen an, die durch enge Quertäler, fast nie durch Paßlücken verbunden sind. Daher ist die Durchgängigkeit in der Längsrichtung größer als in der

---
[1]) Vgl. Fournier, Étude sur la tectonique du Jura franc-comtois (Bull. soc. géol., 4. série, I, 1901, S. 110).

zum Streichen der Kämme senkrechten, zumal die engen »Klusen« dem Verkehr oft nicht unbedeutende Schwierigkeiten bieten, namentlich dann, wenn sie sich nach aufwärts schluchtartig verschmälern. Durch Gabelung und Wiedervereinigung der Kämme entstehen häufig geschlossene Beckenlandschaften mit gleichfalls klusenartigem Ausgang. Die Längstalzüge enthalten oft mehrere niedrige Talpässe; die Folge davon ist der zickzackförmige Verlauf der Wasserscheide, namentlich im sog. Berner Jura, wo überhaupt der rostförmige Charakter des Gebirges am deutlichsten zur Entwicklung kommt, während anderseits hier die Durchgängigkeit in transversaler Richtung dadurch erhöht wird, daß die Quertäler in ganzen Klusenzügen angeordnet sind.

Waldbedeckung der Gehänge und Grate (crêts) im Bereich härterer Schichten wechselt mit nackten Felsbändern und Felswänden. In großer Regelmäßigkeit tritt, den einfachen strukturellen Verhältnissen entsprechend, die streifenförmige Anordnung der verschiedenen Kulturformen entgegen in scharfem Gegensatz zu dem unruhigen Mosaikbild des Schweizer Mittellandes. Die tief gelegenen Täler und hohen »Comben« bieten geschätzten Wiesen-, seltener Ackergrund, von freundlichen, stets nett gehaltenen Ortschaften oder Fabrikanlagen, namentlich Zementfabriken, unterbrochen. Im südlichen Teile des Gebirges, zumal über dem Neuenburger und Bieler See sind die Gehänge bis zu ca 550 m Höhe mit Weinrebenpflanzungen bedeckt; höher hinauf folgt Buchen-, dann Weiß- und Rottannenwald. Die Waldgrenze erreicht im Kettenjura ziemlich tiefe Werte[1]). Im südlichen Kettenjura sind die meisten Gipfel über 1500 m schon baumfrei; darüber reicht noch bis etwa 1600 m die Krummholzregion. Gegen N sinkt die Waldgrenze sogar bis auf 1400 m herab; auch der Gipfel der Tête de Rang (1425 m) über dem Neuenburger See ist schon baumlos. Ein zweites, viel rascheres Sinken der Waldgrenze finden wir in der Richtung nach NW, von den höheren Ketten nahe dem Ostrand des Gebirges nach den niedrigeren inneren Ketten, wohl bedingt durch die anprallenden herrschenden West- und Nordwestwinde, welche im westlichen Teile des Gebirges die Wald- und Baumgrenze herabdrücken. Auf den größten Höhen macht die Waldwirtschaft sodann der Almwirtschaft Platz, die sich nach alpiner Art an zahlreiche Almhütten (granges) knüpft, allerdings aber an Ergiebigkeit der der Alpen bedeutend nachsteht.

L Der südliche Jura.
(frz. Sp. K. Grenoble 178, Chambéry 169 u. Nantua 160.)

Die soeben geschilderten landschaftlichen Eigentümlichkeiten des Kettenjura gelten in vollem Umfang auch von jenem Gebirgsstück südlich der Querlinie Pont-d'Ain—Nantua-Bellegarde, in welchem die deutliche Trennung in ein Gebiet mit vorherrschendem Kettencharakter im O und ein Plateaugebiet im W noch nicht zum Ausdruck gelangt und das wir daher als »südlichen Jura« ausgeschieden haben. Sein charakteristischer Zug ist das Auftreten großer und im Verhältnis zu den sie durchströmenden Flüssen sehr breiter Muldentäler, zwischen denen sich hohe, locker gestellte Faltenzüge erheben. Diese sind in der Regel einfach gebaute, nach W überliegende Antiklinalen, wobei der reduzierte westliche Schenkel nicht erhalten ist. Die Ketten richten daher gegen W steile Abbruchformen und kahle Wände, gegen O entsprechend dem Schichtfallen sanftere, vegetationsbedeckte Gehänge. Nicht selten sind sie durch hochgelegene Combentäler gegliedert. Am Aufbau des Gebirges beteiligen sich hier neben Dogger und Malm auch noch untere Kreidekalke, namentlich die sehr stark zerklüfteten Kalke des Urgon, die als Träger der Verkarstung hier wie in der subalpinen Zone eine für den landschaftlichen Charakter wichtige Rolle

---

[1]) Imhof, Die Waldgrenze in der Schweiz (Beiträge zur Geophysik, IV, 1900, S. 241—330).

spielen. Die Sohlen der großen Täler schwanken zwischen 200 bis 340 m, die Kämme erreichen bis über 1500 m, so daß die relativen Höhen ziemlich bedeutend sind und auch der landschaftliche Eindruck des Gebirges recht imposant ist. Die prächtigen Färbungen der nackten Felspartien, Rebengelände am Fuße der Berge, macchienähnliches Dickicht und Gestrüpp in den mittleren Regionen, die Siedelungsformen und Trachttypen verleihen der Gegend ein schon recht südliches Gepräge.

Die erste, östlichste Kette des Jura im geologischen Sinne geht hervor aus dem subalpinen Massiv der Grande-Chartreuse; sie bildet über dem engen molasseerfüllten Muldental von Couz die Höhen des M. Otheran (1640 m) und der Montagne de Corbelet. die südlich von Chambéry, der malerischen Hauptstadt des Département Savoie, endet[1]). Die Antiklinale erscheint dann wieder in dem Hügel von Voglans, der als ein vollständiges, flaches Gewölbe bis Aix-les-Bains reicht, wo eine aus den wasserführenden Hauterivienmergeln aus großer Tiefe stammende Quelle an einer lokalen Verwerfung der Urgonkalke zutage tritt und den Grund zu der berühmten Thermenstadt gelegt hat. Nach kurzer Unterbrechung, die der Sierroz vor seiner Mündung in den See von Bourget benutzt, erscheint dieselbe Antiklinale, jetzt auch morphologisch ein echtes Glied des Jura, wieder in der Kette des M. de la Chambotte (1014 m) und der Montagne du Gros-Foug, die die steilwandige östliche Umrahmung des Sees von Bourget und des Rhônetals bildet, während ihre östlichen Gehänge zum breiten tertiärerfüllten Tale von Albens und Rumilly abfallen. Nördlich des Durchbruchstals des Fier, der die Rhône zwischen Seyssel und Anglefort erreicht, bildet diese erste Jurakette noch die 947 m hohe Montagne de Prince, um schließlich unter der Molasse und den Quartärbildungen der Ebene von Frangy endgültig unterzutauchen.

Die zweite Jurakette hat ihren Anfang gleichfalls im Massiv der Grande-Chartreuse; als Glied der subalpinen Zone beginnt ihr Gewölbe bei Nogarey an der Isère, bildet dann die Berge zwischen St.-Laurent-du-Pont und St.-Christophe-la-Grotte und vereinigt sich mit

Fig. 2. Lac de Bourget (Nordende mit dem Hügel von Châtillon).

einer zweiten Antiklinale, die aus dem versumpften Tertiärbecken von Les Échelles (320 m) an der Mündung der beiden Guiers auftaucht; gemeinsam bilden sie nun die Kette der Montagne de l'Épine (1426 m) und des M. du Chat (1437 m), die mit schwachen

[1]) Nach Hollande, Contact du Jura méridional et de la zone subalpine (Bull. serv. carte géol. France IV, 1892, Nr. 29, S. 261), dem auch die übrigen tektonischen Bemerkungen im folgenden entnommen sind. Aus praktischen Gründen wurde die Grenze zwischen Jura und Alpen in dieser Gegend westlich der genannten Kette in das Tal von Couz verlegt (vgl. S. 2).

Krümmungen der Kammlinie, den mauergleichen Steilabfall der höheren Regionen stets nach W gerichtet, nach N streicht, bis sie an dem Kanal von Savières, durch den der See von Bourget zur Rhône entwässert wird, plötzlich endet. Zwischen ihr und der Kette der Chambotte liegt in 238 m Höhe der langgestreckte malerische See von Bourget (Fig. 2), in seinem nördlichen Teile von steilabfallenden Gehängen umrahmt, so daß der Charakter des ertrunkenen Tales deutlich hervortritt. Die Mulde des Seetals erweitert sich nach S, die Berge des rechten Ufers treten zurück, und das niedrige Hügelland zwischen Aix und Chambéry enthält die Vereinigung des Seetals und der Synklinale von Albens, wobei nur im nördlichen Teile die bis 400 m hohen Molassehügel von Voglans und Tresserve die Trennung aufrecht erhalten. Die Synklinale des Seetals setzt sich, vom Seezufluß, der Leisse, sodann von der Hière durchflossen, nach S fort, sich immer mehr verengend, bis sie das Becken von Les Échelles erreicht. Wir haben dieses Teiles als Grenze zwischen Jura und Alpen bereits gedacht.

Aus der Niederung am Nordende des Sees von Bourget ragt inselartig 90 m über die Talsohle der kuppige Molard de Vion hervor, die nördliche Fortsetzung des M. du Chat. Nördlich von Culoz aber schwingt sich nun dieselbe Antiklinale zu dem mächtigen Rücken des Colombier von Culoz (1534 m) auf, der mit einer Länge von 35 km genau nordwärts bis Châtillon-de-Michaille streicht, ohne daß seine Kammlinie wesentlich unter 1100 m herabsinkt. Er ist gebildet von einem ziemlich einfach gebauten Gewölbe aus oberjurassischen Kalken; während die östlichen Gehänge sich ziemlich geschlossen zum Rhônetal herabsenken, und die Kette von hier aus gesehen im südlichen Teile den stattlichen Eindruck einer relativen Höhe von 1300 m hervorruft, fallen die westlichen Flanken, durch Seitentälchen (ruz) reich gegliedert, zum Hochtal Val du Romey ab, das im nördlichen Teile eine rund 1000 m hohe Plateaulandschaft darstellt. Bei diesem Anlaß sei kurz der Vegetationszonen des südlichen Jura gedacht. Den Fuß der Berge bekleiden Rebengelände bis etwa 500 m, dann folgt in Höhen bis ca 800 m fast undurchdringliches Gestrüpp und Dickicht, gebildet aus aller Art Beerengewächsen, Buxbaum, Hollunder u. a., aus dem vereinzelte, kaum 3 m hohe Eichen aufragen. Nach oben hin verschwindet das Unterholz, die Eichen werden höher, ihnen gesellen sich Ahorn, Buche und vereinzelt hochstämmige Tannen zu, bis schließlich der Nadelwald die Höhen über 1200 m beherrscht, aber in der Regel die Gipfelregion nicht erreicht, die von trocknen Almböden bedeckt ist. Portland- und Urgonkalke neigen zur Entwicklung kleiner, aber typischer Karrenfelder, deren unterirdisches Kanalisationssystem öfters zur Bildung kleiner Eishöhlen führt. Neben den universell verbreiteten Oxfordschichten bilden hier auch noch die den Urgonkalk unterlagernden Hauterivienmergel den wasserführenden Horizont und geben Anlaß zum Auftreten von Quellen und daran sich knüpfenden Almwirtschaften.

Das zwischen dem Colombier im W, dem fruchtbaren Tertiärhügelland um Usinens, dann der Kette des Gros-Foug im O gelegene Muldental der Rhône ist von quartären Schotterterrassen begleitet, unter die sich der Fluß cañonähnlich in Jura- und Kreidekalke einschneidet, wobei die harten Schichten überhängende Felsbänder, die weichen zurücktretende Nischen bilden. Kurz oberhalb Bellegarde befindet sich die bekannte Perte du Rhône, wo der Fluß sich zwischen Felswänden bis zu 100 m Höhe hindurchschlängelt. Dabei verschwindet ein Teil seines Wassers in einem unterirdischen Kanal, so daß nur ein Gerinne von kaum 2 m Tiefe zurückbleibt[1]). Oberhalb Seyssel verbreitert sich das Tal, die stark verwilderte Rhône tritt in das dreieckige, versumpfte Becken von Culoz, das einen alten Seeboden darstellt, verläßt nun die bisher benutzte Synklinale, deren Fortsetzung

---

[1]) Wir kommen auf diese Verhältnisse noch bei der talgeschichtlichen Betrachtung eingehend zurück.

das Tal des Sees von Bourget bildet, und tritt in die nächste Synklinale über, in der sie den aus dem Val Romey kommenden Séran aufnimmt und der sie bis Yenne folgt. Der Ursprung dieser Mulde liegt in der subalpinen Zone am linken Ufer der Isère; sie trennt sodann die Chaîne de l'Épine von der niederen Kette des M. Tournier, und in ihr liegt in 380 m Höhe der malerische See von Aiguebelette. Seine Ufer steigen im S und W sanft an, gebildet von niedrigen Molassehügeln, während im O die Gehänge der Chaîne de l'Épine steil zum See abfallen; das Nordende ist stark versumpft. Sichtlich reichte der See einst weiter nach N bis Nances, von wo ein Tälchen zu dem ebenen Boden von Nova-laise führt. Von da bis Yenne erfüllt die breite Synklinale eine reich gegliederte Molasse- und quartäre Terrassenlandschaft mit jugendlichen Erosionsformen, die sich bei Yenne zum breiten Rhônetal erweitert.

Die Antiklinale des M. Tournier beginnt bei Voreppe an der Isère, wird vom Guiers in der engen Kluse von Chaille durchbrochen und bildet sodann ein Stück weit die west-lichste Jurakette. Die Faltung war hier so gering, daß im M. Chaffaron das Gewölbe nur aus Tertiär gebildet wird. Es streicht als M. Tournier weiter nach N und wird von der Rhône in einer engen, vom Fort Pierre-Châtel geschützten Kluse zwischen Yenne und La Balme durchbrochen. In dem durch die Erosion gelieferten Querprofil sieht man die Malm- und unteren Kreidekalke sanft nach W ansteigen, worauf sie in nahezu senkrechten Wänden abbrechen, so daß die Kette von La Balme aus den Eindruck einer geschlossenen Mauer macht, in der die Lücke des Rhônedurchbruchs kaum merklich ist. Sie streicht als Montagne du Parves (630 m) weiter nach N bis zu einer zweiten, aber breiteren torähnlichen Quertalung, die den kleinen Lac de Bare enthält. Nördlich davon löst sie sich in niedriges Hügelland auf, wobei sich über sie eine neue Antiklinale mit NW-Streichen legt, die von St.-Champ-Chatonod, die gleich der Kette des Colombier erst nördlich der Querlinie Culoz—Ambérieu zu bedeutender Höhe im Walde von La Cormoranche sich auf-schwingt.

Nach ihrem Austritt aus der Kluse von La Balme strömt die Rhône durch ein breites Tal in flachen Mäandern mit ausgezeichneten Prallstellen und stark verwildert nach S, so-dann quer zum Streichen der Ketten nach SW bis St.-Didier, wo sie durch die Mündung des Guiers eine nordwestliche Richtung erhält, in der sie fortan die Grenze des Juragebirges bildet. Nördlich von La Balme dehnt sich das weite Becken von Belley (rund 300 m hoch) aus, durch das der Furans nach S zur Rhône fließt. Die quartären Ablagerungen, namentlich mächtige Moränenwälle, auf denen auch die Stadt Belley erbaut ist, bestimmen hier den landschaftlichen Charakter; denkt man sich dieselben fortgenommen, so erhielt man ein bis zu 10 km breites Muldental, beiderseits von niedrigen Höhen begrenzt. Im allgemeinen ist hier das Gebirge durch erodierende Vorgänge so sehr zerstückelt, daß Einzel-berge von mäßiger Höhe zwischen den Tälern aufragen, deren Breite in keinem Verhältnis zu ihren heutigen Entwässerungsadern steht. Dies gilt besonders von dem Tale des Furans, das in stattlicher Breite bis Virieu-le-Grand reicht. Seine westliche Umrahmung bildet die letzte Kette des südlichen Jura, die Montagne de St.-Benoît (781 m) und Montagne de Tantainet (1029 m), die sich nach NW zu verbreitert und schließlich bei St.-Denis-le-Chosson in die Ebene der Dombes vorspringt, wo sich bereits deren Tertiärablagerungen über das Ende der Jurakette lagern.

Wir sind bisher im allgemeinen dem Streichen der tektonischen Leitlinien bis zu der wichtigen Tiefenlinie gefolgt, welche die Eisenbahn Genf—Lyon auf der Strecke Culoz—Ambérieu ohne Überwindung nennenswerter Schwierigkeiten benützt. Zwischen Culoz und Virieu-le-Grand tauchen die Gewölbe des M. du Chat-Colombier und der Montagne des Parves unter, so daß eine breite Niederung entsteht, die vom Séran gekreuzt wird. Von

Virieu-le-Grand an wird der Charakter der Landschaft ein anderer. Die Bahnlinie folgt bis über Tenay einem engen, an Oxfordmergel geknüpften Antiklinaltal; in einer Trockentalung von 10 km Länge liegt hier in 367 m die unmerkliche Wasserscheide von Les Hôpitaux zwischen dem Furans und der Albarine, die bei Tenay aus einem Quertal hervorkommend die genannte Querlinie bis zum Austritt in die Bresse weiterführt. Das Gebirge nimmt hier Hochkarstcharakter an. Die nackten Felspartien zeigen prächtig die Fältelungen und Umbiegungen der Schichten, der Wald tritt hinter dürftigem Buschwerk fast völlig zurück. Felswände von mehreren 100 m Höhe, die die oberen Teile der Talgehänge bilden, liegen in ihrer Fußregion unter ausgedehnten Schutthalden und Bergsturzmassen vergraben. Das Zurückschreiten der Wände unter dem Einfluß von Verwitterung und Abbruch hat hier wesentlich mehr Anteil an der talerweiternden Tätigkeit als die Erosion. Von Tenay an verbreitert sich der Talboden, während sonst der Charakter der Landschaft derselbe bleibt. Das mangelhafte Vegetationskleid, gebildet von steinigen Rebengärten in den unteren, mageren Wiesen in den oberen Regionen, die dürftigen, unter Schuttmassen halb versteckten Siedelungen geben der Landschaft ein höchst armseliges Aussehen. Die Albarine bildet nun über St.-Rambert einen nach N gekrümmten Bogen, worauf sie von Torcieu in einem Monoklinaltal abwärts fließt und die Ebene bei Ambérieu erreicht.

Der Jura des Bugey, gelegen zwischen den Verkehrs- und Tiefenlinien Culoz—Ambérieu im S und Bellegarde—Nantua im N, besteht aus sieben parallelen Ketten mit S–N-Streichen, denen ebensoviele, zumeist oberjurassische Gewölbe entsprechen. Im östlichen Teile dieses Gebirgsabschnitts sind sie durch Neokomsynklinalen von großer Spannweite getrennt, gegen W drängen sich die Faltenzüge enger zusammen und haben hier eine sehr weitgehende Abtragung erfahren, so daß namentlich um Nivollet und Cerdon ein welliges, 500—800 m hohes, stark zerstückeltes Plateau vorhanden ist, das mit deutlicher Steilstufe gegen die Bresse abschließt. Auf die Kette des Colombier von Culoz folgt westlich das breite, vom Séran und seinen zahlreichen Zuflüssen durchströmte Val Romey, 600—700 m hoch, wo eine mächtige Quartärdecke eine reichere Kultur ermöglicht. Seine Westumrahmung bildet das Gewölbe der Cormoranche, die nördliche Fortsetzung des M. Tournier; es erreicht hier 1237 m, bildet weiter nördlich das Bois de Champdor und die Forêt de Moussières, die sich orographisch mit dem nördlichen Teile des Colombier zu einem ausgedehnten, 1000—1100 m hohen Plateau vereinigt. So sehen wir gegen N immer mehr den Plateaucharakter herrschend werden, ohne daß in der gleichen Richtung auch die Strukturformen einfacher würden. Die nächste, gleichfalls sehr breite und von Kreideschichten erfüllte Mulde benutzt von der Quelle bis Hauteville die Albarine, die aber sodann plötzlich der natürlichen Tiefenlinie untreu wird und in gewundenem Laufe und mit großem Gefälle durch die weiter westlich sich anschließenden Faltenzüge gegen SW nach Tenay sich richtet, während die Fortsetzung der Mulde über eine Wasserscheide von 860 m bei Thézil

Fig. 3. Aintal bei Cize-Bolozon.

lieu, etwa 60 m über Hauteville in das Gebiet des Furans und nach dem Becken von Belley führt. Westlich dieser Mulde zieht eine lange Kette unter verschiedenen Lokal-

. . 1031 m) südlich von Nantua, auf sie folgt das breite, durch
...üllte Muldental des Oignin, der im Gegensatz zu der bisher
..schenden Abflußrichtung nach N zum Ain sich richtet. Dieser
...wundenem Tale schräg zum Streichen der Ketten und nimmt von
:-ten Neokomtal von Villereversure kommenden Surand auf (Fig. 3).
...s Ain liegt, der Zone der westlichen Randketten angehörend, ein ge-
....getragenes und verkarstetes, vom Ain und seinen zahlreichen kleinen
.. .urchfurchtes Hochplateau. Der Kettencharakter tritt schließlich deutlicher
. ...i :n der Montagne de Revermont (557 m) zutage, deren Steilabfall gegen
. ..geände trägt, während die höheren Partien allüberall von mageren, durch
. ... .nstehenden Gesteins unterbrochenen Wiesen bedeckt sind. Indem die Kette
...nt nördlich von Pont-d'Ain untertaucht, entsteht am Austritt des Ain in die
. .nspringender Winkel des Gebirgsabfalls. Die Eisenbahnlinie Bourg—Nantua
.. .iem Wege in dem engen Aintal die Überschreitung der westlichen Ketten vor
...ulgt nach Überwindung bedeutender Terrainschwierigkeiten, über Viadukte und durch
.ss nach dem breiten Oignintal und hiermit in die Tiefenlinie, die wir als Nordgrenze
.. .wstlichen Jura angenommen haben.

'Das westliche Ende dieser Linie erfüllt der See von Nantua, der sich mit seinem
...wen Teile aus den ihn umrahmenden Höhen hinaus in das vollkommen ebene und ver-
...sumpfte Land um Brion, einen alten Seeboden, erstreckt. Mächtige Schutthalden bilden
.ie Seeufer, über sie erheben sich nahezu senkrechte Kalkwände bis zu Höhen von 500 m
über dem See. In gleicher Weise setzt sich das Quertal auch weiter östlich bis zu der
Umbiegung bei Neyrolles fort, von wo es durch eine kleine Schleppung des Schichtstreichens
zu einem echten Muldental wird, in dem der grüne, langgestreckte und steilufrige See
von Silans gelegen ist. Das südliche Gehänge trägt den riesigen Verwitterungskessel
der »Poche de Penay«. Die von N bei St.-Germain-de-Joux in die Quertallinie mündende
Semine benutzt nun diese in einem echten, tief eingeschnittenen Quertal nach SO durch
die östlichsten Ketten des Bugey im S und die des Plateaus von Champ-Fromier im N. Der
von S aus wilder Schlucht kommende Tacon verstärkt die Semine, deren Gehänge bald
durch den Eintritt in Kreideschichten eine deutliche Terrassierung erhalten. Bei Châtillon-
de-Michaille wird die Semine von der Valserine aufgenommen, die nun in das breite
Becken von Bellegarde tritt.

Wir haben die erste Jurakette, Chambotte und Gros-Foug, verfolgt bis zu ihrem Untertauchen als Montagne des Princes nördlich des Durchbruchstals des Fier. Nun erstreckt sich
am linken Ufer der Rhône ein welliges, bis zu 700 m hohes Hügelland, durchflossen von
den beiden Usses, die der Rhône bei Seyssel die Gewässer aus der Umgebung des M. de
Sion (862 m), des Salève südlich von Genf (1379 m) und der Berge von La Balme
(986 m) zuführen. Es sind dies die letzten Jurainseln, bestehend aus unteren Kreide- und
Malmkalken, die aus dem von tertiären und quartären Schichten zusammengesetzten Gebiet
hervorstechen, durch das das Becken von Bellegarde mit dem Schweizer Mittellande in
Verbindung steht. In organischem Zusammenhang mit dem Gebirgsgerüst steht hingegen
die 11 km lange Vuachekette (1111 m), die aus einem NNW—SSO streichenden Halb-
gewölbe von obersten Malm- und Kreidekalken besteht und deren Schichtglieder mit einer
bedeutenden Senkung der Antiklinallängsachse das Quertal der Rhône beim Fort de l'Écluse
kreuz   m rechten Rhôneufer zu den größten Höhen des ganzen Gebirges auf-
schv   achekette schiebt sich also als ein durch das tiefe Rhônetal orographisch
isol'   chen die Becken von Bellegarde und des Genfer Sees. Mit einer relativ   )—600 m fällt sie steil nach W gegen das Plateau von Clarafond ab,

gegen das sie durch jenen Längsbruch abgeschnitten ist, an welchem der Westflügel ihres Gewölbes in die Tiefe gesunken ist. Sanfter ist der im Fallen der Schichten gelegene Abfall gegen das etwa 600 m hohe Plateau von Savigny im O. Südlich von Chaumont taucht die Vuachekette unter, erscheint dann nochmals in den Bergen von Musiège (703 m) um deren Südende herum der Torrent des Usses in das Tertiärbecken von Frangy tritt, und schließlich erheben sich in der Fortsetzung der Vuachekette nach einer Unterbrechung von etwa 8 km die Berge von La Balme. Von hier aber führt senkrecht zum Streichen der Vuache eine Antiklinalachse über den M. d'Allonzier nach NO zum Salève, und mit diesem ist die südöstlichste Äußerung der jurassischen Faltung erreicht.

II. Der südliche Kettenjura.

(frz. Sp. K. Nantua 160 und St.-Claude 149, Dufour XVI und XI.)

Der südliche Kettenjura (Haut-Jura der Franzosen) erstreckt sich als eine, orographisch genommen, einzige Kette von der Rhône bis zum Tal der Orbe. Strukturell besteht allerdings ein großer Teil derselben aus einer Anzahl von engen Falten, die zur Bildung von scharfen Kämmen (crêts), getrennt durch schmale Hochtäler, Veranlassung geben[1]). Nördlich der Rhône erhebt sich in der Fortsetzung der Vuache die erste Jurakette zur Gebirgsmasse des Reculet und Grand-Crédo, wobei die einzelnen Schichtglieder gegenüber ihrer Höhenlage in der Vuache eine Hebung von etwa 1000 m erfahren. Sie streichen zunächst nach N, bald aber nehmen sie das allgemeine nordöstliche Jurastreichen an, so daß ein vollkommener Parallelismus des Streichens mit dem Salève und den subalpinen Ketten im SO besteht. Zunächst erhebt sich am rechten Rhôneufer der in der Vuache abgesunkene Westflügel des Gewölbes in dem isolierten Kalkfelsen von Léaz, sodann in den Höhen der Sorgia (1243 m) und des Grand Crédo (1603 m), die durch ein tiefes Oxfordtälchen, den Zirkus von Longeray, vom Ostflügel des Gewölbes, dem Plat des Roches, getrennt sind. Nach der Vereinigung beider Flügel und dem Ausgehen der erwähnten Longitudinalverwerfung streicht die nun einheitliche Kette nach NO, gipfelt im Reculet mit 1648 m, in der Crêt de la Neige, dem höchsten Punkte des Juragebirges überhaupt, mit 1723 m, erniedrigt sich im Col de Crozet auf 1460 m, steigt im Colomby de Gex auf 1691 m und sinkt schließlich zum Col de la Faucille (1323 m) herab. Der ganze Gebirgsstock hat beiderseits geschlossene Abfälle, namentlich gegen O, und bildet so eine hohe Barriere zwischen dem Schweizer Mittelland und dem französischen Plateaujura, der ihr nirgends an Höhe gleichkommt. Strukturell erscheint jener als eine nach NW überliegende Falte aus Jurakalken, angefangen vom oberen Dogger, deren Flanken von Kreideschichten teilweise bedeckt sind, die gelegentlich eine sekundäre Falte bilden, während im O der Fuß des Gebirges bis zu etwa 700 m Höhe von erratischem Material verhüllt wird. Der steilere, gegen das Valserinetal gerichtete Flügel ist abgebrochen, und indem die Kette fast plötzlich die NO-Richtung dieses Tales annimmt, wird auch ihr Abfall gegen dasselbe immer steiler, bis sie schließlich am Col de la Faucille in steilen Wänden nach W abfällt, über die die Straße in starken Serpentinen sich herabwindet. An der Ostseite ist die Kette gegliedert durch das Tälchen des Oudard, das zum Col de la Faucille hinaufführt, und durch den großen Talzirkus des Journan, an dessen Ausgang das Städtchen Gex gelegen ist. Die reiche, fast üppige Bewaldung, durch kahle Felsbänder oder saftige, im Bereich der Oxfordmergel gelegene Wiesen und Weiden unterbrochen, die tief in das Innere des Gebirgsstocks eindringenden Tälchen, deren Hintergrund hohe Felswände überragen,

---

[1]) Die tektonischen Bemerkungen sind hier und im folgenden den schon zitierten Arbeiten von Schardt, Études géol. sur l'extremité mérid. du Jura (Bull. soc. vaud. XXVII, 1891/92, S. 69—157) und Note explicative, feuille XVI, 1899, entnommen.

der von der Höhe sich bietende Blick auf den tief unten liegenden Genfer See, über dem die Montblanc-Gruppe zu ihren gewaltigen Höhen emporsteigt, machen diesen Teil des Kettenjura zu dem landschaftlich reizvollsten Gebiet des ganzen Gebirges.

Das Stück der Kette zwischen dem Col de la Faucille und dem Col de St.-Cergue (1263 m), zwei für den Verkehr wichtigen Lücken der Kammlinie, wird durch eine Reihe von Falten gebildet, deren Zahl nach N bis auf fünf anwächst, und die in den dazwischen gelegenen Synklinalen Fetzen von Neokom einschließen. Der Hauptkamm schwingt sich auf zu dem breiten Rücken der Dôle (1689 m), dem höchsten Juragipfel auf Schweizer Boden (Fig. 4). Gegen O überragen ihre steilen Wände das Synklinaltälchen des Châlet de Vuarne, einen glazial ausgestalteten Talkessel, dessen südlicher Teil sich nischenartig in das Gehänge hineindrängt, ohne daß wir es hier mit einem typischen Kare zu tun hätten (Fig. 5). Am Col de St.-Cergue tritt nun eine bemerkenswerte

Fig. 4. Gipfel der Dôle vom Talschluß des Châlet de Divonne.

Änderung im Aufbau der ersten Jurakette ein, und es ist die Lage dieser wichtigen Paß linie verknüpft mit dem Auftreten zweier neuer Falten. Die Antiklinale der Dôle scheint sich fortzusetzen in der Kette des Haut-Mont mit Höhen bis zu 1500 m, östlich begrenzt durch eine in der Fortsetzung des Tales von Vuarne gelegene Neokomsynklinale, westlich durch die Synklinale von Givrine und Amburnex, die in der Verlängerung des Tales von Dappes, des obersten Teiles des Valserinetals, liegt. Den Hauptkamm aber bildet die Antiklinalachse des Noirmont (1571 m), die plötzlich aus dem Neokomgebiet von La Chaille aufsteigt, während die erste Antiklinale des Plateaujura westlich der Valserine sich nach N ebenfalls mit einer leichten Schwenkung gegen O im M. Sallaz (1473 m) fortsetzt. Die drei Synklinalen sind hier so enge aneinander gepreßt und so hoch

Fig. 5. Waldtal bei Châlet de Vuarne, im Hintergrund die Dôle.

im Gebirge gelegen, daß der Charakter einer einheitlichen Gebirgskette im morphologischen Sinne, allerdings in der stattlichen Breite von 8 km gewahrt bleibt. Im weiteren Verlauf der Kette nach NO übernimmt nun die östliche Faltengruppe des M. de Bière (1528 m) die Führung und erreicht im M. Tendre 1680 m. Dann aber endet der lange Wall, den wir als eine geschlossene Mauer mit gleichen landschaftlichen Charakterzügen von der Rhône an verfolgen konnten, an der Kette des Dent de Vaulion am Nordende des Joux-Sees, und zugleich tritt jene, obengenannte Blattverschiebung auf, die der Hauptsache nach mit der Tiefenlinie zusammenfällt, die wir als Grenze von Ketten- und Plateaujura angenommen haben.

III. Der nördliche Kettenjura.
(Dufour XI, VII, II, VIII.)

Mit der Auflösung der bisher geschlossen verlaufenden ersten Jurakette in mehrere
parallel streichende Ketten, von denen jede einem selbständigen Gewölbe entspricht, geht eine,
wenn auch nicht bedeutende Höhenabnahme Hand in Hand. Die Höhe von 1600 m wird
fortan gegen N nur mehr selten überschritten. Der reine Kettencharakter mit scharfer
Kammlinie ist zumeist nur mehr den östlichen, das Schweizer Mittelland überragenden
Höhenzügen eigen, während gegen W der Typus breit gebauter, aber auch stärker abgetragener Gewölbe überhand nimmt, der den Übergang zur reinen Plateaulandschaft anbahnt.

In dem zunächst anschließenden Gebirgsabschnitt, der den nordwestlichen Teil des
Waadtländer Jura und das französische Grenzgebiet im Département Doubs einnimmt,
sind die Synklinalen im Hintergrund vielfach elliptisch erweitert und gegen das Vorland
geschlossen, so daß sie durch enge Quertäler entwässert werden. Die vorwiegend aus
oberen Malmkalken aufgebauten Ketten gehen aus der NO- immer mehr in die O-Richtung
über, was für das Pflanzenkleid insofern von Bedeutung wird, als sich dadurch ein schärferer
Unterschied zwischen Sonnen- und Schattenseite geltend macht. Jene ist in der Regel zu
größeren Höhen angebaut, während auf dieser die Wälder höher hinaufsteigen.

Die Kreidesynklinale von Amburnex, welche die Höhen des Noirmont und M. Tendre
kaum zu trennen vermochte, erweitert sich nach kurzer Unterbrechung gegen NO zu dem
weiten Talkessel von Vaulion, der somit zwischen den Ästen der ersten Jurakette gelegen
ist; er enthält die Quellen des Nozon und ist von einer dünnen Schicht jurassischen
Erratikums ausgekleidet. Seine Umrahmung bildet im W und N die Kette des Dent de
Vaulion (1486 m), die aus dem Noirmont hervorgeht, in einem nach N gekrümmten Bogen
verläuft, dabei am Nordende des Joux-Sees durch die mehrfach erwähnte Blattverschiebung
gekreuzt wird und erst nördlich von Vaulion in das regelmäßige Jurastreichen übergeht.
Die östliche Umwallung des Kessels von Vaulion bildet die geradlinige Fortsetzung des
M. Tendre. Zwischen den beiden Ketten fließt der Nozon zuerst durch einen ebenen Talboden, dann schließt sich die Synklinale, der Fluß verläßt sie und wendet sich in enger
Schlucht rein östlich, um in die hier dem Jurafuß vorgelagerte Kreidehügellandschaft und
schließlich in das ebene Land hinauszutreten.

Nördlich des Dent de Vaulion öffnet sich das dreieckige Synklinalbecken von Vallorbe,
nach Jaccard (2. supplément etc., S. 280) vielleicht eine Fortsetzung der Synklinale des
Joux-Sees. Im Hintergrund des Beckens entspringt am Fuße einer steilen Kalkwand die
Orbe als kräftiger Bach, der unterirdische Abfluß der Seen von Joux und Brenets;
sie fließt zunächst in der Muldenachse durch eine breite Talaue langsam dahin, schneidet sich
unterhalb Vallorbe immer mehr in die Quartärdecke ein, bis sie nach ihrer Vereinigung
mit dem von N ihr zuströmenden Jougnenaz durch eine tiefe Schlucht mit jugendlichen
Erosionsformen, dabei den Saut du Day bildend, sich windet. Sie durchbricht nun in
einem echten Quertal den nördlichsten Ausläufer der Kette des Dent de Vaulion, nachdem
sie in ganz gleicher Weise wie der Nozon die Achse der Synklinale verlassen hat; beiderseits von hohen Schotterterrassen begleitet, tritt sie aus dem Gebirge und setzt ihren Lauf
durch Kreideschichten bis zum Städtchen Orbe fort. Die Kette von Vaulion biegt etwas
nach N auf und taucht dann gegen das Vorland unter; hingegen spaltet sich das breite
Gewölbe zwischen dem Jougnenaz und der Orbe gegen NO orographisch in zwei Kämme,
den Kamm des M. Suchet (1590 m) und die nördlich vorgelagerte Aiguille de Beaulmes
(1563 m), getrennt durch eine bis auf den unteren Dogger herabgehende steilwandige
»Combe«, die sich nördlich von Beaulmes schließt und ihrem Bache nur einen schmalen,
klusenartigen Ausweg nach S zur Ebene gestattet. Das nunmehr wieder geschlossene Ge-

wölbe wird weiter nördlich in tiefer Schlucht vom Bache von Covatannaz, dem Abfluß des Beckens von Ste.-Croix, durchbrochen, und reicht nun, mit fast senkrechtem Schichtfallen gegen das Quartär des Jurafußes abstürzend, dann als erste Jurakette über die Ufer des Neuenburger Sees aufragend bis zum M. Aubert (1342 m). Verfolgen wir diese Kette nach rückwärts gegen W, so sehen wir sie die scharfen Formen allmählich verlieren und in eine durch das Längstal des oberen Jougnenaz gegliederte Plateaumasse übergehen, bis sie an die große Störungslinie zwischen Vallorbe und Les Hôpitaux stößt.

Die zweite Hochkette des Waadtländer Jura nimmt gleichfalls hier ihren Anfang in Gestalt eines ausgedehnten, 1200—1300 m hohen Rückens; nördlich der Aiguille de Beaulmes erlangt sie Kettencharakter, wendet sich scharf nach N als M. des Cerfs (1273 m) und bildet nun nach NO streichend das breite, bis auf 1611 m ansteigende Gewölbe des Chasseron. Zwischen diesem und der Aiguille de Beaulmes liegt das elliptische, quartär-erfüllte, ca 1000 m hoch gelegene Becken von Ste.-Croix mit synklinalem Bau, zu dem die Straße vom Jurafuß bei Vuilleboeuf in großen Windungen 400 m hoch emporsteigt. Es wiederholt sich also auch hier die Erscheinung von hochgelegenen, ringsumwallten Kesseltälern, die tektonisch als geschlossene Synklinalen auftreten und durch enge Quer-täler zum Vorland entwässert werden.

Die Kette des Chasseron ist eine der längsten im nördlichen Kettenjura; jenseit des M. Aubert bildet sie als erste Jurakette den Abfall gegen den Neuenburger See, setzt sich im Chaumont fort und vereinigt sich schließlich im südlichen Berner Jura mit dem Chasseral. Die baumfreien Höhen des breiten Kammes fallen zumeist steil gegen die tieferen, schön bewaldeten Regionen ab; zahlreiche Flankenrisse und mehrere, an Oxford-schichten sich knüpfende Längstälchen gliedern die Gehänge, so das nach NW geöffnete Vallon de Deneyriaz, die Combe de la Vaux, und im mittleren Teile der Kette drängt sich in ihre nördliche Flanke der schönste Zirkus des Jura, der Creux du Van, ein Kessel mit halbkreisförmigem Umriß und schmalem Ausgang; über seinen allmählich ansteigenden. von Bergsturztrümmern übersäten, 1000—1100 m hohen Boden erheben sich zuerst mäßig steile, schuttüberkleidete Gehänge, dann ca 100 m hohe senkrechte Wände, die bis zu 1465 m ansteigen. Die nördliche Begrenzung der Chasseronkette bildet eine Tiefenlinie, die in ihren einzelnen Teilen sehr verschiedenen morphologischen Charakter trägt. Sie beginnt als die schmale Combe de Voirnon zwischen dem Crêt du Vourbey (1250 m) und dem M. de l'Herba (1312 m) auf französischem Boden nahe der Westgrenze des Ketten-jura und erweitert sich auf Schweizer Gebiet zu dem 1100 m hohen, ausgedehnten und waldlosen Plateau von Auberson, einer elliptischen Synklinale, erfüllt von der ganzen Schichtreihe der unteren Kreide, helvetischer Molasse und Quartärbildungen, die mehrfach die Bildung von Torfmooren bedingen. Aus ihm führt der Col des Étroits (1143 m) nach dem Becken von Ste.-Croix. Eine kleine Kette trennt das Plateau von dem Oxfordtal von Vraconnaz. An ihrem Südabhang entspringt die Noiraigue, deren oberstes Talstück ein im Sommer wasserloser Graben ist; sie folgt bis Noirvaux der Synklinale nach NO. verläßt dann dieselbe und erreicht durch ein tiefes, schluchtartiges Waldtal schräg zum Streichen der Ketten bei Les Buttes die breite Mulde des Val de Travers. Diese hat ihren Ursprung in dem Synklinalplateau der Côte aux Fées, nördlich der Combe de Vra-connaz; sein Fluß, die Sagne, verläßt aber ebenfalls bald die vorgezeichnete Tiefenlinie und erreicht durch eine kurze Schlucht im Dos d'Ane die Noiraigue.

Die wichtige Tiefenlinie, die bei La Cluze südlich von Pontarlier beginnt, durch das Tal von Verrières aufwärts zieht und durch den kreisförmigen Zirkus von St.-Sulpice, ein Seitenstück zum Creux du Van, in das Val de Travers eintritt, durchsetzt den ganzen Kettenjura ungefähr in der Richtung seines Streichens. Ihre Bedeutung kennzeichnet die

Eisenbahnlinie (Paris)—Pontarlier—Neuenburg; in dem furchtbaren Winter von 1871 diente sie den Resten der französischen Armee zum Übertritt auf Schweizer Gebiet. Die Mulde von Verrières beginnt mit dem dreieckigen Becken von Frambourg an der Störungslinie Hôpitaux—Pontarlier und bildet ein breites, von Kreide und Molasse, im östlichen Teile auch von mächtigen Quartärablagerungen erfülltes Wiesental. Die teils bewaldeten, teils sichtlich infolge von Abholzung verkarsteten Gehänge steigen sanft und nur etwa 200 m hoch über die nur wenig ausgetiefte und kaum merklich ansteigende ca 900 m hohe Talsohle empor. Das Tal entbehrt einer ausreichenden Wasserader; nur den westlichen Teil entwässert die »Morte Rivière« zum Doubs. Südlich dieses Tales erstreckt sich das ca 1200 m hohe wellige und verkarstete Malmkalkplateau von Fourgs, dessen spärliche Wiesenbekleidung oft den von kleinen Dolinen durchsetzten Felsboden zutage treten läßt. Es verschmälert sich gegen O zu einem breiten, steilrandigen Gewölbe, dem M. des Buttes. Die Mulde von Verrières endet stumpf im Gebirge; aber in ihrer Fortsetzung öffnet sich der romantische Zirkus von St.-Sulpice, der ein in den Oxfordschichten kreisförmig erweitertes Quertal in der Kette des M. des Buttes darstellt. Den ebenen Boden überragen bis 350 m hohe Wände in kühnen Formen; am Fuße der nördlichen entspringt als starker Bach die Areuse, die nach Durchschneidung der Umrahmung des Zirkus im Pont de la Roche in das Val de Travers hinaustritt. Dieses steht vermöge seiner Tiefe in großem Gegensatz zu dem flachsohligen Tal von Verrières. Über den fruchtbaren, von zahlreichen ansehnlichen und netten Ortschaften (Fleurier, Motiers, Couvet, Travers) belebten Talboden, deren Wohlstand leider vorwiegend auf die Absinth-Industrie, teilweise auch auf die Asphaltgewinnung zurückzuführen ist, erheben sich die Jurakämme durchschnittlich 400—500 m hoch bis zu über 1200 m. Der Fluß strömt zunächst durch eine breite Talaue, die sich gegen O verschmälert und bei La Vaux endet. Während sich die Synklinale nach O in einer Terrasse fortsetzt, die einen ehemaligen Talboden andeutet[1]), biegt der Fluß scharf nach N in das Zentrum des Gewölbes des Malmont um und durchmißt wieder nach O zurückkehrend bis Noiraigue einen alten Seeboden. Von nun ist das Tal der Areuse eine tief eingerissene, großartige Schlucht, die berühmten Gorges de l'Areuse; oberhalb Champ du Moulin tritt der Fluß wieder in die frühere Synklinale zurück, aber der schluchtartige Charakter bleibt dem Tale erhalten, bis die Areuse zwischen den Bergen von Rochefort und Boudry die Kette des Chasseron schräg zum Streichen durchbrochen hat und in das dem Neuenburger See vorgelagerte ebene Land hinaustritt.

Der Raum zwischen der Linie Frambourg—Noiraigue im S und dem Doubstal im N, im O bis an das breite Tal von Les Ponts reichend, wird erfüllt von einer Anzahl von Höhenzügen, die im westlichen Teile als Montagne de Larmont, ein breites Gewölbe von Portlandkalk, 1326 m Höhe erreichen; die Antiklinale setzt sich bis zum Pouillerel oberhalb Chaux-de-Fonds fort und tritt hier in die Freiberge ein. Gegen O nehmen die Höhen Plateaucharakter an, wobei die kofferförmig gebauten, bis 1300 m hohen Gewölbe kaum 200 m über die unausgetieften, zumeist abflußlosen Mulden aufragen. Eine derselben ist die langgestreckte Synklinale von La Brévine (ca 1050 m), größtenteils versumpft oder vertorft, deren Gewässer teils in Schlundlöchern verschwinden, teils sich zu dem langgestreckten See von Taillières vereinigen. Auf den breiten Rücken unterbrechen kleine Waldpartien die mageren Wiesen oder nackten Felsflächen mit Ansätzen zu Verkarstung, während sich die tiefer eingeschnittenen Oxfordtälchen durch lebhaftere Farben und freundlicheres Aussehen abheben. Besonders tief ist die Combe du Sucre, die durch ein enges, durch große Schottermassen verbautes Flankental bei Couvet zum Val de Travers

---

[1]) Du Pasquier, Le glaciaire du Val de Travers (Bull. soc. neuch. XXII, 1893, S. 1 ff.).

sich öffnet. Unter den Synklinalen besitzt die größte Bedeutung die von **Les Allemands**, die mit einer Länge von 26 km von Pontarlier nach NO langsam ansteigt, in der Mitte sich verengt, so daß die Talform verschwindet, schließlich aber gegen das weite Becken von Morteau sich verbreitert, wo sie den Doubs erreicht.

Die Ketten am linken Ufer der unteren Areuse verknüpfen den **Neuenburger Jura** mit den südlichsten und höchsten Ketten des **Berner Jura**. Die Kette des Chasseron setzt sich jenseit der Areuse stets als erste Jurakette über dem Neuenburger See fort, durchbrochen in enger Schlucht vom Seyon. Nördlich derselben wird sie als **Chaumont** (1175 m) von einem einfachen Gewölbe mit runden Formen gebildet, dann biegt sie etwas nach N auf, erreicht im M. Chuffort 1230 m, während sich über die randliche Tiefenlinie eine neue Kette erhebt, die als **Twannberg** bei Enges beginnt und 36 km lang längs des ganzen Bieler Sees und über dem Aaretal bis Grenchen verläuft, ohne Zusammenhang mit den anderen Ketten. Sie gipfelt im M. Jorat mit 1089 m und besteht gleich den übrigen aus obersten Jurakalken, an die sich am Seeufer Kreideschichten anlehnen. Die steil zum See abfallenden Gehänge sind bei Neuenstadt, Twann und Bötzingen von tiefen Schluchten zerrissen, von denen die der **Schüss** (Suze), das sog. Taubenloch bei Bötzingen, durch ihre wilden Schönheiten besonders berühmt ist. Der Chaumont ist das Verbindungsglied der beiden höchsten Ketten des nördlichen Kettenjura; denn seine Fortsetzung bildet die Kette des Chasseral, die von der Seekette durch die Muldentäler von Diesse, Orvin und Vauffelin geschieden ist. Die beiden letzteren werden bei Frinvilier durch die Schlucht der Schüss getrennt, die oberhalb davon in der prächtigen Klus von Rondchâtel die Chasseralkette durchbricht. Diese endet schließlich als Vorderer Grenchenberg, indem sie sich mit den nördlich anschließenden Faltenzügen vereinigt; sie läßt sich also als eine einheitliche Kette von über 80 km Länge von Ste.-Croix an ununterbrochen verfolgen und enthält die höchsten Gipfel des nördlichen Kettenjura. Als **Chasseral** erhebt sich ihr breiter Rücken zu 1609 m, mit sehr geschlossenem Südabhang, während der gegen N zum St.-Emmertal (Val St.-Imier) gerichtete Abfall von zahlreichen tiefen Flankentälern (ruz) zerrissen ist.

Die erste Kette nördlich des Val de Travers setzt sich nach NO fort und gipfelt schließlich in der **Tête de Rang** (1425 m). Ihr Ursprung liegt im Plateau von Fourgs. und nach einer Erstreckung von etwa 40 km tritt am Col des Loges (1286 m) eine Abschwenkung ein, so daß hier ein Wendepunkt im Streichen mit einer bedeutenden Ermäßigung der Kammhöhe zusammenfällt. Vom Col des Loges schwenkt nach ONO der M. d'Amin ab und verknüpft sich mit der Chasseralkette. Die Tête de Rang erhebt sich zwischen zwei breiten und tiefen Mulden, dem Tale von Les Ponts und La Sagne im W und dem Val de Ruz im O. Jenes beginnt nördlich von Noiraigue in großer Breite und spitzt sich nach NO zu. Seine Entwässerung richtet sich nach S, aber die verästelten Rinnsale verschwinden an den Rändern des Beckens in Schlundlöchern; es liegt hier ein echtes Polje vor. Das Val de Ruz verdankt seine große Breite dem divergierenden und wieder konvergierenden Verlauf der umrahmenden Ketten, Chaumont und Tête de Rang. Kreide und Tertiär treten nur an den Rändern zutage, das ganze Innere ist mit einer mächtigen Decke alpiner Grundmoräne überzogen, die eine reiche Kultur ermöglicht, gelegentlich aber auch zur Versumpfung führt. Der Seyon durchströmt das Tal in SW-Richtung und durchbricht von Vallangin an in einer Klus die östliche Randkette. Wir haben es hier mit einem aufgeschlossenen Polje zu tun.

Von ähnlicher Beschaffenheit ist auch das etwa 950 m hoch gelegene, synklinal gebaute Plateau von Diesse. Auch hier hat die glaziale Auskleidung Torfe und Sümpfe geschaffen, deren Abflüsse in Schlundlöchern verschwinden, während im Frühjahr infolge des

Steigens des Karstwasserspiegels Überschwemmungen eintreten. Der Twannbach durchströmt das Tal nach NO und biegt dann rechtwinklig zum Bieler See um, den er unterhalb der Klus von Twann erreicht.

Zwischen dem Tal von La Sagne und dem von La Brévine streicht schließlich ein Faltenzug, der seinen Ursprung an der französischen Grenze bei Verrières hat; seine Fortsetzung als Südrand des Plateaus der Freiberge und seinen Abschluß in der Weißensteinkette werden wir später kennen lernen.

Das bisher besprochene Gebiet des nördlichen Kettenjura zeichnet sich durch Ketten von ganz außerordentlicher Länge aus. Hervorgehend aus den breiten Plateaumassen im W, streichen sie auf viele Meilen unter verschiedenen Namen dahin, wobei sie häufig Abweichungen von der eingeschlagenen Richtung erfahren oder durch ihre Vereinigung elliptische, poljenähnliche Synklinalbecken einschließen. Die großen, bis über 800 m betragenden Höhenunterschiede zwischen den Kämmen und den tieferen Mulden oder dem Fuße des Gebirges lassen den Kettengebirgscharakter deutlich hervortreten. Dieser Umstand, sowie die jugendlichen Erosionsformen und die Erhaltung der jüngsten gebirgsbildenden Schichten in relativ großen Höhen schaffen den auffallenden Gegensatz zu dem nun nach N anschließenden Plateau der Freiberge. Die abgrenzende Tiefenlinie ist das langgestreckte, von der Schüss durchströmte Muldental von St.-Imier, das durch den Kalkrücken des M. Sagne von der Synklinale des Tales von La Sagne getrennt ist. Es verläuft mit sehr charakteristischem trogförmigem Profil schwach gekrümmt von Convers bis Sonceboz in einer Erstreckung von 27 km, wobei es sich allmählich bis auf 2 km verbreitert. Seine Ausfüllung mit tertiären und jüngeren Ablagerungen, unter denen Kreideschichten die unteren Partien der Gehänge auskleiden, ermöglicht eine reiche Kultur und erzeugt ein anmutiges Landschaftsbild, das von zahlreichen ansehnlichen und industriereichen Ortschaften (Renan, Sonvilier, St.-Imier, Cormoret, Courtelary, Cortébert, Corgémont) belebt wird. Bei Sonceboz verläßt die Schüss die Mulde, fließt dann ein kurzes Stück quer zum Streichen des Montoz-Gewölbes und tritt in die Mulde von Péry, um nun rechtwinklig in die Klus von Rondchâtel umzubiegen.

Das Plateau der Freiberge.

Vom Gipfel der Tête de Rang blickt man gegen N und W über ein weites, schwachwelliges Land, das Plateau der Freiberge oder Franches-Montagnes. Mußte man von der Talsohle des Val de Ruz 700 m aufsteigen, so führt ein Abstieg von kaum 400 m nach dem Hauptort des Plateaus, dem industriereichen, ca 1000 m hoch gelegenen Chaux-de-Fonds; von hier zieht dieselbe Synklinale über eine niedrige Wasserscheide nach dem freundlichen Becken von Le Locle, dessen jungtertiäre Süßwasserkalke niedrige Hügel und Terrassen bilden. Gegen SW ist es abgesperrt durch die Felswand des Col des Roches, durch den ein für Bahn und Straße gebohrter Tunnel nach dem tief eingeschnittenen Doubstal führt, dessen steile, von Schluchten zerrissene Gehänge fremdartig anmuten gegenüber der eben verlassenen einförmigen Landschaft im O.

Die Grenzen des Plateaus der Freiberge sind nur im W und S scharf zu ziehen. Das Tal von St.-Imier bildet im S die Grenze gegen das Gebiet der hohen Ketten. Im W trennt das Doubstal bis Ste.-Ursanne die Freiberge von den gleichgearteten Plateaulandschaften des französischen Jura. Indem das Plateau dabei aus der allgemeinen Streichungsrichtung nach NNO aufbiegt, gewinnt es gegen N immer mehr an Breite. Nach O zu geht es in die scharf individualisierten Kämme und Täler des zentralen Berner Jura allmählich über, in dem Maße, als die auf dem Plateau nur schwach angedeuteten Höhenrücken an Ansehen gewinnen, seine Täler sich vertiefen und in die Tertiärbecken von Glovelier, Sornetan und Saicourt einmünden.

Im W setzt das Plateau scharf gegen das tiefe Doubstal ab; sein Rand schwankt zwischen 1100 und 850 m und nimmt im allgemeinen nach N an Höhe ab, gegliedert durch die vom Doubstal sich einfressenden Schluchten, die aber das Plateau selbst nicht erreichen. Nach SW steigt dasselbe allmählich an bis auf die Höhe des Pouillerel bei Chaux-de-Fonds (1276 m), nach SO auf den Kamm des Sonnenbergs, der steil zum Tal von St. Imier abfällt. Seine Kammhöhe steigt von 1060 m im W bis 1290 m im O; im W überragt er den Hintergrund des Tales nur 200 m hoch; bei St.-Imier aber steigen dessen Gehänge 550 m steil und unmittelbar zum Plateaurand an. Der Sonnenberg ist also nur der aufgebogene Südrand des Plateaus.

Die Freiberge sind ein Faltungsgebiet par excellence; aber oberflächlich verraten sich die Faltungsvorgänge nur durch die herauspräparierten Dogger- und Malmkerne der Antiklinalen und die auf Oxfordmergel eingebetteten »Comben«. Der bezeichnendste Charakterzug der Landschaft sind eben die geringen Höhenunterschiede; bei einer mittleren Höhe von rund 1050 m bewegen sich die Höhen zwischen 950 und 1150 m; nur ausnahmsweise schneidet die Combe de la Ferrière bis auf 830 m ein. Das beweist einen intensiven Denudationsvorgang, dem ohne Rücksicht auf die Struktur nur die widerstandsfähigsten Gesteinspartien standhalten konnten; in keinem Teile des Kettenjura ist die Diskordanz zwischen innerem Bau und Oberflächengestaltung so auffallend wie in den Freibergen. Von den zahlreichen, um viele Hunderte von Metern abgetragenen Antiklinalen hebt sich in der Landschaft auffällig die Kette des Spiegelbergs zwischen Noirmont und Muriaux hervor; die Synklinalen halten sich im Gegensatz zu den im Bereich der hohen Ketten tief erodierten Muldentälern ziemlich gleichmäßig in der Höhe von 1000 m, gleichgiltig, welche Schichten der Juraserie sie bilden. Über dem eingeebneten Kalkgebirge liegen kleine Fetzen von Tertiär (marines Miocän in seiner Uferfazies) und darüber eine braune Lehmschicht, entweder als ziemlich mächtige Decke oder in Taschen der Erosionsfläche. Wir haben es hierbei größtenteils mit dem terra rossa ähnlichen Lösungsrückstand der Kalke zu tun, der aber später in die Grundmoräne der Hauptvergletscherung einbezogen wurde[1]. Er ist die Grundlage der intensiven Wiesenwirtschaft der Freiberge. Wenn auch diese bis zum Ende des 14. Jahrhunderts von dichtem Walde bekleidet gewesen sein sollen[2], so sind sie heute doch vorwiegend Wiesen- und Weideland, das nur von spärlichen Waldgruppen mosaikartig durchbrochen wird. Wald deckt auch

Fig. 6. Torfmoor bei Chaux-d'Abel.

zumeist die steilen Gehänge der das Plateau begrenzenden Täler, und fast ausnahmslos fällt der Plateaurand mit der Grenze von Weide und Wald zusammen. Wo die Lehmdecke fehlt, nimmt die Landschaft Karstcharakter an, ohne daß aber auf größeren Flächen nacktes Gestein zutage tritt. Neben einem großen Reichtum an Dolinen aller Größe und Form bildet den charakteristischen Zug der Karstlandschaft der vollständige Mangel oberflächlich fließender Gewässer. Die tief eingeschnittenen Täler von La Ferrière und von Vallavron sind wasserleer; nur im östlichen Teile dringen Bachtäler tiefer in die Plateaumasse ein.

[1] Das Nähere darüber später.
[2] Siegfried, Der Schweizer Jura, Zürich 1851, S. 96.

Hingegen trägt der undurchlässige Lehmboden häufig kleine Teiche, z. B. bei Les Pommerats; an ihn knüpfen sich auch als Beweise eines einstigen größeren Wasserreichtums die zahlreichen Torfmoore (saignes), deren Gewässer in Schlundlöchern verschwinden, z. B. die von Chaux-d'Abel (Fig. 6), Noirmont, La Chaux u. a., deren Flora manche boreale Typen, wie Betula nana, enthält.

Die Sättel und Mulden der Freiberge setzen sich ohne Störung weiter nach O fort, wobei ihre Höhenunterschiede wachsen. Es stößt an das Plateau der Freiberge unmittelbar das Bereich der großen breiten Rücken des zentralen Berner Jura[1]), das mit dem Flußgebiet der Birs ungefähr zusammenfällt. Die Ketten dieses Gebiets streichen fast genau östlich mit Höhen, die nur im S 1400 m übersteigen und im N unter 1100 m herabsinken, während die Muldentäler sich zwischen 700 m im südlichen und 400 m im nördlichen Teile bewegen. Es erfolgt also eine allgemeine Höhenabnahme aller Formen nach N und eine in gleicher Richtung vor sich gehende Entwässerung. Den Abschluß dieses Gebirgsabschnitts bildet die lange Kette des M. Terrible, deren wir später im Zusammenhang zu gedenken haben. Südlich derselben öffnet sich das weite, muldenförmig gebaute Becken von Delsberg, 400—600 m hoch, im W durch die aus den Freibergen hervorgehenden Ketten, im O durch die Konvergenz der begrenzenden Nord- und Südketten abgeschlossen. Bei einer Längserstreckung von 25 km zwischen Glovelier im W und Montsevelier im O erreicht es ungefähr im Meridian von Delsberg mit 5 km seine größte Breite. Seine Entwässerung besorgt nach N die Birs, die in 400 m Höhe das Becken verläßt und ihm den Charakter eines aufgeschlossenen Polje verleiht. Während in der Umgebung der Flüsse quartäre Schotter und jüngere Alluvialbildungen breite Talauen schaffen, bilden die mächtigen Tertiärschichten ein reich gegliedertes, zumeist waldbedecktes Hügelland bis zu 600 m Höhe, über das die Jurakalke namentlich im N als eine steile Landstufe aufsteigen. Eine eigentümliche Erhebung bildet südlich von Delsberg der isolierte M. Chaibeux (629 m), wo über einem Molassesockel mächtige Bergsturzmassen von unterem Malmkalk lagern, die ihre Unterlage vor der Abtragung schützten, während seither zwischen dem Ablagerungs- und Abrißgebiet ein ca 1,5 km breites Tal entstand.

Den südlichen Abschluß des Beckens bildet die Kette des Vellerat; sie beginnt tektonisch bereits bei Goumois am Doubs und reicht als morphologische Individualität von St.-Braix im W bis gegen Mervelier, wo eine tertiärerfüllte Tiefenlinie den Zusammenhang mit den östlich anschließenden Ketten unterbricht. Sie ist eines der regelmäßigsten Gewölbe des Jura, aufgebaut aus unteren Malmkalken, mit einer Kammhöhe von 1000—1100 m, aber durch die Klusen der Sorne zwischen Undervelier und Berlincourt, der Birs zwischen La Verrerie und Courrendlin und der Gabiare nördlich von Vermes tief zerschnitten, sowie durch zahlreiche Flankentäler, besonders auf der Nordseite, zerfressen. Ihre südliche Begrenzung bildet das tertiärerfüllte Tal von Undervelier und Soulce, das sich östlich der Birs in dem von Rebeuvelier und Vermes fortsetzt; in dem Zwischenstück, das durch der Synklinale folgende Zuflüsse der Birs entwässert wird, fehlt die tertiäre Decke, weil hier der Boden des Tales durch die umwallenden Ketten eng zusammengepreßt ist und daher das Tertiär leichter erodiert werden konnte als in den breit geöffneten Teilen der Mulde. So zerfällt die ganze Synklinale durch Talpässe in drei verschiedenen Quertalflüssen angehörende Gebiete.

Es folgt nach S die Kette des Coulou und M. Raimeux (1300 m), die unter diesen Namen bis zur Klus der Gabiare bei Envelier reicht, worauf sie sich nach O in den Höhen

---

[1]) Für das folgende vgl. auch: »Geotektonische Skizze der nordwestlichen Schweiz« (1 : 250 000) von Fr. Mühlberg in Livret-guide géologique au congrès géol. intern. 1894.

des Schönenbergs und Matzendorfer Stierenbergs fortsetzt. Sie wird im westlichen Teile durch breite Rücken von Malmkalken, im O durch zugeschärftere Kämme von Hauptroggenstein gebildet, wobei die Höhen im W nur unwesentlich höher sind. Die Kette ist durch die tiefen Klusen der Sorne, Birs und Gabiare geöffnet; ihre südliche Begrenzung ist eine der längsten und am tiefsten aufgeschlossenen Synklinalen des Jura. Ihr westlicher Abschnitt, das Petit Val, wird von den Quellflüssen der Sorne entwässert, von deren westlichstem, der Sornette, eine eigentümliche, durch eine walmartige Senkung der Antiklinalachse erzeugte und von Torfmooren teilweise erfüllte Tiefenlinie die nächste Kette zwischen Bellelay und Fuet kreuzt. Das stark gestörte Tertiär des Petit-Val bildet Höhen bis zu 870 m; aus ihm führt eine Talwasserscheide in 927 m in das breite Tal der Birs bei Moutier. Die tertiärerfüllte Synklinale setzt sich enger werdend über Crémine und eine neue Talwasserscheide in 800 m Höhe in das Quellgebiet der Gabiare bis Soltersschwand fort und keilt sich schließlich im Gebirge aus. Südlich des Petit Val erhebt sich die kurze Kette des Moron (1340 m), im W durch die erwähnte Tiefenlinie Bellelay-Fuet nur undeutlich von den Freibergen sich absondernd, im O spitz auslaufend gegen das Tal von Moutier und durch die schmale Synklinale von Champoz getrennt von der sie kulissenartig ablösenden Kette des Graitery (1312 m), die von Birs und Rauß in Klusen durchbrochen sich nach O im Malsen- und Probstenberg und schließlich bis in den Hauenstein fortsetzt. Ihre Nordgehänge sind durch Flankentäler, die aus kleinen Oxford-»Comben« kommen, reich gegliedert, während die Südgehänge als ziemlich geschlossene Mauer zur nächstfolgenden Längstalfurche abfallen. Deren westlicher Teil ist das tertiärerfüllte, etwa 900 m hohe Tal von Tramelan, aus dem die Trame in engem Muldental in das breite und fruchtbare Tertiärbecken von Tavannes und Court tritt, das in Höhen zwischen 660 und 760 m den Oberlauf der Birs enthält. Nach O verengt es sich von einer Breite von 4 km bis zu einer Talwasserscheide in 1020 m, die zunächst ins Quellgebiet der Rauß und bei Gänsbrunnen in das nach O bis Balstal an Breite gewinnende Tal des Dünnernbaches führt. Das letzte, zugleich längste (130 km) der großen Gewölbe ist das der Weißensteinkette, dessen tektonischer Ursprung im W bei Verrières an der französischen Grenze zu suchen ist. Die Halbklus der Pierre-Pertuis, schon von einer Römerstraße benützt, die durch ein natürliches Felsentor führt, trennt den Kamm des Sonnenbergs, den wir als Südrand der Freiberge kennen lernten, von dem breiten geschlossenen Rücken des Montoz (1330 m); dann bildet dasselbe Gewölbe, mit dem der Chasseral-Kette vereinigt, als Weißenstein-Kette (in der Hasenmatte 1449 m) als steilabfallenden Fuß des Gebirges zwischen Grenchen und Olten, trägt aber nur auf kurze Strecken die Wasserscheide zwischen den zur Aare und den nach N zum Rhein gerichteten Gewässern. Durch zahlreiche Flankentäler und Comben, die oft bis auf Lias und Keuper heruntergehen, reicher gegliedert und vom Dünnernbach, der die Aare bei Önsingen erreicht, durchbrochen, reicht diese Kette als Rötifluh, Roggenfluh und Eggberg bis über die Hauenstein-Linie nach O, wo sie bei Olten unter den Bildungen des Aaretals untertaucht.

Damit haben wir bereits das Bereich der großen Gewölbe mit ihrer regelmäßigen rostförmigen Gliederung verlassen und sind in das Gebiet nahe dem Ostende des Jura eingetreten. Hier geht der Charakter der breiten Rücken verloren, indem sich die Ketten enger aneinander pressen, stark an Höhe verlieren und durch ein reiches Talnetz gegliedert sind, in dem sowohl lange Talzüge als große Quertäler fehlen. Die Auflösung der Ketten ist hier schon soweit gediehen, daß die Verfolgung einer einheitlichen Kammlinie oft schwer möglich ist; zumeist treten die Synklinalen auf den Kämmen, die Antiklinalen als hochgelegene Längstäler auf, eine Regel, die nun für den ganzen sog. Aargauer Kettenjura gilt. Daraus ergibt sich die charakteristische Gipfelform dieser Gegend, indem die harten

Schichtköpfe des Muschelkalks und Hauptroggensteins als trotzige, oft überhängende Felswände, Fluhen genannt, auftreten, während nach der anderen Seite, gegen den Muldenkern,
die Schichten sanfter abfallen (vgl. Profil XIV). Zudem geht hier der einfache Gewölbebau
verloren, zur reinen Faltung gesellen sich Überschiebungen auf der Höhe der Gewölbe.
Die zweite Kette des zentralen Berner Jura, die des Graitery, setzt sich zunächst mit
großer Regelmäßigkeit zwischen dem breiten Muldental des Dünnernbaches im S, dem
Guldental und dem Tal von Mümliswyl im N fort, wesentlich aus Dogger aufgebaut,
bis sie von der Klus von Mümliswyl durchbrochen wird. Östlich derselben erfährt sie als
Hauensteinkette eine ähnliche Auflösung wie die Weißensteinkette östlich der Önsinger
.Klus. In der Umgebung von Langenbruck wird der Verlauf der Wasserscheide zwischen
Aare und Rhein äußerst unregelmäßig, indem sich hier Zuflüsse des Dünnernbaches weit
nach N verzweigen. Nördlich von Olten scheint sich die Hauensteinkette mit der Weißensteinkette zu scharen, so daß hier der reine Kettenjura sich in eine einzige Kette zusammengefaßt darstellt. Östlich der Linie Olten—Läufelfingen, wo die Eisenbahn die Hauensteinkette in einem 2700 m langen Tunnel durchbohrt, bilden die Steilabfälle dieser Kette im
Doltenberg (944 m), in der Rebfluh, dem Gugen, Brunnenberg, Homberg und in der Gyslifluh mit Höhen von 700—800 m den Jurarand, und schließlich durchbricht die Aare diese
Randketten in nordwärts gerichtetem Laufe bei Wildegg.

Aus dem Rücken des Raimeux geht östlich der Klus von Envelier die aus Keuper,
Lias und Dogger aufgebaute Kette der Hohen Winde (1207 m) hervor. Auch hier zerlegen die zahlreichen Verästelungen der dem Lüssleinbach, einem Zufluß der Birs, untergeordneten Täler das Gebirge ohne enge Beziehungen zur Struktur in eine Reihe von
scheinbar unregelmäßigen Erhebungen. In der Fortsetzung der Hohen Winde erhebt sich
die Paßwangkette (1207 m), die vom S—N streichenden Tale des Frenkenbaches durchbrochen wird und jenseit als Bölchenfluh bis zum Plateau von Ifental zieht, wo sie sich
gleichfalls an die Hauensteinkette angliedert. Die Aare hat ihren Charakter als Jurarandfluß bereits bei Aarburg verloren, wo sie in den Jura eintritt; doch erreichen die Juraschichten am rechten Ufer des nach wie vor breiten Tales nur selten bedeutendere Höhen,
wie im 717 m hohen Engelberg. Unterhalb Aarau verschwinden sie vom rechten Aareufer
vollständig, bis unterhalb Wildegg die letzten Ausläufer des Jura erscheinen: in der (orographischen) Fortsetzung der Gyslifluh der 648 m hohe Kestenberg, in der des Linnbergs
die von der Habsburg gekrönte Höhe des Reinwalds (513 m). Bei Brugg gerät die Aare
infolge einer jugendlichen Verlegung ihres Bettes abermals auf harte Jurakalkbänke, bald
aber erweitert sich ihr stark verwildertes Tal, und sie nimmt kurz nacheinander Reuß und
Limmat auf. Zwischen diesen beiden erhebt sich zu 517 m das Gebenstorfer Horn, das
seinen Tafelbergcharakter seiner Krönung durch Deckenschotter verdankt.

Es erübrigt nunmehr noch die Besprechung der Zone außerordentlicher Lagerungsstörungen am Nordrand des Kettenjura und jener einzigen, gegen W—O streichenden Kette, die den Abschluß des gesamten Faltenjura gegen den im N vorgelagerten Tafeljura bildet, vom Doubs bei Baume-les-Dames bis in das Molasseland der Schweiz jenseit
der Limmat reicht und durch die Berührung mit verschiedenen tektonischen Gebieten
zu einem strukturell sehr komplizierten Gebilde wird. Sie beginnt als Lomont-Kette
am Doubs und ist mit Höhen von 800 m die Randkette der schwach gefalteten französischen
Plateaulandschaft gegen die zerbrochenen Tafeln im N. Sie erhebt sich ziemlich steil und
isoliert 400 m über den Doubs und 300 m über ihren Nordfuß als scharf markante Form
in der eintönigen Landschaft, bis sie zum zweitenmal vom Doubs zwischen Villars und
Pont de Roide durchbrochen wird. Nun folgt ihr ein Stück weit die schweizerisch-französische
Grenze: ihre Südgehänge fallen steil zum Doubstal ab, die nördlichen zum Plateau von

Pruntrut und diese sind durch zirkusförmige Erweiterungen der nördlichen Seitentäler, die bis auf Liasschichten aufgeschlossen sind, gegliedert. Ein wichtiger Knotenpunkt (das »centre de soulèvement« der früheren Geologen) liegt nördlich des Doubsknies bei St.-Ursanne, wo sich mit der W—O streichenden Mont-Terrible-Kette, der Fortsetzung der Lomont-Kette (im Mont Gremay 943 m), die aus den Freibergen hervorgehenden, nach NO streichenden Ketten scharen, namentlich die Kette von St.-Braix, die ihren Ursprung bei Vautenaivre hat, bei Caquerelle den Lomontzug trifft und das Becken von Delsberg gegen W absperrt. Den landschaftlichen Charakter dieses Gebiets bedingt das bis auf 430 m eingeschnittene, malerische Doubstal, in dem der Fluß ruhig dahinströmt und über das sich die Ketten unten mit schön bewaldeten, sanften Formen, oben mit schroffen Wänden bis nahe an 1000 m erheben. Um aus dem Doubstal in das Becken von Delsberg zu gelangen, durchschneidet die Eisenbahn die Kette von St.-Braix in zwei langen Tunnels. Von Caquerelle an streichen die nun vereinigten Ketten weiter nach O, wobei die südlichste, hier Rangiers-Kette genannt, das W—O-Streichen der Mont Terri-Kette fortsetzt; sie bildet mit steilem Südabfall die nördliche Begrenzung des Delsberger Beckens, von der Birs in der engen Klus von Vorburg und Soyhières durchbrochen. Die beiden nördlichen Ketten gehen ihr parallel bis oberhalb Laufen, wo sie teils zur südlichsten Kette zurückzukehren, teils, wie die Buebergkette, an dem breiten Tertiärbecken von Breitenbach zu verschwinden scheinen, bis östlich desselben wieder neue Faltenzüge auftauchen. In dem südlich des oberrheinischen Einbruchstals gelegenen Gebirgsabschnitt, wo die Ketten weit nach N vordringen können, lagert sich vor diese noch die Blauenkette (836 m), die aus der Gegend von Miécourt im Quellgebiet von Lützel und Alle nach O bis über die Birs reicht und sich jenseit derselben verflacht. Sie selbst teilt sich am Signal Römel in zwei Äste: der nördliche zieht in einem Bogen als Flühenberg gegen NO und kehrt nahe der Birs zur Hauptkette zurück. Zwischen der Bueberg- und der Blauenkette liegt das Längstal der Lützel, während den Nordabfall des Bürgerwaldes, des nördlichsten Faltenzugs gegen die Rheinebene, die Ill umfließt, die hier aus einem Längstal scharf nach N umbiegend in die Ebene hinaustritt. Die Birs verläßt bei Grellingen die seit Soyhières eingeschlagene, dem Streichen der Ketten nur ungefähr folgende Richtung, fließt längs der Flexur des Tafeljura in einem Quertal mit kleinen Schnellen nach N und begleitet nun den Ostrand des breiten Tertiärbeckens von Reinach, das von der Birsig entwässerte Leimental (so genannt von seiner Ausfüllung mit Lehm), dessen nördliche Umrahmung niedere Tertiärhügel, die südliche die Vorberge der Blauenkette bilden.

Die Kette des Mont-Terrible, fortan Vorburg-, dann Fringeli und Wiesenberg-Kette genannt, streicht am Nordrand des Delsberger Beckens mit Höhen von ca 900 m weiter nach O und gerät nun in das Bereich der (oben geschilderten) Lagerungsstörungen, wo ihre orographische Selbständigkeit durch das Hinzutreten anderer Ketten verloren geht. Diese kehrt erst wieder jenseit der Aare in der Kette der Habsburg, und schließlich werden die Juraschichten von der Limmat in zwei Talengen durchbrochen, zwischen denen im Kern des Gewölbes, an Stelle der durch Seitenerosion der Limmat ausgeräumten Dogger- und Oxfordschichten das weite Schotterfeld von Baden sich erstreckt. An seinem Südrand kommen an beiden Ufern und im Flusse selbst die 21 Quellen zutage, die Badens Bedeutung geschaffen haben. Die Trias- und Juraschichten steigen hier aus großen Tiefen steil empor, das in den Alpen in ihnen eingedrungene Sickerwasser hat sich auf seinem unterirdischen Wege bis zu 60—70° C erwärmt und tritt mit Temperaturen von 50—51° C und reichem Gehalt an $CaCO_3$, MaO, H_2S und $CaSO_4$ in nahezu kreisrunden Röhren des durchlässigen Muschelkalkes wieder hervor. Östlich von Baden erscheint als letztes Glied der großen Randkette des Faltenjura die isoliert aus dem Alpenvorland aufragende Lägernkette, ein Monoklinalkamm von 733 m Höhe, mit steil nach S fallenden Schichtflächen und Abbruchformen gegen N. Bei Regensberg tauchen die vereinigten Flügel des Gewölbes unter dem Tertiär und Quartär des Vorlandes unter, und damit ist der östlichste Punkt des Juragebirges erreicht.

IV. Das nördliche Vorland des Faltenjura.
(frz. Sp. K. Montbéliard 114, Dufour II, III.)

Den Nordrand der Jurafalten begleitet eine Reihe von zerbrochenen Tafeln, aus denselben Schichten aufgebaut wie die gefaltete Region, aber strukturell und morphologisch scharf von dieser unterschieden. Nur an einer Stelle, in der südlichen Fortsetzung des Rheingrabens, erfahren sie eine Unterbrechung. Wir haben ihre tektonische Bedeutung bereits kennen gelernt; es erübrigt nur noch, ihren landschaftlichen Charakter kurz zu skizzieren.

Vor dem nördlichen Plateaujura des Doubsgebiets, der gegen N mit der Lomont-Kette scharf abschließt, und bis an die ersten Spuren der Vogesen reichend erstrecken sich einförmige, wellige Plateaus mit geringen Höhenunterschieden, die den allmählichen Übergang dieser zwei so verschiedenen Gebiete herstellen; sie bilden den Elsgauer Tafeljura[1]), mit einer mittleren Höhe von 400—500 m, und sind gegen NW durch einen von Belfort im O bis Rigney am Oignon im W verfolgbaren, etwa 100 m hohen Steilabfall, die »falaise sousvogienne« gegen die den Südfuß der Vogesen begleitende Triassenke begrenzt. In diesem Abfall springt u. a. der Mont Vaudois bei Héricourt (530 m), die Forêt du Courchaton (520 m), und das Bois Communaux (512 m) bei Rougemont deutlich hervor. Der herrschende Kalkboden verursacht auch hier eine große Armut an oberflächlicher Entwässerung, so daß der mitten durch diese Plateaus in großen Windungen dahinziehende Doubs der Nebenflüsse fast völlig entbehrt. Fruchtbarer sind nur die von quartären Bildungen erfüllten Bodensenken. Den östlichen Abschnitt des Elsgauer Tafeljura bildet das schon vorwiegend auf Schweizer Boden gelegene Plateau von Pruntrut mit Höhen bis zu 600 m, eine waldige, abwechslungsreichere Fläche, die die Allaine gegen den Doubs zu entwässert. An der Savoureuse, die den Doubs unterhalb Montbéliard erreicht, verschwinden die mesozoischen Kalke unter tertiären und quartären Schichten, und diese setzen von da gegen O das fruchtbare Hügelland des östlichen Elsgau zusammen, entwässert von Bourbeuse und Allaine. Hier liegt mitten im flachen Lande, wenig über 300 m hoch, die Wasserscheide zwischen Rhône und Rhein.

Der Elsgauer Tafeljura reicht gegen O bis an die in der Fortsetzung des Vogesenabbruchs gelegene Sundgaulinie; jenseit der durch die nach N vordringenden Ketten des Faltenjura ausgefüllten Lücke lagert sich nun vor die Kette des Mont Terrible der Schweizer Tafeljura. Die nördlichsten Ketten fallen zumeist steil und in scharfem Gegensatz der Formen zu den niedrigeren Tafelflächen im N ab, deren Südgrenze durch keine kontinuierliche Tiefenlinie hervorgehoben wird; doch bezeichnet die Lage der Orte Meltingen, Waldenburg, Läufelfingen, Densbüren und Schinznach recht genau die Grenze der beiden Gebiete. Im W reicht der Schweizer Tafeljura bis an die Birs, wo er mit einem Steilrand gegen die nach S fortgesetzte Rheinebene abfällt, im N bis an den Rhein, im O greift er in einzelnen Stücken über die Aare hinaus. Geologisch ein Stück des Schwarzwaldhorstes, an dessen südlichsten Teil er auch in den Oberflächenformen erinnert, bildet der Schweizer

---

[1]) So sei hier zusammenfassend der ganze Tafeljura westlich des Vogesenabbruchs genannt, während z. B. Schmidt (Geolog. Excursion in der Umgebung von Basel, Livret-guide géol. 1894, S. 34) einen Jura von Belfort im W vom eigentlichen Elsgauer Tafeljura im O unterscheidet.

Tafeljura eine nach S geneigte, von zahlreichen Bruchlinien durchsetzte Tafel, in der durch die nach S zunehmende Abtragung in dieser Richtung immer jüngere Schichten zutage treten. Zahlreiche kleine Flüsse durchschneiden auf dem kürzesten Wege nach N und NW zum Rhein den Tafeljura in engen, baumförmig verästelten Tälern, ganz analog denen in der Südwestecke des Schwarzwaldgebiets, so daß ringsum steil abfallende, scharfkantige Tafelberge herausgeschnitten werden, deren nahezu horizontale Decken vornehmlich von hartem Malm- und Muschelkalk, vielfach aber auch von der widerstandsfähigen Juranagelfluh gebildet werden. Dabei fallen aber infolge des herrschenden Südfallens der Schichten die Tafelflächen mit den Schichtflächen nicht durchaus zusammen, sondern schneiden dieselben ungefähr horizontal ab, ein Beweis für eine weitgehende Abtragung des Gebirges. Hingegen neigt der Hauptroggenstein mehr zur Bildung von kuppig abgerundeten Formen, z. B. im Schinner- und Frickberg. Die Landschaft prangt vorwiegend in einem reichen Vegetationskleid, die anmutigen Wiesentäler und die Wälder der Höhen lassen nur selten kahle Felsbänke hervorschauen, in großem Gegensatz zu den viel höheren, rauheren Plateaulandschaften des westlichen Jura. Hingegen besitzt der Schweizer Tafeljura eine mächtige Verwitterungsdecke, die den steilen Fuß der Tafelberge einhüllt. Auch hier wirkt wohl neben der Flußerosion in großem Maße die flächenhafte Verwitterung; doch werden ihre Produkte rasch von der Vegetationsdecke überkleidet und so der vollständigen Auflösung entzogen.

Im allgemeinen lassen sich im Schweizer Tafeljura zwei übereinander liegende Staffeln unterscheiden. Der Baseler Tafeljura, das nordwestliche Vorplateau, in dem Muschelkalk und Hauptroggenstein vorherrscht, und wo bei Laufenburg der Gneis des Schwarzwaldmassivs aufs linke Rheinufer hinüberreicht, steigt über die diluviale Terrassenlandschaft des Rheintals auf, zu dem die steil abbrechenden Schichtköpfe blicken. Seine Hauptflüsse, Ergolz und Frickbach, erhalten zahlreiche Nebenflüsse in ihrem vorwiegend W—O gerichteten Oberlauf aus dem Kettenjura, so den Bretzwyler, Reingoldswyler, Waldenburger, Homburger und Zeglinger Bach, die fast geradlinig S—N fließen und die nördlichsten Ketten des Faltenjura durchbrechen, aus denen sie ihrerseits in den zwischen den Ketten gelegenen Längstälern kleine Seitenbäche aufnehmen. Das Fricktal zieht nordwestlich bis zum Rhein, das Ergolztal westlich bis Liestal und biegt dann nach N zum Rhein auf. In der Umgebung von Liestal bildet der Hauptroggenstein mit Höhen bis über 800 m die steil abfallende Sissacherfluh, die Tennikerfluh, den Schleifenberg, der sich im Grammont fortsetzt, von ihm getrennt durch das an eine Senkung geknüpfte Windental. Die große Talweitung südlich von Sissach ist ebenfalls an eine Verwerfung gebunden, und ebenso werden für das Auftreten stets reichlich fließender Quellen die zahlreichen Bruchlinien von Bedeutung[1]).

Das erste Plateau reicht bis zu einer W—O streichenden, dem Mont-Terrible-Zug parallelen Verwerfung von Wegenstetten bis Böttstein. Von hier nach S erstreckt sich das Plateau des Aargauer Tafeljura, vorwiegend aus Hauptroggenstein und Malmkalken aufgebaut; es erreicht im Schinnberg noch 730 m und senkt sich im östlichen Teile zu der großen Tafel des Bötzbergs (580 m), die von der Eisenbahnlinie Brugg—Basel teilweise durchschnitten wird[2]). Schließlich ist in der unmittelbaren Nachbarschaft des Kettenjura, vor den Überschiebungen und Faltenverwerfungen der nördlichsten Ketten, der Tafeljura selbst zu Ketten aufgestaut; sie erscheinen als Hasenhubelkette bei Eptingen und setzen sich im

---

[1]) F. v. Huene, Eine orographische Studie am Rheinknie (Geogr. Zeitschr. VII, 1901, S. 140) und Geologische Beschreibung der Umgebung von Liestal (Verh. nat. Ges. Basel XII, 1900, 265—272).
[2]) Der bekannte Bötzbergtunnel führt seinen Namen mit Unrecht, da er durch den bereits zum Faltenjura gehörenden Linnberg gebohrt ist.

Klapfen, Heidegg und Reißhübel fort. Östlich der Aare trennt sich der Tafeljura von der letzten und nördlichsten Kette des Faltenjura, der Lägern, und erscheint, durch ein breites Stück Vorland von dieser getrennt, als eine NO streichende Landstufe im Schwäbischen Jura.

V. Der Plateaujura.

Vor den Augen des naturbeobachtenden Wanderers, der die Ketten des Jura überschritten hat und sich weiter westlich wendet, vollzieht sich ein einschneidender Wechsel des Landschaftsbildes, sobald er die Ketten- und Plateaujura trennende Tiefenlinie gekreuzt hat und zu den Höhen der jurassischen Plateaus emporgestiegen ist. Hier wird die bei den älteren französischen Geologen immer wiederkehrende Auffassung verständlich, die den Jura in seiner Gesamtheit niemals als Kette, sondern nur als »vaste plateau« gelten lassen wollte, ohne dabei seinen inneren Bau und seine morphologische Geschichte zu berücksichtigen. Namentlich im südlichen Teile des Gebirges vollzieht sich dieser Wechsel überraschend schnell. Auf weite Flächen erstreckt sich eine eintönige Landschaft ohne nennenswerte Höhenunterschiede, die auf Sehweite sich bis zum Horizont ausdehnt, den sie mit einfacher Profillinie abschließt. Für den landschaftlichen Charakter wird auch hier die verschiedene petrographische Beschaffenheit der einzelnen Schichtglieder von ähnlicher Bedeutung wie im Kettenjura. Als wasserführende Horizonte sind vor allem die Mergel des Keuper, Lias, der Oxford- und Hauterivienstufe wichtig und geben Anlaß zum Auftreten mächtiger Quellen; neben den quartären und tonigen Tertiärablagerungen liefern sie einen relativ günstigen Acker- und Wiesenboden; doch ist das Neokom wegen der großen Höhen, in denen es vorkommt, vorwiegend nur mehr zur Wiesenwirtschaft geeignet. Der Wald, der sich zumeist an nicht allzu poröse Kalke knüpft, tritt namentlich im östlichen Teile der Plateaus noch in großer Üppigkeit auf; im allgemeinen aber tritt die Waldbedeckung gegen W merklich zurück, und nur vereinzelt unterbrechen Waldbestände die ausgedehnten mageren Wiesen- und Heideflächen, aus denen gar oft der nackte, karrig angewitterte Fels hervorschaut. Während der Kettenjura noch über ein ausreichend dichtes Flußnetz verfügt, verstärkt im Plateaujura die Armut an oberflächlicher Entwässerung den Eindruck der Öde und Einförmigkeit, und um so überraschender wirkt dann der von der Höhe der Plateaus sich gelegentlich bietende Blick in tief eingeschnittene, kañonähnliche, gewundene Täler mit waldigen Gehängen, in denen meist wasserarme Flüsse ruhig dahinziehen und auf deren Tiefe der gebirgige Charakter der Landschaft sich gründet. Auf den Plateauflächen aber ist die Gleichsinnigkeit des Gefälles zumeist aufgehoben, und in den geschlossenen Mulden (bassins fermés) liegen düstere Torfmoore oder flachufrige Seen.

Der Plateaucharakter und der geringe Höhenwechsel ist aber nur teilweise, namentlich nicht im südlichen Teile, eine Folge des inneren Baues. Allerdings ist die Faltung hier vorwiegend einfacher und weniger intensiv als im Kettenjura; aber jedes Profil lehrt uns doch eine große Zahl von Antiklinalen und Synklinalen kennen und nur selten bildet dasselbe Schichtglied ausgedehntere Flächen. Doch sind die Mulden nicht durch Erosion vertieft, sondern in ihrer ursprünglichen Höhenlage erhalten, weil es an dem linienhaft wirkenden Agens, dem Wasser, fehlte; hingegen wirkten auf den Sätteln die Kräfte der flächenhaften Abtragung. Indem also die Antiklinalen erniedrigt wurden, die Synklinalen zumeist unversehrt blieben, ergab sich der vorherrschende Plateaucharakter, während der Kettenjura noch vorwiegend das Gepräge einer jugendlicheren Gebirgsbildung an sich trägt und zudem die häufige Aufschließung impermeabler Schichten zur Verdichtung des Flußnetzes beitrug. Der verschiedene Charakter der beiden großen Gebirgsabschnitte kommt auch in den Siedelungsverhältnissen zum Ausdruck. Auf den rauhen, hoch gelegenen Plateaus des Westens wohnt eine ärmliche, spärliche Bevölkerung; freundliche Dörfer, wie sie den Schweizer Kettenjura zieren, fehlen. Armselige Häuserreihen, zu einem Straßendorf vereinigt, knüpfen sich an das Auftreten von Quellreihen, zumeist aber sammelt sich die Bevölkerung in größeren Zentren von dorfähnlichem Charakter.

1. Der südliche Plateaujura.
(frz. Sp. K. Nantua 160, St. Claude 149.)

Indem das Gebirge nördlich der Linie Nantua—Bellegarde an Breite gewinnt, wird der bereits im westlichen Teile des Jura des Bugey angedeutete Plateaucharakter immer ausgeprägter, obwohl die einzelnen Faltenzüge ohne Unterbrechung weiter nach N und NO streichen. Die östliche Begrenzung dieser Plateaulandschaften des Aingebiets bildet eine Linie von der Rhône bei Bellegarde und im Tale der Valserine aufwärts bis zum Hochplateau von Les Rousses. Das Tertiärbecken von Bellegarde[1]), das seine Gestalt dadurch erhält, daß die nördliche Fortsetzung des Colombier von Culoz weiter nach N streicht, die erste Jurakette hingegen aus der Nordwestrichtung gegen N und NO umbiegt, ist von massenhaften Schotterablagerungen des Rhônegletschers erfüllt. Die orographisch kaum selbständig hervortretende Antiklinale von Mantière, die nördlich von Confort aus der Molasse und dem Quartär auftaucht, teilt das Becken in zwei Arme; der östliche ist eine schmale Kreidesynklinale, die die genannte Antiklinale von der Kette des Grand-Crédo trennt; sie setzt sich im Tale der Valserine oberhalb Chézéry fort, während die Falte der Mantière als Crêt de Chalam auf das rechte Valserine-Ufer tritt. Es verläuft also der unterste Teil ihres Tales, bevor der Fluß in den gegen Châtillon-de-Michaille sich hinziehenden westlichen Arm des Beckens mündet, schräge zum Streichen der Ketten. Die Fortsetzung der Falten des Colombier von Culoz nördlich der Quertallinie zwischen Châtillon und St. Germain-en-Joux bildet das Plateau von Montarqui (1044 m) und Champfromier (1260 m), im N begrenzt durch die tiefe Schlucht der obersten Semine; auch die großen Verwerfungen im Westflügel der Vuache setzen sich weiter nach N fort, und ihnen folgt die Valserine ein Stück weit bis unterhalb Fernaz. Dann tritt sie abermals in die frühere Synklinale, der sie nun bis zur Quelle treu bleibt, ohne sich um die parallel streichende Verwerfung zu kümmern. In dem nunmehr breiten freundlichen Tale bildet das Miocän um Lelex am östlichen Gehänge bewaldete Hügel, am westlichen die Neokomschichten eine deutliche Terrassierung, während weiter aufwärts Bergsturztrümmer und erratisches Material jurassischer Herkunft das Miocän verhüllen. Oberhalb Mijoux beginnt die sog. Combe-de-Mijoux, das Muldental zwischen den Kämmen der Dôle im O und der Serre im W. Nachdem die Quelle der Valserine erreicht ist, setzt sich die Tiefenlinie als Trockental, »vallon de Dappes«, weiter nach N fort, ein einsames, von Schuttkegeln und Bergsturzmassen erfülltes, waldiges Hochtal; in demselben liegt in 1250 m die kaum merkliche Abdachungsscheide, denn in seinem nördlichsten Teile, bevor es die Paßlinie des Col de St.-Cergue kreuzt, dacht sich das Trockentälchen nach N ab, und nun biegt die Tiefenlinie, die uns bisher als Grenze zwischen Ketten- und Plateaujura diente, nach NW gegen Les Rousses um.

Der breite Raum zwischen dem westlichen Abfall der ersten Jurakette und dem Westrand des Gebirges überhaupt zerfällt durch die drei tief eingeschnittenen, ungefähr N—S verlaufenden Täler der Bienne, des Ain und der Valouse in ebenso viele Plateaumassen

---

[1]) Zur Struktur vgl.: Schardt, Études géolog. sur l'extremité méridionale du Jura (Bull. soc. vaud. XXVII, 1891/92, S. 151 ff.) und Excursion dans le Jura méridional (Livret-guide du congrès géol. internat. Zürich 1894, S. 5 ff.); Douxami, Étude sur la vallée du Rhône aux environs de Bellegarde (Bull. serv. carte géol. France XII, 1901, Nr. 81).

von sehr einheitlichem landschaftlichem Charakter. Immer wiederholt sich der Gegensatz zwischen den tiefen grünen Tälern und den vorwiegend kahlen, teilweise verkarsteten Hochplateaus, auf denen ein zusammenhängendes Flußnetz fehlt, und die in eine große Zahl von poljenartig geschlossenen Becken zerfallen. Die geologische Karte läßt wohl einen raschen Wechsel der streifenförmig angeordneten, zu zahlreichen Faltenzügen zusammengepreßten Schichtglieder erkennen, aber oberflächlich gelangt dieser Aufbau des Gebirges infolge einer weitgehenden Einebnung nicht mehr in entsprechender Weise zum Ausdruck. Die Entwässerung knüpft sich in der Regel nicht an die Mulden, sondern an die tiefer erodierten, bis zu den Oxfordschichten aufgeschlossenen Schichtsättel, oder sie geschieht, wie beim Ain und bei der unteren Bienne, in vom Schichtbau völlig unabhängiger Weise.

Die zwischen den Tälern der Valserine und der Bienne gelegenen Plateaus bestehen aus 3—4 flachen Antiklinalen, deren Scheitelregion aus Portlandkalken gebildet wird, während Kreideschichten die Mulden erfüllen. Hier vollzieht sich der Wechsel im landschaftlichen Charakter zwischen Ketten- und Plateaujura besonders rasch. Die erste Antiklinale bildet eine unruhig wellige und wasserlose Fläche mit zahlreichen blinden Tälern und dolinenartigen Vertiefungen; die kleinen Tannenwäldchen und Wiesenflächen sind durch zahlreiche Gehöfte von der Art der Einzelsiedelungen unterbrochen. · Der nach W immer eintöniger werdende jurassische Plateaucharakter zeigt sich hier noch in seiner mildesten, anmutigsten Form. Schon auf dem nächsten Gewölbe, dem von Septmoncel (ca 1200 m), wird das Aussehen der Landschaft öder, die nackten Schichtflächen liegen auf weite Strecken zutage, bis sich der überraschende Blick in die wildromantischen Täler auftut, die sich bei St.-Claude vereinigen und in das Biennetal münden (Fig. 7).

Fig. 7. Karstlandschaft bei Septmoncel.

Das Biennetal folgt zwischen Morbier und Valfin einer tief erodierten Synklinale; darüber erhebt sich im W die mit üppigen Karstwaldungen bekleidete Forêt de la Joux devant (1141 m), deren Gewölbe gegen S in das »Aufbruchspolje« der Combe de Prés übergeht. Die nächste Kreidesynklinale ist eine typische Karstwanne; sie enthält in reizloser Umgebung den zumeist flachufrigen, nur im O von senkrecht aufsteigenden Kreidekalken überragten, vielfach gelappten See von L'Abbaye, 880 m hoch gelegen, nur 250 m unter dem Niveau der abgetragenen Gewölbe. Nach N erweitert sie sich zu dem Plateau von St.-Laurent, im südlichen Teile verschwindet der Bach des langgestreckten Oxfordtälchens von Grénval, der aus dem von N kommenden Bief de Tremontane und dem von S zufließenden Bief d'Anchey sich zusammensetzt und die Malmkalk-Antiklinale des Bois de la Sourde (914 m) durchbricht. Die nächste Synklinale trägt die beiden kleinen, ebenfalls abflußlosen Seen von Étival; die nun folgende Antiklinale der Forêt de la Joux bildet einen markanten, ca 200 m hohen Steilabfall gegen W und trennt somit die 800—1000 m hohen Plateaus, die sich mit geringem Höhenwechsel von der Bienne bis hierher erstrecken, von dem nun nach W folgenden Plateaugebiet des Ain, der sich in vielgewundenem Laufe von der Gegend von Clairvaux bis zur Mündung der Bienne hindurchschlängelt. Wo die Bienne die Westrichtung einschlägt, liegt an der Mündung des Tacon als Hauptort des südlichen Plateaujura und Sous-Präfektur des Département Ain

der Doggerstufe angehörende Kalkschichten setzen die ausgedehnten Plateauflächen zusammen, auf denen das Karstphänomen mit allen seinen Formen eine ausgezeichnete Entwicklung findet. Der Westrand gegen die »Région des vignobles« ist durch die Quellstränge der Vallière, Seille, des Oran und der Cuisance zerfressen, sonst aber herrscht vollkommene Wasserarmut auf den eintönigen Flächen. In der Fortsetzung jenes Doggergewölbes, das das Ain- vom Valousetal scheidet, erscheint hier eine sanfte Bodenwelle, die Forêt de l'Euthe (700 m), die nach NNO bis in die Gegend von Andelot weiterstreicht und das Gebiet des Ain im O von den teils oberflächlich abflußlosen, teils den kleinen Bresseflüssen tributären Plateaus im W trennt. Östlich dieser, nach W einen mäßigen Steilabfall zukehrenden Erhebung dehnt sich das sog. zweite Juraplateau aus, dessen Mittelpunkt die ansehnlichen Orte Clairvaux und Champagnole sind. Sehr flach lagernde Schichten vom mittleren Bathon (Dogger) bis zum mittleren Malm bauen diesen Teil des Plateaus auf, wobei nun auch wieder Brüche eine größere Rolle in der Struktur des Bodens spielen. Durch das Zusammentreffen mehrerer Umstände kommt es hier auch zu einer reichen Entwicklung des Seenphänomens; nicht weniger als acht, zumeist abflußlose Seen von nicht unbeträchtlicher Ausdehnung bilden eine Zierde der anmutigen Landschaft, zu deren Reizen auch noch die tiefen, waldigen Täler des Hérisson mit seinen zahlreichen Kaskaden und des Drouvenant beitragen. Der Ain windet sich, von einer ca 30 m hohen Schotterterrasse begleitet, in westlicher Richtung durch das weite Becken von Champagnole, aus dem der 789 m hohe Mont Rivel 260 m über die Talsohle nahezu inselartig emporragt. Die große Breite des Tales, über das die Plateauhöhen mit scharf ausgezackten Steilrändern rund 200 m sich erheben, deutet auf eine sehr beträchtliche seitliche Erosionsarbeit des Hauptflusses, während auf den Höhen die Anzeichen einer nivellierenden Flußtätigkeit fehlen und die Kalkschichten durch flächenhaft wirkende chemische Lösungsvorgänge vernichtet wurden, so daß im geologischen Kartenbild die älteren Horizonte unter den nächst jüngeren fensterartig zutage treten. Gleichsam transgredierend breiten sich darüber die Reste einer Decke glazialer Bildungen, so daß wir es hier mit einer präglazialen Denudationstätigkeit zu tun haben, deren Leistungen viel bedeutender waren als die seit Ablagerung der jüngsten Schotter. Unterhalb Crotenay tritt der Ain an die oben genannte Forêt de l'Euthe heran und wendet sich scharf, ins Streichen des Gebirges eintretend, nach SSW. Sein Tal bleibt breit, von ausgedehnten Schotterflächen erfüllt, in die der Fluß bis 80 m tief eingeschnitten ist und durch die der anmutige See von Chalain in einem Nebental abgedämmt wird. Im Tale des Hérisson liegen in ähnlicher Situation die beiden langgestreckten Seen von Chambly, durch eine Fläche alten Seebodens getrennt. Südlich der Linie Lons-le-Saunier—Clairvaux tritt der Ain in das stärker gefaltete Gebiet ein, worauf sein Tal den oben beschriebenen Cañoncharakter annimmt.

Folgt man der genannten Querlinie von Clairvaux an weiter gegen O, so steigt man vom breiten, malerischen Tale des Drouvenant, dessen Gehänge nahezu senkrechte, horizontal geschichtete Kalkwände bilden, auf die waldreichen Höhen des Plateaus empor bis zu der stark gestörten Kreidemulde von Bonlieu, in der die abflußlosen Seen von Bonlieu, la Motte, Narlay und Maclu liegen. Die nun folgende Antiklinale der Forêt-Royale de Bonlieu, ca 1000 m (auf neueren Karten auch F. de la Chaux-du-Dombief genannt), hat einseitigen Bau. Im reduzierten Westflügel sind die Schichten stark aufgerichtet und abgewittert, während sie gegen O sich verflachen. Der Anstieg zur Höhe des Gewölbes, also dessen oft mauerartiger Steilabfall gegen W bedeutet die Scheidewand zwischen dem 500—600 m hohen zweiten Juraplateau von Champagnole und dem nun nach O folgenden, 800—900 m hohen Plateau von St.-Laurent, und er liegt genau in der Fortsetzung

jenes Abfalls der Forêt de la Sourde und de Macretet, der im südlichen Plateaujura ebenfalls ein niedrigeres westliches und ein höheres östliches Plateau unterscheiden ließ. Ungemein jäh vollzieht sich nun der landschaftliche Wechsel, wenn man senkrecht zum
Streichen des Gebirges gegen O fortschreitet. Aus dem wildromantischen Gebiet der Forêt-
Royale mit ihren herrlichen Wäldern, Felsmauern, Seen und Wasserfällen gelangt man mit
dem Verflächen der Schichten in die eintönige Karstlandschaft um St.-Laurent mit ihren
Torfmooren und mageren Wiesen. Doch kommt hier der typische Juraplateaucharakter
nicht auf weiten Flächen zur Geltung, da die tiefen Täler der Ainzuflüsse, Laime und
Saine, die sich bei Syam vereinigen, eine ausgiebige Auflösung des Plateaus besorgen.
Gegen N aber setzt sich der markante Steilabfall fort als Bois de Côte-Poire (780 m)
nördlich von Syam und sodann bis Chapois als Montagne de Fresse (888 m) mit dem tiefen
Antiklinaltal des Anguillon und biegt schließlich an Schärfe verlierend als Forêt du
Scay (904 m) nach NO um; an seiner Ostseite erstrecken sich nun die ausgedehnten
Plateauflächen von Nozeroy und Pontarlier bis an die Grenze des Plateaujura überhaupt.

Wir wenden uns zunächst diesem Plateau zu, das im W durch die eben beschriebene
Landstufe, im O durch die ersten Höhen mit deutlicherem Gewölbebau eine recht deutliche
Begrenzung erfährt. Nur als Orientierungslinie, nicht als morphologische Grenze diene im
N der Straßenzug Salins—Levier—Pontarlier. Am Aufbau dieses so begrenzten,
durchschnittlich 800—900 m hohen Gebiets beteiligen sich vorwiegend obere Malmkalke
in sehr flacher Lagerung, doch von zahlreichen Bruchlinien mit mäßiger Sprunghöhe durchsetzt. Die bedeutendste dieser Linien zieht vom Südende der Montagne de Fresse über Plénise
nach NO; auf dem östlichen abgesunkenen Flügel haben sich in größerer Ausdehnung
Kreideschichten erhalten, auf denen ein dichteres Flußnetz sich entwickelt. Hier, nahe
dem Westrand des Plateaus, entspringt unweit Nozeroy der Ain, der unterhalb Sirod das
Gewölbe des Bois des Épernois durchbricht, worauf ihm bei Syam die hier mündende Saine
die Nordwestrichtung nach dem Becken von Champagnole aufdrückt. Durch die Mitte
des Gebiets aber zieht sich ein mehrere Kilometer breiter Streifen glazialer Ablagerungen,
an die sich eine reichere Wiesenkultur knüpft. Hier liegen auch die flachen Moränenseen
Étang de Frasne und Étang du Fourg, und nach NO sammelt der unterhalb Pontarlier in den Doubs mündende Drugeon seine Gewässer und schlängelt sich durch ein teilweise versumpftes, von kleinen Moränenhügeln durchsetztes Land. Es liegt hier die Wasserscheide zwischen den beiden größten Flüssen des Plateaujura, Doubs und Ain, ganz im
flachen Lande. Das ganze Gebiet beherrscht der schon vielfach geschilderte, äußerst mono-
tone Landschaftstypus des Juraplateaus; doch tragen die höheren Malmkalkflächen, namentlich um Andelot und Boujeailles noch einen schönen Waldbestand, während gegen O, z. B.
auf der Hauteur de St.-Andrée die Karsthaide überwiegt.

Im SO erheben sich nun die ersten Höhen mit echtem Gewölbebau; es sind zumeist
stark abgetragene Antiklinalen aus oberem Jura, in die sich sog. Brachysynklinalen mit
mandelförmigem Grundriß, zumeist im Kern von Kreideschichten erfüllt, legen, und
deren oft sehr komplizierte Struktur wohl schon der Zone der hohen Ketten angehört[1]),
während die bedeutende Abtragung der Gewölbe und die geringe Austiefung der Mulden
noch immer den Plateaucharakter vorherrschen läßt. Aus der Gegend von La Chaux-du-
Dombief zieht das breite Gewölbe der Forêt du Haut-Joux, von den tiefen Quertälern
der Laime und Saine durchbrochen, gegen NO, das Becken von Nozeroy gegen SO be-
grenzend; es gabelt sich in zwei Äste, von denen der westliche in der Montagne de St.-Sorlin
1240 m erreicht. Er setzt sich, vom Drugeon durchbrochen und an Höhe abnehmend,

---

[1]) Zur Struktur: Fournier, Études sur la tectonique du Jura franc-comtois (Bull. soc. géol. 4. série,
I, 1901, S. 97 ff.).

aber in zunehmender Breite als Montagne du Laveron nach NO bis an die Querlinie Pontarlier—La Cluze fort. Die längste Mulde dieses Gebiets, überhaupt eine der längsten und bemerkenswertesten im Jura (als topographische Form über 40 km lang) ist diejenige, in deren südlichem und breitestem Teile St.-Laurent liegt, und wo Laime und Saine entspringen. Ungefähr in ihrer Mitte liegt in 970 m Höhe die Wasserscheide zwischen Doubs- und Aingebiet. Im Kern vorwiegend von Kreideschichten gebildet, die aber vielfach von fluvioglazialen Schottern verhüllt sind, zieht sie über Mouthe nach NO weiter, enthält den Doubslauf von seiner Quelle bis zu seiner plötzlichen Umbiegung bei Rochejean und endet stumpf an der oft genannten Blattverschiebung bei Les Hôpitaux. Ihre westliche Begrenzung bildet der östliche Zweig der gespaltenen Antiklinale der Forêt du Haut-Joux, der ohne einheitlichen Namen und mit Höhen von wenig über 1000 m, kaum 100 m über den angrenzenden Muldentälern weiterstreicht. Drei Senkungen der Kammlinie, bei Le Bray, in der Doubskluse bei Rochejean und bei St.-Antoine ermöglichen eine dreimalige Verbindung der Mulde von Mouthe—Rochejean mit der nächst westlichen, die das Seental von Remoray und St.-Point enthält und die sich gegen SW bei Les Pontets zwischen den beiden Ästen des Gewölbes der Forêt du Haut-Joux spitz auskeilt. Der Doubs kreuzt nach seinem Austritt aus dem See von St.-Point in rein nördlichem Laufe schräg die Schichten und findet schließlich durch die letzte Synklinale, die von Oye, seinen Ausweg nach der Querfurche bei La Cluze. In dieser letzten Mulde aber, die auch den See von Malpas enthält, entspringt der Drugeon, bleibt ihr bis Vaux treu und durchbricht dann die Montagne du Laveron. So finden wir in diesem Übergangsgebiet von Ketten- und Plateaujura nicht nur den Gewölbebau, sondern auch die rostförmige Gliederung mit ihrem steten Wechsel von Längs- und Quertalstrecken wieder; doch erinnert der landschaftliche Eindruck noch lebhaft an die weiter westlich gelegenen, weniger gestörten Plateaus.

Den Abschluß dieses Gebiets gegen SO bildet der mächtige, von herrlichen Karstwaldungen bedeckte Rücken des Mont Risoux (1423 m), der im S mit steilen Gehängen gegen das tiefe Quertal der oberen Bienne bei Morez, einer ausgesprochenen Straßensiedelung, gegen O ebenso gegen das breite Längstal der oberen Orbe abfällt; im S ist er durch die von Kreideschichten und mächtigen Schottermassen erfüllte Mulde der Combe de Morbier, in deren Fortsetzung das Biennetal unterhalb Morbier eingeschnitten ist, in zwei Äste gespalten und setzt sich nach N als Noirmont (1310 m) und Mont d'Or (1463 m) fort. Er ist gebildet von einer einzigen, bis zu 10 km breiten, ziemlich regelmäßigen Antiklinale aus obersten Malmkalken, bringt also am schönsten den Typus der kofferförmigen Gewölbe mit plateauartiger Scheitelregion zum Ausdruck, im Gegensatz zu der schmäler und schärfer gebauten Antiklinalen des Kettenjura. Eine sehr eigentümliche, von einer Straße benutzte Tiefenlinie ohne einheitliche Entwässerung, die Combe des Cives, durchsetzt die ganze Masse des Mont Risoux in nahezu N—S-Richtung; in ihr liegen zwischen Moränen eingebettet zwei kleine, abflußlose Seen, Lac des Mortes und Lac de Bellefontaine. Der südlichste Teil ist durch den Bach Évalude zur Bienne bei Morez entwässert und stellt ein an Oxfordschichten geknüpftes »Comben«-Tal dar, in dem ca 50 m mächtige Moränen mit prächtigen Abspülungsformen erschlossen sind. Somit ist die Ketten- und Plateaujura trennende Tiefenlinie erreicht, die wir vorher bis auf das Plateau von Les Rousses verfolgten. Dieses stellt eine sehr bedeutende, ca 1100 m hohe Ausweitung der Mulde des obersten Orbetales dar, von Kreideschichten erfüllt und von jurassischen Moränen teilweise bedeckt, im S durch den tiefen Einschnitt des Tales des Bief de la Chaille von den Plateauflächen von Prémanon getrennt. Der Mulde gegen NO folgend treffen wir zuerst den kleinen, bräunlichen See von Les Rousses, mitten in Torf- und andere quartäre Bildungen eingebettet. Aus ihm entströmt als kleiner Bach die Orbe, die zuerst im breiten Tale unsicher hin- und herpendelt, bis sie bei Le Sentier den anmutigsten aller Jura-Seen, den langgestreckten, grünen Joux-See erreicht. An seinem Nordende, wo er mit dem See von Les Brenets zusammenhängt, ist die Orbe-Mulde durch den Beginn jener oft genannten Transversalverschiebung abgesperrt, die nun nach N in das Becken von Vallorbe eintritt und als wichtige Tiefenlinie bis nach Pontarlier reicht. Die talgeschichtlichen Verhältnisse längs und zu beiden Seiten dieser Linie müssen im Zusammenhang an späterer Stelle gewürdigt werden.

3. Der nördliche Plateaujura: Das sequanische Plateau.
(fr. Sp. K. Besançon 126, Ornans 127 u. Montbéliard 114.)

Wir haben nunmehr den Plateaujura bis zur Querlinie Pontarlier—Levier—Salins durchwandert und erkannt, daß der Plateaucharakter sowohl an seinem West-, als an seinem Ostrand abgeschwächt ist, und daß durch seine Mitte eine markante Landstufe hindurchzieht, die eine höhere Plateauregion im O von einer niedrigeren im W trennt. Nördlich der eben genannten Linie hören diese Merkmale, abgesehen von der weiteren Entwicklung westlicher Randketten, auf; der Plateaujura erreicht nun seine größte Breite, seine morphologischen Charakterzüge herrschen ununterbrochen und in der reinsten Entfaltung auf dem ganzen weiten Raume vom Doubstal im O bis zu den nördlichsten Ausläufern der »région des vignobles«, die gerade bei Salins ihre größte Breite erlangt.

Salins, die alte Bäderstadt, deren Salzquellen sich an Salzvorkommnisse im Keuper knüpfen, liegt im engen, stellenweise schluchtartigen Tale der Furieuse, beherrscht von zwei imposant gelegenen Forts. Für die Struktur seiner Umgebung wird eine Anzahl von stark zerbrochenen Antiklinalen maßgebend, und in diese Zone der westlichsten Auffaltung gehört auch der Mont Poupet (853 m), der durch seine Höhe und Massigkeit der dominierende Punkt der Landschaft wird, in welcher nun eine allgemeine Erniedrigung Platz greift. Gegen W kehrt er die in Wänden abgebrochenen, steil aufgerichteten Schichten; er bildet auch den Konvergenzpunkt einer Schar von Bruchlinien, durch die an vielen Stellen nochmals die Keuper- und Liasmergel an den Tag gebracht sind. In der Fortsetzung des Mont Poupet streichen rein nördlich eine Reihe von Faltenzügen mit Höhen über 500 m, deren Anordnung den kapriziösen Lauf der Loue bedingt. Nach ihrem Austritt aus dem echten Plateaugebiet und ihrer plötzlichen Umbiegung nach S bei Chenecey fließt sie als ruhiges Wasser in ziemlich engem Antiklinaltal bis Quingey, das sich bald zu einem breiten, flachen, vielfach versumpften Troge erweitert, in dem sie die Furieuse aufnimmt; schon als ansehnlicher Fluß biegt sie scheinbar unvermittelt nach N auf, umzieht in weitem Bogen die westlichste Randkette und tritt schließlich in die Bresse hinaus. Trotz den geringen Höhen herrscht hier oberhalb der Zone des Weinbaues auf großen Flächen Verkarstung, und nur auf den Gipfeln deckt ein dürftiger Buschwald den Kalkboden, dessen Dekomposition das Material zu dem überall vorkommenden braunen Lehm gegeben hat. Nach N nimmt die Zahl der Randfalten ab, sie schlagen die Nordostrichtung ein, und schließlich werden die zwei letzten vom Doubs in merkwürdig gewundenem Laufe ober- und unterhalb Besançon, der altertümlichen, stark befestigten Hauptstadt des Département Doubs, gekreuzt. Für das ganze nach O zu gelegene Land, im N bis an die den Plateaujura abschließende Lomont-Kette reichend, wird nun die nahezu horizontale, nur durch unbedeutende Bruchlinien gestörte Lagerung der fast ausschließlich herrschenden Kalkschichten zur Regel, die seit ihrer Hebung eine beträchtliche Abtragung erfahren haben. Immerhin läßt die Karte doch noch eine Zahl sehr weiter Falten (plis à vaste amplitude) erkennen, deren NO—ONO-Richtung die Hauptlinien des schwach gegliederten Reliefs bestimmen, und in dessen Höhenachsen die widerstandsfähigsten Schichten auftreten, zwischen denen die horizontale Lagerung in den synklinalen Plateaus vorherrscht. Den landschaftlichen Charakter aber beherrscht das Karstphänomen, das gerade hier in aller Formenfülle zur Geltung kommt. Den Mittelpunkt dieses Gebiets bildet das alte Städtchen Ornans (ca 300 m) im tiefen Tale der Loue, die Heimat des großen Gustave Courbet, dessen Gemälde die typischen Züge der Landschaft in überzeugender Treue vor Augen führen. Auf den eintönigen, schwach welligen Hochflächen herrscht Wiesen- und armselige Feldwirtschaft: auf große Räume ist durch das Auftreten geschlossener Hohlformen die Gleichsinnigkeit des Gefälles aufgehoben, während durch die Mitte der Plateaus die Loue in stellenweise großartigem, gewundenem Cañon hindurchzieht. Von ihr drängen sich zahlreiche kurze, oft wasserlose Seitentälchen in das Plateau hinein, mit teilweise bewaldeten Gehängen und sackförmigem steilem Talschluß, durchaus an Oxfordmergel geknüpft, in gleicher Weise wie das Haupttal die Plateaus zersägend und die gleichen Gehänge modellierend erzeugend: über einem Talus von Dogger- und Oxfordschichten bilden die Rauracienkalke eine steile, ca 100 m hohe Mauer, die ihrerseits von einer flachen Kuppe oberer Malmschichten überragt ist, die nun das herrschende Schichtglied im Aufbau der Plateauflächen bilden. Dieser Charakter der unvollkommen zersägten Plateaulandschaft kehrt auch wieder längs des bedeutendsten Nebenflusses der Loue, des Lison, in dessen Quellgebiet die Landschaft geradezu großartige Formen aufnimmt; zumal in dem freundlichen Talkessel von Nans, wo von allen Seiten tief eingerissene Schluchten mit pittoresken Felswänden, an deren Fuß mächtige Quellen entspringen, zum Lison zusammenlaufen.

Die ganze Plateaumasse steigt im allgemeinen recht allmählich von 400 m im NW, östlich von Besançon, bis auf rund 1000 m im O, nahe den Ufern des Doubs, an. Im nordwestlichen Teile bedingt die schwache Auffaltung des Bodens in der Forêt du Gros-Bois bei Le Hôpital nur eine geringfügige Anschwellung der Plateaus; sie erhebt sich mit 703 m nur 200 m über die westlich, nur 130 m über die östlich gelegenen Flächen. Eine größere Unterbrechung der Gleichförmigkeit der Höhenverhältnisse und der Einfachheit des geologischen Baues bedeutet eine Reihe von Höhenzügen, die in Nordostrichtung das Plateau durchsetzen und vom obersten und wildesten Teile des Loue-Cañon bei Mouthier durchschnitten werden. Wir haben es da mit einer ganzen Schar von durch Brüche zerstückelten Faltenzügen zu tun, von denen der östlichste als Mont Chaumont 1122 m erreicht und zwischen denen das ausgedehnte Polje von Arc-sous—Cison sich ausbreitet. Der einfachere Schichtbau und die gleichmäßigen Höhen kehren nun gegen SO in der wiesenreichen Umgebung von Ouhans und Bugny wieder, bis der Grenzwall des weiten Beckens von Pontarlier und damit der Doubs erreicht ist.

Der Doubs fließt unterhalb der Mündung des Drugeon in einer Kreidemulde nordöstlich von Longeville, dann

Fig. 8. Talkessel von Morteau mit den Mäandern des Doubs gegen O.

unabhängig vom Schichtbau mehr nördlich durch ein enges, felsiges Tal, durchmißt nun in großen Mäandern das Neokombecken von Morteau (Fig. 8), das den westlichen Zweig der langen Synklinale von Les Allemands bildet, während der östliche über Villers-le-Lac und Les Brenets längs des Doubs streicht, der nach seinem Austritt aus dem Becken zur Grenze des Plateaus der Freiberge wird. Das

Plateau westlich des Doubs bis etwa zum Dessoubre besteht aus einer großen Anzahl von Falten, die aber infolge der weitgehenden Abtragung oberflächlich kaum zum Ausdruck kommen. Eine tiefe Unterbrechung dieser gleichförmigen Landschaften um Russey, Maîche und Pierre-Fontaine bildet das tiefe Tal des Dessoubre und seines Nebenflusses, der Riverotte, während weiter westlich der Audeux in ähnlicher Weise die dort ungestörte Plateauland-schaft zerschneidet. Aber abgesehen von diesen Flüssen findet man keinen größeren Bach, der zur Belebung des Landschaftsbildes beitrüge. Nur die von Doubs und Dessoubre um-flossene Halbinsel, Haute-Montagne genannt, mit mittleren Höhen von 800—900 m und kulminierenden Rücken bis nahe an 1100 m, entbehrt nicht ganz der landschaftlichen Reize; sonst ist der Charakter der Eintönigkeit der herrschende.

Das Land senkt sich nun gegen N und NW zu den Moyennes-Montagnes mit ähnlichen welligen Formen in mittleren Höhen von 650—700 m und wird im N durch eine Tiefenlinie abgeschlossen, die vom Doubs bei Baume-les-Dames nach W im engen Tale der Cuisance nach dem poljeähnlichen Becken von Sancey zieht und sodann im gleichfalls tief eingeschnittenen Tale der Barbêche abwärts den Doubs bei Noirefontaine wieder erreicht. Nördlich dieser Linie steigen die Schichten zu dem flachen Gewölbe der Lomont-Kette auf, das genau W—O streichend vom Doubs oberhalb Pont-de-Roide recht-winklig zur Achse in engem Tale durchbrochen wird. Als einfaches Doggergewölbe mit Kammhöhen von über 500 m im W und über 800 m im O, ca 300 m über die flache Umgebung aufragend, bildet die Lomont-Kette einen auffälligen Abschluß des ganzen Plateau-jura, in derselben Weise, wie ihre Fortsetzung, die Mont-Terrible-Kette den Kettenjura ab-schließt. Nördlich davon liegt das Vorland der gefalteten Region, dessen morphologische Grundzüge uns bereits beschäftigt haben.

V. Kapitel.
Geschichte des jurassischen Bodens seit dem Beginn der Faltung.

Der kurze Überblick über die Struktur des Jura vergewisserte uns von dem Alter-nieren vorwiegend einfach gefalteter Zonen und solcher, wo neben der Faltung auch Brüche für den inneren Bau bestimmend werden. Wir nahmen dabei den heutigen Raum des gehobenen Gebirges als den Platz einer ursprünglichen Geosynklinale an, in der unter beständiger Senkung des Bodens Sedimente abgelagert wurden, bis nach ihrer endlichen Ausfüllung die Hebung der Sedimente wesentlich unter Faltungserscheinungen erfolgte.

1. Alter der jurassischen Faltung.

Das Alter der definitiven Faltung des Jura, der er seinen heutigen Bau verdankt, er-gibt sich im allgemeinen durch den Hinweis auf seinen innigen Zusammenhang mit den Westalpen. Beide sind junge Faltungsgebirge aus der zweiten Hälfte der Tertiärzeit. Doch beweisen Diskordanzen innerhalb der gefalteten Schichtreihe, daß schon vorher Bewegungen des Bodens, allerdings in bescheidenem Ausmaß stattgefunden haben. Am Schlusse der Juraperiode herrschten im ganzen Jura kontinentale Verhältnisse, und diese wiederholten sich im nördlichen Teile des Gebirges mindestens schon in der zweiten Hälfte der Kreide-zeit, während das Eocän für den ganzen Jura eine zweite Kontinentalperiode bedeutet.

Es finden sich daher im nördlichen Jura Diskordanzen zwischen den obersten **Malm-schichten und den ersten geschichteten Tertiärablagerungen**; ebenso existieren solche zwischen den einzelnen Stufen des Tertiärs, wobei jedoch stets auch eine stratigraphische Lücke vorhanden ist, die mit einer Zeit der Erosion und Abtragung zusammenfällt. Die Diskordanzen im Tertiär sind aber beschränkt auf das Gebiet nördlich von Delsberg, während südlich davon nur stratigraphische Lücken vorhanden sind[1]).

Nirgends aber können wir eine Faltung älter als die letzten Molasseschichten erkennen. Die hauptsächliche Aufrichtung des Gebirges fand erst nach deren Ablagerung statt; allenthalben finden wir die Molasse in die Faltung einbezogen, und der große Zeitraum von den jeweils jüngsten Tertiärschichten bis zur Gegenwart ist gekennzeichnet durch die Wirkungen der gebirgsbildenden Kräfte einerseits, anderseits der zerstörenden und umgestaltenden Kräfte des Landes.

Wenn nun auch damit die Frage nach dem zeitlichen Beginn der Faltung in einfacher Weise gelöst ist, so komplizieren sich die Verhältnisse, wenn es sich um den **örtlichen Beginn und die Richtung des Fortschreitens** der faltenden Bewegung handelt.

Dieses Problem ist bis in die letzte Zeit für den Jura niemals in Angriff genommen worden, indem man sich mit dem Hinweis auf die mitgefalteten letzten Tertiärschichten und die ungestörten Diluvialablagerungen begnügte und somit den Jura als das Produkt einer einzigen, verhältnismäßig kurzen Faltungsperiode auffaßte. Zuerst hat L. Rollier, ausgehend vom Plateau der Freiberge, durch eine Reihe von Beobachtungen im Berner Jura auf Altersverschiedenheiten in diesem Gebirgsabschnitt aufmerksam gemacht, ohne aber dieser Frage in ihren weiteren Konsequenzen näher zu treten. Kürzlich nun ist Ed. Brückner bei Behandlung des Eiszeitalters im Schweizer Mittelland (Penck-Brückner, Die Alpen im Eiszeitalter, Leipzig, 1903, V. Lief.) auf diese Frage geführt worden und zu dem Resultat gelangt, daß wir es wenigstens in einem Teile des Schweizer Kettenjura mit einer zweimaligen Faltung zu tun haben und daß daher die regelmäßigen Gewölbe des Berner Jura in ihrer heutigen Gestalt sehr jungen Alters sind. (Wir kommen auf Rolliers und Brückners Untersuchungen noch ausführlich zurück). Noch bevor Brückners Ergebnisse mir bekannt werden konnten, habe ich, durch Rolliers Beobachtungen angeregt, die Ausbildung der Reliefformen des ganzen Gebirges verfolgt, und die folgenden Ausführungen sollen einen Überblick über den Gang der tektonischen Bewegungen im Jura und die Ausgestaltung der Juraoberfläche bieten, der in mancher Beziehung von den von Brückner für den Kettenjura gewonnenen Resultaten abweicht, wenn auch zur endgiltigen Entscheidung der hier angeregten Fragen Detailuntersuchungen in hohem Grade erforderlich sind.

2. *Morphologischer Nachweis von Altersverschiedenheiten im Jura.*

Die Frage nach dem örtlichen Beginn der Faltung kann nur in sehr beschränktem Maße auf dem Wege geologischer Forschung in Angriff genommen werden. Im Innern des Gebirges fehlen geschichtete Ablagerungen, angefangen von den letzten Miocänschichten bis zu den jüngsten Diluvialschottern, also aus der ganzen Zeit, innerhalb welcher sich die Faltung vollzogen haben muß. Auch die Beobachtung von tektonischen Unregelmäßigkeiten, der Unterschied komplizierter und einfach gefalteter Gebiete bietet nicht immer eine sichere Gewähr für den Nachweis von Altersverschiedenheiten, da solche Erscheinungen auch gleichzeitigen Ursprungs sein können, sobald nur die Beschaffenheit der zu faltenden Schichtkomplexe, überhaupt die Bedingungen vor der Faltung verschiedene waren. Es bleibt daher nur die **geomorphologische Betrachtung** auf dem Wege der Vergleichung verschiedener Formengebiete, die im Jura nur sehr teilweise mit Gebieten verschiedener Struktur zusammenfallen. Wir gehen dabei von den westlichen Randketten des Jura gegen die Bresse aus und suchen die bisher zerstreuten Beobachtungen unter einem einheitlichen Gesichtspunkt zusammenzufassen.

---

[1]) Rollier, 2. supplément &c. S. 165 ff. Diskordante Ablagerung der Molasse beobachtete u. a. Schardt (Extrémité méridionale &c. S. 154) in der Umgebung des Salève. An der Bötzbergbahn schließen sich an senkrecht gestellte Juraschichten Molasseschichten unter spitzem Winkel an. Rollier erwähnt Diskordanzen zwischen Jura- und Oligocänschichten in der Lomont-Kette (Bull. soc. géol. 3. série, XXIV. 1897, S. 1036), Kilian aus der Gegend von Réchésy im Elsgau (Mém. soc. émul. Montbéliard 1885, S. 20).

A. Die westlichen Randketten.

Aus dem breiten Tale des unteren Oignin in der Gegend von Nantua führt die Straße in einem Trockental durch die Zone der Randfalten nach dem untersten Aintal. Hinter der Ortschaft La Balme eröffnet sich plötzlich ein überraschender Blick auf das tiefe Tal von Cerdon und Poncin. Oxfordschichten bilden hier überall in stattlicher Ausdehnung die Talsohlen und unteren Teile der Gehänge der Täler, von denen sich tiefe Schluchten in die Plateaus hineindrängen; darüber aber erscheinen in Höhen von rund 600 m isolierte Malmkalkerhebungen, durch deren ebene Oberflächen die steil aufgerichteten und intensiv gefalteten Schichten messerscharf nahezu horizontal abgeschnitten werden. Verfolgt man diesen Landschaftstypus nach S, so trifft man eine stark gefaltete Randzone mit einer mittleren Breite von 12—15 km, deren tief gelegene Teile sich ausnahmslos an die wenig widerstandsfähigen Oxfordschichten knüpfen, während die Malmkalke einzelne abgeebnete Tafelstücke bilden. Derselbe Charakter ist auch gegen N herrschend und tritt schlagend zutage, wenn man z. B. vom Aintal bei Bolozon zum Dörfchen Solomiat (609 m) emporsteigt und über die Randketten des Jura hinwegblickt; da verbinden sich diese am Horizont zu einer ausgedehnten Plateaufläche mit gleich hoher und fast horizontaler Kammlinie, in die die Täler bis ca 400 m Höhe eingesenkt sind. Es liegt also hier eine stark abgetragene und teilweise schon zerstörte Gebirgszone vor, in der nur die widerstandsfähigsten Glieder der Schichtreihe in isolierten Tafeln oder kurzen Graten auftreten. Besonders weit ist diese Auflösung in den mittleren und nördlichen Teilen der Randzone gediehen. Alle die kleinen Flüßchen der Bresse drängen sich hier tief nach rückwärts erodierend bis in die schwach undulierte Plateauzone hinein, und ihren engen Cañons im Innern des Gebirges stehen auffallend breite Täler im Vorlande gegenüber. Besonders bemerkenswert ist dies bei Vallière, Seille, Oran und Loue, deren heutige Gerinne in keinem Verhältnis zu der (bei der Seille 4 km) breiten und vollkommen ebenen Talsohle stehen, über die sich das tertiäre Hügelland allerdings selten mehr als 30—40 m erhebt. Es findet also hier eine durch Seitenerosion der Flüsse erzeugte Einebnung des Vorlandes statt, von der aber auch der Gebirgsabfall betroffen wird. So entsteht ein ziemlich unregelmäßiger Verlauf des Jura-Abfalls, die »falaise« wandert unter dem Einfluß von Untergrabung durch Erosion und Abbruch allmählich gebirgseinwärts. Die pliocänen Sande und Tone bedecken diskordant die westlichsten Vorkommnisse der gefalteten mesozoischen Schichten und beweisen so, daß die Auflösung und Zerstörung der Randketten schon am Schlusse des Miocäns weit gediehen war.

Mit dem Vorschreiten nach N innerhalb der Randzone tritt aber ein neues unterscheidendes Moment hinzu. Die oberen Malmkalke, die in dem angrenzenden Senkungsfeld der Bresse unter dem Tertiär zu vermuten sind und noch im Jura des Bugey die Randketten vorwiegend aufbauen, treten nunmehr (carte géol. dét., Blatt St.-Claude) in größeren Partien nur in den östlicher gelegenen Teilen des Gebirges, etwa jenseit des Valouson auf. In der Randzone werden sie gegen N immer seltener, und an ihrer Statt bilden die nicht minder widerstandsfähigen Doggerkalke die höchsten Kämme und Plateaureste, während schon die weichen Lias- und Triasschichten die tieferen Teile des Gebirges zusammensetzen. In der Umgebung von Lons-le-Saunier und Poligny, wo die Zerstücklung der Randzone am weitesten gediehen ist, herrschen Trias und Lias schon unbedingt vor und nur selten hebt sich aus der welligen Landschaft ein Doggerkalkrücken hervor. Zu schärfer akzentuierten Formen entwickelt sich die Randzone erst wieder bei Salins und Besançon; aber wieder erscheinen in den tieferen Tälern des Doubs (sehr deutlich z. B. bei Roche oberhalb Besançon) und seiner Zuflüsse Loue, Furieuse u. a. die aufgerichteten und gefalteten

8*

Schichten durch die Landoberfläche haarscharf diskordant durchschnitten und darüber markiert die Kammlinie der Talgehänge die eingeebnete Fläche.

Die westliche Randzone des Jura zeigt durchweg unverkennbare Spuren einer sehr weitgehenden Abtragung und Einebnung; die Formen der Struktur sind völlig verwischt, die Höhenverhältnisse regeln sich nach dem Grade der Widerstandsfähigkeit der Schichten, und diese Verhältnisse gewinnen nach N an Schärfe. Gleichzeitig beweisen aber die tiefen und jugendlichen Täler eine in kurz verflossener Zeit erfolgte Wiederbelebung der erodierenden Kräfte.

B. Der plateauförmige Faltenjura.

Wir durchwandern nun in ähnlicher Weise die anschließende Zone der eigentlichen Juraplateaus, die im O sich von der Kettenzone mehr oder weniger scharf abhebt. Ein schematisches Profil durch den Jura des Bugey (vgl. Profil I. u. II.) zeigt das Verhältnis zwischen Struktur und Oberflächengestaltung in ausreichend deutlicher Weise. Wir erkennen im allgemeinen drei große, zumeist von Kreideschichten erfüllte Mulden, getrennt durch massige Gewölbe mit breiten Rückenflächen. Die Übereinstimmung zwischen dem inneren und äußeren Baue des Gebirges ist hier fast vollkommen gewahrt; doch nimmt mit der Annäherung an die westliche Randzone die Neigung zu eingeebneten Plateauflächen zu. Die Oxfordschichten sind aber vorwiegend nur in hochgelegenen Antiklinaltälern aufgeschlossen, selten reicht, wie in der Forêt-de-Moussières, die Erosion bis auf die Bajocien-Stufe des Doggers herab. Die Verhältnisse erfahren aber eine allmähliche Änderung nördlich der Querlinie Nantua — Bellegarde. Da treffen wir die an Oxfordschichten geknüpften tiefen Täler der Valouse und des Valouson, des Bief d'Anchey und de Tremontagne. Zwischen Valfin und La Rixouse oberhalb St.-Claude im Biennetal fesselt den Blick wieder die auffällige Konstanz der Kammhöhen, ein einziges ebenflächiges Niveau geht, soweit das Auge reicht, durch die Juraplateaulandschaft um Septmoncel und Cinquetral, in der die Kreidemulden sich kaum als unbedeutende Bodensenken verraten, die Oxford-»Comben« aber tiefe schluchtartige Risse bilden. Auch hier ist die Anlehnung der Oberflächenformen an den inneren Bau fast völlig verloren gegangen, die unvertieften Mulden und abgetragenen Gewölbe verbinden sich zu weiten Plateaumassen. Die heutigen Formen sind das Resultat eines lang andauernden Einebnungsprozesses und von Erosionsvorgängen, die an die am wenigsten widerstandsfähigen Schichten anknüpften und diese in langen Tallinien aufschlossen. Immerhin scheint aber weder die Faltung noch die Zerstörung ihrer Formen so intensiv zu sein, als in der westlichen Randzone, noch schärfer aber ist der Gegensatz gegen die erste und einzige Randkette im O, in der der Gewölbebau auch in der äußeren Form deutlich zum Ausdruck gelangt.

Weiter im N verflachen sich die Schichten der Plateauzone, und in der Region der größten Breite des Gebirges liegen sie bisweilen fast horizontal. Das Ausmaß der Zerstörung des Gebirges können wir hier nicht mehr aus der Vernichtung seiner Strukturformen ablesen, aber wir erkennen es aus dem Fehlen ganzer Schichtkomplexe von großer Mächtigkeit, aus dem nach O abnehmenden Alter der die Oberfläche vorwiegend zusammensetzenden Horizonte und der in gleicher Richtung zunehmenden Höhe des Gebirges. Längs und nördlich der Querlinie Lons-le-Saunier—Clairvaux—St.-Laurent— Morez konnten wir (vgl. S. 51) ein erstes Juraplateau mit Höhen unter 600 m, aufgebaut aus flachlagernden Bathon- und Bajocienkalken, unterscheiden, darauf gegen O folgend das zweite Juraplateau mit Höhen bis zu 800 m, wo zu den Dogger- auch schon untere Malmkalke hinzutreten, und jenseit des Steilabfalls der Montagne de Fresse erscheinen auf den bis 1000 m hohen Plateaus von Nozeroy und St.-Laurent die ersten Kreidefetzen neben den vorherrschenden oberen Malmkalken, die dann auch die breiten, über 1200 m hohen Gewölbe der Übergangszone gegen den Kettenjura aufbauen. Die Verbreitung der einzelnen Formationsglieder ist durchaus nur durch Denudationsgrenzen bestimmt, nicht durch alte Uferlinien; die allgemeine Regel also ist die: Je höher das Land, desto jünger seine Schichten. Es hat im W die Abtragung einen viel mächtigeren Schichtkomplex (etwa vom oberen Dogger bis zur Kreide) vernichtet als weiter gegen O, nicht weil die westlichen Gebiete stärker gehoben wurden und dadurch rascher hätten zerstört werden können, sondern es muß der Prozeß der Abtragung im W bereits länger andauern, daher seine Leistungen größer als im O.

Ganz ähnlich liegen die Verhältnisse weiter im N. Die Plateaus nördlich und westlich von Ornans bestehen schon vorwiegend aus Rauracienkalken, östlich davon zumeist aus den jüngeren Sequan- und Portlandkalken, und zu beiden Seiten der Lomont-Kette und am unteren Doubs fehlen diese überhaupt. Es nimmt im Plateaujura das Alter der gebirgsbildenden Schichten nicht nur von N—S (wie bisher stets betont wurde) sondern auch fast ausnahmslos in jeder Querlinie von W—O ab.

Weiter gegen O fällt innerhalb der eingangs gewählten Begrenzung des Kettenjura, seltsam kontrastierend zu den hohen Ketten und großen Gewölben nahe dem Ostrand des Gebirges, das Plateau der Freiberge auf, ein ca 1000 m hohes, intensiv gefaltetes Gebirgsland mit ausgesprochenem Plateaucharakter, dessen morphologischer Habitus auch noch westlich des Doubs in den Gebieten bis etwa an den Dessoubre vorherrscht[1]). Auch hier verraten sich die Formen der Struktur nur in den herausgearbeiteten Malmkalken der Antiklinalkerne, z. B. in der Kette des Spiegelbergs, die Synklinalen liegen in der Plateaufläche. Das stark gefaltete Land ist durch einen langanhaltenden Einebnungsprozeß zu einer Rumpffläche umgestaltet worden.

C. Der kettenförmige Faltenjura.

Auch innerhalb des Kettenjura, wo die Faltungsvorgänge sich noch am deutlichsten in den Formen der Oberfläche spiegeln, gewahren wir einen verschiedenen Grad der Ausreifung des Gebirges. Sowohl im savoyischen Jura als weiter gegen N am Ostrand des Gebirges herrscht vollkommene Übereinstimmung zwischen innerem Bau und der Oberflächengestaltung. Jedem Gewölbe entspricht eine Kette, jeder tektonischen Mulde ein breites Längstal. Die Abtragung hat seit der Hebung des Gebirges nur die wenig mächtige Tertiärdecke und die kretazischen Schichten fortgenommen, und ganz im S reichen diese noch gelegentlich bis auf die Höhe der Kämme hinauf. Die nachfolgende Erosion hat es bisher nur zur Ausbildung weniger hochgelegener Oxfordtälchen gebracht, die Klusen sind verhältnismäßig wenig tief eingeschnitten. Alle Reliefformen tragen ein durchaus jugendliches Gepräge.

Ein merklicher Unterschied zwischen O und W tritt bereits in den Kantonen Waadt und Neuenburg entgegen; in deren westlichen Teilen tritt schon die Neigung zu Plateauflächen und breiten Rücken entgegen, die im angrenzenden Plateaujura zur Regel werden. Da erstrecken sich die weiten, verkarsteten Plateaus von Auberson und Fourgs, die breiten, abgetragenen Gewölbe zwischen dem Tale von Verrières und dem von St.-Immer, getrennt durch unausgetiefte Synklinalen, ebenso stark gefaltet als die östlich anschließenden Ketten des Dent-de-Vaulion, der Aiguille de Beaulmes, des Chasseron u. a. mit ihren scharfen,

---

[1]) Rollier betonte zuerst (1. suppl. 1893, S. 213, 224 u. 238) diesen Gegensatz und gelangte zur Annahme von Altersverschiedenheiten zwischen den Freibergen und den östlich sich anschließenden Ketten, ebenso zwischen den fast intakten Ketten um Neuenburg und den geöffneten und denudierten Gewölben um Solothurn.

gleichsam jugendfrischen Formen. Weniger Bedeutung kommt hier dem für den Plateaujura wohl verwertbaren Umstand zu, daß das Alter der die höchsten Partien der Ketten zusammensetzenden Schichten gegen S und SO abnimmt. Denn nördlich der Uferlinien der beiden miocänen Transgressionen (vgl. S. 15) wirkten die abtragenden Kräfte des Landes seit dem tongrischen Meereseinbruch, und dieser oligocänen und miocänen Denudation ist wenigstens teilweise das Fehlen ganzer Schichtkomplexe zuzuschreiben; auch die transgredierenden Miocänschichten liegen nach S auf immer jüngeren mesozoischen Schichtgliedern. Aber abgesehen davon erkennen wir in dem verschiedenen Erhaltungs- und Ausbildungszustand der nach dem letzten Rückgang des Meeres von der Struktur geschaffenen oder abhängigen Formen ein verschiedenes Ausmaß der postmiocänen Abtragung, das zur Annahme von Altersverschiedenheiten nötigt. Schließlich ist im Aargauer und Solothurner Kettenjura das aufgebaute Rostgebirge geradezu übergeführt in ein ausgearbeitetes. Hier sind Muldenkämme und Satteltäler die Regel; nicht die Anpassung der Erosion an die Formen der Struktur sondern das fortgeschrittenere Stadium der Ausreifung einer Tallandschaft, die Anpassung an die verschiedene Gesteinsbeschaffenheit, beherrscht den Formenschatz der nordöstlichsten Teile des Gebirges, daher seine außerordentliche Auflösung in kurzkämmige, allseits von tiefen Tälern umgebene, gleichsam herausgeschnittene Erhebungen [1]).

Überblicken wir nun nochmals den heutigen Zustand des Jurareliefs in seinem Verhältnis zur ehemaligen Strukturoberfläche. Wir sahen die intensive Abtragung in den stark dislozierten westlichen Randketten, die gegen N zunimmt, wir konstatierten das Fehlen mächtiger Schichtkomplexe in den nordwestlichen, nur schwach gestörten Plateaugebieten, aber auch die Abebnung der tektonischen Formen sowohl im Gebiet der Freiberge, der Plateaus von Auberson und Fourgs, als auch im südlichen Teile des Gebirges, wo'der heutige Plateaucharakter aus einem echten Faltungsgebirge hervorgegangen ist; aus dieser gleichsam greisenhaften Landschaft des Westens kamen wir im Kettenjura nach O und S in das Bereich jugendlicher, wohlerhaltener Strukturformen, während im NO die lang anhaltenden Wirkungen der Erosion keine Plateauflächen sondern ein stark zerstückeltes, abwechslungsreiches Mittelgebirge geschaffen haben. Die nach S zunehmende Höhe des Gebirges ist nicht eine Folge verschieden starker Aufwölbung sondern der verschieden langen Dauer der erodierenden und denudierenden Kräfte [2]). Alle diese Beobachtungen führen zur Annahme von Altersverschiedenheiten innerhalb des ganzen Gebirges; wir gelangen von W nach O und gleichzeitig von N nach S in immer jüngere Gebirgsglieder.

Dieses erste Resultat einer morphologischen Betrachtung des ganzen Gebirges läßt sofort eine Reihe neuer Fragen entstehen. Geschah die Faltung ununterbrochen angefangen von der Ablagerung der letzten Miocänschichten bis zum Beginn der Quartärzeit, so zwar, daß sie in einer gewissen Richtung kontinuierlich fortschritt, oder aber erfolgte sie in zwei Perioden, die durch eine Zeit tektonischer Ruhe getrennt waren, während welcher die Kräfte des Landes auf die neu entstandenen Formen ungestört einwirken konnten? Und, wenn dies der Fall war: Umfaßt schon die erste Faltungsperiode das ganze Gebirge, oder sind

---

[1]) Diesen Charakter des aufgelösten Kettengebirges im Solothurner Jura mit den »aufgebrochenen« Gewölben, den zahlreichen »Comben« und Klusen erkannte schon Desor (L'orographie du Jura, S. 13, Neuchâtel 1856) und Mühlberg betonte 1893 auf Grund ähnlicher Beobachtungen, namentlich aus der Bloßlegung des Muschelkalks im Aargauer-, Baseler- und Solothurner Ketten- und Tafeljura ausdrücklich, daß der Betrag der Erosion von S nach N an Intensität zunimmt (Ber. d. Exkursion schw. geol. Ges. Ecl. III 1893, S. 460), wobei aber auch der Anteil der Erosion vor der Faltung miteingeschlossen ist.

[2]) Die Auffaltung ist sogar gelegentlich im N stärker im S; so erreicht das Kimmeridge-Gewölbe des Graitery im Berner Jura mit 1300 m ungefähr die gleiche Höhe wie der Chaumont und M. Sujet über dem Bieler See, wo über dem Kimmeridge noch mehrere 100 m oberster Malmkalke erhalten sind.

seine jugendlichen Teile erst in der zweiten Faltungsperiode entstanden? und schließlich: Welches war das absolute und relative Ausmaß der beiden Dislokationen?

3. Zwei Dislokationsperioden im Jura.

Diese Probleme hat Ed. Brückner kürzlich in Untersuchung gezogen (a. a. O. S. 469 ff.)[1]. Er gelangt zunächst aus der einheitlich deckenförmigen Ausbreitung des ältesten Glazialschotters im Schweizer Alpenvorland zu dem Resultat, daß dieses ebenso wie das deutsche Alpenvorland am Beginn des Eiszeitalters eine durch fluviatile Einebnung entstandene Rumpffläche darstellte, die sich von den Alpen zum Jura und zugleich nach N in die Gegend von Koblenz und gegen SW zum Rhônetal unterhalb Genf senkte. Über diese hob sich nahe ihrem Westsaum die Lägern etwa 250 m hoch heraus, während die östlichsten niedrigen Jurahöhen zwischen Limmat und Aare, also der Müsernwald, Eitenberg, Schinzberg, Kestenberg und die Habsburg, gleichfalls im Niveau dieser präglazialen Landoberfläche lagen, deren Westrand erst die Gislifluh und die Schafmatte bildeten. Diese Rumpffläche schnitt also von S in den Rand des Jura ein und erst die spätere Erosion des Eiszeitalters schuf die heutigen Täler. Dann aber findet Brückner eine weit ältere Rumpffläche auf den Höhen des Jura selbst. Er bespricht die (von uns S. 46 erwähnten) Abtragungserscheinungen im Schweizer Tafeljura, betont den scharfen Gegensatz zwischen dem kettenförmigen Faltenjura im O mit seiner Übereinstimmung zwischen dem geologischen Bau und der Oberflächengestaltung, und dem plateauförmigen Faltenjura im W, wo die Falten von einer welligen Abtragungsfläche durchschnitten werden, und gelangt zu dem Schlusse, daß wir im Jura zwei Dislokationsperioden zu unterscheiden haben, eine erste Faltung in postmiocäner, eine zweite in jungpliocäner Zeit, beide getrennt durch eine Zeit der Ruhe, in welcher der ganze Jura eine Abtragung zu einer Rumpffläche erfahren hat. Die erste Dislokation umfaßte den ganzen Jura (die Frage, ob diese Faltung im ganzen Jura gleichzeitig vor sich ging oder in einer gewissen Richtung zeitlich und örtlich vorschritt, erörtert Brückner nicht), die zweite Faltung soll sich nur auf den kettenförmigen Schweizer Jura beschränkt und entweder an schon existierenden, aber eingeebneten Gewölben angesetzt oder mehr schwebende und daher von der pliocänen Rumpffläche nicht diskordant abgeschnittene Schichten ergriffen haben.

Die Hauptstütze für die Annahme einer abermaligen Faltung des Kettenjura ergibt sich für Brückner aus der Diskussion der Profile Rolliers durch den Berner Jura (1. supplém., Profil 9—12 und Livret-guide géol. 1894, Taf. III, Profil 12). Man sieht hier an die fast vollkommene Einebnungsfläche der Freiberge anschließend die Ketten um Moutier sich allmählich emporheben, deren Gewölbebau Brückner der jungpliocänen Faltung zuschreibt. Beim Mont d'Amin, der Tête-de-Rang, beim Chasseral, Montoz u. a. sieht Brückner in den nach W und NW fallenden, die gefalteten Schichten schräg abschneidenden Gehängen die ehemals horizontale und durch die zweite Dislokationsperiode schief gestellte und verbogene Abtragungsfläche und bezeichnet daher diese Ketten als schief gekappte Gewölbe. Uns erscheint eine solche Beweisführung nicht zwingend. Die genannten Gehänge müssen ihre heutige Lage nicht durch nochmalige Faltung und Verbiegung erfahren haben. Die Einebnung muß nicht immer von Anfang an nach Herstellung einer horizontalen Fläche streben; gerade die Gehänge des Chasseral gegen das breite Tal von St.-Immer (der Höhenunterschied von ca 900 m würde also hier das Ausmaß der zweiten Faltung bedeuten) oder des Montoz gegen das Birstal können ebensogut durch Einebnung der westlichen Gewölbeschenkel infolge der vereinigten Wirkungen von Lösung und Ab-

---

[1] Vgl. auch Brückner, La morphologie du Plateau molassique et du Jura suisse (Arch. de Genève [4.], XIV, 1902, S. 633—642).

spülung erklärt werden. Uns ergibt sich aus den von Brückner angezogenen Profilen Rolliers nur ein nach W zunehmender Grad der Einebnung und daher ein in gleicher Richtung zunehmendes Alter der Strukturformen; in den Freibergen sind fast alle Falten nivelliert, in den Ketten um Münster und St.-Immer sind die Gewölbe im großen und ganzen noch intakt, wenn auch sowohl auf den Flanken als in der Scheitelregion große Schichtkomplexe fehlen, wodurch die ursprünglichen Niveauunterschiede gemindert sind. Eine scharfe Grenzlinie zwischen Gebieten einmaliger und doppelter Faltung vermögen wir nirgends zu erkennen, vielmehr nur einen allmählichen Übergang zu jugendlicheren Formen, der im Neuenburger und Waadtländer Jura, auf den sich Brückners Untersuchungen noch nicht erstreckten, in gleicher Weise wiederkehrt[1]).

Brückner verlegt zwei Dislokationsperioden und die dazwischen liegende Periode der Einebnung des Gebirges in eine einzige Periode der Erdgeschichte, in das Pliocän. Diese Zeit soll hingereicht haben, um den Jura einen ganzen Zyklus durchlaufen zu lassen, und noch eine zweite Dislokationsperiode umfassen. Wenn auch bisher vielfach die Dauer des Pliocäns als einer Zeit wenig mächtiger oder ganz fehlender Ablagerungen unterschätzt wurde, so müßten wir doch unsere Anschauungen über die Raschheit der Faltungs- und Denudationsvorgänge bedeutend modifizieren, wenn tatsächlich das Pliocän eine solche Summe von Leistungen hervorzubringen imstande sein sollte[2]). Zur Herstellung einer vollkommenen Rumpffläche, wie sie Brückner wenigstens für den Kettenjura verlangt, sind offenbar viel größere Zeiträume erforderlich, als sie das Pliocän zur Verfügung stellt. In den nordamerikanischen Appalachien z. B. genügte die Zeit vom Schlusse der Kreide bis zum Pliocän noch nicht, um ein mäßig hohes Mittelgebirge völlig einzuebnen; in der Hercegovina begann die Periode der Einebnung schon am Schlusse des Oligocän und dauerte bis zum Auftreten neuer Krustenbewegungen im Pliocän.

Die Einebnung des nordöstlichen Kettenjura geschah nach Brückner vornehmlich durch Flüsse, die, aus den Alpen kommend, das heutige Mittelland und den mit diesem gemeinsam den Alpenfuß bildenden, eingeebneten Jura querten und ihre Schotter u. a. im Sundgau ablagerten (a. a. O. S. 479). Wir kommen auf diese Frage bei der entwicklungsgeschichtlichen Betrachtung der Juraflüsse noch ausführlich zurück. Aber schon an dieser Stelle möge gesagt werden, daß uns Brückners Aufstellungen auf Grund des bisherigen Materials als noch nicht ausreichend fundiert erscheinen und daher eine weitere Verfolgung der einschlägigen Probleme, die Brückner sich vorbehält, in hohem Maße erforderlich ist.

Den tatsächlichen Verhältnissen, wie sie die morphologische Analyse des ganzen Gebirges erkennen läßt, glauben wir am meisten gerecht zu werden durch die Annahme einer einzigen von NW—SO fortschreitenden ununterbrochenen Faltung; dieselbe erzeugte in jedem Querschnitt zuerst die westliche Randzone, dann die heutigen Plateaugebiete, zuletzt die östliche Kettenzone, wobei wieder in jeder Zone die nördlichen

---

[1]) Nur im Bereich einfacher und locker gestellter Falten kommen jene Formen vor, die nach Brückner als schief gekappte Gewölbe oder schräg gestellte Einebnungsflächen aufzufassen wären. Die Profile Rolliers durch den östlichen Teil des Berner Jura (2. supplém., Taf. I—III) lassen aber für diesen Teil des Kettenjura, der doch, wenn Brückners Deutung zutrifft, ebenfalls vor seiner zweiten Dislokation schon völlig eingeebnet worden sein müßte, eine solche Auffassung keineswegs zu (vgl. Profil XIII, durch das Gebiet der Hohen Winde nach Rollier), und ebenso wenig die Profile Jaccards durch den Neuenburger und Waadtländer oder die Schardts durch den südlichen Jura.

[2]) Der Betrag der nachmiocänen Denudation läßt sich nur sehr annähernd schätzen, da man immer auch mit der vormiocänen zu rechnen hat; jedenfalls war zur völligen Einebnung des Jura die Abtragung von mindestens 500 m mächtigen Schichten erforderlich; nach dem für Mitteleuropa ungefähr geltenden Maßstab der modernen Denudation von 1 m in 33 000 Jahren müßte der erste Zyklus des Jura, vom Beginn der Faltung bis zur Herstellung einer Rumpffläche, rund 16 Millionen Jahre gedauert haben. Dieser Zeitraum und die darauffolgende zweite Dislokationsperiode müßten nach Brückner im Pliocän untergebracht werden, während z. B. Penck die Dauer des ganzen Tertiärs auf nur 10, die des Pliocäns auf ca 2 Millionen Jahre schätzt (Das Alter der Erde, »Aula« I, 1895, S. 14 des S.-A.).

Abschnitte älter sind als die südlichen. Die Faltung begann am Schlusse des Miocäns und dauerte bis tief in das Pliocän, ja vielleicht bis an den Beginn der Quartärperiode. Gleichzeitig geschah die Abtragung des Gebirges, und die Entstehung der Rumpfflächen in den westlichen, bereits zur Ruhe gelangten Teilen des Gebirges fällt in die ganze Zeit vom älteren Pliocän bis zur Gegenwart.

4. Geringes Ausmaß der zweiten Dislokationsperiode.

Nur in abgeschwächtem Maße vermögen wir Brückner darin zu folgen, daß dieser Einebnungsvorgang nicht ganz ungestört vor sich ging, sondern von Krustenbewegungen unterbrochen war. Diese scheinen sich aber im wesentlichen auf eine allgemeine Hebung des Gebirges, in manchen Teilen verbunden mit einer Schiefstellung der in Ausbildung begriffenen Rumpfflächen mit einem Gefälle gegen W und NW (vgl. Brückner a. a. O. S. 478) beschränkt, nicht eine abermalige Faltung gewisser Gebirgsstücke bedeutet zu haben[1]. Die Resultate dieser nochmaligen Hebung zeigen sich namentlich in der Beschaffenheit der großen Juratäler, z. B. des Ain und Doubs, und überhaupt in einer Neubelebung der Erosion, besonders am Westrand des Gebirges, wovon später im Zusammenhang die Rede sein soll.

Die Annahme eines sehr jungen Alters der östlichen Randketten, namentlich im südlichen Jura, wurde kürzlich auch von der geologischen Seite her ausgesprochen. Áberhardt konnte an mehreren Lokalitäten nördlich des Genfer Sees (bei La Côte unweit Bougy, bei Mont-la-Ville und Beguins), die nur 3—5 km von der ersten Jurakette entfernt sind, in den unmittelbar über der Molasse liegenden Diluvialschottern keine Juragerölle entdecken, während sie in den höher liegenden Schottern an den gleichen Stellen sehr häufig sind[2]. Er schließt daraus, daß zur Zeit der Ablagerung jener Schotter, die er als Deckenschotter auffaßt, der Jura, wenn überhaupt schon gehoben, es jedenfalls noch nicht soweit war, daß die mesozoischen Schichten entblößt waren, und versetzt daher den Beginn der definitiven Hebung des Jura in das sog. »mésoglaciaire« (Hochterrassenzeit). Die Schlußfolgerungen Áberhardts erscheinen aber entkräftet durch die Untersuchungen Brückners, der die fraglichen Schotter der Niederterrassenzeit zuweist[3].

Gleichfalls aus geologischen Gründen glaubte Schardt wenigstens für den südlichen Jura ein Vorschreiten der Faltung von SO nach NW annehmen zu müssen[4]. Im Tale der Valserine fehlt die obere Meeresmolasse, weiter westlich kommt sie noch vor; es ist daher der östliche der beiden, von demselben Becken sich abzweigenden Golfe früher trockengelegt worden und daher soll die Hebung des Gebirges sich zuerst im O geäußert haben. Diese Beobachtung läßt sich wohl mit der für das ganze Gebirge geltenden Tatsache vereinbaren, daß allgemein ein allmähliches Zurückweichen des letzten Tertiärmeeres gegen SW und SO stattfand, ohne daß aus ihr ein Schluß auf das Alter der Faltung in den einzelnen Gliedern des Gebirges abgeleitet werden könnte.

5. Isostatische Anpassung im Jura.

Die Annahme des Vorschreitens der faltenden Bewegung im Jura von NW gegen SO steht übrigens mit theoretischen Erwägungen keineswegs in Widerspruch. Der lange andauernde Sedimentationsprozeß der mesozoischen und teilweise auch der tertiären Periode entnahm große Massen dem im N und NW des heutigen Jura gelegenen alten Lande, die längs dessen Küsten angehäuft wurden. Auch zur Zeit, als die Faltung begann und im Gebiet des südlichen und östlichen Jura das Meer sich zurückzog, herrschten über den größten Teil des heutigen Mittel- und Westeuropa Landzustände, die Umrisse des Kontinents waren in großen Zügen bereits festgelegt. Das Bestreben, die eingetretenen Verschiebungen in der Massenverteilung auszugleichen, führte schließlich zur Einleitung einer Massenbewegung, die von dem belasteten Meeresboden im S und SO nach dem durch die Sedimentation entlasteten Lande im N und NW sich richtete und zur Neuangliederung von Landmassen unter Faltungserscheinungen führte. Die gleichzeitig aus der Abkühlung des Erdkörpers sich ergebende Kontraktion steht damit nicht in Widerspruch;

[1] Aus gewissen tektonischen Unregelmäßigkeiten in den Freibergen schließt auch Rollier auf fortgesetzte orogenetische Bewegungen nach der Hauptfaltung (1. supplém. S. 238).
[2] Étude sur les alluvions anciennes des environs de Genève (Ecl. VII, 1903, Nr. 4, S. 271—85).
[3] Brückner, Alpen im Eiszeitalter, 6. Lieferung, S. 565.
[4] Études géolog. sur l'extrémité méridionale du Jura (Bull. soc. vaud. XXVIII, 1891/92, S. 159).

spülung erklärt werden. Uns ergibt sich aus den von Brückner angezogenen Profilen Rolliers nur ein nach W zunehmender Grad der Einebnung und daher ein in gleicher Richtung zunehmendes Alter der Strukturformen; in den Freibergen sind fast alle Falten nivelliert, in den Ketten um Münster und St.-Immer sind die Gewölbe im großen und ganzen noch intakt, wenn auch sowohl auf den Flanken als in der Scheitelregion große Schichtkomplexe fehlen, wodurch die ursprünglichen Niveauunterschiede gemindert sind. Eine scharfe Grenzlinie zwischen Gebieten einmaliger und doppelter Faltung vermögen wir nirgends zu erkennen, vielmehr nur einen allmählichen Übergang zu jugendlicheren Formen, der im Neuenburger und Waadtländer Jura, auf den sich Brückners Untersuchungen noch nicht erstreckten, in gleicher Weise wiederkehrt[1]).

Brückner verlegt zwei Dislokationsperioden und die dazwischen liegende Periode der Einebnung des Gebirges in eine einzige Periode der Erdgeschichte, in das Pliocän. Diese Zeit soll hingereicht haben, um den Jura einen ganzen Zyklus durchlaufen zu lassen, und noch eine zweite Dislokationsperiode umfassen. Wenn auch bisher vielfach die Dauer des Pliocäns als einer Zeit wenig mächtiger oder ganz fehlender Ablagerungen unterschätzt wurde, so müßten wir doch unsere Anschauungen über die Raschheit der Faltungs- und Denudationsvorgänge bedeutend modifizieren, wenn tatsächlich das Pliocän eine solche Summe von Leistungen hervorzubringen imstande sein sollte[2]). Zur Herstellung einer vollkommenen Rumpffläche, wie sie Brückner wenigstens für den Kettenjura verlangt, sind offenbar viel größere Zeiträume erforderlich, als sie das Pliocän zur Verfügung stellt. In den nordamerikanischen Appalachien z. B. genügte die Zeit vom Schlusse der Kreide bis zum Pliocän noch nicht, um ein mäßig hohes Mittelgebirge völlig einzuebnen; in der Hercegovina begann die Periode der Einebnung schon am Schlusse des Oligocän und dauerte bis zum Auftreten neuer Krustenbewegungen im Pliocän.

Die Einebnung des nordöstlichen Kettenjura geschah nach Brückner vornehmlich durch Flüsse, die, aus den Alpen kommend, das heutige Mittelland und den mit diesem gemeinsam den Alpenfuß bildenden, eingeebneten Jura querten und ihre Schotter u. a. im Sundgau ablagerten (a. a. O. S. 479). Wir kommen auf diese Frage bei der entwicklungsgeschichtlichen Betrachtung der Juraflüsse noch ausführlich zurück. Aber schon an dieser Stelle möge gesagt werden, daß uns Brückners Aufstellungen auf Grund des bisherigen Materials als noch nicht ausreichend fundiert erscheinen und daher eine weitere Verfolgung der einschlägigen Probleme, die Brückner sich vorbehält, in hohem Maße erforderlich ist.

Den tatsächlichen Verhältnissen, wie sie die morphologische Analyse des ganzen Gebirges erkennen läßt, glauben wir am meisten gerecht zu werden durch die Annahme einer einzigen von NW—SO fortschreitenden ununterbrochenen Faltung; dieselbe erzeugte in jedem Querschnitt zuerst die westliche Randzone, dann die heutigen Plateaugebiete, zuletzt die östliche Kettenzone, wobei wieder in jeder Zone die nördlichen

---

[1]) Nur im Bereich einfacher und locker gestellter Falten kommen jene Formen vor, die nach Brückner als schief gekappte Gewölbe oder schräg gestellte Einebnungsflächen aufzufassen wären. Die Profile Rolliers durch den östlichen Teil des Berner Jura (2. supplém., Taf. I—III) lassen aber für diesen Teil des Kettenjura, der doch, wenn Brückners Deutung zutrifft, ebenfalls vor seiner zweiten Dislokation schon völlig eingeebnet worden sein müßte, eine solche Auffassung keineswegs zu (vgl. Profil XIII, durch das Gebiet der Hohen Winde nach Rollier), und ebenso wenig die Profile Jaccards durch den Neuenburger und Waadtländer oder die Schardts durch den südlichen Jura.

[2]) Der Betrag der nachmiocänen Denudation läßt sich nur sehr annähernd schätzen, da man immer auch mit der vormiocänen zu rechnen hat; jedenfalls war zur völligen Einebnung des Jura die Abtragung von mindestens 500 m mächtigen Schichten erforderlich; nach dem für Mitteleuropa ungefähr geltenden Maßstab der modernen Denudation von 1 m in 33000 Jahren müßte der erste Zyklus des Jura, vom Beginn der Faltung bis zur Herstellung einer Rumpffläche, rund 16 Millionen Jahre gedauert haben. Dieser Zeitraum und die darauffolgende zweite Dislokationsperiode müßten nach Brückner im Pliocän untergebracht werden, während z. B. Penck die Dauer des ganzen Tertiärs auf nur 10, die des Pliocäns auf ca 2 Millionen Jahre schätzt (Das Alter des Erde, »Aula« I, 1895, S. 14 des S.-A.).

Schüssel bildete, in der die pliocänen Schichten zur Ablagerung gelangen konnten. Die Senkung der Bresse dauerte aber noch während des ganzen Pliocäns fort; denn die unterpliocänen Mergel von Mollon besitzen ein ziemlich beträchtliches Fallen nach W, sie sind gegen den Jurarand aufgerichtet. Hingegen ist der endgültige Rückzug des mediterranen Meeres aus dem Rhônetal am Schlusse des Unterpliocäns offenbar die Folge einer allgemeinen Hebung des Bodens[1]). Auf eine andere Tatsache machte Bourgeat aufmerksam[2]). Das bressanische Becken zeigt eine auffällige Asymmetrie seines Flußnetzes; alle Gewässer des Jura, die in die Saône münden, entfernen sich weit vom Jurarand, die Saône fließt näher dem West- als dem Ostrand des Beckens, ebenso wie auch weiter südlich die Rhône weit entfernt von den Alpen mit dem kristallinischen Zentralplateau in Berührung gelangt. Dies spricht gleichfalls für eine langsame Hebung des Jurarandes oder Senkung der bressanischen Region während der ganzen Dauer des Pliocäns. Schließlich sind von einer großen Reihe von Örtlichkeiten längs des Jurarandes Unterschiede in der Höhenlage des Pliocäns bekannt, was auf eine Fortdauer der orogenetischen Bewegungen im Sinne einer zunehmenden Senkung des Beckens schließen läßt. In der Umgebung von Salins hebt sich der Jurarand vom Senkungsfeld der Bresse durch eine Schar von Grenzbrüchen ab; es scheint deren Anlage auch erst einer verhältnismäßig späten Zeit anzugehören und gleichalterig mit der im oberen Pliocän erfolgten abermaligen Hebung des Jurabodens zu sein. Diese äußerte sich am Jurarand in einer Neubelebung der Erosion; die tiefen Schluchten, von denen der Abfall des Jura, z. B. bei Poncin, zerfressen wird und die nicht weit in die eingeebnete Plateaufläche eindringen, können nur durch eine in sehr jugendlicher Zeit erfolgte und vielleicht noch.andauernde Senkung der Erosionsbasis erklärt werden. Auch für die Fortdauer dieser Senkung in historischer Zeit sind Anzeichen vorhanden. Tardy erwähnt römische Dämme in der Bresse, die von Dislokationen betroffen seien, und Eisenbahneinschnitte, deren beständige Gleitungserscheinungen auf Bewegungen des Bodens hindeuten[3]).

Der Jura und seine Umgebung bieten somit ein Beispiel für gleichzeitige, aber entgegengesetzt gerichtete tektonische Bewegungen[4]). Mit der nachträglichen Hebung des Jura ging die Senkung seiner Nachbargebiete, mindestens im W, Hand in Hand, und beide Bewegungen sind, wie es scheint, gegenwärtig noch nicht abgeschlossen. Heute hängt der Jura nur mehr im äußersten S und längs seiner Nordgrenze mit Hebungsgebieten zusammen; im S mit den subalpinen Ketten, im N mit Landmassen, die ihre relativ hohe Lage durch lange Perioden der Erdgeschichte bewahrt haben.

8. Entstehung der pliocänen Rumpffläche im Jura.

Die zerstörenden Kräfte, denen der Jura sein heutiges Relief verdankt, sind die Flußerosion und die flächenhaft tätige Abtragung. Für die Art ihrer Wirksamkeit wird namentlich die lithologische Zusammensetzung eines Gebirges von Bedeutung. Bei der vorherrschenden Zusammensetzung des Jura aus durchlässigen Kalkschichten war der Reichtum des über das Meer gehobenen Neulandes an Flüssen von vornherein kein großer. Dort, wo die impermeable, tertiäre Decke zu größeren Höhen aufgefaltet wurde, verfiel sie rasch der Zerstörung, und die kalkige Unterlage trat zutage, auf der sich Flüsse nur im Bereich hohen Grundwasserstandes erhalten konnten. Die Schichtmulden wurden vielfach in ursprünglicher Wannenform, als langgestreckte, geschlossene Becken angelegt, und die

[1]) Delafond und Depéret, Les terrains tertiaires de la Bresse. S. 158 ff.
[2]) Observations sommaires sur le Boulonnais et le Jura. Bull. soc. géol., 3. série, XX, 1891/92, S. 268.
[3]) Bull. soc. géol. 3. série, X, 1881/82, S. 548.
[4]) Dieses Moment betont vor allem Rollier in seiner (nach Niederschrift dieser Zeilen erschienenen) Abhandlung: Le plissement des Monts Jura, Ann. de Géogr., 1903, S. 403).

meist wenig wasserreichen Flüsse waren nicht imstande, das ursprünglich widersinnige Gefälle aufzuheben; es blieben daher trockne Talwannen in unvertieftem Zustand zurück. Die Entwässerung des Landes geschah, abgesehen von einigen Resten eines antezedenten Flußsystems, vorwiegend durch die den tektonischen Tiefenlinien folgenden »Folge«-Flüsse; seltener sind im Jura die sog. unbestimmten Folgeflüsse (indefinite consequent rivers nach Davis), die nur in der Richtung, nicht aber in der Lage durch die Struktur bestimmt sind und in kurzen Flankentälern zum Haupttal münden. An sie knüpft an die Bildung der sog. Nachfolgeflüsse (subsequent rivers), die der Entstehung der Strukturformen zeitlich nachfolgen, indem sie sich in wenig widerstandsfähigen Schichten in Tälern mit monoklinalem oder antiklinalem Bau entwickeln. Bei der Armut des Kalkgebirges an weitverzweigten Talsystemen und Erosionsschluchten, dem Fehlen zahlreicher kleiner Seitenarme und zerstörender Wildbäche ist auch die Abböschung der Talgehänge unbedeutend. Auch der Hauptfluß arbeitet vorwiegend in die Tiefe, weniger in die Breite. So scheint im Jura wie in allen ausgesprochenen Kalkgebirgen der einebnenden Tätigkeit des rinnenden Wassers kein vorherrschender Anteil an der Entstehung der Rumpfflächen zuzukommen.

Groß aber ist die Bedeutung der chemischen Lösung der Kalkschichten für die Nivellierung der Höhenunterschiede. Durch sie werden die Kämme der Antiklinalen zunächst bis zum Niveau der Synklinalen abgetragen. Es entsteht ein welliges und verkarstetes Kalkhochland, durch spärliche Flüsse in tiefen Tälern durchschnitten; da eine Abspülung der Gehänge nahezu fehlt, zeigt das Talprofil noch zumeist die scharfe V-förmige Gestalt; nicht Nebenflüsse, sondern unterirdische Quellstränge ernähren den Hauptfluß, die er dort anschneidet, wo er sein Bett bis an die Basis der Kalkmassen eingetieft hat. Die auffallende Tiefe der großen Juratäler, namentlich in den westlichen Plateaugebieten, des Doubs, Dessoubre, Ain u. a. ist wohl vorwiegend auf nachträgliche Hebungsvorgänge zurückzuführen (vgl. S. 64); sicher gebührt aber auch den eben geschilderten Vorgängen ein Anteil an dem Gegensatz zwischen den eingeebneten Hochflächen und ihren kañonartigen Tälern.

Die große Bedeutung der chemischen Lösung für die Einebnung des Landes erhellt namentlich im Bereich schwebend lagernder Kalkschichten. Die Tafelberge des Schweizer Tafeljura, dessen Schichten nach S fallen, sind solche Abtragungsflächen, indem ihre Oberflächen schwächer geneigt sind als die Schichten, oft sogar nach N fallen. Hier ging der jugendlichen Zerschneidung der Tafelfläche durch seine heutigen Flüsse eine Zeit flächenhafter Abtragung voraus, die schon vor der letzten, übrigens hier nur teilweisen, Meeresbedeckung gewirkt hat; denn die Juranagelfluh liegt bereits diskordant auf den denudierten Jurakalkflächen. Im zentralen und nördlichen Plateaujura, wo die Abspülung wohl nur in geringem Maße mitgewirkt haben kann, sind Schichtkomplexe von mehreren Hundert Metern Mächtigkeit verschwunden, und in den von den Lösungsrückständen des Kalkes erfüllten Karrenfurchen des Doggers liegen auch Reste der einst über das Land gebreiteten Oxford-Serie eingebettet, die ihrerseits wieder einst vom Malm bedeckt gewesen sein muß. Auch der auffällige Mangel an Oberflächenschutt auf den Höhen ist eine Folge der chemischen Lösung, die den durch mechanische Wirkungen entstandenen Schutt wieder aufgezehrt hat [1]). Anderseits vermag die Lösung mit den am Fuße von Wänden in Form steiler Schuttkegel, sog. groises, angehäuften Massen, wie sie namentlich in den Tälern des südlichen Plateaujura so häufig sind, doch nicht fertig zu werden. Im engen Tale zwischen Tenay und Hôpitaux enthalten diese Schutthalden Reste von Elephas primigenius, ihre

[1]) Vgl. Penck, Geomorphologische Studien aus der Hercegovina, (Zeitschr. d. D. u. Ö. Alp.-Ver. 1900, XXXI, S. 29).

ie knüpfen sich so eng an die Juratäler, in denen
gewesen sein müssen, durch welche das alpine
st aber nur möglich unter Annahme ihres fluvio-
Delafond und Depéret auf pliocäne Gletscher, die
Bugey erreicht hätten, und deren Moränen die Ge-
s Alter brachten diese Autoren die schon lange be-
nd Elephas meridionalis bei [2]); doch wurden diese
ke selbst gemacht, sondern entstammen wahrschein-
Schichten. Allem Anschein nach entsprechen die
beiden Deckenschotter, sind also eine fluvioglaziale
erdings die zugehörigen Moränen noch nicht bekannt
Ausdehnung der ältesten Vergletscherungen nur sehr

r sind in der Bresse reich entwickelt; sie erstrecken
alb der Maximalverbreitung der Gletscher und unter-
haffenheit, geringere Verkittung und graue Farbe von
ttern, in deren Erosionsformen sie liegen [3]).

Maximalvergletscherung im Innern des Jura.

n Eisströme des Linth-, Reuß-, Aare- und Rhônegebiets
malvergletscherung zu einer zusammenhängenden Vor-
ckner so genannten) helvetischen Gletscher, der
des Jura ausbreitete und ihn nahe seinem südlichen
Berste Verbreitung dieses Gletschers im Jura ist aber
s fehlt ihm eine selbständige Zone wohlerhaltener End-
Denn die auf geneigtem Boden abgelagerten Moränen
d in der Zeit der letzten Vergletscherung breiteten sich
ise bedeckte Gebiet jurassische Lokalgletscher aus und
eren Vereisung. Man ist daher zur Bestimmung der
rs auf vereinzelte alpine Blöcke angewiesen, die schwer
h nicht mehr auf primärer Lagerstätte ruhen. Dabei ist
rungenen alpinen Materials verhältnismäßig gering. Denn
rrücken den wie einen Wall ihm entgegenstehenden Jura
Fuße seine Untermoräne ab. Der Gletscherstand wuchs
halb der jüngeren Wallmoränen lagernden alpinen Blöcke
Gletscheroberfläche am Jurarand erreichte Maximalhöhe.
t am Chasseron mit 1450 m und senkt sich von da nach
gern und nach SW auf 1200 m am Grand Colombier [4]).
er ganzen Untermoräne am Gehänge empor, sondern staute
nur die oberflächlichen Schichten, über die tiefsten Ein-
bfloß. Diese Schichten aber waren an sich wenig schutt-
r im Nährgebiet aus den Alpen gelieferten Moränen am

Bresse, Paris 1893, S. 203 ff., und Depéret (Bull. soc. géol. 3. série,

ur les alluvions anciennes des environs de Lyon (Bull. soc. géol.

haben seither die Ablagerungen der Dombes und Bresse durch A. Penck
i (Alpen im Eiszeitalter, S. 640 ff.). Für die im vorhinein gegebenen
at Prof. Penck an dieser Stelle bestens gedankt.
kner, Eiszeitalter, S. 483, mit Angabe der Quellen.

Indem er sich wie ein Wall vor das Schweizer Alpenvorland legt und dieses nach S rasch an Breite abnimmt, verloren auch die den Westalpen entströmenden Eismassen die Möglichkeit einer ungehinderten Entwicklung; namentlich die westlichen, aus dem Isère-, Arve- und Rhônetal kommenden wurden aufgestaut und zur Seite gedrängt. Anderseits aber gelang es dem alpinen Eise, die vorliegenden Jurahöhen zu ersteigen und durch eine Reihe von Lücken in das Innere des Gebirges einzudringen, wodurch große Gebiete des Vorlandes über die Schneegrenze gerieten. Das Nährgebiet der Alpengletscher wuchs, und diese mußten weit gegen N und NW abfließen, um die ihrem Einzugsgebiet entsprechende Abschmelzungsfläche zu gewinnen. Die Stauung durch den Jura ist somit der Grund für die enorme Ausdehnung des Rhônegletschers zur Zeit seiner größten Entfaltung, während in der letzten Eiszeit, in der die Alpengletscher östlich der Rhône noch vor Erreichung der Juraketten ein Ende fanden, eine solche Stauwirkung fehlte. Daraus erklärt sich die große Differenz in der Größe des Rhônegletschers in den beiden letzten Vergletscherungsperioden. Ferner führte der Jura selbst, dessen Höhen sich vielfach über die eiszeitliche Schneegrenze erhoben, dem alpinen Eise namhafte Nahrung zu und trug auch so zur Vergrößerung der alpinen Eisflut bei. Schließlich erzeugte im Jura selbst jede Vergletscherung eine Reihe stattlicher Lokalgletscher, so daß wir Vergletscherungsspuren zweierlei Art und zweierlei Alters zu unterscheiden haben, während Anzeichen einer drittletzten oder noch älteren Eiszeit im Jura bisher nicht nachweisbar sind. Hingegen stoßen wir in der weiteren Umgebung des Jura auf die Schotter von vier Eiszeiten über- und nebeneinander.

1. Die fluvioglazialen Ablagerungen am Jurarande.

In vereinzelten Vorkommnissen treten vier Schottersysteme verschiedenen Alters in der Umgebung von Brugg im breiten Tale der Aare auf, ferner bei Rheinfelden im Rheintal und in der Umgebung von Basel. Von hier reicht zwischen den Tälern der Birs und des Birsig eine ausgedehnte Terrasse nach S, aus Kiesen aufgebaut, die teilweise dem Hochterrassenschotter, teilweise älteren Horizonten angehören (Brückner, Eiszeitalter, S. 442 und 444); aber nur die beiden jüngeren Schotter ziehen sich in die bei Basel mündenden Juratäler hinein. Eine mächtige Entwicklung erfahren die fluvioglazialen Schotter am ganzen Ostrand des Gebirges; stets bilden hier die Schotter der Würmvergletscherung eine niedrige, an die erste Jurakette gelehnte Terrasse, die sich vielfach auch ein Stück weit in die Juratäler hinein verfolgen läßt und dann von den gleichaltrigen Ablagerungen der Juraflüsse abgelöst wird.

Von den ortsfremden Bildungen am Westrand des Gebirges erregten seit langem die alpinen Gerölle und Schotter große Aufmerksamkeit, die als wenig mächtige Decke die Ebenen der Dombes und Bresse in Höhen von 300—380 m bedecken, zumeist in 3—4 Terrassen zerteilt, die sich bis zu 110 m über den heutigen Flußspiegel erheben. Sie reichen auch in einige der hier austretenden Juratäler hinein, so in das des Ain und Surand, in die jetzt wasserlose Klus von Ceyzériat und bei Treffort, stets hoch über den jungen Glazialschottern. Das alpine Material reicht nach N bis Cuisia, von da bis Sellières vertreten es rein jurassische Gerölle, dann folgen solche vogesischen Ursprungs, die u. a. das Plateau der Forêt de Chaux überkleiden und nach N bis Besançon reichen, wo sie 330 m hoch, 100 m über dem Doubs liegen. Wir werden dieser Vogesengerölle an anderer Stelle zu gedenken haben.

Über den Ursprung und das Alter dieser alpinen Gerölle, der sog. »cailloutis des plateaux« besteht eine reiche Literatur. Man dachte früher an einen riesigen Schuttkegel der Rhône [1]); dagegen spricht aber sowohl die große flächenhafte Ausbreitung als auch das

[1]) So auch noch Boistel (Bull. soc. géol. 3. série, XXVI, 1897/98, S. 57).

deckenförmige Auftreten der Gerölle. Sie knüpfen sich so eng an die Juratäler, in denen sie sich aufwärts ziehen, daß diese es gewesen sein müssen, durch welche das alpine Material herbeigebracht wurde. Dies ist aber nur möglich unter Annahme ihres fluvioglazialen Charakters. Daher schlossen Delafond und Depéret auf pliocäne Gletscher, die aus den Alpen kommend den Jura des Bugey erreicht hätten, und deren Moränen die Gerölle lieferten [1]. Für ihr oberpliocänes Alter brachten diese Autoren die schon lange bekannten Funde von Equus Stenonis und Elephas meridionalis bei [2]; doch wurden diese nicht in der wenig mächtigen Gerölldecke selbst gemacht, sondern entstammen wahrscheinlich den darunter liegenden pliocänen Schichten. Allem Anschein nach entsprechen die »cailloutis des plateaux« einem der beiden Deckenschotter, sind also eine fluvioglaziale Ablagerung quartären Alters, wobei allerdings die zugehörigen Moränen noch nicht bekannt sind, wie wir ja überhaupt über die Ausdehnung der ältesten Vergletscherungen nur sehr mangelhaft unterrichtet sind.

Die jüngeren Quartärschotter sind in der Bresse reich entwickelt; sie erstrecken sich in einem weiten Umkreis außerhalb der Maximalverbreitung der Gletscher und unterscheiden sich durch die frische Beschaffenheit, geringere Verkittung und graue Farbe von den eben beschriebenen ältesten Schottern, in deren Erosionsformen sie liegen [3].

2. Die Ablagerungen der Maximalvergletscherung im Innern des Jura.

Die aus den Westalpen tretenden Eisströme des Linth-, Reuß-, Aare- und Rhônegebiets vereinigten sich zur Zeit der Maximalvergletscherung zu einer zusammenhängenden Vorlandvergletscherung, dem (von Brückner so genannten) helvetischen Gletscher, der sich auch über einen großen Teil des Jura ausbreitete und ihn nahe seinem südlichen Ende vollständig kreuzte. Die äußerste Verbreitung dieses Gletschers im Jura ist aber nicht in allen Details anzugeben; es fehlt ihm eine selbständige Zone wohlerhaltener Endmoränen, der sog. »Altmoränen«. Denn die auf geneigtem Boden abgelagerten Moränen wurden rasch wieder abgespült, und in der Zeit der letzten Vergletscherung breiteten sich über das ehemals vom alpinen Eise bedeckte Gebiet jurassische Lokalgletscher aus und verwischten die Spuren der früheren Vereisung. Man ist daher zur Bestimmung der Grenzen des helvetischen Gletschers auf vereinzelte alpine Blöcke angewiesen, die schwer aufzufinden sind und vielfach auch nicht mehr auf primärer Lagerstätte ruhen. Dabei ist die Menge des in den Jura eingedrungenen alpinen Materials verhältnismäßig gering. Denn als das alpine Eis bei seinem Vorrücken den wie einen Wall ihm entgegenstehenden Jura erreichte, lagerte es an seinem Fuße seine Untermoräne ab. Der Gletscherstand wuchs am Gehänge empor, und die oberhalb der jüngeren Wallmoränen lagernden alpinen Blöcke markieren ungefähr die von der Gletscheroberfläche am Jurarand erreichte Maximalhöhe. Diese erratische Grenze kulminiert am Chasseron mit 1450 m und senkt sich von da nach NO bis auf 830 m nahe der Lägern und nach SW auf 1200 m am Grand Colombier [4]. Das Eis stieg aber nicht mit seiner ganzen Untermoräne am Gehänge empor, sondern staute sich auf, bis ein Teil, nämlich nur die oberflächlichen Schichten, über die tiefsten Einsattlungen in den Jura hinein abfloß. Diese Schichten aber waren an sich wenig schuttführend, da die Hauptmasse der im Nährgebiet aus den Alpen gelieferten Moränen am

---

[1] Les terrains tertiaires de la Bresse, Paris 1893, S. 203 ff., und Depéret (Bull. soc. géol. 3. série, XXVI, 1897/98, S. 422—424).

[2] Vgl. auch Fontannes, Note sur les alluvions anciennes des environs de Lyon (Bull. soc. géol. 3. série, XIII, 1884/85, S. 59—65).

[3] Eine ausführliche Schilderung haben seither die Ablagerungen der Dombes und Bresse durch A. Penck erfahren, auf die hiermit verwiesen sei (Alpen im Eiszeitalter, S. 640 ff.). Für die im vorhinein gegebenen wertvollen Aufschlüsse sei Herrn Hofrat Prof. Penck an dieser Stelle bestens gedankt.

[4] Das nähere darüber bei Brückner, Eiszeitalter, S. 483, mit Angabe der Quellen.

Gletschergrund transportiert wurde und Obermoränen nur in geringer Menge vorhanden sein konnten. Nur wo der helvetische Gletscher in tiefe Täler des Jura eindrang, wie z. B. im Orbetal, konnte auch alpine Grundmoräne in größerer Menge im Jura zur Ablagerung gelangen [1].

Die Bedeckung des Jura durch alpines Eis geschah vorwiegend durch Verästelung innerhalb des Gebirges über niedrige Pässe und Talwasserscheiden. Nur der nordöstliche Teil des Kettenjura wurde vom Eise förmlich überflutet; hier ragten nur wenige Höhen als Nunatakr empor; weiter gegen S boten erst die Täler der Schüß, Areuse und Orbe als breite und tiefe Lücken Gelegenheit zum Einströmen. Südlich von Vallorbe bis zur Lücke des Rhonetals fand nahezu kein Einströmen alpinen Eises statt; der einzige Paß von St. Cergue senkt sich hier unter die mutmaßliche erratische Grenze herab und konnte den oberflächlichen Eisschichten ein Überfließen gestatten [2].

Der Verlauf der äußersten Grenzen der Altmoränen innerhalb des Jura ist im einzelnen äußerst unregelmäßig; im allgemeinen kann eine vielfach gekrümmte Linie von Rheinfelden oberhalb Basel über Liestal zur Paßwangkette, wobei das Becken von Laufen eisfrei blieb, sodann am Südabhang der Hohen Winde, des Raimeux und Moron weiter laufend, als Grenze der alpinen Maximalvereisung dienen; sie verläuft dann ungefähr über Bellelay. Malche, Le Russey und Morteau zum Mont Chaumont und im Louetal bis Ornans, wo eine mächtige Stirnmoräne liegt, von hier nach W bis in die Umgebung von Salins; südlich davon lag ein weites Gebiet jurassischer Vergletscherung; dann treffen wir eine weite fächerförmige Ausbreitung alpinen Eises weiter im S, wo der Jura durch jenen Arm des helvetischen Gletschers gequert wurde, der in der Fortsetzung des Walliser Rhônetals floß und sich mit den aus dem Arve- und Isèretal strömenden Eismassen vereinigte. Dieser Arm [3] trat in großer Breite durch das weite Tor zwischen den Alpen und den südlichsten Juraketten in den Jura ein, umfloß das Nordende des Colombier bis zu Höhen von 1200 m und staute hier die lokalen Gletscher zurück. In das Valserine- und Seminetal konnte alpines Eis nicht mehr eindringen, die alpinen Blöcke hören bei Confort und Châtillon-de-Michaille auf. Der Gletscher ging nun ungefähr dem Rhônetal folgend nach S und durch die breite Öffnung zwischen Culoz und Chanaz teils nach N, wobei das Eis in das breite Val Romey eindrang, dessen Talschluß in ca 1100 m Höhe überwand und in das Tal von Silans gelangte, teils in die Quertäler von Thézillieu und Tenay, wo er sich weit nach N verbreitete. Die Hauptmasse aber floß weiter nach SW und erfüllte gemeinsam mit dem Isèregletscher den ganzen südlichen Jura. An der Montagne de l'Épine reichen die Schliffflächen bis

---

[1] Spuren der Haupt- und der letzten Vergletscherung wurden früher vielfach durcheinander geworfen: erst Du Pasquier (Sur les limites de l'ancien glacier du Rhône etc. Bull. soc. Neuch., XX, 1892, S. 32 ff. hat für den Jura scharf unterschieden: 1. zone externe, das Gebiet des sporadisch auftretenden alpinen Erratica und charakterisiert durch häufiges Vorkommen von Löß, 2. zone interne, innerhalb der großen Wallmoränen der letzten (= Würm-)Vergletscherung.

[2] Aus der Existenz mächtiger Juragletscher, die die Lücke von St. Cergue in der Würmeiszeit erfüllten und nach SO zum Alpenvorland, sowie nach NW zum Plateau von Les Rousses abflossen, schloß ich früher, daß auch zur Zeit der Maximalvergletscherung schon vor dem Eintreffen des alpinen Eises dieser Paß von lokalen Eismassen blokiert gewesen müsse, und bezweifelte daher das Eindringen des alpinen Eises an dieser Stelle (Mitt. nat. Ges. Bern, 1901, S. 31). Nun finden sich aber ganz vereinzelt alpine Blöcke bei Les Rousses, Valfin im Biennetal u. a. O. (Bourgeat, Bull. soc. géol., XXIII, 1895. S. 416 und XXVII, 1899, S. 443), weshalb Brückner der Ansicht ist, daß auch hier, wenngleich in verschwindender Menge alpines Eis eindrang. Doch kann auch angenommen werden, daß dieses nur bis zur Paßhöhe vordrang, und daß die von ihm hier zurückgelassenen Trümmer durch lokale Gletscher nachträglich in das Innere des Gebirges verfrachtet wurden. Jedenfalls kann von einem faktischen Einströmen an dieser Stelle nicht die Rede sein.

[3] Das folgende wesentlich nach: Benoît, Note sur les dépôts erratiques alpins dans l'intérieur et sur le pourtour du Jura méridional (Bull. soc. géol. 2. série, XX, 1863, S. 321) und Falsan et Chantre. Monographie géologique des anciens glaciers et du terrain erratique de la partie moyenne du bassin du Rhône, 2 Bde, Lyon 1879. Die Verwertung des hier zusammengetragenen Materials wird aber dadurch erschwert, daß die Verfasser noch durchweg auf dem Standpunkt einer einmaligen Vergletscherung stehen.

1200 m, so daß hier das Eis ebenso wie am Colombier rund 900 m hoch stand. Vom Becken von Belley senkte sich sein Niveau rasch gegen NW, denn bei Hauteville gehen die erratischen alpinen Blöcke nur bis 900 m hinauf; bei Champdor hören sie ganz auf und an ihre Stelle tritt ausschließlich jurassisches Material. Westlich von Belley reichen die erratischen Spuren am Molard de Don bis ca 950 m, das Eis war also hier am Rande des Gebirges noch über 700 m mächtig. Es existierte im ganzen südlichen Teile des Jura bis nördlich der Linie Bellegarde-Nantua ein Eisstromnetz von rund 1300 m Höhe im O, bis etwa 1000 m im W, aus dem nur unbedeutende Nunatakr kaum 400 m hoch emporragten. Dabei fand das alpine Eis überall eine stattliche Lokalvergletscherung vor; in der Regel kommen alpine Geschiebe nur auf den oberen Partien der Gehänge und auf den Plateauflächen vor, während die Talsohlen von jurassischer Grundmoräne ausgekleidet sind. Noch auf dem 800 m hohen Mont Luisandre bei St. Rambert fehlt jede Spur alpin-erratischen Materials; es wurden also auch hier die Juragletscher von einer nicht allzu mächtigen Decke alpinen Eises überflutet. Indem sie aber dem alpinen Gletscher Material zuführten und das Nährgebiet vergrößert wurde, ermöglichten sie die enorme Ausdehnung des Eisstromnetzes jenseits seines Ursprungsgebiets. Über Thoirette am Ain, wo alpine Blöcke in 300 m Höhe liegen, ist alpines Eis nicht weiter nach N gedrungen; denn im oberen Ain- und im Biennegebiet herrschte ausschließlich die Lokalvergletscherung.

Etwa zwischen Poncin im N und dem Isèretal im S trat der helvetische Gletscher mit einer mächtigen Zunge in die Niederungen der Dombes und Bresse hinaus, querte diese und lagerte seine äußerste Stirnmoräne in 300 m Höhe auf den Abhängen des französischen Zentralplateaus ab.

Die Altmoränen werden im Jura fast nirgends für die Bodengestaltung von bestimmendem Einfluß. Sie erscheinen in der Regel entweder als vereinzelte Blöcke oder als Grundmoränendecke, seltener wie z. B. bei Ornans und Salins als echte Wallmoränen. Oft erfuhren auch die unlöslichen Verwitterungsrückstände der Kalkschichten durch die Vereisung eine Umlagerung und Verarbeitung; so namentlich in den Freibergen, wo sich über alle Schichten gleichmäßig eine mächtige gelbbraune Lehmdecke breitet, in die vereinzelte alpine Blöcke eingebettet sind. Hier wie in anderen Fällen nimmt wohl auch die Grundmoräne an der Zusammensetzung der Lehmdecke teil.

Die den Altmoränen zugehörigen fluvioglazialen Schotter sind bisher im Innern des Jura nicht nachweisbar. Aber der Zusammenhang der Altmoränen mit Hochterrassenschottern bei Liestal und am Rhein beweist, daß die sog. Maximalvergletscherung der Schweizer Geologen, also auch das »mésoglaciaire« und die »zone externe« von Du Pasquier mit der vorletzten oder Rißvergletscherung identisch ist[1]).

3. Die Würmeiszeit im Jura.

Während zur Zeit der Rißvergletscherung ein einziges Meer von Eis das Schweizer Alpenvorland erfüllte und teils große Teile des Jura überflutete, teils in Form eines Eisstromnetzes in das Gebirge eindrang, trat in der wesentlich schwächeren Würmeiszeit eine schärfere Individualisierung der alpinen Gletscher ein. Für den Jura kommt jetzt nur mehr der Rhônegletscher in Betracht, der sich angesichts des Ostabfalls des Gebirges

---

[1]) Brückner, Eiszeitalter, S. 489. Die Konstatierung eines Rückzugsstadiums des Rhônegletschers durch Baltzer (Beitr. zur geol. Karte d. Schweiz 1896, 30. Lief.) veranlaßte Rollier zu dem Versuch, auch für den Jura drei Eiszeiten nachzuweisen (2. suppl. etc., S. 138). Er rechnet das mésoglaciaire der drittletzten (Mindel-)Eiszeit, das néoglaciaire (= Jungmoränen) der vorletzten (Riß-)Eiszeit zu, während ihm die letzte (Würm-)Eiszeit im Jura bloß durch vereinzelte Juramoränen vertreten erscheint. Konsequenterweise betrachtet er daher die Niederterrassen im Doubstal als Hochterrasse, anderseits die vereinzelten alpinen Blöcke bei St. Croix (vgl. Douzami, Ecl. IV, S. 421) als Äquivalente des Deckenschotters. Diese Parallelisierung erscheint natürlich durch den Konnex von Schottern und Moränen außerhalb des Jura als hinfällig.

in zwei deutlich getrennte Arme zerlegte. Der Ostarm wurde durch den ihm entgegen-
tretenden Wall nach NO abgelenkt und drang nirgends weit in das Innere des Jura ein;
der Westarm, verstärkt durch den Arvegletscher, querte den Jura in der Gegend des
Rhônetals und erreichte abermals die Niederungen der Dombes. Dadurch wurde im größten
Teile des Gebirges der Raum frei für die Entfaltung selbständiger, wenn auch nicht allzu
großer Jurágletscher; sie sind es, deren bodengestaltende Wirkungen wir noch am deutlichsten erkennen können und die für das Relief des Gebirges wesentlich in Betracht kommen.

Der Ostarm des Rhônegletschers ließ seine Endmoränen in der Gegend von
Wangen an der Aare zurück, drang also weit ins Rheingebiet vor; an den östlichsten Ketten
des Jura lagerte er eine mächtige, zumeist leicht verfolgbare, oft über 1 km breite Ufermoräne ab, deren Selbständigkeit gegenüber den viel höher hinaufreichenden sporadischen
Resten der Altmoränen zuerst Du Pasquier erkannte; er beschrieb auch ihren Verlauf
in den Hauptzügen und betonte die Bedeutung des Mont-Blanc-Granits gleichsam als des
Leitfossils dieser jüngeren Zone. Ebenso wie die Altmoränen erreicht auch der Zug dieser
Jungmoränen einen kulminierenden Punkt in der Gegend des Chasseron mit 1210 m [1]).
also ca 240 m tiefer als die erratische Grenze der Rißvergletscherung. Von da senkt sich
der Ufermoränenwall mit beständig zunehmendem Gefälle, also ganz wie bei heutigen Gletschern, vielfach eine deutliche Gehängeleiste bildend, kontinuierlich nach NO, erreicht am
Abfall der Tête de Rang 1170 m, am Chaumont 1100 m, bei Bötzingen 930 m, bei Wiedlis-
bach 540 m und schließlich bei Oberbipp oberhalb Solothurn 480 m, worauf er sich mit
dem großen Moränenamphitheater von Wangen vereinigt. Viel langsamer senkt sich die
erratische Grenze der Würmeiszeit gegen SW; zwar geht sie in der Gegend des Colomby
oberhalb Gex bis auf 700 m herunter, erreicht aber an der Sorgia wieder 1140 m.

Hier überschritt nun, ähnlich wie in der Rißeiszeit, der aus dem Rhônetal individuali-
siert hervortretende westliche Arm des Rhônegletschers den Jura, wobei sich das
Eis unbekümmert um die Detailformen des Gebirges in seiner ganzen Masse zuerst gegen
SW, dann gegen W und NW bewegte. Doch fand keine so innige Verbindung mit dem
Isèregletscher statt, dessen Würm-Endmoränen bei Rives am Austritt des Isèretals in die
Dombes liegen. Nach N zu erreichte das alpine Eis nirgends mehr die Querlinie Nantua-
Bellegarde; zudem reichen die Spuren der alpinen Würmvergletscherung rund 200 m weniger
hoch hinauf als die der Rißvergletscherung. Ihre Endmoränen bilden einen großen Bogen
von Ambérieu nach Lagnieu und gehen bis etwa 6 km westlich der Bourbre, halbwegs
zwischen Lyon und dem Jurarande; sie umschließen um Cordon ein vielgestaltiges Zungenbecken mit zentripetaler Entwässerung [2]).

4. Die jurassische Lokalvergletscherung.

Außerhalb der Grenzen der alpinen Würmvergletscherung lag das Bereich der lokalen
Jurágletscher, die infolge der außerordentlich tiefen Lage der Schneegrenze eine sehr bedeutende Entwicklung nahmen, wenn sie sich auch selten zu einem Eisstromnetz ver-
dichteten.

Die ersten Beobachtungen über die Lokalgletscher des Jura gehen auf Agassiz und in das Jahr 1835
zurück; ihm folgten Guyot (1835), Royer (1846), Lory und Pidancet (1847) und seit 1867 A. Favre.
dessen »carte des phénomènes erratiques« (1884) eine allerdings in vielen Zügen irrige Darstellung der

----

[1]) Eine detaillierte Beschreibung dieses Gebiets gab Renevier (Bull. soc. vaud., XVI, Nr. 81, S. 21—26):
A. Favres Gletscherkarte (1 : 250000, 1884) und Texte explicative (Matériaux carte géol. suisse, XXVIII.
1898) trennt die Jungmoränen noch nicht von der »zone externe«, ist also in diesem Falle wenig brauchbar.
Vgl. auch die kritischen Bemerkungen von Brückner (a. a. O. S. 551).
[2]) Vgl. Du Pasquier und Penck, Bemerkungen über das Alter und die Verbreitung des Löß (Hettner-
Geogr. Zeitschr., II, 1896, S. 109); bezüglich näherer Details muß auf die Ausführungen in Penck-Brückner
»Alpen im Zeitalter« S. 660 ff. verwiesen werden.

Juragletscher gibt. Im Schweizer Kettenjura war es namentlich Jaccard, der 1891 die Aufmerksamkeit auf die zahlreichen Spuren einer Lokalvergletscherung lenkte und ein Verzeichnis derselben anlegte. Im französischen Jura haben Vézian und Benoît alpine und jurassische Spuren unterschieden; ein systematisches Studium der Juragletscher des französischen Anteils beginnt erst mit den Arbeiten von Delebecque (seit 1895). Die geologischen Karten unterscheiden aber nur vereinzelt alpines und jurassisches Erraticum; so Bourgeat auf Blatt St. Claude (carte géol. dét.) und Schardt (Duf. XVI); hingegen verwechselt Jaccards Karte (Bull. soc. Neuch., XXI, 1892) vielfach jurassische und alpine Erratica. Eine sehr detaillierte Einzeldarstellung liefert Rolliers »carte géologique détaillée des environs de St. Imier 1 : 25 000, A. terrains quaternaires« (Beilage zum 1. supplém. etc., 1893), deren Gliederung der quartären Ablagerungen freilich nicht aufrecht zu halten ist. Da eine zusammenfassende Darstellung des Phänomens bisher nicht gegeben wurde und der Verfasser in der Lage war, manche neue Beobachtungen den bisherigen hinzuzufügen, so möge diesem Thema hier ein breiterer Raum zugestanden werden, als es für eine rein morphologische Betrachtung notwendig erscheinen mag. Übrigens wird der Einfluß der lokalen Juragletscher auf den Prozeß der Talbildung in manchen Einzelfällen noch an späterer Stelle zu würdigen sein.

A. Die Lokalgletscher des Kettenjura.

Im Schweizer Tafeljura sowie im ganzen nordöstlichen Teile des Kettenjura mit seinen 1000 m nicht erreichenden Höhen fehlt jede Spur von jurassischen Gletschern. Sie treten erst auf im Bereich der ca 1300 m hohen Gewölbe um Moutier, wenn sie auch auf Greppins Karte (Duf. VII), wo die erratischen Ablagerungen zumeist als Bergsturzmaterial kartiert sind, nicht genügend zum Ausdruck kommen. Doch kam es hier noch nicht zur Entwicklung echter Talgletscher, die Vergletscherung blieb auf die Gehänge beschränkt. Zahlreich finden sich Moränen jurassischer Herkunft im Tale der Birs bis etwa nach Choindez, im Tale der Sorne bis Undervelier, stets über Tertiär liegend, wodurch große Flächen dem Ackerbau entzogen und nur der Waldwirtschaft zugänglich wurden[1]). Das Delsberger Becken blieb aber auch in der Würmeiszeit eisfrei; die früher für eine Juramoräne gehaltene isolierte Erhebung des Mont Chaibeux südlich von Delsberg ist längst als Bergsturz erkannt. Die 1000 m nur wenig übersteigende Kette des Vellerat hat also keine Gletscher mehr geliefert. Hingegen stiegen noch kleine Gehängegletscher von den 11—1200 m hohen Ketten zum Tal des Dünnernbachs herab, wo sich Juramoränen mit Bergsturztrümmern vermischt bei Welschenrohr und bis Balstal finden.

Größere Bedeutung erlangen die erratischen Bildungen jurassischer Herkunft in St. Immertal. Hier steigt von der Höhe des Sonnenbergs (1290 m) bei der Lokalität »Champs-Meusel« unweit St. Imier eine Schlucht herab, die

Fig. 9. Moränen-Amphitheater von Champs-Meusel.

durch einen kleinen Gletscher in eine karähnliche Hohlform umgewandelt wurde (Fig. 9). An ihrem Boden liegt in einer Art Zentraldepression ein kleines Torfmoor, wallartig von einer mächtigen Stirnmoräne umschlossen; in ihr finden sich neben umgelagerten alpinen Blöcken der Hauptvergletscherung alle Gesteine des Sonnenbergs, darunter viele mit schönen Kritzern[2]). Offenbar bedeckte ein Firnmantel das Plateau des Sonnenbergs, von dem sich nach Art der

---

[1]) Rollier, 1. supplém. etc., S. 178 und 2. suppl., S. 142; allerdings liegen bei Rollier gelegentlich Verwechslungen mit Verwitterungsschutt vor (vgl. Brückner a. a. O. S. 586).
[2]) Die Ablagerung von Champs-Meusel wurde lange für einen Bergsturz gehalten (vgl. Greppins Karte), bis Rollier (1. supplém., S. 177) ihre glaziale Natur erkannte, die vom Verfasser bei einer gemeinsamen Exkursion mit Rollier bestätigt wurde. Beweisend ist auch der Umstand, daß die Moräne auch Geschiebe des Valangien enthält, das erst jenseit des Kammes des Sonnenbergs vorkommt, also nur durch Gletschertransport hierher gebracht werden konnte.

norwegischen Gletscher einzelne Eiszungen ins Tal steil herabsenkten; denn eine ähnliche Ablagerung findet sich auch weiter aufwärts zwischen Renan und Sonvilier. Das St. Immertal hat in der Würmeiszeit keinen Talgletscher mehr beherbergt, während es zur Zeit der Maximalvergletscherung vom alpinen Eise durchflutet war; man findet dessen Grundmoräne allüberall an der Talsohle. Der Rhônegletscher der Würmeiszeit reichte im Schüßtal bis oberhalb Sonceboz; durch ihn und seine Stirnmoräne wurde im St. Immertal ein See aufgestaut [1]), der über die Trockentalung der »Pierre-Pertuis« nach N abfloß und durch Juraschotter, die mit deutlicher Deltaschichtung auf der Südseite der »Pierre-Pertuis«, bei Corgémont und Sonceboz aufgeschlossen sind, teilweise zugeschüttet wurde [2]).

Auch aus dem Doubstal, z. B. bei Goumois, erwähnt Rollier Spuren von jurassischen Moränen; doch ist ihre Echtheit angesichts der geringen Höhe der umgebenden Berge (ca 1000 m) zweifelhaft. Auch das Plateau der Freiberge konnte in der Würmeiszeit keine selbständigen Gletscher erzeugen. Die Südgehänge des Chasseral und Chaumont waren vom alpinen Eise bis zu großen Höhen bedeckt, das durch das Tal des Twannbachs in das Becken von Nods, durch das Tal des Seyon in das Val de Rus eintrat und diese Becken gänzlich erfüllte. Auch hier fehlte es daher, ebenso wie in der Rißeiszeit, an selbständigen Juragletschern.

Im Neuenburger und Waadtländer Jura treffen wir zuerst echte jurassische Talgletscher der Würmvergletscherung. Ein solcher erfüllte u. a. das Tal von La Brévine, das Polje von Les Ponts und La Sagne, in welches das alpine Eis nicht mehr eindringen konnte. Hingegen stand das Niveau des letzten Rhônegletschers nahe dem Austritt der Areuse aus dem Gebirge, auf den Bergen von Boudry, ca 1180 m hoch; es konnte daher in großer Mächtigkeit das tiefe Val de Travers erfüllen, in dem die letzten alpinen Blöcke oberhalb St. Sulpice 920 m hoch liegen [3]). Dieser Zweig des Rhônegletschers erhielt beständige Nahrung durch jurassisches Eis von den bis 1000 m hohen Gehängen der Umgebung, und diese konnten auch dann, als die Schneegrenze bereits um 2—300 m gestiegen war und das alpine Eis sich aus dem Areusetal zurückziehen mußte, noch Nährmaterial liefern. An Stelle des alpinen trat ein ansehnlicher Juragletscher, der sich aus mehreren kleinen Eisströmen zusammensetzte, die aus dem Tal der Sucre bei Couvet und von den Gehängen des Chasseron ins breite Val de Travers, von den Höhen des Solmont und aus dem Creux du Van in die enge Schlucht der Areuse zwischen Noiraigue und Champ-du-Moulin herabflossen [4]).

Namentlich im Creux du Van konnte sich wegen seiner Nordexpedition und der hohen, den Kessel gegen S schützenden Wände noch in recht späten Phasen des Gletscherrückzugs ein Eisrest erhalten. In manchen Zügen erinnert der Creux an ein Kar [5]), doch fehlt ihm die für ein Kar bezeichnende Zentraldepression. Am Ausgang des Creux liegt bei der »Ferme Robert« ein kleiner Stirnmoränenwall und unterhalb dessen erstreckt sich bis ans linke Areuse-Ufer reichend und auf alpiner Grundmoräne lagernd, eine kolossale Blockanhäufung in Gestalt eines riesigen Schuttkegels. Das Material ist scharfkantig und ausschließlich jurassisch; es kommt sichtlich aus dem Creux du Van. Wegen der unregelmäßigen Lagerung und ihrer Mächtigkeit im Vergleich zu dem kleinen Einschnitt des Creux hielt Du Pasquier diese Ablagerung für einen postglazialen Bergsturz von der Nordwand des Creux [6]), Schardt hingegen für ein kolossales jurassisches Moränenfeld, gebildet von einer Reihe von Stirnmoränen des Creux-du-Van-Gletschers [7]). Am wahrscheinlichsten ist es, daß hier zur Zeit, als noch ein Gletscher aus dem Creux abfloß, von dessen Wänden ein Bergsturz auf den Gletscher niederging und von diesem bis an die Areuse transportiert wurde. Von der Bedeutung dieser »Bergsturzmoräne« für die Geschichte des Areuse-Tals sprechen wir an anderer Stelle.

Der Abfluß des Juragletschers des Val de Travers richtete sich sowohl nach W zum Doubs als nach O zum Neuenburger See. Zur Zeit seiner größten Ausdehnung, als der

---

[1]) Rollier, Sur l'existence d'anciens lacs glaciaires (Arch. de Genève, XII, 1901, S. 1 des S.-A.).

[2]) Rollier hält (l. supplém., S. 167) seinem Schema entsprechend die Kiese und Sande der Pierre-Pertuis für Äquivalente des Hochterrassenschotters, die Moräne von Champs-Meusel für néoglaciaire«. Doch unterliegt es keinem Zweifel, daß alle die genannten Ablagerungen einer, nämlich der Würmeiszeit, angehören.

[3]) Du Pasquier, Le Glaciaire du Val de Travers (Bull. soc. Neuch. XXII, 1893, S. 21).

[4]) Vgl. darüber Schardt et Dubois, Géologie des gorges de l'Areuse (Ecl., VII, 1903, Nr. 5, S. 440 ff.).

[5]) Schardt (a. a. O.) nennt ihn geradezu ein typisches Kar.

[6]) Le Glaciaire du Val de Travers (Bull. soc. Neuch., XXII, 1893, S. 26 ff.).

[7]) A. a. O., S. 441.

Rhônegletscher schon lange den Fuß des Jura verlassen hatte, erreichte der Juragletscher das Vorland und warf eine ca 600 m lange Moräne bei Bôle, nördlich von Boudry auf[1]). Die südlich der Areuse aus dem Jura austretenden kleinen Täler besaßen kleine Gletscher vor der Ankunft des Rhônegletschers der Würmeiszeit, der hier überall die erste Jurakette überstieg; denn es wird überall unter der alpinen rein jurassische Grundmoräne angetroffen; doch scheinen diese Gletscher bereits erloschen zu sein, als der Rhônegletscher den Jurafuß verlassen hatte[2]). Seinen eigenen Gletscher hatte auch das Plateau von Auberson, wo an vielen Stellen jurassische Grundmoräne angetroffen wurde; er traf am Col des Étroits mit dem alpinen Gletscher zusammen, erstreckte sich aber nicht weiter gegen das Val de Travers.

Das Orbetal bot dem letzten Rhônegletscher abermals die Möglichkeit, tiefer in das Innere des Gebirges einzudringen. Die erratischen Spuren reichen hier in zusammenhängendem Zuge im Orbe- und Jougnenaztal aufwärts und über den Col de Jougne (1050 m) bis in das Becken von Pontarlier. Freilich hat das alpine Eis daran nur wenig Anteil; es wurde verdrängt und ersetzt durch mächtige Juragletscher, die aus dem Talkessel von Vallorbe, vom Mont D'or ins Tal von Ferrières, aus dem oberen Jougnenaztal und aus den Tälern des oberen Doubsgebiets zusammenflossen, wo überall ein reich gegliedertes zusammenhängendes Relief über die damalige Schneegrenze aufragte. Pontarlier selbst ist auf einer Moräne erbaut, die namentlich in dem ca 15 m hohen Hügel »Le Mont« nördlich des Bahnhofs gut sichtbar ist. Hier liegt über mächtigen, nach N einfallenden Kiesen und Sanden eine echte Juramoräne, in der sich vereinzelt auch kleine alpine Trümmer finden. Benoît hielt diese Moräne für gleichaltrig mit der großen Ausbreitung alpinen Eises im Innern des Jura[3]), Brückner für eine Rückzugsmoräne der Rißvergletscherung[4]). Doch spricht das Überwiegen jurassischen Materials, der frische Erhaltungszustand, der Zusammenhang mit fluvioglazialen Schottern, die offenbar der letzten Vergletscherung angehören, viel eher für eine Juramoräne der Würmeiszeit; in einer unzweifelhaft älteren Ablagerung, die in einer Kiesgrube östlich von Pontarlier am Fuße des Mont Larmont beobachtet wurde, ist der Erhaltungszustand ein ganz anderer, die Beimischung alpinen Materials eine viel reichere. Auch das Drugeongebiet war der Schauplatz einer beträchtlichen lokalen Vergletscherung in der letzten Eiszeit. Juramoränen sind allerorts durch die Eisenbahnlinie Pontarlier—Frasne angeschnitten, und sie bedecken auch das ausgedehnte Plateau von Nozeroy; in ihnen liegt der flachufrige, seichte Étang de Frasne, ein typischer Moränensee[5]).

Als sich die Gletscher aus den Tälern des Kettenjura zurückzogen, entstanden an vielen Stellen glaziale Abdämmungsseen, teils durch das Eis, teils durch die zurückgelassenen Moränen aufgestaut. Ablagerungen solcher Seedecken, in der Regel in Form von Deltaschottern, finden sich u. a. im Tale der Areuse, wo die Abdämmung durch die erwähnte »Bergsturzmoräne« geschah, ferner in der Umgebung von Pontarlier[6]). Die große Wasseransammlung, die hier durch die Juraendmoränen bei Frasne im W, bei Arçon im N aufgestaut war, erfüllte das ganze Becken von Pontarlier und stand durch das Tal

---

[1]) Baltzer, Beitrag zur Kenntnis Schweizer Diluvialgebiete (Mitt. nat. Ges. Bern, 1899, S. 54).

[2]) Vgl. Baltzer (a. a. O.), der die von Schardt als jurassische Endmoränen aufgefaßten Ablagerungen bei Vuitebœuf, Beaulmes u. a. O. dem Rhônegletscher zuweist.

[3]) Note sur une expansion des glaciers alpins dans le Jura central (Bull. soc. géol., 3. série, V, 1876/77, S. 63); merkwürdigerweise spricht Benoît von vorwiegend alpinem Material; diese Beobachtung konnte trotz näherer Untersuchung nicht bestätigt werden.

[4]) Eiszeitalter, S. 493.

[5]) Eine genaue Einzeichnung der Moränenwälle gibt Benoîts der zitierten Abhandlung beigegebenes Kärtchen.

[6]) Vgl. darüber: Delebecque, Lacs français, Paris 1893, S. 62 und 367, ferner Delebecque, Bull. serv. carte géol., VIII, 1895, Nr. 53, S. 198; Rollier, Arch. de Genève 1901, XII, S. 4.

des Doubs mit kleineren Seen weiter oberhalb in Verbindung, von denen der eine das
Doubstal zwischen Oye und La Cluse de Mijoux erfüllte, wo Reste einer Terrasse, 10 bis
20 m über dem Doubs, mit Deltaschottern des kleinen Baches von Les Vernots erhalten
sind, während ein anderer bei Frambourg am Ausgang des Tales von Les Verrières sich
befand [1]).

Eine Aufstauung wahrscheinlich durch den Rhônegletscher selbst trat auch im Orbe-
gebiet ein. Das Orbetal um Vallorbe und das Tal des Jougnenaz um Ferrière waren damals in ein zusammenhängendes Seebecken verwandelt, das teilweise durch Schotter ausgefüllt wurde. Ein mächtiger sublakustrer Schuttkegel reicht vom Dorfe Jougne bis zum
Talboden herab; dann treten solche Schotter im Tal von Ferrière an mehreren Stellen
auf; sie bilden ferner nahe der Mündung des Jougnenaz in die Orbe eine Terrasse bei
»Les Jurats« und kommen auch in der Orbeschlucht beim »Saut du Day« vor. Hier ist
das Material sandig und lehmig, teils moränenartig, teils mit Deltaschichtung, teils jurassisch,
teils alpin, offenbar eine Ablagerung vom Gletscherrand. Spuren dieser Schotter finden
sich schließlich am Col de Jougne und bis nach Les Hôpitaux. Es bestand also in dieser
Rückzugsphase vorübergehend auch ein Wasserlauf aus dem Trockental bei Les Hôpitaux
gegen das Orbetal, der auch erwiesen wird durch das Vorkommen von Geröllen von
Limonit und Muschelsandstein aus der Gegend von St. Croix in diesen Schottern, die nur
über das Plateau von Fourgs oder durch das Tal von Verrières in diese Talflucht gebracht
werden konnten [2]). Dieser Flußlauf ist natürlich viel jünger als die Ausgestaltung der
Täler; für die Talgeschichte des Doubs- und Orbegebiets ist er ohne Belang.

Weiter gegen S gehend, treffen wir die Ablagerungen eines jurassischen Talgletschers
im Tale des Nozon. Seine Grundmoräne kleidet den Kessel von Vaulion aus, und über
ihrem Verbreitungsgebiet liegen ebenso wie im Orbetal hoch auf den Gehängen die verstreuten alpinen Erratica der Rißvergletscherung. Der Nozongletscher sperrte dem Rhônegletscher, der am Gebirgsrand ungefähr 1100 m hoch stand, das weitere Vordringen; die
Berührungszone beider ist sehr deutlich durch das plötzliche Überhandnehmen alpiner Geschiebe (in mehreren Aufschlüssen bei dem Weiler »Les Jorats« in 950 m) zu erkennen.
Auch das Nozontal wurde beim Rückzug seiner Gletscher zeitweilig in einen See verwandelt, wie der ebene Talboden unterhalb Vaulion und Deltaschotter erweisen.

Südlich des Nozon beginnt die geschlossene Mauer der ersten Jurakette, die dem
Rhônegletscher der Würmeiszeit nirgends mehr den Eintritt in das Innere des Gebirges
gestattete. Aus allen den kleinen Tälchen senkten sich Juragletscher zum Vorland herab,
die noch am Gehänge mit dem alpinen Eisstrom zusammentrafen.

Diesen Juragletschern hat Schardt ein besonderes Studium gewidmet; nach ihm traten die durch den
Rhônegletscher zurückgestauten kleinen Eiskörper erst bei dessen allmählichem Rückzug, des Seitendruckes
entlastet, recht ins Leben und stießen kräftig ins Vorland vor [3]). Mehrfache Untersuchungen haben diese
sog. Rekurrenzphase der Juragletscher, zum mindesten in dem ihr von Schardt zugeschriebenen Ausmaß
unhaltbar gemacht; die von Schardt als Endmoränenwälle der Juragletscher gedeuteten Ablagerungen im
Vorland erwiesen sich in der Regel als der alpinen Vergletscherung zugehörige Bildungen, als Ufermoränen,
Kames, Drumlins und ähnliches [4]).

Im Innern des Gebirges lag der Schauplatz einer nicht unbeträchtlichen lokalen Vergletscherung. Von den über 1600 m hohen Gehängen konnten sich ansehnliche Gletscher
entwickeln [5]). So floß vom Fuße der Dôle ein Gletscher durch das Tälchen von Vuarne

[1]) Nach Magnin, Les lacs du Jura (Ann. de Géogr., III, 1893/94, S. 87) stand dieser See einst in
Verbindung mit dem See von St. Point, was aber durch die Beobachtung nicht zu bestätigen ist.
[2]) Rollier, 2. supplém., S. 144.
[3]) Ecl. V, 1898, S. 511, Arch. de Genève 1898, XXXIX, S. 482.
[4]) Vgl. dazu: Baltzer, Mitt. nat. Ges. Bern 1899, S. 54 und Ecl. VI, 1900, S. 378; Äberhardt,
Ecl. VII, 1901, S. 104 und Machaček, Mitt. nat. Ges. Bern, 1901, S. 9 ff.
[5]) Brückner (Eiszeitalter 587) rechnet manche dieser kleinen Eiskörper wohl mit Recht einer postglazialen Rückzugsphase zu.

herab zum Col de St. Cergue, von da einerseits zum Vorland, anderseits auf das 1100 m hohe Plateau von Les Rousses. Dieses war seinerseits von einem Plateaugletscher bedeckt, der sowohl nach NW zum Biennetal, als nach NO ins Seetal von Joux abfloß.

B. Die Lokalgletscher des Plateaujura.

Die geringe Gliederung des Plateaujura, seine Neigung zu ausgedehnten Hochflächen ohne wesentliche Höhenunterschiede, schließlich die rasche Höhenabnahme gegen W waren der Entwicklung des Glazialphänomens nicht förderlich. Zur Zeit der Rißvergletscherung war der überwiegende Teil des Plateaujura in das Bereich der alpinen Vereisung einbezogen, die Gelegenheit zur Bildung selbständiger Gletscher nicht gegeben; aus der Würmeiszeit treffen wir erst im zentralen und südlichen Plateaujura Spuren einer ansehnlichen Lokalvergletscherung.

Diese Gebiete machte Delebecque zum Gegenstand eingehender Detailstudien[1]), in deren Verlauf er zu der Überzeugung gelangte, daß im Ain- und Biennegebiet zwei seitlich auseinanderfallende Vergletscherungen nachweisbar seien, eine ältere charakterisiert durch moränenartige Bildungen, aber ohne Endmoränen und zugehörige fluvioglaziale Schotter, die andere, jüngere mit deutlichen Endmoränenwällen und Schottermassen. Diese Auffassung kann nur in dem Sinne verstanden werden, daß die Ablagerungen der älteren Periode der Rißeiszeit zuzurechnen sind, in der aber eine deutliche Trennung der alpinen und jurassischen Vergletscherung nicht möglich ist und in der eine Individualisierung selbständiger jurassischer Gletscher aus der allgemeinen Eisbedeckung nicht zustande kommen konnte, während die Bildungen der jüngeren Periode der Würmvergletscherung angehören.

Von den weiten, nur selten 1000 m hohen Plateaus östlich von Ornans und nördlich bis an den Doubs sind sichere Nachweise von Gletscherspuren nicht bekannt; zwar verzeichnet Kilian (carte géol. dét., Bl. Ornans) häufig vereinzelte Fetzen erratischer Ablagerungen; doch konnte ich öfters, wie z. B. in der Combe d'Abondance bei Morteau, mich von ihrem Vorhandensein nicht überzeugen, wie überhaupt die französischen geologischen Karten die Verbreitung des »terrain glaciaire« viel zu groß angeben. Ebenso ist die Einzeichnung einer flächenhaften jurassischen Vergletscherung außerhalb der Altmoränen oder ihrer Spuren auf Favres Gletscherkarte völlig unbegründet. Unsicher bleibt es ferner, ob einstmals lokale Gletscher bis an den Westrand des Jura herabgestiegen sind. Schon Benoît betonte, daß die Gletscher des Jura durch die Pässe von Salins, Arbois, Poligny und Lons-le-Saunier bis in die Bresse herabgelangt seien[2]), und M. Bertrand (carte géol. dét., Bl. Lons-le-Saunier) gibt ihre Moränen an der »Falaise« des Jura zwischen Salins und Lons-le-Saunier in Höhen von 200—300 m an[3]). Für diese Gletscher des Juraabfalles steht aber nur ein Einzugsgebiet von rund 600 m Höhe zur Verfügung, und auch in der Rißeiszeit muß hier die Schneegrenze weit über dieser Höhe gelegen sein, so daß doch eine irrige Beobachtung oder Verwechslung mit Schottern oder pliocänen Geröllen vorzuliegen scheint[4]). Nach Bourgeat hatte auch der Mont Poupet (853 m) seinen eigenen Gletscher, denn man habe hier im Walde von Mouchard erratische Blöcke gefunden; anderseits erwähnt Vézian vom Mont Poupet einen alpinen Chloritschieferblock[5]). Es gelang mir am Mont Poupet nicht, glaziale Spuren nachzuweisen; er dürfte, wie die ganze Umgebung von Salins stets unter der eiszeitlichen Schneegrenze gelegen sein.

Weit sicherer und frischer sind die Glazialspuren im Aingebiet, von denen wir hier nur die der Würmeiszeit als derjenigen, die eine selbständige Juravergletscherung erzeugte,

---

[1]) Bull. serv. carte géol. France VIII, Nr. 53, 1895; X, Nr. 69, 1898; XI. Nr. 73, 1899 und XIII, 1902.
[2]) Note sur une expansion des glaciers alpins dans le Jura central (Bull. soc. géol. (3.) V, 1876/7, S. 61).
[3]) Von hier erwähnt sie seither u. a. Delebecque (Bull. serv. carte géol. France X, S. 128) und Bourgeat (Bull. soc. géol. (3.) XXVII, 1898/9, S. 445).
[4]) Auch Brückner (Eiszeitalter, S. 489) bezweifelt die Ausdehnung der Juragletscher der Rißeiszeit bis an den Abfall des Plateaus, gibt aber die Möglichkeit zu, daß sie sich in einer älteren Eiszeit bis hierher herabzogen.
[5]) Les anciens glaciers au Jura (Ann. club alp. franç. III, 1876, S. 501). Wohl mit Recht hält Brückner (a. a. O., S. 488) diese vereinzelten Blöcke für pliocän.

zu würdigen haben. Damals war das obere Aingebiet um Nozeroy von einer aus dem Doubsgebiet herüberreichenden Eisdecke überzogen; ein selbständiger Talgletscher aber bestand im Aintal, der bei Crotenay unterhalb Champagnole endete. Oberhalb davon bis an den Ostrand des Beckens von Champagnole begleiten Zwischenbildungen von Moränen und den daraus hervorgegangenen Schottern den Fluß, der sich durch diese ein bis 50 m tiefes Bett gegraben hat; unterhalb Crotenay beginnt die prächtige Ainterrasse. Östlich derselben liegt der See von Chalain (h = 500 m, A = 232 ha, T = 34 m)[1]), der über die sein oberes Ende umrahmenden Plateauhöhen weit in das breite, aber zugeschüttete Aintal hinausreicht; von seinem versumpften Westende steigt das Terrain allseits sanft an, so daß man bei dieser flachen Wannenform fast von dem kleinen Zungenbecken eines Seitengletschers sprechen könnte. Auffallenderweise wird der See unterirdisch zum Ain entwässert. Seine Entstehung schreibt Delebecque der Abdämmung durch die Stirnmoräne des Seitentälchens zu[2]); angesichts der Gestaltung des Terrains und mangels überzeugender Aufschlüsse möchte ich eher die Ainterrasse als Ursache der Abdämmung ansehen. Hingegen sind sichtlich die beiden Seen von Chambly im Tale des Hérisson (Lac dessus h = 518 m, A = 49,5 m, T = 24,6 m) und Lac dessous (h = 518 m, A = 33 m, T = 11 m) durch die südlich von Doucier deutlich aufgeschlossene Endmoräne des Hérissongletschers aufgestaut. Das Nährgebiet dieser Seitengletscher bildeten die vielgegliederten Plateauhöhen des über 1200 m hohen Mont Noir; an seinem Fuße entwickelte sich ein breiter Talgletscher in der Mulde von St. Laurent, aus der mehrere Eiszungen durch die Täler der Saine und Laime nach NW abflossen und sich auch über die umrahmenden Gehänge flächenhaft ausgebreitet haben dürften, wie die allseits vorkommenden jurassischen Moränen beweisen. Hier liegen auch die beiden kleinen Seen von Maclu, die durch Moränen vom Tale der Laime abgesperrt sind. Ebenso war das Tal des nächst südlichen Nebenflusses des Ain, des Drouvenant, von einem Gletscher erfüllt, und in einem linken Seitental liegen die beiden malerischen Seen von Soyria (h = 534 m, A = 63,5 und 17,4 ha, T = 18,7 und 16,4 m), gleichfalls typische Moränenseen, getrennt durch eine schwach wellige Fläche fluvioglazialen Ursprungs und abgedämmt durch die mächtige Endmoräne des Drouvenantgletschers. Sie ist u. a. aufgeschlossen an der »Route nationale« westlich von Clairvaux, auch die Stadt selbst ist größtenteils auf Juramoräne erbaut. Offenbar lag hier die Schneegrenze der Würmvergletscherung tiefer als im Kettenjura, höchstens in 1000 m Höhe.

Die auffallende Mächtigkeit der Ainterrasse in dieser Gegend wird erklärlich durch ihre Struktur. Zwischen der Endmoräne von Crotenay im N und der von Largillay im S, die einem von O kommenden Seitengletscher angehören dürfte, zeigen die Schotter beim Austritt der Täler aus den Plateaus in das Aintal durchaus Deltaschichtung. Delebecque fand sie bei Vieux-Bourg, Montigny, Charcier und Clairvaux[3]). Bei letzterem Orte sind es zunächst feine Sande mit Deltaschichtung, darüber Schotter, die schließlich in die erwähnte Moräne übergehen. Eigentümlich geformte Hügel erinnern hier an Drums. Es war das Aintal zwischen Crotenay und Largillay von einem Stausee erfüllt, dessen Spiegel ca 530 m hoch lag und der durch die Schotter des Ain und seiner Nebenflüsse zugeschüttet wurde[4]). Dabei blieb das Becken des Lac de Chalain gleichsam ausgespart, während die übrigen Seen noch innerhalb der Moränenumwallung der Seitentäler liegen.

Ein Zentrum intensiver Vergletscherung bildete das weitverzweigte Quellgebiet der Bienne. Hier lieferten die Höhen des Mont Risoux (1423 m) und des Mont Noir (1274 m)

---

[1]) Diese Zahlen sowie die folgenden nach Delebecque, Les lacs français, Paris 1898.
[2]) A. a. O., S. 263.
[3]) Bull. serv. carte géol. 1895, Nr. 53, S. 197 und Les lacs français, S. 867.
[4]) Vgl. auch Delebecque a. a. O.

ausreichendes Firnmaterial, das nicht nur nach W und NW ins Doubs- und Aingebiet und nach NO ins Tal des Lac de Joux, sondern auch nach S zum Biennetal abfloß. Zwischen den genannten Höhen liegt die Combe de Bellefontaine mit den beiden kleinen Moränenseen Lac des Mortes und de Bellefontaine (10 und 16 ha groß), und an ihrem Austritt in das Biennetal sind Moränen in ca 50 m Mächtigkeit aufgeschlossen. Von SO kam ein Zufluß vom Plateau von Les Rousses, aus NW ein solcher aus der Mulde von St. Laurent, und die vereinigten Massen flossen im Biennetal abwärts, dessen Gehänge im nördlichen Teile noch hoch über die Schneegrenze aufragten, so daß u. a. auch ein kleiner Eisstrom aus der Mulde des Lac d'Abbaye über die Forêt de la Joux devant ins Biennetal abfließen konnte. Wir haben es also hier in den zentralsten Teilen des Gebirges mit einem wahren Eisstromnetz zu tun, dessen Ausläufer strahlenförmig nach allen Richtungen den großen Tälern folgten. Dem entspricht auch die Länge des Biennegletschers. Er folgte dem Biennetal bis nahe vor dessen Mündung in das Aintal und überschritt dann eine niedrige Bodenschwelle, über die eine heute von der Eisenbahn benutzte Tiefenlinie nach dem Tale der Ange und nach La Cluze führt. Hier lag abermals der Vereinigungspunkt zahlreicher kleiner lokaler Gletscher, indem einer aus dem Seetal von Nantua, ein anderer von S aus dem Oignintal und schließlich der Biennegletscher aus dem Tale der Ange zusammenflossen. Die Ufermoränen dieser Eismassen finden sich u. a. in dem schönen Talkessel von Volognat und bei Genois.

Die rasche Höhenabnahme des Gebirges nach W läßt die Spuren lokaler Vergletscherung in dieser Richtung rasch verschwinden. Das Gebiet der Valouse mit Höhen von wenig über 600 m hatte keinen eigenen Gletscher mehr; seine erratischen Ablagerungen stammen aus der Zeit der Maximalvergletscherung, als die vereinigte jurassisch-alpine Eismasse aus dem Aintal ins Valousetal über die die beiden Täler trennenden Rücken hinüberquoll und im Valousetal selbst ungefähr bis Chemilla unterhalb Arinthod vordrang.

Südlich der Querlinie Nantua—Bellegarde kompliziert sich die lokale Vergletscherung mit der alpinen, die ja auch in der Würmeiszeit noch den Jura des Bugey erfüllte. Doch konnten sich gewiß im Tale der Semine und der Albarine (Val Romey) bei Höhen bis zu 1500 m noch lokale Gletscher behaupten, als der Rhônegletscher bereits aus dem Jura zurückgewichen war.

Mit den lokalen Juramoränen der Würmvergletscherung stehen in allen größeren Tälern fluvioglaziale Schotter in Form von Terrassen in Verbindung, die im Durchschnitt etwa 30 m über dem heutigen Flußspiegel sich erheben. Im Berner Jura sind sie nur in spärlichen Resten an wenigen Stellen vorhanden. So ist eine niedrige Terrasse im Birstal bei Malleray, Court und Moutier angedeutet, mächtiger entwickelt im mittleren Teile des Beckens von Delsberg und in einzelnen Fetzen bis Soyhières und Laufen. Erst in der Umgebung von Basel und in den kleinen Tälern des Kettenjura tritt der Niederterrassenschotter in schöner Entwicklung als unterste Terrasse wieder auf. Im Doubstal finden sich isolierte Reste dieser Schotter bei Biaufond und Goumois, offenbar gleichaltrig mit den deutlichen Terrassen, die sich 20 bis 25 m über dem Flusse von Pontarlier abwärts bis nach Morteau verfolgen lassen, wo sie beim Dorfe Seigne besondere Mächtigkeit erreichen[1]). Schließlich begleiten Schotterterrassen den ganzen Lauf des Ain von Champagnole abwärts bis gegen Cize, sowie der Bienne, namentlich um St. Claude. Spuren höher gelegener Schotter wurden bisher im Jura nirgends in größerem Ausmaß angetroffen.

---

[1]) Alle diese Vorkommnisse des Doubstales betrachtet Rollier (1. supplém., S. 144) als Äquivalente des Hochterrassenschotters. Ihre niedrige Lage über dem Flusse, ihr frischer Erhaltungszustand, namentlich aber ihre Verknüpfung mit jüngeren Moränen, z. B. bei Pontarlier, macht ihre Stellung als Niederterrassenschotter unzweifelhaft.

Die Höhe der diluvialen Schneegrenze im Jura läßt sich aus naheliegenden Gründen nur für die Würmvergletscherung und für diese auch dort nur mit größerer Sicherheit bestimmen, wo sich die Juragletscher deutlich von der alpinen Invasion individualisierten. Im Berner Jura trugen Höhen über 1300 m bereits kleine Gehängegletscher oder Firndecken, im oberen Doubsgebiet konnten sich bei Höhen von 13—1500 m schon kleine Talgletscher entwickeln, während die Plateauflächen östlich von Ornans, die 1000 m nur selten übersteigen, keine selbständigen Gletscher mehr lieferten. Diese treffen wir dann wieder, abgesehen von dem viel höheren südlichen Kettenjura, im südlichen Plateaujura bei Höhen von wenig über 1200 m. Es lag also die Schneegrenze der Würmeiszeit im ganzen Jura wohl nirgends beträchtlich unter 1000 m, stieg aber auch nicht über 1200 m empor. Dabei scheint sie vom regenreicheren Westrand des Gebirges gegen O um etwa 200 m anzusteigen, lag also durchweg tiefer als im Schweizer Alpenvorland, wo sie Brückner zu rund 12—1300 m annimmt (Eiszeitalter, S. 492 und 586).

Die Eiszeit hatte im Jura für die Ausgestaltung der Reliefformen lange nicht die Bedeutung wie in den Alpen. Das alpine Eis lagerte sich über große Teile des Gebirges nur als eine wenig mächtige Decke, die lokalen Gletscher, welche die Jurataler erfüllten, waren zumeist unbedeutende Eiskörper im Vergleich zu den gewaltigen Eisströmen, die in den Alpentälern abflossen. Nur im südlichen Jura, also im ganzen Rhonegebiet, werden wir auf namhafte morphologische Wirkungen der Vergletscherung stoßen. Sonst aber fehlen dem Jura die Produkte glazialer Erosionstätigkeit, wie Kare, ausgeschliffene Felswannen, übertiefte Haupttäler, trogförmig ausgestaltete Talprofile nahezu vollständig. Als karähnliche Hohlformen, bei deren Ausgestaltung dem Gletscher ein gewisser Anteil zukommt, können nur der Creux du Van, das Tälchen von Vuarne am Fuße der Dôle und vielleicht auch das Becken des Sees von Crozet in der Kette des Colomby von Gex bezeichnet werden. Überhaupt kommt für den Jura die akkummulierende Tätigkeit des Eises viel mehr als die erodierende in Betracht und gelangt in Abdämmung von Tälern zu Seebecken und in der Verlegung der Wasserscheide zum Ausdruck. Diese morphologische Seite des Eiszeitphänomens wird uns in speziellen Fällen bei der Betrachtung der Talgeschichte des Jura wieder zu beschäftigen haben.

Die Geschichte des Jura seit dem Beginn der großen Dislokationsperiode haben wir bisher aus den großen Zügen seiner Oberflächengestaltung abzulesen versucht. Sie spiegelt sich aber auch wieder in den Schicksalen seiner Flüsse und Täler, die ihrerseits an die Entwicklung der randlichen Entwässerungslinien gebunden sind.

VI. Kapitel.
Die Flüsse und Täler des Jura.

Obwohl auf großen Flächen das gleichsinnige Gefälle durch das Auftreten von Wannen unterbrochen wird, ist der Jura doch vorwiegend eine Tallandschaft. Namentlich in seinem kettenförmig gebauten Teile sind die Flüsse an eine Reihe von Taltypen gebunden, die ohne Übergangsformen so scharf entwickelt sind, daß sie auch dem naiven Beobachtungssinn der Bevölkerung nicht entgangen sind und regionale Bezeichnungen erhalten haben.

1. Der einfachste Fall eines Tales im Faltungsgebirge ist der eines Mulden- oder Synklinaltales (val oder vallon, während vallée der allgemeine Ausdruck für Tal ist): seine Entstehung bedarf keiner weiteren Erklärung. Die gewöhnliche Talform ist ein breiter

Trog mit zumeist bewaldeten und mäßig ansteigenden Gehängen. Die Muldentäler des Jura zeichnen sich durch ihre geringe Tiefe aus; ihre Flüsse haben sich in der Regel nicht allzu tief unter das Niveau der vorgezeichneten Tiefenlinie eingeschnitten, wohl infolge ihrer Wasser- und Geschiebearmut. Eine und dieselbe Mulde wird zumeist von mehreren Flüssen benutzt, deren Täler durch niedrige Talwasserscheiden getrennt sind. Im Berner Jura erstreckt sich eine einzige Mulde von Tramelan im W bis Bärenwyl im O durch fast 60 km und wird von fünf Flüssen entwässert. Selten sind die Mulden derart geöffnet, daß ihr Fluß durch sie in eine ungefaltete Gegend hinaustritt.

2. Die Talbildung quer zum Streichen der Falte kann sich entweder auf den einen Schenkel des Gewölbes beschränken oder dieses vollkommen durchschneiden. Im ersteren Falle haben wir es wie bei den Muldentälern mit einer der Struktur folgenden (konsequenten) Entwässerung zu tun, wobei aber nur die Richtung, nicht die Lage des Entwässerungskanals bestimmt ist (indefinite consequent rivers nach Davis). Das Wasser läuft, dem Gefälle folgend, am Gehänge der Falte herab und schafft sich ein untergeordnetes Seitental. In vielen Gegenden des Jura ist hierfür der Name »Ruz« üblich, weshalb er von Penck allgemein für alle kurzen Seitentäler des Jura, die senkrecht zum Streichen der Falten verlaufen, gebraucht wurde[1]). Doch fehlt, wie Früh betont[2]), der Ausdruck in manchen Teilen des Jura und wird dann durch andere, wie chenal, chenan, ersetzt. Die Anzahl der ein Gehänge zerfressenden Abdachungsflüsse ist ein Maßstab für den Niederschlagsreichtum der betreffenden Gegend; sie finden sich an der Wetterseite einer Kette häufiger als an der Leeseite. Besonders auffallend ist dieser Unterschied zu beiden Seiten des St. Immertales, von dessen nach NW exponiertem, rechtem Gehänge sechs kleinere und fünf große, bis auf den Kamm des Chasseral hinaufführende Flankentäler sich herabziehen, während von links nur drei kleine Gräben münden, obwohl die beiden Gehänge im Schichtbau und Zusammensetzung vollkommen übereinstimmen. Ein ähnlicher Gegensatz besteht auch zu beiden Seiten der Vellerat- und Graiterykette. Das Ausmaß der Flankenerosion ist aber auch bedingt durch ihr Alter. Je älter ein Gewölbe, desto stärker und tiefer wird es von untergeordneten Seitentälern zerfressen und zerteilt. Die vollkommene Durchschneidung bis zur nächsten Mulde führt dann zur Bildung eines Quertales[3]).

3. Die Quertäler des Jura führen ganz allgemein den Namen Cluse (Klus); sie werden fast immer genau senkrecht zum Streichen des Gewölbes vom Flusse in geradlinigem Laufe durchmessen. Ihre hohen, steilen und kahlen Wände mit den herrlichen Schichtbiegungen machen die Klusen zu den malerischsten Punkten des Jura. Das Talprofil ist im Gegensatz zu den breiten Muldentälern scharf V förmig; breite, torähnliche Durchbrüche sucht man im Jura vergebens. Ein- und Ausgang der Klus ist stets eng und schluchtartig, da hier durch das Untertauchen des Gewölbes nur seine harte Deckschicht vom Flusse durchschnitten wird. In der Mitte sind die Klusen zumeist elliptisch oder kreisförmig erweitert, indem der Fluß im Kerne des Gewölbes auf weichere Mergel stieß und diese ausgeräumt wurden, worauf die harten, in der Mitte des Gewölbes nahezu horizontal lagernden Kalkschichten durch Untergrabung und Abbruch nachfolgen. So entstehen die »hémicycles« der französischen Geologen, mit ihrem halbmond- oder hufeisenförmigem Umriß und ihren oft mehrere 100 m hohen Abstürzen.

----

[1]) Morphologie II, 78.
[2]) Zur Kritik einiger Talformen und Talnamen der Schweiz (Vierteljahrsschr. nat. Ges. Zürich, 1896, XLI, S. 329).
[3]) Von dem Moment, wo die rückschreitende Erosion den Scheitel des Gewölbes erreicht, arbeitet sie entgegen der Struktur; zeitlich folgen solche Flußstrecken der Struktur nach, weshalb sie auf der Kartenskizze der Flußentwicklung im Berner Jura in das Bereich der »subsequenten Erosion« eingerechnet wurden, also als Nachfolgeflüsse (nach Penck) bezeichnet wurden.

Für die Entstehung der Klusen gelten dieselben Erwägungen wie für Quertäler überhaupt. Die älteren Geologen sahen in ihnen bekanntlich nichts anderes als aufgerissene Spalten, entstanden bei der katastrophenartigen Hebung des Gebirges, und noch 1884 traten Bourgeat und der ältere Lory für die Spaltenhypothese ein, wobei sie sich auf angebliche Diskordanzen zu beiden Seiten der Klus von Morez stützten, und räumten dem rinnenden Wasser nur die Kraft ein, die zerbrochenen Blöcke weggeschafft zu haben [1]). Boyer führte gleichfalls die Klusen zurück und kam zu dem Schlusse, daß die »coupures transversales« des Jura eine mittlere Richtung von N 30° W einhalten, die zusammenfalle mit großen Bruchlinien der Westalpen [2]). Die gleiche Richtung der Klusen erklärt sich einfach aus ihrem zum Streichen der Juraketten senkrechten Verlauf und die Konkordanz beider Gehänge ist in den meisten Fällen eine so auffällige, daß weder an offene noch an geschlossene Spalten zu denken ist. Die Klusen des Jura sind wie alle Quertäler reine Erosionsresultate, nur die Art und Weise dieser Wirkung ist in jedem besonderen Falle einzeln zu studieren. Sehr viele Klusen, namentlich diejenigen, bei denen das Gefälle des Flusses und die Enge des Tales nach aufwärts zunimmt, sind wohl nichts anderes als fortgebildete Flankentäler, die schließlich den Fluß der nächsten Mulde anzapften. Dieser Fall konnte namentlich dann eintreten, wenn ursprüngliche Verschiedenheiten in der Höhe der lokalen Erosionsbasen vorhanden waren, so daß die angezapfte Mulde in der Vertiefung zurückblieb. Seltener dürfte es vorgekommen sein, daß zwei opponierte Ruz gleichzeitig ihre Hintergehänge durch rückwärtige Erosion abtrugen und sich zu einem Quertal vereinigten. Bei manchen der heutigen Ruz ist der Moment nicht allzu ferne, wo die Erosion das nächste Muldental erreichen wird. Das Quertal von Alt-Hammer im östlichen Berner Jura nähert sich bereits sehr bedenklich der Mulde von Soltersschwand; die Kette des Vellerat ist parallel zur sog. Tiergarten-Klus von einem Flankental durchsetzt, dessen oberes Ende nur mehr 1/2 km von der Mulde von Rebeuvelier entfernt ist. Eine andere Erklärungsmöglichkeit der Klusenbildung ist die der sog. Überflußdurchbrüche, des Abflusses der in der Mulde angesammelten Gewässer über den niedrigsten Punkt der Umwallung, was bei den zumeist geschlossenen tektonischen Mulden des Faltenjura häufig der Fall sein konnte. Übrigens brauchte es dabei nicht zur Bildung eines Sees zu kommen, da die Flüsse sich während des Aufsteigens der umschließenden Ketten in diese einzuschneiden vermochten [3]). Solche Lücken sind ursprüngliche Senken im Verlauf der Antiklinalkammlinien, Punkte geringster Aufwölbung oder geradezu die Stellen des Untertauchens einer Antiklinale. Solche Täler bezeichnet Penck als »Walmtäler«, da sie zwischen den Walmseiten zweier Antiklinalen angelegt sind, Lapparent erklärte die meisten Klusen des Jura als in solchen »ensellements« der Ketten gelegen; andere sollen sich an Drehungen im Verlauf der Antiklinalaxen, also gleichfalls an tektonisch schwache Stellen knüpfen [4]). Auf tektonische Anlage läßt sich die Klusenbildung auch dann zurückführen, wenn längs Querlinien horizontale Verschiebungen oder Verschleppungen auftreten, ein Fall, der im Jura nicht selten ist. Wo die Bildung der Klusen unter der Annahme früherer Seebecken erklärt werden soll, sollte man deren Ablagerungen noch anzutreffen meinen. Freilich können diese in den langen Zeitraum seit der Hebung des Gebirges wieder vernichtet worden sein oder unter quartären Ablagerungen verborgen liegen. In vielen Fällen aber spricht gegen diese Erklärung der Umstand, daß die Seen viel leichter an anderen Punkten der Umwallung überfließen konnten als an den Stellen der heutigen Klusen; denn diese liegen oft geradezu zwischen den höchsten Punkten der Gewölbeaxen. In manchen Fällen gibt außer dieser Tatsache auch noch die Anordnung der Klusen in Reihen, das ausgeglichene Gefälle und andere Umstände der Möglichkeit Raum, daß wir es mit antezedenten Flußläufen zu tun haben, die älter sind als die Faltung, durch deren aufsteigende Höhen sie sich ihren ursprünglichen Weg offen halten konnten. Jedenfalls sind für jede einzelne Klus alle Erklärungsmöglichkeiten zu prüfen und es läßt sich die an einem Orte gewonnene Überzeugung nicht ohne weiteres auf einen anderen Fall übertragen [5]).

4. Ein fortgeschritteneres Stadium der Anpassung der Flüsse bedeuten die Antiklinal- und Monoklinallängstäler; ihre Flüsse folgen der Struktur zeitlich nach, sind subsequent im Sinne Davis, Nachfolgeflüsse nach Penck. Ihre Bildung geht von den Flanken- und Quertälern aus, indem durch diese ein weicher Horizont angeschnitten wird; sie knüpfen sich daher im Jura stets an die wenig widerstandsfähigen Lias-, Oxford- und Argovianmergel. Ihrem jüngeren Alter entsprechend liegen sie zumeist noch hoch über dem Niveau der Muldentäler, denen sie durch ein kurzes Quertal tributär werden.

Die Geologen der älteren Schule sahen in ihnen Aufrisse auf den Scheiteln der Gewölbe; demgemäß unterschied Renaud-Comte Antiklinaltäler verschiedener Ordnung je nach dem Alter der ihren Boden bildenden Schicht [6]). Aber schon Rütimeyer bezeichnete sie als reine Erosionswirkungen, und später

---

[1]) C. R. de l'excursion &c. de Champagnole à St. Laurent (Bull. soc. géol. 3. série, 1884, XIII, 775).

[2]) Remarques sur l'orographie des Mts. Jura (Mém. soc. émul. Doubs 1887, 276 ff.); die eingehende Widerlegung bei Rollier (1. supplém. &c., S. 276).

[3]) Hartung, Beitrag zur Kenntnis der Tal- und Seebildung (Ztschr. d. Ges. f. Erdk. Berlin, 1878, S. 292); Philippson, Studien über Wasserscheiden (Mitt. Ver. Erdk., Leipzig, 1886, S. 272 ff.) und De la Noë et de Margerie, Les Formes du terrain, S. 140 ff.

[4]) Leçons de géographie physique, Paris 1898, S. 126; ähnliches nahm auch F. Lang an (Actes soc. helv. sc. nat. 1865, S. 81).

[5]) Vollkommen ausgeschlossen ist für den Jura die Annahme epigenetischer Durchbruchstäler, weil seit Schaffung seiner Strukturformen diese nicht mehr von Schichten transgredierend überlagert wurden.

[6]) Étude systématique des vallées d'érosion dans le dépt. du Doubs (Mém. soc. émul. Doubs 1846, S. 23 ff.).

haben De la Noë und de Margerie in klarster Weise ihre Entstehung dargelegt und an mehreren Beispielen aus dem Kettenjura erklärt [1]), so daß hierzu nichts hinzuzufügen ist.

Die erste Bedingung für eine subsequente Entwässerung ist das Anschneiden eines leicht zerstörbaren Horizonts. Durch Erosion, Untergrabung und Abbruch entstehen hierbei oft Hohlformen von
fast kreisrundem Umriß, wie die »Noire Combe« bei Moutier; bisweilen nehmen sie eine merkwürdig regelmäßige Gestalt an, wie der Creux du Van im rechten Gehänge des Val de Travers, oder der Zirkus von
St. Sulpice zwischen Fleurier und Verrières (vgl. S. 36 u. 37), mit schluchtartigem Ausgang und hohen steilen
Wänden [2]). In gleicher Weise entwickeln sich, indem die Erosion längs des wenig resistenten Horizonts
weitertastet, Täler, entweder auf dem Kamm des Gewölbes als Antiklinaltäler, oder in einem seiner Gehänge
als Monoklinaltäler. Für beide Formen gebrauchte Thurmann seit 1832 den Ausdruck »Combe«, womit
im Jura ganz allgemein hoch gelegene, kleine und enge Täler bezeichnet werden. Seit Desor wurde
»Combe« in der Juraliteratur gleichbedeutend mit »Antiklinaltal«; da jedoch das Volk diesen Ausdruck
keineswegs nur in dem von Desor gemeinten Sinne, sondern gelegentlich auch für hochgelegene Muldentäler, z. B. den obersten Teil des Valserinetals (combe de Mijoux) oder auch für Quer- und Flankentäler
(z. B. combe des Lavoirs in der Ranglers-Kette) verwendet, so hat sich Früh entschieden gegen den Gebrauch des Ausdrucks »Combe« als morphologischen Typus ausgesprochen [3]); er ist auch hier immer nur in
Verbindung mit einem Namen verwendet.

Da die subsequente Erosion längs weicher Schichtglieder auf geringen Widerstand
stößt, so kann sie bisweilen das Übergewicht über die Erosion des Haupttals erlangen und
es wird das ursprünglich viel höher gelegene untergeordnete Tal allmählich zu gleicher
oder größerer Tiefe erodiert als das Hauptal. So liegt das an Oxfordmergel geknüpfte Tal
des Sucre nördlich von Couvet, dort, wo es durch ein Quertal zum Val de Travers entwässert wird, nur mehr 50 m höher als die Sohle des Haupttals an der Mündung des
Quertals.

5. Die Täler des Plateaujura. Alle bisher geschilderten Typen der Talentwicklung
finden ihre reichste Vertretung im Kettenjura; sie finden sich zwar auch in dem plateauförmig gebauten Teile des Gebirges, doch fehlen hier die für den Kettenjura so charakteristischen großen Muldentäler fast gänzlich. Vielmehr zeichnen sich die großen und tiefen
Täler der Hauptflüsse des Plateaujura, wie des Doubs, Ain, der Bienne, im größten Teile
ihres Laufes durch eine auffällige Unabhängigkeit von den Strukturformen aus. Sie
fließen in gewundenem Laufe in zumeist tief eingeschnittenen, engen Tälern mit V förmigem
Querschnitt dahin; der Talcharakter bleibt derselbe, ob der Fluß dem Schichtstreichen folgt
oder dasselbe rechtwinklig kreuzt. Dieser Gegensatz zu den Haupttälern des Kettenjura ist
begründet in der verschiedenen Geschichte der Talbildung in den beiden Hauptteilen des
Gebirges, deren Betrachtung wir uns nun zuzuwenden haben.

Für die Modellierung der Gehänge aller Juratäler wird die verschiedene petrographische Zusammensetzung der gebirgsbildenden Schichten von Bedeutung. Jeder Steilabfall entspricht einem kalkreichen,
jede sanfte Böschung (talus) einem mergeligen Schichtglied, und deren häufiger Wechsel erzeugt dann,
namentlich bei den Tälern der Nachfolgeflüsse, oft zwei- bis dreifach gestufte Gehänge, während bei den
einfachen Muldentälern zumeist einheitliche Schichtkomplexe vom Kamm bis zur Sohle sich herabsenken,
außer wenn die Reste von Kreideschichten eine Terrassierung der Talgehänge erzeugen. Hingegen fehlen
den Juratälern die für die Alpentäler so bezeichnenden Erosionsterrassensysteme nahezu völlig, ein Umstand,
der auf die verschiedene Entwicklung der talbildenden Kräfte in beiden Gebirgen hinweist.

1. Die Entwässerung des jurassischen Bodens vor seiner Faltung.

Zur Zeit der letzten marinen Periode des Miocäns ragte der Jura, soweit er nicht
überflutet war, als eine Halbinsel von ungefährer N—S-Erstreckung in das nach S und W
sich zurückziehende helvetische Meer hinein. Im N hing er mit den alten Festlandsmassen
von Südwestdeutschland zusammen, ohne daß diese Verbindung durch das Rheintal ober-

---

[1]) Les Formes du terrain, S. 145 ff.
[2]) In den Anfängen der geologischen Erforschung des Jura, bei Thurmann, Gressly, Studer u. a.
galten diese Zirken als »cratères de soulèvement«, als Sitz der vulkanischen Kräfte, ja man glaubte sogar
eine konzentrische Anordnung derselben um einen zentralen Hebungsknoten, den Mont Terrible, zu erkennen
(Siegfried, Schweizer Jura, S. 74); von anderer Seite wurden sie auf unterirdische Erosion und Einsturz
zurückgeführt (Bourgeat, Observations sommaires sur le Boulonnais et le Jura, Bull. soc. géol., 3. série,
1892, XX, S. 268).
[3]) Zur Kritik einiger Talformen usw., a. a. O., S. 318.

halb Basel unterbrochen gewesen wäre; im W trennte die bereits angedeutete Saône-Niede-
rung den Jura von den Ausläufern des französischen Zentralplateaus. Während noch das
Meer den südlichen Teil des Jura bedeckte, wirkten im nördlichen schon vor dem Beginn
der großen Faltungsperiode, die das heutige Relief in seinen wesentlichen Zügen schuf,
die erodierenden und abtragenden Kräfte des Landes. Die ältesten Spuren der damaligen
Entwässerung des Jura sind uns erhalten in den Geröllen der Juranagelfluh im Schweizer
Tafel- und den angrenzenden Teilen des Kettenjura, sowie in den Geröllen und Sanden
mit Dinotherium, die über einen großen Teil des Elsgaues verstreut sind und die große
Anhäufung im Bois de Raube bei Delsberg bilden. Sie weisen übereinstimmend auf eine
nach S gerichtete Entwässerung, deren Ursprungsort in den ihres mesozoischen
Mantels noch nicht beraubten Gebieten des Schwarzwaldes und der Vogesen lag; von hier
flossen die ältesten Juraflüsse auf einer im Miocän entstandenen Abdachung zum Miocänmeer nach S. Während aber fortan im Schwarzwald und in dessen südlichem Appendix,
dem Tafeljura, die Entwässerung nur durch vertikale Krustenbewegungen größere Störungen
erfuhr, nahmen wohl zunächst auch die Juraflüsse von dem neu auftauchenden Boden Besitz,
und es mag ein großer subjurassischer Strom, der nach W sich zurückziehenden Meere
folgend, den heutigen südlichen Jura gequert haben [1]). Dann aber führte der nun eintretende Faltungsprozeß zu einschneidenden Veränderungen in dem bisherigen Entwässe-
rungssystem; der Rand des neu aufsteigenden Gebirges hob sich immer schärfer von seiner
Umgebung ab, und die Juraflüsse wurden randlichen Tiefenlinien untergeordnet.

2. Geschichte der Jurarandflüsse.

Der Abfall der ersten Juraketten gegen das Schweizer Mittelland ist heute in seiner
ganzen Länge vom Genfer See bis zum Rhein durch eine Tiefenlinie gekennzeichnet, in
der bei Entreroches in 460 m die Wasserscheide zwischen Rhône- und Rheingebiet, nur
25 m über dem Spiegel des Neuenburger, 85 m über dem des Genfer Sees liegt. Dieser
Umstand legt es nahe, die heutigen Verhältnisse als nicht von lange her feststehend zu
betrachten. Schon Rütimeyer machte darauf aufmerksam und vermutete, daß der Neuenburger und der untere Genfer See nur die durch eine nachträgliche Dislokation getrennten
Stücke eines früheren Tales seien; er verweist auf den Veyron, der bei Bière entspringend
zuerst nordöstlich gegen Yverdon fließt, aber dann mit der Venoge vereint nach S zum
Genfer See abbiegt [2]). Diesen Gedanken an einen ehemaligen Zusammenhang zwischen dem
heutigen oberen Rhône- und dem Rheingebiet hat Lugeon vor kurzem wieder aufgegriffen [3]):
er gelangt aus der Betrachtung der heutigen unentwickelten und jugendlich erscheinenden
Topographie im Kanton Waadt zur Annahme eines pliocänen Stromes, der aus dem heutigen
Tal der Walliser Rhône über Attalens ins Broyetal und so ins Rheingebiet abfloß. Hin-
gegen hat Brückner, wie bereits erwähnt, aus den Höhenverhältnissen des Schweizer
Alpenvorlandes und den Sockelhöhen der ältesten Glazialschotter gezeigt, daß die präglaziale
Landoberfläche des Vorlandes eine eingeebnete, schiefe Rumpffläche war, die wahrschein-
lich schon damals wie heute zwei Abdachungen besaß [4]). Wir hätten also in präglazialer
Zeit, als der Jura bereits seine heutige Höhenlage besaß, einen Randfluß anzunehmen, der
in der Richtung der heutigen unteren Rhône gegen SW abfloß, und einen anderen, der
ungefähr dem gegenwärtigen Aarelauf entspricht.

---

[1]) Vgl. Mayer-Eymar, Anciens lits des fleuves subalpins suisses (Arch. de Genève, 1881, VI, S. 297).
[2]) Über Tal- und Seebildung, S. 55.
[3]) Le Rhône était-il tributaire du Rhin? (Bull. soc. vaud. XXXIII, 1897, S. 71).
[4]) Die Alpen im Eiszeitalter, S. 472. Die von Lugeon zum Beweis einer einstmaligen Verbindung
zwischen Rhône- und Rheingebiet herangezogenen Täler sind nach Brückner sämtlich quartär und nicht
pliocän.

Brückner suchte aber die Geschichte der Jurarandflüsse noch weiter nach rückwärts zu verfolgen (a. a. O. S. 479). Die von ihm angenommene pliocäne Rumpffläche des Jura, entstanden zwischen den zwei Dislokationsperioden des Gebirges, ist nach Brückner vornehmlich ein Werk der Alpenflüsse, die aus den Alpen kommend, das Alpenvorland und den mit diesem den Alpenfuß bildenden, eingeebneten Jura querten und so an dessen Westrand gelangten. Den Beweis hierfür sieht Brückner in verstreuten Geröllen alpiner Herkunft im Jura selbst und in den sog. Sundgauer Schottern. Letztere sind eine unregelmäßig geschichtete Ablagerung von kieseligem Lehm an der Basis, der nach oben zementierten Geröllagern Platz macht; sie wurden beobachtet u. a. bei Altkirch, Delle, Volkensburg und Neuweiler und zuerst von Gutzwiller als oberelsäßischer Deckenschotter eingehend beschrieben und in das Unterpleistocän, somit zu den ältesten Glazialschottern verwiesen [1]. Aber seine tiefgründige Verwitterung, das Vorherrschen von Quarzgeröllen, die Größe der Gerölle und die gelbe Farbe unterscheidet den Sundgauer Schotter stark von allen Glazialschottern der Umgebung, weshalb er von Brückner (a. a. O. S. 458) in das Oberpliocän gestellt wurde. Die Zusammensetzung des Sundgauer Schotters hielt Köchlin-Schlumberger nach den vorherrschend alpinen Geröllen für rheinisch [2], Kilian für vorwiegend vogesisch: die Glimmersandsteine läßt er aus der deutschen Trias, die Grauwacken, Quarzite und andere Gerölle speziell aus den Vogesen stammen [3]. Gutzwiller hat aber den alpinen Ursprung dieser Schotter überzeugend dargetan (a. a. O. S. 582): die Vogesensandsteine befinden sich an sekundärer Lagerstätte und stammen aus der miocänen Nagelfluh, die auch sonst viel Material zu diesem Schotter geliefert hat; es scheinen aber die Gesteine der Mittel- und Westschweiz über die der Ostschweiz vorzuherrschen; es kommen wohl gewisse Varietäten des Verrucano vor, aber niemals die typischen Sernifite des Linthgebiets; ferner wurden zahlreiche Rhônequarzite konstatiert, Arollagneis und Protogin; ganz zu fehlen scheinen die Kalke des Jura.

Es fragt sich nun, wie diese Gerölle an ihre heutige Stelle gelangen konnten. Gutzwiller hielt sie für glazialen Ursprungs (a. a. O. S. 627), obwohl die dazugehörigen Moränen fehlen; auch müßten dann, wie Brückner betont, Jurakalke in großer Menge sich darin finden. Der fluviatile Charakter des Sundgauer Schotters ist also wohl zweifellos [4], und aus der Herkunft der Gerölle schließt eben Brückner, daß im oberen Pliocän die Gewässer der Mittel- und Westschweiz, also des Reuß-, Aare- und Rhônegebiets, senkrecht zum Streichen der Alpen über eine Fußebene, der auch der damals eingeebnete Jura angehörte, direkt nach NW flossen, wo wir im Sundgauer Schotter ihre Gerölle finden. Das Fehlen von Jurageröllen in demselben erklärt Brückner dadurch, daß der Jura damals eingeebnet war und daher keine Gerölle liefern konnte.

Dieser Deutung stehen aber doch mehrfache Bedenken gegenüber, die auch die Zweifel verstärken helfen, die bereits oben gegen die Brücknersche Annahme einer zweimaligen Faltung des Jura und einer dazwischen liegenden Einebnungsperiode ausgesprochen wurden. Zunächst fragt es sich, wohin die Alpenflüsse flossen, die vor der (von Brückner angenommenen) pliocänen Einebnung des Jura an dessen Faltenzüge stießen. Es ist doch wohl schwer anzunehmen, daß sich ihnen überall bereitwillig Pforten durch das Gebirge öffneten und den Durchlaß nach W gewährten. Es muß wohl auch die altpliocäne Jurafaltung, die sich ja ungefähr längs derselben Linien äußerte, wie die jungpliocäne, den Alpenflüssen einen Wall entgegengestellt haben und daher ein Sammelkanal am Fuße des

---

[1] Die Diluvialbildungen in der Umgebung von Basel (Verh. nat. Ges. Basel 1894, X, S. 576 ff.).
[2] Bull. soc. géol., 2. série, XVI, 1858/59, S. 343.
[3] Mém. soc. émul. Montbéliard 1885, S. 27.
[4] So auch Rollier, Compte rendu de l'excursion dans l'oligocène des environs de Porrentruy (Bull. soc. géol., 3. série, XXIV, 1897, S. 1035).

damaligen Jura ähnlich der heutigen randlichen Tiefenlinie entstanden sein; und es ist
nicht klar einzusehen, warum nun die Alpenflüsse diese verlassen, in das Innere des Gebirges gelangen und dieses einebnen konnten.

Ferner ist es auffallend, daß die Alpenflüsse, die den Jura gequert haben sollen, in
diesem keine Spuren hinterlassen haben. Da die zweite Dislokation des Gebirges (auch
nach Brückners Anschauung) doch nicht so energisch war, so müßten doch die großen und
mächtigen Alpenflüsse ihren Lauf sich größtenteils bewahrt haben; es müßten antezedente
Flußläufe in größerer Zahl und Ausdehnung im Jura nachweisbar sein, und zwar in der
ehemaligen Nordwestrichtung, senkrecht zum Streichen der heutigen Ketten. Allerdings
vermutet Brückner im Durchbruch des Doubs durch die Lomont-Kette und in den Klusen
der Birs im Berner Jura antezedente Durchbrüche in bezug auf die zweite Faltung; aber
ihre Richtung ist eine ausgesprochen nordsüdliche, nicht nordwestliche, und überhaupt überwiegt im Kettenjura die durch die Struktur bestimmte und ihr nachfolgende Entwässerung.
Auch sollten die Alpenflüsse im Innern des Jura beträchtliche Geröllmassen zurückgelassen
haben. Nun beruft sich Brückner in dieser Hinsicht auf die hochgelegenen Reste von
Quarzschottern an den Rändern und auf der Rumpffläche des Jura[1]). Diese sind aber
offenbar sehr verschiedenen Alters und Ursprungs. Einmal sind es die sog. cailloutis des
plateaux im heutigen Rhônegebiet um Lagnieu, Bourg und an anderen Orten der südlichen
Bresse, die wir bereits als wahrscheinliche Reste eines Deckenschotters erwähnt haben.
Andere dieser alpinen Gerölle sind zweifellos glazialer Herkunft, wie die in der Umgebung
von Hauteville im Jura des Bugey, wo sie mit Moränen in Beziehung treten. Viele dieser
Quarzite sind aber nicht alpin, sondern die sog. »Chailles remaniées«, Kiesel in rotem
Ton eingebettet und hervorgegangen aus der Lösung der Oxfordmergelkalke, so zwischen
Ornans und Besançon, bei Torpes und Palente[2]). Die fremden Gerölle in einigen Tälern
des Berner Jura, z. B. bei Delsberg, Laufen und Tavannes, die schon Greppin zum Öningian
rechnete, sind sicherlich älter als das Pliocän. Es sind entweder Vogesengerölle, wie
namentlich die Granite, Eurite, Grauwacken und Vogesensandsteine, oder sie stammen, wie
besonders die südlichen Vorkommnisse um Sorvilier und Moutier, aus der subalpinen
miocänen Nagelfluh, und gehören einem, nunmehr zerstörten Strandwall des helvetischen
Meeres an[3]). Ein Zusammenhang zwischen den im Jura verstreuten Geröllen und dem
Sundgauer Schotter ist bisher ebensowenig konstatiert wie eine petrographische Übereinstimmung. Längs des ganzen Westabfalls des Jura bilden die besagten Schotter alpiner
Herkunft nur im Sundgau Ablagerungen von größerer Mächtigkeit. Die Quarzite kommen
weiter im S nur vereinzelt in den hochgelegenen Schottern über dem Doubs- und Saônetal
vor, so bei Montbéliard, bei Besançon ca 100 m über dem Doubs[4]), bei Mouchard und
Pagnoz unweit von Salins u. a. O.; in größerer Zahl in der Bresse selbst, bei Dôle und
nach S bis Sellières, doch ist hier ihre alpine Herkunft nicht erwiesen, nach Delafond
und Depéret stammen sie aus den Vogesen[5]).

Sollte der ganze Jura einmal im Pliocän eingeebnet gewesen sein, so müßten wohl
die Alpenflüsse an mehreren Stellen aus dem Gebirge ausgetreten sein; nirgends aber finden
sich am Jurarand Ablagerungen analog dem Sundgauer Schotter. Es scheint sich also bei

---

[1]) Ihre genaue Beschreibung, auf die wir uns auch im folgenden beziehen, geben: Boyer, Sur la
provenance et la dispersion des galets siliciateux et quartzeux dans l'interiéur et sur le pourtour des Mts.
Jura (Mém. soc. émul. Doubs, X, 1885, S. 414—448) und Boyer und Girardot, Le quartaire dans le Jura
bisontin (ebenda, 1891, S. 345—384).
[2]) Boyer und Girardot, S. 361, erklären ihre Rundung durch eine lokale Eisdecke, nicht durch echte
Gletscher, was recht unwahrscheinlich ist.
[3]) Vgl. Rollier, 2. supplém. etc., S. 132 ff.
[4]) Boyer, a. a. O. S. 433.
[5]) Les terrains tertiaires de la Bresse, S. 208.

diesem um den Schuttkegel eines großen Stromes zu handeln, der durch die Lücke zwischen dem Elsgauer Jura und den Vogesen in das heutige Doubstal hinaustrat. Früher dachte man an einen alten Rheinlauf in dieser Richtung[1]) oder an eine Verbindung zwischen dem oberen Elsaß und dem unteren Rhônegebiet[2]). Das Fehlen typischer Rheingesteine im Sundgauer Schotter scheint aber darauf hinzuweisen, daß es die Gewässer der West- und Mitttelschweiz waren, die sich zu einem solchen Strome vereinigten. Das Fehlen von Jurakalken ist dabei nicht befremdlicher, als die Abwesenheit alpiner Kalke. Beide sind längst der Verwitterung und Lösung zum Opfer gefallen, wie auch die meisten Feldspatgesteine, und nur die widerstandsfähigeren Quarzite sind erhalten geblieben. Der Strom, der im Sundgauer Schotter seinen Schuttkegel angehäuft hat, muß keineswegs den Jura durchquert haben; es ist nicht ausgeschlossen, daß damals, also im oberen Pliocän, das Rheintal zwischen Waldshut und Basel bereits gebildet war, von dessen Entstehung nur gesagt werden kann, daß sie zwischen dem Schluß des Miocäns und den Beginn des Quartärs fällt. Daß in diesem Stücke des Rheintals pliocäne alpine Schotter und Gerölle nicht beobachtet wurden, kann nicht wunder nehmen. Finden sich doch hier, wo der Rhein zwischen den festen Gesteinen des Schwarzwaldes und des Tafeljura gleichsam gefesselt dahinfließt, auch von den ältesten Glazialschottern nur spärliche Überreste an die Gehänge geklebt, und jede Akkumulationsperiode hat seither durch seitliche Erosion das Tal zwar nur unmerklich erweitert, jedenfalls aber die älteren Geröllanhäufungen zunächst entfernt. Wohin vor der Bildung dieses Teiles des Rheintals der Abfluß des Schweizer Alpenvorlandes sich wandte, bleibt freilich unter allen Umständen ebenso unbestimmt, wie der Abfluß des Rheingebiets unmittelbar nach der Bildung der Talfurche oberhalb Basel.

Sicheren Boden für die Geschichte der Entwässerungssysteme am Jurarand gewinnen wir erst mit dem Beginn des Quartärs. Damals floß die Aare bereits in ihrer heutigen Rinne am östlichen Jurafuß zum Rhein. Gleichzeitig nahm auch schon der Abfluß des oberen Rhônegebiets seinen Lauf nach SW, wo stets ungefähr in der gleichen Gegend ein Fluß das Gebirge verlassen hat.

Die Aare behält ihren Charakter als Jurarandfluß, mit Ausnahme einer kurzen Unterbrechung zwischen Aarburg und Aarau, wo beiderseits Juragesteine auftreten, bis Wildegg. Hier wendet sie sich nördlich, um bald darauf bei Windisch mit Reuß und Limmat vereint, den Jura zu durchbrechen. Alter und Entstehung dieses Durchbruchs läßt sich aus der Lagerung der ältesten Glazialschotter entnehmen. Die präglaziale Landoberfläche im nördlichen Teile des Alpenvorlandes stellt sich, wie Brückner (a. a. O. S. 469 ff.) gezeigt hat, als ein flacher Trichter dar, der sich gegen Koblenz zu senkte. Nach Ablagerung des älteren Deckenschotters zerschnitten die Flüsse diese eingeebnete Fläche, und dabei geriet die Aare zunächst in die Molasseschichten, später auch in die vorspringenden, ebenfalls der präglazialen Rumpffläche angehörenden östlichsten Sporne des Jura. Es sind daher die Durchbrüche der Aare zwischen Aarburg und Aarau, sowie zwischen Wildegg und Brugg, ebenso auch der Durchbruch der Limmat durch die Lägernkette bei Baden als epigenetisch und älter als der jüngere Deckenschotter zu betrachten[3]), wobei bei der Limmat noch der begünstigende Umstand hinzutritt, daß sie die Lägern an der Stelle einer Senkung der Antiklinalachse durchquert[4]). Diese Durchbrüche bestanden vielleicht sogar schon am Ende des Tertiärs an der heutigen Stelle, als die Ausläufer des Jura noch von Tertiär überkleidet waren. Später wurden die weichen Molasseschichten denudiert, die

[1]) So auch Boyer und Girardot, a. a. O. S. 352.
[2]) Kilian, Ann. de Géogr. IV, S. 323.
[3]) Brückner, a. a. O. S. 469.
[4]) Mühlberg, Lägernkette, Ecl. VII, 1903, S. 251.

harten Jurakalke blieben als Berge bestehen, und zwischen ihnen hat sich die Aare durch
Seitenerosion ein breites Tal geschaffen, in dem die späteren Akkumulationsperioden ihre
Schotter anhäuften. Diese liegen in Tälern des älteren Deckenschotters, und auch heute
hat die Erosion noch nicht die Sohle des Niederterrassenschotters erreicht; wo die Aare,
z. B. bei Brugg und Aarau, über festen Fels fließt, liegen nur ursprüngliche Aufragungen
des Felsbodens vor [1]).

Die Geschichte der Jurarandflüsse ist uns nur in großen Umrissen bekannt; diese Unsicherheit wirkt auch zurück auf die Geschichte der Juraflüsse selbst, deren Schicksale
durch die der randlichen Entwässerung bestimmt wurden. Wir betrachten im folgenden
zunächst die Flüsse des Kettenjura, nämlich das Birsgebiet und die kleineren selbständigen
Flüsse, die nach der Tiefenlinie am Ostrand des Gebirges austreten, sodann das Doubs- und
Aingebiet und schließlich den Hauptfluß des südlichen Jura, die Rhône.

I. Das Birsgebiet.

Die Birs entspringt als starke Quelle aus einer ehemaligen, jetzt durch Erosion zerstörten Höhle auf der Nordseite der Pierre-Pertuis in 790 m Höhe, wo sie die Gewässer
vom Sonnenberg und der Montozkette sammelt. Sie durchfließt sodann das breite, tertiärerfüllte Muldental von Tavannes ziemlich genau in der tektonischen Achse der Mulde bis
Court (670 m) und nimmt von links die Trame auf; während aber die Mulde nach O
weiterstreicht bis zu einer 1020 m hohen Talwasserscheide zwischen der Birs und ihrem
Nebenfluß, der Rauß, und eine untergeordnete Synklinale bei Champoz sich zwischen
Moron- und Graiterykette drängt, läßt die Birs die tektonischen Tiefenlinien unbeachtet,
sondern durchbricht in einer großartigen, in der Mitte hemizyklisch erweiterten Klus, einer
der schönsten und regelmäßigsten des Jura, das Gewölbe des Graitery und Mont Girod in
nach NNO gekrümmtem Laufe, schräg zum Streichen der Ketten. Sodann betritt sie die
Mulde von Moutier und erhält hier einen kleinen Nebenfluß von links, der sich weit nach
W bis zu einer Talwasserscheide in 927 m eingeschnitten hat, von welcher ein Bach nach
der Mulde von Souboz und Sornetan fließt. Von rechts mündet in die Birs die Rauß,
die aus der Mulde von Gänsbrunnen kommt, die Kette des Graitery geradlinig und fast
genau senkrecht zum Streichen durchbricht und bei Crémine in die Mulde von Moutier
tritt. Unmittelbar unterhalb Moutier bricht die Birs in tiefen Klusen durch drei eng an-
einandergepreßte Faltenzüge hindurch; zunächst quert sie das kurze Gewölbe der Basse
Montagne, unmittelbar darauf in einer abermals kesselartig erweiterten Klus das Gewölbe
des Raimeux, wobei die Erosion bis auf den Keuper herabgeht; dann kreuzt die Birs bei
La Verrerie eine sehr enge Mulde und nimmt hier von beiden Seiten kleine Muldenflüsse
auf, von denen der eine nach W bis zu einer Talwasserscheide in 1044 m und somit zur
Mulde von Undervelier führt, der andere aus der Mulde von Rebeuvelier stammt. Dann
folgt die Klus der Birs durch die Velleratkette und nun tritt sie in 450 m Höhe in das
weite Tertiärbecken von Delsberg. Ihr bedeutendster Zufluß in diesem ist von rechts
die Schelten; diese entspringt am Fuße der Hohen Winde, durchfließt zuerst ein Muldental, tritt durch eine kurze Klus bei Chetelat in das Delsberger Becken bei Mervelier und
durchmißt dessen ganze Osthälfte; hierbei nimmt sie von links die Gabiare auf, die im
Oberlauf die Mulde von Seehof entwässert, bei »In der Bächle« (730 m) aber nicht dem
Streichen der Mulde gegen Crémine weiter folgt, sondern rechtwinklig umbiegt und den
Mont Raimeux in der Klus von Envelier durchbricht. Sodann tritt die Gabiare in die
Mulde von Vermes, folgt aber dieser nur ein kurzes Stück und zieht einen Durchbruch,

---

[1]) Brückner, a. a. O. S. 460.

die sog. Tiergartenklus, durch die östliche Fortsetzung des Vellerat vor, um in das Delsberger Becken zu gelangen. Dessen Hauptfluß aber ist die Sorne. Ihre Quellflüsse liegen
in der Mulde von Sornetan; der längste, die Sornette, entspringt am Ostrand der Freiberge
bei Les Genevez und vereinigt sich mit dem Flusse von Souboz. Die Sorne durchbricht
dann in wildromantischer Klus die Kette des Coulou, quert die Mulde von Undervelier,
wo sie von beiden Seiten Muldenflüsse aufnimmt, durchbricht die Kette des Vellerat und
betritt bei Berlincourt das Delsberger Becken. Durch die Sorne verstärkt, kreuzt die Birs
senkrecht zum Schichtstreichen die Mont-Terri-Kette in der Klus von Vorburg und tritt
bei Soyhières (407 m) in ein vielgewundenes Tal, das im allgemeinen schief zum W—O
Streichen der Ketten verläuft und in dem unter die Sohle der Mulde erodierte Längstal-
strecken mit Quer- und Diagonaltalstrecken abwechseln. Dabei durchbricht die Birs die
zwischen der Mont-Terri- und der Blauenkette gelegenen Faltenzüge, die Kette von Movelier
und die Buebergkette, nahe ihrem Ostende. Dann betritt sie das weite, von Tertiär erfüllte Becken von Laufen und nimmt hier die Lützel auf, die in ihrem Oberlauf zuerst
westlich am Fuße der Kette von Movelier fließt, dann die Kette des Bueberg durchbricht
und nun östlich in gewundenem Laufe zwischen Bueberg- und Blauenkette hindurchfließt,
wobei sie sich im Nordschenkel der ersteren ihr Bett herausgearbeitet hat. Unterhalb
Laufen tritt die Birs an die Blauenkette heran, fließt in deren Südschenkel isoklinal bis
Grellingen, biegt nun scharf nach N um und durchbricht die Blauenkette in ihrer letzten
Klus. Von nun an fließt sie genau nördlich am Rande des Tafeljura, wahrscheinlich der
in der Fortsetzung des Schwarzwald-Westrandes gelegenen Flexur folgend [1]), bis sie vor
Basel den Rhein erreicht.

Die Eigentümlichkeit aller Flüsse des Kettenjura, der stete Wechsel von Längs- und
Quertalstrecken, ist im Birsgebiet am deutlichsten ausgesprochen. Der Fluß folgt der von
der Struktur vorgezeichneten Tiefenlinie in der Regel nur auf kurze Zeit oder er berücksichtigt sie gar nicht, indem er sie kreuzt, und tritt bald durch ein Gewölbe hindurch-
brechend in die nächste Mulde, während kurze Muldenflüsse und niedrige Talwasserscheiden
die Verbindung der einzelnen Flußgebiete herstellen.

Im Birsgebiet ist die Entwässerung nach N, also den ursprünglichen Abdachungsverhältnissen entgegengesetzt gerichtet; es hängt daher hier die Frage nach der Entstehung
der rostförmigen Anordnung des Flußnetzes zusammen mit der nach dem Alter der einzelnen
Talstücke.

1. Entstehung der Birsklusen.

Bei einer Prüfung aller möglichen Fälle der Klusenbildung auf ihre Anwendbarkeit
erscheint von vornherein in dem vorliegenden Falle die Annahme äußerst unwahrscheinlich,
daß sich vor der Bildung der Klusen in den geschlossenen Mulden Seen angesammelt
hätten, die über die niedrigsten Punkte der Umwallung überflossen. Rekonstruiert man
die Gewölbe über den heutigen Klusen, so stellen die Scheitelpunkte keineswegs die tiefst-
gelegenen Auswege dar. Am auffallendsten ist dies bei der Klus von Court. Der tiefste
Punkt der Muldenumwallung ist heute die 1019 m hohe Talwasserscheide gegen die Rauß;
hingegen steigen die Gehänge unmittelbar über der Klus, außerhalb des Bereichs von Untergrabung und Abbruch am linken Ufer auf 1039 m, am rechten sofort auf über 1000 m
empor. Die Gewölbeschar des Raimeux, die die Birs unterhalb Moutier durchbricht, steigt
bis 1300 m an; die steilen Wände oberhalb der Klusen erreichen am rechten Ufer über
900 m und dabei ist gewiß schon ein namhafter Betrag durch nachträgliche Abbrüche verschwunden. Nach N aber führt eine Talwasserscheide in nur 800 m Höhe nach der Mulde

---

[1]) Heim, Mechanismus der Gebirgsbildung, I, S. 313, Anm.

von Seehof. Und auch im Verlauf der Antiklinalachsen des Raimeux und Graitery gibt es gegen W zu tiefere Punkte als die rekonstruiert gedachten Scheitelpunkte über den Klusen. Die Birs hätte also eine Reihe bequemerer Auswege zur Verfügung gehabt als es die heutigen Klusen sind. Etwas anders liegen die Verhältnisse im Delsberger Becken, das man als ein nachträchlich aufgeschlossenes Polje zu deuten geneigt sein könnte. Die Entwässerungslinien laufen zentripetal nach dem niedrigsten Punkte, dem Austritt der Birs bei Vorburg, zusammen; nichts deutet auf ein ehemaliges Seebecken, denn die ganz flachen Partien des Beckens sind eine Folge der Zuschüttung durch Niederterrassen- und jüngere Schotter. Daß die Birs das Becken gerade in seiner Mitte auf dem kürzesten Wege quert, spricht dafür, daß seine tektonische Anlage jünger ist als der Fluß.

Wir hätten ferner zu prüfen, ob nicht die Birsklusen Wirkungen rückwärtsschreitender Erosion sein könnten, oder schließlich, ob nicht in gewissen Teilen des Birslaufs antezedente Flußstücke vorliegen. Die letztere Ansicht wurde vertreten von W. Foerste[1]): Verwerfungen und Spalten sind in den durch die Klusen aufgeschlossenen Schichtkomplexen, von lokalen, tektonischen Unregelmäßigkeiten abgesehen, nicht nachweisbar; gegen die Auffassung von Überflußdurchbrüchen spricht das Vorhandensein von niedrigeren Stellen in der Umwallung, als es die Orte der heutigen Klusen sind; gegen einfache Rückwärtserosion von Flankentälern namentlich die Anordnung der Klusen in zum Streichen der Falten senkrechten Zügen. Man müßte dann annehmen, daß die Angriffspunkte der Erosion stets so gewählt wurden, daß die Durchsägung von mehreren hintereinander gestellten Gewölben in einer Reihe zustande kam. Es bleibt daher für Foerste nur die Erklärung durch Antezedenz: Die Klusenflüsse des Berner Jura sind Reste der einstmaligen südlich gerichteten Entwässerung des Jura, die sich im Verlauf der Faltung ihren Weg durch die aufsteigenden Gewölbe bewahrten. Dieser Anschauung ist im Prinzip auch Rollier beigetreten[2]), und schließlich hat Brückner schon 1897 die Durchbrüche der Birs als antezedent aufgefaßt[3]).

Gegen die Anwendbarkeit dieser Theorie auf die Birsklusen wendet sich Jenny[4]); nach ihm spricht vor allem der Umstand dagegen, daß die Birsdurchbrüche stets senkrecht zum Streichen der Ketten gerichtet sind; es müßte bei antezedenten Flüssen die zum Streichen schräge Richtung mindestens ebenso häufig sein; ferner die Tatsache, daß der Fluß an mehreren Stellen innerhalb der Klusen seinen Lauf ändere, was unmöglich wäre, wenn die Birs ihn ohne Rücksicht auf die Struktur der Ketten gewählt hätte. Beide Einwände schließen sich aber eigentlich gegenseitig aus; denn wenn der Fluß im Durchbruchstal seine Laufrichtung ändert, so fließt er eben nicht mehr durchaus senkrecht zum Streichen, und es ist für das Wesen der Sache gewiß gleichgiltig, ob der Fluß schräg zum Streichen oder in Windungen hindurchbricht. Jennys Einwände scheinen auf einer irrtümlichen Auffassung der Antezedenztheorie zu beruhen. Diese will keineswegs sagen, daß der antezedente Fluß unbedingt persistent gewesen sei und durch die Faltung keinerlei Änderungen seiner ursprünglichen Lage erfahren habe, sondern setzt geradezu voraus, daß der Fluß sich den besonderen strukturellen und petrographischen Verhältnissen des von ihm durchsägten Gebirges während seines Einschneidens in die aufsteigenden Schollen oder Falten angepaßt hat[5]). In diesem Sinne verstehen wir auch die Entstehung der Birsklusen durch

---

[1]) The Drainage of the Bernese Jura (Proc. Boston soc. nat. hist. XXV, 1892, S. 392).

[2]) 1. supplém. etc., S. 248.

[3]) Die feste Erdrinde und ihre Formen (Allgem. Erdkunde, II. Teil, Wien 1897, S. 320).

[4]) Das Birstal, Ein Beitrag zur Kenntnis der Talbildung im Faltengebirge (Basel, Schwabe, 1897).

[5]) Vgl. u. a. die Bemerkungen von W. M. Davis in »The rivers and valleys of Pennsylvania (Nat. Geogr. Mag. 1889, I, Nr. 3«) und »A supplementary note on the Drainage of the Pennsylvania Appalachians« (Proc. Boston soc. nat. hist. XXV, 1892), welch letztere Jenny selbst zitiert, aber gegen die Antezedenztheorie ins Feld führt.

einen antezedenten Fluß, und in dieser Hinsicht sind die detaillierten Studien über tektonische Unregelmäßigkeiten sehr wertvoll, die Jenny in den Birsklusen angestellt hat.

　　In der Klus von Court beobachtete Jenny auf der linken Talseite eine Verwerfung mit nachträglicher Überschiebung im Argovian, ähnliches, nämlich Bruch und doppelte Lagerung am rechten Gehänge; er schließt daraus, daß die Klus von Court nicht dem Zufall ihre Lage verdanke, sondern auf rückwärtige Erosion zurückzuführen sei, die an Punkte tektonischer Störungen angeknüpft habe; diese hätten dem Wasser Angriffspunkte genug geliefert, indem sie sich durch »Risse« oberflächlich geltend gemacht. Ganz die gleiche Argumentation verwendet Jenny auf die Birsstrecke Moutier—Delsberg. Wieder sind es sekundäre Falten, tektonisch schwache Stellen, z. B. im Gewölbekern der Raimeuxkette, wodurch kleine Spalten, Zerreißungen und Berstungen entstanden sein sollen und der Erosion der Weg gewiesen worden sei. Das gleiche gilt nach Jenny auch von der Klus von Vorburg durch die Rangierkette, die aber in ihrer ganzen Erstreckung starke Lagerungsstörungen erfahren hat; östlich der Birs ist sie nach N überschoben, westlich derselben nach S überkippt[1]), an der Stelle der Klus sollen bedeutende Zerreißungen dem Wasser den Weg vorgezeigt haben.

　　Mit dieser Auffassung der Talbildung stünden wir eigentlich wieder auf dem Boden der alten Spaltenhypothese. Geeignete Angriffspunkte bieten sich der Erosion nur dort, wo sie weniger widerstandsfähige Horizonte antrifft, und solches kann allerdings auch durch sekundäre Dislokationen zustande kommen, ohne daß dabei sich Spalten und Risse bilden. Auch der Umstand, daß die Birs nicht die ganze Graiterykette durchbrochen hat, sondern ihr Tal unmittelbar vor dem Austritt in die Mulde von Moutier in ein isoklinales sich verwandelt, daß ferner die Birs im untersten Teile der Klus von Vorburg ein Oxfordtälchen benützt, spricht nicht gegen Antezedenz, sondern beweist nur die Anpassung des Flusses an die Gesteinsbeschaffenheit. Gleichsam tastend hat der Fluß seinen Weg durch die aufsteigenden Gewölbe gefunden, stets die Punkte geringsten Widerstandes wählend, in einem lang andauernden Erosionsprozeß, dessen einzelne Stadien wir freilich nicht mehr rekonstruieren können.

　　Die Annahme rückwärtiger Erosion für die Entstehung der Birsklusen vermag, wie Foerste betont hat, ihre eigentümliche Anordnung nicht zu erklären; gegen sie spricht aber auch der Umstand, daß in den Klusen in keiner Richtung eine einseitige schluchtartige Verengung zu erkennen ist, wie es bei einem allmählichen Rückschreiten der Talbildung zu erwarten sein müßte. Nur die zentralen Teile der Klusen sind zirkusartig erweitert, Ein- und Ausgang gleich eng, das Gefälle ausgeglichen und mäßig. Zwischen Court und Soyhières beträgt es auf einem Wege von ca 18 km kaum 260 m, d. i. $\frac{14}{1000}$. Wir betrachten also die fünf Birsklusen dieser Strecke als Werke eines antezedenten Flusses, der sich den vorgefundenen, oder im Entstehen begriffenen tektonischen Verhältnissen und der Gesteinsbeschaffenheit der Ketten in hohem Maße angepaßt hat[2]).

2. Das Birstal unterhalb Soyhières.

　　Zwischen Soyhières und Grellingen fließt die Birs im großen und ganzen schräg zum Schichtstreichen. Zwischen Bois de Treuil und Nieder-Riederwald durchfließt sie zwei durch ein kurzes Quertalstück verbundene Oxfordtälchen, ist also dem Gesteinscharakter

---

[1]) Vgl. Jenny, Überschiebungen im Berner- und Solothurner Faltenjura (Verh. nat. Ges. Basel, IX, S. 3).

[2]) Es ist nicht unmöglich, daß die von Jenny geschilderten tektonischen Unregelmäßigkeiten teilweise aus jener zweiten Dislokationsperiode des Jura stammen, die wir in dem von Brückner verlangten Ausmaß anzunehmen uns nicht entschließen konnten, die aber sehr wohl gewisse Veränderungen im Birslauf und weitere Anpassungsvorgänge begünstigt haben kann.

angepaßt; es folgt abermals ein kurzer Durchbruch, und zwischen Liesberg und Station—
Bärschwyl ist sie ein einfacher Muldenfluß in nicht tief erodiertem Bette; dann folgt ihr
Durchbruch durch das untertauchende Ostende der Buebergkette, worauf sie in das Becken
von Laufen tritt. Auffallend ist dabei der gleichbleibende Talcharakter. Das Tal ist breit
und offen, aus Schottern aufgebaute Talauen stellen sich im Bueberg-Durchbruch und im
Oxfordtal der Movelierkette ein. Das weist auf eine recht alte und weit vorgeschrittene
Erosionstätigkeit hin, wobei wir nicht zu entscheiden vermögen, ob die Verknüpfung der
einzelnen, in verschiedenem Verhältnis zur Struktur stehenden Stücke zu einem Flußlauf
durch rückwärtige Erosion erfolgte, oder ob wir es nicht vielmehr auch hier mit sehr weit
zurückreichenden Anpassungsvorgängen eines antezedenten Flusses zu tun haben. Gleiches
gilt auch von der Lützel, die nicht mehr, wie offenbar früher, der tektonischen Tiefenlinie
folgt, sondern in den Nordschenkel der Buebergkette ihr Bett verlegt hat, und von der
Birs unterhalb Laufen, wo sie nicht in der Achse des Beckens, sondern im Südschenkel
der Blauenkette, unbeeinflußt durch tektonische Störungen fließt. Für den Durchbruch von
Grellingen bringt Jenny (a. a. O. S. 28) tektonische Unregelmäßigkeiten vor. Wichtiger
scheint es zu sein, daß hier die Umbiegung der Blauenkette gegen N stattfindet. Wir befinden uns aber hier bereits in großer Nähe des Rheintals und in jenem Teile des Gebirges,
der durch nachträgliche Krustenbewegungen weitgehende Veränderungen seines Entwässe-
rungssystems erfahren hat, die wir an späterer Stelle zu würdigen haben werden.

3. Die Klusen der Birszuflüsse.

Die beiden Klusen der Sorne zwischen Sornetan und Berlincourt liegen in auffälliger
Weise gleich denen der Birs in einer Reihe, weichen aber morphologisch recht sehr voneinander ab. Die untere hat einen engen Ein- und Ausgang und erweitert sich in der
Mitte zu einem elliptischen Zirkus, dessen ebenen Boden die an Liasmergel geknüpften
»Grands champs« bilden. Die Vorgänge des Abbruchs und der Verwitterung sind an
mächtigen Schutthalden namentlich am linken Ufer deutlich erkennbar. Ganz anders die
obere Klus. Bedeutend enger und wilder, hat sie keine auffallende Erweiterung; das Gefälle des Flusses nimmt nach oben rasch zu. Während es in der unteren Klus nur 40 m
beträgt, sinkt der Fluß in seinem Laufe durch die obere Klus auf ungefähr gleich langem
Wege um mehr als 200 m, und nahe dem oberen Ende bei Les Pichoux nimmt das Tal
den Charakter einer engen Schlucht an. Alles das spricht für sehr jugendliche Erosionsvorgänge, und das in einer den zu einer Rumpffläche abgetragenen Freibergen benachbarten
Gegend, die noch nachträgliche Dislokationen erfahren hat. Die beiden Klusen sind in
ihrer Anlage offenbar verschiedenen Alters. Nachdem die untere Klus, ehemals eines der
vielen Flankentäler, die den Nordabhang der Velleratkette zergliedern, schon gebildet war,
scheint eine Neubelebung der Erosion durch Krustenbewegungen erfolgt zu sein, die den
Fluß veranlaßte, sich in gleicher Richtung weiter nach rückwärts einzufressen, bis die
Mulde von Sornetan erreicht war. Die beiden Mulden von Undervelier und Sornetan
wurden wohl niemals direkt zur Birs hin entwässert; denn auf ihren Talwasserscheiden
finden wir keine deutlichen Erosionsformen; ihre Anzapfung durch den Quertalfluß bedeutet
also keine Ablenkung eines Längstalflusses, sondern sie hatten eine ursprüngliche geschlossene Anlage, waren Muldenwannen, bis sie durch die rückwärtige Erosion eines und
desselben Flusses in zwei zeitlich auseinander liegenden Perioden regerer Erosion aufgeschlossen wurden.

Die Klus der Rauß zwischen Gänsbrunnen und Crémine gehört demselben Typus an
wie die obere Sorneklus mit ihrem nach oben sich verengenden Talboden und dem rasch
zunehmenden Gefälle. Auch hier liegt offenbar ein Resultat der rückwärtigen Erosion vor,

wobei es auch zur teilweisen Ablenkung eines Muldenflusses gekommen ist. Zwischen den Quellen der Rauß und denen der Dünnern liegt bei Gänsbrunnen eine niedrige Bodenschwelle in 773 m Höhe, nur 30 m über dem Eingang der Klus; die Erosionsformen gehen durch das ganze Tal hindurch, und die Ablenkung war hier um so leichter, als der Längstalfluß in seinem Quellgebiet angetroffen wurde. So wurde der Dünnern nur ihr oberstes Stück bis zur Talwasserscheide gegen die Mulde von Court entzogen[1]).

Ein analoger Vorgang scheint sich in derselben Mulde etwas weiter unterhalb vollzogen zu haben. Die Klus der Gabiare zwischen den Mulden von Soltersschwand und Vermes, wohl die längste im Berner Jura, ist ein vorwiegend enges, nur in der Mitte bei Envelier im Keuper etwas erweitertes Tal mit starkem, nach aufwärts rasch steigendem Gefälle. Dies spricht dafür, daß hier der Muldenfluß einst direkt über Crémine, wo heute die Talwasserscheide bei »In der Bächle« nur 70 m über der Umbiegungsstelle der Gabiare nach N liegt, zur Birs floß, aber seit der Vollendung der Klus nach N abgelenkt wurde. Auffallend ist die Lage der unteren, sog. Tiergartenklus zwischen Vermes und dem Delsberger Becken. Vom Ostende der Mulde von Vermes führt eine Tiefenlinie, durch Tertiärschichten gekennzeichnet, um das untertauchende Ostende der Velleratkette nach Mervelier am Ostrand des Delsberger Beckens. Vermes und Mervelier liegen 550 m hoch, dazwischen steigt die Tiefenlinie auf 683 m an, während die Velleratkette über der Klusenmitte 755 m erreicht. Bei diesen Höhenverhältnissen ist wohl ein Überflußdurchbruch ausgeschlossen, aber auch die Annahme, daß die Gabiare einst diese Tiefenlinie benutzt habe, um in das Delsberger Becken zu gelangen; dazu kommt das Fehlen einer deutlichen Talform in diesem welligen, von Tertiärhügeln gebildeten Gelände. Am wahrscheinlichsten ist auch hier die Entstehung der Klus durch rückwärtige Erosion, wobei sie ihrem ganzen Habitus nach älter ist als die von Envelier. Die Mulde von Vermes war wahrscheinlich vorher abflußlos, wie auch heute noch das Stück zwischen dem Gabiareknie und Rebeuvelier ohne Fluß ist. Den von der Gabiare bereits erreichten Zustand finden wir schon nahe der Vollendung in einem Flankental, das unmittelbar westlich der Tiergartenklus die Velleratkette durchsetzt und nur wenige 100 m von der Muldenmitte zwischen Vermes und Rebeuvelier entfernt ist.

Die Klusen der Birszuflüsse erscheinen uns also durchweg als Werke der subsequenten Erosion, entstanden nach dem definitiven Aufbau der von ihnen durchbrochenen Ketten. Die Verhältnisse, die für die Birsklusen selbst die Antezedenz des Flusses nahe legen, konnten wir in den untergeordneten Durchbruchstälern nicht wieder finden.

II. Die Flüsse der östlichsten Juraketten.

Während die Birs die Entwässerung des größten Teiles des Berner Jura zum Rhein besorgt, richtet sich die der innersten Juraketten nach der den Juraabfall begleitenden Tiefenlinie, die durch die Neuenburger Seengruppe und das Aaretal hervorgehoben wird. Seit ihrer primären Anlegung nach dem definitiven Aufbau der Juraketten und nach Ablagerung des Deckenschotters erfuhr diese Tiefenlinie eine Ausgestaltung durch die folgenden Vergletscherungen. Das ganze Schweizer Alpenvorland kann als ein kolossales Zungenbecken der hier zusammenfließenden alpinen Eisströme angesehen werden, das durch diese eine beträchtliche Übertiefung erfuhr. Am stärksten äußerte sich diese im Zungengebiet des größten dieser Gletscher, des östlichen Armes des Rhônegletschers, der auch in der letzten Vergletscherung am Jurarand entlang bis zum Moränenamphitheater von Wangen reichte, an den Juraketten sich aufstaute und daher gerade hier eine stattliche Erosions-

[1]) So auch Jenny, a. a. O. S. 28.

leistung vollbringen konnte. Der Betrag dieser Übertiefung ergibt sich aus der Höhe der präglazialen Landoberfläche des Alpenvorlandes am Jurafuß und aus den Resten höherer Talböden innerhalb der ersten Juraketten zu ungefähr 400 m. Diese Ausgestaltung der den Jurafuß begleitenden Tiefenlinie wurde auch bedeutungsvoll für die ihr zuströmenden Flüsse der östlichsten Juraketten, Nozon, Orbe, Arnon, Areuse, Seyon, Twannbach, Schüß und Dünnern. Sie alle zeichnen sich durch eine auffällige Übereinstimmung ihres Talcharakters aus; im Oberlauf entwässern sie als echte Folgeflüsse ziemlich hoch gelegene Muldentäler, um dann, sobald sich die tektonische Mulde im Gebirge auskeilt, mehr oder weniger scharf umzubiegen und in enger Schlucht und mit lebhaftem Gefälle die noch vorgelagerten Ketten zu durchbrechen [1]).

Der Nozon durchfließt zunächst den durch eine Talenge bei der Mühle »La Quielle« in zwei Weitungen geteilten Talkessel von Vaulion; bei dem Weiler La Galaz verengt sich das Tal abermals, unweit Premier verläßt der Fluß, nun in tiefer Schlucht fließend, die Mulde und wendet sich in flachem Bogen nach SO in die Kreidehügellandschaft von Romainmotier. Das Becken von Vaulion war wohl ursprünglich ein geschlossenes Muldenpolje, das durch rückwärtige Erosion eines Flankentals schon in recht früher Zeit aufgeschlossen wurde. Man erkennt Reste eines alten Talbodens oberhalb der ersten Talenge in 960—980 m, dann weiter abwärts am rechten Ufer in der Terrasse von Les Jorats in 970—990 m, bei La Sagne in 960 m; am linken Ufer bei Suchard in rund 1000 m, oberhalb Nidau in 920—950 m Höhe, stets ca 80—100 m über dem Flusse. Jünger als diese Reste eines präglazialen Talbodens sind die Glazialspuren, von denen bereits die Rede war. Die Übertiefung des Jurarandes aber erzeugte die Beschleunigung des Gefälles im unteren Stück des Nozonlaufs und die stufenförmige Mündung in engem Tale.

Ähnlich liegen die Verhältnisse im Orbetal. Von der Quelle bis zum Jurarand bei Les Clées fließt die Orbe in einem Muldental, allerdings öfters von der Muldenachse abweichend; morphologisch aber zerfällt ihr Tal in zwei sehr verschiedene Abschnitte. Bis zur Mündung des Jougnenaz, der ihr von N aus enger Schlucht zuströmt, durchfließt die Orbe das flache Becken von Vallorbe und sinkt dabei nur von 770 auf 740 m; etwa 2 km oberhalb der Jougnenazmündung beginnt sie tief einzuschneiden, so daß die Eisenbahnbrücke bei Le Day bereits 50 m über dem Flußspiegel liegt, und von nun an ist das Orbetal eine wilde, mehr als 120 m tiefe Schlucht; (Fig. 10) dies währt bis zum Austritt aus der Mulde bei Les Clées, worauf die Orbe ähnlich dem Nozon

Fig. 10. Szene aus der Orbeschlucht unterhalb Ballaigues.

in flachem Bogen durch Kreideschichten sich nach O zum Alpenvorland wendet. Der ebene Talboden von Vallorbe aber setzt sich in mehreren Terrassen und Gehängestufen zu beiden Seiten der Schlucht fort; am rechten Ufer, benützt von Straße und Eisenbahn, bei Poimboeuf in 850—900 m, bei Le Rosay in 800—880 m, am linken Ufer in dem Winkel oberhalb der Jougnenazmündung in 850—900 m und ebenso hoch südlich von Ballaigues [2]). Etwa 80 bis

[1]) Brückner (Eiszeitalter, S. 567) hat seither die Übertiefungserscheinungen am Jurarand näher geschildert.
[2]) Brückner erwähnt (Alpen im Eiszeitalter S. 478) Reste alter Talböden bei Vallorbe in ca 1000 m; da keine höheren als die hier beschriebenen vorkommen, sind wohl diese Reste mit der oberen Terrasse identisch.

100 m tiefer ist eine zweite Terrasse erkennbar: am rechten Ufer des Jougnenaz liegt sie in 790—820 m, hier gebildet von Glazialschottern, südlich von Ballaigues in 730--760 m und senkt sich von hier zum Quartärplateau des Vorlandes herab. Am rechten Ufer erreicht sie 780—800 m, bildet dann die obere Kante der Orbeschlucht, verschwindet ein Stück weit und senkt sich bei Les Clées bis auf 650 m herab.

Beide Terrassen sind vom Schichtbau unabhängig, auch die obere keineswegs nur an Kreideschichten gebunden, wenn sie auch an manchen Stellen mit deren Auftreten zusammenfällt. Das Becken von Vallorbe ist also ein in der Erosion zurückgebliebenes Talstück; die tektonische Mulde erfuhr seit ihrem Aufbau eine nur unbedeutende Vertiefung; die Merkmale jugendlicher Talbildung aber gehen von der unteren Orbe am Jougnenaz aufwärts.

Zur Zeit der Maximalvergletscherung drang der alpine Eisstrom in großer Breite hier zwischen Mont Tendre und dem Chasseron in den Jura; im Tal von Vallorbe lag die erratische Grenze hoch über 1000 m; zahlreiche, auf den Wiesen zerstreute alpine Blöcke dieser Eiszeit liegen auf der oberen Terrasse, diese ist also älter als die Rißvergletscherung. In der letzten Eiszeit drang der Rhônegletscher nicht so weit vor; das Becken von Vallorbe erfüllte ein Juragletscher, dessen Moränen an vielen Stellen bis zu 870 m aufgeschlossen sind. Jungglazial sind auch die Deltaschotter, die die Terrasse bei Les Jurats bilden, und die Gletscherrandbildung am Saut-du-Day (von der an anderer Stelle die Rede war); älter aber ist die Orbeschlucht, in der die alpine Jungmoräne eingelagert ist.

Der Gang der Ereignisse im Orbetal war also ungefähr der folgende: Die geschlossen angelegte Mulde von Vallorbe-Ballaigues wurde schon frühzeitig durch den Fluß eines Flankentals vom Vorland her aufgeschlossen; jedenfalls floß ein Fluß schon vor der Rißvergletscherung ungefähr in der Richtung der heutigen Orbe, wie die oberen Terrassen beweisen, die sich zur präglazialen Rumpffläche des Vorlandes senken. Nach der Rißeiszeit wurde die Orbe durch Übertiefung des Jurarandes zum verstärkten Einschneiden gezwungen, es entstand das tief eingerissene Stück des Jougnenaztals und die Orbeschlucht, in der das Gefälle von der Jougnenazmündung bis Les Clées $\frac{112}{1000}$ beträgt. Doch scheinen die starken Gefällsknickungen, so namentlich der 20 m hohe Saut-du-Day, noch jugendlicherer Entstehung und wahrscheinlich Folge einer Zuschüttung eines Teiles des früheren Orbelaufs durch die jüngsten Moränen zu sein, wodurch der Fluß, der sein altes Bett nicht mehr fand, gezwungen wurde, sich ein neues zu schaffen. Doch ist die Erosionsleistung der Orbe in postglazialer Zeit keine bedeutende, da die Jungmoränen fast bis auf den Boden der Schlucht herabreichen. Diese ist also im wesentlichen interglazial. Während des letzten Gletscherrückzugs entstand im Becken von Vallorbe und im oberen Jougnenazgebiet ein Stausee, der durch die mehrfach erwähnten Schotter teilweise zugeschüttet wurde. Auffallend ist die große Breite dieses Teiles des Jougnenaztals, die zu dem kleinen Flusse in keinem Verhältnis steht. Möglicherweise haben auch die Gletscher, die sich hier anstauen mußten, bevor sie die Höhe des Col de Jougne erstiegen, zu der Verbreiterung des Tales beigetragen.

Nördlich der Orbe sind es zunächst nur kurze Bäche, die mit starkem Gefälle aus den östlichsten Juraketten ins Vorland hinaustreten. Der Bach von Baulmes kommt aus einem bis zum unteren Dogger eingerissenen Antiklinaltal zwischen Mont Suchet und Aiguille de Baulmes; in dem kurzen Quertalstück sinkt er um ca 180 m. Nördlich der Aiguille de Baulmes liegt das ca 1000 m hohe Muldenbecken von St. Croix, das durch den Bach von Covatannaz, den Oberlauf des Arnon, zum Neuenburger See entwässert wird. Mühsam windet sich die Straße von Vuiteboeuf (600 m) nach St. Croix hinauf, während der Bach in unwegsamer Schlucht, senkrecht zum Streichen, 300 m tief herabstürzt. Auch der Seyon durchströmt im Oberlauf ein breites, von Quartär erfülltes Becken, das Val de

Ruz, um dann in enger Klus die Kette des Chaumont zu durchbrechen; der Twannbach kommt aus dem Muldenbecken von Diesse, durchbricht die Seekette von Macolin und stürzt in den Bieler See. In allen diesen Fällen, den Bach von Baulmes ausgenommen, der sich seinen Oberlauf im Kern einer Antiklinale einrichtete, haben wir es mit Flankenrissen zu tun, die durch rückwärtige Erosion die hochgelegenen Muldenbecken dahinter wohl schon während der Auffaltung erschlossen, die aber ihr stürmisches Gefälle der durch die Übertiefung der Randfurche erfolgten Tieferlegung der Erosionsbasis verdanken.

Ein ausgedehnteres Gebiet entwässert die Areuse. Als starke Quelle aus dem Zirkus von St. Sulpice kommend, betritt sie bei Fleurier (740 m) das fruchtbare Muldental des Val de Travers, dem fast die Hälfte ihres Laufes angehört. Der Beginn der Mulde aber liegt viel weiter westlich auf dem Plateau von Fourgs in ca 1050 m, ihr mittleres Stück ist die »Côte aux Fées«; einen kurzen Abschnitt durchfließt die Noiraigue, die bei Fleurier die Areuse erreicht. Ihre Quellen liegen auf dem Kreideplateau von Auberson; dessen rasch sich verengender Mulde folgt sie bis Noirvaux, um dann in einem höchst wilden Felstal von über 4 km Länge, wobei sie von 980 auf 790 m sinkt, in die Mulde von Buttes-Fleurier überzutreten. Dabei fließt sie in der Sattelregion des die beiden Mulden trennenden Gewölbes, schräg zu dessen Streichen. Wir haben es hier offenbar mit einer recht jugendlichen Talbildung zu tun, wie sie auch an den Seitenbächen der Noiraigue, namentlich dem Erhelier, erkennbar ist, der aus der Côte aux Fées in enger Klamm zur Noiraigue herabstürzt.

Der Boden des Val de Travers ist breit und eben, der Fluß fällt hier nur um 20 m bis zur Lokalität Le Vanel, wo er plötzlich die Mulde verläßt und scharf nach N umbiegt. Die ebene Sohle aber bleibt auch dem weiteren Talstück bis unterhalb Noiraigue erhalten, in dem der Fluß zuerst senkrecht zum Streichen nach N, dann bis Fureil in einem Antiklinaltal in der Kette des Solmont fließt. Nunmehr beginnt der schluchtartige Talcharakter, die berühmten »Gorges de l'Areuse«; zuerst liegt bis unterhalb des Saut de Brot eine Art Halbklus im Südschenkel des Gewölbes vor, dann kehrt der Fluß bis »Combe Garot« wieder in die Mulde von Travers zurück und schließlich durchbricht er in einer echten Klus die ihn vom Neuenburger See trennenden Ketten.

Zwei Erscheinungen machen den Lauf der Areuse so wechselvoll: einmal der Gegensatz zwischen der breiten Talsohle bis Noiraigue und der wilden Klamm zwischen Noiraigue und der Mündung, ferner aber der merkwürdige Austritt aus der tektonischen Furche bei Le Vanel und der Wiedereintritt oberhalb Champ-du-Moulin. Dieses muß schon in verhältnismäßig früher Zeit geschehen sein, weil sich der obere Talcharakter auch noch im Antiklinaltal von Noiraigue findet. Hochgelegene Reste eines alten Talbodens deuten aber an, daß die Areuse einst, wahrscheinlich noch in präglazialer Zeit, stets der gleichen Mulde gefolgt ist [1]; solche Reste finden sich namentlich am rechten Ufer bei Les Coeuiffiers und Les Oeuillons in 1000—1020 m und ungefähr gleich hoch am linken Ufer bei »vers chez Chopard«. Gleich denen des Orbetals senken sich diese Terrassen zum Vorland und scheinen in dessen präglaziale Rumpffläche überzugehen [2]. Schardt und Dubois haben gezeigt, daß dort, wo die Areuse oberhalb Noiraigue das Antiklinaltal betritt, ein Untertauchen der Antiklinalachse vorliegt, während dort, wo die Areuse in die Mulde zurückkehrt, eine Senkung der Muldenachse erfolgt [3]. Sicherlich haben diese tektonischen Verhältnisse begünstigend gewirkt, doch trat die heutige Entwässerung erst ein, nachdem die Erosion bereits recht lange gewirkt hatte. Wir stellen uns vor, daß an den zwei durch

---

[1] So auch Du Pasquier, Le Glaciaire du Val de Travers (Bull. soc. neuch., XXII, 1893, S. 5).
[2] Diese Terrassen erwähnt auch kurz Brückner (Eiszeitalter, S. 478).
[3] Géologie des gorges de l'Areuse (Ecl. VII, Nr. 5, 1903, S. 453).

die Struktur begünstigten Stellen zwei Flankentäler sich tief einschnitten, bis sie in den Kern des Gewölbes gelangten; daß dann an sie sich Antiklinaltäler anknüpften, die in den weichen Schichten (Argovian- und Oxfordmergel) rasch erodiert wurden und das Übergewicht über die Folgeentwässerung des Haupttals davontrugen. Schließlich wurde der Hauptfluß in die jüngere Tiefenlinie gezogen und diese seither stark vertieft, während der frühere Talboden in hochgelegenen Gehängeleisten, etwa 280 m über der heutigen Talsohle, erhalten blieb.

Der Talcharakter unterhalb Noiraigue aber ist mit und nach der letzten Eiszeit entstanden. Vor dieser dürfte das Gefälle von Noiraigue bis zum See ein ziemlich gleichmäßiges gewesen sein; das heutige starke Gefälle ist nun vorwiegend eine Folge der Übertiefung der randlichen Tiefenlinie, teilweise aber auch auf lokale Störungen zurückzuführen. Die Störung beim Saut de Brot hängt zusammen mit der enormen Bergsturzmoräne, die aus dem Creux du Van herauskam[1]). Ehemals floß die Areuse näher dem Creux, dessen Wände sie untergrub; durch die Schuttmasse wurde sie zur Seite nach N geworfen und mußte sich ein neues Bett schaffen, teilweise durch einen Vorsprung in Jurakalk, so daß hier der Saut de Brot entstand, teilweise durch den Schuttkegel selbst; dadurch geriet dieser aufs neue in Bewegung, und durch ihn und wohl auch durch die darunter liegende alpine Moräne wurde das Val de Travers vorübergehend bis zu einer Höhe von ca 800 m zu einem See aufgestaut. Schotter haben ihn teilweise ausgefüllt, wie sie u. a. südlich von Buttes oder in großer Mächtigkeit am Ausgang des Quertals des Sucre bei Couvet, stets mit Deltaschichtung, aufgeschlossen sind; hier lassen drei übereinander liegende Terrassen drei Stadien der Spiegelhöhe erkennen. Den Talboden aber erfüllt eine feinsandige bis lehmige Seeablagerung von großer Mächtigkeit, die auf eine beträchtliche Dauer der Existenz des Sees schließen läßt; nach den darin enthaltenen Süßwasserconchylien war der See vorwiegend postglazial, und als er verschwand, floß die Areuse beim Saut de Brot schon ungefähr im heutigen Niveau. Eine zweite Verlegung erfuhr die Areuse zwischen Champ-du-Moulin und La Verrière durch einen postglazialen Bergsturz von N her, der sie nach SO in die Achse der Synklinale drängte, während sie früher den Felsen von Cuchemanteau umfloß und ihr Tal infolge des tieferen Einschneidens in die nach NW überliegende Mulde auf dieser ganzen Strecke bereits zu einem isoklinalen geworden ist. Auch dieser Bergsturz erzeugte eine vorübergehende Aufstauung zu einem See; dessen Boden stellt die 2 km lange Alluvialebene von Champ-du-Moulin dar, in der über Blättertonen eine sandige Ablagerung mit Blättern und Schnecken liegt, die das postglaziale Alter dieser Erscheinungen beweist.

Der Dünnernbach durchfließt als echter Folgefluß die breite Mulde von Gänsbrunnen; wo sich diese auszukeilen beginnt, tritt er in einem flachen Bogen an die Weißensteinkette heran und durchbricht sie in der Önsingerklus, die sich torähnlich zum Aaretal öffnet. Vor seiner Umbiegung nach S nimmt der Dünnernbach unterhalb Balstal den Augstbach auf, während einer seiner Quellflüsse, der Ramiswylbach, die Mulde des Guldentals entwässert und hierauf die Kette des Graitery-Stierenbergs in der engen Klus von Mümliswyl durchbricht. Sie ist gegen die von Önsingen um etwa 1½ km nach O verschoben und in der Mitte durch Bergstürze namhaft erweitert, durch deren Ablagerungsgebiet der Bach sich hindurchwindet. Die Entstehung der beiden Klusen hängt mit den abnormalen Lagerungsverhältnissen der beiden Ketten zusammen, die zwar schon längst (von Mühlberg, E. Greppin u. a.) untersucht und gedeutet worden sind, aber erst kürzlich durch Steinmann eine, wie es scheint, ausreichende Erklärung gefunden haben[2]). Während frühere

---

[1]) Das folgende nach Du Pasquier, a. a. O. S. 22, und in Übereinstimmung mit ihm Schardt und Dubois, a. a. O. S. 443, 453—461.

[2]) Zur Tektonik des nordschweiz. Kettenjura (Zentralbl. für Mineralogie usw., 1902, Nr. 16, S. 481).

Autoren wie Mühlberg hier eine Überschiebung des Doggers über den Malm oder, wie Greppin, eine Faltenverwerfung zu sehen glaubten, erkannte Steinmann, daß im Bereich der beiden Klusen längs Querverwerfungen grabenartige Einbrüche mit einem Betrag von ca 200 m in den sonst normal gebauten Ketten vorliegen. Diese Verwerfungen lassen sich in zwei Systeme anordnen, von denen das eine NNO, das andere WSW streichende Brüche aufweist, und durch deren Aufeinandertreffen tiefe dreieckige Einbrüche entstanden. Dieselben sind im Anschluß an die Faltung erfolgt, denn die weichen Molasseschichten sind noch in den eingebrochenen Nordflügeln erhalten; die Bergsturzmassen der oberen Klus sind nichts anderes als abgesenkte und stark zerrüttete Teile des Gewölbescheitels. Die beiden Klusen sind also tektonisch angelegt, die Erosion folgt hier einer bei der Faltung entstandenen Tiefenlinie und hat nur unwesentlich zur Ausgestaltung der Quertäler beigetragen. Das Tal des Dünnernbachs mündet im Gegensatz zu den weiter südlich austretenden Juratälern gleichsohlig ins Aaretal; dies scheint damit zusammenzuhängen, daß wir uns hier bereits außerhalb des Bereichs der letzten Übertiefungsperiode, nämlich außerhalb der Endmoränen von Wangen befinden.

Eine andere Erklärung muß für die Klusen der Schüß (Suze) in den Ketten des Chasseral und von Macolin gesucht werden. Beide zeichnen sich durch das Auftreten sehr jugendlicher Erosionserscheinungen aus; besonders stürmisch wird das Gefälle in dem wildromantischen Taubenloch oberhalb Bötzingen. Die übliche Erklärung durch rückwärtige Erosion genügt hier nicht. Denn der heutige Fluß ist offenbar viel zu klein, um zwei tiefe Klusen hintereinander gebildet zu haben. Es liegt sichtlich das Werk eines größeren Flusses mit einem größeren Einzugsgebiet vor, als es die heutige Schüß besitzt. Dies und die Aneinanderreihung der beiden Klusen in einer Linie läßt vielmehr beide als Werke eines antezedenten Flusses ansehen, während die jugendlichen Erosionsformen abermals auf die durch Übertiefung des Aaretals hervorgerufene Beschleunigung des Gefälles im Seitental zurückzuführen sind [1]).

Gleichsam ein Verbindungsglied zwischen dem Birsgebiet und den nach O entwässerten Juraketten ist die merkwürdige Quertalfurche der »Pierre-Pertuis« zwischen Sonceboz und Tavannes, ein echtes »wind-gap« der Amerikaner. Am naheliegendsten wäre ihre Deutung als eines noch nicht völlig durchnagten Querriegels, der von den beiden Muldentälern angegriffen wird. Dagegen spricht aber der morphologische Charakter der ganzen Querlinie. Vom Talboden bei Tavannes (770 m) steigt der Boden gegen S sehr rasch an zum natürlichen Felsentor »Pierre Pertuis« (790 m), wo die Talform noch ansteigt und sodann noch bis zur Wasserscheide in 830 m. Von da an ist das Gefälle in einem ausgesprochenen Trockental zuerst unbedeutend, dann wieder recht beträchtlich bis Sonceboz (656 m), und nun setzt die Schüß die Quertallinie noch ca 1 km weit fort, indem sie einen Ausläufer des Montoz durchbricht, worauf sie auf ein kurzes Stück schräg zum Streichen sich gegen W wendet und in die Mulde von Péry tritt. Schon diese Gestaltung des Terrains macht die Annahme unwahrscheinlich, daß die Schüß einmal die Pierre-Pertuis nach dem Aufbau der Falten gegen N zur Birs durchflossen haben sollte [2]); denn der Boden der südlichen Mulde liegt 100 m tiefer als der der nördlichen und fast 200 m tiefer als die Wasserscheide. Ebenso ist es kaum möglich, daß ein kleiner Seitenbach den ganzen Einschnitt von S her ausgeführt haben soll. Die ganze Talform deutet vielmehr auf die Arbeit eines größeren Flusses hin, der von einer größeren Einzugsfläche sein Wasser erhielt, und das

[1]) Auch Foerste (The Drainage of the Bernese Jura, S. 414) hält die Schüß-Klusen für das Bett eines antezedenten Flusses; hingegen möchte er die starke Gefällsbeschleunigung durch eine jugendliche Krustenbewegung erklären, die der Fluß hier zu überwinden hatte.

[2]) So Rütimeyer, Tal- und Seebildung 84[1]. Die Schotter und Sande der Pierre-Pertuis mit Nordfallen der Schichten gehören einer vorübergehenden Phase der Eiszeit an (s. o.).

kann nur von N her geschehen sein; es fragt sich nur, warum an dieser Stelle der Fluß sein früheres Bett aufgeben mußte.

Das führt zur Frage nach der Entstehung der heutigen Abflußrichtung im Berner Jura überhaupt. Dessen Entwässerung muß so lange nach S gerichtet gewesen sein, als durch die Rheinfurche zwischen Waldshut und Basel der orographische Zusammenhang zwischen Schwarzwald und Schweizer Jura noch nicht aufgehoben war. Diese wichtige Tiefenlinie, die für einen großen Teil des Kettenjura eine neue Erosionsbasis schuf, entstand jedenfalls noch im Pliocän infolge von Einbrüchen, die als Begleiterscheinungen der Rheinbrüche zwischen Schwarzwald und Vogesen von Kandern nach O über Hausen nach Säckingen sich erstreckten und durch die das rheinabwärts gelegene Gebiet tief einsank [1]). In der Längsachse dieses Senkungsfeldes entstand eine neue Sammelader, die sich mit dem Abfluß des Schweizer Mittellandes verband und den alten Flüssen, die aus dem Schwarzwald durch den Tafeljura nach S flossen, ein Ende bereitete. Sie wurden zerlegt in die rechtsseitigen Schwarzwald- und die linksseitigen Juraflüsse; im Schwarzwald erhielten Wiese und Wehra ihre heutige Südwestrichtung, und ebenso richteten sich aus dem Tafeljura neue Flüsse nach der in Bildung begriffenen Tiefenlinie, durch welche seither der Tafeljura in zahlreiche Tafelstücke zerlegt wurde. Indem diese neuen Erosionsfurchen ihren Lauf nach S bis in das Bereich der Ketten verlängerten, wurde die Wasserscheide zwischen Aare und Rhein weit nach S gerückt, wo ihre Lage heute ungefähr stabil sein dürfte.

Durch die Entstehung des Rheintals in seiner heutigen Form erfolgte im Birstal eine Umkehrung des Gefälles, lange nach der Bildung der Klusen, während der antezedente Fluß, der einst von N durch die Pierre-Pertuis sich zur Schüß richtete, teilweise zerstört wurde. Es ist vielleicht nicht ausgeschlossen, daß die Senkung des Rheingrabens gleichzeitig mit der definitiven Hebung oder einer flachen Aufwölbung des gesamten Kettenjura erfolgte; sie wäre dann ein Seitenstück zu dem Absinken der Bresse und eine der letzten Äußerungen dislozierender Kräfte im Jura [2]).

Die Quertalfurche der Pierre-Pertuis dürfte in nicht allzu ferner Zukunft ihre Rolle als Wasserscheide verlieren. Der Fluß der Südseite muß allmählich wegen seines bedeutend kürzeren Laufes, trotzdem die lokale Erosionsbasis bei Basel (260 m) viel tiefer liegt als bei Biel (440 m), das Übergewicht erhalten und in das Birsgebiet erobernd eindringen, wodurch die Wasserscheide nach N gerückt würde.

III. Das Doubsgebiet.

|1. Beschreibung des Doubslaufs und seiner Zuflüsse.

Das Doubsgebiet liegt fast gänzlich im Bereich der jurassischen Plateaulandschaft. In der breiten Mulde von Rochejean und Mouthe befindet sich in 937 m Höhe eine »source vauclusienne«, die als Quelle des Doubs gilt. Von SO kommt dem jungen Fluß der Ruisseau du Bief zu, der wegen seines längeren Laufes bis zur Mündung in den Doubs als der Hauptquellfluß zu betrachten ist. Als spärlich fließendes Rinnsal fließt der Doubs in den jungen Bildungen des Muldentals sich schlängelnd bis unterhalb Rochejean; hier verläßt er plötzlich die tektonische Tiefenlinie, die bei Les Hôpitaux stumpf an der großen transversalen Störungslinie endet und von wo ihm der Rouge Bief zufließt, und tritt in 893 m Höhe, unter rechtem Winkel nach NW umbiegend, in das Malmgewölbe des Mont de

---

[1]) Vgl. u. a. Huene, Eine orographische Studie am Knie des Rheins (Hettners geographische Zeitschrift, VII, 1901, S. 140).

[2]) Foerste führt (S. 415) ausschließlich auf eine solche Verbiegung (warping) die Umkehrung der ehemaligen Entwässerungsrichtung zurück, ohne die Einsenkung des Rheintals zu berücksichtigen.

la Croix, das er in enger Klus mit einem Gefälle von nur 30 m durchmißt. Bei seinem Austritt wird er zunächst durch quartäre Schotter gehindert, unmittelbar in die breite Seenmulde von St. Point einzutreten; er fließt am Fuße von Kreidehügeln entlang, umzieht den See von Remoray und mündet nach der Aufnahme der Taverne, des Abflusses des genannten Sees, in den großen See von St. Point. Der See von Remoray bildet ein einziges 95 ha großes Becken mit 27,6 m größter Tiefe, der See von St. Point, 6,2 km lang, 0,8 km breit, zerfällt in acht einzelne Becken mit reicher Gliederung des Seebodens; sein Areal mißt 398 ha, die größte Tiefe 40,2 m [1]). Beide Seen, heute durch eine versumpfte Fläche von ca 2 km Länge getrennt, bildeten jedenfalls noch in rezenter Zeit eine einzige Wasserfläche; durch die allmähliche Tieferlegung des Doubsbettes unterhalb seines Austritts aus dem See von St. Point sank auch der Seespiegel und die Zerlegung in zwei Seen mit einem Höhenunterschied von ca 2 m erfolgte durch das Delta des Doubs. Die breite Uferbank des Sees von Remoray deutet aber auch auf eine geringfügige Hebung des Seespiegels nach erfolgter Abschnürung des oberen Seebeckens. Dieses wird aus dem Muldental von Boujeons durch den Ruisseau des Combes und den Bach von Gellin gespeist, der in der Mulde von Mouthe, kaum 1/2 km vom Doubs entfernt, entspringt und das Gewölbe des Mont de la Croix in gewundenem Laufe schräg zum Streichen durchbricht.

Vom Nordende des Sees von St. Point wendet sich der Doubs durch Kreidekalkfelsen direkt nach N, ohne die vorgezeichnete Tiefenlinie zu benutzen, die ihn über Chaon in die transversale Tiefenlinie führen würde, und gelangt schließlich in diese durch ein breites versumpftes Wiesental bei La Cluze. Bald erreicht er das weite Becken von Pontarlier (803 m), fließt an dessen Ostrand nach N und nimmt von SW den Drugeon auf, dessen Oberlauf auch noch durch den vorherrschenden Kettencharakter des Gebirges bestimmt ist. Aus der Kreidemulde von Malpas fließt er gegen SW, durchbricht in einem nach N konvexen Bogen das breite Gewölbe der Hauteur de St. André, um bei Bonnevaux das breite Becken von Nozeroy zu erreichen, durch dessen junge Bildungen er in trägem, gewundenem Laufe nach N und NO fließt, bis er westlich von Arçon den Doubs erreicht.

Bis Pontarlier trägt das Doubssystem noch ziemlich den durch den steten Wechsel von Längs- und Quertalstrecken gekennzeichneten Charakter der Flüsse des Kettenjura. Nunmehr beginnt allmählich die Unabhängigkeit des Flußlaufs von der Struktur vorzuwiegen. Zwischen dem Dörfchen Doubs und La Ville du Pont fließt der Doubs zunächst noch durch die enge Kreidemulde »Saugeais«, verläßt diese aber bei Longeville und wendet sich in gewundenem Laufe durch ein pittoreskes Engtal gegen N, von Colombier an gegen O; er durchschneidet dabei mit sehr mäßigem Gefälle eine schräg geneigte Kalktafel, die in senkrechten, bisweilen untergrabenen Wänden zum Flusse abbricht. Nun tritt der Doubs in das weite Wiesental von Morteau (mittlere Höhe 750 m), eine elliptisch geschlossene Kreidemulde, in der die Kreideschichten durch weitgehende Erosion in einzelne Fetzen zerteilt oder von Quartärschichten oder Alluvialbildungen bedeckt sind; durch dieses Becken zieht der Doubs in mächtigen Mäandern, von Schotterterrassen begleitet, und ist noch sichtlich durch Seitenerosion an Prallstellen an der Erweiterung seines Tales tätig. Durch eine schmale Klus gelangt der Doubs in das Muldenbecken von Villers-le-Lac, ohne aber dessen Achse genau zu folgen, und wird nun bald zum See von Chaillexon oder Les Brenets aufgestaut. Dieser bedeutet (mit 3,5 km Länge, 200 m Breite und einem Areal von 58 ha) eigentlich nur eine Ertränkung der schmalen Talsohle und erweitert sich seenartig nur unmittelbar vor Les Brenets (Fig. 11 und 12); seine Tiefe nimmt nach abwärts regelmäßig bis auf 27 m zu, wo sich ein tiefes Schlundloch in den Seeboden einsenkt (Delebeque, a. a. O. S. 325). Die Aufstauung des Doubs zum See von Chaillexon

---

[1]) Delebeque, Les lacs français, S. 32, Paris 1898.

ist allem Anschein nach die Folge eines sehr jungen Bergsturzes, den der Fluß im 27 m hohen Saut-du-Doubs durchbricht[1]). Dieser Bergsturz, der vom rechten Gehänge kam und dessen Ablagerungsgebiet am linken Doubsufer liegt, hat auch eine kleine Verlegung des Flußlaufs gegen O bewirkt. Das Flußstück oberhalb des Bergsturzes ist durch die Aufstauung in der Eintiefung zurückgeblieben, so daß der Fluß die Schwelle in einem Falle überwinden muß, wobei die Erosion übrigens schon ins anstehende Gestein gelangt ist[2]).

Von Les Brenets an ist das Doubstal ausgezeichnet durch den vollständigen Mangel einer Anpassung an die tektonischen Verhältnisse. Der Doubs beschreibt tief eingesenkte Mäander, sein Tal ist etwa 2—300 m tief in die eingeebneten Plateauflächen eingeschnitten, deren stark gestörter Schichtbau allenthalben an den steilen Felswänden zu erkennen ist. Zunächst fließt der Doubs bis Biaufond

Fig. 11. Eingang der Doubsschlucht bei Les Brenets.

(607 m) in einem nicht allzu engen Isoklinaltal, dessen landschaftlicher Charakter an das Rheintal im Schiefergebirge erinnert; sodann wendet sich das Tal auf eine kurze Strecke gegen WSW, wird bis Theusserel wieder isoklinal und stellenweise, z. B. bei der Verrière du Bief d'Étoz, so eng, daß neben dem Flusse nicht einmal zu schmalen Fußwegen Platz bleibt. Über Goumois und Vautenaivre fließt der Doubs in einem klusenartigen Tal nach N, dann folgt er unterhalb Vautenaivre bis Lobchez abermals einem Isoklinaltal; wie ein Vorgebirge springt hier die Côte d'Hommene vor, vom Doubs in einem halbkreisförmigen Bogen umflossen. Bis Soubey durchbricht er das Doggergewölbe von Hommene und schließlich folgt abermals bis Montmelon ein Isoklinaltal im Dogger und Malm. Auf dieser ganzen Strecke ist der Doubs die einzige Entwässerungsader der ausgedehnten Plateaus, die sich zu beiden

Fig. 12. See von Les Brenets.

Seiten des Tales ausbreiten; wohl senken sich namentlich am rechten Ufer tiefe Schluchten zum Tale herab, doch fehlt jeder Nebenfluß von einiger Bedeutung. Dabei ist das Gefälle des Doubs selbst relativ gering. Auf der 52 km langen Strecke vom Saut-du-Doubs bis St. Ursanne beträgt es nur 200 m, d. i. 4⁰/₀₀ und erfährt nur einmal eine bedeutendere Störung, nämlich durch den späten historischen Zeiten angehörenden Bergsturz von La Goule[3]).

---

[1]) So auch Rollier, 2. supplém. etc., S. 177.
[2]) Hingegen ist Delebecque (a. a. O. S. 325) der Ansicht, daß der Doubs während der Eintiefung seines Bettes auf eine Spalte gestoßen sei, durch die sein Wasser verschwunden, und daß durch die teilweise Verstopfung der Spalte, die heute noch in dem erwähnten Schlundloch am unteren Seeende zu erkennen sei, das oberhalb davon gelegene Tal in einen See verwandelt worden sei. Dadurch ist aber keineswegs die Wannenform dieser Talstrecke erklärt, und der innige Zusammenhang zwischen dem See und dem Falle unberücksichtigt gelassen.
[3]) Rollier, 2. supplém. etc., S. 177.

Bei Seigne-dessous kommt der Doubs dem Birsgebiet am nächsten, dann wendet er sich, zwischen Montmelon und St. Ursanne in breitem Tale die Kette von Clos-du-Doubs durchschneidend, in scharfem Bogen nach W. Sein Tal verengt sich bald wieder, er fließt ungefähr parallel zum Streichen in mehrfachen Windungen bis vor Ocourt, bildet hier einen halbkreisförmigen, nach N konvexen Bogen und betritt bei Bremontcour, wo er die Schweiz verläßt, ein Muldental. Bald verläßt er dieses, fließt bei Vaufrey durch eine bis auf den Keuper eingeschnittene Klus, um sodann der Achse des Gewölbes von Vaufrey bis St. Hippolyte zu folgen, wo er in 380 m Höhe den Dessoubre aufnimmt, den ersten Nebenfluß seit der Mündung des Drugeon. Auch bei ihm kehrt die Unabhängigkeit des Flußlaufs von der Struktur, sowie der Charakter eines tief eingeschnittenen und gewundenen Tales wieder. Der Dessoubre fließt durch die Plateaus um Maîche abwechselnd nach N und NO und nimmt hierbei aus den Plateaus um Pierrefontaine die Riverotte auf. Unterhalb St. Hippolyte, wo die Talgehänge durch die Einschaltung der Oxfordmergel zwischen die Dogger- und Malmkalkbänke eine deutliche Terrassierung erfahren, biegt der Doubs nach N auf, nimmt bei Villars von links die Barbêche auf, die das Plateau gleichfalls in tiefem Tale durchschneidet, und durchbricht oberhalb Pont-de-Roide das breite Gewölbe der Lomont-Kette in einer Klus, unterhalb welcher von links die Ranceuse mündet. Bald erweitert sich das Tal, der Fluß beschreibt große Mäander in den wenig gestörten Juratafeln des Elsgaues, aus denen er von rechts den Gland aufnimmt. Bei Audincourt wendet sich der Doubs scharf umbiegend nach SW und erhält bald darauf unweit Montbéliard eine große Vermehrung seiner Wassermassen durch die Mündung der Savoureuse, die mit ihren Nebenflüssen Allaine und Bourbeuse das von Quartärschichten teilweise überdeckte Molassegebiet des nördlichen Elsgaues zerschneidet. Die ganze Gegend hat hier offenbar durch das Zusammenströmen großer Flüsse eine weitgehende Erniedrigung und Abtragung erfahren, und auch heute sehen wir den Doubs durch Seitenerosion kräftig an der Einebnung des Landes arbeiten. Als Reste der einst zusammenhängenden Juratafeln erscheinen heute einzelne Jurakalkinseln, die sich aus den flachen Talböden erheben. In mächtigen Windungen und stark verwildert durchströmt der Doubs in breitem Alluvialtal den Elsgauer Tafeljura, von niedrigen Felsterrassen, den Abfällen der Plateauflächen, begleitet, und tritt bei Clerval durch eine Klus in der Antiklinale von Ormont wieder in das gefaltete Gebiet, nämlich in die Zone der »vignobles« ein. In ähnlicher Weise durchbricht er bei Hyèvre die Antiklinale von Laissey und fließt nun bis Déluz nahezu parallel den Achsen der eingeebneten Randfalten, wobei aber diese häufig von Mäandern des Flusses unabhängig von dem Verlauf der zahlreichen Brüche bis auf den triassischen Kern angeschnitten werden. Das Tal ist hier zumeist eng, sein Verlauf aus flachen Bogen zusammengesetzt. Gegenüber Baume-les-Dames, mündet von links der Cuisancin, der in westlich gerichtetem Laufe die Plateaufläche zerschneidet und von links den (oft völlig ausgetrockneten) Audeux aufnimmt. Bei Besançon, wo sich die gefaltete Zone der »vignobles« verbreitert, beweisen hochgelegene Schotter an dem Gehänge jugendliche Flußverlegungen. Bei Osselle umfließt der Doubs die Antiklinale der Côte des Buis, tritt in die Mulde von Rozet, fließt weiterhin am Nordrand des dem Jura vorgelagerten ungefalteten Plateaus der Forêt de Chaux und tritt schließlich in die Bresse hinaus, wo er die Loue aufnimmt.

Als im Sommer 1901 bei dem Brande der großen Absinthfabrik in Pontarlier eine große Menge dieses Getränks in den Doubs geleitet werden mußte, trat die dadurch hervorgerufene milchige Trübung und der starke alkoholische Geruch auch im Wasser der »source de la Loue« auf, die 8,5 km nördlich vom Austritt des Doubs aus dem Becken von Pontarlier in 450 m Höhe, also 350 m unter dem Niveau des Doubs bei Arçon, aus einer prächtigen Grotte hervortritt und sofort zum Betrieb von Fabriken verwendet wird. Es gibt also, wie schon lange vermutet wurde, der Doubs unterirdisch Wasser an die Loue ab. Deren Lauf läßt sich in zwei sehr verschiedene Stücke zerlegen nach seiner Zugehörigkeit zur Zone der Plateaus und der der westlichen Randfalten. Von ihrer Quelle bis Mouthiers fließt die Loue durch einen Cañon von großartiger Wildheit; allem Anschein nach liegt hier ein durch Einsturz des Höhlendachs bloßgelegter Höhlenfluß vor, der allerdings seither eine sehr beträchtliche Tiefenerosion geleistet und sein Bett durch Untergrabung der in der Fußregion von mächtigen Schutthalden verhüllten Talwände erweitert hat. Bei Mouthiers durchbricht die Loue eine Serie von Antiklinalen, in denen sie sich bis auf die Liasschichten eingeschnitten hat. Bald aber kehrt die Horizontalität der Schichten wieder, die Loue schlängelt sich in einem nun breiteren, anmutigen und belebten Tale bis Ornans gegen NW, dann nach W und SW, und der Talcharakter mit den bis zu 200 m Tiefe in die Plateaulandschaft eingesenkten Mäandern erscheint auch bei dem größten Nebenfluß der Loue, dem Lison, der bei Châtillon-sur-Lison mündend der Loue die Nordrichtung aufdrängt. Die Plateauflächen werden niedriger, die Mäander seichter und weiter. Plötzlich wendet sich die Loue unterhalb Chenecy, kaum 3 km vom Doubs entfernt nach SW in die Region der Randfalten. In anfangs engem, von Quingey (267 m) breiter werdendem Tale fließt sie mit minimalem Gefälle nach S und nimmt die Furieuse auf, die aus der Gegend von Salins kommend zwischen den letzten Falten des Jura der Loue zufließt. Nun biegt diese unvermittelt nach N auf, durchfließt die nächste Mulde und beschreibt bei Champagne einen Bogen um das untertauchende Ende der letzten Antiklinale. Nunmehr steht ihr der Austritt in die Bresse offen, in die sie durch ein 4 km breites, teilweise versumpftes Tal zwischen der Jurakalktafel der Forêt de Chaux im N und dem Tertiärhügelland im S gelangt.

2. Geschichte des Doubstals.

Bei der talgeschichtlichen Betrachtung lassen sich drei Abschnitte voneinander trennen. Der Oberlauf bis unterhalb Pontarlier liegt noch im Bereich rostförmiger Gebirgsgliederung; ihn charakterisiert der Wechsel von Längs- und Quertalstrecken; dann durchsägt der Doubs in eigentümlich gewundenem Laufe und ohne Rücksicht auf die Struktur die stark gefalteten und eingeebneten Plateaus, schließlich tritt er bei Pont-de-Roide aus dem gefalteten Gebirge in die zerbrochenen Tafeln des Elsgauer Jura heraus und behält seinen Talcharakter auch innerhalb der westlichen Randfalten bis zum Austritt in die Bresse.

A. Das Doubstal bis Pontarlier.

Für die Geschichte des oberen Doubstals wurden Talverlegungen maßgebend, die sich an die umgestaltenden Wirkungen der Eiszeit knüpfen. Die ganze Mulde von Mouthe ist von mächtigen diluvialen Bildungen, teils jurassischer Grundmoräne, teils unregelmäßig, oft deltaartig geschichteten Schottern erfüllt, die an zahlreichen Orten gut erschlossen sind. Durch diese hat sich der Rouge-Bief sein Bett eingeschnitten und gelegentlich schon bis in die Kreideschichten eingetieft. Die ganze Talanlage macht einen sehr jugendlichen Eindruck; sie ist in ihrem gegenwärtigen Zustand entschieden postglazial. Die erratischen Bildungen reichen gegen NO bis Touillon und nehmen hier die charakteristische Form von Endmoränen an; wo die Straße von St. Antoine her die Bahnlinie Jougne-Pontarlier kreuzt, senken sich die Moränenwälle gegen die trockne Talstrecke und verschwinden. Vor ihrer Ablagerung konnte der Doubs die Mulde von Mouthe in ihrer ganzen Länge benutzen und floß damals durch die erwähnte Transversallinie bis in das Becken von Pontarlier; denn diese trägt von hier ab, zunächst als Trockental, den Habitus eines erst vor kurzem von einem nicht unbedeutenden Flusse verlassenen Tales. Etwa 2 km abwärts entwickelt sich aus der sog. Fontaine royale eine kleiner Bach, der Stellvertreter des ehe-

maligen Doubs, und mündet oberhalb der Cluse de Mijoux in den Doubs. Es haben also
die Endmoränen eines Juragletschers der letzten Eiszeit bei Touillon dem Doubs den Weg
verlegt und ihn unterhalb Rochejean zu einem See aufgestaut, wie die Deltaschichtung der
Schotter und der flache, versumpfte Talboden beweisen. Dem Abfluß dieses Stausees boten
sich zwei Wege dar: Die Tiefenlinie von St. Antoine nach dem See von St. Point, an der
die Jurakette ganz unter den Kreideschichten verschwindet, und die heutige Doubsklus bei
Rochejean. Diese entspricht einer Senkung der Antiklinale des Mont de la Croix, ist also
ein Walmtal. Die Portlandkalke erreichen auf der Höhe des Gewölbes am linken Ufer
1025 m, senken sich zum Flusse bis auf ca 880 m herab und steigen am rechten Ufer
wieder bis auf 1000 m an. Es befand sich, wie aus dem Anstieg des Terrains gegen SW
und NO zu erkennen ist, an der Stelle der heutigen Klus die tiefste Stelle in der Umrahmung des Seebeckens; die Klus stellt einen Überflußdurchbruch dar, in dem sich der
Doubs seither sein Bett eingetieft hat. Der Höhenunterschied zwischen dem Kluseneingang
(893 m) und der Stelle, wo der ehemalige Muldenfluß in die Transversallinie bei Touillon
eintrat, beträgt 120 m. Um diesen Betrag wurde seither die Mulde von Rochejean gegenüber der in der Erosion zurückgebliebenen toten Talstrecke vertieft. Diese Leistung erscheint aber für den ruhigen, hin- und herpendelnden Doubs zu groß; es scheint auch ein
anderes Agens an der Übertiefung der Mulde mitgearbeitet zu haben, nämlich der stattliche
Juragletscher, der seine Endmoränen bei Touillon zurückgelassen hat. Der Stausee von
Rochejean lag also in einem glazialen Zungenbecken, das teils durch Abdämmung, teils
durch Glazialerosion entstanden war.

Bevor der Doubs die Seenmulde von Remoray erreicht, tritt eine merkliche Zunahme
seines Gefälles ein; er fließt in kleinen Kaskaden über die untertauchenden Schichtplatten.
Auch der kleine Ruisseau du Haut, der von S in den See mündet, hat im untersten Teile
seines Laufes ein starkes Gefälle. Nach oben zu weitet sich sein Tal und der Weiler
Le Brey liegt auf einem versumpften Talboden, der unmerklich in die Mulde von Mouthe
übergeht, wo bei Gellin der Bach entspringt. Hier ist die Mulde flach und versumpft,
der Doubs scheint unschlüssig, ob er ihr folgen oder den Weg schräg über die hier sich
senkende Antiklinale nehmen soll. Das Quertal des Ruisseau du Haut ist kein durch rückwärtige Erosion verlängertes Flankental, sondern ein altes Doubstal, älter als die letzte
Vergletscherung, aber auch älter als der Doubslauf über Touillon nach N. Erst spätere
Vorgänge, wahrscheinlich die zunehmende Vertiefung der Mulde von Mouthe in den früheren
Epochen der Quartärperiode, haben den Doubs seinen Lauf durch die Mulde fortsetzen
lassen [1].

Die Seenmulde von St. Point und Remoray hat ein stumpfes nördliches Ende;
dem Nordende des unteren Sees sind bei Chaon Moränenwälle vorgelagert, offenbar gleichaltrig mit denen von Touillon. Sie steigen vom Seespiegel (850 m) an bis zu 940 m, und
von da führt ein kleines Trockentälchen, der Muldenachse folgend, abwärts, das in 885 m
(Aneroidmessung) in die Transversallinie mündet. Es liegt also hier eine ganz ähnliche
Flußverlegung vor wie bei Touillon. Vor Ablagerung der Moränen erhielt der alte Doubs
einen Nebenfluß aus der Mulde von St. Point; beim Rückzug des Gletschers hat sich der
Abfluß der Seen, der heutige Doubs, ein neues Bett nach der Mulde von Oye geschaffen.
Der See von St. Point liegt in junge Glazialschotter eingebettet, die beiderseits eine Terrasse
von etwa 50 m Höhe bilden. Der Höhenunterschied zwischen dem Seespiegel und dem

---

[1] Zu dieser Auffassung der Veränderungen im oberen Doubsgebiet gelangte ich schon im Sommer
1900; seither ist die gleiche, was das Tal von Gellin betrifft, auch von Fournier (Les réseaux hydrographiques du Doubs et de la Loue. Ann. de Géogr., IX, 1900, S. 227) vertreten worden; doch ist Fournier die
Fortsetzung des (in bezug auf die letzte Eiszeit) präglazialen Doubslaufs über Touillon nach N entgangen.

wasserscheidenden Punkte auf den Endmoränen beträgt rund 100 m, zwischen dem Seeboden und der Einmündung des Trockentälchens in die Transversallinie ca 80 m. Um soviel wurde die Seenmulde vertieft, seitdem ihr ehemaliger Flußlauf über Chaon zerstört wurde. Flußerosion ist hier ausgeschlossen, seitdem die Mulde in ein Seebecken umgewandelt worden ist. Wir müssen also auch hier zur Annahme einer Übertiefung der Mulde um ca 80 m greifen. Dafür spricht auch die stufenförmige Mündung des Baches von Gellin und des Doubs beim See von Remoray, und ebenso senkt sich die Tiefenlinie von St. Antoine nach dem See von Remoray von ihrem Scheitelpunkt (960 m) steiler gegen W als gegen O. Die Entstehung der beiden Seen ist also nur teilweise der Abdämmung durch Moränen zuzuschreiben, sie liegen in einer durch Glazialerosion übertieften tektonischen Mulde[1]).

Eine Gruppe von Flußverlegungen scheint auch im Gebiet des Drugeon vorzuliegen; doch sind hier die Verhältnisse durch die Tektonik kompliziert. Jedenfalls ist die heutige Anordnung der Täler keine ursprüngliche. Die Mulde von Malpas, heute von zwei Gegenflüssen entwässert, zwischen denen nahe der Wasserscheide ein kleiner abflußloser (Dolinen-?) See liegt, scheint einst von einem einzigen größeren Flusse durchflossen worden zu sein. Auch ihr Ausgang bei Oye erweckt den Eindruck, als ob sie von Moränen verbarrikadiert wäre; doch fehlen entscheidende Aufschlüsse. Das Südende der Mulde ist durch einen Rücken von Portlandkalk gegliedert. Aber quer zum Streichen zieht eine sehr eigentümliche Tiefenlinie von Les Granges-St. Marie am Doubs nach Vaux am Drugeon, in der in versumpftem Terrain die Wasserscheide kaum 10 m über dem Doubs liegt. Ob diese Linie, die tektonisch durch das Untertauchen der Antiklinale von Remoray vorgezeichnet ist, ehemals als Quertal funktionierte, ist unsicher. Es scheint in nicht allzu ferner Vergangenheit der Fluß von Malpas sich von Vaux durch diese Linie nach SO zum Doubs gerichtet zu haben und später, als der Drugeon sein Quertal durch die Hauteur de St. André kräftig erodierte, zu diesem abgelenkt worden zu sein. Das Quertal des Drugeon mit seiner auffallenden Breite ist zwischen zwei gegeneinander verschobenen Kulissen des Gewölbes des Laveron angelegt; in ihm hat der Drugeon seinen Lauf nach rückwärts verlängert, bis er den Muldenfluß von Malpas erreichte. Erst Detailuntersuchungen können hier zu einer Lösung der verwickelten Talverhältnisse führen.

Oberhalb Pontarlier folgt der Doubs der durch die große Blattverschiebung vorgezeichneten Tiefenlinie. Während er in diese in einem engen Tale eintritt, klafft rechts von ihm ein tiefer wasserleerer Spalt zwischen zwei Höhen der Antiklinale von Les Vernots, die durch die beiden Forts de Joux gekrönt sind. Diese Klus beruht nicht auf bloßer Wasserwirkung und wurde offenbar nie vorher von einem größeren Flusse durchmessen; es fehlt die erforderliche Ausgestaltung der Felswände, zwischen denen nur für Eisenbahn und Straße Raum ist. Vielmehr scheint sie ebenso wie das kurze Talstück, durch das der Bach der Mulde von Verrières in den Doubs mündet, auf eine bedeutende Senkung der Antiklinalachse zurückzuführen zu sein. In postglazialer Zeit vermittelte sie die Verbindung zwischen dem kleinen See um Frambourg und dem großen glazialen Stausee von Pontarlier, von dem schon bei der zusammenfassenden Betrachtung der Eiszeit im Jura die Rede gewesen ist.

[1]) Schardt (Note préliminaire sur l'origine des lacs du pied du Jura, Ecl. V, 1898, S. 257) bringt die Bildung der Seen in Zusammenhang mit einer (übrigens miocänen) präalpinen Senkung, der auch die Entstehung der Jurarandseen zuzuschreiben sei und die sich über die ersten Juraketten erstreckt haben soll. Die Transversalachse dieser Senkung soll mit der Transversalstörung Jougne-Pontarlier zusammenfallen. Einerseits ist aber durch die Untersuchungen Brückners ein ausreichendes Material gegen die Auffassung eines tektonischen Ursprungs der Jurarandseen beigebracht worden, andererseits ist die Lage der Seen von Remoray und St. Point offenbar ganz unabhängig von der erwähnten Störungslinie.

maligen Doubs, und mündet oberhalb der Cluse de Mijoux in den Doubs. Es haben als die Endmoränen eines Juragletschers der letzten Eiszeit bei Touillon dem Doubs den Weg verlegt und ihn unterhalb Rochejean zu einem See aufgestaut, wie die Deltaschichtung der Schotter und der flache, versumpfte Talboden beweisen. Dem Abfluß dieses Stausees boten sich zwei Wege dar: Die Tiefenlinie von St. Antoine nach dem See von St. Point, an der die Jurakette ganz unter den Kreideschichten verschwindet, und die heutige Doubsklus bei Rochejean. Diese entspricht einer Senkung der Antiklinale des Mont de la Croix, ist also ein Walmtal. Die Portlandkalke erreichen auf der Höhe des Gewölbes am linken Ufer 1025 m, senken sich zum Flusse bis auf ca 880 m herab und steigen am rechten Ufer wieder bis auf 1000 m an. Es befand sich, wie aus dem Anstieg des Terrains gegen SW und NO zu erkennen ist, an der Stelle der heutigen Klus die tiefste Stelle in der Umrahmung des Seebeckens; die Klus stellt einen Überflußdurchbruch dar, in dem sich der Doubs seither sein Bett eingetieft hat. Der Höhenunterschied zwischen dem Kluseneingang (893 m) und der Stelle, wo der ehemalige Muldenfluß in die Transversallinie bei Touillon eintrat, beträgt 120 m. Um diesen Betrag wurde seither die Mulde von Rochejean gegenüber der in der Erosion zurückgebliebenen toten Talstrecke vertieft. Diese Leistung erscheint aber für den ruhigen, hin- und herpendelnden Doubs zu groß; es scheint auch ein anderes Agens an der Übertiefung der Mulde mitgearbeitet zu haben, nämlich der stattliche Juragletscher, der seine Endmoränen bei Touillon zurückgelassen hat. Der Stausee von Rochejean lag also in einem glazialen Zungenbecken, das teils durch Abdämmung, teils durch Glazialerosion entstanden war.

Bevor der Doubs die Seenmulde von Remoray erreicht, tritt eine merkliche Zunahme seines Gefälles ein; er fließt in kleinen Kaskaden über die untertauchenden Schichtplatten. Auch der kleine Ruisseau du Haut, der von S in den See mündet, hat im untersten Teil seines Laufes ein starkes Gefälle. Nach oben zu weitet sich sein Tal und der Weg Le Brey liegt auf einem versumpften Talboden, der unmerklich in die Mulde von Mouthe übergeht, wo bei Gellin der Bach entspringt. Hier ist die Mulde flach und versumpft der Doubs scheint unschlüssig, ob er ihr folgen oder den Weg schräg über die hier sich senkende Antiklinale nehmen soll. Das Quertal des Ruisseau du Haut ist kein durch rückwärtige Erosion verlängertes Flankental, sondern ein altes Doubstal, älter als die heutige Vergletscherung, aber auch älter als der Doubslauf über Touillon nach N. Erst spätere Vorgänge, wahrscheinlich die zunehmende Vertiefung der Mulde von Mouthe in den früheren Epochen der Quartärperiode, haben den Doubs seinen Lauf durch die Mulde finden lassen[1].

Die Seenmulde von St. Point und Remoray hat ein stumpfes nördliches Ende dem Nordende des unteren Sees sind bei Chaon Moränenwälle vorgelagert, offenbar gleichaltrig mit denen von Touillon. Sie steigen vom Seespiegel (850 m) an bis zu 940 m, von da führt ein kleines Trockentälchen, der Muldenachse folgend, abwärts, das bei (Aneroidmessung) in die Transversallinie mündet. Es liegt also hier eine ganz ähnliche Flußverlegung vor wie bei Touillon. Vor Ablagerung der Moränen erhielt der alte Doubs einen Nebenfluß aus der Mulde von St. Point; beim Rückzug des Gletschers hat sich der Abfluß der Seen, der heutige Doubs, ein neues Bett nach der Der See von St. Point liegt in junge Glazialschotter einge von etwa 50 m Höhe bilden. Der Höhenunterschied

---

[1] Zu dieser Auffassung der Veränderungen ... 1900; seither ist die gleiche, was das Tal von Gelli ques du Doubs et de la Loue. Ann. de Géogr. IX Fortsetzung des (in bezug auf die letzte Eiszeit) ...

glazialen Bergsturz. Die Annahme eines Höhlenflusses von dieser Länge ist in einem höhlenarmen Gebiet, wie es die Freiberge sind, an sich unwahrscheinlich. Ferner müßte ein Fluß von der Bedeutung des Doubs gewiß eine noch heute erkennbare Talform an der Stelle seines alten Laufes hinterlassen haben; aber eine solche sucht man an der fraglichen Stelle vergeblich. Schließlich sind die von Fournier erwähnten Schotterreste keine Doubsgerölle, sondern gehören allem Anschein nach einer einst weiter verbreiteten Decke der in der ganzen Gegend verstreuten Vogesengerölle vom Alter der von Bois-de-Raube an [1]).

Für eine genetische Betrachtung erscheint vielmehr der Umstand wichtig, daß der Doubs seinen Lauf durch die gefalteten, aber stark eingeebneten Plateaus einschlägt. Diese waren am Ende des Pliocäns bereits in hohem Maße dem gegenwärtigen Zustand genähert, so daß der Doubs in einem nicht allzu tief unter das allgemeine Niveau eingesenkten Tale dahinfließen und seinen Lauf ohne Rücksicht auf die Strukturverhältnisse den leicht zerstörbaren Schichten anpassen konnte. Die ursprüngliche Anordnung der Flüsse war bereits verwischt; die subsequente Entwässerung hatte die konsequente teilweise verdrängt, wie das häufige Vorkommen von Isoklinaltalstrecken beweist. Eine Unterbrechung erfuhr diese Einebnungsperiode am Schlusse des Pliocäns durch eine neuerliche Hebung und Verbiegung des Gebirges; dadurch wurde die Rumpffläche zu ihrer heutigen Höhe gebracht, die Erosionsfähigkeit des Doubs neu belebt, so daß er seinen bisherigen Lauf beibehalten konnte. Die heutige Tiefe des Doubstals ist also vorwiegend ein Resultat der nochmaligen Hebung des Jura, bei der die alten Mäander in die sich hebende Scholle sich einsenken konnten [2]).

Die Frage nach dem Alter der Umbiegung bei St. Ursanne ist damit allerdings noch nicht gelöst; aber vielleicht wirft auch auf diese die Erkenntnis von nachträglichen Krustenbewegungen im Jura, nach Abschluß der Hauptfaltungsperiode, ein neues Licht und es läßt sich ganz hypothetisch nun der Gang der Ereignisse etwa folgendermaßen darstellen. Vor der postmiocänen Hauptfaltung floß über die in das letzte Tertiärmeer hineinragende Halbinsel ein Fluß nach S, auf dessen Herkunft die um St. Ursanne verstreuten Vogesengerölle hinweisen. Er hat seine Richtung auch nach der Faltung im unteren Teile seines Laufes bewahrt, während der Oberlauf durch die starke Faltung der Mont-Terri-Kette nördlich von St. Ursanne zerstört wurde. Dieser pliocäne Doubs richtete sich gegen SW ins heutige Aingebiet; in der nach Abschluß der Faltungsperiode im Gebiet des heutigen Doubs eintretenden Zeit der Ruhe erhielt sein Tal seine Ausgestaltung, bis dann die neuerlichen Dislokationen am Schlusse des Pliocäns eine entschiedene Verlegung der Wasserscheiden herbeiführten. Durch sie wurde eine neue Abdachungsfläche nach N geschaffen; es erfuhr, wie die allgemeine Höhenabnahme der unvollkommenen Rumpffläche der Freiberge gegen N zeigt, diese eine Verbiegung und Schiefstellung gegen N, der Doubs erhielt seine gegenwärtige nördliche Richtung und der Zusammenhang mit dem Aingebiet wurde allmählich zerrissen. Gleichzeitig bestand auch ein bedeutender Fluß unterhalb St. Ursanne, der ungefähr dem Streichen der Ketten folgte und seinen Lauf in ähnlicher Weise ausgestaltet hatte; an diesen, der unterdessen sein Tal bis St. Ursanne nach rückwärts verlängert hatte, wurde das Talstück zwischen Pontarlier und St. Ursanne angegliedert. Die Talstrecken ober- und unterhalb der Umbiegung wären also gleich alt, wie auch ihr übereinstimmender morphologischer Charakter beweist; aber ihre Vereinigung ist erst eine Folge der jungpliocänen Störungsperiode.

---

[1]) Freundliche persönliche Mitteilung von Herrn Dr. Rollier.
[2]) Diese Auffassung vertritt auch Brückner (Eiszeitalter, S. 478), der für diese Gegend auch nur eine allgemeine Hebung und Verbiegung, keine Neufaltung wie im Berner Jura, annimmt.

Diesem Erklärungsversuch der Entstehung des heutigen Doubstals stehen weder theoretische Erwägungen noch direkte Beobachtungen entgegen. Die Annahme einer ursprünglich südwärts gerichteten Entwässerung des Jura haben wir schon früher als notwendig erkannt. Eine einstmalige Verbindung zwischen Ain- und Doubsgebiet erscheint sehr wahrscheinlich, wenn man bedenkt, daß auch heute auf dem Plateau von Nozeroy die Wasserscheide zwischen Doubs und Ain ganz in flachem Terrain liegt. Allerdings hat hier die Topographie sichtlich starke Veränderungen durch die Vergletscherungen erfahren, so daß eine Rekonstruktion der früheren Verhältnisse schwer möglich ist.

Auch für eine nicht allzu ferne Zukunft sind bedeutende Verschiebungen der Wasserscheide im mittleren Doubsgebiet bevorstehend. Diese liegt heute auf der Höhe von Les Rangiers in 800 m Höhe, nördlich von St. Ursanne, an einer bedrohten Stelle. Beiderseits drängen sich tiefe Täler ein; nach N fließt ein Bach durch den Tafeljura von Pruntrut zur Allaine, die bei Montbéliard den Doubs erreicht, nach S richtet sich ein Bach direkt zum Doubs, zwischen ihnen bildet den wasserscheidenden Kamm nur eine schmale Bergrippe. Im Vorteil befindet sich gegenwärtig die nördlich gerichtete Entwässerung, die auf einem ca. 20 km kürzeren Laufe die gemeinsame lokale Erosionsbasis von Montbéliard erreicht; fällt hier der wasserscheidende Rücken, so zieht die Allaine den Doubs an sich, und dieser nimmt wieder von seinem ehemaligen Oberlaufgebiet Besitz.

Die Talstrecke zwischen St. Ursanne und der Umbiegung des Doubs unterhalb St. Hippolyte wurde bereits kurz erwähnt. Die Lage des Flußlaufs auf dem Sattel eines Gewölbes unterhalb Vaufrey beweist auch hier ein sehr hohes Alter der Erosionstätigkeit. Bei dem übereinstimmenden Talcharakter mit den eingesenkten Mäandern werden wir für diese Talstrecke dieselbe Entwicklung annehmen können wie für das Talstück oberhalb St. Ursanne.

Auch für das Tal des bei St. Hippolyte mündenden Dessoubre dürften dieselben Gesichtspunkte in Betracht kommen. Auch bei ihm wurde durch die nachträgliche Hebung des Gebirges die Erosionsfähigkeit erhöht und er zu erneutem Einschneiden in die wellige Rumpffläche veranlaßt. Als kräftiger Nebenfluß, der einzige seit der Mündung des Drugeon, konnte er mit der Erosion des Hauptflusses Schritt halten, während die zahlreichen sich zum Doubs herabsenkenden Trockentäler ein Versiegen der schwächeren Flüsse infolge ungenügender Erosionskraft beweisen.

C. Das Doubstal von der Lomontkette bis zum Austritt in die Bresse.

Die plötzliche Wendung des Doubs nach N unterhalb St. Hippolyte stellt der morphologischen Betrachtung ein neues Rätsel. Die Analyse muß hier bei dem letzten Talstück des Doubs innerhalb des Jura zwischen Montbéliard und Besançon beginnen. Hier floß seit sehr alten Zeiten ein mächtiger Strom aus dem Sundgau kommend nach SW. Die gewaltigen Mäander des heutigen Doubs, die flächenhafte Ausbreitung pliocäner Gerölle beweisen, daß der Fluß einst in unsicherem Laufe in einer Ebene hin- und herpendelte, bis spätere Krustenbewegungen und die Tieferlegung seiner Erosionsbasis die heutige Talform schufen. Die nach N sich senkenden Juratafeln lieferten ihm am linken Ufer südnördliche Nebenflüsse, also einfache Abdachungsflüsse; einer von diesen ist der heutige Doubs zwischen seiner Umbiegung bei St. Hippolyte und Audincourt. Die Anlage dieser Flüsse reicht in miocäne Zeiten zurück, als hier bereits Festlandszustände herrschten. Als dann die Faltung weiter im S ein Gebirge schuf, vermochte der Abdachungsfluß der nördlichsten und schwachen Auffaltung des Bodens im Gewölbe der Lomontkette entgegenzuarbeiten, es entstand die Klus des Doubs bei Villars, die als Werk eines antezedenten Flusses aufzufassen wäre. Oberhalb davon floß ihm aus einer der entstandenen tektonischen Mulden ein Folgefluß zu, aus dem sich in der langen seit der Hauptfaltung verflossenen Zeit der

W—O gerichtete Abschnitt des Doubslaufs entwickelte. Der Unterschied jüngerer und älterer Täler ist auch an den linken Nebenflüssen des Doubs erkennbar. Die Barbêche hat durch die schwach gefalteten Plateaus südlich der Lomontkette ihr Tal in leichter zerstörbare Doggerhorizonte eingesenkt, die Täler der nördlich der Lomontkette, schon im Gebiet des Tafeljura fließenden Ranceuse und ihrer zahlreichen Seitenbäche sind an weiche Oxfordschichten geknüpft.

Der Doubs kehrt in das gefaltete Gebirge zurück, indem er von Clerval an die Randketten des Jura in eigentümlich gewundenem Laufe durchmißt. Aber die Übereinstimmung des Talcharakters im ungefalteten Tafelland, in der stark gefalteten Region der »Vignobles« und schließlich außerhalb derselben deutet auf die gleiche Entstehung der ganzen Talstrecke von Montbéliard bis zum Austritt in die Bresse. Auch hier beweist die flächenhafte Verbreitung alter Gerölle, daß der Flußlauf nicht festgelegt war, sondern auf einer mehr oder weniger ebenen Fläche beständigen Veränderungen unterworfen war. Es scheinen die Randketten des Jura, wie wir schon früher schlossen, am Ende des Pliocäns in ähnlicher Weise eingeebnet gewesen zu sein wie z. B. das Plateau der Freiberge; die nachträglichen Dislokationen veranlaßten den Fluß zum neuerlichen Einschneiden, so daß er seine Mäander bis zu 250 m in die gehobenen, wenn auch nicht mehr neu gefalteten Randfalten einsenkte. Der geradlinige Verlauf der Kammlinie des linken Doubsgehänges, namentlich sehr deutlich zu erkennen bei Roche und Déluz, und auch ähnliche, wenn auch undeutliche Spuren in der Umgebung von Besançon, wo die stark gestörten Schichten ca 250 m über der engen Talsohle diskordant abgeschnitten werden, stellen die Reste dieser pliocänen, wohl recht unvollkommenen Rumpffläche dar [1]).

Aller Wahrscheinlichkeit nach ist aber der heutige Doubslauf innerhalb der Randketten auch antezedent in bezug auf die Hauptfaltung und wurde in ungefähr der gleichen Richtung schon auf dem vom Miocänmeer niemals überfluteten Juraland in miocäner Zeit angelegt. Dafür spricht namentlich der Umstand, daß der Doubs oberhalb Besançon in scharfer Krümmung in die Randketten hineintritt, obwohl ihm ein bequemerer Lauf außerhalb derselben im welligen Hügelland offengestanden wäre.

Eine vom Hauptfluß unabhängige Entwicklung hat sein größter Nebenfluß, die Loue, genommen. Sie ist vorwiegend ein Fluß des ungefalteten Plateaujura, der sich in den gehobenen Block, den jeweiligen Abdachungsverhältnissen und den Stellen geringsten Widerstandes folgend, seinen gewundenen Cañon einschnitt. Dabei ist in dem ungefalteten Lande nicht zu entscheiden, ob auch die Loue wie der Doubs einst auf einer Rumpffläche dahinfloß und die gegenwärtige Tiefe ihres Tales späteren Krustenbewegungen zuzuschreiben ist, oder, was weniger wahrscheinlich, ob sich das Tal kontinuierlich seit der ersten Hebung des Gebirges vertiefte.

Die geringe Entfernung der Quelle der kräftig erodierenden Loue vom Doubs bei Pontarlier kann zu umfassenden Veränderungen der Entwässerungsverhältnisse des ganzen nördlichen Plateaujura führen. Zwischen der Louequelle und dem Doubs besteht auf eine Entfernung von nur 8 km eine Höhendifferenz von 350 m. Dabei hat die Loue an ihrer Quelle schon einen unterirdischen Lauf hinter sich, und durch Quellstränge und Infiltrationsadern besteht schon heute eine Verbindung der beiden Flüsse. So muß durch rückwärtige Verlängerung des unterirdischen Louelaufs einst das ganze obere Doubsgebiet zur Loue abgeleitet werden, während das unterhalb der Anzapfungsstelle gelegene tiefe Tal nur von einem spärlich rinnenden Bache durchmessen würde, dem erst Dessoubre und Savoureuse größere Wassermengen zuführen würden [2]).

_____

[1]) Die Verlegungen des Doubslaufs in der Umgebung von Besançon wurden auf Grund pliocäner (vielleicht auch altdiluvialer) Gerölle genau studiert von Fournier (réseaux hydrographiques etc., S. 226) und Déprat (Étude sur les avant-monts du Jura dans la région de Besançon, Feuille des jeunes naturalistes, XXIX, S. 128, Paris 1899,). Auch Talterrassen in ziemlicher Höhe über dem heutigen Flußspiegel weisen auf Veränderungen des Doubslaufs hin. Namentlich die große Schlinge, die der Doubs um das Gewölbe der Zitadelle von Besançon zieht, und innerhalb welcher die Stadt sich ausbreitet, scheint recht jugendlicher Entstehung, indem der Doubs früher durch das Tal von Pont-de-Secours nach Velotte floß.

[2]) Vgl. Fournier a. a. O. S. 225.

In der gefalteten Randzone ist der Lauf der Loue vorwiegend durch die Formen und Vorgänge des Gebirgsbaues bestimmt. Von Chencey bis Quingey folgt sie einer Verwerfung, welche die gefaltete Zone von den ungefalteten Plateaus trennt, sodann bis Port-Lesney einer breiten Mulde. Um so auffallender ist ihre plötzliche Rückkehr in die nördliche Richtung. Denn von Port-Lesney nach Mouchard führt eine ziemlich breite, 3 km lange Talung in der Fortsetzung des Louetals mit nordwärts gerichtetem Gefälle von 243 m an der Umbiegungsstelle bis 298 m bei Mouchard, von wo sich ein Trockental, dem die Eisenbahn folgt, durch das wellige Gelände des Vorlandes nach NW verfolgen läßt. Es ist sehr wahrscheinlich, daß die Loue einst diesen Weg eingeschlagen hat, um so mehr als die Furieuse halbwegs zwischen Salins und Mouchard die Nordwestrichtung verläßt und direkt nach N zur Loue fließt, während in der Fortsetzung der oberen Furieuse ein kleiner Bach gegen Mouchard sich richtet, aber, bevor er die genannte Talung erreicht, bei Pagnoz versiegt. Nicht näher zu erkennende Vorgänge mögen einen Fluß unterhalb der genannten Umbiegung zu kräftigerem Einschneiden veranlaßt und die Loue nach N abgelenkt haben [1]).

Der Doubs und seine Zuflüsse bilden ein sehr vielgestaltetes Flußsystem (compound im Sinne von W. M. Davis), dessen einzelne Talstücke sehr verschiedenen Alters sind und ein sehr wechselndes Verhalten zur Struktur der Landoberfläche zeigen. Nur selten folgen die Flüsse den vorgezeichneten Tiefenlinien, in vielen Fällen aber wurden nachträgliche tektonische Vorgänge maßgebend für die Ausgestaltung und Verknüpfung der einzelnen Talstücke.

IV. Das Aingebiet.

Einfachere Verhältnisse beherrschen das Flußgebiet des südlichen Plateaujura, des Ain. Während die kleineren Nebenflüsse zumeist in einem bestimmten Verhältnis zu den Formen der Struktur stehen, ist der Hauptfluß ähnlich wie der Doubs in dem größeren Teile seines Laufes von diesen unabhängig, und auch hier haben erst spätere Krustenbewegungen den heutigen Talcharakter geschaffen.

1. Das Aingebiet bis zur Biennemündung.

Am Westrand des weiten Beckens von Nozeroy liegt in ca 720 m Höhe die Quelle des Ain. Schon nach 2 km nimmt er die viel stärkere Serpentine auf, die die zahlreichen Bäche des westlichen Teiles des Beckens von dessen impermeabler erratischer Decke sammelt, auf der in flachem Terrain die Wasserscheide. zwischen Ain und Drugeon liegt. Nun windet sich der Ain in nordwestlicher Richtung durch flachgelagerte Kreideschichten, überwindet dann mit stärkerem Gefälle den Steilabfall zwischen dem Becken von Nozeroy und Champagnole schräg zum Streichen, in der Talweitung von Syam Ain, Saine und Laime zu einem stattlichen Flusse zusammengefaßt werden, der sich gegen NW nach dem Becken von Champagnole richtet. Saine und Laime haben ihre Quellen in der Mulde von St. Laurent, benutzen diese aber nur auf kurze Strecken, um bald rechtwinklig umzubiegen und senkrecht zum Streichen in engen, malerischen Waldtälern über die eingeebneten, aber stark aufgelösten Plateaus abzufließen; dabei nimmt die Laime aus einem langen Oxfordtal den Dombief auf. Die beiden Quertäler der Saine und Laime entsprechen zwei Gleitflächen, zwischen denen die Schichten eine gegen N bis auf 2 km wachsende Transversalverschiebung erfahren haben. Durch rückwärtige Erosion haben sodann beide Flüsse ihre Quellen bis in die Mulde von St. Laurent verlegt. Ihre Vereinigungsstelle bei Syam (548 m) liegt unmittelbar am Fuße des genannten Steilabfalls. Durch das rund 550 m hohe Becken von Champagnole mäandert der Ain in trägem Laufe und in vor-

---

[1]) Fournier (a. a. O. S. 227) läßt eine Verwerfung für dieses Stück des Louelaufs bestimmend sein, doch wäre damit die auffallende Umbiegung und das Trockental von Mouchard nicht erklärt.

herrschend westlicher Richtung, von ca 30 m hohen Schotterterrassen begleitet; rechts nimmt er den Angillon auf, dessen nordwärts gerichteter Oberlauf sich an Liasmergel knüpft, die durch subsequente Erosion aufgeschlossen sind; dann umschlingt er das Nordende der Montagne de Frasse in ähnlicher Weise wie der Ain das Südende und richtet sich in breitem Tale, dem nördlichen Ausläufer des Beckens von Champagnole, südwestlich zum Ain.

Am Ostabfall der Forêt de l'Euthe angelangt, wendet sich der Ain scharf nach SSW und behält nun diese Richtung mit geringfügigen Schwankungen bis zu seinem Austritt aus dem Gebirge bei. Zunächst bleibt die Tiefe des Tales gering, der Fluß schlängelt sich durch mächtige Schottermassen, nur selten schneidet er sich in anstehendes Gestein ein. Seine Nebenflüsse von O, wie Hérisson und Drouvenant, sind einfache Abdachungsflüsse, die der westlichen Neigung der Plateauflächen folgen, in die sie sich im Oberlauf tiefe Täler eingeschnitten haben.

Von der Breite von Clairvaux an beginnt beim Ain der (schon oft betonte) eigentümliche Talcharakter mit seiner völligen Unabhängigkeit vom Schichtbau und von der verschiedenen Widerstandsfähigkeit der Schichtglieder. In zumeist engem, von steilen, oft mauerartigen Gehängen und schmaler Sohle gebildeten Tale windet sich der Ain ungefähr parallel zum herrschenden Schichtstreichen durch die stark abgetragenen Plateaus, zunächst auf dem Sattel einer aus unteren Malmkalken gebildeten flachen Antiklinale, wobei die Erosion stellenweise schon bis auf die weichen Oxfordschichten fortgeschritten ist. Auf der über 70 km langen Flußstrecke vom Austritt des Ain aus dem Becken von Champagnole bis zur Mündung der Bienne senkt sich der Flußspiegel von 480 auf 300 m, das Gefälle beträgt also nur 2,5⁰/₀₀. Dabei erhält der Ain nur einen Nebenfluß von einiger Bedeutung, die Cinandre, deren Quellen nur 1 km von denen des Drouvenant in einer langen Oxfordtalung liegen, die durch die begünstigte Erosion der Cinandre zu einem einheitlichen Tale werden muß, wodurch der Drouvenant seines Quellgebiets beraubt würde.

2. Das Biennetal.

Erst die Bienne bringt dem Ain größere Wasserfülle. Unterhalb Morez liegt ein wichtiger Talknoten; hier faßt die Bienne ihre Quellflüsse zusammen, von denen der längste, Bief de Chaille, die enge Klus von Morez durchströmt, deren Entstehung mit einer Reihe tektonischer Störungen, Knickung der Gewölbeachsen und horizontaler Verschiebung zusammenfällt [1]), während die Evalude aus einem breiten Oxfordtal im Gewölbe des Mont Risoux zufließt. Von Morbier bis Valfin ist das Biennetal ein einfaches Muldental, in dessen unterem Teile eine Terrassierung von seltener Deutlichkeit zu erkennen ist. Namentlich am rechten Gehänge senken sich die verkarsteten Schichtflächen des Portlandkalks mit konstantem Gefälle von ca 20° etwa 2 km weit abwärts, brechen dann steil ab und darunter folgen steiler geböscht untere Malmkalke, in die das nach aufwärts schluchtartig sich verengende Tal eingeschnitten ist. Die Terrassenkanten folgen durchweg dem Streichen, sind auf beiden Talseiten verschieden hoch und verschwinden sofort weiter abwärts, wo das Tal nicht mehr im Muldenstreichen liegt. An Stelle dieser echten Schichtterrassen läßt sich aber weiter aufwärts eine andere Modellierung des Talprofils erkennen. In die durch Erosion verbreiterte tektonische Mulde ist mit scharfer Knickung eine tiefe Schlucht eingesenkt, offenbar das Werk einer jüngeren Erosionsphase; jurassische Moränen reichen bis an den Fluß herab und beweisen, daß auch das Biennetal seit der letzten Ver-

---

[1]) Vgl. de la Noë et Margerie, Les formes du terrain, S. 142, und Schardt, Note explicative de la feuille XVI (2. édit.) de la carte géol. suisse, S. 85, Berne 1899.

gletscherung keine nennenswerte Vertiefung mehr erfahren hat. Bei Valfin verläßt die Bienne die tektonische Tiefenlinie, und von nun an ist ihr enges, steilwandiges Tal, ganz analog dem des Ain, an keine bestimmten Strukturformen gebunden. Zuerst berührt die Bienne auf ein kurzes Stück die Mulde von Cinquetral, wendet sich aber dann in einem entschiedenen Quertal nach W. Hier bei St. Claude (440 m) liegt ein ähnlicher Talknoten vor wie bei Morez (Fig. 13). Von links mündet der Tacon, der kurz vorher zahlreiche Zuflüsse zusammenfaßt. Alle diese haben sich in die gefalteten, aber eingeebneten Plateaus tiefe Schluchten eingeschnitten, deren landschaftlicher Charakter zu der Einförmigkeit der Plateauhöhen in großem Kontrast steht.

Hier haben auch die kleineren Flüsse mit der Tiefenerosion des Hauptflusses Schritt gehalten und ihren Lauf erheblich nach rückwärts verlängert, namentlich dann, wenn sie, wie es in der Combe de Tressus der Fall ist, auf die weichen Oxfordmergel stießen; hingegen blieben die von der Struktur geschaffenen Furchen unvertieft in ihrer ursprünglichen relativen Höhenlage erhalten. Alle diese Täler zeichnen sich ferner durch mächtige Schotterterrassen aus; in der Combe de Tressus liegen sie über Moränen, aus denen sie als unweit davon hervorgegangen

Fig. 13. Plateaujura um St. Claude.

erscheinen; im Tacontal liegen sie etwa 40 m über dem Flusse; sie steigen aber in den Seitentälern durchaus höher hinauf als im Biennetal, was auf Stauungen der Seitentäler durch den Gletscher des Haupttals schließen läßt, wodurch die kleineren Bäche gezwungen wurden, ihre Täler zu beträchtlicher Höhe zuzuschütten. Etwa 3 km unterhalb St. Claude hat der Fluß, der sein früheres, durch Schotter verschüttetes Tal nicht mehr auffand, sich eine kurze Schlucht mit senkrechten Wänden in die Doggerkalke eingeschnitten; zufällig fällt diese Stelle mit einer Bruchlinie zusammen, die aber vom Flusse senkrecht zu ihrem Streichen gekreuzt wird.

Oberhalb Molinges berührt die Bienne abermals auf eine kurze Strecke eine Synklinale. aus der ihr der Longviry in enger Schlucht zuströmt. Bei Jeurre ist das Biennetal abermals ein echtes Quertal, aber mit gleichmäßig breitem Talboden, durch den die Bienne fast ohne Gefälle sich schlängelt; bis Lavancia liegt ihr Tal ungefähr im Streichen einer Synklinale, aber etwas gegen den östlichen Muldenschenkel verschoben; dann folgt abermals ein kurzes Quertalstück, bis endlich die Bienne einen großen Bogen nach N beschreibt und mit dem Ain sich vereinigt. Es liegt hier eine auffällige Abweichung des Flußlaufs von der vorgezeichneten Tiefenlinie vor, einer breiten Kreidesynklinale, die von der Bienne ein Stück weit benutzt, dann aber plötzlich verlassen wird, während ihr die Bahnlinie über Oyonnax bis La Cluze folgt. In ihr liegt nördlich von Oyonnax etwa 200 m über dem Biennetal in versumpftem Terrain die Wasserscheide zwischen einem kleinen Flüßchen, das nach N über Dortan zur Bienne geht, und der Ange, die bei La Cluze den Oignin erreicht. Immerhin ist es sehr zweifelhaft, ob die Bienne einst diesen Weg benutzt hat. Wahrscheinlicher ist eine Verlegung der Wasserscheide von geringerem Ausmaß, indem der Bach von Dortan einst der Ange zugehörte und durch stärkere Erosion des Biennetals zu diesem abgelenkt wurde, so daß die Ange ihrer Quellen beraubt wurde.

3. Das Aingebiet unterhalb der Biennemündung.

Der nächste Nebenfluß des Ain ist der Oignin, dessen Lauf abweichend von der allgemeinen Entwässerungsrichtung von S nach N gerichtet ist. Er ist ebenso wie sein längster Zufluß, der Borrey, fast in seiner ganzen Erstreckung ein echter Folgefluß. Der tiefste Punkt der von ihm durchflossenen Mulde liegt an der Mündung der Ange, westlich des Westendes des Sees von Nantua. Die weitere Entwicklung des Oignin ist aber durch die von der letzten Vergletscherung geschaffenen Terrainformen bestimmt. In der Umgebung von La Cluze ist durch intensive Erosionsvorgänge der Zusammenhang der gebirgsbildenden Schichten in stattlicher Breite senkrecht zum Streichen unterbrochen, und durch die so geschaffene Lücke vollzieht der Oignin seinen Übertritt aus der Mulde von Maillat-Montréal in die nächst westliche, der er in trägem Laufe bis zu seiner Mündung in den Ain folgt. Straße und Eisenbahn gelangen mit unbedeutendem Gefälle durch eine fluvioglaziale Schotterfläche von W her an das untere Ende des Sees. Aus dieser Niederung erhebt sich rundhöckerartig eine Insel von Jurakalken bei Brion. Wo der Oignin die westliche Mulde erreicht, kreuzt ihn, östlich von Nurieux, ein Endmoränenwall jurassischer Herkunft, der sich amphitheatralisch an das anstehende Juragestein anlehnt und so den Ausgang des Seetals, 3,5 km von dessen Austritt aus dem engen Quertal entfernt, absperrt. Hinter dem Moränenwall liegt eine ebene Schotterfläche, die mehrfach Deltaschichtung zeigt, somit ein ausgefülltes Seebecken, dessen letzter Rest der See von Nantua ist (h = 474 m, A = 141 ha, Max.-Tiefe = 43 m)[1]). Die Lage des Sees ist vom Gebirgsbau völlig unabhängig, er erfüllt das Zungenbecken eines alten Gletschers. Der erwähnte Moränenwall liefert keine wirksame Abdämmung mehr; diese würde auch zur Erklärung der Seetiefe nicht genügen[2]), denn der Oignin fließt wenige Kilometer weiter unterhalb schon in anstehendem Gestein; es hat wenigstens teilweise auch glaziale Erosion an der Schaffung des Seebeckens mitgewirkt, die gerade hier sich entfalten konnte, wo der Gletscher aus dem engen Quertal in eine breite ebene Fläche hinauszutreten im Begriff war.

Die ehemalige Ausdehnung des Sees ist deutlich an dem vollkommen ebenen Talboden erkennbar; dieser reicht gegen W bis zu dem Moränenwall von Nurieux, gegen S im Oignintal bis St. Martin-du-Fresne, gegen N bis Montréal. Gletscher und See haben sich hammerförmig vor dem Ausgang des Quertals ausgebreitet. Auch das untere Stück des Oignintals jenseit der Lücke von Nurieux ist durch Schotter zugeschüttet, durch die sich der Fluß ein 35 m tiefes Bett gegraben hat, wobei er zweimal (gleichsam epigenetisch) sich in anstehendes Gestein eingeschnitten hat, offenbar Stellen, wo er sein verschüttetes Bett nicht mehr gefunden hat. Das Becken von La Cluze ist gegenwärtig noch ein Anziehungspunkt zentripetaler Entwässerung. Vor seiner glazialen Ausgestaltung scheint ein Fluß in der Richtung der heutigen Ange stets der Muldenachse folgend nach S und über La Balme und Cerdon in das Gebiet des Veyron geflossen zu sein, der bei Poncin den Ain erreicht. Ein solcher Flußlauf ist durch ein Trockental bis La Balme verfolgbar. Die Austiefung des Beckens von La Cluze hat sodann die heutigen Entwässerungsverhältnisse geschaffen.

Eine kurze Strecke unterhalb der Mündung des Oignin nimmt der Ain die Valouse auf, deren südlich gerichteter Lauf in seiner ganzen Erstreckung, ebenso wie ihr Zufluß, der Valouson, und dessen zahlreiche Quellflüsse an Oxfordschichten gebunden sind. Wir sehen also in diesen abgetragenen Plateaugebieten ein unbedingtes Vorherrschen der sub-

---

[1]) Delebecque, Les lacs français, S. 32. Die Isobathenkarte zeigt eine ziemlich ausgedehnte Plattform unter 40 m Tiefe, von der nach dem flachen Westende der Boden ziemlich rasch ansteigt.

[2]) So Delebecque, a. a. O. S. 362. Die Entstehung des vom See erfüllten Quertals wird uns bei der Betrachtung des Rhônegebiets beschäftigen.

sequenten Erosion, der Anpassung der Flußläufe an die Gesteinsbeschaffenheit. Ähnliches gilt auch vom Gebiet des letzten Jurazuflusses des Ain, des Surand. Sein Unterlauf wurde zur Zeit der Faltung in einer tektonischen Mulde angelegt; als er seinen Lauf nach aufwärts verlängerte, trat der Fluß dort, wo seine Mulde durch Brüche abgeschnitten wird und wahrscheinlich durch diese geleitet, auf Oxfordschichten über und hat sich in diesen ein Tal mit monoklinalem Schichtbau geschaffen.

Wir haben das Aintal bei der Mündung der Bienne verlassen. Der Talcharakter bleibt auch weiter abwärts der gleiche, wobei der Fluß immer zunächst ein Stück weit im Streichen der Falten fließt und dann in Quertalstücken diese kreuzt. Dieser Wechsel von Längs- und Quertalstrecken ist aber von der rostförmigen Anordnung der Täler des Kettenjura gänzlich verschieden. Längs- und Quertalstücke sind hier gleich breit, die ersteren fallen bald in die Muldenachsen, bald auf die erodierten Sättel der Gewölbe. In dieser Weise windet sich der Ain in trägem Laufe durch die letzten Randfalten, bis er bei Pont-d'Ain (240 m) in die Bresse hinaustritt.

4. Alter und Entstehung des Aintals.

Bei der talgeschichtlichen Betrachtung fallen zunächst große Analogien zwischen Doubs- und Ainlauf, nämlich die Unabhängigkeit der Talrichtung vom inneren Bau des Gebirges und die Tiefe des Tales auf. Diese konnten wir beim Doubs zum größten Teile als durch nachträgliche Krustenbewegungen bedingt erkennen, und ähnliches gilt auch vom Ain. Auch hier haben die Einebnungsvorgänge zur Herstellung einer recht vollkommenen Rumpffläche geführt, auch hier wurde der erste Zyklus der Entwicklung der Oberflächenformen durch Krustenbewegungen unterbrochen, wie wir sie ja auch für das westliche Randgebiet des Jura annehmen mußten. Diese zweite Dislokationsperiode führte zu einer allgemeinen Hebung des Gebirges, verbunden mit einer Schiefstellung der in Ausbildung begriffenen Rumpffläche gegen NW und W. Der Maximalbetrag der Hebung ergibt sich aus der Tiefe des Aintals unter das Niveau der eingeebneten Plateauflächen; im mittleren Teile, etwa in der Gegend von Clairvaux, beträgt sie rund 300 m, und auch beim Austritt in die Bresse besitzt das Aintal noch die stattliche Tiefe von 200 m. Doch möchten wir nicht den ganzen Betrag auf Kosten der Hebung setzen; ebensowenig ist die allgemeine Höhenabnahme gegen W allein eine Folge der Schiefstellung, denn das Fehlen mächtiger Schichtkomplexe im westlichen Teile des Gebirges beweist, daß schon vor der nachträglichen Hebung bedeutende Höhenunterschiede zwischen O und W bestanden haben müssen.

Die Beschaffenheit des Aintals nach Abschluß der Hauptfaltung läßt sich nicht mehr rekonstruieren; doch dürfte es in seinen großen Zügen von dem heutigen Zustand nicht allzu sehr verschieden gewesen sein. Es scheint, in seiner Erstreckung vom Austritt aus dem Becken von Champagnole an, zurückzugehen auf einen vorpliocänen Abdachungsfluß, der seinen Lauf durch die aufsteigenden Falten bewahrt, dann allerdings in der nicht allzu langen Zeit der Ruhe der Beschaffenheit der damaligen Landoberfläche sich angepaßt hat; dafür spricht der stete Wechsel seines Verhältnisses zur Struktur, das auffällige Mäandern in hartem Gestein, das unvermittelte Übertreten von weicher auf harte Unterlage. Die späteren jungpliocänen Dislokationen senkten sodann seine Mäander in die gehobenen Plateaumassen ein.

Immerhin treffen wir diese Verhältnisse nur bei dem kräftigen Hauptfluß; die meisten seiner Nebenflüsse sind in ein bestimmtes Abhängigkeitsverhältnis zu den schon durch die Hauptfaltung geschaffenen Zuständen getreten. Sie liegen entweder in tektonischen Mulden, wie der mittlere Teil der Bienne, des Oignin und der untere Surand, oder sie folgen dem Auftreten wenig widerstandsfähiger Schichten, wie Valouse, Valouson und der obere Surand.

Nur der untere Teil der Bienne erscheint gleichfalls als ein ehemals angepaßter, vielleicht ursprünglich antezedenter und durch spätere Krustenbewegungen eingesenkter Flußlauf; denn wir treffen hier dieselben Verhältnisse wie im Aintal selbst.

Übrigens erfuhren durch die jungpliocäne Hebung auch die Nebenflüsse des Ain eine Neubelebung; das erkennen wir an der großen Tiefe des mittleren Biennetals, wo ein alter Talboden ca 300 m über dem Flußspiegel angedeutet ist, an den tiefen Tälern des Drouvenant, Hérisson u. a., an den jugendlichen Erosionsschluchten um St. Claude. Der landschaftliche Charakter des Plateaujura, der Kontrast zwischen den eintönigen Hochflächen und den tiefen Tälern ist also im wesentlichen erst eine Folge der zweiten Dislokationsperiode des Gebirges [1]).

Die Geschichte der großen Juraflüsse läßt uns schließlich einen Überblick über den Verlauf der Herstellung der gegenwärtigen Reliefformen gewinnen, der sich in großen Zügen ungefähr folgendermaßen formulieren läßt. Die postmiocäne Faltung pflanzte sich von NW gegen SO fort und hatte bis zur Mitte der Pliocänzeit ein Faltengebirge geschaffen, dessen einzelne Teile schon damals nicht unbedeutende Abweichungen zeigten. Der Westen war bereits zur Ruhe gekommen, im O dauerte die Faltung in abgeschwächtem Maße noch an; im W hatten Abtragung und Einebnung die Strukturformen bereits stark verwischt, im O bestanden sie noch in jugendlicher Frische. Die Flüsse des westlichen und mittleren Teiles hatten sich der Struktur und Gesteinsbeschaffenheit angepaßt und flossen in wenig tiefen Tälern dahin, die des O ordneten sich vorwiegend den von der Struktur geschaffenen Zuständen unter. In der letzten Phase des Pliocäns erfolgte dann eine nochmalige Dislokation des ganzen Gebirges, die sich vorwiegend als eine allgemeine Hebung und Verbiegung äußerte, ohne daß es dabei zu einer abermaligen Faltung gekommen wäre. Im W leitete die Hebung einen neuen Zyklus der Flußentwicklung ein, im O traf sie vielleicht noch mit den letzten Äußerungen der Hauptfaltung zusammen und übte keinen namhaften Einfluß auf die Geschichte der Flüsse aus, die Einsenkung des Rheinthals oberhalb Basel und deren Folgen ausgenommen.

Gleichzeitig mit dieser Hebung des Jura erfolgte eine andauernde Senkung der Bresse, es entstand der scharfe westliche Juraabfall, die kleinen Flüsse, die in die Bresse hinaustreten, erfuhren ebenfalls eine Neubelebung, und es kam zu der Auflösung und Zerstückelung der eingeebneten westlichen Randketten. Seither dauerte die weitere Abtragung der Plateauflächen auch durch andere Agentien als die Seitenerosion der Flüsse, nämlich durch Abspülung und Lösung, ungestört an; die heutige Rumpfebene des Jura ist nur das weiter entwickelte Stadium der noch weniger vollkommenen Einebnungsflächen des Pliocäns.

V. Das Rhônegebiet.

Doubs und Ain, obwohl dem Rhônegebiet angehörend, konnten doch als selbständige Juraflüsse betrachtet werden, da sie erst außerhalb des Gebirges in die dessen Westrand bildende Tiefenlinie münden. Der Hauptfluß des südlichen Jura, die Rhône, ist in seinem Laufe fast ausschließlich durch die Formen der Struktur bedingt; durch den häufigen Wechsel von Längs- und Quertalstrecken erinnert ihr Lauf an die Rostgebirgsflüsse des nördlichen Kettenjura; zugleich aber tritt durch die eiszeitliche Vergletscherung, die den südlichen Jura besonders betraf, ein neues Moment bei der talgeschichtlichen Betrachtung hinzu. Die Rhône ist der einzige Jurafluß, dessen Gebiet durch die Vergletscherung maßgebend beeinflußt wurde.

[1]) Brückner, Eiszeitalter usw., S. 478.

1. Das Rhônetal bis Culoz.

Nach unruhig pendelndem Laufe durch die Quartärlandschaft unterhalb Genf, wo die Rhône durch die Mündung der Arve die im Genfer See erlangte Klarheit des Wassers rasch wieder eingebüßt hat, tritt sie bei Collogny an die erste Jurakette heran und benutzt zu ihrer Durchquerung den tiefsten Punkt der Antiklinalkammlinie zwischen der Vuache und der Kette des Grand Crédo, wo die Urgonschichten gegenüber ihrer Höhenlage auf dem Gipfel des Grand Crédo (1400 m) eine Senkung von fast 1000 m erfahren und dann in der Vuache wieder auf 940 m ansteigen. Die Klus der Rhône, überragt von dem malerischen Fort de l'Écluse, das den Zugang zum südlichen Jura von O her deckt, stellt also ein typisches Walmtal vor. Nunmehr fließt der Fluß stets in engem Tale zwischen steilen Gehängen dahin und erreicht nach einer großen, südwärts gerichteten Schlinge das Becken von Bellegarde, um nun nach S umzubiegen und einer breiten Mulde bis Culoz zu folgen. Noch hat sich der Fluß oberhalb Bellegarde zunächst nur in weiche Molasse-schichten eingetieft und ist von der Höhe der welligen Schotterflächen, die ihn 150—200 m hoch überragen, noch zu erblicken. Von der Brücke von Grézin an aber bleiben die Ufer des zu einem wilden Cañon gewordenen Bettes auf 10 km Länge bis Génissiat unzu-gänglich, der Fluß schießt zwischen senkrechten Mauern aus Kreidekalken dahin, deren abwechselnd harte und weiche Schichtbänke bald überhängen, bald nischenartig zurücktreten. Bei der Brücke von Lucy, etwa 1 km oberhalb Bellegarde, befindet sich die bekannte »Perte du Rhône«, wo der Fluß den größten Teil seines Wassers durch einen etwa 40 m langen unterirdischen Kanal strömen läßt. Bei Niederwasser ist der Schwund ein voll-ständiger, das oberirdische Bett völlig trocken, bei Hochwasser bleibt in diesem ein spär-liches Rinnsal übrig.

Eine detaillierte Beschreibung dieser Verhältnisse gab Bourdon (Le cañon du Rhône etc., Bull. soc. de géogr. de France XV, 1894, S. 70 ff.). Danach führt die Rhône bei mittlerem Wasserstand vor der »Perte« etwa 500 Sek.-cbm, unter der Brücke von Lucy nur 50 cbm, der Rest fließt in dem unterirdischen Bette; zu Zeiten höchsten Wasserstandes führt die Rhône an dieser Stelle 1500 cbm, wovon etwa zwei Drittel unterirdisch fließen, wonach bei der mittleren Geschwindigkeit von 8 m pro Sekunde auf eine unterirdische Galerie von etwa 12 m Tiefe und 12 m Breite geschlossen werden muß. Genaue Beobachtungen seit 1853 lehren, daß sich der Beginn der »Perte« nach aufwärts verlegt, und es scheint diese Verschiebung gegen-wärtig etwa 1—1,5 m im Jahre zu betragen, nach den Karten der letzten 50 Jahre etwa 70—80 m in einem Jahrhundert.

Dem Rhônelauf um Bellegarde ganz ähnlich ist die unterste Strecke der Valserine, die von Châtillon-de-Michaille an gleichfalls in tiefem Cañon mit Schnellen und Cascaden fließt und in einem 12 m hohen Falle die Rhône als viel wasserreicherer Fluß erreicht. Ihr Oberlauf ist bestimmt durch das große Längstal, das wir als Grenze zwischen Ketten- und Plateaujura kennen gelernt haben; südlich von Chézéry liegt eine in der Eiszeit ent-standene Flußverlegung vor, indem der präglaziale Fluß durch die Kreidemulde von La Mantière direkt nach S floß, während der heutige die stark gesenkte Antiklinale von Crêt de Chalam und das verkarstete Urgonkalkplateau von Ladai durchschneidet[1]). Bei Châtillon-de-Michaille, wo der Cañon der Valserine beginnt, nimmt sie aus engem Tale die Semine auf, deren unterstes Talstück, von St. Germain-de-Joux an, in die Quertallinie Nantua-Bellegarde fällt.

Der Cañoncharakter des Rhônelaufs reicht bis Pyrimont. Bei Malpertuis ist die Rhôneschlucht 200 m tief eingeschnitten und nur wenige Meter breit; das Gefälle von Bellegarde bis hierher beträgt aber auf der 13 km langen Strecke kaum 40 m. Dabei steigt die Sohle des breiten Tales gegen S, also gegen das Flußgefälle an; bei Bellegarde liegt sie 340 m, bei Beaumont unfern Malpertuis 492 m, wodurch die Beckenform dieses

---

[1]) Schardt, Études géolog. sur l'extrémité méridionale des Mts. Jura (Bull. soc. vaud. XX, 1891. S. 114) und Douxami, La vallée moyenne du Rhône (Ann. de Géogr. XI, 1902, S. 414).

Talstücks zustande kommt. Der ganze Talcharakter von dem Fort de l'Écluse bis hierher ist der jugendlicher Unfertigkeit; der Fluß hat sein normales Gefälle noch nicht erhalten und ist erst daran, sich sein Bett zu schaffen. Erst von Pyrimont an beginnen normalere Verhältnisse. Der Fluß tritt aus seinem Felsenbett heraus und fließt an der Sohle der immer breiter werdenden Mulde, nunmehr stark verwildert, bis Culoz. Unfern Seyssel nimmt er die Usses auf, deren beide Quellflüsse sich am Südende der Vuachekette vereinigen und die ein weitverzweigtes Talsystem quartären Alters um Frangy besitzen; oberhalb Anglefort mündet der Fier, der in tiefer Schlucht die Jurakette von Gros-Foug durchbricht. Vor Culoz stellen sich versumpfte Talstrecken ein, dann wendet sich die Rhône südwestlich, umfließt das Südende des Grand Colombier und tritt in die nächstwestliche Mulde.

In dem bisher geschilderten Teile des Rhônegebiets tritt als erstes Problem die Frage nach dem Alter des Rhônedurchbruchs beim Fort de l'Écluse hervor. Die präglaziale Fußebene des Alpenvorlandes senkte sich ebenso wie gegen NW zum Rhein auch nach SW zum Rhônegebiet und hatte jedenfalls damals einen Abfluß durch einen großen Alpenstrom, der durch das breite Tor zwischen dem Salève und der Vuachekette in einer Höhe von ca 600 m, etwa zwischen Frangy und La Balme in das Grenzgebiet zwischen Jura und Alpen hinaustrat. In tertiärer Zeit bestand also der Rhônedurchbruch noch nicht, es fehlen auch diesem Abschnitt des Rhônetals die miocänen, alpinen Konglomerate[1]); jedenfalls aber ist er älter als die letzte Vergletscherung, deren fluvioglaziale Bildungen das Durchbruchstal erfüllen[2]).

Die quartären Ablagerungen beim Fort de l'Écluse waren seit den Beobachtungen von Renevier (1883) Gegenstand vielfacher Untersuchungen. Am Boden der Klus liegt ein etwa 4 m mächtiges Lager von Ton, darüber horizontal geschichtete Sande und Schotter, die in den oberen Partien bis zu 6—700 m Höhe mit Moränen alternieren; noch höher, bis 1040 m, reichen am Abhang der Sorgia die Ufermoränen des letzten Rhônegletschers, und bis 1200 m die einzelnen Blöcke der Maximalvergletscherung. Auch unterhalb der Klus, am Fuße des Felsens von Léaz, pfte die Rhône umfließt, finden sich wieder Sande, Schotter und darüber Moränen. Schardt (a. a. O. S. 77 und 129) deutete diese Verhältnisse so, daß vor dem Eindringen des letzten Rhônegletschers das Becken von Bellegarde bis zur Stelle der heutigen Klus, in der die noch nicht so weit abgetragenen Valangien- und Urgonschichten eine Barre bildeten, von einem See erfüllt gewesen sei, in den sich der Schuttkegel der präglazialen Rhône hineinbaute. Die Annahme eines Sees hielt Douxami angesichts der horizontal lagernden Schotter für unwahrscheinlich (a. a. O. S. 413). Jedenfalls sind diese geschichteten Ablagerungen, die seither von der Rhône wieder durchschnitten wurden, Äquivalente des Niederterrassenschotters, ältere Schotter wurden bisher hier nicht nachgewiesen. In einer nicht näher bestimmbaren Phase des Eiszeitalters hat also die Rhône ihren Lauf südlich der Vuache aufgegeben und die tiefe Einsattelung an der Stelle der heutigen Klus benutzt; zu Beginn der Würmeiszeit war aber dies schon zu ihrer gegenwärtigen Tiefe erodiert.

. Die Quertallinie Nantua—Bellegarde, die bei letzterem Orte in das Rhônetal mündet und eine tiefgehende Unterbrechung des Plateaujura bildet, entstand durch Verschweißung einer Anzahl sehr verschiedener Glieder. Das westlichste Talstück von Neyrolles bis La Cluze, heute zur Hälfte vom See von Nantua eingenommen, ist ein Quertal, das wenigstens in seinem oberen Teile tektonisch angelegt erscheint, indem hier die Schichten im Streichen einen nach W vorspringenden Winkel bilden und außerdem eine beträchtliche Senkung erfahren haben. Das Talstück von Neyrolles bis zum oberen Ende des Lac de Silans fällt in eine mit Kreideschichten erfüllte tektonische Mulde, die ihren vom allgemeinen Schichtstreichen etwas abweichenden Verlauf einer Art horizontaler Verschiebung oder Verschleppung der tektonischen Achsen verdankt, ohne daß es dabei zu einer echten Blattverwerfung gekommen wäre[3]). Der langgestreckte, schmale Lac de Silans (h = 584 m, A = 50 ha, T = 22 m) ist an seinem Westende in postglazialer Zeit durch einen Berg-

[1]) Forel hat ohne Angabe näherer Gründe die Ansicht ausgesprochen, daß seit dem Ende des Miocäns die Rhône durch die Klus von Bellegarde geflossen sei (Bull. soc. vaud. XXVI, 1890, S. 12).
[2]) Dies ist der Grund, warum die meisten Autoren den Rhônedurchbruch für präglazial erklären, was nur für die letzte Vergletscherung nachweisbar ist.
[3]) Vgl. Benoîts Notice explicative de la feuille Nantua (160) d. l. carte géol. détaillée.

1. Das Rhônetal bis Culoz.

Nach unruhig pendelndem Laufe durch die Quartärlandschaft unterhalb Genf, wo die Rhône durch die Mündung der Arve die im Genfer See erlangte Klarheit des Wassers rasch wieder eingebüßt hat, tritt sie bei Collogny an die erste Jurakette heran und benutzt zu ihrer Durchquerung den tiefsten Punkt der Antiklinalkammlinie zwischen der Vuache und der Kette des Grand Crédo, wo die Urgonschichten gegenüber ihrer Höhenlage auf dem Gipfel des Grand Crédo (1400 m) eine Senkung von fast 1000 m erfahren und dann in der Vuache wieder auf 940 m ansteigen. Die Klus der Rhône, überragt von dem malerischen Fort de l'Écluse, das den Zugang zum südlichen Jura von O her deckt, stellt also ein typisches Walmtal vor. Nunmehr fließt der Fluß stets in engem Tale zwischen steilen Gehängen dahin und erreicht nach einer großen, südwärts gerichteten Schlinge da-Becken von Bellegarde, um nun nach S umzubiegen und einer breiten Mulde bis Culoz zu folgen. Noch hat sich der Fluß oberhalb Bellegarde zunächst nur in weiche Molasse-schichten eingetieft und ist von der Höhe der welligen Schotterflächen, die ihn 150—200 m hoch überragen, noch zu erblicken. Von der Brücke von Grézin an aber bleiben die Ufer des zu einem wilden Cañon gewordenen Bettes auf 10 km Länge bis Génissiat unzu-gänglich, der Fluß schießt zwischen senkrechten Mauern aus Kreidekalken dahin, deren abwechselnd harte und weiche Schichtbänke bald überhängen, bald nischenartig zurücktreten. Bei der Brücke von Lucy, etwa 1 km oberhalb Bellegarde, befindet sich die bekannte »Perte du Rhône«, wo der Fluß den größten Teil seines Wassers durch einen etwa 40 m langen unterirdischen Kanal strömen läßt. Bei Niederwasser ist der Schwund ein voll-ständiger, das oberirdische Bett völlig trocken, bei Hochwasser bleibt in diesem ein spär-liches Rinnsal übrig.

Eine detaillierte Beschreibung dieser Verhältnisse gab Bourdon (Le cañon du Rhône etc., Bull. soc. de géogr. de France XV, 1894, S. 70 ff.). Danach führt die Rhône bei mittlerem Wasserstand vor der »Perte« etwa 500 Sek.-cbm, unter der Brücke von Lucy nur 50 cbm, der Rest fließt in dem unterirdischen Bette; zu Zeiten höchsten Wasserstandes führt die Rhône an dieser Stelle 1500 cbm, wovon etwa zwei Drittel unterirdisch fließen, wonach bei der mittleren Geschwindigkeit von 8 m pro Sekunde auf eine unterirdische Galerie von etwa 12 m Tiefe und 12 m Breite geschlossen werden muß. Genaue Beobachtungen seit 1853 lehren, daß sich der Beginn der »Perte« nach aufwärts verlegt, und es scheint diese Verschiebung gegen-wärtig etwa 1—1,₅ m im Jahre zu betragen, nach den Karten der letzten 50 Jahre etwa 70—80 m in einem Jahrhundert.

Dem Rhônelauf um Bellegarde ganz ähnlich ist die unterste Strecke der Valserine, die von Châtillon-de-Michaille an gleichfalls in tiefem Cañon mit Schnellen und Cascaden fließt und in einem 12 m hohen Falle die Rhône als viel wasserreicherer Fluß erreicht. Ihr Oberlauf ist bestimmt durch das große Längstal, das wir als Grenze zwischen Ketten-und Plateaujura kennen gelernt haben; südlich von Chézéry liegt eine in der Eiszeit ent-standene Flußverlegung vor, indem der präglaziale Fluß durch die Kreidemulde von La Mantière direkt nach S floß, während der heutige die stark gesenkte Antiklinale von Crêt de Chalam und das verkarstete Urgonkalkplateau von Ladai durchschneidet[1]. Bei Châtillon-de-Michaille, wo der Cañon der Valserine beginnt, nimmt sie aus engem Tale die Semine auf, deren unterstes Talstück, von St. Germain-de-Joux an, in die Quertallinie Nantua-Bellegarde fällt.

Der Cañoncharakter des Rhônelaufs reicht bis Pyrimont. Bei Malpertuis ist die Rhôneschlucht 200 m tief eingeschnitten und nur wenige Meter breit; das Gefälle von Bellegarde bis hierher beträgt aber auf der 13 km langen Strecke kaum 40 m. Dabei steigt die Sohle des breiten Tales gegen S, also gegen das Flußgefälle an; bei Bellegarde liegt sie 340 m, bei Beaumont unfern Malpertuis 492 m, wodurch die Beckenform dieses

---

[1] Schardt, Études géolog. sur l'extrémité méridionale des Mts. Jura (Bull. soc. vaud. XX, 1891. S. 114) und Douxami, La vallée moyenne du Rhône (Ann. de Géogr. XI, 1902, S. 414).

mit einem scharfen Knick in ca 600 m Höhe an die Gehänge der Reculetkette; auf dieser Terrasse liegen die Dörfer Confort und Lancrans am linken, Châtillon am rechten Ufer, mehr als 100 m über dem Flußniveau.

In das zugeschüttete Tal schnitt sich die Rhône in postglazialer Zeit tief ein; ihr Cañon ist die Folge einer antiklinalen Aufwölbung (»Bombement«), die das Innere des Beckens von Bellegarde betroffen hat[1]), und die auch die Flüsse der Seitentäler zu verstärktem Einschneiden veranlassen mußte. Aus enger Schlucht mündet mit starkem Gefälle die Valserine, um das Niveau der Rhône zu erreichen. Kleine Kaskaden bildet die bei Pyrimont mündende Véseronce. Auch die tiefe Schlucht des Fier im Gewölbe des Gros-Foug ist sichtlich sehr jugendlicher Entstehung. Früher konnte der Fier durch die Mulde von Rumilly nach S zum Sierroz fließen, bis durch die neubelebte Erosion im Haupttal ein Flankental des Gros-Foug zum vollständigen Durchbruchstal wurde und den Gewässern des Molasseplateaus von Versonnex einen kürzeren Ausweg zur Rhône schuf.

Wo die tektonische Störung des Beckens von Bellegarde zu Ende geht, ändert sich der Charakter des Rhônetals; der Fluß tritt aus der engen Schlucht in eine breite Talsohle.

2. Das Rhônetal von Culoz bis zum Austritt aus dem Gebirge.

Während die östlichste Mulde des Jura südlich von Culoz vom Lac de Bourget erfüllt wird, folgt die Rhône der nächstwestlichen bis Yenne. Bis etwa zur Mündung des Fier bestimmt Zuschüttung des Tales und nachträgliche Tiefenerosion des Flusses den Talcharakter; nunmehr fällt das breite, trogförmig ausgestaltete Talprofil mit flacher Sohle auf, in der der Fluß in unruhigem Laufe und stark verwildert dahinfließt, und über die, namentlich am rechten Ufer, steile, vielfach abgeschliffene Gehänge mit Abbruchformen sich erheben, die flacheren Partien in ca 600 m Höhe Platz machen[2]). Aus der weiten Alluvialfläche um Culoz, in der die Rhône aus dem breiten Val Romey der Séran zuströmt, ragen abgerundete Riegelberge und Berginseln auf: Vom Südende des Colombier springt nach S der Mollard de Jugeant (317 m) vor; gänzlich isoliert erhebt sich aus dem Sumpfgebiet der »Marais de Lavours« der Mollard de Vions (321 m), tektonisch die Fortsetzung der Chaîne de l'Épine und das Verbindungsglied zwischen dieser Kette und der des Colombier, gelegen an der Stelle einer beträchtlichen Senkung der Antiklinalachse, wodurch der Rhône, die den Hügel von Vions umspült, der Übertritt in die Mulde von Yenne erleichtert wurde. An ihrem rechten Ufer erhebt sich ferner bei Lavours eine Insel von oberen Malmkalken zu 327 m, und schließlich treten am Nordende des Lac de Bourget bei Châtillon inselartig zwei Kreidefelsen (268 m) auf. Alle diese bis zu 90 m aus der rund 235 m hohen Talsohle aufragenden Erhebungen zeigen deutliche Spuren glazialer Abrundung und Abschleifung; sie erscheinen uns als die auch ihrerseits stark abgetragenen Reste einer präglazialen Talsohle inmitten eines Gebiets intensiver flächenhafter Erosion, einer im Vergleich zu den untergeordneten und weiter aufwärts gelegenen Talstrecken übertieften Tallandschaft. Während aber auf großen Flächen das durch die Übertiefung erreichte Niveau seither durch junge Alluvionen wieder namhaft erhöht wurde, erscheint es in seiner ursprünglichen Höhenlage noch am Boden des Lac de Bourget.

Dieser größte und schönste aller Juraseen, gelegen zwischen den steil abfallenden Gehängen der beiden ersten Juraketten, erreicht bei einer Länge von 18 km und einer größten Breite von 3 km ein Areal von 4462 ha und eine größte Tiefe von 145,4 m im nördlichen Teile; an seinem Ostufer mündet mit einem großen Delta der aus der Mulde

---

[1]) Douxami, La vallée moyenne du Rhône (Ann. de Géogr. XI, 1902, S. 415).
[2]) Die französischen topographischen Karten lassen diese Verhältnisse keineswegs in wünschenswerter Deutlichkeit zum Ausdruck gelangen.

von Albens kommende Sierroz; eine Barre, gebildet durch zwei sublakustre Hügel in 42,9 und 41,2 m Tiefe, trennt von dem Hauptbecken die am östlichen Ufer einschneidende Bucht von Grésine ab[1]). Der heutige See ist aber nur der Überrest einer einst weit größeren Wasserfläche, die nach dem vollkommen ebenen Boden seiner Umgebung zu schließen in einem Niveau von ca 300 m nach N bis gegen Seyssel, im S einerseits bis Chambéry. anderseits im heutigen Rhônetal bis zu den Moränen von Massignieu, im O und W bis an den Abfall der Schotterterrassen bei Chindrieux, bzw. Artemare und Avrissieu reichte. Diese einstige Seewanne wurde durch Rhône, Séran und Leisse in postglazialer Zeit größtenteils zugeschüttet, die Deltaschotter dieser Flüsse sind an vielen Orten, so bei Seyssel, Anglefort, unterhalb Motz und bei Chambéry erschlossen. Heute fließt die Rhône an ihrem eigenen Delta vorbei gegen SW und nimmt den Abfluß des Sees auf, der im Kanal von Savières durch die Sümpfe von Lavours geleitet ist. Übrigens geht zur Zeit der Frühjahrs- und Herbsthochwässer noch ein Teil der Rhônegewässer durch diesen Kanal zum See[2]).

Die einstige Ausdehnung der Seewanne und ihre späteren Schicksale lassen auch ihre Entstehung erkennen. Der Lac de Bourget liegt in einem durch Glazialerosion übertieften Zungenbecken, in dem er bei dessen nachträglicher Zuschüttung gleichsam ausgespart blieb. Der Minimalbetrag der Übertiefung ergibt sich aus der Höhendifferenz zwischen dem Seeboden und den erwähnten Inselbergen zu ca 240 m; doch scheint die präglaziale Talsohle, wie die flacheren Gehängepartien oberhalb der steil zum See abstürzenden Felswände, namentlich des westlichen Ufers lehren, noch in viel höherem Niveau bei etwa 500 m, gelegen gewesen zu sein, woraus auf einen Maximalbetrag der Übertiefung von mehr als 400 m zu schließen wäre. Das übertiefte Talgebiet setzt sich im Tale der von S in den See mündenden Leisse fort, sowie in der eigentümlichen breiten Senke zwischen Chambéry und Montmélian, in welcher in 340 m Höhe die durch junge Moränen gebildete Wasserscheide zwischen Rhône- und Isèregebiet liegt[3]).

Dem Beschauer, der von einem höher gelegenen Punkte, etwa vom Abhang des Colombier, das Gebiet um und südlich von Culoz überblickt, drängt sich unwillkürlich die Überzeugung auf, daß die Rhône vor der Entstehung des Lac de Bourget durch das heutige Seetal direkt nach S ins Isèregebiet geflossen sei. Delebecque hat u. a. diese Ansicht ausgesprochen[4]), gestützt auf Gerölle des Wallis, die man bei Chambéry gefunden habe, und auf alte Glazialschotter, die in Zusammenhang, aber disloziert und bedeckt von jüngeren Moränen vom See von Bourget über Chambéry und im Isèretal bis Voiron und St. Marcellin zu verfolgen seien. Diesen Schotter hält Delebecque für Deckenschotter, gleichaltrig den Geröllen der Dombes, die Entstehung des Sees somit für jünger als diese und, der Theorie Heims folgend, für die Folge eines Rücksinkens des Alpenkörpers. Hingegen haben Kilians Untersuchungen[5]) ergeben, daß die Schotter von Voiron und St. Marcellin verschiedenen Perioden des Isèretals angehören, daß diese Terrassen auch mit denen von Chambéry nicht in Beziehung gebracht werden können, und daß die von Delebecque behauptete Konstanz der Schotterniveaus überhaupt nicht bestehe; er bezweifelt daher auch die Entstehung des Sees durch ein Rücksinken der Alpen. Daß die Rhône in präglazialer Zeit den Weg nach S ins Isèregebiet genommen hat, bevor die Enge von Culoz durch (wie es scheint, vornehmlich glaziale) Erosion beseitigt war, ist immerhin wahrscheinlich, wenn auch die Walliser Gerölle bei Chambéry nicht beweisend sind; sie können sehr wohl den Moränen des Walliser Eises entstammen, das sich in dieser Gegend ebenso wie das des Isèregletschers in einheitlicher Flut nach SW bewegte, ohne daß dabei ein Hin- und Herpendeln des Rhônegletschers nach S oder des Isèregletschers nach N im Tale von Chambéry stattgefunden hätte. Eine Dislokation älterer Glazialschotter im Sinne eines Rücksinkens der Alpen ist bisher nicht nachgewiesen; hingegen erklärt die Anschauung des übertieften und nachträglich teilweise zugeschütteten Zungenbeckens sowohl die Existenz des Sees als auch das Vorhandensein der großen und breiten, nur durch eine niedrige Wasserscheide getrennten Talstrecken im Rhône- und Isèregebiet.

Durch das Sumpfgebiet von Lavours windet sich in trägem Laufe der Séran der Rhône zu, der im Oberlauf die breite Kreidemulde des Val Romey entwässert und bei

---

[1]) Delebecque, Les lacs français, S. 30.
[2]) Delebecque, a. a. O. S. 357.
[3]) Wie Révil (Bull. soc. géol., 1900, 3. série XXVIII, S. 893) gezeigt hat, ist diese Senke durch eine synklinale Transversalknickung tektonisch angelegt; doch bleibt ihre Breite angesichts der kleinen, sie heute durchfließenden Bäche bemerkenswert.
[4]) Sur l'âge du lac de Bourget etc. (C. R. ac. franç., 1894, CXIX, S. 931).
[5]) Bull. soc. géol., 3. série XXII, 1894, S. CLXXXVII.

Artemare den alten Seeboden betritt. Hier zweigt von seinem Tale eine Tiefenlinie ab, die wir eingangs als Grenze zwischen dem savoyischen und dem Jura des Bugey verwendeten und die durch die Eisenbahnlinie Genf—Culoz—Lyon hervorgehoben wird. Sie durchsetzt die nächstwestliche Jurakette, die südliche Fortsetzung der »Forêt de Cormaranche« und betritt bei Virieu-le-Grand das Tal der Arène, die aus der geschlossenen Kreidemulde von Hauteville-Thézillieu nach S fließt und oberhalb Virieu-le-Grand, wo die Mulde sich schließt, durch ein enges Tal sich zwängen muß, bis sie bei Pugnieu in den Furans mündet. In dessen Tal, das sich nach S ins Becken von Belley richtet, führt die Bahnlinie gegen NW aufwärts, folgt dann ein Stück weit einem Trockental, überschreitet in diesem bei Les Hôpitaux eine niedrige Talwasserscheide (367 m) und erreicht bei Tenay das Tal der Albarine, dem sie bis zu seinem Austritt aus dem Gebirge bei Ambérieu folgt.

Die ganze Tiefenlinie Culoz—Tenay zeigt Spuren der Übertiefung; auch in ihrem engsten Teile zwischen Virieu-le-Grand und Tenay ist die Enge der Talsohle wesentlich durch die enormen Schuttmassen bedingt, die am Fuße der ca 100 m hohen senkrechten Wände sich anhäufen. In der Eiszeit diente diese Furche als Zungenbecken der Gletschermassen, deren Bewegungsrichtung westlich des Lac de Bourget aus SW nach NW überging. Die starke Erosion um Tenay scheint einen hier mündenden Seitenbach zu verstärktem Einschneiden veranlaßt zu haben, so daß er seinen Lauf bis zur nächsten Mulde, der von Hauteville, nach rückwärts verlängerte und diese aufschloß. Das ist der Oberlauf der Albarine, die bei Hauteville (750 m) plötzlich nach W umbiegt und das dritte Gewölbe des Jura des Bugey in engem und gewundenem Tale mit beträchtlichem Gefälle durchbricht. Sie ist also von ihrer Quelle bis Tenay (330 m) ein durchaus jugendlicher Fluß. Hingegen ist das unterhalb gelegene Talstück der Albarine weit älter. Sie durchfließt von Tenay an zunächst ein bis auf unteren Dogger erodiertes Antiklinaltal, biegt im Zentrum des Gewölbes bei St. Rambert in flachem Bogen nach SW um und fließt bis Torcieu durch ein echtes Quertal; hier biegt sie abermals nach NW auf, wobei das bisher ziemlich enge Tal einen breiten, versumpften, von isolierten Moränenhügeln übersäten Boden gewinnt, und erreicht schließlich durch ein kurzes, quer zum Streichen gerichtetes Talstück oberhalb Ambérieu die Ebene, in der sie dem Ain zuströmt. Die Anlage dieser in den stark gestörten und eingeebneten Randketten gelegenen Talstrecke scheint auf präglaziale Anpassungsvorgänge zurückzugehen, die sich im einzelnen wohl kaum mehr verfolgen lassen, wobei aber die Erschließung der weichen Liasschichten um Torcieu und weiter oberhalb der Oxfordschichten eine große Rolle gespielt haben mag.

In postglazialer Zeit oder noch während des Rückzugs des letzten Rhônegletschers nahm der Abfluß des damaligen Sees von Bourget denselben Weg wie die Eismassen über Culoz und Virieu-le-Grand. Die Enge oberhalb Tenay wurde aber später durch Bergstürze verstopft; dadurch entstand die Wasserscheide bei Les Hôpitaux und die beiden kleinen Seen nahe derselben (13 und 18 ha groß), deren Abfluß unterirdisch zur Albarine, oberirdisch zum Furans sich richtet [1]).

Als der Lac de Bourget zur Zeit seiner größten Ausdehnung noch bis an die Rückzugsmoränen bei Massignieu reichte, bot sich ihm auch ein Ausfluß von Cressin durch das Tal des Lac de Bare (A = 6,4 ha, T = 20,5 m) nach dem Becken von Belley. In dieser Tiefenlinie, die durch eine Senkung der Antiklinalachse der Montagne des Parves vorgezeichnet ist, liegt heute die Wasserscheide nahe dem Ostende des Sees 243 m hoch, nur wenige Meter über dem Rhônetal. Die Breite des Tales und Schotterablagerungen, die am nördlichen Seeufer mehrfach aufgeschlossen sind, beweisen, daß einst

---

[1]) Douxami, La vallée moyenne du Rhône (Ann. de Géogr. XI, 1902, S. 418).

ein größerer Fluß diese Querfurche benutzt hat. Da die Schotter an manchen Stellen von einer wenig mächtigen Moränendecke ohne scharfe Trennungslinie überlagert sind, gehört auch dieser Abfluß des Lac de Bourget noch der Zeit der letzten Vergletscherung an.

Der Lac de Bare reichte einst weiter nach W bis an die großen Moränen, die das Becken von Belley erfüllen; sie kleiden auch das am Nordufer des Sees mündende Seitentälchen von St. Champ-Chatonod aus und haben dessen Bach zu dem kleinen Lac de Barterand (A = 19,2 ha, T = 14,5 m) abgedämmt, ebenfalls nur dem Reste einer größeren Wasserfläche, die einst bis an den Moränenwall sich erstreckte.

Zwischen den westlichsten Juraketten liegt das breite, vom Furans und Ousson durchströmte Becken von Belley, ein noch mitten im Gebirge gelegenes Zungenbecken des Rhônegletschers, in dem er während eines Stadiums seines Rückzugs seine Moränenwälle zurückgelassen hat, die sich amphitheatralisch um den Nord- und Westrand des Beckens schlingen. Die Rhône betritt dieses durch die Klus von Pierre-Châtel zwischen Yenne und La Balme. Die jugendlichen Erosionsformen dieses Durchbruchs scheinen für sein rezentes Alter zu sprechen, wenn auch an den beiden Enden und in der Mitte der Klus Rhôneschotter auftreten [1]. Sie gehören aber wahrscheinlich der letzten Zeit des Gletscherrückzugs an, nachdem der Abfluß des Lac de Bourget bereits die Moränen von Massignieu durchschnitten hatte. Vor der Bildung der Klus, die durch ältere Erosionsarbeit schon vorbereitet gewesen sein mag, erhielt die Rhône einen mächtigen Zufluß von S aus der breiten Mulde von Yenne, die in ihrer ganzen Länge von Novalaise an durch Niederterrassenschotter zugeschüttet ist (auf der carte géol. dét. BL Chambéry als »moraines externes« angegeben!), in denen die postglaziale Erosion eine prächtige Terrassenlandschaft herausmodelliert hat. Im Hintergrund dieses Tales, südlich von Novalaise liegt bereits außerhalb der fluvioglazialen Talzuschüttung der anmutige See von Aiguebelette (h = 574 m, A = 545 ha, T = 71,1 m), gleichfalls in einem glazialen Zungenbecken, zu dessen Abdämmung aber noch Bergsturzmassen am Nordende von den steilen Wänden des Mont du Chat herab beigetragen haben.

Zum letztenmal erfährt die Rhône durch gefaltete Juraschichten eine Einengung bei Les Chaux, wo sich das Becken von Belley gegen S zuspitzt. Die Geschichte ihres weiteren Laufes ist bestimmt durch Ereignisse des Eiszeitalters auf dem Boden der Dombes, die außerhalb des Rahmens dieser skizzenhaften, der Einzelforschung noch sehr bedürftigen Darstellung fallen [2]).

VII. Kapitel.
Das Karstphänomen im Jura.

I. Die jurassische Karstlandschaft.

Überall dort, wo leicht lösliche und durchlässige Gesteine in ausgedehnterem Maße an der Zusammensetzung der Erdoberfläche sich beteiligen, tritt eine Summe von Erscheinungen und Oberflächenformen auf, die man als Karstphänomen zusammenzufassen pflegt. Der Jura ist nun vorwiegend ein Kalkgebirge; zwischen die mächtigen Kalkmassen der mittleren Trias, des Doggers, Malm und der Kreide schalten sich nur wenig mächtige Mergel- und andere undurchlässige Horizonte ein; die einstige tertiäre Decke ist bis auf spärliche Reste

---

[1] Vgl. Douxami, a. a. O. S. 418, der auf Grund dieser Schottervorkommnisse die Bildung der Klus noch vor oder in die Glazialzeit versetzt.
[2]) Vgl. auch das nach Niederschrift dieser Zeilen erschienene Kärtchen des Rhônegletschers von Penck (in »Eiszeitalter«, 6. Lief., S. 640).

verschwunden; die Kalke zeichnen sich, mit Ausnahme der kretazischen, durch große Reinheit und geringe Beimischung toniger und erdiger Bestandteile aus: es sind somit alle Vorbedingungen für das Auftreten sämtlicher Karsterscheinungen im Jura erfüllt. Dies wird namentlich dort der Fall sein, wo ausgedehnte Kalkoberflächen ohne größere tektonische Störungen zutage treten und der nachfolgenden Erosion nur wenig Angriffspunkte zur Erschließung der undurchlässigen Schichten geboten sind, also im Bereich der **jurassischen Plateaulandschaften.** Diese sind der **bevorzugte Schauplatz des Karstphänomens,** während in dem stärker gegliederten, abwechslungsreicheren Kettenjura, wo die Kalkschichten zumeist nur in steilen Wänden und Gehängen nackt zutage treten, die günstigen Bedingungen für die Ausbildung einer typischen Karstlandschaft fehlen. Doch treffen wir auch hier in der Gipfelregion der Ketten die Neigung zur Bildung mehr oder weniger ausgedehnter, aus Kalken aufgebauter Plateaus oder breiter Gewölbe. Somit findet sich im landschaftlichen Bilde des Gebirges das Karstphänomen an zwei verschiedene Formengebiete gebunden; wir bezeichnen die auf den ausgedehnten Plateaus des französischen Jura auftretenden Karsterscheinungen als Plateaukarst, die die Gipfelregion des Kettenjura charakterisierenden als Gipfelkarst.

Die Erscheinungen des Plateaukarstes treffen wir wohl im ganzen Plateaujura verbreitet, am ausgeprägtesten aber im Gebiet seiner größten Breite und der schwächsten tektonischen Störungen, also auf den sequanischen Plateaus zwischen Pontarlier, Salins, Besançon und Pierre-Fontaine. Freilich tritt die Karstlandschaft hier nirgends in jener Schroffheit und trostlosen Öde auf, wie z. B. in den typischen Karstgebieten der adriatischen Küstenländer, wenn auch an diese sowohl der allgemeine landschaftliche Charakter als auch alle Einzelformen erinnern. **Alle Verhältnisse erscheinen im Jura gleichsam gemildert,** was wohl weniger auf die geringere Reinheit der Kalke, als auf klimatische Verhältnisse zurückzuführen ist. Wir befinden uns hier in einem Gebiet ziemlich **gleichmäßiger Regenverteilung** und dementsprechend nicht allzu kräftiger Abspülung; die Lösungsrückstände der Kalke werden nicht sofort durch heftige Regengüsse weggeschwemmt, sondern bieten Gelegenheit zur Ansiedlung einer, wenn auch dürftigen Pflanzendecke. Anderseits aber wird die Entwicklung des Karstphänomens im Jura durch die relativ stattlichen absoluten Niederschlagsmengen begünstigt.

Folgende Zahlen mögen diese klimatischen Zustände kurz charakterisieren [1]): Es betrug die durchschnittliche Niederschlagshöhe in der Periode 1883—99 in

	Höhe in m	Niederschlag in mm		Höhe in m	Niederschlag in mm
Montbéliard	317	969	St. Amour	253	1210
Besançon	246	977	Ornans	338	1224
Bourg	246	997	Pontarlier	824	1280

Es fallen also schon am Rande des Jura, soweit er dem Saônegebiet angehört, in Höhen unter 300 m Niederschläge von ca 1 m Höhe, und diese steigern sich im Innern des Gebirges, mit der Höhe zunehmend, bis auf 1300 mm. Dabei ist aber die jahreszeitliche Regenverteilung eine ziemlich gleichmäßige, allerdings mit vorherrschenden Sommer- und Herbstregen; es entfielen im Saônegebiet auf den Winter 20%, Frühling 28%, Sommer 28%, Herbst 29%.

Im allgemeinen gewahrt man eine **Verschärfung des Karstcharakters,** gekennzeichnet durch größere Öde und Vegetationsarmut, in der Richtung von O nach W und es ist diese Erscheinung wohl ebenso wie die in gleicher Richtung abnehmende Höhe der Waldgrenze, auf die im W stärker anprallenden herrschenden Westwinde zurückzuführen. Völlige Vegetationslosigkeit auf größeren Flächen fehlt dem jurassischen Karstboden ebenso wie anderen Karstgebieten; ihn kennzeichnet vielmehr das Auftreten dürftiger, besonders für Schafzucht geeigneter Weideflächen, der sog. Karsthaiden, aus denen aber doch oft auf Flächen mäßigen Umfangs das nackte, karrig angewitterte Gestein zutage tritt; der Wald wird hier durch niedriges Buschwerk ersetzt, in dem namentlich Juniperus und Buxbaum

---

[1]) Tavernier, Étude hydrologique sur le bassin de la Saône (Ann. de Géogr. X, 1901, S. 46).

vorherrschen, während die deutlicher hervortretenden Gewölbe, namentlich der östlichen Plateaulandschaften, ein reiches Waldkleid tragen, das in seiner Wildheit und Üppigkeit, mit seinem unruhigen, von Karrenschloten und kleinen Dolinen durchsetzten Boden vielfach an die herrlichen Karstwaldungen um Adelsberg in Krain erinnert und in großem Gegensatz steht zu den oft unmittelbar angrenzenden öden Haideflächen, deren Verbreitung durch künstliche Entwaldung noch gesteigert wird.

Von geringerer Ausdehnung, aber in den Formen der Erscheinung dem bisher beschriebenen Typus ähnlich ist der Gipfelkarsttypus. Infolge der tiefen Lage der Waldgrenze im Jura tritt die Verkarstung auf allen Hochgipfeln des Gebirges in Höhen über 1400 m auf, so auf dem Colombier von Culoz, dem Colomby von Gex, der Dôle, Tête de Rang usw. Da ein breiter Krummholzgürtel fehlt, bedecken die Gipfelpartien trockne Grasflächen, aus denen die karrig zerfressenen Schichtköpfe der Malm-, im südlichen Jura auch der Urgonkalke hervorragen und auf denen sich gelegentlich auch kleine Karrenfelder entwickeln [1]).

II. Die Karsterscheinungen im Jura.

Der Jura enthält die ganze Reihe des Formenschatzes eines Karstgebirges, wenn sie auch nicht in dem Maße für das Relief beherrschend wird wie in den Kalkhochalpen oder im Karstgebiet der dinarischen Gebirge; ebenso zeigt auch das Flußnetz des Jura in auffälliger Weise die durch den vorwiegenden Kalkboden hervorgerufenen hydrographischen Eigentümlichkeiten. Im folgenden seien diese Erscheinungen an der Hand typischer Beispiele aus der Literatur und aus eigenen Beobachtungen geschildert.

1. Die Karren.

Die Karren des Jura sind schon frühzeitig Gegenstand der Beobachtung geworden. Agassiz [2]) erwähnt Karrenfelder von der Umgebung des Bieler Sees und vom Gipfel des Marchairuz im waadtländischen Jura, die er auf die Wirkung subglazialer Flüsse zurückführte, und auch noch Ratzel (a. a. O. S. 25) hielt chemische Erosion zur Karrenbildung nicht für ausreichend, sondern nahm die mechanische Wirkung des Fallens und Fließens großer subglazialer und diluvialer Wassermassen zu Hilfe, sah also in den Karren eine durch die frühere Firn- und Eisbedeckung bedingte Bodenform. Hingegen haben für den Jura schon Siegfried [3]), Martins [4]), Dausse und Tardy [5]) diese Erklärung verworfen und allein die chemische Wirkung des atmosphärischen Wassers für die Karrenbildung verantwortlich gemacht. Heute bedarf diese Frage keiner Erörterung mehr, da schon der Hinweis auf die typische Ausbildung dieses Phänomens in niemals vergletschert gewesenen Gebieten den ersteren Erklärungsversuch hinfällig macht.

Die Karrenfelder des Jura (dialekt. laisines, seltener lapiés genannt) treten niemals in großer Ausdehnung auf, fehlen aber wohl kaum einem der Hochgipfel des Jura; zumeist kommen sie oberhalb der Waldgrenze, oft aber auch im Walde als »fossile« Karren vor, in welchem Falle die scharfen Rippen zwischen den Furchen abgewittert und abgestumpft sind, wie überhaupt die Scharfkantigkeit der Modellierung in der Regel fehlt. So befindet sich z. B. auf dem Ostabhang des Colombier von Culoz ein ca 200 qm großes Karrenfeld mit tiefen Schloten und fein kannellierten, aber abgerundeten Rippen mitten im

---

[1]) Vgl. die treffliche Schilderung des Karsttons im Hochjura bei Ratzel, Über Karrenfelder im Jura und Verwandtes (Dekanatsrede, Leipzig 1891).

[2]) Untersuchungen über die Gletscher 1841, S. 275; vgl. auch Charpentier, Essai sur les glaciers. S. 101.

[3]) Der Schweizer Jura, Zürich 1851, S. 147.

[4]) Note sur les érosions des roches calcaires etc. (Bull. soc. géol., 2. série XII, 1855, S. 326).

[5]) Sur les cavités naturelles des terrains jurassiques (ebenda, 3. série, III, 1874/75, S. 178 und 495).

Walde; andere Vorkommnisse wurden am Westabfall der Dôle, und zwar sowohl auf anstehendem Fels als auf einzelnen Blöcken, auf dem Mont de Bière u. a. O. beobachtet, alle diese auf dem rissigen, von feinen Klüften durchsetzten Portlandkalk; allgemein aber finden sich Karren auf den Plateauflächen des Westens überall dort, wo das nackte Gestein zutage tritt. An manchen Stellen schützt eine diluviale Decke oder einzelne erratische Blöcke die Kalkunterlage vor der Zerfurchung durch Karren, so daß deren Bildung an ungeschützten Stellen der Nachbarschaft erst nach dem letzten Rückzug des Eises geschehen sein kann, z. B. oberhalb Bötzingen bei Biel und im Walde von Kalchgraben östlich von Solothurn, während in anderen Fällen, z. B. östlich von Nods und bei Plan-Marmet nördlich von Pâquier am Chasseral die Grundmoräne der Hauptvergletscherung ein Karrenfeld bedeckt, so daß seine weitere Ausbildung abgeschlossen ist[1]).

Das Karrenphänomen kommt am reinsten auf den kompakten, mergelarmen Kalken der Dalle-nacrée und des Forest-Marble im oberen Bathon, auf Kimmeridge-, Portland-, Neokom- und Urgonkalken zur Ausbildung, während die Mergelkalke des Doggers und unteren Malm zu leicht zersetzbar sind, um echte Karren entstehen zu lassen. Auf ihnen erzeugt die chemische Lösung nur rundliche Aushöhlungen und Abwitterungsformen, so daß die oberflächliche Schicht in einzelne Blöcke aufgelöst wird, die gleich gebleichten Knochen in einen rotbraunen Verwitterungslehm, ähnlich der terra rossa, eingebettet sind. Karrenformen, die durch fließendes Wasser erzeugt wurden, konnten am Bett des Ain bei Pont de Poitte und in der Orbe beim Saut du Day beobachtet werden, wo der Grund des Flußbettes infolge des außerordentlich niedrigen Wasserstandes sichtbar wurde. Es handelt sich dabei um zackig ausgefressene, kleine Kalktafeln, die riffartig aus dem Wasser hervorragen und von zahlreichen kreisrunden Löchern durchbohrt sind. Übrigens entfernen sich auch die sog. tables lapiaires der französischen Plateaus, z. B. die von Rollier beschriebenen um Andelot auf Dalle-nacrée-Kalken[2]) recht sehr von echten Karrenfeldern. Es sind dies abgerundete, in die bizarrsten Formen zerschnittene Tafelstücke, getrennt durch Furchen bis zu 1 m Breite, die häufig von Gebüsch bestanden sind; das Gestein enthält hier längliche Kieselkonkretionen, »têtes de chats« genannt, die nach der Auflösung des Kalkes in dem gelblichen Lehm liegen bleiben, der die Karrenfurchen bis zu ein Drittel ihrer Tiefe erfüllt. An ihm haben aber wohl auch die mergeligen Oxford- und Callovienschichten einen Anteil, die einst den unteren Dogger bedeckten. Die Karrenbildung und überhaupt die chemische Lösung und Zersetzung der Kalkschichten geht also hier schon durch sehr lange Zeiträume vor sich und hat bereits einige Horizonte der Schichtfolge entfernt. Wir sehen in solchen Fällen die Einebnung der Plateaus auf dem Wege flächenhaft wirkender Gesteinszersetzung gleichsam unter unseren Augen vor sich gehen.

2. Die Dolinen.

Die trichter-, schlot- und schüsselförmigen Vertiefungen, die man in der verschiedensten Größe auf permeablem Gestein antrifft und als Dolinen zusammenfaßt, sind eine nicht minder seltene Karstform des Jura. Bei der verwirrenden Menge von Bezeichnungen für diese und verwandte Hohlformen ist aus der französischen Literatur nicht immer mit Sicherheit zu entnehmen, mit welcher Art von Karstformen man es in jedem einzelnen erwähnten Falle zu tun hat. Der Volksmund gebraucht hierfür namentlich die Ausdrücke bétoirs, emposieux, entonnoirs, fondrières, tanes, gouffres, gours, pots, puits, anselmoirs, scialets[3]), von denen »bétoirs« und »fondrières« wohl am besten den einfachen, trichterförmigen

---

[1]) Rollier, Sur les lapiés du Jura (Bull. soc. neuch. XXII, 1893, S. 54—65).
[2]) Rollier, Sur les lapiés du Jura français (Feuille des jeunes naturalistes, 4. série, 32, 1902, février).
[3]) Fournet, Hydrographie souterraine (Mém. Ac. Lyon VIII, 1858, S. 221) und Kilian, Contributions à la connaissance de la Franche-Comté septentrionale (Ann. d. Géogr. IV, S. 324).

1. Das Rhônetal bis Culoz.

Nach unruhig pendelndem Laufe durch die Quartärlandschaft unterhalb Genf, wo die Rhône durch die Mündung der Arve die im Genfer See erlangte Klarheit des Wassers rasch wieder eingebüßt hat, tritt sie bei Collogny an die erste Jurakette heran und benutzt zu ihrer Durchquerung den tiefsten Punkt der Antiklinalkammlinie zwischen der Vuache und der Kette des Grand Crédo, wo die Urgonschichten gegenüber ihrer Höhenlage auf dem Gipfel des Grand Crédo (1400 m) eine Senkung von fast 1000 m erfahren und dann in der Vuache wieder auf 940 m ansteigen. Die Klus der Rhône, überragt von dem malerischen Fort de l'Écluse, das den Zugang zum südlichen Jura von O her deckt, stellt also ein typisches Walmtal vor. Nunmehr fließt der Fluß stets in engem Tale zwischen steilen Gehängen dahin und erreicht nach einer großen, südwärts gerichteten Schlinge das Becken von Bellegarde, um nun nach S umzubiegen und einer breiten Mulde bis Culoz zu folgen. Noch hat sich der Fluß oberhalb Bellegarde zunächst nur in weiche Molasseschichten eingetieft und ist von der Höhe der welligen Schotterflächen, die ihn 150—200 m hoch überragen, noch zu erblicken. Von der Brücke von Grézin an aber bleiben die Ufer des zu einem wilden Cañon gewordenen Bettes auf 10 km Länge bis Génissiat unzugänglich, der Fluß schießt zwischen senkrechten Mauern aus Kreidekalken dahin, deren abwechselnd harte und weiche Schichtbänke bald überhängen, bald nischenartig zurücktreten. Bei der Brücke von Lucy, etwa 1 km oberhalb Bellegarde, befindet sich die bekannte »Perte du Rhône«, wo der Fluß den größten Teil seines Wassers durch einen etwa 40 m langen unterirdischen Kanal strömen läßt. Bei Niederwasser ist der Schwund ein vollständiger, das oberirdische Bett völlig trocken, bei Hochwasser bleibt in diesem ein spärliches Rinnsal übrig.

Eine detaillierte Beschreibung dieser Verhältnisse gab Bourdon (Le cañon du Rhône etc., Bull. soc. de géogr. de France XV, 1894, S. 70 ff.). Danach führt die Rhône bei mittlerem Wasserstand vor der »Perte« etwa 500 Sek.-cbm, unter der Brücke von Lucy nur 50 cbm, der Rest fließt in dem unterirdischen Bette; zu Zeiten höchsten Wasserstandes führt die Rhône an dieser Stelle 1500 cbm, wovon etwa zwei Drittel unterirdisch fließen, wonach bei der mittleren Geschwindigkeit von 8 m pro Sekunde auf eine unterirdische Galerie von etwa 12 m Tiefe und 12 m Breite geschlossen werden muß. Genaue Beobachtungen seit 1853 lehren, daß sich der Beginn der »Perte« nach aufwärts verlegt, und es scheint diese Verschiebung gegenwärtig etwa 1—1,s m im Jahre zu betragen, nach den Karten der letzten 50 Jahre etwa 70—80 m in einem Jahrhundert.

Dem Rhônelauf um Bellegarde ganz ähnlich ist die unterste Strecke der Valserine, die von Châtillon-de-Michaille an gleichfalls in tiefem Cañon mit Schnellen und Cascaden fließt und in einem 12 m hohen Falle die Rhône als viel wasserreicherer Fluß erreicht. Ihr Oberlauf ist bestimmt durch das große Längstal, das wir als Grenze zwischen Ketten- und Plateaujura kennen gelernt haben; südlich von Chézéry liegt eine in der Eiszeit entstandene Flußverlegung vor, indem der präglaziale Fluß durch die Kreidemulde von La Mantière direkt nach S floß, während der heutige die stark gesenkte Antiklinale von Crêt de Chalam und das verkarstete Urgonkalkplateau von Ladai durchschneidet[1]). Bei Châtillon-de-Michaille, wo der Cañon der Valserine beginnt, nimmt sie aus engem Tale die Semine auf, deren unterstes Talstück, von St. Germain-de-Joux an, in die Quertallinie Nantua-Bellegarde fällt.

Der Cañoncharakter des Rhônelaufs reicht bis Pyrimont. Bei Malpertuis ist die Rhôneschlucht 200 m tief eingeschnitten und nur wenige Meter breit; das Gefälle von Bellegarde bis hierher beträgt aber auf der 13 km langen Strecke kaum 40 m. Dabei steigt die Sohle des breiten Tales gegen S, also gegen das Flußgefälle an; bei Bellegarde liegt sie 340 m, bei Beaumont unfern Malpertuis 492 m, wodurch die Beckenform dieses

---

[1]) Schardt, Études géolog. sur l'extrémité méridionale des Mts. Jura (Bull. soc. vaud. XX, 1891, S. 114) und Douxami, La vallée moyenne du Rhône (Ann. de Géogr. XI, 1902, S. 414).

Talstücks zustande kommt. Der ganze Talcharakter von dem Fort de l'Écluse bis hierher ist der jugendlicher Unfertigkeit; der Fluß hat sein normales Gefälle noch nicht erhalten und ist erst daran, sich sein Bett zu schaffen. Erst von Pyrimont an beginnen normalere Verhältnisse. Der Fluß tritt aus seinem Felsenbett heraus und fließt an der Sohle der immer breiter werdenden Mulde, nunmehr stark verwildert, bis Culoz. Unfern Seyssel nimmt er die Usses auf, deren beide Quellflüsse sich am Südende der Vuachekette vereinigen und die ein weitverzweigtes Talsystem quartären Alters um Frangy besitzen; oberhalb Anglefort mündet der Fier, der in tiefer Schlucht die Jurakette von Gros-Foug durchbricht. Vor Culoz stellen sich versumpfte Talstrecken ein, dann wendet sich die Rhône südwestlich, umfließt das Südende des Grand Colombier und tritt in die nächstwestliche Mulde.

In dem bisher geschilderten Teile des Rhônegebiets tritt als erstes Problem die Frage nach dem Alter des Rhônedurchbruchs beim Fort de l'Écluse hervor. Die präglaziale Fußebene des Alpenvorlandes senkte sich ebenso wie gegen NW zum Rhein auch nach SW zum Rhônegebiet und hatte jedenfalls damals einen Abfluß durch einen großen Alpenstrom, der durch das breite Tor zwischen dem Salève und der Vuachekette in einer Höhe von ca 600 m, etwa zwischen Frangy und La Balme in das Grenzgebiet zwischen Jura und Alpen hinaustrat. In tertiärer Zeit bestand also der Rhônedurchbruch noch nicht, es fehlen auch diesem Abschnitt des Rhônetals die miocänen, alpinen Konglomerate [1]); jedenfalls aber ist er älter als die letzte Vergletscherung, deren fluvioglaziale Bildungen das Durchbruchstal erfüllen [2]).

<small>Die quartären Ablagerungen beim Fort de l'Écluse waren seit den Beobachtungen von Renevier (1883) Gegenstand vielfacher Untersuchungen. Am Boden der Klus liegt ein etwa 4 m mächtiges Lager von Ton, darüber horizontal geschichtete Sande und Schotter, die in den oberen Partien bis zu 6—700 m Höhe mit Moränen alternieren; noch höher, bis 1040 m, reichen am Abhang der Sorgia die Ufermoränen des letzten Rhônegletschers, und bis 1200 m die einzelnen Blöcke der Maximalvergletscherung. Auch unterhalb der Klus, am Fuße des Felsens von Léaz, finden sich wieder Sande, Schotter und darüber Moränen. Schardt (a. a. O. S. 77 und 129) deutete diese Verhältnisse so, daß vor dem Eindringen des letzten Rhônegletschers das Becken von Bellegarde bis zur Stelle der heutigen Klus, in der die noch nicht so weit abgetragenen Valangien- und Urgonschichten eine Barre bildeten, von einem See erfüllt gewesen sei, in den sich der Schuttkegel der präglazialen Rhône hineinbaute. Die Annahme eines Sees hielt Douxami angesichts der horizontal lagernden Schotter für unwahrscheinlich (a. a. O. S. 413). Jedenfalls sind diese geschichteten Ablagerungen, die seither von der Rhône wieder durchschnitten wurden, Äquivalente des Niederterrassenschotters, ältere Schotter wurden bisher hier nicht nachgewiesen. In einer nicht näher bestimmbaren Phase des Eiszeitalters hat also die Rhône ihren Lauf südlich der Vuache aufgegeben und die tiefe Einsattelung an der Stelle der heutigen Klus benutzt; zu Beginn der Würmeiszeit war aber dies schon zu ihrer gegenwärtigen Tiefe erodiert.</small>

. Die Quertallinie Nantua—Bellegarde, die bei letzterem Orte in das Rhônetal mündet und eine tiefgehende Unterbrechung des Plateaujura bildet, entstand durch Verschweißung einer Anzahl sehr verschiedener Glieder. Das westlichste Talstück von Neyrolles bis La Cluze, heute zur Hälfte vom See von Nantua eingenommen, ist ein Quertal, das wenigstens in oberen Teile tektonisch angelegt erscheint, indem hier die Schichten im Streichen einen nach W vorspringenden Winkel bilden und außerdem eine beträchtliche Senkung erfahren haben. Das Talstück von Neyrolles bis zum oberen Ende des Lac de Silans fällt in eine mit Kreideschichten erfüllte tektonische Mulde, die ihren vom allgemeinen Schichtstreichen etwas abweichenden Verlauf einer Art horizontaler Verschiebung oder Verschleppung der tektonischen Achsen verdankt, ohne daß es dabei zu einer echten Blattverwerfung gekommen wäre [3]). Der langgestreckte, schmale Lac de Silans (h = 584 m, A = 50 ha, T = 22 m) ist an seinem Westende in postglazialer Zeit durch einen Berg-

---

<small>[1]) Forel hat ohne Angabe näherer Gründe die Ansicht ausgesprochen, daß seit dem Ende des Miocäns die Rhône durch die Klus von Bellegarde geflossen sei (Bull. soc. vaud. XXVI, 1890, S. 12).
[2]) Dies ist der Grund, warum die meisten Autoren den Rhônedurchbruch für präglazial erklären, was nur für die letzte Vergletscherung nachweisbar ist.
[3]) Vgl. Benotts Notice explicative de la feuille Nantua (160) d. l. carte géol. détaillée.</small>

gelegt und durch Wasserwirkung ausgestaltet wurden. Ihre Ertränkung ist wohl durch
Verstopfung der Schlundlöcher durch quartäre Ablagerungen entstanden. In ähnlicher Situa-
tion befindet sich der in derselben Synklinale weiter südlich gelegene See von Bonlieu
(h = 600 m, A = 17 ha, T = 12,5 m), der zum Hérisson abfließt, und die zahlreichen
kleinen, nahezu kreisrunden Seen der Mulde von St. Laurent, die in eine wenig mächtige
Moränendecke eingebettet sind und von denen der Lac de Foncine und der Lac des
Rouges-Truites mit ca 3 ha die größten sind. Auch hier handelt es sich um echte
Dolinen mit verstopften Schlundlöchern. Fast allgemein ist aber für die Dolinenseen ihre
Lage an den tiefsten Stellen abflußloser und geschlossener Kreidemulden charakteristisch.
Dies gilt wie von den bisher genannten auch vom Lac de Viry und Lac de Genin
(8 ha) östlich von Oyonnax und von den beiden Seen von Étival zwischen Ain und Bienne.
ca 800 m hoch gelegen, 16 und 5 ha groß, deren unterirdischer Abfluß vielleicht zum
Drouvenant sich richtet. Bei allen diesen, die nur einen sehr unbedeutenden Teil der
Karstwanne erfüllen, dürfte Senkung bis zum Karstwasserniveau die Ursache der Wasser-
ansammlung sein. Ihre Lage weist auf die nahe Verwandtschaft zwischen Dolinen und
Poljenwannen hin, die bei Betrachtung der letzteren noch besonders gewürdigt werden soll.

Dolinenseen, die bis zum Karstwasserniveau eingesenkt sind, geben durch Überfließen
auch Veranlassung zur Bildung rinnender Gewässer. Der Sirod, ein Nebenfluß des Ain,
kommt aus solch einem elliptisch geformten natürlichen Brunnen (puits naturel) von 23 m
Breite; der kleine See von Crotelle im Jura des Bugey speist durch seinen Überschuß
einen kleinen Bach, der aber bald wieder in einer Spalte verschwindet[1]). Selten sind
Dolinenseen, die durch die durchlässigen Kalke bis zu den Oxfordschichten herabreichen:
dies gilt vom kleinen Lac de Fioget westlich des Sees von Narlay und vom benachbarten
Lac de Vernois; der 8 ha große Lac d'Antre liegt an der Grenze von Oxfordmergeln
und Malmkalken, die hier von einer dünnen Moränenschicht überkleidet sind. Die Genesis
der Wassererfüllung ist also nicht immer eindeutig festzustellen. Namentlich gilt dies von
den zahlreichen kleinen Wasserbecken des südlichen Jura in der Umgebung des Beckens
von Belley[2]). Einige kann man zweifellos als Dolinenseen ansprechen, so die Seen von
Chavoley, Conzieu und Ambléon, die eines oberirdischen Abflusses entbehren und in
festen Fels eingebettet sind. Auskleidung des Beckens von Belley mit alpiner Grundmoräne
ist hier offenbar die Ursache der Wasseransammlung. (Delebecque bezeichnet sie als Ein-
sturzseen und denkt dabei offenbar an Dolinenbildung durch Einsturz.) Der Lac d'Armaille
scheint sich gleichfalls an eine Doline zu knüpfen, die aber nachträglich aufgeschlossen
wurde; sein Abfluß geht oberirdisch zum Furans. Hingegen liegt der Lac de Barterand
in einer breiten Quertalung, die durch Moränen abgedämmt ist; eine Tiefenlinie führt von
ihm nach dem Lac de Bare, der ebenso wie der Lac d'Arboréaz ganz in quartäre
Bildungen eingebettet ist. Wir haben ihrer an der betreffenden Stelle bereits gedacht.

3. Die Höhlen des Jura und ihre Beziehungen zu den Dolinen.

Wie alle Kalkgebirge zeichnet sich der Jura durch einen großen Reichtum an Höhlen
aus, deren Erforschung aber erst in den letzten Jahren in mehr wissenschaftlicher Weise
in Angriff genommen wurde, zumeist ausgehend von der Sektion »Jura« des »Club alpin
français« und gegenwärtig geleitet durch E. Fournier in Besançon[3]). Anfangs war man

---

[1]) Fournet, Hydrographie souterraine, S. 237 und 258.
[2]) Vgl. Delebecque et E. Ritter, Exploration des lacs du Bugey (Arch. de Genève XXVII, Nr. 5.
1892, S. 577).
[3]) Vgl. Renauld, Le Jura souterrain (Ann. club alp. franç. 1896, S. 174—190); Fournier et Magnin,
Recherches spéléologiques, Rennes 1899, und Fournier, Recherches spéléologiques dans le Jura franc-comtois
(Mém. soc. spéléol. XXIX, 1900 und Spelunca VI, 1900, S. 26—31).

geneigt, die Höhlen als durch tektonische Vorgänge angelegt zu betrachten, die nachträglich durch die erosive Kraft heftiger Strömungen ihre Ausgestaltung erfuhren [1]), und erst verhältnismäßig spät erkannte man in der andauernden lösenden Wirkung des Wassers, sei es durch direkte Flußerosion oder in der Tätigkeit des Sickerwassers das wichtigste Agens der Höhlenbildung. Nach der Form wurde folgende Klassifikation der Jurahöhlen üblich: Einfache Aushöhlungen in senkrechten Kalkwänden in Form einer Nische, geknüpft an leichter zerstörbare Schichten und von einem überhängenden Schirmdach (abris) geschützt. Man sieht sie allenthalben an den Wänden der tiefen Cañons, so namentlich an der Rhône zwischen Bellegarde und Seyssel, am Ain und Surand usw. Als »baumes« oder »galeries« bezeichnet man lange horizontale Gänge, die unterirdischen Wasserläufen dienen, während als »caves« oder »tanes« Grotten mit breiter Öffnung nach oben und vertikalem Verlauf gelten. »Fondrières« sind ebenfalls vertikal in die Tiefe gehende Hohlräume, aber mit schmalem Zugang, z. B. die Fondrière de Lajoux im Berner Jura [2]).

Aus der reichen Einzelliteratur seien hier nur einige Beispiele für Jurahöhlen erwähnt. Altberühmt ist die große Höhle von Baume, nordöstlich von Lons-le-Saunier, in fast ungestörtem unterem Oolithkalk; ihre älteste in den Höhlengängen gefundene, durch einen Bach zusammengeschwemmte Fauna ist präglazial. Der Höhleneingang liegt in 430 m Höhe, 50 m über dem heutigen Talboden; um diesen Betrag wurde das Tal seit dem Ende des Tertiärs vertieft [3]). Eine der größeren Grotten ist die von Lançot bei La Consolation im nördlichen Plateaujura, aus der ein Quellfluß des Dessoubre in 50 m hohem Falle hervorbricht. Der erste Raum ist nach Renauld (a. a. O. S. 148) 60 m breit, 80 m lang, bis 12 m hoch; ein schmaler Gang führt in zwei große Säle, aus denen ein weiteres Vordringen nicht mehr möglich war. Die Grotte von Jeurre im Dépt. Doubs läßt sechs übereinander liegende Galerien erkennen, die der Bach nacheinander benutzt hat. Viele Höhlen enthalten Wasseransammlungen, aus denen kräftige Bäche hervorgehen, z. B. die Höhle des Bief Sarrazin bei Nans, deren Wasser noch innerhalb der Höhle verschwindet und in den Lison geht. Wegen ihrer Schönheit berühmt ist die Grotte aux fées (faiès = Schafe), aus der die Orbequelle hervorkommt. Durch eine halbkreisförmige Öffnung gelangt man in das Innere der etwa 13 m hohen Grotte, und durch lange, oft stark verengte Gänge in drei weitere, saalartige Hohlräume [4]). Überhaupt stimmen die Höhlenbeschreibungen darin überein, daß man es selten mit gewundenen, unterirdischen Flußkanälen, sondern zumeist mit einzelnen weiten Kammern zu tun hat, die durch enge Gänge (boyaux) verbunden sind. Auch im Schweizer Kettenjura gibt es zahlreiche, meist kleine Höhlen, im deutschen Sprachgebiet Wind- oder Wetterlöcher genannt; so die Grotte von Undervelier mit einem unterirdischen Wasserbecken, das Nidenloch im Hinteren Weißenstein, die Höhlen bei Glovelier und Goumois u. a. m. Einige enthalten Höhleneis, wie die beim Kalkofen zwischen Oltingen und Zeltingen im Aargau, oder in der Blauenkette östlich der Ruine Pfeffingen.

Die Hohlräume des Innern wurden vielfach in Zusammenhang gebracht mit oberflächlichen Erscheinungen. Wie die Höhlen selbst, so führte man auch die Dolinen auf die indirekte Wirkung der Gebirgsbildung zurück, durch die Hohlräume entstanden sein sollen, die nachträglich einstürzten, weshalb diese Formen cirques d'enfoncement genannt wurden [5]). Manche von ihnen galten sogar als unmittelbare tektonische Gebilde, entstanden

---

[1]) Parandier, Notice sur les causes de l'existence des cavernes (C. R. Ac. sc. Besançon 1833) und Tardy, Sur les cavités naturelles des terrains jurassiques (Bull. soc. géol., 3. série III, 1874/75, S. 493).
[2]) Rollier, Sur les grottes du Jura bernois (Bull. soc. neuch., XVIII 1890, S. 129).
[3]) Benott, Notice à propos de la grotte de Baume (Bull. soc. géol., 2. série, XXIII, 1866, S. 581).
[4]) Siegfrid, Der Schweizer Jura, S. 144.
[5]) Virlet, Observations faites en Franche-comté sur les cavernes (Bull. soc. géol., 1. série VI, 1834/35, S. 154).

an den Kreuzungspunkten von Längs- und Querbrüchen, wodurch sie kreisförmige Gestalt erhielten [1]). Die Auffassung der Dolinen als eingestürzte Hohlräume blieb noch bis in die letzte Zeit herrschend, wobei man allerdings die Bildung der Höhlen allein der Wasserwirkung zuschrieb [2]). Maßgebend hierfür wurden namentlich die Einsturzerscheinungen in Lons-le-Saunier, wobei an der Oberfläche kreisrunde Pingen entstanden. Unter den Jurakalken, auf denen die Stadt erbaut ist, lagern tonige und salzführende Schichten des Lias und Keupers, deren Lösung und Auslaugung die Einstürze zur Folge hatte; so in den Jahren 1703, 1712, 1738, 1792, 1814, 1836 und namentlich 1849 [3]). Die Auffassung der Dolinen als Oberflächenerscheinungen des Kalkes, also entstanden durch die chemische Tätigkeit des in den Fugen des Kalkes einsickernden Wassers und durch die darauffolgende mechanische Auswaschung der so entstandenen Schlote ist bisher für den Jura soviel mir bekannt, noch niemals vertreten worden, und doch ist bei der Mehrzahl der Juradolinen diese Art der Erklärung die einzig wahrscheinliche. Dies gilt namentlich von jenen, bei welchen ein Zusammenhang mit Höhlen nicht erkennbar ist; oft ist freilich ein solcher nicht nachzuweisen, da der Boden durch Lehmbildungen oder Schutt bedeckt, also ein eventueller Höhleneingang verhüllt ist. Hingegen können die Trichter mit felsigem Boden, in die nicht Höhlengänge ausmünden, nur als Erosionsformen der Kalkoberfläche gedeutet werden. Dasselbe gilt von den in großen Mengen nebeneinander auftretenden kleinen Felsdolinen, z. B. auf den Freibergen, von denen Höhlen überhaupt nicht bekannt sind; ja man sieht hier an dem sternförmig ausgezackten Rande die Tageswässer noch mit der Ausgestaltung und Erweiterung der Dolinen beschäftigt; jene verlieren sich, wie die Beobachtung lehrt, in Fugen des Gesteins, ohne aber in Hohlräume zu münden. Anderseits wird man wohl die kleinen Schüsseldolinen dieses Gebiets auf Einsinken der mächtigen Decke des Verwitterungslehms in Spalten und Höhlungen der Kalkunterlage zurückführen müssen, und gleicher Entstehung sind auch die an Juranagelfluh geknüpften, »Erdfallöcher« genannten Dolinen des Bötzbergplateaus.

4. Die Poljen.

Wenn das atmosphärische und zu kleinen Rinnsalen sich sammelnde Wasser auf der permeablen Kalkoberfläche versiegt und dadurch seine talbildende Kraft ausgeschaltet ist, erscheinen die durch tektonische Vorgänge entstandenen Formen, ohne durch Wasserwirkung modifiziert zu sein. Dann fehlt auch die an ein einheitliches und zusammenhängendes hydrographisches Netz gebundene Gleichsinnigkeit des Gefälles, anstatt einer Tallandschaft tritt nun ein Wannenland entgegen. In einem solchen fallen namentlich flache, breitsohlige, ringsum geschlossene Hohlformen auf, deren Gehänge, da sie durch oberflächliche Abspülung nicht abgeböscht wurden, sich scharf von der Sohle absetzen, und die eine dem Streichen der Strukturlinien parallele Längserstreckung besitzen. Das sind die Poljen der Karstlandschaften, die im Jura allgemein als »bassins fermés« bekannt sind. Ihr bezeichnendstes Merkmal sind neben ihrer Längserstreckung und dem ebenen Boden das Fehlen einer oberflächlichen Entwässerung. Zumeist enthalten sie ein spärliches Rinnsal, das nach unsicher hin- und herpendelndem Laufe durch Schlundlöcher (entonnoirs, emposieux)

---

[1]) Jourdy, Orographie du Jura dôlois (ebenda, 2. série XXVIII, 1871/72, S. 343).

[2]) Vgl. u. a. Vézian, Le Jura (Ann. club alp. franç. II, 1875, S. 631); Boyer et Girandot, Quaternaire dans le Jura bisontin (Mém. soc. émul. Doubs 1891, S. 380); Bourgeat, Observations sommaires sur le Boulonnais et le Jura (Bull. soc. géol., 3. série XX, 1892, S. 268) und Lapparent, Leçons de géographie physique, S. 237.

[3]) Fournet, Note sur les effondrements (Mém. Ac. Lyon II, 1852, S. 174). Lokale Senkungen, die aber keine oberflächlichen Hohlformen erzeugten, erwähnt Bourgeat (Observations sommaires sur le Boulonnais etc. Bull. soc. géol. XX, 1892, S. 267) von Augisey im südlichen Plateaujura, wodurch die Häuser dieses Ortes von Embrieland aus sichtbar geworden sein sollen, was früher nicht der Fall war. Vielleicht handelt es sich aber dabei um tektonische Vorgänge.

am Rande des Beckens sich in unterirdische Klüfte verliert, dann nämlich, wenn der
Boden des Polje höher liegt als das jeweilige Karstwasserniveau oder die oberflächlichen
Entwässerungslinien des Außengebiets. Senkt sich hingegen das Polje bis zum Karstwasser der Umgebung, so wird es durch dieses inundiert und in ein (temporäres oder
permanentes) Seebecken verwandelt.

Der Boden der meisten Jurapoljen wird von jüngeren Ablagerungen gebildet, als es
die der Umrahmung sind, da sie sich in dem tiefer gelegenen Felde leichter erhalten
konnten; häufig sind es daher kretazische und tertiäre Schichten, oder aber es erfüllen die
Wanne die herabgeschwemmten Lösungsrückstände des Kalkes oder schließlich glaziale
Bildungen.

Den größten Reichtum an echten Poljen treffen wir im Plateaujura. Hier entfallen
nach Lamairesse[1]) im Dépt. Doubs 918 qkm = ¼, im Dépt. Jura 1127 qkm = ¼, im
Dept. Ain 327 qkm = ⅛ des Areals auf geschlossene Becken. Für diese Gebiete führten
die älteren Geologen, die den ganzen Jura mosaikartig von Sprüngen und Brüchen durchsetzt sahen, die Entstehung der »bassins fermés« auf Divergenz und Konvergenz von Bruchlinien oder auf Kreuzung mehrerer Bruchliniensysteme zurück, wodurch polygonale Senkungsfelder entstanden seien[2]). Tatsächlich sind die meisten Poljen des Plateaujura in der
herrschenden Richtung des Gebirgsstreichens gestreckt und haben länglich-ovale Form. Aber
nur in den seltensten Fällen ist die Sohle der Poljen durch echte Brüche begrenzt, sondern
es handelt sich, wie M. Bertrand nachgewiesen hat[3]), in diesen Fällen um Felder, die
von bogenförmig verlaufenden Absenkungslinien elliptisch umschlossen sind, und in denen
jüngere Schichten, hier zumeist Fetzen von Bathon, isoliert inmitten von normal gelagerten
Lias- und Bajocienschichten eingelagert sind. Freilich denkt M. Bertrand (und nach ihm
auch Delebecque[4]) hierbei an große Einstürze unterirdischer Hohlräume, die Senkungen
der Oberfläche zur Folge gehabt hätten. Doch ist es schwer denkbar, daß sich Schichtkomplexe von so beträchtlichem Ausmaß noch dazu gleichmäßig in einem Stücke gesenkt
haben sollen. Wahrscheinlich haben wir es mit lokalen, tektonischen Senkungserscheinungen
zu tun und betrachten demgemäß die bassins fermés der nahezu ungefalteten Plateaugebiete
als lokale Senkungsfelder, die ihre spätere Ausgestaltung, namentlich die Bildung der
flachen, sich scharf von der Umrahmung absetzenden Sohle einer beträchtlichen oberflächlichen Einebnung verdanken.

Besonders zahlreich sind derartige Poljen auf den Plateaus östlich von Besançon. Eines
der größten ist das Bassin de Saône, unmittelbar östlich von Besançon, 915 ha groß[5]),
in einer mittleren Höhe von 390 m, ein echtes Polje mit vollkommen ebenem Boden, der
größtenteils von Sumpf und Moorboden, im östlichen Teile von Laubwäldern bedeckt ist.
Die Umrahmung ist am höchsten im W und hier durch den über 600 m hohen Mont des
Buis gebildet. Die Wasser des Beckens werden durch die unter den Rauracienkalken der
Oberfläche lagernden, undurchlässigen Oxfordmergel festgehalten und finden einen Ausweg
durch das Entonnoir von Creux-sous-Roche an der Basis der Rauracien-Steilabfälle im S.
Südlich dieses Feldes und von diesem durch den Rücken des Bois d'Aglans getrennt, liegt
ein kleineres, ca 360 m hoch. Noch weiter nördlich erstreckt sich das Polje von Mont-
rond (ca 450 m hoch), dessen in Schlundlöchern verschwindende Wasser gemeinsam mit
denen der Becken von Saône und Baraque-des-Violons in den Quellen bei Cléron an der

[1]) Études hydrologiques sur les Monts Jura, Paris 1874, S. 4 ff.
[2]) Parandier, Notice sur les causes de l'existence des cavernes (C. R. Ac. sc. Besançon 1833) und
Note sur l'existence des bassins fermés dans les Monts Jura (Bull. soc. géol., 3. série XI, 1882/83, S. 441).
[3]) Failles courbes dans le Jura et bassins d'affaisement (ebenda XII, 1883/84, S. 452—63).
[4]) Les lacs français, S. 323.
[5]) Messung auf der frz. Sp. K., Blatt Besançon.

Loue unterhalb Ornans zutage treten; auf ihrem unterirdischen Wege öffnet sich der Schlot von Belle-Louise, in welchem in 130 m Tiefe ein starker Bach angetroffen wurde. In gleicher Weise speist das Polje von Leubot die Quellen von Plaisir-Fontaine an der Loue [1]. In einer langen und schmalen Wanne liegen nahe dem Jurarand die Orte Plasne, Poligny und Chamole. Überhaupt hat das ganze erste Juraplateau bis zur Loue im S keine einheitliche Entwässerung, sondern zerfällt in eine große Zahl von flachen, poljenartigen Schüsseln, bei denen nur ausnahmsweise der Steilrand mit einer echten Verwerfung zusammenfällt.

Während in diesen Fällen die Poljen auf lokalen Senkungsfeldern angelegt sind, finden sich dort, wo noch Faltung den inneren Bau beherrscht, Poljen auch als Folgen der Anordnung der Antiklinalachsen. Sie liegen dann als Muldenpoljen [2] in Schichtmulden. begrenzt durch zwei divergierende und wieder konvergierende Antiklinalen. Eine solche Anordnung ist nun sowohl im Plateaujura, dort wo die Faltung ein größeres Ausmaß erreicht, als im Kettenjura außerordentlich häufig; nicht immer aber verbinden sich damit auch die übrigen, ein Polje charakterisierenden morphologischen und hydrographischen Eigentümlichkeiten. Alle Muldenpoljen des Jura haben eine langgestreckte Form, ihre Längsachse ist dem Schichtstreichen parallel; den Boden kleiden in der Regel glaziale oder jüngere Bildungen mit ausgedehnten Torfmooren aus, in vielen Fällen aber erfüllen flachufrige Seen die Karstwannen. Ein echtes Muldenpolje im Plateaujura ist das ca 720 ha große Becken von Arc-sous-Cizon, östlich von Mouthiers, in einer mittleren Höhe von 790 m gelegen, elliptisch umschlossen von ca 200 m hohen Steilabfällen. Seine Wasser erscheinen nach 15 km langem unterirdischem Laufe wieder im Tale der Loue beim Puits de la Brême [3]. Am Boden des Polje hat sich ein kleiner Fetzen von Kreideschichten erhalten, doch bilden ihn zumeist jugendliche Alluvionen, ein Beweis der nachträglichen Einebnung der tektonischen Mulde. Ein einfaches Muldenpolje ist auch die Combe Richet und die mit ihr zusammenhängende Combe du Lac bei Septmoncel. Das bekannteste Muldenpolje des Kettenjura, das Val de Sagne nördlich des Val de Travers im Neuenburger Jura, ist eine etwa 15 km lange, geschlossene Synklinale, die sich erst im südlichen Teile zu 4 km Breite erweitert. Den rund 1000 m hohen Boden überragen die Malmkalkketten noch 400 m hoch. In ihrer ganzen Länge wird sie von NO gegen SW von einem dürftigen Bache durchflossen, der die quartäre Unterlage in der Mitte der Wanne in einen Sumpf verwandelt, während sonst eine bis 6 m mächtige Torfdecke den Boden des Polje auskleidet. Sein Wasser findet schließlich nahe dem Südrand einen Ausweg durch große Schlundlöcher, die gruppenweise angeordnet sind, und von denen einige, z. B. beim Dorfe Les Ponts bis 100 m im Durchmesser erreichen [4].

Ein weit seltener Typus der Jurapoljen sind die auf Schichtsätteln im Verlauf der nachfolgenden Erosion gebildeten sog. Aufbruchspoljen nach Cvijić. Beispiele hierfür sind das Polje der Torreigne bei Orgelet im südlichen Plateaujura, 1330 ha, 480—500 m hoch gelegen, eine ganz flache Schüssel mit ebenem Boden und einer 50—100 m hohen Umwallung, ferner die Combe de Prés, nördlich von St. Claude zwischen dem Bois de Joux-devant und dem Bois de Cernois. Es ist dies eine flache, geschlossene Hohlform von über 1500 ha Größe, etwa 7 km Länge und 3 km Breite, in 900—950 m Höhe. Den nicht völlig eingeebneten Boden bilden Oxfordmergel, stellenweise von jurassischem Erratikum bedeckt und scharf umrahmt von steilen, ca 50 m hohen Malmkalkstufen. Der Haupt-

[1] Fournier, Les réseaux hydrographiques du Doubs et de la Loue, Ann. de Géogr. IX, 1900, S. 227.
[2] Cvijić. Das Karstphänomen, Pencks geogr. Abh. V, 3. S. 313.
[3] Fournier, a. a. O. S. 228.
[4] Desor, Les emposieux de la vallée des Ponts (Alaman. de la République de Neufchâtel, 1866).

fluß des Polje, die Loutre, verschwindet ebenso wie die anderen kleineren Bäche in Schlundlöchern, sobald sie an den Kalkrand herankommt. Übrigens kompliziert sich hier die
Struktur noch durch Bruchlinien, an die das Auftreten sowohl der Quellen als der Schlundlöcher sich knüpft [1]).

Bei jedem Versuch, eine befriedigende Erklärung der Poljenbildung zu geben,
werden zwei Momente zu unterscheiden sein: Die Entstehung einer allseits geschlossenen
Hohlform und die spätere Ausbildung ihrer morphologischen Eigenart, der ebenen, sich
scharf von der Umrahmung abhebenden Sohle. Bezüglich des ersten Punktes kann stets
das Vorhandensein einer tektonischen Grundlage nachgewiesen werden; die Gestalt
des Polje ist vorgezeichnet durch die Strukturlinien, mögen wir es mit einem Senkungsfeld, einem echten Bruch-, Mulden- oder Aufbruchspolje zu tun haben. Anderseits ist aber
jedes Polje eine Erosionsform; der ebene Boden kann, die Fälle ausgenommen, wo horizontale
Schichttafeln längs gewisser Linien abgesunken sind, nur hervorgegangen sein aus der
Einebnungsarbeit fließenden Wassers. Unbedingt notwendig ist diese Annahme für die
Aufbruchspoljen, die sich von den gleichfalls an wenig widerstandsfähige Schichten geknüpften Satteltälern durch ihre Geschlossenheit, ihre größere Breite und den ebenen Boden
unterscheiden. Bei der Bildung eines Satteltals erfolgt die Aufschließung der impermeablen
Schicht durch ein Flankental des Haupttals, und längs dieser Schicht konnte dann die
Erosion linienhaft fortschreiten. Bei dem allseits geschlossenen Polje mußte der Erosions-
vorgang auf dem ursprünglich geschlossenen Schichtsattel selbst beginnen, und am wahr-
scheinlichsten geschah dies ausgehend von Dolinen und Karstmulden der permeablen Decke
des Gewölbes. Auch diese erkannten wir im Jura als reine Erosionsformen der Kalkober-
fläche, so daß zwischen Dolinen und Poljen in der Regel kein genereller Unterschied besteht. Die fortschreitende Erweiterung und Vereinigung mehrerer Dolinen vernichtete zunächst den Kalkmantel; als dann die undurchlässige Schicht aufgeschlossen war, konnte die
Erosionsarbeit um so raschere Fortschritte machen; es arbeiteten die an dem impermeablen
Horizont austretenden Grundwasserstränge in die Breite und trugen das Gelände ab, bis sie
an den aus Kalken bestehenden Wandungen des Beckens versiegten. Die Aufbruchspoljen des Jura sind also Produkte einer sehr beträchtlichen, subsequenten Erosion
auf Schichtsätteln [2]).

Auch bei den durch Absenkungslinien begrenzten Poljen des ersten Juraplateaus bedarf die Ebenheit des Bodens der Annahme einer Einebnung, da der gesenkte Schichtkomplex
a priori keine vollkommen ebene Oberfläche hatte. Hingegen hatten die zwischen Antiklinalen gelegenen geschlossenen Mulden von vornherein die Anlage einer flachen Sohle,
die sodann durch Seitenerosion der Flüsse noch vergrößert wurde. In manchen Fällen
aber sind die glaziale Ausfüllung der Wanne oder alte Seeablagerungen die Ursache des
flachen Bodens, so z. B. im Val de Sagne, wenn auch die ursprüngliche Anlage der Hohlform präglazial ist.

Die tektonischen Vorgänge, die die Karstwannen geschaffen haben, gehören wohl
der Hauptsache jener großen Faltungsperiode an, die nach Schluß des Miocäns unser Gebirge schuf. Doch möchte es von einigen Poljen, namentlich von denen nahe dem Westrand des Gebirges, scheinen, als ob sie durch spätere Krustenbewegungen in eine
bereits längst gehobene und abgetragene Landschaft eingesenkt wären; haben wir doch

---

[1]) Bourgeat, Sur certaines particularités de la combe de Prés (Bull. soc. géol., 3. série XXIV, 1896,
S. 489—93).
[2]) Dieser Erklärungsversuch deckt sich in vielen Punkten mit den Ausführungen von Cvijić (Morpholog.
und glaziale Studien in Bosnien usw., II. Teil, Abhandl. K. K. Geogr. Ges., Wien 1901, III, S. 78 ff.) über
die Bildung der Poljen dieses Gebiets; doch tritt im Jura durch die zwischen die Kalkschichten eingeschalteten Mergel-, namentlich die Oxfordhorizonte ein neues Moment hinzu.

früher sehr beträchtliche Einebnungserscheinungen an den westlichen Randketten kennen gelernt, und unmittelbar östlich davon befinden sich die durch elliptische Absenkungslinien umschlossenen Poljen. Sie machen den Eindruck, als ob hier die Poljenbildung jünger wäre als der Beginn der Einebnung. Auch hier wird die spätere Detailforschung, die das Ausmaß jener posthumen Bewegungen des jurassischen Bodens festzustellen haben wird, die definitive Lösung bringen können.

Bei den bisher angeführten Beispielen handelte es sich in der Regel um trockne Poljen; doch gibt es auch im Jura wie in anderen Karstgebieten mit Rücksicht auf die hydrographischen Verhältnisse drei Typen von Poljen [1]): neben den trocknen Poljen solche, die alljährlich, also periodisch inundiert werden, andere endlich sind als Seepoljen von permanenten Wasseransammlungen erfüllt. Ein typisches Beispiel für periodisch wieder-kehrende Inundationen bietet das Polje von Drom im südlichen Plateaujura [2]). Es ist eine von Portlandkalken gebildete geschlossene Mulde in ca 300 m Höhe, zwischen der Kette des Revermont und der des Mont de la Rousse, waldlos und ohne einen perennierenden Bach. Zur Zeit der stärksten Regen wurde es durch plötzlich auftretende Überschwem-mungen verwüstet und in einen See verwandelt, indem große Wassermassen aus Schlund-löchern hoch aufspritzen, so daß im Volke die Meinung verbreitet war, das Dorf stehe über einem unterirdischen See. Tatsächlich führen die Schlundlöcher in große Hohlräume und zu einem natürlichen Wasserreservoir von 6 m Tiefe. Zur Verhütung solcher Kata-strophen wird nunmehr das Wasser des Beckens in einem Tunnel in das benachbarte Tal des Surand abgeleitet. Wir haben es in diesem Falle nicht mit dem gewöhnlich angenommenen Falle einer Inundierung zu tun, daß nämlich zur Zeit heftiger Regen oder der Schneeschmelze die Ponore den Wassermassen keinen genügenden Abfluß bieten können; sondern es wird durch unterirdische Zirkulation dem Karstwasser so viel Wasser zugeführt, daß dieses durch die Klüfte des Kalkes wie in kommunizierenden Röhren aufwärts steigt und an die Oberfläche tritt.

Auch im geschlossenen Muldenbecken von Le Locle, das nur durch eine niedrige Bodenschwelle vom Tale von Chaux-de-Fonds getrennt ist, hat die Menschenhand ein-gegriffen, um den verheerenden Inundationen ein Ende zu machen. Das Becken ist von ca 20 m mächtigen Quartärablagerungen ausgekleidet, in deren Mitte eine sandig-tonige Schicht angetroffen wurde, die das Wasser zurückhält [3]). Die Wasser des Bied, der in trockner Jahreszeit versiegt, überschwemmten zur Zeit der Regen den bewohnten, frucht-baren Talgrund. In den Jahren 1802—05 wurde ein 300 m langer Stollen gebohrt, durch den das überschüssige Wasser unter dem Col des Roches nach dem oberhalb Les Brenets in den Doubs mündenden Graben geführt wird [4]).

Auch das Polje von Saône wird in einem Ausmaß von ca 800 ha periodisch inun-diert. Die Versuche, dem Wasser der Oberfläche durch Erweiterung der Ponore einen genügenden Abfluß zu verschaffen, scheiterten bisher nicht so sehr an ihrer Verschüttung durch Bergsturzmaterial von den steilen Kalkgehängen [5]), sondern daran, daß keine Tiefer-legung des Karstwasserspiegels erzielt wurde, so daß auch heute noch der weitaus größte Teil des Beckens durch Versumpfung der Kultur entzogen bleibt. Inundationen in ge-ringerem Ausmaß treten zur Zeit der Schneeschmelze noch bei vielen Jurapoljen auf, namentlich bei denjenigen, die von Sümpfen und Torfmooren erfüllt sind, wie z. B. im Val

---

[1]) Cvijić, Karstphänomen, S. 297.
[2]) Mareste, Notice sur la vallée de Drom (Bull. soc. géogr. Lyon VI, 1886, S. 479).
[3]) Jaccard, Sondages dans les marais du Locle (Bull. soc. neuch., IV, 1875, S. 435).
[4]) Siegfrid, Der Schweizer Jura, S. 122.
[5]) Fournier, Recherches spéléologiques dans le Jura franc-comtois (Spelunca VI, 1900, S. 27).

de Sagne. Nicht unbeträchtlich aber ist die Zahl derjenigen, die als permanente Seewannen entgegentreten.

In gleicher Weise wie die Dolinen werden auch Poljen entweder durch Verstopfung
der Schlundlöcher oder durch Senkung bis zum Karstwasserhorizont in Seebecken verwandelt. Die Poljenseen des Jura liegen wie die echten Poljen in allseits
geschlossenen Hohlformen, ihre Entwässerung geschieht unterirdisch durch Ponore; diese
liegen zumeist unmittelbar am Seeufer oder am Seeboden, seltener in einiger Entfernung
vom Ufer, so daß der Seeabfluß eine kurze Strecke oberirdisch vor sich geht, wie beim
Lac de Malpas oder Lac des Mortes. Häufig funktionieren die Ponore nur bei normalem
Wasserstand; bei abnorm tiefem Stande des Seespiegels liegen die meisten über diesem,
und es findet entsprechend dem minimalen Zufluß auch nahezu kein Abfluß statt, wie es
im August 1900 beim Lac de Joux der Fall war. Im entgegengesetzten Falle können
zur Zeit anhaltender Regen die unterirdischen Abflüsse infolge des Ansteigens des Karstwassers nicht funktionieren, und es kommen die Schlundlöcher zu stürmischem Überfließen
(réflux), wie es gleichfalls vom Joux-See bekannt ist. Manche Jurapoljenseen besitzen
aber ähnlich wie die meisten Dolinenseen keinen sichtbaren Zufluß, sondern werden durch
Quellen am Seeboden gespeist.

Die Poljenseen des Jura sind ausschließlich Muldenseen (lacs de vallons nach Desor),
also tektonische Gebilde, gelegen in geschlossenen, zumeist mit Kreideschichten erfüllten
Synklinalen, wobei die Geschlossenheit der Wanne in der Regel in der ursprünglichen Anlage
der Faltung begründet ist, seltener durch Abriegelung infolge von Bruchvorgängen entstand.

Der größte und bekannteste dieser Juraseen ist der Lac de Joux, gemeinsam mit
dem Lac des Rousses im Muldental der Orbe gelegen, an dessen Nordende die große
horizontale Transversalverschiebung vorbeizieht, die den ganzen mittleren Kettenjura von S
nach N bis Pontarlier durchsetzt. Bei Le Pont an seinem Nordende hängt der Jouxsee
mit dem Lac Brenet zusammen, der den nördlichen Teil der nächst westlichen Mulde
erfüllt. Diese ist von der Mulde des Orbetals nur durch einen 80—100 m hohen Jurakalkrücken getrennt; in ihr liegt auch der kleine rundliche Lac de Ter. Die limnometrischen Werte sind nach Forel und Delebecque die folgenden[1].

	Areal	Höhe	mittl. Tiefe	max. Tiefe	Volumen
Lac de Joux	865 ha			33,6 m	
Lac Brenet	79 „	1008 m	15,4	19,5 „	147 Mill. cbm.
Lac des Rousses	90 „	1075 „	—	18 „	

Der gemeinsame unterirdische Abfluß dieser Seengruppe geschieht durch eine Anzahl
von Schlundlöchern teils am linken Seeufer, teils durch die Entonnoirs von Bon-Port am
Nordende des Lac Brenet; er erscheint wieder in der Quelle der Orbe oberhalb
Vallorbe (vgl. S. 35). Die ganze, 28 km lange abflußlose Synklinale des oberen Orbetals
von Les Rousses bis Le Pont stellt ein Muldenpolje dar, das gleichzeitig ein Abriegelungsbecken ist, dessen Entstehung mit der oben erwähnten Blattverschiebung innig zusammenhängt. Zur Eiszeit war es von einem stattlichen jurassischen Talgletscher erfüllt,
der von dem Plateaugletscher bei Les Rousses nach NO abfloß und außerdem vom Mont
Risoux und Mont Tendre, deren Abhänge die Talwandungen bilden, Nahrung erhielt. Seine
Ablagerungen sind allenthalben im Tale erkennbar, teils als quer ziehende Endmoränenwälle,
teils als isolierte, drumlinartig gestreckte Moränenhügel, und als solche sind wohl auch
die sublakustren Hügel am Boden der Seen zu deuten[2]. Eine ca 60 m hohe Terrasse,

---

[1] Forel, Rapport sur une carte hydrographique des lacs de Joux et des Brenets (Arch. de Genève
XXVII, 1892, S. 250 und Bull. soc. vaud XXVIII, 1892, S. IX); Delebecque, Sur le lac des Rousses
(Arch. do Genève XXIV, 1895, S. 583).
[2] Forel a. a. O.

aus unregelmäßig geschichteten Deltaschottern bestehend, begleitet das rechte Ufer des Joux-Sees von Les Brassus bis L'Abbaye [1]). In präglazialer Zeit war das Polje wohl ohne See, seine Gewässer flossen durch Schlundlöcher im heutigen Seeboden ab. Als der Gletscher sich zurückzog, sammelten sich seine Schmelzwasser in dem durch Verstopfung der Ponore mit Grundmoräne undurchlässig gewordenen Polje zu einem See von ca 1080 m Spiegelhöhe an. Die Deltaschotter am rechten Gehänge mögen aus durch Wildbäche umgelagerten Ufermoränen oder direkt aus Wildbachschottern hervorgegangen sein, jedenfalls trugen sie zur teilweisen Ausfüllung des Seebeckens bei. Zur Zeit der' größten Spiegelhöhe scheint ein oberirdischer Abfluß des Jouxsees über den Sattel von Tornaz (1085 m), wo die Wasserscheide in sumpfigem Terrain liegt, nach dem kleinen Tälchen des Ruisseau des Epoisats und somit nach dem Becken von Vallorbe bestanden zu haben, wenn er auch, wie bei einem Seeabfluß zu erwarten, nicht durch Gerölle zu erweisen ist [2]). Mit sinkendem Wasserstand zerfiel dann der die ganze geschlossene Mulde umfassende See in den Lac des Rousses, der seinerseits teilweise durch Moränen abgedämmt ist, und in den Lac de Joux. Gleichzeitig hörte der oberirdische Abfluß auf, dessen Einschneiden in die Poljenwandung sich langsamer vollzog als das Sinken des Seespiegels, und an seine Stelle trat der unterirdische Abfluß durch die erwähnten Ponore. Der Lac Brenet entstand erst in spät historischer Zeit, um 1230 n. Chr. durch künstliche Verstopfung einiger Schlundlöcher aus dem früheren Sumpf von Brenaid. Zum erstenmal wird seine Existenz im Jahre 1457 erwähnt [3]). Der kleine Lac de Ter (4 ha) scheint eine Wasseransammlung an der tiefsten Stelle der gegliederten Mulde von Le Lieu, also eher eine Karstwanne als ein Moränensee zu sein.

Die bedeutenden Spiegelschwankungen, die wegen des gehemmten Abflusses alle Karstseen kennzeichnen, wurden beim Joux-See von F. A. Forel auf Grund von vieljährigen Messungen verfolgt [4]). Die mittlere jährliche Spiegelschwankung in dem Zeitraum von 1847—1896 betrug 2,44 m; ihr Maximum erreichte sie 1882 mit 4,92, ihr Minimum 1861 mit 1,22 m; dabei schwanken die absoluten Extreme (Max. 4. Januar 1883, Min. 29. November 1870) sogar um 6,075 m. Die mittlere Jahresschwankung wird an den Schweizer Seen nur vom Walensee (2,82 m) und vom Lago Maggiore (2,91 m) überschritten, die Schwankung der absoluten Extreme gleichfalls vom Lago Maggiore (7,81 m).

Ein einfacher Muldenpoljensee ist der langgestreckte, schmale, teilweise verschilfte See von Tallières (h = 1037 m, A = 20 ha, größte Tiefe 7 m) in der einsamen Mulde von La Brévine im Neuenburger Jura, die außerdem von ausgedehnten, eine einst größere Wasserbedeckung andeutenden Torfmooren erfüllt ist. Ihren Boden bilden sehr regelmäßig lagernde Schichten unterer Kreide und mariner Molasse, das Seebecken selbst liegt auf Neokom. Das Seewasser tritt wieder zutage in den Quellen der Areuse bei St. Sulpice, wie sich bei Auflassung der durch diese Quellen betriebenen Mühlen zeigte; damals erfolgte eine temporäre Aufstauung des Sees, deren Behebung eine nach zwölf Stunden eintretende Zunahme der Areuse-Quellen ergab [5]). Der See erfüllt ebenso wie ein durch eine schmale Landbrücke mit ihm verbundener kleiner Tümpel die tiefsten Stellen einer geschlossenen Mulde, deren Schlundlöcher teilweise verstopft wurden. Nach einer wenig verbürgten Tradition aus dem späten Mittelalter soll der See plötzlich über Nacht durch eine lokale Senkung an der Stelle eines Waldes entstanden sein, dessen Tannenwipfel noch heute bei klarem Wasser zu sehen sein sollen [6]). Nach einer anderen Version hat die künstliche

---

[1]) Gauthier, Première contribution à l'histoire naturelle des lacs de la vallée de Joux (Bull. soc. vaud. XXIX, 1893, S. 294 ff.) und Machaček, Beiträge zur Kenntnis der lokalen Gletscher des Schweizer Jura (Mitt. nat. Ges. Bern, 1901, S. 13 ff.).

[2]) Dasselbe nimmt Gauthier (a. a. O. S. 295) an, doch gibt er die größte Spiegelhöhe zu niedrig, nämlich mit 1040 m, an.

[3]) Gauthier, S. 295.

[4]) Quelques mots sur les lacs de Joux (Bull. soc. vaud. XXXIII, 1897, S. 79).

[5]) Jaccard, Le lac de Tallières et la source de la Reuse (Rameau de sapin, März 1885).

[6]) Siegfrid, Schweizer Jura, S. 124 und Jaccard, Le lac de Tallières (Rameau de sapin, Nov. 1871).

Verstopfung eines Schlundlochs zum Zwecke der Regulierung und Nutzbarmachung der Wasserkräfte des Tales die Seenbildung verursacht [1]).

In ähnlicher Situation befindet sich in öder Karstlandschaft der flachufrige, gelappte Lac d'Abbaye, westlich des oberen Biennetals (h = 880 m, A = 92 ha, größte Tiefe 19,5 m); auch er liegt in einem von Kreideschichten ausgekleideten geschlossenen Muldenpolje, ohne die ganze Karstwanne zu erfüllen. Eine flache Insel an seinem Südende verwächst bei niedrigem Wasserstand mit dem Ufer zu einer vorspringenden Halbinsel. Die Speisung des Sees geschieht durch unbedeutende Rinnsale von N her; der unterirdische Abfluß soll erst im Torrent-l'Enragé im Biennetal bei Molinges, 20 km vom See entfernt, wieder zutage treten, zu welchem Wege er 48 Stunden benötigt [2]).

Die Karstseen sind der bezeichnendste Seentypus des Juragebirges. Bei rund zwei Drittel der 66 Seen des Jura (wobei mit Magnin [3]) alle stehenden Wasseransammlungen über 1 ha als Seen gezählt sind, läßt sich ein Zusammenhang mit Karstformen seiner Oberfläche nachweisen; bei 32 Seen ist ein oberflächlicher Abfluß nicht vorhanden, bei 23 von diesen kennt man die Lage ihrer Schlundlöcher und bei einigen auch die Stelle, wo unterirdische Kanäle das Seewasser wieder an die Oberfläche bringen, wobei im allgemeinen diese Kanäle der Richtung untergeordneter Täler parallel zu laufen scheinen und in Tälern höherer Ordnung austreten [4]). Bei manchen, namentlich den kleinen Seen des südlichen Jura, ist es fraglich, ob nicht die Ursache der Wannenbildung auch in der unregelmäßigen Moränenanhäufung zu suchen ist; nur wenige Juraseen, deren an anderer Stelle gedacht wurde, sind direkt auf glaziale Erosion oder Akkumulation zurückzuführen. Die Mehrzahl der Karstseen aber sind durch Verkleisterung des Bodens und Verstopfung der Schlundlöcher durch glaziales Material aus trocknen Karstwannen hervorgegangen, daher auch der Seenreichtum im südlichen und mittleren Jura viel größer ist als im N, wo eine Vergletscherung nahezu fehlte. Nur in verhältnismäßig wenigen Fällen ging die Wannenbildung bis auf das Niveau der Karstwassers, so daß dieses das Seewasser liefert, so z. B. bei den Dolinenseen von Fort-du-Plasne, Onoz, Genin u. a.

Allgemein aber erkennt man in den zahlreichen Sümpfen und Torfmooren einen einst größeren Seenreichtum des Gebirges und eine einst größere Ausdehnung der noch bestehenden Seen. Viele von ihnen, wie die Seen von Tallières, Foncine, Rouges-Truites, Malpas, Les Rousses u. a. sind von Torfmooren umgeben und verlieren durch das Wachtum der Moorvegetation, das zumeist auf einer glazialen Decke angesiedelt hat, beständig an Größe. Bei einigen dieser »Lacs de tourbières« ist sogar innerhalb der historischen Zeit eine nicht unbedeutende Reduktion ihres Areals nachgewiesen, z. B. beim See von Tallières und den beiden Seen von Maclus. Auch die Seen des Jura sind vergängliche Gebilde seiner Oberfläche.

Neben den echten Poljen gibt es im Jura auch zahlreiche Hohlformen, die in Anlage und Gestalt diesen gleichen, bei denen aber die Flußerosion den Sieg über den Karstboden davongetragen hat, so daß sie in das Bereich der gleichsinnigen, oberflächlichen Entwässerung einbezogen wurden. Es lassen sich bei diesen »aufgeschlossenen Poljen« (bassins quasi-fermés), die besonders im Kettenjura zahlreich vorkommen und Zwischenformen zwischen Poljen und gewöhnlichen Tälern darstellen, zwei Fälle unterscheiden: Entweder liegt der Boden einer solchen Hohlform tiefer als das Niveau der oberflächlichen Entwässerung außerhalb derselben; dann tritt ein Fluß durch eine Enge in das Becken ein und in ähnlicher Weise wieder aus diesem heraus; oder es wurde ein ursprünglich geschlossenes Polje durch rückwärtige Erosion von einer Seite her erreicht und erschlossen. Den ersten Fall repräsentiert z. B. das Becken von Morteau, das der Doubs in großen Mäandern durchzieht und mit seinen Ablagerungen ausgefüllt hat; oder das Becken von Besançon, ebenfalls zwischen zwei Doubsklusen gelegen. In diesen Fällen haben wir es mit tektonisch, nämlich durch Divergenz und Konvergenz von Antiklinalen angelegten Talerweiterungen zu tun, in denen es in der Regel nicht mehr zu Inundierungen kommt, weil sich der Fluß unterhalb seines Austritts sein Bett bereits genügend eingetieft hat. Mit mehr Berechtigung lassen sich die nur einseitig von außen erreichten Hohlformen als aufgeschlossene Poljen

[1]) Jaccard, Mémoire explicatif accompagnant la feuille XI, carte géol. suisse, S. 285.
[2]) Lamairesse, Études hydrologiques sur les monts Jura, S. 110 u. 117.
[3]) Magnin, Les lacs du Jura (Ann. de Géogr. 1893/94, S. 20 u. 213) gibt eine monographische Darstellung des Seenphänomens im Jura, vornehmlich vom limnologischen und topographischen Standpunkt, das morphologische Moment erfährt nicht immer die gebührende Berücksichtigung. Auf Magnin gehen die meisten der hier erwähnten topographischen Details zurück.
[4]) Lamairesse (a. a. O. S. 84) dachte sich diesen Zusammenhang und den Verlauf der Kanäle und Täler von der Richtung sich kreuzender Bruchlinien abhängig.

auffassen. Wir finden sie in größerer Zahl zwischen den östlichsten Ketten des nördlichen Kettenjura; ein schönes Beispiel hierfür ist das Val de Ruz, das durch die Schlucht des Seyon zum Neuenburger See aufgeschlossen ist, während geschichtete Quartärablagerungen auf ein ehemaliges Seenpolje hinweisen. Auch das Auftreten zahlreicher Schlundlöcher an den Rändern des Tales spricht für seinen einstigen Poljencharakter. Von ähnlicher Beschaffenheit ist das benachbarte Val de Diesse, dessen Gewässer teilweise in mehreren Bächen zum Bieler See abfließen, teilweise aber in Schlundlöchern und Spalten verschwinden, wie der Bach von Lignières, der zu Zeiten starker Regen bedenklich anschwillt.

In manchen Fällen ist der echte Poljencharakter zwar noch erhalten, aber doch das Polje von der bevorstehenden Aufschließung hart bedroht. Das langgestreckte Polje der Torreigne im südlichen Plateau ist nur mehr durch eine Schwelle von kaum 30 m Höhe vom Tale des auf Oxfordmergeln rasch erodierenden Valouson getrennt. Ist jene gefallen, so wird die Torreigne, die heute am Südrand des Polje verschwindet, in die oberflächliche Entwässerung einbezogen, ein Beispiel für die allmähliche Umwandlung der Wannenlandschaft in eine Tallandschaft.

5. Die Karstflüsse und Karsttäler des Jura.

Wichtiger als die Detailformen einer Karstwannenlandschaft werden für die jurassischen Karstgegenden ihre hydrographischen Verhältnisse. Auf den durchlässigen Kalkschichten, welche den Hauptanteil am Aufbau des Gebirges und seiner Oberfläche, namentlich des Plateaujura haben, fehlt ein reich verästeltes und ausgebildetes Fluß- und Talsystem. Die Kalke der Juraformation wirken wie ein Schwamm auf das atmosphärische Wasser, ihre Spalten, Klüfte und Schlundlöcher leiten es in die Tiefe, wo es sich entweder in der impermeablen Unterlage der Kalkschichten zu einem einheitlichen Grundwasserstrom sammelt oder noch innerhalb der Kalke das Karstwasser speist, bis es unter geeigneten Bedingungen in Quellen wieder zutage tritt.

Die Flußarmut der Juralandschaft findet einen bezeichnenden Ausdruck in der Größe der Flußdichte. Darunter versteht man bekanntlich das Verhältnis der Flußlängen zum Areal ihres Einzugsgebiets oder, was dasselbe ist, die Flußlänge auf 1 qkm. Diese erreicht nun im Plateaujura gelegentlich ganz außerordentlich geringe Werte. Auf Blatt Ornans (frz. Sp. K.) mißt im Bereich der hier fast ausschließlich herrschenden, wenig gestörten Jurakalke die dem Plateaujura angehörende Fläche, im O bis an den Doubs reichend, 1596 qkm; die Länge aller auf dieser Fläche auftretenden fließenden Gewässer, den Doubs eingerechnet, nur 257 km; daher beträgt die Flußdichte nur 0,16 [1]). Etwas höher wird ihr Wert in dem stärker gefalteten südlichen Plateaujura, wo durch nachfolgende Erosion größere Flächen undurchlässiger Oxfordschichten bloßgelegt sind und zudem quartäre Ablagerungen in größerer Ausdehnung vorkommen. So beträgt auf einer beliebig herausgegriffenen Fläche von 796 qkm auf Blatt St. Claude, zu beiden Seiten des Ain und der Valouse, die Flußlänge 378 km, die Flußdichte immerhin 0,475.

Zum Vergleich lassen sich meines Wissens nur die von L. Neumann für den Schwarzwald gewonnenen Werte der Flußdichte heranziehen [2]). Diese schwankt hier je nach der Gesteinsbeschaffenheit und den Niederschlagsverhältnissen zwischen 0,56 und 2,33, also im Verhältnis 1 : 4. Auf der vorwiegend aus Muschelkalk aufgebauten Schichttafel des Dinkelbergs, die in Zusammensetzung und Struktur unserem Tafeljura sehr ähnlich ist, beträgt die Flußdichte 0,62, also noch viermal so viel als im flußärmsten und immer noch bedeutend mehr als im flußreichsten Teile der verkarsteten französischen Juraplateaus.

---

[1]) Die Bestimmung der Flußlängen geschah durch Abzirkeln auf der frz. Sp. K. mit einem Abstand der Zirkelspitzen von 2,5 mm = 200 m; die damit erreichte Genauigkeit genügt für den nur approximative Bestimmungen erheischenden Zweck vollkommen.

[2]) Die Flußdichte im Schwarzwald, Beiträge zur Geophysik, IV, 1900, S. 234.

Der Trockenheit der Oberfläche steht in jeder Karstlandschaft der Wasserreichtum des Innern gegenüber, der sich in dem Auftreten zahlreicher Quellen verrät[1]). Im Kettenjura tritt eine große Anzahl derselben in Muldentalungen auf der Oberfläche des Lias aus, nachdem das Wasser die Doggerkalke durchdrungen hat, oder auf der Oberfläche der Oxford- und Argovianmergel aus den darüber lagernden Malmkalken, und zwar sind dann in der Regel beide Talseiten gleich quellenreich, während Monoklinaltäler ein quellen-reiches und ein quellenarmes Gehänge haben. In Antiklinaltälern trifft man Quellen nur dort, wo die Antiklinale absinkt, die beiden Flügel des Gewölbes und mit ihnen die Quell-horizonte sich vereinigen und durch die Erosion angeschnitten werden. Einen solchen seltenen Fall repräsentiert die mächtige Quelle in einem toten Quertälchen bei Moutier, das vielleicht einst von der Birs benutzt war. In den zerbrochenen Plateaus knüpfen sich Quellen viel-fach an Bruchlinien, durch die die wasserführenden Horizonte mit den permeablen in Be-rührung gebracht werden. Sie treten daher zumeist in Reihen angeordnet auf, z. B. im Tale der Valserine, im Muldental der oberen Orbe zwischen Les Brassus und Bois d'Amont längs einer Faltenwerfung, längs des Westrandes des Beckens von Nozeroy, gekennzeichnet durch die Lage der Ortschaften Mournans, Onglières, Plenise und Plenisette usw. In Quertälern gibt es natürlich überall dort Quellen, wo wasserführende Horizonte durch die Flußerosion angeschnitten werden; sie sind auch im Jura quellenreicher als die großen Muldentäler. Sehr viele Quellen des Jura aber treten noch innerhalb der Kalkschichten aus, wo der Karstwasser-Spiegel durch Erosion angeschnitten ist.

Die Juraquellen zeichnen sich infolge der starken Durchlässigkeit der Kalke durch große Schwankungen ihres Ertrags aus. So schwankt die Quelle von St. Sulpice im Hintergrund des Val de Travers im Jahre zwischen $1/2$ und 100 cbm pro Sekunde. Überhaupt aber ist der Ertrag der Quellen sehr groß, namentlich wenn sie als Ableiter der Infiltrationswasser ausgedehnter Kalkplateaus dienen; ihre Schwankungen treten dann ohne sichtbaren Grund auf (sources calamiteuses); andere entwässern innere Hohlräume durch einfache, unverzweigte Stränge (siphos) als »sources affameuses«[2]). Viele aber sind inter-mittierend und versiegen im Sommer gänzlich, wenn ihr Austrittspunkt über das Bereich der Karstwasserschwankungen zu liegen kommt; dazu gehört die (S. 129) schon genannte »Creux-Gena« bei Pruntrut. Nach Zeiten großer Regen haben solche Quellen, wenn auch selten, verheerende Ausbrüche, z. B. die »Source des Capucins« bei Pruntrut, das »Trou de la Lutinière« bei Amancey (Dépt. Doubs), der »Puits-de-la-Brême« bei Ornans[3]). Übrigens hat in vielen Fällen die zunehmende Entwaldung zur Vergrößerung der Quellenschwankungen, manchmal aber auch zum gänzlichen Versiegen geführt.

Von besonderer Bedeutung sind jene Quellen, die den Ursprung großer Juraflüsse darstellen, und die man nach dem typischen Beispiel dieser Art, der fontaine de Vaucluse am Fuße des Mont Ventoux, auch im Jura wie in ganz Frankreich als sources vau-clusiennes bezeichnet[4]). Sie treten sowohl im Ketten- als im Plateaujura auf, in der Regel am Fuße steiler Wände, umgeben von üppiger Waldvegetation. Der Fluß erscheint schon an der Quelle in solcher Fülle, daß er unmittelbar zum Betrieb von Turbinen und anderen Kraftanlagen verwendet werden kann, so z. B. die Quelle der Loue und des Lison; der bekannteste Fall dieser »sources vauclusiennes« ist die Quelle der Orbe im Hintergrund des Talkessels von Vallorbe. Ihr Zusammenhang mit dem in den Entonnoirs de Bonport

---

[1]) Über die geologischen Bedingungen des Auftretens von Quellen vgl. Fournier, Études sur les sources, resurgences etc., dans le Jura franc-comtois (Bull. serv. carte géol. France, Nr. 89, XIII, 1902, 55 S.).

[2]) Daubrée, Les eaux souterraines dans l'époque actuelle, I, S. 305.

[3]) Fournet, Hydrographie souterraine (Mém. Ac. Lyon, VIII, 1858, S. 227).

[4]) Mit der von A. Grund (Karsthydrographie S. 179) angewendeten Beschränkung des Ausdrucks Vaucluse-Quellen auf perennierende Flußquellen kann ich mich mit Rücksicht auf den herrschenden Sprach-gebrauch nicht einverstanden erklären.

verschwindenden Abfluß der Seen von Joux und Brenet wurde schon längst vermutet, um so mehr als die Öffnung der Schleusenwehren am See von Brenet nach kurzer Zeit ein beträchtliches Steigen der Orbe bei Vallorbe zur Folge hatte. Die unterirdische Verbindung wurde schließlich durch Versuche mit Anilin erwiesen[1]); die Färbung trat 50 Stunden später an der Orbequelle auf; in dieser Zeit legte das Seewasser die (in gerader Linie 2,6 km messende) Entfernung zurück mit einem Gefälle von 210 m; nach einer früheren Beobachtung von Paul Chaix kühlte sich dabei das Seewasser, offenbar durch Mischung, von 18,8° auf 11,0° C ab[2]).

Andere Beispiele für »sources vauclusiennes« sind die Quelle der Birs bei Tavannes, der Areuse am Boden des Zirkus von St. Sulpice, des Doubs im Muldental von Mouthe, die am Fuße einer vertikalen Wand aus einem Höhlengang hervorspringt, in dem man bei Trockenzeit 10 m weit eindringen kann; ferner die Quelle der Loue, die 20 m über dem Talboden aus dem Felsen hervorbricht, des Lison, der sofort einen 10 m hohen Wasserfall bildet und Mühlen treibt. Von den drei Quellen des Dessoubre kommt die von Lançot aus einer 6—8 m hohen Grotte und stürzt in 50 m hohem Falle zu Tal[3]). In gleicher Weise verdanken auch Seille, Cuisancin, Doue, Barbêche, Vallière und Ain ihren Ursprung mächtigen Quellen. In der Regel treten diese hoch über der Talsohle auf, ein Beweis für die ansehnliche Erosion, die seit der Erschließung der Quelle geleistet wurde.

Da die meisten Quellen einen mächtigen Kalkfilter passiert haben, bevor sie zutage treten, führen sie klares Wasser. Eine Ausnahme macht die Quelle von Noiraigue im Val de Travers, die das in Schlundlöchern verschwindende Wasser des vertorften Polje von Les Ponts und La Sagne mit einem plötzlichen Gefälle von 270 m der Areuse zuführt und dabei noch nicht Zeit zur völligen Reinigung hatte (daher ihr Name »noire-aigue«)[4]).

Die große Wichtigkeit der Quellen für ein so wasserarmes Land wie es der französische Jura ist, namentlich ihr unschätzbarer Wert für die Industrie und andere Betriebe, spiegelt sich in den zahlreichen, mit »fontaine« zusammengesetzten Ortsnamen, wie Pierre-, Grande-, Blanche-, Noirefontaine u. v. a.

Die Flüsse des Jura lassen sich vom hydrographischen Gesichtspunkt gleich denen anderer Karstgebirge in perennierende, intermittierende und in Ponoren verschwindende unterscheiden. Die ersteren, wenig zahlreich im Plateaujura, fließen, wie Doubs, Ain, Bienne, Loue, in tief eingeschnittenen, cañonähnlichen Tälern und haben sich dabei bis zu einer wasserundurchlässigen Schicht oder unter die Karstwasserschwankung eingesenkt; andere verdanken ihre Konstanz der Auskleidung ihres Tales durch quartäre oder tertiäre Schichten, wie fast alle größeren Flüsse des Kettenjura. Allen Juraflüssen aber ist die geringe Zahl von Nebenflüssen gemeinsam, weshalb ihre Talwandungen auch nicht durch nachträgliche Erosion und Abtragung abgeböscht werden, worauf schon an anderer Stelle hingewiesen wurde. Solche Flüsse erhalten ihren Wasserreichtum vielmehr durch die in ihrem Bette angeschnittenen Quellen; solche treten u. a. im Val de Travers zwischen Motiers und Couvet, im Tale des Doubs bei seinem Laufe durch die Freiberge und oberhalb Besançon in großer Zahl auf. Auch die Loue wird in ihrem Laufe durch die Plateaus um Ornans fast ausschließlich durch Quellen (von Plaisir-Fontaine, Puits-de-la-Brême, Fontaine du Maine, von Froidière u. a.) gespeist, die das in den Klüften der Plateaus nördlich der Loue zirkulierende Karstwasser dem Flusse zuführen.

Auch das Regime der Flüsse wird durch diese Art der Ernährung beeinflußt. Während auf impermeablem Boden der Niederschlag sich sofort in Abflußrinnen sammelt,

---

[1]) Forel et Golliez, Coloration des eaux de l'Orbe (Bull. soc. vaud. XXX, 1894).
[2]) Quelques mots sur l'hydrographie de l'Orbe (Bull. soc. géol., 2. série XIX, 1862, S. 116).
[3]) Renauld, Le Jura souterrain (Ann. Club alp. franç., 1896, S. 118).
[4]) Vgl. Schardt et Dubois, Géologie des gorges de l'Areuse (Ecl. VII, Nr. 5, 1903, S. 467) und Arch. de Genève XIII, 1902, S. 511.

braucht im Kalkgestein das atmosphärische Wasser sehr lange, bis es durch die unterirdischen Klüfte dem Flusse als Quelle zugeführt wird. Nach langanhaltendem Regen
ist infolge des stärkeren hydrostatischen Druckes die unterirdische Wasserzirkulation viel
rascher; in trocknen Zeiten, in denen das Wasser unterirdisch zurückgehalten wird, liefern
dieselben Quellen nur spärlich rinnende Wasseradern. Die Folge dieser Verhältnisse ist
einmal ein sehr verspäteter Eintritt der Hochwässer, anderseits sehr bedeutende Unterschiede
in der Wasserführung. Nur die letzteren mögen durch einige Zahlen belegt werden[1]):

	Wasserführung		
	mittlere	minimale	maximale
Doubs bei der Mündung des Drugeon	3180 Sek.-Liter	1310 Sek.-Liter	50000 Sek.-Liter
bei Chaillexon	5000 „ „	1500 „ „	65000 „ „
bei St. Hippolyte	15 cbm	4 cbm	200 cbm
bei Voujeaucourt	30 „	6 „	400 „
bei der Mündung in die Saône	52 „	21 „	1000 „
Ain bei der Mündung	50 „	15 „	2500 „
Loue bei der Mündung	500 Sek.-Liter	250 Sek.-Liter	55000 Sek.-Liter

Die mittleren Extreme verhalten sich also beim Doubs ungefähr wie 1:50, bei der
Loue wächst das Verhältnis sogar auf 1:220, während z. B. bei einem Flusse mit ruhigerem
Regime, wie es die Donau bei Wien ist, sogar die absoluten Extreme in viel engeren
Grenzen, nämlich im Verhältnis 21:1 schwanken; z. B.

Maximal 1883	8600 cbm	Juni-Mittel 1880—84	2290 cbm
Minimal 1885	400 „	April-Mittel 1880—84	1330 „

Der extreme Fall der Schwankung ist erreicht, wenn die Wasserführung in der
trockneren Jahreszeit ganz aussetzt. Wir haben es dann mit intermittierenden Flüssen
zu tun. Ein solcher ist u. a. der Audeux im nördlichen Plateaujura, den auch die Karte
als »torrent à sec« für eine Zeit des Jahres bezeichnet, und dasselbe gilt von einer großen
Anzahl kleinerer Bäche auf den Höhen der Plateaus. Im Sommer erscheinen diese völlig
trocken, die Bevölkerung bezieht das Wasser aus Zisternen, und auch die konstant wasserführenden Flüsse zeigen nur geringe Wasserfülle.

Die schwachen Bäche, welche in einfachen, unverzweigten Rinnen die hochgelegenen
Kalkplateaus durchziehen, sind in der Mehrzahl sog. Schlundflüsse, die auf ihrem Laufe
immer wasserärmer werden, bis sie in Ponoren verschwinden. Ihre Zahl ist im Jura so
groß, daß auf eine Aufzählung verzichtet werden kann[2]). Die meisten von ihnen sind zugleich Poljenflüsse, die mit geringem Gefälle und in gewundenem Laufe am Boden der
Karstwanne dahinschleichen, an deren Steilrändern sie schließlich verschwinden. Dahin
gehört u. a. die Loutre in dem Aufbruchpolje der Combe de Prés (vgl. S. 134), die Torreigne
im Polje von Orgelet, die um so schwächer wird, je näher sie an die durchlässigen Malmkalke der Umrahmung kommt, offenbar, weil in demselben Maße die aus Oxfordschichten
zusammengesetzte oberflächliche Decke der Kalke immer dünner wird. Überhaupt werden
diese Schichten, als die einzigen impermeablen des Jura, die auf größere Flächen die Oberfläche bilden, maßgebend für den Unterschied der Entwässerung auf impermeablem und
permeablem Boden. Auf ihnen entwickelt sich ein reich verzweigtes Flußnetz; auf Kalkboden verschwinden die Rinnsale entweder sofort völlig, oder ziehen sich zu einem einzigen
Kanal zusammen. So besitzt auch die poljenähnliche Talung von Sancey südlich der
Lomontkette ein verzweigtes Bachnetz, das sich ausschließlich an Oxfordmergel und jugendliche Alluvionen knüpft. Ihr Hauptfluß, der Ruisseau de Voye, sammelt nach W zu die

---

[1]) Leider war es mir nicht möglich, hierbei auf das Originalmaterial zurückzugehen; die folgenden
Zahlen sind Joannes Dictionnaire géogr. de la France entnommen.
[2]) Eine Reihe von Beispielen für Schlundflüsse sind gesammelt bei Lamairesse, Études hydrologiques
dans les Monts Jura, Paris 1874 und Daubrée, Les eaux souterraines etc., I.

einzelnen Arme und verliert sich in dem Puits de Fenoz, um nach 3 km in dem Puits d'Alloz wieder zu erscheinen.

Bisweilen tritt auch in perennierenden Hauptflüssen ein Wasserverlust ein, ähnlich dem der Donau bei Immendingen. Das bekannteste Beispiel dieser Art ist im Jura die »Perte du Rhône« unterhalb Bellegarde, und in letzterer Zeit wurde ein ähnlicher Fall vom Doubs bekannt, der unterhalb Pontarlier Wasser an die Loue auf unterirdischem Wege abgibt (vgl. S. 102).

Dem unentwickelten hydrographischen Netze auf den Höhen des Plateaujura entspricht eine ebenso große Armut an normalen Tälern. Die wenigen Haupttäler der Plateaus besitzen das für Karsttäler charakteristische Vförmige Querprofil mit steilen, von der Abspülung wenig modellierten Gehängen; an ihrer Ausweitung wirken zumeist nur Abbruch und Verwitterung. Die Fußregion der Talwände ist daher von mächtigen Schuttmassen verhüllt, die von dem spärlich fließenden Rinnsal nicht fortgeführt werden können, und mit denen auch die chemische Lösung nicht fertig zu werden vermag. Der Schuttarmut auf den Höhen steht also zunehmende Schuttanhäufung in den tiefen Cañontälern gegenüber; dies treffen wir u. a. im unteren Aintal um Cize und Bolozon, im Louetal oberhalb Mouthiers, im Tale der Albarine um Tenay. Viele dieser Karsttäler haben einen zirkusförmigen oberen Talschluß, vom Volke »bout du monde« genannt, und am Fuße seiner steilen Wände oder in einiger Höhe über dem Talboden brechen die Flußquellen hervor. Diese Sacktäler, zu denen fast alle Täler des Plateaujura, auch die kleinen Seitentälchen des Loue- und Dessoubregebiets zu rechnen sind, sind in manchen Fällen nichts anderes als Einsturztäler (vallées d'effondrement); indem die Höhlengänge der Quellstränge gleichzeitig durch Erosion des Bodens und Abbröcklung des Daches sich erweitern, und dieses schließlich einstürzt, rückt die Wand des Talschlusses aufwärts und die einstigen Hohlräume gelangen an die Oberfläche. Ein treffendes Beispiel für diese Art der Talbildung ist aller Wahrscheinlichkeit nach das oberste Stück des Louetals bis gegen Mouthiers [1] (vgl. S. 102), sowie die dem Louetal tributären kurzen Cañontäler. Talbildung durch Einsturz wird namentlich in einem von Höhlen durchsetzten Gebiet nicht allzu selten sein. So scheinen die zahlreichen Quellflüsse der Seille nördlich von Lons-le-Saunier, ferner der Cholet bei St. Jean de Royans, die Gizia bei Cousance und der Dorain bei Poligny in Einsturztälern des höhlenreichen ersten Juraplateaus zu liegen [2].

Der vollständigen Bloßlegung eines unterirdischen Flußkanals geht häufig seine Zerlegung in mehrere blinde Täler voraus, getrennt durch noch nicht eingestürzte Höhlendächer. Die blinden Täler mit deutlichem oberem und unterem Talschluß, wobei der Fluß am Fuße einer Wand in einem Schlundloch verschwindet, sind im Jura nicht so häufig als in anderen Karstgebieten. Die meisten versiegenden Flüsse sind Poljenflüsse; nur selten geschieht das Versiegen in langgestreckten, schmalen Talungen. Ein echtes blindes Tal ist das des Baches von Villeneuve-d'Amont westlich von Levier; dabei ist das unterste Stück zwischen dem heutigen Schlundloch und dem unteren Talschluß ein steiniges Trockental; der Fluß hat also sein Schlundloch nach aufwärts verlegt, und das Flußbett des blinden Tales wurde verkürzt. Den Fall eines durch einen unterirdischen Durchbruch unterbrochenen Tales repräsentiert der Bief de Moirans (Blatt St. Claude); er fließt zuerst in einem Oxfordtälchen und durch Doggerschichten, gibt an einer Bruchlinie gegen Malmkalk einen Teil seines Wassers ab und verschwindet schließlich mit deutlichem unterem Talschluß. Nach kurzer Unterbrechung erscheint er wieder und fließt zum Ain ab.

---

[1] Vézian, Le Jura franc-comtois (Mém. soc. émul. Doubs, 1873, S. 491).
[2] Fournet, Note sur les effondrements (Mém. Ac. Lyon, 1852, II, S. 174).

Einer ausführlicheren Besprechung bedürfen die Trockentäler des Jura, die sich auf den Plateaugebieten des Westens in großer Zahl finden. Nach ihren hydrographischen Verhältnissen lassen sich periodische und permanente Trockentäler unterscheiden; die ersteren beanspruchen keine weitere Erklärung; sie werden, wie das Tal des Audeux, von periodisch, nämlich zur Zeit großen Wasserstandes fließenden Flüssen benutzt. Für die morphologische Entwicklung des Landes bedeutungsvoller sind die permanenten Trockentäler. Ihrer Lage nach befinden sie sich entweder in der oberen Fortsetzung lebender Haupttäler, indem sich die Talform mit allen Kennzeichen eines normalen Tales von der gegenwärtigen Quelle eines perennierenden Flusses noch ein Stück weit nach aufwärts fortsetzt; oder es erscheinen die Trockentäler als zumeist wenig tiefe, verkarstete Hohlformen auf der Höhe der trocknen Kalkplateaus.

Ein treffendes Beispiel für den ersten Typus ist das Trockental der Riverotte, des einzigen bedeutenden Nebenflusses des Dessoubre. Es setzt sich in nahezu ungestört lagernde untere Malmkalke tief eingeschnitten und in vielen Windungen noch etwa 5 km von der Quelle aufwärts fort, und zahlreiche, gleichfalls trockne Seitenschluchten ordnen sich ihm unter. Von gleicher Beschaffenheit ist das Trockental des Cuisancin, vom Weiler Cuisance-le-Châtel aufwärts, ferner das 2 km lange Trockental in der Fortsetzung der Combe de Mijoux, des obersten Teiles des Valserinetals; es ist über eine unmerkliche Schwelle noch 2 km weiter mit entgegengesetzter Abdachung nach N zu verfolgen, biegt dann rechtwinklig um und führt nach weiteren 2 km zur Quelle des Bief de la Chaille, des Baches der Klus von Morez.

Schon erwähnt wurde das Trockental von Tenay im Jura des Bugey, das in der Fortsetzung des unteren Albarinetals, an Oxfordschichten sich knüpfend, bis zur Scheide von Les Hôpitaux führt und weiter gegen SO bis zum Furans reicht. Als wichtige Grenzlinie wurde bereits das Trockental genannt, das von Touillon bei Les Hôpitaux 7 km weit nach N der großen Blattverschiebung Vallorbe-Pontarlier folgt. Diese Beispiele mögen genügen, um zu zeigen, daß wir es im Jura keineswegs bloß mit Trockentalungen tektonischen Ursprungs zu tun haben, bei denen die von der Struktur geschaffenen Hohlformen durch das Fehlen der talbildenden Kräfte in ihrer ursprünglichen Gestaltung erhalten blieben, sondern daß echte Erosionsformen vorliegen, die gegenwärtig dem Bereich der Wasserwirkung entzogen sind.

Ungemein zahlreich vertreten ist der andere Typus der Trockentäler, die sich auf den verkarsteten Hochplateaus befinden. Ein vielverzweigtes System solcher Täler, gebunden an durch die Erosion aufgeschlossene Astartenkalke des Malm trägt das breite Gewölbe des Noirmont östlich der Synklinale von Mouthe; ihnen folgen die Verkehrswege dieses unwirtlichen, 12—1300 m hohen Gebiets. Fast alle die dürftigen Bachrisse der Plateauzone setzen sich aufwärts in toten Talstrecken fort. An solchen ist namentlich das Plateau der Freiberge reich. Vom Tabeillon, der die Sorne bei Glovelier erreicht, dringt noch 4 km weit ein Trockental in die Plateaumasse hinein, in dem zwei kleine, abflußlose Teiche liegen. Die »Comben« von Vallanvron, von La Ferrière, von Naz u. a. sind bis 180 m tief eingerissene, steilwandige und langgedehnte Trockenschluchten, die sich nach dem Doubs öffnen; auch die gegenüberliegenden Plateaus von Maîche bis an den Dessoubre zeigen ähnliche Formen. Zu den Tälern der größeren Juraplateauflüsse, wie des oberen Dessoubre, der Riverotte, des Doubs und unteren Ain, senken sich kurze, zumeist trockne Flankenrisse in großer Zahl herab, die ihren Ursprung auf den Plateaus haben. Öfters finden sich auf den niedrigen Plateaus des Nordens breite, wasserlose Talungen, die einstens von Wasser durchflossen wurden; so zwischen Dammartin und dem unteren Audeux (Blatt Montbéliard). Vielleicht ist hier die Ursache der Wasserlosigkeit die Abtragung der im-

permeablen Oxfordschichten, die nur mehr inselartig im Tale auftreten und mit denen zugleich auch das Wasser verschwunden ist. Anderer Art sind die Verhältnisse auf dem Plateau von Dournon, östlich von Salins [1]). Dieses war einst von einem ziemlich bedeutenden Bache durchzogen, der sich unterhalb Migette 100 m tief in das tiefe Tal des Lison herabstürzte. Indem dieser das Gehänge untergrub und dieses abrutschte, entstand zwischen der Abbruchswand und dem Bergsturz eine Hohlform, die durch den Fall des Baches von Migette, des Bief de Laizine, zu einem 120 m tiefen, 300 m im Umfang messenden Trichter, dem Puits de Billard ausgestaltet wurde. Das Tal des Bief de Laizine oberhalb der Wand behielt seine Höhenlage und wird heute nur von einem spärlich rinnenden, im Sommer versiegenden Bache durchflossen, der sich über die Cascade de Diable in den Puits de Billard stürzt, wo sich sein Wasser zu einem kleinen See sammelt, um durch ein Schlundloch unterirdisch zum Lison abzufließen.

Die Trockentäler des Jura verdanken Ursachen der verschiedensten Art ihre Entstehung. In vielen Fällen wird man auf klimatische Veränderungen zurückgehen können, um den einst größeren Reichtum an fließenden Gewässern zu erklären. Die in der oberen Fortsetzung heutiger permanenter Haupttäler gelegenen toten Talstrecken scheinen in einer Zeit größeren Niederschlagsreichtums angelegt worden zu sein, gehören also noch der pliocänen und quartären Talbildungsperiode an; anderseits sind die vielen kleinen Trockentälchen des Schweizer Tafeljura wohl nichts anderes als die Betten eiszeitlicher Schmelzwässer. Hingegen haben die zahlreichen kurzen, heute trocknen Erosionsformen der Plateaugebiete ihr Wasser durch Senkung des Grund- oder Karstwasserniveaus verloren. Indem der Hauptfluß, namentlich dann, wenn er an eine impermeable Schicht gelangt war, kräftig einschnitt und sein Bett rasch vertiefte, konnten die schwächeren Bäche ihm in der Erosionsleistung nicht nachfolgen, da in der ganzen Umgebung das Grundwasserniveau gesunken war und die kleinen Nebenflüsse über dieses zu liegen kamen; sie mußten sodann auf ihrer permeablen Unterlage versiegen. Dieser Vorgang wurde noch dadurch in namhafter Weise begünstigt, daß infolge nachträglicher Hebungsvorgänge die Erosion des Hauptflusses eine namhafte Beschleunigung erfuhr. Dies war u. a. im Doubsgebiet der Fall. Der Doubs hat sich in die gehobene Scholle der Freiberge ein tiefes Bett gegraben, während seine einstigen Nebenflüsse auf dem Plateau versiegten. In anderen Fällen sind die Trockentäler ein Ergebnis von Flußverlegungen, die im Laufe der talgeschichtlichen Entwicklung vorkamen. Dies gilt von der Trockentalung zwischen Furans und Albarine und von dem Trockental bei Touillon, die an den betreffenden Stellen bereits besprochen wurden.

Allgemein aber muß der Wasserreichtum der Juraoberfläche abgenommen haben durch die allmähliche Vernichtung ihrer tertiären Decke und der isoliert abgelagerten quartären Bildungen. Konnten die Flüsse einstmals durch das Tertiär bis in die Kalkunterlage sich einschneiden, so finden wir sie auch noch in den so festgelegten Tälern erhalten, so lange nur der Flußspiegel sich unter dem oberen Karstwasserniveau hielt. Waren es aber nur schwache Rinnsale, deren Betten an die tertiäre Decke gebunden waren, so sind mit dieser auch ihre Gewässer verschwunden. Die Verkarstung des Landes ist also so alt als die Entblößung der Kalkschichten von der tertiären Decke, und da diese auch nicht überall ursprünglich vorhanden war, so fällt allgemein gesprochen der Beginn der Verkarstung mit der ersten Hebung des Gebirges zusammen und dieser Prozeß erfuhr durch die nochmalige Hebung des Gebirges eine Neubelebung. Dort, wo ausgedehnte Kalkflächen die Oberfläche bildeten, also in den zentralen und nördlichen Plateaugebieten, konnte die Verkarstung ungehindert Fortschritte machen; die Ausreifung des

---

[1]) Renauld, Le Jura souter　　　　　·. franç., 18?

ursprünglichen Reliefs wird durch die Permeabilität des Bodens gehindert. Anderseits aber wird der Verkarstung durch Erschließung der impermeablen Oxford- und Liasschichten im Verlauf subsequenter Erosion entgegengearbeitet; dies ist namentlich in den älteren, stark eingeebneten südlichen Plateaugebieten, teilweise auch schon in den jugendlicheren Ketten des Ostens der Fall. So wird im Jura durch die Wechsellagerung permeabler und impermeabler Schichten Alter und Form der tektonischen Erscheinungen maßgebend für die Intensität der Ausbildung des Karstphänomens, wenn auch seine Einzelformen wie überall von der Struktur des Kalkbodens unabhängig sind.

auffassen. Wir finden sie in größerer Zahl zwischen den östlichsten Ketten des nördlichen Kettenjura; ein schönes Beispiel hierfür ist das Val de Ruz, das durch die Schlucht des Seyon zum Neuenburger See aufgeschlossen ist, während geschichtete Quartärablagerungen auf ein ehemaliges Seenpolje hinweisen. Auch das Auftreten zahlreicher Schlundlöcher an den Rändern des Tales spricht für seinen einstigen Poljencharakter. Von ähnlicher Beschaffenheit ist das benachbarte Val de Diesse, dessen Gewässer teilweise in mehreren Bächen zum Bieler See abfließen, teilweise aber in Schlundlöchern und Spalten verschwinden, wie der Bach von Lignières, der zu Zeiten starker Regen bedenklich anschwillt.

In manchen Fällen ist der echte Poljencharakter zwar noch erhalten, aber doch das Polje von der bevorstehenden Aufschließung hart bedroht. Das langgestreckte Polje der Torreigne im südlichen Plateau ist nur mehr durch eine Schwelle von kaum 30 m Höhe vom Tale des auf Oxfordmergeln rasch erodierenden Valouson getrennt. Ist jene gefallen, so wird die Torreigne, die heute am Südrand des Polje verschwindet, in die oberflächliche Entwässerung einbezogen, ein Beispiel für die allmähliche Umwandlung der Wannenlandschaft in eine Tallandschaft.

5. Die Karstflüsse und Karsttäler des Jura.

Wichtiger als die Detailformen einer Karstwannenlandschaft werden für die jurassischen Karstgegenden ihre hydrographischen Verhältnisse. Auf den durchlässigen Kalkschichten, welche den Hauptanteil am Aufbau des Gebirges und seiner Oberfläche, namentlich des Plateaujura haben, fehlt ein reich verästeltes und ausgebildetes Fluß- und Talsystem. Die Kalke der Juraformation wirken wie ein Schwamm auf das atmosphärische Wasser, ihre Spalten, Klüfte und Schlundlöcher leiten es in die Tiefe, wo es sich entweder in der impermeablen Unterlage der Kalkschichten zu einem einheitlichen Grundwasserstrom sammelt oder noch innerhalb der Kalke das Karstwasser speist, bis es unter geeigneten Bedingungen in Quellen wieder zutage tritt.

Die Flußarmut der Juralandschaft findet einen bezeichnenden Ausdruck in der Größe der Flußdichte. Darunter versteht man bekanntlich das Verhältnis der Flußlängen zum Areal ihres Einzugsgebiets oder, was dasselbe ist, die Flußlänge auf 1 qkm. Diese erreicht nun im Plateaujura gelegentlich ganz außerordentlich geringe Werte. Auf Blatt Ornans (frz. Sp. K.) mißt im Bereich der hier fast ausschließlich herrschenden, wenig gestörten Jurakalke die den Plateaujura angehörende Fläche, im O bis an den Doubs reichend, 1596 qkm; die Länge aller auf dieser Fläche auftretenden fließenden Gewässer, den Doubs eingerechnet, nur 257 km; daher beträgt die Flußdichte nur $0{,}16$ [1]. Etwas höher wird ihr Wert in dem stärker gefalteten südlichen Plateaujura, wo durch nachfolgende Erosion größere Flächen undurchlässiger Oxfordschichten bloßgelegt sind und zudem quartäre Ablagerungen in größerer Ausdehnung vorkommen. So beträgt auf einer beliebig herausgegriffenen Fläche von 796 qkm auf Blatt St. Claude, zu beiden Seiten des Ain und der Valouse, die Flußlänge 378 km, die Flußdichte immerhin $0{,}475$.

Zum Vergleich lassen sich meines Wissens nur die von L. Neumann für den Schwarzwald gewonnenen Werte der Flußdichte heranziehen [2]. Diese schwankt hier je nach der Gesteinsbeschaffenheit und den Niederschlagsverhältnissen zwischen $0{,}66$ und $2{,}88$, also im Verhältnis 1 : 4. Auf der vorwiegend aus Muschelkalk aufgebauten Schichttafel des Dinkelbergs, die in Zusammensetzung und Struktur unserem Tafeljura sehr ähnlich ist, beträgt die Flußdichte $0{,}82$, also noch viermal so viel als im flußärmsten und immer noch bedeutend mehr als im flußreichsten Teile der verkarsteten französischen Juraplateaus.

[1] Die Bestimmung der Flußlängen geschah durch Abzirkeln auf der frz. Sp. K. mit einem Abstand der Zirkelspitzen von $2{,}5$ mm $= 200$ m; die damit erreichte Genauigkeit genügt für den nur approximative Bestimmungen erheischenden Zweck vollkommen.

[2] Die Flußdichte im Schwarzwald, Beiträge zur Geophysik, IV, 1900, S. 234.

Der Trockenheit der Oberfläche steht in jeder Karstlandschaft der Wasserreichtum des Innern gegenüber, der sich in dem Auftreten zahlreicher Quellen verrät[1]. Im Kettenjura tritt eine große Anzahl derselben in Muldentalungen auf der Oberfläche des Lias aus, nachdem das Wasser die Doggerkalke durchdrungen hat, oder auf der Oberfläche der Oxford- und Argovianmergel aus den darüber lagernden Malmkalken, und zwar sind dann in der Regel beide Talseiten gleich quellenreich, während Monoklinaltäler ein quellenreiches und ein quellenarmes Gehänge haben. In Antiklinaltälern trifft man Quellen nur dort, wo die Antiklinale absinkt, die beiden Flügel des Gewölbes und mit ihnen die Quellhorizonte sich vereinigen und durch die Erosion angeschnitten werden. Einen solchen seltenen Fall repräsentiert die mächtige Quelle in einem toten Quertälchen bei Moutier, das vielleicht einst von der Birs benutzt war. In den zerbrochenen Plateaus knüpfen sich Quellen vielfach an Bruchlinien, durch die die wasserführenden Horizonte mit den permeablen in Berührung gebracht werden. Sie treten daher zumeist in Reihen angeordnet auf, z. B. im Tale der Valserine, im Muldental der oberen Orbe zwischen Les Brassus und Bois d'Amont längs einer Faltenwerfung, längs des Westrandes des Beckens von Nozeroy, gekennzeichnet durch die Lage der Ortschaften Mournans, Onglières, Plenise und Plenisette usw. In Quertälern gibt es natürlich überall dort Quellen, wo wasserführende Horizonte durch die Flußerosion angeschnitten werden; sie sind auch im Jura quellenreicher als die großen Muldentäler. Şehr viele Quellen des Jura aber treten noch innerhalb der Kalkschichten aus, wo der Karstwasser-Spiegel durch Erosion angeschnitten ist.

Die Juraquellen zeichnen sich infolge der starken Durchlässigkeit der Kalke durch große Schwankungen ihres Ertrags aus. So schwankt die Quelle von St. Sulpice im Hintergrund des Val de Travers im Jahre zwischen $1/2$ und 100 cbm pro Sekunde. Überhaupt aber ist der Ertrag der Quellen sehr groß, namentlich wenn sie als Ableiter der Infiltrationswasser ausgedehnter Kalkplateaus dienen; ihre Schwankungen treten dann ohne sichtbaren Grund auf (sources calamiteuses); andere entwässern innere Hohlräume durch einfache, unverzweigte Stränge (siphos) als »sources affameuses«[2]. Viele aber sind intermittierend und versiegen im Sommer gänzlich, wenn ihr Austrittspunkt über das Bereich der Karstwasserschwankungen zu liegen kommt; dazu gehört die (S. 129) schon genannte »Creux-Gena« bei Pruntrut. Nach Zeiten großer Regen haben solche Quellen, wenn auch selten, verheerende Ausbrüche, z. B. die »Source des Capucins« bei Pruntrut, das »Trou de la Lutinière« bei Amancey (Dépt. Doubs), der »Puits-de-la-Brême« bei Ornans[3]. Übrigens hat in vielen Fällen die zunehmende Entwaldung zur Vergrößerung der Quellenschwankungen, manchmal aber auch zum gänzlichen Versiegen geführt.

Von besonderer Bedeutung sind jene Quellen, die den Ursprung großer Juraflüsse darstellen, und die man nach dem typischen Beispiel dieser Art, der fontaine de Vaucluse am Fuße des Mont Ventoux, auch im Jura wie in ganz Frankreich als sources vauclusiennes bezeichnet[4]. Sie treten sowohl im Ketten- als im Plateaujura auf, in der Regel am Fuße steiler Wände, umgeben von üppiger Waldvegetation. Der Fluß erscheint schon an der Quelle in solcher Fülle, daß er unmittelbar zum Betrieb von Turbinen und anderen Kraftanlagen verwendet werden kann, so z. B. die Quelle der Loue und des Lison; der bekannteste Fall dieser »sources vauclusiennes« ist die Quelle der Orbe im Hintergrund des Talkessels von Vallorbe. Ihr Zusammenhang mit dem in den Entonnoirs de Bonport

---

[1] Über die geologischen Bedingungen des Auftretens von Quellen vgl. Fournier, Études sur les sources, resurgences etc., dans le Jura franc-comtois (Bull. serv. carte géol. France, Nr. 89, XIII, 1902, 55 S.).
[2] Daubrée, Les eaux souterraines dans l'époque actuelle, I, S. 305.
[3] Fournet, Hydrographie souterraine (Mém. Ac. Lyon, VIII, 1858, S. 227).
[4] Mit der von A. Grund (Karsthydrographie S. 179) angewendeten Beschränkung des Ausdrucks Vaucluse-Quellen auf perennierende Flußquellen kann ich mich mit Rücksicht auf den herrschenden Sprachgebrauch nicht einverstanden erklären.

verschwindenden Abfluß der Seen von Joux und Brenet wurde schon längst vermutet, um so mehr als die Öffnung der Schleusenwehren am See von Brenet nach kurzer Zeit ein beträchtliches Steigen der Orbe bei Vallorbe zur Folge hatte. Die unterirdische Verbindung wurde schließlich durch Versuche mit Anilin erwiesen[1]); die Färbung trat 50 Stunden später an der Orbequelle auf; in dieser Zeit legte das Seewasser die (in gerader Linie 2,6 km messende) Entfernung zurück mit einem Gefälle von 210 m; nach einer früheren Beobachtung von Paul Chaix kühlte sich dabei das Seewasser, offenbar durch Mischung, von 18,8° auf 11,0° C ab[2]).

Andere Beispiele für »sources vauclusiennes« sind die Quelle der Birs bei Tavannes. der Areuse am Boden des Zirkus von St. Sulpice, des Doubs im Muldental von Mouthe, die am Fuße einer vertikalen Wand aus einem Höhlengang hervorspringt, in dem man bei Trockenzeit 10 m weit eindringen kann; ferner die Quelle der Loue, die 20 m über dem Talboden aus dem Felsen hervorbricht, des Lison, der sofort einen 10 m hohen Wasserfall bildet und Mühlen treibt. Von den drei Quellen des Dessoubre kommt die von Lançot aus einer 6—8 m hohen Grotte und stürzt in 50 m hohem Falle zu Tal[3]). In gleicher Weise verdanken auch Seille, Cuisancin, Doue, Barbêche, Vallière und Ain ihren Ursprung mächtigen Quellen. In der Regel treten diese hoch über der Talsohle auf, ein Beweis für die ansehnliche Erosion, die seit der Erschließung der Quelle geleistet wurde.

Da die meisten Quellen einen mächtigen Kalkfilter passiert haben, bevor sie zutage treten, führen sie klares Wasser. Eine Ausnahme macht die Quelle von Noiraigue im Val de Travers, die das in Schlundlöchern verschwindende Wasser des vertorften Polje von Les Ponts und La Sagne mit einem plötzlichen Gefälle von 270 m der Areuse zuführt und dabei noch nicht Zeit zur völligen Reinigung hatte (daher ihr Name »noire-aigue«)[4].

Die große Wichtigkeit der Quellen für ein so wasserarmes Land wie es der französische Jura ist, namentlich ihr unschätzbarer Wert für die Industrie und andere Betriebe, spiegelt sich in den zahlreichen, mit »fontaine« zusammengesetzten Ortsnamen, wie Pierre-, Grande-, Blanche-, Noirefontaine u. v. a.

Die Flüsse des Jura lassen sich vom hydrographischen Gesichtspunkt gleich denen anderer Karstgebirge in perennierende, intermittierende und in Ponoren verschwindende unterscheiden. Die ersteren, wenig zahlreich im Plateaujura, fließen, wie Doubs, Ain, Bienne, Loue, in tief eingeschnittenen, cañonähnlichen Tälern und haben sich dabei bis zu einer wasserundurchlässigen Schicht oder unter die Karstwasserschwankung eingesenkt; andere verdanken ihre Konstanz der Auskleidung ihres Tales durch quartäre oder tertiäre Schichten, wie fast alle größeren Flüsse des Kettenjura. Allen Juraflüssen aber ist die geringe Zahl von Nebenflüssen gemeinsam, weshalb ihre Talwandungen auch nicht durch nachträgliche Erosion und Abtragung abgebösht werden, worauf schon an anderer Stelle hingewiesen wurde. Solche Flüsse erhalten ihren Wasserreichtum vielmehr durch die in ihrem Bette angeschnittenen Quellen; solche treten u. a. im Val de Travers zwischen Motiers und Couvet, im Tale des Doubs bei seinem Laufe durch die Freiberge und oberhalb Besançon in großer Zahl auf. Auch die Loue wird in ihrem Laufe durch die Plateaus um Ornans fast ausschließlich durch Quellen (von Plaisir-Fontaine, Puits-de-la-Brême, Fontaine du Maine, von Froidière u. a.) gespeist, die das in den Klüften der Plateaus nördlich der Loue zirkulierende Karstwasser dem Flusse zuführen.

Auch das Regime der Flüsse wird durch diese Art der Ernährung beeinflußt. Während auf impermeablem Boden der Niederschlag sich sofort in Abflußrinnen sammelt,

---

[1]) Forel et Golliez, Coloration des eaux de l'Orbe (Bull. soc. vaud. XXX, 1894).
[2]) Quelques mots sur l'hydrographie de l'Orbe (Bull. soc. géol., 2. série XIX, 1862, S. 116).
[3]) Renauld, Le Jura souterrain (Ann. Club alp. franç., 1896, S. 118).
[4]) Vgl. Schardt et Dubois, Géologie des gorges de l'Areuse (Ecl. VII, Nr. 5, 1903, S. 467) und Arch. de Genève XIII, 1902, S. 511.

braucht im Kalkgestein das atmosphärische Wasser sehr lange, bis es durch die unterirdischen Klüfte dem Flusse als Quelle zugeführt wird.   Nach langanhaltendem Regen
ist infolge des stärkeren hydrostatischen Druckes die unterirdische Wasserzirkulation viel
rascher; in trocknen Zeiten, in denen das Wasser unterirdisch zurückgehalten wird, liefern
dieselben Quellen nur spärlich rinnende Wasseradern.   Die Folge dieser Verhältnisse ist
einmal ein sehr verspäteter Eintritt der Hochwässer, anderseits sehr bedeutende Unterschiede
in der Wasserführung.   Nur die letzteren mögen durch einige Zahlen belegt werden [1]):

Wasserführung

	mittlere	minimale	maximale
Doubs bei der Mündung des Drugeon	3180 Sek.-Liter	1310 Sek.-Liter	50000 Sek.-Liter
bei Chaillexon	5000 ,, ,,	1500 ,, ,,	65000 ,, ,,
bei St. Hippolyte	15 cbm	4 cbm	200 cbm
bei Voujeaucourt	30 ,,	6 ,,	400 ,,
bei der Mündung in die Saône	52 ,,	21 ,,	1000 ,,
Ain bei der Mündung	50 ,,	15 ,,	2500 ,,
Loue bei der Mündung	500 Sek.-Liter	250 Sek.-Liter	55000 Sek.-Liter

Die mittleren Extreme verhalten sich also beim Doubs ungefähr wie 1 : 50, bei der
Loue wächst das Verhältnis sogar auf 1 : 220, während z. B. bei einem Flusse mit ruhigerem
Regime, wie es die Donau bei Wien ist, sogar die absoluten Extreme in viel engeren
Grenzen, nämlich im Verhältnis 21 : 1 schwanken; z. B.

Maximal 1883	8600 cbm	Juni-Mittel 1880—84	2290 cbm
Minimal 1885	400 ,,	April-Mittel 1880—84	1330 ,,

Der extreme Fall der Schwankung ist erreicht, wenn die Wasserführung in der
trockneren Jahreszeit ganz aussetzt.   Wir haben es dann mit intermittierenden Flüssen
zu tun.   Ein solcher ist u. a. der Audeux im nördlichen Plateaujura, den auch die Karte
als »torrent à sec« für eine Zeit des Jahres bezeichnet, und dasselbe gilt von einer großen
Anzahl kleinerer Bäche auf den Höhen der Plateaus.   Im Sommer erscheinen diese völlig
trocken, die Bevölkerung bezieht das Wasser aus Zisternen, und auch die konstant wasserführenden Flüsse zeigen nur geringe Wasserfülle.

Die schwachen Bäche, welche in einfachen, unverzweigten Rinnen die hochgelegenen
Kalkplateaus durchziehen, sind in der Mehrzahl sog. Schlundflüsse, die auf ihrem Laufe
immer wasserärmer werden, bis sie in Ponoren verschwinden.   Ihre Zahl ist im Jura so
groß, daß auf eine Aufzählung verzichtet werden kann [2]).   Die meisten von ihnen sind zugleich Poljenflüsse, die mit geringem Gefälle und in gewundenem Laufe am Boden der
Karstwanne dahinschleichen, an deren Steilrändern sie schließlich verschwinden.   Dahin
gehört u. a. die Loutre in dem Aufbruchpolje der Combe de Prés (vgl. S. 134), die Torreigne
im Polje von Orgelet, die um so schwächer wird, je näher sie an die durchlässigen Malmkalke der Umrahmung kommt, offenbar, weil in demselben Maße die aus Oxfordschichten
zusammengesetzte oberflächliche Decke der Kalke immer dünner wird.   Überhaupt werden
diese Schichten, als die einzigen impermeablen des Jura, die auf größere Flächen die Oberfläche bilden, maßgebend für den Unterschied der Entwässerung auf impermeablem und
permeablem Boden.   Auf ihnen entwickelt sich ein reich verzweigtes Flußnetz; auf Kalkboden verschwinden die Rinnsale entweder sofort völlig, oder ziehen sich zu einem einzigen
Kanal zusammen.   So besitzt auch die poljenähnliche Talung von Sancey südlich der
Lomontkette ein verzweigtes Bachnetz, das sich ausschließlich an Oxfordmergel und jugendliche Alluvionen knüpft.   Ihr Hauptfluß, der Ruisseau de Voye, sammelt nach W zu die

---

[1]) Leider war es mir nicht möglich, hierbei auf das Originalmaterial zurückzugehen; die folgenden
Zahlen sind Joannes Dictionnaire géogr. de la France entnommen.

[2]) Eine Reihe von Beispielen für Schlundflüsse sind gesammelt bei Lamairesse, Études hydrologiques
dans les Monts Jura, Paris 1874 und Daubrée, Les eaux souterraines etc., I.

früher sehr beträchtliche Einebnungserscheinungen an den westlichen Randketten kennen gelernt, und unmittelbar östlich davon befinden sich die durch elliptische Absenkungslinien umschlossenen Poljen. Sie machen den Eindruck, als ob hier die Poljenbildung jünger wäre als der Beginn der Einebnung. Auch hier wird die spätere Detailforschung, die das Ausmaß jener posthumen Bewegungen des jurassischen Bodens festzustellen haben wird, die definitive Lösung bringen können.

Bei den bisher angeführten Beispielen handelte es sich in der Regel um trockne Poljen; doch gibt es auch im Jura wie in anderen Karstgebieten mit Rücksicht auf die hydrographischen Verhältnisse drei Typen von Poljen [1]): neben den trocknen Poljen solche, die alljährlich, also periodisch inundiert werden, andere endlich sind als Seepoljen von permanenten Wasseransammlungen erfüllt. Ein typisches Beispiel für periodisch wiederkehrende Inundationen bietet das Polje von Drom im südlichen Plateaujura [2]). Es ist eine von Portlandkalken gebildete geschlossene Mulde in ca 300 m Höhe, zwischen der Kette des Revermont und der des Mont de la Rousse, waldlos und ohne einen perennierenden Bach. Zur Zeit der stärksten Regen wurde es durch plötzlich auftretende Überschwemmungen verwüstet und in einen See verwandelt, indem große Wassermassen aus Schlundlöchern hoch aufspritzen, so daß im Volke die Meinung verbreitet war, das Dorf stehe über einem unterirdischen See. Tatsächlich führen die Schlundlöcher in große Hohlräume und zu einem natürlichen Wasserreservoir von 6 m Tiefe. Zur Verhütung solcher Katastrophen wird nunmehr das Wasser des Beckens in einem Tunnel in das benachbarte Tal des Surand abgeleitet. Wir haben es in diesem Falle nicht mit dem gewöhnlich angenommenen Falle einer Inundierung zu tun, daß nämlich zur Zeit heftiger Regen oder der Schneeschmelze die Ponore den Wassermassen keinen genügenden Abfluß bieten können; sondern es wird durch unterirdische Zirkulation dem Karstwasser so viel Wasser zugeführt, daß dieses durch die Klüfte des Kalkes wie in kommunizierenden Röhren aufwärts steigt und an die Oberfläche tritt.

Auch im geschlossenen Muldenbecken von Le Locle, das nur durch eine niedrige Bodenschwelle vom Tale von Chaux-de-Fonds getrennt ist, hat die Menschenhand eingegriffen, um den verheerenden Inundationen ein Ende zu machen. Das Becken ist von ca 20 m mächtigen Quartärablagerungen ausgekleidet, in deren Mitte eine sandig-tonige Schicht angetroffen wurde, die das Wasser zurückhält [3]). Die Wasser des Bied, der in trockner Jahreszeit versiegt, überschwemmten zur Zeit der Regen den bewohnten, fruchtbaren Talgrund. In den Jahren 1802—05 wurde ein 300 m langer Stollen gebohrt, durch den das überschüssige Wasser unter dem Col des Roches nach dem oberhalb Les Brenets in den Doubs mündenden Graben geführt wird [4]).

Auch das Polje von Saône wird in einem Ausmaß von ca 800 ha periodisch inundiert. Die Versuche, dem Wasser der Oberfläche durch Erweiterung der Ponore einen genügenden Abfluß zu verschaffen, scheiterten bisher nicht so sehr an ihrer Verschüttung durch Bergsturzmaterial von den steilen Kalkgehängen [5]), sondern daran, daß keine Tieferlegung des Karstwasserspiegels erzielt wurde, so daß auch heute noch der weitaus größte Teil des Beckens durch Versumpfung der Kultur entzogen bleibt. Inundationen in geringerem Ausmaß treten zur Zeit der Schneeschmelze noch bei vielen Jurapoljen auf, namentlich bei denjenigen, die von Sümpfen und Torfmooren erfüllt sind, wie z. B. im Val

---

[1]) Cvijić, Karstphänomen, S. 297.
[2]) Mareste, Notice sur la vallée de Drom (Bull. soc. géogr. Lyon VI, 1886, S. 479).
[3]) Jaccard, Sondages dans les marais du Locle (Bull. soc. neuch., IV, 1875, S. 435).
[4]) Siegfrid, Der Schweizer Jura, S. 122.
[5]) Fournier, Recherches spéléologiques dans le Jura franc-comtois (Spelunca VI, 1900, S. 27).

de Sagne. Nicht unbeträchtlich aber ist die Zahl derjenigen, die als permanente Seewannen entgegentreten.

In gleicher Weise wie die Dolinen werden auch Poljen entweder durch Verstopfung
der Schlundlöcher oder durch Senkung bis zum Karstwasserhorizont in Seebecken verwandelt. Die Poljenseen des Jura liegen wie die echten Poljen in allseits
geschlossenen Hohlformen, ihre Entwässerung geschieht unterirdisch durch Ponore; diese
liegen zumeist unmittelbar am Seeufer oder am Seeboden, seltener in einiger Entfernung
vom Ufer, so daß der Seeabfluß eine kurze Strecke oberirdisch vor sich geht, wie beim
Lac de Malpas oder Lac des Mortes. Häufig funktionieren die Ponore nur bei normalem
Wasserstand; bei abnorm tiefem Stande des Seespiegels liegen die meisten über diesem,
und es findet entsprechend dem minimalen Zufluß auch nahezu kein Abfluß statt, wie es
im August 1900 beim Lac de Joux der Fall war. Im entgegengesetzten Falle können
zur Zeit anhaltender Regen die unterirdischen Abflüsse infolge des Ansteigens des Karstwassers nicht funktionieren, und es kommen die Schlundlöcher zu stürmischem Überfließen
(réflux), wie es gleichfalls vom Joux-See bekannt ist. Manche Jurapoljenseen besitzen
aber ähnlich wie die meisten Dolinenseen keinen sichtbaren Zufluß, sondern werden durch
Quellen am Seeboden gespeist.

Die Poljenseen des Jura sind ausschließlich Muldenseen (lacs de vallons nach Desor),
also tektonische Gebilde, gelegen in geschlossenen, zumeist mit Kreideschichten erfüllten
Synklinalen, wobei die Geschlossenheit der Wanne in der Regel in der ursprünglichen Anlage
der Faltung begründet ist, seltener durch Abriegelung infolge von Bruchvorgängen entstand.

Der größte und bekannteste dieser Juraseen ist der Lac de Joux, gemeinsam mit
dem Lac des Rousses im Muldental der Orbe gelegen, an dessen Nordende die große
horizontale Transversalverschiebung vorbeizieht, die den ganzen mittleren Kettenjura von S
nach N bis Pontarlier durchsetzt. Bei Le Pont an seinem Nordende hängt der Jouxsee
mit dem Lac Brenet zusammen, der den nördlichen Teil der nächst westlichen Mulde
erfüllt. Diese ist von der Mulde des Orbetals nur durch einen 80—100 m hohen Jurakalkrücken getrennt; in ihr liegt auch der kleine rundliche Lac de Ter. Die limnometrischen Werte sind nach Forel und Delebecque die folgenden[1].

	Areal	Höhe	mittl. Tiefe	max. Tiefe	Volumen
Lac de Joux	865 ha	}		33,6 m	}
Lac Brenet	79 „	1008 m }	15,6	19,5 „ }	147 Mill. cbm.
Lac des Rousses	90 „	1075 „	—	18 „	

Der gemeinsame unterirdische Abfluß dieser Seengruppe geschieht durch eine Anzahl
von Schlundlöchern teils am linken Seeufer, teils durch die Entonnoirs von Bon-Port am
Nordende des Lac Brenet; er erscheint wieder in der Quelle der Orbe oberhalb
Vallorbe (vgl. S. 35). Die ganze, 28 km lange abflußlose Synklinale des oberen Orbetals
von Les Rousses bis Le Pont stellt ein Muldenpolje dar, das gleichzeitig ein Abriegelungsbecken ist, dessen Entstehung mit der oben erwähnten Blattverschiebung innig zusammenhängt. Zur Eiszeit war es von einem stattlichen jurassischen Talgletscher erfüllt,
der von dem Plateaugletscher bei Les Rousses nach NO abfloß und außerdem vom Mont
Risoux und Mont Tendre, deren Abhänge die Talwandungen bilden, Nahrung erhielt. Seine
Ablagerungen sind allenthalben im Tale erkennbar, teils als quer ziehende Endmoränenwälle,
teils als isolierte, drumlinartig gestreckte Moränenhügel, und als solche sind wohl auch
die sublakustren Hügel am Boden der Seen zu deuten[2]. Eine ca 60 m hohe Terrasse,

---

[1] Forel, Rapport sur une carte hydrographique des lacs de Joux et des Brenets (Arch. de Genève
XXVII, 1892, S. 250 und Bull. soc. vaud XXVIII, 1892, S. IX); Delebecque, Sur le lac des Rousses
(Arch. do Genève XXIV, 1895, S. 583).
[2] Forel a. a. O.

aus unregelmäßig geschichteten Deltaschottern bestehend, begleitet das rechte Ufer des Joux-Sees von Les Brassus bis L'Abbaye[1]). In präglazialer Zeit war das Polje wohl ohne See, seine Gewässer flossen durch Schlundlöcher im heutigen Seeboden ab. Als der Gletscher sich zurückzog, sammelten sich seine Schmelzwasser in dem durch Verstopfung der Ponore mit Grundmoräne undurchlässig gewordenen Polje zu einem See von ca 1080 m Spiegel-höhe an. Die Deltaschotter am rechten Gehänge mögen aus durch Wildbäche umgelagerten Ufermoränen oder direkt aus Wildbachschottern hervorgegangen sein, jedenfalls trugen sie zur teilweisen Ausfüllung des Seebeckens bei. Zur Zeit der größten Spiegelhöhe scheint ein oberirdischer Abfluß des Jouxsees über den Sattel von Tornaz (1085 m), wo die Wasser-scheide in sumpfigem Terrain liegt, nach dem kleinen Tälchen des Ruisseau des Epoisats und somit nach dem Becken von Vallorbe bestanden zu haben, wenn er auch, wie bei einem Seeabfluß zu erwarten, nicht durch Gerölle zu erweisen ist[2]). Mit sinkendem Wasser-stand zerfiel dann der die ganze geschlossene Mulde umfassende See in den Lac des Rousses, der seinerseits teilweise durch Moränen abgedämmt ist, und in den Lac de Joux. Gleichzeitig hörte der oberirdische Abfluß auf, dessen Einschneiden in die Poljenwandung sich langsamer vollzog als das Sinken des Seespiegels, und an seine Stelle trat der unter-irdische Abfluß durch die erwähnten Ponore. Der Lac Brenet entstand erst in spät historischer Zeit, um 1230 n. Chr. durch künstliche Verstopfung einiger Schlundlöcher aus dem früheren Sumpf von Brenaid. Zum erstenmal wird seine Existenz im Jahre 1457 erwähnt[3]). Der kleine Lac de Ter (4 ha) scheint eine Wasseransammlung an der tiefsten Stelle der gegliederten Mulde von Le Lieu, also eher eine Karstwanne als ein Moränensee zu sein.

Die bedeutenden Spiegelschwankungen, die wegen des gehemmten Abflusses alle Karstseen kenn-zeichnen, wurden beim Joux-See von F. A. Forel auf Grund von vieljährigen Messungen verfolgt[4]). Die mittlere jährliche Spiegelschwankung in dem Zeitraum von 1847—1896 betrug 2,54 m; ihr Maximum er-reichte sie 1882 mit 4,92; ihr Minimum 1861 mit 1,22 m; dabei schwanken die absoluten Extreme (Max. 4. Januar 1883, Min. 29. November 1870) sogar um 6,075 m. Die mittlere Jahresschwankung wird an den Schweizer Seen nur vom Walensee (2,62 m) und vom Lago Maggiore (2,81 m) überschritten, die Schwankung der absoluten Extreme gleichfalls vom Lago Maggiore (7,81 m).

Ein einfacher Muldenpoljensee ist der langgestreckte, schmale, teilweise verschilfte See von Tallières (h = 1037 m, A = 20 ha, größte Tiefe 7 m) in der einsamen Mulde von La Brévine im Neuenburger Jura, die außerdem von ausgedehnten, eine einst größere Wasserbedeckung andeutenden Torfmooren erfüllt ist. Ihren Boden bilden sehr regelmäßig lagernde Schichten unterer Kreide und mariner Molasse, das Seebecken selbst liegt auf Neokom. Das Seewasser tritt wieder zutage in den Quellen der Areuse bei St. Sulpice, wie sich bei Auflassung der durch diese Quellen betriebenen Mühlen zeigte; damals erfolgte eine temporäre Aufstauung des Sees, deren Behebung eine nach zwölf Stunden eintretende Zunahme der Areuse-Quellen ergab[5]). Der See erfüllt ebenso wie ein durch eine schmale Landbrücke mit ihm verbundener kleiner Tümpel die tiefsten Stellen einer geschlossenen Mulde, deren Schlundlöcher teilweise verstopft wurden. Nach einer wenig verbürgten Tradition aus dem späten Mittelalter soll der See plötzlich über Nacht durch eine lokale Senkung an der Stelle eines Waldes entstanden sein, dessen Tannenwipfel noch heute bei klarem Wasser zu sehen sein sollen[6]). Nach einer anderen Version hat die künstliche

[1]) Gauthier, Première contribution à l'histoire naturelle des lacs de la vallée de Joux (Bull. soc. vaud. XXIX, 1893, S. 294ff.) und Machaček, Beiträge zur Kenntnis der lokalen Gletscher des Schweizer Jura (Mitt. nat. Ges. Bern, 1901, S. 13ff.).

[2]) Dasselbe nimmt Gauthier (a. a. O. S. 295) an, doch gibt er die größte Spiegelhöhe zu niedrig, nämlich mit 1040 m, an.

[3]) Gauthier, S. 295.

[4]) Quelques mots sur les lacs de Joux (Bull. soc. vaud. XXXIII, 1897, S. 79).

[5]) Jaccard, Le lac de Tallières et la source de la Reuse (Rameau de sapin, März 1885).

[6]) Siegfrid, Schweizer Jura, S. 124 und Jaccard, Le lac de Tallières (Rameau de sapin, Nov. 1871).

Verstopfung eines Schlundlochs zum Zwecke der Regulierung und Nutzbarmachung der Wasserkräfte des Tales die Seenbildung verursacht[1]).

In ähnlicher Situation befindet sich in öder Karstlandschaft der flachufrige, gelappte Lac d'Abbaye, westlich des oberen Biennetals (h = 880 m, A = 92 ha, größte Tiefe 19,5 m); auch er liegt in einem von Kreideschichten ausgekleideten geschlossenen Muldenpolje, ohne die ganze Karstwanne zu erfüllen. Eine flache Insel an seinem Südende verwächst bei niedrigem Wasserstand mit dem Ufer zu einer vorspringenden Halbinsel. Die Speisung des Sees geschieht durch unbedeutende Rinnsale von N her; der unterirdische Abfluß soll erst im Torrent-l'Enragé im Biennetal bei Molinges, 20 km vom See entfernt, wieder zutage treten, zu welchem Wege er 48 Stunden benötigt[2]).

Die Karstseen sind der bezeichnendste Seentypus des Juragebirges. Bei rund zwei Drittel der 66 Seen des Jura (wobei mit Magnin[3]) alle stehenden Wasseransammlungen über 1 ha als Seen gezählt sind, läßt sich ein Zusammenhang mit Karstformen seiner Oberfläche nachweisen; bei 32 Seen ist ein oberflächlicher Abfluß nicht vorhanden, bei 23 von diesen kennt man die Lage ihrer Schlundlöcher und bei einigen auch die Stelle, wo unterirdische Kanäle das Seewasser wieder an die Oberfläche bringen, wobei im allgemeinen diese Kanäle der Richtung untergeordneter Täler parallel zu laufen scheinen und in Tälern höherer Ordnung austreten[4]). Bei manchen, namentlich den kleinen Seen des südlichen Jura, ist es fraglich, ob nicht die Ursache der Wannenbildung auch in der unregelmäßigen Moränenanhäufung zu suchen ist; nur wenige Juraseen, deren an anderer Stelle gedacht wurde, sind direkt auf glaziale Erosion oder Akkumulation zurückzuführen. Die Mehrzahl der Karstseen aber sind durch Verkleisterung des Bodens und Verstopfung der Schlundlöcher durch glaziales Material aus trocknen Karstwannen hervorgegangen, daher auch der Seenreichtum im südlichen und mittleren Jura viel größer ist als im N, wo eine Vergletscherung nahezu fehlte. Nur in verhältnismäßig wenigen Fällen ging die Wannenbildung bis auf das Niveau des Karstwassers, so daß dieses das Seewasser liefert, so z. B. bei den Dolinenseen von Fort-du-Plasne, Onoz, Genin u. a.

Allgemein aber erkennt man in den zahlreichen Sümpfen und Torfmooren einen einst größeren Seenreichtum des Gebirges und eine einst größere Ausdehnung der noch bestehenden Seen. Viele von ihnen, wie die Seen von Tallières, Foncine, Rouges-Truites, Malpas, Les Rousses u. a. sind von Torfmooren umgeben und verlieren durch das Wachstum der Moorvegetation, das sich zumeist auf einer glazialen Decke angesiedelt hat, beständig an Größe. Bei einigen dieser »Lacs de tourbières« ist sogar innerhalb der historischen Zeit eine nicht unbedeutende Reduktion ihres Areals nachgewiesen, z. B. beim See von Tallières und den beiden Seen von Maclus. Auch die Seen des Jura sind vergängliche Gebilde seiner Oberfläche.

Neben den echten Poljen gibt es im Jura auch zahlreiche Hohlformen, die in Anlage und Gestalt diesen gleichen, bei denen aber die Flußerosion den Sieg über den Karstboden davongetragen hat, so daß sie in das Bereich der gleichsinnigen, oberflächlichen Entwässerung einbezogen wurden. Es lassen sich bei diesen »aufgeschlossenen Poljen« (bassins quasi-fermés), die besonders im Kettenjura zahlreich vorkommen und Zwischenformen zwischen Poljen und gewöhnlichen Tälern darstellen, zwei Fälle unterscheiden: Entweder liegt der Boden einer solchen Hohlform tiefer als das Niveau der oberflächlichen Entwässerung außerhalb derselben; dann tritt ein Fluß durch eine Enge in das Becken ein und in ähnlicher Weise wieder aus diesem heraus; oder es wurde ein ursprünglich geschlossenes Polje durch rückwärtige Erosion von einer Seite her erreicht und erschlossen. Den ersten Fall repräsentiert z. B. das Becken von Morteau, das der Doubs in großen Mäandern durchzieht und mit seinen Ablagerungen ausgefüllt hat; oder das Becken von Besançon, ebenfalls zwischen zwei Doubsklusen gelegen. In diesen Fällen haben wir es mit tektonisch, nämlich durch Divergenz und Konvergenz von Antiklinalen angelegten Talerweiterungen zu tun, in denen es in der Regel nicht mehr zu Inundierungen kommt, weil sich der Fluß unterhalb seines Austritts sein Bett bereits genügend eingetieft hat. Mit mehr Berechtigung lassen sich die nur einseitig von außen erreichten Hohlformen als aufgeschlossene Poljen

---

[1]) Jaccard, Mémoire explicatif accompagnant la feuille XI, carte géol. suisse, S. 285.
[2]) Lamairesse, Études hydrologiques sur les monts Jura, S. 110 u. 117.
[3]) Magnin, Les lacs du Jura (Ann. de Géogr. 1893/94, S. 20 u. 213) gibt eine monographische Darstellung des Seenphänomens im Jura, vornehmlich vom limnologischen und topographischen Standpunkt, das morphologische Moment erfährt nicht immer die gebührende Berücksichtigung. Auf Magnin gehen die meisten der hier erwähnten topographischen Details zurück.
[4]) Lamairesse (a. a. O. S. 84) dachte sich diesen Zusammenhang und den Verlauf der Kanäle und Täler von der Richtung sich kreuzender Bruchlinien abhängig.

aus unregelmäßig geschichteten Deltaschottern bestehend, begleitet das rechte Ufer des Joux-Sees von Les Brassus bis L'Abbaye [1]). In präglazialer Zeit war das Polje wohl ohne See, seine Gewässer flossen durch Schlundlöcher im heutigen Seeboden ab. Als der Gletscher sich zurückzog, sammelten sich seine Schmelzwasser in dem durch Verstopfung der Ponore mit Grundmoräne undurchlässig gewordenen Polje zu einem See von ca 1080 m Spiegelhöhe an. Die Deltaschotter am rechten Gehänge mögen aus durch Wildbäche umgelagerten Ufermoränen oder direkt aus Wildbachschottern hervorgegangen sein, jedenfalls trugen sie zur teilweisen Ausfüllung des Seebeckens bei. Zur Zeit der größten Spiegelhöhe scheint ein oberirdischer Abfluß des Jouxsees über den Sattel von Tornaz (1085 m), wo die Wasserscheide in sumpfigem Terrain liegt, nach dem kleinen Tälchen des Ruisseau des Epoisats und somit nach dem Becken von Vallorbe bestanden zu haben, wenn er auch, wie bei einem Seeabfluß zu erwarten, nicht durch Gerölle zu erweisen ist [2]). Mit sinkendem Wasserstand zerfiel dann der die ganze geschlossene Mulde umfassende See in den Lac des Rousses, der seinerseits teilweise durch Moränen abgedämmt ist, und in den Lac de Joux. Gleichzeitig hörte der oberirdische Abfluß auf, dessen Einschneiden in die Poljenwandung sich langsamer vollzog als das Sinken des Seespiegels, und an seine Stelle trat der unterirdische Abfluß durch die erwähnten Ponore. Der Lac Brenet entstand erst in spät historischer Zeit, um 1230 n. Chr. durch künstliche Verstopfung einiger Schlundlöcher aus dem früheren Sumpf von Brenaid. Zum erstenmal wird seine Existenz im Jahre 1457 erwähnt [3]). Der kleine Lac de Ter (4 ha) scheint eine Wasseransammlung an der tiefsten Stelle der gegliederten Mulde von Le Lieu, also eher eine Karstwanne als ein Moränensee zu sein.

Die bedeutenden Spiegelschwankungen, die wegen des gehemmten Abflusses alle Karstseen kennzeichnen, wurden beim Joux-See von F. A. Forel auf Grund von vieljährigen Messungen verfolgt [4]). Die mittlere jährliche Spiegelschwankung in dem Zeitraum von 1847—1896 betrug 2,84 m; ihr Maximum erreichte sie 1882 mit 4,92, ihr Minimum 1861 mit 1,22 m; dabei schwanken die absoluten Extreme (Max. 4. Januar 1883, Min. 29. November 1870) sogar um 6,075 m. Die mittlere Jahresschwankung wird an den Schweizer Seen nur vom Walensee (2,82 m) und vom Lago Maggiore (2,91 m) überschritten, die Schwankung der absoluten Extreme gleichfalls vom Lago Maggiore (7,81 m).

Ein einfacher Muldenpoljensee ist der langgestreckte, schmale, teilweise verschilfte See von Tallières (h = 1037 m, A = 20 ha, größte Tiefe 7 m) in der einsamen Mulde von La Brévine im Neuenburger Jura, die außerdem von ausgedehnten, eine einst größere Wasserbedeckung andeutenden Torfmooren erfüllt ist. Ihren Boden bilden sehr regelmäßig lagernde Schichten unterer Kreide und mariner Molasse, das Seebecken selbst liegt auf Neokom. Das Seewasser tritt wieder zutage in den Quellen der Areuse bei St. Sulpice, wie sich bei Auflassung der durch diese Quellen betriebenen Mühlen zeigte; damals erfolgte eine temporäre Aufstauung des Sees, deren Behebung eine nach zwölf Stunden eintretende Zunahme der Areuse-Quellen ergab [5]). Der See erfüllt ebenso wie ein durch eine schmale Landbrücke mit ihm verbundener kleiner Tümpel die tiefsten Stellen einer geschlossenen Mulde, deren Schlundlöcher teilweise verstopft wurden. Nach einer wenig verbürgten Tradition aus dem späten Mittelalter soll der See plötzlich über Nacht durch eine lokale Senkung an der Stelle eines Waldes entstanden sein, dessen Tannenwipfel noch heute bei klarem Wasser zu sehen sein sollen [6]). Nach einer anderen Version hat die künstliche

---

[1]) Gauthier, Première contribution à l'histoire naturelle des lacs de la vallée de Joux (Bull. soc. vaud. XXIX, 1893, S. 294 ff.) und Machaček, Beiträge zur Kenntnis der lokalen Gletscher des Schweizer Jura (Mitt. nat. Ges. Bern, 1901, S. 13 ff.).

[2]) Dasselbe nimmt Gauthier (a. a. O. S. 295) an, doch gibt er die größte Spiegelhöhe zu niedrig, nämlich mit 1040 m, an.

[3]) Gauthier, S. 295.

[4]) Quelques mots sur les lacs de Joux (Bull. soc. vaud. XXXIII, 1897, S. 79).

[5]) Jaccard, Le lac de Tallières et la source de la Reuse (Rameau de sapin, März 1885).

[6]) Siegfrid, Schweizer Jura, S. 124 und Jaccard, Le lac de Tallières (Rameau de sapin, Nov. 1871).

Inhaltsverzeichnis.

Seite

Vorwort III
I. Beschreibung einiger geologischer Profile . . . . 1—40
   a) Selbstbegangene Profile 1
      I. Honduras 1
      II. Nicaragua 21
      III. Costarica 25
      IV. Panamá 33
   b) Beschreibung einiger fremder Profile 33
      I. Nicaragua 33
      II. Costarica 36
      III. Veraguas 37
II. Bemerkungen zur geologischen Karte . . . . 40—50
   1. Die topographische Grundlage 40
   2. Die geologischen Einzeichnungen 45
III. Zusammenfassende Bemerkungen über den Gebirgsbau . . . . 50—67
   a) Stratigraphie 50
      I. Sedimentärgesteine 50
      II. Eruptivgesteine 58
   b) Gebirgsbau 63
IV. Bemerkungen über den Boden des südlichen Mittelamerika . . . . 67—80
V. Nachtrag . . . . 80—82

Karten.

Tafel

Sapper, Prof. Dr. Karl, Geologische Karte des südlichen Mittelamerika 1:1750000 1
   Nebenkarte: Skizze einer Bodenkarte des südlichen Mittelamerika 1:4000000.
—, Geologische Karte von Honduras 1:1000000 . . . . *
—, 29 geologische Profile vom südlichen Mittelamerika. Maßstab der Länge 1:500000, der Höhe
   1:200000 . . . . 3 u. 4

Loue unterhalb Ornans zutage treten; auf ihrem unterirdischen Wege öffnet sich der Schlot von Belle-Louise, in welchem in 130 m Tiefe ein starker Bach angetroffen wurde. In gleicher Weise speist das Polje von Leubot die Quellen von Plaisir-Fontaine an der Loue [1]). In einer langen und schmalen Wanne liegen nahe dem Jurarand die Orte Plasne, Poligny und Chamole. Überhaupt hat das ganze erste Juraplateau bis zur Loue im S keine einheitliche Entwässerung, sondern zerfällt in eine große Zahl von flachen, poljenartigen Schüsseln, bei denen nur ausnahmsweise der Steilrand mit einer echten Verwerfung zusammenfällt.

Während in diesen Fällen die Poljen auf lokalen Senkungsfeldern angelegt sind, finden sich dort, wo noch Faltung den inneren Bau beherrscht, Poljen auch als Folgen der Anordnung der Antiklinalachsen. Sie liegen dann als Muldenpoljen[2]) in Schichtmulden, begrenzt durch zwei divergierende und wieder konvergierende Antiklinalen. Eine solche Anordnung ist nun sowohl im Plateaujura, dort wo die Faltung ein größeres Ausmaß erreicht, als im Kettenjura außerordentlich häufig; nicht immer aber verbinden sich damit auch die übrigen, ein Polje charakterisierenden morphologischen und hydrographischen Eigentümlichkeiten. Alle Muldenpoljen des Jura haben eine langgestreckte Form, ihre Längsachse ist dem Schichtstreichen parallel; den Boden kleiden in der Regel glaziale oder jüngere Bildungen mit ausgedehnten Torfmooren aus, in vielen Fällen aber erfüllen flachufrige Seen die Karstwannen. Ein echtes Muldenpolje im Plateaujura ist das ca 720 ha große Becken von Arc-sous-Cizon, östlich von Mouthiers, in einer mittleren Höhe von 790 m gelegen, elliptisch umschlossen von ca 200 m hohen Steilabfällen. Seine Wasser erscheinen nach 15 km langem unterirdischem Laufe wieder im Tale der Loue beim Puits de la Brême[3]). Am Boden des Polje hat sich ein kleiner Fetzen von Kreideschichten erhalten, doch bilden ihn zumeist jugendliche Alluvionen, ein Beweis der nachträglichen Einebnung der tektonischen Mulde. Ein einfaches Muldenpolje ist auch die Combe Richet und die mit ihr zusammenhängende Combe du Lac bei Septmoncel. Das bekannteste Muldenpolje des Kettenjura, das Val de Sagne nördlich des Val de Travers im Neuenburger Jura, ist eine etwa 15 km lange, geschlossene Synklinale, die sich erst im südlichen Teile zu 4 km Breite erweitert. Den rund 1000 m hohen Boden überragen die Malmkalkketten noch 400 m hoch. In ihrer ganzen Länge wird sie von NO gegen SW von einem dürftigen Bache durchflossen, der die quartäre Unterlage in der Mitte der Wanne in einen Sumpf verwandelt, während sonst eine bis 6 m mächtige Torfdecke den Boden des Polje auskleidet. Sein Wasser findet schließlich nahe dem Südrand einen Ausweg durch große Schlundlöcher, die gruppenweise angeordnet sind, und von denen einige, z. B. beim Dorfe Les Ponts bis 100 m im Durchmesser erreichen[4]).

Ein weit seltener Typus der Jurapoljen sind die auf Schichtsätteln im Verlauf der nachfolgenden Erosion gebildeten sog. Aufbruchspoljen nach Cvijić. Beispiele hierfür sind das Polje der Torreigne bei Orgelet im südlichen Plateaujura, 1330 ha, 480—500 m hoch gelegen, eine ganz flache Schüssel mit ebenem Boden und einer 50—100 m hohen Umwallung, ferner die Combe de Prés, nördlich von St. Claude zwischen dem Bois de Joux-devant und dem Bois de Cernois. Es ist dies eine flache, geschlossene Hohlform von über 1500 ha Größe, etwa 7 km Länge und 3 km Breite, in 900—950 m Höhe. Den nicht völlig eingeebneten Boden bilden Oxfordmergel, stellenweise von jurassischem Erratikum bedeckt und scharf umrahmt von steilen, ca 50 m hohen Malmkalkstufen. Der Haupt-

[1]) Fournier, Les réseaux hydrographiques du Doubs et de la Loue, Ann. de Géogr. IX, 1900, S. 227.
[2]) Cvijić, Das Karstphänomen, Pencks geogr. Abh. V, 3, S. 313.
[3]) Fournier, a. a. O. S. 228.
[4]) Desor, Les emposieux de la vallée des Ponts (Alaman. de la République de Neufchâtel, 1866).

fluß des Polje, die Loutre, verschwindet ebenso wie die anderen kleineren Bäche in Schlundlöchern, sobald sie an den Kalkrand herankommt. Übrigens kompliziert sich hier die
Struktur noch durch Bruchlinien, an die das Auftreten sowohl der Quellen als der Schlundlöcher sich knüpft [1]).

Bei jedem Versuch, eine befriedigende Erklärung der Poljenbildung zu geben,
werden zwei Momente zu unterscheiden sein: Die Entstehung einer allseits geschlossenen
Hohlform und die spätere Ausbildung ihrer morphologischen Eigenart, der ebenen, sich
scharf von der Umrahmung abhebenden Sohle. Bezüglich des ersten Punktes kann stets
das Vorhandensein einer tektonischen Grundlage nachgewiesen werden; die Gestalt
des Polje ist vorgezeichnet durch die Strukturlinien, mögen wir es mit einem Senkungsfeld, einem echten Bruch-, Mulden- oder Aufbruchspolje zu tun haben. Anderseits ist aber
jedes Polje eine Erosionsform; der ebene Boden kann, die Fälle ausgenommen, wo horizontale
Schichttafeln längs gewisser Linien abgesunken sind, nur hervorgegangen sein aus der
Einebnungsarbeit fließenden Wassers. Unbedingt notwendig ist diese Annahme für die
Aufbruchspoljen, die sich von den gleichfalls an wenig widerstandsfähige Schichten geknüpften Satteltälern durch ihre Geschlossenheit, ihre größere Breite und den ebenen Boden
unterscheiden. Bei der Bildung eines Satteltals erfolgt die Aufschließung der impermeablen
Schicht durch ein Flankental des Haupttals, und längs dieser Schicht konnte dann die
Erosion linienhaft fortschreiten. Bei dem allseits geschlossenen Polje mußte der Erosions-
vorgang auf dem ursprünglich geschlossenen Schichtsattel selbst beginnen, und am wahr-
scheinlichsten geschah dies ausgehend von Dolinen und Karstmulden der permeablen Decke
des Gewölbes. Auch diese erkannten wir im Jura als reine Erosionsformen der Kalkober-
fläche, so daß zwischen Dolinen und Poljen in der Regel kein genereller Unterschied besteht. Die fortschreitende Erweiterung und Vereinigung mehrerer Dolinen vernichtete zunächst den Kalkmantel; als dann die undurchlässige Schicht aufgeschlossen war, konnte die
Erosionsarbeit um so raschere Fortschritte machen; es arbeiteten die an dem impermeablen
Horizont austretenden Grundwasserstränge in die Breite und trugen das Gelände ab, bis sie
an den aus Kalken bestehenden Wandungen des Beckens versiegten. Die Aufbruchspoljen des Jura sind also Produkte einer sehr beträchtlichen, subsequenten Erosion
auf Schichtsätteln [2]).

Auch bei den durch Absenkungslinien begrenzten Poljen des ersten Juraplateaus bedarf die Ebenheit des Bodens der Annahme einer Einebnung, da der gesenkte Schichtkomplex
a priori keine vollkommen ebene Oberfläche hatte. Hingegen hatten die zwischen Antiklinalen gelegenen geschlossenen Mulden von vornherein die Anlage einer flachen Sohle,
die sodann durch Seitenerosion der Flüsse noch vergrößert wurde. In manchen Fällen
aber sind die glaziale Ausfüllung der Wanne oder alte Seeablagerungen die Ursache des
flachen Bodens, so z. B. im Val de Sagne, wenn auch die ursprüngliche Anlage der Hohlform präglazial ist.

Die tektonischen Vorgänge, die die Karstwannen geschaffen haben, gehören wohl
der Hauptsache jener großen Faltungsperiode an, die nach Schluß des Miocäns unser Gebirge schuf. Doch möchte es von einigen Poljen, namentlich von denen nahe dem Westrand des Gebirges, scheinen, als ob sie durch spätere Krustenbewegungen in eine
bereits längst gehobene und abgetragene Landschaft eingesenkt wären; haben wir doch

---

[1]) Bourgeat, Sur certaines particularités de la combe de Prés (Bull. soc. géol., 3. série XXIV, 1896,
S. 489—93).
[2]) Dieser Erklärungsversuch deckt sich in vielen Punkten mit den Ausführungen von Cvijić (Morpholog.
und glaziale Studien in Bosnien usw., II. Teil, Abhandl. K. K. Geogr. Ges., Wien 1901, III, S. 78 ff.) über
die Bildung der Poljen dieses Gebiets; doch tritt im Jura durch die zwischen die Kalkschichten eingeschalteten ·Mergel-, namentlich die Oxfordhorizonte ein neues Moment hinzu.

früher sehr beträchtliche Einebnungserscheinungen an den westlichen Randketten kennen gelernt, und unmittelbar östlich davon befinden sich die durch elliptische Absenkungslinien umschlossenen Poljen. Sie machen den Eindruck, als ob hier die Poljenbildung jünger wäre als der Beginn der Einebnung. Auch hier wird die spätere Detailforschung, die das Ausmaß jener posthumen Bewegungen des jurassischen Bodens festzustellen haben wird, die definitive Lösung bringen können.

Bei den bisher angeführten Beispielen handelte es sich in der Regel um trockne Poljen; doch gibt es auch im Jura wie in anderen Karstgebieten mit Rücksicht auf die hydrographischen Verhältnisse drei Typen von Poljen [1]): neben den trocknen Poljen solche, die alljährlich, also periodisch inundiert werden, andere endlich sind als Seepoljen von permanenten Wasseransammlungen erfüllt. Ein typisches Beispiel für periodisch wiederkehrende Inundationen bietet das Polje von Drom im südlichen Plateaujura [2]). Es ist eine von Portlandkalken gebildete geschlossene Mulde in ca 300 m Höhe, zwischen der Kette des Revermont und der des Mont de la Rousse, waldlos und ohne einen perennierenden Bach. Zur Zeit der stärksten Regen wurde es durch plötzlich auftretende Überschwemmungen verwüstet und in einen See verwandelt, indem große Wassermassen aus Schlundlöchern hoch aufspritzen, so daß im Volke die Meinung verbreitet war, das Dorf stehe über einem unterirdischen See. Tatsächlich führen die Schlundlöcher in große Hohlräume und zu einem natürlichen Wasserreservoir von 6 m Tiefe. Zur Verhütung solcher Katastrophen wird nunmehr das Wasser des Beckens in einem Tunnel in das benachbarte Tal des Surand abgeleitet. Wir haben es in diesem Falle nicht mit dem gewöhnlich angenommenen Falle einer Inundierung zu tun, daß nämlich zur Zeit heftiger Regen oder der Schneeschmelze die Ponore den Wassermassen keinen genügenden Abfluß bieten können; sondern es wird durch unterirdische Zirkulation dem Karstwasser so viel Wasser zugeführt, daß dieses durch die Klüfte des Kalkes wie in kommunizierenden Röhren aufwärts steigt und an die Oberfläche tritt.

Auch im geschlossenen Muldenbecken von Le Locle, das nur durch eine niedrige Bodenschwelle vom Tale von Chaux-de-Fonds getrennt ist, hat die Menschenhand eingegriffen, um den verheerenden Inundationen ein Ende zu machen. Das Becken ist von ca 20 m mächtigen Quartärablagerungen ausgekleidet, in deren Mitte eine sandig-tonige Schicht angetroffen wurde, die das Wasser zurückhält [3]). Die Wasser des Bied, der in trockner Jahreszeit versiegt, überschwemmten zur Zeit der Regen den bewohnten, fruchtbaren Talgrund. In den Jahren 1802—05 wurde ein 300 m langer Stollen gebohrt, durch den das überschüssige Wasser unter dem Col des Roches nach dem oberhalb Les Brenets in den Doubs mündenden Graben geführt wird [4]).

Auch das Polje von Saône wird in einem Ausmaß von ca 800 ha periodisch inundiert. Die Versuche, dem Wasser der Oberfläche durch Erweiterung der Ponore einen genügenden Abfluß zu verschaffen, scheiterten bisher nicht so sehr an ihrer Verschüttung durch Bergsturzmaterial von den steilen Kalkgehängen [5]), sondern daran, daß keine Tieferlegung des Karstwasserspiegels erzielt wurde, so daß auch heute noch der weitaus größte Teil des Beckens durch Versumpfung der Kultur entzogen bleibt. Inundationen in geringerem Ausmaß treten zur Zeit der Schneeschmelze noch bei vielen Jurapoljen auf, namentlich bei denjenigen, die von Sümpfen und Torfmooren erfüllt sind, wie z. B. im Val

---

[1]) Cvijić, Karstphänomen, S. 297.
[2]) Mareste, Notice sur la vallée de Drom (Bull. soc. géogr. Lyon VI, 1886, S. 479).
[3]) Jaccard, Sondages dans les marais du Locle (Bull. soc. neuch., IV, 1875, S. 435).
[4]) Siegfrid, Der Schweizer Jura, S. 122.
[5]) Fournier, Recherches spéléologiques dans le Jura franc-comtois (Spelunca VI, 1900, S. 27).

de Sagne. Nicht unbeträchtlich aber ist die Zahl derjenigen, die als permanente Seewannen entgegentreten.

In gleicher Weise wie die Dolinen werden auch Poljen entweder durch Verstopfung der Schlundlöcher oder durch Senkung bis zum Karstwasserhorizont in Seebecken verwandelt. Die Poljenseen des Jura liegen wie die echten Poljen in allseits geschlossenen Hohlformen, ihre Entwässerung geschieht unterirdisch durch Ponore; diese liegen zumeist unmittelbar am Seeufer oder am Seeboden, seltener in einiger Entfernung vom Ufer, so daß der Seeabfluß eine kurze Strecke oberirdisch vor sich geht, wie beim Lac de Malpas oder Lac des Mortes. Häufig funktionieren die Ponore nur bei normalem Wasserstand; bei abnorm tiefem Stande des Seespiegels liegen die meisten über diesem, und es findet entsprechend dem minimalen Zufluß auch nahezu kein Abfluß statt, wie es im August 1900 beim Lac de Joux der Fall war. Im entgegengesetzten Falle können zur Zeit anhaltender Regen die unterirdischen Abflüsse infolge des Ansteigens des Karstwassers nicht funktionieren, und es kommen die Schlundlöcher zu stürmischem Überfließen (réflux), wie es gleichfalls vom Joux-See bekannt ist. Manche Jurapoljenseen besitzen aber ähnlich wie die meisten Dolinenseen keinen sichtbaren Zufluß, sondern werden durch Quellen am Seeboden gespeist.

Die Poljenseen des Jura sind ausschließlich Muldenseen (lacs de vallons nach Desor), also tektonische Gebilde, gelegen in geschlossenen, zumeist mit Kreideschichten erfüllten Synklinalen, wobei die Geschlossenheit der Wanne in der Regel in der ursprünglichen Anlage der Faltung begründet ist, seltener durch Abriegelung infolge von Bruchvorgängen entstand.

Der größte und bekannteste dieser Juraseen ist der Lac de Joux, gemeinsam mit dem Lac des Rousses im Muldental der Orbe gelegen, an dessen Nordende die große horizontale Transversalverschiebung vorbeizieht, die den ganzen mittleren Kettenjura von S nach N bis Pontarlier durchsetzt. Bei Le Pont an seinem Nordende hängt der Jouxsee mit dem Lac Brenet zusammen, der den nördlichen Teil der nächst westlichen Mulde erfüllt. Diese ist von der Mulde des Orbetals nur durch einen 80—100 m hohen Jurakalkrücken getrennt; in ihr liegt auch der kleine rundliche Lac de Ter. Die limnometrischen Werte sind nach Forel und Delebecque die folgenden [1]).

	Areal	Höhe	mittl. Tiefe	max. Tiefe	Volumen
Lac de Joux	865 ha }			33,6 m }	
Lac Brenet	79 „ }	1008 m	15,6	19,5 „ }	147 Mill. cbm.
Lac des Rousses	90 „	1075 „	—	18 „	

Der gemeinsame unterirdische Abfluß dieser Seengruppe geschieht durch eine Anzahl von Schlundlöchern teils am linken Seeufer, teils durch die Entonnoirs von Bon-Port am Nordende des Lac Brenet; er erscheint wieder in der Quelle der Orbe oberhalb Vallorbe (vgl. S. 35). Die ganze, 28 km lange abflußlose Synklinale des oberen Orbetals von Les Rousses bis Le Pont stellt ein Muldenpolje dar, das gleichzeitig ein Abriegelungsbecken ist, dessen Entstehung mit der oben erwähnten Blattverschiebung innig zusammenhängt. Zur Eiszeit war es von einem stattlichen jurassischen Talgletscher erfüllt, der von dem Plateaugletscher bei Les Rousses nach NO abfloß und außerdem vom Mont Risoux und Mont Tendre, deren Abhänge die Talwandungen bilden, Nahrung erhielt. Seine Ablagerungen sind allenthalben im Tale erkennbar, teils als quer ziehende Endmoränenwälle, teils als isolierte, drumlinartig gestreckte Moränenhügel, und als solche sind wohl auch die sublakustren Hügel am Boden der Seen zu deuten [2]). Eine ca 60 m hohe Terrasse,

---

[1]) Forel, Rapport sur une carte hydrographique des lacs de Joux et des Brenets (Arch. de Genève XXVII, 1892, S. 250 und Bull. soc. vaud XXVIII, 1892, S. IX); Delebecque, Sur le lac des Rousses (Arch. do Genève XXIV, 1895, S. 583).

[2]) Forel a. a. O.

aus unregelmäßig geschichteten Deltaschottern bestehend, begleitet das rechte Ufer des Joux-Sees von Les Brassus bis L'Abbaye [1]). In präglazialer Zeit war das Polje wohl ohne See, seine Gewässer flossen durch Schlundlöcher im heutigen Seeboden ab. Als der Gletscher sich zurückzog, sammelten sich seine Schmelzwasser in dem durch Verstopfung der Ponore mit Grundmoräne undurchlässig gewordenen Polje zu einem See von ca 1080 m Spiegelhöhe an. Die Deltaschotter am rechten Gehänge mögen aus durch Wildbäche umgelagerten Ufermoränen oder direkt aus Wildbachschottern hervorgegangen sein, jedenfalls trugen sie zur teilweisen Ausfüllung des Seebeckens bei. Zur Zeit der' größten Spiegelhöhe scheint ein oberirdischer Abfluß des Jouxsees über den Sattel von Tornaz (1085 m), wo die Wasserscheide in sumpfigem Terrain liegt, nach dem kleinen Tälchen des Ruisseau des Epoisats und somit nach dem Becken von Vallorbe bestanden zu haben, wenn er auch, wie bei einem Seeabfluß zu erwarten, nicht durch Gerölle zu erweisen ist [2]). Mit sinkendem Wasserstand zerfiel dann der die ganze geschlossene Mulde umfassende See in den Lac des Rousses, der seinerseits teilweise durch Moränen abgedämmt ist, und in den Lac de Joux. Gleichzeitig hörte der oberirdische Abfluß auf, dessen Einschneiden in die Poljenwandung sich langsamer vollzog als das Sinken des Seespiegels, und an seine Stelle trat der unterirdische Abfluß durch die erwähnten Ponore. Der Lac Brenet entstand erst in spät historischer Zeit, um 1230 n. Chr. durch künstliche Verstopfung einiger Schlundlöcher aus dem früheren Sumpf von Brenaid. Zum erstenmal wird seine Existenz im Jahre 1457 erwähnt [3]). Der kleine Lac de Ter (4 ha) scheint eine Wasseransammlung an der tiefsten Stelle der gegliederten Mulde von Le Lieu, also eher eine Karstwanne als ein Moränensee zu sein.

Die bedeutenden Spiegelschwankungen, die wegen des gehemmten Abflusses alle Karstseen kennzeichnen, wurden beim Joux-See von F. A. Forel auf Grund von vieljährigen Messungen verfolgt [4]). Die mittlere jährliche Spiegelschwankung in dem Zeitraum von 1847—1896 betrug 2,54 m; ihr Maximum erreichte sie 1882 mit 4,92, ihr Minimum 1861 mit 1,22 m; dabei schwanken die absoluten Extreme (Max. 4. Januar 1883, Min. 29. November 1870) sogar um 6,075 m. Die mittlere Jahresschwankung wird an den Schweizer Seen nur vom Walensee (2,82 m) und vom Lago Maggiore (2,91 m) überschritten, die Schwankung der absoluten Extreme gleichfalls vom Lago Maggiore (7,81 m).

Ein einfacher Muldenpoljensee ist der langgestreckte, schmale, teilweise verschilfte See von Tallières (h = 1037 m, A = 20 ha, größte Tiefe 7 m) in der einsamen Mulde von La Brévine im Neuenburger Jura, die außerdem von ausgedehnten, eine einst größere Wasserbedeckung andeutenden Torfmooren erfüllt ist. Ihren Boden bilden sehr regelmäßig lagernde Schichten unterer Kreide und mariner Molasse, das Seebecken selbst liegt auf Neokom. Das Seewasser tritt wieder zutage in den Quellen der Areuse bei St. Sulpice, wie sich bei Auflassung der durch diese Quellen betriebenen Mühlen zeigte; damals erfolgte eine temporäre Aufstauung des Sees, deren Behebung eine nach zwölf Stunden eintretende Zunahme der Areuse-Quellen ergab [5]). Der See erfüllt ebenso wie ein durch eine schmale Landbrücke mit ihm verbundener kleiner Tümpel die tiefsten Stellen einer geschlossenen Mulde, deren Schlundlöcher teilweise verstopft wurden. Nach einer wenig verbürgten Tradition aus dem späten Mittelalter soll der See plötzlich über Nacht durch eine lokale Senkung an der Stelle eines Waldes entstanden sein, dessen Tannenwipfel noch heute bei klarem Wasser zu sehen sein sollen [6]). Nach einer anderen Version hat die künstliche

---

[1]) Gauthier, Première contribution à l'histoire naturelle des lacs de la vallée de Joux (Bull. soc. vaud. XXIX, 1893, S. 294 ff.) und Machaček, Beiträge zur Kenntnis der lokalen Gletscher des Schweizer Jura (Mitt. nat. Ges. Bern, 1901, S. 13 ff.).
[2]) Dasselbe nimmt Gauthier (a. a. O. S. 295) an, doch gibt er die größte Spiegelhöhe zu niedrig, nämlich mit 1040 m, an.
[3]) Gauthier, S. 295.
[4]) Quelques mots sur les lacs de Joux (Bull. soc. vaud. XXXIII, 1897, S. 79).
[5]) Jaccard, Le lac de Tallières et la source de la Reuse (Rameau de sapin, März 1885).
[6]) Siegfrid, Schweizer Jura, S. 124 und Jaccard, Le lac de Tallières (Rameau de sapin, Nov. 1871).

Verstopfung eines Schlundlochs zum Zwecke der Regulierung und Nutzbarmachung der Wasserkräfte des Tales die Seenbildung verursacht [1]).

In ähnlicher Situation befindet sich in öder Karstlandschaft der flachufrige, gelappte Lac d'Abbaye, westlich des oberen Biennetals (h = 880 m, A = 92 ha, größte Tiefe 19,5 m); auch er liegt in einem von Kreideschichten ausgekleideten geschlossenen Muldenpolje, ohne die ganze Karstwanne zu erfüllen. Eine flache Insel an seinem Südende verwächst bei niedrigem Wasserstand mit dem Ufer zu einer vorspringenden Halbinsel. Die Speisung des Sees geschieht durch unbedeutende Rinnsale von N her; der unterirdische Abfluß soll erst im Torrent-l'Enragé im Biennetal bei Molinges, 20 km vom See entfernt, wieder zutage treten, zu welchem Wege er 48 Stunden benötigt [2]).

Die Karstseen sind der bezeichnendste Seentypus des Juragebirges. Bei rund zwei Drittel der 66 Seen des Jura (wobei mit Magnin [3]) alle stehenden Wasseransammlungen über 1 ha als Seen gezählt sind), läßt sich ein Zusammenhang mit Karstformen seiner Oberfläche nachweisen; bei 32 Seen ist ein oberflächlicher Abfluß nicht vorhanden, bei 23 von diesen kennt man die Lage ihrer Schlundlöcher und bei einigen auch die Stelle, wo unterirdische Kanäle das Seewasser wieder an die Oberfläche bringen, wobei im allgemeinen diese Kanäle der Richtung untergeordneter Täler parallel zu laufen scheinen und in Tälern höherer Ordnung austreten [4]). Bei manchen, namentlich den kleinen Seen des südlichen Jura, ist es fraglich, ob nicht die Ursache der Wannenbildung auch in der unregelmäßigen Moränenanhäufung zu suchen ist; nur wenige Juraseen, deren an anderer Stelle gedacht wurde, sind direkt auf glaziale Erosion oder Akkumulation zurückzuführen. Die Mehrzahl der Karstseen aber sind durch Verkleisterung des Bodens und Verstopfung der Schlundlöcher durch glaziales Material aus trocknen Karstwannen hervorgegangen, daher auch der Seenreichtum im südlichen und mittleren Jura viel größer ist als im N, wo eine Vergletscherung nahezu fehlte. Nur in verhältnismäßig wenigen Fällen ging die Wannenbildung bis auf das Niveau des Karstwassers, so daß dieses das Seewasser liefert, so z. B. bei den Dolinenseen von Fort-du-Plasne, Onoz, Genin u. a.

Allgemein aber erkennt man in den zahlreichen Sümpfen und Torfmooren einen einst größeren Seenreichtum des Gebirges und eine einst größere Ausdehnung der noch bestehenden Seen. Viele von ihnen, wie die Seen von Tallières, Foncine, Rouges-Truites, Malpas, Les Rousses u. a. sind von Torfmooren umgeben und verlieren durch das Wachtum der Moorvegetation, die sich zumeist auf einer glazialen Decke angesiedelt hat, beständig an Größe. Bei einigen dieser »Lacs de tourbières« ist sogar innerhalb der historischen Zeit eine nicht unbedeutende Reduktion ihres Areals nachgewiesen, z. B. beim See von Tallières und den beiden Seen von Maclus. Auch die Seen des Jura sind vergängliche Gebilde seiner Oberfläche.

Neben den echten Poljen gibt es im Jura auch zahlreiche Hohlformen, die in Anlage und Gestalt diesen gleichen, bei denen aber die Flußerosion den Sieg über den Karstboden davongetragen hat, so daß sie in das Bereich der gleichsinnigen, oberflächlichen Entwässerung einbezogen wurden. Es lassen sich bei diesen »aufgeschlossenen Poljen« (bassins quasi-fermés), die besonders im Kettenjura zahlreich vorkommen und Zwischenformen zwischen Poljen und gewöhnlichen Tälern darstellen, zwei Fälle unterscheiden: Entweder liegt der Boden einer solchen Hohlform tiefer als das Niveau der oberflächlichen Entwässerung außerhalb derselben; dann tritt ein Fluß durch eine Enge in das Becken ein und in ähnlicher Weise wieder aus diesem heraus; oder es wurde ein ursprünglich geschlossenes Polje durch rückwärtige Erosion von einer Seite her erreicht und erschlossen. Den ersten Fall repräsentiert z. B. das Becken von Morteau, das der Doubs in großen Mäandern durchzieht und mit seinen Ablagerungen ausgefüllt hat; oder das Becken von Besançon, ebenfalls zwischen zwei Doubsklusen gelegen. In diesen Fällen haben wir es mit tektonisch, nämlich durch Divergenz und Konvergenz von Antiklinalen angelegten Talerweiterungen zu tun, in denen es in der Regel nicht mehr zu Inundierungen kommt, weil sich der Fluß unterhalb seines Austritts sein Bett bereits genügend eingetieft hat. Mit mehr Berechtigung lassen sich die nur einseitig von außen erreichten Hohlformen als aufgeschlossene Poljen

[1]) Jaccard, Mémoire explicatif accompagnant la feuille XI, carte géol. suisse, S. 285.
[2]) Lamairesse, Études hydrologiques sur les monts Jura, S. 110 u. 117.
[3]) Magnin, Les lacs du Jura (Ann. de Géogr. 1893/94, S. 20 u. 213) gibt eine monographische Darstellung des Seenphänomens im Jura, vornehmlich vom limnologischen und topographischen Standpunkt, das morphologische Moment erfährt nicht immer die gebührende Berücksichtigung. Auf Magnin gehen die meisten der hier erwähnten topographischen Details zurück.
[4]) Lamairesse (a. a. O. S. 84) dachte sich diesen Zusammenhang und den Verlauf der Kanäle und Täler von der Richtung sich kreuzender Bruchlinien abhängig.

auffassen. Wir finden sie in größerer Zahl zwischen den östlichsten Ketten des nördlichen Kettenjura; ein schönes Beispiel hierfür ist das Val de Ruz, das durch die Schlucht des Seyon zum Neuenburger See aufgeschlossen ist, während geschichtete Quartärablagerungen auf ein ehemaliges Seenpolje hinweisen. Auch das Auftreten zahlreicher Schlundlöcher an den Rändern des Tales spricht für seinen einstigen Poljencharakter. Von ähnlicher Beschaffenheit ist das benachbarte Val de Diesse, dessen Gewässer teilweise in mehreren Bächen zum Bieler See abfließen, teilweise aber in Schlundlöchern und Spalten verschwinden, wie der Bach von Lignières, der zu Zeiten starker Regen bedenklich anschwillt.

In manchen Fällen ist der echte Poljencharakter zwar noch erhalten, aber doch das Polje von der bevorstehenden Aufschließung hart bedroht. Das langgestreckte Polje der Torreigne im südlichen Plateau ist nur mehr durch eine Schwelle von kaum 30 m Höhe vom Tale des auf Oxfordmergeln rasch erodierenden Valouson getrennt. Ist jene gefallen, so wird die Torreigne, die heute am Südrand des Polje verschwindet, in die oberflächliche Entwässerung einbezogen, ein Beispiel für die allmähliche Umwandlung der Wannenlandschaft in eine Tallandschaft.

5. Die Karstflüsse und Karsttäler des Jura.

Wichtiger als die Detailformen einer Karstwannenlandschaft werden für die jurassischen Karstgegenden ihre hydrographischen Verhältnisse. Auf den durchlässigen Kalkschichten, welche den Hauptanteil am Aufbau des Gebirges und seiner Oberfläche, namentlich des Plateaujura haben, fehlt ein reich verästeltes und ausgebildetes Fluß- und Talsystem. Die Kalke der Juraformation wirken wie ein Schwamm auf das atmosphärische Wasser, ihre Spalten, Klüfte und Schlundlöcher leiten es in die Tiefe, wo es sich entweder in der impermeablen Unterlage der Kalkschichten zu einem einheitlichen Grundwasserstrom sammelt oder noch innerhalb der Kalke das Karstwasser speist, bis es unter geeigneten Bedingungen in Quellen wieder zutage tritt.

Die Flußarmut der Juralandschaft findet einen bezeichnenden Ausdruck in der Größe der Flußdichte. Darunter versteht man bekanntlich das Verhältnis der Flußlängen zum Areal ihres Einzugsgebiets oder, was dasselbe ist, die Flußlänge auf 1 qkm. Diese erreicht nun im Plateaujura gelegentlich ganz außerordentlich geringe Werte. Auf Blatt Ornans (frz. Sp. K.) mißt im Bereich der hier fast ausschließlich herrschenden, wenig gestörten Jurakalke die dem Plateaujura angehörende Fläche, im O bis an den Doubs reichend, 1596 qkm; die Länge aller auf dieser Fläche auftretenden fließenden Gewässer, den Doubs eingerechnet, nur 257 km; daher beträgt die Flußdichte nur 0,16 [1]). Etwas höher wird ihr Wert in dem stärker gefalteten südlichen Plateaujura, wo durch nachfolgende Erosion größere Flächen undurchlässiger Oxfordschichten bloßgelegt sind und zudem quartäre Ablagerungen in größerer Ausdehnung vorkommen. So beträgt auf einer beliebig herausgegriffenen Fläche von 796 qkm auf Blatt St. Claude, zu beiden Seiten des Ain und der Valouse, die Flußlänge 378 km, die Flußdichte immerhin 0,475.

Zum Vergleich lassen sich meines Wissens nur die von L. Neumann für den Schwarzwald gewonnenen Werte der Flußdichte heranziehen [2]). Diese schwankt hier je nach der Gesteinsbeschaffenheit und den Niederschlagsverhältnissen zwischen 0,56 und 2,33, also im Verhältnis 1 : 4. Auf der vorwiegend aus Muschelkalk aufgebauten Schichttafel des Dinkelbergs, die in Zusammensetzung und Struktur unserem Tafeljura sehr ähnlich ist, beträgt die Flußdichte 0,63, also noch viermal so viel als im flußärmsten und immer noch bedeutend mehr als im flußreichsten Teile der verkarsteten französischen Juraplateaus.

---

[1]) Die Bestimmung der Flußlängen geschah durch Abzirkeln auf der frz. Sp. K. mit einem Abstand der Zirkelspitzen von 2,5 mm = 200 m; die damit erreichte Genauigkeit genügt für den nur approximative Bestimmungen erheischenden Zweck vollkommen.

[2]) Die Flußdichte im Schwarzwald, Beiträge zur Geophysik, IV, 1900, S. 234.

Der Trockenheit der Oberfläche steht in jeder Karstlandschaft der Wasserreichtum des Innern gegenüber, der sich in dem Auftreten zahlreicher Quellen verrät [1]. Im Kettenjura tritt eine große Anzahl derselben in Muldentalungen auf der Oberfläche des Lias aus, nachdem das Wasser die Doggerkalke durchdrungen hat, oder auf der Oberfläche der Oxford- und Argovianmergel aus den darüber lagernden Malmkalken, und zwar sind dann in der Regel beide Talseiten gleich quellenreich, während Monoklinaltäler ein quellenreiches und ein quellenarmes Gehänge haben. In Antiklinaltälern trifft man Quellen nur dort, wo die Antiklinale absinkt, die beiden Flügel des Gewölbes und mit ihnen die Quellhorizonte sich vereinigen und durch die Erosion angeschnitten werden. Einen solchen seltenen Fall repräsentiert die mächtige Quelle in einem toten Quertälchen bei Moutier, das vielleicht einst von der Birs benutzt war. In den zerbrochenen Plateaus knüpfen sich Quellen vielfach an Bruchlinien, durch die die wasserführenden Horizonte mit den permeablen in Berührung gebracht werden. Sie treten daher zumeist in Reihen angeordnet auf, z. B. im Tale der Valserine, im Muldental der oberen Orbe zwischen Les Brassus und Bois d'Amont längs einer Faltenwerfung, längs des Westrandes des Beckens von Nozeroy, gekennzeichnet durch die Lage der Ortschaften Mournans, Onglières, Plenise und Plenisette usw. In Quertälern gibt es natürlich überall dort Quellen, wo wasserführende Horizonte durch die Flußerosion angeschnitten werden; sie sind auch im Jura quellenreicher als die großen Muldentäler. Sehr viele Quellen des Jura aber treten noch innerhalb der Kalkschichten aus, wo der Karstwasser-Spiegel durch Erosion angeschnitten ist.

Die Juraquellen zeichnen sich infolge der starken Durchlässigkeit der Kalke durch große Schwankungen ihres Ertrags aus. So schwankt die Quelle von St. Sulpice im Hintergrund des Val de Travers im Jahre zwischen $1/2$ und 100 cbm pro Sekunde. Überhaupt aber ist der Ertrag der Quellen sehr groß, namentlich wenn sie als Ableiter der Infiltrationswasser ausgedehnter Kalkplateaus dienen; ihre Schwankungen treten dann ohne sichtbaren Grund auf (sources calamiteuses); andere entwässern innere Hohlräume durch einfache, unverzweigte Stränge (siphos) als »sources affameuses«[2]. Viele aber sind intermittierend und versiegen im Sommer gänzlich, wenn ihr Austrittspunkt über das Bereich der Karstwasserschwankungen zu liegen kommt; dazu gehört die (S. 129) schon genannte »Creux-Gena« bei Pruntrut. Nach Zeiten großer Regen haben solche Quellen, wenn auch selten, verheerende Ausbrüche, z. B. die »Source des Capucins« bei Pruntrut, das »Trou de la Lutinière« bei Amancey (Dépt. Doubs), der »Puits-de-la-Brême« bei Ornans [3]. Übrigens hat in vielen Fällen die zunehmende Entwaldung zur Vergrößerung der Quellenschwankungen, manchmal aber auch zum gänzlichen Versiegen geführt.

Von besonderer Bedeutung sind jene Quellen, die den Ursprung großer Juraflüsse darstellen, und die man nach dem typischen Beispiel dieser Art, der fontaine de Vaucluse am Fuße des Mont Ventoux, auch im Jura wie in ganz Frankreich als sources vauclusiennes bezeichnet[4]. Sie treten sowohl im Ketten- als im Plateaujura auf, in der Regel am Fuße steiler Wände, umgeben von üppiger Waldvegetation. Der Fluß erscheint schon an der Quelle in solcher Fülle, daß er unmittelbar zum Betrieb von Turbinen und anderen Kraftanlagen verwendet werden kann, so z. B. die Quelle der Loue und des Lison; der bekannteste Fall dieser »sources vauclusiennes« ist die Quelle der Orbe im Hintergrund des Talkessels von Vallorbe. Ihr Zusammenhang mit dem in den Entonnoirs de Bonport

---

[1] Über die geologischen Bedingungen des Auftretens von Quellen vgl. Fournier, Études sur les sources, resurgences etc., dans le Jura franc-comtois (Bull. serv. carte géol. France, Nr. 89, XIII, 1902, 55 S.).

[2] Daubrée, Les eaux souterraines dans l'époque actuelle, I, S. 305.

[3] Fournet, Hydrographie souterraine (Mém. Ac. Lyon, VIII, 1858, S. 227).

[4] Mit der von A. Grund (Karsthydrographie S. 179) angewendeten Beschränkung des Ausdrucks Vaucluse-Quellen auf perennierende Flußquellen kann ich mich mit Rücksicht auf den herrschenden Sprachgebrauch nicht einverstanden erklären.

verschwindenden Abfluß der Seen von Joux und Brenet wurde schon längst vermutet, um so mehr als die Öffnung der Schleusenwehren am See von Brenet nach kurzer Zeit ein beträchtliches Steigen der Orbe bei Vallorbe zur Folge hatte. Die unterirdische Verbindung wurde schließlich durch Versuche mit Anilin erwiesen[1]); die Färbung trat 50 Stunden später an der Orbequelle auf; in dieser Zeit legte das Seewasser die (in gerader Linie 2,6 km messende) Entfernung zurück mit einem Gefälle von 210 m; nach einer früheren Beobachtung von Paul Chaix kühlte sich dabei das Seewasser, offenbar durch Mischung, von 18,8° auf 11,0° C ab[2]).

Andere Beispiele für »sources vauclusiennes« sind die Quelle der Birs bei Tavannes, der Areuse am Boden des Zirkus von St. Sulpice, des Doubs im Muldental von Mouthe, die am Fuße einer vertikalen Wand aus einem Höhlengang hervorspringt, in dem man bei Trockenzeit 10 m weit eindringen kann; ferner die Quelle der Loue, die 20 m über dem Talboden aus dem Felsen hervorbricht, des Lison, der sofort einen 10 m hohen Wasserfall bildet und Mühlen treibt. Von den drei Quellen des Dessoubre kommt die von Lançot aus einer 6—8 m hohen Grotte und stürzt in 50 m hohem Falle zu Tal[3]). In gleicher Weise verdanken auch Seille, Cuisancin, Doue, Barbêche, Vallière und Ain ihren Ursprung mächtigen Quellen. In der Regel treten diese hoch über der Talsohle auf, ein Beweis für die ansehnliche Erosion, die seit der Erschließung der Quelle geleistet wurde.

Da die meisten Quellen einen mächtigen Kalkfilter passiert haben, bevor sie zutage treten, führen sie klares Wasser. Eine Ausnahme macht die Quelle von Noiraigue im Val de Travers, die das in Schlundlöchern verschwindende Wasser des vertorften Polje von Les Ponts und La Sagne mit einem plötzlichen Gefälle von 270 m der Areuse zuführt und dabei noch nicht Zeit zur völligen Reinigung hatte (daher ihr Name »noire-aigue«)[4]).

Die große Wichtigkeit der Quellen für ein so wasserarmes Land wie es der französische Jura ist, namentlich ihr unschätzbarer Wert für die Industrie und andere Betriebe, spiegelt sich in den zahlreichen, mit »fontaine« zusammengesetzten Ortsnamen, wie Pierre-, Grande-, Blanche-, Noirefontaine u. v. a.

Die Flüsse des Jura lassen sich vom hydrographischen Gesichtspunkt gleich denen anderer Karstgebirge in perennierende, intermittierende und in Ponoren verschwindende unterscheiden. Die ersteren, wenig zahlreich im Plateaujura, fließen, wie Doubs, Ain, Bienne, Loue, in tief eingeschnittenen, cañonähnlichen Tälern und haben sich dabei bis zu einer wasserundurchlässigen Schicht oder unter die Karstwasserschwankung eingesenkt; andere verdanken ihre Konstanz der Auskleidung ihres Tales durch quartäre oder tertiäre Schichten, wie fast alle größeren Flüsse des Kettenjura. Allen Juraflüssen aber ist die geringe Zahl von Nebenflüssen gemeinsam, weshalb ihre Talwandungen auch nicht durch nachträgliche Erosion und Abtragung abgeböscht werden, worauf schon an anderer Stelle hingewiesen wurde. Solche Flüsse erhalten ihren Wasserreichtum vielmehr durch die in ihrem Bette angeschnittenen Quellen; solche treten u. a. im Val de Travers zwischen Motiers und Couvet, im Tale des Doubs bei seinem Laufe durch die Freiberge und oberhalb Besançon in großer Zahl auf. Auch die Loue wird in ihrem Laufe durch die Plateaus um Ornans fast ausschließlich durch Quellen (von Plaisir-Fontaine, Puits-de-la-Brême, Fontaine du Maine, von Froidière u. a.) gespeist, die aus in den Klüften der Plateaus nördlich der Loue zirkulierende Karstwasser dem Flusse zuführen.

Auch das Regime der Flüsse wird durch diese Art der Ernährung beeinflußt. Während auf impermeablem Boden der Niederschlag sich sofort in Abflußrinnen sammelt.

[1]) Forel et Golliez, Coloration des eaux de l'Orbe (Bull. soc. vaud. XXX, 1894).
[2]) Quelques mots sur l'hydrographie de l'Orbe (Bull. soc. géol., 2. série XIX, 1862, S. 116).
[3]) Renauld, Le Jura souterrain (Ann. Club alp. franç., 1896, S. 118).
[4]) Vgl. Schardt et Dubois, Géologie des gorges de l'Areuse (Ecl. VII, Nr. 5, 1903, S. 467) und Arch. de Genève XIII, 1902, S. 511.

braucht im Kalkgestein das atmosphärische Wasser sehr lange, bis es durch die unterirdischen Klüfte dem Flusse als Quelle zugeführt wird. Nach langanhaltendem Regen ist infolge des stärkeren hydrostatischen Druckes die unterirdische Wasserzirkulation viel rascher; in trocknen Zeiten, in denen das Wasser unterirdisch zurückgehalten wird, liefern dieselben Quellen nur spärlich rinnende Wasseradern. Die Folge dieser Verhältnisse ist einmal ein sehr verspäteter Eintritt der Hochwässer, anderseits sehr bedeutende Unterschiede in der Wasserführung. Nur die letzteren mögen durch einige Zahlen belegt werden [1]):

	Wasserführung		
	mittlere	minimale	maximale
Doubs bei der Mündung des Drugeon	3180 Sek.-Liter	1310 Sek.-Liter	50 000 Sek.-Liter
bei Chaillexon	5000 ,, ,,	1500 ,, ,,	65 000 ,, ,,
bei St. Hippolyte	15 cbm	4 cbm	200 cbm
bei Voujeaucourt	30 ,,	6 ,,	400 ,,
bei der Mündung in die Saône	52 ,,	21 ,,	1000 ,,
Ain bei der Mündung	50 ,,	15 ,,	2500 ,,
Loue bei der Mündung	500 Sek.-Liter	250 Sek.-Liter	55 000 Sek.-Liter

Die mittleren Extreme verhalten sich also beim Doubs ungefähr wie 1:50, bei der Loue wächst das Verhältnis sogar auf 1:220, während z. B. bei einem Flusse mit ruhigerem Regime, wie es die Donau bei Wien ist, sogar die absoluten Extreme in viel engeren Grenzen, nämlich im Verhältnis 21:1 schwanken; z. B.

| Maximal 1883 | 8600 cbm | Juni-Mittel 1880—84 | 2290 cbm |
| Minimal 1885 | 400 ,, | April-Mittel 1880—84 | 1330 ,, |

Der extreme Fall der Schwankung ist erreicht, wenn die Wasserführung in der trockneren Jahreszeit ganz aussetzt. Wir haben es dann mit intermittierenden Flüssen zu tun. Ein solcher ist u. a. der Audeux im nördlichen Plateaujura, den auch die Karte als »torrent à sec« für eine Zeit des Jahres bezeichnet, und dasselbe gilt von einer großen Anzahl kleinerer Bäche auf den Höhen der Plateaus. Im Sommer erscheinen diese völlig trocken, die Bevölkerung bezieht das Wasser aus Zisternen, und auch die konstant wasserführenden Flüsse zeigen nur geringe Wasserfülle.

Die schwachen Bäche, welche in einfachen, unverzweigten Rinnen die hochgelegenen Kalkplateaus durchziehen, sind in der Mehrzahl sog. Schlundflüsse, die auf ihrem Laufe immer wasserärmer werden, bis sie in Ponoren verschwinden. Ihre Zahl ist im Jura so groß, daß auf eine Aufzählung verzichtet werden kann [2]). Die meisten von ihnen sind zugleich Poljenflüsse, die mit geringem Gefälle und in gewundenem Laufe am Boden der Karstwanne dahinschleichen, an deren Steilrändern sie schließlich verschwinden. Dahin gehört u. a. die Loutre in dem Aufbruchpolje der Combe de Prés (vgl. S. 134), die Torreigne im Polje von Orgelet, die um so schwächer wird, je näher sie an die durchlässigen Malmkalke der Umrahmung kommt, offenbar, weil in demselben Maße die aus Oxfordschichten zusammengesetzte oberflächliche Decke der Kalke immer dünner wird. Überhaupt werden diese Schichten, als die einzigen impermeablen des Jura, die auf größere Flächen die Oberfläche bilden, maßgebend für den Unterschied der Entwässerung auf impermeablem und permeablem Boden. Auf ihnen entwickelt sich ein reich verzweigtes Flußnetz; auf Kalkboden verschwinden die Rinnsale entweder sofort völlig, oder ziehen sich zu einem einzigen Kanal zusammen. So besitzt auch die poljenähnliche Talung von Sancey südlich der Lomontkette ein verzweigtes Bachnetz, das sich ausschließlich an Oxfordmergel und jugendliche Alluvionen knüpft. Ihr Hauptfluß, der Ruisseau de Voye, sammelt nach W zu die

---

[1]) Leider war es mir nicht möglich, hierbei auf das Originalmaterial zurückzugehen; die folgenden Zahlen sind Joannes Dictionnaire géogr. de la France entnommen.
[2]) Eine Reihe von Beispielen für Schlundflüsse sind gesammelt bei Lamairesse, Études hydrologiques dans les Monts Jura, Paris 1874 und Daubrée, Les eaux souterraines etc., I.

einzelnen Arme und verliert sich in dem Puits de Fenoz, um nach 3 km in dem Puits d'Alloz wieder zu erscheinen.

Bisweilen tritt auch in perennierenden Hauptflüssen ein Wasserverlust ein, ähnlich dem der Donau bei Immendingen. Das bekannteste Beispiel dieser Art ist im Jura die »Perte du Rhône« unterhalb Bellegarde, und in letzterer Zeit wurde ein ähnlicher Fall vom Doubs bekannt, der unterhalb Pontarlier Wasser an die Loue auf unterirdischem Wege abgibt (vgl. S. 102).

Dem unentwickelten hydrographischen Netze auf den Höhen des Plateaujura entspricht eine ebenso große Armut an normalen Tälern. Die wenigen Haupttäler der Plateaus besitzen das für Karsttäler charakteristische Vförmige Querprofil mit steilen, von der Abspülung wenig modellierten Gehängen; an ihrer Ausweitung wirken zumeist nur Abbruch und Verwitterung. Die Fußregion der Talwände ist daher von mächtigen Schuttmassen verhüllt, die von dem spärlich fließenden Rinnsal nicht fortgeführt werden können, und mit denen auch die chemische Lösung nicht fertig zu werden vermag. Der Schuttarmut auf den Höhen steht also zunehmende Schuttanhäufung in den tiefen Cañontälern gegenüber; dies treffen wir u. a. im unteren Aintal um Cize und Bolozon, im Louetal oberhalb Mouthiers, im Tale der Albarine um Tenay. Viele dieser Karsttäler haben einen zirkusförmigen oberen Talschluß, vom Volke »bout du monde« genannt, und am Fuße seiner steilen Wände oder in einiger Höhe über dem Talboden brechen die Flußquellen hervor. Diese Sacktäler, zu denen fast alle Täler des Plateaujura, auch die kleinen Seitentälchen des Loue- und Dessoubregebiets zu rechnen sind, sind in manchen Fällen nichts anderes als Einsturztäler (vallées d'effondrement); indem die Höhlengänge der Quellstränge gleichzeitig durch Erosion des Bodens und Abbröcklung des Daches sich erweitern, und dieses schließlich einstürzt, rückt die Wand des Talschlusses aufwärts und die einstigen Hohlräume gelangen an die Oberfläche. Ein treffendes Beispiel für diese Art der Talbildung ist aller Wahrscheinlichkeit nach das oberste Stück des Louetals bis gegen Mouthiers [1]) (vgl. S. 102), sowie die dem Louetal tributären kurzen Cañontäler. Talbildung durch Einsturz wird namentlich in einem von Höhlen durchsetzten Gebiet nicht allzu selten sein. So scheinen die zahlreichen Quellflüsse der Seille nördlich von Lons-le-Saunier, ferner der Cholet bei St. Jean de Royans, die Gizia bei Cousance und der Dorain bei Poligny in Einsturztälern des höhlenreichen ersten Juraplateaus zu liegen [2]).

Der vollständigen Bloßlegung eines unterirdischen Flußkanals geht häufig seine Zerlegung in mehrere blinde Täler voraus, getrennt durch noch nicht eingestürzte Höhlendächer. Die blinden Täler mit deutlichem oberem und unterem Talschluß, wobei der Fluß am Fuße einer Wand in einem Schlundloch verschwindet, sind im Jura nicht so häufig als in anderen Karstgebieten. Die meisten versiegenden Flüsse sind Poljenflüsse; nur selten geschieht das Versiegen in langgestreckten, schmalen Talungen. Ein echtes blindes Tal ist das des Baches von Villeneuve-d'Amont westlich von Levier; dabei ist das unterste Stück zwischen dem heutigen Schlundloch und dem unteren Talschluß ein steiniges Trockental; der Fluß hat also sein Schlundloch nach aufwärts verlegt, und das Flußbett des blinden Tales wurde verkürzt. Den Fall eines durch einen unterirdischen Durchbruch unterbrochenen Tales repräsentiert der Bief de Moirans (Blatt St. Claude); er fließt zuerst in einem Oxfordtälchen und durch Doggerschichten, gibt an einer Bruchlinie gegen Malmkalk einen Teil seines Wassers ab und verschwindet schließlich mit deutlichem unterem Talschluß. Nach kurzer Unterbrechung erscheint er wieder und fließt zum Ain ab.

---

[1]) Vézian, Le Jura franc-comtois (Mém. soc. émul. Doubs, 1873, S. 491).
[2]) Fournet, Note sur les effondrements (Mém. Ac. Lyon, 1852, II, S. 174).

Einer ausführlicheren Besprechung bedürfen die Trockentäler des Jura, die sich auf den Plateaugebieten des Westens in großer Zahl finden. Nach ihren hydrographischen Verhältnissen lassen sich periodische und permanente Trockentäler unterscheiden; die ersteren beanspruchen keine weitere Erklärung; sie werden, wie das Tal des Audeux, von periodisch, nämlich zur Zeit großen Wasserstandes fließenden Flüssen benutzt. Für die morphologische Entwicklung des Landes bedeutungsvoller sind die permanenten Trockentäler. Ihrer Lage nach befinden sie sich entweder in der oberen Fortsetzung lebender Haupttäler, indem sich die Talform mit allen Kennzeichen eines normalen Tales von der gegenwärtigen Quelle eines perennierenden Flusses noch ein Stück weit nach aufwärts fortsetzt; oder es erscheinen die Trockentäler als zumeist wenig tiefe, verkarstete Hohlformen auf der Höhe der trocknen Kalkplateaus.

Ein treffendes Beispiel für den ersten Typus ist das Trockental der Riverotte, des einzigen bedeutenden Nebenflusses des Dessoubre. Es setzt sich in nahezu ungestört lagernde untere Malmkalke tief eingeschnitten und in vielen Windungen noch etwa 5 km von der Quelle aufwärts fort, und zahlreiche, gleichfalls trockne Seitenschluchten ordnen sich ihm unter. Von gleicher Beschaffenheit ist das Trockental des Cuisancin, vom Weiler Cuisance-le-Châtel aufwärts, ferner das 2 km lange Trockental in der Fortsetzung der Combe de Mijoux, des obersten Teiles des Valserinetals; es ist über eine unmerkliche Schwelle noch 2 km weiter mit entgegengesetzter Abdachung nach N zu verfolgen, biegt dann rechtwinklig um und führt nach weiteren 2 km zur Quelle des Bief de la Chaille, des Baches der Klus von Morez.

Schon erwähnt wurde das Trockental von Tenay im Jura des Bugey, das in der Fortsetzung des unteren Albarinetals, an Oxfordschichten sich knüpfend, bis zur Scheide von Les Hôpitaux führt und weiter gegen SO bis zum Furans reicht. Als wichtige Grenzlinie wurde bereits das Trockental genannt, das von Touillon bei Les Hôpitaux 7 km weit nach N der großen Blattverschiebung Vallorbe-Pontarlier folgt. Diese Beispiele mögen genügen, um zu zeigen, daß wir es im Jura keineswegs bloß mit Trockentalungen tektonischen Ursprungs zu tun haben, bei denen die von der Struktur geschaffenen Hohlformen durch das Fehlen der talbildenden Kräfte in ihrer ursprünglichen Gestaltung erhalten blieben, sondern daß echte Erosionsformen vorliegen, die gegenwärtig dem Bereich der Wasserwirkung entzogen sind.

Ungemein zahlreich vertreten ist der andere Typus der Trockentäler, die sich auf den verkarsteten Hochplateaus befinden. Ein vielverzweigtes System solcher Täler, gebunden an durch die Erosion aufgeschlossene Astartenkalke des Malm trägt das breite Gewölbe des Noirmont östlich der Synklinale von Mouthe; ihnen folgen die Verkehrswege dieses unwirtlichen, 12—1300 m hohen Gebiets. Fast alle die dürftigen Bachrisse der Plateauzone setzen sich aufwärts in toten Talstrecken fort. An solchen ist namentlich das Plateau der Freiberge reich. Vom Tabeillon, der die Sorne bei Glovelier erreicht, dringt noch 4 km weit ein Trockental in die Plateaumasse hinein, in dem zwei kleine, abflußlose Teiche liegen. Die »Comben« von Vallanvron, von La Ferrière, von Naz u. a. sind bis 180 m tief eingerissene, steilwandige und langgedehnte Trockenschluchten, die sich nach dem Doubs öffnen; auch die gegenüberliegenden Plateaus von Maîche bis an den Dessoubre zeigen ähnliche Formen. Zu den Tälern der größeren Juraplateauflüsse, wie des oberen Dessoubre, der Riverotte, des Doubs und unteren Ain, senken sich kurze, zumeist trockne Flankenrisse in großer Zahl herab, die ihren Ursprung auf den Plateaus haben. Öfters finden sich auf den niedrigen Plateaus des Nordens breite, wasserlose Talungen, die einstens von Wasser durchflossen wurden; so zwischen Dammartin und dem unteren Audeux (Blatt Montbéliard). Vielleicht ist hier die Ursache der Wasserlosigkeit die Abtragung der im-

permeablen Oxfordschichten, die nur mehr inselartig im Tale auftreten und mit denen zugleich auch das Wasser verschwunden ist. Anderer Art sind die Verhältnisse auf dem Plateau von Dournon, östlich von Salins [1]). Dieses war einst von einem ziemlich bedeutenden Bache durchzogen, der sich unterhalb Migette 100 m tief in das tiefe Tal des Lison herabstürzte. Indem dieser das Gehänge untergrub und dieses abrutschte, entstand zwischen der Abbruchswand und dem Bergsturz eine Hohlform, die durch den Fall des Baches von Migette, des Bief de Laizine, zu einem 120 m tiefen, 300 m im Umfang messenden Trichter, dem Puits de Billard ausgestaltet wurde. Das Tal des Bief de Laizine oberhalb der Wand behielt seine Höhenlage und wird heute nur von einem spärlich rinnenden, im Sommer versiegenden Bache durchflossen, der sich über die Cascade de Diable in den Puits de Billard stürzt, wo sich sein Wasser zu einem kleinen See sammelt, um durch ein Schlundloch unterirdisch zum Lison abzufließen.

Die Trockentäler des Jura verdanken Ursachen der verschiedensten Art ihre Entstehung. In vielen Fällen wird man auf klimatische Veränderungen zurückgehen können, um den einst größeren Reichtum an fließenden Gewässern zu erklären. Die in der oberen Fortsetzung heutiger permanenter Haupttäler gelegenen toten Talstrecken scheinen in einer Zeit größeren Niederschlagsreichtums angelegt worden zu sein, gehören also noch der pliocänen und quartären Talbildungsperiode an; anderseits sind die vielen kleinen Trockentälchen des Schweizer Tafeljura wohl nichts anderes als die Betten eiszeitlicher Schmelzwässer. Hingegen haben die zahlreichen kurzen, heute trocknen Erosionsformen der Plateaugebiete ihr Wasser durch Senkung des Grund- oder Karstwasserniveaus verloren. Indem der Hauptfluß, namentlich dann, wenn er an eine impermeable Schicht gelangt war, kräftig einschnitt und sein Bett rasch vertiefte, konnten die schwächeren Bäche ihm in der Erosionsleistung nicht nachfolgen, da in der ganzen Umgebung das Grundwasserniveau gesunken war und die kleinen Nebenflüsse über dieses zu liegen kamen; sie mußten sodann auf ihrer permeablen Unterlage versiegen. Dieser Vorgang wurde noch dadurch in namhafter Weise begünstigt, daß infolge nachträglicher Hebungsvorgänge die Erosion des Hauptflusses eine namhafte Beschleunigung erfuhr. Dies war u. a. im Doubsgebiet der Fall. Der Doubs hat sich in die gehobene Scholle der Freiberge ein tiefes Bett gegraben, während seine einstigen Nebenflüsse auf dem Plateau versiegten. In anderen Fällen sind die Trockentäler ein Ergebnis von Flußverlegungen, die im Laufe der talgeschichtlichen Entwicklung vorkamen. Dies gilt von der Trockentalung zwischen Furans und Albarine und von dem Trockental bei Touillon, die an den betreffenden Stellen bereits besprochen wurden.

Allgemein aber muß der Wasserreichtum der Juraoberfläche abgenommen haben durch die allmähliche Vernichtung ihrer tertiären Decke und der isoliert abgelagerten quartären Bildungen. Konnten die Flüsse einstmals durch das Tertiär bis in die Kalkunterlage sich einschneiden, so finden wir sie auch noch in den so festgelegten Tälern erhalten, so lange nur der Flußspiegel sich unter dem oberen Karstwasserniveau hielt. Waren es aber nur schwache Rinnsale, deren Betten an die tertiäre Decke gebunden waren, so sind mit dieser auch ihre Gewässer verschwunden. Die Verkarstung des Landes ist also so alt als die Entblößung der Kalkschichten von der tertiären Decke, und da diese auch nicht überall ursprünglich vorhanden war, so fällt allgemein gesprochen der Beginn der Verkarstung mit der ersten Hebung des Gebirges zusammen und dieser Prozeß erfuhr durch die nochmalige Hebung des Gebirges eine Neubelebung. Dort, wo ausgedehnte Kalkflächen die Oberfläche bildeten, also in den zentralen und nördlichen Plateaugebieten, konnte die Verkarstung ungehindert Fortschritte machen; die Ausreifung des

---

[1]) Renauld, Le Jura souterrain (Ann. Club alp. franç., 1896, S. 156).

ursprünglichen Reliefs wird durch die Permeabilität des Bodens gehindert. Anderseits aber wird der Verkarstung durch Erschließung der impermeablen Oxford- und Liasschichten im Verlauf subsequenter Erosion entgegengearbeitet; dies ist namentlich in den älteren, stark eingeebneten südlichen Plateaugebieten, teilweise auch schon in den jugendlicheren Ketten des Ostens der Fall. So wird im Jura durch die Wechsellagerung permeabler und impermeabler Schichten Alter und Form der tektonischen Erscheinungen maßgebend für die Intensität der Ausbildung des Karstphänomens, wenn auch seine Einzelformen wie überall von der Struktur des Kalkbodens unabhängig sind.

permeablen Oxfordschichten, die nur mehr inselartig im Tale auftreten und mit
gleich auch das Wasser verschwunden ist.   Anderer Art sind die Verhältnisse
Plateau von Dournon, östlich von Salins[1]).   Dieses war einst von einem zi
deutenden Bache durchzogen, der sich unterhalb Migette 100 m tief in das tie
Lison herabstürzte.   Indem dieser das Gehänge untergrub und dieses abrutscht
zwischen der Abbruchswand und dem Bergsturz eine Hohlform, die durch d
Baches von Migette, des Bief de Laizine, zu einem 120 m tiefen, 300 m
messenden Trichter, dem Puits de Billard ausgestaltet wurde.   Das Tal des Bie
oberhalb der Wand behielt seine Höhenlage und wird heute nur von einem spä
den, im Sommer versiegenden Bache durchflossen, der sich über die Casca
in den Puits de Billard stürzt, wo sich sein Wasser zu einem kleinen See ≀
durch ein Schlundloch unterirdisch zum Lison abzufließen.

Die Trockentäler des Jura verdanken Ursachen der verschiedensten A
stehung.   In vielen Fällen wird man auf klimatische Veränderungen
können, um den einst größeren Reichtum an fließenden Gewässern zu erkl
der oberen Fortsetzung heutiger permanenter Haupttäler gelegenen toten Talstre
in einer Zeit größeren Niederschlagsreichtums angelegt worden zu sein, gehö
der pliocänen und quartären Talbildungsperiode an; anderseits sind die ~
Trockentälchen des Schweizer Tafeljura wohl nichts anderes als die Bette
Schmelzwässer.   Hingegen haben die zahlreichen kurzen, heute trocknen I
der Plateaugebiete ihr Wasser durch Senkung des Grund- oder Karstwi
verloren. Indem der Hauptfluß, namentlich dann, wenn er an eine impermeal
langt war, kräftig einschnitt und sein Bett rasch vertiefte, konnten die schwäche
in der Erosionsleistung nicht nachfolgen, da in der ganzen Umgebung das Gru
gesunken war und die kleinen Nebenflüsse über dieses zu liegen kamen;
dann auf ihrer permeablen Unterlage versiegen.   Dieser Vorgang wurde n
namhafter Weise begünstigt, daß infolge nachträglicher Hebungsvorgänge ꞁ
Hauptflusses eine namhafte Beschleunigung erfuhr.   Dies war u. a. im Doubs
Der Doubs hat sich in die gehobene Scholle der Freiberge ein tiefes Bett geɡ
seine einstigen Nebenflüsse auf dem Plateau versiegten.   In anderen Fällen si
täler ein Ergebnis von Flußverlegungen, die im Laufe der talgeschichtlich
vorkamen.   Dies gilt von der Trockentalung zwischen Furans und Albarin
Trockental bei Touillon, die an den betreffenden Stellen bereits besprochen

Allgemein aber muß der Wasserreichtum der Juraoberfläche abgenomm
die allmähliche Vernichtung ihrer tertiären Decke und der isoliert
quartären Bildungen.   Konnten die Flüsse einstmals durch das Tertiär
unterlage sich einschneiden, so finden wir sie auch noch in den so festge
halten, so lange nur der Flußspiegel sich unter dem oberen Karstwassernive
es aber nur schwache Rinnsale, deren Betten an die tertiäre Decke gebi
sind mit dieser auch ihre Gewässer verschwunden.   Die Verkarstung de
so alt als die Entblößung der Kalkschichten von der tertiären Decke, u
nicht überall ursprünglich vorhanden war, so fällt allgemein gesprochen ꞁ
Verkarstung mit der ersten Hebung des Gebirges zusammen u
erfuhr durch die nochmalige Hebung des Gebirges eine Neubelebung.
gedehnte Kalkflächen die Oberfläche bildeten, also in den zentralen und n
gebieten, konnte die Verkarstung ungehindert Fortschritte machen; di

---

[1]) Renauld, Le Jura souterrain (Ann. Club alp. franç., 1896, S. 156).

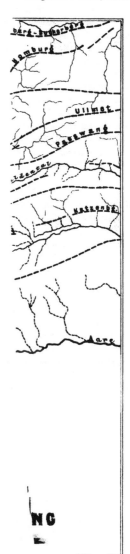

auffassen. Wir finden sie in größerer Zahl zwischen den östlichsten Ketten des nördlichen Kettenjura; ein schönes Beispiel hierfür ist das Val de Ruz, das durch die Schlucht des Seyon zum Neuenburger See aufgeschlossen ist, während geschichtete Quartärablagerungen auf ein ehemaliges Seenpolje hinweisen. Auch das Auftreten zahlreicher Schlundlöcher an den Rändern des Tales spricht für seinen einstigen Poljencharakter. Von ähnlicher Beschaffenheit ist das benachbarte Val de Diesse, dessen Gewässer teilweise in mehreren Bächen zum Bieler See abfließen, teilweise aber in Schlundlöchern und Spalten verschwinden, wie der Bach von Lignières, der zu Zeiten starker Regen bedenklich anschwillt.

In manchen Fällen ist der echte Poljencharakter zwar noch erhalten, aber doch das Polje von der bevorstehenden Aufschließung hart bedroht. Das langgestreckte Polje der Torreigne im südlichen Plateau ist nur mehr durch eine Schwelle von kaum 30 m Höhe vom Tale des auf Oxfordmergeln rasch erodierenden Valouson getrennt. Ist jene gefallen, so wird die Torreigne, die heute am Südrand des Polje verschwindet, in die oberflächliche Entwässerung einbezogen, ein Beispiel für die allmähliche Umwandlung der Wannenlandschaft in eine Tallandschaft.

5. Die Karstflüsse und Karsttäler des Jura.

Wichtiger als die Detailformen einer Karstwannenlandschaft werden für die jurassischen Karstgegenden ihre hydrographischen Verhältnisse. Auf den durchlässigen Kalkschichten, welche den Hauptanteil am Aufbau des Gebirges und seiner Oberfläche, namentlich des Plateaujura haben, fehlt ein reich verästeltes und ausgebildetes Fluß- und Talsystem. Die Kalke der Juraformation wirken wie ein Schwamm auf das atmosphärische Wasser, ihre Spalten, Klüfte und Schlundlöcher leiten es in die Tiefe, wo es sich entweder in der impermeablen Unterlage der Kalkschichten zu einem einheitlichen Grundwasserstrom sammelt oder noch innerhalb der Kalke das Karstwasser speist, bis es unter geeigneten Bedingungen in Quellen wieder zutage tritt.

Die Flußarmut der Juralandschaft findet einen bezeichnenden Ausdruck in der Größe der Flußdichte. Darunter versteht man bekanntlich das Verhältnis der Flußlängen zum Areal ihres Einzugsgebiets oder, was dasselbe ist, die Flußlänge auf 1 qkm. Diese erreicht nun im Plateaujura gelegentlich ganz außerordentlich geringe Werte. Auf Blatt Ornans (frz. Sp. K.) mißt im Bereich der hier fast ausschließlich herrschenden, wenig gestörten Jurakalke die dem Plateaujura angehörende Fläche, im O an den Doubs reichend, 1596 qkm; die Länge aller auf dieser Fläche auftretenden fließenden Gewässer, den Doubs eingerechnet, nur 257 km; daher beträgt die Flußdichte nur 0,16 [1]). Etwas höher wird ihr Wert in dem stärker gefalteten südlichen Plateaujura, wo durch nachfolgende Erosion größere Flächen undurchlässiger Oxfordschichten bloßgelegt sind und zudem quartäre Ablagerungen in größerer Ausdehnung vorkommen. So beträgt auf einer beliebig herausgegriffenen Fläche von 796 qkm auf Blatt St. Claude, zu beiden Seiten des Ain und der Valouse, die Flußlänge 378 km, die Flußdichte immerhin 0,475.

Zum Vergleich lassen sich meines Wissens nur die von L. Neumann für den Schwarzwald gewonnenen Werte der Flußdichte heranziehen [2]). Diese schwankt hier je nach der Gesteinsbeschaffenheit und den Niederschlagsverhältnissen zwischen 0,66 und 2,88, also im Verhältnis 1 : 4. Auf der vorwiegend aus Muschelkalk aufgebauten Schichttafel des Dinkelbergs, die in Zusammensetzung und Struktur unserem Tafeljura sehr ähnlich ist, beträgt die Flußdichte 0,62, also noch viermal so viel als im flußärmsten und immer noch bedeutend mehr als im flußreichsten Teile der verkarsteten französischen Juraplateaus.

---

[1]) Die Bestimmung der Flußlängen geschah durch Abzirkeln auf der frz. Sp. K. mit einem Abstand der Zirkelspitzen von 2,5 mm = 200 m; die damit erreichte Genauigkeit genügt für den nur approximative Bestimmungen erheischenden Zweck vollkommen.

[2]) Die Flußdichte im Schwarzwald, Beiträge zur Geophysik, IV, 1900, S. 234.

Der Trockenheit der Oberfläche steht in jeder Karstlandschaft der Wasserreichtum des Innern gegenüber, der sich in dem Auftreten zahlreicher Quellen verrät[1]). Im Kettenjura tritt eine große Anzahl derselben in Muldentalungen auf der Oberfläche des Lias aus, nachdem das Wasser die Doggerkalke durchdrungen hat, oder auf der Oberfläche der Oxford- und Argovianmergel aus den darüber lagernden Malmkalken, und zwar sind dann in der Regel beide Talseiten gleich quellenreich, während Monoklinaltäler ein quellenreiches und ein quellenarmes Gehänge haben. In Antiklinaltälern trifft man Quellen nur dort, wo die Antiklinale absinkt, die beiden Flügel des Gewölbes und mit ihnen die Quellhorizonte sich vereinigen und durch die Erosion angeschnitten werden. Einen solchen seltenen Fall repräsentiert die mächtige Quelle in einem toten Quertälchen bei Moutier, das vielleicht einst von der Birs benutzt war. In den zerbrochenen Plateaus knüpfen sich Quellen vielfach an Bruchlinien, durch die die wasserführenden Horizonte mit den permeablen in Berührung gebracht werden. Sie treten daher zumeist in Reihen angeordnet auf, z. B. im Tale der Valserine, im Muldental der oberen Orbe zwischen Les Brassus und Bois d'Amont längs einer Faltenwerfung, längs des Westrandes des Beckens von Nozeroy, gekennzeichnet durch die Lage der Ortschaften Mournans, Onglières, Plenise und Plenisette usw. In Quertälern gibt es natürlich überall dort Quellen, wo wasserführende Horizonte durch die Flußerosion angeschnitten werden; sie sind auch im Jura quellenreicher als die großen Muldentäler. Sehr viele Quellen des Jura aber treten noch innerhalb der Kalkschichten aus, wo der Karstwasser-Spiegel durch Erosion angeschnitten ist.

Die Juraquellen zeichnen sich infolge der starken Durchlässigkeit der Kalke durch große Schwankungen ihres Ertrags aus. So schwankt die Quelle von St. Sulpice im Hintergrund des Val de Travers im Jahre zwischen $1/2$ und 100 cbm pro Sekunde. Überhaupt aber ist der Ertrag der Quellen sehr groß, namentlich wenn sie als Ableiter der Infiltrationswasser ausgedehnter Kalkplateaus dienen; ihre Schwankungen treten dann ohne sichtbaren Grund auf (sources calamiteuses); andere entwässern innere Hohlräume durch einfache, unverzweigte Stränge (siphos) als »sources affameuses«[2]). Viele aber sind intermittierend und versiegen im Sommer gänzlich, wenn ihr Austrittspunkt über das Bereich der Karstwasserschwankungen zu liegen kommt; dazu gehört die (S. 129) schon genannte »Creux-Gena« bei Pruntrut. Nach Zeiten großer Regen haben solche Quellen, wenn auch selten, verheerende Ausbrüche, z. B. die »Source des Capucins« bei Pruntrut, das »Trou de la Lutinière« bei Amancey (Dépt. Doubs), der »Puits-de-la-Brême« bei Ornans[3]). Übrigens hat in vielen Fällen die zunehmende Entwaldung zur Vergrößerung der Quellenschwankungen, manchmal aber auch zum gänzlichen Versiegen geführt.

Von besonderer Bedeutung sind jene Quellen, die den Ursprung großer Juraflüsse darstellen, und die man nach dem typischen Beispiel dieser Art, der fontaine de Vaucluse am Fuße des Mont Ventoux, auch im Jura wie in ganz Frankreich als sources vauclusiennes bezeichnet[4]). Sie treten sowohl im Ketten- als im Plateaujura auf, in der Regel am Fuße steiler Wände, umgeben von üppiger Waldvegetation. Der Fluß erscheint schon an der Quelle in solcher Fülle, daß er unmittelbar zum Betrieb von Turbinen und anderen Kraftanlagen verwendet werden kann, so z. B. die Quelle der Loue und des Lison; der bekannteste Fall dieser »sources vauclusiennes« ist die Quelle der Orbe im Hintergrund des Talkessels von Vallorbe. Ihr Zusammenhang mit dem in den Entonnoirs de Bonport

---

[1]) Über die geologischen Bedingungen des Auftretens von Quellen vgl. Fournier, Études sur les sources, resurgences etc., dans le Jura franc-comtois (Bull. serv. carte géol. France, Nr. 89, XIII, 1902, 55 S.).
[2]) Daubrée, Les eaux souterraines dans l'époque actuelle, I, S. 305.
[3]) Fournet, Hydrographie souterraine (Mém. Ac. Lyon, VIII, 1858, S. 227).
[4]) Mit der von A. Grund (Karsthydrographie S. 179) angewendeten Beschränkung des Ausdrucks Vaucluse-Quellen auf perennierende Flußquellen kann ich mich mit Rücksicht auf den herrschenden Sprachgebrauch nicht einverstanden erklären.

früher sehr beträchtliche Einebnungserscheinungen an den westlichen Randketten kennen gelernt, und unmittelbar östlich davon befinden sich die durch elliptische Absenkungslinien umschlossenen Poljen. Sie machen den Eindruck, als ob hier die Poljenbildung jünger wäre als der Beginn der Einebnung. Auch hier wird die spätere Detailforschung, die das Ausmaß jener posthumen Bewegungen des jurassischen Bodens festzustellen haben wird, die definitive Lösung bringen können.

Bei den bisher angeführten Beispielen handelte es sich in der Regel um trockne Poljen; doch gibt es auch im Jura wie in anderen Karstgebieten mit Rücksicht auf die hydrographischen Verhältnisse drei Typen von Poljen [1]: neben den trocknen Poljen solche, die alljährlich, also periodisch inundiert werden, andere endlich sind als Seepoljen von permanenten Wasseransammlungen erfüllt. Ein typisches Beispiel für periodisch wiederkehrende Inundationen bietet das Polje von Drom im südlichen Plateaujura [2]. Es ist eine von Portlandkalken gebildete geschlossene Mulde in ca 300 m Höhe, zwischen der Kette des Revermont und der des Mont de la Rousse, waldlos und ohne einen perennierenden Bach. Zur Zeit der stärksten Regen wurde es durch plötzlich auftretende Überschwemmungen verwüstet und in einen See verwandelt, indem große Wassermassen aus Schlundlöchern hoch aufspritzten, so daß im Volke die Meinung verbreitet war, das Dorf stehe über einem unterirdischen See. Tatsächlich führen die Schlundlöcher in große Hohlräume und zu einem natürlichen Wasserreservoir von 6 m Tiefe. Zur Verhütung solcher Katastrophen wird nunmehr das Wasser des Beckens in einem Tunnel in das benachbarte Tal des Surand abgeleitet. Wir haben es in diesem Falle nicht mit dem gewöhnlich angenommenen Falle einer Inundierung zu tun, daß nämlich zur Zeit heftiger Regen oder der Schneeschmelze die Ponore den Wassermassen keinen genügenden Abfluß bieten können; sondern es wird durch unterirdische Zirkulation dem Karstwasser so viel Wasser zugeführt, daß dieses durch die Klüfte des Kalkes wie in kommunizierenden Röhren aufwärts steigt und an die Oberfläche tritt.

Auch im geschlossenen Muldenbecken von Le Locle, das nur durch eine niedrige Bodenschwelle vom Tale von Chaux-de-Fonds getrennt ist, hat die Menschenhand eingegriffen, um den verheerenden Inundationen ein Ende zu machen. Das Becken ist von ca 20 m mächtigen Quartärablagerungen ausgekleidet, in deren Mitte eine sandig-tonige Schicht angetroffen wurde, die das Wasser zurückhält [3]. Die Wasser des Bied, der in trockner Jahreszeit versiegt, überschwemmten zur Zeit der Regen den bewohnten, fruchtbaren Talgrund. In den Jahren 1802—05 wurde ein 300 m langer Stollen gebohrt, durch den das überschüssige Wasser unter dem Col des Roches nach dem oberhalb Les Brenets in den Doubs mündenden Graben geführt wird [4].

Auch das Polje von Saône wird in einem Ausmaß von ca 800 ha periodisch inundiert. Die Versuche, dem Wasser der Oberfläche durch Erweiterung der Ponore einen genügenden Abfluß zu verschaffen, scheiterten bisher nicht so sehr an ihrer Verschüttung durch Bergsturzmaterial von den steilen Kalkgehängen [5], sondern daran, daß keine Tieferlegung des Karstwasserspiegels erzielt wurde, so daß auch heute noch der weitaus größte Teil des Beckens durch Versumpfung der Kultur entzogen bleibt. Inundationen in geringerem Ausmaß treten zur Zeit der Schneeschmelze noch bei vielen Jurapoljen auf, namentlich bei denjenigen, die von Sümpfen und Torfmooren erfüllt sind, wie z. B. im Val

---

[1] Cvijić, Karstphänomen, S. 297.
[2] Mareste, Notice sur la vallée de Drom (Bull. soc. géogr. Lyon VI, 1886, S. 479).
[3] Jaccard, Sondages dans les marais du Locle (Bull. soc. neuch., IV, 1875, S. 435).
[4] Siegfried, Der Schweizer Jura, S. 122.
[5] Fournier, Recherches spéléologiques dans le Jura franc-comtois (Spelunca VI, 1900, S. 27).

de Sagne. Nicht unbeträchtlich aber ist die Zahl derjenigen, die als permanente Seewannen entgegentreten.

In gleicher Weise wie die Dolinen werden auch Poljen entweder durch Verstopfung
der Schlundlöcher oder durch Senkung bis zum Karstwasserhorizont in Seebecken verwandelt. Die Poljenseen des Jura liegen wie die echten Poljen in allseits
geschlossenen Hohlformen, ihre Entwässerung geschieht unterirdisch durch Ponore; diese
liegen zumeist unmittelbar am Seeufer oder am Seeboden, seltener in einiger Entfernung
vom Ufer, so daß der Seeabfluß eine kurze Strecke oberirdisch vor sich geht, wie beim
Lac de Malpas oder Lac des Mortes. Häufig funktionieren die Ponore nur bei normalem
Wasserstand; bei abnorm tiefem Stande des Seespiegels liegen die meisten über diesem,
und es findet entsprechend dem minimalen Zufluß auch nahezu kein Abfluß statt, wie es
im August 1900 beim Lac de Joux der Fall war. Im entgegengesetzten Falle können
zur Zeit anhaltender Regen die unterirdischen Abflüsse infolge des Ansteigens des Karstwassers nicht funktionieren, und es kommen die Schlundlöcher zu stürmischem Überfließen
(réflux), wie es gleichfalls vom Joux-See bekannt ist. Manche Jurapoljenseen besitzen
aber ähnlich wie die meisten Dolinenseen keinen sichtbaren Zufluß, sondern werden durch
Quellen am Seeboden gespeist.

Die Poljenseen des Jura sind ausschließlich Muldenseen (lacs de vallons nach Desor),
also tektonische Gebilde, gelegen in geschlossenen, zumeist mit Kreideschichten erfüllten
Synklinalen, wobei die Geschlossenheit der Wanne in der Regel in der ursprünglichen Anlage
der Faltung begründet ist, seltener durch Abriegelung infolge von Bruchvorgängen entstand.

Der größte und bekannteste dieser Juraseen ist der Lac de Joux, gemeinsam mit
dem Lac des Rousses im Muldental der Orbe gelegen, an dessen Nordende die große
horizontale Transversalverschiebung vorbeizieht, die den ganzen mittleren Kettenjura von S
nach N bis Pontarlier durchsetzt. Bei Le Pont an seinem Nordende hängt der Jouxsee
mit dem Lac Brenet zusammen, der den nördlichen Teil der nächst westlichen Mulde
erfüllt. Diese ist von der Mulde des Orbetals nur durch einen 80—100 m hohen Jurakalkrücken getrennt; in ihr liegt auch der kleine rundliche Lac de Ter. Die limnometrischen Werte sind nach Forel und Delebecque die folgenden[1].

	Areal	Höhe	mittl. Tiefe	max. Tiefe	Volumen
Lac de Joux	865 ha			33,6 m	
Lac Brenet	79 „	1008 m	15,6	19,6 „	147 Mill. cbm.
Lac des Rousses	90 „	1075 „	—	18 „	

Der gemeinsame unterirdische Abfluß dieser Seengruppe geschieht durch eine Anzahl
von Schlundlöchern teils am linken Seeufer, teils durch die Entonnoirs von Bon-Port am
Nordende des Lac Brenet; er erscheint wieder in der Quelle der Orbe oberhalb
Vallorbe (vgl. S. 35). Die ganze, 28 km lange abflußlose Synklinale des oberen Orbetals
von Les Rousses bis Le Pont stellt ein Muldenpolje dar, das gleichzeitig ein Abriegelungsbecken ist, dessen Entstehung mit der oben erwähnten Blattverschiebung innig zusammenhängt. Zur Eiszeit war es von einem stattlichen jurassischen Talgletscher erfüllt,
der von dem Plateaugletscher bei Les Rousses nach NO abfloß und außerdem vom Mont
Risoux und Mont Tendre, deren Abhänge die Talwandungen bilden, Nahrung erhielt. Seine
Ablagerungen sind allenthalben im Tale erkennbar, teils als quer ziehende Endmoränenwälle,
teils als isolierte, drumlinartig gestreckte Moränenhügel, und als solche sind wohl auch
die sublakustren Hügel am Boden der Seen zu deuten[2]. Eine ca 60 m hohe Terrasse,

---

[1] Forel, Rapport sur une carte hydrographique des lacs de Joux et des Brenets (Arch. de Genève
XXVII, 1892, S. 250 und Bull. soc. vaud XXVIII, 1892, S. IX); Delebecque, Sur le lac des Rousses
(Arch. do Genève XXIV, 1895, S. 583).

[2] Forel a. a. O.

aus unregelmäßig geschichteten Deltaschottern bestehend, begleitet das rechte Ufer des Joux-Sees von Les Brassus bis L'Abbaye [1]). In präglazialer Zeit war das Polje wohl ohne See, seine Gewässer flossen durch Schlundlöcher im heutigen Seeboden ab. Als der Gletscher sich zurückzog, sammelten sich seine Schmelzwasser in dem durch Verstopfung der Ponore mit Grundmoräne undurchlässig gewordenen Polje zu einem See von ca 1080 m Spiegelhöhe an. Die Deltaschotter am rechten Gehänge mögen aus durch Wildbäche umgelagerten Ufermoränen oder direkt aus Wildbachschottern hervorgegangen sein, jedenfalls trugen sie zur teilweisen Ausfüllung des Seebeckens bei. Zur Zeit der' größten Spiegelhöhe scheint ein oberirdischer Abfluß des Jouxsees über den Sattel von Tornaz (1085 m), wo die Wasserscheide in sumpfigem Terrain liegt, nach dem kleinen Tälchen des Ruisseau des Epoisats und somit nach dem Becken von Vallorbe bestanden zu haben, wenn er auch, wie bei einem Seeabfluß zu erwarten, nicht durch Gerölle zu erweisen ist [2]). Mit sinkendem Wasserstand zerfiel dann der die ganze geschlossene Mulde umfassende See in den Lac des Rousses, der seinerseits teilweise durch Moränen abgedämmt ist, und in den Lac de Joux. Gleichzeitig hörte der oberirdische Abfluß auf, dessen Einschneiden in die Poljenwandung sich langsamer vollzog als das Sinken des Seespiegels, und an seine Stelle trat der unterirdische Abfluß durch die erwähnten Ponore. Der Lac Brenet entstand erst in spät historischer Zeit, um 1230 n. Chr. durch künstliche Verstopfung einiger Schlundlöcher aus dem früheren Sumpf von Brenaid. Zum erstenmal wird seine Existenz im Jahre 1457 erwähnt [3]). Der kleine Lac de Ter (4 ha) scheint eine Wasseransammlung an der tiefsten Stelle der gegliederten Mulde von Le Lieu, also eher eine Karstwanne als ein Moränensee zu sein.

Die bedeutenden Spiegelschwankungen, die wegen des gehemmten Abflusses alle Karstseen kennzeichnen, wurden beim Joux-See von F. A. Forel auf Grund von vieljährigen Messungen verfolgt [4]). Die mittlere jährliche Spiegelschwankung in dem Zeitraum von 1847—1896 betrug 2,54 m; ihr Maximum erreichte sie 1882 mit 4,92, ihr Minimum 1861 mit 1,22 m; dabei schwanken die absoluten Extreme (Max. 4. Januar 1883, Min. 29. November 1870) sogar um 6,075 m. Die mittlere Jahresschwankung wird an den Schweizer Seen nur vom Walensee (2,62 m) und vom Lago Maggiore (2,91 m) überschritten, die Schwankung der absoluten Extreme gleichfalls vom Lago Maggiore (7,31 m).

Ein einfacher Muldenpoljensee ist der langgestreckte, schmale, teilweise verschilfte See von Tallières (h = 1037 m, A = 20 ha, größte Tiefe 7 m) in der einsamen Mulde von La Brévine im Neuenburger Jura, die außerdem von ausgedehnten, eine einst größere Wasserbedeckung andeutenden Torfmooren erfüllt ist. Ihren Boden bilden sehr regelmäßig lagernde Schichten unterer Kreide und mariner Molasse, das Seebecken selbst liegt auf Neokom. Das Seewasser tritt wieder zutage in den Quellen der Areuse bei St. Sulpice, wie sich bei Auflassung der durch diese Quellen betriebenen Mühlen zeigte; damals erfolgte eine temporäre Aufstauung des Sees, deren Behebung eine nach zwölf Stunden eintretende Zunahme der Areuse-Quellen ergab [5]). Der See erfüllt ebenso wie ein durch eine schmale Landbrücke mit ihm verbundener kleiner Tümpel die tiefsten Stellen einer geschlossenen Mulde, deren Schlundlöcher teilweise verstopft wurden. Nach einer wenig verbürgten Tradition aus dem späten Mittelalter soll der See plötzlich über Nacht durch eine lokale Senkung an der Stelle eines Waldes entstanden sein, dessen Tannenwipfel noch heute bei klarem Wasser zu sehen sein sollen [6]). Nach einer anderen Version hat die künstliche

---

[1]) Gauthier, Première contribution à l'histoire naturelle des lacs de la vallée de Joux (Bull. soc. vaud. XXIX, 1893, S. 294 ff.) und Machaček, Beiträge zur Kenntnis der lokalen Gletscher des Schweizer Jura (Mitt. nat. Ges. Bern, 1901, S. 13 ff.).
[2]) Dasselbe nimmt Gauthier (a. a. O. S. 295) an, doch gibt er die größte Spiegelhöhe zu niedrig, nämlich mit 1040 m, an.
[3]) Gauthier, S. 295.
[4]) Quelques mots sur les lacs de Joux (Bull. soc. vaud. XXXIII, 1897, S. 79).
[5]) Jaccard, Le lac de Tallières et la source de la Reuse (Rameau de sapin, März 1885).
[6]) Siegfrid, Schweizer Jura, S. 124 und Jaccard, Le lac de Tallières (Rameau de sapin, Nov. 1871').

Verstopfung eines Schlundlochs zum Zwecke der Regulierung und Nutzbarmachung der Wasserkräfte des Tales die Seenbildung verursacht [1]).

In ähnlicher Situation befindet sich in öder Karstlandschaft der flachufrige, gelappte Lac d'Abbaye, westlich des oberen Biennetals (h = 880 m, A = 92 ha, größte Tiefe 19,5 m); auch er liegt in einem von Kreideschichten ausgekleideten geschlossenen Muldenpolje, ohne die ganze Karstwanne zu erfüllen. Eine flache Insel an seinem Südende verwächst bei niedrigem Wasserstand mit dem Ufer zu einer vorspringenden Halbinsel. Die Speisung des Sees geschieht durch unbedeutende Rinnsale von N her; der unterirdische Abfluß soll erst im Torrent-l'Enragé im Biennetal bei Molinges, 20 km vom See entfernt, wieder zutage treten, zu welchem Wege er 48 Stunden benötigt [2]).

Die Karstseen sind der bezeichnendste Seentypus des Juragebirges. Bei rund zwei Drittel der 66 Seen des Jura (wobei mit Magnin [3]) alle stehenden Wasseransammlungen über 1 ha als Seen gezählt sind, läßt sich ein Zusammenhang mit Karstformen seiner Oberfläche nachweisen; bei 32 Seen ist ein oberflächlicher Abfluß nicht vorhanden, bei 23 von diesen kennt man die Lage ihrer Schlundlöcher und bei einigen auch die Stelle, wo unterirdische Kanäle das Seewasser wieder an die Oberfläche bringen, wobei im allgemeinen diese Kanäle der Richtung untergeordneter Täler parallel zu laufen scheinen und in Tälern höherer Ordnung austreten [4]). Bei manchen, namentlich den kleinen Seen des südlichen Jura, ist es fraglich, ob nicht die Ursache der Wannenbildung auch in der unregelmäßigen Moränenanhäufung zu suchen ist; nur wenige Juraseen, deren an anderer Stelle gedacht wurde, sind direkt auf glaziale Erosion oder Akkumulation zurückzuführen. Die Mehrzahl der Karstseen aber sind durch Verkleisterung des Bodens und Verstopfung der Schlundlöcher durch glaziales Material aus trocknen Karstwannen hervorgegangen, daher auch die Seenreichtum im südlichen und mittleren Jura viel größer ist als im N, wo eine Vergletscherung nahezu fehlte. Nur in verhältnismäßig wenigen Fällen ging die Wannenbildung bis auf das Niveau des Karstwassers, so daß dieses das Seewasser liefert, so z. B. bei den Dolinenseen von Fort-du-Plasne, Onoz, Genin u. a.

Allgemein aber erkennt man in den zahlreichen Sümpfen und Torfmooren einen einst größeren Seenreichtum des Gebirges und eine einst größere Ausdehnung der noch bestehenden Seen. Viele von ihnen, wie die Seen von Tallières, Foncine, Rouges-Truites, Malpas, Les Rousses u. a. sind von Torfmooren umgeben und verlieren durch das Wachtum der Moorvegetation, das sich zumeist auf einer glazialen Decke angesiedelt hat, beständig an Größe. Bei einigen dieser »Lacs de tourbières« ist sogar innerhalb der historischen Zeit eine nicht unbedeutende Reduktion ihres Areals nachgewiesen, z. B. beim See von Tallières und den beiden Seen von Maclus. Auch die Seen des Jura sind vergängliche Gebilde seiner Oberfläche.

Neben den echten Poljen gibt es im Jura auch zahlreiche Hohlformen, die in Anlage und Gestalt diesen gleichen, bei denen aber die Flußerosion den Sieg über den Karstboden davongetragen hat, so daß sie in das Bereich der gleichsinnigen, oberflächlichen Entwässerung einbezogen wurden. Es lassen sich bei diesen »aufgeschlossenen Poljen« (bassins quasi-fermés), die besonders im Kettenjura zahlreich vorkommen und Zwischenformen zwischen Poljen und gewöhnlichen Tälern darstellen, zwei Fälle unterscheiden: Entweder liegt der Boden einer solchen Hohlform tiefer als das Niveau der oberflächlichen Entwässerung außerhalb derselben; dann tritt ein Fluß durch eine Enge in das Becken ein und in ähnlicher Weise wieder aus diesem heraus; oder es wurde ein ursprünglich geschlossenes Polje durch rückwärtige Erosion von einer Seite her erreicht und erschlossen. Den ersten Fall repräsentiert z. B. das Becken von Morteau, das der Doubs in großen Mäandern durchzieht und mit seinen Ablagerungen ausgefüllt hat; oder das Becken von Besançon, ebenfalls zwischen zwei Doubsklusen gelegen. In diesen Fällen haben wir es mit tektonisch, nämlich durch Divergenz und Konvergenz von Antiklinalen angelegten Talerweiterungen zu tun, in denen es in der Regel nicht mehr zu Inundierungen kommt, weil sich der Fluß unterhalb seines Austritts sein Bett bereits genügend eingetieft hat. Mit mehr Berechtigung lassen sich die nur einseitig von außen erreichten Hohlformen als aufgeschlossene Poljen

———

[1]) Jaccard, Mémoire explicatif accompagnant la feuille XI, carte géol. suisse, S. 285.
[2]) Lamairesse, Études hydrologiques sur les monts Jura, S. 110 u. 117.
[3]) Magnin, Les lacs du Jura (Ann. de Géogr. 1893/94, S. 20 u. 213) gibt eine monographische Darstellung des Seenphänomens im Jura, vornehmlich vom limnologischen und topographischen Standpunkt, das morphologische Moment erfährt nicht immer die gebührende Berücksichtigung. Auf Magnin gehen die meisten der hier erwähnten topographischen Details zurück.
[4]) Lamairesse (a. a. O. S. 84) dachte sich diesen Zusammenhang und den Verlauf der Kanäle und Täler von der Richtung sich kreuzender Bruchlinien abhängig.

Baumart »Jicarales«; dieselben nehmen in den genannten Republiken ziemlich große Flächen ein, so auch bei S. Ubaldo und zwischen Tolapa und Malpaisillo (Profil 13 und 14).

Bald nach El Jocote beginnt das Gelände anzusteigen und zugleich treten wieder die leider ganz versteinerungslosen, tertiären, tuffähnlichen Schichten mit energischerem Einfallen (bis 35° SSW) zutage. Kurz vor S. Juan del Sur beobachtet man flaches nördliches Einfallen (10°), dann horizontale Lage und zuletzt flaches westliches Einfallen.

Von S. Juan del Sur bis zur Salinas-Bai folgt der Weg im allgemeinen der Meeresküste; er entfernt sich von derselben auf kurze Strecken nur beim Überschreiten der kleinen steilen Hügelzüge, die in Steilwänden gegen das Meer zu abbrechen. Die anstehenden tertiären Mergel und Sandsteine zeigen meist flaches, selten mäßiges, zunächst südliches, dann südwestliches Einfallen. Kurz vor Iscamequita bilden die tertiären Schichten flache Falten, wie an den Steilwänden und den ihnen vorgelagerten Klippen deutlich sichtbar ist.

Am Wege bemerkt man später mäßiges (40°) westliches Einfallen. Der Rio Iscamequita führt Gerölle tertiärer Gesteine, wie sie auch in der Nachbarschaft anstehen. Das Gestein ist zuweilen stark verkieselt; meist fallen die Schichten in der Folge flach südwestlich bis westlich ein.

Bei Abajo La Cruz steht stark zersetztes jungeruptives Gestein (oder ein Tuff?) an, nochmals folgen tertiäre Mergel, mäßig nach SSW einfallend, dann eine weit ausgedehnte jungeruptive Gesteinsdecke, auf der das Anstehende manchmal von einer Breccie, bestehend aus Bruchstücken desselben Eruptivgesteins, überdeckt ist.

Von der Hacienda La Hacha aus erstieg ich über ausgedehnte alte Lavaströme hinweg den Vulkan Orosi, dessen großer Krater (Durchmesser ca 900 m) gegen SSW vollständig geöffnet ist. Der Orosi baut sich aus Basalt auf.

Bald nachdem ich einen Quellfluß des Rio Tempixque überschritten hatte, fand ich Rhyolit anstehend. Das Plateau von S. Rosa und Liberia ist von Tuffen gebildet, aus denen dann und wann das anstehende jungeruptive Gestein zutage tritt.

Auf dem Wege von Liberia nach El Sardinal bemerkt man zunächst weiße Tuffe, die Quarz und Glimmer einschließen. Bei El Sardinal selbst steht Quarzit mit Jaspis an (nach K. v. Seebach quarzitische Sandsteinschiefer) und ein grünes hartes Eruptivgestein, das zumeist stark zersetzt ist.

17. Cocosbai—Chira (1899).

An der Cocosbai selbst und auf dem Wege von dort nach El Sardinal steht überall das grüne Eruptivgestein an, das auf der Halbinsel so große Verbreitung hat und wahrscheinlich Diorit ist. Stellenweise ist es allerdings von Sanden und Geröllen überdeckt.

Von El Sardinal bis S. Cruz und Nicoya trifft man als Anstehendes das grüne Eruptivgestein an, oft sehr stark zersetzt, manchmal auch weithin von tiefgründigem Boden oder (beim Rio Cañas) von Schwemmland überdeckt. Die Flüsse führen vorzugsweise Gerölle des grünen Eruptivgesteins, gelegentlich auch von Jaspis und Dacit. An einigen Stellen (so bei Sabana grande) stehen aber auch schmale Streifen sandiger Mergel an (F. = 60° S, später F. = 35° NE, dann 45° N, wieder 35° SE und bei Nicoya selbst 35° N), sowie etwas Rhyolit. In der Nähe von Nicoya steht auch etwas Kalkstein an.

Zwischen Nicoya und La Colonia stehen nur an wenigen Stellen metamorphosierte kieselreiche Schichtgesteine an, bei La Colonia auch Rhyolit. Die Bäche führen Gerölle des grünen Eruptivgesteins und etwas Quarz.

Auf dem Ausflug von La Colonia nach Huacas beobachtete ich am Fuße des Gebirges Mergel anstehend (Str. = N 75° W, F. = 15° N), sonst grünes Eruptivgestein. Südöstlich von Las Huacas steht Kalkstein an (Str. = N 55° W, F. = 20° SW). Außerdem steht Kalkstein, wie ich durch Erkundigung erfuhr, auch bei Humo, Juan de Leon und einigen anderen Orten an.

Zwischen La Colonia und Vijilla bemerkt man stark zersetztes, grünes Eruptivgestein, bei Vijilla selbst grauen, mergeligen Kalkstein, bei Jesus grünen grobkörnigen Sandstein, der in Breccien übergeht. Unterhalb des Hauses von Jesus beginnen die tiefgründigen alluvialen Mangroveböden.

Die Insel Chira besteht aus Quarzit und Sandsteinen; Streichen und Fallen war nicht festzustellen. Auf der Insel Venado scheint wieder das grüne Eruptivgestein anzustehen, wenigstens holten die Bootsleute, als wir bei Nacht die Insel anliefen, einen großen Stein dieser Art von der Küste der Insel. Die Insel San Lucas besteht aus Mergeln, welche mit feinkörnigen Konglomeraten und lockeren, kugelig-schalig sich absondernden Sandsteinen wechsellagern. Nach ihrer Ähnlichkeit mit den tertiären Gesteinen der Landenge zwischen Nicaragua-See und Pazifischem Ozean glaube ich ihnen dasselbe Alter zusprechen zu können. Am Eingang der Bucht von S. Lucas fallen die Schichten flach südlich ein, auf der mittleren Landenge der Insel mäßig nach O.

18. Punta Arenas — S. José — Old Harbour (1899).

Puntarenas liegt auf einer schmalen sandigen Landzunge. Sobald man das Festland betritt, steht jungeruptives Gestein an. Dasselbe ist an vielen Stellen außerordentlich stark und tief hinein zersetzt, so daß manchmal nur noch einzelne Kerne festen Gesteins übrig geblieben sind. Diese hat Rob. T. Hill[1]) als Gerölle angesehen und demgemäß an solchen Stellen von einem boulder clay gesprochen. Stellenweise sind die eruptiven Gesteine auch durch Tuffe verdeckt, auf der Hochebene von Alajuela bei S. José meist durch lockere vulkanische Auswürflinge. Im Berge von Aguacate durchziehen erzführende Quarzgänge das Eruptivgestein (Abbau auf Gold).

Auf der Eisenbahnstrecke von S. José über Cartago bis Tucurrique fährt man an den terrassenförmig aufsteigenden Hängen der Vulkane Irazu und Turrialba dahin und beobachtet deshalb nur vulkanische Gesteine. Einige Kilometer südlich von Cartago, am Badhaus von Agua caliente, steht aber blauer Kalkstein an, der etwa 25° W einfällt.

Bei Tucurrique treten gelbe Sandsteine und Mergel auf, die bald südlich bald nördlich einfallen (8° bis 45°). Zwischen Las Pavas und Aragon stehen wieder jungeruptive Gesteine an, ebenso auf dem Wege von Aragon nach Tuis (bei Suiza Andesit). In ähnlicher Weise herrschen junge Eruptivgesteine auch weiterhin bis zum Rio Taina (Estrella) hin und nur an wenigen Stellen treten sedimentäre Gesteine auf: Mergel, Sandsteine und Kalk beim Abstieg nach Bururi und in der Nähe von Xiquiari. Die Gerölle mancher Flüsse und Bäche beweisen aber, daß die geologische Beschaffenheit des Hinterlandes doch etwas mannigfaltiger ist, als am Wege selbst zu bemerken ist, wo zudem vielfach tiefgründiger Boden das Anstehende verhüllt: Mergel oder Sandsteine (tertiär) führen Cabeza del Buey, Pacuare, Tzipirí, Chiripó, Xiquiari und Taina, Konglomerate Chiripó, Xiquiari und Taina, Diorit und Quarz der Pacuare und Chiripó, Tonschiefer, Quarzit, Kalkstein, Diabas der Taina, Granit der Taina und Chiripó, Propylit, Melaphyr der Chiripó. Porphyrgerölle führt der Muin, der bei Muiná sich in den Taina ergießt. An der Einmündungsstelle stehen mergelige, dünnbankige Kalksteine an, die seiger in N 65° W streichen.

---

[1]) Geol. History of the Isthmus of Panamá and portions of Costarica (Bull. Mus. Comp. Zoology, Bd. XXIII, Nr. 5; Cambridge, Mass., 1898).

verschwindenden Abfluß der Seen von Joux und Brenet wurde schon längst vermutet. um so mehr als die Öffnung der Schleusenwehren am See von Brenet nach kurzer Zeit ein beträchtliches Steigen der Orbe bei Vallorbe zur Folge hatte. Die unterirdische Verbindung wurde schließlich durch Versuche mit Anilin erwiesen [1]); die Färbung trat 50 Stunden später an der Orbequelle auf; in dieser Zeit legte das Seewasser die (in gerader Linie 2,8 km messende) Entfernung zurück mit einem Gefälle von 210 m; nach einer früheren Beobachtung von Paul Chaix kühlte sich dabei das Seewasser, offenbar durch Mischung, von 18,8° auf 11,0° C ab [2]).

Andere Beispiele für »sources vauclusiennes« sind die Quelle der Birs bei Tavannes. der Areuse am Boden des Zirkus von St. Sulpice, des Doubs im Muldental von Mouthe. die am Fuße einer vertikalen Wand aus einem Höhlengang hervorspringt, in dem man bei Trockenzeit 10 m weit eindringen kann; ferner die Quelle der Loue, die 20 m über dem Talboden aus dem Felsen hervorbricht, des Lison, der sofort einen 10 m hohen Wasserfall bildet und Mühlen treibt. Von den drei Quellen des Dessoubre kommt die von Lançot aus einer 6—8 m hohen Grotte und stürzt in 50 m hohem Falle zu Tal [3]). In gleicher Weise verdanken auch Seille, Cuisancin, Doue, Barbêche, Vallière und Ain ihren Ursprung mächtigen Quellen. In der Regel treten diese hoch über der Talsohle auf, ein Beweis für die ansehnliche Erosion, die seit der Erschließung der Quelle geleistet wurde.

Da die meisten Quellen einen mächtigen Kalkfilter passiert haben, bevor sie zutage treten, führen sie klares Wasser. Eine Ausnahme macht die Quelle von Noiraigue im Val de Travers, die das in Schlundlöchern verschwindende Wasser des vertorften Polje von Les Ponts und La Sagne mit einem plötzlichen Gefälle von 270 m der Areuse zuführt und dabei noch nicht Zeit zur völligen Reinigung hatte (daher ihr Name »noire-aigue«) [4]).

Die große Wichtigkeit der Quellen für ein so wasserarmes Land wie es der französische Jura ist, namentlich ihr unschätzbarer Wert für die Industrie und andere Betriebe, spiegelt sich in den zahlreichen, mit »fontaine« zusammengesetzten Ortsnamen, wie Pierre-, Grande-, Blanche-, Noirefontaine u. v. a.

Die Flüsse des Jura lassen sich vom hydrographischen Gesichtspunkt gleich denen anderer Karstgebirge in perennierende, intermittierende und in Ponoren verschwindende unterscheiden. Die ersteren, wenig zahlreich im Plateaujura, fließen, wie Doubs, Ain, Bienne, Loue, in tief eingeschnittenen, cañonähnlichen Tälern und haben sich dabei bis zu einer wasserundurchlässigen Schicht oder unter die Karstwasserschwankung eingesenkt; andere verdanken ihre Konstanz der Auskleidung ihres Tales durch quartäre oder tertiäre Schichten, wie fast alle größeren Flüsse des Kettenjura. Allen Juraflüssen aber ist die geringe Zahl von Nebenflüssen gemeinsam, weshalb ihre Talwandungen auch nicht durch nachträgliche Erosion und Abtragung abgeböscht werden, worauf schon an anderer Stelle hingewiesen wurde. Solche Flüsse erhalten ihren Wasserreichtum vielmehr durch die in ihrem Bette angeschnittenen Quellen; solche treten u. a. im Val de Travers zwischen Motiers und Couvet, im Tale des Doubs bei seinem Laufe durch die Freiberge und oberhalb Besançon in großer Zahl auf. Auch die Loue wird in ihrem Laufe durch die Plateaus um Ornans fast ausschließlich durch Quellen (von Plaisir-Fontaine, Puits-de-la-Brême, Fontaine du Maine. von Froidière u. a.) gespeist, die das in den Klüften der Plateaus nördlich der Loue zirkulierende Karstwasser dem Flusse zuführen.

Auch das Regime der Flüsse wird durch diese Art der Ernährung beeinflußt. Während auf impermeablem Boden der Niederschlag sich sofort in Abflußrinnen sammelt.

[1]) Forel et Gollier, Coloration des eaux de l'Orbe (Bull. soc. vaud. XXX, 1894).
[2]) Quelques mots sur l'hydrographie de l'Orbe (Bull. soc. géol., 2. série XIX, 1862, S. 116).
[3]) Renauld, Le Jura souterrain (Ann. Club alp. franç., 1896, S. 118).
[4]) Vgl. Schardt et Dubois, Géologie des gorges de l'Areuse (Ecl. VII, Nr. 5, 1903, S. 467) und Arch. de Genève XIII, 1902, S. 511.

braucht im Kalkgestein das atmosphärische Wasser sehr lange, bis es durch die unterirdischen Klüfte dem Flusse als Quelle zugeführt wird. Nach langanhaltendem Regen
ist infolge des stärkeren hydrostatischen Druckes die unterirdische Wasserzirkulation viel
rascher; in trocknen Zeiten, in denen das Wasser unterirdisch zurückgehalten wird, liefern
dieselben Quellen nur spärlich rinnende Wasseradern. Die Folge dieser Verhältnisse ist
einmal ein sehr verspäteter Eintritt der Hochwässer, anderseits sehr bedeutende Unterschiede
in der Wasserführung. Nur die letzteren mögen durch einige Zahlen belegt werden [1]):

	Wasserführung		
	mittlere	minimale	maximale
Doubs bei der Mündung des Drugeon	3180 Sek.-Liter	1310 Sek.-Liter	50 000 Sek.-Liter
bei Chaillexon	5000 „ „	1500 „ „	65 000 „ „
bei St. Hippolyte	15 cbm	4 cbm	200 cbm
bei Voujeaucourt	30 „	6 „	400 „
bei der Mündung in die Saône	52 „	21 „	1000 „
Ain bei der Mündung	50 „	15 „	2500 „
Loue bei der Mündung	500 Sek.-Liter	250 Sek.-Liter	55 000 Sek.-Liter

Die mittleren Extreme verhalten sich also beim Doubs ungefähr wie 1 : 50, bei der
Loue wächst das Verhältnis sogar auf 1 : 220, während z. B. bei einem Flusse mit ruhigerem
Regime, wie es die Donau bei Wien ist, sogar die absoluten Extreme in viel engeren
Grenzen, nämlich im Verhältnis 21 : 1 schwanken; z. B.

| Maximal 1883 | 8600 cbm | Juni-Mittel 1880—84 | 2290 cbm |
| Minimal 1885 | 400 „ | April-Mittel 1880—84 | 1330 „ |

Der extreme Fall der Schwankung ist erreicht, wenn die Wasserführung in der
trockneren Jahreszeit ganz aussetzt. Wir haben es dann mit intermittierenden Flüssen
zu tun. Ein solcher ist u. a. der Audeux im nördlichen Plateaujura, den auch die Karte
als »torrent à sec« für eine Zeit des Jahres bezeichnet, und dasselbe gilt von einer großen
Anzahl kleinerer Bäche auf den Höhen der Plateaus. Im Sommer erscheinen diese völlig
trocken, die Bevölkerung bezieht das Wasser aus Zisternen, und auch die konstant wasserführenden Flüsse zeigen nur geringe Wasserfülle.

Die schwachen Bäche, welche in einfachen, unverzweigten Rinnen die hochgelegenen
Kalkplateaus durchziehen, sind in der Mehrzahl sog. Schlundflüsse, die auf ihrem Laufe
immer wasserärmer werden, bis sie in Ponoren verschwinden. Ihre Zahl ist im Jura so
groß, daß auf eine Aufzählung verzichtet werden kann [2]). Die meisten von ihnen sind zugleich Poljenflüsse, die mit geringem Gefälle und in gewundenem Laufe am Boden der
Karstwanne dahinschleichen, an deren Steilrändern sie schließlich verschwinden. Dahin
gehört u. a. die Loutre in dem Aufbruchpolje der Combe de Prés (vgl. S. 134), die Torreigne
im Polje von Orgelet, die um so schwächer wird, je näher sie an die durchlässigen Malmkalke der Umrahmung kommt, offenbar, weil in demselben Maße die aus Oxfordschichten
zusammengesetzte oberflächliche Decke der Kalke immer dünner wird. Überhaupt werden
diese Schichten, als die einzigen impermeablen des Jura, die auf größere Flächen die Oberfläche bilden, maßgebend für den Unterschied der Entwässerung auf impermeablem und
permeablem Boden. Auf ihnen entwickelt sich ein reich verzweigtes Flußnetz; auf Kalkboden verschwinden die Rinnsale entweder sofort völlig, oder ziehen sich zu einem einzigen
Kanal zusammen. So besitzt auch die poljenähnliche Talung von Sancey südlich der
Lomontkette ein verzweigtes Bachnetz, das sich ausschließlich an Oxfordmergel und jugendliche Alluvionen knüpft. Ihr Hauptfluß, der Ruisseau de Voye, sammelt nach W zu die

---

[1]) Leider war es mir nicht möglich, hierbei auf das Originalmaterial zurückzugehen; die folgenden
Zahlen sind Joannes Dictionnaire géogr. de la France entnommen.
[2]) Eine Reihe von Beispielen für Schlundflüsse sind gesammelt bei Lamairesse, Études hydrologiques
dans les Monts Jura, Paris 1874 und Daubrée, Les caux souterraines etc., I.

einzelnen Arme und verliert sich in dem Puits de Fenoz, um nach 3 km in dem Puits d'Alloz wieder zu erscheinen.

Bisweilen tritt auch in perennierenden Hauptflüssen ein Wasserverlust ein, ähnlich dem der Donau bei Immendingen. Das bekannteste Beispiel dieser Art ist im Jura die »Perte du Rhône« unterhalb Bellegarde, und in letzterer Zeit wurde ein ähnlicher Fall vom Doubs bekannt, der unterhalb Pontarlier Wasser an die Loue auf unterirdischem Wege abgibt (vgl. S. 102).

Dem unentwickelten hydrographischen Netze auf den Höhen des Plateaujura entspricht eine ebenso große Armut an normalen Tälern. Die wenigen Haupttäler der Plateaus besitzen das für Karsttäler charakteristische Vförmige Querprofil mit steilen, von der Abspülung wenig modellierten Gehängen; an ihrer Ausweitung wirken zumeist nur Abbruch und Verwitterung. Die Fußregion der Talwände ist daher von mächtigen Schuttmassen verhüllt, die von dem spärlich fließenden Rinnsal nicht fortgeführt werden können, und mit denen auch die chemische Lösung nicht fertig zu werden vermag. Der Schuttarmut auf den Höhen steht also zunehmende Schuttanhäufung in den tiefen Cañontälern gegenüber; dies treffen wir u. a. im unteren Aintal um Cize und Bolozon, im Louetal oberhalb Mouthiers, im Tale der Albarine um Tenay. Viele dieser Karsttäler haben einen zirkusförmigen oberen Talschluß, vom Volke »bout du monde« genannt, und am Fuße seiner steilen Wände oder in einiger Höhe über dem Talboden brechen die Flußquellen hervor. Diese Sacktäler, zu denen fast alle Täler des Plateaujura, auch die kleinen Seitentälchen des Loue- und Dessoubregebiets zu rechnen sind, sind in manchen Fällen nichts anderes als Einsturztäler (vallées d'effondrement); indem die Höhlengänge der Quellstränge gleichzeitig durch Erosion des Bodens und Abbröcklung des Daches sich erweitern, und dieses schließlich einstürzt, rückt die Wand des Talschlusses aufwärts und die einstigen Hohlräume gelangen an die Oberfläche. Ein treffendes Beispiel für diese Art der Talbildung ist aller Wahrscheinlichkeit nach das oberste Stück des Louetals bis gegen Mouthiers[1]) (vgl. S. 102), sowie die dem Louetal tributären kurzen Cañontäler. Talbildung durch Einsturz wird namentlich in einem von Höhlen durchsetzten Gebiet nicht allzu selten sein. So scheinen die zahlreichen Quellflüsse der Seille nördlich von Lons-le-Saunier, ferner der Cholet bei St. Jean de Royans, die Gizia bei Cousance und der Dorain bei Poligny in Einsturztälern des höhlenreichen ersten Juraplateaus zu liegen[2]).

Der vollständigen Bloßlegung eines unterirdischen Flußkanals geht häufig seine Zerlegung in mehrere blinde Täler voraus, getrennt durch noch nicht eingestürzte Höhlendächer. Die blinden Täler mit deutlichem oberem und unterem Talschluß, wobei der Fluß am Fuße einer Wand in einem Schlundloch verschwindet, sind im Jura nicht so häufig als in anderen Karstgebieten. Die meisten versiegenden Flüsse sind Poljenflüsse; nur selten geschieht das Versiegen in langgestreckten, schmalen Talungen. Ein echtes blindes Tal ist das des Baches von Villeneuve-d'Amont westlich von Levier; dabei ist das unterste Stück zwischen dem heutigen Schlundloch und dem unteren Talschluß ein steiniges Trockental; der Fluß hat also sein Schlundloch nach aufwärts verlegt, und das Flußbett des blinden Tales wurde verkürzt. Den Fall eines durch einen unterirdischen Durchbruch unterbrochenen Tales repräsentiert der Bief de Moirans (Blatt St. Claude); er fließt zuerst in einem Oxfordtälchen und durch Doggerschichten, gibt an einer Bruchlinie gegen Malmkalk einen Teil seines Wassers ab und verschwindet schließlich mit deutlichem unterem Talschluß. Nach kurzer Unterbrechung erscheint er wieder und fließt zum Ain ab.

[1]) Vézian, Le Jura franc-comtois (Mém. soc. émul. Doubs, 1873, S. 491).
[2]) Fournet, Note sur les effondrements (Mém. Ac. Lyon, 1852, II, S. 174).

Einer ausführlicheren Besprechung bedürfen die Trockentäler des Jura, die sich auf den Plateaugebieten des Westens in großer Zahl finden. Nach ihren hydrographischen Verhältnissen lassen sich periodische und permanente Trockentäler unterscheiden; die ersteren beanspruchen keine weitere Erklärung; sie werden, wie das Tal des Audeux, von periodisch, nämlich zur Zeit großen Wasserstandes fließenden Flüssen benutzt. Für die morphologische Entwicklung des Landes bedeutungsvoller sind die permanenten Trockentäler. Ihrer Lage nach befinden sie sich entweder in der oberen Fortsetzung lebender Haupttäler, indem sich die Talform mit allen Kennzeichen eines normalen Tales von der gegenwärtigen Quelle eines perennierenden Flusses noch ein Stück weit nach aufwärts fortsetzt; oder es erscheinen die Trockentäler als zumeist wenig tiefe, verkarstete Hohlformen auf der Höhe der trocknen Kalkplateaus.

Ein treffendes Beispiel für den ersten Typus ist das Trockental der Riverotte, des einzigen bedeutenden Nebenflusses des Dessoubre. Es setzt sich in nahezu ungestört lagernde untere Malmkalke tief eingeschnitten und in vielen Windungen noch etwa 5 km von der Quelle aufwärts fort, und zahlreiche, gleichfalls trockne Seitenschluchten ordnen sich ihm unter. Von gleicher Beschaffenheit ist das Trockental des Cuisancin, vom Weiler Cuisance-le-Châtel aufwärts, ferner das 2 km lange Trockental in der Fortsetzung der Combe de Mijoux, des obersten Teiles des Valserinetals; es ist über eine unmerkliche Schwelle noch 2 km weiter mit entgegengesetzter Abdachung nach N zu verfolgen, biegt dann rechtwinklig um und führt nach weiteren 2 km zur Quelle des Bief de la Chaille, des Baches der Klus von Morez.

Schon erwähnt wurde das Trockental von Tenay im Jura des Bugey, das in der Fortsetzung des unteren Albarinetals, an Oxfordschichten sich knüpfend, bis zur Scheide von Les Hôpitaux führt und weiter gegen SO bis zum Furans reicht. Als wichtige Grenzlinie wurde bereits das Trockental genannt, das von Touillon bei Les Hôpitaux 7 km weit nach N der großen Blattverschiebung Vallorbe-Pontarlier folgt. Diese Beispiele mögen genügen, um zu zeigen, daß wir es im Jura keineswegs bloß mit Trockentalungen tektonischen Ursprungs zu tun haben, bei denen die von der Struktur geschaffenen Hohlformen durch das Fehlen der talbildenden Kräfte in ihrer ursprünglichen Gestaltung erhalten blieben, sondern daß echte Erosionsformen vorliegen, die gegenwärtig dem Bereich der Wasserwirkung entzogen sind.

Ungemein zahlreich vertreten ist der andere Typus der Trockentäler, die sich auf den verkarsteten Hochplateaus befinden. Ein vielverzweigtes System solcher Täler, gebunden an durch die Erosion aufgeschlossene Astartenkalke des Malm trägt das breite Gewölbe des Noirmont östlich der Synklinale von Mouthe; ihnen folgen die Verkehrswege dieses unwirtlichen, 12—1300 m hohen Gebiets. Fast alle die dürftigen Bachrisse der Plateauzone setzen sich aufwärts in toten Talstrecken fort. An solchen ist namentlich das Plateau der Freiberge reich. Vom Tabeillon, der die Sorne bei Glovelier erreicht, dringt noch 4 km weit ein Trockental in die Plateaumasse hinein, in dem zwei kleine, abflußlose Teiche liegen. Die »Comben« von Vallanvron, von La Ferrière, von Naz u. a. sind bis 180 m tief eingerissene, steilwandige und langgedehnte Trockenschluchten, die sich nach dem Doubs öffnen; auch die gegenüberliegenden Plateaus von Maîche bis an den Dessoubre zeigen ähnliche Formen. Zu den Tälern der größeren Juraplateauflüsse, wie des oberen Dessoubre, der Riverotte, des Doubs und unteren Ain, senken sich kurze, zumeist trockne Flankenrisse in großer Zahl herab, die ihren Ursprung auf den Plateaus haben. Öfters finden sich auch auf den niedrigen Plateaus des Nordens breite, wasserlose Talungen, die einstens von Wasser durchflossen wurden; so zwischen Dammartin und dem unteren Audeux (Blatt Montbéliard). Vielleicht ist hier die Ursache der Wasserlosigkeit die Abtragung der im-

permeablen Oxfordschichten, die nur mehr inselartig im Tale auftreten und mit denen zugleich auch das Wasser verschwunden ist. Anderer Art sind die Verhältnisse auf dem Plateau von Dournon, östlich von Salins [1]). Dieses war einst von einem ziemlich bedeutenden Bache durchzogen, der sich unterhalb Migette 100 m tief in das tiefe Tal des Lison herabstürzte. Indem dieser das Gehänge untergrub und dieses abrutschte, entstand zwischen der Abbruchswand und dem Bergsturz eine Hohlform, die durch den Fall des Baches von Migette, des Bief de Laizine, zu einem 120 m tiefen, 300 m im Umfang messenden Trichter, dem Puits de Billard ausgestaltet wurde. Das Tal des Bief de Laizine oberhalb der Wand behielt seine Höhenlage und wird heute nur von einem spärlich rinnenden, im Sommer versiegenden Bache durchflossen, der sich über die Cascade de Diable in den Puits de Billard stürzt, wo sich sein Wasser zu einem kleinen See sammelt, um durch ein Schlundloch unterirdisch zum Lison abzufließen.

Die Trockentäler des Jura verdanken Ursachen der verschiedensten Art ihre Entstehung. In vielen Fällen wird man auf klimatische Veränderungen zurückgehen können, um den einst größeren Reichtum an fließenden Gewässern zu erklären. Die in der oberen Fortsetzung heutiger permanenter Haupttäler gelegenen toten Talstrecken scheinen in einer Zeit größeren Niederschlagsreichtums angelegt worden zu sein, gehören also noch der pliocänen und quartären Talbildungsperiode an; anderseits sind die vielen kleinen Trockentälchen des Schweizer Tafeljura wohl nichts anderes als die Betten eiszeitlicher Schmelzwässer. Hingegen haben die zahlreichen kurzen, heute trocknen Erosionsformen der Plateaugebiete ihr Wasser durch Senkung des Grund- oder Karstwasserniveaus verloren. Indem der Hauptfluß, namentlich dann, wenn er an eine impermeable Schicht gelangt war, kräftig einschnitt und sein Bett rasch vertiefte, konnten die schwächeren Bäche ihm in der Erosionsleistung nicht nachfolgen, da in der ganzen Umgebung das Grundwasserniveau gesunken war und die kleinen Nebenflüsse über dieses zu liegen kamen; sie mußten sodann auf ihrer permeablen Unterlage versiegen. Dieser Vorgang wurde noch dadurch in namhafter Weise begünstigt, daß infolge nachträglicher Hebungsvorgänge die Erosion des Hauptflusses eine namhafte Beschleunigung erfuhr. Dies war u. a. im Doubsgebiet der Fall. Der Doubs hat sich in die gehobene Scholle der Freiberge ein tiefes Bett gegraben, während seine einstigen Nebenflüsse auf dem Plateau versiegten. In anderen Fällen sind die Trockentäler ein Ergebnis von Flußverlegungen, die im Laufe der talgeschichtlichen Entwicklung vorkamen. Dies gilt von der Trockentalung zwischen Furans und Albarine und von dem Trockental bei Touillon, die an den betreffenden Stellen bereits besprochen wurden.

Allgemein aber muß der Wasserreichtum der Juraoberfläche abgenommen haben durch die allmähliche Vernichtung ihrer tertiären Decke und der isoliert abgelagerten quartären Bildungen. Konnten die Flüsse einstmals durch das Tertiär bis in die Kalkunterlage sich einschneiden, so finden wir sie auch noch in den so festgelegten Tälern erhalten, so lange nur der Flußspiegel sich unter dem oberen Karstwasserniveau hielt. Waren es aber nur schwache Rinnsale, deren Betten an die tertiäre Decke gebunden waren, so sind mit dieser auch ihre Gewässer verschwunden. Die Verkarstung des Landes ist also so alt als die Entblößung der Kalkschichten von der tertiären Decke, und da diese auch nicht überall ursprünglich vorhanden war, so fällt allgemein gesprochen der Beginn der Verkarstung mit der ersten Hebung des Gebirges zusammen und dieser Prozeß erfuhr durch die nochmalige Hebung des Gebirges eine Neubelebung. Dort, wo ausgedehnte Kalkflächen die Oberfläche bildeten, also in den zentralen und nördlichen Plateaugebieten, konnte die Verkarstung ungehindert Fortschritte machen; die Ausreifung des

---

[1]) Renauld, Le Jura souterrain (Ann. Club alp. franç., 1896, S. 156).

ursprünglichen Reliefs wird durch die Permeabilität des Bodens gehindert. Anderseits aber wird der Verkarstung durch Erschließung der impermeablen Oxford- und Liasschichten im Verlauf subsequenter Erosion entgegengearbeitet; dies ist namentlich in den älteren, stark eingeebneten südlichen Plateaugebieten, teilweise auch schon in den jugendlicheren Ketten des Ostens der Fall. So wird im Jura durch die Wechsellagerung permeabler und impermeabler Schichten Alter und Form der tektonischen Erscheinungen maßgebend für die Intensität der Ausbildung des Karstphänomens, wenn auch seine Einzelformen wie überall von der Struktur des Kalkbodens unabhängig sind.

aus unregelmäßig geschichteten Deltaschottern bestehend, begleitet das rechte Ufer des Joux-Sees von Les Brassus bis L'Abbaye [1]). In präglazialer Zeit war das Polje wohl ohne See, seine Gewässer flossen durch Schlundlöcher im heutigen Seeboden ab. Als der Gletscher sich zurückzog, sammelten sich seine Schmelzwasser in dem durch Verstopfung der Ponore mit Grundmoräne undurchlässig gewordenen Polje zu einem See von ca 1080 m Spiegelhöhe an. Die Deltaschotter am rechten Gehänge mögen aus durch Wildbäche umgelagerten Ufermoränen oder direkt aus Wildbachschottern hervorgegangen sein, jedenfalls trugen sie zur teilweisen Ausfüllung des Seebeckens bei. Zur Zeit der' größten Spiegelhöhe scheint ein oberirdischer Abfluß des Jouxsees über den Sattel von Tornaz (1085 m), wo die Wasserscheide in sumpfigem Terrain liegt, nach dem kleinen Tälchen des Ruisseau des Epoisats und somit nach dem Becken von Vallorbe bestanden zu haben, wenn er auch, wie bei einem Seeabfluß zu erwarten, nicht durch Gerölle zu erweisen ist [2]). Mit sinkendem Wasserstand zerfiel dann der die ganze geschlossene Mulde umfassende See in den Lac des Rousses, der seinerseits teilweise durch Moränen abgedämmt ist, und in den Lac de Joux. Gleichzeitig hörte der oberirdische Abfluß auf, dessen Einschneiden in die Poljenwandung sich langsamer vollzog als das Sinken des Seespiegels, und an seine Stelle trat der unterirdische Abfluß durch die erwähnten Ponore. Der Lac Brenet entstand erst in spät historischer Zeit, um 1230 n. Chr. durch künstliche Verstopfung einiger Schlundlöcher aus dem früheren Sumpf von Brenaid. Zum erstenmal wird seine Existenz im Jahre 1457 erwähnt [3]). Der kleine Lac de Ter (4 ha) scheint eine Wasseransammlung an der tiefsten Stelle der gegliederten Mulde von Le Lieu, also eher eine Karstwanne als ein Moränensee zu sein.

Die bedeutenden Spiegelschwankungen, die wegen des gehemmten Abflusses alle Karstseen kennzeichnen, wurden beim Joux-See von F. A. Forel auf Grund von vieljährigen Messungen verfolgt [4]). Die mittlere jährliche Spiegelschwankung in dem Zeitraum von 1847—1896 betrug 2,44 m; ihr Maximum erreichte sie 1882 mit 4,22, ihr Minimum 1861 mit 1,32 m; dabei schwanken die absoluten Extreme (Max. 4. Januar 1883, Min. 29. November 1870) sogar um 6,075 m. Die mittlere Jahresschwankung wird an den Schweizer Seen nur vom Walensee (2,42 m) und vom Lago Maggiore (2,91 m) überschritten, die Schwankung der absoluten Extreme gleichfalls vom Lago Maggiore (7,81 m).

Ein einfacher Muldenpoljensee ist der langgestreckte, schmale, teilweise verschilfte See von Tallières (h = 1037 m, A = 20 ha, größte Tiefe 7 m) in der einsamen Mulde von La Brévine im Neuenburger Jura, die außerdem von ausgedehnten, eine einst größere Wasserbedeckung andeutenden Torfmooren erfüllt ist. Ihren Boden bilden sehr regelmäßig lagernde Schichten unterer Kreide und mariner Molasse, das Seebecken selbst liegt auf Neokom. Das Seewasser tritt wieder zutage in den Quellen der Areuse bei St. Sulpice, wie sich bei Auflassung der durch diese Quellen betriebenen Mühlen zeigte; damals erfolgte eine temporäre Aufstauung des Sees, deren Behebung eine nach zwölf Stunden eintretende Zunahme der Areuse-Quellen ergab [5]). Der See erfüllt ebenso wie ein durch eine schmale Landbrücke mit ihm verbundener kleiner Tümpel die tiefsten Stellen einer geschlossenen Mulde, deren Schlundlöcher teilweise verstopft wurden. Nach einer wenig verbürgten Tradition aus dem späten Mittelalter soll der See plötzlich über Nacht durch eine lokale Senkung an der Stelle eines Waldes entstanden sein, dessen Tannenwipfel noch heute bei klarem Wasser zu sehen sein sollen [6]). Nach einer anderen Version hat die künstliche

---

[1]) Gauthier, Première contribution à l'histoire naturelle des lacs de la vallée de Joux (Bull. soc. vaud. XXIX, 1893, S. 294ff.) und Machaček, Beiträge zur Kenntnis der lokalen Gletscher des Schweizer Jura (Mitt. nat. Ges. Bern, 1901, S. 13ff.).

[2]) Dasselbe nimmt Gauthier (a. a. O. S. 295) an, doch gibt er die größte Spiegelhöhe zu niedrig, nämlich mit 1040 m, an.

[3]) Gauthier, S. 295.

[4]) Quelques mots sur les lacs de Joux (Bull. soc. vaud. XXXIII, 1897, S. 79).

[5]) Jaccard, Le lac de Tallières et la source de la Reuse (Rameau de sapin, März 1885).

[6]) Siegfrid, Schweizer Jura, S. 124 und Jaccard, Le lac de Tallières (Rameau de sapin, Nov. 1871).

Verstopfung eines Schlundlochs zum Zwecke der Regulierung und Nutzbarmachung der Wasserkräfte des Tales die Seenbildung verursacht [1]).

In ähnlicher Situation befindet sich in öder Karstlandschaft der flachufrige, gelappte Lac d'Abbaye, westlich des oberen Biennetals (h = 880 m, A = 92 ha, größte Tiefe 19,5 m); auch er liegt in einem von Kreideschichten ausgekleideten geschlossenen Muldenpolje, ohne die ganze Karstwanne zu erfüllen. Eine flache Insel an seinem Südende verwächst bei niedrigem Wasserstand mit dem Ufer zu einer vorspringenden Halbinsel. Die Speisung des Sees geschieht durch unbedeutende Rinnsale von N her; der unterirdische Abfluß soll erst im Torrent-l'Enragé im Biennetal bei Molinges, 20 km vom See entfernt, wieder zutage treten, zu welchem Wege er 48 Stunden benötigt [2]).

Die Karstseen sind der bezeichnendste Seentypus des Juragebirges. Bei rund zwei Drittel der 66 Seen des Jura (wobei mit Magnin [3]) alle stehenden Wasseransammlungen über 1 ha als Seen gezählt sind, läßt sich ein Zusammenhang mit Karstformen seiner Oberfläche nachweisen; bei 32 Seen ist ein oberflächlicher Abfluß nicht vorhanden, bei 23 von diesen kennt man die Lage ihrer Schlundlöcher und bei einigen auch die Stelle, wo unterirdische Kanäle das Seewasser wieder an die Oberfläche bringen, wobei im allgemeinen diese Kanäle der Richtung untergeordneter Täler parallel zu laufen scheinen und in Tälern höherer Ordnung austreten [4]). Bei manchen, namentlich den kleinen Seen des südlichen Jura, ist es fraglich, ob nicht die Ursache der Wannenbildung auch in der unregelmäßigen Moränenanhäufung zu suchen ist; nur wenige Juraseen, deren an anderer Stelle gedacht wurde, sind direkt auf glaziale Erosion oder Akkumulation zurückzuführen. Die Mehrzahl der Karstseen aber sind durch Verkleisterung des Bodens und Verstopfung der Schlundlöcher durch glaziales Material aus trocknen Karstwannen hervorgegangen, daher auch der Seenreichtum im südlichen und mittleren Jura viel größer ist als im N, wo eine Vergletscherung nahezu fehlte. Nur in verhältnismäßig wenigen Fällen ging die Wannenbildung bis auf das Niveau des Karstwassers, so daß dieses das Seewasser liefert, so z. B. bei den Dolinenseen von Fort-du-Plasne, Onoz, Genin u. a.

Allgemein aber erkennt man in den zahlreichen Sümpfen und Torfmooren einen einst größeren Seenreichtum des Gebirges und eine einst größere Ausdehnung der noch bestehenden Seen. Viele von ihnen, wie die Seen von Tallières, Foncine, Rouges-Truites, Malpas, Les Rousses u. a. sind von Torfmooren umgeben und verlieren durch das Wachstum der Moorvegetation, die sich zumeist auf einer glazialen Decke angesiedelt hat, beständig an Größe. Bei einigen dieser »Lacs de tourbières« ist sogar innerhalb der historischen Zeit eine nicht unbedeutende Reduktion ihres Areals nachgewiesen, z. B. beim See von Tallières und den beiden Seen von Maclus. Auch die Seen des Jura sind vergängliche Gebilde seiner Oberfläche.

Neben den echten Poljen gibt es im Jura auch zahlreiche Hohlformen, die in Anlage und Gestalt diesen gleichen, bei denen aber die Flußerosion den Sieg über den Karstboden davongetragen hat, so daß sie in das Bereich der gleichsinnigen, oberflächlichen Entwässerung einbezogen wurden. Es lassen sich bei diesen »aufgeschlossenen Poljen« (bassins quasi-fermés), die besonders im Kettenjura zahlreich vorkommen und Zwischenformen zwischen Poljen und gewöhnlichen Tälern darstellen, zwei Fälle unterscheiden: Entweder liegt der Boden einer solchen Hohlform tiefer als das Niveau der oberflächlichen Entwässerung außerhalb derselben; dann tritt ein Fluß durch eine Enge in das Becken ein und in ähnlicher Weise wieder aus diesem heraus; oder es wurde ein ursprünglich geschlossenes Polje durch rückwärtige Erosion von einer Seite her erreicht und erschlossen. Den ersten Fall repräsentiert z. B. das Becken von Morteau, das der Doubs in großen Mäandern durchzieht und mit seinen Ablagerungen ausgefüllt hat; oder das Becken von Besançon, ebenfalls zwischen zwei Doubsklusen gelegen. In diesen Fällen haben wir es mit tektonisch, nämlich durch Divergenz und Konvergenz von Antiklinalen angelegten Talerweiterungen zu tun, in denen es in der Regel nicht mehr zu Inundierungen kommt, weil sich der Fluß unterhalb seines Austritts sein Bett bereits genügend eingetieft hat. Mit mehr Berechtigung lassen sich die nur einseitig von außen erreichten Hohlformen als aufgeschlossene Poljen

--

[1]) Jaccard, Mémoire explicatif accompagnant la feuille XI, carte géol. suisse, S. 285.
[2]) Lamairesse, Études hydrologiques sur les monts Jura, S. 110 u. 117.
[3]) Magnin, Les lacs du Jura (Ann. de Géogr. 1893/94, S. 20 u. 213) gibt eine monographische Darstellung des Seenphänomens im Jura, vornehmlich vom limnologischen und topographischen Standpunkt, das morphologische Moment erfährt nicht immer die gebührende Berücksichtigung. Auf Magnin gehen die meisten der hier erwähnten topographischen Details zurück.
[4]) Lamairesse (a. a. O. S. 84) dachte sich diesen Zusammenhang und den Verlauf der Kanäle und Täler von der Richtung sich kreuzender Bruchlinien abhängig.

aus unregelmäßig geschichteten Deltaschottern bestehend, begleitet das rechte Ufer des Joux
Sees von Les Brassus bis L'Abbaye [1]). In präglazialer Zeit war das Polje wohl ohne See
seine Gewässer flossen durch Schlundlöcher im heutigen Seeboden ab. Als der Gletsch-
sich zurückzog, sammelten sich seine Schmelzwasser in dem durch Verstopfung der Pon
mit Grundmoräne undurchlässig gewordenen Polje zu einem See von ca 1080 m Spie,
höhe an. Die Deltaschotter am rechten Gehänge mögen aus durch Wildbäche umgelag∈
Ufermoränen oder direkt aus Wildbachschottern hervorgegangen sein, jedenfalls truge.
zur teilweisen Ausfüllung des Seebeckens bei. Zur Zeit der' größten Spiegelhöhe sc.
ein oberirdischer Abfluß des Jouxsees über den Sattel von Tornaz (1085 m), wo die W.
scheide in sumpfigem Terrain liegt, nach dem kleinen Tälchen des Ruisseau des E₁
und somit nach dem Becken von Vallorbe bestanden zu haben, wenn er auch, w
einem Seeabfluß zu erwarten, nicht durch Gerölle zu erweisen ist [2]). Mit sinkendem W
stand zerfiel dann der die ganze geschlossene Mulde umfassende See in den I
Rousses, der seinerseits teilweise durch Moränen abgedämmt ist, und in den Lac w
Gleichzeitig hörte der oberirdische Abfluß auf, dessen Einschneiden in die Poljen·
sich langsamer vollzog als das Sinken des Seespiegels, und an seine Stelle trat de.
irdische Abfluß durch die erwähnten Ponore. Der Lac Brenet entstand erst
historischer Zeit, um 1230 n. Chr. durch künstliche Verstopfung einiger Schlundl.
dem früheren Sumpf von Brenaid. Zum erstenmal wird seine Existenz im Ja¹
erwähnt [3]). Der kleine Lac de Ter (4 ha) scheint eine Wasseransammlung an d∈
Stelle der gegliederten Mulde von Le Lieu, also eher eine Karstwanne als ein V
zu sein.

Die bedeutenden Spiegelschwankungen, die wegen des gehemmten Abflusses alle Kε
zeichnen, wurden beim Joux-See von F. A. Forel auf Grund von vieljährigen Messungen r∈·
mittlere jährliche Spiegelschwankung in dem Zeitraum von 1847—1896 betrug 2,₄₄ m; ihr '
reichte sie 1882 mit 4,₉₂, ihr Minimum 1861 mit 1,₂₂ m; dabei schwanken die absoluten ⊦.
4. Januar 1883, Min. 29. November 1870) sogar um 6,₀₇₅ m. Die mittlere Jahresschwankun.
Schweizer Seen nur vom Walensee (2,₆₂ m) und vom Lago Maggiore (2,₉₁ m) überschritten, dᵢ
der absoluten Extreme gleichfalls vom Lago Maggiore (7,₈₁ m).

Ein einfacher Muldenpoljensee ist der langgestreckte, schmale, teilweis
See von Tallières (h = 1037 m, A = 20 ha, größte Tiefe 7 m) in der ein·
von La Brévine im Neuenburger Jura, die außerdem von ausgedehnten, eine
Wasserbedeckung andeutenden Torfmooren erfüllt ist. Ihren Boden bilden se
lagernde Schichten unterer Kreide und mariner Molasse, das Seebecken se
Neokom. Das Seewasser tritt wieder zutage in den Quellen der Areuse ₁
wie sich bei Auflassung der durch diese Quellen betriebenen Mühlen zeigte;
eine temporäre Aufstauung des Sees, deren Behebung eine nach zwölf Stun∎
Zunahme der Areuse-Quellen ergab [5]). Der See erfüllt ebenso wie ein dur∩
Landbrücke mit ihm verbundener kleiner Tümpel die tiefsten Stellen ein∈.
Mulde, deren Schlundlöcher teilweise verstopft wurden. Nach einer w
Tradition aus dem späten Mittelalter soll der See plötzlich über Nacht d
Senkung an der Stelle eines Waldes entstanden sein, dessen Tannenwipfe.
klarem Wasser zu sehen sein sollen [6]). Nach einer anderen Version ha·

---

[1]) Gauthier, Première contribution à l'histoire naturelle des lacs de la vallée de .J
XXIX, 1893, S. 294ff.) und Machaček, Beiträge zur Kenntnis der lokalen Gletscher·
(Mitt. nat. Ges. Bern, 1901, S. 13ff.).

[2]) Dasselbe nimmt Gauthier (a. a. O. S. 295) an, doch gibt er die größte Sp∣
nämlich mit 1040 m, an.

[3]) Gauthier, S. 295.

[4]) Quelques mots sur les lacs de Joux (Bull. soc. vaud. XXXIII, 1897, S. 79'

[5]) Jaccard, Le lac de Tallières et la source de la Reuse (Rameau de sapin, Mä

[6]) Siegfrid, Schweizer Jura, S. 124 und Jaccard, Le lac de Tallières (Rameau

Loue unterhalb Ornans zutage treten; auf ihrem unterirdischen Wege öffnet sich der Schlot von Belle-Louise, in welchem in 130 m Tiefe ein starker Bach angetroffen wurde. In gleicher Weise speist das Polje von Leubot die Quellen von Plaisir-Fontaine an der Loue [1]). In einer langen und schmalen Wanne liegen nahe dem Jurarand die Orte Plasne, Poligny und Chamole. Überhaupt hat das ganze erste Juraplateau bis zur Loue im S keine einheitliche Entwässerung, sondern zerfällt in eine große Zahl von flachen, poljenartigen Schüsseln, bei denen nur ausnahmsweise der Steilrand mit einer echten Verwerfung zusammenfällt.

Während in diesen Fällen die Poljen auf lokalen Senkungsfeldern angelegt sind, finden sich dort, wo noch Faltung den inneren Bau beherrscht, Poljen auch als Folgen der Anordnung der Antiklinalachsen. Sie liegen dann als Muldenpoljen [2]) in Schichtmulden. begrenzt durch zwei divergierende und wieder konvergierende Antiklinalen. Eine solche Anordnung ist nun sowohl im Plateaujura, dort wo die Faltung ein größeres Ausmaß erreicht, als im Kettenjura außerordentlich häufig; nicht immer aber verbinden sich damit auch die übrigen, ein Polje charakterisierenden morphologischen und hydrographischen Eigentümlichkeiten. Alle Muldenpoljen des Jura haben eine langgestreckte Form, ihre Längsachse ist dem Schichtstreichen parallel; den Boden kleiden in der Regel glaziale oder jüngere Bildungen mit ausgedehnten Torfmooren aus, in vielen Fällen aber erfüllen flachufrige Seen die Karstwannen. Ein echtes Muldenpolje im Plateaujura ist das ca 720 ha große Becken von Arc-sous-Cizon, östlich von Mouthiers, in einer mittleren Höhe von 790 m gelegen, elliptisch umschlossen von ca 200 m hohen Steilabfällen. Seine Wasser erscheinen nach 15 km langem unterirdischem Laufe wieder im Tale der Loue beim Puits de la Brême [3]). Am Boden des Polje hat sich ein kleiner Fetzen von Kreideschichten erhalten, doch bilden ihn zumeist jugendliche Alluvionen, ein Beweis der nachträglichen Einebnung der tektonischen Mulde. Ein einfaches Muldenpolje ist auch die Combe Richet und die mit ihr zusammenhängende Combe du Lac bei Septmoncel. Das bekannteste Muldenpolje des Kettenjura, das Val de Sagne nördlich des Val de Travers im Neuenburger Jura, ist eine etwa 15 km lange, geschlossene Synklinale, die sich erst im südlichen Teile zu 4 km Breite erweitert. Den rund 1000 m hohen Boden überragen die Malmkalkketten noch 400 m hoch. In ihrer ganzen Länge wird sie von NO gegen SW von einem dürftigen Bache durchflossen, der die quartäre Unterlage in der Mitte der Wanne in einen Sumpf verwandelt, während sonst eine bis 6 m mächtige Torfdecke den Boden des Polje auskleidet. Sein Wasser findet schließlich nahe dem Südrand einen Ausweg durch große Schlundlöcher, die gruppenweise angeordnet sind, und von denen einige, z. B. beim Dorfe Les Ponts bis 100 m im Durchmesser erreichen [4]).

Ein weit seltener Typus der Jurapoljen sind die auf Schichtsätteln im Verlauf der nachfolgenden Erosion gebildeten sog. Aufbruchspoljen nach Cvijić. Beispiele hierfür sind das Polje der Torreigne bei Orgelet im südlichen Plateaujura, 1330 ha, 480—500 m hoch gelegen, eine ganz flache Schüssel mit ebenem Boden und einer 50—100 m hohen Umwallung, ferner die Combe de Prés, nördlich von St. Claude zwischen dem Bois de Joux-devant und dem Bois de Cernois. Es ist dies eine flache, geschlossene Hohlform von über 1500 ha Größe, etwa 7 km Länge und 3 km Breite, in 900—950 m Höhe. Den nicht völlig eingeebneten Boden bilden Oxfordmergel, stellenweise von jurassischem Erratikum bedeckt und scharf umrahmt von steilen, ca 50 m hohen Malmkalkstufen. Der Haupt-

[1]) Fournier, Les réseaux hydrographiques du Doubs et de la Loue, Ann. de Géogr. IX, 1900, S. 227.
[2]) Cvijić, Das Karstphänomen, Pencks geogr. Abh. V, 3, S. 313.
[3]) Fournier, a. a. O. S. 228.
[4]) Desor, Les emposieux de la vallée des Ponts (Alaman. de la République de Neufchâtel, 1866).

fluß des Polje, die Loutre, verschwindet ebenso wie die anderen kleineren Bäche in Schlundlöchern, sobald sie an den Kalkrand herankommt. Übrigens kompliziert sich hier die
Struktur noch durch Bruchlinien, an die das Auftreten sowohl der Quellen als der Schlundlöcher sich knüpft[1].

Bei jedem Versuch, eine befriedigende Erklärung der Poljenbildung zu geben,
werden zwei Momente zu unterscheiden sein: Die Entstehung einer allseits geschlossenen
Hohlform und die spätere Ausbildung ihrer morphologischen Eigenart, der ebenen, sich
scharf von der Umrahmung abhebenden Sohle. Bezüglich des ersten Punktes kann stets
das Vorhandensein einer tektonischen Grundlage nachgewiesen werden; die Gestalt
des Polje ist vorgezeichnet durch die Strukturlinien, mögen wir es mit einem Senkungsfeld, einem echten Bruch-, Mulden- oder Aufbruchspolje zu tun haben. Anderseits ist aber
jedes Polje eine Erosionsform; der ebene Boden kann, die Fälle ausgenommen, wo horizontale
Schichttafeln längs gewisser Linien abgesunken sind, nur hervorgegangen sein aus der
Einebnungsarbeit fließenden Wassers. Unbedingt notwendig ist diese Annahme für die
Aufbruchspoljen, die sich von den gleichfalls an wenig widerstandsfähige Schichten geknüpften Satteltälern durch ihre Geschlossenheit, ihre größere Breite und den ebenen Boden
unterscheiden. Bei der Bildung eines Satteltals erfolgt die Aufschließung der impermeablen
Schicht durch ein Flankental des Haupttals, und längs dieser Schicht konnte dann die
Erosion linienhaft fortschreiten. Bei dem allseits geschlossenen Polje mußte der Erosions-
vorgang auf dem ursprünglich geschlossenen Schichtsattel selbst beginnen, und am wahr-
scheinlichsten geschah dies ausgehend von Dolinen und Karstmulden der permeablen Decke
des Gewölbes. Auch diese erkannten wir im Jura als reine Erosionsformen der Kalkober-
fläche, so daß zwischen Dolinen und Poljen in der Regel kein genereller Unterschied besteht. Die fortschreitende Erweiterung und Vereinigung mehrerer Dolinen vernichtete zunächst den Kalkmantel; als dann die undurchlässige Schicht aufgeschlossen war, konnte die
Erosionsarbeit um so raschere Fortschritte machen; es arbeiteten die an dem impermeablen
Horizont austretenden Grundwasserstränge in die Breite und trugen das Gelände ab, bis sie
an den aus Kalken bestehenden Wandungen des Beckens versiegten. Die Aufbruchspoljen des Jura sind also Produkte einer sehr beträchtlichen, subsequenten Erosion
auf Schichtsätteln[2].

Auch bei den durch Absenkungslinien begrenzten Poljen des ersten Juraplateaus bedarf die Ebenheit des Bodens der Annahme einer Einebnung, da der gesenkte Schichtkomplex
a priori keine vollkommen ebene Oberfläche hatte. Hingegen hatten die zwischen Antiklinalen gelegenen geschlossenen Mulden von vornherein die Anlage einer flachen Sohle,
die sodann durch Seitenerosion der Flüsse noch vergrößert wurde. In manchen Fällen
aber sind die glaziale Ausfüllung der Wanne oder alte Seeablagerungen die Ursache des
flachen Bodens, so z. B. im Val de Sagne, wenn auch die ursprüngliche Anlage der Hohlform präglazial ist.

Die tektonischen Vorgänge, die die Karstwannen geschaffen haben, gehören wohl
der Hauptsache jener großen Faltungsperiode an, die nach Schluß des Miocäns unser Gebirge schuf. Doch möchte es von einigen Poljen, namentlich von denen nahe dem Westrand des Gebirges, scheinen, als ob sie durch spätere Krustenbewegungen in eine
bereits längst gehobene und abgetragene Landschaft eingesenkt wären; haben wir doch

---

[1] Bourgeat, Sur certaines particularités de la combe de Prés (Bull. soc. géol., 3. série XXIV, 1896,
S. 489—93).
[2] Dieser Erklärungsversuch deckt sich in vielen Punkten mit den Ausführungen von Cvijić (Morpholog.
und glaziale Studien in Bosnien usw., II. Teil, Abhandl. K. K. Geogr. Ges., Wien 1901, III, S. 78 ff.) über
die Bildung der Poljen dieses Gebiets; doch tritt im Jura durch die zwischen die Kalkschichten eingeschalteten Mergel-, namentlich die Oxfordhorizonte ein neues Moment hinzu.

früher sehr beträchtliche Einebnungserscheinungen an den westlichen Randketten kennen gelernt, und unmittelbar östlich davon befinden sich die durch elliptische Absenkungslinien umschlossenen Poljen. Sie machen den Eindruck, als ob hier die Poljenbildung jünger wäre als der Beginn der Einebnung. Auch hier wird die spätere Detailforschung, die das Ausmaß jener posthumen Bewegungen des jurassischen Bodens festzustellen haben wird, die definitive Lösung bringen können.

Bei den bisher angeführten Beispielen handelte es sich in der Regel um trockne Poljen; doch gibt es auch im Jura wie in anderen Karstgebieten mit Rücksicht auf die hydrographischen Verhältnisse drei Typen von Poljen [1]): neben den trocknen Poljen solche, die alljährlich, also periodisch inundiert werden, andere endlich sind als Seepoljen von permanenten Wasseransammlungen erfüllt. Ein typisches Beispiel für periodisch wiederkehrende Inundationen bietet das Polje von Drom im südlichen Plateaujura [2]). Es ist eine von Portlandkalken gebildete geschlossene Mulde in ca 300 m Höhe, zwischen der Kette des Revermont und der des Mont de la Rousse, waldlos und ohne einen perennierenden Bach. Zur Zeit der stärksten Regen wurde es durch plötzlich auftretende Überschwemmungen verwüstet und in einen See verwandelt, indem große Wassermassen aus Schlundlöchern hoch aufspritzen, so daß im Volke die Meinung verbreitet war, das Dorf stehe über einem unterirdischen See. Tatsächlich führen die Schlundlöcher in große Hohlräume und zu einem natürlichen Wasserreservoir von 6 m Tiefe. Zur Verhütung solcher Katastrophen wird nunmehr das Wasser des Beckens in einem Tunnel in das benachbarte Tal des Surand abgeleitet. Wir haben es in diesem Falle nicht mit dem gewöhnlich angenommenen Falle einer Inundierung zu tun, daß nämlich zur Zeit heftiger Regen oder der Schneeschmelze die Ponore den Wassermassen keinen genügenden Abfluß bieten können; sondern es wird durch unterirdische Zirkulation dem Karstwasser so viel Wasser zugeführt, daß dieses durch die Klüfte des Kalkes wie in kommunizierenden Röhren aufwärts steigt und an die Oberfläche tritt.

Auch im geschlossenen Muldenbecken von Le Locle, das nur durch eine niedrige Bodenschwelle vom Tale von Chaux-de-Fonds getrennt ist, hat die Menschenhand eingegriffen, um den verheerenden Inundationen ein Ende zu machen. Das Becken ist von ca 20 m mächtigen Quartärablagerungen ausgekleidet, in deren Mitte eine sandig-tonige Schicht angetroffen wurde, die das Wasser zurückhält [3]). Die Wasser des Bied, der in trockner Jahreszeit versiegt, überschwemmten zur Zeit der Regen den bewohnten, fruchtbaren Talgrund. In den Jahren 1802—05 wurde ein 300 m langer Stollen gebohrt, durch den das überschüssige Wasser unter dem Col des Roches nach dem oberhalb Les Brenets in den Doubs mündenden Graben geführt wird [4]).

Auch das Polje von Saône wird in einem Ausmaß von ca 800 ha periodisch inundiert. Die Versuche, dem Wasser der Oberfläche durch Erweiterung der Ponore einen genügenden Abfluß zu verschaffen, scheiterten bisher nicht so sehr an ihrer Verschüttung durch Bergsturzmaterial von den steilen Kalkgehängen [5]), sondern daran, daß keine Tieferlegung des Karstwasserspiegels erzielt wurde, so daß auch heute noch der weitaus größte Teil des Beckens durch Versumpfung der Kultur entzogen bleibt. Inundationen in geringerem Ausmaß treten zur Zeit der Schneeschmelze noch bei vielen Jurapoljen auf, namentlich bei denjenigen, die von Sümpfen und Torfmooren erfüllt sind, wie z. B. im Val

---

[1]) Cvijić, Karstphänomen, S. 297.
[2]) Mareste, Notice sur la vallée de Drom (Bull. soc. géogr. Lyon VI, 1886, S. 479).
[3]) Jaccard, Sondages dans les marais du Locle (Bull. soc. neuch., IV, 1875, S. 435).
[4]) Siegfried, Der Schweizer Jura, S. 122.
[5]) Fournier, Recherches spéléologiques dans le Jura franc-comtois (Spelunca VI, 1900, S. 27).

de Sagne. Nicht unbeträchtlich aber ist die Zahl derjenigen, die als permanente Seewannen entgegentreten.

In gleicher Weise wie die Dolinen werden auch Poljen entweder durch Verstopfung
der Schlundlöcher oder durch Senkung bis zum Karstwasserhorizont in Seebecken verwandelt. Die Poljenseen des Jura liegen wie die echten Poljen in allseits
geschlossenen Hohlformen, ihre Entwässerung geschieht unterirdisch durch Ponore; diese
liegen zumeist unmittelbar am Seeufer oder am Seeboden, seltener in einiger Entfernung
vom Ufer, so daß der Seeabfluß eine kurze Strecke oberirdisch vor sich geht, wie beim
Lac de Malpas oder Lac des Mortes. Häufig funktionieren die Ponore nur bei normalem
Wasserstand; bei abnorm tiefem Stande des Seespiegels liegen die meisten über diesem,
und es findet entsprechend dem minimalen Zufluß auch nahezu kein Abfluß statt, wie es
im August 1900 beim Lac de Joux der Fall war. Im entgegengesetzten Falle können
zur Zeit anhaltender Regen die unterirdischen Abflüsse infolge des Ansteigens des Karstwassers nicht funktionieren, und es kommen die Schlundlöcher zu stürmischem Überfließen
(réflux), wie es gleichfalls vom Joux-See bekannt ist. Manche Jurapoljenseen besitzen
aber ähnlich wie die meisten Dolinenseen keinen sichtbaren Zufluß, sondern werden durch
Quellen am Seeboden gespeist.

Die Poljenseen des Jura sind ausschließlich Muldenseen (lacs de vallons nach Desor),
also tektonische Gebilde, gelegen in geschlossenen, zumeist mit Kreideschichten erfüllten
Synklinalen, wobei die Geschlossenheit der Wanne in der Regel in der ursprünglichen Anlage
der Faltung begründet ist, seltener durch Abriegelung infolge von Bruchvorgängen entstand.

Der größte und bekannteste dieser Juraseen ist der Lac de Joux, gemeinsam mit
dem Lac des Rousses im Muldental der Orbe gelegen, an dessen Nordende die große
horizontale Transversalverschiebung vorbeizieht, die den ganzen mittleren Kettenjura von S
nach N bis Pontarlier durchsetzt. Bei Le Pont an seinem Nordende hängt der Jouxsee
mit dem Lac Brenet zusammen, der den nördlichen Teil der nächst westlichen Mulde
erfüllt. Diese ist von der Mulde des Orbetals nur durch einen 80—100 m hohen Jurakalkrücken getrennt; in ihr liegt auch der kleine rundliche Lac de Ter. Die limnometrischen Werte sind nach Forel und Delebecque die folgenden [1].

	Areal	Höhe	mittl. Tiefe	max. Tiefe	Volumen
Lac de Joux	865 ha			33,6 m	
Lac Brenet	79 „	1008 m	15,6	19,5 „	147 Mill. cbm.
Lac des Rousses	90 „	1075 „	—	18 „	

Der gemeinsame unterirdische Abfluß dieser Seengruppe geschieht durch eine Anzahl
von Schlundlöchern teils am linken Seeufer, teils durch die Entonnoirs von Bon-Port am
Nordende des Lac Brenet; er erscheint wieder in der Quelle der Orbe oberhalb
Vallorbe (vgl. S. 35). Die ganze, 28 km lange abflußlose Synklinale des oberen Orbetals
von Les Rousses bis Le Pont stellt ein Muldenpolje dar, das gleichzeitig ein Abriegelungsbecken ist, dessen Entstehung mit der oben erwähnten Blattverschiebung innig zusammenhängt. Zur Eiszeit war es von einem stattlichen jurassischen Talgletscher erfüllt,
der von dem Plateaugletscher bei Les Rousses nach NO abfloß und außerdem vom Mont
Risoux und Mont Tendre, deren Abhänge die Talwandungen bilden, Nahrung erhielt. Seine
Ablagerungen sind allenthalben im Tale erkennbar, teils als quer ziehende Endmoränenwälle,
teils als isolierte, drumlinartig gestreckte Moränenhügel, und als solche sind wohl auch
die sublakustren Hügel am Boden der Seen zu deuten [2]. Eine ca 60 m hohe Terrasse,

---

[1] Forel, Rapport sur une carte hydrographique des lacs de Joux et des Brenets (Arch. de Genève
XXVII, 1892, S. 250 und Bull. soc. vaud XXVIII, 1892, S. IX); Delebecque, Sur le lac des Rousses
(Arch. do Genève XXIV, 1895, S. 583).

[2] Forel a. a. O.

früher sehr beträchtliche Einebnungserscheinungen an den westlichen Randketten ke‹
gelernt, und unmittelbar östlich davon befinden sich die durch elliptische Absenkungs‹
umschlossenen Poljen. Sie machen den Eindruck, als ob hier die Poljenbildung jč
wäre als der Beginn der Einebnung. Auch hier wird die spätere Detailfors‹
die das Ausmaß jener posthumen Bewegungen des jurassischen Bodens festzustellen
wird, die definitive Lösung bringen können.

Bei den bisher angeführten Beispielen handelte es sich in der Regel um t
Poljen; doch gibt es auch im Jura wie in anderen Karstgebieten mit Rücksicht
hydrographischen Verhältnisse drei Typen von Poljen [1]): neben den trocknen Poljɛ
die alljährlich, also periodisch inundiert werden, andere endlich sind als S‹
von permanenten Wasseransammlungen erfüllt. Ein typisches Beispiel für periodisɩ
kehrende Inundationen bietet das Polje von Drom im südlichen Plateaujura [2]).]
von Portlandkalken gebildete geschlossene Mulde in ca 300 m Höhe, zwischen
des Revermont und der des Mont de la Rousse, waldlos und ohne einen per
Bach. Zur Zeit der stärksten Regen wurde es durch plötzlich auftretende Ü
mungen verwüstet und in einen See verwandelt, indem große Wassermassen ŋ
löchern hoch aufspritzen, so daß im Volke die Meinung verbreitet war, da‹
über einem unterirdischen See. Tatsächlich führen die Schlundlöcher in groß
und zu einem natürlichen Wasserreservoir von 6 m Tiefe. Zur Verhütung
strophen wird nunmehr das Wasser des Beckens in einem Tunnel in das bɩ
des Surand abgeleitet. Wir haben es in diesem Falle nicht mit dem gewöhnlich ɩ
Falle einer Inundierung zu tun, daß nämlich zur Zeit heftiger Regen oder der S
die Ponore den Wassermassen keinen genügenden Abfluß bieten können; sɩ
durch unterirdische Zirkulation dem Karstwasser so viel Wasser zugeführt, d
die Klüfte des Kalkes wie in kommunizierenden Röhren aufwärts steiɡ·
Oberfläche tritt.

Auch im geschlossenen Muldenbecken von Le Locle, das nur durɩ·
Bodenschwelle vom Tale von Chaux-de-Fonds getrennt ist, hat die Meɩ
gegriffen, um den verheerenden Inundationen ein Ende zu machen. Da‹
ca 20 m mächtigen Quartärablagerungen ausgekleidet, in deren Mitte e
Schicht angetroffen wurde, die das Wasser zurückhält [3]). Die Wasser
trockner Jahreszeit versiegt, überschwemmten zur Zeit der Regen den ḅ
baren Talgrund. In den Jahren 1802—05 wurde ein 300 m langer Stol˙
den das überschüssige Wasser unter dem Col des Roches nach dem oḅ·
in den Doubs mündenden Graben geführt wird [4]).

Auch das Polje von Saône wird in einem Ausmaß von ca 800
diert. Die Versuche, dem Wasser der Oberfläche durch Erweiterunɡ
genügenden Abfluß zu verschaffen, scheiterten bisher nicht so sehr an
durch Bergsturzmaterial von den steilen Kalkgehängen [5]), sondern darɩ˙
legung des Karstwasserspiegels erzielt wurde, so daß auch heute nocḥ·
Teil des Beckens durch Versumpfung der Kultur entzogen bleibt.
ringerem Ausmaß treten zur Zeit der Schneeschmelze noch bei ˙
namentlich bei denjenigen, die von Sümpfen und Torfmooren erfüllt ɡ˙

[1]) Cvijić, Karstphänomen, S. 297.
[2]) Mareste, Notice sur la vallée de Drom (Bull. soc. géogr. Lyon VI, 18ɓ
[3]) Jaccard, Sondages dans les marais du Locle (Bull. soc. neuch., IV, 18˙
[4]) Siegfried, Der Schweizer Jura, S. 122.
[5]) Fournier, Recherches spéléologiques dans le Jura franc-comtois (Speluṇ

auffassen. Wir finden sie in größerer Zahl zwischen den östlichsten Ketten des nördlichen Kettenjura; ein schönes Beispiel hierfür ist das Val de Ruz, das durch die Schlucht des Seyon zum Neuenburger See aufgeschlossen ist, während geschichtete Quartärablagerungen auf ein ehemaliges Seenpolje hinweisen. Auch das Auftreten zahlreicher Schlundlöcher an den Rändern des Tales spricht für seinen einstigen Poljencharakter. Von ähnlicher Beschaffenheit ist das benachbarte Val de Diesse, dessen Gewässer teilweise in mehreren Bächen zum Bieler See abfließen, teilweise aber in Schlundlöchern und Spalten verschwinden, wie der Bach von Lignières, der zu Zeiten starker Regen bedenklich anschwillt.

In manchen Fällen ist der echte Poljencharakter zwar noch erhalten, aber doch das Polje von der bevorstehenden Aufschließung hart bedroht. Das langgestreckte Polje der Torreigne im südlichen Plateau ist nur mehr durch eine Schwelle von kaum 30 m Höhe vom Tale des auf Oxfordmergeln rasch erodierenden Valouson getrennt. Ist jene gefallen, so wird die Torreigne, die heute am Südrand des Polje verschwindet, in die oberflächliche Entwässerung einbezogen, ein Beispiel für die allmähliche Umwandlung der Wannenlandschaft in eine Tallandschaft.

5. Die Karstflüsse und Karsttäler des Jura.

Wichtiger als die Detailformen einer Karstwannenlandschaft werden für die jurassischen Karstgegenden ihre hydrographischen Verhältnisse. Auf den durchlässigen Kalkschichten, welche den Hauptteil am Aufbau des Gebirges und seiner Oberfläche, namentlich des Plateaujura haben, fehlt ein reich verästeltes und ausgebildetes Fluß- und Talsystem. Die Kalke der Juraformation wirken wie ein Schwamm auf das atmosphärische Wasser, ihre Spalten, Klüfte und Schlundlöcher leiten es in die Tiefe, wo es sich entweder in der impermeablen Unterlage der Kalkschichten zu einem einheitlichen Grundwasserstrom sammelt oder noch innerhalb der Kalke das Karstwasser speist, bis es unter geeigneten Bedingungen in Quellen wieder zutage tritt.

Die Flußarmut der Juralandschaft findet einen bezeichnenden Ausdruck in der Größe der Flußdichte. Darunter versteht man bekanntlich das Verhältnis der Flußlängen zum Areal ihres Einzugsgebiets oder, was dasselbe ist, die Flußlänge auf 1 qkm. Diese erreicht nun im Plateaujura gelegentlich ganz außerordentlich geringe Werte. Auf Blatt Ornans (frz. Sp. K.) mißt im Bereich der hier fast ausschließlich herrschenden, wenig gestörten Jurakalke die dem Plateaujura angehörende Fläche, im O bis an den Doubs reichend, 1596 qkm; die Länge aller auf dieser Fläche auftretenden fließenden Gewässer, den Doubs eingerechnet, nur 257 km; daher beträgt die Flußdichte nur 0,16 [1]. Etwas höher wird ihr Wert in dem stärker gefalteten südlichen Plateaujura, wo durch nachfolgende Erosion größere Flächen undurchlässiger Oxfordschichten bloßgelegt sind und zudem quartäre Ablagerungen in größerer Ausdehnung vorkommen. So beträgt auf einer beliebig herausgegriffenen Fläche von 796 qkm auf Blatt St. Claude, zu beiden Seiten des Ain und der Valouse, die Flußlänge 378 km, die Flußdichte immerhin 0,475.

Zum Vergleich lassen sich meines Wissens nur die von L. Neumann für den Schwarzwald gewonnenen Werte der Flußdichte heranziehen [2]. Diese schwankt hier je nach der Gesteinsbeschaffenheit und den Niederschlagsverhältnissen zwischen 0,56 und 2,58, also im Verhältnis 1 : 4. Auf der vorwiegend aus Muschelkalk aufgebauten Schichttafel des Dinkelbergs, die in Zusammensetzung und Struktur unserem Tafeljura sehr ähnlich ist, beträgt die Flußdichte 0,62, also noch viermal so viel als im flußärmsten und immer noch bedeutend mehr als im flußreichsten Teile der verkarsteten französischen Juraplateaus.

----

[1] Die Bestimmung der Flußlängen geschah durch Abzirkeln auf der frz. Sp. K. mit einem Abstand der Zirkelspitzen von 2,5 mm = 200 m; die damit erreichte Genauigkeit genügt für den nur approximative Bestimmungen erheischenden Zweck vollkommen.

[2] Die Flußdichte im Schwarzwald, Beiträge zur Geophysik, IV, 1900, S. 234.

Der Trockenheit der Oberfläche steht in jeder Karstlandschaft der Wasserreichtum des Innern gegenüber, der sich in dem Auftreten zahlreicher Quellen verrät [1]). Im Kettenjura tritt eine große Anzahl derselben in Muldentalungen auf der Oberfläche des Lias aus, nachdem das Wasser die Doggerkalke durchdrungen hat, oder auf der Oberfläche der Oxford- und Argovianmergel aus den darüber lagernden Malmkalken, und zwar sind dann in der Regel beide Talseiten gleich quellenreich, während Monoklinaltäler ein quellenreiches und ein quellenarmes Gehänge haben. In Antiklinaltälern trifft man Quellen nur dort, wo die Antiklinale absinkt, die beiden Flügel des Gewölbes und mit ihnen die Quellhorizonte sich vereinigen und durch die Erosion angeschnitten werden. Einen solchen seltenen Fall repräsentiert die mächtige Quelle in einem toten Quertälchen bei Moutier, das vielleicht einst von der Birs benutzt war. In den zerbrochenen Plateaus knüpfen sich Quellen vielfach an Bruchlinien, durch die die wasserführenden Horizonte mit den permeablen in Berührung gebracht werden. Sie treten daher zumeist in Reihen angeordnet auf, z. B. im Tale der Valserine, im Muldental der oberen Orbe zwischen Les Brassus und Bois d'Amont längs einer Faltenwerfung, längs des Westrandes des Beckens von Nozeroy, gekennzeichnet durch die Lage der Ortschaften Mournans, Onglières, Plenise und Plenisette usw. In Quertälern gibt es natürlich überall dort Quellen, wo wasserführende Horizonte durch die Flußerosion angeschnitten werden; sie sind auch im Jura quellenreicher als die großen Muldentäler. Sehr viele Quellen des Jura aber treten noch innerhalb der Kalkschichten aus, wo der Karstwasser-Spiegel durch Erosion angeschnitten ist.

Die Juraquellen zeichnen sich infolge der starken Durchlässigkeit der Kalke durch große Schwankungen ihres Ertrags aus. So schwankt die Quelle von St. Sulpice im Hintergrund des Val de Travers im Jahre zwischen $1/2$ und 100 cbm pro Sekunde. Überhaupt aber ist der Ertrag der Quellen sehr groß, namentlich wenn sie als Ableiter der Infiltrationswasser ausgedehnter Kalkplateaus dienen; ihre Schwankungen treten dann ohne sichtbaren Grund auf (sources calamiteuses); andere entwässern innere Hohlräume durch einfache, unverzweigte Stränge (siphos) als »sources affameuses« [2]). Viele aber sind intermittierend und versiegen im Sommer gänzlich, wenn ihr Austrittspunkt über das Bereich der Karstwasserschwankungen zu liegen kommt; dazu gehört die (S. 129) schon genannte »Creux-Gena« bei Pruntrut. Nach Zeiten großer Regen haben solche Quellen, wenn auch selten, verheerende Ausbrüche, z. B. die »Source des Capucins« bei Pruntrut, das »Trou de la Lutinière« bei Amancey (Dépt. Doubs), der »Puits-de-la-Brème« bei Ornans [3]). Übrigens hat in vielen Fällen die zunehmende Entwaldung zur Vergrößerung der Quellenschwankungen, manchmal aber auch zum gänzlichen Versiegen geführt.

Von besonderer Bedeutung sind jene Quellen, die den Ursprung großer Juraflüsse darstellen, und die man nach dem typischen Beispiel dieser Art, der fontaine de Vaucluse am Fuße des Mont Ventoux, auch im Jura wie in ganz Frankreich als sources vauclusiennes bezeichnet [4]). Sie treten sowohl im Ketten- als im Plateaujura auf, in der Regel am Fuße steiler Wände, umgeben von üppiger Waldvegetation. Der Fluß erscheint schon an der Quelle in solcher Fülle, daß er unmittelbar zum Betrieb von Turbinen und anderen Kraftanlagen verwendet werden kann, so z. B. die Quelle der Loue und des Lison; der bekannteste Fall dieser »sources vauclusiennes« ist die Quelle der Orbe im Hintergrund des Talkessels von Vallorbe. Ihr Zusammenhang mit dem in den Entonnoirs de Bonport

---

[1]) Über die geologischen Bedingungen des Auftretens von Quellen vgl. Fournier, Études sur les sources, resurgences etc., dans le Jura franc-comtois (Bull. serv. carte géol. France, Nr. 89, XIII, 1902, 55 S.).

[2]) Daubrée, Les eaux souterraines dans l'époque actuelle, I, S. 305.

[3]) Fournet, Hydrographie souterraine (Mém. Ac. Lyon, VIII, 1858, S. 227).

[4]) Mit der von A. Grund (Karsthydrographie S. 179) angewendeten Beschränkung des Ausdrucks Vaucluse-Quellen auf perennierende Flußquellen kann ich mich mit Rücksicht auf den herrschenden Sprachgebrauch nicht einverstanden erklären.

verschwindenden Abfluß der Seen von Joux und Brenet wurde schon längst vermutet, um so mehr als die Öffnung der Schleusenwehren am See von Brenet nach kurzer Zeit ein beträchtliches Steigen der Orbe bei Vallorbe zur Folge hatte. Die unterirdische Verbindung wurde schließlich durch Versuche mit Anilin erwiesen[1]); die Färbung trat 50 Stunden später an der Orbequelle auf; in dieser Zeit legte das Seewasser die (in gerader Linie 2,6 km messende) Entfernung zurück mit einem Gefälle von 210 m; nach einer früheren Beobachtung von Paul Chaix kühlte sich dabei das Seewasser, offenbar durch Mischung, von 18,8° auf 11,0° C ab[2]).

Andere Beispiele für »sources vauclusiennes« sind die Quelle der Birs bei Tavannes, der Areuse am Boden des Zirkus von St. Sulpice, des Doubs im Muldental von Mouthe, die am Fuße einer vertikalen Wand aus einem Höhlengang hervorspringt, in dem man bei Trockenzeit 10 m weit eindringen kann; ferner die Quelle der Loue, die 20 m über dem Talboden aus dem Felsen hervorbricht, des Lison, der sofort einen 10 m hohen Wasserfall bildet und Mühlen treibt. Von den drei Quellen des Dessoubre kommt die von Lançot aus einer 6—8 m hohen Grotte und stürzt in 50 m hohem Falle zu Tal[3]). In gleicher Weise verdanken auch Seille, Cuisancin, Doue, Barbêche, Vallière und Ain ihren Ursprung mächtigen Quellen. In der Regel treten diese hoch über der Talsohle auf, ein Beweis für die ansehnliche Erosion, die seit der Erschließung der Quelle geleistet wurde.

Da die meisten Quellen einen mächtigen Kalkfilter passiert haben, bevor sie zutage treten, führen sie klares Wasser. Eine Ausnahme macht die Quelle von Noiraigue im Val de Travers, die das in Schlundlöchern verschwindende Wasser des vertorften Polje von Les Ponts und La Sagne mit einem plötzlichen Gefälle von 270 m der Areuse zuführt und dabei noch nicht Zeit zur völligen Reinigung hatte (daher ihr Name »noire-aigue«)[4]).

Die große Wichtigkeit der Quellen für ein so wasserarmes Land wie es der französische Jura ist, namentlich ihr unschätzbarer Wert für die Industrie und andere Betriebe, spiegelt sich in den zahlreichen, mit »fontaine« zusammengesetzten Ortsnamen, wie Pierre-, Grande-, Blanche-, Noirefontaine u. v. a.

Die Flüsse des Jura lassen sich vom hydrographischen Gesichtspunkt gleich denen anderer Karstgebirge in perennierende, intermittierende und in Ponoren verschwindende unterscheiden. Die ersteren, wenig zahlreich im Plateaujura, fließen, wie Doubs, Ain, Bienne, Loue, in tief eingeschnittenen, cañonähnlichen Tälern und haben sich dabei bis zu einer wasserundurchlässigen Schicht oder unter die Karstwasserschwankung eingesenkt; andere verdanken ihre Konstanz der Auskleidung ihres Tales durch quartäre oder tertiäre Schichten, wie fast alle größeren Flüsse des Kettenjura. Allen Juraflüssen aber ist die geringe Zahl von Nebenflüssen gemeinsam, weshalb ihre Talwandungen auch nicht durch nachträgliche Erosion und Abtragung abgeböscht werden, worauf schon an anderer Stelle hingewiesen wurde. Solche Flüsse erhalten ihren Wasserreichtum vielmehr durch die in ihrem Bette angeschnittenen Quellen; solche treten u. a. im Val de Travers zwischen Motiers und Couvet, im Tale des Doubs bei seinem Laufe durch die Freiberge und oberhalb Besançon in großer Zahl auf. Auch die Loue wird in ihrem Laufe durch die Plateaus um Ornans fast ausschließlich durch Quellen (von Plaisir-Fontaine, Puits-de-la-Brème, Fontaine du Maine, von Froidière u. a.) gespeist, die das in den Klüften der Plateaus nördlich der Loue zirkulierende Karstwasser dem Flusse zuführen.

Auch das Regime der Flüsse wird durch diese Art der Ernährung beeinflußt. Während auf impermeablem Boden der Niederschlag sich sofort in Abflußrinnen sammelt,

---

[1]) Forel et Golliez, Coloration des eaux de l'Orbe (Bull. soc. vaud. XXX, 1894).
[2]) Quelques mots sur l'hydrographie de l'Orbe (Bull. soc. géol., 2. série XIX, 1862, S. 116).
[3]) Renauld, Le Jura souterrain (Ann. Club alp. franç., 1896, S. 118).
[4]) Vgl. Schardt et Dubois, Géologie des gorges de l'Areuse (Ecl. VII. Nr. 5, 1903, S. 467) und Arch. de Genève XIII, 1902, S. 511.

braucht im Kalkgestein das atmosphärische Wasser sehr lange, bis es durch die unterirdischen Klüfte dem Flusse als Quelle zugeführt wird. Nach langanhaltendem Regen ist infolge des stärkeren hydrostatischen Druckes die unterirdische Wasserzirkulation viel rascher; in trocknen Zeiten, in denen das Wasser unterirdisch zurückgehalten wird, liefern dieselben Quellen nur spärlich rinnende Wasseradern. Die Folge dieser Verhältnisse ist einmal ein sehr verspäteter Eintritt der Hochwässer, anderseits sehr bedeutende Unterschiede in der Wasserführung. Nur die letzteren mögen durch einige Zahlen belegt werden [1]):

	Wasserführung		
	mittlere	minimale	maximale
Doubs bei der Mündung des Drugeon	3180 Sek.-Liter	1310 Sek.-Liter	50 000 Sek.-Liter
bei Chaillexon	5000 ,, ,,	1500 ,, ,,	65 000 ,, ,,
bei St. Hippolyte	15 cbm	4 cbm	200 cbm
bei Voujeaucourt	30 ,,	6 ,,	400 ,,
bei der Mündung in die Saône	52 ,,	21 ,,	1000 ,,
Ain bei der Mündung	50 ,,	15 ,,	2500 ,,
Loue bei der Mündung	500 Sek.-Liter	250 Sek.-Liter	55 000 Sek.-Liter

Die mittleren Extreme verhalten sich also beim Doubs ungefähr wie 1 : 50, bei der Loue wächst das Verhältnis sogar auf 1 : 220, während z. B. bei einem Flusse mit ruhigerem Regime, wie es die Donau bei Wien ist, sogar die absoluten Extreme in viel engeren Grenzen, nämlich im Verhältnis 21 : 1 schwanken; z. B.

Maximal 1883	8600 cbm	Juni-Mittel 1880—84	2290 cbm
Minimal 1885	400 ,,	April-Mittel 1880—84	1330 ,,

Der extreme Fall der Schwankung ist erreicht, wenn die Wasserführung in der trockneren Jahreszeit ganz aussetzt. Wir haben es dann mit intermittierenden Flüssen zu tun. Ein solcher ist u. a. der Audeux im nördlichen Plateaujura, den auch die Karte als »torrent à sec« für eine Zeit des Jahres bezeichnet, und dasselbe gilt von einer großen Anzahl kleinerer Bäche auf den Höhen der Plateaus. Im Sommer erscheinen diese völlig trocken, die Bevölkerung bezieht das Wasser aus Zisternen, und auch die konstant wasserführenden Flüsse zeigen nur geringe Wasserfülle.

Die schwachen Bäche, welche in einfachen, unverzweigten Rinnen die hochgelegenen Kalkplateaus durchziehen, sind in der Mehrzahl sog. Schlundflüsse, die auf ihrem Laufe immer wasserärmer werden, bis sie in Ponoren verschwinden. Ihre Zahl ist im Jura so groß, daß auf eine Aufzählung verzichtet werden kann [2]). Die meisten von ihnen sind zugleich Poljenflüsse, die mit geringem Gefälle und in gewundenem Laufe am Boden der Karstwanne dahinschleichen, an deren Steilrändern sie schließlich verschwinden. Dahin gehört u. a. die Loutre in dem Aufbruchpolje der Combe de Prés (vgl. S. 134), die Torreigne im Polje von Orgelet, die um so schwächer wird, je näher sie an die durchlässigen Malmkalke der Umrahmung kommt, offenbar, weil in demselben Maße die aus Oxfordschichten zusammengesetzte oberflächliche Decke der Kalke immer dünner wird. Überhaupt werden diese Schichten, als die einzigen impermeablen des Jura, die auf größere Flächen die Oberfläche bilden, maßgebend für den Unterschied der Entwässerung auf impermeablem und permeablem Boden. Auf ihnen entwickelt sich ein reich verzweigtes Flußnetz; auf Kalkboden verschwinden die Rinnsale entweder sofort völlig, oder ziehen sich zu einem einzigen Kanal zusammen. So besitzt auch die poljenähnliche Talung von Sancey südlich der Lomontkette ein verzweigtes Bachnetz, das sich ausschließlich an Oxfordmergel und jugendliche Alluvionen knüpft. Ihr Hauptfluß, der Ruisseau de Voye, sammelt nach W zu die

---

[1]) Leider war es mir nicht möglich, hierbei auf das Originalmaterial zurückzugehen; die folgenden Zahlen sind Joannes Dictionnaire géogr. de la France entnommen.

[2]) Eine Reihe von Beispielen für Schlundflüsse sind gesammelt bei Lamairesse, Études hydrologiques dans les Monts Jura, Paris 1874 und Daubrée, Les eaux souterraines etc., I.

verschwindenden Abfluß der Seen von Joux und Brenet wurde schon längst vermutet, um so mehr als die Öffnung der Schleusenwehren am See von Brenet nach kurzer Zeit ein beträchtliches Steigen der Orbe bei Vallorbe zur Folge hatte. Die unterirdische Verbindung wurde schließlich durch Versuche mit Anilin erwiesen[1]); die Färbung trat 50 Stunden später an der Orbequelle auf; in dieser Zeit legte das Seewasser die (in gerader Linie 2,6 km messende) Entfernung zurück mit einem Gefälle von 210 m; nach einer früheren Beobachtung von Paul Chaix kühlte sich dabei das Seewasser, offenbar durch Mischung, von 18,8° auf 11,0° C ab[2]).

Andere Beispiele für »sources vauclusionnes« sind die Quelle der Birs bei Tavannes, der Areuse am Boden des Zirkus von St. Sulpice, des Doubs im Muldental von Mouthe, die am Fuße einer vertikalen Wand aus einem Höhlengang hervorspringt, in dem man bei Trockenzeit 10 m weit eindringen kann; ferner die Quelle der Loue, die 20 m über dem Talboden aus dem Felsen hervorbricht, des Lison, der sofort einen 10 m hohen Wasserfall bildet und Mühlen treibt. Von den drei Quellen des Dessoubre kommt die von Lançot aus einer 6—8 m hohen Grotte und stürzt in 50 m hohem Falle zu Tal[3]). In gleicher Weise verdanken auch Seille, Cuisancin, Doue, Barbêche, Vallière und Ain ihren Ursprung mächtigen Quellen. In der Regel treten diese hoch über der Talsohle auf, ein Beweis für die ansehnliche Erosion, die seit der Erschließung der Quelle geleistet wurde.

Da die meisten Quellen einen mächtigen Kalkfilter passiert haben, bevor sie zutage treten, führen sie klares Wasser. Eine Ausnahme macht die Quelle von Noiraigue im Val de Travers, die das in Schlundlöchern verschwindende Wasser des vertorften Polje von Les Ponts und La Sagne mit einem plötzlichen Gefälle von 270 m der Areuse zuführt und dabei noch nicht Zeit zur völligen Reinigung hatte (daher ihr Name »noire-aigue«)[4]).

Die große Wichtigkeit der Quellen für ein so wasserarmes Land wie es der französische Jura ist, namentlich ihr unschätzbarer Wert für die Industrie und andere Betriebe, spiegelt sich in den zahlreichen, mit »fontaine« zusammengesetzten Ortsnamen, wie Pierre-, Grande-, Blanche-, Noirefontaine u. v. a.

Die Flüsse des Jura lassen sich vom hydrographischen Gesichtspunkt gleich denen anderer Karstgebirge in perennierende, intermittierende und in Ponoren verschwindende unterscheiden. Die ersteren, wenig zahlreich im Plateaujura, fließen, wie Doubs, Ain, Bienne, Loue, in tief eingeschnittenen, cañonähnlichen Tälern und haben sich dabei bis zu einer wasserundurchlässigen Schicht oder unter die Karstwasserschwankung eingesenkt; andere verdanken ihre Konstanz der Auskleidung ihres Tales durch quartäre oder tertiäre Schichten, wie fast alle größeren Flüsse des Kettenjura. Allen Juraflüssen aber ist die geringe Zahl von Nebenflüssen gemeinsam, weshalb ihre Talwandungen auch nicht durch nachträgliche Erosion und Abtragung abgeböscht werden, worauf schon an anderer Stelle hingewiesen wurde. Solche Flüsse erhalten ihren Wasserreichtum vielmehr durch die in ihrem Bette angeschnittenen Quellen; solche treten u. a. im Val de Travers zwischen Motiers und Couvet, im Tale des Doubs bei seinem Laufe durch die Freiberge und oberhalb Besançon in großer Zahl auf. Auch die Loue wird in ihrem Laufe durch die Plateaus um Ornans fast ausschließlich durch Quellen (von Plaisir-Fontaine, Puits-de-la-Brême, Fontaine du Maine von Froidière u. a.) gespeist, die das in den Klüften der Plateaus nördlich der Loue zirkulierende Karstwasser dem Flusse zuführen.

Auch das Regime der Flüsse wird durch diese Art der Ernährung beeinflußt. Während auf impermeablem Boden der Niederschlag sich sofort in Abflußrinnen sammelt,

[1]) Forel et Golliez, Coloration des eaux de l'Orbe (Bull. soc. vaud. XXX, 1894).
[2]) Quelques mots sur l'hydrographie de l'Orbe (Bull. soc. géol., 2. série XIX, 1862, S. 116).
[3]) Renauld, Le Jura souterrain (Ann. Club alp. franç., 1896, S. 118).
[4]) Vgl. Schardt et Dubois, Géologie des gorges de l'Areuse (Ecl. VII, Nr. 5, 1903, S. 467) und Arch. de Genève XIII, 1902, S. 511.

Weiter flußabwärts zeigen die Kalksteine, die nun zuweilen sehr dicke Bänke bilden, Str. = N 20° W und mäßiges östliches Einfallen.

Bei Cáriñac verließ ich den Estrellafluß und fand in seinem rechtsseitigen Zufluß Yurdi zahlreiche Kalk- und Konglomeratgerölle sowie große Granitblöcke. Bald darauf steht auch Granit an, bei Caríguicha Mergel und Konglomerat (F. = 45° SE), am Bache Hárdyukuri Kalkstein (F. = 20° E); der Bach führt aber auch zersetzte Eruptivgesteinsgerölle. Es folgen nun Andesite und Basalte, meist stark zersetzt; auch etwas Granit. Der Rio Guányavari führt Gerölle von Diorit, Mergeln und Kalksteinen; nahebei stehen Mergel, Sandsteine, Konglomerate und kristallinische Kalksteine mit flachem nordöstlichen Einfallen an; darauf dürften wieder Basalte anstehen, allein der tiefgründige Boden erlaubt keinen genauen Einblick in die geologischen Verhältnisse. In der Nähe des Rio Uren steht Andesit an; der Fluß selbst führt außerdem Gerölle von Basalten, Tuffen und Mergeln. Letztere trifft man bald darauf anstehend (Str. = N 65° E, F. = 40° S und an dem viele Andesitgerölle führenden Rio Cuéndu Str. = N 75° W, F. = 15° N). Später treten neben den Mergeln auch Kalksteine auf und kurz vor Coquémata (Xicau) trifft man auch wieder zersetztes jungeruptives Gestein. Bei Coquémata selbst steht Kalkstein an (Str. = N 5° W. F. = 10° E, später Str. = N 35° W, F. = 10° SW, am Rio Coën Str. = N 40° E, F. = 25° SE), es folgt Mergel (Str. = N 55° E, F. = 20° SE); dann ging unser Weg über das Schwemmland des Rio Coën dahin. Der Fluß selbst führt Gerölle von Kalksteinen, versteinerungsführenden Sandsteinen, Mergeln, Konglomeraten, Andesit, Basalt, Tuffen, Diorit und Granit.

Bei der Einmündung des Coën in den Estrellafluß steht Quarzit(?) an; dann führt der Weg über die Alluvialebene des Estrellaflusses hin. Auf der Insel Mome steht Porphyrit an, dann folgen Mergel, erst fast horizontal, dann flach südsüdöstlich fallend. Ein linksseitiger Zufluß des Estrella, der Surui, führt Gerölle von Mergeln und jüngeren Eruptivgesteinen.

Auf dem Wege vom Estrellafluß nach Durui wandert man zunächst über eine Alluvialebene dahin, in der nur einige ganz flache Erhebungen zu überschreiten sind, gebildet von flach südlich einfallenden Mergeln und Sandsteinen. Gerölle dieser Gesteine findet man auch allenthalben in den Bächen dieser Ebene. Am Rio Xiei stehen rötliche, sehr lockere Sandsteine fast horizontal an. Dieselben scheinen wesentlich jünger zu sein als die groben Konglomerate und harten Sandsteine, die man am Rio Durui anstehend findet (Str. = N 15° E, F. = 20° W, dann Str. = 5° W, F. = 35° W, hierauf Str. = N 40° E, F. = 25° NW, an der Vereinigung des Moin mit dem Durui Str. = N 55° E, F. = 60° SSE). Die Gerölle des Rio Durui bestehen aus Mergeln, Sandstein, Konglomeraten, jungeruptiven Gesteinen, sowie Quarzit und alteruptiven Gesteinen; letztere stammen aber wohl aus den grobkörnigen Konglomeraten.

Auf dem Aufstieg zur Paßhöhe von Xirores stehen zunächst noch Sandsteine und Mergel an. Höher hinauf verschwindet das Anstehende unter dem tiefgründigen Boden: oben steht Andesit an, auch am Abstieg bemerkt man jungeruptives Gestein, bis dasselbe bei Xirores unter den großen Schottermassen verschwindet, die, von einer dünnen Bodenschicht überkleidet, die Ebene von Talamanca bilden. Die Flüsse ändern hier in Hochwasserzeiten häufig ihr Bett und sind durch zahlreiche Flußgabelungen ausgezeichnet.

Der Rio Teliri führt bei Surecar Gerölle von Granit, Diorit, Quarz, Quarzit und zahlreichen jungeruptiven Gesteinen, ferner von Konglomeraten mit kalkigem Bindemittel. Dagegen beobachtete ich keine Gerölle von Kalk-, Sandsteinen oder Mergeln, weshalb ich annehmen muß, daß W. Gabb auf seiner geologischen Manuskriptkarte des östlichen Costarica seine Tertiärformation im Flußgebiet des Teliri viel zu ausgedehnt eingezeichnet habe, während er den jungeruptiven Gesteinen eine zu geringe Verbreitung zuschrieb.

Loue unterhalb Ornans zutage treten; auf ihrem unterirdischen Wege öffnet sich der Schlot von Belle-Louise, in welchem in 130 m Tiefe ein starker Bach angetroffen wurde. In gleicher Weise speist das Polje von Leubot die Quellen von Plaisir-Fontaine an der Loue [1]). In einer langen und schmalen Wanne liegen nahe dem Jurarand die Orte Plasne, Poligny und Chamole. Überhaupt hat das ganze erste Juraplateau bis zur Loue im S keine einheitliche Entwässerung, sondern zerfällt in eine große Zahl von flachen, poljenartigen Schüsseln, bei denen nur ausnahmsweise der Steilrand mit einer echten Verwerfung zusammenfällt.

Während in diesen Fällen die Poljen auf lokalen Senkungsfeldern angelegt sind, finden sich dort, wo noch Faltung den inneren Bau beherrscht, Poljen auch als Folgen der Anordnung der Antiklinalachsen. Sie liegen dann als Muldenpoljen [2]) in Schichtmulden, begrenzt durch zwei divergierende und wieder konvergierende Antiklinalen. Eine solche Anordnung ist nun sowohl im Plateaujura, dort wo die Faltung ein größeres Ausmaß erreicht, als im Kettenjura außerordentlich häufig; nicht immer aber verbinden sich damit auch die übrigen, ein Polje charakterisierenden morphologischen und hydrographischen Eigentümlichkeiten. Alle Muldenpoljen des Jura haben eine langgestreckte Form, ihre Längsachse ist dem Schichtstreichen parallel; den Boden kleiden in der Regel glaziale oder jüngere Bildungen mit ausgedehnten Torfmooren aus, in vielen Fällen aber erfüllen flachufrige Seen die Karstwannen. Ein echtes Muldenpolje im Plateaujura ist das ca 720 ha große Becken von Arc-sous-Cizon, östlich von Mouthiers, in einer mittleren Höhe von 790 m gelegen, elliptisch umschlossen von ca 200 m hohen Steilabfällen. Seine Wasser erscheinen nach 15 km langem unterirdischem Laufe wieder im Tale der Loue beim Puits de la Brême [3]). Am Boden des Polje hat sich ein kleiner Fetzen von Kreideschichten erhalten, doch bilden ihn zumeist jugendliche Alluvionen, ein Beweis der nachträglichen Einebnung der tektonischen Mulde. Ein einfaches Muldenpolje ist auch die Combe Richet und die mit ihr zusammenhängende Combe du Lac bei Septmoncel. Das bekannteste Muldenpolje des Kettenjura, das Val de Sagne nördlich des Val de Travers im Neuenburger Jura, ist eine etwa 15 km lange, geschlossene Synklinale, die sich erst im südlichen Teile zu 4 km Breite erweitert. Den rund 1000 m hohen Boden überragen die Malmkalkketten noch 400 m hoch. In ihrer ganzen Länge wird sie von NO gegen SW von einem dürftigen Bache durchflossen, der die quartäre Unterlage in der Mitte der Wanne in einen Sumpf verwandelt, während sonst eine bis 6 m mächtige Torfdecke den Boden des Polje auskleidet. Sein Wasser findet schließlich nahe dem Südrand einen Ausweg durch große Schlundlöcher, die gruppenweise angeordnet sind, und von denen einige, z. B. beim Dorfe Les Ponts bis 100 m im Durchmesser erreichen [4]).

Ein weit seltener Typus der Jurapoljen sind die auf Schichtsätteln im Verlauf der nachfolgenden Erosion gebildeten sog. Aufbruchspoljen nach Cvijić. Beispiele hierfür sind das Polje der Torreigne bei Orgelet im südlichen Plateaujura, 1330 ha, 480—500 m hoch gelegen, eine ganz flache Schüssel mit ebenem Boden und einer 50—100 m hohen Umwallung, ferner die Combe de Prés, nördlich von St. Claude zwischen dem Bois de Joux-devant und dem Bois de Cernois. Es ist dies eine flache, geschlossene Hohlform von über 1500 ha Größe, etwa 7 km Länge und 3 km Breite, in 900—950 m Höhe. Den nicht völlig eingeebneten Boden bilden Oxfordmergel, stellenweise von jurassischem Erratikum bedeckt und scharf umrahmt von steilen, ca 50 m hohen Malmkalkstufen. Der Haupt-

[1]) Fournier, Les réseaux hydrographiques du Doubs et de la Loue, Ann. de Géogr. IX, 1900, S. 227.
[2]) Cvijić, Das Karstphänomen, Pencks geogr. Abh. V, 3, S. 313.
[3]) Fournier, a. a. O. S. 228.
[4]) Desor, Les emposieux de la vallée des Ponts (Alaman. de la République de Neufchâtel, 1866).

fluß des Polje, die Loutre, verschwindet ebenso wie die anderen kleineren Bäche in Schlund-löchern, sobald sie an den Kalkrand herankommt. Übrigens kompliziert sich hier die Struktur noch durch Bruchlinien, an die das Auftreten sowohl der Quellen als der Schlund-löcher sich knüpft [1]).

Bei jedem Versuch, eine befriedigende Erklärung der Poljenbildung zu geben, werden zwei Momente zu unterscheiden sein: Die Entstehung einer allseits geschlossenen Hohlform und die spätere Ausbildung ihrer morphologischen Eigenart, der ebenen, sich scharf von der Umrahmung abhebenden Sohle. Bezüglich des ersten Punktes kann stets das Vorhandensein einer tektonischen Grundlage nachgewiesen werden; die Gestalt des Polje ist vorgezeichnet durch die Strukturlinien, mögen wir es mit einem Senkungs-feld, einem echten Bruch-, Mulden- oder Aufbruchspolje zu tun haben. Anderseits ist aber jedes Polje eine Erosionsform; der ebene Boden kann, die Fälle ausgenommen, wo horizontale Schichttafeln längs gewisser Linien abgesunken sind, nur hervorgegangen sein aus der Einebnungsarbeit fließenden Wassers. Unbedingt notwendig ist diese Annahme für die Aufbruchspoljen, die sich von den gleichfalls an wenig widerstandsfähige Schichten ge-knüpften Satteltälern durch ihre Geschlossenheit, ihre größere Breite und den ebenen Boden unterscheiden. Bei der Bildung eines Satteltals erfolgt die Aufschließung der impermeablen Schicht durch ein Flankental des Haupttals, und längs dieser Schicht konnte dann die Erosion linienhaft fortschreiten. Bei dem allseits geschlossenen Polje mußte der Erosions-vorgang auf dem ursprünglich geschlossenen Schichtsattel selbst beginnen, und am wahr-scheinlichsten geschah dies ausgehend von Dolinen und Karstmulden der permeablen Decke des Gewölbes. Auch diese erkannten wir im Jura als reine Erosionsformen der Kalkober-fläche, so daß zwischen Dolinen und Poljen in der Regel kein genereller Unterschied be-steht. Die fortschreitende Erweiterung und Vereinigung mehrerer Dolinen vernichtete zu-nächst den Kalkmantel; als dann die undurchlässige Schicht aufgeschlossen war, konnte die Erosionsarbeit um so raschere Fortschritte machen; es arbeiteten die an dem impermeablen Horizont austretenden Grundwasserstränge in die Breite und trugen das Gelände ab, bis sie an den aus Kalken bestehenden Wandungen des Beckens versiegten. Die Aufbruchs-poljen des Jura sind also Produkte einer sehr beträchtlichen, subsequenten Erosion anf Schichtsätteln [2]).

Auch bei den durch Absenkungslinien begrenzten Poljen des ersten Juraplateaus be-darf die Ebenheit des Bodens der Annahme einer Einebnung, da der gesenkte Schichtkomplex a priori keine vollkommen ebene Oberfläche hatte. Hingegen hatten die zwischen Anti-klinalen gelegenen geschlossenen Mulden von vornherein die Anlage einer flachen Sohle, die sodann durch Seitenerosion der Flüsse noch vergrößert wurde. In manchen Fällen aber sind die glaziale Ausfüllung der Wanne oder alte Seeablagerungen die Ursache des flachen Bodens, so z. B. im Val de Sagne, wenn auch die ursprüngliche Anlage der Hohl-form präglazial ist.

Die tektonischen Vorgänge, die die Karstwannen geschaffen haben, gehören wohl der Hauptsache jener großen Faltungsperiode an, die nach Schluß des Miocäns unser Ge-birge schuf. Doch möchte es von einigen Poljen, namentlich von denen nahe dem West-rand des Gebirges, scheinen, als ob sie durch spätere Krustenbewegungen in eine bereits längst gehobene und abgetragene Landschaft eingesenkt wären; haben wir doch

---

[1]) Bourgeat, Sur certaines particularités de la combe de Prés (Bull. soc. géol., 3. série XXIV, 1896, S. 489—93).

[2]) Dieser Erklärungsversuch deckt sich in vielen Punkten mit den Ausführungen von Cvijić (Morpholog. und glaziale Studien in Bosnien usw., II. Teil, Abhandl. K. K. Geogr. Ges., Wien 1901, III, S. 78 ff.) über die Bildung der Poljen dieses Gebiets; doch tritt im Jura durch die zwischen die Kalkschichten ein-geschalteten Mergel-, namentlich die Oxfordhorizonte ein neues Moment hinzu.

früher sehr beträchtliche Einebnungserscheinungen an den westlichen Randketten kennen gelernt, und unmittelbar östlich davon befinden sich die durch elliptische Absenkungslinien umschlossenen Poljen. Sie machen den Eindruck, als ob hier die Poljenbildung jünger wäre als der Beginn der Einebnung. Auch hier wird die spätere Detailforschung, die das Ausmaß jener posthumen Bewegungen des jurassischen Bodens festzustellen haben wird, die definitive Lösung bringen können.

Bei den bisher angeführten Beispielen handelte es sich in der Regel um trockne Poljen; doch gibt es auch im Jura wie in anderen Karstgebieten mit Rücksicht auf die hydrographischen Verhältnisse drei Typen von Poljen [1]): neben den trocknen Poljen solche, die alljährlich, also periodisch inundiert werden, andere endlich sind als Seepoljen von permanenten Wasseransammlungen erfüllt. Ein typisches Beispiel für periodisch wiederkehrende Inundationen bietet das Polje von Drom im südlichen Plateaujura [2]). Es ist eine von Portlandkalken gebildete geschlossene Mulde in ca 300 m Höhe, zwischen der Kette des Revermont und der des Mont de la Rousse, waldlos und ohne einen perennierenden Bach. Zur Zeit der stärksten Regen wurde es durch plötzlich auftretende Überschwemmungen verwüstet und in einen See verwandelt, indem große Wassermassen aus Schlundlöchern hoch aufspritzten, so daß im Volke die Meinung verbreitet war, das Dorf stehe über einem unterirdischen See. Tatsächlich führen die Schlundlöcher in große Hohlräume und zu einem natürlichen Wasserreservoir von 6 m Tiefe. Zur Verhütung solcher Katastrophen wird nunmehr das Wasser des Beckens in einem Tunnel in das benachbarte Tal des Surand abgeleitet. Wir haben es in diesem Falle nicht mit dem gewöhnlich angenommenen Falle einer Inundierung zu tun, daß nämlich zur Zeit heftiger Regen oder der Schneeschmelze die Ponore den Wassermassen keinen genügenden Abfluß bieten können; sondern es wird durch unterirdische Zirkulation dem Karstwasser so viel Wasser zugeführt, daß dieses durch die Klüfte des Kalkes wie in kommunizierenden Röhren aufwärts steigt und an die Oberfläche tritt.

Auch im geschlossenen Muldenbecken von Le Locle, das nur durch eine niedrige Bodenschwelle vom Tale von Chaux-de-Fonds getrennt ist, hat die Menschenhand eingegriffen, um den verheerenden Inundationen ein Ende zu machen. Das Becken ist von ca 20 m mächtigen Quartärablagerungen ausgekleidet, in deren Mitte eine sandig-tonige Schicht angetroffen wurde, die das Wasser zurückhält [3]). Die Wasser des Bied, der in trockner Jahreszeit versiegt, überschwemmten zur Zeit der Regen den bewohnten, fruchtbaren Talgrund. In den Jahren 1802—05 wurde ein 300 m langer Stollen gebohrt, durch den das überschüssige Wasser unter dem Col des Roches nach dem oberhalb Les Brenets in den Doubs mündenden Graben geführt wird [4]).

Auch das Polje von Saône wird in einem Ausmaß von ca 800 ha periodisch inundiert. Die Versuche, dem Wasser der Oberfläche durch Erweiterung der Ponore einen genügenden Abfluß zu verschaffen, scheiterten bisher nicht so sehr an ihrer Verschüttung durch Bergsturzmaterial von den steilen Kalkgehängen [5]), sondern daran, daß keine Tieferlegung des Karstwasserspiegels erzielt wurde, so daß auch heute noch der weitaus größte Teil des Beckens durch Versumpfung der Kultur entzogen bleibt. Inundationen in geringerem Ausmaß treten zur Zeit der Schneeschmelze noch bei vielen Jurapoljen auf, namentlich bei denjenigen, die von Sümpfen und Torfmooren erfüllt sind, wie z. B. im Val

[1]) Cvijić, Karstphänomen, S. 297.
[2]) Mareste, Notice sur la vallée de Drom (Bull. soc. géogr. Lyon VI, 1886, S. 479).
[3]) Jaccard, Sondages dans les marais du Locle (Bull. soc. neuch., IV, 1875, S. 435).
[4]) Siegfrid, Der Schweizer Jura, S. 122.
[5]) Fournier, Recherches spéléologiques dans le Jura franc-comtois (Spelunca VI, 1900, S. 27).

de Sagne. Nicht unbeträchtlich aber ist die Zahl derjenigen, die als permanente Seewannen entgegentreten.

In gleicher Weise wie die Dolinen werden auch Poljen entweder durch Verstopfung
der Schlundlöcher oder durch Senkung bis zum Karstwasserhorizont in Seebecken verwandelt. Die Poljenseen des Jura liegen wie die echten Poljen in allseits
geschlossenen Hohlformen, ihre Entwässerung geschieht unterirdisch durch Ponore; diese
liegen zumeist unmittelbar am Seeufer oder am Seeboden, seltener in einiger Entfernung
vom Ufer, so daß der Seeabfluß eine kurze Strecke oberirdisch vor sich geht, wie beim
Lac de Malpas oder Lac des Mortes. Häufig funktionieren die Ponore nur bei normalem
Wasserstand; bei abnorm tiefem Stande des Seespiegels liegen die meisten über diesem,
und es findet entsprechend dem minimalen Zufluß auch nahezu kein Abfluß statt, wie es
im August 1900 beim Lac de Joux der Fall war. Im entgegengesetzten Falle können
zur Zeit anhaltender Regen die unterirdischen Abflüsse infolge des Ansteigens des Karstwassers nicht funktionieren, und es kommen die Schlundlöcher zu stürmischem Überfließen
(réflux), wie es gleichfalls vom Joux-See bekannt ist. Manche Jurapoljenseen besitzen
aber ähnlich wie die meisten Dolinenseen keinen. sichtbaren Zufluß, sondern werden durch
Quellen am Seeboden gespeist.

Die Poljenseen des Jura sind ausschließlich Muldenseen (lacs de vallons nach Desor),
also tektonische Gebilde, gelegen in geschlossenen, zumeist mit Kreideschichten erfüllten
Synklinalen, wobei die Geschlossenheit der Wanne in der Regel in der ursprünglichen Anlage
der Faltung begründet ist, seltener durch Abriegelung infolge von Bruchvorgängen entstand.

Der größte und bekannteste dieser Juraseen ist der Lac de Joux, gemeinsam mit
dem Lac des Rousses im Muldental der Orbe gelegen, an dessen Nordende die große
horizontale Transversalverschiebung vorbeizieht, die den ganzen mittleren Kettenjura von S
nach N bis Pontarlier durchsetzt. Bei Le Pont an seinem Nordende hängt der Jouxsee
mit dem Lac Brenet zusammen, der den nördlichen Teil der nächst westlichen Mulde
erfüllt. Diese ist von der Mulde des Orbetals nur durch einen 80—100 m hohen Jurakalkrücken getrennt; in ihr liegt auch der kleine rundliche Lac de Ter. Die limnometrischen Werte sind nach Forel und Delebecque die folgenden[1].

	Areal	Höhe	mittl. Tiefe	max. Tiefe	Volumen
Lac de Joux	865 ha			33,6 m	
Lac Brenet	79 „	1008 m	15,6	19,5 „	147 Mill. cbm.
Lac des Rousses	90 „	1075 „	—	18 „	

Der gemeinsame unterirdische Abfluß dieser Seengruppe geschieht durch eine Anzahl
von Schlundlöchern teils am linken Seeufer, teils durch die Entonnoirs von Bon-Port am
Nordende des Lac Brenet; er erscheint wieder in der Quelle der Orbe oberhalb
Vallorbe (vgl. S. 35). Die ganze, 28 km lange abflußlose Synklinale des oberen Orbetals
von Les Rousses bis Le Pont stellt ein Muldenpolje dar, das gleichzeitig ein Abriegelungsbecken ist, dessen Entstehung mit der oben erwähnten Blattverschiebung innig zusammenhängt. Zur Eiszeit war es von einem stattlichen jurassischen Talgletscher erfüllt,
der von dem Plateaugletscher bei Les Rousses nach NO abfloß und außerdem vom Mont
Risoux und Mont Tendre, deren Abhänge die Talwandungen bilden, Nahrung erhielt. Seine
Ablagerungen sind allenthalben im Tale erkennbar, teils als quer ziehende Endmoränenwälle,
teils als isolierte, drumlinartig gestreckte Moränenhügel, und als solche sind wohl auch
die sublakustren Hügel am Boden der Seen zu deuten[2]. Eine ca 60 m hohe Terrasse,

[1] Forel, Rapport sur une carte hydrographique des lacs de Joux et des Brenets (Arch. de Genève
XXVII, 1892, S. 250 und Bull. soc. vaud XXVIII, 1892, S. IX); Delebecque, Sur le lac des Rousses
(Arch. do Genève XXIV, 1895, S. 583).
[2] Forel a. a. O.

früher sehr beträchtliche Einebnungserscheinungen an den westlichen Randketten kennen gelernt, und unmittelbar östlich davon befinden sich die durch elliptische Absenkungslinien umschlossenen Poljen. Sie machen den Eindruck, als ob hier die Poljenbildung jünger wäre als der Beginn der Einebnung. Auch hier wird die spätere Detailforschung, die das Ausmaß jener posthumen Bewegungen des jurassischen Bodens festzustellen haben wird, die definitive Lösung bringen können.

Bei den bisher angeführten Beispielen handelte es sich in der Regel um trockne Poljen; doch gibt es auch im Jura wie in anderen Karstgebieten mit Rücksicht auf die hydrographischen Verhältnisse drei Typen von Poljen [1]): neben den trocknen Poljen solche, die alljährlich, also periodisch inundiert werden, andere endlich sind als Seepoljen von permanenten Wasseransammlungen erfüllt. Ein typisches Beispiel für periodisch wiederkehrende Inundationen bietet das Polje von Drom im südlichen Plateaujura [2]). Es ist eine von Portlandkalken gebildete geschlossene Mulde in ca 300 m Höhe, zwischen der Kette des Revermont und der des Mont de la Rousse, waldlos und ohne einen perennierenden Bach. Zur Zeit der stärksten Regen wurde es durch plötzlich auftretende Überschwemmungen verwüstet und in einen See verwandelt, indem große Wassermassen aus Schlundlöchern hoch aufspritzten, so daß im Volke die Meinung verbreitet war, das Dorf stehe über einem unterirdischen See. Tatsächlich führen die Schlundlöcher in große Hohlräume und zu einem natürlichen Wasserreservoir von 6 m Tiefe. Zur Verhütung solcher Katastrophen wird nunmehr das Wasser des Beckens in einem Tunnel in das benachbarte Tal des Surand abgeleitet. Wir haben es in diesem Falle nicht mit dem gewöhnlich angenommenen Falle einer Inundierung zu tun, daß nämlich zur Zeit heftiger Regen oder der Schneeschmelze die Ponore den Wassermassen keinen genügenden Abfluß bieten können; sondern es wird durch unterirdische Zirkulation dem Karstwasser so viel Wasser zugeführt, daß dieses durch die Klüfte des Kalkes wie in kommunizierenden Röhren aufwärts steigt und an die Oberfläche tritt.

Auch im geschlossenen Muldenbecken von Le Locle, das nur durch eine niedrige Bodenschwelle vom Tale von Chaux-de-Fonds getrennt ist, hat die Menschenhand eingegriffen, um den verheerenden Inundationen ein Ende zu machen. Das Becken ist von ca 20 m mächtigen Quartärablagerungen ausgekleidet, in deren Mitte eine sandig-tonige Schicht angetroffen wurde, die das Wasser zurückhält [3]). Die Wasser des Bied, der in trockner Jahreszeit versiegt, überschwemmten zur Zeit der Regen den bewohnten, fruchtbaren Talgrund. In den Jahren 1802—05 wurde ein 300 m langer Stollen gebohrt, durch den das überschüssige Wasser unter dem Col des Roches nach dem oberhalb Les Brenets in den Doubs mündenden Graben geführt wird [4]).

Auch das Polje von Saône wird in einem Ausmaß von ca 800 ha periodisch inundiert. Die Versuche, dem Wasser der Oberfläche durch Erweiterung der Ponore einen genügenden Abfluß zu verschaffen, scheiterten bisher nicht so sehr an ihrer Verschüttung durch Bergsturzmaterial von den steilen Kalkgehängen [5]), sondern daran, daß keine Tieferlegung des Karstwasserspiegels erzielt wurde, so daß auch heute noch der weitaus größte Teil des Beckens durch Versumpfung der Kultur entzogen bleibt. Inundationen in geringerem Ausmaß treten zur Zeit der Schneeschmelze noch bei vielen Jurapoljen auf, namentlich bei denjenigen, die von Sümpfen und Torfmooren erfüllt sind, wie z. R. be.

---

[1]) Cvijić, Karstphänomen, S. 297.
[2]) Mareste, Notice sur la vallée de Drom (Bull. soc. géogr. Lyon VI, 1886, [...]
[3]) Jaccard, Sondages dans les marais du Locle (Bull. soc. neuch., IV, 1875[...]
[4]) Siegfrid, Der Schweizer Jura, S. 122.
[5]) Fournier, Recherches spéléologiques dans le Jura franc-comtois [...]

findet sich darin eine kleine Lücke infolge der Undeutlichkeit des Kolorits auf der ursprünglichen Zeichnung Mierischs.

Dr. Mierisch begleitet das Profil nur mit wenigen Worten (Pet. Mitt. 1895, S. 64 f.):
»Das ganze zwischen Jinotega und dem Rio Hiyas gelegene Land ist in geologischer Hinsicht außerordentlich eintönig, nichts als Porphyr oder Melaphyr oder deren Tuffe trifft
man an« . . . »Erst jenseit des Rio Hiyas, am Oberlauf des Rio Agua caliente, tritt ein
neues Gestein auf, der Diabas, und bald darauf auch, die Wasserscheide zwischen Prinzapolca
und Tuma bildend, ein feinkörniger Biotitgranit. Darauf folgt Andesit und dann, dem Rio
Tipó entlang, ein stark verwittertes Gestein, das schwer zu identifizieren ist und mir
Porphyr- oder Melaphyrtuff zu sein scheint. Hierauf folgen, mehrfach miteinander wechselnd,
Granit und Diabas; auch ein sehr grobkristallinischer Diorit tritt auf, sowie mehrere
mächtige Gänge von Andesit. Erst einige Kilometer jenseit des Labú stellt sich der Por-
phyr wieder ein, aber unterbrochen von mächtigen Basaltsöcken, welche unzweifelhaft
mit dem Basaltmassiv des Cerro de Salai im Zusammenhang stehen ... »Der, Kamm
(zwischen La Concepcion und dem Rio Matis) wird von Andesit gebildet« ... »Nur an den
Hängen tritt der Diabas hervor und in den Flußtälern meist stark metamorphosierter Schiefer.
Auch in dem Diabasgebiet von Pispis erheben sich zahlreiche Andesit- und Basaltkegel.«
»Fährt man den Rio Pispis hinab, so erreicht man schon an dem Salto de Pispis
das Ende des Diabasgebiets, denn die Felsen, welche diesen imposanten Wasserfall ver-
ursachen, sind bereits wieder Porphyr; doch scheint es nur eine Porphyrmulde zu sein,
welche den Pispisfluß zungenartig hinaufreicht, denn selbst weit unterhalb dieser Stelle
finden sich sowohl in den Bergen an der Ost-, wie auch an der Westseite Erzgänge, und
es ist höchst wahrscheinlich, daß sowohl die Wasserscheide zwischen dem Vaspuc einerseits
und den Flüssen Banbana, Cuculaia und Vava andererseits wie auch die Wasserscheide
zwischen Vaspuc und Bocay aus alteruptiven Gesteinen bestehen.«

24. Brito—Ometepe (nach C. W. Hayes) [1]).

Mit Ausnahme weniger Durchbrüche jungeruptiver Gesteine wird die Landenge zwischen
dem Nicaraguasee und der Südsee vollständig von der Britoformation eingenommen, die
freilich da und dort durch Schwemmlandablagerungen wieder verhüllt wird. Der Vulkan
Ometepe besteht vorzugsweise aus Lapilli mit gelegentlich eingeschalteten Lavaströmen.

Die Britoformation zeigt große Verschiedenheit in ihrem petrographischen Charakter,
ist aber noch nicht hinreichend untersucht, um gegliedert werden zu können. Die überwiegende Masse der Formation besteht aus einem etwas kalkhaltigen Tone (Mergel), der
frisch bläulichgrau aussieht und durch Verwitterung gelbliche oder bräunliche Farbentöne
annimmt. Zahlreiche Sandsteinbänke sind in der Formation vorhanden und die mächtigeren
Bänke vermögen die topographische Entfaltung des Geländes zu beeinflussen, so bei den
Hügeln westlich von Rivas, deren Steilhänge hauptsächlich der Gegenwart widerstandsfähiger Sandsteine zuzuschreiben sind. Die Sandsteine sind etwas kalkhaltig und enthalten eine beträchtliche Menge vulkanischer Aschen. An der pazifischen Küste kommen
neben Sandsteinen auch Konglomerate und grobkörnige vulkanische Breccien, Mergel und
mehr oder minder ausgedehnte Kalksteinlinsen vor, deren eine (südlich von Brito) sogar eine
Mächtigkeit von mehr als 30 m erreicht. Ein Teil der Kalksteine zeigt in einer oolithischen
Masse kompakte Kalksteinkonkretionen. In den vulkanischen Breccien finden sich zuweilen
größere kantige Blöcke von einem Fuß und mehr Durchmesser. Das vulkanische Material
dürfte von einem westlich gelegenen Ausbruchsherd stammen, dessen Kegel von den Wogen

---

[1]) Report of the Nicaragua Canal Commission 1897—99. Baltimore 1899. S. 114 ff.

[1]) Renauld, Le Jura souterrain (Ann. Club alp. franç., 1896, S. 156).

Druck von Justus Perthes in Gotha.

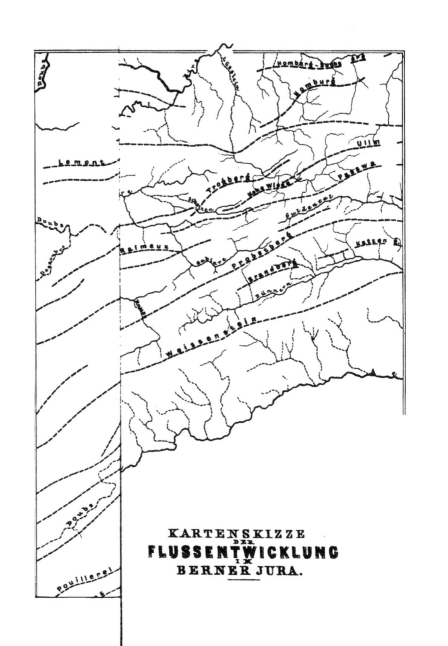

KARTENSKIZZE
DER
FLUSSENTWICKLUNG
IM
BERNER JURA.

Ergänzungshefte zu den „Mitteilungen".

I. Ergänzungsband (1860—1861). 8.80 M.

Vibe, *Küsten und Meer Norwegens.* 1 M.

Tschudi, *Reise durch die Anden von Süd-Amerika, 1858.* 1 M.

Barth, *Reise durch Kleinasien, 1858.* 3 M.

Lejean, *Ethnographie der Europäischen Türkei* (deutscher und französischer Text). 2 M.

Wagner, M., *Physikalisch-geographische Skizze des Isthmus von Panama.* 1 M.

Petermann und Hassenstein, *Ost-Afrika zwischen Chartum und dem Roten Meere.* 80 Pf.

II. Ergänzungsband (1862—1863). 12.60 M.

Petermann und Hassenstein, *Inner-Afrika: Beurmanns Reise 1860, Kotschy 1839, Brun-Rollet 1856.* 2 M.

- - *Inner-Afrika: Behm, Land und Volk der Tebu, Beurmanns Reise nach Mursuk 1862.* 3 M.

- *Inner-Afrika: Antinoris Reise zum Lande der Djur. Beurmanns Reise nach Wau* 3 M.

Inner-Afrika: Mémoire zu den Karten: Reisen von Heuglin, Morlang. Harnier. 4.60 M.

III. Ergänzungsband (1863—1864). 13.20 M.

Halfeld und Tschudi, *Minas Geraes.* 2 M.

Koristka, *Die Hohe Tatra in den Zentral-Karpathen.* 3 M.

Heuglin, Kinzelbach, Munzinger, Steudner, *Die Deutsche Expedition in Ost-Afrika 1861 und 1862.* 4.60 M.

Richthofen, *Die Metallproduktion Kaliforniens und der angrenzenden Länder.* 1.60 M.

Heuglin, *Die Tinnesche Expedition im westlichen Nil-Quellgebiet. 1863 und 1864.* 2 M.

IV. Ergänzungsband (1865—1867). 13.20 M.

Petermann, *Spitzbergen und die arktische Zentral-Region.* 2 M.

Payer, *Die Adamello-Presanella-Alpen.* 2 M.

Payer, *Die Ortler-Alpen, Suldengebiet.* 2 M. (Vergriffen.)

Behm, *Die modernen Verkehrsmittel: Dampfschiffe, Eisenbahnen, Telegraphen.* 2.60 M. (Vergriffen.)

Tschihatchef, *Reisen in Kleinasien und Armenien. 1847—1863.* 4.00 M.

V. Ergänzungsband (1867—1868). 14.80 M.

Spörer, J., *Novaja Semlä in geographischer, naturhistorischer und volkswirtschaftlicher Beziehung.* 8.00 M.

Fritsch, *Reisebilder von den Kanarischen Inseln.* 1 80 M.

Payer, *Die westlichen Ortler-Alpen (Trafoiergebiet)* 3.60 M. (Vergriffen.)

Jeppe, *Die Transvaalsche Republik* 2 80 M.

Rohlfs, *Reise durch Nord-Afrika von Tripoli nach Kuka.* 3 M.

VI. Ergänzungsband (1869—1871). 13 M.

Lindeman, *Die arktische Fischerei der deutschen Seestädte 1620 bis 1868.* 3.60 M.

Payer, *Die südlichen Ortler-Alpen.* 2 80 M.

Koldewey und Petermann, *Die erste Deutsche Nordpolar-Expedition. 1868.* 3 M.

Petermann, *Australien in 1871.* Mit geographisch-statistischem Kompendium von Meinicke. 1. Abt. 3.60 M. (Vergriffen.)

VII. Ergänzungsband (1871—1872). 17.40 M.

Petermann, *Australien in 1871.* Mit geographisch-statistischem Kompendium von Meinicke. 2. Abt. 3.60 M. (Vergriffen.)

Payer, *Die zentralen Ortler-Alpen. Martell etc.* 3 M.

Sonklar, *Die Zillerthaler Alpen.* 3.60 M. (Vergriffen.)

Behm und Wagner, *Die Bevölkerung der Erde.* I. 2 60 M. (Vergriffen.)

Rohlfs, *Reise durch Nord-Afrika von Kuka nach Lagos.* 4.60 M.

VIII. Ergänzungsband (1873—1874). 14.60 M.

Behm und Wagner, *Die Bevölkerung der Erde.* II. 5 M. (Vergriffen).

Dr. G. Radde, *Vier Vorträge über den Kaukasus.* 4 M.

Mauch, *Reisen im Innern von Süd-Afrika, 1865—1872.* 2.60 M.

Wojeikof, *Die atmosphärische Zirkulation.* 3 M.

IX. Ergänzungsband (1875). 17.40 M.

Petermann, *Die südamerikanischen Republiken Argentina, Chile, Paraguay und Uruguay in 1875.* 4.20 M. (Vergriffen.)

40. Waltenberger, *Die Rhätikon-Kette, Lechthaler und Vorarlberg Alpen.* 4.40 M.

41. Behm und Wagner, *Die Bevölkerung der Erde.* III. 4.40 M.

42. N. Sewerzows *Erforschung des Thian-Schan-Gebirgs-Systems 1867.* I. Hälfte. 4.40 M.

X. Ergänzungsband (1875—1876). 16.40 M.

43. N. Sewerzows *Erforschung des Thian-Schan-Gebirgs-Systems 1867.* II. Hälfte. 4.40 M.

44. Cernik, *technische Studien-Expedition durch die Gebiete d Euphrat und Tigris.* I. Hälfte. 4.40 M.

45. Cernik, *technische Studien-Expedition durch die Gebiete d Euphrat und Tigris.* II. Hälfte. 4.40 M.

46. Bretschneider, *Die Pekinger Ebene und das benachbarte Gebir land.* 2.20 M.

47. Haggenmachers *Reise im Somali-Lande.* 1.80 M.

XI. Ergänzungsband (1876—1877). 17 M.

48. Czerny, *Die Wirkung der Winde auf die Gestaltung der Erd* 2.20 M.

49. Behm und Wagner, *Die Bevölkerung der Erde.* IV. 5 M.

50. Zöppritz, *Pruyssenaeres Reisen im Nilgebiet.* I. Hälfte. 2.80 5

51. Zöppritz, *Pruyssenaeres Reisen im Nilgebiet.* II. Hälfte. 3

52. Forsyth, *Ost-Turkestan und das Pamir-Plateau.* 5 M.

XII. Ergänzungsband (1877—1878). 16 M.

53. Przewalskys *Reise an den Lob-Nor und Altyn-Tag. 1876 b 1877.* 2 M.

54. *Die Ethnographie Rußlands,* nach A. F. Rittich. 5 M.

55. Behm und Wagner, *Die Bevölkerung der Erde.* V. 5 M.

56. Credner, *Die Deltas.* 4 M.

XIII. Ergänzungsband (1879—1880). 17 M.

57. Soetbeer, *Edelmetall-Produktion.* 5.60 M.

58. Fischer, *Studien über das Klima der Mittelmeerländer.* 4 M.

59. Rein, *Der Nakasendô in Japan.* 3.20 M.

60. Lindeman, *Die Seefischerei.* 5 M.

XIV. Ergänzungsband (1880—1881). 17.60 M.

61. Rivoli, J., *Die Sierra de Estrella.* 2 M.

62. Behm und Wagner, *Die Bevölkerung der Erde.* VI. 5 M.

63. Mohn, *Die Norwegische Nordmeer-Expedition.* 2 M.

64. Fischer, *Die Dattelpalme.* 4 M.

65. Berlepsch, *Die Gotthard-Bahn.* 4.60 M.

XV. Ergänzungsband (1881—1882). 22.60 M.

66. Dr. P. Schreiber, *Die Bedeutung der Windrosen.* 2.20 M.

67. Blumentritt, Ferd., *Versuch einer Ethnographie der Philippinen.* 5 M.

68. Berndt, G., *Das Val d'Anniviers und das Bassin de Sierre.* 4 M

69. Behm und Wagner, *Die Bevölkerung der Erde.* VII. 7.40 M

70. Bayberger, *Der Inngletscher von Kufstein bis Haag.* 4 M.

XVI. Ergänzungsband (1883—1884). 19.40 M.

71. Choroschchin und v. Stein, *Die russischen Kosakenheere.* 2.20 M

72. Juan Maria Schuver, *Reisen im oberen Nilgebiet.* 4.40 M.

73. Dr. Carl Schumann, *Kritische Untersuchungen über die Zimt länder.* 2.80 M.

74. Dr. Oscar Drude, *Die Florenreiche der Erde.* 4.60 M.

75. Dr. R. v. Lendenfeld, *Der Tasman-Gletscher und seine Um randung.* 5.40 M.

XVII. Ergänzungsband (1885—1886). 21.40 M.

76. Dr. Fritz Regel, *Die Entwicklung der Ortschaften im Thüringer wald.* 4.40 M.

77. F. Stolze und F. C. Andreas, *Die Handelsverhältnisse Persiens.* 4 M

78. Dr. H. Fritsche, *Ein Beitrag zur Geographie und Lehre vo Erdmagnetismus Asiens und Europas.* 5 M.

79. Prof. H. Mohn, *Die Strömungen des Europäischen Nordmeeres.* 2.90 M.

80. Dr. Franz Boas, *Baffin-Land. Geographische Ergebnisse eine 1883 und 1884 ausgeführten Forschungsreise.* 5.40 M.

XVIII. Ergänzungsband (1886—1887). 19.60 M.

81. Franz Bayberger, *Geographisch-geologische Studien aus dem Böhmerwalde.* 4 M

82. Robert v. Schlagintweit, *Die Pacifischen Eisenbahnen in Nord amerika.* 2.60 M.

Andesit: Nicaragua, Dep. Matagalpa: Jicaral (porphyritisch); Dep. Chontales: Pueblo viejo (desgl.); Dep. Leon: Las Pilas (Pechstein); Dep. Granada: Asese (desgl.).

Ein Vergleich dieser Bestimmungen mit den Ausführungen meiner Arbeit zeigt, daß die Porphyre und Melaphyre in Nicaragua keine so große Verbreitung besitzen, als Mierisch angenommen hatte, daß dagegen der Diabas häufiger vorkommt, als ich glaubte, so besonders auf der Halbinsel Nicoya; es gewinnt dadurch Hersheys Annahme an Wahrscheinlichkeit, daß Diabas die Halbinsel Azuero zum großen Teile aufbaue.

Dr. A. Petermanns Mitteilungen

ustus Perthes' Geographischer Anstalt

Prof. Dr. A. Supan.

Ergänzungsheft Nr 151

ır s au un

südlichen Mittelamerika.

GOTHA: JUSTUS PERTHES.

1905.

undern auch von offiziellen Personen, Konsuln, Kaufleuten, Missionaren, durch welche uns bereits so wertvolle und mannigfaltige sind willkommen.

Reisejournale zur Einsicht und Benutzung, sowie die bloßen *unb mittelbar, hygrometrischer und anderer Beobachtungen und Nachrichten* (z. B. Erdbeben, Orkane), sowie über *politische Territorialveränderungen* entgegengenommen. Ferner ist die Mitteilung *gedruckter*, aber seltener *Karten*, sowie *außereuropäischer*, geographische Berichte enthaltender Ze ephemerer *Flugschriften* sehr erwünscht. — Für den Inhalt der Arti antwortlich.

Die Beiträge sollen womöglich in **deutscher** Sprache geschrieben Abfassung in einer andern Kultursprache ihrer Benutzung nicht im Weg

Originalbeiträge werden pro Druckbogen für die Monatshefte e ganzungshefte dementsprechend mit *51 Mark*, **Übersetzungen** oder Au *Beitrags*, **Literaturberichte** mit *10 Pf.* pro Zeile in Kolonel-Schrift, je geeignete **Originalkarte** gleich einem Druckbogen mit *68 Mark*, **Karten** mit der *Hälfte dieses Beitrags* honoriert. In außergewöhnlichen Fällen die Bestimmung des Honorars für Originalkarten vor.

An *Verlagsbuchhandlungen* und *Autoren* richten wir die Bitte um M bzw. Werke, Karten oder Separatabdrücke von Aufsätzen mit Ausschluß geographischen Inhalts behufs Aufnahme in den Literatur- oder Monatsh vorhinein bemerken, daß über Lieferungswerke erst nach Abschluß derse

Für die Redaktion: **Prof. Dr. A. Supan.**   **Justus Perthe.**

Über

Gebirgsbau und Boden

des

südlichen Mittelamerika.

Von

Karl Sapper.

Mit 2 Karten und 2 Profiltafeln.

(ERGÄNZUNGSHEFT No. 151 ZU »PETERMANNS MITTEILUNGEN«.)

GOTHA: JUSTUS PERTHES.
1905.

Vorwort.

In vorliegender Arbeit gebe ich meine in den Jahren 1895—1900 in Honduras und den übrigen Ländern des südlichen Mittelamerika gemachten geologischen Beobachtungen bekannt. Ich habe versucht, aus der Summe meiner eigenen und der mir zugänglichen fremden Beobachtungen ein einheitliches Bild unseres geologischen Wissens über das südliche Mittelamerika zu entwerfen und damit meine frühere Arbeit über den Bau des nördlichen Mittelamerika (Erg.-H. Nr. 127 von Pet. Mitt.) zu ergänzen. Es hat sich im Verlauf der Ausarbeitung gezeigt, daß einmal das Material für das südliche Mittelamerika wesentlich dürftiger und uneinheitlicher ist, als für das nördliche Mittelamerika, und anderseits, daß auch der Gebirgsbau im Süden teils verwickelter, teils verhüllter ist, als im Norden, so daß ich auf eine ausgeführte geologische Karte verzichten mußte und nur auf kürzere Strecken Flächenkolorit anwenden konnte, während ich mich im übrigen auf die kartographische Fixierung der Profile beschränken mußte. So ist denn diese Arbeit in der Hauptsache eine Materialansammlung geworden. Ich habe freilich versucht, die Schlüsse zu ziehen, die aus diesem Material mit einiger Sicherheit gezogen werden können; ich habe aber darauf verzichtet, mich eingehender mit der Darstellung der geologischen Geschichte des Gebiets zu befassen, da dann vielfach Vermutungen an Stelle von beobachteten Tatsachen hätten treten müssen.

Auf Wiedergabe einer besonderen Höhenschichtenkarte habe ich verzichtet, da der größere Teil des Gebiets von mir schon früher (in der Zeitschr. d. Ges. f. Erdkunde zu Berlin 1902, Taf. 2) bereits dargestellt war und für die südlicher gelegenen Länder mein eigenes Beobachtungsmaterial ziemlich beschränkt war. Auf Beigabe von Höhenlisten habe ich verzichtet, dafür aber durch Einschreibung der Höhenzahlen in den Profilen einen Ersatz zu geben versucht. Immerhin sind auch auf der geologischen Karte des südlichen Mittelamerika (Taf. 1) Höhenkurven eingezeichnet worden, um die allgemeinen Höhenverhältnisse wenigstens einigermaßen anzudeuten; es sei aber hier auf das Unsichere derjenigen Kurven besonders aufmerksam gemacht, die fernab von meinen Itinerarlinien liegen.

Wie bei früheren Gelegenheiten habe ich auch diesmal mich wieder der liebenswürdigen Unterstützung meines hochverehrten Lehrers, Geheimrats K. A. v. Zittel (†), und meines treuen Freundes, Prof. Dr. A. Bergeat, zu erfreuen gehabt. Ich schulde ihnen den wärmsten Dank, schulde ebenso meinem Bruder Richard Sapper in Coban, der mir

stets für meine Reisen zuverlässige Träger verschaffte und mir zur Ausarbeitung der gewonnenen Ergebnisse sein gastliches Haus öffnete.   Vielfache Förderung habe ich auch
während meiner Reisen selbst von verschiedenster Seite erfahren; besonders seien hier
genannt die Herren Dr. Bruno Mierisch in Nicaragua und Prof. H. Pittier in Costarica,
die mich auf einzelnen Reisen begleiteten und mich dadurch teilnehmen ließen an ihren
reichen Erfahrungen und ihrem großen geologischen Wissen.

Zahlreiche mikroskopische Bestimmungen hondureñischer Gesteinsproben verdanke ich
Herrn Dr. A. v. Napolski, der die Untersuchung unter der Aufsicht des Herrn Geheimrats
Zirkel in Leipzig ausgeführt hat.   Weitere petrographische Untersuchungen hat Herr
Dr. Klautzsch gütigst übernommen, während Herr Dr. J. Böhm die Bestimmung
der hondureñischen Kreideversteinerungen in Angriff genommen hat.

Tübingen, im August 1904.

Karl Sapper.

Inhaltsverzeichnis.

		Seite
Vorwort		III
I. Beschreibung einiger geologischer Profile		1—40
a) Selbstbegangene Profile		1
I. Honduras		1
II. Nicaragua		21
III. Costarica		25
IV. Panamá		33
b) Beschreibung einiger fremder Profile		33
I. Nicaragua		33
II. Costarica		36
III. Veraguas		37
II. Bemerkungen zur geologischen Karte		40—50
1. Die topographische Grundlage		40
2. Die geologischen Einzeichnungen		45
III. Zusammenfassende Bemerkungen über den Gebirgsbau		50—67
a) Stratigraphie		50
I. Sedimentärgesteine		50
II. Eruptivgesteine		58
b) Gebirgsbau		63
IV. Bemerkungen über den Boden des südlichen Mittelamerika		67—80
V. Nachtrag		80—82

Karten.

	Tafel
Sapper, Prof. Dr. Karl, Geologische Karte des südlichen Mittelamerika 1:1 750 000	1
Nebenkarte: Skizze einer Bodenkarte des südlichen Mittelamerika 1:4 000 000.	
—, Geologische Karte von Honduras 1:1 000 000	2
—, 29 geologische Profile vom südlichen Mittelamerika. Maßstab der Länge 1:500 000, der Höhe 1:200 000	3 u. 4

I. Beschreibung einiger geologischer Profile.

a) Selbstbegangene Profile.

I. Honduras[1]).

1. Caparjá—Santa Rosa—Villa nueva (1898).

In der Nähe des Weilers Carparjá betrat ich auf jungeruptiven Gesteinen das hondureñische Gebiet und bemerkte, daß diese Gesteine sich ostwärts bis über das Dorf Santa Rita hinaus erstrecken. Eine Gesteinsprobe vom Weiler Llano grande hat A. Bergeat untersucht und als Glimmerandesit bestimmt. Die jungeruptiven Gesteine treten aber in verschiedenen Varietäten auf; an manchen Stellen sind sie durch schöne Fluidalstruktur ausgezeichnet; häufig bemerkt man auch Breccien, welche aus Bruchstücken der jungen Eruptivgesteine zusammengesetzt sind.

Bei dem Weiler Quebracho und an einigen anderen Punkten des Weges, östlich davon, stehen Kalkbreccien und -konglomerate, sowie zuckerförmige Dolomite mit Kalkspatadern an. Da ich früher in geringer Entfernung von hier in der Nähe des Dorfes Copan Rudisten im Kalkstein gefunden habe, so ist es sehr wahrscheinlich, daß diese Kalke und Dolomite der oberen Kreide angehören.

Bald nach Santa Rita beginnt ein System von Konglomeraten, Sandsteinen und roten Mergeln. Ihre Schichtung ist oft nicht deutlich, weshalb auch die Streich- und Fallrichtung nur selten festgestellt werden kann. In den Konglomeraten finden sich Quarzgeschiebe von verschiedener Größe des Korns, zuweilen gemischt mit Kalksteinknollen, durch rotes toniges und kieseliges Bindemittel verbunden.

Diese Formation bildet den größten Teil der Sierra de Merendon; doch nehmen auch Urgesteine an der Zusammensetzung derselben teil: so führt der Rio Picóola in der Nähe von La Libertad zahlreiche Gerölle von Granit, Glimmersyenit und Gneis, welch letzterer nach Bergeats Angabe reich an Magnetkies ist; an manchen Stellen findet man auch große Blöcke dieser Gesteine am Wege, so daß man annehmen muß, daß sie an diesen Stellen anstehen. Auf dem Südhang des Merendongebirges nahe S. Agustin steht auch ein stellenweise sehr stark verwittertes Gestein an, das Bergeat als Calcit führenden Amphibolschiefer bestimmt hat.

Zwischen S. Agustin und Oromilaca stehen mehrfach jungeruptive Gesteine (Rhyolite) an, daneben aber auch Mergel, Sandsteine und Konglomerate, in welch letzteren beim Bach Urlo nahe Oromilaca häufig Kalksteinknollen von ansehnlicher Größe miteingeschlossen sind. Jenseit Oromilaca dehnt sich ein ansehnliches Gebiet junger Eruptivgesteine aus, unter welchen Rhyolite mit ihren Tuffen die bedeutendste Rolle spielen; bei Las Crucitas kommen auch Glimmerandesite vor, und das Gestein von El Carrizal dürfte vielleicht ein Dacit sein. Die Umgebung von Santa Rosa zeigt nur Rhyolite, südlich davon aber auf

---

[1]) Vgl. die Profile Nr. 24 und 25 des Erg.-H. Nr. 127, S. 59 ff.

der anderen Seite des Rio Higuito hat Herr List wieder Mergel beobachtet; auch die
Flüsse Maipuca und El Zapote führen neben Geröllen jungeruptiver Gesteine noch Geschiebe
von Quarzkonglomeraten, Quarziten und roten Mergeln, wodurch bewiesen wird, daß ihr
Oberlauf jedenfalls noch in das Gebiet jener Gesteine hineinreicht. Jenseit des Rio del
Zapote bemerkt man Mergel und Konglomerate wieder anstehend; in letzteren befinden
sich neben gerundeten Quarzstückchen zahlreiche Kalksteinknollen. An einer Stelle bemerkt
man aber auch zersetzten Hornblendeandesit in zahlreichen Stücken am Wege, was auf
einen hier anstehenden Gang dieses Gesteins schließen läßt, und bei Quilua steht etwas
zersetzter Basalt(?) an.   Sonst herrschen aber Mergel und Konglomerate nunmehr vor,
das Streichen und Fallen wechselt jedoch sehr häufig; beim Dorf Queseilica notierte ich
Str. = N 15° E, F. = 15° E.   Zwischen Queseilica und S. José passiert man einen Gang
zersetzten jungeruptiven Gesteins, zwischen S. José und Naranjitos erst einen Basalt-, dann
einen Trachyt(?)-Gang in der Nähe eines Baches; sonst aber herrschen Mergel und Konglomerate, Sandsteine und etwas Quarzit vor.   In der Nähe von Naranjitos beginnen wieder
Eruptivgesteine, und zwar vorerst Porphyr, dann Rhyolit.   Beim Abstieg von Naranjitos
zum Rio de S. Juan stehen junge Eruptivgesteine an (Basaltmandelsteine).   Davor streichen
rote Mergel und Sandsteine aus (Str. = N 65° W, F. = 40° NNE); es folgen wieder Sandsteine, Konglomerate und Mergel (Str. = N 65° W, F. = 65° SSW) und abermals ein
schmaler Gang junger Eruptivgesteine.   Dann aber herrschen für eine weite Strecke Sedi-
mentärgesteine, welche aus Mergeln, Sandsteinen, Quarzkonglomeraten mit dazwischen gelagerten Kalksteinen und Kalkkonglomeraten bestehen.   In den Kalksteinen bemerkt man
unbestimmbare Versteinerungsreste.

Den Rio de S. Juan begleitet eine sehr schmale Alluvialebene; beim Dorfe S. Juan
bemerkt man Blöcke von Kalksteinen und Quarzkonglomeraten und trifft beim Anstieg
nach Pompóa diese Gesteine nebst Mergeln und Sandsteinen anstehend an, überschreitet
aber auch einen schmalen Trachytgang.   Bei dem Weiler Pompóa streichen die Mergel
und Konglomerate N 85° E und fallen 40° N; später beobachtet man Str. = N 25° E,
F. = 30° WNW, dann Str. = N 15° W, F. = 45° W und Str. = N 5° E, F. = 40° W.
Bei der Paßhöhe sieht man Kalkbänke mit rötlichen Sandsteinen und Quarzkonglomeraten,
die beinahe horizontal lagern, und bemerkt, daß die zur Linken aufragenden Berge sich aus
ebenfalls fast horizontalen Kalksteinbänken aufbauen.   Es ruht hier also ein mehrere hundert
Meter mächtiges Kalksteinsystem (scheinbar konkordant) auf den Mergeln und Sandsteinen,
und zwischen letzteren treten wiederum einzelne Kalksteinbänke auf.

Beim Abstieg zum Atimafluß überwiegen Quarzkonglomerate, ebenso am Wege von
Atima nach dem Weiler Agua blanca.   Die Berge im S sind von Kalkstein gekrönt, und
ebenso erblickt man im N nahe Kalkberge, deren Gesteinsschichten mäßig nach O hin
einfallen, während die Mergel und Quarzkonglomerate im Tale (2 km vor Agua blanca)
N 55° E streichen und 50° NW einfallen.   ½ km vor Agua blanca findet man auch am
Wege etwas Kalkstein anstehend.   Sonst aber herrschen Mergel und Konglomerate in dem
Durchgangstal von Agua blanca ausschließlich (½ km östlich von dem genannten Weiler
notierte ich Str. = N 70° E, F. = 50° N).   2 km östlich von Agua blanca überschreitet
man ein Flüßchen, das aus S kommt und nur Gerölle von Kalksteinen, Konglomeraten
und Mergeln führt (keine Eruptivgesteine).   Es steht hier etwas Kalkstein an (Str. = N 70° E,
F. = 15° N).   Die Berge im N bestehen aus Kalkstein.

Jenseit La Crucita überschreitet man zwei Kalksteinstreifen; es handelt sich hier offenbar um ziemlich mächtige Kalkbänke, welche mit den Konglomeraten und Mergeln wechsellagern.   Sie zeigen 2¼ km vor Selilá Str. = N 85° E, F. = 30° N; bald darauf sieht man
Mergel N 75° E streichen und 30° N einfallen.   Es folgt aber sofort wieder eine ganz

verschiedene Streichrichtung: N 5° W (F. = 50° E). Hierauf beobachtet man wieder Str. = N 75° W, F. = 15° N und am Rio Selilá Str. = N 65° E, F. = 25° N. Im allgemeinen herrscht nördliches Einfallen in dieser ganzen Gegend vor.

Kurz vor dem Weiler El Portillo steht wieder junges Eruptivgestein (zersetzter Basalt) an, das den steilen Berghang nach dem Rio Jicatuyo hin bildet; bei Tuleapa bemerkt man darin zahlreiche durch Gips ausgefüllte Spalten. Kurz vor dem Weiler Jicatuyoncito bemerkt man Quarz in ziemlich großer Ausdehnung, dann am Flusse selbst Mergel, Sandsteine und Konglomerate anstehend. Gleich darauf folgen aber wieder Rhyolite, zum Teil bedeckt von ihren Tuffen; vielfach beobachtet man sehr schöne Fluidalstruktur. In der Nähe des Weilers Las Lajas tritt Basalt an die Stelle der Rhyolite; dann überschreitet man ein schmales Band von Kalkkonglomeraten, hierauf wiederum jungeruptive Gesteine und erreicht bei Las Vegas ein breites Band von Kalkkonglomeraten (Str. = N 75° W, F. = 30° N). Es folgt nochmals ein jungeruptiver Gesteinsgang (Rhyolit?) und abermals Kalkkonglomerate, welche bei Ilama zuweilen Bänkchen von Kalkmergeln einschließen (Str. = N 85° E, F. = 50° N) mit einigen schlecht erhaltenen Versteinerungen. In der Nähe von Ilama hat Dr. Fritzgaertner ziemlich ausgedehnte Gipslager beobachtet.

Bald nach Ilama bemerkt man einen schmalen Gang jungeruptiver Gesteine und bei einem kleinen Bächlein nochmals Kalk (Str. = N 35° E, F. = 60° ESE). In der Folge herrschen junge Eruptivgesteine vor, und erst jenseit Chinda findet man wieder Kalkstein mit schlecht erhaltenen Versteinerungen anstehend. Kurz vor dem Weiler Las Lomitas beobachtet man noch etwas Quarzkonglomerate, dann wieder Rhyolit, bei El Cacao Basalt, Wieder folgt Rhyolit, dann jenseit El Cerron Kalkstein mit schlecht erhaltenen Austern und Steinkernen von großen Monovalven (Str. = N 65° W, F. = 50° SW). Es stehen dann (mit Ausnahme eines wenig ausgedehnten Kalkvorkommens bei Monte alegre) jungeruptive Gesteine bis Villa nueva hin an, wo sie unter der Alluvialdecke der Ebene von Sula verschwinden.

2. S. Pedro Sula—Comayagua—Aceituno (1898).

Für die Profilstrecke Puerto Cortez—S. Pedro Sula verweise ich auf meine Besprechung im Erg.-H. Nr. 127 zu Pet. Mitt.

Wenn man von S. Pedro Sula nach Yojoa wandert, so bleibt man stets in der Ebene von Sula, welche vorzugsweise von alluvialen Ablagerungen gebildet ist. Da man aber gewöhnlich in der Nähe des Gebirgssaumes bleibt, so hat man doch auf manchen Strecken Gelegenheit, anstehendes Gestein zu beobachten: bei Chamelecon sieht man vielfach kristallinische Schiefer anstehen; da und dort bemerkt man auch Granitgerölle am Wege, und es scheint mir wahrscheinlich, daß dieses Gestein an den betreffenden Stellen anstehe.

Südlich von El Bálsamo steht Kalkstein an, häufig in kristallinischer Ausbildung, ebenso südlich von Pimienta bis über Potrerillos hinaus.

Jenseit Potrerillos erreicht man ein bedeutendes Basaltgebiet und bemerkt, daß der Basalt hier deckenartig die ganze Gegend östlich und nordöstlich vom Yojoasee überflutet hat. Übrigens führt der Caracolbach neben zahlreichen Basaltgeröllen auch viele Geschiebe von Kalkkonglomerat, woraus zu ersehen ist, daß Kalkkonglomerat in dem westlichen Gebirge in nicht allzu großer Entfernung vom Wege anstehen muß.

Erst bei El Rosario trifft man wieder Kalkstein am Wege anstehend, sodann Konglomerate, rote Mergel und Sandsteine (Str. = N 5° W, F. = 20° E, später Str. = N 55° W, F. = 20° SSW, bei Las Lajitas Str. = N 25° W, F. = 20° ENE). Der Bach von Las Lajitas führt Gerölle von Konglomeraten, Sandsteinen, Mergeln und jungen Eruptivgesteinen. Südlich vom Bache stehen rote Mergel mit südlichem Einfallen (20°) an. Bei El Portillo

bemerkt man auch etwas Kalkstein (Str. = N 70° E, F. = 40° S). Bei El Jicarito zeigen
die roten Mergel Str. = N 50° W, F. = 45° SW. In halber Höhe zwischen Jicarito und
dem Maraguafluß sind zwischen die Mergel Konglomerate von Quarz- und Kalkrollsteinen
eingeschaltet.

Südlich vom Maraguafluß findet man jungeruptive Gesteine, darauf etwas Mergel und
wieder jungeruptives Gestein (Rhyolit), jenseit der Paßhöhe rote Sandsteine (Str. = N 65° E.
F. = 45° SSE, hierauf Str. = N 35° W, F. = 45° ENE), Mergel und Konglomerate, welche
neben Quarzgeröllen auch Kalksteinknollen eingeschlossen enthalten.

Der Mcambarfluß führt Gerölle von roten Mergeln, Sandsteinen, Quarzkonglomeraten,
Kalkstein und jungeruptiven Gesteinen. Südlich vom Flusse stehen zunächst noch rote
Mergel an (Str. = N 90° W, F. = 45° S), dann aber folgt ein graues toniges Gestein,
das keinerlei Schichtung zeigt und wohl einem gänzlich zersetzten Eruptivgestein angehört.
Später bemerkt man wieder rote Mergel (Str. = N 65° W, F. = 15° SSW) und gelbe
Sandsteine (Str. = N 5° W, F. = 20° W), bei S. Benito aber wieder junge Eruptivgesteine.
Das Flüßchen von S. Benito führt Gerölle von jungeruptiven Gesteinen, von Mergeln,
Sandsteinen, Quarzkonglomeraten und Kalkstein; rote Mergel stehen hier an. Auf dem
Wege nach El Carrizal folgen jungeruptive Gesteine, dann rote und gelbe Sandsteine
(Str. = N 65° E, F. = 28° NNW, später Str. = N 80° E, F. = 30° N) und wiederum
junge Eruptivgesteine. In der Nähe der Paßhöhe treten wieder Konglomerate, Sandsteine
und Mergel auf (Str. = N 60° W, F. = 50° SSW); die Mergel enthalten etliche Kalkbänke mit versteinerten Schnecken. Es folgt abermals ein Streifen jungeruptiver Gesteine,
hierauf Sandsteine (Str. = N 25° W, F. = 45° ENE), Mergel und Konglomerate, nochmals Rhyolit, dann Kalk und Mergel (Str. = N 65° W, F. = 50° SSW). Später bemerkt
man in grauen kalkigen Mergeln (Str. = N 55° W, F. = 50° SSW) zahlreiche zum Teil
wohlerhaltene (Kreide-)Versteinerungen[1]), darunter hübsche Seeigel[2]) (hauptsächlich an
einer Stelle des Weges, die 580 m über dem Meere liegt). Bei dem Flüßchen stehen
Mergel an (Str. = N 85° E, F. = 50° S); die Gerölle bestehen aus Mergeln, Sandsteinen,
Konglomeraten und Kalkstein. Man überschreitet bald darauf einen zweiten Bach und
findet Sandsteine, Konglomerate und Mergel anstehend (Str. = N 85° E, F. = 70° S).
Hierauf folgen wieder jungeruptive Gesteine (bei Las Cuevas Basalt).

Der Rio Guare führt Gerölle von jungeruptiven Gesteinen (namentlich Rhyolit), von
Quarzkonglomeraten, Sandsteinen, roten Mergeln, Tonschiefern, Kalkstein und Quarzit.
Südlich vom Rio Guare stehen Rhyolite an, an einigen Stellen auch Kalkstein mit Spuren
von Versteinerungen und mit Hornsteinknollen. Es folgt ein Streifen von Sandsteinen,
Schiefern, Konglomeraten, Mergeln und Kalk, dann Rhyolit und nochmals Konglomerate,
Mergel, Tonschiefer und Sandsteine bis Sabana larga; darauf scheinen jungeruptive Gesteine
anzustehen, verschwinden aber bald unter den Alluvialablagerungen des Rio Humuya.

Südlich vom Rio Humuya stehen rote Mergel und Konglomerate an (Str. z. B. = N 15° E,
F. = 45° W). Das Flüßchen bei Cacauapa führt Gerölle von Glimmerschiefern, Phyllit,
Quarz und Quarzkonglomeraten. Südlich von Cacauapa steht etwas Kalkstein an (Str.
= N 15° E, F. = 90°), dann folgt Phyllit, erst westlich, dann flach bis mäßig nördlich,
hierauf wieder westlich oder südlich einfallend bei starker Fältelung. Bevor man die Paß-
höhe erreicht, passiert man einen schmalen Streifen anstehender Quarzkonglomerate, Mergel,
Sandsteine und Kalke, unmittelbar bei der Paßhöhe abermals etwas Kalk und jenseit der-

---

[1]) Nach der freundlichen Bestimmung von Dr. Joh. Böhm: Lima wacoensis F. Röm., Protocardia cuev-
sensis n. sp., Protocardia ventrosa n. sp., Arca elongatior n. sp.
[2]) Nach der freundlichen Bestimmung von P. de Loriol (Notes pour servir á l'étude des Échinodermes,
II sér., fasc. II, Bale et Genève, Berlin 1904): Enallaster Sapperi sp. n., Enallaster texanus Römer, Epiaster
cuevasensis sp. n., Pseudosalenia cuevasensis sp. n.

selben nochmals ein etwas breiteres Band von Konglomeraten, Sandsteinen und Mergeln. Die Phyllite zeigen am Südhang des Bergzugs sehr wechselndes Streichen und Fallen: bei der Paßhöhe Str. = N 15° E, F. = 70° W; hierauf fallen sie östlich, dann ziemlich flach nördlich, später stehen sie seiger bei nordsüdlichem Streichen; hierauf bemerkt man Str. = N 40° E, F. = 20° NW, dann wieder senkrechte Schichtenstellung bei nordsüdlicher Streichrichtung.

Es folgt dann vor El Potrero anstehender Kalkstein, in welchem man unbestimmbare Brachiopodendurchschnitte bemerkt. Nachher beobachtet man Gerölle von Quarz, Phyllit, Kalkstein und Quarzkonglomeraten am Wege und in einem kleinen Flüßchen; jenseit desselben steht wieder Kalkstein an mit schlecht erhaltenen Seeigeln[1]) und anderen Versteinerungen[2]). Es folgen Sandsteine und Quarzkonglomerate (Str. = N 65° E, F. = 45° NNW), dann Tonschiefer (Str. = N 85° W, F. = 90°) und Kalkstein mit Seeigeln), darauf quarzitähnliche Sandsteine und Kalk (Str. = N 75° E, F. = 70° N). Das Flüßchen bei Comayagua führt Gerölle von roten und blauen Tonschiefern, Quarzkonglomeraten, Quarzit, Kalkstein, jungeruptiven Gesteinen und Granit.

Man betritt nun die langgestreckte Alluvialebene des Valle de Comayagua und bemerkt, daß die Gerölle meist jungen Eruptivgesteinen (vorzüglich Rhyoliten) angehören; seltener sind Gerölle von Quarzkonglomeraten, Sandsteinen, Mergeln und Kalksteinen.

Bei Lamaní erreicht man das ausgedehnte Gebiet junger Eruptivgesteine, welches fast das ganze südwestliche Honduras einnimmt und vorzugsweise sich aus Rhyoliten zusammensetzt. Bergeat hat Proben von Rancho chiquito, Guapinolapa, Aguancaterique, Barancaray und Guascoran als Rhyolite bestimmt, als Basalte Proben von Rancho chiquito, Barancaray, Guascoran und Aceituno, als Trachyte Proben aus der Gegend von Aguancaterique und Barancaray. Obsidian findet man bei Guascoran, sehr schöne große Sphäruliten bei Las Lajas nahe Guascoran.

Die Alluvialebene auf der pazifischen Seite ist ziemlich schmal. Zwischen S. Pedro und Aceituno findet man zahlreiche Chalzedonknollen und Quarze. In der Nähe von hier wird (in El Gobernador) goldhaltiger Quarz technisch ausgebeutet.

3. Yojoa—Marcala—Nacaome (1898).

Von Yojoa ab über Dos Caminos nach dem See von Yojoa steht überall jungeruptives Gestein (Basalt) an. Die östlichen Gestade des Sees sind vielfach sumpfig. Die bedeutenden Berge im W des Sees bestehen aus Kalkstein, und an seinen westlichen Ufern sieht man häufig nackte Kalkfelsen emporragen. Am Südwestufer bei Las Canoas stehen Rhyolite und Konglomerate von Rhyoliten an; darauf bemerkt man etwas Kalkstein und Quarzit, dann abermals Rhyolit bei Pedernales. 1½ km südlich von Pedernales passiert man einen starken Bach, der neben jungen Eruptivgesteinen auch Gerölle von Quarzkonglomeraten und Kalksteinen führt. Man kommt dann durch ein breites Trockental, auf dessen Talboden ich nicht Anstehendes, aber viele Kieselgerölle und Feuersteinstückchen bemerkte. Die das Tal begrenzenden Berge bestehen aus Kalkstein.

In der Nähe des Weilers Laguna de casas steht etwas Quarzkonglomerat an; die Berge im S bestehen aus Kalkstein. Es folgt ein schmaler Eruptivgang und wieder grobe Quarzkonglomerate, dann Kalk mit undeutlichen Versteinerungsspuren, Quarzkonglomerat und wieder Kalkstein (Str. = N 75° W, F. = 50° S, bei der Paßhöhe Str. = N 5° W,

---

[1]) Nach P. de Loriol (a. a. O.): Enallaster Böhmi sp. n., Enallaster texanus Römer, Diplopodia Taffi Cragin., Cidaris Cragini sp. n.

[2]) Nach Joh. Böhm: Cardium esquiasense sp. n., Janira aequicostata d'Orb., Isocardia Sapperi sp. n.

bemerkt man auch etwas Kalkstein (Str. = N 70° E, F. = 40° S). Bei El Jicarito
die roten Mergel Str. = N 50° W, F. = 45° SW. In halber Höhe zwischen Jicai.
dem Maraguafluß sind zwischen die Mergel Konglomerate von Quarz- und Kalkn
eingeschaltet.

Südlich vom Maraguafluß findet man jungeruptive Gesteine, darauf etwas M·
wieder jungeruptives Gestein (Rhyolit), jenseit der Paßhöhe rote Sandsteine (Str. =
F. = 45° SSE, hierauf Str. = N 35° W, F. = 45° ENE), Mergel und Konglomer;
neben Quarzgeröllen auch Kalksteinknollen eingeschlossen enthalten.

Der Meambarfluß führt Gerölle von roten Mergeln, Sandsteinen, Quarzkoı.
Kalkstein und jungeruptiven Gesteinen. Südlich vom Flusse stehen zunäch·
Mergel an (Str. = N 90° W, F. = 45° S), dann aber folgt ein graues toıı.
das keinerlei Schichtung zeigt und wohl einem gänzlich zersetzten Eruptivgesı.
Später bemerkt man wieder rote Mergel (Str. = N 65° W, F. = 15° SSW
Sandsteine (Str. = N 5° W, F. = 20° W), bei S. Benito aber wieder junge E
Das Flüßchen von S. Benito führt Gerölle von jungeruptiven Gesteinen,
Sandsteinen, Quarzkonglomeraten und Kalkstein; rote Mergel stehen hier
Wege nach El Carrizal folgen jungeruptive Gesteine, dann rote und g·
(Str. = N 65° E, F. = 28° NNW, später Str. = N 80° E, F. = 30° N)
junge Eruptivgesteine. In der Nähe der Paßhöhe treten wieder Konglomı·
und Mergel auf (Str. = N 60° W, F. = 50° SSW); die Mergel enthalt·
bänke mit versteinerten Schnecken. Es folgt abermals ein Streifen jungı·
hierauf Sandsteine (Str. = N 25° W, F. = 45° ENE), Mergel und Koı.
mals Rhyolit, dann Kalk und Mergel (Str. = N 65° W, F. = 50° SSW)
man in grauen kalkigen Mergeln (Str. = N 55° W, F. = 50° SSW) zaı
wohlerhaltene (Kreide-)Versteinerungen[1]), darunter hübsche Seeigel[2])
einer Stelle des Weges, die 580 m über dem Meere liegt). Bei deı
Mergel an (Str. = N 85° E, F. = 50° S); die Gerölle bestehen aus Mı·
Konglomeraten und Kalkstein. Man überschreitet bald darauf einen
findet Sandsteine, Konglomerate und Mergel anstehend (Str. = N ×
Hierauf folgen wieder jungeruptive Gesteine (bei Las Cuevas Basalt).

Der Rio Guare führt Gerölle von jungeruptiven Gesteinen (namı·
Quarzkonglomeraten, Sandsteinen, roten Mergeln, Tonschiefern, Kı
Südlich vom Rio Guare stehen Rhyolite an, an einigen Stellen auch I·
von Versteinerungen und mit Hornsteinknollen. Es folgt ein Streiı
Schiefern, Konglomeraten, Mergeln und Kalk, dann Rhyolit und nı·
Mergel, Tonschiefer und Sandsteine bis Sabana larga; darauf scheinen
anzustehen, verschwinden aber bald unter den Alluvialablagerungen ·

Südlich vom Rio Humuya stehen rote Mergel und Konglomerate ;ı
F. = 45° W). Das Flüßchen bei Cacauapa führt Gerölle von Glıı·
Quarz und Quarzkonglomeraten. Südlich von Cacauapa steht etı
= N 15° E, F. = 90°), dann folgt Phyllit, erst westlich, dann fl·
hierauf wieder westlich oder südlich einfallend bei starker Faltelunı.
höhe erreicht, passiert man einen schmalen Streifen anstehender Qı
Sandsteine und Kalke, unmittelbar bei der Paßhöhe abermals etw·

---

[1]) Nach der freundlichen Bestimmung von Dr. Joh. Böhm: Lima wacoenı·
sensis n. sp., Protocardia ventrosa n. sp., Arca elongatior n. sp.
[2]) Nach der freundlichen Bestimmung von P. de Loriol (Notes pour seı
II sér., fasc. II, Bale et Genève, Berlin 1904): Enallaster Sapperi sp. n., Enaı
cuevasensis sp. n., Pseudosalenia cuevasensis sp. n.

·E,
vas
und
tein
des

nebst
allu-
Gänge

limmer-
verdeckt
.lomerat.
55° SW,
nach dem
N 5° W,
90°, dann
35° NNE.
. = N 80° E,

Quarzkonglo-
.1 Diorit auch
ärbtes, meist
vielfach von
ihren auch Ge-
kristallinischer

iptivgesteine bei
Trujillo vor, so-
—Trujillo führen
n oben
h Glir

Quarz, Phyllit und Granit, selten (Rio de Cuyamel) auch Quarzkonglomerate. Granit steht an einigen Stellen zwischen Zapote und Campamento an. Der Hügel, auf dem Trujillo steht, ist aus Quarzdiorit gebildet.

5. Tegucigalpa—Culmí—Trujillo (1898).

Rote Mergel und Quarzkonglomerate stehen bei Tegucigalpa an, werden aber bald von Rhyolit unterbrochen; sie treten dann noch zwischen Sabana grande und La Travesia, sowie zwischen letzterem Weiler und dem Dorfe Santa Lucia in schmalen Streifen auf; im übrigen herrschen aber hier jungeruptive Gesteine, meist quarzhaltig (Rhyolit), seltener quarzfrei (zersetzte Trachyte?). Bei Santa Lucia haben sich in den Spalten der letzteren Gesteinsart Silber-, Kupfer-, Zink- und Bleierze abgelagert, welche auf Silber abgebaut werden. Das Silber wird nach dem Kuppelungsverfahren ausgeschmolzen.

1¼ km östlich von Santa Lucia beginnen wieder rote Mergel (Str. = N 55° E. F. = 30° NNW, dann fast horizontal, hierauf Str. = N 75° E, F. = 40° N und in Wechsellagerung mit Sandstein bei Quebrada honda Str. = N 55° E, F. = 50° SSW). Es folgen später wieder jungeruptive Gesteine und nach den Alluvialablagerungen von Valle de los Angeles wiederum Konglomerate, Mergel, Tonschiefer, Grauwacken und etwas Kalkstein (letzterer streicht am Wege von Valle de los Angeles nach S. Juancito N 60° W und fällt 60° NNE). In den Tonschiefern bei S. Juancito werden Zikaden der oberen Trias gefunden.

In der Nähe von Valle de los Angeles befinden sich einige kleinere Silbergruben, deren Erz in zwei bei Valle de los Angeles gelegenen Hüttenwerken verarbeitet wird (teils nach einem urwüchsigen Amalgamationsverfahren ausgezogen, teils nach dem Kuppelungsverfahren ausgeschmolzen).

Nahe bei dem Dorfe S. Juancito befinden sich die bedeutenden Bergwerke der New York and Honduras El Rosario Mining Co.[1]). Ein Quarzgang von ½—5 m Dicke. welcher zunächst N 74° 30′ E streicht, in einer Tiefe von 5000 Fuß aber 8°—10° mehr östlich sich wendet und durchschnittlich ein Einfallen von 63° N zeigt, enthält namentlich Silbersulfide mit Silberchloriden und freiem Golde, in den tieferen Regionen des Ganges bemerkt man häufig frische Eisen-, Kupfer-, Blei- und Zinksulfide. Der Gangquarz enthält gelegentlich Tonbänder mit Eisen- und Manganhydroxyden. Seltenere Begleitmineralien sind nach Legget Polybasit, Embolit, Pyromorphit, Wolfenit, Cerussit, Malachit, Azurit, Limonit, Manganit und Pyrolusit. Die Ader zeigt oft schöne Bandstruktur; sie ist die Ausfüllung einer Spalte, welche in wechselnder Breite durch die Mergel- und Tonschieferformation, wie durch die Rhyolitformation durchsetzt, ohne daß sie an der Kontaktstelle irgendwelche auffällige Merkmale zeigen würde. An demjenigen Stollen, welcher 650 Fuß unter dem obersten Stollen eingetrieben ist, fand ich die Kontaktstelle etwa 500 Fuß vom Eingang: die Schiefer sind in der Nähe des Mundloches stark gestört; weiter innerhalb beobachtete ich Str. = N 65° W, F. = 30° NNE, gewöhnlich fallen sie aber viel steiler ein. In der Schieferformation wurden im obersten Stollen 2200 Fuß vom Mundloch entfernt und 1200 Fuß tief unter der Oberfläche des Berges versteinerte (verkohlte) Baumstämme gefunden, welche leider noch nicht bestimmt worden sind.

Der Erzgehalt des Ganges wechselt stark, namentlich in den unteren Regionen, wo eine Strecke desselben sich als taub erwiesen hat. Der Abbau geschieht durch eine Anzahl Stollen von beträchtlicher Länge in einer Vertikaldistanz von 100 bis 150 engl. Fuß; die einzelnen Stollen sind durch Schächte miteinander verbunden. Das Erz wird nur auf Silber und Gold verarbeitet, welche man durch ein Amalgamationsverfahren gewinnt. Das

---

[1]) Vgl. Thomas H. Legget, Notes on the Rosario Mine at S. Juancito, Honduras (Trans. Am. Inst. Mining Engineers, Buffalo Meeting, Oct. 1888).

Lightning Source UK Ltd.
Milton Keynes UK
UKHW021327240119
336090UK00005B/584/P